Langenscheidt's Eurodictionary German

English-German
German-English

LANGENSCHEIDT

BERLIN · MUNICH · VIENNA
ZURICH · NEW YORK

Langenscheidts Eurowörterbuch Englisch

Englisch-Deutsch
Deutsch-Englisch

LANGENSCHEIDT

BERLIN · MÜNCHEN · WIEN
ZÜRICH · NEW YORK

Herausgegeben von der Langenscheidt-Redaktion
Bearbeitet von Helmut Willmann und Wolfgang Worsch

Auflage: 5. 4. 3. 2. 1. | Letzte Zahlen
Jahr: 1996 95 94 93 92 | maßgeblich

© *1992 Langenscheidt KG, Berlin und München*
Druck: Phillipp Reclam jun. Graph. Betrieb GmbH, Ditzingen
Printed in Germany · ISBN 3-468-12120-2

Inhaltsverzeichnis

Contents

Preface

Today we are on the threshold of a new Europe – a Europe without frontiers. When the Single European Market is complete in 1993, we will be a good step closer to the European ideal as it was formulated after 1945 by Jean Monnet and Robert Schuman. This also means that a knowledge of foreign languages will become even more important. And not just for the holidaymaker and private traveller, but also for people active in such areas as business, technology, politics, sport and the arts.

With this view of the future in mind, Langenscheidt's foreign language editors have developed a dictionary concept which takes into account our new European language needs. The result of this work is the newly developed Eurodictionary series.

The characteristic, and most important, feature of the Eurodictionary is its particular lexical range. When selecting words and phrases which go beyond a broad, general vocabulary, the editors have focused their attention on the fields of business, trade and travel, and of course given due consideration to politics, technology and cultural affairs. The following examples will also make clear the specific aim of this new series of dictionaries: *asylum seeker*, *backpacker*, *consumer protection*, *data protection*, *double taxation*, *emission-free*, *employment agency*, *environment-conscious*, *hole in the ozone layer*, *phonecard*, *technology transfer*, *wheel clamp*. It is, then, the aim of the Eurodictionaries to give practical and useful help to as many people as possible when they communicate with each other in today's new Europe.

LANGENSCHEIDT

Vorwort

Wir stehen heute an der Schwelle zu einem Europa ohne Grenzen. Mit der Vollendung des Binnenmarktes von 1993 an ist Europa den Idealen, wie sie Jean Monnet und Robert Schuman nach 1945 formulierten, ein gutes Stück nähergerückt. Das bedeutet auch, daß Sprachkenntnisse an Bedeutung noch gewinnen werden. Dies gilt nicht nur für den Urlaubsreisenden, sondern insbesondere für den Geschäftsmann wie auch für den Techniker, den Politiker, den Sportler, den Künstler.

Vorausblickend wurden in den Fremdsprachenredaktionen von Langenscheidt Wörterbuchkonzepte entwickelt, die den neuen sprachlichen Bedürfnissen Europas Rechnung tragen. Das Ergebnis dieser Arbeiten liegt jetzt in der neuentwickelten Reihe der Eurowörterbücher vor.

Charakteristisches und damit wichtigstes Merkmal der Eurowörterbücher ist der dargebotene Wortschatz: Das Schwergewicht bei der Auswahl der über den allgemeinsprachlichen Wortschatz hinausgehenden Wörter und Wendungen lag dabei auf den Sachgebieten Wirtschaft, Handel, Reise und Büro, wobei aber auch so wichtige Gebiete wie Politik, Technik und Kultur gebührende Berücksichtigung fanden. Begriffe wie *Asylbewerber, Datenschutz, Doppelbesteuerung, Ozonloch, Parkkralle, Rucksacktourist, schadstofffrei, Stellenvermittlung, Technologietransfer, Telefonkarte, umweltbewußt* und *Verbraucherschutz* veranschaulichen beispielhaft die besondere Zielsetzung der Eurowörterbücher, möglichst vielen Menschen eine praktische und nützliche Hilfe bei der sprachlichen Kommunikation im neugestalteten Europa zu bieten.

LANGENSCHEIDT

Hinweise zur Benutzung des Wörterbuches
Using the Dictionary

I) Wörterverzeichnis Englisch-Deutsch
I) English-German Dictionary

1. Englisches Stichwort. a) Die Anordnung der Stichwörter erfolgt streng alphabetisch. Unregelmäßige Formen erscheinen an ihrem alphabetischen Ort, wobei ein Verweis auf die Grundform gegeben wird.

b) Der in den Stichwörtern auf Mitte stehende Punkt zeigt an, wo das Wort getrennt werden kann:

1. English Headwords. a) The alphabetical order of the headwords has been carefully observed throughout. This also applies to irregular forms, where additional cross-references to the basic forms are given.

b) Centred dots within a headword indicate syllabification:

cul·ti·vate ..., cul·ti·va·tion

c) Fällt bei einem mit Bindestrich zu schreibenden englischen Stichwort der Bindestrich auf das Zeilenende, so wird er am Anfang der folgenden Zeile wiederholt.

d) Die Tilde (~) dient dazu, die Wiederholung des Stichworts innerhalb des Wörterbuchartikels zu vermeiden.

e) Folgen einem Hauptstichwort weitere Zusammensetzungen mit diesem, so wird es durch die Tilde ersetzt:

c) In hyphenated compounds a hyphen coinciding with the end of a line is repeated at the beginning of the next.

d) The tilde (~) represents the repetition of a headword.

e) In compounds the tilde in bold type replaces the catchword:

af·ter ... ~·noon (= afternoon)

Die Tilde ersetzt zudem den links von dem vertikalen Trennstrich (|) stehenden Teil eines Hauptstichworts:

The tilde also represents the part of a headword which is on the left of the vertical bar:

en·vi·ron|ment ... ~·men·tal (= environmental)

f) In Anwendungsbeispielen wird entsprechend verfahren:

f) In illustrative phrases the tilde is used accordingly:

dis·tance ... at a ~ (= at a distance)
in·terest ... be ~ed in (= be interested in)

g) Wechselt der Anfangsbuchstabe eines Stichworts von klein zu groß oder umgekehrt, erscheint die Kreistilde (ℒ):

g) When the initial letter changes from small to capital or vice versa, the usual tilde is replaced by ℒ:

state ... ℒ Department (= State Department)

2. Aussprache. a) Die Aussprache des englischen Stichworts steht in eckigen Klammern und wird durch die Symbole der International Phonetic Association (IPA) wiedergegeben. (Siehe S. 13)
b) Aus Gründen der Platzersparnis wird in der Lautschriftklammer oft die Tilde verwandt. Sie ersetzt den Teil der Lautschrift, der sich gegenüber der vorstehenden Vollumschrift nicht verändert:

2. Pronunciation. a) The pronunciation of English headwords is given in square brackets by means of the symbols of the International Phonetic Association (IPA). (See p 13)
b) To save space the tilde has been made use of in many places within the phonetic transcription. It replaces any part of the preceding complete transcription which remains unchanged:

gym·na·si·um [dʒɪmˈneɪzɪəm] ...
gym·nast [ˈ∼næst]

c) Stichwörter mit einer der auf S. 14 umschriebenen Endungen erhalten für gewöhnlich keine Aussprachebezeichnung, es sei denn, sie seien Hauptstichwörter.

c) Headwords having one of the suffixes transcribed on p 14 are normally given without transcription, unless they figure as catchwords.

3. Sachgebiet. Das Sachgebiet, dem ein englisches Stichwort oder einige seiner Bedeutungen angehören, wird durch Abkürzungen (siehe Buchende) oder ausgeschriebene Hinweise kenntlich gemacht. Steht die Sachgebietsbezeichnung unmittelbar hinter dem Stichwort, bezieht sie sich auf alle folgenden Übersetzungen. Steht sie vor einer Übersetzung, so gilt sie nur für diese.

3. Subject Labels. The field of knowledge from which an English headword or some of its meanings are taken is indicated by abbreviated labels (see back pages) or other labels written out in full. A label placed immediately after the headword refers to all translations. A label preceding an individual translation refers to this only.

4. Sprachebene. Die Kennzeichnung der Sprachebene durch Abkürzungen wie F, sl. etc bezieht sich auf das englische Stichwort. Die deutsche Übersetzung wurde möglichst so gewählt, daß sie auf der gleichen Sprachebene wie das Stichwort liegt.

4. Usage Labels. The indication of the level of usage by abbreviations such as F, sl. etc refers to the English headword. Wherever possible the same level of usage between headword and translation has been aimed at.

5. Grammatische Hinweise.
a) Eine Liste der unregelmäßigen Verben befindet sich im Anhang (siehe S. 632).
b) Das Zeichen □ bei einem Adjektiv bedeutet, daß das Adverb regelmäßig, d.h. durch Anhängung von ...ly oder durch Verwandlung von ...le in ...ly oder ...y in ...ily gebildet wird.
c) Der Hinweis (∼ally) bei einem Adjektiv bedeutet, daß das Adverb durch Anhängung von ...ally gebildet wird.

5. Grammatical References
a) In the appendix (see p 632) you will find a list of irregular verbs.
b) An adjective marked with □ takes the regular adverbial form, i.e. by affixing ...ly to the adjective or by changing ...le into ...ly or ...y into ...ily.

c) (∼ally) means that an adverb is formed by affixing ...ally to the adjective.

6. Deutsche Übersetzung
a) Zu vielen deutschen Übersetzungen werden in kursiver Schrift Hilfen gege-

6. Translation
a) Many German translations are supported by additional explanations, gloss-

ben; bei intransitiven Verben eine Subjekt-, bei transitiven Verben eine Objektangabe, bei Adjektiven eine Kollokation oder ein Synonym, bei Substantiven eine Kontextangabe etc.:

es, etc, which are printed in italics; for intransitive verbs a subject may be indicated, for transitive verbs an object, for adjectives a collocation, etc:

put ...; bringen (*to bed*); *time, work:* verwenden
(*into* auf *acc*); *question:* stellen, vorlegen

b) Wird das englische Stichwort (Verb, Adjektiv oder Substantiv) von bestimmten Präpositionen regiert, so werden diese mit den deutschen Entsprechungen der jeweiligen Bedeutung zugeordnet - angegeben:

b) Prepositions governing an English catchword (verb, adjective, noun) are given in both languages:

place ... *order:* erteilen (**with** *s.o.*) j-m)
crit·i·cis·m ... Kritik *f* (**of** an *dat*)

c) Bei deutschen Präpositionen, die den Dativ und den Akkusativ regieren können, wird der Fall in Klammern angegeben:

c) Where a German preposition may govern the dative or the accusative case, the case is given in brackets:

dis·claim ... *jur.* verzichten auf (*acc*)

7. Anwendungsbeispiele und ihre Übersetzungen stehen unmittelbar hinter der Übersetzung des Stichworts:

7. Illustrative Phrases and their translations follow the translation of the headword:

gab ... *have the gift of the* ~ redegewandt sein
a·board ... *go* ~ *a train* in e-n Zug einsteigen

II) German-English Dictionary

II) Wörterverzeichnis Deutsch-Englisch

1. Nouns. The inflectional forms (*genitive singular/nominative plural*) follow immediately after the indication of gender. No forms are given for compounds if the parts appear as separate headwords:

1. Substantive. Die Flexionsformen (*Genitiv Singular/Nominativ Plural*) stehen unmittelbar hinter der Genusangabe. Keine Angaben erfolgen bei zusammengesetzten Substantiven, wenn die Teile als eigene Stichwörter verzeichnet sind:

Affe *m* (-n; -n); **Affäre** *f* (-; -n)

The sign ~ indicates that an umlaut appears in the inflected form:

Das Zeichen ~ weist auf einen Umlaut in der flektierten Form hin:

Blatt *n* (-[e]s; ~er)

2. Verbs. Verbs have been treated in the following ways:
a) In the case of regular verbs without a prefix the only grammatical information

2. Verben. Die Verben wurden folgendermaßen behandelt:
a) Bei regelmäßigen Verben ohne Präfix wird nur angegeben, ob das Partizip Per-

refers to the use of **haben** or **sein** to form the present perfect tense:

fekt mit **haben** oder **sein** verbunden wird:

machen *v/t* (h); **kentern** *v/i* (sn)

The absence of the prefix **ge-** in the past participle is indicated by *no* ge-:

Das Fehlen der Vorsilbe **ge-** im Partizip Perfekt wird durch den Vermerk *no* ge-gekennzeichnet:

marschieren *v/i* (*no* ge-, sn)

b) In the case of irregular verbs the grammatical forms given are 3rd sg past and past participle:

b) Bei unregelmäßigen Verben werden außerdem noch die 3. Person Singular Präteritum sowie das Partizip Perfekt verzeichnet:

schreiben *v/t u. v/i* (schrieb, geschrieben, h)

c) In the case of regular compound verbs the entry shows whether the past participle is formed with **-ge-** or not:

c) Bei zusammengesetzten regelmäßigen Verben wird angegeben, ob das Partizip Perfekt mit **-ge-** gebildet wird oder nicht:

einmischen *v/refl* (*sep*, -ge-, h)
einkalkulieren *v/t* (*sep, no* -ge-, h)

d) In the case of irregular compound verbs the grammatical information given with the base verb is not repeated. Their irregularity is shown by the abbreviation *irr* and by → ... For the principal parts the user should consult the base verbs or the list of irregular verbs on page 634:

d) Bei zusammengesetzen unregelmäßigen Verben werden die beim Grundverb gegebenen Formen nicht wiederholt. Sie sind durch die Angaben *irr* und → ... als unregelmäßig gekennzeichnet. Die Formen sind beim entsprechenden Grundverb oder im Verzeichnis unregelmäßiger Verben auf Seite 634 nachzuschlagen:

einbrechen *v/i* (*irr, sep*, -ge-, sn, → **brechen**)

e) The separability or inseparability of the prefix in the conjugated forms of a compound verb is indicated by *sep* or *insep*:

e) Trennbarkeit oder Nichttrennbarkeit von Präfix und Grundverb in den flektierten Formen eines zusammengesetzten Verbs wird durch *sep* oder *insep* bezeichnet:

'durchfahren¹ *v/i* (*irr, sep*, -ge-, sn, → **fahren**)
durch'fahren² *v/t* (*irr, insep, no* -ge-, h, → **fahren**)

Inseparable verbs formed with the prefixes **be-, ent-, er-, ge-, ver-** and **zer-** are not specifically marked as inseparable. However, the absence of the prefix **ge-** in the past participle is indicated by *no* ge-.

Untrennbare Verbableitungen mit den Präfixen **be-, ent-, er-, ge-, ver-** und **zer-** werden nicht eigens als untrennbar bezeichnet. Dagegen wird das Fehlen der Vorsilbe **ge-** im Partizip Perfekt durch *no* ge- angedeutet:

f) Where the prefix **ge-** is already present in the infinitive the past participle is given in full:

f) Bei Verben, bei denen das Präfix **ge-** schon im Infinitiv vorhanden ist, wird das Partizip Perfekt voll ausgeschrieben:

gebrauchen *v/t* (*pp* gebraucht, h)

Erläuterung der phonetischen Umschrift
Guide to Pronunciation

Vowel length is indicated by [ː].

Stress is shown by [ˈ] (main stress) and [ˌ] (secondary stress); [ˈ] and [ˌ] are placed at the onset of the stressed syllable.

Deutsche Aussprache – German Pronunciation

[iː]	Vieh [fiː]	long, resembles English *ee* in *see*
[i]	Bilanz [biˈlants]	short, otherwise like [iː]
[ɪ]	mit [mɪt]	short, resembles English *i* in *hit*
[eː]	weh [veː]	long, resembles the first sound in English *ay*, e.g. *day*
[e]	Tenor [teˈnoːr]	short, otherwise like [eː]
[ɛː]	Zähne [ˈtsɛːnə]	long, resembles English *e* in *bed*
[ɛ]	wenn [vɛn]	short, resembles English [e]
[ə]	Schale [ˈʃaːlə]	short, resembles English *a* in *ago*
[yː]	Düse [ˈdyːzə]	long, resembles French *u* in *muse*
[y]	Physik [fyˈziːk]	short, otherwise like [yː]
[ʏ]	Hütte [ˈhʏtə]	short, opener than [yː]
[øː]	böse [ˈbøːzə]	long, resembles French *eu* in *trieuse*
[ø]	Ökologe [økoˈloːgə]	short, otherwise like [øː]
[œ]	Hölle [ˈhœlə]	short, opener than [øː]
[uː]	gut [guːt]	long, resembles English *oo* in *boot*
[u]	Musik [muˈziːk]	short, otherwise like [uː]
[ʊ]	Bulle [ˈbʊlə]	short, resembles English *u* in *bull*
[oː]	Boot [boːt]	long, resembles English *aw* in *law*
[o]	Modell [moˈdɛl]	short, otherwise like [oː]
[ɔ]	Gott [gɔt]	short, resembles English *o* in *got*
[aː]	Vase [ˈvaːzə]	long, resembles English *a* in *father*
[a]	Kante [ˈkantə]	short, resembles English [aː]
[ɛ̃ː]	Teint [tɛ̃ː]	long, approximately nasalized [æ]
[õː]	Fonds [fõː]	long nasalized [o]
[aɪ]	bei [baɪ]	resembles English *i* in *while*
[aʊ]	Haus [haʊs]	resembles English *ou* in *house*
[ɔʏ]	heute [ˈhɔʏtə]	falling diphthong consisting of [ɔ] and [ʏ]
[ʔ]	beeindrucken [bəˈʔaɪndrʊkən]	glottal stop
[ŋ]	Ding [dɪŋ]	like English *ng* in *thing*
[l]	lila [ˈliːla]	similar to English *l* in *light*
[r]	1. rot [roːt]	rolled consonant
	2. Heer [heːr], Heers [heːrs]	mostly week after long vowels
	3. Wasser [ˈvasər], Wassers [ˈvasərs]	very weak in [ər] in final position or before consonant
[v]	Welt [vɛlt]	resembles English *v* in *vice*
[s]	Gasse [ˈgasə]	resembles English *s* in *miss*
[z]	Vase [ˈvaːzə]	similar to English *z* in *blazer*
[ʃ]	Masche [ˈmaʃə]	resembles English *sh* in *cash*
[ʒ]	Genie [ʒeˈniː]	resembles English *s* in *measure*
[ç]	mich [mɪç]	some English speakers use [ç] instead of [hj], e.g. *human* [ˈçuːmən] instead of [ˈhjuːmən]
[j]	ja [jaː]	resembles English *y* in *yes*
[x]	Bach [bax]	similar to Scottish *ch* in *loch*

Englische Aussprache – English Pronunciation

[ʌ]	much [mʌtʃ], come [kʌm]	kurzes *a* wie in *Matsch*, *Kamm*, aber dunkler
[ɑ:]	after ['ɑ:ftə], park [pɑ:k]	langes *a*, etwa wie in *Bahn*
[æ]	flat [flæt], madam ['mædəm]	mehr zum *a* hin als *ä* in *Wäsche*
[ə]	after ['ɑ:ftə], arrival [ə'raıvl]	wie das End-*e* in *Berge*, *mache*, *bitte*
[e]	let [let], men [men]	*ä* wie in *hätte*, *Mäntel*
[ɜ:]	first [fɜ:st], learn [lɜ:n]	etwa wie *ir* in *flirten*, aber offener
[ı]	in [ın], city ['sıtı]	kurzes *i* wie in *Mitte*, *billig*
[i:]	see [si:], evening ['i:vnıŋ]	langes *i* wie in *nie*, *lieben*
[ɒ]	shop [ʃɒp], job [dʒɒb]	wie *o* in *Gott*, aber offener
[ɔ:]	morning ['mɔ:nıŋ], course [kɔ:s]	wie in *Lord*, aber ohne *r*
[ʊ]	good [gʊd], look [lʊk]	kurzes *u* wie in *Mutter*
[u:]	too [tu:], shoot [ʃu:t]	langes *u* wie in *Schuh*, aber offener
[aı]	my [maı], night [naıt]	etwa wie in *Mai*, *Neid*
[aʊ]	now [naʊ], about [ə'baʊt]	etwa wie in *Couch*
[əʊ]	home [həʊm], know [nəʊ]	von [ə] zu [ʊ] gleiten
[eə]	air [eə], square [skweə]	wie *är* in *Bär*, aber kein *r* sprechen
[eı]	eight [eıt], stay [steı]	klingt wie *äi*
[ıə]	near [nıə], here [hıə]	von [ı] zu [ə] gleiten
[ɔı]	join [dʒɔın], choice [tʃɔıs]	etwa wie *eu* in *neu*
[ʊə]	you're [jʊə], tour [tʊə]	wie *ur* in *Kur*, aber kein *r* sprechen
[j]	yes [jes], tube [tju:b]	wie *j* in *jetzt*
[w]	way [weı], one [wʌn], quick [kwık]	mit gerundeten Lippen ähnlich wie [u:] gebildet. Kein deutsches *w*!
[ŋ]	thing [θıŋ], English ['ıŋglıʃ]	wie *ng* in *Ding*
[r]	room [ru:m], hurry ['hʌrı]	Zunge liegt, zurückgebogen, am Gaumen und nicht gerollt und nicht im Rachen gebildet!
[s]	see [si:], famous ['feıməs]	stimmloses *s* wie in *lassen*, *Liste*
[z]	zero ['zıərəʊ], is [ız], runs [rʌnz]	stimmhaftes *s* wie in *lesen*, *Linsen*
[ʃ]	shop [ʃɒp], fish [fıʃ]	wie *sch* in *Scholle*, *Fisch*
[tʃ]	cheap [tʃi:p], much [mʌtʃ]	wie *tsch* in *tschüs*, *Matsch*
[ʒ]	television ['telı,vıʒn]	stimmhaftes *sch* wie in *Genie*, *Etage*
[dʒ]	just [dʒʌst], bridge [brıdʒ]	wie in *Job*, *Gin*
[θ]	thanks [θæŋks], both [bəʊθ]	wie *ß* in *Faß*, aber gelispelt
[ð]	that [ðæt], with [wıð]	wie *s* in *Sense*, aber gelispelt
[v]	very ['verı], over ['əʊvə]	etwa wie deutsches *w*, Oberzähne auf Oberkante der Unterlippe
[x]	loch [lɒx], ugh [ʌx]	wie *ch* in *ach*
[:]	bedeutet, daß der vorhergehende Vokal lang zu sprechen ist.	

Präfixe und Suffixe, die in der Regel nicht umschrieben sind

Prefixes and Suffixes normally given without Phonetic Transcription

Deutsche Präfixe – German Prefixes

be- [bə]
ent- [ɛnt]
er- [ɛr]
ge- [gə]
miß- [mɪs]
un- [ʊn]
ver- [fɛr]
zer- [tsɛr]

Deutsche Suffixe – German Suffixes

-bar [baːr]
-chen [çən]
-d [t]
-ei [aɪ]
-en [ən]
-end [ənt]
-er [ər]
-haft [haft]
-heit [haɪt]
-ie [iː]
-ieren [iːrən]
-ig [ɪç]
-ik [ɪk]
-in [ɪn]
-isch [ɪʃ]
-ist [ɪst]
-keit [kaɪt]
-lich [lɪç]
-los [loːs]
-losigkeit [loːzɪçkaɪt]
-nis [nɪs]
-sal [zaːl]
-sam [zaːm]
-schaft [ʃaft]
-ste [stə]
-tät [tɛːt]
-tum [tuːm]
-ung [ʊŋ]

Englische Suffixe – English Suffixes

-able [-əbl]
-age [-ɪdʒ]
-ally [-əlɪ]
-ance [-əns]
-ancy [-ənsɪ]
-ant [-ənt]
-ary [-ərɪ]
-ation [-eɪʃn]
-ed [-d, -t, -ɪd]
-ence [-əns]
-ency [-ənsɪ]
-er [-ər]
-ery [-ərɪ]
-ess [-ɪs]
-ible [-əbl]
-ical [-ɪkl]
-ily [-ɪlɪ, əlɪ]
-ing [-ɪŋ]
-ish [ɪʃ]
-ism [-ɪzəm]
-ist [-ɪst]
-istic [-ɪstɪk]
-ity [-ətɪ, -ɪtɪ]
-less [-lɪs]
-ly [-lɪ]
-ment(s) [-mənt(s)]
-ness [-nɪs]
-ry [-rɪ]
-ship [-ʃɪp]
-tion [-ʃn]
-tional [-ʃənl]
-y [-ɪ]

Wörterverzeichnis Englisch-Deutsch

A

a [ə, eɪ], *before vowel:* **an** [ən, æn] *indef art* ein(e); per, pro, je; *not a(n)* kein(e); *all of a size* alle gleich groß; *£/$10 a year* zehn Pfund/Dollar im Jahr; *twice a week* zweimal die *or* in der Woche. **A 1** F [ˈeɪˈwʌn] *adj* Ia, prima.

a·back [əˈbæk] *adv: taken ~ fig.* überrascht, verblüfft; bestürzt.

a·ban·don [əˈbændən] *v/t* verlassen; *child:* aussetzen; *hope:* aufgeben; *plan:* fallenlassen.

a·base [əˈbeɪs] *v/t* erniedrigen, demütigen; **~ment** *s* Erniedrigung *f*, Demütigung *f.*

a·bashed [əˈbæʃt] *adj* verlegen.

a·bate [əˈbeɪt] *v/t* verringern; *nuisance:* abstellen; *v/i* abnehmen, nachlassen; **~ment** *s* Verminderung *f*, Abschaffung *f.*

ab·at·toir [ˈæbətwɑː] *s* Schlachthof *m.*

ab·bess [ˈæbɪs] *s* Äbtissin *f*; **ab·bey** [~ɪ] *s* Kloster *n*; Abtei *f*; **ab·bot** [~ɔt] *s* Abt *m.*

ab·bre·vi·ate [əˈbriːvɪeɪt] *v/t* (ab)kürzen; **~a·tion** [əbriːvɪˈeɪʃn] *s* Abkürzung *f*, Kurzform *f.*

ABC [eɪbiːˈsiː] *s* Abc *n*, Alphabet *n*; **~ weap·ons** *s pl mil.* ABC-Waffen *pl.*

ab·di·cate [ˈæbdɪkeɪt] *v/t position, right, claim, etc.:* aufgeben, verzichten auf *(acc)*; *a. v/i* **~ (from) the throne** abdanken; **~ca·tion** [æbdɪˈkeɪʃn] *s* Verzicht *m*; Abdankung *f.*

ab·do·men *anat.* [ˈæbdəmən] *s* Unterleib *m*; **ab·dom·i·nal** *anat.* [~ˈdɒmɪnl] *adj* Unterleibs...

ab·duct *jur.* [æbˈdʌkt] *v/t* entführen.

a·bet [əˈbet] *v/t* (*-tt-*): *aid and ~ jur.* Beihilfe leisten (*dat*); begünstigen; **~tor** *s* Anstifter *m*; (Helfers)Helfer *m.*

a·bey·ance [əˈbeɪəns] *s: in ~ jur.* in der Schwebe, (zeitweilig) außer Kraft.

ab·hor [əbˈhɔː] *v/t* (*-rr-*) verabscheuen; **~rence** [~ˈhɒrəns] *s* Abscheu *m* (*of* vor *dat*); **~rent** *adj* □ zuwider (*to* dat); abstoßend.

a·bide [əˈbaɪd] *v/i:* **~ by the law/rules** sich an das Gesetz/die (Spiel)Regeln halten; *v/t:* **I can't ~ him** ich kann ihn nicht ausstehen.

a·bil·i·ty [əˈbɪlətɪ] *s* Fähigkeit *f.*

ab·ject [ˈæbdʒekt] *adj* □ elend, erbärmlich; *in ~ poverty* in bitterster Armut.

ab·jure [əbˈdʒʊə] *v/t* abschwören (*dat*); entsagen (*dat*).

a·blaze [əˈbleɪz] *adj and adv* in Flammen; *fig.* glänzend, funkelnd (*with* vor *dat*).

a·ble [ˈeɪbl] *adj* □ fähig; geschickt; *be ~ to do* imstande sein zu tun; tun können; **~bod·ied** [~ˈbɒdɪd] *adj* kräftig; **~ seaman** Vollmatrose *m.*

ab·nor·mal [æbˈnɔːml] *adj* □ abnorm, ungewöhnlich; anomal.

a·board [əˈbɔːd] *adv and prp* an Bord; *all ~! mar.* alle Mann/Reisenden an Bord!; *rail.* alles einsteigen!; *~ a bus* in e-m Bus; *go ~ a train* in e-n Zug einsteigen.

a·bode [əˈbəʊd] *s a.* **place of ~** Aufenthaltsort *m*, Wohnsitz *m*; *of or with no fixed ~* ohne festen Wohnsitz.

a·bol·ish [əˈbɒlɪʃ] *v/t* abschaffen, aufheben.

ab·o·li·tion [æbəˈlɪʃn] *s* Abschaffung *f*, Aufhebung *f*; **~ist** *hist.* [~ʃənɪst] *s* Gegner *m* der Sklaverei.

A-bomb [ˈeɪbɒm] → **atom(ic) bomb.**

a·bom·i·na·ble [əˈbɒmɪnəbl] *adj* □ abscheulich, scheußlich; **~nate** [~neɪt] *v/t* verabscheuen; **~na·tion** [~ˈneɪʃn] *s* Abscheu *m.*

ab·o·rig·i·nal [æbəˈrɪdʒənl] **1.** *adj* □ eingeboren, Ur...; **2.** *s* Ureinwohner *m*; **~ne** [~dʒəni] *s* Ureinwohner *m* (*esp. in Australia*).

a·bort [əˈbɔːt] *v/t and v/i med.* e-e Fehlgeburt herbeiführen *or* haben; *space flight, etc.:* abbrechen; *fig.* fehlschlagen, scheitern; **a·bor·tion** *med.* [~ʃn] *s* Fehlgeburt *f*; Schwangerschaftsunterbrechung *f*, -abbruch *m*, Abtreibung *f*; *have an ~* abtreiben (lassen); **a·bor·tive** *adj* □ *fig.* mißlungen, erfolglos.

a·bound [əˈbaʊnd] *v/i* reichlich vorhanden sein; Überfluß haben, reich sein (*in* an *dat*); voll sein (**with** von).

a·bout [ə'baʊt] **1.** *prp* um (... herum); bei; (irgendwo) herum in (*dat*); um, gegen, etwa; über (*acc*); *I had no money ~ me* ich hatte kein Geld bei mir; *what are you ~?* was macht ihr da?; **2.** *adv* herum, umher; in der Nähe; etwa, ungefähr; im Begriff, dabei; *be ~ to im* Begriff sein zu, *Am. et.* vorhaben; *it's ~ to rain* es wird gleich regnen.

a·bove [ə'bʌv] **1.** *prp* über (*acc* oder *dat*), oberhalb; *fig.* über (*acc*); erhaben über (*acc*); *~ all* vor allem; **2.** *adv* oben; darüber; **3.** *adj* obig, obenerwähnt.

a·breast [ə'brest] *adv* nebeneinander; *keep* oder *be ~ of fig.* Schritt halten mit.

a·bridge [ə'brɪdʒ] *v/t* (ab-, ver)kürzen; **a·bridg(e)·ment** *s* Kürzung *f*; Kurzfassung *f*; *of book*: Abriß *m*.

a·broad [ə'brɔːd] *adv* im oder ins Ausland; überall(hin); *the news soon spread ~* die Nachricht verbreitete sich rasch.

a·brupt [ə'brʌpt] *adj* □ abrupt; jäh; zusammenhanglos; schroff.

ab·scess *med.* ['æbsɪs] *s* Abszeß *m*.

ab·scond [əb'skɒnd] *v/i* sich davonmachen.

ab·sence ['æbsəns] *s* Abwesenheit *f*; Mangel *m*.

ab·sent 1. *adj* ['æbsənt] abwesend; fehlend; nicht vorhanden; *be ~* fehlen (*from school* in der Schule; *from work* am Arbeitsplatz); **2.** *v/t* [æb'sent]: *~ o.s. from* fernbleiben (*dat*) oder von; **~-mind·ed** *adj* □ zerstreut, geistesabwesend.

ab·so·lute ['æbsəluːt] *adj* □ absolut; unumschränkt; vollkommen; *chem.* rein, unvermischt; unbedingt; **~ly** *adv* absolut; *refuse*: strikt; *necessary*: unbedingt; *~!* genau!, so ist es!

ab·so·lu·tion *eccl.* [æbsə'luːʃn] *s* Absolution *f*.

ab·solve [əb'zɒlv] *v/t* frei-, lossprechen.

ab·sorb [əb'sɔːb] *v/t* absorbieren, auf-, einsaugen; *fig.* ganz in Anspruch nehmen; **~ing** *adj fig.* fesselnd, packend.

ab·sorp·tion [əb'sɔːpʃn] *s* Absorption *f*; *fig.* Vertieftsein *n*.

ab·stain [əb'steɪn] *v/i* sich enthalten (*from gen*).

ab·ste·mi·ous [æb'stiːmɪəs] *adj* □ enthaltsam; mäßig.

ab·sten·tion [əb'stenʃn] *s* Enthaltung *f*; *pol.* Stimmenthaltung *f*.

ab·sti|nence ['æbstɪnəns] *s* Abstinenz *f*, Enthaltsamkeit *f*; **~nent** *adj* □ abstinent, enthaltsam.

ab·stract 1. *adj* □ ['æbstrækt] abstrakt; **2.** *s* [~] das Abstrakte; Zusammenfassung *f*, Auszug *m*; **3.** *v/t* [~'strækt] abstrahieren; F *steal*: entwenden; *main points from a book, etc.*: herausziehen; **~ed** [~'stræktɪd] *adj* □ *fig.* zerstreut.

ab·strac·tion [~'strækʃn] *s* Abstraktion *f*; abstrakter Begriff.

ab·surd [əb'sɜːd] *adj* □ absurd; lächerlich.

a·bun|dance [ə'bʌndəns] *s* Überfluß *m*; Fülle *f*; **~dant** *adj* □ reich(lich).

a·buse 1. *s* [ə'bjuːs] Mißbrauch *m*; Beschimpfung *f*; **2.** *v/t* [~z] mißbrauchen; beschimpfen; **a·bu·sive** [~z] *adj* □ ausfallend, Schimpf...

a·but [ə'bʌt] *v/i* (*-tt-*) (an)grenzen (**on** an *acc*).

a·byss [ə'bɪs] *s* Abgrund *m* (*a. fig.*).

ac·a·dem|ic [ækə'demɪk] **1.** *s* Hochschullehrer *m*; **2.** *adj* (**~ally**) akademisch; **a·cad·e·mi·cian** [əkædə'mɪʃn] *s* Akademiemitglied *n*; **a·cad·e·my** [ə'kædəmɪ] *s* Akademie *f*; *~ of music* Musikhochschule *f*.

ac·cede [æk'siːd] *v/i*: *~ to* zustimmen (*dat*); *office*: antreten; *throne*: besteigen.

ac·cel·e|rate [ək'seləreɪt] *v/t* beschleunigen; *v/i* schneller werden, *mot. a.* beschleunigen, Gas geben; **~ra·tion** [~'reɪʃn] *s* Beschleunigung *f*; **~ra·tor** [~tə] *s* Gaspedal *n*.

ac·cent 1. *s* ['æksənt] Akzent *m* (*a. gr.*); **2.** *v/t* [æk'sent] → **ac·cen·tu·ate** [~'sentjʊeɪt] *v/t* akzentuieren, betonen.

ac·cept [ək'sept] *v/t* annehmen, akzeptieren; hinnehmen; **ac·cep·ta·ble** *adj* □ annehmbar, akzeptabel; **~ance** *s* Annahme *f*; *approval*: a. Akzeptanz *f*.

ac·cess ['ækses] *s* Zugang *m* (*to* zu); *fig.* Zutritt *m* (*to* bei; zu); *easy of ~* zugänglich (*person*); *~ road* Zufahrtsstraße *f*; (Autobahn)Zubringerstraße *f*.

ac·ces·sa·ry *jur.* [ək'sesərɪ] → **accessory 2.**

ac·ces|si·ble [ək'sesəbl] *adj* □ (leicht)

zugänglich; **~sion** [~ʃn] s Zuwachs m, Zunahme f; Antritt m (to an office); **~ to power** Machtübernahme f; **~ to the throne** Thronbesteigung f.

ac·ces·so·ry [əkˈsesərɪ] **1.** adj zusätzlich; **2.** s jur. Kompli|ze m, -zin f, Mitschuldige(r m) f; accessories pl Zubehör n, fashion: a. Accessoires pl; tech. Zubehör(teile pl) n.

ac·ci·dent [ˈæksɪdənt] s Zufall m; Un-(glücks)fall m; **by ~** zufällig; **~·den·tal** [~ˈdentl] adj ☐ zufällig; versehentlich.

ac·claim [əˈkleɪm] v/t freudig begrüßen.

ac·cla·ma·tion [æklɵˈmeɪʃn] s lauter Beifall; Lob n.

ac·cli·ma·tize [əˈklaɪmətaɪz] v/t and v/i (sich) akklimatisieren or eingewöhnen.

ac·com·mo·date [əˈkɒmədeɪt] v/t unterbringen, beherbergen; Platz haben für; j-m aushelfen (**with** money, etc. mit); **~·da·tion** [~ˈdeɪʃn] s Unterbringung f, Unterkunft f, Quartier n.

ac·com·pa·ni·ment mus. [əˈkʌmpənɪmənt] s Begleitung f; **~ny** v/t begleiten (a. mus.).

ac·com·plice [əˈkʌmplɪs] s Kompli|ze m, -zin f.

ac·com·plish [əˈkʌmplɪʃ] v/t vollenden; ausführen; aim, purpose: erreichen; **~ed** adj vollendet, perfekt; **~·ment** s Vollendung f, Ausführung f; skill: Fähigkeit f, Talent n.

ac·cord [əˈkɔːd] **1.** s Übereinstimmung f; **of one's own ~** aus eigenem Antrieb; **with one ~** einstimmig; **2.** v/i übereinstimmen; v/t gewähren; **~·ance** s Übereinstimmung f; **in ~** laut (gen); gemäß (dat); **~·ant** adj übereinstimmend; **~·ing·ly** adv (dem)entsprechend; **~·ing** s prp gemäß (dat), nach; **~ how** je nachdem wie.

ac·cost [əˈkɒst] v/t person, esp. stranger: ansprechen, F anquatschen.

ac·count [əˈkaʊnt] **1.** s econ. Rechnung f, Berechnung f; econ. Konto n; Rechenschaft f; Bericht m; **by all ~** nach allem, was man so hört; **of no ~** ohne Bedeutung; **on no ~** auf keinen Fall; **on ~ of** wegen; **take into ~, take ~ of** in Betracht or Erwägung ziehen, berücksichtigen; **turn s.th. to (good) ~** et. (gut) ausnutzen; **keep ~s** die Bücher führen; **call to ~** zur Rechenschaft ziehen; **give (an) ~ of** Rechenschaft ablegen über

(acc); **give an ~ of** Bericht erstatten über (acc); **2.** v/i: **~ for** Rechenschaft über et. ablegen; (sich) erklären; **ac·count·a·ble** adj ☐ verantwortlich; erklärlich; **ac·count·ant** s econ. Buchhalter m; **~·ing** s econ. Buchführung f; **~ num·ber** s econ. Kontonummer f; **~s de·part·ment** s econ. Buchhaltung f.

ac·cu·mu·late [əˈkjuːmjʊleɪt] v/t and v/i (sich) (an)häufen or ansammeln; **~·la·tion** [~ˈleɪʃn] s Ansammlung f.

ac·cu·ra·cy [ˈækjʊrəsɪ] s Genauigkeit f; **~·rate** adj ☐ genau; richtig.

ac·cu·sa·tion [ækjuːˈzeɪʃn] s Anklage f; An-, Beschuldigung f.

ac·cu·sa·tive gr. [əˈkjuːzətɪv] s a. **~ case** Akkusativ m.

ac·cuse [əˈkjuːz] v/t anklagen; beschuldigen; **the ~d** der or die Angeklagte, die Angeklagten pl; **ac·cus·er** s Ankläger(in); **ac·cus·ing** adj ☐ anklagend, vorwurfsvoll.

ac·cus·tom [əˈkʌstəm] v/t gewöhnen (**to** an acc); **~ed** adj gewohnt, üblich; gewöhnt (**to** an acc; **to doing** zu tun).

ace [eɪs] s As n (a. fig.); **have an ~ up one's sleeve,** Am. **have an ~ in the hole** fig. (noch) e-n Trumpf in der Hand haben; **within an ~** um ein Haar.

ache [eɪk] **1.** v/i schmerzen, weh tun; **2.** s Schmerz m.

a·chieve [əˈtʃiːv] v/t zustande bringen; aim: erreichen; **~·ment** s Zustandebringen n, Ausführung f; Leistung f.

ac·id [ˈæsɪd] **1.** adj sauer; fig. beißend, bissig; **~ rain** saurer Regen; **2.** s chem. Säure f; **a·cid·i·ty** [əˈsɪdətɪ] s Säure f; chem. Säuregrad m.

ac·knowl·edge [əkˈnɒlɪdʒ] v/t anerkennen; zugeben; receipt: bestätigen; **~·edg(e)·ment** s Anerkennung f; (Empfangs)Bestätigung f; Eingeständnis n; **in ~ of** in Anerkennung (gen).

a·corn bot. [ˈeɪkɔːn] s Eichel f.

a·cous·tics [əˈkuːstɪks] s pl Akustik f (of room, hall, etc.).

ac·quaint [əˈkweɪnt] v/t: **~ s.o. with s.th.** j-m et. mitteilen; **be ~ed with** kennen; **~·ance** s Bekanntschaft f; Bekannte(r m) f.

ac·qui·esce [ækwiˈes] v/i (**in**) hinnehmen (acc); einwilligen in (acc).

ac·quire [əˈkwaɪə] v/t erwerben; sich aneignen (a. knowledge, etc.).

ac·qui·si·tion [ækwı'zıʃn] *s* Erwerb *m*; Erwerbung *f*; Errungenschaft *f*.

ac·quit [ə'kwıt] *v/t* (*-tt-*) *jur.* j-n freisprechen (*of a charge* von e-r Anklage); ~ **o.s.** *of duty:* erfüllen; ~ **o.s. well** s-e Sache gut machen, sich gut aus der Affäre ziehen; **~·tal** *s jur.* Freispruch *m*.

a·cre ['eıkə] *s* Acre *m* (*4047 m^2 = 0.4 hectare*).

ac·rid ['ækrıd] *adj* □ scharf, beißend.

a·cross [ə'krɒs] **1.** *adv* (quer) hin- *or* herüber; quer durch; drüben, auf der anderen Seite; über Kreuz; **2.** *prp* (quer) über (*acc*); (quer) durch; auf der anderen Seite von (*or gen*), jenseits (*gen*); über (*dat*); **come ~, run ~** stoßen auf (*acc*).

act [ækt] **1.** *v/i* handeln; sich benehmen; wirken; funktionieren; (Theater) spielen (*a. fig.*), auftreten; *v/t thea.* spielen (*a. fig.*), *play:* ~ *out* szenisch darstellen, vorspielen; **2.** *s* Handlung *f*, Tat *f*, Maßnahme *f*, Akt *m*; *thea.* Akt *m*; *jur.* Gesetz *n*, Beschluß *m*; Urkunde *f*, Vertrag *m*; **~·ing 1.** *s* Handeln *n*; *thea.* Spiel(en) *n*; **2.** *adj* tätig; amtierend.

ac·tion ['ækʃn] *s* Handlung *f* (*a. thea.*), Tat *f*; Action *f* (*in film, etc.*); Aktion *f*; Tätigkeit *f*, Funktion *f*; *jur.* Klage *f*, Prozeß *m*; *mil.* Gefecht *n*, Kampfhandlung *f*; *tech.* Mechanismus *m*; **take ~** Schritte unternehmen, handeln; *out of* ~ *machine:* außer Betrieb.

ac·tive ['æktıv] *adj* aktiv; tätig, rührig; lebhaft, rege; wirksam; *econ.* lebhaft; ~ **voice** *gr.* Aktiv *n*; **ac·tiv·ist** *s* Aktivist(in); **ac·tiv·i·ty** [æk'tıvətı] *s* Tätigkeit *f*; Aktivität *f*; Betriebsamkeit *f*; *esp. econ.* Lebhaftigkeit *f*.

ac·tor ['æktə] *s* Schauspieler *m*; **ac·tress** [~trıs] *s* Schauspielerin *f*.

ac·tu·al ['æktʃʊəl] *adj* □ wirklich, tatsächlich, eigentlich; **~·ly** *adv in fact:* eigentlich; *by the way:* übrigens; *really:* tatsächlich.

a·cute [ə'kju:t] *adj* □ (*~r*, *~st*) spitz; scharf(sinnig); brennend (*question, problem*); *med.* akut.

ad F [æd] → *advertisement*.

ad·a·mant ['ædəmənt] *adj* □ unerbittlich; hartnäckig.

a·dapt [ə'dæpt] *v/t* anpassen (*to dat or an acc*); *text:* bearbeiten (*from* nach); *tech.* umstellen (*to* auf *acc*); umbauen

(*to* für); **ad·ap·ta·tion** [ædæp'teıʃn] *s* Anpassung *f*; Bearbeitung *f*; **a·dapt·er, a·dapt·or** *s electr.* Adapter *m*.

add [æd] *v/t* hinzufügen; ~ **up** zusammenzählen, addieren; *v/i:* ~ **to** vermehren, beitragen zu, hinzukommen zu; ~ **up** *fig.* F e-n Sinn ergeben.

ad·dict ['ædıkt] *s* Süchtige(r *m*) *f*; *alcohol/drug/TV* ~ Alkohol-/Drogen- *or* Rauschgift-/Fernsehsüchtige(r *m*) *f*; *sports, etc.:* Fanatiker(in); *film, etc.:* Narr *m*; **~·ed** [ə'dıktıd] *adj* süchtig, abhängig (*to* von); *be* ~ *to alcohol* (*drugs, television*) alkohol-(drogen-, fernseh-)süchtig sein; **ad·dic·tion** [~ʃn] *s* Sucht *f*, Süchtigkeit *f*.

ad·di·tion [ə'dıʃn] *s* Hinzufügen *n*; Zusatz *m*; Zuwachs *m*; Anbau *m*; *math.* Addition *f*; **in** ~ außerdem; **in** ~ **to** außer (*dat*); **~·al** [~l] *adj* □ zusätzlich.

ad·dress [ə'dres] **1.** *v/t words:* richten (*to* an *acc*), j-n anreden *or* ansprechen; **2.** *s* Adresse *f*, Anschrift *f*; Rede *f*; Ansprache *f*; **~·ee** [ædre'si:] *s* Empfänger(in).

ad·ept ['ædept] **1.** *adj* erfahren, geschickt (*at, in* in *dat*); **2.** *s* Meister *m*, Experte *m* (*at, in* in *dat*).

ad·e·qua·cy ['ædıkwəsı] *s* Angemessenheit *f*; **~·quate** *adj* □ angemessen.

ad·here [əd'hıə] *v/i* (*to*) kleben, haften (an *dat*); *fig.* festhalten (an *dat*); **ad·her·ence** *s* Anhaften *n*; *fig.* Festhalten *n*; **ad·her·ent** *s* Anhänger(in).

ad·he·sive [əd'hi:sıv] **1.** *adj* □ klebend; ~ *plaster* Heftpflaster *n*; ~ *tape* Klebestreifen *m*; *Am.* Heftpflaster *n*; **2.** *s* Klebstoff *m*.

ad·ja·cent [ə'dʒeısnt] *adj* □ angrenzend, anstoßend (*to* an *acc*); benachbart.

ad·jec·tive *gr.* ['ædʒıktıv] *s* Adjektiv *n*, Eigenschaftswort *n*.

ad·join [ə'dʒɔın] *v/t* (an)grenzen an (*acc*).

ad·journ [ə'dʒɜːn] *v/t* verschieben, (*v/i* sich) vertagen; **~·ment** *s* Vertagung *f*, Verschiebung *f*.

ad·just [ə'dʒʌst] *v/t* anpassen; in Ordnung bringen; *conflict:* beilegen; *mechanism and fig.:* einstellen (*to* auf *acc*); **~·ment** *s* Anpassung *f*; Ordnung *f*; *tech.* Einstellung *f*; Beilegung *f*.

ad·min·is·ter [əd'mınıstə] *v/t* verwalten; spenden; *medicine:* geben, verabreichen; ~ *justice* Recht sprechen; ~ *an* *oath to s.o.* jur. j-n vereidigen; **~tra·tion** [ədmɪnɪ'streɪʃn] s Verwaltung f; pol. esp. Am. Regierung f; esp. Am. Amtsperiode f (of President); **~tra·tive** [əd'mɪnɪstrətɪv] adj □ Verwaltungs...; **~tra·tor** [~treɪtə] s Verwaltungsbeamte(r) m.

ad·mi·ra·ble ['ædmərəbl] adj □ bewundernswert; großartig; **~mi·ra·tion** [ædmə'reɪʃn] s Bewunderung f; **~mire** [əd'maɪə] v/t bewundern; verehren; **~mir·er** s Bewunderer m, Verehrer(in) m.

ad·mis·si·ble [əd'mɪsəbl] adj □ zulässig; **~sion** [~ʃn] s Zutritt m, Zulassung f; Eintritt(sgeld n) m; confession: Eingeständnis n; **~ free** Eintritt frei.

ad·mit [əd'mɪt] v/t (-tt-) (her)einlassen (**to, into** in acc), eintreten lassen; zulassen (**to** zu); confess: zugeben; **~tance** s Einlaß m, Ein-, Zutritt m; **no ~** Zutritt verboten.

ad·mix·ture [æd'mɪkstʃə] s Beimischung f, Zusatz m.

ad·mon·ish [əd'mɒnɪʃ] v/t ermahnen; warnen (**of, against** vor dat); **ad·mo·ni·tion** [ædmə'nɪʃn] s Ermahnung f; Warnung f.

a·do [ə'duː] s Getue n, Lärm m; **without much** or **more** or **further ~** ohne weitere Umstände.

ad·o·les·cence [ædə'lesns] s Adoleszenz f, Jugend f; **~cent 1.** adj jugendlich, heranwachsend; **2.** s Jugendliche(r m) f.

a·dopt [ə'dɒpt] v/t adoptieren, sich zu eigen machen; übernehmen; **~ed child** Adoptivkind n; **a·dop·tion** [~pʃn] s of child: Adoption f; of idea, etc.: Übernahme f; **a·dop·tive** adj □ Adoptiv...; angenommen; **~ child** Adoptivkind n; **~ parents** pl Adoptiveltern pl.

a·dor·a·ble [ə'dɔːrəbl] adj □ anbetungswürdig; F entzückend; **ad·o·ra·tion** [ædə'reɪʃn] s Anbetung f, Verehrung f; **a·dore** [ə'dɔː] v/t anbeten, verehren.

a·dorn [ə'dɔːn] v/t schmücken, zieren; **~ment** [~mənt] s Schmuck m.

a·droit [ə'drɔɪt] adj □ geschickt.

ad·ult ['ædʌlt] **1.** adj erwachsen; **2.** s Erwachsene(r m) f; **~ education** Erwachsenenbildung f.

a·dul·ter·ate [ə'dʌltəreɪt] v/t verfälschen; wine: panschen.

a·dul·ter·er [ə'dʌltərə] s Ehebrecher m; **~ess** [~rɪs] s Ehebrecherin f; **~ous** adj □ ehebrecherisch; **~y** s Ehebruch m.

ad·vance [əd'vɑːns] **1.** v/i vorrücken, -dringen; vorrücken (time); steigen; Fortschritte machen; v/t vorrücken; opinion, etc.: vorbringen; money: vorauszahlen, vorschießen; (be)fördern; price: erhöhen; beschleunigen; **2.** s Vorstoß m (a. fig.); Fortschritt m; Vorschuß m; **in ~** im voraus; **~d** adj fortgeschritten; **~ for one's years** weit or reif für sein Alter; **~ment** s Förderung f; Fortschritt m.

ad·van·tage [əd'vɑːntɪdʒ] s Vorteil m; Überlegenheit f; Gewinn m; **take ~ of** ausnutzen; **~ta·geous** [ædvən'teɪdʒəs] adj □ vorteilhaft.

ad·ven·ture [əd'ventʃə] s Abenteuer n, Wagnis n; Spekulation f; **~tur·er** s Abenteurer m; Spekulant m; **~tur·ous** adj □ abenteuerlich; verwegen, kühn.

ad·verb gr. ['ædvɜːb] s Adverb n.

ad·ver·sa·ry ['ædvəsərɪ] s Gegner(in), Feind(in); **ad·verse** ['ædvɜːs] adj □ widrig; ungünstig, nachteilig (**to** für); **ad·ver·si·ty** [əd'vɜːsətɪ] s Unglück n.

ad·vert F ['ædvɜːt] → **advertisement.**

ad·ver·tise ['ædvətaɪz] v/t and v/i Werbung or Reklame machen (für), werben (für), inserieren; ankündigen, bekanntmachen; **~tise·ment** [əd'vɜːtɪsmənt] s Anzeige f, Ankündigung f, Inserat n; Reklame f; **~tis·ing** ['ædvətaɪzɪŋ] **1.** s Reklame f, Werbung f; **2.** adj Anzeigen..., Reklame..., Werbe...; **~ agency** Anzeigenannahme f; Werbeagentur f.

ad·vice [əd'vaɪs] s Rat(schlag) m; Nachricht f, Bescheid m; **take medical ~** e-n Arzt zu Rate ziehen; **take my ~** hör auf mich; **a piece of ~** ein Rat(schlag) m.

ad·vis·a·ble [əd'vaɪzəbl] adj □ ratsam; **ad·vise** [əd'vaɪz] v/t j-n beraten; j-m raten; esp. econ. benachrichtigen, avisieren; v/i sich beraten; **ad·vis·er**, Am. a. **ad·vis·or** s Berater m; **ad·vi·so·ry** adj beratend.

ad·vo·cate 1. s ['ædvəkət] Anwalt m; Verfechter m; Befürworter m; **2.** v/t [~keɪt] verteidigen, befürworten.

aer·i·al ['eərɪəl] **1.** adj □ luftig; Luft...; **~ view** Luftaufnahme f; **2.** s Antenne f.

aero- ['eərəʊ] Aero..., Luft...

aer·o·bics [eə'rəʊbɪks] s sg Aerobic n.

aer·o·dy·nam·ic [ɛərəʊdaɪˈnæmɪk] *adj* (*~ally*) aerodynamisch; *~·dy·nam·ics s sg* Aerodynamik *f*; *~·nau·tics* [ɛərəˈnɔːtɪks] *s sg* Luftfahrt *f*; *~·plane Br.* [ˈɛərəpleɪn] *s* Flugzeug *n*.

aer·o·sol [ˈɛərəsɒl] *s* Spraydose *f*; *~ pro·pellant* Treibgas *n*.

aes·thet·ic [iːsˈθetɪk] *adj* (*~ally*) ästhetisch; *~s s sg* Ästhetik *f*.

a·far [əˈfɑː] *adv* fern, weit (weg).

af·fable [ˈæfəbl] *adj* □ leutselig.

af·fair [əˈfeə] *s* Angelegenheit *f*, Sache *f*; F Ding *n*; Liebesaffäre *f*, Verhältnis *n*.

af·fect [əˈfekt] *v/t* (ein- *or* sich aus)wirken auf (*acc*); rühren; *health*: angreifen; lieben, vorziehen; nachahmen; vortäuschen; **af·fec·ta·tion** [æfekˈteɪʃn] *s* Vorliebe *f*; Affektiertheit *f*; Verstellung *f*; *~ed adj* □ gerührt; befallen (*by illness*); angegriffen (*eyes, etc.*); geziert, affektiert.

af·fec·tion [əˈfekʃn] *s* Zuneigung *f*; *~ate adj* □ liebevoll.

af·fil·i·ate [əˈfɪlieɪt] *v/t and v/i* (sich) angliedern; *~d company econ.* Tochtergesellschaft *f*.

af·fin·i·ty [əˈfɪnɪtɪ] *s* (geistige) Verwandtschaft; *chem.* Affinität *f*; Neigung *f* (*for, to* zu).

af·firm [əˈfɜːm] *v/t* versichern; beteuern; bestätigen; **af·fir·ma·tion** [æfəˈmeɪʃn] *s* Versicherung *f*; Beteuerung *f*; Bestätigung *f*; **af·fir·ma·tive** [~ətɪv] **1.** *adj* □ bejahend; **2.** *s:* **answer in the ~** bejahen.

af·fix [əˈfɪks] *v/t* (*to*) anheften, -kleben (an *acc*), befestigen (an *dat*); bei-, hinzufügen (*dat*).

af·flict [əˈflɪkt] *v/t* heimsuchen, plagen; **af·flic·tion** *s* Gebrechen *n*; Elend *n*.

af·flu·ence [ˈæfluəns] *s* Überfluß *m*; Wohlstand *m*; *~ent* **1.** *adj* □ reich (-lich); *~ society* Wohlstandsgesellschaft *f*; **2.** *s* Nebenfluß *m, of lake:* Zufluß *m*.

af·ford [əˈfɔːd] *v/t* sich leisten; gewähren, bieten; *I can ~ it* ich kann es mir leisten.

af·front [əˈfrʌnt] **1.** *v/t* beleidigen; **2.** *s* Beleidigung *f*.

a·field [əˈfiːld] *adv* im Feld; (weit) weg.

a·float [əˈfləʊt] *adj and adv* flott; schwimmend; auf See; **set ~** *mar.* flottmachen; *fig.* in Umlauf bringen.

a·fraid [əˈfreɪd] *adj:* **be ~ of** sich fürchten

or Angst haben vor (*dat*); *I'm ~ she won't come* ich fürchte, sie wird nicht kommen; *I'm ~ I must go now* ich muß jetzt leider gehen.

a·fresh [əˈfreʃ] *adv* von neuem.

Af·ri·can [ˈæfrɪkən] **1.** *adj* afrikanisch; **2.** *s* Afrikaner(in); *Am. a.* Schwarze(r *m*) *f*.

af·ter [ˈɑːftə] **1.** *adv* hinterher, nachher, danach; **2.** *prp* nach; hinter (*dat*) (... her); *~ all* schließlich (doch); **3.** *cj* nachdem; **4.** *adj* später; Nach...; *~·ef·fect s med.* Nachwirkung *f* (*a. fig.*); Folge *f*; *~·math s* Nachwirkungen *pl*, Folgen *pl*; *~·noon s* Nachmittag *m*; *this ~* heute nachmittag; *good ~!* guten Tag!; *~·taste s* Nachgeschmack *m*; *~·thought s* nachträgliche Idee; *~·ward(s) adv* nachher, später.

a·gain [əˈgen] *adv* wieder(um); ferner; *~ and ~, time and ~* immer wieder; *as much ~* noch einmal soviel.

a·gainst [əˈgenst] *prp* gegen; *of place:* gegen; an, vor (*dat or acc*); *fig.* im Hinblick auf (*acc*); *as ~* verglichen mit; *he was ~ it* er war dagegen.

age [eɪdʒ] **1.** *s* (Lebens)Alter *n*; Zeit(alter *n*) *f*; Menschenalter *n*; (*old*) *~* (hohes) Alter; (*come*) *of ~* mündig *or* volljährig (werden); *be over ~* die Altersgrenze überschritten haben; *under ~* minderjährig; unmündig; *wait for ~s* F e-e Ewigkeit warten; **2.** *v/i* altern *or* alt werden *or* machen; *~d* adj [ˈeɪdʒɪd] alt, betagt; [eɪdʒd]: *~ twenty* zwanzig Jahre alt; *~·less adj* zeitlos; ewig jung.

a·gen·cy [ˈeɪdʒənsɪ] *s* Tätigkeit *f*; Vermittlung *f*; Agentur *f*, Büro *n*.

a·gen·da [əˈdʒendə] *s* Tagesordnung *f*.

a·gent [ˈeɪdʒənt] *s* Handelnde(r *m*) *f*; (Stell)Vertreter(in); Agent(in) (*a. pol.*); Wirkstoff *m*, Mittel *n*, Agens *n*.

ag·gra·vate [ˈægrəveɪt] *v/t* erschweren, verschlimmern; F ärgern; *~·vat·ing adj* ärgerlich, lästig.

ag·gre·gate 1. *v/t* [ˈægrɪgeɪt] (*v/i* auch) anhäufen; vereinigen (*to* mit); sich belaufen auf (*acc*); **2.** *adj* □ [~gət] (an)gehäuft; gesamt; **3.** *s* [~] Anhäufung *f*; Gesamtmenge *f*, Summe *f*; Aggregat *n*.

ag·gres·sion [əˈgreʃn] *s* Angriff *m*, Aggression *f*; *~·sive* [~sɪv] *adj* □ aggressiv, Angriffs...; *fig.* energisch; *~·sor* [~sə] *s* Angreifer *m*, Aggressor *m* (*esp. pol.*).

ag·grieved [əˈgriːvd] *adj* verletzt, gekränkt.

a·ghast [əˈgɑːst] *adj and adv* entgeistert, entsetzt.

ag·ile [ˈædʒaɪl] *adj* □ flink, behend; **a·gil·i·ty** [əˈdʒɪlətɪ] *s* Behendigkeit *f*.

ag·i·tate [ˈædʒɪteɪt] *v/t* hin- und herbewegen; *fig.* aufregen; *v/i* agitieren; **~ta·tion** [ædʒɪˈteɪʃn] *s fig.* Erschütterung *f*; Aufregung *f*; Agitation *f*; **~tor** [ˈ.teɪtə] *s* Agitator *m*, Aufwiegler *m*.

a·glow [əˈgləʊ] *adj and adv* glühend; **be ~** strahlen (**with** vor *dat*).

a·go [əˈgəʊ] *adv*: **a year ~** vor e-m Jahr.

ag·o·nize [ˈægənaɪz] *v/t* quälen.

ag·o·ny [ˈægənɪ] *s* heftiger Schmerz, *a. of mind*: Qual *f*; Pein *f*; Agonie *f*, Todeskampf *m*.

a·grar·i·an [əˈgreərɪən] *adj* Agrar...

a·gree [əˈgriː] *v/i* übereinstimmen; sich vertragen; einig werden, sich einigen (**on**, **upon** über *acc*); übereinkommen; **~ to** zustimmen (*dat*), einverstanden sein mit; *v/t price, etc.*: vereinbaren; **~a·ble** *adj* □ (**to**) angenehm (für); übereinstimmend (mit); **~ment** *s* Übereinstimmung *f*; Vereinbarung *f*; Abkommen *n*; Vertrag *m*.

ag·ri·cul·tur·al [ægrɪˈkʌltʃərəl] *adj* landwirtschaftlich; **~ policy** Agrarpolitik *f*; **~ products** landwirtschaftliche Erzeugnisse; **~e** [ˈægrɪkʌltʃə] *s* Landwirtschaft *f*; **~ist** [ægrɪˈkʌltʃərɪst] *s* Landwirt *m*, Landwirtschaftsexperte *m*.

a·ground *mar.* [əˈgraʊnd] *adj and adv* gestrandet; **run ~** stranden, auf Grund laufen.

a·head [əˈhed] *adj and adv* vorwärts, voraus; vorn; **go ~!** nur zu!, mach nur!; **straight ~** geradeaus.

aid [eɪd] **1.** *v/t* helfen (*dat*; **in s.th.** bei et.); fördern; **2.** *s* Hilfe *f*, Unterstützung *f*.

AIDS [eɪdz] *s* Aids *n* (*mst no art*), Erworbene Abwehrschwäche.

ail [eɪl] *v/i* kränkeln *v/i* schmerzen, weh tun (*dat*); **what ~s him?** was fehlt ihm?; **~ing** *adj* leidend; **~ment** *s* Leiden *n*.

aim [eɪm] **1.** *v/i* zielen (**at** auf *acc*, nach); **~ at** *fig.* beabsichtigen; **be ~ing to do s.th.** vorhaben, et. zu tun; *v/t*: **~ at** *weapon, etc.*: richten auf (*acc*) or gegen; **2.** *s* Ziel *n* (*a. fig.*); Absicht *f*; **take ~ at** zielen auf (*acc*) or nach; **~less** *adj* □ ziellos.

air¹ [eə] **1.** *s* Luft *f*; Luftzug *m*; Miene *f*, Aussehen *n*; **by ~** auf dem Luftwege; **in the open ~** im Freien; **on the ~** im Rundfunk *or* Fernsehen; **be on the ~** senden (*radio station, etc.*); in Betrieb sein (*radio station, etc.*); **go off the ~** die Sendung beenden (*person*); sein Programm beenden (*radio station, etc.*); **give o.s. ~s, put on ~s** vornehm tun; *aer.* **go** *or* **travel by ~** fliegen, mit dem Flugzeug reisen; **2.** *v/t* (aus)lüften; *fig.* an die Öffentlichkeit bringen; erörtern.

air² *mus.* [~] *s* Weise *f*, Melodie *f*.

air·bag *mot.* [ˈeəbæg] *s* Prallsack *m*; **~bed** *s* Luftmatratze *f*; **~borne** *adj aer.* in der Luft; *mil.* Luftlande...; **~brake** *s tech.* Druckluftbremse *f*; **~con·di·tioned** *adj* mit Klimaanlage; **~con·di·tion·er** *s* Klimaanlage *f*; **~craft** *s* (*pl* **-craft**) Flugzeug *n*; **~ car·ri·er** Flugzeugträger *m*; **~field** *s* Flugplatz *m*; **~force** *s mil.* Luftwaffe *f*; **~host·ess** *s aer.* Stewardeß *f*; **~lift** *s* Luftbrücke *f*; **~line** *s* Fluggesellschaft *f*; **~lin·er** *s* Verkehrsflugzeug *n*; **~mail** *s* Luftpost *f*; **by ~** mit Luftpost; **~miss** *s* Beinahezusammenstoß *m*; **~plane** *s Am.* Flugzeug *n*; **~pock·et** *s* Luftloch *n*; **~pol·lu·tion** *s* Luftverschmutzung *f*; **~port** *s* Flughafen *m*; **~raid** *s mil.* Luftangriff *m*; **~route** *s aer.* Flugroute *f*; **~sick** *adj* luftkrank; **~space** *s* Luftraum *m*; **~strip** *s* (behelfsmäßige) Start- und Landebahn; **~ter·mi·nal** *s* Abfertigungsgebäude *n*; **~tight** *adj* luftdicht; **~traf·fic** *s* Flugverkehr *m*; **~ control** Flugsicherung *f*; **~ controller** Fluglotse *m*; **~worth·y** *adj* flugtüchtig.

air·y [ˈeərɪ] *adj* □ (**-ier**, **-iest**) luftig; *contp.* überspannt.

aisle *arch.* [aɪl] *s* Seitenschiff *n*; Gang *m*.

a·jar [əˈdʒɑː] *adj and adv* halb offen, angelehnt.

a·kin [əˈkɪn] *adj* verwandt (**to** mit).

a·larm [əˈlɑːm] **1.** *s* Alarm(zeichen *n*) *m*; Wecker *m*; Angst *f*; **2.** *v/t* alarmieren; beunruhigen; **~ clock** *s* Wecker *m*.

al·bum [ˈælbəm] *s* Album *n*.

al·co·hol [ˈælkəhɒl] *s* Alkohol *m*; **~ic** [ælkəˈhɒlɪk] **1.** *adj* (**~ally**) alkoholisch; **2.** *s* Alkoholiker(in) *m*; **~is·m** *s* Alkoholismus *m*.

al·cove [ˈælkəʊv] *s* Nische *f*; Laube *f*.

al·der·man ['ɔːldəmən] s Ratsherr m, Stadtrat m.

ale [eɪl] s Ale n.

a·lert [ə'lɜːrt] **1.** adj □ wachsam; munter; **2.** s Alarm(bereitschaft f) m; **on the ~** auf der Hut; in Alarmbereitschaft; **3.** v/t warnen (**to** vor dat), alarmieren.

al·gae biol. ['ældʒiː, 'ælgaɪ] s pl Algen pl; **plague of ~** Algenpest f; **~ proliferation**; **al·gal** ['ælgəl] adj Algen...; **~ bloom** Algenblüte f, a. Algenpest f.

al·i·bi ['ælɪbaɪ] s Alibi n; F Entschuldigung f, Ausrede f.

a·li·en ['eɪlɪən] **1.** adj fremd; ausländisch; **2.** s Fremde(r m) m, Ausländer(in); **~ate** v/t veräußern; entfremden.

a·light [ə'laɪt] **1.** adj in Flammen; erhellt; **2.** v/i ab-, aussteigen; sich niederlassen (**on**, **upon** auf dat or acc).

a·lign [ə'laɪn] v/t and v/i (sich) ausrichten (**with** nach); **~ o.s. with** sich anschließen an (acc).

a·like [ə'laɪk] **1.** adj gleich; **2.** adv gleich, ebenso.

al·i·men·ta·ry [ælɪ'mentərɪ] adj nahrhaft; **~ canal** Verdauungskanal m.

al·i·mo·ny jur. ['ælɪmənɪ] s Unterhalt m.

a·live [ə'laɪv] adj lebendig; (noch) am Leben; lebhaft; belebt (**with** von).

all [ɔːl] **1.** adj all; ganz; jede(r, -s); **2.** pron alles; alle pl; **3.** adv ganz, völlig; **~ at once** auf einmal; **~ the better** desto besser; **~ but** beinahe, fast; **~ in** F fertig, ganz erledigt; **~ in** alles in allem; **~ right** (alles) in Ordnung; **for ~ that** dessenungeachtet, trotzdem; **for ~ I care** meinetwegen; **for ~ I know** soviel ich weiß; **at ~** überhaupt; **not at ~** überhaupt nicht; **the score was two ~** das Spiel stand zwei zu zwei.

all-A·mer·i·can [ɔːlə'merɪkən] adj rein amerikanisch; die ganzen USA vertretend.

al·le·ga·tion [ælɪ'geɪʃn] s (unbewiesene) Behauptung; **al·lege** [ə'ledʒ] v/t behaupten; **al·leged** adj (adv **~ly** [-ɪdlɪ]) angeblich.

al·le·giance [ə'liːdʒəns] s (Untertanen-) Treue f.

al·ler·gic [ə'lɜːdʒɪk] adj allergisch (**to** gegen); **~gy** ['ælədʒɪ] s Allergie f.

al·le·vi·ate [ə'liːvɪeɪt] v/t lindern, vermindern.

al·ley ['ælɪ] s (enge or schmale) Gasse;

Garten-, Parkweg m; bowling: Bahn f.

al·li·ance [ə'laɪəns] s Bündnis n, Allianz f; **in ~ with** im Verein mit.

al·lo·cate ['æləkeɪt] v/t zuteilen, anweisen; **~ca·tion** [~'keɪʃn] s Zuteilung f.

al·lot [ə'lɒt] v/t (**-tt-**) zuteilen, an-, zuweisen; **~ment** s Zuteilung f; Parzelle f.

al·low [ə'laʊ] v/t erlauben, bewilligen, gewähren; zugeben; ab-, anrechnen, vergüten; v/i: **~ for** berücksichtigen (acc); **~a·ble** adj □ erlaubt, zulässig; **~ance** s Vergütung f, Zuschuß m; econ. Freibetrag m; fig. Nachsicht f; **make ~(s) for s.th.** et. in Betracht ziehen.

al·loy 1. s ['ælɔɪ] Legierung f; **2.** v/t [ə'lɔɪ] legieren.

all-round ['ɔːlraʊnd] adj vielseitig; **~er** [ɔːl'raʊndə] s Alleskönner(in); sports: Allroundsportler(in), -spieler(in).

al·lude [ə'luːd] v/i anspielen (**to** auf acc).

al·lure [ə'ljʊə] v/t (an-, ver)locken; **~ment** s Verlockung f.

al·lu·sion [ə'luːʒn] s Anspielung f.

all-wheel drive mot. ['ɔːlwiːldraɪv] s Allradantrieb m.

al·ly 1. v/t and v/i [ə'laɪ] (sich) vereinigen, sich verbünden (**to**, **with** mit); **2.** s ['ælaɪ] Verbündete(r m) f, Bundesgenosse m, -in f; **the Allies** pl die Alliierten pl.

al·ma·nac ['ɔːlmənæk] s Almanach m.

al·might·y [ɔːl'maɪtɪ] adj allmächtig; **the ℒ** der Allmächtige.

al·mond bot. ['ɑːmənd] s Mandel f.

al·mo·ner Br. ['ɑːmənə] s Sozialarbeiter(in) im Krankenhaus.

al·most ['ɔːlməʊst] adv fast, beinah(e).

alms [ɑːmz] s pl Almosen n.

a·loft [ə'lɒft] adv (hoch) (dr)oben.

a·lone [ə'ləʊn] adj and adv allein; **let or leave ~** in Ruhe lassen, bleibenlassen; **let ~ ...** abgesehen von ...

a·long [ə'lɒŋ] **1.** adv weiter, vorwärts; da; dahin; **all ~** die ganze Zeit; **~ with** (zusammen) mit; **come ~** mitkommen, -gehen; **get ~** vorwärts-, weiterkommen; auskommen, sich vertragen (**with s.o.** mit j-m); **take ~** mitnehmen; **2.** prp entlang, längs; **~side** **1.** adv Seite an Seite; **2.** prp neben (acc or dat).

a·loof [ə'luːf] **1.** adv abseits; **2.** adj reserviert, zurückhaltend.

a·loud [ə'laʊd] adv laut.

al·pha·bet ['ælfəbɪt] s Alphabet n.

al·pine ['ælpaɪn] adj alpin, (Hoch)Gebirgs...

al·ready [ɔːl'redɪ] adv bereits, schon.

al·right [ɔːl'raɪt] → **all right** (*all* 3).

al·so ['ɔːlsəʊ] adv auch, ferner.

al·tar ['ɔːltə] s Altar m.

al·ter ['ɔːltə] v/t (v/i sich) (ver)ändern; ab-, umändern; **~·a·tion** [~'reɪʃn] s (Ver)Änderung f (*to* an dat).

al·ter·nate 1. v/i and v/t ['ɔːltəneɪt] abwechseln (lassen); *alternating current* electr. Wechselstrom m; **2.** adj □ [ɔːl'tɜːnət] abwechselnd; **3.** s Am. [~] Stellvertreter(in); **~·na·tion** [~'neɪʃn] s Abwechslung f; Wechsel m; **~·na·tive** [~'tɜːnətɪv] **1.** adj □ alternativ, wahlweise; **~ society** alternative Gesellschaft; **2.** s Alternative f, Wahl f, Möglichkeit f.

al·though [ɔːl'ðəʊ] cj obwohl, obgleich.

al·ti·tude ['æltɪtjuːd] s Höhe f; *at an ~ of* in e-r Höhe von.

al·to·geth·er [ɔːltə'geðə] adv im ganzen, insgesamt; ganz (und gar), völlig.

al·u·min·i·um [ælju'mɪnjəm], Am. **a·lu·mi·num** [ə'luːmɪnəm] s Aluminium n.

al·ways ['ɔːlweɪz] adv immer, stets.

am [æm; əm] *1. sg pres of* **be**.

a·mal·gam·ate [ə'mælgəmeɪt] v/t and v/i amalgamieren; verschmelzen.

a·mass [ə'mæs] v/t an-, aufhäufen.

am·a·teur ['æmətə] s Amateur m; contp. Dilettant(in); **~·is·m** s Amateursport m; status: Amateurstatus m.

a·maze [ə'meɪz] v/t in Erstaunen setzen, verblüffen; **~·ment** s Staunen n, Verblüffung f; **a·maz·ing** adj □ erstaunlich, verblüffend.

am·bas·sa·dor pol. [æm'bæsədə] s Botschafter m (*to a country* in dat); Gesandte(r) m; **~·dress** pol. [~drɪs] s Botschafterin f (*to a country* in dat).

am·ber min. ['æmbə] s Bernstein m.

am·bi·gu·i·ty [æmbɪ'gjuːɪtɪ] s Zwei-, Mehrdeutigkeit f; **am·big·u·ous** [æm-'bɪgjʊəs] adj □ zwei-, vieldeutig; doppelsinnig.

am·bi·tion [æm'bɪʃn] s Ehrgeiz m; Streben n; **~·tious** [~ʃəs] adj □ ehrgeizig; begierig (of nach).

am·ble ['æmbl] **1.** s Paßgang m; **2.** v/i im Paßgang gehen or reiten; schlendern.

am·bu·lance ['æmbjʊləns] s Krankenwagen m; mil. Feldlazarett n.

am·bush ['æmbʊʃ] **1.** s Hinterhalt m; *be or lie in ~ for s.o.* j-m auflauern; **2.** v/t auflauern (dat); überfallen.

a·men [ɑː'men, eɪ'men] int amen.

a·mend [ə'mend] v/t verbessern, berichtigen; law: abändern, ergänzen; **~·ment** s Besserung f; Verbesserung f; parl. Abänderungs-, Ergänzungsantrag m (*to a law*); Am. Zusatzartikel m zur Verfassung; **~s** s pl (Schaden)Ersatz m; *make ~* Schadenersatz leisten; *make ~ to s.o. for s.th.* j-n für et. entschädigen.

a·men·i·ty [ə'miːnətɪ] s often *amenities* pl Annehmlichkeiten pl, *of a town:* Kultur- und Freizeitangebot n.

A·mer·i·can [ə'merɪkən] **1.** adj amerikanisch; **~ football** Football m; **~ plan** Am. Vollpension f; **~ studies** pl Amerikanistik f; **2.** s Amerikaner(in); **~·is·m** [~ɪzəm] s Amerikanismus m.

a·mi·a·ble ['eɪmjəbl] adj □ liebenswürdig, freundlich.

am·i·ca·ble ['æmɪkəbl] adj □ freundschaftlich; gütlich.

a·mid(st) [ə'mɪd(st)] prp inmitten (gen), (mitten) in or unter (acc or dat).

a·miss [ə'mɪs] adj and adv verkehrt, falsch, übel; *take ~* übelnehmen.

am·mo·ni·a chem. [ə'məʊnjə] s Ammoniak n.

am·mu·ni·tion [æmjʊ'nɪʃn] s Munition f (*a. fig.*).

am·ne·si·a [æm'niːzɪə] s Gedächtnisschwund m.

am·nes·ty ['æmnɪstɪ] **1.** s Amnestie f; **2.** v/t begnadigen.

a·mok [ə'mɒk] adv: *run ~* Amok laufen.

a·mong(st) [ə'mʌŋ(st)] prp (mitten) unter, zwischen (*both: acc or dat*); **~ other things** unter anderem.

am·o·rous ['æmərəs] adj □ *looks, etc.:* verliebt; **~ advances** pl Annäherungsversuche pl.

a·mount [ə'maʊnt] **1.** v/i (*to*) sich belaufen (auf acc); hinauslaufen (auf acc); **2.** s Betrag m, Summe f; Menge f.

am·ple ['æmpl] adj □ (**~r, ~st**) weit, groß, geräumig; reichlich, -haltig.

am·pli·fi·er electr. ['æmplɪfaɪə] s Verstärker m; **~·fy** [~faɪ] v/t erweitern; electr. verstärken; weiter ausführen;

~tude [~tju:d] s Umfang m, Weite f, Fülle f.

am·pu·tate ['æmpjuteɪt] v/t amputieren.

a·muck [ə'mʌk] → amok.

a·muse [ə'mju:z] v/t (o.s. sich) amüsieren, unterhalten, belustigen; ~ment s Unterhaltung f, Vergnügen n, Zeitvertreib m; ~ arcade Spielhalle f; ~ park Freizeitpark m; **a·mus·ing** [~ɪŋ] adj □ amüsant, unterhaltend.

an [æn, ən] indef art before vowel: ein(e).

a·nae·mia med. [ə'ni:mɪə] s Blutarmut f, Anämie f.

an·aes·thet·ic [ænɪs'θetɪk] **1.** adj (~ally) betäubend, Narkose...; **2.** s Betäubungsmittel n; local ~ örtliche Betäubung; general ~ Vollnarkose f.

a·nal·o·gous [ə'næləgəs] adj □ analog, entsprechend; ~gy [~dʒɪ] s Analogie f, Entsprechung f.

an·a·lyse esp. Br., Am. **-lyze** ['ænəlaɪz] v/t analysieren; zerlegen; **a·nal·y·sis** [ə'næləsɪs] s (pl -ses [-si:z]) Analyse f.

an·arch·y ['ænəkɪ] s Anarchie f, Gesetzlosigkeit f; Chaos n.

a·nat·o·mize [ə'nætəmaɪz] v/t med. sezieren; zergliedern; ~my [~ɪ] s med. Anatomie f; Zergliederung f, Analyse f.

an·ces·tor ['ænsestə] s Vorfahr m, Ahn m; ~tral [æn'sestrəl] adj angestammt; ~tress ['ænsestrɪs] s Ahne f; ~try [~trɪ] s Abstammung f; Ahnen pl.

an·chor ['æŋkə] **1.** s Anker m; at ~ vor Anker; **2.** v/t verankern; ~age [~rɪdʒ] s Ankerplatz m.

an·cho·vy zo. ['æntʃəvɪ] s An(s)chovis f, Sardelle f.

an·cient ['eɪnʃənt] **1.** adj alt, antik; uralt; **2.** s: the ~s pl hist. die Alten pl, die antiken Klassiker pl.

and [ænd, ənd] cj und.

a·ne·mi·a Am. → anaemia.

an·es·thet·ic Am. → anaesthetic.

a·new [ə'nju:] adv von neuem.

an·gel ['eɪndʒəl] s Engel m.

an·ger ['æŋgə] **1.** s Zorn m, Ärger m (at über acc); **2.** v/t erzürnen, (ver)ärgern.

an·gi·na med. [æn'dʒaɪnə] s a. ~ pectoris Angina pectoris f.

an·gle ['æŋgl] **1.** s Winkel m; fig. Standpunkt m; **2.** v/i angeln (for nach); ~r [~ə] s Angler(in).

An·gli·can ['æŋglɪkən] **1.** adj eccl. angli-

kanisch; Am. britisch, englisch; **2.** s eccl. Anglikaner(in).

An·glo-Sax·on [æŋgləʊ'sæksən] **1.** adj angelsächsisch; **2.** s Angelsachse m; ling. Altenglisch n.

an·gry ['æŋgrɪ] adj □ (-ier, -iest) zornig, verärgert, böse (at über acc).

an·guish ['æŋgwɪʃ] s (Seelen)Qual f, Schmerz m; ~ed [~t] adj qualvoll.

an·gu·lar ['æŋgjʊlə] adj □ winkelig, Winkel...; knochig.

an·i·mal ['ænɪml] **1.** s Tier n; **2.** adj tierisch; ~ hus·band·ry s Viehzucht f.

an·i·mate ['ænɪmeɪt] v/t beleben, beseelen; aufmuntern, anregen; ~ma·ted adj lebendig; lebhaft, angeregt; ~ car·toon Zeichentrickfilm m; ~ma·tion [ænɪ'meɪʃn] s Lebhaftigkeit f; of cartoons: Animation f; film: (Zeichen)Trickfilm m.

an·i·mos·i·ty [ænɪ'mɒsətɪ] s Animosität f, Feindseligkeit f.

an·kle anat. ['æŋkl] s (Fuß)Knöchel m.

an·nals ['ænlz] s pl Jahrbücher pl.

an·nex 1. v/t [ə'neks] anhängen; annektieren; **2.** s ['æneks] Anhang m; Anbau m; ~a·tion [ænek'seɪʃn] s Annexion f, Einverleibung f.

an·ni·hi·late [ə'naɪəleɪt] v/t vernichten.

an·ni·ver·sa·ry [ænɪ'vɜːsərɪ] s Jahrestag m; Jahresfeier f.

an·no·tate ['ænəʊteɪt] v/t mit Anmerkungen versehen; kommentieren; ~ta·tion [~'teɪʃn] s Kommentieren n; ~ta·tion f; Kommentar m; Anmerkung f.

an·nounce [ə'naʊns] v/t ankündigen; bekanntgeben; radio, TV: ansagen; durchsagen; ~ment s Ankündigung f; Bekanntgabe f; radio, TV: Ansage f; Durchsage f; **an·nounc·er** s radio, TV: Ansager(in), Sprecher(in).

an·noy [ə'nɔɪ] v/t ärgern; belästigen; ~ance s Störung f, Belästigung f; Ärgernis n; ~ing adj ärgerlich, lästig.

an·nu·al ['ænjʊəl] **1.** adj □ jährlich, Jahres...; **2.** s bot. einjährige Pflanze; book: Jahrbuch n.

an·nu·i·ty [ə'njuːɪtɪ] s (Jahres)Rente f.

an·nul [ə'nʌl] v/t (-ll-) für ungültig erklären, annullieren; ~ment s Annullierung f, Aufhebung f.

an·o·dyne med. ['ænəʊdaɪn] **1.** adj schmerzstillend **2.** s schmerzstillendes Mittel.

a·noint *esp. eccl.* [ə'nɔɪnt] *v/t* salben.

a·nom·a·lous [ə'nɒmələs] *adj* □ anomal, abnorm, regelwidrig.

a·non·y·mous [ə'nɒnɪməs] *adj* □ anonym, ungenannt.

an·o·rak ['ænəræk] *s* Anorak *m*.

an·o·rex·i·a *med.* [ænə'reksɪə] *s* Magersucht *f*.

an·oth·er [ə'nʌðə] *adj and pron* ein anderer; ein zweiter; noch eine(r, -s).

an·swer ['ɑːnsə] **1.** *v/t et.* beantworten; *j-m* antworten; entsprechen (*dat*); *purpose:* erfüllen; *tech. steering wheel:* gehorchen (*dat*); *summons:* Folge leisten (*dat*); *description:* entsprechen (*dat*); ~ **the bell** *or* **door** (die Haustür) aufmachen; ~ **the (tele)phone** ans Telefon gehen; *v/i* antworten (*to dat*); entsprechen (*to dat*); ~ **back** freche Antworten geben; widersprechen; ~ **for** einstehen für. **2.** *s* Antwort *f* (*to auf acc*); **~·a·ble** *adj* verantwortlich.

ant *zo.* [ænt] *s* Ameise *f*.

an·tag·o·nism [æn'tægənɪzəm] *s* Antagonismus *m*; Feindschaft *f*; **~·nist** *s* Gegner(in); **~·nize** *v/t* ankämpfen gegen; sich *j-n* zum Feind machen.

an·te·ced·ent [æntɪ'siːdənt] **1.** *adj* □ vorhergehend, früher (*to* als): **2.** *s:* ~**s** *pl* Vorgeschichte *f*; Vorleben *n*.

an·te·date ['æntɪdeɪt] *v/t letter, etc.:* zurückdatieren; *event, etc.:* vorausgehen (*dat*).

an·te·lope *zo.* ['æntɪləʊp] *s* Antilope *f*.

an·ten·na¹ *zo.* [æn'tenə] *s* (*pl* **-nae** [-niː]) Fühler *m*.

an·ten·na² *esp. Am.* [~] *s* Antenne *f*.

an·te·room ['æntɪrʊm] *s* Vorzimmer *n*; Wartezimmer *n*.

an·them *mus.* ['ænθəm] *s* Hymne *f*.

an·ti- ['æntɪ] Gegen..., gegen ... eingestellt *or* wirkend, Anti..., anti...; **~·air·craft** *adj mil.* Flieger-, Flugabwehr...; **~·bi·ot·ic** [~baɪ'ɒtɪk] *s* Antibiotikum *n*.

an·tic·i·pate [æn'tɪsɪpeɪt] *v/t* vorwegnehmen; zuvorkommen (*dat*); voraussehen; erwarten; **~·pa·tion** [~'peɪʃn] *s* Vorwegnahme *f*; Zuvorkommen *n*; Voraussicht *f*; Erwartung *f*; **in ~** im voraus.

an·ti·clock·wise *Br.* [æntɪ'klɒkwaɪz] *adj and adv* entgegen dem Uhrzeigersinn.

an·ti·dote ['æntɪdəʊt] *s* Gegengift *n*, -mittel *n*; **~·freeze** *s* Frostschutzmittel

n; **~·nu·cle·ar** *adj* Anti-Atomkraft...

an·tip·a·thy [æn'tɪpəθɪ] *s* Abneigung *f*.

an·ti·quat·ed ['æntɪkweɪtɪd] *adj* veraltet, altmodisch, überholt.

an·tique [æn'tiːk] **1.** *adj* antik, alt; **2.** *s* Antiquität *f*; ~ **dealer** Antiquitätenhändler(in); **~ shop**, *esp. Am.* ~ **store** Antiquitätenladen *m*; **an·tiq·ui·ty** [æn'tɪkwətɪ] *s* Altertum *n*, Vorzeit *f*.

an·ti·sep·tic [æntɪ'septɪk] **1.** *adj* (**~·ally**) antiseptisch; **2.** *s* antiseptisches Mittel; **~·so·cial** *adj* □ asozial; *person: a.* ungesellig; **~·state** *adj* staatsfeindlich; **~·trust** *adj Am.:* ~ **law** Kartellgesetz *n*.

ant·lers ['æntləz] *s pl* Geweih *n*.

a·nus *anat.* ['eɪnəs] *s* After *m*.

anx·i·e·ty [æŋ'zaɪətɪ] *s* Angst *f*; Sorge *f* (*for* um); *med.* Beklemmung *f*; **anx·ious** ['æŋkʃəs] *adj* □ besorgt, beunruhigt (*about* wegen); begierig, gespannt (*for auf acc*); bestrebt (*to do* zu tun).

an·y ['enɪ] **1.** *adj and pron* (irgend)eine(r, -s), (irgend)welche(r, -s) (irgend) etwas; jede(r, -s) (beliebige); einige *pl*, welche *pl*; *not* ~ keiner; **2.** *adv* irgend (-wie), ein wenig, etwas, (noch) etwas; **~·bod·y** *pron* (irgend) jemand; jeder; **~·how** *adv* irgendwie; trotzdem, jedenfalls; wie dem auch sei; **~·one** → **any·body**; **~·thing** *pron* (irgend) etwas; alles; ~ **but** alles andere als; *or* **else?** sonst noch etwas?; *not* ~ nichts; **~·way** → **anyhow**; **~·where** *adv* irgendwo(hin); überall.

a·part [ə'pɑːt] *adv* einzeln, getrennt, für sich; beiseite; ~ **from** abgesehen von.

a·part·heid [ə'pɑːtheɪt] *s* Apartheid *f*, Politik *f* der Rassentrennung.

a·part·ment [ə'pɑːtmənt] *s* Zimmer *n*; *Am.* Wohnung *f*; *esp. Br.* (möblierte) (Miet-, Ferien)Wohnung *f*; ~ **house** *Am.* Mietshaus *n*.

ap·a·thet·ic [æpə'θetɪk] *adj* (**~·ally**) apathisch, teilnahmslos, gleichgültig; **~·thy** ['æpəθɪ] *s* Apathie *f*, Teilnahmslosigkeit *f*, Gleichgültigkeit *f*.

ape [eɪp] **1.** *s zo.* (Menschen)Affe *m*; **2.** *v/t* nachäffen.

a·pér·i·tif [əperɪ'tiːf] *s* Aperitif *m*.

ap·er·ture ['æpətjʊə] *s* Öffnung *f*.

a·piece [ə'piːs] *adv* pro Stück, je.

a·po·lit·i·cal [eɪpə'lɪtɪkəl] *adj* □ unpolitisch.

a·pol·o·get·ic [əpɒlə'dʒetɪk] *adj* (**~·ally**)

verteidigend; rechtfertigend; entschuldigend; **~gize** [ə'pɒlədʒaɪz] *v/i* sich entschuldigen (*for* für; *to* bei); **~gy** [~ɪ] *s* Entschuldigung *f*; Rechtfertigung *f*; *make* or *offer s.o. an ~* (*for s.th.*) sich bei j-m (für et.) entschuldigen.

a·po·plex·y med. ['æpəpleksɪ] *s* Schlag (-anfall) *m*.

a·pos·tle *eccl.* [ə'pɒsl] *s* Apostel *m*.

a·pos·tro·phe *ling.* [ə'pɒstrəfɪ] *s* Apostroph *m*.

ap·pal(l) [ə'pɔːl] *v/t* (*-ll-*) erschrecken, entsetzen; **~ling** *adj* □ erschreckend, entsetzlich, schrecklich.

ap·pa·ra·tus [æpə'reɪtəs] *s* Apparat *m*, Vorrichtung *f*, Gerät *n*; *the ~ of government* der Regierungsapparat.

ap·par·ent [ə'pærənt] *adj* □ sichtbar; anscheinend; offenbar.

ap·pa·ri·tion [æpə'rɪʃn] *s* Erscheinung *f*, Gespenst *n*.

ap·peal [ə'piːl] **1.** *v/i jur.* Berufung *or* Revision einlegen, Einspruch erheben, Beschwerde einlegen; appellieren, sich wenden (*to* an *acc*); **~ to** gefallen (*dat*), zusagen (*dat*), wirken auf (*acc*); j-n dringend bitten (*for* um); **2.** *s jur.* Revision *f*, Berufung *f*; Beschwerde *f*; Einspruch *m*; Appell *m* (*to* an *acc*), Aufruf *m*; Wirkung *f*, Reiz *m*; Bitte *f* (*to* an *acc*; *for* um); **~ for mercy** *jur.* Gnadengesuch *n*; **~ing** *adj* □ flehend; ansprechend.

ap·pear [ə'pɪə] *v/i* (er)scheinen; sich zeigen; *actor, etc.*: auftreten; sich ergeben *or* herausstellen; **~ance** *s* Erscheinen *n*; Auftreten *n*; Äußere(s) *n*, Erscheinung *f*, Aussehen *n*; Anschein *m*, äußerer Schein; *to all ~(s)* allem Anschein nach.

ap·pease [ə'piːz] *v/t* beruhigen; beschwichtigen; stillen; mildern; beilegen.

ap·pend [ə'pend] *v/t* an-, hinzu-, beifügen; **~age** [~ɪdʒ] *s* Anhang *m*, Anhängsel *n*, Zubehör *n*.

ap·pen·di·ci·tis *med.* [əpendɪ'saɪtɪs] *s* Blinddarmentzündung *f*; **~dix** [ə'pendɪks] *s* (*pl* *-dixes, -dices* [-dɪsɪːz]) Anhang *m*; *a. vermiform ~ anat.* Wurmfortsatz *m*, Blinddarm *m*.

ap·pe·tite ['æpɪtaɪt] *s* (*for*) Appetit *m* (auf *acc*); *fig.* Verlangen *n* (nach); **~tiz·er** *s* Appetithappen *m*, Vorspeise *f*; **~tiz·ing** *adj* □ appetitanregend.

ap·plaud [ə'plɔːd] *v/t and v/i* applaudieren, Beifall spenden (*dat*); loben; **ap·plause** [~z] *s* Applaus *m*, Beifall *m*.

ap·ple *bot.* ['æpl] *s* Apfel *m*; **~cart** *s* *upset s.o.'s ~* F j-s Pläne über den Haufen werfen; **~ pie** *s* gedeckter Apfelkuchen; *in apple-pie order* F in schönster Ordnung.

ap·pli·ance [ə'plaɪəns] *s* Vorrichtung *f*; Gerät *n*; Mittel *n*.

ap·plic·a·ble ['æplɪkəbl] *adj* □ anwendbar (*to* auf *acc*).

ap·pli|cant ['æplɪkənt] *s* claimant: Antragsteller(in); *for job:* Bewerber(in) (*for* um); **~ca·tion** [~'keɪʃn] *s* claim: Gesuch *n* (*for* um); *for job:* Bewerbung *f* (*for* um); *of theory, etc.:* Anwendung *f* (*to* auf *acc*); **~s program** *computer:* Anwenderprogramm *n*.

ap·ply [ə'plaɪ] *v/t* (*to*) (auf)legen, auftragen (auf *acc*); anwenden (auf *acc*); verwenden (für); *v/i for job:* sich bewerben (*for* um); *claim:* beantragen (*for* acc); (*to*) passen, zutreffen, sich anwenden lassen (auf *acc*); gelten (für); sich wenden (an *acc*).

ap·point [ə'pɔɪnt] *v/t* bestimmen, festsetzen; verabreden; ernennen (*s.o. minister, etc.* j-n zum ...); berufen (*to a post* auf *acc*); **~ment** *s* Bestimmung *f*; Verabredung *f*; Termin *m* (*with doctor, hairdresser, etc.*); Ernennung *f*, Berufung *f*; Stelle *f*; **~ book** Terminkalender *m*.

ap·por·tion [ə'pɔːʃn] *v/t* ver-, zuteilen; **~ment** Ver-, Zuteilung *f*.

ap·prais|al [ə'preɪzl] *s* (Ab)Schätzung *f*; **~e** [ə'preɪz] *v/t* (ab)schätzen, taxieren.

ap·pre·cia·ble [ə'priːʃəbl] *adj* □ nennenswert, spürbar; **~ci·ate** [~ɪeɪt] *v/t* schätzen; würdigen; dankbar sein für; *v/i econ.* im Wert steigen; **~ci·a·tion** [~ʃɪ'eɪʃn] *s* Schätzung *f*, Würdigung *f*; Anerkennung *f*; Verständnis *n* (*of* für); Dankbarkeit *f*; *econ.* Wertsteigerung *f*.

ap·pre·hend [æprɪ'hend] *v/t* ergreifen, fassen; begreifen; befürchten; **~hen·sion** [~ʃn] *s* Ergreifung *f*, Festnahme *f*; Besorgnis *f*; **~hen·sive** *adj* □ ängstlich, besorgt (*for* um; *that* daß).

ap·pren·tice [ə'prentɪs] **1.** *s* Auszubildende(r *m*) *f*, Lehrling *m*, F Azubi *m*, *f*; **2.** *v/t* in die Lehre geben; **~ship** *s* Lehrzeit *f*, Lehre *f*, Ausbildung *f*.

ap·proach [əˈprəʊtʃ] **1.** v/i näher kommen, sich nähern; v/t sich nähern (dat); herangehen or herantreten an (acc); **2.** (Heran)Nahen n; Ein-, Zu-, Auffahrt f; Annäherung f; Methode f; ~ **road** Zufahrtsstraße f; to motorway: (Autobahn)Zubringer m.

ap·pro·ba·tion [æprəˈbeɪʃn] s Billigung f, Beifall m.

ap·pro·pri·ate 1. v/t [əˈprəʊprɪeɪt] sich aneignen; **2.** adj □ [~ɪt] (for, to) angemessen (dat), passend (für, zu).

ap·prov|al [əˈpruːvl] s Billigung f; Anerkennung f, Beifall m; **meet with** ~ Beifall or Zustimmung finden; ~**e** [~v] v/t billigen, anerkennen; ~**ed** adj bewährt.

ap·prox·i·mate 1. v/t [əˈprɒksɪmeɪt] sich nähern (dat); **2.** adj □ [~mət] ungefähr.

a·pri·cot bot. [ˈeɪprɪkɒt] s Aprikose f.

A·pril [ˈeɪprəl] s April m; ~ **fool** s: **make an** ~ **of s.o.** j-n in den April schicken; ~**!** April, April!

a·pron [ˈeɪprən] s Schürze f; **be tied to one's wife's (mother's)** ~ **strings** fig. unterm Pantoffel stehen (der Mutter am Schürzenzipfel hängen).

apt [æpt] adj □ geeignet, passend; treffend; begabt; ~ **to** geneigt zu; **ap·ti·tude** [ˈæptɪtjuːd] s (for) Begabung f (für), Befähigung f (für), Talent n (zu); ~ **test** Eignungsprüfung f.

aq·ua·lung [ˈækwəlʌŋ] s Tauchgerät n.

a·quar·i·um [əˈkweərɪəm] s Aquarium n.

a·quat·ic [əˈkwætɪk] s Wassertier n, -pflanze f; ~**s** sg Wassersport m.

aq·ue·duct [ˈækwɪdʌkt] s Aquädukt m.

aq·ui·line [ˈækwɪlaɪn] adj Adler...; gebogen; ~ **nose** Adlernase f.

Ar·ab [ˈærəb] s Araber(in); **Ar·a·bic** [~ɪk] **1.** adj arabisch; **2.** s ling. Arabisch n.

ar·a·ble [ˈærəbl] adj anbaufähig; Acker...

ar·bi|tra·ry [ˈɑːbɪtrərɪ] adj □ willkürlich, eigenmächtig; ~**trate** [~treɪt] v/t entscheiden, schlichten; ~**tra·tion** [~ˈtreɪʃn] s Schlichtung f; ~**tra·tor** jur. [~ˈtreɪtə] s Schiedsrichter m; Schlichter m.

ar·bo(u)r [ˈɑːbə] s Laube f.

arc [ɑːk] s (electr. Licht)Bogen m; **ar·cade** [ɑːˈkeɪd] s Arkade f; Bogengang m; Durchgang m, Passage f.

arch¹ [ɑːtʃ] **1.** s Bogen m; Gewölbe n; anat. of foot: Rist m, Spann m; **2.** v/t and v/i (sich) wölben; krümmen; ~ **over** überwölben.

arch² [~] adj erste(r, -s), oberste(r, -s), Erz..., Haupt...

arch³ [~] adj □ schelmisch.

ar·cha·ic [ɑːˈkeɪɪk] adj (~**ally**) veraltet.

arch|an·gel [ˈɑːkeɪndʒəl] s Erzengel m; ~**bish·op** [ˈɑːtʃˈbɪʃəp] s Erzbischof m.

ar·cher [ˈɑːtʃə] s Bogenschütze m; ~**y** s Bogenschießen n.

ar·chi|tect [ˈɑːkɪtekt] s Architekt m; Urheber(in), Schöpfer(in); ~**tec·ture** [~tʃə] s Architektur f, Baukunst f.

ar·chives [ˈɑːkaɪvz] s pl Archiv n.

arc·tic [ˈɑːktɪk] adj arktisch, nördlich, Nord...; Polar...; ~ **circle** nördlicher Polarkreis.

ar·dent [ˈɑːdənt] adj □ heiß, glühend; fig. leidenschaftlich, heftig; eifrig.

ar·do(u)r fig. [ˈɑːdə] s Leidenschaft(lichkeit) f; Eifer m.

ar·du·ous [ˈɑːdjʊəs] adj □ mühsam; zäh.

are [ɑː, ə] pres pl and 2. sg of **be**.

ar·e·a [ˈeərɪə] s Areal n; (Boden)Fläche f; Gegend f, Gebiet n, Zone f; Bereich m; **in the Bonn** ~ im Raume Bonn; ~ **code** Am. teleph. Vorwahl(nummer) f.

a·re·na [əˈriːnə] s Arena f.

Ar·gen·tine [ˈɑːdʒəntaɪn] **1.** adj argentinisch; **2.** s Argentinier(in).

ar·gu·a·ble [ˈɑːgjʊəbl] adj fraglich, zweifelhaft; **it's** ~ **that ...** man kann (durchaus) die Meinung vertreten, daß ...

ar·gue [ˈɑːgjuː] v/t das Für und Wider gen) erörtern, diskutieren; v/i streiten; argumentieren, Gründe (für und wider) anführen, Einwendungen machen.

ar·gu·ment [ˈɑːgjʊmənt] s Argument n, Beweis(grund) m; Streit m, Wortwechsel m, Auseinandersetzung f.

ar·id [ˈærɪd] adj □ dürr, trocken (a. fig.).

a·rise [əˈraɪz] v/i irr (arose, arisen) entstehen; auftauchen, -treten, -kommen; **a·ris·en** [əˈrɪzn] pp of **arise**.

ar·is|toc·ra·cy [ærɪˈstɒkrəsɪ] s Aristokratie f, Adel m; ~**to·crat** [ˈærɪstəkræt] s Aristokrat(in); ~**to·crat·ic** [~ˈkrætɪk] adj (~**ally**) aristokratisch.

a·rith·me·tic [əˈrɪθmətɪk] s Rechnen n.

ark [ɑːk] s Arche f.

arm¹ [ɑːm] s Arm m; Armlehne f; **keep s.o. at** ~**'s length** sich j-n vom Leibe halten.

arm² [~] **1.** s mst ~**s** pl Waffen pl; Waffengattung f; **~s control** Rüstungskontrolle f; **~s race** Wettrüsten n, Rüstungswettlauf m; **up in ~s** kampfbereit; fig. in Harnisch; **2.** v/t and v/i (sich) bewaffnen; (sich) wappnen or rüsten.

ar·ma·da [ɑːˈmɑːdə] s Kriegsflotte f.

ar·ma·ment [ˈɑːməmənt] s (Kriegsaus-)Rüstung f; Aufrüstung f.

arm·chair [ˈɑːmtʃeə] s Lehnstuhl m, Sessel m.

ar·mi·stice [ˈɑːmɪstɪs] s Waffenstillstand m (a. fig.).

ar·mo(u)r [ˈɑːmə] **1.** s mil. Rüstung f, Panzer m (a. fig., zo.); **2.** v/t panzern; **~ed car** gepanzertes Fahrzeug; **~y** s Waffenkammer f; Waffenfabrik f.

arm·pit [ˈɑːmpɪt] s Achselhöhle f.

ar·my [ˈɑːmɪ] s Heer n, Armee f; fig. Menge f.

a·ro·ma [əˈrəʊmə] s Aroma n, Duft m; **ar·o·mat·ic** [ærəˈmætɪk] adj (**~ally**) aromatisch, würzig.

a·rose [əˈrəʊz] pret of **arise**.

a·round [əˈraʊnd] **1.** adv (rings)herum, (rund)herum, ringsumher, überall; umher, herum, in der Nähe; da; **2.** prp um, um ... herum, rund um; in (dat) ... herum; ungefähr, etwa.

a·rouse [əˈraʊz] v/t (auf)wecken; fig. aufrütteln, erregen.

ar·range [əˈreɪndʒ] v/t (an)ordnen; arrangieren; vereinbaren, ausmachen; mus. arrangieren, bearbeiten (a. thea.); **~ment** s Anordnung f, Zusammenstellung f, Verteilung f; Vereinbarung f, Absprache f; mus. Arrangement n, Bearbeitung f (a. thea.); **make ~s** Vorkehrungen or Vorbereitungen treffen.

ar·rears [əˈrɪəz] s pl Rückstand m, Rückstände pl; Schulden pl.

ar·rest [əˈrest] **1.** jur. Verhaftung f, Festnahme f; **2.** v/t jur. verhaften, festnehmen; an-, aufhalten; fig. fesseln.

ar·riv·al [əˈraɪvl] s Ankunft f; Erscheinen n; Ankömmling m; **~s** pl ankommende Züge pl or Schiffe pl or Flugzeuge pl; **ar·rive** [~v] v/i (an)kommen, eintreffen, erscheinen; **~ at** fig. erreichen (acc).

ar·ro·gance [ˈærəgəns] s Arroganz f, Anmaßung f, Überheblichkeit f; **~gant** adj □ arrogant, anmaßend, überheblich.

ar·row [ˈærəʊ] s Pfeil m; **~head** s Pfeilspitze f.

arse V [ɑːs] s Arsch m; **be a pain in the ~** F e-m auf den Geist (or V auf die Eier) gehen; **~hole** V [ˈɑːhəʊl] s Arschloch n.

ar·se·nal [ˈɑːsənl] s Arsenal n (a. fig.).

ar·se·nic chem. [ˈɑːsnɪk] s Arsen n.

ar·son jur. [ˈɑːsn] s Brandstiftung f.

art [ɑːt] s Kunst f; fig. List f; Kniff m; **~s** pl Geisteswissenschaften pl; **Faculty of ~s**, Am. **~s Department** philosophische Fakultät.

ar·te·ri·al [ɑːˈtɪərɪəl] adj anat. arteriell; **~ road** Hauptverkehrsstraße f, Ausfallstraße f; **ar·te·ry** [ˈɑːtərɪ] s anat. Arterie f, Schlag-, Pulsader f; fig. Verkehrsader f.

art·ful [ˈɑːtfl] adj □ schlau, verschmitzt.

art gal·le·ry [ˈɑːtgælərɪ] s Kunstgalerie f.

ar·ti·cle [ˈɑːtɪkl] s Artikel m (a. gr.).

ar·tic·u·late 1. v/t [ɑːˈtɪkjʊleɪt] deutlich (aus)sprechen; zusammenfügen; **2.** adj □ [~lət] deutlich; bot., zo. gegliedert; **~·la·tion** [ɑːˈtɪkjʊˈleɪʃn] s (deutliche) Aussprache f; anat. Gelenk(verbindung f) n.

ar·ti·fice [ˈɑːtɪfɪs] s Kunstgriff m, List f; **~·fi·cial** [ɑːˈtɪfɪʃl] adj □ künstlich, Kunst...; **~ person** juristische Person.

ar·til·le·ry [ɑːˈtɪlərɪ] s Artillerie f.

ar·ti·san [ɑːtɪˈzæn] s (Kunst)Handwerker(in).

art·ist [ˈɑːtɪst] s Künstler(in); **variety ~** Artist(in); **ar·tis·tic** [ɑːˈtɪstɪk] adj (**~ally**) künstlerisch, Kunst...

art·less [ˈɑːtlɪs] adj □ ungekünstelt, schlicht; arglos.

as [æz, əz] **1.** adv so, ebenso; wie; (in a certain function) als; **2.** cj with degree: (gerade) wie, so wie; ebenso wie; while: als, während; though: obwohl, obgleich; da, weil; **~ ... ~** (eben)so ... wie; **~ for**, **~ to** was ... (an)betrifft; **~ from now/tomorrow** von heute/morgen an or ab, ab heute/morgen; **~ it were** sozusagen.

as·cend [əˈsend] v/i (auf-, empor-, hinauf)steigen; v/t be-, ersteigen; river, etc.: hinauffahren.

as·cen|dan·cy, **~·den·cy** [əˈsendənsɪ] s Überlegenheit f, Einfluß m; **~·sion** [~ʃn] s Aufsteigen n (esp. ast.); Aufstieg m (of balloon, etc.); 2 (**Day**) Himmelfahrt(stag m) f; **~t** [~t] s Aufstieg m; Steigung f.

as·cer·tain [æsəˈteɪn] v/t ermitteln.

as·cet·ic [əˈsetɪk] *adj* (~**ally**) asketisch.

as·cribe [əˈskraɪb] *v/t* zuschreiben (**to** *dat*).

a·sep·tic *med.* [æˈseptɪk] **1.** *adj* aseptisch, keimfrei; **2.** *s* aseptisches Mittel.

ash¹ [æʃ] *s bot.* Esche *f*; Eschenholz *n*.

ash² [~] *s a.* **~es** *pl* Asche *f*; **2 Wednesday** Aschermittwoch *m*.

a·shamed [əˈʃeɪmd] *adj* beschämt; **be ~ of** sich schämen für (*or gen*).

ash can *Am.* [ˈæʃkæn] *s* → **dustbin**.

ash·en [ˈæʃn] *adj* Aschen...; aschfahl.

a·shore [əˈʃɔː] *adv* an Land *am or* ans Ufer *or* Land; **run ~** stranden.

ash|tray [ˈæʃtreɪ] *s* Aschenbecher *m*; **~·y** [~ɪ] *adj* (*-ier, -iest*) → **ashen**.

A·sian [ˈeɪʃn, ˈeɪʒn], **A·si·at·ic** [eɪʃɪˈætɪk] **1.** *adj* asiatisch; **2.** *s* Asiat(in).

a·side [əˈsaɪd] *adv* beiseite (*a. thea.*), seitwärts; **~ from** *Am.* abgesehen von.

ask [ɑːsk] *v/t* fragen (**s.th.** nach et.); verlangen (**of**, **from** s.o. von j-m); bitten (**s.o.** [**for**] **s.th.** j-n um et.; **that** darum, daß); erbitten; **~** (**s.o.**) **a question** (j-m) e-e Frage stellen; **if you ~ me** wenn du mich fragst; *v/i:* **~ for** bitten um; fragen nach; **he ~ed for it** *or* **for trouble** er wollte es ja so haben; **to be had for the ~ing** umsonst zu haben sein.

a·skance [əˈskæns] *adv:* **look ~ at s.o.** j-n von der Seite ansehen; j-n schief *or* mißtrauisch ansehen.

a·skew [əˈskjuː] *adv* schief.

a·sleep [əˈsliːp] *adj and adv* schlafend; **be** (**fast** *or* **sound**) **~** (fest) schlafen; **fall ~** einschlafen.

as·par·a·gus *bot.* [əˈspærəgəs] *s* Spargel *m*.

as·pect [ˈæspekt] *s* Lage *f*; Aspekt *m*, Seite *f*, Gesichtspunkt *m*.

as·phalt [ˈæsfælt] **1.** *s* Asphalt *m*; **2.** *v/t* asphaltieren.

as·pic [ˈæspɪk] *s* Aspik *m*, Gelee *n*.

as·pi·rant [əˈspaɪərənt] *s* Bewerber(in); **~·ra·tion** [æspəˈreɪʃn] *s* Ambition *f*, Bestrebung *f*; **as·pire** [əˈspaɪə] *v/i* streben, trachten (**to**, **after** nach).

as·pi·rin [ˈæspərɪn] *s* Kopfschmerztablette *f*, Aspirin *n TM*.

ass [æs] *s zo.* Esel *m* (F *a. person*); *Am.* → **arse**.

as·sail [əˈseɪl] *v/t* angreifen; **be ~ed with doubts** von Zweifeln befallen werden; **as·sai·lant** *s* Angreifer(in).

as·sas·sin [əˈsæsɪn] *s* Mörder(in), Attentäter(in); **~·ate** *v/t esp. pol.* ermorden; **be ~d** e-m Attentat *or* Mordanschlag zum Opfer fallen; **~·a·tion** [~ˈneɪʃn] *s* (**of**) *esp.* politischer Mord (an *dat*), Ermordung *f* (*gen*), (geglücktes) Attentat (auf *acc*).

as·sault [əˈsɔːlt] **1.** *s* Angriff *m*; **2.** *v/t* angreifen, überfallen; *jur.* tätlich angreifen *or* beleidigen.

as·say [əˈseɪ] **1.** *s* (Erz-, Metall)Probe *f*; **2.** *v/t* prüfen, untersuchen.

as·sem|blage [əˈsemblɪdʒ] *s* (An-) Sammlung *f*; *tech.* Montage *f*; **~·ble** [~bl] *v/t and v/i* (sich) versammeln; *tech.* montieren; **~·bly** [~ɪ] *s* Versammlung *f*, Gesellschaft *f*; *tech.* Montage *f*; **~ line** *tech.* Fließband *n*.

as·sent [əˈsent] **1.** *s* Zustimmung *f*; **2.** *v/i* (**to**) zustimmen (*dat*); billigen (*acc*).

as·sert [əˈsɜːt] *v/t* behaupten; geltend machen; **~ o.s.** sich behaupten *or* durchsetzen; **as·ser·tion** [əˈsɜːʃn] *s* Behauptung *f*; Erklärung *f*; Geltendmachung *f*.

as·sess [əˈses] *v/t cost, etc.*: festsetzen; *income:* (zur Steuer) veranlagen (**at** mit); *fig.* abschätzen, beurteilen; **~·ment** *s* Festsetzung *f*; *of tax:* (Steuer)Veranlagung *f*; *fig.* Einschätzung *f*.

as·set [ˈæset] *s econ.* Aktivposten *m*; *fig.* Plus *n*, Gewinn *m*; **~s** *pl* Vermögen *n*; *econ.* Aktiva *pl*; *jur.* Konkursmasse *f*.

as·sign [əˈsaɪn] *v/t* an-, zuweisen; bestimmen; zuschreiben; **as·sig·na·tion** [æsɪgˈneɪʃn] *s* Zuteilung *f*, Zuweisung *f*; (*of lovers:*) heimliches Treffen, Stelldichein *n*; *a.* → **~·ment** *s* An-, Zuweisung *f*; Aufgabe *f*; Auftrag *m*; *jur.* Übertragung *f*.

as·sim·i|late [əˈsɪmɪleɪt] *v/t and v/i* (sich) angleichen *or* anpassen (**to**, **with** *dat*); **~·la·tion** [əsɪmɪˈleɪʃn] *s* Assimilation *f*, Angleichung *f*, Anpassung *f*.

as·sist [əˈsɪst] *v/t* j-m beistehen, helfen, assistieren; unterstützen; **~ s.o. with s.th.** j-m bei et. helfen; **~·ance** *s* Beistand *m*, Hilfe *f*; **be of ~** behilflich sein; **as·sis·tant 1.** *adj* stellvertretend, Hilfs...; **2.** *s* Assistent(in), Mitarbeiter(in); **shop ~** *Br.* Verkäufer(in).

as·so·ci|ate 1. *v/t* [əˈsəʊʃɪeɪt] vereinigen, -binden; assoziieren; *v/i:* **~ with** verkehren mit; **2.** *adj* [~ʃɪət] verbunden; **~**

member außerordentliches Mitglied; **3.** s [ˌʃɪət] Kolleg|e m, -in f; Teilhaber(in); **~·a·tion** [əsəʊsɪˈeɪʃn] s Vereinigung f, Verband m; Verein m; psych. Assoziation f; **~ agreement** econ., pol. Assoziierungsabkommen n.

as·sort [əˈsɔːt] v/t sortieren, aussuchen, zusammenstellen; **~·ment** s Sortieren n; econ. Sortiment n, Auswahl f.

as·sume [əˈsjuːm] v/t annehmen; vorgeben; übernehmen; **as·sump·tion** [əˈsʌmpʃn] s Annahme f; Übernahme f; *(going) on the ~ that ...* vorausgesetzt, daß ...; **♀ (Day)** eccl. Mariä Himmelfahrt f.

as·sur|ance [əˈʃʊərəns] s Zu-, Versicherung f; Zuversicht f; Sicherheit f; Gewißheit f; Selbstsicherheit f; *(life) ~* esp. Br. (Lebens)Versicherung f; **~e** [əˈʃʊə] v/t versichern; esp. Br., s.o.'s life: versichern; **~ed 1.** adj (adv **~·ly** [ˌrɪdlɪ]) sicher; **2.** s Versicherte(r m) f.

asth·ma med. [ˈæsmə] s Asthma n.

as·ton·ish [əˈstɒnɪʃ] v/t in Erstaunen setzen; *be ~ed* erstaunt sein *(at* über acc*)*; **~·ing** adj □ erstaunlich; **~·ly** erstaunlicherweise; **~·ment** s (Er)Staunen n, Verwunderung f; *to s.o.'s ~* zu j-s Verwunderung.

as·tound [əˈstaʊnd] v/t verblüffen.

a·stray [əˈstreɪ] adv: *go ~* vom Weg abkommen, fig. auf Abwege geraten; irregehen; *lead ~* fig. irreführen, verleiten; vom rechten Weg abbringen.

a·stride [əˈstraɪd] adv rittlings *(of* auf dat*)*.

as·trin·gent med. [əˈstrɪndʒənt] **1.** adj □ blutstillend; **2.** s blutstillendes Mittel.

as·trol·o·gy [əˈstrɒlədʒɪ] s Astrologie f.

as·tro·naut [ˈæstrənɔːt] s Astronaut(in), (Welt)Raumfahrer(in).

as·tron·o|mer [əˈstrɒnəmə] s Astronom(in); **as·tro·nom·i·cal** [æstrəˈnɒmɪkl] adj □ astronomisch *(a. fig.)*; **~·my** [əˈstrɒnəmɪ] s Astronomie f.

as·tute [əˈstjuːt] adj □ scharfsinnig; schlau; **~·ness** s Scharfsinn m.

a·sy·lum [əˈsaɪləm] s Asyl n; *ask for ~* um Asyl bitten; *give s.o. ~* j-m Asyl gewähren; **~ seeker** Asylbewerber(in), Asylsuchende(r m) f; Asylant(in).

at [æt, ət] prp an; auf; aus; bei; für; in; mit; nach; über; um; von; vor; zu; ~

school in der Schule; *~ the age of* im Alter von.

ate [et] pret of *eat* 1.

a·the|is·m [ˈeɪθɪɪzm] s Atheismus m; **~·ist** [ˈeɪθɪɪst] s Atheist(in).

ath|lete [ˈæθliːt] s *(esp.* Leicht)Athlet(in); **~'s foot** med. Fußpilz m; **~·let·ic** [æθˈletɪk] adj *(~·ally)* athletisch; **~·let·ics** s sg or pl *(esp.* Leicht)Athletik f.

At·lan·tic [ətˈlæntɪk] **1.** adj atlantisch; **2.** s a. **~ Ocean** Atlantik m.

at·mo|sphere [ˈætməsfɪə] s Atmosphäre f *(a. fig.)*; **~·spher·ic** [ætməsˈferɪk] adj *(~·ally)* atmosphärisch.

at·om [ˈætəm] s Atom n; **~ bomb** s Atombombe f; **a·tom·ic** [əˈtɒmɪk] adj *(~·ally)* atomar, Atom...; **~ age** Atomzeitalter n; **~ bomb** Atombombe f; **~ energy** Atomenergie f; **~ pile** Atomreaktor m; **~ power** Atomkraft f; **~·powered** atomgetrieben; **~ waste** Atommüll m.

at·om|ize [ˈætəmaɪz] v/t in Atome auflösen; atomisieren; zerstäuben; **~·iz·er** [ˌə] s Zerstäuber m.

a·tone [əˈtəʊn] v/i: *~ for* et. wiedergutmachen; **~·ment** s Buße f, Sühne f.

a·tro|cious [əˈtrəʊʃəs] adj □ scheußlich, gräßlich; grausam; **~·ci·ty** [əˈtrɒsətɪ] s Scheußlichkeit f, Gräßlichkeit f; Greueltat f, Greuel m.

at·tach [əˈtætʃ] v/t *(to)* anheften, ankleben *(an acc)*, befestigen, anbringen *(an dat)*; importance, etc.: beimessen *(dat)*; *~ o.s. to* sich anschließen *(dat)* or an *(acc)*.

at·tach·é pol. [əˈtæʃeɪ] s Attaché m; **~ case** s Diplomatenkoffer m.

at·tached [əˈtætʃt] adj zugetan.

at·tach·ment [əˈtætʃmənt] s Befestigung f; **~ for, ~ to** Bindung f an *(acc)*; Anhänglichkeit f an *(acc)*, Neigung f zu.

at·tack [əˈtæk] **1.** v/t angreifen *(a. fig.)*; befallen *(disease)*; job, task, etc.: in Angriff nehmen; **2.** s Angriff m; med. Anfall m; Inangriffnahme f.

at·tain [əˈteɪn] v/t aim, rank, etc.: erreichen, erlangen; **~·ment** s Erlangen n; **~s** pl Kenntnisse pl, Fertigkeiten pl.

at·tempt [əˈtempt] **1.** v/t versuchen; **2.** s Versuch m; Attentat n.

at·tend [əˈtend] v/t begleiten; bedienen; pflegen; med. behandeln; meeting, etc.:

anwesend sein bei, teilnehmen an (*dat*), *school*, *etc.*: besuchen; *lecture*, *etc.*: hören; *v/i* aufpassen; achten, hören (**to** auf *acc*); ~ **to** erledigen; **~ance** *s* Begleitung *f*; Pflege *f*; *med.* Behandlung *f*; Anwesenheit *f* (**at** bei); Besuch *m* (*of school*, *etc.*); Besucher(zahl *f*) *pl*; **~ant** *s* Aufseher(in); Bedienungsperson *f*.

at·ten|tion [ə'tenʃn] *s* Aufmerksamkeit *f*; **~tive** [~tiv] *adj* □ aufmerksam.

at·tic ['ætik] *s* Dachboden *m*; Dachstube *f*; Mansarde *f*.

at·ti·tude ['ætitjuːd] *s* (Ein)Stellung *f*; Haltung *f*.

at·tor·ney [ə'tɜːni] *jur.* Bevollmächtigte(r) *m*; *Am.* Rechtsanwalt *m*; **power of** ~ Vollmacht *f*; **♀ General** *Br.* erster Kronanwalt; *Am.* Justizminister *m*.

at·tract [ə'trækt] *v/t* anziehen; *attention*: erregen; *fig.* reizen; **at·trac·tion** [~kʃn] *s* Anziehung(skraft) *f*, Reiz *m*; Attraktion *f*, *thea.*, *etc.*: Zugnummer *f*, -stück *n*; **at·trac·tive** [~tiv] *adj* anziehend; attraktiv; reizvoll; **at·trac·tive·ness** *s* Reiz *m*.

at·trib·ute¹ [ə'tribjuːt] *v/t* beimessen, zuschreiben; zurückführen (**to** auf *acc*).

at·tri·bute² ['ætribjuːt] *s* Attribut *n* (*a. gr.*), Eigenschaft *f*, Merkmal *n*.

at·tune [ə'tjuːn] *v/t*: ~ **to** *fig.* einstellen auf (*acc*).

au·burn ['ɔːbən] *adj* kastanienbraun.

auc|tion ['ɔːkʃn] **1.** *s* Auktion *f*; **sell by** (*Am.* **at**) ~ versteigern; **put up for** (*Am.* **at**) ~ zur Versteigerung anbieten; **2.** *v/t mst* ~ **off** versteigern; **~tio·neer** [~kʃə'niə] *s* Auktionator *m*.

au·da|cious [ɔː'deiʃəs] *adj* □ kühn; dreist; **~c·i·ty** [~'dæsəti] *s* Kühnheit *f*; Dreistigkeit *f*.

au·di·ble ['ɔːdəbl] *adj* □ hörbar.

au·di·ence ['ɔːdiəns] *s* Publikum *n*, Zuhörer(schaft *f*) *pl*, Zuschauer *pl*, Besucher *pl*, Leser(kreis *m*) *pl*; Audienz *f*; **give** ~ **to** Gehör schenken (*dat*).

au·di·o|cas·sette [ɔːdiəʊkə'set] *s* Tonkassette *f*; **~·vis·u·al** [~'viʒʊəl] *adj*: ~ **aids** *pl* audiovisuelle Unterrichtsmittel *pl*.

au·dit *econ.* ['ɔːdit] **1.** *s* Bücherrevision *f*; **2.** *v/t accounts*: prüfen; **au·di·tor** *s* (Zu)Hörer(in); *econ.* Bücherrevisor *m*, Buchprüfer *m*; **au·di·to·ri·um** [ɔːdi-

'tɔːriəm] *s* Zuschauerraum *m*; *Am.* Vortrags-, Konzertsaal *m*.

au·ger *tech.* ['ɔːgə] *s* (großer) Bohrer.

aug·ment [ɔːg'ment] *v/t* vergrößern.

au·gur ['ɔːgə] *v/i*: ~ **ill** (**well**) ein schlechtes (gutes) Zeichen *or* Omen sein (**for** für).

Au·gust¹ ['ɔːgəst] *s* August *m*.

au·gust² [ɔː'gʌst] *adj* □ erhaben.

aunt [ɑːnt] *s* Tante *f*; **~·ie**, **~·y** F ['ɑːnti] *s* Tantchen *n*.

aus·pic·es ['ɔːspisiz] *s pl* Schirmherrschaft *f*; **prospects**: Vorzeichen *pl*; **~·pi·cious** [ɔː'spiʃəs] *adj* □ günstig.

aus·tere [ɔː'stiə] *adj* □ streng; herb; hart; einfach; **~·ter·i·ty** [ɔː'sterəti] *s* Strenge *f*; Härte *f*; Einfachheit *f*; *econ.*, *pol.* ~ **program(me)** Sparprogramm *n*.

Aus·tra·li·an [ɒ'streiliən] **1.** *adj* australisch; **2.** *s* Australier(in).

Aus·tri·an ['ɒstriən] **1.** *adj* österreichisch; **2.** *s* Österreicher(in).

au·then·tic [ɔː'θentik] *adj* (**~ally**) authentisch; zuverlässig; echt.

au·thor ['ɔːθə] *s* Urheber(in); Autor(in), Verfasser(in); **~·i·ta·tive** [ɔː'θɒritətiv] *adj* □ maßgebend; gebieterisch; zuverlässig; *official*: amtlich; **~·i·ty** [~rəti] *s* Autorität *f*; (Amts)Gewalt *f*; Nachdruck *m*, Gewicht *n*; Vollmacht *f*; Einfluß *m* (**over** auf *acc*); Ansehen *n*; Quelle *f*; Fachmann *m*; *mst* **authorities** *pl* Behörde *f*; **~·ize** ['ɔːθəraiz] *v/t* autorisieren, ermächtigen, bevollmächtigen, berechtigen; *et.* gutheißen; **~·ship** [~ʃip] *s* Urheberschaft *f*.

au·to·graph ['ɔːtəgrɑːf] *s* Autogramm *n*.

au·to·mat *TM* ['ɔːtəmæt] *s* Automatenrestaurant *n* (*esp. in the USA*).

au·to|mate ['ɔːtəmeit] *v/t* automatisieren; **~·mat·ic** [ɔːtə'mætik] **1.** *adj* (**~ally**) automatisch; **2.** *s* Selbstladepistole *f*, -gewehr *n*; *mot.* Auto *n* mit Automatik; **~·ma·tion** [~'meiʃn] *s* Automation *f*; **~·m·a·ton** [ɔː'tɒmətən] *s* (*pl* **-ta** [-tə], **-tons**) Roboter *m*, Automat *m*.

au·to·mo·bile *esp. Am.* ['ɔːtəməbiːl] *s* Auto *n*, Automobil *n*.

au·ton·o·my [ɔː'tɒnəmi] *s* Autonomie *f*.

au·tumn ['ɔːtəm] *s* Herbst *m*; **au·tum·nal** [ɔː'tʌmnəl] *adj* □ herbstlich, Herbst...

aux·il·i·a·ry [ɔːg'ziliəri] *adj* Hilfs-, zusätzlich; ~ **verb** *gr.* Hilfsverb *n*.

a·vail [ə'veil] **1.** *v/t*: ~ **o.s. of** sich e-r

B

Sache bedienen, *et.* nutzen; **2.** *s* Nutzen *m*; *of or to no* ~ nutzlos; **a·vai·la·ble** [~əbl] *adj* □ verfügbar, vorhanden; *econ.* lieferbar, vorrätig, erhältlich.

av·a·lanche ['ævəlɑ:nʃ] *s* Lawine *f*.

av·a|rice ['ævəris] *s* Habsucht *f*; ~**ri·cious** [ævə'riʃəs] *adj* □ habgierig.

a·venge [ə'vendʒ] *v/t* rächen; **a·veng·er** [~ə] *s* Rächer(in).

av·e·nue ['ævənju:] *s* Allee *f*; Boulevard *m*, Prachtstraße *f*.

av·e·rage ['ævəridʒ] **1.** *s* Durchschnitt *m*; *mar.* Havarie *f*; *on (the or an)* ~ im Durchschnitt, durchschnittlich; **2.** *adj* □ durchschnittlich, Durchschnitts...; **3.** *v/t* durchschnittlich betragen (ausmachen, haben, leisten, erreichen *etc.*); *a.* ~ *out* den Durchschnitt (*gen*) ermitteln.

a·verse [ə'vɜ:s] *adj* □ abgeneigt (*to dat*); **a·ver·sion** [~ʃn] *s* Widerwille *m*, Abneigung *f*.

a·vert [ə'vɜ:t] *v/t* abwenden (*a. fig.*).

a·vi·a·tion *aer.* [eivi'eiʃn] *s* Luftfahrt *f*.

av·id ['ævid] *adj* □ gierig (*for* nach); begeistert, passioniert.

a·void [ə'vɔid] *v/t* (ver)meiden; ausweichen; ~**ance** [~əns] *s* Vermeidung *f*.

a·wait [ə'weit] *v/t* erwarten (*a. fig.*).

a·wake [ə'weik] **1.** *adj* wach, munter; *be* ~ *to* sich e-r Sache (voll) bewußt sein; **2.** (*awoke or awaked, awaked or awoken*), *a.* **a·wak·en** [~ən] *v/t* (auf-)

wecken; ~ *s.o. to s.th.* j-m et. zum Bewußtsein bringen; *v/i* auf-, erwachen; **a·wak·en·ing** [~əniŋ] *s* Erwachen *n*.

a·ward [ə'wɔ:d] **1.** *s* Belohnung *f*; Preis *m*, Auszeichnung *f*; **2.** *v/t* zuerkennen; *prize, etc.*: verleihen.

a·ware [ə'weə] *adj*: *be* ~ *of s.th.* von et. wissen, sich e-r Sache bewußt sein; *become* ~ *of s.th.* e-r Sache gewahr werden, et. merken.

a·way [ə'wei] *adj and adv* (hin)weg, fort; entfernt; immer weiter, d(a)rauflos; *sports*: auswärts; ~ (*game*) Auswärtsspiel *n*; ~ (*win*) Auswärtssieg *m*.

awe [ɔ:] **1.** *s* Ehrfurcht *f*, Scheu *f*, Furcht *f*; **2.** *v/t* (Ehr)Furcht einflößen (*dat*).

aw·ful ['ɔ:fl] *adj* □ furchtbar, schrecklich.

awk·ward ['ɔ:kwəd] *adj* □ ungeschickt, unbeholfen, linkisch; unangenehm; *inconvenient*: dumm, ungünstig.

aw·ning ['ɔ:niŋ] *s* Plane *f*, Markise *f*.

a·woke [ə'wəuk] *pret of* **awake** 2; **a·wok·en** [~ən] *pp of* **awake** 2.

a·wry [ə'rai] *adj and adv* schief; *fig.* verkehrt.

ax(e) [æks] *s* Axt *f*, Beil *n*.

ax·is ['æksis] *s* (*pl* -**es** [-si:z]) Achse *f*.

ax·le *tech.* ['æksl] *s a.* ~**tree** (Rad)Achse *f*, Welle *f*.

ay(e) [ai] *s* Ja *n*; *parl.* Jastimme *f*; *the* ~**s** *have it* der Antrag ist angenommen.

az·ure ['æʒə] *adj* azur-, himmelblau.

B

bab·ble ['bæbl] **1.** *v/t and v/i* stammeln; plappern, schwatzen; *of stream*: plätschern; **2.** *s* Geplapper *n*, Geschwätz *n*.

babe [beib] *s* kleines Kind, Baby *n*; *Am.* (*young woman*) F Kleine *f*, Schatz *m*.

ba·boon *zo.* [bə'bu:n] *s* Pavian *m*.

ba·by ['beibi] **1.** *s* Säugling *m*, kleines Kind, Baby *n*; *Am.* (*young woman*) F Kleine *f*, Schatz *m*, Liebling *m*; **2.** *adj* Baby..., Kinder...; klein; ~ **car·riage** *s* *Am.* Kinderwagen *m*; ☨-**gro** TM ['~grəu] *s* (*pl* -**gros**) Strampelhose *f*;

~**hood** *s* frühe Kindheit, Säuglingsalter *n*; ~**mind·er** *s* *Br.* Tagesmutter *f*; ~**sit** *v/i* (-*tt*-; -*sat*) babysitten; ~**sit·ter** *s* Babysitter(in).

bach·e·lor ['bætʃələ] *s* Junggeselle *m*; *univ. degree*: Bakkalaureus *m*.

back [bæk] **1.** *s* Rücken *m*; Rückseite *f*; Rücklehne *f*; Hinterende *n*; *soccer*: Verteidiger *m*; **2.** *adj* Hinter..., Rück..., hintere(r, -s), rückwärtig; entlegen; rückläufig; rückständig; *newspaper, etc.*: alt, zurückliegend; **3.** *adv* zurück;

B

rückwärts; **4.** v/t (a. **~ up**) helfen (dat.), unterstützen; hinten grenzen an (acc); car: zurückbewegen, zurückstoßen mit; wetten or setzen auf (acc); econ. cheque: indossieren; v/i sich rückwärts bewegen, zurückgehen or -treten or -fahren, mot. a. zurückstoßen; **~ache** s Rückenschmerzen pl; **~bench·er** s pol. Hinterbänkler(in); **~bite** v/t (-bit, -bitten) verleumden; **~bone** s Rückgrat n; **~break·ing** adj of work: zermürbend, mörderisch; **~comb** v/t hair: toupieren; **~date** v/t bill, etc.: zurückdatieren; **~er** s Unterstützer(in); Wetter(in); **~fire 1.** s mot. Früh-, Fehlzündung f; **2.** v/i mot. fehlzünden; fig. ins Auge gehen; **~ground** s Hintergrund m; **~hand** s sports: Rückhand f; **~ing** s Unterstützung f; tech. Verstärkung f; mus. Begleitung f; **~list** s publishing: Backlist f, Verzeichnis n lieferbarer Titel; **~pack** s Rucksack m; **~pack·er** s Rucksacktourist(in); **~pack·ing** s Rucksacktourismus m; **~ seat** s Rücksitz m; **~side** s Gesäß n, F Hintern m, Po m; **~ stairs** s pl Hintertreppe f; **~street** s Seitenstraße f; **~stroke** s sports: Rückenschwimmen n; **~ talk** s Am. F freche Antwort(en pl); **~track** v/i fig. e-n Rückzieher machen; **~ward 1.** adj Rück(wärts)..., rückwärts gerichtet; langsam; zurückgeblieben; rückständig; zurückhaltend; **2.** adv (a. **~wards**) rückwärts, zurück; **~yard** s Br. Hinterhof m; Am. Garten m hinter dem Haus.

ba·con ['beɪkən] s Speck m; **bring home the ~** F co. die Brötchen verdienen.

bac·te·ri·a biol. [bæk'tɪərɪə] s pl Bakterien pl.

bad [bæd] adj ☐ (**worse, worst**) schlecht, böse, schlimm; **go ~** schlecht werden, verderben; (**that's**) **too ~!** Pech!; **he is in a ~ way** es geht ihm schlecht, er ist übel dran; **he is ~ly off** es geht ihm sehr schlecht; **~ly wounded** schwerverwundet; **want ~ly** F dringend brauchen.

bade [beɪd] pret of **bid** 1.

badge [bædʒ] s Abzeichen n; Dienstmarke f.

bad·ger ['bædʒə] **1.** s zo. Dachs m; **2.** v/t plagen, j-m zusetzen.

baf·fle ['bæfl] v/t j-n verwirren; plan, etc.: vereiteln, durchkreuzen.

bag [bæg] **1.** s Tasche f; Beutel m, Sack m; Tüte f; **~ and baggage** (mit) Sack und Pack; **2.** v/t (-gg-) in e-n Beutel etc. tun or verpacken or abfüllen; hunt. zur Strecke bringen; (v/i sich) bauschen.

bag·gage esp. Am. ['bægɪdʒ] s (Reise-) Gepäck n; **~ car** s rail. Gepäckwagen m; **~ check** s Am. Gepäckschein m; **~ room** s Am. Gepäckaufbewahrung f.

bag·gy F ['bægɪ] adj (-ier, -iest) sackartig; schlaff (herunterhängend); of trousers: ausgebeult.

bag·pipes ['bægpaɪps] s pl Dudelsack m.

bail [beɪl] **1.** s Bürge m; Bürgschaft f; Kaution f; **admit to ~** jur. gegen Kaution freilassen; **go or stand ~ for s.o.** jur. für j-n Kaution stellen; **2.** v/t: **~ out** jur. j-n gegen Kaution freibekommen; v/i: **~ out** Am. aer. (mit dem Fallschirm) abspringen.

bai·liff ['beɪlɪf] s jur. Br. Gerichtsvollzieher m, Am. Gerichtsdiener; (Guts-) Verwalter m.

bait [beɪt] **1.** s Köder m (a. fig.); **2.** v/t mit e-m Köder versehen; fig. ködern; fig. torment: quälen, piesacken.

bake [beɪk] v/t backen, im (Back)Ofen braten; bricks: brennen; dörren; **~d beans** s pl Bohnen pl in Tomatensoße; **~d potatoes** pl ungeschälte, gebackene Kartoffeln; appr. Folienkartoffeln pl; **bak·er** s Bäcker m; **bak·er·y** s Bäckerei f; **bak·ing-pow·der** s Backpulver n.

bal·ance 1. s Waage f; Gleichgewicht n (a. fig.); Harmonie f; econ. Bilanz f; econ. Saldo m, Kontostand m, Guthaben n; F Rest m; **be or hang in the ~** fig. in der Schwebe sein; **keep one's ~** das Gleichgewicht halten; **lose one's ~** das Gleichgewicht verlieren; fig. die Fassung verlieren; **~ of payments** econ. Zahlungsbilanz f; **~ of power** pol. Kräftegleichgewicht n; **~ of trade** (Außen)Handelsbilanz f; **2.** v/t (ab-, er)wägen; im Gleichgewicht halten, balancieren; ausgleichen; v/i balancieren; sich ausgleichen; **~ sheet** s econ. Bilanz f.

bal·co·ny ['bælkənɪ] s Balkon m (a. thea.).

bald [bɔːld] adj ☐ kahl; fig. dürftig; fig. unverblümt.

bale 34

bale¹ econ. [beıl] s Ballen m.

bale² Br. aer. [~] v/i: ~ **out** (mit dem Fallschirm) abspringen.

bale·ful ['beılfl] adj □ verderblich; unheilvoll; look: haßerfüllt.

balk [bɔ:k] **1.** s Balken m; Hindernis n; **2.** v/t (ver)hindern, vereiteln; v/i stutzen; scheuen (**at** vor dat).

ball¹ [bɔ:l] **1.** s Ball m; Kugel f; anat. (Hand-, Fuß)Ballen m; Knäuel m, n; Kloß m; ~**s** pl V Eier pl; **be on the** ~ F auf Draht sein; **keep the** ~ **rolling** das Gespräch or die Sache in Gang halten; **play** ~ F mitmachen; **2.** v/t and v/i (sich) (zusammen)ballen.

ball² [~] s Ball m, Tanzveranstaltung f.

bal·lad ['bæləd] s Ballade f; Lied n.

bal·last ['bæləst] **1.** s Ballast m; Schotter m; **2.** v/t mit Ballast beladen.

ball-bear·ing tech. [bɔ:l'beərıŋ] s Kugellager n.

bal·let ['bæleı] s Ballett n.

ball game ['bɔ:lgeım] s Ballspiel n; Am. Baseballspiel n; F fig. Sache f, Chose f.

bal·lis·tics mil., phys. [bə'lıstıks] s sg Ballistik f.

bal·loon [bə'lu:n] **1.** s Ballon m; **2.** v/i im Ballon aufsteigen; sich blähen.

bal·lot ['bælət] **1.** s Wahl-, Stimmzettel m; geheime Wahl; **2.** v/i (geheim) abstimmen; ~ **for** losen um; ~**box** s Wahlurne f.

ball-point (pen) ['bɔ:lpɔınt('pen)] s Kugelschreiber m.

ball·room ['bɔ:lrum] s Ball-, Tanzsaal m.

balm [ba:m] s Balsam m (a. fig.).

balm·y ['ba:mı] adj □ (**-ier, -iest**) weather: lind, mild; sl. bekloppt, verrückt.

ba·lo·ney sl. [bə'ləunı] s Quatsch m.

bal·us·trade [bælə'streıd] s Balustrade f, Brüstung f, Geländer n.

bam·boo bot. [bæm'bu:] s (pl **-boos**) Bambus(rohr n) m.

bam·boo·zle F [bæm'bu:zl] v/t betrügen, übers Ohr hauen.

ban [bæn] **1.** s (amtliches) Verbot, Sperre f; eccl. Bann m; **2.** v/t (**-nn-**) verbieten.

ba·nal [bə'na:l] adj banal, abgedroschen.

ba·na·na bot. [bə'na:nə] s Banane f; F **be** ~**s** F beknackt or bescheuert sein; F **go** ~**s** F durchdrehen, ausflippen.

band [bænd] **1.** s Band n; Streifen m; Schar f, Gruppe f; criminals: Bande f;

mus. Kapelle f, (Tanz-, Unterhaltungs-) Orchester n, (Jazz-, Rock)Band f; **2.** v/i: ~ **together** sich zusammentun or zusammenrotten.

ban·dage ['bændıdʒ] **1.** s Binde f; Verband m; **2.** v/t bandagieren; verbinden.

ban·dit ['bændıt] s Bandit m.

band·wa·gon Am. ['bændwægən] s Wagen m mit Musikkapelle; a. Br. **jump on the** ~ fig. mitmachen, sich anhängen.

ban·dy¹ ['bændı] v/t: ~ **words** sich streiten (**with** mit); ~ **about** rumours, etc.: in Umlauf setzen or weitererzählen.

ban·dy² [~] adj (**-ier, -iest**) krumm; ~**legged** adj säbel-, O-beinig.

bang [bæŋ] **1.** s heftiger Schlag; Knall m; mst ~**s** pl Ponyfrisur f; **2.** v/t and v/i dröhnend (zu)schlagen; sl. have sex: F bumsen.

ban·ish ['bænıʃ] v/t verbannen; ~**ment** s Verbannung f.

ban·is·ter ['bænıstə] s mst ~**s** pl Treppengeländer n.

bank [bæŋk] **1.** s Damm m; Ufer n; of sand, clouds: Bank f; econ. Bank(haus n) f; ~ **of issue** Notenbank f; **2.** v/t eindämmen; econ. money: auf e-r Bank einzahlen; v/i econ. Bankgeschäfte machen; econ. ein Bankkonto haben; ~ **on** sich verlassen auf (acc); with s.b. Br. Bankwechsel m; Am. → **banknote**; ~**book** s Kontobuch n, a. Sparbuch n; ~**card** s Scheckkarte f; ~**er** s Bankier m, F Banker m; ~**'s card** → **bankcard**; ~ **hol·i·day** s gesetzlicher Feiertag; ~**ing** s Bankgeschäft n, Bankwesen n; attr Bank...; ~**note** s Banknote f, Geldschein m; ~ **rate** s Diskontsatz m; ~**rob·ber** s Bankräuber m.

bank·rupt jur. ['bæŋkrʌpt] **1.** s Zahlungsunfähige(r m) f; **2.** adj bankrott, zahlungsunfähig; **go** ~ in Konkurs gehen, Bankrott machen; **3.** v/t bankrott machen; ~**cy** jur. [~sı] s Bankrott m, Konkurs m; **go into** ~ in Konkurs gehen, Bankrott machen; ~ **proceedings** pl Konkursverfahren n.

ban·ner ['bænə] s Banner n; Fahne f.

banns [bænz] s pl Aufgebot n.

ban·quet ['bæŋkwıt] s Bankett n, Festessen n.

ban·ter ['bæntə] v/t necken.

bap|tis·m ['bæptızəm] s Taufe f; ~**tize** [bæp'taız] v/t taufen.

bar [baː] **1.** s Stange f, Stab m; Barren m; Riegel m; Schranke f; Sandbank f; (Ordens)Spange f; mus. Takt(strich) m; dicker Strich; jur. (Gerichts)Schranke f; jur. Anwaltschaft f; Bar f (in hotel, etc.); fig. Hindernis n; **2.** v/t (-rr-) verriegeln; versperren; einsperren; (ver)hindern; ausschließen.

barb [baːb] s Widerhaken m.

bar·bar·i·an [baːˈbeərɪən] **1.** adj barbarisch; **2.** s Barbar(in).

bar·be·cue [ˈbaːbɪkjuː] **1.** s Bratrost m, Grill m; Grillfleisch n; Grillparty f; **2.** v/t grillen.

barbed wire [baːbdˈwaɪə] s Stacheldraht m.

bar·ber [ˈbaːbə] s (Herren)Friseur m.

bare [beə] **1.** adj (**~r**, **~st**) nackt, bloß; kahl; bar, leer; **2.** v/t entblößen; **~faced** adj frech; **~foot(·ed)** adj barfuß; **~ly** adj kaum.

bar·gain [ˈbaːgɪn] **1.** s Vertrag m, Abmachung f; Geschäft n, Handel m, Kauf m; guter Kauf, F Schnäppchen n; **strike a ~** sich einigen; **it's a ~!** abgemacht!; **into the ~** obendrein; **2.** v/i (ver)handeln; übereinkommen; **~ price** s Sonderpreis m; **~ sale** s Ausverkauf m.

barge [baːdʒ] **1.** s Flußboot n, Lastkahn m; Hausboot n; **2.** v/i: **~ in(to)** hereinplatzen (in acc).

bark¹ [baːk] **1.** bot. Borke f, Rinde f; **2.** v/t abrinden; knee, etc.: sich abschürfen.

bark² [~] **1.** v/i bellen; **~ up the wrong tree** F auf dem Holzweg sein; an der falschen Adresse sein; **2.** s Bellen n.

bar·ley bot. [ˈbaːlɪ] s Gerste f; Graupe f.

barn [baːn] s Scheune f; (Vieh)Stall m; **~storm** [ˈbaːnstɔːm] v/i of actor: (herum)tingeln; Am. pol. herumreisen u. (Wahl)Reden halten.

ba·rom·e·ter [bəˈrɒmɪtə] s Barometer n.

bar·on [ˈbærən] s Baron m; Freiherr m; **~ess** [~ɪs] s Baronin f; Freifrau f.

bar·racks [ˈbærəks] s sg mil. Kaserne f; contp. Mietskaserne f.

bar·rage [ˈbæraːʒ] s Staudamm m; mil. Sperrfeuer n; fig. Hagel m, (Wort-, Rede)Schwall m.

bar·rel [ˈbærəl] **1.** s Faß n, Tonne f; of gun: Lauf m; tech. Trommel f, Walze f; **2.** v/t in Fässer füllen; **~or·gan** s mus. Drehorgel f.

bar·ren [ˈbærən] adj □ unfruchtbar; dürr, trocken; discussion: fruchtlos.

bar·ri·cade [bærɪˈkeɪd] **1.** s Barrikade f; **2.** v/t verbarrikadieren; sperren.

bar·ri·er [ˈbærɪə] s Schranke f (a. fig.), Barriere f, Sperre f; Hindernis n; **~s** pl **to trade** econ. Handelsschranken pl, -hemmnisse pl.

bar·ris·ter Br. jur. [ˈbærɪstə] s Rechtsanwalt m, -anwältin f, Barrister m.

bar·row [ˈbærəʊ] s Karre f.

bar·ter [ˈbaːtə] **1.** s Tausch(handel) m; **2.** v/t tauschen (**for** gegen).

base¹ [beɪs] adj □ (**~r**, **~st**) gemein.

base² [~] **1.** s Basis f; Grundlage f; Fundament n; Fuß m; chem. Base f; mil. Standort m, Stützpunkt m; **2.** v/t gründen, stützen (**on**, **upon** auf acc).

base|ball [ˈbeɪsbɔːl] s Baseball(spiel n) m; **~less** adj grundlos; **~line** s sports: Grundlinie f; **~ment** s Fundament n; Kellergeschoß n.

base·ness [ˈbeɪsnɪs] s Gemeinheit f.

bash·ful [ˈbæʃfl] adj □ schüchtern.

ba·sic [ˈbeɪsɪk] **1.** adj grundlegend, wesentlich, Grund..., Haupt...; chem. basisch; **2 Law** pol. German constitution: Grundgesetz n; **2.** s: **~s** pl Grundlagen pl.

BA·SIC² [~] s computer: BASIC n.

ba·sic·al·ly [ˈbeɪsɪklɪ] adv im Grunde.

ba·sin [ˈbeɪsn] s Becken n, Schale f, Schüssel f; Talkessel m; Hafenbecken n.

ba·sis [ˈbeɪsɪs] s (pl **-ses** [-siːz]) Basis f; Grundlage f.

bask [baːsk] v/i sich sonnen (a. fig.).

bas·ket [ˈbaːskɪt] s Korb m; **~ball** s Basketball(spiel n) m.

bass¹ mus. [beɪs] s Baß m.

bass² zo. [bæs] s (Fluß-, See)Barsch m.

bas·tard [ˈbaːstəd] **1.** adj □ unehelich; unecht; Bastard...; **2.** s Bastard m.

bat¹ zo. [bæt] s Fledermaus f; **as blind as a ~** stockblind.

bat² [~] sports: **1.** s Schlagholz n, Schläger m; **2.** v/t (-**tt**-) schlagen; am Schlagen or dran sein.

batch [bætʃ] s Schub m (of loaves); Stoß m, Stapel m (of letters, work), F Schwung m (of people).

bat·ed [ˈbeɪtɪd] adj: **with ~ breath** mit angehaltenem Atem.

bath [baːθ] **1.** s (pl **baths** [~ðz]) (Wan-

B

nen)Bad n; *have a ~* Br., *take a ~* Am.
baden, ein Bad nehmen; *~s pl* Bad n;
Badeanstalt f; Badeort m; **2.** v/t Br.
child, etc.: baden; v/i baden, ein Bad
nehmen.

bathe [beɪð] v/t *wound, etc.*: baden (*esp.
Am. a. child, etc.*); v/i baden; schwimmen; *esp. Am.* baden, ein Bad nehmen.

bath·ing ['beɪðɪŋ] s Baden n; *attr* Bade...;
~suit s Badeanzug m.

bath|robe ['bɑːðrəʊb] s Bademantel m;
Am. Morgen-, Schlafrock m; **~room** s
Badezimmer n; **~tow·el** s Badetuch n;
~tub s Badewanne f.

bat·on ['bætən] s Stab m; *mus.* Taktstock
m; Schlagstock m, Gummiknüppel m.

bat·ten ['bætn] s Latte f.

bat·ter ['bætə] **1.** s *sports*: Schläger m;
cooking: Rührteig m; **2.** v/t heftig schlagen; *wife, child, etc.*: mißhandeln; *~
down* or *in door*: einschlagen.

bat·ter·y ['bætərɪ] s Batterie f; **~op·er-
rat·ed** adj batteriebetrieben.

bat·tle ['bætl] **1.** s Schlacht f (*of* bei); **2.**
v/i streiten, kämpfen; **~ax(e)** s Streit-
axt f; F *woman*: alter Drachen; **~field**,
~ground s Schlachtfeld n; **~ship** s mil.
Schlachtschiff n.

baulk [bɔːk] → **balk.**

Ba·var·i·an [bə'veərɪən] **1.** adj bay(e)-
risch; **2.** s Bayer(in).

bawd·y ['bɔːdɪ] adj (*-ier, -iest*) obszön.

bawl [bɔːl] v/t and v/i brüllen, schreien,
grölen; **~ out** order, *etc.*: brüllen.

bay¹ [beɪ] **1.** adj rotbraun; **2.** s Braune(r)
m (*horse*).

bay² [~] s Bai f, Bucht f; Erker m.

bay³ bot. [~] s a. **~ tree** Lorbeer(baum)
m.

bay⁴ [~] **1.** v/i of dog: bellen, Laut geben;
2. s: *hold* or *keep at ~ j-n* in Schach
halten; *et.* von sich fernhalten.

bay·o·net mil. ['beɪənɪt] s Bajonett n.

ba·za(a)r [bə'zɑː] s Basar m.

be [biː, bɪ] v/aux and v/i (*was* or *were*,
been) sein; *used to form the passive
voice*: werden; stattfinden; *become*:
werden; *he wants to ~ a ...* er möchte ...
werden; *how much are the shoes?*
was kosten die Schuhe?; *~ reading*
beim Lesen sein, gerade lesen; *there is,
there are* es gibt.

beach [biːtʃ] **1.** s Strand m; **2.** v/t mar.
boat, etc.: auf den Strand setzen or zie-

hen; **~ ball** s Wasserball m; **~ bug·gy** s
mot. Strandbuggy m; **~comb·er** fig.
['~kəʊmə] s Nichtstuer m.

bea·con ['biːkən] s Leuchtfeuer n; Funk-
feuer n.

bead [biːd] s (Glas- *etc.*)Perle f; Tropfen
m; *~s pl a.* Rosenkranz m; **~y** ['biːdɪ]
adj (*-ier, -iest*) klein, rund u. glänzend
(*eyes*).

beak [biːk] s Schnabel m (*of bird*).

bea·ker ['biːkə] s Becher m.

beam [biːm] **1.** s Balken m; Waagebal-
ken m; Strahl m; *electr.* (Funk)Leit-,
Richtstrahl m; **2.** v/t ausstrahlen; v/i
strahlen (*a. fig. with* vor *dat*).

bean [biːn] s bot. Bohne f; *be full of ~s* F
voller Leben(skraft) stecken.

bear¹ zo. [beə] s Bär m.

bear² [~] (*bore, borne* or *pass born*) v/t
tragen; gebären; *hatred, anger, etc.*: hegen; *pain, etc.*: ertragen; aushalten; *mst
in negatives*: ausstehen, leiden; **~ down**
überwinden, bewältigen; **~ out** bestätigen; *be born* geboren werden; v/i tragen; zo. trächtig sein; **~a·ble** ['beərəbl]
adj ☐ erträglich.

beard [bɪəd] s Bart m; bot. Grannen pl;
~ed ['bɪədɪd] adj bärtig.

bear·er ['beərə] s Träger(in); econ.
Überbringer(in), *of cheque, etc.*: Inha-
ber(in).

bear·ing ['beərɪŋ] s (Er)Tragen n; *behaviour*: Betragen n; *fig.* Beziehung f; *compass ~*: Position f, Richtung f; *tech.
Lager n; *take one's ~s* sich orientieren;
lose one's ~s die Orientierung verlieren.

beast [biːst] s Vieh n, Tier n; Bestie f; **~ly**
['biːstlɪ] adj (*-ier, -iest*) scheußlich.

beat [biːt] **1.** (*beat, beaten* or *beat*) v/t
schlagen; (ver)prügeln; besiegen; übertreffen; *~ it!* F hau ab!; *that ~s all!* das
ist doch der Gipfel or die Höhe!; *that ~s
me* das ist mir zu hoch; **~ down** econ.
price: drücken, herunterhandeln; **~ out**
rhythm, etc.: trommeln; *fire*: ausschlagen; **~ up** j-n zusammenschlagen; v/i
schlagen; **~ about the bush** wie die
Katze um den heißen Brei herumschleichen; **2.** s Schlag m; *mus.* Takt(schlag)
m; *jazz*: Beat m; Pulsschlag m; *of
policeman*: Runde f, Revier n; **3.** adj:
(*dead*) **~** F wie erschlagen, fix u. fertig;
~en ['biːtn] **1.** pp of **beat** 1; **2.** adj *path*:

B

etc.: vielbegangen, ausgetreten; **off the ~ track** abgelegen; *fig.* ungewohnt.

beau·ti·cian [bjuːˈtɪʃn] *s* Kosmetikerin *f*; **~ful** [ˈbjuːtəfl] *adj* □ schön; **~fy** [ˈbjuːtɪfaɪ] *v/t* schön(er) machen, verschönern.

beau·ty [ˈbjuːtɪ] *s* Schönheit *f*; F Prachtstück *n*, Prachtexemplar *n*; **~ parlo(u)r**, **~ shop** Schönheitssalon *m*.

bea·ver *zo.* [ˈbiːvə] *s* Biber *m* (a. *fur*).

be·came [bɪˈkeɪm] *pret of* **become**.

be·cause [bɪˈkɒz] *cj* weil; *prp*: **~ of** wegen.

beck·on [ˈbekən] *v/t* (zu)winken.

be·come [bɪˈkʌm] (*-came, -come*) *v/i* werden (**of** aus); *v/t* sich schicken für; *j-m* stehen, *j-n* kleiden; **be·com·ing** *adj* □ passend; schicklich; kleidsam.

bed [bed] **1.** *s* Bett *n*; *of animal*: Lager *n*; *agr.* Beet *n*; Unterlage *f*; **~ and breakfast** Zimmer *n or* Übernachtung *f* mit Frühstück; **2.** *v/i* (**-dd-**): **~ down** sein Nachtlager aufschlagen; **~clothes** [ˈbedkləʊðz] *s pl* Bettwäsche *f*; **~ding** *s* Bettzeug *n*; Streu *f*.

bed·lam [ˈbedləm] *s* Chaos *n*.

bed·rid·den [ˈbedrɪdn] *adj* bettlägerig; **~room** *s* Schlafzimmer *n*; **~side** *s*: **at the ~** am (Kranken)Bett; **~ lamp** Nachttischlampe *f*; **~sit** F, **~sit·ter**, **~sit·ting room** *s Br.* möbliertes Zimmer; Einzimmerappartement *n*; **~stead** *s* Bettgestell *n*; **~time** *s* Schlafenszeit *f*.

bee [biː] *s zo.* Biene *f*; **have a ~ in one's bonnet** F e-n Tick haben.

beech *bot.* [biːtʃ] *s* Buche *f*; **~nut** *s* Buchecker *f*.

beef [biːf] **1.** *s* Rindfleisch *n*; **2.** *v/i* F meckern (**about** über *acc*); **~burg·er** [ˈ~bɜːɡə] *s* Hamburger *m*; **~ tea** *s* Fleischbrühe *f*; **~·y** [ˈbiːfɪ] *adj* (*-ier, -iest*) fleischig; kräftig, bullig.

bee·hive [ˈbiːhaɪv] *s* Bienenkorb *m*, -stock *m*; **~·keep·er** *s* Bienenzüchter(in), Imker(in); **~·line** *s* kürzester Weg; **make a ~ for** schnurstracks losgehen auf (*acc*).

been [biːn, bɪn] *pp of* **be**.

beer [bɪə] *s* Bier *n*; **~ bel·ly** *s* F Bierbauch *m*; **~ gar·den** *s* Biergarten *m*; **~mat** *s* Bierdeckel *m*; **~ pu·ri·ty reg·u·la·tions** *s pl* Reinheitsgebot *n*.

beet *bot.* [biːt] *s* Rübe *f*, Beete *f*; → **~root**.

bee·tle *zo.* [ˈbiːtl] *s* Käfer *m*.

beet·root *bot.* [ˈbiːtruːt] *s* Rote Beete *or* Rübe.

be·fall [bɪˈfɔːl] (*-fell, -fallen*) *v/t j-m* zustoßen; *v/i* sich ereignen.

be·fore [bɪˈfɔː] **1.** *adv of place*: vorn, voran; *temporal*: vorher, früher, schon (früher); → **yesterday**; **2.** *cj* bevor, ehe, bis; **3.** *prp* vor (*acc or dat*); **~hand** *adv* zuvor, (im) voraus.

be·friend [bɪˈfrend] *v/t* sich *j-s* annehmen; sich anfreunden mit.

beg [beg] (*-gg-*) *v/t* erbetteln; erbitten (**of** von), bitten um; *j-n* bitten; sich erlauben; *v/i* betteln; bitten, flehen; betteln gehen.

be·gan [bɪˈɡæn] *pret of* **begin**.

beg·gar [ˈbeɡə] **1.** *s* Bettler(in); F Kerl *m*; **2.** *v/t* arm machen; *fig.* übertreffen; **it ~s all description** es spottet jeder Beschreibung.

be·gin [bɪˈɡɪn] *v/t and v/i* (*-nn-; began, begun*) beginnen, anfangen; **~ner** *s* Anfänger(in); **~ning** *s* Beginn *m*, Anfang *m*; **at the ~** anfänglich, zuerst.

be·grudge [bɪˈɡrʌdʒ] *v/t* mißgönnen.

be·guile [bɪˈɡaɪl] *v/t* täuschen; betrügen (**of, out of** um); *time*: sich vertreiben.

be·gun [bɪˈɡʌn] *pp of* **begin**.

be·half [bɪˈhɑːf] *s*: **on** (*Am. a.* **in**) **~ of** im Namen von (*or* gen)

be·have [bɪˈheɪv] *v/i* sich (gut) benehmen.

be·hav·io(u)r [bɪˈheɪvjə] *s* Benehmen *n*, Betragen *n*, Verhalten *n*; **~al** *psych.* [~rəl] *adj* Verhaltens...

be·head [bɪˈhed] *v/t* enthaupten.

be·hind [bɪˈhaɪnd] **1.** *adv* hinten, dahinter; zurück; **2.** *prp* hinter (*acc or dat*); **3.** *s* F Hinterteil *n*, Hintern *m*; **~hand** *adj and adv* im Rückstand.

be·ing [ˈbiːɪŋ] *s* (Da)Sein *n*; Wesen *n*; **in ~** wirklich (vorhanden); **come into ~** entstehen.

be·lat·ed [bɪˈleɪtɪd] *adj* verspätet.

belch [beltʃ] **1.** *v/i* aufstoßen, rülpsen; *v/t* ausspeien; **2.** *s* Rülpser *m*.

be·lea·guer [bɪˈliːɡə] *v/t* belagern.

bel·fry [ˈbelfrɪ] *s* Glockenturm *m*, -stuhl *m*.

Bel·gian [ˈbeldʒən] **1.** *adj* belgisch; **2.** *s* Belgier(in).

be·lie [bɪˈlaɪ] *v/t* Lügen strafen; *hopes, etc.*: enttäuschen.

B

be·lief [bɪˈliːf] *s* Glaube *m* (**in** an *acc*).

be·lie·va·ble [bɪˈliːvəbl] *adj* □ glaubhaft.

be·lieve [bɪˈliːv] *v/t and v/i* glauben (**in** an *acc*); **~ it or not** ob du's glaubst oder nicht; **be·liev·er** *s eccl.* Gläubige(*r m*) *f*.

be·lit·tle *fig.* [bɪˈlɪtl] *v/t* herabsetzen.

bell [bel] *s* Glocke *f*; Klingel *f*; **~boy** *Am.* [ˈbelbɔɪ] *s* (Hotel)Page *m*.

belle [bel] *s* Schöne *f*, Schönheit *f*.

bell·hop *Am.* [ˈbelhɒp] *s* (Hotel)Page *m*.

bel·lied [ˈbelɪd] *adj* bauchig, ...bäuchig.

bel·lig·er·ent [bɪˈlɪdʒərənt] **1.** *adj* kriegführend; streit-, kampflustig; aggressiv; **2.** *s* kriegführendes Land.

bel·low [ˈbeləʊ] **1.** *v/t and v/i* brüllen; **2.** *s* Gebrüll *n*; **~s** *s pl or sg* Blasebalg *m*.

bel·ly [ˈbelɪ] **1.** *s* Bauch *m*; **2.** *v/t and v/i* (sich) blähen, (an)schwellen; (sich) bauschen; **~ache** *s F* Bauchweh *n*; **~land·ing** *s aer.* Bauchlandung *f*.

be·long [bɪˈlɒŋ] *v/i* gehören; **~ to** gehören (*dat*) *or* zu; **~ings** [~ɪŋz] *s pl* Habseligkeiten *pl*.

be·loved [bɪˈlʌvd] **1.** *adj* (innig) geliebt; **2.** *s* Geliebte(*r m*) *f*.

be·low [bɪˈləʊ] **1.** *adv* unten; **2.** *prp* unter (*acc or dat*).

belt [belt] **1.** *s* Gürtel *m*; *mil.* Koppel *n*; Zone *f*, Gebiet *n*; *tech.* Treibriemen *m*; **2.** *v/i a.* **~ up** den Gürtel zumachen, sich anschnallen.

bench [bentʃ] *s* (Sitz)Bank *f*; Richterbank *f*; Richter *m or pl*; Werkbank *f*.

bend [bend] **1.** *s* Biegung *f*, Kurve *f*; **drive s.o. round the ~** *F* j-n (noch) wahnsinnig machen; **2.** *v/t and v/i* (**bent**) (sich) biegen; *mind.* richten (**to**, **on** auf *acc*); (sich) beugen; sich neigen.

be·neath [bɪˈniːθ] → **below**.

ben·e·dic·tion [benɪˈdɪkʃn] *s* Segen *m*.

ben·e·fac·tor [ˈbenɪfæktə] *s* Wohltäter *m*, Gönner *m*; **~tress** [~trɪs] *s* Wohltäterin *f*, Gönnerin *f*; **ben·e·fi·cent** [bɪˈnefɪsnt] *adj* □ wohltätig; **ben·e·fi·cial** [benɪˈfɪʃl] *adj* □ wohltuend, zuträglich, nützlich.

ben·e·fit [ˈbenɪfɪt] **1.** *s* Nutzen *m*, Vorteil *m*; Wohltätigkeitsveranstaltung *f*; *social security, etc.*: Sozial-, Versicherungsleistung *f*; Rente *f*; Unterstützung *f*; **2.** *v/t* nützen (*dat*); begünstigen; *v/i*: **~ by or from** Vorteil haben von *or* durch, Nutzen ziehen aus.

be·nev·o·lence [bɪˈnevələns] *s* Wohlwollen *n*; **~lent** *adj* □ wohlwollend; gütig, mildtätig.

be·nign [bɪˈnaɪn] *adj* □ freundlich, gütig; *med.* gutartig; *of climate*: mild.

bent [bent] **1.** *pret and pp of* **bend** 2; **be ~ on doing** entschlossen sein zu tun; **2.** *s* *fig.* Hang *m*, Neigung *f*; Veranlagung *f*.

ben·zene *chem.* [ˈbenziːn] *s* Benzol *n*.

ben·zine *chem.* [ˈbenziːn] *s* Leichtbenzin *n*.

be·queath *jur.* [bɪˈkwiːð] *v/t* vermachen.

be·quest *jur.* [bɪˈkwest] *s* Vermächtnis *n*.

be·reave [bɪˈriːv] *v/t* (**bereaved** *or* **bereft**) berauben (*gen*).

be·ret [ˈbereɪ] *s* Baskenmütze *f*.

berk [bɜːk] *s F* Idiot *m*, Trottel *m*.

ber·ry *bot.* [ˈberɪ] *s* Beere *f*.

ber·serk [bəˈsɜːk] *adj* wild; **go ~** wild werden, *F* durchdrehen, *F* ausflippen.

berth [bɜːθ] **1.** *s mar.* Liege-, Ankerplatz *m*; *mar.* Koje *f*; *rail.* (Schlafwagen)Bett *n*; **2.** *mar. v/t* vor Anker legen; *v/i* anlegen.

be·seech [bɪˈsiːtʃ] *v/t* (**besought** *or* **beseeched**) (inständig) bitten (**um**); anflehen.

be·set [bɪˈset] *v/t* (**-tt-**; **beset**) heimsuchen, bedrängen; **~ with difficulties** mit vielen Schwierigkeiten verbunden.

be·side [bɪˈsaɪd] *prp* neben (*acc or dat*); **~ o.s.** außer sich (**with** vor *dat*); **~ the point**, **~ the question** nicht zur Sache gehörig; **~s 1.** *adv* außerdem; **2.** *prp* abgesehen von, außer.

be·siege [bɪˈsiːdʒ] *v/t* belagern.

be·smear [bɪˈsmɪə] *v/t* beschmieren.

be·sought [bɪˈsɔːt] *pret and pp of* **beseech**.

be·spat·ter [bɪˈspætə] *v/t* bespritzen.

best [best] **1.** *adj* (*sup of* **good** 1) beste(*r*, *-s*), höchste(*r*, *-s*), größte(*r*, *-s*), meiste; **~ man** Trauzeuge *m* (*of bridegroom*); **2.** *adv* (*sup of* **well** [2] 1) am besten; **3.** *s der*, *die*, *das* Beste; **all the ~!** alles Gute!, viel Glück!; **to the ~ of** nach bestem ...; **make the ~ of** das Beste machen aus; **at ~** bestenfalls; **be at one's ~** in Hoch- oder Höchstform sein.

bes·ti·al [ˈbestɪəl] *adj* □ tierisch, viehisch.

best·sell·er [best'selə] *s* Bestseller *m*, Verkaufsschlager *m*.

bet [bet] **1.** *s* Wette *f*; **2.** *v/t and v/i* (**-tt-**;

bind

bet or betted) wetten; *you ~!* F und ob!

be·tray [bɪˈtreɪ] *v/t* verraten (*a. fig.*); **~al** *s* Verrat *m*; **~er** *s* Verräter(in).

bet·ter [ˈbetə] **1.** *adj* (*comp of good* 1) besser; *he is ~* es geht ihm besser; **2.** *s* das Bessere; **~s** *pl* Höherstehende *pl*, Vorgesetzte *pl*; *get the ~ of* die Oberhand gewinnen über (*acc*); *et.* überwinden; **3.** *adv* (*comp of well²* 1) besser; mehr; *so much the ~* desto besser; *you had ~* (F *you ~*) *go* es wäre besser, wenn du gingest; **4.** *v/t* verbessern; *v/i* sich bessern.

be·tween [bɪˈtwiːn] **1.** *adv* dazwischen; *few and far ~* F (ganz) vereinzelt; **2.** *prp* zwischen; unter (*both: acc or dat*); *~ you and me* unter uns *or* im Vertrauen (gesagt); *that's just ~ ourselves* das bleibt aber unter uns.

bev·el [ˈbevl] *v/t* (*esp. Br. -ll-, Am. -l-*) abkanten, abschrägen.

bev·er·age [ˈbevərɪdʒ] *s* Getränk *n*.

bev·y [ˈbevɪ] *s* Schwarm *m*, Schar *f*.

be·ware [bɪˈweə] *v/i* (*of*) sich in acht nehmen (vor *dat*), sich hüten (vor *dat*); *~ of the dog!* Warnung vor dem Hunde!

be·wil·der [bɪˈwɪldə] *v/t* verwirren, irremachen; **~ment** *s* Verwirrung *f*.

be·witch [bɪˈwɪtʃ] *v/t* bezaubern, behexen.

be·yond [bɪˈjɒnd] **1.** *adv* darüber hinaus; **2.** *prp* jenseits; über ... (*acc*) hinaus; **3.** *s* Jenseits *n*.

bi- [baɪ] zwei(fach, -mal).

bi·as [ˈbaɪəs] **1.** *adj and adv* schief, schräg; **2.** *s* Neigung *f*; Vorurteil *n*; **3.** *v/t* (*-s-, -ss-*) *report, etc.*: einseitig darstellen; *person:* beeinflussen; **~(s)ed** *esp. jur.* befangen, voreingenommen (*against* gegen, gegenüber).

bi·ath|lete [baɪˈæθliːt] *s sports:* Biathlet(in); **~lon** [∼ɒn] *s sports:* Biathlon *n*.

Bi·ble [ˈbaɪbl] *s* Bibel *f*; **bib·li·cal** [ˈbɪblɪkl] *adj* □ biblisch, Bibel...

bib·li·og·ra·phy [bɪblɪˈɒɡrəfɪ] *s* Bibliographie *f*.

bi·car·bon·ate [baɪˈkɑːbənɪt] *s chem. a. ~ of soda* doppeltkohlensaures Natrium; *cookery:* Natron *n*.

bi·cen·te·na·ry [baɪsenˈtiːnərɪ], *Am.* **~ten·ni·al** [∼ˈtenɪəl] *s* zweihundertjähriges Jubiläum, Zweihundertjahrfeier *f*.

bi·ceps *anat.* [ˈbaɪseps] *s* Bizeps *m*.

bi·cy·cle [ˈbaɪsɪkl] **1.** *s* Fahrrad *n*; **2.** *v/i* radfahren, radeln.

bid [bɪd] **1.** *v/t and v/i* (*-dd-; bid or bade, bid or bidden*) *at auction, etc.*: bieten; *in card games:* reizen; *greetings:* wünschen; *~ farewell* Lebewohl sagen; **2.** *s econ.* Gebot *n*, Angebot *n*; *card games:* Reizen *n*; **~den** [ˈbɪdn] *pp of bid* 1.

bide [baɪd] *v/t* (*bode or bided, bided*): *~ one's time* den rechten Augenblick abwarten.

bi·det [ˈbiːdeɪ, bɪˈdeɪ] *s* Bidet *n*.

bi·en·ni·al [baɪˈenɪəl] *adj* □ zweijährlich; zweijährig (*plants*); **~ly** [∼lɪ] *adv* alle zwei Jahre.

bier [bɪə] *s* (Toten)Bahre *f*.

big [bɪɡ] *adj* (*-gg-*) groß; erwachsen; (hoch)schwanger; *F* wichtig(tuerisch); *~ bang ast.* Urknall *m*; **~ business** Großunternehmertum *n*; *~ shot* F hohes Tier; *~ talk* F Angeberei *f*; *talk ~* den Mund voll nehmen.

big·a·my [ˈbɪɡəmɪ] *s* Bigamie *f*.

big·ot [ˈbɪɡət] *s* selbstgerechte *or* intolerante *or* bigotte Person; **~ed** [∼ɪd] *adj* selbstgerecht, intolerant, bigott.

big·wig F [ˈbɪɡwɪɡ] *s* hohes Tier.

bike F [baɪk] **1.** *s* (Fahr)Rad *n*.

bi·lat·er·al [baɪˈlætərəl] *adj* □ bilateral.

bile *physiol.* [baɪl] *s* Galle *f* (*a. fig.*).

bi·lin·gual [baɪˈlɪŋɡwəl] *adj* □ zweisprachig.

bil·ious [ˈbɪlɪəs] *adj* □ gallig; *fig.* gereizt.

bill¹ [bɪl] *s* Schnabel *m*; Spitze *f*.

bill² [∼] **1.** *s econ.* Rechnung *f*; *pol.* Gesetzentwurf *m*; *jur.* Klageschrift *f*; *a. ~ of exchange econ.* Wechsel *m*; *poster:* Plakat *n*; *Am.* Banknote *f*, Geldschein *m*; *~ of fare* Speisekarte *f*; *~ of lading* Seefrachtbrief *m*, Konnossement *n*; *~ of sale* Verkaufsurkunde *f*; **2.** *v/t* (durch Anschlag) ankündigen.

bill|board *Am.* [ˈbɪlbɔːd] *s* Reklametafel *f*; **~fold** *Am.* [∼fəʊld] *s* Brieftasche *f*.

bil·liards [ˈbɪljədz] *s sg* Billard(spiel) *n*.

bil·li·on [ˈbɪljən] *s* Milliarde *f*.

bil·low [ˈbɪləʊ] *s* Woge *f*; *of smoke, etc.*: Schwade *f*; **~y** [∼ɪ] *adj* wogend; in Schwaden ziehend; gebläht, gebauscht.

bil·ly *Am.* [ˈbɪlɪ] *s* (Gummi)Knüppel *m*; **~goat** *s zo.* Ziegenbock *m*.

bin [bɪn] *s* (großer) Behälter; → *dustbin.*

bind [baɪnd] (*bound*) *v/t* (an-, ein-, um-,

B

auf-, fest-, ver)binden; *a.* vertraglich binden, verpflichten; *edge, hem*: einfassen; *v/i* binden; **~er** *s* (*esp.* Buch)Binder(in); Einband *m*, (Akten)Deckel *m*, Hefter *m*; **~ing 1.** *adj* bindend, verbindlich; **2.** *s* (Buch)Einband *m*; Einfassung *f*, Borte *f.*

bi·noc·u·lars [bɪˈnɒkjʊləz] *s pl* Feldstecher *m*, Fern-, Opernglas *n.*

bi·o·chem·is·try [baɪəʊˈkemɪstrɪ] *s* Biochemie *f.*

bi·o·de·grad·able [baɪəʊdɪˈɡreɪdəbl] *adj* biologisch abbaubar.

bi·og·ra·pher [baɪˈɒɡrəfə] *s* Biograph *m*; **~phy** [~ɪ] *s* Biographie *f.*

bi·o·log·i·cal [baɪəʊˈlɒdʒɪkl] *adj* □ biologisch; **~ warfare** biologische Kriegsführung; **bi·ol·o·gy** [baɪˈɒlədʒɪ] *s* Biologie *f.*

bi·o·tope [ˈbaɪəʊtəʊp] *s* Biotop *n.*

birch [bɜːtʃ] **1.** *s bot.* Birke *f*; (Birken)Rute *f*; **2.** *v/t* züchtigen.

bird [bɜːd] *s* Vogel *m*; **~ of prey** Raubvogel *m*; **~ sanctuary** Vogelschutzgebiet *n*; **~'s-eye** *s* → **view** Vogelperspektive *f.*

bi·ro *TM* [ˈbaɪrəʊ] *s* (*pl* **-ros**) Kugelschreiber *m.*

birth [bɜːθ] *s* Geburt *f*; Ursprung *m*, Entstehung *f*; Herkunft *f*; **give ~ to** gebären, zur Welt bringen; **~ con·trol** *s* Geburtenregelung *f*, -kontrolle *f*; **~day** *s* Geburtstag *m*; **~mark** *s* Muttermal *n*; **~place** *s* Geburtsort *m*; **~ rate** *s* Geburtenziffer *f.*

bis·cuit *Br.* [ˈbɪskɪt] *s* Keks *m*, *n*, Plätzchen *n.*

bish·op [ˈbɪʃəp] *s* Bischof *m*; *in chess*: Läufer *m*; **~ric** [~rɪk] *s* Bistum *n.*

bi·son *zo.* [ˈbaɪsn] *s* Bison *m*, *in America*: Büffel *m*, *in Europe*: Wisent *m.*

bit [bɪt] **1.** *s* Bißchen *n*, Stück(chen) *n*; *of bridle*: Gebiß *n*, (Schlüssel)Bart *m*; *computer*: Bit *n*; **a (little) ~** ein (kleines) bißchen; **2.** *pret of* **bite** 2.

bitch [bɪtʃ] *s zo.* Hündin *f*; *contp.* Miststück *n*, Weibsstück *n.*

bite [baɪt] **1.** *s* Beißen *n*; Biß *m*; Bissen *m*, Happen *m*; (Insekten)Stich *m*, -biß *m*; **2.** *v/t and v/i* (**bit**, **bitten**) (an)beißen; *of insect*: stechen; *of pepper, etc.*: brennen; *of cold, etc.*: schneiden; *of smoke, etc.*: beißen; *of screw, drill, etc.*: fassen; *fig.* verletzen.

bit·ten [ˈbɪtn] *pp of* **bite** 2.

bit·ter [ˈbɪtə] **1.** *adj* □ bitter; *fig.* verbittert; **2.** *s Br. dunkles, bitter schmeckendes Bier*; **~s** *pl* Magenbitter *m.*

biz F [bɪz] → **business.**

black [blæk] **1.** *adj* schwarz; dunkel; finster; **~ eye** blaues Auge; **have s.th. in ~ and white** et. schwarz auf weiß haben *or* besitzen; **be ~ and blue** blaue Flecken haben; **beat s.o. ~ and blue** j-n grün u. blau schlagen; **2.** *v/t* schwärzen; **~ out** verdunkeln; **3.** *s* Schwarz *n*; Schwärze *f*; Schwarze(r *m*) *f*; **~·ber·ry** *s bot.* Brombeere *f*; **~bird** *s zo.* Amsel *f*; **~board** *s* (Schul-, Wand)Tafel *f*; **~en** *v/t* schwärzen; *fig.* anschwärzen; *v/i* schwarz werden; **~guard** [ˈblæɡɑːd] **1.** *s* Lump *m*, Schuft *m*; **2.** *adj* □ gemein, schuftig; **~head** *s med.* Mitesser *m*; **~ice** *s* Glatteis *n*; **~ish** *adj* □ schwärzlich; **~jack** *s esp. Am.* Totschläger *m*; **~leg** *s Br.* Streikbrecher *m*; **~let·ter** *s print.* Fraktur *f*; **~list 1.** *s* schwarze Liste *f*; **2.** *v/t* auf die schwarze Liste setzen; **~mail 1.** *s* Erpressung *f*; **2.** *v/t* j-n erpressen; **~mail·er** *s* Erpresser(in); **mar·ket** *s* schwarzer Markt; **~ness** *s* Schwärze *f*; **~out** *s* Verdunkelung *f*; *thea., med., etc.*: Blackout *m*; *med.* Ohnmacht *f*; (**news**) **~** Nachrichtensperre *f*; **~ pud·ding** *s* Blutwurst *f*; **~ sheep** *s fig.* schwarzes Schaf.

blad·der *anat.* [ˈblædə] *s* Blase *f.*

blade [bleɪd] *s of knife, etc.*: Klinge *f*; *bot.* Blatt *n*, Halm *m*; *of saw, oar, etc.*: Blatt *n*; *of propeller, etc.*: Flügel *m.*

blame [bleɪm] **1.** *s* Tadel *m*; Schuld *f*; **be to ~ for** schuld sein an (*dat*); **~less** *adj* □ untadelig.

blanch [blɑːntʃ] *v/t* bleichen; erbleichen lassen; *cookery*: blanchieren, brühen; *v/i* erbleichen.

bland [blænd] *adj* □ mild, sanft.

blank [blæŋk] **1.** *adj* □ leer; unausgefüllt, unbeschrieben; *econ.* Blanko...; verdutzt; **~ car·tridge** *mil.* Platzpatrone *f*; **~ cheque** (*Am.* **check**) *econ.* Blankoscheck *m*; **2.** *s* Leere *f*; leerer Raum, Lücke *f*; unbeschriebenes Blatt, Formular *n*; *in lottery*: Niete *f.*

blan·ket [ˈblæŋkɪt] **1.** *s* (Woll)Decke *f*; **wet ~** Spielverderber *m*; **2.** *v/t* zudecken.

blare [bleə] *v/i* brüllen, *of radio, etc.*: plärren, *of trumpet, etc.*: schmettern.

blas|pheme [blæs'fiːm] v/t and v/i lästern; **~phemy** ['blæsfəmɪ] s Gotteslästerung f.

blast [blɑːst] **1.** s Windstoß m; of brass instrument, etc.: Ton m; tech. Gebläse(luft f) n; Druckwelle f; bot. Mehltau m; **2.** v/t vernichten; sprengen; **~ off** (**into space**) spacecraft: in den Weltraum schießen; v/i: **~ off** of spacecraft, etc.: abheben, starten; **~!** verdammt!; **~fur·nace** tech. ['~fɜːnɪs] s Hochofen m; **~off** s of spacecraft, etc.: Start m.

bla·tant ['bleɪtənt] adj □ lärmend; kraß; unverhohlen.

blaze [bleɪz] **1.** s Flamme(n pl) f, Feuer n; heller Schein; fig. Ausbruch m; **go to ~s!** F zum Teufel mit dir!; **2.** v/i brennen, flammen, lodern; leuchten.

blaz·er ['bleɪzə] s Blazer m.

bleach [bliːtʃ] v/t bleichen.

bleak [bliːk] adj □ öde, kahl; rauh; fig. trüb, freudlos, finster.

blear·y ['blɪərɪ] adj □ (-ier, -iest) trübe, verschwommen; **~-eyed** adj mit trüben Augen; verschlafen; fig. kurzsichtig.

bleat [bliːt] **1.** s Blöken n; **2.** v/i blöken.

bled [bled] pret and pp of **bleed.**

bleed [bliːd] (**bled**) v/i bluten; v/t med. zur Ader lassen; fig. schröpfen; **~ing 1.** s med. Bluten n, Blutung f; Aderlaß m; **2.** adj and adv sl. verflixt.

bleep [bliːp] **1.** s Piepton m; **2.** v/i anpiepsen; v/i piepen; **~er** s Funkrufempfänger m, F Piepser m.

blem·ish ['blemɪʃ] **1.** s (a. Schönheits-)Fehler m; Makel m; **2.** v/t entstellen.

blend [blend] **1.** v/t and v/i (sich) (ver)mischen; wine, etc.: verschneiden; **2.** s Mischung f; econ. Verschnitt m; **~er** s Mixer m, Mixgerät n.

bless [bles] v/t (**blessed** or **blest**) segnen; preisen; **be ~ed with** gesegnet sein mit; (**God**) **~ you!** alles Gute!; Gesundheit!; **~ me!.., my heart!.., my soul!** F du meine Güte!; **~ed** ['blesɪd] adj □ glückselig, gesegnet; **~ing** s Segen m.

blest [blest] pret and pp of **bless.**

blew [bluː] pret of **blow²**.

blight [blaɪt] **1.** s bot. Mehltau m; fig. Gifthauch m; **2.** v/t vernichten.

blind [blaɪnd] **1.** adj □ blind (fig. **to** gegen[über]); verborgen, geheim; schwererkennbar; **~ alley** Sackgasse f; **~ly** fig. blindlings; **turn a ~ eye** (**to**) F ein Auge zudrücken (bei); **2.** s Rouleau n, Rollo n; **the ~ pl** die Blinden pl; **3.** v/t blenden; fig. blind machen (**to** für, gegen); **~ers** Am. ['blaɪndəz] s pl Scheuklappen pl; **~fold 1.** adj mit verbundenen Augen; **2.** adv fig. blindlings; **3.** v/t j-m die Augen verbinden; **4.** s Augenbinde f; **~worm** s zo. Blindschleiche f.

blink [blɪŋk] **1.** s Blinzeln n; Schimmer m; **2.** v/i blinzeln, zwinkern; blinken; schimmern; v/t fig. ignorieren; **~ers** ['blɪŋkəz] s pl Scheuklappen pl.

bliss [blɪs] s Seligkeit f, Wonne f.

blis·ter ['blɪstə] s Blase f; med. Zugpflaster n; **2.** v/t Blasen hervorrufen auf (dat); v/i Blasen ziehen.

blitz [blɪts] **1.** s heftiger (Luft)Angriff; **2.** v/t schwer bombardieren.

bliz·zard ['blɪzəd] s Schneesturm m.

bloat|ed ['bləʊtɪd] adj (an)geschwollen, (auf)gedunsen; fig. aufgeblasen; **~er** [~ə] s fish: Bückling m.

block [blɒk] **1.** s Block m, Klotz m; Baustein m; Verstopfung f, (Verkehrs-)Stockung f; a. **~ of flats** Br. Wohn-, Mietshaus n; Am. (Häuser)Block m; **2.** v/t formen; verhindern; a. **~ up** (ab-, ver)sperren, blockieren; econ. account: sperren.

block·ade [blɒ'keɪd] **1.** s Blockade f; **2.** v/t blockieren.

block|head ['blɒkhed] s Dummkopf m; **~ let·ters** s pl Blockschrift f.

bloke Br. F [bləʊk] s Kerl m.

blond [blɒnd] **1.** s Blonde(r) m; **2.** adj blond; of skin: hell; **~e** [~] **1.** s Blondine f; **2.** adj blond.

blood [blʌd] s Blut n; fig. Blut n; Abstammung f; attr Blut...; **in cold ~** kaltblütig; **~-cur·dling** adj grauenhaft; **~ do·nor** s Blutspender(in); **~shed** s Blutvergießen n; **~shot** adj blutunterlaufen; **~thirst·y** adj □ blutdürstig; **~ves·sel** s anat. Blutgefäß n; **~y** adj □ (-ier, -iest) blutig; Br. F verdammt, verflucht; **~ fool** F Vollidiot m; **~mind·ed** F Br. stur, querköpfig.

bloom [bluːm] **1.** s poet. Blume f, Blüte f; fig. Blüte(zeit) f; **2.** v/i blühen; fig. (er)strahlen.

blos·som ['blɒsəm] **1.** s Blüte f; **2.** v/i blühen.

blot [blɒt] **1.** s Klecks m; fig. Makel m; **2.**

B

(**-tt-**) v/t beklecksen, beflecken; (ab)löschen; ausstreichen; v/i klecksen.

blotch [blɒtʃ] s Hautfleck m; **~·y** adj (**-ier, -iest**) of skin: fleckig.

blouse [blauz] s Bluse f.

blow¹ [bləu] s Schlag m, Stoß m.

blow² [~] **1.** (**blew, blown**) v/i blasen, wehen; schnaufen; of tyre: platzen; electr. of fuse: durchbrennen; **~ up** in die Luft fliegen; v/t blasen, wehen; **one's nose** sich die Nase putzen; **~ one's top** F an die Decke gehen; **~ out** ausblasen; **~ up** sprengen; phot. vergrößern; **2.** s Blasen n, Wehen n; **~·dry** v/t fönen; **~n** [bləun] pp of blow² ¹; **~·up** s Explosion f; phot. Vergrößerung f.

blud·geon ['blʌdʒən] s Knüppel m.

blue [blu:] **1.** adj blau; F melancholisch, traurig, schwermütig; **2.** s Blau n; **out of the ~** fig. aus heiterem Himmel; **~·ber·ry** s bot. Blau-, Heidelbeere f; **~ chip (share)** s econ. erstklassiges Wertpapier; **~·col·lar work·er** s (Fabrik)Arbeiter(in).

blues [blu:z] s pl or sg mus. Blues m; F Melancholie f; **have the ~** F den Moralischen haben.

bluff [blʌf] **1.** adj □ schroff, steil; derb; **2.** s Steilufer n; Bluff m; **3.** v/t and v/i bluffen.

blu·ish ['blu:ɪʃ] adj bläulich.

blun·der ['blʌndə] **1.** s Fehler m, Schnitzer m; **2.** v/i e-n (groben) Fehler machen; stolpern; v/t verpfuschen.

blunt [blʌnt] **1.** adj □ stumpf (a. fig.); grob, rauh; **2.** v/t abstumpfen; **~·ly** ['blʌntlɪ] adv frei heraus.

blur [blɜː] **1.** s Fleck m; undeutlicher Eindruck, verschwommene Vorstellung; **2.** v/t (**-rr-**) beflecken; verwischen, -schmieren; phot., TV verwackeln, -zerren; senses: trüben.

blurt [blɜːt] v/t: **~ out** herausplatzen mit.

blush [blʌʃ] **1.** s Schamröte f; Erröten n; **2.** v/i erröten, rot werden.

blus·ter ['blʌstə] **1.** s Brausen n, Toben n (a. fig.); fig. Poltern n; **2.** v/i brausen; fig. poltern, toben.

boar zo. [bɔ:] s Eber m; Keiler m.

board [bɔ:d] **1.** s Brett n; (Anschlag-) Brett n; Konferenztisch m; Ausschuß m, Kommission f; Behörde f; Verpflegung f; Pappe f, Karton m; sports: (Surf)Board n; **on ~ a train** in e-m Zug;

~ of directors econ. Verwaltungsrat m; **2 of Trade** Br. Handelsministerium n, Am. Handelskammer f; **2.** v/t beköstigen; mar. entern; aircraft, etc.: einsteigen in (acc); v/i in Kost sein, wohnen; an Bord gehen; einsteigen; **~·er** ['bɔ:də] s Pensionsgast m; Internatsschüler(in); **~·ing-house** s Pension f, Fremdenheim n; **~·ing-school** s Internat n; **~·walk** s esp. Am. Strandpromenade f.

boast [bəust] **1.** s Prahlerei f; **2.** v/i (**of, about**) sich rühmen (gen), prahlen (mit); **~·ful** adj □ prahlerisch.

boat [bəut] s Boot n; Schiff n.

bob [bɒb] **1.** s Quaste f; Ruck m; Knicks m; kurzer Haarschnitt; Br. F hist. Schilling m; **2.** (**-bb-**) v/t hair: kurz schneiden; **~·bed hair** Bubikopf m; v/i springen, tanzen; knicksen.

bob·bin ['bɒbɪn] s Spule f (a. electr.).

bob·by Br. F ['bɒbɪ] s Bobby m (policeman).

bob·sleigh ['bɒbsleɪ] s sports: Bob m.

bode [bəud] pret of bide.

bod·ice ['bɒdɪs] s Mieder n; of dress: Oberteil n.

bod·i·ly ['bɒdɪlɪ] adj körperlich.

bod·y ['bɒdɪ] s Körper m, Leib m; Leiche f; Körperschaft f; Hauptteil m; mot. Karosserie f; mil. Truppenverband m; **~·guard** s Leibwache f; Leibwächter m; **~·work** s mot. Karosserie f.

bog [bɒg] **1.** s Sumpf m, Moor n; **2.** v/t (**-gg-**): **get ~ged down** fig. sich festfahren.

bo·gus ['bəugəs] adj falsch; Schwindel...

boil¹ med. [bɔɪl] s Geschwür n, Furunkel m.

boil² [~] **1.** v/t and v/i kochen, sieden; **2.** s Kochen n, Sieden n; **~·er** s (Dampf-) Kessel m; Boiler m; **~·er suit** s Overall m; **~·ing** adj kochend, siedend; **~·ing-point** s Siedepunkt m (a. fig.).

bois·ter·ous ['bɔɪstərəs] adj □ ungestüm; heftig; laut; lärmend.

bold [bəuld] adj □ kühn; keck, dreist, unverschämt; steil; **as ~ as brass** F frech wie Oskar; **~·ness** s Kühnheit f; Keckheit f; Dreistigkeit f.

bol·ster ['bəulstə] **1.** s Keilkissen n; Nakkenrolle f; **2.** v/t: **~ up** fig. (unter)stützen, j-m Mut machen.

bolt [bəult] **1.** s Bolzen m; Riegel m; Blitz(strahl) m; plötzlicher Satz,

Fluchtversuch m; **2.** adv: **~ upright** kerzengerade; **3.** v/t verriegeln; F hinunterschlingen; v/i davonlaufen, ausreißen; of horse: scheuen, durchgehen.

bomb [bɒm] **1.** s Bombe f; **the ~** die Atombombe; **2.** v/t bombardieren; **bom·bard** [bɒm'bɑːd] v/t bombardieren (a. fig.).

bomb|-proof ['bɒmpruːf] adj bombensicher; **~·shell** s Bombe f (a. fig.).

bond [bɒnd] s econ. Schuldverschreibung f, Obligation f; tech. Haftfestigkeit f; **~s** pl of friendship, etc.: Bande pl; **in ~** econ. unter Zollverschluß.

bone [bəʊn] **1.** s Knochen m; Gräte f; **~s** pl a. Gebeine pl; **~ of contention** Zankapfel m; **have a ~ to pick with s.o.** F mit j-m ein Hühnchen zu rupfen haben; **chilled to the ~** völlig durchgefroren; **make no ~s about** F nicht lange fackeln mit; keine Skrupel haben hinsichtlich (gen); **2.** v/t die Knochen auslösen aus; entgräten.

bon·fire ['bɒnfaɪə] s Feuer n im Freien; Freudenfeuer n.

bonk [bɒŋk] v/t and v/i Brit. sl. hauen; **have sex:** F bumsen.

bon·kers ['bɒŋkəz] adj sl. übergeschnappt; **go ~** durchdrehen, überschnappen.

bon·net ['bɒnɪt] s Haube f; Br. Motorhaube f.

bon·ny esp. ScotE. ['bɒnɪ] adj (-ier, -iest) hübsch; of baby: rosig; gesund.

bo·nus econ. ['bəʊnəs] s Bonus m, Prämie f; Gratifikation f.

bon·y ['bəʊnɪ] adj (-ier, -iest) knöchern; knochig.

boob sl. [buːb] s Blödmann m; Br. (grober) Fehler; **~s** pl F Titten pl.

boo·by ['buːbɪ] Trottel m; **~ hatch** s Am. sl. Klapsmühle f; **~ trap** s Falle f, übler Scherz; bomb: versteckte Bombe.

book [bʊk] **1.** s Buch n; Heft n; Liste f; Block m; **2.** v/t buchen; eintragen; ticket, etc.: lösen; place, seat, etc.: (vor)bestellen, reservieren (lassen); soccer, etc.: verwarnen; **~ed up** ausgebucht, -verkauft, of hotel: belegt; v/i: **~ in** esp. Br. at a hotel: sich eintragen; **~ in at** absteigen in (dat); **~·case** s Bücherschrank m; **~·ing** s Buchen n, (Vor)Bestellung f; soccer, etc.: Verwarnung f; **~·ing-clerk** s Schalterbeamt|e(r) m, -in

f; **~·ing-of·fice** s Fahrkartenausgabe f, -schalter m; thea. Kasse f; **~·keep·er** s Buchhalter(in); **~·keep·ing** s Buchhaltung f, -führung f; **~·let** [~lɪt] s Büchlein n, Broschüre f; **~·mark(·er)** s Lesezeichen n; **~·sell·er** s Buchhändler(in); **~·shop**, Am. **~·store** s Buchhandlung f.

boom¹ econ. [buːm] **1.** s Boom m, Aufschwung m, Hochkonjunktur f, Hausse f; **2.** v/i e-n Boom erleben.

boom² [~] v/i dröhnen, donnern.

boor fig. [bʊə] s Bauer m, Lümmel m; **~·ish** adj □ bäuerisch, ungehobelt.

boost [buːst] v/t hochschieben; prices: in die Höhe treiben; economy: ankurbeln; verstärken (a. electr.); fig. fördern, Auftrieb geben (dat).

boot¹ [buːt] s Stiefel m; Br. mot. Kofferraum m.

boot² [~] v/t computer: booten, starten, hochfahren.

boot·ee ['buːtiː] s of women: Halbstiefel m, Stiefelette f; of babies: Babyschuh m.

booth [buːð] s market: Bude f; exhibition: (Messe)Stand m; pol. (Wahl)Kabine f; teleph. (Fernsprech)Zelle f.

boot·lace ['buːtleɪs] s Schnürsenkel m.

boot·y ['buːtɪ] s Beute f, Raub m.

booze F [buːz] **1.** v/i saufen; **2.** s Alkohol m; Sauferei f, Besäufnis n.

bor·der ['bɔːdə] **1.** s Rand m, Saum m, Einfassung f; Rabatte f; Grenze f; **2.** v/t einfassen; (um)säumen; v/i grenzen (**on** an acc); **~ re·gion** s Grenzregion f.

bore¹ [bɔː] **1.** s Bohrloch n, Bohrung f; of gun: Kaliber n; **2.** v/t bohren.

bore² [~] **1.** s langweilige Sache; person: F Langweiler(in); esp. Br. lästige Sache; **2.** v/t langweilen; **I'm ~d** mir ist langweilig.

bore³ [~] pret of **bear²**.

bor·ing ['bɔːrɪŋ] adj □ langweilig.

born [bɔːn] pp of **bear²**.

borne [bɔːn] pp of **bear²**.

bo·rough ['bʌrə] s Stadtteil m; Stadtgemeinde f; Stadtbezirk m.

bor·row ['bɒrəʊ] v/t (sich) borgen or (aus)leihen; **~ed** adj econ. kreditfinanziert (takeover, deal, etc.).

bos·om ['bʊzəm] s Busen m; fig. Schoß m.

boss F [bɒs] **1.** s Boss m, Chef m; esp. Am. pol. (Partei-, Gewerkschafts)Bon-

B

ze m; **2.** v/t a. ~ **about,** ~ **around** herum-kommandieren; **~·y** adj (-**ier,** -**iest**) F herrisch; **be** ~ herumkommandieren.

bo·tan·i·cal [bə'tænɪkl] adj ☐ botanisch; **bot·a·ny** ['bɒtənɪ] s Botanik f.

botch [bɒtʃ] **1.** s Pfusch(arbeit f) m; **2.** v/t verpfuschen.

both [bəʊθ] adv and pron beide(s); cj: ~ ... **and** sowohl ... als (auch).

both·er ['bɒðə] **1.** s Belästigung f, Störung f, Plage f, Mühe f; **2.** v/t and v/i belästigen, stören, plagen; **don't** ~**!** bemühen Sie sich nicht!

bot·tle ['bɒtl] **1.** s Flasche f; **2.** v/t in Flaschen abfüllen; **~·neck** s Flaschenhals m; of road: Engpaß m (a. fig.).

bot·tom ['bɒtəm] s unterster Teil, Boden m, Fuß m, Unterseite f; Grund m; F Hintern m, Popo m; **be at the** ~ **of s.th.** hinter et. stecken; **get to the** ~ **of s.th.** e-r Sache auf den Grund gehen.

bough [baʊ] s Ast m, Zweig m.

bought [bɔːt] pret and pp of **buy.**

boul·der ['bəʊldə] s Geröllblock m, Findling m.

bounce [baʊns] **1.** s of ball, etc.: Aufprall(en n) m, Aufspringen n; vigour: Schwung m; **2.** v/t and v/i ball, etc.: aufprallen or springen (lassen); F cheque: platzen; **he** ~**d the baby on his knee** er ließ das Kind auf den Knien reiten; **bounc·er** s F in bar, etc.: Rausschmeißer m; **bounc·ing** adj baby: stramm, kräftig.

bound[1] [baʊnd] **1.** pret and pp of **bind; 2.** adj verpflichtet; bestimmt, unterwegs (**for** nach); sehr wahrscheinlich, sicher; **it's** ~ **to rain soon** es muß bald regnen.

bound[2] [~] **1.** s Sprung m; **2.** v/i (hoch)springen; auf-, abprallen.

bound[3] [~] s mst ~**s** pl Grenze f, fig. a. Schranke f; **~·a·ry** ['baʊndərɪ] s Grenze f; **~·less** adj ☐ grenzenlos.

boun·te·ous ['baʊntɪəs], **~·ti·ful** [~fl] adj ☐ freigebig, reichlich.

boun·ty ['baʊntɪ] s Prämie f, Kopfgeld n; Freigebigkeit f; Spende f.

bou·quet [buːˈkeɪ] s Bukett n, Strauß m; of wine: Blume f.

bout [baʊt] s boxing, etc.: Kampf m; med. Anfall m; **drinking** ~ Saufgelage n.

bou·tique [buːˈtiːk] s Boutique f.

bow[1] [baʊ] **1.** s Verbeugung f; **2.** v/i sich verbeugen or verneigen (**to** vor dat); fig.

sich beugen or unterwerfen (**to** dat); v/t biegen; beugen, neigen.

bow[2] mar. [~] s Bug m.

bow[3] [bəʊ] s Bogen m (a. mus.); Schleife f.

bow·els ['baʊəlz] s pl anat. Eingeweide pl; das Innere.

bowl[1] [bəʊl] s Schale f, Schüssel f, Napf m; of pipe: (Pfeifen)Kopf m; geogr. Becken n; Am. Stadion n.

bowl[2] [~] **1.** s ball: Kugel f; **2.** v/t rollen; in bowling, cricket: werfen; v/i boweln, Bowling spielen; kegeln; cricket: werfen; **~·ing** s Bowling n; Kegeln n.

box[1] [bɒks] **1.** s Kasten m, Kiste f; Büchse f; Schachtel f; tech. Gehäuse n; thea. Loge f; Box f; **2.** v/t in Kästen etc. tun.

box[2] [~] **1.** v/t and v/i sports: boxen; ~ **s.o.'s ears** j-n ohrfeigen; **2.** s: ~ **on the ear** Ohrfeige f.

box·er ['bɒksə] s Boxer m; **~·ing** s Boxen n, Boxsport m; **℞·ing Day** s Br. der zweite Weihnachtsfeiertag; ~ **num·ber** s in newspaper: Chiffre f; post office: Postfach n; **~·of·fice** s Theaterkasse f.

boy [bɔɪ] s Junge m, F a. Sohn m; **~·friend** s Freund m; ~ **scout** s Pfadfinder m.

boy·cott ['bɔɪkɒt] **1.** v/t boykottieren; **2.** s Boykott m.

boy·hood ['bɔɪhʊd] s Kindheit f, Jugend(zeit) f; **~·ish** ['~ɪʃ] adj ☐ jungenhaft.

bra [brɑː] s BH m.

brace [breɪs] **1.** s tech. Strebe f, Stützbalken m; Klammer f; (a. **a pair of**) ~**s** pl Br. Hosenträger pl; **2.** v/t verstreben, -steifen, stützen; spannen; fig. stärken.

brace·let ['breɪslɪt] s Armband n.

brack·et ['brækɪt] **1.** s tech. Träger m, Halter m, Stütze f; of lamp: (Wand-) Arm m; arch. Konsole f; print. (eckige) Klammer; esp. of group: Alters-, Steuerklasse f; **lower income** ~ niedrige Einkommensgruppe; **2.** v/t einklammern; fig. gleichstellen.

brack·ish ['brækɪʃ] adj brackig, salzig.

brag [bræg] **1.** s Prahlerei f; **2.** v/i (-**gg-**) prahlen (**about,** of mit).

brag·gart ['brægət] **1.** s Prahler m; **2.** adj prahlerisch.

braid [breɪd] **1.** s (Haar)Flechte f, Zopf m; Borte f, Tresse f; **2.** v/t flechten.

braille [breɪl] s Blindenschrift f.

brain [breɪn] s anat. Gehirn n; often ~**s** pl

fig. Gehirn *n*, Verstand *m*, Intelligenz *f*, Kopf *m*; **~s trust** *Br.*, *Am.* **~ trust** ['breın(z)trʌst] *s* Braintrust *m*, Expertengruppe *f*; **~wash** *v/t j-n* e-r Gehirnwäsche unterziehen; **~wash·ing** *s* Gehirnwäsche *f*; **~wave** *s* F Geistesblitz *m*; **~ work·er** *s* Geistesarbeiter(in).

brake [breık] **1.** *s tech.* Bremse *f*; **2.** *v/i* bremsen.

bram·ble *bot.* ['bræmbl] *s* Brombeerstrauch *m*.

branch [brɑːntʃ] **1.** *s* Ast *m*, Zweig *m*; Fach *n*; *of family:* Linie *f*; *econ.* Zweigstelle *f*; **2.** *v/i* sich verzweigen; abzweigen.

brand [brænd] **1.** *s econ.* (Handels-, Schutz)Marke *f*, Warenzeichen *n*; *of goods:* Sorte *f*, Klasse *f*; Brandmal *n*; **~ name** Markenbezeichnung *f*, Markenname *m*; **2.** *v/t* einbrennen; brandmarken.

bran·dish ['brændıʃ] *v/t* schwingen.

brand-new [brænd'njuː] *adj* F nagelneu.

bran·dy ['brændı] *s* Kognak *m*, Weinbrand *m*.

brass [brɑːs] *s* Messing *n*; F Unverschämtheit *f*; **~ band** Blaskapelle *f*; **~ knuckles** *pl Am.* Schlagring *m*.

bras·sière ['bræsıə] *s* Büstenhalter *m*.

brat [bræt] *s contp. for child:* Balg *m, n*, Gör *n*.

brave [breıv] **1.** *adj* □ (**~r, ~st**) tapfer, mutig, unerschrocken; **2.** *v/t* trotzen (*dat*); mutig begegnen (*dat*); **brav·er·y** ['~ərı] *s* Tapferkeit *f*.

brawl [brɔːl] **1.** *s* Krawall *m*; Rauferei *f*; **2.** *v/i* Krawall machen; raufen.

brawn [brɔːn] *s* Muskel *m*, Muskeln *pl* (*a. fig.*); *food:* Sülze *f*; **~y** *adj* (**-ier, -iest**) muskulös.

bra·zen ['breızn] *adj* □ unverschämt, unverfroren, frech.

Bra·zil·ian [brə'zılıən] **1.** *adj* brasilianisch; **2.** *s* Brasilianer(in).

breach [briːtʃ] **1.** *s econ.* ↯ *fig.* Verletzung *f*, Bresche *f*; *fig.* Riß *m*; **2.** *v/t* e-e Bresche schlagen in (*acc*).

bread [bred] *s* Brot *n*; **~ and butter** Butterbrot *n*, *fig.* tägliches Brot; **brown ~** Schwarzbrot *n*; **know which side one's ~ is buttered** F s-n Vorteil (er)kennen.

breadth [bredθ] *s* Breite *f*, Weite *f*; *fig.* Größe *f*; *of fabric:* Bahn *f*.

break¹ [breık] *s* Bruch *m*; Lücke *f*; Pause *f*, Unterbrechung *f*; *econ.* Preis-, Kurssturz *m*; (Tages)Anbruch *m*; *fig.* Zäsur *f*, Einschnitt *m*; *bad* ~ Pech *m*; *lucky* ~ F Dusel *m*, Schwein *n*; **without a** ~ ununterbrochen.

break² [~] (*broke, broken*) *v/t* ab-, auf-, durchbrechen; (zer)brechen; unterbrechen; übertreten; *animal:* abrichten, *horse:* zureiten; (*at casino*) *bank:* sprengen; *supplies:* anbrechen; *news:* (schonend) mitteilen; *ruin:* ruinieren; *v/i* brechen; eindringen *or* einbrechen (*into in acc*); (zer)brechen; aus-, los-, an-, auf-, hervorbrechen; *of weather:* umschlagen; *with adverbs:* **~ away** ab-, losbrechen; sich losmachen *or* losreißen; **~ down** ein-, niederreißen, *house:* abbrechen; zusammenbrechen (*a. fig.*); versagen; **~ even** *econ.* die Kosten decken, F plus-minus Null machen *or* aufgehen; **~ in** einbrechen, -dringen; **~ off** abbrechen *fig. a.* Schluß machen mit; **~ out** ausbrechen; **~ through** durchbrechen; *fig.* den Durchbruch schaffen; **~ up** abbrechen, beendigen, schließen; (sich) auflösen; *relationship, etc.:* zerbrechen, auseinandergehen.

break|a·ble ['breıkəbl] *adj* zerbrechlich; **~age** [~ıdʒ] *s* Zerbrechen *n*; *econ.* Bruchschaden *m*; **~a·way** *s* Trennung *f*, Bruch *m*; *attr Br.* Splitter...; **~down** *s* Zusammenbruch *m* (*a. fig.*); *tech.* Maschinenschaden *m*; *mot.* Panne *f*; **~e·ven point** *s econ.* Gewinnschwelle *f*, Break-even-Punkt *m*.

break·fast ['brekfəst] **1.** *s* Frühstück *n*; **2.** *v/i* frühstücken.

break|through *fig.* ['breıkθruː] *s* Durchbruch *m*; **~up** *s* Auflösung *f*; Zerfall *m*; Zerrüttung *f*; Zusammenbruch *m*.

breast [brest] *s* Brust *f*; Busen *m*; *fig.* Herz *n*; *make a clean ~ of s.th.* et. offen gestehen; **~stroke** ['~strəʊk] *s sports:* Brustschwimmen *n*.

breath [breθ] *s* Atem(zug) *m*; Hauch *m*; *waste one's ~* s-e Worte verschwenden.

breath·a·lyse, *Am.* **-lyze** ['breθəlaız] *v/t driver:* (ins Röhrchen) blasen *or* pusten lassen; **~lys·er**, *Am.* **-lyz·er** [~ə] *s* Alkoholtestgerät *n*, F Röhrchen *n*.

breathe [briːð] *v/i* atmen; leben; *v/t* (aus-, ein)atmen; hauchen; flüstern.

B

breath|less ['breθlɪs] *adj* □ atemlos; **~·tak·ing** *adj* atemberaubend.

bred [bred] *pret and pp of* **breed** 2.

breech·es ['brɪtʃɪz] *s pl* Knie-, Reithosen *pl*.

breed [bri:d] **1.** *s* Zucht *f*, Rasse *f*; (Menschen)Schlag *m*; **2. (bred)** *v/t* erzeugen; auf-, erziehen; züchten; *v/i* sich fortpflanzen; **~·er** *s* Züchter(in); Zuchttier *n*; **~·ing** *s* (Tier)Zucht *f*; Erziehung *f*; (gutes) Benehmen.

breeze [bri:z] *s* Brise *f*; **breez·y** *adj* (**-ier**, **-iest**) windig, luftig; heiter, unbeschwert.

brev·i·ty ['brevətɪ] *s* Kürze *f*.

brew [bru:] **1.** *v/t* brauen (*a. v/i*); zubereiten; *fig.* aushecken; **2.** *s* Gebräu *n*; **~·er** ['bruːə] *s* (Bier)Brauer *m*; **~·er·y** ['bruːərɪ] *s* Brauerei *f*.

bribe [braɪb] **1.** *s* Bestechung *f*, Bestechungsgeld *n*; **2.** *v/t* bestechen; **brib·er·y** ['~ərɪ] *s* Bestechung *f*.

brick [brɪk] **1.** *s* Ziegel(stein) *m*; **drop a ~** *Br*. F ins Fettnäpfchen treten; **2.** *v/t*: **~ up** *or* **in** zumauern; **~·lay·er** ['~leɪə] *s* Maurer *m*; **~·works** *sg* Ziegelei *f*.

brid·al ['braɪdl] *adj* Braut...

bride [braɪd] *s* Braut *f*; **~·groom** ['~grom] *s* Bräutigam *m*; **~·s·maid** ['~zmeɪd] *s* Brautjungfer *f*.

bridge [brɪdʒ] **1.** *s* Brücke *f*; **2.** *v/t* e-e Brücke schlagen über (*acc*); *fig.* überbrücken.

bri·dle ['braɪdl] **1.** *s* Zaum *m*; Zügel *m*; **2.** *v/t* (auf)zäumen; zügeln; *v/i a*. **~ up** den Kopf zurückwerfen; **~·path** *s* Reitweg *m*.

brief [bri:f] **1.** *adj* □ kurz, bündig; **2.** *jur.* schriftliche Instruktion; **3.** *v/t* kurz zusammenfassen; instruieren; **~·case** ['~keɪs] *s* Aktenmappe *f*.

briefs [bri:fs] *s pl* (**a pair of ~** ein) Slip *m*, kurze Unterhose.

bri·gade [brɪ'geɪd] *s mil.* Brigade *f*; *organized group*: Einheit *f*, Trupp *m*.

bright [braɪt] *adj* □ hell, glänzend; klar; heiter; lebhaft; gescheit; **~·en** *v/t* auf-, erhellen; polieren; aufheitern; *v/i* sich aufhellen; **~·ness** *s* Helligkeit *f*; Glanz *m*; Klarheit *f*; Heiterkeit *f*; Aufgeweecktheit *f*, Intelligenz *f*.

bril|liance, **~·lian·cy** ['brɪljəns, ~ɪ] *s* Helligkeit *f*; Glanz *m*; durchdringender Verstand; **~·liant** ['brɪljənt] **1.** *adj* □

glänzend; hervorragend, brillant; **2.** *s* Brillant *m*.

brim [brɪm] **1.** *s* Rand *m*; Krempe *f*; **2.** *v/i* (**-mm-**) bis zum Rand voll sein; **~·ful(l)** *adj* randvoll.

brine [braɪn] *s* Salzwasser *n*; Sole *f*.

bring [brɪŋ] *v/t* (**brought**) (mit-, her)bringen; *j-n* veranlassen; *charge*: erheben (**against** gegen); **what ~s you here?** was führt Sie zu mir?; **~ about** zustande bringen; bewirken; **~ back** zurückbringen; **~ forth** hervorbringen; **~ forward** *plan*, *reason*, *etc*.: vorbringen; **~ s.th. home to s.o.** j-m et. klarmachen; **~ in** (her)einbringen; *jur. verdict*: fällen; **~ off** et. fertigbringen, schaffen; **~ on** verursachen; **~ out** herausbringen; **~ round** wieder zu Bewußtsein bringen; **~ up** auf-, großziehen; erziehen; zur Sprache bringen; *esp. Br.* et. (er)brechen.

brink [brɪŋk] *s* Rand *m* (*a. fig.*).

brisk [brɪsk] *adj* □ lebhaft, munter; frisch; flink; belebend.

bris·tle ['brɪsl] **1.** *s* Borste *f*; **2.** *v/i* sich sträuben; hochfahren, zornig werden; **~ with** *fig.* starren von; **~·tly** [~ɪ] *adj* (**-ier**, **-iest**) stopp(e)lig, Stoppel...

Brit·ish ['brɪtɪʃ] *adj* britisch; **the ~** *pl* die Briten *pl*; **~ Council** britisches Kulturinstitut; **~ Standards Institution** (*abbr.* **BSI**) Britischer Normenausschuß.

brit·tle ['brɪtl] *adj* zerbrechlich, spröde.

broach [brəʊtʃ] *v/t topic*, *etc*.: anschneiden.

broad [brɔːd] *adj* □ breit; weit; *day*: hell; *hint*, *etc*.: deutlich; *humour*, *etc*.: derb; allgemein; weitherzig; liberal.

broad·cast ['brɔːdkɑːst] **1.** (**-cast** *or* **-casted**) *v/t fig. news*: verbreiten; im Rundfunk *or* Fernsehen bringen, ausstrahlen, übertragen; senden; *v/i* im Rundfunk *or* Fernsehen sprechen *or* auftreten; **2.** *s* Rundfunk-, Fernsehsendung *f*; **~·cast·er** *s* Rundfunk-, Fernsehsprecher(in).

broad|en [~dn] *v/t* verbreitern, erweitern; **~·jump** *s Am. sports*: Weitsprung *m*; **~·mind·ed** *adj* liberal.

bro·chure ['brəʊʃə] *s* Broschüre *f*, Prospekt *m*.

broil *esp. Am.* [brɔɪl] → **grill** 1.

broke [brəʊk] **1.** *pret of* **break²**; **2.** *adj* F pleite, abgebrannt; **bro·ken** ['~ən] **1.** *pp* of **break²**; **2.** adj: **~ health** zerrüttete Gesundheit; **~-hearted** verzweifelt, untröstlich.

bro·ker econ. ['brəʊkə] s Makler m.

bron·co Am. ['brɒŋkəʊ] (pl **-cos**) s (halb)wildes Pferd.

bronze [brɒnz] **1.** s Bronze f; **2.** adj bronzen, Bronze...; **3.** v/t bronzieren.

brooch [brəʊtʃ] s Brosche f, Spange f.

brood [bruːd] **1.** s Brut f; attr Brut...; **2.** v/i brüten (a. fig.); **~er** ['~ə] s Brutkasten m.

brook [brʊk] s Bach m.

broom [bruːm] s Besen m; bot. Ginster m; **~stick** ['~stɪk] s Besenstiel m.

broth [brɒθ] s Fleischbrühe f.

broth·el ['brɒθl] s Bordell n.

broth·er ['brʌðə] s Bruder m; **~(s) and sister(s)** Geschwister pl; **~hood** s Bruderschaft f; Brüderlichkeit f; **~-in-law** s Schwager m; **~ly** adj brüderlich.

brought [brɔːt] pret and pp of **bring**.

brow [braʊ] s (Augen)Braue f; Stirn f; of cliff: Rand m; of hill: Kuppe f; **~beat** ['~biːt] v/t (-beat, -beaten) einschüchtern; tyrannisieren.

brown [braʊn] **1.** adj braun; **2.** s Braun n; **3.** v/t bräunen; v/i braun werden.

browse [braʊz] **1.** s Grasen n; fig. Schmökern n; **2.** v/i grasen, weiden; **~ through** book, etc.: schmökern in (dat).

bruise [bruːz] **1.** s med. Quetschung f, Prellung f, Bluterguß m, blauer Fleck, (on thigh a.) F Pferdekuß m; **2.** v/t (zer-) quetschen; j-n grün u. blau schlagen.

brunch F [brʌntʃ] s Brunch m.

brunt [brʌnt] s: **bear the ~ of** die Hauptlast von et. tragen.

brush [brʌʃ] **1.** s Bürste f; Pinsel m; of fox: Rute f; Unterholz n; **2.** v/t bürsten; fegen; streifen; **~ away, ~ off** wegbürsten, abwischen; **~ aside, ~ away** fig. et. abtun; **~ up** knowledge, etc.: aufpolieren, -frischen; v/i: **~ against** s.o. j-n streifen; **~up** ['brʌʃʌp] s: **give one's German a ~** s-e Deutschkenntnisse aufpolieren; **~wood** s Unterholz n.

brusque [brʊsk] adj □ brüsk, barsch.

Brus·sels sprouts bot. ['brʌsl'spraʊts] s pl Rosenkohl m.

bru·tal ['bruːtl] adj □ viehisch, brutal, roh; **~i·ty** [bruːˈtælətɪ] s Brutalität f, Roheit f; **brute** [bruːt] **1.** adj tierisch;

brutal, roh; **2.** s Vieh n; F Untier n, Scheusal n.

bub·ble ['bʌbl] **1.** s Blase f; fig. Schwindel m; **2.** v/i sprudeln.

buck [bʌk] **1.** s zo. Bock m; Am. sl. Dollar m; **2.** v/i bocken; **~ up!** Kopf hoch!; v/t: **~ off** rider: (durch Bocken) abwerfen.

buck·et ['bʌkɪt] s Eimer m, Kübel m; **kick the ~** F abkratzen, den Löffel abgeben.

buck·le ['bʌkl] **1.** s Schnalle f, Spange f; **2.** v/t a. **~ up** zu-, festschnallen; **~ on** anschnallen; v/i tech. sich (ver)biegen; **~ down to a task** F sich hinter e-e Aufgabe klemmen.

bud [bʌd] **1.** bot. Knospe f; fig. Keim m; **2.** v/i (-dd-) knospen, keimen; **a ~ding lawyer** ein angehender Jurist.

bud·dy Am. F ['bʌdɪ] s Kamerad m.

budge [bʌdʒ] v/t and v/i (sich) bewegen.

bud·ger·i·gar zo. ['bʌdʒərɪɡɑː] s Wellensittich m.

bud·get ['bʌdʒɪt] **1.** s Vorrat m; Staatshaushalt m; Etat m, Finanzen pl; **~ resources** pl Etatmittel pl.

bud·gie zo. ['bʌdʒɪ] → **budgerigar**.

buff¹ [bʌf] **1.** s Ochsenleder n; Lederfarbe f; **2.** adj lederfarben.

buff² F [~] s film ~, music ~, etc.: Fan m.

buf·fa·lo zo. ['bʌfələʊ] s (pl **-loes**, **-los**) Büffel m.

buff·er ['bʌfə] s tech. Puffer m; Prellbock m (a. fig.); **~ (state)** pol. Pufferstaat m.

buf·fet¹ ['bʌfɪt] **1.** s (Faust)Schlag m; **2.** v/t schlagen; **~ about** durchschütteln.

buf·fet² ['bʊfeɪ] s Büfett n, Anrichte f, Theke f; food: (kaltes) Büfett.

bug [bʌɡ] **1.** s zo. Wanze f; Am. zo. Insekt n; F Bazillus m; F Abhörvorrichtung f, Wanze f; computer: (Programm)Fehler m; **2.** v/t (-gg-) F conversation: abhören; F Wanzen anbringen in (dat); Am. F ärgern, wütend machen.

bug·gy ['bʌɡɪ] s mot. Buggy m; Kinderwagen m, Buggy m.

build [bɪld] **1.** v/t (**built**) (er)bauen, errichten; **2.** s Körperbau m, Figur f; **~er** ['~ə] s Erbauer m, Baumeister m; Bauunternehmer m; **~ing** ['~ɪŋ] s (Er)Bauen n; Bau m, Gebäude n; attr Bau...

built [bɪlt] pret and pp of **build** 1.

B

bulb [bʌlb] *s bot.* Zwiebel *f*; Knolle *f*; *electr.* (Glüh)Birne *f*.

bulge [bʌldʒ] **1.** *s* (Aus)Bauchung *f*; Anschwellung *f*; **2.** *v/i* sich (aus)bauchen; hervorquellen.

bulk [bʌlk] *s* Umfang *m*; Masse *f*; Hauptteil *m*; *mar.* Ladung *f*; *in ~ econ.* lose; in großer Menge; **~y** ['bʌlkɪ] *adj* (*-ier*, *-iest*) umfangreich; unhandlich, sperrig.

bull¹ *zo.* [bʊl] *s* Bulle *m*, Stier *m*; **~fight** Stierkampf *m*.

bull² *eccl.* [ʌ] *s* Bulle *f*.

bull·dog *zo.* ['bʊldɒg] *s* Bulldogge *f*.

bull|doze ['bʊldəʊz] *v/t ground:* planieren; F *fig.* einschüchtern; **~·doz·er** *tech.* [ʌə] *s* Bulldozer *m*, Planierraupe *f*.

bul·let ['bʊlɪt] *s* Kugel *f*; **~·proof** kugelsicher.

bul·le·tin ['bʊlɪtɪn] *s* Bulletin *n*, Tagesbericht *m*; **~ board** *Am.* Schwarzes Brett.

bul·lion ['bʊlɪən] *s* Gold-, Silberbarren *m*; Gold-, Silberlitze *f*.

bul·ly ['bʊlɪ] **1.** *s* Maulheld *m*; Tyrann *m*; **2.** *v/t* einschüchtern, tyrannisieren.

bul·wark ['bʊlwək] *s* Bollwerk *n* (*a. fig.*).

bum F [bʌm] **1.** *s* Hintern *m*; *person:* Nichtstuer *m*, Herumtreiber *m*, Gammler *m*; **2.** *v/i* (*-mm-*) schnorren; **~ around** herumgammeln.

bum·ble-bee *zo.* ['bʌmblbiː] *s* Hummel *f*.

bump [bʌmp] **1.** *s* heftiger Schlag *m* od Stoß *m*; Beule *f*; **2.** *v/t* stoßen; zusammenstoßen mit, rammen; **~ off** F *j-n* umlegen, umbringen; *v/i:* **~ into** *j-n* zufällig treffen.

bum·per¹ ['bʌmpə] *adj* riesig, Riesen...; **~ crop** Rekordernte *f*.

bum·per² *mot.* [ʌ] *s* Stoßstange *f*; **~-to-~** Stoßstange an Stoßstange.

bump·y ['bʌmpɪ] *adj* (*-ier*, *-iest*) holp(e)rig.

bun [bʌn] *s* süßes Brötchen; (Haar)Knoten *m*.

bunch [bʌntʃ] **1.** *s* Bund *n*, Büschel *n*; Haufen *m*; **~ of grapes** Weintraube *f*; **2.** *v/t a.* **~ up** bündeln.

bun·dle ['bʌndl] **1.** *s* Bündel *n* (*a. fig.*), Bund *n*; **2.** *v/t a.* **~ up** bündeln.

bun·ga·low ['bʌŋgələʊ] *s* Bungalow *n*.

bun·gle ['bʌŋgl] **1.** *s* Stümperei *f*, Pfusch(arbeit *f*) *m*; **2.** *v/t* verpfuschen.

bunk [bʌŋk] *s* Schlafkoje *f*; (*a.* **~ bed**) Stockbett *n*.

bun·ny ['bʌnɪ] *s* Häschen *n*.

buoy [bɔɪ] **1.** *s mar.* Boje *f*; **2.** *v/t:* **~ed up** *fig.* von neuem Mut erfüllt; **~ant** ['~ənt] *adj* □ schwimmfähig; *water:* tragend; *fig.* heiter.

bur·den ['bɜːdn] **1.** *s* Last *f*; Bürde *f*; **2.** *v/t* belasten; **~some** *adj* lästig, drückend.

bu·reau ['bjʊərəʊ] *s* (*pl* **-x**, **-s**) Büro *n*, Geschäftszimmer *n*; *Br.* Schreibtisch *m*, *-pult n*; *Am.* (Spiegel)Kommode *f*; **~·c·ra·cy** [bjʊə'rɒkrəsɪ] *s* Bürokratie *f*.

bur·glar ['bɜːglə] *s* Einbrecher *m*; **~ize** *Am.* [~raɪz] → **burgle**; **~·y** [~rɪ] *s* Einbruch(sdiebstahl) *m*; **bur·gle** [~gl] *v/t and v/i* einbrechen (in *acc*).

bur·i·al ['berɪəl] *s* Begräbnis *n*.

bur·ly ['bɜːlɪ] *adj* (*-ier*, *-iest*) stämmig, kräftig.

burn [bɜːn] **1.** *s med.* Brandwunde *f*; verbrannte Stelle; **2.** *v/t and v/i* (**burnt** *od* **burned**) (ver-, an)brennen; **~ down** abbrennen; niederbrennen; **~ out** ausbrennen; **~ up** auflodern; verbrennen; *meteor, etc.*: verglühen; **~ing** *adj* brennend (*a. fig.*).

burnish ['bɜːnɪʃ] *v/t* polieren.

burnt [bɜːnt] *pret and pp of* **burn** 2.

burp F [bɜːp] **1.** *v/i* rülpsen, aufstoßen; *v/t baby:* ein Bäuerchen machen lassen; **2.** *s* Rülpser *m*.

bur·row ['bʌrəʊ] **1.** *s* Höhle *f*, Bau *m*; **2.** *v/i* (sich ein-, ver)graben.

burst [bɜːst] **1.** *s* Bersten *n*; Riß *m*; *fig.* Ausbruch *m*; **2.** (**burst**) *v/i* bersten, platzen; zerspringen; explodieren; **~ from** sich losreißen von; **~ in on** *od* **upon** hereinplatzen bei *j-m*; **~ into tears** in Tränen ausbrechen; **~ out** herausplatzen; *v/t* (auf)sprengen.

bur·y ['berɪ] *v/t* be-, vergraben; beerdigen.

bus [bʌs] *s* (*pl* **-es**, **-ses**) (Omni)Bus *m*.

bush [bʊʃ] *s* Busch *m*; Gebüsch *n*.

bush·y ['bʊʃɪ] *adj* (*-ier*, *-iest*) buschig.

busi·ness ['bɪznɪs] *s* Geschäft *n*; Beschäftigung *f*; Beruf *m*; Angelegenheit *f*; Aufgabe *f*; *econ.* Handel *m*; **~ of the day** Tagesordnung *f*; *on ~* geschäftlich; **you have no ~ doing** (*or* **to do**) **that** Sie haben kein Recht, das zu tun; **this is none of your ~** das geht Sie nichts an;

→ **mind** 2; ~ **hours** *s pl* Geschäftszeit *f*, Öffnungszeiten *pl*; ~**like** *adj* geschäftsmäßig, sachlich; ~ **lunch** *s* Arbeitsessen *n*; ~**man** *s* Geschäftsmann *m*; ~ **trip** *s* Geschäftsreise *f*; ~**wom·an** *s* Geschäftsfrau *f*.

bus| lane [ˈbʌsleɪn] *s* Busspur *f*; ~ **ser·vice** *s* Busverbindung *f*; ~ **shel·ter** *s* Wartehäuschen *n*; ~ **sta·tion** *s* Busbahnhof *m*; ~ **stop** *s* Bushaltestelle *f*.

bust[1] [bʌst] *s* Büste *f*.

bust[2] [~] **1.** *s Am.* F Pleite *f*; **2.** *v/t* (**busted** *or* **bust**) zerbrechen, kaputtmachen; F *arrest*: einlochen, einbuchten.

bus·tle [ˈbʌsl] **1.** *s* Geschäftigkeit *f*; geschäftiges Treiben; **2.** *v/i*: ~ **about** geschäftig hin u. her eilen.

bus·y [ˈbɪzɪ] **1.** *adj* □ (**-ier, -iest**) beschäftigt; geschäftig; fleißig (**at** bei, an *dat*); lebhaft; *teleph.* besetzt; **2.** *v/t* (*mst* ~ **o.s.** sich) beschäftigen (**with** mit).

but [bʌt, bət] **1.** *cj* aber, jedoch, sondern; außer, als; ohne daß; dennoch; *a.* ~ **that** daß nicht; **she could not** ~ **laugh** sie mußte einfach lachen; **2.** *prp* außer; **all** ~ **her** alle außer ihr; **the last** ~ **one** der vorletzte; **the next** ~ **one** der übernächste; **nothing** ~ nichts als; ~ **for** wenn nicht ... gewesen wäre; ohne; **3.** *rel pron* der (die *or* das) nicht; **there is no one** ~ **knows** es gibt niemand, der es nicht weiß; **4.** *adv* nur; erst, gerade; **all** ~ fast, beinahe.

butch·er [ˈbʊtʃə] **1.** *s* Fleischer *m*, Metzger *m*; **2.** *v/t* (*fig.* ab-, hin)schlachten; ~**y** *s* Schlachthaus *n*; *fig.* Gemetzel *n*.

but·ler [ˈbʌtlə] *s* Butler *m*.

butt[1] [bʌt] **1.** *s* Stoß *m*; (dickes) Ende, *of gun*: Kolben *m*; *of cigarette*: Kippe *f*; **buttocks**: V Arsch *m*, F Hintern *m*; Schießstand *m*; *fig.* Zielscheibe *f*; **2.** *v/t* *j-n* (mit dem Kopf) stoßen; *v/i*: ~ **in** F sich einmischen (**on** *acc*).

butt[2] [~] *s* Faß *n*; (Regen- *etc.*)Tonne *f*.

but·ter [ˈbʌtə] **1.** *s* Butter *f*; F Schmeichelei *f*; **2.** *v/t* mit Butter bestreichen; ~**cup** *s bot.* Butterblume *f*; ~**fly** *s zo.* Schmetterling *m*; ~ **moun·tain** *s econ.*

Butterberg *m*; ~**y** *adj* butter(artig), Butter...

but·tocks [ˈbʌtəks] *s pl* Gesäß *n*, F *or zo.* Hinterteil *n*.

but·ton [ˈbʌtn] **1.** *s* Knopf *m*; **2.** *v/t mst* ~ **up** zuknöpfen; ~**hole** *s* Knopfloch *n*.

bux·om [ˈbʌksəm] *adj* drall, stramm.

buy [baɪ] **1.** *s* F Kauf *m*; **2.** *v/t* (**bought**) (an-, ein)kaufen (**of, from** von; **at** bei); ~ **out** *j-n* abfinden, auszahlen; *company*: aufkaufen; ~ **up** aufkaufen; ~**er** *s* (Ein)Käufer(in); ~**out** *s econ.* Aufkauf *m*, Buyout *m*.

buzz [bʌz] **1.** *s* Summen *n*, Surren *n*; Stimmengewirr *n*; **2.** *v/i* summen, surren; ~ **off!** *Br.* F schwirr ab!, hau ab!

buz·zard *zo.* [ˈbʌzəd] *s* Bussard *m*.

buzz·er *electr.* [ˈbʌzə] *s* Summer *m*.

by [baɪ] **1.** *prp of place*: bei; an, neben; *of direction*: durch, über; *along*: an (*dat*) entlang *or* vorbei; *of time*: an; bei; spätestens bis, bis zu; *pass* von, durch; *means, tool, etc.*: durch, mit; *in oaths*: bei; *measure*: um; nach; *according to*: gemäß, bei; ~ **the dozen** dutzendweise; ~ **o.s.** allein; ~ **land** zu Lande; ~ **rail** per Bahn; **day** ~ **day** Tag für Tag; ~ **twos** zu zweien; ~ **the way** übrigens, nebenbei bemerkt; ~ **about** dabei; vorbei; beiseite; ~ **and** ~ bald; nach u. nach; ~ **the** ~ nebenbei bemerkt; ~ **and large** im großen u. ganzen.

bye *int* F [baɪ], *a.* **bye-bye** [~ˈbaɪ] Wiedersehen!, Tschüs!

by|-e·lec·tion [ˈbaɪɪlekʃn] *s pol.* Nachwahl *f*; ~**gone 1.** *adj* vergangen; **2.** *s*: **let** ~**s be** ~**s** laß(t) das Vergangene ruhen; ~**pass 1.** *s* Umgehungsstraße *f*; *med.* Bypass *m*; **2.** *v/t* umgehen; vermeiden; ~**path** *s* Seitenstraße *f*; ~**prod·uct** *s* Nebenprodukt *n*, Nebenresultat *n*; ~**road** *s* Seitenstraße *f*; ~**stand·er** *s* Zuschauer(in).

byte [baɪt] *s computer*: Byte *n*.

by|way [ˈbaɪweɪ] *s* Seitenstraße *f*; ~**word** *s* Sprichwort *n*; Inbegriff *m*; **be a** ~ **for** gleichbedeutend sein mit.

C

cab [kæb] s Taxi n, Taxe f, old: Droschke f; rail. Führerstand m; of lorry: Fahrerhaus n, of crane: Führerhaus n.

cab·bage bot. ['kæbɪdʒ] s Kohl m.

cab·in ['kæbɪn] s Hütte f; mar. Kabine f (a. of cable car), Kajüte f; aer. Kanzel f; **~boy** s mar. junger Kabinensteward; **~ cruis·er** s mar. Kabinenkreuzer m.

cab·i·net ['kæbɪnɪt] s pol. Kabinett n; Schrank m, Vitrine f; (Radio)Gehäuse n; **~ meeting** pol. Kabinettssitzung f.

ca·ble ['keɪbl] **1.** s Kabel n; mar. Ankertau n; **2.** v/t telegrafieren; money: telegrafisch anweisen; **~ car** s Drahtseilbahn f; **~ tel·e·vi·sion** s Kabelfernsehen n.

cab|·rank ['kæbræŋk], **~·stand** s Taxistand m.

ca·ca·o bot. [kə'kɑːəʊ] s (pl -os) Kakaobaum m, -bohne f.

cack·le ['kækl] **1.** s Gegacker n, Geschnatter n; **2.** v/i gackern, schnattern.

ca·dav·er med. [kə'deɪvə] s Leichnam m.

ca·dence ['keɪdəns] s mus. Kadenz f; Tonfall m; Rhythmus m.

ca·det mil. [kə'det] s Kadett m.

cae·sar·e·an med. [sɪ'zeərɪən] s Kaiserschnitt m.

ca·fé, ca·fe ['kæfeɪ] s Café n.

caf·e·te·ri·a [kæfɪ'tɪərɪə] s Selbstbedienungsrestaurant n, Cafeteria f.

cage [keɪdʒ] **1.** s Käfig m; mining: Förderkorb m; **2.** v/t einsperren.

cag·ey F ['keɪdʒɪ] adj □ (-gier, -giest) verschlossen; vorsichtig; Am. schlau, gerissen.

ca·jole [kə'dʒəʊl] v/t j-m schmeicheln; j-n beschwatzen.

cake [keɪk] s Kuchen m, Torte f; of chocolate: Tafel f, of soap: Riegel m, Stück n.

ca·lam·i|·tous [kə'læmɪtəs] adj □ katastrophal; **~·ty** [~tɪ] s großes Unglück, Katastrophe f.

cal·cu|·late ['kælkjʊleɪt] v/t kalkulieren; be-, aus-, errechnen; Am. F vermuten; v/i rechnen (**on, upon** mit, auf acc); **~·la·tion** [kælkjʊ'leɪʃn] s Berechnung f (a. fig.), Ausrechnung f; econ. Kalkulation f; Überlegung f; **~·la·tor** ['kælkjʊ-

leɪtə] s Rechner m (person, machine).

cal·en·dar ['kælɪndə] s Kalender m; Liste f.

calf¹ [kɑːf] s (pl calves [~vz]) Wade f.

calf² [~] s (pl calves [~]) Kalb n; **~skin** s Kalb(s)fell n.

cal·i·bre, Am. **-ber** ['kælɪbə] s Kaliber n.

call [kɔːl] **1.** s Ruf m; teleph. Anruf m, Gespräch n; to office, post, etc.: Ruf m, Berufung f; Aufruf m, Aufforderung f; Signal n; (kurzer) Besuch; of money, funds: Kündigung f, Abruf m; **on** ~ auf Abruf; **make a** ~ telefonieren; **give s.o. a** ~ j-n anrufen; **2.** v/t (herbei)rufen; (ein)berufen; teleph. j-n anrufen; berufen, ernennen (**to** zu); nennen; attention: lenken (**to** auf acc); **~ s.o. ~ed** heißen; **~ s.o. names** j-n beschimpfen or beleidigen; **~ up** teleph. anrufen; v/i rufen; teleph. anrufen; e-n (kurzen) Besuch machen (**on s.o., at s.o.'s** [**house**] bei j-m); **thanks for ~ing!** danke für den Anruf!; **~ at a port** e-n Hafen anlaufen; **~ for** rufen nach; et. anfordern; et. abholen; **to be ~ed for** postlagernd; **~ on s.o.** j-n besuchen; **~ on, ~ upon** sich an j-n wenden (**for** wegen); appellieren an (acc) (**to do** zu tun); **~·box** s Fernsprechzelle f; **~·er** s teleph. Anrufer(in); Besucher(in); **~ girl** s Callgirl n; **~·ing** s Rufen n; Berufung f.

cal·lous ['kæləs] adj □ schwielig; fig. dickfellig, herzlos.

cal·low ['kæləʊ] adj fig. unerfahren, unreif.

calm [kɑːm] **1.** adj □ still, ruhig; **2.** s (Wind)Stille f, Ruhe f; **3.** v/t and v/i often **~ down** besänftigen, (sich) beruhigen.

cal·o·rie phys. ['kælərɪ] s Kalorie f; **high-/low-~** kalorienreich/-arm; **be rich/low in ~s** kalorienreich/-arm sein; **~·con·scious** adj □ kalorienbewußt.

calve [kɑːv] v/i kalben.

calves [kɑːvz] pl of **calf¹,²**.

came [keɪm] pret of **come**.

cam·el zo. ['kæml] s Kamel n.

cam·er·a ['kæmərə] s Kamera f, Fotoapparat m; **in ~** jur. unter Ausschluß der Öffentlichkeit.

cam·o·mile *bot.* ['kæməmaɪl] *s* Kamille *f.*

cam·ou·flage *mil.* ['kæmʊflɑːʒ] **1.** *s* Tarnung *f;* **2.** *v/t* tarnen.

camp [kæmp] **1.** *s* Lager *n; mil.* Feldlager *n;* ~ **bed** Feldbett *n;* **2.** *v/i* lagern; ~ (**out**) *or* **go** ~**ing** zelten (gehen), campen.

cam·paign [kæm'peɪn] **1.** *s mil.* Feldzug *m; fig.* Kampagne *f,* Feldzug *m,* Aktion *f; pol.* Wahlkampf *m;* **2.** *v/i mil.* an e-m Feldzug teilnehmen; *fig.* kämpfen, zu Felde ziehen; *pol.* sich am Wahlkampf beteiligen, Wahlkampf machen; *Am.* kandidieren (**for** für).

camp|ground ['kæmpgraʊnd], ~**site** ['~saɪt] *s* Lagerplatz *m;* Zelt-, Campingplatz *m.*

cam·pus ['kæmpəs] *s* Campus *m,* Universitätsgelände *n.*

can¹ [kæn, kən] *v/aux* ich, du *etc.* kann(st) *etc.;* dürfen, können.

can² [~] **1.** *s* Kanne *f* (Blech-, Konserven)Dose *f,* (-)Büchse *f;* **2.** *v/t* (**-nn-**) (in Büchsen) einmachen, eindosen.

Ca·na·di·an [kə'neɪdɪən] **1.** *adj* kanadisch; **2.** *s* Kanadier(in).

ca·nal [kə'næl] *s* Kanal *m* (a. *anat.*); ~**ize** ['kænəlaɪz] *v/t* kanalisieren (a. *fig.*).

ca·na·pé ['kænəpeɪ] *s* Cocktailhappen *m.*

ca·nard [kæ'nɑːd] *s* (Zeitungs)Ente *f.*

ca·nar·y *zo.* [kə'neərɪ] *s* Kanarienvogel *m.*

can·cel ['kænsl] *v/t* (*esp. Br.* **-ll-**, *Am.* **-l-**) absagen, rückgängig machen; (durch-, aus)streichen; *ticket:* entwerten; **be** ~(*l*)**ed** ausfallen; ~**la·tion** [kænsə'leɪʃn] *s* Absage *f,* Streichung *f,* Stornierung *f;* ~ **insurance** Reiserücktrittskosten-Versicherung *f.*

can·cer *ast., med.* ['kænsə] *s* Krebs *m;* ~**ous** *med.* [~rəs] *adj* krebsartig; krebsbefallen.

can·di·date ['kændɪdət] *s* Kandidat(in) (**for** für), Anwärter(in), Bewerber(in) (**for** um).

can·died ['kændɪd] *adj* kandiert.

can·dle ['kændl] *s* Kerze *f;* Licht *n;* **burn the** ~ **at both ends** mit s-r Gesundheit Raubbau treiben.

can·dy ['kændɪ] **1.** *s* Kandis(zucker) *m; Am.* Süßigkeiten *pl;* **2.** *v/t* kandieren; ~**floss** *Br.* ['~flɒs] *s* Zuckerwatte *f.*

cane [keɪn] **1.** *s bot.* Rohr *n;* (Rohr-) Stock *m;* **2.** *v/t* (mit dem Stock) züchtigen.

canned *Am.* [kænd] *adj* Dosen..., Büchsen...; ...konserve *f;* **can·ner·y** *Am.* ['kænərɪ] *s* Konservenfabrik *f.*

can·ni·bal ['kænɪbl] *s* Kannibale *m.*

can·non ['kænən] *s* Kanone *f.*

can·ny ['kænɪ] *adj* □ (**-ier**, **-iest**) gerissen, schlau.

ca·noe [kə'nuː] **1.** *s* Kanu *n,* Paddelboot *n;* **2.** *v/i* Kanu fahren, paddeln.

can·on ['kænən] *s* Kanon *m;* Regel *f,* Richtschnur *f;* ~**ize** [~aɪz] *v/t* heiligsprechen.

can·o·py ['kænəpɪ] *s* Baldachin *m; arch.* Vordach *n.*

cant [kænt] *s* Fachsprache *f;* Gewäsch *n;* frömmlerisches Gerede.

can·tan·ker·ous F [kæn'tæŋkərəs] *adj* □ zänkisch, mürrisch.

can·teen [kæn'tiːn] *s* Kantine *f; mil.* Kochgeschirr *n,* Feldflasche *f;* Besteck(kasten *m*) *n.*

can·ter ['kæntə] **1.** *s* Kanter *m,* leichter Galopp *m;* **2.** *v/i* leicht galoppieren.

can·vas ['kænvəs] *s* Segeltuch *n;* Zelt-, Packleinwand *f;* Segel *pl;* paint. Leinwand *f;* Gemälde *n.*

can·vass [~] **1.** *s pol.* Wahlkampagne *f; econ.* Werbefeldzug *m;* **2.** *v/t* eingehend untersuchen *or* erörtern *or* prüfen; werben (um); *v/i pol.* um Stimmen werben, F auf Stimmenfang gehen; e-e Wahlkampagne veranstalten.

can·yon ['kænjən] *s* Cañon *m.*

cap [kæp] **1.** *s* Kappe *f;* Mütze *f;* Haube *f; arch.* Aufsatz *m;* Zündkapsel *f; med.* Pessar *n;* **2.** *v/t* (**-pp-**) bedecken; *fig.* krönen; übertreffen.

ca·pa·bil·i·ty [keɪpə'bɪlətɪ] *s* Fähigkeit *f;* ~**ble** ['keɪpəbl] *adj* □ fähig (**of** zu).

ca·pa·cious [kə'peɪʃəs] *adj* □ geräumig; **ca·pac·i·ty** [kə'pæsətɪ] *s* (Raum)Inhalt *m;* Fassungsvermögen *n;* Kapazität *f;* Aufnahmefähigkeit *f; ability, power* (a. *tech.*): Leistungsfähigkeit *f* (**for ger** zu *inf*); **in my** ~ **as** in m-r Eigenschaft als.

cape¹ [keɪp] *s* Kap *n,* Vorgebirge *n.*

cape² [~] *s* Cape *n,* Umhang *m.*

ca·pil·la·ry *anat.* [kə'pɪlərɪ] *s* Haar-, Kapillargefäß *n.*

cap·i·tal ['kæpɪtl] **1.** *adj* □ Kapital...; Tod(es)...; Haupt...; großartig, prima;

~ crime Kapitalverbrechen n; **~ punishment** Todesstrafe f; **2.** s Hauptstadt f; Kapital n; mst **~ letter** Großbuchstabe m; **flight of** ~ → **capital flight; ~ as·sets** s pl econ. Kapitalvermögen n, Anlagevermögen n; **~ flight** s Kapitalflucht f; **~ goods** s pl Investitionsgüter pl; **~ in·vest·ment** s Kapitalanlage f.

cap·i·tal·is·m [ˈkæpɪtəlɪzəm] s Kapitalismus m; **~ist** s Kapitalist m; **~ize** v/t econ. kapitalisieren; groß schreiben.

ca·price [kəˈpriːs] s Laune f; **ca·pri·cious** [~ɪʃəs] adj □ kapriziös, launisch.

Cap·ri·corn ast. [ˈkæprɪkɔːn] s Steinbock m.

cap·size [kæpˈsaɪz] v/i kentern; v/t zum Kentern bringen.

cap·sule [ˈkæpsjuːl] s Kapsel f; (Raum-) Kapsel f.

cap·tain [ˈkæptɪn] s (An)Führer m; Kapitän m; mil. Hauptmann m.

cap·tion [ˈkæpʃn] s Überschrift f, Titel m; Bildunterschrift f; film: Untertitel m.

cap|ti·vate fig. [ˈkæptɪveɪt] v/t gefangennehmen, fesseln; **~tive** [ˈkæptɪv] **1.** adj gefangen; gefesselt; **hold ~** gefangenhalten; **take ~** gefangennehmen; **2.** s Gefangene(r m) f; **~tiv·i·ty** [kæpˈtɪvəti] s Gefangenschaft f.

cap·ture [ˈkæptʃə] **1.** s Eroberung f; Gefangennahme f; **2.** v/t fangen; erobern; erbeuten; mar. kapern.

car [kɑː] s Auto n, Wagen m; (Eisenbahn-, Straßenbahn)Wagen m; of balloon, etc.: Gondel f; of lift: Kabine f; **by ~** mit dem Auto, im Auto.

car·a·van [ˈkærəvæn] s Karawane f; Br. Wohnwagen m, -anhänger m; **~ site** Campingplatz m für Wohnwagen.

car·a·way bot. [ˈkærəweɪ] s Kümmel m.

car·bine mil. [ˈkɑːbaɪn] s Karabiner m.

car·bo·hy·drate chem. [kɑːbəʊˈhaɪdreɪt] s Kohle(n)hydrat n.

car·bon [ˈkɑːbən] s chem. Kohlenstoff m; a. **~ copy** Durchschlag m; a. **~ paper** Kohlepapier n; **~ di·ox·ide** [~daɪˈɒksaɪd] s Kohlendioxid n; **~ emissions** pl CO_2-Ausstoß m.

car·bu·ret·tor, a. **-ret·ter** esp. Br., Am. **-ret·or,** a. **-ret·er** tech. [kɑːbjʊˈretə] s Vergaser m.

card [kɑːd] s Karte f; **play ~s** Karten

spielen; **have a ~ up one's sleeve** fig. (noch) e-n Trumpf in der Hand haben; **~board** s Pappe f; **~ box** Pappkarton m; **~ game** s Kartenspiel n.

car·di·gan [ˈkɑːdɪgən] s Strickjacke f.

car·di·nal [ˈkɑːdɪnl] **1.** adj □ Grund..., Haupt..., Kardinal...; grundlegend; scharlachrot; **~ number** Grundzahl f; **2.** s eccl. Kardinal m.

card|·in·dex [ˈkɑːdɪndeks] s Kartei f; **~phone** [ˈ~fəʊn] s Kartentelefon n; **~sharp·er** [ˈ~ʃɑːpə] s Falschspieler m.

care [keə] **1.** s Sorge f; Sorgfalt f; Vorsicht f; Obhut f, Pflege f; **medical ~** ärztliche Behandlung; **~ of** (abbr. **c/o**) ... bei ..., c/o ...; **take ~** of aufpassen auf (acc); **with ~!** Vorsicht!; **2.** v/t and v/i Lust haben (**to** inf zu); **~ for** sorgen für, sich kümmern um; mögen, sich etwas machen aus; **I don't ~!** F meinetwegen!; **I don't ~ what people say** es ist mir egal, was die Leute reden; **I couldn't ~ less** F es ist mir völlig egal; **who ~s?** was soll's?, na und?; **well ~d for** gepflegt.

ca·reer [kəˈrɪə] **1.** s Karriere f, Laufbahn f; **2.** adj Berufs...; Karriere...; **3.** v/i rasen.

care|free [ˈkeəfriː] adj sorgenfrei, sorglos; **~ful** [ˈ~fl] adj □ vorsichtig; sorgsam bedacht (**of** auf acc); sorgfältig; **be ~!** gib acht!; **~ful·ness** s Vorsicht f; Sorgfalt f; **~less** adj □ sorglos; nachlässig; unachtsam; leichtsinnig; **~less·ness** s Sorglosigkeit f; Nachlässigkeit f; Fahrlässigkeit f.

ca·ress [kəˈres] **1.** s Liebkosung f; **2.** v/t liebkosen, streicheln.

care·tak·er [ˈkeəteɪkə] s Hausmeister m; (Haus- etc.)Verwalter m; **~ cabinet** pol. Übergangskabinett n, -regierung f.

care·worn [ˈkeəwɔːn] adj abgehärmt.

car·go [ˈkɑːgəʊ] s (pl **-goes,** Am. a. **-gos**) Ladung f.

car·i·ca·ture [ˈkærɪkətjʊə] **1.** s Karikatur f; **2.** v/t karikieren; **~tur·ist** [~rɪst] s Karikaturist m.

car·nal [ˈkɑːnl] adj □ fleischlich; sinnlich.

car·na·tion [kɑːˈneɪʃn] s bot. (Garten-) Nelke f; Blaßrot n.

car·ni·val [ˈkɑːnɪvl] s Karneval m.

car·niv·o·rous bot., zo. [kɑːˈnɪvərəs] adj fleischfressend.

car·ol ['kærəl] s Weihnachtslied n.

carp zo. [kɑːp] s Karpfen m.

car-park Br. ['kɑːpɑːk] s Parkplatz m; Parkhaus n.

car·pen·ter ['kɑːpɪntə] s Zimmermann m, Tischler m.

car·pet ['kɑːpɪt] **1.** s Teppich m; **bring on the ~** aufs Tapet bringen; **2.** v/t mit e-m Teppich belegen.

car|pool ['kɑːpuːl] s Fahrgemeinschaft f; of company: Fahrbereitschaft f; **~port** s überdachter Abstellplatz.

car·riage ['kærɪdʒ] s Beförderung f, Transport m; Fracht(gebühr) f; Kutsche f; Br. rail. Wagen m; tech. Fahrgestell n (a. aer.); (Körper)Haltung f; **~way** s Fahrbahn f.

car·ri·er ['kærɪə] s Spediteur m; Träger m; Gepäckträger m (of bicycle); **~bag** s Trag(e)tasche f, -tüte f; **~ pi·geon** s Brieftaube f.

car·ri·on ['kærɪən] s Aas n; attr Aas...

car·rot bot. ['kærət] s Karotte f, Möhre, Mohrrübe f.

car·ry ['kærɪ] v/t from place to place: bringen, führen, tragen (a. v/i), fahren, befördern; (bei sich) haben or tragen; opinion, point, etc.: durchsetzen; victory, etc.: davontragen; (weiter)führen; wall: ziehen; motion, bill, etc.: durchbringen; **be carried** of motion, bill, etc.: angenommen werden; **~ the day** den Sieg davontragen; **~ s.th. too far** et. übertreiben, et. zu weit treiben; **get carried away** fig. die Kontrolle über sich verlieren; **~ forward**, **~ over** econ. übertragen; **~ on** weitermachen, fortsetzen, weiterführen; business, etc.: betreiben; **~ out**, **~ through** durch-, ausführen; **~all** s esp. Am. Einkaufstasche f; **~cot** s Br. (Baby)Trag(e)tasche f.

cart [kɑːt] **1.** s Karren m, Wagen m; **put the ~ before the horse** fig. das Pferd beim Schwanz aufzäumen; **2.** v/t karren, fahren.

car·tel econ. [kɑː'tel] s Kartell n.

car·ton ['kɑːtən] s Karton m; **a ~ of cigarettes** e-e Stange Zigaretten.

car·toon [kɑː'tuːn] s Cartoon m, n; Karikatur f; Zeichentrickfilm m; **~ist** [~ɪst] s Cartoonist m, Karikaturist m.

car·tridge ['kɑːtrɪdʒ] s Patrone f; phot. (Film)Patrone f, (Film)Kassette f; **~ pen** s Patronenfüllhalter m.

cart-wheel ['kɑːtwiːl] s Wagenrad n; **turn ~s** radschlagen.

carve [kɑːv] v/t meat: vorschneiden, zerlegen; schnitzen; meißeln; **carv·er** s (Holz)Schnitzer m; Bildhauer m; Tranchiermesser n; **carv·ing** s Schnitzerei f.

car wash ['kɑː.wɒʃ] s Autowäsche f; Waschanlage f, -straße f.

cas·cade [kæ'skeɪd] s Wasserfall m.

case¹ [keɪs] **1.** s Behälter m, Kiste f, Kasten m; Etui n; Gehäuse n; Schachtel f; (Glas)Schrank m, Vitrine f; of pillow: Bezug m; tech. Verkleidung f; **2.** v/t in ein Gehäuse or Etui stecken; tech. verkleiden.

case² [~] s Fall m (a. jur.); gr. Kasus m, Fall m; med. (Krankheits)Fall m, Patient(in); F komischer Typ; Sache f, Angelegenheit f; **~ law** s jur. Fallrecht n; **stud·y** s sociol. Fallstudie f; **~work** s Sozialarbeit f; **~work·er** s Sozialarbeiter(in).

cash [kæʃ] econ. **1.** s Bargeld n; Barzahlung f; **~ down** gegen bar; **~ on delivery** Lieferung f gegen bar, (per) Nachnahme f; **2.** v/t cheque: einlösen; **~ advance** s Vorschuß m; **~-and-carry** s Abhol-, Verbrauchermarkt m; **~book** s Kassenbuch n; **~ desk** s Kasse f; **~ dispens·er** s Geldautomat m, Bankomat m; **~ier** [kæ'ʃɪə] s Kassierer(in); **~'s desk** or **office** Kasse f; **~less** adj bargeldlos; **~point** = cash dispenser; **~ reg·is·ter** s Registrierkasse f; **~ sale** s Barverkauf m.

cas·ing ['keɪsɪŋ] s (Schutz)Hülle f; Verschalung f, -kleidung f, Gehäuse n.

cask [kɑːsk] s Faß n.

cas·ket ['kɑːskɪt] s Kästchen n; Am. Sarg m.

cas·se·role ['kæsərəʊl] s Kasserolle f.

cas·sette [kæ'set] s (Film-, Band- etc.) Kassette f; **~ deck** s Kassettendeck n; **~ ra·di·o** s Radiorecorder m; **~ re·cord·er** s Kassettenrecorder m.

cast [kɑːst] **1.** s Wurf m; tech. Guß(form f) m; Abguß m, Abdruck m; Form f, Art f; angling: Auswerfen n; thea. Besetzung f; **2.** v/t (cast) (ab-, aus-, hin-, um-, weg)werfen; zo. skin: abwerfen; teeth, etc.: verlieren; verwerfen; gestalten; tech. gießen; a. **~ up** ausrechnen, zusammenzählen; thea. play: besetzen; parts: verteilen (**to** an acc); **be ~ in a**

lawsuit jur. e-n Prozeß verlieren; **~ lots** losen (**for** um); **~ in one's lot with** s.o. j-s Los teilen; **~ one's vote** pol. s-e Stimme abgeben; **~ aside** habit, etc.: ablegen; friends, etc.: fallenlassen; **~ away** wegwerfen; **be ~ away** mar. verschlagen werden; **be ~ down** niedergeschlagen sein; **~ off** clothes, etc.: ausrangieren; friends, etc.: fallenlassen; v/i: **~ about for, ~ around for** suchen (nach), fig. sich umsehen nach.

cast·a·way ['kɑːstəweɪ] **1.** adj ausgestoßen; ausrangiert; clothes: abgelegt; mar. schiffbrüchig; **2.** Ausgestoßene(r m) f; mar. Schiffbrüchige(r m) f.

caste [kɑːst] s Kaste f (a. fig.).

cast·er ['kɑːstə] → **castor²**.

cas·ti·gate ['kæstɪgeɪt] v/t züchtigen; fig. geißeln.

cas·tle ['kɑːsl] s Burg f, Schloß n; chess: Turm m.

cas·tor¹ ['kɑːstə] s: **~ oil** Rizinusöl n.

cas·tor² [~] s wheel: Laufrolle f; (Salz-, Zucker- etc.)Streuer m.

cas·trate [kæ'streɪt] v/t kastrieren.

cas·u·al ['kæʒjʊəl] adj □ zufällig; gelegentlich; flüchtig; lässig; **~ wear** Freizeitkleidung f; **~·ty** [~tɪ] s Verunglückte(r m) f, Opfer n, mil. Verwundete(r) m, Gefallene(r) m; **casualties** pl Opfer pl, mil. mst Verluste pl; **~ ward, ~ department** Unfallstation f.

cat zo. [kæt] s Katze f.

cat·a·logue, Am. **-log** ['kætəlɒg] **1.** s Katalog m; Am. univ. Vorlesungsverzeichnis n; **2.** v/t katalogisieren.

cat·a·lyst ['kætəlɪst] s chem. Katalysator m (a. fig.); **cat·a·lyt·ic** [kætə'lɪtɪk] adj: **~ converter** mot. (Abgas)Katalysator m.

cat·a·pult ['kætəpʌlt] s Br. Schleuder f; Katapult n, m.

cat·a·ract ['kætərækt] s Wasserfall m; Stromschnelle f; med. grauer Star.

ca·tarrh med. [kə'tɑː] s Katarrh m; Schnupfen m.

ca·tas·tro·phe [kə'tæstrəfɪ] s Katastrophe f.

catch [kætʃ] **1.** s Fangen n; Fang m, Beute f; of breath: Stocken n; Halt m, Griff m; tech. Haken m; (Tür)Klinke f; Verschluß m; F snag: Haken m; **2.** (**caught**) v/t (auf-, ein)fangen; packen, fassen, ergreifen; überraschen, ertappen; look, etc.: auffangen; train, etc.:

(noch) kriegen, erwischen; erfassen, verstehen; atmosphere: einfangen; illness: sich holen, bekommen; **~ (a) cold** sich erkälten; **~ the eye** ins Auge fallen; **~ s.o.'s eye** j-s Aufmerksamkeit auf sich lenken; **~ s.o. up** j-n einholen; **be caught up in** verwickelt sein in (acc); v/i sich verfangen, hängenbleiben; fassen, greifen; wheels: ineinandergreifen; klemmen; lock: einschnappen; **~ on** einschlagen, Anklang finden; F kapieren; **~ up with** einholen; **~·er** s Fänger m; **~·ing** adj packend; med. ansteckend; **~·word** s Schlagwort n; thea. Stichwort n; **~·y** adj □ (**-ier, -iest**) tune, etc.: eingängig.

cat·e·chis·m ['kætɪkɪzəm] s Katechismus m.

cat·e·gor·i·cal [kætɪ'gɒrɪkl] adj □ kategorisch; **~·go·ry** ['~gərɪ] s Kategorie f.

ca·ter ['keɪtə] v/i: **~ for** Speisen u. Getränke liefern für; fig. sorgen für; **~·ing** s Versorgung f mit Speisen und Getränken; trade: Gastronomie f; **~·ing trade** s Hotel- und Gaststättengewerbe n.

cat·er·pil·lar ['kætəpɪlə] s zo. Raupe f; TM Raupenfahrzeug n; **~ tractor** TM Raupenschlepper m.

ca·the·dral [kə'θiːdrəl] s Dom m, Kathedrale f.

Cath·o·lic ['kæθəlɪk] **1.** adj katholisch; **2.** s Katholik(in).

cat·tle ['kætl] s Vieh n.

cat·ty F ['kætɪ] adj (**-ier, iest**) boshaft, gehässig.

caught [kɔːt] pret and pp of **catch** 2.

cau·li·flow·er bot. ['kɒlɪflaʊə] s Blumenkohl m.

caus·al ['kɔːzl] adj □ ursächlich.

cause [kɔːz] **1.** s Ursache f; Grund m; jur. Klagegrund m, Fall m, Sache f; Angelegenheit f, Sache f; **2.** v/t verursachen; veranlassen; **~·less** adj □ grundlos.

cause·way ['kɔːzweɪ] s Damm m.

caus·tic ['kɔːstɪk] adj (**~ally**) ätzend; fig. beißend, scharf.

cau·tion ['kɔːʃn] **1.** s Vorsicht f; Warnung f; Verwarnung f; **2.** v/t warnen; verwarnen; zur Vorsicht mahnen.

cau·tious ['kɔːʃəs] adj □ behutsam, vorsichtig; **~·ness** s Behutsamkeit f, Vorsicht f.

chalk

cav·al·ry *esp. hist. mil.* ['kævlrı] *s* Kavallerie *f.*

cave [keıv] **1.** *s* Höhle *f*; **2.** *v/i*: ~ **in** einstürzen; klein beigeben.

cav·ern ['kævən] *s* (große) Höhle.

cease [si:s] *v/i* aufhören, zu Ende geben; *v/t* aufhören (**to do, doing** zu tun); **~·fire** *mil.* ['~faıə] *s* Feuereinstellung *f*; Waffenruhe *f*; **~·less** *adj* □ unaufhörlich.

cede [si:d] *v/t* abtreten, überlassen.

ceil·ing ['si:lıŋ] *s* (Zimmer)Decke *f*; *fig.* Höchstgrenze *f*; ~ **price** Höchstpreis *m.*

cel·e·brate ['selıbreıt] *v/t and v/i* feiern; **~d** gefeiert, berühmt (**for** für, wegen); **~·bra·tion** [~'breıʃn] *s* Feier *f.*

ce·leb·ri·ty [sı'lebrıtı] *s* Berühmtheit *f.*

cel·er·i·ty [sı'lerətı] *s* Geschwindigkeit *f.*

cel·e·ry *bot.* ['selərı] *s* Sellerie *f.*

ce·les·ti·al [sı'lestıəl] *adj* □ himmlisch.

cel·i·ba·cy ['selıbəsı] *s* Zölibat *m, n,* Ehelosigkeit *f.*

cell [sel] *s* Zelle *f*; *electr. a.* Element *n.*

cel·lar ['selər] *s* Keller *m.*

cel·list *mus.* ['tʃelıst] *s* Cellist(in); **cel·lo** *mus.* ['tʃeləʊ] *s* (*pl* **-los**) (Violon)Cello *n.*

cel·lo·phane *TM* ['seləʊfeın] *s* Zellophan *n.*

cel·lu·lar *biol.* ['seljʊlə] *adj* Zell(en)...

Cel·tic ['keltık] *adj* keltisch.

ce·ment [sı'ment] **1.** *s* Zement *m*; Kitt *m*; **2.** *v/t* zementieren; (ver)kitten.

cem·e·tery ['semıtrı] *s* Friedhof *m.*

cen·sor ['sensə] **1.** *s* Zensor *m*; **2.** *v/t* zensieren; **~·ship** *s* Zensur *f.*

cen·sus ['sensəs] *s* Volkszählung *f.*

cent [sent] *s Am.* Cent *m* (= ¹⁄₁₀₀ *Dollar*); **per** ~ Prozent *n.*

cen·te·na·ry [sen'ti:nərı] *s* Hundertjahrfeier *f*, hundertjähriges Jubiläum.

cen·ten·ni·al [sen'tenjəl] **1.** *adj* hundertjährig; **2.** *s Am.* → **centenary.**

cen·ter *Am.* ['sentə] → **centre.**

cen·ti·grade ['sentıgreıd] *s*: **10 degrees** ~ 10 Grad Celsius; **~·me·tre,** *Am.* **~·me·ter** *s* Zentimeter *m, n*; **~·pede** *zo.* [~pi:d] *s* Tausendfüß(l)er *m.*

cen·tral ['sentrəl] *adj* □ zentral; Haupt..., Zental...; Mittel...; ~ **bank** *econ.* Zentralbank *f*; ♀ **European Time** mitteleuropäische Zeit; ~ **heating** Zentralheizung *f*; **~·is·m** *s pol.* Zentralismus *m*; **~·ize** [~aız] *v/t* zentralisieren.

cen·tre, *Am.* **-ter** ['sentə] **1.** *s* Zentrum *n,* Mittelpunkt *m*; ~ **of gravity** *phys.* Schwerpunkt *m*; **2.** *v/t and v/i* (sich) konzentrieren; zentrieren.

cen·tu·ry ['sentʃʊrı] *s* Jahrhundert *n.*

ce·ram·ics [sı'ræmıks] *s pl* Keramik *f*; keramische Erzeugnisse *pl.*

ce·re·al ['sıərıəl] **1.** *adj* Getreide...; **2.** *s* Getreide(pflanze *f*) *n*; Getreideflocken(gericht *n*) *pl*; Frühstückskost *f.*

cer·e·mo·ni·al [serı'məʊnıəl] **1.** *adj* □ zeremoniell; **2.** *s* Zeremoniell *n*; **~·ni·ous** [~əs] *adj* □ zeremoniell; förmlich; **~·ny** ['serımənı] *s* Zeremonie *f*; Feier(lichkeit) *f*; Förmlichkeit(en *pl*) *f.*

cer·tain ['sɜ:tn] *adj* sicher, gewiß; zuverlässig; bestimmt; gewisse(r, -s); **~·ly** *adv* sicher, gewiß; *in answers:* sicherlich, bestimmt, natürlich; **~·ty** *s* Sicherheit *f*, Bestimmtheit *f*, Gewißheit *f.*

cer|tif·i·cate 1. [sə'tıfıkət] *s* Zeugnis *n*; Bescheinigung *f*; ~ **of birth** Geburtsurkunde *f*; **General ♀ of Education advanced level** (**A level**) *Br. school: appr.* Abitur(zeugnis *n*); **General ♀ of Education ordinary level** (**O level**) (*since 1988:* **General ♀ of Secondary Education**) *Br. school: appr.* mittlere Reife, Oberstufenreife *f*; **medical** ~ ärztliches Attest; **2.** [~keıt] *v/t* bescheinigen; **~·ti·fy** ['sɜ:tıfaı] *v/t et.* bescheinigen; beglaubigen.

cer·ti·tude ['sɜ:tıtju:d] *s* Sicherheit *f*, Bestimmtheit *f*, Gewißheit *f.*

chafe [tʃeıf] *v/t* (auf)scheuern, wund scheuern; ärgern; *v/i* sich auf- *or* wund scheuern; scheuern; *fig.* sich ärgern.

chaff [tʃɑ:f] *s* Spreu *f*; Häcksel *n, m.*

chaf·finch *zo.* ['tʃæfıntʃ] *s* Buchfink *m.*

chain [tʃeın] **1.** *s* Kette *f*; *fig.* Fessel *f*; *mot. a.* Schneekette *f*; ~ **reaction** *phys. and fig.* Kettenreaktion *f*; **~·smoke** Kette rauchen; **~·smoker** Kettenraucher(in); ~ **store** Kettenladen *m*; **2.** *v/t* (an)ketten; fesseln.

chair [tʃeə] *s* Stuhl *m*; Lehrstuhl *m*; Vorsitz *m*; **be in the ~** den Vorsitz führen; **~·lift** *s* Sessellift *m*; **~·man** *s* Vorsitzende(r) *m*, Präsident *m*; **~·man·ship** *s* Vorsitz *m*; **~·per·son** *s* Vorsitzende(r *m*) *f*, Präsident(in) *m*; **~·wom·an** *s* Vorsitzende *f*, Präsidentin *f.*

chal·ice ['tʃælıs] *s* Kelch *m.*

chalk [tʃɔ:k] **1.** *s* Kreide *f*; **2.** *v/t* mit

Kreide schreiben *or* zeichnen; **~ up** *victory:* verbuchen.

chal·lenge ['tʃælɪndʒ] **1.** *s* Herausforderung *f; mil.* Anruf *m; esp. jur.* Ablehnung *f;* **2.** *v/t* herausfordern; anrufen; ablehnen; *theory, etc.:* anzweifeln.

cham·ber ['tʃeɪmbə] *s parl., zo., bot., tech.* Kammer *f;* **~s** *pl* Geschäftsräume *pl;* **~·maid** *s* Zimmermädchen *n.*

cham·ois ['ʃæmwɑ:] *s zo.* Gemse *f; a.* **~ leather** [*mst* 'ʃæmɪleðə] Wildleder *n.*

champ F [tʃæmp] → **champion** (*sports*).

cham·pagne [ʃæm'peɪn] *s* Champagner *m;* Sekt *m.*

cham·pi·on ['tʃæmpɪən] **1.** *s* Sieger *m,* Meister *m;* Verfechter *m,* Fürsprecher *m;* **2.** *v/t* verfechten, eintreten für, verteidigen; **3.** *adj* siegreich, Meister...; **~·ship** *s sports:* Meisterschaft *f.*

chance [tʃɑ:ns] **1.** *s* Zufall *m;* Schicksal *n;* Risiko *n;* Chance *f,* (günstige) Gelegenheit *f;* Aussicht *f* (**of** auf *acc*); Möglichkeit *f;* **by ~** zufällig; **take a ~** es darauf ankommen lassen; **take no ~s** nichts riskieren (wollen); **2.** *adj* zufällig; **3.** *v/i* (unerwartet) eintreten *or* geschehen; *I ~d to meet her* zufällig traf ich sie; *v/t* riskieren.

chan·cel·lor ['tʃɑ:nsələ] *s* Kanzler *m.*

chan·de·lier [ʃændə'lɪə] *s* Kronleuchter *m.*

change [tʃeɪndʒ] **1.** *s* Veränderung *f,* Wechsel *m;* Abwechslung *f;* Wechselgeld *n;* Kleingeld *n;* **for a ~** zur Abwechslung; **~ for the better** (**worse**) Besserung *f* (Verschlechterung *f*); **2.** *v/t* (ver)ändern, umändern; (aus)wechseln; (aus-, ver)tauschen (**for** gegen); *mot. tech.* schalten; *v/i* umschalten; umstellen; **~ trains** umsteigen; *v/i* sich (ver)ändern, wechseln; sich umziehen; **~·a·ble** □ veränderlich; **~·less** *adj* □ unveränderlich; **~·o·ver** *s* Umstellung *f.*

chan·nel ['tʃænl] **1.** *s* Kanal *m;* Flußbett *n;* Rinne *f; TV, etc.:* Kanal *m,* Programm *n; fig.* Kanal *m,* Weg *m;* **2.** *v/t* (*esp. Br.* **-ll-***, Am.* **-l-**) furchen, aushöhlen; *fig.* lenken; **☲ Tun·nel** *s der* (Ärmel)Kanaltunnel.

chant [tʃɑ:nt] **1.** *s* (Kirchen)Gesang *m,* Singsang *m;* **2.** *v/t* singen; in Sprechchören rufen; *v/i* Sprechchöre anstimmen.

cha·os ['keɪɒs] *s* Chaos *n.*

chap¹ [tʃæp] **1.** *s* Riß *m,* Sprung *m;* **2.** *v/t and v/i* (**-pp-**) rissig machen *or* werden.

chap² F [~] *s* Bursche *m,* Kerl *m,* Junge *m.*

chap³ [~] *s* Kinnbacke(n *m*) *f;* Maul *n.*

chap·el ['tʃæpl] *s* Kapelle *f;* Gottesdienst *m.*

chap·lain ['tʃæplɪn] *s* Kaplan *m.*

chap·ter ['tʃæptə] *s* Kapitel *n.*

char·ac·ter ['kærəktə] *s* Charakter *m;* Eigenschaft *f; print.* Schrift(zeichen *n*) *f;* Persönlichkeit *f; in novel, etc.:* Figur *f,* Gestalt *f; thea.* Rolle *f; reputation:* (*esp.* guter) Ruf; *testimonial:* Zeugnis *n;* **~·is·tic** [~'rɪstɪk] **1.** *adj* (**~ally**) charakteristisch (**of** für); **2.** *s* Kennzeichen *n;* **~·ize** ['~raɪz] *v/t* charakterisieren.

char·coal ['tʃɑ:kəʊl] *s* Holzkohle *f.*

charge [tʃɑ:dʒ] **1.** *s* Ladung *f;* (Spreng-)Ladung *f; esp. fig.* Last *f;* Verantwortung *f;* Aufsicht *f,* Leitung *f;* Obhut *f;* Schützling *m; mil.* Angriff *m;* Beschuldigung *f, jur. a.* (Punkt *m der*) Anklage *f;* Preis *m,* Kosten *pl;* Gebühr *f;* **free of ~** kostenlos; **be in ~ of** verantwortlich sein für; **have ~ of** in Obhut *or* Verwahrung haben, betreuen; **take ~** die Leitung *etc.* übernehmen, die Sache in die Hand nehmen; **2.** *v/t* laden; beladen, belasten; beauftragen; belehren; *jur.* beschuldigen, anklagen (**with** *gen*); in Rechnung stellen; berechnen; (als Preis) fordern; *mil.* angreifen; *v/i* stürmen; **~ at s.o.** auf j-n losgehen.

char·i·ta·ble ['tʃærɪtəbl] *adj* □ mild(tätig), wohltätig; **char·i·ty** ['tʃærətɪ] *s* Nächstenliebe *f;* Wohltätigkeit *f;* Güte *f;* Nachsicht *f;* milde Gabe.

char·la·tan ['ʃɑ:lətən] *s* Scharlatan *m;* Quacksalber *m,* Kurpfuscher *m.*

charm [tʃɑ:m] **1.** *s* Zauber *m;* Charme *m,* Reiz *m;* Talisman *m,* Amulett *n;* **2.** *v/t* bezaubern, entzücken; **~·ing** ['tʃɑ:mɪŋ] *adj* □ charmant, bezaubernd.

chart [tʃɑ:t] **1.** *s mar.* Seekarte *f;* Tabelle *f;* **~s** *pl* Charts *pl,* Hitliste(n *pl*) *f;* **2.** *v/t* auf *or* in Karte einzeichnen.

char·ter ['tʃɑ:tə] **1.** *s* Urkunde *f,* Freibrief *m;* Chartern *n;* **2.** *v/t* konzessionieren; *aer., mar.* chartern, mieten; **~ flight** *s* Charterflug *m.*

chase [tʃeɪs] **1.** *s* Jagd *f;* Verfolgung *f;* gejagtes Wild; **2.** *v/t* jagen, hetzen; Jagd machen auf (*acc*); *v/i* rasen, rennen.

chas·m ['kæzəm] *s* Kluft *f*, Abgrund *m* (*a. fig.*); Riß *m*, Spalte *f*.

chaste [tʃeɪst] *adj* □ rein, keusch, unschuldig; schlicht (*style*).

chas·tise [tʃæ'staɪz] *v/t* züchtigen.

chas·ti·ty ['tʃæstɪtɪ] *s* Keuschheit *f*.

chat [tʃæt] **1.** *s* Geplauder *n*, Schwätzchen *n*, Plauderei *f*; **2.** *v/i* plaudern; *v/t*: **~ up** F einreden auf (*acc*); *girl*: anquatschen, anmachen; a. **~ show** *s* Br. Talkshow *f*.

chat·tels ['tʃætlz] *s pl mst* **goods and ~** *jur.* bewegliches Eigentum.

chat·ter ['tʃætə] **1.** *v/i* plappern; schnattern; klappern; **2.** *s* Geplapper *n*; Klappern *n*; **~·box** *s* F Plappermaul *n*; **~·er** [.rə] *s* Schwätzer(in).

chat·ty ['tʃætɪ] *adj* (*-ier*, *-iest*) gesprächig.

chauf·feur ['ʃəʊfə] *s* Chauffeur *m*.

chau|vi F ['ʃəʊvɪ] *s* Chauvi *m*; **~·vin·ist** [.nɪst] *s* Chauvinist *m*.

cheap [tʃiːp] *adj* □ billig; *fig.* schäbig, gemein; **~·en** ['tʃiːpən] *v/t and v/i* (sich) verbilligen; *fig.* herabsetzen.

cheat [tʃiːt] **1.** *s* Betrug *m*, Schwindel *m*; Betrüger(in); **2.** *v/t and v/i* betrügen.

check [tʃek] **1.** *s* Schach(stellung *f*) *n*; Hemmnis *n*, Hindernis *n* (**on** für); Einhalt *m*; Kontrolle *f* (**on** gen); Kontrollabschnitt *m*, -schein *m*; *Am.* Gepäckschein *m*; *Am.* Garderobenmarke *f*; *Am. econ.* → **cheque**; *Am. in restaurant, etc.*: Rechnung *f*; *pattern*: Karo *n*; **2.** *v/i* an-, innehalten; *Am.* **~·in** *s* Scheck ausstellen; **~ in** *at hotel*: sich anmelden, einstempeln; *aer.* einchecken; **~ out of** *hotel*: abreisen; ausstempeln; **~ up (on)** F *et.* nachprüfen, or *j-n* überprüfen; *v/t* hemmen, hindern, aufhalten; zurückhalten; kontrollieren, über-, nachprüfen; *Am. on list*: abhaken; *Am. clothes*: in der Garderobe abgeben; *Am. baggage*: aufgeben; **~ card** *s Am. econ.* Scheckkarte *f*; **~ed** *adj* kariert; **~·ers** *Am.* [.əz] *s pl sg* Damespiel *n*; **~·in** *s at a hotel*: Anmeldung *f*; Einstempeln *n*; *aer.* Einchecken *n*; **~ counter** or **desk** *aer.* Abfertigungsschalter *m*; **~·ing ac·count** *s Am. econ.* Girokonto *n*; **~·list** *s* Check-, Kontroll-, Vergleichsliste *f*, **~·mate** **1.** *s* (Schach)Matt *n*; **2.** *v/t* (schach)matt setzen; **~·out** *s* Abreise *f*;

Ausstempeln *n*; *a.* **~ counter** Kasse *f* (*esp. in supermarket*); **~·point** *s* Kontrollpunkt *m*; **~·room** *s Am.* Garderobe *f*; Gepäckaufbewahrung *f*; **~·up** *s* Überprüfung *f*, Kontrolle *f*; *med.* Check-up *m*, (umfangreiche) Vorsorgeuntersuchung.

cheek [tʃiːk] *s* Backe *f*, Wange *f*; F Unverschämtheit *f*, Frechheit *f*; **~·y** F ['tʃiːkɪ] *adj* □ (*-ier*, *-iest*) frech.

cheer [tʃɪə] **1.** *s* Hoch(ruf *m*) *n*, Beifall(sruf) *m*; **~s!** prost!; **three ~s!** dreimal hoch!; **2.** *v/t* mit Beifall begrüßen; *a.* **~ on** anspornen; *a.* **~ up** aufheitern; *v/i* hoch rufen, jubeln; *a.* **~ up** Mut fassen; **~ up!** Kopf hoch!; **~·ful** *adj* □ vergnügt; **~·i·o** [.rɪ'əʊ] *int* mach's gut!, tschüs!; **~·less** *adj* □ freudlos; **~·y** *adj* □ (*-ier*, *-iest*) vergnügt.

cheese [tʃiːz] *s* Käse *m*.

chee·tah *zo.* ['tʃiːtə] *s* Gepard *m*.

chef [ʃef] *s* Küchenchef *m*; Koch *m*.

chem·i·cal ['kemɪkl] **1.** *adj* □ chemisch; **2.** *s* Chemikalie *f*.

che·mise [ʃə'miːz] *s* (Damen)Hemd *n*.

chem|ist ['kemɪst] *s* Chemiker(in); Apotheker(in); Drogist(in); **~'s shop** *s* Apotheke *f*; Drogerie *f*; **~·is·try** [.rɪ] *s* Chemie *f*.

cheque *Br. econ.* [tʃek] (*Am.* **check**) *s* Scheck *m*; **crossed ~** Verrechnungsscheck *m*; **~ ac·count** *s* Girokonto *n*; **~ card** *s* Scheckkarte *f*.

chequer *Br.* ['tʃekə] *s* Karomuster *n*.

cher·ish ['tʃerɪʃ] *v/t s.o.'s memory, etc.*: hochhalten; hegen, pflegen.

cher·ry *bot.* ['tʃerɪ] *s* Kirsche *f*.

chess [tʃes] *s* Schach(spiel) *n*; **a game of ~** e-e Partie Schach; **~·board** *s* Schachbrett *n*; **~·man**, **~ piece** *s* Schachfigur *f*.

chest [tʃest] *s* Kiste *f*, Kasten *m*, Truhe *f*; *anat.* Brustkasten *m*; **get sth. off one's ~** F sich et. von der Seele reden; **~ of drawers** Kommode *f*.

chest·nut ['tʃesnʌt] **1.** *s bot.* Kastanie *f*; **2.** *adj* kastanienbraun.

chew [tʃuː] *v/t and v/i* kauen; nachsinnen, grübeln (**on**, **over** über *acc*); **~·ing-gum** ['.ɪŋgʌm] *s* Kaugummi *m*.

chick [tʃɪk] *s* Küken *n*, junger Vogel; F *girl*: F Biene *f*, Puppe *f*.

chick·en ['tʃɪkɪn] *s* Huhn *n*; Küken *n*; (Brat)Hähnchen *n*, (-)Hühnchen *n*; **don't count your ~s before they're**

hatched man soll den Tag nicht vor dem Abend loben; **~heart·ed** *adj* furchtsam, feige; **~pox** *s med.* Windpocken *pl*.

chic·o·ry *bot.* ['tʃɪkərɪ] *s* Chicorée *f, m.*

chief [tʃiːf] **1.** *adj* □ oberste(r, -s), Ober..., Haupt...; wichtigste(r, -s); ~ **clerk** Bürovorsteher *m*; **2.** *s* Oberhaupt *n*, Chef *m*; Häuptling *m*; *...-in-~* Ober...; **~ly** ['ʌlɪ] *adv* hauptsächlich, vor allem; **~tain** ['-tən] *s* Häuptling *m*.

chil·blain ['tʃɪlblem] *s* Frostbeule *f*.

child [tʃaɪld] *s* (*pl* **children**) Kind *n*; *from a ~* von Kindheit an; *with ~* schwanger; **~ a·buse** *s jur.* Kindesmißhandlung *f*; **~ ben·e·fit** *s* Kindergeld *n*; **~birth** *s* Geburt *f*, Niederkunft *f*; **~hood** *s* Kindheit *f*; **~ish** *adj* □ kindlich; kindisch; **~like** *adj* kindlich; **~mind·er** *Br.* Tagesmutter *f*; **chil·dren** ['tʃɪldrən] *pl of* **child**; **~ tax al·low·ance** *s* Kinderfreibetrag *m*.

chill [tʃɪl] **1.** *adj* eisig, frostig; **2.** *s* Frost *m*, Kälte *f*; *med.* Fieberschauer *m*; Erkältung *f*; **3.** *v/t and v/i* abkühlen; *j-n* frösteln lassen; **~ed** gekühlt; **~y** *adj* (*-ier, -iest*) kalt, frostig.

chime [tʃaɪm] **1.** *s* Glockenspiel *n*; Geläut *n*; *fig.* Einklang *m*; **2.** *v/t and v/i* läuten; **~ in** sich (ins Gespräch) einmischen.

chim·ney ['tʃɪmnɪ] *s* Schornstein *m*; Rauchfang *m*; (Lampen)Zylinder *m*; **~sweep** *s* Schornsteinfeger *m*.

chimp *zo.* F [tʃɪmp], **chim·pan·zee** *zo.* ['-ən'ziː] *s* Schimpanse *m*.

chin [tʃɪn] **1.** *s* Kinn *n*; (*keep your*) **~ up!** Kopf hoch!, halt die Ohren steif!

chi·na ['tʃaɪnə] *s* Porzellan *n*.

Chi·nese [tʃaɪ'niːz] **1.** *adj* chinesisch; **2.** *s* Chinese *m*, -in *f*; *ling.* Chinesisch *n*; *the ~ pl* die Chinesen *pl*.

chink [tʃɪŋk] *s* Ritz *m*, Spalt *m*.

chip [tʃɪp] **1.** *s* Splitter *m*, Span *m*; dünne Scheibe; Spielmarke *f*; *computer:* Chip *m*; *have a ~ on one's shoulder* F sich ständig angegriffen fühlen; e-n Komplex haben (*about* wegen); **~s** *pl Br.* Pommes frites *pl*; *Am.* (Kartoffel)Chips *pl*; **2.** (*-pp-*) *v/t* schnitzeln; an-, abschlagen; *v/i* abbröckeln; **~munk** *zo.* ['-mʌŋk] *s* Backenhörnchen *n.*

chirp [tʃɜːp] **1.** *v/t and v/i* zirpen, zwitschern, piepsen; **2.** *s* Zirpen *n*, Zwitschern *n*, Piepsen *n.*

chis·el ['tʃɪzl] **1.** *s* Meißel *m*; **2.** *v/t* (*esp. Br. -ll-, Am. -l-*) meißeln.

chit-chat ['tʃɪttʃæt] *s* Plauderei *f*.

chiv·al|rous ['ʃɪvlrəs] *adj* □ ritterlich; **~ry** [ʌɪ] *s hist.* Rittertum *n*; Ritterlichkeit *f.*

chives *bot.* [tʃaɪvz] *s pl* Schnittlauch *m.*

chlo·ri·nate ['klɔːrɪneɪt] *v/t water, etc.:* chloren; **~rine** *chem.* [ʌriːn] *s* Chlor *n*; **chlor·o·form** ['klɔrəfɔːm] **1.** *s chem., med.* Chloroform *n*; **2.** *v/t* chloroformieren.

choc·o·late ['tʃɒkələt] *s* Schokolade *f*; Praline *f*; **~s** *pl* Pralinen *pl*, Konfekt *n.*

choice [tʃɔɪs] **1.** *s* Wahl *f*; Auswahl *f*; **2.** *adj* □ auserlesen, ausgesucht, vorzüglich.

choir ['kwaɪə] *s* Chor *m.*

choke [tʃəʊk] **1.** *v/t* (er)würgen, (*a. v/i*) ersticken; **~ back** anger, etc.: unterdrücken, tears: zurückhalten; **~ down** hinunterwürgen; **~ up** verstopfen; **2.** *s mot.* Choke *m*, Luftklappe *f.*

choose [tʃuːz] *v/t and v/i* (**chose, cho·sen**) (aus)wählen, aussuchen; ~ *to do* vorziehen zu tun.

chop [tʃɒp] **1.** *s* Hieb *m*, Schlag *m*; Kotelett *n*; **2.** (*-pp-*) *v/t* hauen, hacken, zerhacken; **~ down** fällen; *v/i* hacken; **~per** ['-ə] *s* Hackmesser *n*, -beil *n*; F Hubschrauber *m*; *Am. sl.* Maschinengewehr *n*; **~py** [ʌɪ] *adj* (*-ier, -iest*) *of sea:* unruhig; **~stick** *s* Eßstäbchen *n.*

cho·ral ['kɔːrəl] *adj* □ Chor...(-); **~(e)** *mus.* [kɒ'rɑːl] *s* Choral *m.*

chord *mus.* [kɔːd] *s* Saite *f*; Akkord *m.*

chore *Am.* [tʃɔː] *s* lästige *or* unangenehme Aufgabe; *mst* **~s** *pl* Hausarbeit *f.*

cho·rus ['kɔːrəs] *s* Chor *m*; Kehrreim *m*, Refrain *m*; *group of dancers:* Tanzgruppe *f.*

chose [tʃəʊz] *pret of* **choose**; **cho·sen** ['tʃəʊzn] *pp of* **choose**.

Christ [kraɪst] *s* Christus *m.*

chris·ten ['krɪsn] *v/t* taufen; **~ing** [ʌɪŋ] *s* Taufe *f*; *attr* Tauf...

Chris|tian ['krɪstjən] **1.** *adj* christlich; ~ *name* Vorname *m*; **2.** *s* Christ(in); **~·ti·an·i·ty** [ʌtɪ'ænətɪ] *s* Christentum *n.*

Christ·mas ['krɪsməs] *s* Weihnachten *n or pl*; *at ~* zu Weihnachten; ~ **Day** *s* der erste Weihnachtsfeiertag; **~ Eve** s Heiliger Abend.

chrome [krəʊm] s Chrom n; **chro·mi·um** chem. ['~iəm] s Chrom n; **~plated** verchromt.

chron|ic ['krɒnɪk] adj (**~ally**) chronisch (mst med.); **~·i·cle** [~l] **1.** s Chronik f; **2.** v/t aufzeichnen.

chron·o·log·i·cal [krɒnə'lɒdʒɪkl] adj □ chronologisch; **chro·nol·o·gy** [krə'nɒlədʒɪ] s Zeitrechnung f; Zeitfolge f.

chub·by F ['tʃʌbɪ] adj (-ier, -iest) rundlich; pausbäckig.

chuck [tʃʌk] v/t werfen, schmeißen; **~ out** j-n rausschmeißen; et. wegschmeißen; **~ up job**, etc.: hinschmeißen.

chuck·le ['tʃʌkl] **1.** v/i: ~ (**to o.s.**) (still-vergnügt) in sich hineinlachen, F sich (dat) eins lachen; **2.** s leises Lachen.

chum F [tʃʌm] s Kamerad m, Kumpel m; **~my** F ['tʃʌmɪ] adj (-ier, -iest) dick befreundet.

chump F [tʃʌmp] s Trottel m.

chunk [tʃʌŋk] s Klotz m, Klumpen m.

Chun·nel Br. F ['tʃʌnl] s (Ärmel)Kanaltunnel m.

church [tʃɜːtʃ] s Kirche f; attr Kirch(en)...; **~ service** Gottesdienst m; **~yard** s Kirchhof m.

churl·ish ['tʃɜːlɪʃ] adj □ grob, flegelhaft.

churn [tʃɜːn] **1.** s Butterfaß n, esp. Br. Milchkanne f; **2.** v/t buttern (a. v/i); aufwühlen.

chute [ʃuːt] s Rutsche f, Rutschbahn f; Stromschnelle f; F Fallschirm m.

ci·der ['saɪdə] s (Am. **hard ~**) Apfelwein m; (**sweet ~**) Am. Apfelmost m, -saft m.

ci·gar [sɪ'gɑː] s Zigarre f.

cig·a·rette, Am. a. **cig·a·ret** [sɪgə'ret] s Zigarette f.

cinch F [sɪntʃ] s todsichere Sache; F Kinderspiel n, F Klacks m.

cin·der ['sɪndə] s Schlacke f; **~s** pl Asche f; **~path**, **~track** sports: Aschenbahn f.

Cin·de·rel·la [sɪndə'relə] s Aschenbrödel n, -puttel m; fig. Stiefkind n.

cin·e|cam·e·ra Br. ['sɪnɪkæmərə] s (Schmal)Filmkamera f; **~film** s Br. Schmalfilm m.

cin·e·ma Br. ['sɪnəmə] s Kino n; Film m.

cin·na·mon ['sɪnəmən] s Zimt m.

ci·pher ['saɪfə] s Ziffer f; Null f (a. fig.); Geheimschrift f, Chiffre f.

cir·cle ['sɜːkl] **1.** s Kreis m; (a. ~ **of**

friends) Bekannten-, Freundeskreis m; fig. Kreislauf m; thea. Rang m; Ring m; **2.** v/t and v/i (um)kreisen.

cir·cuit ['sɜːkɪt] s Kreislauf m; electr. Stromkreis m; Rundreise f; sports: Zirkus m; **short ~** electr. Kurzschluß m.

cir·cu·lar ['sɜːkjʊlə] adj □ kreisförmig; Kreis...; **~ letter** Rundschreiben n; **2.** s Rundschreiben n, Umlauf m.

cir·cu|late ['sɜːkjʊleɪt] v/i umlaufen, zirkulieren; v/t in Umlauf setzen; **~la·tion** [sɜːkjʊ'leɪʃn] s Zirkulation f, Kreislauf m; (Blut)Kreislauf m; fig. Umlauf m; Verbreitung f; of book, newspaper, etc.: Auflage(nhöhe) f.

cir·cum|fer·ence [sə'kʌmfərəns] s (Kreis)Umfang m; **~nav·i·gate** [sɜː-kəm'nævɪgeɪt] v/t umschiffen; **~spect** ['~spekt] adj □ um-, vorsichtig.

cir·cum|stance ['sɜːkəmstəns] s Umstand m, Einzelheit f; **~s** pl a. Verhältnisse pl; **in** or **under no ~s** unter keinen Umständen, auf keinen Fall; **in** or **under the ~s** unter diesen Umständen; **~stan·tial** [~'stænʃl] adj □ ausführlich, detailliert; **~ evidence** jur. Indizien(beweis m) pl.

cir·cus ['sɜːkəs] s Zirkus m; (runder) Platz.

cis·tern ['sɪstən] s Wasserbehälter m; of toilet: Spülkasten m.

ci·ta·tion [saɪ'teɪʃn] s jur. Vorladung f; Anführung f, Zitat n; **cite** [saɪt] v/t jur. vorladen; anführen, zitieren.

cit·i·zen ['sɪtɪzn] s (Staats)Bürger(in); Städter(in) f; **~ship** [~ʃɪp] s Bürgerrecht n; Staatsbürgerschaft f.

cit·y ['sɪtɪ] **1.** s (Groß)Stadt f; **the 2** die (Londoner) City f; **2.** adj städtisch, Stadt...; **~ centre** Innenstadt f, City f; **~ council(l)or** Stadtrat m, -rätin f, Stadtratsmitglied n; **~ editor** Am. Lokalredakteur m; Br. Wirtschaftsredakteur m; **~ hall** Rathaus n; esp. Am. Stadtverwaltung f; **~ railroad** Am. S-Bahn f.

civ·ic ['sɪvɪk] adj (**~ally**) (staats)bürgerlich; städtisch; **~s** sg Staatsbürgerkunde f.

civ·il ['sɪvl] adj □ staatlich, Staats...; (staats)bürgerlich, Bürger...; Zivil...; jur. zivilrechtlich; höflich; **~ rights** pl (Staats)Bürgerrechte pl; **~ rights activist** Bürgerrechtler(in); **~ rights move-**

ment Bürgerrechtsbewegung *f*; **~ ser-vant** Staatsbeamt|e(r) *m*, -in *f*; **~ ser-vice** Staatsdienst *m*, öffentlicher Dienst *m*; Beamtenschaft *f*; **~ war** Bürgerkrieg *m*.

ci·vil·i|an [sı'vıljən] *s* Zivilist *m*; **~ty** [_'lətı] *s* Höflichkeit *f*.

civ·i·li·za·tion [sıvılaı'zeıʃn] *s* Zivilisation *f*, Kultur *f*; **~ze** ['_laız] *v/t* zivilisieren.

clad [klæd] **1.** *pret and pp of* **clothe**; **2.** *adj* gekleidet.

claim [kleım] **1.** *s* Anspruch *m*; Anrecht *n* (**to** auf *acc*); Forderung *f*; *Am.* Stück *n* Staatsland; *Am.* Claim *m*; **2.** *v/t* beanspruchen; fordern; behaupten; **claim-ant** ['kleımənt] *s for unemployment benefit, etc*: Antragsteller(in).

clair·voy·ant [kleə'vɔıənt] **1.** *s* Hellseher(in); **2.** *adj* hellseherisch.

clam·ber ['klæmbə] *v/i* klettern.

clam·my ['klæmı] *adj* □ (*-ier, -iest*) feuchtkalt, klamm.

clam·o(u)r ['klæmə] **1.** *s* Geschrei *n*, Lärm *m*; **2.** *v/i* schreien (**for** nach).

clamp [klæmp] **1.** *s tech.* Klammer *f*; *mot.* → **wheel-clamp**; **2.** *v/t* mit Klammer(n) befestigen.

clan [klæn] *s* Clan *m*, Sippe *f* (*a. fig.*).

clan·des·tine [klæn'destın] *adj* □ heimlich, Geheim...

clang [klæŋ] **1.** *s* Klang *m*, Geklirr *n*; **2.** *v/i and v/t* schallen; klirren (lassen).

clank [klæŋk] **1.** *s* Gerassel *n*, Geklirr *n*; **2.** *v/i and v/t* rasseln *or* klirren (mit).

clap [klæp] **1.** *s* Klatschen *n*; Schlag *m*, Klaps *m*; **2.** *v/i and v/t* (*-pp-*) schlagen *or* klatschen (mit).

clar·et ['klærət] *s* roter Bordeaux; Rotwein *m*; Weinrot *n*; *sl.* Blut *n*.

clar·i·fy ['klærıfaı] *v/t* (auf)klären, erhellen, klarstellen; *v/i* sich (auf)klären, klar werden.

clar·i·net *mus.* [klærı'net] *s* Klarinette *f*.

clar·i·ty ['klærətı] *s* Klarheit *f*.

clash [klæʃ] **1.** *s* Geklirr *n*; Zusammenstoß *m*; Widerstreit *m*, Konflikt *m*; **~ of interests** Interessenkonflikt *m*; **2.** *v/i* klirren; zusammenstoßen; nicht zusammenpassen *or* harmonieren.

clasp [klɑːsp] **1.** *s* Haken *m*, Klammer *f*; Schnalle *f*, Spange *f*; *fig.* Umklammerung *f*, Umarmung *f*; **2.** *v/t* ein-, zuha-

ken; *fig.* umklammern, umfassen; **~knife** *s* Taschenmesser *n*.

class [klɑːs] **1.** *s* Klasse *f*; (Bevölkerungs)Schicht *f*; (Schul)Klasse *f*; (Unterrichts)Stunde *f*; Kurs *m*; *Am. univ.* (Studenten)Jahrgang *m*; **~mate** Mitschüler(in); **~room** Klassenzimmer *n*; **2.** *v/t* klassifizieren, einordnen.

clas|sic ['klæsık] **1.** *s* Klassiker *m*; **2.** *adj* (**~ally**) erstklassig; klassisch; **~si·cal** *adj* □ klassisch.

clas·si·fi·ca·tion [klæsıfı'keıʃn] *s* Klassifizierung *f*, Einteilung *f*; **~fy** ['klæsıfaı] *v/t* klassifizieren, einstufen.

clat·ter ['klætə] **1.** *s* Geklapper *n*; **2.** *v/i and v/t* klappern (mit).

clause [klɔːz] *s jur.* Klausel *f*, Bestimmung *f*; *gr.* Satz(teil) *m*.

claw [klɔː] **1.** *s* Klaue *f*, Kralle *f*, Pfote *f*; *of crabs, etc.*: Schere *f*; **2.** *v/t* (zer)kratzen; umkrallen, packen.

clay [kleı] *s* Ton *m*; Erde *f*.

clean [kliːn] **1.** *adj* □ rein; sauber, glatt, eben; *sl.* clean; **2.** *adv* völlig, ganz u. gar; **3.** *v/t* reinigen, säubern, putzen; **~ out** reinigen; **~ up** gründlich reinigen; aufräumen; **~·er** *s* Reiniger *m*; Reinemachefrau *f*; *mst* **~s** *pl or* **~'s** (chemische) Reinigung *f*; **~·ing** Reinigung *f*, Putzen *n*; **do the ~** saubermachen, putzen; **~·li·ness** ['klenlınıs] *s* Reinlichkeit *f*; **~·ly 1.** *adv* ['kliːnlı] rein; sauber; **2.** *adj* ['klenlı] (*-ier, -iest*) reinlich.

cleanse [klenz] *v/t* reinigen, säubern; **cleans·er** ['_ə] *s* Reinigungsmittel *n*.

clear [klıə] **1.** *adj* □ klar; hell; rein; frei (**of** von); ganz, voll; *econ.* rein, netto; **2.** *v/t* reinigen (**of, from** von); *wood*: lichten, roden; wegräumen (*a.* **~ away**); *table*: abräumen; räumen, leeren; *hurdle, fence, etc.*: nehmen; *econ.* verzollen; *jur.* freisprechen; **~ out** ausräumen u. wegtun; **~ up** aufräumen; aufklären; *v/i*: **~ out** F abhauen; **~ up** aufräumen; sich aufhellen, aufklaren (*weather*); **~·ance** ['_rəns] *s* Räumung *f*, Rodung *f*; *tech.* lichter Abstand; *econ.* Zollabfertigung *f*, Freigabe *f*; *mar.* Auslaufgenehmigung *f*; **~ sale** *econ.* Räumungs-, Ausverkauf *m*; **~·ing** *s* Aufklärung *f*; Lichtung *f*, Rodung *f*.

cleav·er ['kliːvə] *s* Hackmesser *n*.

clef *mus.* [klef] *s* (Noten)Schlüssel *m*.

closet

cleft [kleft] *s* Spalt *m*, Spalte *f*.

clem·en|cy ['klemənsı] *s* Milde *f*, Gnade *f*; **~t** [~t] *adj* □ mild.

clench [klentʃ] *v/t lips:* (fest) zusammenpressen; *teeth:* zusammenbeißen; *fist:* ballen.

cler·gy ['klɜːdʒı] *s* Geistlichkeit *f*; **~man** *s* Geistliche(r) *m*.

cler·i·cal ['klerɪkl] *adj* □ *eccl.* geistlich; Schreib(er)...; **~ work** Büroarbeit *f*.

clerk [klɑːk] *s* Schriftführer(in), Sekretär(in); kaufmännische(r) Angestellte(r), (Büro- *etc.*)Angestellte(r *m*) *f*, (Bank-, Post)Beamt|e(r) *m*, -in *f*; *Am.* Verkäufer(in).

clev·er ['klevə] *adj* □ klug, gescheit; geschickt; *smart:* F clever; **~ness** *s* Klugheit *f*, Schlauheit *f*, F Cleverneß *f*.

click [klɪk] **1.** *s* Klicken *n*, Knacken *n*; *tech.* Sperrhaken *m*, -klinke *f*; **2.** *v/i* klicken, knacken; zu-, einschnappen; *with one's tongue:* schnalzen.

cli·ent ['klaıənt] *s jur.* Klient(in), Mandant(in); Kund|e *m*, -in *f*.

cliff [klɪf] *s* Klippe *f*, Felsen *m*.

cli·mate ['klaımıt] *s* Klima *n*.

cli·max ['klaımæks] **1.** *s rhet.* Steigerung *f*; Gipfel *m*, Höhepunkt *m*, *physiol. a.* Orgasmus *m*; **2.** *v/t and v/i* (sich) steigern.

climb [klaım] *v/i and v/t* klettern; (er-, be)steigen; **~er** [~ə] *s* Kletterer *m*, Bergsteiger(in); *fig.* Aufsteiger *m*; *bot.* Kletterpflanze *f*; **~ing** ['~ɪŋ] *s* Klettern *n*; *attr* Kletter...

clinch [klıntʃ] **1.** *s tech.* Vernietung *f*; *boxing:* Clinch *m*; F Umarmung *f*; **2.** *v/t tech.* vernieten; festmachen; (vollends) entscheiden; *v/i boxing:* clinchen.

cling [klıŋ] *v/i* (*clung*) (*to*) festhalten (an *dat*), sich klammern (an *acc*); sich (an)schmiegen (an *acc*); **~film** *s* Frischhaltefolie *f*; **~gear** *s* F hautenge Kleidung.

clin|ic ['klınık] *s* Klinik *f*; **~i·cal** *adj* □ klinisch.

clink [klıŋk] **1.** *s* Klirren *n*, Klingen *n*; **2.** *v/i and v/t* klingen *or* klirren (lassen); klimpern (mit).

clip¹ [klıp] **1.** *s* Schneiden *n*; Schur *f*; F (Faust)Schlag *m*; **2.** *v/t* (*-pp-*) (be)schneiden; ab-, ausschneiden; *sheep, etc.:* scheren.

clip² [~] **1.** *s* Klipp *m*, Klammer *f*, Spange *f*; **2.** *v/t* (*-pp-*) *a.* **~ on** befestigen, anklammern.

clip|per ['klıpə] *s:* (*a pair of*) **~s** *pl* (e-e) Haarschneide-, Schermaschine *f*, (Nagel- *etc.*)Schere *f*; *mar.* Klipper *m*; *aer.* Clipper *m*; **~pings** ['~ıŋz] *s pl* Abfälle *pl*, Schnitzel *pl*; *esp. Am.* (Zeitungs*etc.*)Ausschnitte *pl*.

clit·o·ris *anat.* ['klıtərıs] *s* Klitoris *f*.

cloak [kləʊk] **1.** *s* Mantel *m*; **2.** *v/t fig.* verhüllen; **~room** ['~rʊm] *s* Garderobe *f*; *Br.* Toilette *f*.

clock [klɒk] **1.** *s* (Wand-, Stand-, Turm-) Uhr *f*; **2.** *v/t with a stop-watch:* die Zeit (*gen*) stoppen; *v/i:* **~ in**, **~ on** einstempeln; **~ out**, **~ off** ausstempeln; **~wise** ['~waız] *adj and adv* im Uhrzeigersinn; **~work** *s* Uhrwerk *n*; *like* **~** wie am Schnürchen.

clod [klɒd] *s* (Erd)Klumpen *m*.

clog [klɒg] **1.** *s* Klotz *m*; Holzschuh *m*, Pantine *f*; **2.** *v/t* (*-gg-*) (be)hindern, hemmen; verstopfen; *v/i* klumpig werden.

clois·ter ['klɔıstə] *s* Kreuzgang *m*; Kloster *n*.

close 1. *adj* □ [kləʊs] nahe, dicht; knapp, kurz; geschlossen, *only pred:* zu; verborgen; *friend, etc.:* eng; kurz, bündig; dicht; *of translation:* genau; *of weather:* schwül; *result:* knapp (*a. sports*); *stingy:* geizig, knaus(e)rig; *keep a* **~** *watch on* scharf im Auge behalten (*acc*); **~ fight** Handgemenge *n*; **~ season** *hunt.* Schonzeit *f*; **2.** *adv* eng, nahe, dicht; **~ by, ~ to** ganz in der Nähe, nahe *or* dicht bei; **3.** *s* [kləʊz] Schluß *m*; Ende *n*; *come or draw to a* **~** sich dem Ende nähern; [kləʊz] Einfriedung *f*; Hof *m*; **4.** *v/t* [kləʊz] (ab-, ver-, zu)schließen; *street:* (ab)sperren; *v/i* (sich) schließen; *with adverbs:* **~ down** schließen; stillegen; stillgelegt werden; *TV, etc.:* das Programm beenden, Sendeschluß haben; **~ in** bedrohlich nahekommen; *darkness:* hereinbrechen; *days:* kürzer werden; **~ up** (ab-, ver-, zu)schließen; blockieren; aufschließen, -rücken; **~d** [kləʊzd] *adj* geschlossen, *pred* zu; **~ shop** *econ.* gewerkschaftspflichtiger Betrieb; **~down** *s econ.* Schließung *f; of factory:* Stillegung *f*; *TV* Sendeschluß *m*.

clos·et ['klɒzıt] **1.** *s* (Wand)Schrank *m*;

2. *v/t:* **be ~ed with** mit *j-m* geheime Besprechungen führen.

close-up ['kləʊsʌp] *s phot., film:* Großaufnahme *f.*

clos·ing-time ['kləʊzɪŋtaɪm] *s* Laden-, Geschäftsschluß *m; of restaurant, pub, etc.:* Polizeistunde *f.*

clot [klɒt] **1.** *s* Klumpen *m*, Klümpchen *n; Br.* F Trottel *m;* **2.** *v/i* (*-tt-*) gerinnen; Klumpen bilden.

cloth [klɒθ] *s (pl* ~**s** [ˌθs, ˌðz]) Stoff *m,* Tuch *n;* Tischtuch *n;* **the ~** der geistliche Stand; **lay the ~** den Tisch decken; **~-bound** in Leinen gebunden.

clothe [kləʊð] *v/t* (**clothed** *or* **clad**) (an-, be)kleiden; einkleiden.

clothes [kləʊðz] *s pl* Kleider *pl,* Kleidung *f;* Wäsche *f;* **~-bas·ket** *s* Wäschekorb *m;* **~-hang·er** *s* Kleiderbügel *m;* **~-horse** *s* Wäscheständer *m;* **~-line** *s* Wäscheleine *f;* **~-peg** *Br.,* **Am. ~-pin** *s* Wäscheklammer *f.*

cloth·ing ['kləʊðɪŋ] *s* (Be)Kleidung *f.*

cloud [klaʊd] **1.** *s* Wolke *f (a. fig.);* Trübung *f,* Schatten *m;* **2.** *v/t and v/i* (sich) bewölken *(a. fig.);* (sich) trüben; **~-burst** ['ˌbɜːst] *s* Wolkenbruch *m;* **~-less** *adj* ~ wolkenlos; **~-y** *adj* ~ (*-ier, -iest*) wolkig, bewölkt; Wolken...; trüb; unklar; **it's getting ~** es ziehen Wolken auf.

clout F [klaʊt] *s* Schlag *m; esp. Am.* Macht *f,* Einfluß *m.*

clove [kləʊv] *s* (Gewürz)Nelke *f;* **~ of garlic** Knoblauchzehe *f.*

clo·ver *bot.* ['kləʊvə] *s* Klee *m.*

clown [klaʊn] *s* Clown *m,* Hanswurst *m; fig.* Trottel *m,* Dummkopf *m;* **~·ish** *adj* □ *behaviour:* albern.

club [klʌb] **1.** *s* Keule *f;* (Gummi)Knüppel *m;* (Golf)Schläger *m;* Klub *m;* **~s** *pl cards:* Kreuz *n;* **2.** (*-bb-*) *v/t* einknüppeln auf *(acc),* (nieder)knüppeln; *v/i:* **~ together** sich zusammentun; **~-foot** *s* Klumpfuß *m.*

cluck [klʌk] **1.** *v/i* gackern; glucken; **2.** *s* Gackern *n;* Glucken *n.*

clue [kluː] *s* Anhaltspunkt *m,* Fingerzeig *m,* Spur *f.*

clump [klʌmp] **1.** *s* Klumpen *m; trees, etc.:* Gruppe *f;* **2.** *v/i* trampeln.

clum·sy ['klʌmzɪ] *adj* □ (*-ier, -iest*) unbeholfen, ungeschickt, plump.

clung [klʌŋ] *pret and pp of* **cling.**

clus·ter ['klʌstə] **1.** *s* Traube *f;* Büschel *m;* Haufen *m;* **2.** *v/i* büschelartig wachsen; sich drängen.

clutch [klʌtʃ] **1.** *s* Griff *m; tech.* Kupplung *f; zo.* Klaue *f;* **2.** *v/t* (er)greifen.

clut·ter ['klʌtə] **1.** *s* Wirrwarr *m;* Unordnung *f;* **2.** *v/t a.* **~ up** zu voll machen *or* stellen, überladen.

coach [kəʊtʃ] **1.** *s* Kutsche *f; Br. rail.* (Personen)Wagen *m;* Omnibus *m, esp.* Reisebus *m; tutor:* Nachhilfelehrer(in); *sports:* Trainer *m;* **2.** *v/t* einpauken; *sports:* trainieren.

coal [kəʊl] *s* (Stein)Kohle *f;* **carry ~s to Newcastle** Eulen nach Athen tragen.

co·a·li·tion [kəʊə'lɪʃn] **1.** *s pol.* Koalition *f;* Bündnis *n,* Zusammenschluß *m;* **2.** *adj pol.* Koalitions...

coal-mine ['kəʊlmaɪn], **~-pit** *s* Kohlengrube *f.*

coarse [kɔːs] *adj* □ grob; *person:* ungehobelt.

coast [kəʊst] **1.** *s* Küste *f; Am.* Rodelbahn *f;* **2.** *v/i* die Küste entlangfahren; *with bicycle, car:* im Leerlauf fahren; *Am.* rodeln; **~·al** *adj* Küsten...; **~·er** *s Am.* Rodelschlitten *m; mar.* Küstenfahrer *m;* **~·guard** *s* Küstenwache *f;* Angehörige(r) *m* der Küstenwache; **~-line** *s* Küstenlinie *f,* -strich *m.*

coat [kəʊt] **1.** *s* Mantel *m;* Jackett *n,* Jacke *f; zo.* Pelz *m,* Fell *n,* Gefieder *n;* Überzug *m,* Anstrich *m,* Schicht *f;* **~ of arms** Wappen(schild *m, n) n;* **2.** *v/t* überziehen, beschichten; (an)streichen; **~-hang·er** ['ˌhæŋə] *s* Kleiderbügel *m;* **~-ing** *s* Überzug *m,* Anstrich *m,* Schicht *f;* Mantelstoff *m.*

coax [kəʊks] *v/t* überreden, beschwatzen.

cob [kɒb] *s zo.* Schwan *m; corn:* Maiskolben *m.*

cob-bled ['kɒbld] *adj:* **~ street** Straße *f* mit Kopfsteinpflaster; **~-bler** ['kɒblə] *s* (Flick)Schuster *m;* Stümper *m.*

co·caine [kə'keɪn] *s* Kokain *n.*

cock [kɒk] **1.** *s zo.* Hahn *m;* (An)Führer *m; V penis:* Schwanz *m;* **2.** *v/t* aufrichten; **~ up** *sl.* versauen.

cock·a·too *zo.* [kɒkə'tuː] *s* Kakadu *m.*

cock-chaf·er *zo.* ['kɒktʃeɪfə] *s* Maikäfer *m.*

cock-eyed F ['kɒkaɪd] *adj* schielend; (krumm u.) schief.

cock|ney ['kɒknɪ] *s mst* ♀ Cockney *m, f,* waschechte(r) Londoner(in); *accent:* Cockney *n.*

cock·pit ['kɒkpɪt] *s aer., mar.* Cockpit *n;* Hahnenkampfplatz *m.*

cock|sure F [kɒk'ʃʊə] *adj* absolut sicher; anmaßend; **~tail** *s* Cocktail *m;* **~y** F ['kɒkɪ] *adj* □ (**-ier, -iest**) großspurig, anmaßend.

co·co *bot.* ['kəʊkəʊ] *s (pl* **-cos**) Kokospalme *f.*

co·coa ['kəʊkəʊ] *s* Kakao *m.*

co·co·nut ['kəʊkənʌt] *s* Kokosnuß *f.*

co·coon [kə'kuːn] *s* (Seiden)Kokon *m.*

cod *zo.* [kɒd] *s* Kabeljau, Dorsch *m.*

cod·dle ['kɒdl] *v/t* verhätscheln.

code [kəʊd] **1.** *s* Gesetzbuch *n;* Kodex *m;* (Telegramm)Schlüssel *m;* Code *m,* Chiffre *f;* **2.** *v/t* verschlüsseln, kodieren, chiffrieren.

cod|fish *zo.* ['kɒdfɪʃ] → **cod;** **~·liv·er oil** *s* Lebertran *m.*

co-ed F [kəʊ'ed] *s* Schülerin *f or* Studentin *f* e-r gemischten Schule; **~·u·ca·tion** [kəʊedjuː'keɪʃn] *s* Koedukation *f.*

co·erce [kəʊ'ɜːs] *v/t* (er)zwingen;

co·ex·ist [kəʊɪg'zɪst] *v/i* gleichzeitig *or* nebeneinander bestehen *or* leben, koexistieren; **~ence** [~əns] *s* Koexistenz *f.*

cof·fee ['kɒfɪ] *s* Kaffee *m;* **~ bar** *s* Café *n;* **~ bean** *s* Kaffeebohne *f;* **~pot** *s* Kaffeekanne *f;* **~set** *s* Kaffeeservice *n;* **~ta·ble** *s* Couchtisch *m.*

cof·fer ['kɒfə] *s* (Geld- *etc.*)Kasten *m.*

cof·fin ['kɒfɪn] *s* Sarg *m.*

cog *tech.* [kɒg] *s* (Rad)Zahn *m;* **~wheel** *tech.* ['~wiːl] *s* Zahnrad *n.*

co·her|ence [kəʊ'hɪərəns] *s* Zusammenhang *m;* **~ent** [~t] *adj* □ zusammenhängend.

co·he·sion [kəʊ'hiːʒn] *s* Zusammenhalt *m;* **~sive** [~sɪv] *adj* (fest) zusammenhaltend.

coif·fure [kwɑː'fjʊə] *s* Frisur *f.*

coil [kɔɪl] **1.** *v/t and v/i a.* **~ up** aufwickeln, (sich) zusammenrollen; **2.** *s* Rolle *f;* Spirale *f;* Wicklung *f;* Spule *f;* Windung *f; tech.* (Rohr)Schlange *f.*

coin [kɔɪn] **1.** *s* Münze *f;* **2.** *v/t* prägen (*a. fig.*); münzen.

co·in·cide [kəʊɪn'saɪd] *v/i* zusammentreffen; übereinstimmen; **~·ci·dence** [kəʊ'ɪnsɪdəns] *s* Zusammentreffen *n;*

Zufall *m; fig.* Übereinstimmung *f.*

coke[1] [kəʊk] *s* Koks *m (a. sl.* cocaine).

Coke[2] *TM* [~] *s* Coke *n,* Cola *n, f,* Coca *n, f.*

cold [kəʊld] **1.** *adj* □ kalt; *I'm (feeling)* **~** mir ist kalt, ich friere; **2.** *s* Kälte *f,* Frost *m;* Erkältung *f;* **~·blood·ed** [~'blʌdɪd] *adj* kaltblütig; **~·heart·ed** *adj* kalt-, hartherzig; **~ness** *s* Kälte *f;* **~ war** *s pol.* kalter Krieg.

cole·slaw ['kəʊlslɔː] *s* Krautsalat *m.*

col·ic *med.* ['kɒlɪk] *s* Kolik *f.*

col·lab·o|rate [kə'læbəreɪt] *v/i* zusammenarbeiten; **~·ra·tion** [kəlæbə'reɪʃn] *s* Zusammenarbeit *f; in* **~** *with* gemeinsam mit.

col|lapse [kə'læps] **1.** *v/i* zusammen-, einfallen; zusammenbrechen; **2.** *s* Zusammenbruch *m;* **~·lap·si·ble** [~əbl] *adj* zusammenklappbar.

col·lar ['kɒlə] **1.** *s of shirt, etc.:* Kragen *m; for dog, etc.:* Halsband *n; for horse:* Kummet *n;* **2.** *v/t* beim Kragen packen; *j-n* festnehmen, F schnappen; **~bone** *s anat.* Schlüsselbein *n.*

col·league ['kɒliːg] *s* Kolleg|e *m,* -in *f,* Mitarbeiter(in).

col|lect 1. *s eccl.* ['kɒlekt] Kollekte *f;* **2.** *v/t* [kə'lekt] (ein)sammeln; *thoughts, etc.:* sammeln; einkassieren; abholen; *v/i* sich (ver)sammeln; **~·lect·ed** *adj* □ *fig.* gefaßt; **~·lec·tion** [~kʃn] *s* Sammlung *f; econ.* Eintreibung *f; eccl.* Kollekte *f;* **~·lec·tive** [~tɪv] *adj* □ gesammelt; kollektiv; Sammel...; **~ bargaining** *econ.* Tarifverhandlungen *pl;* **~·lec·tive·ly** [~lɪ] *adv* insgesamt; zusammen; **~·lec·tor** [~ə] *s* Sammler(in); Steuereinnehmer *m; rail.* Fahrkartenabnehmer *m; electr.* Stromabnehmer *m.*

col·lege ['kɒlɪdʒ] *s* College *n;* Hochschule *f;* höhere Lehranstalt.

col·lide [kə'laɪd] *v/i* zusammenstoßen.

col|li·er ['kɒlɪə] *s* Bergmann *m; mar.* Kohlenschiff *n;* **~·lie·ry** [~ərɪ] *s* Kohlengrube *f.*

col·li·sion [kə'lɪʒn] *s* Zusammenstoß *m,* -prall *m,* Kollision *f.*

col·lo·qui·al [kə'ləʊkwɪəl] *adj* □ umgangssprachlich.

co·lon ['kəʊlən] *s* Doppelpunkt *m.*

colo·nel *mil.* ['kɜːnl] *s* Oberst *m.*

co·lo·ni·al [kə'ləʊnjəl] *adj* □ Kolonial...; **~·is·m** *pol.* [\~lɪzəm] *s* Kolonialismus *m*.

col·o|nize ['kɒlənaɪz] *v/t* kolonisieren, besiedeln; *v/i* sich ansiedeln; **~ny** [\~nɪ] *s* Kolonie *f*; Siedlung *f*.

co·los·sal [kə'lɒsl] *adj* □ kolossal, riesig.

col·o·u(r) ['kʌlə] **1.** *s* Farbe *f*; *fig.* Anschein *m*; Vorwand *m*; **~s** *pl* Fahne *f*, Flagge *f*; *what ~ is ...?* welche Farbe hat ...?; **2.** *v/t* färben; an-, bemalen, anstreichen; *fig.* beschönigen; *v/i* sich (ver)färben; erröten; **~ant** ['\~rənt] *s in food:* Farbstoff *m*; **~ bar** *s* Rassenschranke *f*; **~·blind** *adj* farbenblind; **~ed 1.** *adj* bunt; farbig; **~ man** Farbige(r) *m*; **2.** *s often contp.* Farbige(r *m*) *f*; **~fast** *adj* farbecht; **~ film** *s phot.* Farbfilm *m*; **~ful** *adj* farbenreich, -freudig; lebhaft; **~·ing** *s* Färbemittel *n*; Gesichtsfarbe *f*; **~·less** *adj* □ farblos (*a. fig.*); **~ line** *s* Rassenschranke *f*; **~ set** *s* Farbfernseher *m*; **~ tel·e·vi·sion** *s* Farbfernsehen *n*.

colt [kəʊlt] *s* Hengstfohlen *n*.

col·umn ['kɒləm] *s* Säule *f*; *print.* Spalte *f*; *mil.* Kolonne *f*; **~·ist** [\~nɪst] *s* Kolumnist(in).

comb [kəʊm] **1.** *s* Kamm *m*; **2.** *v/t* kämmen; *horse, etc.:* striegeln; *wool, etc.:* hecheln.

com|bat ['kɒmbæt] **1.** *s mst mil.* Kampf *m*; *single ~* Zweikampf *m*; **2.** (*-tt-*, *Am. a. -t-*) *v/t* kämpfen gegen, bekämpfen; *v/i* kämpfen; **~·ba·tant** [\~ənt] *s* Kämpfer *m*.

com|bi·na·tion [kɒmbɪ'neɪʃn] *s* Verbindung *f*; Kombination *f*; **~·bine** [kəm'baɪn] *v/t* und *v/i* (sich) verbinden *or* vereinigen.

com·bus|ti·ble [kəm'bʌstəbl] **1.** *adj* brennbar; **2.** *s* Brennstoff *m*, -material *n*; **~·tion** [\~tʃən] *s* Verbrennung *f*.

come [kʌm] *v/i* (*came*, *come*) kommen; *to ~* künftig, kommend; *~ about* geschehen, passieren; *~ across* auf *j-n or et.* stoßen; F *speech, etc.:* ankommen; *~ along* mitkommen; *~ apart* auseinanderfallen; *~ at j-n or et.* losgehen; *~ back* zurückkommen; *~ by* zu *et.* kommen; *~ down* herunterkommen (*a. fig.*); einstürzen; *of prices:* sinken; *of tradition:* überliefert werden; *~ down with* F erkranken an (*dat*); *~ for* abho-

len kommen, kommen wegen; *~ loose* sich ablösen, abgehen; *~ off* ab-, losgehen; sich lösen; stattfinden; *~ on!* los!, vorwärts!, komm!; *~ over:* vorbeikommen; wiederkehren; F wieder zu sich kommen; *~ through* durchkommen; *illness, etc.:* überstehen, -leben; *~ to* sich belaufen auf (*acc*); wieder zu sich kommen; *what's the world coming to?* wohin ist die Welt geraten?; *~ to see* besuchen; *~ up to* entsprechen (*dat*), heranreichen an (*acc*); **~·back** ['kʌmbæk] *s* Comeback *n*.

co·me·di·an [kə'miːdɪən] *s* Komödienschauspieler(in); Komiker(in); **com·e·dy** ['kɒmədɪ] *s* Komödie *f*, Lustspiel *n*.

come·ly ['kʌmlɪ] *adj* (*-ier*, *-iest*) attraktiv, gutaussehend.

com|fort ['kʌmfət] **1.** *s* Behaglichkeit *f*; Trost *m*; Wohltat *f*, Erquickung *f*; *a. ~s pl* Komfort *m*; **2.** *v/t* trösten; **com·for·ta·ble** *adj* □ bequem; *house, etc.:* komfortabel, behaglich; *income, etc.:* ausreichend; **~·er** *s* Tröster *m*; Wollschal *m*; *esp. Br.* Schnuller *m*; *Am.* Steppdecke *f*; **~·less** *adj* □ unbequem; trostlos; **~ sta·tion** *s Am.* Bedürfnisanstalt *f*.

com·ic ['kɒmɪk] **1.** *adj* (**~ally**) komisch; Komödien..., Lustspiel...; **2.** *s* Komiker(in); Comic-Heft *n*; **~s** *pl* Comics *pl*, Comic-Hefte *pl*.

com·i·cal ['kɒmɪkl] *adj* □ komisch, spaßig.

com·ing ['kʌmɪŋ] **1.** *adj* kommend; künftig; **2.** *s* Kommen *n*.

com·ma ['kɒmə] *s* Komma *n*.

com·mand [kə'mɑːnd] **1.** *s* Herrschaft *f*, Beherrschung *f* (*a. fig.*); Befehl *m*; *mil.* Kommando *n*; *be* (*have*) *at ~* zur Verfügung stehen (haben); **2.** *v/t* befehlen (*a. v/i*); *mil.* kommandieren (*a. v/i*); verfügen über (*acc*); beherrschen; **~·er** *s mil.* Kommandeur *m*, Befehlshaber *m*; *mar.* Fregattenkapitän *m*; **~-in-chief** *mil.* Oberbefehlshaber *m*; **~·ing** *adj* □ kommandierend, befehlshabend; gebieterisch; **~·ment** *s* Gebot *n*; **~ mod·ule** *s space travel:* Kommandokapsel *f*.

com·mem·o|rate [kə'meməreɪt] *v/t* gedenken (*gen*), *j-s* Gedächtnis feiern; **~·ra·tion** [kəmemə'reɪʃn] *s:* *in ~ of* zum Gedenken *or* Gedächtnis an (*acc*);

~**ra·tive** [kə'memərətɪv] adj □ Gedenk..., Erinnerungs...

com|ment ['kɒment] **1.** s Kommentar m; Erläuterung f; Bemerkung f; Stellungnahme f; **no ~!** kein Kommentar! **2.** v/i (**on**, **upon**) erläutern, kommentieren (acc); v/t sich (kritisch) äußern über (acc); ~**men·ta·ry** ['kɒməntərɪ] s Kommentar m; ~**men·tate** v/i: ~ **on** kommentieren (acc); ~**men·ta·tor** s Kommentator(in), TV, etc.: a. Reporter(in).

com·merce ['kɒmɜ:s] s Handel m; Verkehr m.

com·mer·cial [kə'mɜ:ʃl] **1.** adj □ kaufmännisch, Handels..., Geschäfts...; handelsüblich; ~ **bank** Handelsbank f; ~ **loan** Geschäftsdarlehen n; ~ **television** kommerzielles Fernsehen; ~ **trav·el(l)er** Handlungsreisende(r m) f; **2.** s TV, etc.: Werbespot m, -sendung f; ~**ize** v/t kommerzialisieren, vermarkten.

com·mis·e·rate [kə'mɪzəreɪt] v/i: ~ **with** Mitleid empfinden mit; ~**ra·tion** [kəmɪzə'reɪʃn] s Mitleid n (**for** mit).

com·mis·sa·ry ['kɒmɪsərɪ] s Kommissar m.

com·mis·sion [kə'mɪʃn] **1.** s Auftrag m; duty, power, etc.: Übertragung f; of crime: Begehung f; econ. Provision f; committee: Kommission f; mil. (Offiziers)Patent n; **the** 2 pol. die EG-Kommission; **2.** v/t beauftragen, bevollmächtigen; et. in Auftrag geben; j-n zum Offizier ernennen; ship: in Dienst stellen; ~**er** [~ə] s Bevollmächtigte(r m) f; (Regierungs)Kommissar m.

com·mit [kə'mɪt] v/t (**-tt-**) anvertrauen, übergeben; jur. j-n einweisen; jur. j-n übergeben; crime: begehen; bloßstellen; ~ (**o.s.**) sich verpflichten; ~**ment** s Verpflichtung f; ~**tal** s jur. Einweisung f; ~**tee** [~ɪ] s Ausschuß m, Komitee n.

com·mod·i·ty [kə'mɒdətɪ] s Ware f, Gebrauchsartikel m.

com·mon ['kɒmən] **1.** adj □ allgemein; gewöhnlich; gemein(sam), gemeinschaftlich; öffentlich; gewöhnlich, minderwertig; F ordinär; **2.** s Gemeindeland n; **in** ~ gemeinsam; **in** ~ **with** genau wie; ~**er** s Bürgerliche(r m) f; ~ **law** s (englisches) Gewohnheitsrecht; 2 **Mar·ket** s econ. pol. Gemeinsamer Markt; ~ **mon·e·ta·ry pol·i·cy** s pol.

gemeinsame Währungspolitik; ~**place 1.** s Gemeinplatz m; **2.** adj alltäglich; abgedroschen; ~**s** s pl das gemeine Volk; **House of** 2 parl. Unterhaus n; ~ **sense** s gesunder Menschenverstand; ~**wealth** [~welθ] s Gemeinwesen n, Staat m; Republik f; **the** 2 (**of Nations**) das Commonwealth.

com·mo·tion [kə'məʊʃn] s Aufruhr m, Erregung f.

com·mu·nal ['kɒmjʊnl] adj Gemeinde..., Gemeinschafts...

com·mune 1. v/i [kə'mju:n] sich vertraulich besprechen; **2.** s ['kɒmju:n] Kommune f; Gemeinde f.

com·mu·ni·cate [kə'mju:nɪkeɪt] v/t news, etc.: mitteilen, übermitteln; v/i sich besprechen; sich in Verbindung setzen, kommunizieren (**with s.o.** mit j-m) (durch e-e Tür) verbunden sein; ~**ca·tion** [kəmju:nɪ'keɪʃn] s Mitteilung f; Verständigung f, Kommunikation f; Verbindung f; ~**s** pl Verbindung f, Verkehrswege pl; ~**s satellite** Nachrichtensatellit m; ~**ca·tive** [kə'mju:nɪkətɪv] adj □ mitteilsam, gesprächig.

com·mu·nion [kə'mju:nɪən] s Gemeinschaft f; 2 eccl. Kommunion f, Abendmahl n.

com·mu·nis|m ['kɒmjʊnɪzəm] s Kommunismus m; ~**t** [~ɪst] **1.** s Kommunist(in); **2.** adj kommunistisch.

com·mu·ni·ty [kə'mju:nətɪ] s Gemeinschaft f; Gemeinde f; Staat m; **European** 2 Europäische Gemeinschaft; **the** 2 die (Europäische) Gemeinschaft.

com|mute [kə'mju:t] v/t jur. punishment: umwandeln; v/i rail., etc.: pendeln; ~**mut·er** s Pendler(in); ~ **belt** (städtisches) Einzugsgebiet; ~ **train** Pendler-, Vorort-, Nahverkehrszug m.

com·pact 1. s ['kɒmpækt] Vertrag m; Puderdose f; Am. mot. Kompaktauto n; **2.** adj [kəm'pækt] dicht, fest; knapp, bündig; ~ **disc** Compact Disc f, CD f; **3.** v/t fest verbinden.

com·pan|ion [kəm'pænjən] s Begleiter(in); Gefährt|e m, -in f; Gesellschafter(in); Handbuch n, Leitfaden m; ~**io·na·ble** adj □ gesellig; ~**ion·ship** s Gesellschaft f.

com·pa·ny ['kʌmpənɪ] s Gesellschaft f; Begleitung f; mil. Kompanie f; econ. (Handels)Gesellschaft f; mar. Mannschaft f; *thea.* Truppe f; **have** ~ Gäste haben; **keep** ~ **with** verkehren mit; ~ **car** s Firmenwagen m; ~ **di·rec·tor** s *econ.* Firmenchef(in); ~ **law** s *jur.* Gesellschaftsrecht n; ~ **pol·i·cy** s *econ.* Geschäftspolitik f; ~ **u·nion** s *Am. econ.* Betriebsgewerkschaft f.

com·pa·ra·ble ['kɒmpərəbl] *adj* □ vergleichbar; ~**par·a·tive** [kəm'pærətɪv] **1.** *adj* □ vergleichend; verhältnismäßig; **2.** s a. ~ **degree** gr. Komparativ m; ~**pare** [kəm'peə] **1.** s: **beyond** ~, **without** ~, **past** ~ unvergleichlich; **2.** *v/t* vergleichen; **(as)** ~**d with** im Vergleich zu; *v/i* sich vergleichen (lassen); ~**pa·ri·son** [kəm'pærɪsn] s Vergleich m.

com·part·ment [kəm'pɑːtmənt] s Abteilung f, Fach n; *rail.* Abteil n.

com·pass ['kʌmpəs] Kompaß m; **(pair of)** ~**es** *pl geom.* Zirkel m.

com·pas·sion [kəm'pæʃn] s Mitleid n; ~**ate** [~ət] *adj* □ mitleidig.

com·pat·i·ble [kəm'pætəbl] *adj* □ vereinbar; *med.* verträglich; *computer:* kompatibel.

com·pat·ri·ot [kəm'pætrɪət] s Landsmann m, -männin f.

com·pel [kəm'pel] *v/t (-ll-)* (er)zwingen.

com·pen·sate ['kɒmpenseɪt] *v/t j-n* entschädigen; *et.* ersetzen; *a. v/i* ausgleichen; ~**sa·tion** [~'seɪʃn] s Ersatz m; Ausgleich m; (Schaden)Ersatz m, Entschädigung f; *Am.* Gehalt m.

com·pete [kəm'piːt] *v/i* sich (mit)bewerben **(for** um), konkurrieren.

com·pe·tence ['kɒmpɪtəns] s Können n, Fähigkeit f; *jur.* Zuständigkeit f; ~**tent** *adj* □ hinreichend; (leistungs)fähig; tüchtig; sachkundig.

com·pe·ti·tion [kɒmpɪ'tɪʃn] Wettbewerb m; Konkurrenz f; **unfair** ~ *econ.* unlauterer Wettbewerb; ~ **pol·i·cy** s Wettbewerbspolitik f.

com·pet·i·tive [kəm'petətɪv] *adj* □ konkurrierend; *econ.* konkurrenzfähig; ~ **advantage** *econ.* Wettbewerbsvorteil m; ~ **market** *econ.* wettbewerbsorientierter Markt; ~ **sports** Leistungssport m; ~**tor** s Mitbewerber(in); Konkurrent(in); *sports:* (Wettbewerbs)Teilnehmer(in).

com·pile [kəm'paɪl] *v/t* zusammentragen, zusammenstellen, sammeln.

com·plain [kəm'pleɪn] *v/i* sich beklagen

or beschweren; klagen **(of** über *acc*); ~**t** s Klage f; Beschwerde f, *med.* Leiden n.

com·ple·ment 1. s ['kɒmplɪmənt] Ergänzung f; *a.* **full** ~ volle Anzahl f; **2.** *v/t* [~ment] ergänzen; ~**men·ta·ry** [~'mentərɪ] *adj* (sich gegenseitig) ergänzend.

com·plete [kəm'pliːt] **1.** *adj* □ vollständig, ganz, vollkommen; vollzählig; **2.** *v/t* vervollständigen; vervollkommnen; abschließen; ~**ple·tion** [~'pliːʃn] s Vervollständigung f; Abschluß m; Erfüllung f; **the** ~ **of the single market** *pol.* die Vollendung des europäischen Binnenmarkts.

com·plex ['kɒmpleks] **1.** *adj* □ zusammengesetzt; komplex, vielschichtig; kompliziert; **2.** s Gesamtheit f; Komplex m (a. *psych.*).

com·plex·ion [kəm'plekʃn] s Gesichtsfarbe f, Teint m; *fig.* Aspekt m.

com·plex·i·ty [kəm'pleksətɪ] s Komplexität f, Vielschichtigkeit f.

com·pli·cate ['kɒmplɪkeɪt] *v/t* (ver)komplizieren; ~**cat·ed** *adj* kompliziert; ~**ca·tion** [~'keɪʃn] s Komplikation f (a. *med.*); Kompliziertheit f.

com·pli·ment 1. s ['kɒmplɪmənt] Kompliment n; Empfehlung f; Gruß m; **2.** *v/t* [~ment] beglückwünschen **(on** zu); *j-m* ein Kompliment machen **(on** sagen).

com·po·nent [kəm'pəʊnənt] s Bestandteil m; *tech., electr.* Bauelement n.

com·pose [kəm'pəʊz] *v/t* zusammensetzen *or* -stellen; *a. v/i mus.* komponieren; verfassen; ordnen; *print.* (ab)setzen; ~ **o.s.** sich beruhigen; ~**posed** *adj* □ ruhig, gesetzt; **be** ~ **of** bestehen aus; ~**pos·er** s Komponist(in); Verfasser(in); ~**po·si·tion** [kɒmpə'zɪʃn] s Zusammensetzung f; Abfassung f; *mus.* Komposition f; *school:* Aufsatz m; ~**po·sure** [kəm'pəʊʒə] s Fassung f, (Gemüts)Ruhe f.

com·pound¹ ['kɒmpaʊnd] s Lager n; Gefängnishof m; (Tier)Gehege n.

com·pound² **1.** *adj* [~] zusammengesetzt; ~ **interest** Zinseszinsen *pl*; **2.** s [~] Zusammensetzung f; Verbindung f; *gr.* zusammengesetztes Wort; **3.** *v/t* [kəm'paʊnd] zusammensetzen; steigern, *esp.* verschlimmern.

com·pre·hend [kɒmprɪ'hend] *v/t* umfassen; begreifen, verstehen.

com·pre·hen·si·ble [ˌkɒmprɪˈhensəbl] *adj* □ verständlich; **~sion** [~ʃn] *s* Begreifen *n*, Verständnis *n*; Begriffsvermögen *n*, Verstand *m*, Einsicht *f*; *past* ~ unfaßbar, unfaßlich; **~sive** [~sɪv] **1.** *adj* □ umfassend; **2.** *s a.* ~ **school** *Br.* Gesamtschule *f*.

com·press [kəmˈpres] *v/t* zusammendrücken; **~ed air** Druckluft *f*; **~pres·sion** [~ʃn] *s phys.* Verdichtung *f*; *tech.* Druck *m*.

com·prise [kəmˈpraɪz] *v/t* einschließen, umfassen, enthalten.

com·pro·mise [ˈkɒmprəmaɪz] **1.** *s* Kompromiß *m*; **2.** *v/t* (*o.s.* sich) bloßstellen; *v/i* e-n Kompromiß schließen.

com·pul·sion [kəmˈpʌlʃn] *s* Zwang *m*; **~sive** *adj* □ zwingend, Zwangs...; *psych.* zwanghaft; **~so·ry** [~ərɪ] *adj* □ obligatorisch; Zwangs...; Pflicht...

com·pute [kəmˈpjuːt] *v/t* (be-, er)rechnen; schätzen.

com·put·er [kəmˈpjuːtə] *s* Computer *m*, Rechner *m*; **~aided** computergestützt; **~controlled, ~operated** computergesteuert; **~ prediction** *pol.* Hochrechnung *f*; **~ science** Informatik *f*; **~ skills** *pl* Computer-, EDV-Kenntnisse *pl*; **~ize** [~raɪz] *v/t* mit Computern ausstatten, auf Computer umstellen; *information:* in e-m Computer speichern.

com·rade [ˈkɒmreɪd] *s* Kamerad(in), (Partei)Genoss(e *m*, -in *f*.

con[1] F [kɒn] *s* Nein-, Gegenstimme *f*; → **pro.**

con[2] F [~] **1.** *v/t* (*-nn-*) reinlegen, betrügen; **2.** *s* Schwindel *m*; Schwindler *m*, Gauner *m*.

con·ceal [kənˈsiːl] *v/t* verbergen; verheimlichen.

con·cede [kənˈsiːd] *v/t* zugestehen, einräumen; *grant:* gewähren; *sports:* hinnehmen (*goal, defeat*).

con·ceit [kənˈsiːt] *s* Einbildung *f*, Dünkel *m*; **~ed** *adj* □ eingebildet (*of* auf *acc*).

con·ceiv·a·ble [kənˈsiːvəbl] *adj* □ denkbar, begreiflich; **~ve** [kənˈsiːv] *v/i* schwanger werden; *v/t child:* empfangen; sich denken; planen, ausdenken.

con·cen·trate [ˈkɒnsəntreɪt] **1.** *v/t and v/i* (sich) zusammenziehen, (sich) vereinigen; (sich) konzentrieren; **2.** *s* Konzentrat *n*.

con·cept [ˈkɒnsept] *s* Begriff *m*; Gedanke *m*, Vorstellung *f*; **con·cep·tion** [kənˈsepʃn] *s* Begreifen *n*; Vorstellung *f*, Begriff *m*, Idee *f*; *biol.* Empfängnis *f*.

con·cern [kənˈsɜːn] **1.** *s* Angelegenheit *f*; Interesse *n*; Sorge *f*; Beziehung *f* (**with** zu); Geschäft *n*, (industrielles) Unternehmen; **2.** *v/t* betreffen, angehen, interessieren; beunruhigen; interessieren, beschäftigen; **~ed** *adj* □ interessiert, beteiligt (**in** an *dat*); besorgt; **~ing** *prp* betreffend, über, wegen, hinsichtlich.

con·cert [ˈkɒnsət] *s mus.* Konzert *n*; Einverständnis *n*; **~ed** [kənˈsɜːtɪd] *adj* □ gemeinsam; *mus.* mehrstimmig; **~ ac·tion** *pol.* konzertierte Aktion.

con·ces·sion [kənˈseʃn] *s* Zugeständnis *n*; Konzession *f*.

con·cil·i·ate [kənˈsɪlɪeɪt] *v/t* versöhnen; **~a·to·ry** [~ətərɪ] *adj* versöhnlich, vermittelnd.

con·cise [kənˈsaɪs] *adj* □ kurz, bündig, knapp; **~ dictionary** Handwörterbuch *n*; **~ness** *s* Kürze *f*.

con·clude [kənˈkluːd] *v/t and v/i* schließen, beschließen, beenden; abschließen; folgern, schließen (**from** aus); sich entscheiden; **to be ~d** Schluß folgt.

con·clu·sion [kənˈkluːʒn] *s* Schluß *m*, Ende *n*, Abschluß *m*; (Schluß)Folgerung *f*; Beschluß *m*; → **jump** 2; **~sive** *adj* □ überzeugend; endgültig.

con·coct [kənˈkɒkt] *v/t* zusammenbrauen; *fig.* aushecken, sich ausdenken; **~coc·tion** [~kʃn] *s* Gebräu *n*; *fig.* Erfindung *f*.

con·course [ˈkɒŋkɔːs] *s* Menschenauflauf *m*; Menge *f*; freier Platz.

con·crete [ˈkɒnkriːt] **1.** *adj* □ fest; konkret; Beton...; ~ **block** *contp.* Betonburg *f*; **2.** *s* Beton *m*; **3.** *v/t* betonieren.

con·cur [kənˈkɜː] *v/i* (*-rr-*) übereinstimmen; **~rence** [~ˈkʌrəns] *s* Zusammentreffen *n*; Übereinstimmung *f*.

con·cus·sion [kənˈkʌʃn] *s:* ~ **of the brain** *med.* Gehirnerschütterung *f*.

con·demn [kənˈdem] *v/t* verdammen; *jur. and fig.* verurteilen (**to death** zum Tode); für unbrauchbar or unbewohnbar *etc.* erklären; **~dem·na·tion** [kɒndemˈneɪʃn] *s jur. and fig.* Verurteilung *f*; Verdammung *f*, Mißbilligung *f*.

con·den·sa·tion [kɒndenˈseɪʃn] *s* Kondensation *f*; *water:* Kondenswasser *n*; **~dense** [kənˈdens] *v/t* (*v/i* sich) verdichten; *tech.* kondensieren; zusammenfassen, kürzen; **∼d report** *etc.* Kurzfassung *f*; **∼dens·er** *s tech.* Kondensator *m*.

con·de|scend [kɒndɪ'send] *v/i* sich herablassen, geruhen (**to do** zu tun); **∼·scen·sion** [∼ʃn] *s* Herablassung *f*.

con·di·tion [kən'dɪʃn] **1.** *s* Zustand *m*; (körperlicher *or* Gesundheits)Zustand *m*; *sports*: Kondition *f*, Form *f*; Bedingung *f*; **∼s** *pl* Verhältnisse *pl*, Umstände *pl*; **on ∼ that** unter der Bedingung, daß; **out of ∼** in schlechter Verfassung, in schlechtem Zustand; **2.** *v/t* bedingen; *hair, etc.*: in Form bringen; **∼·al 1.** *adj* □ bedingt (**on, upon** durch); Bedingungs...; **2.** *adj gr.* **∼ clause** Bedingungs-, Konditionalsatz *m*; *a.* **∼ mood** Konditional *m*.

con|dole [kən'dəʊl] *v/i* kondolieren (**with** *dat*); **∼·do·lence** [∼əns] *s* Beileid *n*.

con·dom ['kɒndəm] *s* Kondom *n*, Präservativ *n*.

con·do·min·i·um [kɒːndəˈmɪnɪəm] *s Am.* Wohnblock *m* mit Eigentumswohnungen; Eigentumswohnung *f*.

con·done [kən'dəʊn] *v/t* verzeihen, vergeben.

con·du·cive [kən'djuːsɪv] *adj* dienlich, förderlich (**to** *dat*).

con|duct 1. *s* ['kɒndʌkt] Führung *f*; Verhalten *n*, Betragen *n*; **2.** *v/t* [kən'dʌkt] führen; *mus.* dirigieren; **∼ed tour** Führung *f* (**of** durch); **∼·duc·tion** [∼kʃn] *s phys.* Leitung *f*; **∼·duc·tor** [∼tə] *s phys.* Leiter *m*; *rail.* Schaffner *m*; *Am. rail.* Zugbegleiter *m*; *mus.* (Orchester)Dirigent *m*, (Chor)Leiter *m*; *electr.* Blitzableiter *m*.

cone [kəʊn] *s* Kegel *m*; Eistüte *f*; *bot.* Zapfen *m*.

con·fec·tion [kən'fekʃn] *s* Konfekt *n*; **∼·er** *s* Konditor *m*; **∼·er·y** [∼ərɪ] *s* Süßigkeiten *pl*, Süß-, Konditoreiwaren *pl*; Konfekt *n*; Konditorei *f*; Süßwarengeschäft *n*.

con·fed·e|ra·cy [kən'fedərəsɪ] *s* Bündnis *n*; *the* ♀ *Am. hist.* die Konföderation; **∼·rate 1.** *adj* [∼rət] verbündet; **2.** *s* [∼] Bundesgenosse *m*; **3.** *v/t or refl.* [∼reɪt] (sich) verbünden; **∼·ra·tion** [kənfedə'reɪʃn] *s* Bund *m*, Bündnis *n*; Staatenbund *m*.

con·fe·rence ['kɒnfərəns] *s* Konferenz *f*, Tagung *f*; **be in ∼** in e-r Besprechung sein.

con|fess [kən'fes] *v/t and v/i* bekennen, gestehen; beichten; **∼·fes·sion** [∼ʃən] *s* Geständnis *n*; Bekenntnis *n*; Beichte *f*; **∼·fes·sor** *s* Bekenner *m*; Beichtvater *m*.

con·fide [kən'faɪd] *v/t* anvertrauen; *v/i:* **∼ in s.o.** j-m vertrauen; **con·fi·dence** ['kɒnfɪdəns] *s* Vertrauen *n*; Zuversicht *f*; **∼ man** (Trick)Betrüger *m*; **∼ trick** Trickbetrug *m*; **con·fi·dent** ['kɒnfɪdənt] *adj* □ zuversichtlich; **con·fi·den·tial** [∼'denʃl] *adj* □ vertraulich; **con·fid·ing** [kən'faɪdɪŋ] *adj* □ vertrauensvoll.

con·fine [kən'faɪn] *v/t* begrenzen; beschränken; einsperren; **be ∼d of** entbunden werden von; **be ∼d to bed** das Bett hüten müssen; **∼·ment** *s* Haft *f*; Beschränkung *f*; Entbindung *f*.

con|firm [kən'fɜːm] *v/t* (be)kräftigen; bestätigen; *eccl.* konfirmieren, firmen; **∼·fir·ma·tion** [kɒnfəˈmeɪʃn] *s* Bestätigung *f*; *eccl.* Konfirmation *f*, Firmung *f*.

con·fis|cate ['kɒnfɪskeɪt] *v/t* beschlagnahmen, konfiszieren; **∼·ca·tion** [∼'keɪʃn] *s* Beschlagnahme *f*, Konfiszierung *f*.

con·flict 1. *s* ['kɒnflɪkt] Konflikt *m*; **2.** *v/i* [kən'flɪkt] in Konflikt stehen; **∼·ing** *adj* widersprüchlich.

con·form [kən'fɔːm] *v/t and v/i* (sich) anpassen (**to** *dat, an acc*).

con·found [kən'faʊnd] *v/t* j-n verwirren, -blüffen.

con|front [kən'frʌnt] *v/t* gegenübertreten, -stehen (*dat*); sich stellen (*dat*); konfrontieren; **∼·fron·ta·tion** [kɒnfrənˈteɪʃn] *s* Konfrontation *f*.

con·fuse [kən'fjuːz] *v/t* verwechseln; verwirren; **∼·fused** *adj* □ verwirrt; verlegen; verworren; **∼·fu·sion** [∼'fjuːʒn] *s* Verwirrung *f*; Verlegenheit *f*; Verwechslung *f*.

con·geal [kən'dʒiːl] *v/i and v/t* erstarren (lassen); gerinnen (lassen).

con|gest·ed [kən'dʒestɪd] *adj* überfüllt; verstopft; **∼·ges·tion** [∼tʃən] *s a. traffic ∼** Verkehrsstockung *f*, -stauung *f*.

con·glom·e·ra·tion [kənɡlɒmə'reɪʃn] *s* Anhäufung *f*; Konglomerat *n*.

con·grat·u·late [kən'ɡrætjuleɪt] *v/t* beglückwünschen, *j-m* gratulieren;

~·la·tion [kəŋrætjʊ'leɪʃn] *s* Glückwunsch *m*; **~s!** ich gratuliere!, herzlichen Glückwunsch!

con·gre|gate ['kɒŋgrɪgeɪt] *v/t and v/i* (sich) (ver)sammeln; **~·ga·tion** [~'geɪʃn] *s* Versammlung *f*; *eccl.* Gemeinde *f*.

con·gress ['kɒŋgres] *s* Kongreß *m*; 2 *Am. parl.* der Kongreß; 2**·man** *s Am. parl.* Kongreßabgeordnete(r) *m*; 2**·wom·an** *s Am. parl.* Kongreßabgeordnete *f*.

con|ic *esp. tech.* ['kɒnɪk], **~·i·cal** [~kl] *adj* □ konisch, kegelförmig.

co·ni·fer *bot.* ['kɒnɪfə] *s* Nadelbaum *m*.

con·ju|gate *gr.* ['kɒndʒʊgeɪt] *v/t* konjugieren, beugen; **~·ga·tion** *gr.* [kɒndʒʊ'geɪʃn] *s* Konjugation *f*, Beugung *f*.

con·junc·tion [kən'dʒʌŋkʃn] *s* Verbindung *f*; *gr.* Konjunktion *f*.

con·junc·ti·vi·tis *med.* [kəndʒʌŋktɪ'vaɪtɪs] *s* Bindehautentzündung *f*.

con·jure ['kʌndʒə] *v/t* devil, *etc.*: beschwören; *v/i* zaubern; **~·jur·er** [~rə] *s* Zauber|er *m*, -in *f*, Zauberkünstler(in); **~·jur·ing trick** *s* Zauberkunststück *n*; **~·jur·or** → **conjurer**.

con|nect [kə'nekt] *v/t* verbinden; *electr.* anschließen, (zu)schalten; *v/i rail., aer. etc.*: Anschluß haben (**with** an *acc*); **~·nect·ed** *adj* □ verbunden; (logisch) zusammenhängend; **be well ~** gute Beziehungen haben; **~·nec·tion**, *Br. a.* **~·nex·ion** [~kʃn] *s* Verbindung *f*; *electr.* Schaltung *f*; Anschluß *m*; Zusammenhang *m*; Verwandtschaft *f*.

con·quer ['kɒŋkə] *v/t* erobern; (be)siegen; **~·or** [~rə] *s* Eroberer *m*.

con·quest ['kɒŋkwest] *s* Eroberung *f* (*a. fig.*); erobertes Gebiet; Bezwingung *f*.

con·science ['kɒnʃəns] *s* Gewissen *n*.

con·sci·en·tious [kɒnʃɪ'enʃəs] *adj* □ gewissenhaft; Gewissens...; **~ objector** Wehr-, Kriegsdienstverweigerer *m*; **~·ness** *s* Gewissenhaftigkeit *f*.

con·scious ['kɒnʃəs] *adj* □ bei Bewußtsein; bewußt; **be ~ of** sich bewußt sein (*gen*); **~·ness** *s* Bewußtsein *n*.

con|script *mil.* **1.** *v/t* [kən'skrɪpt] einziehen, -berufen; **2.** *s* ['kɒnskrɪpt] Wehrpflichtige(r) *m*; **~·scrip·tion** *mil.* [kən'skrɪpʃn] *s* Einberufung *f*, Einziehung *f*.

con·se|crate ['kɒnsɪkreɪt] *v/t* weihen,

einsegnen; widmen; **~·cra·tion** [kɒnsɪ'kreɪʃn] *s* Weihe *f*; Einsegnung *f*.

con·sec·u·tive [kən'sekjʊtɪv] *adj* □ aufeinanderfolgend; fortlaufend.

con·sent [kən'sent] **1.** *s* Zustimmung *f*; **2.** *v/i* einwilligen, zustimmen.

con·se|quence ['kɒnsɪkwəns] *s* Folge *f*, Konsequenz *f*; Einfluß *m*; Bedeutung *f*; **~·quent·ly** [~tlɪ] *adv* folglich, daher.

con·ser·va|tion [kɒnsə'veɪʃn] *s* Erhaltung *f*; Naturschutz *m*; Umweltschutz *m*; **~ area** Naturschutzgebiet *n*; *in town:* Stadtviertel *n* unter Denkmalschutz; **~·tion·ist** [~ʃnɪst] *s* Naturschützer(in), Umweltschützer(in); Denkmalpfleger(in); **~·tive** [kən'sɜ:vətɪv] **1.** *adj* □ erhaltend, konservativ; vorsichtig; **2.** 2 *s pol.* Konservative(r *m*) *f*; **~·to·ry** [kən'sɜ:vətrɪ] *s* Treib-, Gewächshaus *n*; *mus.* Konservatorium *n*; **con·serve** [kən'sɜ:v] *v/t* erhalten, konservieren.

con·sid|er [kən'sɪdə] *v/t* betrachten; sich überlegen, erwägen; in Betracht ziehen, berücksichtigen; meinen; *v/i* nachdenken, überlegen; **~·e·ra·ble** *adj* □ ansehnlich, beträchtlich; **~·e·ra·bly** *adv* bedeutend, ziemlich, (sehr) viel; **~·e·rate** [~rət] *adj* □ rücksichtsvoll; **~·e·ra·tion** [~'reɪʃn] *s* Betrachtung *f*, Erwägung *f*, Überlegung *f*; Rücksicht *f*; Gesichtspunkt *m*; **take into ~** in Erwägung *or* in Betracht ziehen, berücksichtigen; **~·er·ing 1.** *prp* in Anbetracht (*gen*); **2.** *adv* F den Umständen entsprechend.

con·sign [kən'saɪn] *v/t* übergeben; anvertrauen; *econ. goods, etc.*: zusenden; **~·ment** *s econ.* Über-, Zusendung *f*; (Waren)Sendung *f*.

con·sist [kən'sɪst] *v/i*: **~ in** bestehen in (*dat*); **~ of** bestehen *or* sich zusammensetzen aus.

con·sis|tence, **~·ten·cy** [kən'sɪstəns, ~sɪ] *s* Konsistenz *f*, Beschaffenheit *f*; Übereinstimmung *f*; Konsequenz *f*; **~·tent** [~ənt] *adj* □ übereinstimmend, vereinbar (**with** mit); konsequent; *sports, etc.*: beständig.

con·so·la·tion [kɒnsə'leɪʃn] *s* Trost *m*; **~·sole** [kən'səʊl] *v/t* trösten.

con·sol·i·date [kən'sɒlɪdeɪt] *v/t* festigen; *fig.* zusammenschließen, -legen.

con·so·nant ['kɒnsənənt] **1.** *adj* □ übereinstimmend; **2.** *s gr.* Konsonant *m*, Mitlaut *m*.

con·spic·u·ous [kənˈspɪkjʊəs] *adj* □ sichtbar; auffallend; hervorragend; **make o.s. ~** sich auffällig benehmen.

con|spi·ra·cy [kənˈspɪrəsɪ] *s* Verschwörung *f*; **~·spi·ra·tor** [∼tə] *s* Verschwörer *m*; **~·spire** [∼ˈspaɪə] *v/i* sich verschwören.

con|sta·ble *Br.* [ˈkʌnstəbl] *s* Polizist *m*, *rank:* Wachtmeister *m*; **~·stab·u·la·ry** [kənˈstæbjʊlərɪ] *s* Polizei(truppe) *f*.

con|stan·cy [ˈkɒnstənsɪ] *s* Standhaftigkeit *f*; Beständigkeit *f*; **~·stant** [∼t] *adj* □ beständig, unveränderlich; treu.

con·stel·la·tion [kɒnstəˈleɪʃn] *s ast.* Sternbild *n*, *a. fig.* Konstellation *f*.

con·ster·na·tion [kɒnstəˈneɪʃn] *s* Bestürzung *f*.

con·sti|pat·ed *med.* [ˈkɒnstɪpeɪtɪd] *adj* verstopft; **~·pa·tion** *med.* [kɒnstɪˈpeɪʃn] *s* Verstopfung *f*.

con·sti·tu|en·cy *pol.* [kənˈstɪtjʊənsɪ] *s* Wählerschaft *f*; Wahlkreis *m*; **~·ent** [∼t] **1.** *adj* e-n (Bestand)Teil bildend; *pol.* konstituierend; **2.** *s* (wesentlicher) Bestandteil; *pol.* Wähler *m*.

con·sti·tute [ˈkɒnstɪtjuːt] *v/t* ein-, errichten; ernennen; bilden, ausmachen.

con·sti·tu·tion [kɒnstɪˈtjuːʃn] *s pol.* Verfassung *f*; Konstitution *f*, körperliche Verfassung; Zusammensetzung *f*; **~·al** *adj* □ konstitutionell; *pol.* verfassungsmäßig; **~·al·ly** *adv pol.* laut Verfassung.

con·strain [kənˈstreɪn] *v/t* zwingen; **~ed** *adj* gezwungen, unnatürlich; **~t** [∼t] *s* Zwang *m*.

con|strict [kənˈstrɪkt] *v/t* verengen, zusammenziehen; **~·stric·tion** [∼kʃn] *s* Verengung *f*, Zusammenziehung *f*.

con|struct [kənˈstrʌkt] *v/t* bauen, errichten, konstruieren; *fig.* bilden; **~·struc·tion** [∼kʃn] *s* Konstruktion *f*; Bau *m*; *fig.* Auslegung *f*; **~ site** Baustelle *f*; **~·struc·tive** *adj* □ aufbauend, schöpferisch, konstruktiv, positiv; **~·struc·tor** *s* Erbauer *m*, Konstrukteur *m*.

con·strue [kənˈstruː] *v/t gr.* konstruieren; auslegen, auffassen.

con|sul [ˈkɒnsl] *s* Konsul *m*; **~·general** Generalkonsul *m*; **~·su·late** [∼sjʊlət] *s* Konsulat *n* (*office and building*).

con·sult [kənˈsʌlt] *v/t* konsultieren, um

Rat fragen; *book:* nachschlagen in (*dat*); *v/i* sich beraten.

con·sul|tant [kənˈsʌltənt] *s* (fachmännische[r]) Berater(in); *med. Br.* (Krankenhaus)Facharzt *m*, Oberarzt *m*; **~·ta·tion** [kɒnslˈteɪʃn] *s* Konsultation *f*, Beratung *f*, Rücksprache *f*; **~ hour** Sprechstunde *f*; **~·ta·tive** [kənˈsʌltətɪv] *adj* beratend.

con|sume [kənˈsjuːm] *v/t* essen, trinken, konsumieren; verbrauchen; zerstören, *by fire:* vernichten; *fig.* with hatred, love, etc.: verzehren; **~·sum·er** *s econ.* Verbraucher(in), Konsument(in); **advice centre** Verbraucherzentrale *f*; **~ durables** *pl* langlebige Verbrauchsgüter *pl*; **~ goods** *pl* Konsumgüter *pl*; **~ protection** Verbraucherschutz *m*.

con·sump|tion [kənˈsʌmpʃn] *s* Verbrauch *m*.

con·tact [ˈkɒntækt] **1.** *s* Berührung *f*; Kontakt *m*; *person:* Kontaktperson *f*; **make ~s** Kontakte anknüpfen *or* herstellen; **~s** *pl* F → **~ lenses** *pl* Kontaktlinsen *pl*; **2.** *v/t* sich in Verbindung setzen mit, Kontakt aufnehmen mit.

con·ta·gious *med.* [kənˈteɪdʒəs] *adj* □ ansteckend (*a. fig.*).

con·tain [kənˈteɪn] *v/t* enthalten, (um-)fassen; **~ o.s.** sich halten, sich beherrschen; **~·er** *s* Behälter *m*; *econ.* Container *m*; **~·er·ize** *econ.* [∼əraɪz] *v/t* auf Containerbetrieb umstellen; in Containern transportieren.

con·tam·i|nate [kənˈtæmɪneɪt] *v/t* verunreinigen; infizieren, verseuchen; (*a.* radioaktiv) verseuchen; **~·na·tion** [kəntæmɪˈneɪʃn] *s* Verunreinigung *f*; Vergiftung *f*; (*a.* radioaktive) Verseuchung.

con·tem·plate [ˈkɒntempleɪt] *v/t* betrachten, beabsichtigen, vorhaben; *a. v/i* nachdenken (über *acc*); **~·pla·tion** [kɒntemˈpleɪʃn] *s* Betrachtung *f*; Nachdenken *n*; **~·pla·tive** *adj* □ [ˈkɒntempleɪtɪv] nachdenklich; [kənˈtemplətɪv] beschaulich.

con·tem·po·ra|ne·ous [kəntempəˈreɪnɪəs] *adj* □ gleichzeitig; **~·ry** [kənˈtempərərɪ] **1.** *adj* zeitgenössisch, heutig; **2.** *s* Zeitgenoss|e *m*, -in *f*.

con|tempt [kənˈtempt] *s* Verachtung *f*; **~·temp·ti·ble** *adj* □ verachtenswert; **~·temp·tu·ous** [∼ʊəs] *adj* □ geringschätzig, verächtlich.

con·tend [kən'tend] *v/i* kämpfen, ringen (*for* um); *v/t* behaupten; **~er** *s esp. sports*: Wettkämpfer(in).

con·tent [kən'tent] **1.** *adj* zufrieden; **2.** *v/t* befriedigen; **~ o.s.** sich begnügen; **3.** *s* Zufriedenheit *f*; **to one's heart's ~** nach Herzenslust; ['kontent] Gehalt *m*; **~s** *pl* Inhalt *m*; **~ed** [kən'tentɪd] *adj* □ zufrieden.

con·ten·tion [kən'tenʃn] *s* Streit *m*; Argument *n*, Behauptung *f*.

con·tent·ment [kən'tentmənt] *s* Zufriedenheit *f*.

con·test 1. *s* ['kontest] Streit *m*; Wettkampf *m*; **2.** *v/t* [kən'test] sich bewerben um, kandidieren für; (be)streiten; anfechten; um *et.* streiten; **~tes·tant** *s* Wettkämpfer(in), (Wettkampf)Teilnehmer(in).

con·text ['kontekst] *s* Zusammenhang *m*, Kontext *m*.

con·ti·nent ['kontɪnənt] **1.** *adj* □ enthaltsam, mäßig; **2.** *s* Kontinent *m*, Erdteil *m*; **the ~** *Br.* das (europäische) Festland; **~nen·tal** [kontɪ'nentl] **1.** *adj* □ kontinental, Kontinental...; **2.** *s* Kontinentaleuropäer(in).

con·tin·gen·cy [kən'tɪndʒənsɪ] *s* Zufälligkeit *f*, Möglichkeit *f*, Eventualität *f*; **~t** [~t] **1.** *adj* □: **be ~ on** *or* **upon** abhängen von; **2.** *s* Kontingent *n*.

con·tin·u·al [kən'tɪnjʊəl] *adj* □ fortwährend, unaufhörlich; **~u·a·tion** [kəntɪnjʊ'eɪʃn] *s* Fortsetzung *f*; Fortdauer *f*; **~ school** Fortbildungsschule *f*; **~ training** berufliche Fortbildung; **~ue** [kən'tɪnjuː] *v/t* fortsetzen, -fahren mit; beibehalten; **to be ~d** Fortsetzung folgt; *v/i* fortdauern; andauern, anhalten; fortfahren, weitermachen; **con·ti·nu·i·ty** [kontɪ'njuːətɪ] *s* Kontinuität *f*; **~u·ous** [kən'tɪnjʊəs] *adj* □ ununterbrochen; **~ form** *gr.* Verlaufsform *f*.

con·tort [kən'tɔːt] *v/t* verdrehen, verzerren; **~tor·tion** [~ɔːʃn] *s* Verdrehung *f*; Verzerrung *f*.

con·tour ['kontʊə] *s* Umriß *m*.

con·tra·band *econ.* ['kontrəbænd] *s* unter Ein- *or* Ausfuhrverbot stehende Ware, Schmuggelware *f*.

con·tra·cep·tion *med.* [kontrə'sepʃn] *s* Empfängnisverhütung *f*; **~tive** *med.* [~tɪv] **1.** *adj* empfängnisverhütend; **2.** *s* Verhütungsmittel *n*.

con·tract 1. *v/t* [kən'trækt] zusammenziehen; *illness*: sich zuziehen; *debts*: machen; *marriage*, *etc.*: schließen; *v/i* sich zusammenziehen, schrumpfen; *jur.* e-n Vertrag schließen; sich vertraglich verpflichten; **2.** *s* ['kontrækt] Kontrakt *m*, Vertrag *m*; **~trac·tion** [kən'trækʃn] *s* Zusammenziehung *f*; *gr.* Kurzform *f*; **~trac·tor** [~tə] *s a.* **building ~** Bauunternehmer *m*.

con·tra|dict [kontrə'dɪkt] *v/t* widersprechen (*dat*); **~dic·tion** [~kʃn] *s* Widerspruch *m*; **~dic·to·ry** [~tərɪ] *adj* □ (sich) widersprechend.

con·tra·ry ['kontrərɪ] **1.** *adj* □ entgegengesetzt; widrig; **~ to** im Gegensatz zu; **~ to expectations** wider Erwarten; **2.** *s* Gegenteil *n*; **on the ~** im Gegenteil.

con·trast 1. *s* ['kontrɑːst] Gegensatz *m*; Kontrast *m*. **2.** [kən'trɑːst] *v/t* gegenüberstellen, vergleichen; *v/i* sich unterscheiden, abstechen (**with** von).

con|trib·ute [kən'trɪbjuːt] *v/t and v/i* beitragen, -steuern; spenden (**to** für); **~tri·bu·tion** [kontrɪ'bjuːʃn] *s* Beitrag *m*; Spende *f*; **~trib·u·tor** [kən'trɪbjʊtə] *s to newspaper*, *book*, *etc.*: Mitarbeiter(in).

con|trite ['kontraɪt] *adj* □ zerknirscht; **~tri·tion** [kən'trɪʃn] *s* Zerknirschung *f*.

con|triv·ance [kən'traɪvəns] *s* Vorrichtung *f*; Plan *m*, List *f*; **~trive** [kən'traɪv] *v/t* ersinnen, (sich) ausdenken, planen; zustande bringen; es fertigbringen (**to** *inf* zu *inf*); **~trived** *adj story*, *etc.*: konstruiert; *behaviour*, *etc.*: gekünstelt.

con·trol [kən'trəʊl] **1.** *s* Kontrolle *f*, Herrschaft *f*, Macht *f*, Gewalt *f*, Beherrschung *f*; Aufsicht *f*; *tech.* Steuerung *f*; *mst* **~s** *pl tech.* Steuervorrichtung *f*; *lose* **~** die Herrschaft *or* Gewalt *or* Kontrolle verlieren; **2.** *v/t* (**-ll-**) beherrschen, die Kontrolle haben über (*acc*); (erfolgreich) bekämpfen; kontrollieren, überwachen; *econ.* (staatlich) lenken, *prices*: binden; *electr.*, *tech.* steuern, regeln, regulieren; **~ desk** *s electr.* Schalt-, Steuerpult *n*; **~ pan·el** *s electr.* Schalttafel *f*; **~ tow·er** *s aer.* Kontrollturm *m*, Tower *m*.

con·tro·ver|sial [kontrə'vɜːʃl] *adj* □ umstritten; **~sy** ['kontrəvɜːsɪ] *s* Kontroverse *f*, Streit *m*.

con|tuse *med.* [kən'tjuːz] *v/t* sich *et.*

quetschen *or* prellen; **~tu·sion** *med.* [kən'tjuːʒn] *s* Quetschung *f*.

con·ur·ba·tion [kɒnɜː'beɪʃn] *s* Ballungsraum *m*, -gebiet *n*.

con·va|lesce [kɒnvə'les] *v/i* gesund werden, genesen; **~·les·cence** [~ns] *s* Rekonvaleszenz *f*, Genesung *f*; **~·les·cent** [~t] **1.** *adj* □ genesend; **2.** *s* Rekonvaleszent(in), Genesende(r *m*) *f*.

con·vene [kən'viːn] *v/i* sich versammeln; *of parliament, etc.*: zusammentreten; *v/t* einberufen.

con·ve·ni·ence [kən'viːnɪəns] *s* Bequemlichkeit *f*; Angemessenheit *f*; Vorteil *m*; (*public*) → *Br.* (öffentliche) Toilette; *all* (*modern*) ~s *pl* aller Komfort; *at your earliest* ~ möglichst bald; ~ *food* Fertignahrung *f*, Schnellgericht *n*; **~·ent** *adj* □ bequem; günstig.

con·vent ['kɒnvənt] *s* (Nonnen)Kloster *n*; *enter a* ~ ins Kloster gehen.

con·ven·tion [kən'venʃn] *s* Versammlung *f*; Konvention *f*, Übereinkommen *n*, Abkommen *n*; Sitte *f*; **~·al** *adj* □ herkömmlich, konventionell (*a. mil.*).

con·verge [kən'vɜːdʒ] *v/i* konvergieren, zusammenlaufen, -strömen.

con·ver·sa·tion [kɒnvə'seɪʃn] *s* Gespräch *n*, Unterhaltung *f*, Konversation *f*; **~·al** *adj* □ Unterhaltungs...; umgangssprachlich.

con·verse 1. *adj* □ ['kɒnvɜːs] umgekehrt; **2.** *v/i* [kən'vɜːs] sich unterhalten.

con·ver·sion [kən'vɜːʃn] *s* Um-, Verwandlung *f*; *econ., tech.* Umstellung *f*; *tech.* Umbau *m*; *electr.* Umformung *f*; *eccl.* Konversion *f*; *pol.* Übertritt *m*; *econ.* Konvertierung *f*; *of currency*: Umstellung *f*.

con|vert 1. *s* ['kɒnvɜːt] Bekehrte(r *m*) *f*, *eccl. a.* Konvertit(in); **2.** *v/t* [kən'vɜːt] (*a. v/i* sich) um- *or* verwandeln; *econ., tech.* umstellen (*to* auf *acc*); *tech.* umbauen (*into* zu); *electr.* umformen; *eccl.* bekehren; *econ.* konvertieren, umwandeln; *currency, etc.*: umstellen; **~·vert·er** *s electr.* [~ə] *s* Umformer *m*; **~·ver·ti·ble 1.** *adj* □ um-, verwandelbar; *econ.* konvertierbar; **2.** *s mot.* Kabrio(lett) *n*.

con·vey [kən'veɪ] *v/t* befördern, transportieren, bringen; überbringen, -mitteln; übertragen; mitteilen; **~·ance** *s* Beförderung *f*, Transport *m*; Übermittlung *f*; Verkehrsmittel *n*; *jur.* Übertragung *f*; **~·er**, **~·or** *tech.* [~ə] → **~·er belt** *s* Förderband *n*; Fließband *n*.

con|vict 1. *s* ['kɒnvɪkt] Strafgefangene(r *m*), Sträfling *m*; **2.** *v/t* [kən'vɪkt] *jur. j-n* überführen; **~·vic·tion** [~kʃn] *s jur.* Verurteilung *f*; Überzeugung *f*.

con·vince [kən'vɪns] *v/t* überzeugen.

con·voy ['kɒnvɔɪ] **1.** *s mar.* Geleitzug *m*, Konvoi *m*; (Wagen)Kolonne *f*; (Geleit)Schutz *m*; **2.** *v/t* Geleitschutz geben (*dat*), eskortieren.

con·vul|sion *med.* [kən'vʌlʃn] *s* Zuckung *f*, Krampf *m*; **~·sive** *adj* □ krampfhaft, -artig, konvulsiv.

cook [kʊk] **1.** *s* Koch *m*; Köchin *f*; **2.** *v/t* kochen (*a. v/i*); *F report, accounts, etc.*: frisieren; ~ *up* F sich ausdenken, erfinden; F ~ *s.o.'s goose* j-m alles verderben; **~·book** *s Am.* Kochbuch *n*; **~·er** *s Br.* Ofen *m*, Herd *m*; **~·e·ry** *s* Kochen *n*; Kochkunst *f*; ~ *book Br.* Kochbuch *n*; **~·ie** *s Am.* (süßer) Keks, Plätzchen *n*; **~·ing** *s*: *French* ~ französische Küche; **~·y** *s Am.* → **cookie**.

cool [kuːl] **1.** *adj* □ kühl; *fig.* kaltblütig, gelassen; unverfroren; *esp. Am.* F klasse, prima, cool; **2.** *s* Kühle *f*; F (Selbst-)Beherrschung *f*; **3.** *v/t and v/i* (sich) abkühlen; ~ *down*, ~ *off* sich beruhigen.

cool·ant ['kuːlənt] *s* Kühlwasser *n*, Kühlflüssigkeit *f*; **~·head·ed** *adj* □ kühl (und) besonnen; **~·ing-off pe·ri·od** *s econ. during industrial dispute*: Schlichtungsstadium *n mit* Friedenspflicht; *after signing a contract*: Rücktrittsfrist *f*.

coop [kuːp] **1.** *s* Hühnerstall *m*; **2.** *v/t*: ~ *up*, ~ *in* einsperren, -pferchen.

co-op F ['kəʊɒp] *s shop*: Co-op *m*, Konsumladen *m*; *society*: Genossenschaft *f*.

co(·)op·e·rate [kəʊ'ɒpəreɪt] *v/i* mitwirken; zusammenarbeiten; kooperieren; **~·ra·tion** [~'reɪʃn] *s* Mitwirkung *f*; Zusammenarbeit *f*, Kooperation *f*; **~·ra·tive** [kəʊ'ɒpərətɪv] **1.** *adj* □ kooperativ, hilfsbereit; **2.** *s a.* ~ *society* Genossenschaft *f*; Co-op *m*, Konsumverein *m*; *a.* ~ *store* Co-op *m*, Konsumladen *m*.

co(·)or·di|nate 1. *adj* □ [kəʊ'ɔːdɪnət] koordiniert; **2.** *v/t* [~neɪt] koordinieren, aufeinander abstimmen; **~·na·tion** [~'neɪʃn] *s* Koordination *f*; harmonisches Zusammenspiel.

cop F [kɒp] s Bulle m (*policeman*).

co·part·ner [kəʊ'pɑ:tnə] s econ. Teilhaber m.

cope [kəʊp] v/i: **~ with** gewachsen sein (*dat*), fertigwerden mit.

cop·i·er ['kɒpɪə] s Kopiergerät n, Kopierer m.

co-pi·lot aer. ['kəʊpaɪlət] s Kopilot(in).

cop·per¹ ['kɒpə] **1.** s min. Kupfer n; Kupfermünze f; **2.** adj kupfern, Kupfer...

cop·per² F [~] s Bulle m (*policeman*).

cop·y ['kɒpɪ] **1.** s Kopie f; Abschrift f; Nachbildung f; Durchschlag m; Muster n; of book: Exemplar n; of newspaper: Nummer f; druckfertiges Manuskript; *fair or clean* ~ Reinschrift f; **2.** v/t kopieren; abschreiben; *computer*: (*data*) übertragen; nachbilden; nachahmen; **~·book** s Schreibheft n; **~·pro·tect·ed** adj computer: kopiergeschützt (*disk*); **~·pro·tec·tion** s computer: Kopierschutz m; **~·right** s Urheberrecht n, Copyright n; *protected by* ~ urheberrechtlich geschützt; **~·writ·er** s Werbetexter(in).

cor·al zo. ['kɒrəl] s Koralle f.

cord [kɔ:d] **1.** s Schnur f, Strick m; anat. Band n, Schnur f, Strang m; (*a pair of*) **~s** pl (e-e) Kordhose; **2.** v/t (zu)schnüren, binden.

cor·di·al ['kɔ:dɪəl] **1.** adj □ herzlich; med. stärkend; **2.** s belebendes Mittel, Stärkungsmittel n; Fruchtsaftkonzentrat n; Likör m; **~·i·ty** [kɔ:dɪ'ælɪtɪ] s Herzlichkeit f.

cor·don [kɔ:dn] **1.** s Kordon m, Postenkette f; **2.** v/t: ~ *off* abriegeln, absperren.

cor·du·roy ['kɔ:dərɔɪ] s Kord(samt) m; (*a pair of*) **~s** pl (e-e) Kordhose.

core [kɔ:] **1.** s Kerngehäuse n; fig. Herz n, Mark n, Kern m; **2.** v/t entkernen.

cork [kɔ:k] **1.** s Kork m; stopper: Korken m; **2.** v/t a. ~ *up* zu-, verkorken; **~·screw** ['~skru:] s Korkenzieher m.

corn [kɔ:n] **1.** s (Samen-, Getreide)Korn n; Getreide n; a. **Indian** ~ Am. Mais m; med. Hühnerauge n; **2.** v/t (ein)pökeln.

cor·ner ['kɔ:nə] **1.** s Ecke f; Winkel m; Kurve f; soccer, etc.: Eckball m, Ecke f; fig. schwierige Lage, Klemme f, Enge f; **2.** adj Eck...; **~·kick** soccer: Eckstoß m; **3.** v/t in die Ecke (fig. Enge) treiben;

econ. aufkaufen; **...·~ed** ...eckig; ~ **shop** s Tante-Emma-Laden m.

cor·net ['kɔ:nɪt] s mus. Kornett n; Br. Eistüte f.

cor·o·na·tion [kɒrə'neɪʃn] s Krönung f.

cor·o·ner jur. ['kɒrənə] s appr. Untersuchungsrichter(in).

cor·po·ral ['kɔ:pərəl] **1.** adj □ körperlich; ~ *punishment* Prügelstrafe f; **2.** s mil. Unteroffizier m

cor·po·ra·tion [kɔ:pə'reɪʃn] s Körperschaft f; of town: Stadtverwaltung f; Am. Aktiengesellschaft f.

corpse [kɔ:ps] s Leichnam m, Leiche f.

cor·pu·lence, ~·len·cy ['kɔ:pjʊləns, ~sɪ] s Korpulenz f; ~·lent [~l] adj □ korpulent.

cor·ral [kɔ:'rɑ:l, Am. kə'ræl] **1.** s Korral m, Hürde f, Pferch m; **2.** v/t (*-ll-*) cattle: in e-n Pferch treiben.

cor·rect [kə'rekt] **1.** adj □ korrekt, richtig; **2.** v/t korrigieren; zurechtweisen; strafen; ~·ed [kʃn] s Berichtigung f; Korrektur f; ~ *of proofs* Korrekturlesen n.

cor·re·spond [kɒrɪ'spɒnd] v/i entsprechen (*with, to* dat), sich decken; korrespondieren; **~·spon·dence** s Übereinstimmung f; Korrespondenz f, Briefwechsel m; ~ *course* Fernkurs m; **~·spon·dent** [~t] **1.** adj □ entsprechend; **2.** s Briefpartner(in); Korrespondent(in); **~·spon·ding** adj □ entsprechend.

cor·ri·dor ['kɒrɪdɔ:] s Korridor m, Gang m.

cor·rob·o·rate [kə'rɒbəreɪt] v/t bekräftigen, bestätigen.

cor·rode [kə'rəʊd] v/t zerfressen; tech. korrodieren (a. v/i); **~·ro·sion** [~ʒn] s Zerfressen n; tech. Korrosion f; Rost m; **~·ro·sive** [~sɪv] **1.** adj □ zerfressend, ätzend; **2.** s Korrosions-, Ätzmittel n.

cor·rupt [kə'rʌpt] **1.** adj □ verdorben; korrupt, bestechlich, käuflich; **2.** v/t verderben; bestechen; v/i verderben; **~·rupt·i·ble** adj □ verderblich; korrupt, bestechlich, käuflich; **~·rup·tion** [~pʃn] s Verdorbenheit f, Verworfenheit f; Korruption f, Bestechlichkeit f; Verfälschung f; decay: Fäulnis f.

cor·set ['kɔ:sɪt] s Korsett n.

cos·met·ic [kɒz'metɪk] **1.** adj (*~ally*) kosmetisch; ~ *surgery* Schönheitschirurgie f; **2.** s mst **~s** pl Kosmetika pl, Schönheitspflegemittel pl; **~me·ti·cian** [kɒzmə'tiʃn] s Kosmetiker(in).

cos·mo·naut ['kɒzmənɔːt] s Kosmonaut(in).

cos·mo·pol·i·tan [kɒzmə'pɒlitən] **1.** adj kosmopolitisch; **2.** s Weltbürger(in).

cost [kɒst] **1.** s Preis m; Kosten pl; Schaden m; **~·conscious** kostenbewußt; **~·cutting** kostendämpfend; **~ of living** Lebenshaltungskosten pl; **~ price** econ. Selbstkostenpreis m; **2.** v/i (**cost**) kosten; **~·ly** adj (**-ier, -iest**) kostspielig; teuer erkauft.

cos·tume ['kɒstjuːm] s Kostüm n, Kleidung f, Tracht f; **~ jewellery** Modeschmuck m.

co·sy ['kəʊzi] **1.** adj □ (**-ier, -iest**) behaglich, gemütlich; **2.** → **egg-cosy, tea-cosy**.

cot [kɒt] s Feldbett n; Br. Kinderbett n; **~ death** plötzlicher Kindstod.

cot|tage ['kɒtidʒ] s Cottage n, (kleines) Landhaus; Am. Ferienhaus n, -häuschen n; **~ cheese** Hüttenkäse m; **~·tag·er** [**~ə**] s Cottagebewohner(in); Am. Urlauber(in) in e-m Ferienhaus.

cot·ton ['kɒtn] **1.** s Baumwolle f, Baumwollstoff m; (Baumwoll)Garn m, (-)Zwirn m; **2.** adj baumwollen, Baumwoll...; **3.** v/i: **~ on to** F et. kapieren, verstehen; **~ wool** s Br. Watte f.

couch [kaʊtʃ] **1.** s Couch f, Sofa n; Liege f; **2.** v/t (ab)fassen, formulieren.

cou·chette rail. [kuː'ʃet] s Liegewagenplatz m; a. **~ coach** Liegewagen m.

cou·gar zo. ['kuːgə] s Puma m.

cough [kɒf] **1.** s Husten m; **2.** v/i husten.

could [kʊd] pret of **can¹**.

coun|cil ['kaʊnsl] s Rat(sversammlung f) m; **~ house** Br. gemeindeeigenes Wohnhaus (mit niedrigen Mieten); **~ housing** appr. sozialer Wohnungsbau; **♀ of Europe** pol. Europarat m; **~·ci(l)·lor** [**~sələ**] s Ratsmitglied n, Stadtrat m, Stadträtin f.

coun|sel ['kaʊnsl] **1.** s Beratung f; Rat(schlag) m; Br. jur. (Rechts)Anwalt m; **~ for the defence** (Am. **defense**) Verteidiger(in); **~ for the prosecution** Anklagevertreter(in); **2.** v/t (esp. Br. **-ll-,** Am. **-l-**) j-n beraten; j-m raten; **~·se(l)·lor** [**~sələ**] s Berater m; a. **~·at·law** Am. jur. (Rechts)Anwalt m.

count¹ [kaʊnt] s Graf m.

count² [**~**] **1.** s Rechnung f, Zählung f; jur. Anklagepunkt m; **2.** v/t zählen; aus-, berechnen; fig. halten für; **~ down** money: hinzählen; v/i zählen; rechnen; (**on, upon**) zählen, sich verlassen (auf acc); gelten (**for little** wenig); **~ down** space travel: den Countdown durchführen, letzte (Start)Vorbereitungen treffen; **~·down** ['**~**daʊn] s space travel: Countdown m (a. fig.), letzte (Start-) Vorbereitungen pl.

coun·te·nance ['kaʊntinəns] s Gesichtsausdruck m; Fassung f.

count·er¹ ['kaʊntə] s Zähler m; Zählgerät n; Br. Spielmarke f.

coun·ter² [**~**] s Ladentisch m; Theke f; (Bank-, Post)Schalter m.

coun·ter³ [**~**] **1.** adj (ent)gegen, Gegen...; **2.** v/t entgegentreten (dat), entgegnen (dat), bekämpfen; abwehren.

coun·ter·act [kaʊntər'ækt] v/t entgegenwirken (dat); neutralisieren; bekämpfen.

coun·ter·bal·ance 1. s ['kaʊntəbæləns] Gegengewicht n; **2.** v/t [kaʊntə'bæləns] aufwiegen, ausgleichen.

coun·ter·clock·wise Am. [kaʊntə'klɒkwaɪz] → **anticlockwise**.

coun·ter·es·pi·o·nage [kaʊntər'espiənɑːʒ] s Spionageabwehr f.

coun·ter·feit ['kaʊntəfit] **1.** adj □ nachgemacht, falsch, unecht; **2.** s Fälschung f; Falschgeld n; **3.** v/t money, signature, etc.: fälschen.

coun·ter·foil ['kaʊntəfɔɪl] s Kontrollabschnitt m; **~·in·fla·tion·a·ry** [**~**ɪn'fleɪʃənəri] adj econ. antiinflationär, Antiinflations...; **~·mand** [**~**'mɑːnd] v/t order, etc: widerrufen; goods: abbestellen; **~·pane** ['**~**peɪn] → **bedspread**; **~·part** ['**~**pɑːt] s Gegenstück n; genaue Entsprechung f; **~·sign** ['**~**saɪn] v/t gegenzeichnen, mit unterschreiben.

coun·tess ['kaʊntis] s Gräfin f.

count·less ['kaʊntlis] adj zahllos.

coun·try ['kʌntri] **1.** s Land n; Gegend f; Heimatland n; **2.** adj Land..., ländlich; **~·man** s Landbewohner m; Bauer m; a. **fellow ~** Landsmann m; **~ road** s Landstraße f; **~·side** s (ländliche) Gegend; Landschaft f; **~·wom·an** s Landbewohnerin f; Bäuerin f; a. **fellow ~** Landsmännin f.

coun·ty ['kaʊntɪ] *s Br.* Grafschaft *f; Am.* (Land)Kreis *m;* ~ **seat** *s Am.* Kreis-(haupt)stadt *f;* ~ **town** *s Br.* Grafschaftshauptstadt *f.*

coup [kuː] *s* Coup *m;* Putsch *m;* ~ **de grâce** Gnadenstoß *m,* -schuß *m;* ~ **d'état** Staatsstreich *m.*

cou·ple ['kʌpl] **1.** *s* Paar *n;* **a** ~ **of** Ein paar; **2.** *v/t* (zusammen)koppeln; *tech.* kuppeln; *v/i zo.* sich paaren.

coup·ling *tech.* ['kʌplɪŋ] *s* Kupplung *f.*

cou·pon ['kuːpɒn] *s* Gutschein *m;* Kupon *m,* Bestellzettel *m.*

cour·age ['kʌrɪdʒ] *s* Mut *m;* **cou·ra·geous** [kə'reɪdʒəs] *adj* mutig, beherzt.

cou·ri·er ['kʊrɪə] *s* Kurier *m,* Eilbote *m;* Reiseleiter *m.*

course [kɔːs] **1.** *s* Lauf *m,* Gang *m;* Weg *m; mar., aer.* Kurs *m (a. fig.); sports:* (Renn)Bahn *f,* (-)Strecke *f, golf:* Platz *m; of meal:* Gang *m;* Reihe *f,* Folge *f;* Kurs *m; med.* Kur *f;* **of** ~ natürlich, selbstverständlich; **2.** *v/t and v/i* hetzen, jagen; *v/i of tears, etc.:* strömen.

court [kɔːt] **1.** *s* Hof *m (a. of monarch);* kleiner Platz; *sports:* Platz *m,* (Spiel-)Feld *n; jur.* Gericht(shof *m) n;* Gerichtssaal *m;* ♀ **of Auditors** Europäischer Rechnungshof; **2.** *v/t j-m* den Hof machen; werben um.

cour·te·ous ['kɜːtjəs] *adj □* höflich; **~sy** [~ɪsɪ] *s* Höflichkeit *f;* Gefälligkeit *f.*

court·house ['kɔːthaʊs] *s* Gerichtsgebäude *n;* **~ly** [~lɪ] *adj* höfisch; höflich; **~mar·tial** *s* Kriegsgericht *n;* **~mar·tial** *v/t (esp. Br. -ll-, Am. -l-)* vor ein Kriegsgericht stellen; **~room** *s* Gerichtssaal *m;* **~yard** *s* Hof *m.*

cous·in ['kʌzn] *s* Cousin *m,* Vetter *m;* Cousine *f,* Kusine *f.*

cove [kəʊv] *s* kleine Bucht.

cov·er ['kʌvə] **1.** *s* Decke *f;* (a. Buch-)Deckel *m;* Einband *m,* Umschlag *m,* Hülle *f;* Schutzhaube *f;* Abdeckhaube *f;* Briefumschlag *m; mil.* Deckung *f;* Schutz *m, insurance:* a. Deckung *f;* Dickicht *n;* Decke *f, of tyre:* Mantel *m; fig.* Deckmantel *m;* **take** ~ in Deckung gehen; **under plain** ~ in neutralem Umschlag; **under separate** ~ mit getrenntter Post; **2.** *v/t* (be-, zu)decken; einschlagen, -wickeln; verbergen, -dekken; schützen; *distance:* zurücklegen; *econ.* decken; *with gun:* zielen auf *(acc);*

umfassen; *fig.* erfassen; *TV, etc.:* berichten über *(acc);* ~ **up** ab-, zudecken; *fig.* verbergen, -heimlichen; *v/i:* ~ **up for s.o.** j-n decken; **~age** [~rɪdʒ] *s TV, etc.:* Berichterstattung *f (of* über *acc);* ~ **girl** *s* Covergirl *n,* Titelblattmädchen *n;* **~ing** *s* Decke *f;* Überzug *m; of floor:* Belag *m;* ~ **sto·ry** *s* Titelgeschichte *f.*

cov·ert ['kʌvət] *adj □* heimlich, versteckt.

cow¹ *zo.* [kaʊ] *s* Kuh *f.*

cow² [~] *v/t* einschüchtern, ducken.

cow·ard ['kaʊəd] **1.** *adj □* feig(e); **2.** *s* Feigling *m;* **~ice** [~ɪs] *s* Feigheit *f;* **~ly** [~lɪ] *adj* feig(e).

cow·boy ['kaʊbɔɪ] *s* Cowboy *m.*

cow·er ['kaʊə] *v/i* kauern; sich ducken.

cow·herd ['kaʊhɜːd] *s* Kuhhirt *m;* **~hide** *s* Rind(s)leder *n.*

cowl [kaʊl] *s* Mönchskutte *f;* Kapuze *f; of chimney:* Schornsteinkappe *f.*

co·work·er [kəʊ'wɜːkə] *s* Kolleg|e *m,* -in *f.*

cow·shed ['kaʊʃed] *s* Kuhstall *m;* **~slip** *s bot.* Schlüsselblume *f; Am.* Sumpfdotterblume *f.*

cox [kɒks], **cox·swain** ['kɒksweɪn, *mar. mst* 'kɒksn] *s* Bootsführer *m; rowing:* Steuermann *m.*

coy·ote *zo.* ['kɔɪəʊt, kɔɪ'əʊtɪ] *s* Kojote *m,* Präriewolf *m.*

co·zy *Am.* ['kəʊzɪ] *adj □ (-ier, -iest) →* **cosy.**

crab [kræb] *s* Krabbe *f,* Taschenkrebs *m;* F Nörgler(in).

crack [kræk] **1.** *s* Krach *m,* Knall *m;* Spalte *f,* Spalt *m,* Schlitz *m;* F derber Schlag; F Versuch *m;* F Witz *m;* **2.** *adj* F erstklassig; **3.** *v/t* knallen mit, knacken lassen; zerbrechen, (zer)sprengen; schlagen, hauen; (auf)knacken; ~ **a joke** e-n Witz reißen; *v/i* krachen, knallen, knacken; (zer)springen, (-)platzen; *of voice:* überschlagen; *a.* ~ **up** *fig.* zusammenbrechen; **get** ~**ing** F loslegen; **~er** *s* Cracker *m,* Kräcker *m;* **fire** ~: Schwärmer *m,* Frosch *m;* **~le** [~kl] *v/i* knattern, knistern, krachen.

cra·dle ['kreɪdl] **1.** *s* Wiege *f; fig.* Kindheit *f;* **2.** *v/t* wiegen; betten.

craft¹ [krɑːft] *s mar.* Boot(e *pl) n,* Schiff(e *pl) n; aer.* Flugzeug(e *pl) n;* (Welt-)Raumfahrzeug(e *pl) n.*

craft² [~] *s* Handwerk *n,* Gewerbe *n;*

Schlauheit f, List f; **~s·man** ['krɑːftsmən] s (Kunst)Handwerker m; **~y** adj □ (-ier, -iest) gerissen, listig, schlau.

crag [kræg] s Klippe f, Felsenspitze f.

cram [kræm] v/t (-mm-) (voll)stopfen, mästen; **the train was ~med** der Zug war gerammelt voll; v/i for an exam: pauken.

cramp [kræmp] **1.** s med. Krampf m; tech. Klammer f; fig. Fessel f; **2.** v/t einengen, hemmen.

cran·ber·ry bot. ['krænbəri] s Preiselbeere f.

crane [kreɪn] **1.** s zo. Kranich m; tech. Kran m; **2.** v/i den Hals recken; v/t: ~ **one's neck** sich den Hals verrenken (for nach).

crank [kræŋk] **1.** s tech. Kurbel f. F Spinner m, komischer Kauz; **2.** v/t (an)kurbeln; **~·shaft** tech. ['~ʃɑːft] s Kurbelwelle f; **~·y** [~ɪ] adj □ (-ier, -iest) wacklig; verschroben; Am. schlechtgelaunt.

cran·ny ['krænɪ] s Riß m, Ritze f.

crap V [kræp] **1.** s V Scheiße f; **2.** v/i V scheißen.

crape [kreɪp] s Krepp m, Flor m.

crash [kræʃ] **1.** s Krach(en n) m; Unfall m, Zusammenstoß m; aer., a. of computer: Absturz m; esp. econ. Zusammenbruch m, (Börsen)Krach m; **2.** v/t zertrümmern; e-n Unfall haben mit; aer. abstürzen mit; v/i (krachend) zerbersten, -brechen; krachend einstürzen, zusammenkrachen; esp. econ. zusammenbrechen; krachen (**against**, **into** gegen); mot. zusammenstoßen, verunglücken; aer., a. computer: abstürzen; ~ **bar·ri·er** s Leitplanke f; ~ **course** s Schnell-, Intensivkurs m; ~ **di·et** s radikale Schlankheitskur; **~·hel·met** s Sturzhelm m; **~·land** v/i and v/t aer. Bruchlandung machen (mit); **~·land·ing** s Bruchlandung f; ~ **pro·gram(me)** s pol., etc.: Sofortprogramm n.

crate [kreɪt] s (Latten)Kiste f.

cra·ter ['kreɪtə] s Krater m; Trichter m.

crave [kreɪv] v/t dringend bitten or flehen um; v/i sich sehnen (for nach); **crav·ing** ['~ɪŋ] s heftiges Verlangen.

craw·fish zo. ['krɔːfɪʃ] s Flußkrebs m.

crawl [krɔːl] **1.** s Kriechen n; **2.** v/i kriechen; schleichen; wimmeln; kribbeln; swimming: kraulen.

cray·fish zo. ['kreɪfɪʃ] s Flußkrebs m.

cray·on ['kreɪən] s Zeichenstift m, Pastellstift m.

craze [kreɪz] s Verrücktheit f, F Fimmel m; **be the ~** Mode sein; **cra·zy** ['kreɪzɪ] adj □ (-ier, -iest) verrückt (**about** nach).

creak [kriːk] v/i knarren, quietschen.

cream [kriːm] **1.** s Rahm m, Sahne f; Creme f; Auslese f, das Beste; **2.** v/t a. ~ **off** den Rahm abschöpfen von, absahnen (a. fig.); **~·er·y** ['kriːməri] s Molkerei f; Milchgeschäft n; **~·y** [~ɪ] adj □ (-ier, -iest) sahnig; weich.

crease [kriːs] **1.** s (Bügel)Falte f; **2.** v/t and v/i (zer)knittern.

cre·ate [kriːˈeɪt] v/t (er)schaffen; hervorrufen; verursachen; kreieren; **~·a·tion** [~ˈeɪʃn] s (Er)Schaffung f; Erzeugung f; Schöpfung f; **~·a·tive** [~ˈeɪtɪv] adj □ schöpferisch; **~·a·tiv·i·ty** [kriːeɪˈtɪvɪtɪ] s Kreativität f; **~·a·tor** [~ə] s Schöpfer m; (Er)Schaffer m; **crea·ture** ['kriːtʃə] s Geschöpf n; Kreatur f.

crèche [kreɪʃ] s (Kinder)Krippe f.

cre·dence ['kriːdəns] s Glaube m; **~·den·tials** [krɪˈdenʃlz] s pl Beglaubigungsschreiben n; Referenzen pl; Zeugnisse pl; (Ausweis)Papiere pl.

cred·i·bil·i·ty [kredɪˈbɪlɪtɪ] s Glaubwürdigkeit f; **~·ble** ['kredəbl] adj □ glaubwürdig; glaubhaft.

cred·it ['kredɪt] **1.** s Glaube(n) m; Ruf m; Ansehen n; Verdienst n; econ. Guthaben n; econ. Kredit m; univ. appr. (Seminar)Schein m; ~ **card** econ. Kreditkarte f; **2.** v/t j-m glauben; j-m trauen; econ. gutschreiben; ~ **s.o. with s.th.** j-m et. zutrauen; j-m et. zuschreiben; **~·i·ta·ble** adj □ achtbar, ehrenvoll (**to** für); **~·i·tor** s Gläubiger m; **~·u·lous** [~jʊləs] adj □ leichtgläubig.

creed [kriːd] s Glaubensbekenntnis n.

creek [kriːk] s Br. kleine Bucht; Am. Bach m.

creel [kriːl] s Fischkorb m.

creep [kriːp] **1.** v/i (crept) kriechen; schleichen (a. fig.); ~ **in** (sich) hinein- or hereinschleichen; mistake, etc.: sich einschleichen; **it makes my flesh ~** ich bekomme e-e Gänsehaut davon; **2.** s sl. Widerling m, fieser Typ; F **the sight gave me the ~s** bei dem Anblick bekam ich e-e Gänsehaut or das kalte

Grausen; **~er** s bot. Kriech-, Kletterpflanze f; **~y** adj unheimlich, gruselig.

crept [krept] pret and pp of **creep** 1.

cres·cent ['kresnt] 1. adj zunehmend; halbmondförmig; 2. s Halbmond m.

cress bot. [kres] s Kresse f.

crest [krest] s of hill: Kamm m; of helmet: Federbusch m; **family ~** heraldry: Familienwappen n; **~fal·len** ['~fɔ:lən] adj niedergeschlagen.

cre·vasse [krɪ'væs] s (Gletscher)Spalte f; Am. Deichbruch m.

crev·ice ['krevɪs] s Riß m, Spalte f.

crew[1] [kru:] s mar., aer. Besatzung f, mar. a. Mannschaft f; (Arbeits)Gruppe f; Belegschaft f.

crew[2] [~] pret of **crow** 3.

crib [krɪb] s Krippe f; Am. Kinderbett n; F school: Spickzettel m; 2. v/t and v/i (-bb-) F abschreiben, spicken.

crick [krɪk] s: **a ~ in one's back (neck)** ein steifer Rücken (Hals).

crick·et ['krɪkɪt] s zo. Grille f; sports: Kricket n; dated: **not ~** F nicht fair.

crime [kraɪm] s jur. Verbrechen n, Straftat f; coll. Verbrechen pl; **~ novel** Kriminalroman m.

crim·i·nal ['krɪmɪnl] 1. adj □ verbrecherisch, kriminell (a. fig.); Kriminal..., Straf...; ♀ **Investigation Department** (abbr. **CID**) Br. Kriminalpolizei f; 2. s Verbrecher(in), Kriminelle(r m) f.

cringe [krɪndʒ] v/i sich ducken.

crin·kle ['krɪŋkl] 1. s Falte f, in face: Fältchen n; 2. v/t and v/i (sich) kräuseln; knittern.

crip·ple ['krɪpl] 1. s Krüppel m; 2. v/t zum Krüppel machen; fig. lähmen.

cri·sis ['kraɪsɪs] s (pl **-ses** [-si:z]) Krise f.

crisp [krɪsp] 1. adj □ kraus; knusp(e)rig, biscuits, etc.: mürbe; bracing: frisch; style: klar; 2. v/t and v/i (sich) kräuseln; knusp(e)rig machen or werden; 3. s: **~s** pl, a. **potato ~s** pl Br. (Kartoffel)Chips pl; **~bread** ['~bred] s Knäckebrot n.

criss·cross ['krɪskrɒs] 1. s Muster n sich schneidender Linien, Kreuzundquer n; 2. v/t (durch)kreuzen.

cri·te·ri·on [kraɪ'tɪərɪən] s (pl **-ria** [-rɪə], **-rions**) Kriterium n.

crit·ic ['krɪtɪk] s Kritiker(in); **~i·cal** [~kl] adj □ kritisch; bedenklich; **~i·cis·m** [~ɪsɪzəm] s Kritik f (**of** an dat); **~i·cize** [~saɪz] v/t kritisieren; kritisch beurtei-

len; tadeln; **cri·tique** [krɪ'ti:k] s kritischer Essay, Kritik f.

croak [krəʊk] v/i krächzen; quaken.

cro·chet ['krəʊʃeɪ] 1. s Häkelei f; Häkelarbeit f; 2. v/t and v/i häkeln.

crock·e·ry ['krɒkərɪ] s Steingut n.

croc·o·dile zo. ['krɒkədaɪl] s Krokodil n.

crook [krʊk] 1. s Krümmung f; Haken m; Hirtenstab m; F Gauner m; 2. v/t and v/i (sich) krümmen or (ver)biegen; **~ed** ['krʊkɪd] adj krumm; bucklig; F unehrlich; [krʊkt] Krück...

croon [kru:n] v/t and v/i schmalzig singen; summen; **~er** s Schnulzensänger(in).

crop [krɒp] 1. s zo. Kropf m; Peitschenstiel m; Reitpeitsche f; (Feld)Frucht f, esp. Getreide n; Ernte f; kurzer Haarschnitt; 2. (-pp-) v/t abfressen, abweiden; hair: kurz schneiden; v/i: **~ up** fig. plötzlich auftauchen.

cross [krɒs] 1. s Kreuz n (a. fig.: sorrow, etc.); Kreuzung f; 2. adj □ quer (liegend, laufend etc.); angry: ärgerlich, böse; entgegengesetzt; Kreuz..., Quer...; 3. v/t kreuzen; überqueren; fig. durchkreuzen; j-m in die Quere kommen; **~ off, ~ out** aus-, durchstreichen; **o.s.** sich bekreuzigen; **keep one's fingers ~ed** den Daumen halten; v/i sich kreuzen; **~bar** ['~bɑ:] s soccer: (Tor)Latte f; **~bor·der** adj grenzüberschreitend; **~breed** s biol. Kreuzung f; **~coun·try** adj Querfeldein..., Gelände...; **~ skiing** Skilanglauf m; **~ex·am·i·na·tion** s Kreuzverhör n; **~ex·am·ine** v/t ins Kreuzverhör nehmen; **~eyed** adj schielend; **be ~** schielen; **~ing** s Kreuzung f; Übergang m; mar. Überfahrt f; **~road** s Querstraße f; **~roads** s pl or sg Straßenkreuzung f; fig. Scheideweg m; **~sec·tion** s Querschnitt m; **~walk** s Am. Fußgängerüberweg m; **~wise** adv quer, kreuzweise; **~word** (puz·zle) s Kreuzworträtsel n.

crotch [krɒtʃ] s of trousers: Schritt m.

crotch·et ['krɒtʃɪt] s Haken m; esp. Br. mus. Viertelnote f.

crouch [kraʊtʃ] 1. v/i sich ducken; 2. s Hockstellung f.

crow [krəʊ] 1. s zo. Krähe f; Krähen n; 2. v/i (**crowed** or **crew, crowed**) krähen; (**crowed**) F prahlen (**about** mit).

crow·bar ['krəʊbɑ:] s Brecheisen n.

crowd [kraʊd] **1.** s Masse f, Menge f, Gedränge n; F Bande f; **2.** v/i sich drängen; v/t streets, etc.: bevölkern; vollstopfen; **~ed** [ˈ~ɪd] adj überfüllt, voll.

crown [kraʊn] **1.** s Krone f; Kranz m; Gipfel m; Scheitel m; **2.** v/t krönen; tooth: überkronen; **to ~ it all** zu allem Überfluß.

cru·cial [ˈkruːʃl] adj □ entscheidend, kritisch.

cru·ci|fix [ˈkruːsɪfɪks] s Kruzifix n; **~fix·ion** [~ˈfɪkʃn] s Kreuzigung f; **~fy** [ˈ~faɪ] v/t kreuzigen.

crude [kruːd] **1.** adj □ roh; unfertig; unreif; unfein; grob; Roh...; grell; **2.** s Rohöl n.

cru·el [krʊəl] adj □ (-ll-) grausam; roh, gefühllos; **~ty** [ˈkrʊəltɪ] s Grausamkeit f; **~ to animals** Tierquälerei f; **~ to children** Kindesmißhandlung f.

cruise [kruːz] mar. **1.** s Kreuzfahrt f, Seereise f; **2.** v/i kreuzen; e-e Kreuzfahrt machen; mit Reisegeschwindigkeit fliegen or fahren; **~ mis·sile** s mil. Marschflugkörper m; **cruis·er** [ˈkruːzə] s mar., mil. Kreuzer m; mar. Jacht f, Kreuzfahrtschiff n.

crumb [krʌm] **1.** s Krume f; Brocken m; **2.** v/t panieren; zerkrümeln; **crum·ble** [ˈkrʌmbl] v/i (zer)bröckeln; fig. zugrunde gehen; v/t zerbröckeln.

crum·ple [ˈkrʌmpl] v/t zerknittern; v/i knittern; zusammengedrückt werden; **~ zone** s mot. Knautschzone f.

crunch [krʌntʃ] v/t (zer)kauen; zermalmen; v/i knirschen.

cru|sade [kruːˈseɪd] s Kreuzzug m (a. fig.); **~sad·er** s hist. Kreuzfahrer m.

crush [krʌʃ] **1.** s Druck m; Gedränge n; (Frucht)Saft m; F Schwärmerei f; F **have a ~ on s.o.** in j-n verliebt or F verknallt sein; **2.** v/t (zer-, aus)quetschen; zermalmen; fig. vernichten; v/i sich drängen; **~bar·ri·er** f [ˈ~bæriə] s Barriere f, Absperrung f.

crust [krʌst] **1.** s Kruste f; Rinde f; **2.** v/i verkrusten; verharschen; **~y** adj □ (-ier, -iest) krustig; fig. mürrisch, barsch.

crutch [krʌtʃ] s Krücke f.

cry [kraɪ] **1.** s Schrei m; Geschrei n; Ruf m; Weinen n; Gebell n; **2.** v/i and v/t schreien; (aus)rufen; weinen; **~ for** verlangen nach; **~ for help** um Hilfe schreien.

crypt [krɪpt] s Gruft f; **cryp·tic** [ˈ~ɪk] adj (**~ally**) verborgen, geheim; rätselhaft.

crys·tal [ˈkrɪstl] s Kristall m; Am. Uhrglas n; **~lize** [~aɪz] v/t and v/i kristallisieren.

cub [kʌb] **1.** s of animal: Junge(s) n; **~ reporter** Neuling m, Anfänger(in); **2.** v/t werfen.

cube [kjuːb] s Würfel m (a. math.); phot. Blitzwürfel m; math. Kubikzahl f; **~ root** math. Kubikwurzel f; **cu·bic** [ˈ~ɪk] (**~ally**), **cu·bi·cal** [ˈ~kl] adj □ würfelförmig, kubisch; Kubik...

cu·bi·cle [ˈkjuːbɪkl] s Kabine f.

cuck·oo zo. [ˈkʊkuː] s Kuckuck m.

cu·cum·ber [ˈkjuːkʌmbə] s Gurke f; **as cool as a ~** fig. eiskalt, gelassen.

cud·dle [ˈkʌdl] **1.** s Liebkosung f, (enge) Umarmung f. **2.** v/t an sich drücken; schmusen mit; v/i schmusen; **~ up to** sich kuscheln an (acc); **cud·dly** adj person: verschmust, schmusig; doll, etc.: knuddelig.

cud·gel [ˈkʌdʒəl] **1.** s Knüppel m; **2.** v/t (esp. Br. -ll-, Am. -l-) prügeln.

cue [kjuː] s billards: Queue n; thea., a. fig.: Stichwort n; Wink m.

cuff [kʌf] **1.** s Manschette f; Handschelle f; (Ärmel-, Am. a. Hosen)Aufschlag m; Klaps m; **2.** v/t j-m e-n Klaps geben; **~link** s Manschettenknopf m.

cui·sine [kwiːˈziːn] s Küche f; **French ~** französische Küche.

cul-de-sac [ˈkʌldəsæk] s Sackgasse f.

cul·mi·nate [ˈkʌlmɪneɪt] v/i gipfeln (**in** in dat).

cu·lottes [kjuːˈlɒts] s pl (**a pair of** ein) Hosenrock m.

cul·prit [ˈkʌlprɪt] s Angeklagte(r m) f; Schuldige(r m) f, Täter(in).

cult [kʌlt] s Kult m (a. fig.).

cul·ti|vate [ˈkʌltɪveɪt] v/t agr. kultivieren, bestellen, an-, bebauen; friendship, etc.: pflegen; **~vat·ed** adj agr. bebaut; fig. gebildet, kultiviert; **~va·tion** [kʌltɪˈveɪʃn] s agr. Kultivierung f, (An-, Acker)Bau m; fig. Pflege f.

cul·tu·ral [ˈkʌltʃərəl] adj □ kulturell; Kultur...; **~ activities** pl Kulturangebot n, -betrieb m.

cul·ture [ˈkʌltʃə] s Kultur f; Zucht f; **~d**

adj kultiviert (*a. fig.*); Zucht...; **~ shock** *s* Kulturschock *m.*

cum·ber·some ['kʌmbəsəm] *adj* lästig, hinderlich; klobig.

cu·mu·la·tive [kə:mjʊlətɪv] *adj* □ sich (an)häufend, anwachsend; kumulativ.

cun·ning ['kʌnɪŋ] **1.** *adj* □ schlau, listig, gerissen; geschickt; *Am.* niedlich; **2.** *s* List *f*, Schlauheit *f*, Gerissenheit *f.*

cup [kʌp] **1.** *s* Tasse *f*; Becher *m*; Schale *f*; Kelch *m*; *sports:* Cup *m*, Pokal *m*; **~ final** Pokalendspiel *n*; **~ tie** Pokalspiel *n*; **~ winner** Pokalsieger *m*; **2.** *v/t* (**-pp-**) *hands:* hohl machen; **she ~ped her chin in her hand** sie stützte das Kinn in die Hand; **~·board** ['kʌbəd] *s* (Geschirr-, Speise-, *Br.-a.* Wäsche-, Kleider)Schrank *m*; **~ bed** Schrankbett *n.*

cu·pid·i·ty [kju:'pɪdətɪ] *s* Habgier *f.*

cu·ra·ble ['kjʊərəbl] *adj* heilbar.

curb [kɜ:b] **1.** *s* Kandare *f* (*a. fig.*); *esp. Am.* → **kerb(stone)**; **2.** *v/t* an die Kandare legen (*a. fig.*); *fig.* zügeln.

curd [kɜ:d] **1.** *s* Quark *m*; **2.** *mst* **cur·dle** ['kɜ:dl] *v/i and v/t* gerinnen (lassen); **the sight made my blood ~** bei dem Anblick gerann mir das Blut in den Adern.

cure [kjʊə] **1.** *s* Kur *f*; Heilmittel *n*; Heilung *f*; Seelsorge *f*; Pfarre *f*; **2.** *v/t* heilen; pökeln; räuchern; trocknen; **~·all** *s* Allheilmittel *n.*

cur·few *mil.* ['kɜ:fju:] *s* Ausgangsverbot *n*, -sperre *f.*

cu·ri|o ['kjʊərɪəʊ] *s* (*pl* **-os**) Rarität *f*; **~·os·i·ty** [kjʊərɪ'ɒsəti] *s* Neugier *f*; Rarität *f*; **~·ous** ['kjʊərɪəs] *adj* □ neugierig, wißbegierig; seltsam, merkwürdig; **I'm ~ to know** ich möchte gerne wissen.

curl [kɜ:l] **1.** *s* Locke *f*; **2.** *v/t and v/i* (sich) kräuseln od. locken; **~·er** *s* Lockenwickler *m*; **~·y** *adj* (**-ier, -iest**) gekräuselt; gelockt, lockig.

cur·rant ['kʌrənt] *s bot.* Johannisbeere *f*; Korinthe *f.*

cur|ren·cy ['kʌrənsɪ] *s econ.* Währung *f*; Umlauf *m*; *econ.* Laufzeit *f*; **foreign ~** Devisen *pl*; **~ mar·ket** *s econ.* Devisenmarkt *m*; **~ snake** *s econ.* Währungsschlange *f*; **~ u·nion** *s econ.* Währungsunion *f.*

cur·rent ['kʌrənt] **1.** *adj* □ umlaufend; *econ.* gültig (*money*); allgemein (bekannt); geläufig; *year, etc.:* laufend; gegenwärtig, aktuell; **2.** *s* Strom *m* (*a.*

electr.); Strömung *f* (*a. fig.*); (Luft)Zug *m*; **~·ac·count** *s econ.* Girokonto *n*; **~ deficit** *a.* Zahlungsbilanzdefizit *n.*

cur·ric·u·lum [kə'rɪkjʊləm] *s* (*pl* **-la** [-lə], **-lums**) Lehr-, Stundenplan *m*; **~ vi·tae** [~'vaɪti:] *s* Lebenslauf *m.*

cur·ry¹ ['kʌrɪ] *s* Curry *m*, *n.*

cur·ry² [~] *v/t horse:* striegeln.

curse [kɜ:s] **1.** *s* Fluch *m*; **2.** *v/t* verfluchen; strafen; *v/i* fluchen; **curs·ed** ['kɜ:sɪd] *adj* □ verflucht.

cur·sor ['kɜ:sə] *s computer:* Cursor *m.*

cur·so·ry ['kɜ:srɪ] *adj* □ flüchtig, oberflächlich.

curt [kɜ:t] *adj* □ kurz, knapp; barsch.

cur·tail [kɜ:'teɪl] *v/t* beschneiden; *fig.* beschränken; kürzen (**of** um).

cur·tain ['kɜ:tn] **1.** *s* Vorhang *m*, Gardine *f*; **draw the ~s** den Vorhang *or* die Vorhänge zuziehen *or* aufziehen; **2.** *v/t:* **~ off** mit Vorhängen abteilen.

curts·e(y) ['kɜ:tsɪ] **1.** *s* Knicks *m*; **2.** *v/i* knicksen (**to** vor *dat*).

cur·va·ture ['kɜ:vətʃə] *s* Krümmung *f.*

curve [kɜ:v] **1.** *s* Kurve *f*; Krümmung *f*; **2.** *v/t and v/i* (sich) krümmen *or* biegen.

cush·ion ['kʊʃn] **1.** *s* Kissen *n*, Polster *n*; *billards:* Bande *f*; **2.** *v/t* polstern.

cush·y F ['kʊʃɪ] *adj* bequem; **a ~ job** ein ruhiger Job.

cus·tard ['kʌstəd] *s appr.* Vanillesoße *f.*

cus·to·dy ['kʌstədɪ] *s* Haft *f*; Gewahrsam *m*; Obhut *f.*

cus·tom ['kʌstəm] *s* Gewohnheit *f*, Sitte *f*, Brauch *m*; *econ.* Kundschaft *f*; **~·a·ry** [~ərɪ] *adj* □ gewöhnlich, üblich; **~·built** *adj* spezialangefertigt; **~·er** *s* Kund|e *m*, -in *f*; F Bursche *m*; **~·house** *s* Zollamt *n*; **~·made** *adj* maßgefertigt, Maß...

cus·toms *econ.* ['kʌstəmz] *s pl* Zoll *m*; ♀ **and Excise Department** *Br.* Britische Zollbehörde; **~ clear·ance** *s* Zollabfertigung *f*; **~ dec·la·ra·tion** *s* Zollerklärung *f*; **~ du·ty** *s* Zoll(abgabe *f*) *m*; **~ of·fi·cer**, **~ of·fi·cial** *s* Zollbeamte(r) *m*; **~ u·nion** *s* Zollunion *f.*

cut [kʌt] **1.** *s* Schnitt *m*, Hieb *m*, Stich *m*; *wound:* (Schnitt)Wunde *f*; Einschnitt *m*, Graben *m*; *in budget, etc.:* Kürzung *f*, Einsparung *f*; *of meat, etc.:* Schnitte *f*, Scheibe *f*; *cards:* Abheben *n*; **short-~** (Weg)Abkürzung *f*; **cold ~s** *pl* Aufschnitt *m*; **2.** *v/t and v/i* (**-tt-; cut**) schneiden; schnitzen; gravieren; ab-, an-, auf-, aus-, be-, durch-, zer-, zuschneiden; kürzen; *gem, etc.*: schleifen; *cards*: abheben; *ignore*: F *j-n* schneiden; ~ **one's finger** sich in den Finger schneiden; ~ **one's teeth** zahnen, Zähne bekommen; ~ **short** *j-n* unterbrechen; ~ **across** quer durch ...; den; ~ **back** *plant*: beschneiden, stutzen; kürzen; einschränken, herabsetzen; ~ **down** *trees*: fällen; verringern, einschränken, reduzieren; ~ **in** F sich einschalten; ~ **in on s.o.** *mot.* j-n schneiden; ~ **off** abschneiden; *teleph.* *disconnect*: trennen; *disinherit*: *j-n* enterben; ~ **out** ausschneiden; *Am. cattle*: aussondern; *fig.* *j-n* ausstechen; **be ~ out for** das Zeug zu *et.* haben; ~ **it out!** F laß das!; ~ **up** zerschneiden; **be ~ up** F tief betrübt sein; ~**back** s Kürzung f; Herabsetzung f, Verringerung f.

cute F [kju:t] *adj* □ (~**r**, ~**st**) schlau; *Am.* niedlich, süß.

cut·le·ry ['kʌtlərɪ] s (Eß)Besteck n.

cut·let ['kʌtlɪt] s Schnitzel n; Hacksteak n.

cut|-price *econ.* ['kʌtpraɪs], ~**rate** ['~reɪt] *adj* ermäßigt, herabgesetzt; Billig...; ~**ter** [~ə] s (Blech-, Holz)Schneider m; Schnitzer m; Zuschneider(in); (Glas- *etc.*)Schleifer m; *film, TV*: Cutter(in); *tech.* Schneidewerkzeug n, -maschine f; *mar.* Kutter m; *Am.* leichter Schlitten; ~**throat** s Mörder m; Killer m; ~**ting 1.** *adj* □ schneidend; scharf; *tech.* Schneid..., Fräs...; **2.** s Schneiden n; *bot.* Steckling m; *esp. Br.* (*of newspaper*) Ausschnitt m; ~**s** *pl* Schnipsel *pl*; *tech.* Späne *pl.*

cy·cle¹ ['saɪkl] s Zyklus m; Kreis(lauf) m; Periode f.

cy·cle² [~] **1.** s Fahrrad n; **2.** *v/i* radfahren; **cy·clist** [~lɪst] s Radfahrer(in); Motorradfahrer(in).

cy·clone ['saɪkləʊn] s Wirbelsturm m.

cyl·in·der ['sɪlɪndə] s Zylinder m, Walze f; *tech.* Trommel f.

cyn|ic ['sɪnɪk] s Zyniker(in); ~**i·cal** *adj* □ zynisch.

cy·press *bot.* ['saɪprɪs] s Zypresse f.

cyst *med.* [sɪst] s Zyste f.

czar *hist.* [zɑ:] → **tsar**.

Czech [tʃek] **1.** *adj* tschechisch; **2.** s Tscheche m, -in f; *ling.* Tschechisch n.

Czech·o·slo·vak [tʃekəʊ'sləʊvæk] **1.** s Tschechoslowak|e m, -in f; **2.** *adj* tschechoslowakisch.

D

dab [dæb] **1.** s Klaps m; Tupfen m, Klecks m; **2.** *v/t* (**-bb-**) leicht schlagen *or* klopfen; be-, abtupfen.

dab·ble ['dæbl] *v/t* bespritzen; betupfen; *v/i* plätschern; sich oberflächlich befassen (**at, in** mit).

dachs·hund *zo.* ['dækshʊnd] s Dackel m.

dad F [dæd], ~**dy** F ['dædɪ] s Papa m, Vati m.

dad·dy-long-legs *zo.* ['dædɪ'lɒŋlegz] s Schnake f; *Am.* Weberknecht m.

daf·fo·dil *bot.* ['dæfədɪl] s gelbe Narzisse.

daft F [dɑ:ft] *adj* blöde, doof.

dag·ger ['dægə] s Dolch m; **be at ~s drawn** *fig.* auf Kriegsfuß stehen.

dai·ly ['deɪlɪ] **1.** *adj* täglich; **2.** s Tageszeitung f; Putzfrau f.

dain·ty ['deɪntɪ] **1.** *adj* □ (**-ier, -iest**) lecker; zart; zierlich, niedlich, reizend; wählerisch; **2.** s Leckerbissen m.

dair·y ['deərɪ] s Molkerei f; Milchwirtschaft f; Milchgeschäft n; ~ **cat·tle** s Milchvieh n; ~**man** s Milchmann m; ~ **prod·uce** s, ~ **prod·ucts** s *pl* Milch-, Molkereiprodukte *pl*.

dai·sy *bot.* ['deɪzɪ] s Gänseblümchen n; ~ **wheel** s Typenrad n.

dal·ly ['dælɪ] *v/t* vertrödeln; *v/i* schäkern; trödeln.

dam [dæm] **1.** s Deich m, (Stau)Damm m; **2.** *v/t* (**-mm-**) *a.* ~ **up** stauen, (ab-, ein)dämmen (*a. fig.*).

dam·age ['dæmɪdʒ] **1.** s Schaden m, (Be)Schädigung f; ~*s pl jur.* Schadenersatz m; **2.** v/t (be)schädigen.

dame [deɪm] s Am. F Weib n; Br. Dame f (title).

damn [dæm] **1.** v/t verdammen; verurteilen; ~ (*it*)! F verflucht!, verdammt!; **2.** adj and adv F → **damned**; **3.** s: **I don't care** or **give a** ~ F das ist mir völlig gleich(gültig) or egal; **dam·na·tion** [~'neɪʃn] s Verdammung f; Verurteilung f; ~**ed** adj and adv F verdammt; ~**ing** ['~ɪŋ] adj vernichtend, belastend.

damp [dæmp] **1.** adj □ feucht, klamm; **2.** s Feuchtigkeit f; **3.** v/t a. ~**en** ['~ən] an-, befeuchten; discourage: dämpfen; ~**ness** s Feuchtigkeit f.

dance [dɑːns] **1.** s Tanz m; Tanz(veranstaltung f) m; **2.** v/t and v/i tanzen; **danc·er** s Tänzer(in); **danc·ing** s Tanzen n; attr Tanz...

dan·de·li·on bot. ['dændɪlaɪən] s Löwenzahn m.

dan·dle ['dændl] v/t wiegen, schaukeln.

dan·druff ['dændrʌf] s (Kopf)Schuppen pl.

Dane [deɪn] s Dän|e m, -in f.

dan·ger ['deɪndʒə] **1.** s Gefahr f; **be in** ~ **of doing s.th.** Gefahr laufen, et. zu tun; **be out of** ~ med. über den Berg sein; adj Gefahren...; ~ **area**, ~ **zone** Gefahrenzone f, -bereich m; ~**ous** adj □ gefährlich.

Da·nish ['deɪnɪʃ] **1.** adj dänisch; **2.** s ling. Dänisch n.

dare [deə] v/i es wagen; sich trauen; **I** ~ **say, I** ~**say** ich glaube wohl; allerdings; v/t et. wagen; j-n herausfordern; trotzen (dat); ~**dev·il** ['~devl] s Draufgänger m, Teufelskerl m; **dar·ing 1.** adj □ kühn; waghalsig; dress: gewagt; **2.** s Mut m, Kühnheit f.

dark [dɑːk] **1.** adj □ dunkel; brünett; geheim(nisvoll); trüb(selig); **2.** s Dunkel(heit f) n; **before** (**at**, **after**) ~ vor (bei, nach) Einbruch der Dunkelheit; **keep s.o. in the** ~ j-n im ungewissen lassen; ♀ **Ag·es** s pl das frühe Mittelalter; ~**en** ['~ən] v/t and v/i (sich) verdunkeln or verfinstern; fig. verdüstern; ~**ness** s Dunkelheit f, Finsternis f.

dar·ling ['dɑːlɪŋ] **1.** s Liebling m; **2.** adj Lieblings...; geliebt.

darn [dɑːn] v/t stopfen, ausbessern.

dart [dɑːt] **1.** s Wurfspieß m; Wurfpfeil m; Sprung m, Satz m; ~*s sg* Darts m; ~**board** Dartsscheibe f; **2.** v/t werfen, schleudern; v/i schießen, stürzen.

dash [dæʃ] **1.** s Schlag m; Klatschen n, Schwung m; Ansturm m; fig. Anflug m; Prise f; of rum, etc.: Schuß m; (Feder-) Strich m; Gedankenstrich m; sports: Sprint m; **2.** v/t schlagen, werfen, schleudern, schmettern; hopes, etc.: zunichte machen; v/i stürzen, stürmen, jagen, rasen; schlagen; ~**board** s mot. Armaturenbrett n; ~**ing** adj □ schneidig, forsch; flott, F fesch.

da·ta ['deɪtə] s pl, a. sg Daten pl, Einzelheiten pl, Angaben pl, Unterlagen pl; computer: Daten pl; ~ **bank**, ~ **base** s Datenbank f; ~ **in·put** s Dateneingabe f; ~ **in·ter·change** s Datenaustausch m; ~ **out·put** s Datenausgabe f; ~ **pro·cess·ing** s Datenverarbeitung f; ~ **pro·tec·tion** s Datenschutz m; ~ **trans·mis·sion** s Daten(fern)übertragung f; ~ **typ·ist** s Datentypist(in).

date¹ bot. [deɪt] s Dattel f.

date² [~] s Datum n; Zeit(punkt m) f; Termin m; Verabredung f; Am. F (Verabredungs)Partner(in); **out of** ~ veraltet, unmodern; **up to** ~ zeitgemäß, modern, auf dem laufenden; **have a** ~ verabredet sein; **2.** v/t datieren; Am. F sich verabreden mit, regularly: gehen mit; **dat·ed** adj veraltet, überholt.

da·tive gr. ['deɪtɪv] s a. ~ **case** Dativ m, dritter Fall.

daugh·ter ['dɔːtə] s Tochter f; ~**in-law** s Schwiegertochter f.

daunt [dɔːnt] v/t entmutigen; ~**less** adj □ furchtlos, unerschrocken.

daw·dle F ['dɔːdl] v/i and v/t (ver)trödeln.

dawn [dɔːn] **1.** s (Morgen)Dämmerung f, Tagesanbruch m; **2.** v/i dämmern, tagen; **it** ~**ed** (**up**)**on her** fig. es wurde ihr langsam klar.

day [deɪ] s Tag m; often: ~**s** pl (Lebens-) Zeit f; ~ **off** (dienst)freier Tag; **carry** or **win the** ~ den Sieg davontragen; **any** ~ jederzeit; **these** ~**s** heutzutage; **the other** ~ neulich; **this** ~ **week** heute in e-r Woche; heute vor e-r Woche; **let's call it a** ~! machen wir Schluß für heute!, Feierabend!; **at the end of the** ~ fig. letzten Endes; ~**break** s Tagesanbruch *m*; **~light** *s* Tageslicht *n*; *in broad ~* am hellichten Tag; **~ re·turn (tick·et)** *s* Tagesrückfahrkarte *f*; **~time** *s*: *in the ~* am Tag, bei Tage.

daze [deɪz] **1.** *v/t* blenden; betäuben; **2.** *s*: *in a ~* benommen, betäubt.

dead [ded] **1.** *adj* tot; unempfindlich (*to* für); *colour, etc.*: matt; *window, etc.*: blind; *fire*: erloschen; *drink*: schal; *sleep*: tief; *econ.* still, ruhig, flau; *econ.* tot (*capital, etc.*); völlig, absolut, total; *~ loss* F Reinfall *m*, *person*: hoffnungsloser Fall; **2.** *adv* gänzlich, völlig, total; plötzlich, abrupt; genau, (haar)scharf; *~ tired* todmüde; *~ against* ganz u. gar gegen; **3.** *s*: *the ~* der, die, das Tote; die Toten *pl*; *in the ~ of winter* im tiefsten Winter; *in the ~ of night* mitten in der Nacht; **~ cen·tre,** *Am.* **~ cen·ter** *s* genaue Mitte; **~en** *v/t* abstumpfen; dämpfen, (ab)schwächen; **~ end** *s* Sackgasse *f* (*a. fig.*); **~ heat** *s sports*: totes Rennen; **~line** *s Am.* Sperrlinie *f*, *in prison, etc.*: Todesstreifen *m*; letzter (Abgabe)Termin, Stichtag *m*; *meet the ~* den Termin einhalten; **~lock** *s* fig. toter Punkt; **~locked** *adj fig. negotiations, etc.*: festgefahren; **~ly** *adj* (*-ier, -iest*) tödlich.

deaf [def] **1.** *adj* □ taub; *~ and dumb* taubstumm; **2.** *s*: *the ~ pl* die Tauben *pl*; **~en** ['defn] *v/t* taub machen; betäuben.

deal [di:l] **1.** *s* Teil *m*; Menge *f*; *cards*: Geben *n*; F Geschäft *n*; Abmachung *f*; *a good ~* ziemlich viel; *a great ~* sehr viel; **2.** (*dealt*) *v/t* (aus-, ver-, zu)teilen; *cards*: geben; *v/i econ.* handeln (*in* mit; *sl. drugs*: dealen; *cards*: geben; *~ with* sich befassen mit, behandeln; *econ.* Handel treiben mit, in Geschäftsverbindung stehen mit; **~er** *s econ.* Händler(in); *cards*: Geber(in); *sl. drug ~*: Dealer *m*; **~ing** *s* Verhalten *n*, Handlungsweise *f*; *econ.* Geschäftsgebaren *n*; **~s** *pl* Umgang *m*, (Geschäfts)Beziehungen *pl*; **~t** [delt] *pret and pp of deal* 2.

dean [di:n] *s* Dekan *m*.

dear [dɪə] **1.** *adj* □ teuer; lieb; **2.** *s* Liebste(r *m*) *f*, Schatz *m*; *my ~* m-e Liebe, mein Lieber; **3.** *int*: *oh ~!, ~ ~!, ~ me!* F du liebe Zeit!, ach herrje!; **~ly** *adv* innig, von ganzem Herzen; *fig.* teuer.

death [deθ] *s* Tod *m*; Todesfall *m*; **~bed** *s* Sterbebett *n*; **~blow** *s* Todesstoß *m* (*a. fig.*); **~less** *adj fig.* unsterblich; **~ly** *adj* (*-ier, -iest*) tödlich; **~ squad** *s* Todesschwadron *f*; **~war·rant** *s jur.* Hinrichtungsbefehl *m*; *fig.* Todesurteil *n*.

de·bar [dɪ'bɑ:] *v/t* (*-rr-*): *~ from doing s.th.* j-n davon ausschließen, et. zu tun.

de·base [dɪ'beɪs] *v/t* erniedrigen.

de·ba·ta·ble [dɪ'beɪtəbl] *adj* □ strittig; umstritten; **de·bate** [dɪ'beɪt] **1.** *s* Debatte *f*; **2.** *v/i and v/t* debattieren; erörtern.

de·bil·i·tate [dɪ'bɪlɪteɪt] *v/t* schwächen.

deb·it *econ.* ['debɪt] **1.** *s* Debet *n*, Soll *n*; (Konto)Belastung *f*; *~ and credit* Soll *u.* Haben *n*; **2.** *v/t account, etc.*: belasten.

deb·ris ['debri:] *s* Trümmer *pl*.

debt [det] *s* Schuld *f*; *be in ~* verschuldet sein; *be out of ~* schuldenfrei sein; **~or** ['detə] *s* Schuldner(in).

de·bug F [di:'bʌg] *v/t* (*-gg-*) *computer, etc.*: Fehler beseitigen in (*dat*); *room, etc.*: entwanzen.

de·bunk [di:'bʌŋk] *v/t* den Nimbus nehmen (*dat*).

dé·but, *esp. Am.* **de·but** ['deɪbju:] *s* Debüt *n*.

dec·ade ['dekeɪd] *s* Jahrzehnt *n*.

de·ca|dence ['dekədəns] *s* Dekadenz *f*, Verfall *m*; **~dent** *adj* □ dekadent.

de·caf·fein·at·ed [di:'kæfɪneɪtɪd] *adj* koffeinfrei, entkoffeiniert.

de·camp [dɪ'kæmp] *v/i esp. mil* das Lager abbrechen; F verschwinden.

de·cant [dɪ'kænt] *v/t* abgießen; umfüllen; **~er** *s* Karaffe *f*.

de·cath|lete [dɪ'kæθli:t] *s sports*: Zehnkämpfer *m*; **~lon** [-lɒn] *s sports*: Zehnkampf *m*.

de·cay [dɪ'keɪ] **1.** *s* Verfall *m*; Zerfall *m*; Fäule *f*; **2.** *v/i* verfallen; (ver)faulen.

de·cease *esp. jur.* [dɪ'si:s] **1.** *s* Tod *m*, Ableben *n*; **2.** *v/i* sterben; **~d** *esp. jur.* **1.** *s*: *the ~* der *or* die Verstorbene; die Verstorbenen *pl*; **2.** *adj* ver-, gestorben.

de·ceit [dɪ'si:t] *s* Täuschung *f*; Betrug *m*; **~ful** *adj* □ falsch; betrügerisch.

de·ceive [dɪ'si:v] *v/t and v/i* betrügen; täuschen; **~r** *s* Betrüger(in).

De·cem·ber [dɪ'sembə] *s* Dezember *m*.

de·cen|cy ['di:snsɪ] *s* Anstand *m*; **~t** *adj*

☐ anständig; F annehmbar, (ganz) anständig; F nett.

de·cep|tion [dɪ'sepʃn] s Täuschung f; **~tive** adj: **be ~** täuschen, trügen.

de·cide [dɪ'saɪd] v/t entscheiden; bestimmen; v/i sich entscheiden or entschließen; **de·cid·ed** adj ☐ entschieden; bestimmt; entschlossen.

dec·i·mal ['desɪml] s a. **~ fraction** Dezimalbruch m; attr Dezimal...

de·ci·pher [dɪ'saɪfə] v/t entziffern.

de·ci|sion [dɪ'sɪʒn] s Entscheidung f; Entschluß m; Entschlossenheit f; **make a ~** e-e Entscheidung treffen; **reach** or **come to a ~** zu e-m Entschluß kommen; **~sive** [dɪ'saɪsɪv] adj ☐ entscheidend; ausschlaggebend; entschieden.

deck [dek] **1.** s mar. Deck n (a. of bus); Am. Pack m Spielkarten; of record-player: Laufwerk m; **record ~** Plattenspieler m; **tape ~** Tapedeck n; **2.** v/t: **~ out** schmücken; **~chair** ['~tʃeə] s Liegestuhl m.

de·clar·a·ble [dɪ'kleərəbl] adj goods: zollpflichtig.

dec·la·ra·tion [deklə'reɪʃn] s Erklärung f; Zollerklärung f.

de·clare [dɪ'kleə] v/t erklären, bekanntgeben; behaupten; deklarieren, verzollen.

de·clen·sion gr. [dɪ'klenʃn] s Deklination f.

dec·li·na·tion [deklɪ'neɪʃn] s of compass needle: Neigung f, Abweichung f.

de·cline [dɪ'klaɪn] **1.** s Abnahme f; Niedergang m, Verfall m; **2.** v/t neigen; (höflich) ablehnen; gr. deklinieren; v/i sich neigen; abnehmen; verfallen.

de·clutch mot. [di:'klʌtʃ] v/t auskuppeln.

de·code [di:'kəʊd] v/t entschlüsseln.

de·com·pose [di:kəm'pəʊz] v/t zerlegen; zersetzen; v/i sich zersetzen; decay: verwesen.

dec·o|rate ['dekəreɪt] v/t cake, etc.: verzieren, streets, etc.: schmücken; room: tapezieren; (an)streichen; dekorieren; **~ra·tion** [~'reɪʃn] s Verzierung f, Schmuck m; Dekoration f; Orden m; **~ra·tive** ['~rətɪv] adj ☐ dekorativ; Zier...; **~ra·tor** ['~reɪtə] s Dekorateur m; Maler m; Tapezierer m.

de·coy 1. ['di:kɔɪ] s Lockvogel m (a. fig.); Köder m (a. fig.); **2.** v/t [dɪ'kɔɪ] ködern; locken (**into** in acc); verleiten (**into** zu).

de·crease 1. s ['di:kri:s] Abnahme f; **2.** v/i and v/t [di:'kri:s] (sich) vermindern.

de·cree [dɪ'kri:] **1.** s Dekret n, Verordnung f, Erlaß m; jur. Entscheid m; **2.** v/t jur. entscheiden; verordnen, verfügen.

ded·i|cate ['dedɪkeɪt] v/t widmen; **~cat·ed** adj engagiert; **~ca·tion** [~'keɪʃn] s Widmung f; Hingabe f.

de·duce [dɪ'dju:s] v/t ableiten; folgern.

de·duct [dɪ'dʌkt] v/t abziehen; einbehalten; **de·duc·tion** [~kʃn] s Abzug m; econ. a. Rabatt m; Schluß(folgerung f) m.

deed [di:d] **1.** s Tat f; Heldentat f; jur. (Vertrags-, esp. Übertragungs)Urkunde f; **2.** v/t Am. jur. urkundlich übertragen (**to** dat, auf acc).

deep [di:p] **1.** adj ☐ tief; gründlich; schlau; vertieft; dunkel (a. fig.); verborgen; **2.** s Tiefe f; poet. Meer n; **~en** ['di:pən] v/i and v/t (sich) vertiefen; (sich) verstärken; **~freeze 1.** v/t (-froze, -frozen) tiefkühlen; einfrieren; **2.** s Tiefkühl-, Gefriergerät n; **3.** adj Tiefkühl..., Gefrier...; **~ cabinet** Tiefkühl-, Gefriertruhe f; **~fro·zen** adj tiefgefroren; **~ food** Tiefkühlkost f; **~fry** v/t fritieren; **~ness** s Tiefe f.

deer zo. [dɪə] s Rotwild n; Hirsch m.

de·face [dɪ'feɪs] v/t entstellen; unkenntlich machen; ausstreichen.

de·fa·ma·tion [defə'meɪʃn] s Verleumdung f; **de·fame** [dɪ'feɪm] v/t verleumden.

de·fault [dɪ'fɔ:lt] **1.** s Mangel m; jur. Nichterscheinen n vor Gericht; sports: Nichtantreten n; econ. Verzug m; **2.** v/i econ. Verbindlichkeiten nicht nachkommen; im Verzug sein; jur. nicht (vor Gericht) erscheinen; sports: nicht antreten.

de·feat [dɪ'fi:t] **1.** s Niederlage f; Sieg m (**of** über acc); of plan, etc.: Vereitelung f; **admit ~** seine Niederlage eingestehen; **2.** v/t besiegen; vereiteln, zunichte machen.

de·fect [dɪ'fekt] s Defekt m, Fehler m; Mangel m; **de·fec·tive** adj ☐ mangelhaft; schadhaft, defekt.

de·fence, Am. **de·fense** [dɪ'fens] s Verteidigung f (a. sports); Schutz m; **witness for the ~** jur. Entlastungszeuge m; **~less** adj schutzlos, wehrlos.

de·fend [dɪ'fend] v/t (**from, against**) ver-

D

teidigen (gegen), schützen (vor *dat*, gegen); **de·fen·dant** *s* Angeklagte(r *m*) *f*; Beklagte(r *m*) *f*; **~·er** *s* Verteidiger(in).

de·fen·sive [dɪˈfensɪv] **1.** *s* Defensive *f*, Verteidigung *f*, Abwehr *f*; **2.** *adj* □ defensiv; Verteidigungs..., Abwehr...

de·fer [dɪˈfɜː] (*-rr-*) *v/t* auf-, verschieben; *Am. mil.* (vom Wehrdienst) zurückstellen; *v/i*: **~ to** sich fügen (*dat*), nachgeben (*dat*).

de·fi·ance [dɪˈfaɪəns] *s* Herausforderung *f*; Trotz *m*; **~·ant** [~t] *adj* □ herausfordernd; trotzig.

de·fi·cien·cy [dɪˈfɪʃnsɪ] *s* Unzulänglichkeit *f*; Mangel *m*; → **deficit**; **~t** *adj* □ mangelhaft, unzureichend.

def·i·cit *econ.* [ˈdefɪsɪt] *s* Fehlbetrag *m*.

de·file 1. *s* [ˈdiːfaɪl] Engpaß *m*; **2.** *v/t* [dɪˈfaɪl] beschmutzen.

de·fine [dɪˈfaɪn] *v/t* definieren; erklären, genau bestimmen; **def·i·nite** [ˈdefɪnɪt] *adj* bestimmt; deutlich, genau; **def·i·ni·tion** [defɪˈnɪʃn] *s* Definition *f*, (Begriffs)Bestimmung *f*, Erklärung *f*; **de·fin·i·tive** [dɪˈfɪnɪtɪv] *adj* □ endgültig; maßgeblich.

de·flect [dɪˈflekt] *v/t* ablenken; *v/i* abweichen.

de·form [dɪˈfɔːm] *v/t* entstellen, verunstalten; **~ed** *adj* deformiert, verunstaltet; verwachsen; **de·for·mi·ty** [~əti] *s* Entstellthheit *f*; Mißbildung *f*.

de·fraud [dɪˈfrɔːd] *v/t* betrügen (**of** um).

de·frost [diːˈfrɒst] *v/t windscreen*: entfrosten; *fridge, etc.*: abtauen, *frozen food*: auftauen; *v/i* ab-, auftauen.

deft [deft] *adj* □ gewandt, flink.

de·fy [dɪˈfaɪ] *v/t* herausfordern; trotzen (*dat*), sich widersetzen (*dat*).

de·gen·er·ate 1. *v/i* [dɪˈdʒenəreɪt] degenerieren; entarten; **2.** *adj* □ [~rət] degeneriert; entartet.

deg·ra·da·tion [degrəˈdeɪʃn] *s* Erniedrigung *f*; **de·grade** [dɪˈɡreɪd] *v/t* erniedrigen, demütigen.

de·gree [dɪˈgriː] *s* Grad *m* (*a. temperature*) *n*; Stufe *f*, Schritt *m*; (Studien)Abschluß *m*, akademischer Grad; Rang *m*, Stand *m*; **by ~s** allmählich; **take one's ~** e-n akademischen Grad erwerben.

de·hy·drat·ed [diːˈhaɪdreɪtɪd] *adj* Trocken...

de·i·fy [ˈdiːɪfaɪ] *v/t* vergöttern; vergöttlichen.

deign [deɪn] *v/i* sich herablassen.

de·i·ty [ˈdiːɪtɪ] *s* Gottheit *f*.

de·ject·ed [dɪˈdʒektɪd] *adj* □ niedergeschlagen, mutlos, deprimiert; **~·tion** [~kʃn] *s* Niedergeschlagenheit *f*.

de·lay [dɪˈleɪ] **1.** *s* Aufschub *m*; Verzögerung *f*; **2.** *v/t* ver-, aufschieben; verzögern; aufhalten; *v/i*: **~ in doing s.th.** es verschieben, et. zu tun.

del·e·gate 1. *v/t* [ˈdelɪgeɪt] delegieren, übertragen; **2.** *s* [~gət] Delegierte(r *m*) *f*, Vertreter(in); **~·ga·tion** [delɪˈgeɪʃn] *s* Abordnung *f*, Delegation *f*.

de·lete [dɪˈliːt] *v/t* tilgen, (aus)streichen, (aus)radieren.

de·lib·e·rate 1. [dɪˈlɪbəreɪt] *v/t* überlegen, erwägen; *v/i* nachdenken; beraten; **2.** *adj* □ [~rət] bedachtsam; wohlüberlegt; vorsätzlich; **~·ly** absichtlich, mit Absicht; **~·ra·tion** [dɪlɪbəˈreɪʃn] *s* Überlegung *f*; Beratung *f*; Bedächtigkeit *f*.

del·i·ca·cy [ˈdelɪkəsɪ] *s* Delikatesse *f*, Leckerbissen *m*; Zartheit *f*; Feingefühl *n*; **~·cate** [~kət] *adj* □ schmackhaft, lecker; zart; fein; schwach; heikel; empfindlich; feinfühlig; wählerisch; **~·ca·tes·sen** [delɪkəˈtesn] *s* Feinkost *f*; Delikatessen~, Feinkostgeschäft *f*.

de·li·cious [dɪˈlɪʃəs] *adj* □ köstlich.

de·light [dɪˈlaɪt] **1.** *s* Lust *f*, Freude *f*, Wonne *f*; **2.** *v/t* entzücken; (*a. v/i* sich) erfreuen; *v/i*: **~ in** (große) Freude haben an (*dat*); **~·ful** *adj* □ entzückend.

de·lin·e·ate [dɪˈlɪnɪeɪt] *v/t* skizzieren; schildern.

de·lin·quen·cy [dɪˈlɪŋkwənsɪ] *s* Kriminalität *f*; Straftat *f*; **~t** [~t] **1.** *adj* straffällig; **2.** *s* Straffällige(r *m*) *f*; → **juvenile 1**.

de·lir·i·ous [dɪˈlɪrɪəs] *adj med.* phantasierend; *ecstatic*: rasend; **~·um** [~əm] *s* Delirium *n*.

de·liv·er [dɪˈlɪvə] *v/t* aus-, abliefern; *esp. econ.* liefern, *by car*: ausfahren; *message, etc.*: ausrichten; äußern; *speech, etc.*: halten; *blow, etc.*: austeilen; *ball*: werfen; *med.* entbinden; **be ~ed of a child** entbunden werden, entbinden; **~·ance** [~rəns] *s* Befreiung *f*, Erlösung *f*; **~·y** [~rɪ] *s* (Ab-, Aus)Lieferung *f*; *mail*: Zustellung *f*; Übergabe *f*; *of speech, etc.*: Halten *n*; *med.* Entbindung *f*; **~·y van** *s Br.* Lieferwagen *m*.

dell [del] *s* kleines Tal.

de·lude [dɪ'lu:d] *v/t* täuschen; verleiten.

del·uge ['delju:dʒ] **1.** *s* Überschwemmung *f*; **2.** *v/t* überschwemmen.

de·lu|sion [dɪ'lu:ʒn] *s* Täuschung *f*, Verblendung *f*, Wahn *m*; **∼sive** [∼sɪv] *adj* □ trügerisch, täuschend.

de·mand [dɪ'mɑ:nd] **1.** *s* Verlangen *n*; Forderung *f*; Anforderung *f* (**on** an *acc*), Inanspruchnahme *f* (**on** gen); *econ.* Nachfrage *f*, Bedarf *m*; *jur.* Rechtsanspruch *m*; **2.** *v/t* verlangen, fordern; erfordern; **∼ing** [∼ɪŋ] *adj* □ fordernd; anspruchsvoll; schwierig; **∼led** *adj econ.* nachfrageorientiert.

de·men·ted [dɪ'mentɪd] *adj* □ wahnsinnig.

dem·i- ['demɪ] Halb-.

dem·i·john ['demɪdʒɒn] *s* große Korbflasche, Glasballon *m*.

de·mil·i·ta·rize [di:'mɪlɪtəraɪz] *v/t* entmilitarisieren.

de·mo·bi·lize [di:'məʊbɪlaɪz] *v/t* demobilisieren.

de·moc·ra·cy [dɪ'mɒkrəsɪ] *s* Demokratie *f*.

dem·o·crat ['deməkræt] *s* Demokrat(in); **∼ic** [demə'krætɪk] *adj* (**∼ally**) demokratisch.

de·mol·ish [dɪ'mɒlɪʃ] *v/t* demolieren, ab-, ein-, niederreißen; zerstören; **dem·o·li·tion** [demə'lɪʃn] *s* Demolierung *f*; Niederreißen *n*, Abbruch *m*.

de·mon ['di:mən] *s* Dämon *m*; Teufel *m*.

dem·on|strate ['demənstreɪt] *v/t* anschaulich darstellen; beweisen; *v/i* demonstrieren; **∼stra·tion** [demən'streɪʃn] *s* Demonstration *f*, Kundgebung *f*; Demonstration *f*, Vorführung *f*; anschauliche Darstellung; Beweis *m*; (Gefühls)Äußerung *f*; **de·mon·stra·tive** [dɪ'mɒnstrətɪv] *adj* □ überzeugend; demonstrativ; **be ∼** s-e Gefühle (offen) zeigen; **∼stra·tor** ['demənstreɪtə] *s* Demonstrant(in); Vorführrer(in).

de·mote [di:'məʊt] *v/t* degradieren.

den [den] *s* Höhle *f*, Bau *m*; Bude *f*; F Arbeitszimmer *n*.

de·ni·al [dɪ'naɪəl] *s* Leugnen *n*; Verneinung *f*; abschlägige Antwort.

den·ims ['denɪmz] *s pl* Overall *m*, Arbeitsanzug *m*; Jeans *pl*.

de·nom·i·na·tion [dɪnɒmɪ'neɪʃn] *s eccl.*

Sekte *f*; *eccl.* Konfession *f*; *econ.* Nennwert *m*.

de·note [dɪ'nəʊt] *v/t* bezeichnen; bedeuten.

de·nounce [dɪ'naʊns] *v/t* anzeigen; brandmarken; *contract, etc.*: kündigen.

dense [dens] *adj* □ (**∼r, ∼st**) dicht, *fog*: dick; beschränkt; **∼ly populated** dichtbevölkert; **den·si·ty** ['∼ətɪ] *s* Dichte *f*.

dent [dent] **1.** *s* Beule *f*, Delle *f*; Kerbe *f*; **2.** *v/t* ver-, einbeulen.

den|tal ['dentl] *adj* Zahn...; **∼ plaque** Zahnbelag *m*; **∼ plate** Zahnprothese *f*; **∼ surgeon** → **∼tist** ['dentɪst] *s* Zahnarzt *m*, -ärztin *f*; **∼tures** ['∼ʃəz] *s pl* (künstliches) Gebiß.

de·nun·ci·a·tion [dɪnʌnsɪ'eɪʃn] *s* Anzeige *f*, Denunziation *f*; **∼tor** [dɪ'nʌnsɪeɪtə] *s* Denunziant(in).

de·ny [dɪ'naɪ] *v/t* ab-, bestreiten, (ab-) leugnen; verweigern; *j-n* abweisen.

de·part [dɪ'pɑ:t] *v/i* abreisen; abfahren, abfliegen; abweichen.

de·part·ment [dɪ'pɑ:tmənt] *s* Abteilung *f*; Bezirk *m*; *econ.* Branche *f*; *pol.* Ministerium *n*; **2 of Defense** *Am.* Verteidigungsministerium *n*; **2 of the Environment** *Br.* Umweltschutzministerium *n*; **2 of the Interior** *Am.* Innenministerium *n*; **2 of State** *Am.*, **State 2** *Am.* Außenministerium *n*; **∼ store** Warenhaus *n*.

de·par·ture [dɪ'pɑ:tʃə] *s* Abreise *f*, *rail., etc.*: Abfahrt *f*, *aer.* Abflug *m*; Abweichung *f*; **∼ gate** *s aer.* Flugsteig *m*; **∼ lounge** *s aer.* Abflughalle *f*.

de·pend [dɪ'pend] *v/i*: **∼ on, ∼ upon** abhängen von; angewiesen sein auf (*acc*); sich verlassen auf (*acc*); ankommen auf (*acc*); **that** or **it ∼s** es kommt (ganz) darauf an; **∼ing on how ...** je nachdem, wie ...

de·pen|da·ble [dɪ'pendəbl] *adj* zuverlässig; **∼dant** [∼ənt] *s* Abhängige(r *m*) *f*, *esp.* (Familien)Angehörige(r *m*) *f*; **∼dence** [∼əns] *s* Abhängigkeit *f*; Vertrauen *n*; **∼den·cy** [∼ənsɪ] *s pol.* Schutzgebiet *n*, Kolonie *f*; Abhängigkeit *f*; **∼dent** [∼ənt] **1.** *adj* □ (**on**) abhängig (von); angewiesen (auf *acc*); **2.** *s Am.* → **dependant**.

de·pict [dɪ'pɪkt] *v/t* darstellen; schildern.

de·plor|a·ble [dɪ'plɔ:rəbl] *adj* □ bedauerlich, beklagenswert; **∼e** [dɪ'plɔ:] *v/t* beklagen, bedauern.

de·pop·u·late [diːˈpɒpjʊleɪt] *v/t and v/i*
(sich) entvölkern.

de·port [dɪˈpɔːt] *v/t foreigners:* abschieben

de·pose [dɪˈpəʊz] *v/t* absetzen; *jur.* unter
Eid aussagen.

de·pos|it [dɪˈpɒzɪt] **1.** *s* Ablagerung *f*;
Lager *n*; *in a bank:* Einlage *f*; Hinterlegung *f*, Kaution *f*, *for bottles:* Pfand *n*;
Anzahlung *f*; *make a ~* e-e Anzahlung
leisten; *~ account Br.* Termineinlagekonto *n*; **2.** *v/t* (nieder-, ab-, hin)legen;
money: einzahlen; *part of a sum:* anzahlen; hinterlegen; ablagern; **dep·o·si·tion** [depəˈzɪʃn] *s from office:* Absetzung *f*; *jur.* eidliche Aussage; **~·i·tor**
[dɪˈpɒzɪtə] *s* Hinterleger(in); Einzahler(in); Kontoinhaber(in).

dep·ot [ˈdepəʊ] *s* Depot *n*; Lagerhaus *n*;
Am. [ˈdiːpəʊ] Bahnhof *m*.

de·prave [dɪˈpreɪv] *v/t* moralisch verderben.

de·pre·ci·ate [dɪˈpriːʃieɪt] *v/t value:* mindern; *v/i* an Wert verlieren.

de·press [dɪˈpres] *v/t* (nieder)drücken;
business, etc.: senken, drücken; deprimieren, bedrücken; **~ed** *adj* deprimiert,
niedergeschlagen; *~ area* Notstandsgebiet *n*; **de·pres·sion** [~ʃn] *s* Vertiefung
f, Senke *f*; *psych.* Depression *f*, Niedergeschlagenheit *f*; *econ.* Depression *f*,
Flaute *f*, Wirtschaftskrise *f*; *med.*
Schwäche *f*.

de·prive [dɪˈpraɪv] *v/t:* ~ *s.o. of s.th.* j-m
et. entziehen *or* nehmen; **~d** *adj* benachteiligt, unterprivilegiert.

depth [depθ] *s* Tiefe *f*; *attr* Tiefen...

dep·u·ta·tion [depjʊˈteɪʃn] *s* Abordnung
f; **~·tize** [ˈdepjʊtaɪz] *v/i:* ~ *for s.o.* j-n
vertreten; **~·ty** [~ɪ] *s parl.* Abgeordnete(r *m*) *f*; Stellvertreter(in), Beauftragte(r *m*) *f*; Bevollmächtigte(r *m*) *f*; *a.* ~
sheriff Am. Hilfssheriff *m*.

de·rail *rail.* [dɪˈreɪl] *v/i* entgleisen; *v/t*
zum Entgleisen bringen.

de·range [dɪˈreɪndʒ] *v/t* in Unordnung
bringen; stören; verrückt *or* wahnsinnig machen; **~d** geistesgestört.

der·e·lict [ˈderəlɪkt] *adj* verlassen; nachlässig.

de·ride [dɪˈraɪd] *v/t* verlachen, -spotten;
de·ri·sion [dɪˈrɪʒn] *s* Hohn *m*, Spott *m*;
de·ri·sive [dɪˈraɪsɪv] *adj* □ spöttisch,
höhnisch.

de·rive [dɪˈraɪv] *v/t* herleiten; *et.* gewinnen (**from** aus); *profit, etc.:* ziehen
(**from** aus); *v/i* abstammen.

de·rog·a·to·ry [dɪˈrɒgətərɪ] *adj* □ abfällig, geringschätzig.

der·rick [ˈderɪk] *s tech.* Derrickkran *m*;
mar. Ladebaum *m*; Bohrturm *m*.

de·scend [dɪˈsend] *v/i* (her-, hin)absteigen, herunter-, hinuntersteigen; *aer.*
niedergehen; (ab)stammen; *~ on*, *~ upon* herfallen über (*acc*);
einfallen in (*acc*); **de·scen·dant** [~ənt] *s*
Nachkomme *m*.

de·scent [dɪˈsent] *s* Herab-, Hinuntersteigen *n*, Abstieg *m*; *aer.* Niedergehen
n; Abhang *m*, Gefälle *n*; Abstammung
f, *fig.* Niedergang *m*, Abstieg *m*.

de·scribe [dɪˈskraɪb] *v/t* beschreiben.

de·scrip·tion [dɪˈskrɪpʃn] *s* Beschreibung *f*, Schilderung *f*; *sort:* Art *f*; **~·tive**
adj □ beschreibend; anschaulich.

des·ert¹ [ˈdezət] **1.** *s* Wüste *f*; **2.** *adj* Wüsten...

de·sert² [dɪˈzɜːt] *v/t* verlassen; *v/i* desertieren; **~·er** *s mil.* Deserteur *m*, Fahnenflüchtige(r) *m*; **de·ser·tion** [~ʃn] *s*
(*jur. a.* böswilliges) Verlassen; *mil.*
Fahnenflucht *f*.

de·serve [dɪˈzɜːv] *v/t* verdienen; **de·ser·ved·ly** [~dlɪ] *adv* mit Recht;
de·serv·ing *adj* würdig (**of** gen); verdienstvoll, verdient.

de·sign [dɪˈzaɪn] **1.** *s* Plan *m*; Entwurf *m*,
Zeichnung *f*; Muster *n*; Vorhaben *n*,
Absicht *f*; *have ~s on* **or** *against* et.
(Böses) im Schilde führen gegen; **2.** *v/t*
entwerfen, *tech.* konstruieren; gestalten; planen; bestimmen.

des·ig·nate [ˈdezɪgneɪt] *v/t* bezeichnen;
ernennen; bestimmen; **~·na·tion**
[~ˈneɪʃn] *s* Bezeichnung *f*; Bestimmung
f, Ernennung *f*.

de·sign·er [dɪˈzaɪnə] *s* (Muster)Zeichner(in); Designer(in); *tech.* Konstrukteur *m*; (Mode)Schöpfer(in); ~ *stub·ble* *s* F Dreitagebart *m*.

de·sir·a·ble [dɪˈzaɪərəbl] *adj* □ wünschenswert; angenehm; **~·e** [dɪˈzaɪə] **1.** *s*
Wunsch *m*, Verlangen *n*; Begierde *f*; **2.**
v/t verlangen, wünschen; begehren;
~·ous [~rəs] *adj* begierig.

de·sist [dɪˈzɪst] *v/i* ablassen (**from**
von).

desk [desk] *s* Pult *n*; Schreibtisch *m*.

des·o·late ['desələt] *adj* □ einsam; verlassen; öde.

de·spair [dɪ'speə] **1.** *s* Verzweiflung *f*; **2.** *v/i* verzweifeln (*of* an *dat*); **~ing** *adj* □ verzweifelt.

de·spatch [dɪ'spætʃ] → *dispatch*.

des·per|ate ['despərət] *adj* □ verzweifelt; hoffnungslos; F schrecklich; **~·a·tion** [despə'reɪʃn] *s* Verzweiflung *f*.

des·pic·a·ble ['despɪkəbl] *adj* □ verachtenswert, verabscheuungswürdig.

de·spise [dɪ'spaɪz] *v/t* verachten.

de·spite [dɪ'spaɪt] **1.** *s* Verachtung *f*; **in ~ of** zum Trotz, trotz; **2.** *prp a. ~ of* trotz.

de·spon·dent [dɪ'spɒndənt] *adj* □ mutlos, verzagt.

des·pot ['despɒt] *s* Despot *m*, Tyrann *m*; **~·is·m** [~pətɪzəm] *s* Despotismus *m*.

des·sert [dɪ'zɜːt] *s* Nachtisch *m*, Dessert *n*; *attr* Dessert...

des|ti·na·tion [destɪ'neɪʃn] *s* Bestimmung(sort *m*) *f*; **~·tined** ['destɪnd] *adj* bestimmt; **~·ti·ny** [~ɪ] *s* Schicksal *n*.

des·ti·tute ['destɪtjuːt] *adj* □ mittellos, notleidend; **~ of** bar (*gen*), ohne.

de·stroy [dɪ'strɔɪ] *v/t* zerstören, vernichten; töten, *animal: a.* einschläfern; **~er** *s* Zerstörer(in); *mar.*, *mil.* Zerstörer *m*.

de·struc|tion [dɪ'strʌkʃn] *s* Zerstörung *f*, Vernichtung *f*, Tötung *f*, *of animal: a.* Einschläferung *f*; **~·tive** [~tɪv] *adj* □ zerstörend, vernichtend; zerstörerisch.

de·sul·to·ry ['desəltərɪ] *adj* □ unstet; planlos; oberflächlich.

de·tach [dɪ'tætʃ] *v/t* losmachen, (ab)lösen; absondern; *mil.* abkommandieren; **~ed** *adj house:* einzeln (stehend); unvoreingenommen; distanziert; **~·ment** *s* Loslösung *f*; (Ab)Trennung *f*; *mil.* (Sonder)Kommando *n*.

de·tail ['diːteɪl] **1.** *s* Detail *n*, Einzelheit *f*; eingehende Darstellung; *mil.* (Sonder)Kommando *n*; **in ~** ausführlich; **2.** *v/t* genau schildern; *mil.* abkommandieren; **~ed** *adj* detailliert, ausführlich.

de·tain [dɪ'teɪn] *v/t* aufhalten; *j-n* in (Untersuchungs)Haft (be)halten.

de·tect [dɪ'tekt] *v/t* entdecken; (auf)finden; **de·tec·tion** [~kʃn] *s* Entdeckung *f*; **de·tec·tive** [~tɪv] *s* Kriminalbeamte(r) *m*, Detektiv *m*; **~ novel**, **~ story** Kriminalroman *m*.

de·ten·tion [dɪ'tenʃn] *s* Vorenthaltung *f*; Aufhaltung *f*; Haft *f*.

de·ter [dɪ'tɜː] *v/t* (**-rr-**) abschrecken (*from* von).

de·ter·gent [dɪ'tɜːdʒənt] *s* Reinigungsmittel *n*; Waschmittel *n*; Geschirrspülmittel *n*.

de·te·ri·o·rate [dɪ'tɪərɪəreɪt] *v/i* sich verschlechtern; verderben; entarten.

de·ter|mi·na·tion [dɪtɜːmɪ'neɪʃn] *s* Entschlossenheit *f*; Entscheidung *f*, Entschluß *m*; **~·mine** [dɪ'tɜːmɪn] *v/t* bestimmen; entscheiden; *v/i:* **~ on** sich entschließen zu; **~·mined** *adj* entschlossen.

de·ter·rence [dɪ'terəns] *s* Abschreckung *f*; **~·rent** [~t] **1.** *adj* abschreckend; **2.** *s* Abschreckungsmittel *n*.

de·test [dɪ'test] *v/t* verabscheuen; **~·a·ble** *adj* □ abscheulich.

de·throne [dɪ'θrəʊn] *v/t* entthronen.

det·o·nate ['detəneɪt] *v/i* explodieren; **~·na·tion** [~'neɪʃn] *s* Explosion *f*.

de·tour ['diːtʊə] *s* Umweg *m*; Umleitung *f*.

de·tract [dɪ'trækt] *v/i:* **~ from** *s.th.* et. beeinträchtigen, et. schmälern.

deuce [djuːs] *s on dice and cards:* Zwei *f*; *tennis:* Einstand *m*; F Teufel *m*; **how the ~** wie zum Teufel.

de·val·u·a·tion [diːvæljuˈeɪʃn] *s* Abwertung *f*; **~e** *v/t* abwerten.

dev·a|state ['devəsteɪt] *v/t* verwüsten; **~·stat·ing** *adj* □ verheerend, vernichtend; F umwerfend; **~·sta·tion** [devəˈsteɪʃn] *s* Verwüstung *f*.

de·vel·op [dɪ'veləp] *v/t and v/i* (sich) entwickeln; (sich) entfalten; *area, land:* erschließen; *town centres, etc.:* sanieren; ausbauen; (sich) zeigen; *phot.* **~er** *m*; **~ing** *s* Entwicklungs...; **~ country** econ. Entwicklungsland *n*; **~·ment** *s* Entwicklung *f*; Entfaltung *f*; Erschließung *f*; Ausbau *m*; **~ aid** econ. Entwicklungshilfe *f*.

de·vi·ate ['diːvɪeɪt] *v/i* abweichen; **~·a·tion** [diːvɪ'eɪʃn] *s* Abweichung *f*.

de·vice [dɪ'vaɪs] *s* Vorrichtung *f*, Gerät *f*; Erfindung *f*; Plan *m*; Kniff *m*; Devise *f*, Motto *n*; **leave s.o. to his/her own ~s** *j-n* sich selbst überlassen.

dev·il ['devl] *s* Teufel *m* (*a. fig.*); **~·ish** [~lɪʃ] *adj* □ teuflisch.

de·vi·ous ['diːvɪəs] *adj* □ abwegig; gewunden; unaufrichtig; **take a ~ route** e-n Umweg machen.

de·vise [dɪ'vaɪz] *v/t* ausdenken, ersinnen; *jur.* vermachen.

de·vote [dɪ'vəʊt] *v/t* widmen, *et.* hingeben, opfern (**to** *dat*); **de·vot·ed** *adj* □ ergeben; eifrig, begeistert; zärtlich; **dev·o·tee** [devəʊ'tiː] *s* begeisterter Anhänger; **de·vo·tion** [dɪ'vəʊʃn] *s* Ergebenheit *f*; Hingabe *f*; Frömmigkeit *f*, Andacht *f*.

de·vour [dɪ'vaʊə] *v/t* verschlingen.

de·vout [dɪ'vaʊt] *adj* □ andächtig; fromm; sehnlichst.

dew [djuː] *s* Tau *m*; **~·y** [~ɪ] *adj* (*-ier*, *-iest*) (tau)feucht.

dex·ter·i·ty [dek'sterətɪ] *s* Gewandtheit *f*; **~·ter·ous**, **~·trous** [dekstrəs] *adj* □ gewandt.

di·ag·nose ['daɪəgnəʊz] *v/t* diagnostizieren; **~·no·sis** [daɪəg'nəʊsɪs] *s* (*pl* *-ses* [-siːz]) Diagnose *f*.

di·a·gram ['daɪəgræm] *s* graphische Darstellung, Schema *n*, Plan *m*.

di·al ['daɪəl] **1.** *s* Zifferblatt *n*; *teleph.* Wählscheibe *f*; *tech.* Skala *f*; **2.** *v/i and v/t* (*esp. Br. -ll-*, *Am. -l-*) *teleph.* wählen; **~ direct** durchwählen (**to** *nach*); **direct** **~(l)ing** Durchwahl *f*; **~(l)ing code** Vorwahl *f*.

di·a·lect ['daɪəlekt] *s* Dialekt *m*; Mundart *f*.

di·a·logue, *Am.* **-log** ['daɪəlɒg] *s* Dialog *m*, Gespräch *n*.

di·am·e·ter [daɪ'æmɪtə] *s* Durchmesser *m*; **in ~** im Durchmesser.

di·a·mond ['daɪəmənd] *s* Diamant *m*; Rhombus *m*; *baseball*: Spielfeld *n*; *cards*: Karo *n*.

di·a·per *Am.* ['daɪəpə] *s* Windel *f*.

di·a·phragm ['daɪəfræm] *s* *anat.* Zwerchfell *n*; *opt.* Blende *f*; *teleph.* Membran(e) *f*; *contraceptive*: Diaphragma *n*, Pessar *n*.

di·ar·rh(o)e·a *med.* [daɪə'rɪə] *s* Durchfall *m*.

di·a·ry ['daɪərɪ] *s* Tagebuch *n*; (Termin)Kalender *m*.

dice [daɪs] **1.** *s* *pl of* **die²**; **2.** *v/t and v/i* würfeln; **~·box**, **~·cup** *s* Würfelbecher *m*.

dick [dɪk] *s* *Am. sl. detective*: Schnüffler *m*; V Schwanz *m*.

dic|tate [dɪk'teɪt] *v/t* diktieren (*a. v/i*); *fig.* vorschreiben; **~·ta·tion** [~ʃn] *s* Diktat *n*.

dic·ta·tor [dɪk'teɪtə] *s* Diktator *m*; **~·ship** [~ʃɪp] *s* Diktatur *f*.

dic·tion ['dɪkʃn] *s* Ausdruck(sweise *f*) *m*, Stil *m*; **~·a·ry** ['~ərɪ] *s* Wörterbuch *n*.

did [dɪd] *pret of* **do**.

die¹ [daɪ] *v/i* sterben; umkommen; untergehen; absterben; *~ away of wind, etc.*: sich legen; *of sound*: verklingen; *of light, etc.*: verlöschen; *~ down* nachlassen; herunterbrennen; schwächer werden; *~ off* wegsterben; *~ out* aussterben (*a. fig.*).

die² [~] *s* (*pl* **dice** [daɪs]) Würfel *m*; (*pl* **dies** [daɪz]) Prägestock *m*, -stempel *m*.

die-hard ['daɪhɑːd] *s* Reaktionär *m*; F Betonkopf *m*.

di·et ['daɪət] **1.** *s* Diät *f*; Nahrung *f*, Kost *f*; *be on a ~* diät leben; **2.** *v/i* diät leben.

dif·fer ['dɪfə] *v/i* sich unterscheiden; anderer Meinung sein (**with**, **from** als); abweichen.

dif·fer·ence ['dɪfrəns] *s* Unterschied *m*; Differenz *f*; Meinungsverschiedenheit *f*; **~·rent** *adj* □ verschieden; andere(r, -s); anders (**from** als); **~·ren·ti·ate** [dɪfə'renʃɪeɪt] *v/t and v/i* (sich) unterscheiden.

dif·fi·cult ['dɪfɪkəlt] *adj* schwierig; **~·cul·ty** [~ɪ] *s* Schwierigkeit *f*.

dif·fi·dence ['dɪfɪdəns] *s* Schüchternheit *f*; **~·dent** [~t] *adj* □ schüchtern.

dif|fuse 1. *v/t* [dɪ'fjuːz] verbreiten; **2.** *adj* □ [~s] *speech, etc.*: langatmig, weitschweifig; *light*: diffus; **~·fu·sion** [~ʒn] *s* Verbreitung *f*.

dig [dɪg] **1.** *v/t and v/i* (*-gg-*; *dug*) graben (in *dat*); *often* **~ up** umgraben; *often* **~ up**, **~ out** ausgraben (*a. fig.*); **2.** *s* F Ausgrabung(sstätte) *f*; F Puff *m*, Stoß *m*; **~s** *pl Br.* F Bude *f*, (Studenten)Zimmer *n*.

di·gest 1. [dɪ'dʒest] *v/t* verdauen (*a. fig.*); ordnen; *v/i* verdauen; verdaulich sein; **2.** *s* ['daɪdʒest] Abriß *m*, Auslese *f*, Auswahl *f*; **~·i·ble** [dɪ'dʒestəbl] *adj* verdaulich; **di·ges·tion** [~tʃən] *s* Verdauung *f*; **di·ges·tive** [~tɪv] *adj* □ verdauungsfördernd.

dig·ger ['dɪgə] *s* (*esp.* Gold)Gräber *m*.

di·git ['dɪdʒɪt] *s* Ziffer *f*; *three-~ number* dreistellige Zahl; **di·gi·tal** *adj* □ digital, Digital...; *~ clock*, *~ watch* Digitaluhr *f*.

dig·ni|fied ['dɪgnɪfaɪd] *adj* würdevoll,

würdig; **~∙ta∙ry** ['~təri] s Würdenträger(in); **~∙ty** ['~tɪ] s Würde f.

di∙gress [daɪ'gres] v/i abschweifen.

dike¹ [daɪk] **1.** s Deich m, Damm m; Graben m; **2.** v/t eindeichen, -dämmen.

dike² sl. [~] s Lesbe f.

di∙lap∙i∙dat∙ed [dɪ'læpɪdeɪtɪd] adj verfallen, baufällig, klapp(e)rig.

di∙late [daɪ'leɪt] v/t (and v/i sich) ausdehnen; eyes: weit öffnen; **dil∙a∙to∙ry** ['dɪlətərɪ] adj □ verzögernd, hinhaltend; aufschiebend; langsam.

dil∙i∙gence ['dɪlɪdʒəns] s Fleiß m; **~∙gent** [~nt] adj □ fleißig, emsig.

di∙lute [daɪ'ljuːt] **1.** v/t verdünnen; verwässern; **2.** adj verdünnt.

dim [dɪm] **1.** adj □ (**-mm-**) trüb(e); dunkel; matt; **2.** (**-mm-**) v/t verdunkeln; light: abblenden; v/i sich trüben; matt werden.

dime Am. [daɪm] s Zehncentstück n.

di∙men∙sion [daɪ'menʃn] s Dimension f, Abmessung f; ~s pl a. Ausmaß n; **~∙al** [~ʃnl] three-~ dreidimensional.

di∙min∙ish [dɪ'mɪnɪʃ] v/i sich vermindern; abnehmen.

di∙min∙u∙tive [dɪ'mɪnjʊtɪv] adj □ klein, winzig.

dim∙ple ['dɪmpl] s Grübchen n.

din [dɪn] s Getöse n, Lärm m.

dine [daɪn] v/i essen, speisen; ~ in/out zu Hause/auswärts essen; v/t bewirten; **din∙er** ['daɪnə] s Speisende(r m) f; in restaurant: Gast m; esp. Am. rail. Speisewagen m; Am. Speiselokal n.

din∙gy ['dɪndʒɪ] adj □ (**-ier, -iest**) schmutzig.

din∙ing | **car** rail. ['daɪnɪŋkɑː] s Speisewagen m; **~ room** s Eß-, Speisezimmer n.

din∙ner ['dɪnə] s (Mittag-, Abend)Essen n; Festessen n; **~∙jack∙et** s Smoking m; **~∙par∙ty** s Tischgesellschaft f; **~∙service**, **~∙set** s Speiseservice n, Tafelgeschirr n.

di∙no∙saur zo. ['daɪnəsɔː] s Dinosaurier m.

dint [dɪnt] **1.** s Beule f; by ~ of kraft, vermöge (gen); **2.** v/t ver-, einbeulen.

dip [dɪp] **1.** (**-pp-**) v/t (ein)tauchen; senken; schöpfen; ~ the headlights esp. Br. mot. abblenden; v/i (unter)tauchen; sinken; sich neigen, sich senken; **2.** s (Ein-, Unter)Tauchen n; F kurzes

Bad; Senkung f, Neigung f, Gefälle n; cooking: Dip m.

diph∙ther∙i∙a med. [dɪf'θɪərɪə] s Diphtherie f.

di∙plo∙ma [dɪ'pləʊmə] s Diplom n.

di∙plo∙ma∙cy [dɪ'pləʊməsɪ] s Diplomatie f.

dip∙lo∙mat ['dɪpləmæt] s Diplomat m; **~∙ic** [~'mætɪk] adj (**~ally**) diplomatisch; ~ **relations** diplomatische Beziehungen.

dip∙per ['dɪpə] s Schöpfkelle f.

dire ['daɪə] adj (**~r, ~st**) gräßlich, schrecklich.

di∙rect [dɪ'rekt] **1.** adj □ direkt; gerade; unmittelbar; offen, aufrichtig; ~ **current** electr. Gleichstrom m; ~ **train** durchgehender Zug; **2.** adv direkt, unmittelbar; **3.** v/t richten; lenken, steuern; leiten; anordnen; j-n anweisen; j-m den Weg zeigen; letter: adressieren; Regie führen bei.

di∙rec∙tion [dɪ'rekʃn] s Richtung f; Leitung f, Führung f; of letter, etc.: Adresse f; TV, etc.: Regie f; mst ~s pl Anweisung f, Anleitung f; **~s for use** Gebrauchsanweisung f; **~∙find∙er** [~faɪndə] s (Funk)Peiler m, Peilempfänger m; **~∙in∙di∙ca∙tor** s mot. Fahrtrichtungsanzeiger m, Blinker m; aer. Kursweiser m.

di∙rec∙tive [dɪ'rektɪv] **1.** adj richtungweisend, leitend; **2.** s Direktive f, Weisung f.

di∙rect∙ly [dɪ'rektlɪ] **1.** adv sofort; **2.** cj sobald, sowie.

di∙rec∙tor [dɪ'rektə] s Direktor m; TV, etc.: Regisseur m; mus. Dirigent m; **board of ~s** econ. Vorstand m; Aufsichtsrat m.

di∙rec∙to∙ry [dɪ'rektərɪ] s Adreßbuch n; **telephone ~** Telefonbuch n.

dirt [dɜːt] s Schmutz m (a. fig.); (lockere) Erde; **~∙cheap** F [~'tʃiːp] adj spottbillig; **~∙y** [~ɪ] **1.** adj □ (**-ier, -iest**) schmutzig (a. fig.); **2.** v/t beschmutzen; v/i schmutzig werden.

dis∙a∙bil∙i∙ty [dɪsə'bɪlətɪ] s Unfähigkeit f.

dis∙a∙ble [dɪs'eɪbl] v/t mil. kampfunfähig or dienstuntauglich machen; **~d 1.** adj arbeits-, erwerbsunfähig, invalid(e); mil. dienstuntauglich; mil. kriegsversehrt; physically or mentally: behindert; **2.** s: **the ~** pl die Behinderten pl.

dis·ad·van|tage [dɪsəd'vɑːntɪdʒ] s Nachteil m; Schaden m; **~ta·geous** [dɪsædvɑːn'teɪdʒəs] adj □ nachteilig, ungünstig.

dis·a·gree [dɪsə'griː] v/i nicht übereinstimmen; uneinig sein; nicht bekommen (**with** s.o. j-m); **~a·ble** [~əbl] adj □ unangenehm; **~ment** s Unstimmigkeit f; Meinungsverschiedenheit f.

dis·ap·pear [dɪsə'pɪə] v/i verschwinden; **~ance** s Verschwinden n.

dis·ap·point [dɪsə'pɔɪnt] v/t j-n enttäuschen; hopes, etc.: zunichte machen; **~ment** s Enttäuschung f.

dis·ap·prov|al [dɪsə'pruːvl] s Mißbilligung f; **~e** [dɪsə'pruːv] v/t mißbilligen; v/i dagegen sein.

dis·arm [dɪs'ɑːm] v/t entwaffnen (a. fig.); v/i mil., pol. abrüsten; **~ar·ma·ment** [~əmənt] s Entwaffnung f; mil., pol. Abrüstung f.

dis·ar·range [dɪsə'reɪndʒ] v/t in Unordnung bringen.

dis·ar·ray [dɪsə'reɪ] s Unordnung f.

di·sas|ter [dɪ'zɑːstə] s Unglück(sfall m) n, Katastrophe f, Desaster n; **~trous** [~trəs] adj □ katastrophal, verheerend.

dis·band [dɪs'bænd] v/t and v/i (sich) auflösen.

dis·be|lief [dɪsbɪ'liːf] s Unglaube m; Zweifel m (**in** an dat); **~lieve** [~'liːv] v/t et. bezweifeln, nicht glauben; **~liev·er** [~'liːvə] s Ungläubige(r m) f/t.

disc [dɪsk] s Scheibe f (a. anat., zo., tech.); (Schall)Platte f; Parkscheibe f; **slipped ~** med. Bandscheibenvorfall m; **~ brake** mot. Scheibenbremse f.

dis·card [dɪ'skɑːd] v/t cards, clothes, etc.: ablegen; friends, etc.: fallenlassen.

di·scern [dɪ'sɜːn] v/t wahrnehmen, erkennen; **~ing** adj □ kritisch, scharfsichtig; **~ment** s Einsicht f; Scharfblick m; Wahrnehmen n.

dis·charge [dɪs'tʃɑːdʒ] **1.** v/t ent-, ausladen; j-n befreien, entbinden; j-n entlassen; gun, etc.: abfeuern; von sich geben, ausströmen, -senden; med. absondern; duty, etc.: erfüllen; debt: bezahlen; bill: einlösen; v/i electr. sich entladen; sich ergießen, of river: münden; med. eitern; **2.** s of ship: Entladung f; of gun, etc.: Abfeuern n; Ausströmen n; med. Absonderung f; med. Ausfluß m; Ausstoßen n; electr. Entladung f; Ent-

lassung f; Entlastung f; of duty, etc.: Erfüllung f.

di·sci·ple [dɪ'saɪpl] s Schüler m; Jünger m.

dis·ci·pline ['dɪsɪplɪn] **1.** s Disziplin f; **2.** v/t disziplinieren; **well ~d** diszipliniert; **badly ~d** disziplinlos, undiszipliniert.

disc jock·ey ['dɪskdʒɒkɪ] s Disk-, Discjockey m.

dis·claim [dɪs'kleɪm] v/t ab-, bestreiten; responsibility: ablehnen; jur. verzichten auf (acc).

dis|close [dɪs'kləʊz] v/t bekanntgeben, -machen; enthüllen, aufdecken; **~clo·sure** [~əʊʒə] s Enthüllung f.

dis·co F ['dɪskəʊ] s (pl **-cos**) Disko f; **~ sound** Diskosound m.

dis·col·o(u)r [dɪs'kʌlə] v/t and v/i (sich) verfärben.

dis·com·fort [dɪs'kʌmfət] **1.** s Unbehagen n; Beschwerden pl; **2.** v/t j-m Unbehagen verursachen.

dis·con·cert [dɪskən'sɜːt] v/t aus der Fassung bringen.

dis·con·nect [dɪskə'nekt] v/t trennen (a. electr.); tech. auskuppeln; electr. switch off: abschalten; gas, electricity, phone: abstellen; teleph. connection: unterbrechen; **~ed** adj □ zusammenhang(s)los.

dis·con·tent [dɪskən'tent] s Unzufriedenheit f; **~ed** adj □ unzufrieden.

dis·con·tin·ue [dɪskən'tɪnjuː] v/t aufgeben, aufhören mit, project, etc.: abbrechen; unterbrechen.

dis·cord ['dɪskɔːd], **~ance** [dɪs'kɔːdəns] s Uneinigkeit f; mus. Mißklang m; **~ant** adj □ nicht übereinstimmend; mus. unharmonisch, mißtönend.

dis·co·theque ['dɪskətek] s Diskothek f.

dis·count ['dɪskaʊnt] **1.** s econ. Diskont m; Abzug m, Rabatt m; **2.** v/t econ. diskontieren; abziehen, abrechnen.

dis·cour·age [dɪs'kʌrɪdʒ] v/t entmutigen; abschrecken; **~ment** s Entmutigung f; Hindernis n, Schwierigkeit f.

dis·course 1. ['dɪskɔːs] s Rede f; Abhandlung f; Predigt f, phls. Diskurs m; **2.** [dɪ'skɔːs] v/i e-n Vortrag halten (**on, upon** über acc).

dis·cour·te|ous [dɪs'kɜːtjəs] adj □ unhöflich; **~sy** [~təsɪ] s Unhöflichkeit f.

dis·cov|er [dɪ'skʌvə] v/t entdecken; ausfindig machen; feststellen, bemerken; **~e·ry** [~ərɪ] s Entdeckung f.

dismantle

dis·cred·it [dıs'kredıt] **1.** s Zweifel m; Mißkredit m, schlechter Ruf; **2.** v/t nicht glauben; in Mißkredit bringen.

di·screet [dı'skri:t] adj □ besonnen, vorsichtig; diskret, verschwiegen.

di·screp·an·cy [dı'skrepənsı] s Widerspruch m, Unstimmigkeit f.

di·scre·tion [dı'skreʃn] s Besonnenheit f; Ermessen n, Belieben n; Takt m, Diskretion f, Verschwiegenheit f.

di·scrim·i·nate [dı'skrımıneıt] v/t unterscheiden; v/i unterscheiden (**between** zwischen dat); ~ **against** diskriminieren, benachteiligen; ~**nat·ing** adj □ unterscheidend; kritisch, urteilsfähig; ~**na·tion** [~'neıʃn] s Unterscheidung f; unterschiedliche (esp. nachteilige) Behandlung, Diskriminierung f; Urteilskraft f.

dis·cus ['dıskəs] s sports: Diskus m; ~ **throw** Diskuswerfen n; ~ **thrower** Diskuswerfer(in).

dis·cuss [dı'skʌs] v/t diskutieren, erörtern, besprechen; **di·scus·sion** [~ʌʃn] s Diskussion f, Besprechung f.

dis·dain [dıs'deın] **1.** s Verachtung f; **2.** v/t geringschätzen, verachten; verschmähen.

dis·ease [dı'zi:z] s Krankheit f; ~**d** adj krank.

dis·em·bark [dısım'bɑ:k] v/t ausschiffen; v/i von Bord gehen.

dis·en·chant·ed [dısın'tʃɑ:ntıd] adj: **be** ~ **with** sich keinen Illusionen mehr hingeben über (acc).

dis·en·gage [dısın'geıdʒ] v/t (and v/i sich) freimachen or lösen; tech. loskuppeln.

dis·en·tan·gle [dısın'tæŋgl] v/t entwirren; herauslösen (**from** aus).

dis·fa·vo(u)r [dıs'feıvə] s Mißfallen n; Ungnade f.

dis·fig·ure [dıs'fıgə] v/t entstellen.

dis·grace [dıs'greıs] **1.** s Ungnade f; Schande f; **2.** v/t Schande bringen über (acc), j-m Schande bereiten; **be** ~**d** in Ungnade fallen; ~**ful** adj □ schändlich; skandalös.

dis·guise [dıs'gaız] **1.** v/t verkleiden (**as** als); verstellen; verschleiern, -bergen; **2.** s Verkleidung f; Verstellung f; Verschleierung f; thea. and fig.: Maske f; **in** ~ maskiert, verkleidet; fig. verkappt.

dis·gust [dıs'gʌst] **1.** s Ekel m, Abscheu m; **2.** v/t (an)ekeln; empören, entrüsten; ~**ing** adj □ ekelhaft.

dish [dıʃ] **1.** s flache Schüssel; (Servier)Platte f; Gericht n, Speise f; the ~**es** pl das Geschirr; **do the** ~**es** abspülen, Geschirr spülen; F TV Parabolantenne f, F Schüssel f; **2.** v/t mst ~ **up** anrichten; auftischen, -tragen; ~ **out** F austeilen; ~**cloth** s Geschirrspültuch n.

dis·heart·en [dıs'hɑ:tn] v/t entmutigen.

dis·hon·est [dıs'ɒnıst] adj □ unehrlich, unredlich; ~**y** [~ı] s Unredlichkeit f.

dis·hon·o(u)r [dıs'ɒnə] **1.** s Unehre f, Schande f; **2.** v/t entehren; schänden; econ. bill: nicht honorieren or einlösen; ~**o(u)·ra·ble** adj □ schändlich, unehrenhaft.

dish tow·el s Geschirrtuch n; ~**wash·er** s Spüler(in); Geschirrspülmaschine f, -spüler m; ~**wa·ter** s Spülwasser n.

dis·il·lu·sion [dısı'lu:ʒn] **1.** s Ernüchterung f, Desillusion f; **2.** v/t ernüchtern, desillusionieren; **be** ~**ed with** sich keinen Illusionen mehr hingeben über (acc).

dis·in·clined [dısın'klaınd] adj abgeneigt.

dis·in·fect [dısın'fekt] v/t desinfizieren; ~**fec·tant** s Desinfektionsmittel n.

dis·in·her·it [dısın'herıt] v/t enterben.

dis·in·te·grate [dıs'ıntıgreıt] v/i sich auflösen; ver-, zerfallen.

dis·in·terest·ed [dıs'ıntrəstıd] adj □ uneigennützig, selbstlos; objektiv, unvoreingenommen; F desinteressiert.

disk [dısk] s esp. Am. → Br. **disc**; computer: Diskette f, F Floppy f; ~ **drive** Diskettenlaufwerk n.

disk·ette ['dısket, dı'sket] s computer: Diskette f.

dis·like [dıs'laık] **1.** s Abneigung f, Widerwille m (**of, for** gegen); **take a** ~ **to s.o.** gegen j-n e-e Abneigung fassen; **2.** v/t nicht mögen.

dis·lo·cate ['dısləkeıt] v/t med. sich et. verrenken; verlagern.

dis·loy·al [dıs'lɔıəl] adj □ treulos.

dis·mal ['dızməl] adj □ trüb(e), trostlos, elend.

dis·man·tle [dıs'mæntl] v/t abbrechen, niederreißen (a. fig.: trade barriers, etc.); mar. abtakeln; mar. abwracken; tech. demontieren.

dis·may [dıs'meı] **1.** *s* Schrecken *m*, Bestürzung *f*; **in ~, with ~** bestürzt; **to one's ~** zu s-m Entsetzen; **2.** *v/t* erschrecken, bestürzen.

dis·miss [dıs'mıs] *v/t* entlassen; wegschicken; ablehnen; *topic, etc.*: fallenlassen; *jur.* abweisen; **~al** [~l] *s* Entlassung *f*; Aufgabe *f*; *jur.* Abweisung *f*.

dis·mount [dıs'maυnt] *v/t* aus dem Sattel heben; *rider*: abwerfen; demontieren; *tech.* auseinandernehmen; *v/i* absteigen, absitzen (**from** von).

dis·o·be·di·ence [dısə'biːdıəns] *s* Ungehorsam *m*; **~ent** *adj* □ ungehorsam.

dis·o·bey [dısə'beı] *v/i and v/t* nicht gehorchen (*dat*), ungehorsam sein.

dis·or·der [dıs'ɔːdə] **1.** *s* Unordnung *f*; Aufruhr *m*; *med.* Störung *f*; **2.** *v/t* in Unordnung bringen; *med.* angreifen; **~ly** *adj* unordentlich; ordnungswidrig; unruhig; aufrührerisch.

dis·or·gan·ize [dıs'ɔːgənaız] *v/t* durcheinanderbringen; desorganisieren.

dis·own [dıs'əυn] *v/t* nicht anerkennen; *child*: verstoßen; ablehnen.

dis·par·age [dı'spærıdʒ] *v/t* verächtlich machen, herabsetzen; geringschätzen.

dis·par·i·ty [dı'spærətı] *s* Ungleichheit *f*; **~ of or in age** Altersunterschied *m*.

dis·pas·sion·ate [dı'spæʃnət] *adj* □ leidenschaftslos; objektiv.

dis·patch [dı'spætʃ] **1.** *s* schnelle Erledigung; (Ab)Sendung *f*; Abfertigung *f*; Eile *f*; (Eil)Botschaft *f*; *of news correspondent*: Bericht *m*; **2.** *v/t* schnell erledigen; absenden, abschicken; *telegram*: aufgeben, abfertigen.

dis·pel [dı'spel] *v/t* (**-ll-**) *crowd, etc.*: zerstreuen (*a. fig.*), *fog*: zerteilen.

dis·pen·sa·ble [dı'spensəbl] *adj* entbehrlich.

dis·pen·sa·tion [dıspen'seıʃn] *s* Austeilung *f*; Befreiung *f* (**with** von); Dispens *m*; (göttliche) Fügung.

dis·pense [dı'spens] *v/t* austeilen; *medicine, etc.*: zubereiten u. abgeben; **~ jus·tice** Recht sprechen; *v/i*: **~ with** auskommen ohne; überflüssig machen; **dis·pens·er** *s* Spender *m*, *for tapes*: a. Abroller *m*, *for stamps, etc.*: Automat *m*; → **cash dispenser**.

dis·perse [dı'spɜːs] *v/t* verstreuen; *v/i* sich zerstreuen.

dis·pir·it·ed [dı'spırıtıd] *adj* entmutigt.

dis·place [dıs'pleıs] *v/t* verschieben; ablösen, entlassen; verschleppen; ersetzen; verdrängen.

dis·play [dı'spleı] **1.** *s* Entfaltung *f*; (Her)Zeigen *n*; (protzige) Zurschaustellung; *computer*: (Sicht)Anzeige *f*, Display *n*; *econ.* Display *n*, Auslage *f*; **be on ~** ausgestellt sein; **2.** *v/t* entfalten; zur Schau stellen; zeigen.

dis·please [dıs'pliːz] *v/t* j-m mißfallen; **~pleased** *adj* ungehalten; **~pleasure** [~'pleʒə] *s* Mißfallen *n*.

dis·po·sa·ble [dı'spəυzəbl] **1.** *adj* Einweg...; Wegwerf...; **2.** *s mst pl* Einweg-, Wegwerfartikel *m*; **~pos·al** [~zl] *s of waste, etc.*: Beseitigung *f*, Entsorgung *f*; Verfügung(srecht *n*) *f*; **be (put) at s.o.'s ~** j-m zur Verfügung stehen (stellen); **~pose** [~əυz] *v/t* (an)ordnen, einrichten; geneigt machen, veranlassen; *v/i*: **~ of** verfügen über (*acc*); erledigen; loswerden; beseitigen; **~posed** *adj* geneigt; ...gesinnt; **~po·si·tion** [dıspə'zıʃn] *s* Disposition *f*; Anordnung *f*; Neigung *f*; Veranlagung *f*, Art *f*.

dis·pos·sess [dıspə'zes] *v/t* enteignen; vertreiben; berauben (**of** gen).

dis·pro·por·tion·ate [dısprə'pɔːʃnət] *adj* □ unverhältnismäßig.

dis·prove [dıs'pruːv] *v/t* widerlegen.

dis·pute [dı'spjuːt] **1.** *s* Disput *m*, Kontroverse *f*; Streit *m*; Auseinandersetzung *f*; **2.** *v/t* streiten über (*acc*); bezweifeln; *v/i* streiten.

dis·qual·i·fy [dıs'kwɒlıfaı] *v/t* unfähig or untauglich machen; für untauglich erklären; *sports*: disqualifizieren.

dis·qui·et [dıs'kwaıət] *v/t* beunruhigen.

dis·re·gard [dısrı'gɑːd] **1.** *s* Nichtbeachtung *f*; Mißachtung *f*; **2.** *v/t* nicht beachten.

dis·rep·u·ta·ble [dıs'repjυtəbl] *adj* □ übel; verrufen; **~re·pute** [dısrı'pjuːt] *s* schlechter Ruf.

dis·re·spect [dısrı'spekt] *s* Respektlosigkeit *f*; Unhöflichkeit *f*; **~ful** *adj* □ respektlos; unhöflich.

dis·rupt [dıs'rʌpt] *v/t* unterbrechen.

dis·sat·is·fac·tion [dıssætıs'fækʃn] *s* Unzufriedenheit *f*; **~fy** [dıs'sætısfaı] *v/t* nicht befriedigen; *j-m* mißfallen.

dis·sect [dı'sekt] *v/t* zerlegen, -gliedern.

dis·sen·sion [dı'senʃn] *s* Meinungsverschiedenheit(en *pl*) *f*, Differenz(en *pl*) *f*.

Uneinigkeit f; **~t 1.** s abweichende Meinung f; **2.** v/i anderer Meinung sein (**from** als); **~t·er** s Andersdenkende(r m) f; Abweichler(in).

dis·si·dent ['dɪsɪdənt] **1.** adj andersdenkend; **2.** s Andersdenkende(r m) f; pol. Dissident(in), Regime-, Systemkritiker(in).

dis·sim·i·lar [dɪ'sɪmɪlə] adj □ (**to**) unähnlich (dat); verschieden (von).

dis·si|pate ['dɪsɪpeɪt] v/i sich zerstreuen; v/t verschwenden; **~·pat·ed** adj ausschweifend, zügellos.

dis·so·ci·ate [dɪ'səʊʃɪeɪt] v/t trennen; ~ **o.s.** sich distanzieren, abrücken.

dis·so·lute ['dɪsəluːt] adj □ ausschweifend, zügellos; **~·lu·tion** [dɪsə'luːʃn] s Auflösung f; Zerstörung f; jur. Aufhebung f, Annullierung f.

dis·solve [dɪ'zɒlv] v/t (auf)lösen; abbrechen (friendship); schmelzen; v/i sich auflösen.

dis·so·nant ['dɪsənənt] adj □ mus. dissonant, mißtönend; fig. unstimmig.

dis·suade [dɪ'sweɪd] v/t j-m abraten (**from** von).

dis|tance ['dɪstəns] **1.** s Abstand m; Entfernung f, Ferne f; Strecke f; fig. Distanz f, Zurückhaltung f; **at a** ~ von weitem; in einiger Entfernung; **keep s.o. at a** ~ j-m gegenüber reserviert sein; **long-/middle-~ ...** sports: Lang-/Mittelstrecken...; **2.** v/t hinter sich lassen; **~·tant** adj □ entfernt (a. fig.); fern; zurückhaltend; Fern...

dis·taste [dɪs'teɪst] s Widerwille m, Abneigung f; **~·ful** adj: **be ~ to s.o.** j-m zuwider sein.

dis·tem·per¹ [dɪs'tempə] s of animals: Krankheit f, (Hunde)Staupe f.

dis·tem·per² [~] s Temperafarbe f.

dis·til(l) [dɪ'stɪl] v/t chem. destillieren (a. fig.); **dis·til·le·ry** [~ləri] s (Branntwein)Brennerei f.

dis|tinct [dɪ'stɪŋkt] adj □ verschieden; getrennt; deutlich, klar, bestimmt; **~·tinc·tion** [~kʃn] s Unterscheidung f; Unterschied m; Auszeichnung f; Rang m; **~·tinc·tive** adj □ unterscheidend; kennzeichnend, bezeichnend.

dis·tin·guish [dɪ'stɪŋgwɪʃ] v/t unterscheiden; auszeichnen; ~ **o.s.** sich auszeichnen; **~ed** adj berühmt; ausgezeichnet; vornehm.

dis|tort [dɪ'stɔːt] v/t verdrehen (truth, etc.); verzerren; **dis·tor·tion** [~ʃən] s Verdrehung f, Verzerrung f; ~ **of competition** econ. Wettbewerbsverzerrung f.

dis·tract [dɪ'strækt] v/t ablenken; zerstreuen; beunruhigen; verwirren; verrückt machen; **~·ed** adj □ beunruhigt, besorgt; (**by, with**) außer sich (vor dat); with pain: wahnsinnig; **dis·trac·tion** [~kʃn] s Ablenkung f; Zerstreutheit f; Verwirrung f; Zerstreuung f; Raserei f.

dis·tress [dɪ'stres] **1.** s Qual f; Kummer m, Sorge f; Elend n, Not f; **2.** v/t in Not bringen; quälen; beunruhigen; betrüben; j-n erschöpfen; **~·ed** adj beunruhigt, besorgt; betrübt; notleidend; ~ **area** Br. Notstandsgebiet n.

dis·trib·ute [dɪ'strɪbjuːt] v/t ver-, aus-, zuteilen; einteilen; verbreiten; **~·tri·bu·tion** [dɪstrɪ'bjuːʃn] s Ver-, Austeilung f; of films: Verleih m; Verbreitung f; Einteilung f.

dis·trict ['dɪstrɪkt] s Bezirk m; Gegend f.

dis·trust [dɪs'trʌst] **1.** s Mißtrauen n; **2.** v/t mißtrauen (dat); **~·ful** adj □ mißtrauisch.

dis·turb [dɪ'stɜːb] v/t u. v/i stören; beunruhigen; **~·ance** s Störung f; Unruhe f; ~ **of the peace** jur. öffentliche Ruhestörung; **cause a** ~ für Unruhe sorgen; ruhestörenden Lärm machen; **~ed** adj geistig gestört; verhaltensgestört.

dis·used [dɪs'juːzd] adj machine, etc.: nicht mehr benutzt, mine: stillgelegt.

ditch [dɪtʃ] **1.** s (Straßen)Graben m; **2.** v/t sl. sitzenlassen.

di·van [dɪ'væn, Am. 'daɪvæn] s Diwan m; ~ **bed** Bettcouch f.

dive [daɪv] **1.** v/i (dived or Am. a. dove, dived) (unter)tauchen; from diving-board: springen; e-n Hecht- or Kopfsprung machen; hechten (**for** nach); e-n Sturzflug machen; **2.** s swimming: Springen n; Kopf-, Hechtsprung m; Sturzflug m; F Spelunke f; **div·er** ['daɪvə] s Taucher(in); sports: Wasserspringer(in).

di·verge [daɪ'vɜːdʒ] v/i auseinanderlaufen; abweichen; **di·ver·gence** s Abweichung f; **di·ver·gent** adj □ abweichend.

di·vers ['daɪvɜːz] adj mehrere, diverse.

di·verse [daɪ'vɜːs] adj □ verschieden;

mannigfaltig; **di·ver·si·fy** [∼sıfaı] *v/t* verschieden(artig) *or* abwechslungsreich gestalten; *econ.* diversifizieren; **di·ver·sion** [∼ɜːʃn] *s* Ablenkung *f*; Umleitung *f*; Zeitvertreib *m*; **di·ver·si·ty** [∼sətı] *s* Verschiedenheit *f*; Mannigfaltigkeit *f*.

di·vert [daı'vɜːt] *v/t* ablenken; *j-n* zerstreuen, unterhalten; *traffic:* umleiten.

di·vide [dı'vaıd] **1.** *v/t* teilen; ver-, austeilen; einteilen; *math.* dividieren (**by** durch); *v/i* sich teilen; zerfallen; *math.* sich dividieren lassen; sich trennen *or* auflösen; **2.** *s geogr.* Wasserscheide *f*; **di·vid·ed** *adj* geteilt; **∼ highway** *Am.* Schnellstraße *f*.

div·i·dend *econ.* ['dıvıdend] *s* Dividende *f*.

di·vid·ers [dı'vaıdəz] *s pl* Trennwand *f*; *math.* (**a pair of ∼** ein) Stechzirkel *m*.

di·vine [dı'vaın] **1.** *adj* □ (**∼r, ∼st**) göttlich; **2.** *s* Geistliche(r) *m*; **3.** *v/t* weissagen; ahnen.

div·ing ['daıvıŋ] *s* Tauchen *n*; *sports:* Wasserspringen *n*; *attr* Tauch(er)..., *aer.* Sturzflug...; **∼board** Sprungbrett *n*; **∼suit** Taucheranzug *m*.

di·vin·i·ty [dı'vınətı] *s* Gottheit *f*; Göttlichkeit *f*; Theologie *f*.

di·vis·i·ble [dı'vızəbl] *adj* □ teilbar; **di·vi·sion** [∼ıʒn] *s* Teilung *f*; Trennung *f*; Abteilung *f*; *mil., math.* Division *f*.

di·vorce [dı'vɔːs] **1.** *s* (Ehe)Scheidung *f*; **get a ∼** geschieden werden (**from** von); **2.** *v/t marriage:* scheiden; *of person:* sich scheiden lassen von; **we have been ∼d** wir haben uns scheiden lassen; **di·vor·cee** [dıvɔː'siː] *s* Geschiedene(r) *m*) *f*.

diz·zy ['dızı] *adj* □ (**-ier, -iest**) schwind(e)lig.

do [duː] (**did**, **done**) *v/t* tun, machen; (zu)bereiten; *room:* aufräumen; *dishes:* abwaschen; *impersonate:* spielen; *distance, etc.:* zurücklegen, schaffen; **∼ you know him? - no, I don't** kennst du ihn? – nein; **what can I ∼ for you?** was kann ich für Sie tun?, womit kann ich (Ihnen) dienen?; **∼ London** F London besichtigen; **have one's hair done** sich die Haare machen *or* frisieren lassen; **have done reading** fertig sein mit Lesen; *v/i* tun, handeln; sich befinden; genügen; **that will ∼** das genügt; **how ∼**

you ∼? guten Tag!; **∼ be quick** beeile dich doch; **∼ you like London? - I ∼** gefällt Ihnen London? – ja; **∼ well** s-e Sache gut machen; gute Geschäfte machen; *with adverbs and prepositions:* **∼ away with** beseitigen, weg-, abschaffen; **∼ for:** F **be done for** fix und fertig sein, erledigt sein (*a. fig.*); *in sl. kill:* erledigen; **I'm done in** F ich bin geschafft; **∼ up** dress, etc.: zumachen; *house, etc.:* instand setzen; *parcel:* zurechtmachen; **∼ o.s. up** sich zurechtmachen; **I'm done up** F ich bin geschafft; **I could ∼ with ...** ich könnte ... brauchen *or* vertragen; **∼ without** auskommen ohne; → **done**.

dock[1] [dɒk] *v/t* stutzen, kupieren; *fig.* kürzen.

dock[2] [∼] **1.** *s mar.* Dock *n*; Kai *m*, Pier *m*; *jur.* Anklagebank *f*; **2.** *v/t ship:* (ein)docken; *spacecraft:* koppeln; *v/i mar.* anlegen; *of spacecraft:* andocken, ankoppeln; **∼ing** *s* Docking *n*, *of spacecraft:* Ankopp(e)lung *f*; **∼yard** *s mar.* (*esp. Br. Marine*)Werft *f*.

doc·tor ['dɒktə] **1.** *s* Doktor *m*; Arzt *m*; **2.** *v/t* F verarzten; F (ver)fälschen.

doc·trine ['dɒktrın] *s* Doktrin *f*, Lehre *f*.

doc·u·ment 1. *s* ['dɒkjəmənt] Urkunde *f*; **2.** *v/t* [∼ment] (urkundlich) belegen.

doc·u·men·ta·ry [dɒkjə'mentrı] **1.** *adj* urkundlich; *TV, etc.:* Dokumentar...; **2.** *s* Dokumentarfilm *m*.

dodge [dɒdʒ] **1.** *s* Sprung *m* zur Seite; Kniff *m*, Trick *m*; **2.** *v/i* (rasch) zur Seite springen; *v/t* ausweichen (*dat*); F sich drücken vor (*dat*); **dodg·er** *s* Gauner *m*, Schlawiner *m*; → **fare dodger**.

doe *zo.* [dəʊ] *s* Hirschkuh *f*; Rehgeiß *f*, Ricke *f*; Häsin *f*.

dog [dɒg] **1.** *s zo.* Hund *m*; **a ∼'s life** F ein Hundeleben; **2.** *v/t* (**-gg-**) *j-n* beharrlich verfolgen; **∼eared** *adj book:* mit Eselsohren; **∼ged** ['dɒgıd] *adj* □ verbissen, hartnäckig.

dog·ma ['dɒgmə] *s* Dogma *n*; Glaubenssatz *m*; **∼t·ic** [dɒg'mætık] *adj* (**∼ally**) dogmatisch.

dog-tired F [dɒg'taıəd] *adj* hundemüde.

do·ings ['duːıŋz] *s pl* Handlungen *pl*, Taten *pl*; Tätigkeit *f*; F Dinger *pl*, Zeug *n*.

do-it-your·self [duːıtjɔː'self] **1.** *s* Heimwerken *n*, Do-it-yourself *n*; **2.** *adj* Heimwerker..., Do-it-yourself-...

dole [dəʊl] **1.** s F Br. Arbeitslosenunterstützung f, F Stempelgeld n; **be or go on the ~** Br. F stempeln gehen; **2.** v/t: **~ out** sparsam ver- or austeilen.

doll [dɒl] **1.** s Puppe f; F Mädchen n; **2.** v/t: **~ up** F (sich) herausputzen.

dol·lar ['dɒlə] s Dollar m.

do·main [dəʊ'meɪn] s Domäne f; fig. Gebiet n, Bereich m.

dome [dəʊm] s Kuppel f; **~d** adj gewölbt; roof: kuppelförmig.

do·mes|tic [də'mestɪk] **1.** adj (**~ally**) häuslich; inländisch, einheimisch; zahm; **~ animal** Haustier n; **~ flight** aer. Inlandsflug m; **~ market** Binnen-, Inlandsmarkt m; **~ trade** Binnenhandel m; **2.** s Hausangestellte(r m) f; **~ti·cate** [~keɪt] v/t zähmen.

dom·i·cile ['dɒmɪsaɪl] s Wohnsitz m.

dom·i|nant ['dɒmɪnənt] adj □ (vor-, be-)herrschend; **~ market position** econ. marktbeherrschende Stellung; **~nate** [~keɪt] v/t and v/i (be)herrschen; dominieren; **~na·tion** [dɒmɪ'neɪʃn] s Herrschaft f; **~neer·ing** [~ɪərɪŋ] adj □ herrisch, tyrannisch; überheblich.

do·min·ion [də'mɪnɪən] s Herrschaft f; (Herrschafts)Gebiet n.

dom·i·no ['dɒmɪnəʊ] s (pl **-noes**) Domino n; **~ effect** pol. Dominoeffekt m.

do·nate [dəʊ'neɪt] v/t schenken, stiften; **do·na·tion** [~eɪʃn] s Schenkung f.

done [dʌn] **1.** pp of **do**; **2.** adj getan; erledigt; fertig; cooked: gar; **~ in or for** F tired, etc.: erledigt.

don·key zo. ['dɒŋkɪ] s Esel m.

do·nor ['dəʊnə] s (med. esp. Blut-, Organ)Spender(in).

doom [du:m] **1.** s Schicksal n, Verhängnis n; **2.** v/t verurteilen, -dammen; **~s·day** ['du:mzdeɪ] s: **till ~** F bis zum Jüngsten Tag.

door [dɔ:] s Tür f; Tor n; **next ~** nebenan; **~·han·dle** s Türklinke f; **~·keep·er** s Pförtner m; **~·man** s (livrierter) Portier; **~·step** s Türstufe f; **~ selling** econ. appr. Haustürverkauf m; **~·way** s Türöffnung f, (Tür)Eingang m.

dope [dəʊp] **1.** s F Stoff m, Rauschgift n; F Betäubungsmittel n; sports: Dopingmittel n; Am. F Rauschgiftsüchtige(r m) f; sl. Trottel m; sl. (vertrauliche) Informationen pl, Geheimtip m; **2.** v/t F j-m Stoff geben; sports: dopen; **~ ad·dict**, **~ fiend** s F Rauschgift-, Drogensüchtige(r m) f; **~ test** s Dopingkontrolle f.

dorm F [dɔ:m] → **dormitory**.

dor·mant mst fig. ['dɔ:mənt] adj schlafend, ruhend; untätig.

dor·mer (win·dow) ['dɔ:mə('wɪndəʊ)] s senkrechtes Dachfenster, Dachgaube f.

dor·mi·to·ry ['dɔ:mɪtrɪ] s Schlafsaal m; esp. Am. Studentenwohnheim n.

dose [dəʊs] **1.** s Dosis f; **2.** v/t j-m e-e Medizin geben.

dot [dɒt] **1.** s Punkt m; Fleck m; **on the ~** F auf die Sekunde pünktlich; **2.** v/t (**-tt-**) punktieren; tüpfeln; fig. sprenkeln; **~ted line** punktierte Linie.

dote [dəʊt] v/i: **~ on**, **~ upon** vernarrt sein in (acc), abgöttisch lieben (acc); **dot·ing** adj □ vernarrt.

dou·ble ['dʌbl] **1.** adj □ doppelt, Doppel... (→ **taxation**); zu zweien; gekrümmt; zweideutig; **2.** s Doppelte(s) n; Doppelgänger(in); film, TV: Double n; **~s** sg, pl tennis, etc.: Doppel n; **men's/women's ~s** sg, pl Herren-/Damendoppel n; **3.** v/t verdoppeln; film, TV: j-n doubeln; a. **~ up** falten; blanket: zusammenlegen; v/i sich verdoppeln; **~ up** sich krümmen (**with** vor dat); **~·breast·ed** adj jacket: zweireihig; **~·check** v/t genau nachprüfen; **~ chin** s Doppelkinn n; **~·cross** v/t ein doppeltes or falsches Spiel treiben mit, hereinlegen; **~·deal·ing** adj betrügerisch; **2.** s Betrug m; **~·deck·er** s aer. Doppeldecker m; **~·edged** adj zweischneidig; zweideutig; **~·en·try** s econ. doppelte Buchführung; **~ fea·ture** s film: Doppelprogramm n; **~ head·er** s Am. Doppelveranstaltung f; **~·park** v/i mot. in zweiter Reihe parken; **~·quick** adv F im Eiltempo, fix.

doubt [daʊt] **1.** v/i zweifeln; v/t bezweifeln; mißtrauen (dat); **2.** s Zweifel m; **be in ~ about** Zweifel haben an (dat); **no ~** ohne Zweifel, gewiß, sicherlich; **there's no ~ about it** daran besteht kein Zweifel; **~·ful** adj □ zweifelhaft; **~·less** adv ohne Zweifel.

dough [dəʊ] s Teig m; **~·nut** ['~nʌt] s Krapfen m, Berliner (Pfannkuchen) m, Schmalzkringel m.

dove[1] zo. [dʌv] s Taube f.

dove² Am. [dəʊv] pret of **dive** 1.

dow·el tech. ['daʊəl] s Dübel m.

down¹ [daʊn] s Daunen pl; Flaum m; Düne f; **~s** pl Hügelland n.

down² [~] **1.** adv nach unten, her-, hinunter, her-, hinab, abwärts; unten; **2.** prp her-, hinab, her-, hinunter; **~ the river** flußabwärts; **3.** adj nach unten gerichtet; deprimiert, niedergeschlagen; **4.** v/t niederschlagen; aircraft: abschießen; F drink: runterkippen; **~ tools** die Arbeit niederlegen, in den Streik treten; **~·cast** adj niedergeschlagen; **~·er** s sl. Beruhigungsmittel n; **~·fall** s Platzregen m; fig. Sturz m, of state: a. Untergang m; **~·heart·ed** adj □ niedergeschlagen; **~·hill 1.** adv bergab; **2.** adj abschüssig; skiing: Abfahrts...; **3.** s Abhang m; skiing: Abfahrt f; **~·pay·ment** s econ. Anzahlung f; **~·pour** s Regenguß m, Platzregen m; **~·right 1.** adv völlig, ganz u. gar, ausgesprochen; **2.** adj lie, cheat, etc.: glatt; ausgesprochen; **~·stairs** adv die Treppe her- od hinunter; (nach) unten; **~·stream** adv stromabwärts; **~·to-earth** adj realistisch; **~·town** Am. **1.** adv im od ins Geschäftsviertel; **2.** adj im Geschäftsviertel (gelegen od tätig); **3.** s Geschäftsviertel n, Innenstadt f, City f; **~·ward(s)** adv abwärts, nach unten.

dow·ry ['daʊərɪ] s Mitgift f.

doze [dəʊz] **1.** v/i dösen, ein Nickerchen machen; **2.** s Nickerchen n.

doz·en ['dʌzn] s Dutzend n.

drab [dræb] adj trist; düster; eintönig.

draft [drɑːft] **1.** s Entwurf m; econ. Tratte f; of money: Abhebung f; mil. (Sonder)Kommando n; Am. mil. Einberufung f; esp. Br. → **draught**; **2.** v/t entwerfen; aufsetzen; mil. abkommandieren; Am. mil. einziehen, -berufen; **~·ee** Am. mil. [~'tiː] s Wehrpflichtige(r) m; **~·s·man** s esp. Am. → **draughtsman**; **~·y** Am. [~ɪ] adj (-ier, -iest) → **draughty**.

drag [dræg] **1.** s Schleppen n, Zerren n; mar. Schleppnetz n; Egge f; Schlepp-, Zugseil n; fig. Hemmschuh m; F et. Langweiliges n; **2.** (-gg-) v/t schleppen, zerren, ziehen, schleifen; v/i sich schleppen; **~ behind** zurückbleiben, nachhinken; **~ on** fig. sich dahinschleppen; fig. sich in die Länge ziehen; **~·lift** s Schlepplift m.

drag·on ['drægən] s Drache m; **~·fly** s zo. Libelle f.

drain [dreɪn] **1.** s Abfluß(kanal m, -rohr n) m; Entwässerungsgraben m; fig. Belastung f; **2.** v/t abfließen lassen; entwässern; austrinken, leeren; fig. aufbrauchen, -zehren; v/i: **~ off**, **~ away** abfließen, ablaufen; **~·age** ['~ɪdʒ] s Abfließen n, Ablaufen n; Entwässerung(sanlage f, -ssystem n) f; Abwasser n; **~·pipe** s Abflußrohr n.

drake zo. [dreɪk] s Enterich m, Erpel m.

dram F [dræm] s Schluck m.

dra·ma ['drɑːmə] s Drama n; **~·mat·ic** [drə'mætɪk] adj (**~ally**) dramatisch; **~·m·a·tist** ['dræmətɪst] s Dramatiker m; **~·m·a·tize** [~taɪz] v/t dramatisieren.

drank [dræŋk] pret of **drink** 2.

drape [dreɪp] **1.** v/t drapieren; in Falten legen; **2.** s mst pl Am. Gardinen pl; **drap·er·y** ['dreɪpərɪ] s Textilhandel m; Stoffe pl; Faltenwurf m.

dras·tic ['dræstɪk] adj (**~ally**) drastisch.

draught [drɑːft] s (Luft)Zug m; Zug m, Schluck m; Fischzug m; mar. Tiefgang m; **~s** sg Br. Damespiel n; **~ beer** Faßbier n; **~·horse** s Zugpferd n; **~·s·man** s Br. Damestein m; tech. (Konstruktions-, Muster)Zeichner m; **~·y** adj (-ier, -iest) zugig.

draw [drɔː] **1.** v/t and v/i (**drew**, **drawn**) ziehen; an-, auf-, ein-, zuziehen; med. blood: abnehmen; econ. money: abheben; tears: hervorlocken; customers: anziehen, anlocken; attention: lenken (**to** auf acc); beer: abzapfen; ausfischen; animal: ausnehmen, -weiden; tea: ziehen (lassen); (in Worten) schildern; formulate: ab-, verfassen; fig. entlocken; zeichnen, malen; chimney: ziehen, Zug haben; sich zusammenziehen; sich nähern (**to** dat); sports: unentschieden spielen; **~ breath** Luft schöpfen; **~ near** sich nähern; **~ on, ~ upon** in Anspruch nehmen; **~ out** in die Länge ziehen; **~ up** plan, paper, etc.: aufsetzen; halten; vorfahren; **2.** s in lottery: Ziehung f; sports: Unentschieden n; Attraktion f, (Kassen)Schlager m; **~·back** ['drɔːbæk] s Nachteil m, Hindernis n.

draw·er¹ ['drɔːə] s Zeichner m; econ. of bill: Aussteller m, Trassant m.

draw·er² ['drɔː(ə)] s Schubfach n, -lade f;

dated: (**a pair of**) **~s** pl (e-e) Unterhose; (ein) (Damen)Schlüpfer m; mst **chest of ~s** Kommode f.

draw·ing ['drɔːɪŋ] s Ziehen n; Zeichnen n; Zeichnung f; **~ ac·count** s econ. Girokonto n; **~board** s Reißbrett n; **~pin** s Br. Reißzwecke f, -nagel m, Heftzwecke f; **~room** s Salon m; → **living room.**

drawl [drɔːl] **1.** v/t and v/i gedehnt sprechen; **2.** s gedehntes Sprechen.

drawn [drɔːn] **1.** pp of **draw** 1; **2.** adj sports: unentschieden; abgespannt.

dread [dred] **1.** s (große) Angst, Furcht f; **2.** v/t fürchten; **~ful** adj □ schrecklich, furchtbar.

dream [driːm] **1.** s Traum m; **2.** v/t and v/i (**dreamed** or **dreamt**) träumen; **~er** s Träumer(in); **~t** [dremt] pret and pp of **dream** 2; **~y** adj □ (**-ier, -iest**) träumerisch, verträumt.

drear·y ['drɪərɪ] adj □ (**-ier, -iest**) trübselig, trüb(e); langweilig.

dredge [dredʒ] **1.** s Schleppnetz n; Bagger(maschine f) m; **2.** v/t (aus)baggern.

dregs [dregz] s pl Bodensatz m; fig. Abschaum m.

drench [drentʃ] v/t durchnässen.

dress [dres] **1.** s Anzug m; Kleidung f; Kleid n; **2.** v/t and v/i (sich) ankleiden or ankleiden; schmücken, dekorieren; zurechtmachen; food: anrichten, prepare for cooking: koch-, bratfertig machen, vorbereiten; salad: anmachen; Abendkleidung anziehen; med. verbinden; frisieren; **~ down** j-m e-e Standpauke halten; **~ up** (sich) feinmachen, sich kostümieren or verkleiden; **~ cir·cle** s thea. erster Rang; **~ de·sign·er** s Modezeichner(in); **~er** s Anrichte f; Toilettentisch m.

dress·ing ['dresɪŋ] s An-, Zurichten n; Ankleiden n; med. Verband m; Appretur f; of salad: Dressing n; Füllung f; **~down** s Standpauke f; **~gown** s Morgenrock m, -mantel m; sports: Bademantel m; **~ta·ble** s Toilettentisch m.

dress·mak·er ['dresmeɪkə] s (Damen-) Schneider(in).

drew [druː] pret of **draw** 1.

drib·ble ['drɪbl] v/i tröpfeln; sabbern, geifern; soccer: dribbeln.

dried [draɪd] adj getrocknet, Dörr...

dri·er ['draɪə] → **dryer**.

drift [drɪft] **1.** s Strömung f, (Dahin)Treiben n; (Schnee)Verwehung f; (Schnee-, Sand)Wehe f; fig. Tendenz f; **2.** v/i and v/t (dahin)treiben; wehen; aufhäufen.

drill [drɪl] **1.** s Bohrer m, Drillbohrer m, Bohrmaschine f; Furche f; agr. Drill-, Sämaschine f; mil. Drill m (a. fig.); mil. Exerzieren n; **2.** v/t bohren; mil., fig. drillen, einexerzieren.

drink [drɪŋk] **1.** s Getränk n; **2.** v/t and v/i (**drank, drunk**) trinken; **~ to s.o.** j-m zuprosten or zutrinken, auf j-n trinken; **~ to s.th.** auf et. trinken; **~er** s Trinker(in).

drip [drɪp] **1.** s Tröpfeln n; med. Tropf m; **2.** v/i and v/t (**-pp-**) tropfen or tröpfeln (lassen); triefen; **~dry** adj shirt, etc.: bügelfrei; **~ping** s Bratenfett n, Schmalz n; **2.** adj tropfend; **3.** adv: **~ wet** tropf- or F patschnaß.

drive [draɪv] **1.** s (Spazier)Fahrt f; Auffahrt f; Fahrweg m; tech. Antrieb m; mot. Steuerung f; psych. Trieb m; fig. Kampagne f; fig. Schwung m, Elan m, Dynamik f; **2.** (**drove, driven**) v/t (an-, ein)treiben; car, etc.: fahren, lenken, steuern; j-n (im Auto etc.) fahren; tech. (an)treiben; zwingen; **~ off** vertreiben; v/i treiben; (Auto) fahren; **~ off** wegfahren; **what are you driving at?** F worauf wollen Sie hinaus?

drive-in ['draɪvɪn] **1.** adj Auto...; **~ cine·ma**, Am. **~ movie (theater)** Autokino n; **2.** s Autokino n; Drive-in-Restaurant n; of bank: Autoschalter m, Drive-in-Schalter m.

driv·el ['drɪvl] **1.** v/i (esp. Br. **-ll-**, Am. **-l-**) faseln; **2.** s Geschwätz n, Gefasel n.

driv·en ['drɪvn] pp of **drive** 2.

driv·er ['draɪvə] s mot. Fahrer(in); (Lokomotiv)Führer m; **~'s li·cense** s Am. Führerschein m.

driv·ing ['draɪvɪŋ] adj (an)treibend; tech. Antriebs..., Treib..., Trieb...; mot. Fahr...; **~ li·cence** s Führerschein m.

driz·zle ['drɪzl] **1.** s Sprühregen m; **2.** v/i sprühen, nieseln.

drone [drəʊn] **1.** s zo. Drohne f (a. fig.); **2.** v/i summen; dröhnen.

droop [druːp] v/i (schlaff) herabhängen; den Kopf hängen lassen; schwinden.

drop [drɒp] **1.** s Tropfen m; Fallen n; Fall m; fig. Fall m, Sturz m; Bonbon m, n; *fruit* ~s *pl* Drops *pl*; **2.** (**-pp-**) *v/t* tropfen (lassen); fallen lassen; *remark, topic, etc.*: fallenlassen; *letter, postcard*: einwerfen; *voice*: senken; ~ *s.o. at ...* j-n an *or* bei ... absetzen *or* herauslassen; ~ *s.o. a few lines* j-m ein paar Zeilen schreiben; *v/i* tropfen; (herab-, herunter)fallen; umsinken, fallen; ~ *in* (kurz) herein- *or* vorbeischauen; ~ *off* abfallen; zurückgehen, nachlassen; F einnicken; ~ *out* herausfallen; ausscheiden; F *a.* aussteigen (*of* aus); *a.* ~ *out of school* (*university*) die Schule (das Studium) abbrechen; ~*out s from society*: Aussteiger(in), Drop-out *m*; (Schul-, Studien- *etc.*)Abbrecher(in); ~*pings s pl of horses*: Pferdeäpfel *pl, of cattle*: Kuhfladen *pl*.

drought [draʊt] *s* Trockenheit *f*, Dürre *f*.

drove [drəʊv] **1.** *s animals*: Herde *f*; *people*: Schar *f*; **2.** *pret of drive* 2.

drown [draʊn] *v/t* ertränken; überschwemmen; *fig.* übertönen; *v/i* ertrinken.

drowse [draʊz] *v/i* dösen; ~ *off* eindösen; **drow·sy** ['draʊzɪ] *adj* (**-ier, -iest**) schläfrig; einschläfernd.

drudge [drʌdʒ] *v/i* sich (ab)placken, schuften; **drudg·e·ry** ['ʌərɪ] *s* (stumpfsinnige) Plackerei *or* Schinderei.

drug [drʌg] **1.** *s* Arzneimittel *n*, Medikament *n*; Droge *f*, Rauschgift *n*; *be on* (*off*) ~s rauschgift- *or* drogensüchtig (clean) sein; **2.** (**-gg-**) *v/t* j-m Medikamente geben; j-n unter Drogen setzen; ein Betäubungsmittel beimischen (*dat*); betäuben (*a. fig.*); ~ *a·buse s* Drogenmißbrauch *m*; Medikamentenmißbrauch *m*; ~ *ad·dict s* Drogen-, Rauschgiftsüchtige(r *m*) *f*; ~*gist s* *Am.* ['ʌɪst] *s* Apotheker(in); Inhaber(in) e-s Drugstores; ~*store s Am.* Apotheke *f*; Drugstore *m*.

drum [drʌm] **1.** *s mus.* Trommel *f*; *anat.* Trommelfell *n*; ~s *pl mus.* Schlagzeug *n*; **2.** *v/t and v/i* (**-mm-**) trommeln; ~*mer s mus.* Trommler *m*; Schlagzeuger *m*.

drunk [drʌŋk] **1.** *pp of drink* 2; **2.** *adj* betrunken; *get* ~ sich betrinken; **3.** *s* Betrunkene(r *m*) *f*; → ~*ard* ['~əd] *s* Trinker(in), Säufer(in); ~*en adj* betrunken; ~ *driving* Trunkenheit *f* am Steuer.

dry [draɪ] **1.** *adj* □ (**-ier, -iest**) trocken (*a. fig.*); *wine*: trocken, herb; F durstig; ~ *goods pl* Textilien *pl*; **2.** *v/t and v/i* trocknen; dörren; ~ *up* austrocknen; versiegen (lassen); ~*clean v/t* chemisch reinigen; ~*clean·er's s* chemische Reinigung; ~*er s a. drier* Trokkenapparat *m*, Trockner *m*.

du·al ['djuːəl] *adj* □ doppelt, Doppel...; ~ *carriageway Br.* Schnellstraße *f*.

dub [dʌb] *v/t* (**-bb-**) *film*: synchronisieren.

du·bi·ous ['djuːbɪəs] *adj* □ zweifelhaft.

duch·ess ['dʌtʃɪs] *s* Herzogin *f*.

duck [dʌk] **1.** *s zo.* Ente *f*; *roast* ~ Ente *f*, Entenbraten *m*; **2.** *v/i and v/t* (unter)tauchen; (sich) ducken; ~*ling s zo.* Entchen *n*.

due [djuː] **1.** *adj* zustehend; gebührend; gehörig, angemessen; fällig; *of time*: fällig, erwartet; *in* ~ *time* zur rechten Zeit; ~ *to* wegen (*gen*); *be* ~ *to* j-m gebühren, zustehen; kommen von, zurückzuführen sein auf (*acc*); **2.** *adv* direkt, genau; **3.** *s* Recht *n*, Anspruch *m*; ~s *pl* Gebühr(en *pl*) *f*; Beitrag *m*.

du·el ['djuːəl] **1.** *s* Duell *n*; **2.** *v/i* (*esp. Br.* **-ll-**, *Am.* **-l-**) sich duellieren.

dug [dʌg] *pret and pp of dig* 1.

duke [djuːk] *s* Herzog *m*.

dull [dʌl] **1.** *adj* □ zustehend; träge, schwerfällig; stumpf; *eye, etc.*: matt; *hearing*: schwach; *boring*: langweilig; abgestumpft, teilnahmslos; dumpf; trüb(e); *econ.* flau; **2.** *v/t* stumpf machen; trüben; mildern, dämpfen; *pain*: betäuben; *v/i* stumpf werden; sich trüben; *fig.* abstumpfen.

du·ly ['djuːlɪ] *adv* ordnungsgemäß; gebührend; rechtzeitig.

dumb [dʌm] *adj* □ stumm; sprachlos; *esp.* F doof, blöd; **dum(b)·found·ed** [~'faʊndəd] *adj* verblüfft, sprachlos.

dum·my ['dʌmɪ] *s* Attrappe *f*; Kleider-, Schaufensterpuppe *f*; Dummy *m*, Puppe *f* (*for crash tests*); *book*: Dummy *m*, *n*, Blindband *m*; F *esp. Am.* Doofmann *m*; *Br.* Schnuller *m*; *attr* Schein...

dump [dʌmp] **1.** *v/t* (hin)plumpsen *or* (hin)fallen lassen; auskippen; *sand, etc.*: abladen; *waste, etc.*: loswerden; *econ. goods*: im Ausland zu Dumpingpreisen verkaufen; **2.** *s* Plumps *m*; (Schutt-, Müll)Abladeplatz *m*; *mil.* Depot *n*, Lager(platz *m*) *n*; **~ing** *s* econ. Dumping *n*, Ausfuhr *f* zu Schleuderpreisen.

dune [dju:n] *s* Düne *f*.

dung [dʌŋ] **1.** *s* Dung *m*; **2.** *v/t* düngen.

dun·ga·rees [dʌŋgə'ri:z] *s pl* (**a pair of ~** e-e) Arbeitshose.

dun·geon ['dʌndʒən] *s* (Burg)Verlies *n*.

dunk F [dʌŋk] *v/t* (ein)tunken.

dupe [dju:p] *v/t* anführen, täuschen.

du·plex ['dju:pleks] *adj* doppelt, Doppel...; **~** (**apartment**) *Am.* Maison(n)ette(wohnung) *f*; **~** (**house**) *Am.* Doppel-, Zweifamilienhaus *n*.

du·pli·cate **1.** *adj* ['dju:plɪkət] doppelt, zweifach; **~ key** Zweit-, Nachschlüssel *m*; *s* [~] Duplikat *n*; Zweit-, Nachschlüssel *m*; **3.** *v/t* [~keɪt] doppelt ausfertigen; kopieren, vervielfältigen.

dur·a·ble ['djuərəbl] **1.** *adj* □ haltbar; dauerhaft; **2.** *s* → **consumer**; **du·ra·tion** [djuə'reɪʃn] *s* Dauer *f*.

dur·ing ['djuərɪŋ] *prp* während.

dusk [dʌsk] *s* (Abend)Dämmerung *f*; **~y** ['dʌskɪ] *adj* □ (**-ier, -iest**) dämmerig, düster (*a. fig.*); schwärzlich.

dust [dʌst] **1.** *s* Staub *m*; **2.** *v/t* abstauben; (be)streuen; *v/i* Staub wischen; **~bin** *s Br.* Abfall-, Mülleimer *m*; Abfall-, Mülltonne *f*; **~cart** *s Br.* Müllwagen *m*; **~er** *s* Staublappen *m*, -wedel *m*; *for blackboard:* Tafelschwamm *m*, -tuch *n*; **~cov·er, ~jack·et** *s of book:*

Schutzumschlag *m*; **~man** *s Br.* Müllmann *m*; **~y** *adj* □ (**-ier, -iest**) staubig.

Dutch [dʌtʃ] **1.** *adj* holländisch; **2.** *adv*: **go ~** getrennte Kasse machen, getrennt zahlen; **3.** *s ling.* Holländisch *n*; **the ~** *pl* die Holländer *pl*.

du·ty ['dju:tɪ] *s* Pflicht *f*; econ. Abgabe *f*; Zoll *m*; Dienst *m*; **be on ~** Dienst haben; **be off ~** dienstfrei haben; **~free 1.** *adj* zollfrei; **2.** *s*: **~s** *pl* zollfreie Waren *pl*.

dwarf [dwɔ:f] **1.** *s* (*pl* **dwarfs** [~s], **dwarves** [dwɔ:vz]) Zwerg(in); **2.** *v/t* verkleinern, klein erscheinen lassen.

dwell [dwel] *v/i* (**dwelt** *or* **dwelled**) wohnen; verweilen (**on, upon** bei); **~ing** ['~ɪŋ] *s* Wohnung *f*.

dwelt [dwelt] *pret and pp of* **dwell**.

dwin·dle ['dwɪndl] *v/i* (dahin)schwinden, abnehmen.

dye [daɪ] **1.** *s* Farbe *f*; **of the deepest ~** *fig.* von der übelsten Sorte; **2.** *v/t* färben.

dy·ing ['daɪɪŋ] **1.** *adj* sterbend; Sterbe...; **2.** *s* Sterben *n*.

dyke [daɪk] → **dike**.

dy·nam·ic [daɪ'næmɪk] *adj* dynamisch, kraftgeladen; **~s** *s mst sg* Dynamik *f*.

dy·na·mite ['daɪnəmaɪt] **1.** *s* Dynamit *n*; **2.** *v/t* (mit Dynamit) sprengen.

dys·en·te·ry *med.* ['dɪsntrɪ] *s* Ruhr *f*.

dys·pep·si·a *med.* [dɪs'pepsɪə] *s* Verdauungsstörung *f*.

E

each [i:tʃ] **1.** *adj* jede(r, -s); **~ other** einander, sich; **2.** *adv* je, pro Person, pro Stück.

ea·ger ['i:gə] *adj* □ begierig; eifrig; **~ness** *s* Begierde *f*; Eifer *m*.

ea·gle *zo.* ['i:gl] *s* Adler *m*; **~eyed** ['~aɪd] *adj* scharfsichtig.

ear [ɪə] *s* Ähre *f*; anat. Ohr *n*; Öhr *n*; Henkel *m*; **keep an ~ to the ground** die Ohren offenhalten; **be all ~s** F ganz Ohr sein; **~drum** anat. ['ɪədrʌm] *s* Trommelfell *n*.

earl [ɜ:l] *s Br.* Graf *m*.

ear·lobe ['ɪələʊb] *s* Ohrläppchen *n*.

ear·ly ['ɜ:lɪ] *adj and adv* früh; Früh...; Anfangs..., erste(r, -s); bald(ig); **as ~ as May** schon im Mai; **as ~ as possible** so bald wie möglich; **~ bird** Frühaufsteher(in); **~ warning system** *mil.* Frühwarnsystem *n*.

ear·mark ['ɪəmɑ:k] **1.** *s* Kennzeichen *n*; Merkmal *n*; **2.** *v/t* kennzeichnen; zurücklegen (**for** für).

earn [ɜ:n] *v/t* verdienen; einbringen.

ear·nest ['ɜːnɪst] **1.** *adj* □ ernst(lich, -haft); ernstgemeint; **2.** *s* Ernst *m*; *in ~* im Ernst; ernsthaft.

earn·ings ['ɜːnɪŋz] *s pl* Einkommen *n*.

ear|phones ['ɪəfəʊnz] *s pl* Ohrhörer *pl*; Kopfhörer *pl*; ~**piece** *s teleph.* Hörmuschel *f*; ~**ring** *s* Ohrring *m*; ~**shot** *s*: *within* (*out of*) ~ in (außer) Hörweite.

earth [ɜːθ] **1.** *s* Erde *f*; Land *n*; **2.** *v/t electr.* erden; ~**en** ['ɜːθn] *adj* irden; ~**en·ware** [~nweə] *s* Töpferware *f*; Steingut *n*; **2.** *adj* irden; ~**ly** *adj* irdisch; F denkbar; ~**quake** *s* Erdbeben *n*; ~**worm** *s zo.* Regenwurm *m*.

ease [iːz] **1.** *s* Bequemlichkeit *f*, Behagen *n*; Ruhe *f*; Ungezwungenheit *f*; Leichtigkeit *f*; *at ~* bequem, behaglich; *ill at ~* unruhig; befangen; **2.** *v/t* erleichtern; lindern; beruhigen; bequem(er) machen; *v/i mst ~ off*, *~ up* nachlassen, *of situation*: sich entspannen; (bei der Arbeit) kürzertreten.

ea·sel ['iːzl] *s* Staffelei *f*.

east [iːst] **1.** *s* Ost(en *m*); *the* 2 der Osten, die Oststaaten *pl* (*of USA*); *pol.* der Osten; der Orient; **2.** *adj* Ost..., östlich; **3.** *adv* ostwärts, nach Osten.

Eas·ter ['iːstə] *s* Ostern *n*; *attr* Oster...

eas·ter·ly ['iːstəlɪ] *adj* östlich, Ost...; nach Osten; **east·ern** ['iːstən] *adj* östlich, Ost...; **east·ward(s)** ['iːstwəd(z)] *adj and adv* östlich, nach Osten.

eas·y ['iːzɪ] *adj* □ (*-ier, -iest*) leicht, einfach; bequem; frei von Schmerzen; gemächlich, gemütlich; ruhig; ungezwungen; *in ~ circumstances* wohlhabend; *on ~ street Am.* in guten Verhältnissen; *go ~*, *take it ~* sich Zeit lassen, langsam tun; sich nicht aufregen; *take it ~!* immer mit der Ruhe!; ~**chair** *s* Sessel *m*; ~**go·ing** *adj* gelassen, locker.

eat [iːt] **1.** *v/t and v/i* (*ate*, *eaten*) essen; (zer)fressen; ~ *out* auswärts essen; **2.** *s*: *~s pl* F Fressalien *pl*; **ea·ta·ble 1.** *adj* eß-, genießbar; **2.** *s*: *~s pl* Eßwaren *pl*; *~en pp of eat* 1; ~**er** *s* Esser(in).

eaves [iːvz] *s pl* Dachvorsprung *m*, Traufe *f*; ~**drop** ['~drɒp] *v/i* (-*pp*-) (heimlich) lauschen *or* horchen.

ebb [eb] **1.** *s* Ebbe *f*; *fig.* Tiefstand *m*; *fig.* Abnahme *f*; **2.** *v/i* verebben; *fig.* abnehmen, sinken; ~ *tide* [~'taɪd] *s* Ebbe *f*.

eb·o·ny ['ebənɪ] *s* Ebenholz *n*.

EC [iː'siː] (*abbr. for European Commu-*

nity) EG *f*; ~**country** EG-Land *n*; ~**wide** *legislation, etc.*: EG-weit.

ec·cen·tric [ɪk'sentrɪk] **1.** *adj* (*~ally*) exzentrisch; überspannt; **2.** *s* Exzentriker *m*, Sonderling *m*.

ech·o ['ekəʊ] **1.** *s* (*pl -oes*) Echo *n*; **2.** *v/i* widerhallen; *fig.* nachsprechen.

e·clipse [ɪ'klɪps] **1.** *s ast.* Finsternis *f*; *v/t* verfinstern; *be ~d by fig.* verblassen neben (*dat*).

e·co· ['iːkə] öko..., Öko...; Umwelt...; ~**cide** ['iːkəsaɪd] *s* Umweltzerstörung *f*.

e·co·lo·gi·cal [iːkə'lɒdʒɪkl] *adj* □ ökologisch; ~**l·o·gist** [iːˈkɒlədʒɪst] *s* Ökologe *m*; ~**l·o·gy** [iːˈkɒlədʒɪ] *s* Ökologie *f*.

e·co·nom·ic [iːkə'nɒmɪk] *adj* (*~ally*) wirtschaftlich, Wirtschafts...; ~ *aid* Wirtschaftshilfe *f*; 2 *and Monetary Union* (*abbr. EMU*) *pol.* Wirtschafts- und Währungsunion *f*; ~ *growth* Wirtschaftswachstum *n*; ~ *migrant* Wirtschaftsflüchtling *m*; ~**i·cal** *adj* □ wirtschaftlich, sparsam; *~ in energy* energiesparend; ~**ics** *s sg* Volkswirtschaft(slehre) *f*.

e·con·o·mist [ɪ'kɒnəmɪst] *s* Volkswirt *m*; ~**mize** [~aɪz] *v/i and v/t* sparsam wirtschaften (mit); ~**my** [~ɪ] **1.** *s* Wirtschaft *f*; Wirtschaftlichkeit *f*, Sparsamkeit *f*; Einsparung *f*; **2.** *adj* Spar...; ~ *class aer.* Economyklasse *f*.

e·co·sys·tem ['iːkəʊsɪstəm] *s* Ökosystem *n*.

ec·sta·sy ['ekstəsɪ] *s* Ekstase *f*, Verzückung *f*; ~**t·ic** [ɪk'stætɪk] *adj* (*~ally*) verzückt.

ed·dy ['edɪ] **1.** *s* Wirbel *m*; **2.** *v/i* wirbeln.

edge [edʒ] **1.** *s* Schneide *f*; Rand *m*; Kante *f*; *be on ~* nervös *or* gereizt sein; **2.** *v/t* schärfen; (um)säumen; drängen; ~**ways**, ~**wise** ['~weɪz, '~waɪz] *adv* seitlich, von der Seite.

edg·ing ['edʒɪŋ] *s* Einfassung *f*; Rand *m*.

edg·y ['edʒɪ] *adj* (*-ier, -iest*) scharf(kantig); F nervös; F gereizt.

ed·i·ble ['edɪbl] *adj* eßbar.

ed·it ['edɪt] *v/t text, book*: herausgeben, redigieren; *newspaper, etc.*: herausgeben, edieren, als Herausgeber leiten; **e·di·tion** [ɪ'dɪʃn] *s of book*: Ausgabe *f*, Auflage *f*; **ed·i·tor** ['edɪtə] *s* Herausgeber(in); Redakteur(in), (Verlags)Lektor(in); **ed·i·to·ri·al** [edɪ'tɔːrɪəl] **1.** *s* Leitartikel *m*; **2.** *adj* Redaktions...

ed·u·cate ['edjʊkeɪt] v/t erziehen; unterrichten; **~·cat·ed** adj gebildet; **~·ca·tion** [~'keɪʃn] s Erziehung f; (Aus)Bildung f; Bildungs-, Schulwesen n; **Ministry of** ♀ Unterrichtsministerium n, Kultusministerium n; **~·ca·tion·al** adj □ erzieherisch, Erziehungs...; Bildungs...; **~·ca·tor** ['~keɪtə] s Erzieher(in).

eel zo. [iːl] s Aal m.

ef·fect [ɪ'fekt] 1. s Wirkung f; Erfolg m, Ergebnis n; Auswirkung(en pl) f; Effekt m, Eindruck m; tech. Leistung f; **~s** pl econ. Effekten pl; persönliche Habe; **be of ~** Wirkung haben; **take ~** in Kraft treten; **in ~** tatsächlich, praktisch; **to the ~** des Inhalts; 2. v/t bewirken; ausführen; **~·fec·tive** [~ɪv] adj □ wirksam; eindrucksvoll; tatsächlich, wirklich; tech. nutzbar; **~ date** Tag m des Inkrafttretens.

ef·fem·i·nate [ɪ'femɪnət] adj □ verweichlicht; weibisch.

ef·fi·cien|cy [ɪ'fɪʃənsɪ] s Leistungsfähigkeit f, Tüchtigkeit f, Effizienz f; **~ engineer, ~ expert** econ. Rationalisierungsfachmann m; **~t** adj □ wirksam; leistungsfähig, tüchtig, effizient.

ef·flu·ent ['efluənt] s Abwasser n, Abwässer pl.

ef·fort ['efət] s Anstrengung f, Bemühung f (at um); Mühe f; **make an ~** sich anstrengen or bemühen; **without ~** → **~·less** adj □ mühelos, ohne Anstrengung.

ef·fron·te·ry [ɪ'frʌntərɪ] s Frechheit f.

ef·fu·sive [ɪ'fjuːsɪv] adj □ überschwenglich.

egg¹ [eg] v/t: **~ on** anstacheln.

egg² [~] s Ei n; **put all one's ~s in one basket** alles auf eine Karte setzen; **as sure as ~s is ~s** F todsicher; **~·co·sy** s Eierwärmer m; **~·cup** s Eierbecher m; **~·head** s F Eierkopf m, Intellektuelle(r m) f.

e·go·ism ['egəʊɪzəm] s Egoismus m, Selbstsucht f; **~t** [~ɪst] s Egoist(in), selbstsüchtiger Mensch.

ego·tism ['egəʊtɪzəm] s Egotismus m, Selbstgefälligkeit f; **~t** [~ɪst] s Egotist(in), selbstgefälliger or geltungsbedürftiger Mensch.

E·gyp·tian [ɪ'dʒɪpʃn] 1. adj ägyptisch; 2. s Ägypter(in).

ei·der·down ['aɪdədaʊn] s Eiderdaunen

pl; Daunendecke f.

eight [eɪt] 1. adj acht; 2. s Acht f; rowing: Achter m; **eigh·teen** [eɪ'tiːn] 1. adj achtzehn; 2. s Achtzehn f; **eigh·teenth** [~θ] adj achtzehnte(r, -s); **~·fold** ['eɪtfəʊld] adj achtfach; **~h** [eɪtθ] 1. adj achte(r, -s); 2. s Achtel n; **~·ly** ['eɪtθlɪ] adv achtens; **eigh·ti·eth** ['eɪtɪɪθ] adj achtzigste(r, -s); **eigh·ty** ['eɪtɪ] 1. adj achtzig; 2. s Achtzig f.

ei·ther ['aɪðə; Am. 'iːðə] 1. adj jede(r, -s) (of two); eine(r, -s) (of two); 2. pron beides; 3. cj: **~ ... or** entweder ... oder; **not ~** auch nicht.

e·jac·u·late [ɪ'dʒækjʊleɪt] v/t words, etc.: aus-, hervorstoßen; physiol. sperm: ausstoßen; v/i physiol. ejakulieren, e-n Samenerguß haben.

e·ject [ɪ'dʒekt] v/t vertreiben; hinauswerfen, smoke, etc.: ausstoßen; entlassen, -fernen (**from** office, post, etc. aus).

eke [iːk] v/t: **~ out** supply, etc.: strecken; income: aufbessern; **~ out a living** sich (mühsam) durchschlagen.

e·lab·o·rate 1. adj □ [ɪ'læbərət] sorgfältig (aus)gearbeitet; kompliziert; 2. v/t [~reɪt] sorgfältig ausarbeiten.

e·lapse [ɪ'læps] v/i verfließen, -streichen.

e·las|tic [ɪ'læstɪk] 1. adj (**~ally**) elastisch, dehnbar; **~ band** Br. → 2. s Gummiring m, -band n.

e·lat·ed [ɪ'leɪtɪd] adj begeistert, stolz.

el·bow ['elbəʊ] 1. s Ellbogen m; Biegung f; tech. Knie n; **at one's ~** bei der Hand; **out at ~s** fig. heruntergekommen; 2. v/t mit dem Ellbogen (weg)stoßen; **~ one's way through** sich (mit den Ellbogen) e-n Weg bahnen durch.

el·der¹ bot. ['eldə] s Holunder m.

el·der² [~] 1. adj ältere(r, -s); 2. s der, die Ältere; (Kirchen)Älteste(r) m; **~·ly** adj ältlich, ältere(r, -s).

el·dest ['eldɪst] adj älteste(r, -s).

e·lect [ɪ'lekt] 1. adj gewählt; 2. v/t (aus-, er)wählen.

e·lec·tion [ɪ'lekʃn] 1. s Wahl f; 2. adj pol. Wahl...; **~·tor** [~tə] s Wähler(in); Am. pol. Wahlmann m; hist. Kurfürst m; **~·to·ral** [~ərəl] adj Wahl..., Wähler...; **~ college** Am. pol. Wahlmänner pl; **~·to·rate** pol. [~ərət] s Wähler(schaft f) pl.

e·lec·tric [ɪ'lektrɪk] adj (**~ally**) elektrisch, Elektro...; fig. elektrisierend; **~·tri·cal**

adj □ elektrisch; Elektro...; **~ engineer** Elektroingenieur *m*, -techniker *m*; **~tric chair** *s* elektrischer Stuhl; **~tri·cian** [ɪlek'trɪʃn] *s* Elektriker *m*; **~tri·ci·ty** [ʌ'trɪsətɪ] *s* Elektrizität *f*; **~ consumption** Stromverbrauch *m*.

e·lec·tri·fy [ɪ'lektrɪfaɪ] *v/t* elektrifizieren; elektrisieren (*a. fig.*).

e·lec·tro·cute [ɪ'lektrəkjuːt] *v/t* auf dem elektrischen Stuhl hinrichten; durch elektrischen Strom töten.

el·ec·tron·ic [ɪlek'trɒnɪk] **1.** *adj* (**~ally**) elektronisch, Elektronen...; **~ data processing** elektronische Datenverarbeitung; **2.** *s:* **~s** *sg* Elektronik *f*.

el·e·gance ['elɪɡəns] Eleganz *f*; **~gant** [ʌt] *adj* □ elegant; geschmackvoll.

el·e|ment ['elɪmənt] *s* Element *n*; Urstoff *m*; (Grund)Bestandteil *m*; **~s** *pl* Anfangsgründe *pl*, Grundlage(n *pl*) *f*; Elemente *pl*, Naturkräfte *pl*; **~·men·tal** [elɪ'mentl] *adj* □ elementar; wesentlich.

el·e·men·ta·ry [elɪ'mentərɪ] *adj* □ elementar; Anfangs..; **~ school** *Am.* Grundschule *f*.

el·e·phant *zo.* ['elɪfənt] *s* Elefant *m*.

el·e·vate ['elɪveɪt] *v/t* erhöhen; *fig.* erheben; **~·vat·ed** *adj*; *fig.* gehoben, erhaben; **~ (railroad)** *Am.* Hochbahn *f*; **~·va·tion** [elɪ'veɪʃn] *s* Erhebung *f*; Erhöhung *f*; Höhe *f*; Erhabenheit *f*; **~·va·tor** *tech.* ['elɪveɪtə] *s Am.* Lift *m*, Fahrstuhl *m*, Aufzug *m*; *aer.* Höhenruder *n*.

e·lev·en [ɪ'levn] **1.** *adj* elf; **2.** *s* Elf *f*; **~th** [ʌθ] **1.** *adj* elfte(r, -s); **2.** *s* Elf Elftel *n*.

el·i·gi·ble ['elɪdʒəbl] *adj* □ geeignet, annehmbar, akzeptabel; berechtigt.

e·lim·i|nate [ɪ'lɪmɪneɪt] *v/t* entfernen, beseitigen, eliminieren; ausscheiden; **~·na·tion** [ɪlɪmɪ'neɪʃn] *s* Entfernung *f*, Beseitigung *f*, Eliminierung *f*; Ausscheidung *f*.

é·lite [eɪ'liːt] *s* Elite *f*; Auslese *f*.

elk *zo.* [elk] *s* Elch *m*.

el·lipse *math.* [ɪ'lɪps] *s* Ellipse *f*.

elm *bot.* [elm] *s* Ulme *f*.

e·lon·gate ['iːlɒŋgeɪt] *v/t* verlängern.

e·lope [ɪ'ləʊp] *v/i* (mit s-m *or* s-r Geliebten) ausreißen *or* durchbrennen.

el·o|quence ['eləkwəns] *s* Beredsamkeit *f*, **~·quent** [ʌt] *adj* □ beredt.

else [els] *adv* sonst, weiter; anderer(r, -s); **anything ~?** sonst noch etwas?;

something ~ noch etwas; **~where** [els'weə] *adv* anderswo(hin).

e·lude [ɪ'luːd] *v/t* geschickt entgehen, ausweichen, sich entziehen (*dat*); *fig.* nicht einfallen (*dat*).

e·lu·sive [ɪ'luːsɪv] *adj* schwer faßbar.

e·ma·ci·ated [ɪ'meɪʃɪeɪtɪd] *adj* abgezehrt, ausgemergelt.

em·a|nate ['eməneɪt] *v/i* ausströmen; ausgehen (**from** von); **~·na·tion** [emə'neɪʃn] *s* Ausströmen *n*; *fig.* Ausstrahlung *f*.

e·man·ci|pate [ɪ'mænsɪpeɪt] *v/t* emanzipieren; befreien; **~·pa·tion** [ʌ'peɪʃn] *s* Emanzipation *f*; Befreiung *f*.

em·balm [ɪm'bɑːm] *v/t* (ein)balsamieren.

em·bank·ment [ɪm'bæŋkmənt] *s* Eindämmung *f*; (Erd)Damm *m*; (Bahn-, Straßen)Damm *m*; Uferstraße *f*.

em·bar·go [em'bɑːɡəʊ] *s* (*pl* **-goes**) Embargo *n*, (Hafen-, Handels)Sperre *f*.

em·bark [ɪm'bɑːk] *v/t and v/i mar.*, *aer.* an Bord nehmen *or* gehen, *mar. a.* (sich) einschiffen; *cargo:* verladen; **~ on**, **~ upon** *et.* anfangen *or* beginnen mit.

em·bar·rass [ɪm'bærəs] *v/t* in Verlegenheit bringen, verlegen machen, in e-e peinliche Lage versetzen; **~·ing** *adj* □ unangenehm, peinlich; **~·ment** *s* Verlegenheit *f*.

em·bas·sy ['embəsɪ] *s* Botschaft *f*.

em·bed [ɪm'bed] *v/t* (**-dd-**) (ein)betten, (ein)lagern.

em·bel·lish [ɪm'belɪʃ] *v/t* verschönern; *fig.* ausschmücken, beschönigen.

em·bers ['embəz] *s pl* Glut *f*.

em·bez·zle [ɪm'bezl] *v/t* unterschlagen; **~·ment** *s* Unterschlagung *f*.

em·bit·ter [ɪm'bɪtə] *v/t* verbittern.

em·blem ['embləm] *s* Sinnbild *n*; Wahrzeichen *n*.

em·bod·y [ɪm'bɒdɪ] *v/t* verkörpern; enthalten.

em·bo·lism *med.* ['embəlɪzəm] *s* Embolie *f*.

em·brace [ɪm'breɪs] **1.** *v/t and v/i* (sich) umarmen; einschließen; **2.** *s* Umarmung *f*.

em·broi·der [ɪm'brɔɪdə] *v/t* (be)sticken; *fig.* ausschmücken; **~·y** *s* Stickerei *f*; *fig.* Ausschmückung *f*.

em·broil [ɪm'brɔɪl] *v/t* (in Streit) verwickeln; verwirren.

e·men·da·tion [iːmən'deɪʃn] s Verbesserung f, Berichtigung f.

em·er·ald ['emərəld] **1.** s Smaragd m; **2.** adj smaragdgrün.

e·merge [ɪ'mɜːdʒ] v/i auftauchen; hervorgehen; fig. sich erheben; sich zeigen.

e·mer·gen·cy [ɪ'mɜːdʒənsɪ] s Not(lage) f, -fall m, -stand m; attr Not...; ~ **brake** Notbremse f; ~ **call** Notruf m; ~ **exit** Notausgang m; ~ **landing** aer. Notlandung f; ~ **number** Notruf(nummer f) m; ~ **ward** med. Notaufnahme f.

e·mer·gent [ɪ'mɜːdʒənt] adj auftauchend; fig. nations: (jung u.) aufstrebend.

em·i·grant ['emɪɡrənt] s Auswanderer m, esp. pol. Emigrant(in); ~**grate** [~reɪt] v/i auswandern, esp. pol. emigrieren; ~**gra·tion** [emɪ'ɡreɪʃn] s Auswanderung f, esp. pol. Emigration f.

em·i·nence ['emɪnəns] s (An)Höhe f; hohe Stellung; Ruhm m, Bedeutung f; ⊆ Eminenz f (title); ~**nent** adj □ fig. ausgezeichnet, hervorragend; ~**ly** ganz besonders, äußerst.

e·mis·sion [ɪ'mɪʃən] s Aussendung f; of fumes, etc.: Emission f (a. econ.); **noxious** ~ Schadstoffemission f; ~**free** adj schadstofffrei; ~ **stan·dards** s pl Schadstoffnormen pl, Emissionsrichtlinien pl.

e·mit [ɪ'mɪt] v/t (**-tt-**) aussenden, -stoßen, -strahlen, -strömen; von sich geben.

e·mo·tion [ɪ'məʊʃn] s (Gemüts)Bewegung f, Gefühl(sregung f) n; Rührung f; ~**al** adj □ emotional; gefühlsmäßig; gefühlsbetont; ~**ly disturbed** seelisch gestört; ~**ly ill** gemütskrank; ~**less** adj gefühllos; unbewegt.

em·pe·ror ['empərə] s Kaiser m.

em·pha·sis ['emfəsɪs] s (pl **-ses** [-siːz]) Gewicht n; Nachdruck m; ~**size** [~saɪz] v/t nachdrücklich betonen; ~**tic** [ɪm'fætɪk] adj (~**ally**) nachdrücklich; deutlich; bestimmt.

em·pire ['empaɪə] s (Kaiser)Reich n; Herrschaft f; **the British ⊆** das britische Weltreich.

em·pir·i·cal [em'pɪrɪkl] adj □ empirisch, erfahrungsgemäß.

em·ploy [ɪm'plɔɪ] **1.** v/t beschäftigen, anstellen; an-, verwenden, gebrauchen; **2.** s Beschäftigung f; **in the ~ of** angestellt bei; ~**ee** [emplɔɪ'iː] s Angestellte(r m f),

Arbeitnehmer(in); ~**er** [ɪm'plɔɪə] s Arbeitgeber(in); ~**ment** s Beschäftigung f, Arbeit f; ~ **agency**, ~ **bureau** Stellenvermittlung(sbüro n) f; ~ **market** Arbeits-, Stellenmarkt m; ~ **service agency** Br. Arbeitsamt n.

em·pow·er [ɪm'paʊə] v/t ermächtigen; befähigen.

em·press ['emprɪs] s Kaiserin f.

emp·ti·ness ['emptɪnɪs] s Leere f (a. fig.); ~**ty** ['emptɪ] **1.** adj □ (-**ier**, -**iest**) leer (a. fig.); ~ **of** ohne; **2.** v/t (aus-, ent)leeren; v/i sich leeren.

e·mu·late ['emjʊleɪt] v/t wetteifern mit; nacheifern (dat); es gleichtun (dat).

e·mul·sion [ɪ'mʌlʃn] s Emulsion f.

en·a·ble [ɪ'neɪbl] v/t befähigen, es j-m ermöglichen; ermächtigen.

en·act [ɪ'nækt] v/t verfügen, -ordnen; law: erlassen; thea. aufführen.

e·nam·el [ɪ'næml] **1.** s Email(le f) n; anat. (Zahn)Schmelz m; Glasur f, Lack m; Nagellack m; **2.** v/t (esp. Br. -**ll**-, Am. -**l**-) emaillieren; glasieren; lackieren.

en·chant [ɪn'tʃɑːnt] v/t bezaubern; ~**ing** adj □ bezaubernd; ~**ment** s Zauber m.

en·cir·cle [ɪn'sɜːkl] v/t einkreisen, -zingeln; umfassen, umschlingen.

en·close [ɪn'kləʊz] v/t einzäunen; einschließen; with letter: beifügen; **en·clo·sure** [~əʊʒə] s Einzäunung f; eingezäuntes Grundstück; with letter: Anlage f.

en·com·pass [ɪn'kʌmpəs] v/t umgeben.

en·coun·ter [ɪn'kaʊntə] **1.** s Begegnung f; Gefecht n; **2.** v/t begegnen (dat); problems, etc.: stoßen auf (acc); enemy: zusammenstoßen mit.

en·cour·age [ɪn'kʌrɪdʒ] v/t ermutigen; fördern; ~**ment** s Ermutigung f; Anfeuerung f; Unterstützung f.

en·croach [ɪn'krəʊtʃ] v/i (**on, upon**) eingreifen (in acc), eindringen (in acc); übermäßig beanspruchen (acc); ~**ment** s Ein-, Übergriff m.

en·cy·clo·p(a)e·di·a [ensaɪklə'piːdɪə] s Enzyklopädie f.

end [end] **1.** s Ende n; Ziel n, Zweck m; **no ~ of** unendlich viel(e), unzählige; **in the ~** am Ende, schließlich; **at the ~ of the day** letztendlich, letzten Endes; **on ~** aufrecht; **stand on ~** box, etc.: hochkant stehen, hair: zu Berge stehen; **to no ~** vergebens; **go off the deep ~** fig. in die Luft gehen; *make both ~s meet* gerade auskommen; **2.** *v/i* enden; *v/t* beend(ig)en.

en·dan·ger [ɪn'deɪndʒə] *v/t* gefährden.

en·dear [ɪn'dɪə] *v/t* beliebt machen (*to s.o.* bei j-m); *~ing adj* □ gewinnend; liebenswert; *~ment* s Liebkosung *f*; *term of ~* Kosewort *n*.

en·deav·o(u)r [ɪn'devə] **1.** *s* Bestreben *n*, Bemühung *f*; **2.** *v/i* sich bemühen.

end|ing ['endɪŋ] *s* Ende *n*; Schluß *m*; *gr.* Endung *f*; *~·less adj* □ endlos, unendlich; *tech.* endlos, Endlos...

en·dive *bot.* ['endɪv] *s* Endivie *f*.

en·dorse [ɪn'dɔːs] *v/t econ. cheque*, *etc.*: indossieren; *e-n* Vermerk machen auf (der Rückseite *gen*); gutheißen; *~·ment* *s* Aufschrift *f*, Vermerk *m*; *econ.* Indossament *n*.

en·dow [ɪn'daʊ] *v/t fig.* ausstatten; *~ s.o. with s.th.* j-m et. stiften; *~·ment* *s* Stiftung *f*; *mst* *~s* *pl* Begabung *f*, Talent *n*.

en·dur|ance [ɪn'djʊərəns] *s* Ausdauer *f*; Ertragen *n*; *beyond ~*, *past ~* unerträglich; *~e* [ɪn'djʊə] *v/t* ertragen.

en·e·my ['enəmɪ] **1.** *s* Feind *m*; *the ♀ der* Teufel; **2.** *adj* feindlich.

en·er·get·ic [enə'dʒetɪk] *adj* (*~ally*) energisch.

en·er·gy ['enədʒɪ] *s* Energie *f*; *~ eco·nomical; ~ con·ser·va·tion* *s* Energieeinsparung *f*; *~ cri·sis* *s* Energiekrise *f*; *~ pol·i·cy* *s* Energiepolitik *f*; *~·sav·ing* *adj* energiesparend; *~ measures* *pl* Energiesparmaßnahmen *pl*.

en·fold [ɪn'fəʊld] *v/t* einhüllen.

en·force [ɪn'fɔːs] *v/t* (mit Nachdruck, *a.* gerichtlich) geltend machen; erzwingen; aufzwingen (*upon dat*); durchführen; *~·ment* *s* Erzwingung *f*; Geltendmachung *f*; Durchführung *f*.

en·fran·chise [ɪn'fræntʃaɪz] *v/t* j-m das Wahlrecht verleihen; j-m die Bürgerrechte verleihen.

en·gage [ɪn'geɪdʒ] *v/t* anstellen; verpflichten; *artist*, *etc.*: engagieren; in Anspruch nehmen; *mil.* angreifen; *be ~d* verlobt sein (*to* mit); beschäftigt sein (*in* mit); *toilet*, *Br. telephone*: besetzt sein; *~ the clutch* *mot.* (ein)kuppeln; *v/i* sich verpflichten (*to do* zu tun); garantieren (*for* für); sich beschäftigen (*in* mit); *mil.* angreifen; *tech. of cogwheels*: greifen; *~·ment* *s* Verpflichtung *f*; Ver-

lobung *f*; Verabredung *f*; Beschäftigung *f*; *mil.* Gefecht *n*; *tech.* Ineinandergreifen *n*.

en·gag·ing [ɪn'geɪdʒɪŋ] *adj* □ einnehmend; *smile*, *etc.*: gewinnend.

en·gine ['endʒɪn] *s* Maschine *f*; *mot.* Motor *m*; *rail.* Lokomotive *f*; *~·driv·er* *s Br. rail.* Lokomotivführer *m*.

en·gi·neer [endʒɪ'nɪə] **1.** *s* Ingenieur *m*; Techniker *m*; Mechaniker *m*; *Am. rail.* Lokomotivführer *m*; *mil.* Pionier *m*; **2.** *v/t* konstruieren, bauen; *fig.* organisieren, aushecken; *~·ing* **1.** *s* Maschinen- u. Gerätebau *m*; Ingenieurwesen *n*; **2.** *adj* technisch; Ingenieur...

En·glish ['ɪŋglɪʃ] **1.** *adj* englisch; **2.** *s ling.* Englisch *n*; *the ~ pl* die Engländer *pl*; *in plain ~* *fig.* unverblümt, auf gut Deutsch; *~·man* *s* Engländer *m*; *~·wom·an* *s* Engländerin *f*.

en·grave [ɪn'greɪv] *v/t* (ein)gravieren, (-)meißeln, (-)schnitzen; *fig.* einprägen; **en·grav·er** *s* Graveur *m*; **en·grav·ing** *s* (Kupfer-, Stahl)Stich *m*; Holzschnitt *m*.

en·grossed [ɪn'grəʊst] *adj* (*in*) (voll) in Anspruch genommen (von), vertieft, -sunken (*in acc*).

en·gulf [ɪn'ɡʌlf] *v/t* verschlingen (*a. fig.*).

en·hance [ɪn'hɑːns] *v/t* erhöhen.

en·ig·ma [ɪ'nɪɡmə] *s* Rätsel *n*; **en·ig·mat·ic** [enɪɡ'mætɪk] *adj* (*~ally*) rätselhaft.

en·joy [ɪn'dʒɔɪ] *v/t* sich erfreuen an (*dat*); genießen; *did you ~ it?* hat es Ihnen gefallen?; *~ o.s.* sich amüsieren, sich gut unterhalten; *~ yourself!* viel Spaß!; *I ~ my dinner* es schmeckt mir; *~·a·ble* *adj* □ angenehm, erfreulich; *~·ment* *s* Genuß *m*, Freude *f*.

en·large [ɪn'lɑːdʒ] *v/t* vergrößern (*a. phot.*), erweitern, ausdehnen; *phot.* sich vergrößern; *phot.* sich vergrößern lassen; *on a topic*, *etc.*: sich verbreiten *or* auslassen (*on*, *upon über acc*); *~·ment* *s* Erweiterung *f*; Vergrößerung *f* (*a. phot.*).

en·light·en [ɪn'laɪtn] *v/t fig.* erleuchten; j-n aufklären; *~·ment* *s* Aufklärung *f*.

en·list [ɪn'lɪst] *v/t mil.* anwerben; j-n gewinnen; *~·ed men* *pl Am. mil.* Unteroffiziere *pl* und Mannschaften *pl*; *v/i* sich freiwillig melden.

en·liv·en [ɪn'laɪvn] *v/t* beleben.

en·mi·ty ['enmətɪ] s Feindschaft f.

en·no·ble [ɪ'nəʊbl] v/t adeln; veredeln.

e·nor·mi·ty [ɪ'nɔːmətɪ] s Ungeheuerlichkeit f; **~·mous** [~əs] adj □ ungeheuer.

e·nough [ɪ'nʌf] adj and adv genug, genügend; **be ~** genügen, reichen; **I've had ~** mir reicht's.

en·quire, en·qui·ry [ɪn'kwaɪə, ~rɪ] → **inquire, inquiry**.

en·rage [ɪn'reɪdʒ] v/t wütend machen; **~d** adj wütend (**at** über acc).

en·rap·ture [ɪn'ræptʃə] v/t entzücken, hinreißen; **~d** adj entzückt, hingerissen.

en·rich [ɪn'rɪtʃ] v/t be-, anreichern.

en·rol(l) [ɪn'rəʊl] (**-ll-**) v/t eintragen, univ. j-n immatrikulieren; mil. anwerben; aufnehmen; v/i sich einschreiben (lassen), univ. sich immatrikulieren; **~·ment** s Eintragung f, -schreibung f, univ. Immatrikulation f; esp. mil. Anwerbung f; Einstellung f; Aufnahme f; Schüler-, Studenten-, Teilnehmerzahl f.

en·sign ['ensaɪn] s Fahne f, Flagge f; Abzeichen n; Am. mil. ['ensn] Leutnant m zur See.

en·sure [ɪn'ʃʊə] v/t sichern, sicherstellen.

en·tail [ɪn'teɪl] v/t jur. als Erbgut vererben; fig. mit sich bringen.

en·tan·gle [ɪn'tæŋgl] v/t verwickeln; **~·ment** s Verwicklung f; mil. Drahtverhau m.

en·ter ['entə] v/t (hinein)gehen or hereinkommen in (acc), (ein)treten in (acc), betreten; einsteigen or einfahren etc. in (acc); eindringen in (acc); econ. eintragen, (ver)buchen; protest, etc.: erheben; name, etc.: eintragen, -schreiben, j-n aufnehmen; sports: melden, nennen; **~ s.o. at school** j-n zur Schule anmelden; v/i eintreten, herein-, hineinkommen, -gehen; **into country:** einreisen; sports: sich melden (**for** für); **~ into** eingehen auf (acc); **~ on** or **upon an inheritance** e-e Erbschaft antreten.

en·ter|prise ['entəpraɪz] s Unternehmen n (a. econ.); econ. Unternehmertum n; Unternehmungsgeist m; **~·pris·ing** adj □ unternehmungslustig; wagemutig, kühn.

en·ter·tain [entə'teɪn] v/t unterhalten; bewirten; in Erwägung ziehen; doubt,

etc.: hegen; **~·er** s Entertainer(in), Unterhaltungskünstler(in); **~·ment** s Unterhaltung f; Bewirtung f.

en·thral(l) [ɪn'θrɔːl] v/t (**-ll-**) fesseln, bezaubern.

en·throne [ɪn'θrəʊn] v/t inthronisieren.

en·thu·si·asm [ɪn'θjuːzɪæzəm] s Begeisterung f; **~t** [~st] s Enthusiast(in), **~tic** [ɪnθjuːzɪ'æstɪk] adj (**~ally**) begeistert.

en·tice [ɪn'taɪs] v/t (ver)locken; **~·ment** s Verlockung f, Reiz m.

en·tire [ɪn'taɪə] adj ganz, vollständig; ungeteilt; **~·ly** adv völlig; ausschließlich.

en·ti·tle [ɪn'taɪtl] v/t betiteln; berechtigen (**to** zu).

en·ti·ty ['entɪtɪ] s Wesen n; Dasein n.

en·trails ['entreɪlz] s pl Eingeweide pl; fig. das Innere.

en·trance ['entrəns] s Eintritt m; Einfahrt f; Eingang m; Einlaß m.

en·trench [ɪn'trentʃ] v/t mil. verschanzen (a. fig.).

en·trust [ɪn'trʌst] v/t anvertrauen (**s.th. to s.o.** j-m et.); betrauen (**s.o. with s.th.** j-n mit et.).

en·try ['entrɪ] s Einreise f; Einlaß m, Zutritt m; Eingang m; Einfahrt f; Beitritt m (**into** zu); Eintragung f; sports: Meldung f, Nennung f; **~ formalities** pl Einreiseformalitäten pl; **~ permit** Einreisegenehmigung f; **~ visa** Einreisevisum n; **bookkeeping by double** (**single**) **~** econ. doppelte (einfache) Buchführung; **no ~!** Zutritt verboten!, mot. keine Einfahrt!

E-number ['iːnʌmbə] s E-Nummer f.

en·vel·op [ɪn'veləp] v/t (ein)hüllen, einwickeln; **en·ve·lope** ['envələʊp] s (Brief)Umschlag m.

en·vi·a·ble ['envɪəbl] adj □ beneidenswert; **~·ous** [~əs] adj □ neidisch.

en·vi·ron·ment [ɪn'vaɪərənmənt] s Umgebung f, sociol. a. Milieu n; Umwelt f (a. sociol.); **~·conscious** umweltbewußt; **~ policy** Umweltpolitik f; **Department of the ~** Br. pol. Umweltministerium n; **Minister** or Am. **Secretary of the ~** pol. Umweltminister(in); **~·men·tal** [~'mentl] adj □ sociol. Milieu...; Umwelt...; **~ law** Umweltschutzgesetz n; **~ pollution** Umweltverschmutzung *f*; **~ protection** Umweltschutz *m*; **~ly damaging** umweltfeindlich; **~ly friendly** umweltfreundlich; **~men·tal·ist** [~'mentəlɪst] *s* Umweltschützer(in); **~s** ['envɪrənz] *s pl of a town*: Umgebung *f*.

en·vis·age [ɪn'vɪzɪdʒ] *v/t* sich *et.* vorstellen.

en·voy ['envɔɪ] *s* Gesandte(r) *m*.

en·vy ['envɪ] **1.** *s* Neid *m*; **2.** *v/t* beneiden.

ep·ic ['epɪk] **1.** *adj* episch; **2.** *s* Epos *n*.

ep·i·dem·ic [epɪ'demɪk] **1.** *adj* (**~ally**) seuchenartig; **~ disease → 2.** *s* Epidemie *f*, Seuche *f*.

ep·i·lep·sy *med.* ['epɪlepsɪ] *s* Epilepsie *f*.

ep·i·logue ['epɪlɒg] *s* Nachwort *n*, Epilog *m*.

ep·i·sode ['epɪsəʊd] *s* Episode *f*; *TV, etc.*: Fortsetzung *f*, Folge *f*.

ep·i·taph ['epɪtɑːf] *s* Grabinschrift *f*; Gedenktafel *f*.

e·pit·o·me [ɪ'pɪtəmɪ] *s* Verkörperung *f*, Inbegriff *m*.

e·poch ['iːpɒk] *s* Epoche *f*, Zeitalter *n*.

eq·ua·ble ['ekwəbl] *adj* □ ausgeglichen (*a. climate*).

e·qual ['iːkwəl] **1.** *adj* □ gleich; gleichmäßig; **~ opportunities** *pl* Chancengleichheit *f*; **~ rights** *pl* **for women** Gleichberechtigung *f* der Frau; **2.** *s* Gleiche(r *m*) *f*; **3.** *v/t* (*esp. Br.* **-ll-**, *Am.* **-l-**) gleichen (*dat*); **~·i·ty** [iː'kwɒlətɪ] *s* Gleichheit *f*; **~·i·za·tion** [iːkwəlaɪ'zeɪʃn] *s* Gleichstellung *f*; Ausgleich *m*; **~·ize** ['iːkwəlaɪz] *v/t* gleichmachen, -stellen, angleichen; *v/i* *sports*: ausgleichen; **~·iz·er** [~aɪzə] *s sports*: Ausgleichstreffer *m*.

e·qua·tion [ɪ'kweɪʒn] *s* Ausgleich *m*; *math.* Gleichung *f*.

e·qua·tor [ɪ'kweɪtə] *s* Äquator *m*.

e·qui·lib·ri·um [iːkwɪ'lɪbrɪəm] *s* Gleichgewicht *n*.

e·quip [ɪ'kwɪp] *v/t* (**-pp-**) ausrüsten; **~ment** *s* Ausrüstung *f*; Einrichtung *f*.

e·quiv·a·lent [ɪ'kwɪvələnt] **1.** *adj* □ gleichwertig; gleichbedeutend (**to** mit); **2.** *s* Äquivalent *n*, Gegenwert *m*.

e·quiv·o·cal [ɪ'kwɪvəkl] *adj* □ zweideutig; zweifelhaft.

e·ra ['ɪərə] *s* Zeitrechnung *f*; Zeitalter *n*.

e·rad·i·cate [ɪ'rædɪkeɪt] *v/t* ausrotten.

e·rase [ɪ'reɪz] *v/t* ausradieren, -streichen,

löschen (*a. from computer*); *fig.* auslöschen; **e·ras·er** *s* Radiergummi *m*.

e·rect [ɪ'rekt] **1.** *adj* □ aufrecht; **2.** *v/t* aufrichten; *monument, etc.*: errichten; aufstellen; **e·rec·tion** [~kʃn] *s* Errichtung *f*; *physiol.* Erektion *f*.

e·ro·sion *geol.* [ɪ'rəʊʒn] *s* Erosion *f*, Auswaschung *f*.

e·rot·ic [ɪ'rɒtɪk] *adj* (**~ally**) erotisch; **~·i·cism** [~ɪsɪzəm] *s* Erotik *f*.

er·rand ['erənd] *s* Botengang *m*, Auftrag *m*, Besorgung *f*; **go on** or **run an ~** e-e Besorgung machen.

er·rat·ic [ɪ'rætɪk] *adj* (**~ally**) sprunghaft, unstet, unberechenbar.

er·ror ['erə] *s* Irrtum *m*, Fehler *m*; **~s excepted** Irrtümer vorbehalten.

e·rupt [ɪ'rʌpt] *v/i* *volcano, etc.*: ausbrechen; *teeth*: durchbrechen; **e·rup·tion** [~pʃn] *s* (Vulkan)Ausbruch *m*; *med.* (Haut)Ausschlag *m*.

es·ca·late ['eskəleɪt] *v/i* *conflict, etc.*: eskalieren, sich ausweiten; *costs, etc.*: steigen, in die Höhe gehen; **~·la·tion** [eskə'leɪʃn] *s* Eskalation *f*.

es·ca·la·tor ['eskəleɪtə] *s* Rolltreppe *f*.

es·ca·lope ['eskələʊp] *s* (*esp.* Wiener) Schnitzel *n*.

es·cape [ɪ'skeɪp] **1.** *v/i* (**from**) entkommen or -rinnen (*dat*); entweichen (*dat*); *v/t* entgehen (*dat*); *j-m* entfallen; **2.** *s* Entrinnen *n*; Entweichen *n*; Flucht *f*; **have a narrow ~** mit knapper Not davonkommen; **~ chute** *aer.* Notrutsche *f*; **~ key** *computer*: Escape-Taste *f*.

es·cort 1. *s* ['eskɔːt] *mil.* Eskorte *f*; Geleit(schutz *m* n) *f*; **2.** *v/t* [ɪ'skɔːt] *mil.* eskortieren; *aer., mar.* Geleit(schutz) geben (*dat*); geleiten.

es·pe·cial [ɪ'speʃl] *adj* besondere(r, -s); vorzüglich; **~ly** [~lɪ] *adv* besonders.

es·pi·o·nage [espɪə'nɑːʒ] *s* Spionage *f*.

es·pla·nade [esplə'neɪd] *s* (*esp.* Strand-) Promenade *f*.

es·pres·so [e'spresəʊ] *s* (*pl* **-sos**) Espresso *m*.

Es·quire [ɪ'skwaɪə] *s* (*abbr.* **Esq.**) *on letters*: **Ian Smith Esq.** Herrn Ian Smith.

es·say ['eseɪ] *s* Aufsatz *m*, kurze Abhandlung, Essay *m*, *n*.

es·sence ['esns] *s nature of s.th.*: Wesen *n*; *extract*: Essenz *f*, Extrakt *m*.

es·sen·tial [ɪ'senʃl] **1.** *adj* □ (**to** für) wesentlich; wichtig; **2.** *s mst* **~s** *pl* das

Wesentliche; **~ly** [~lɪ] adv im wesentlichen, in der Hauptsache.

es·tab·lish [ɪ'stæblɪʃ] v/t festsetzen; errichten, gründen; einrichten; j-n einsetzen; **~ o.s.** sich niederlassen; ♀**ed Church** Staatskirche f; **~ment** s Er-, Einrichtung f; Gründung f; **the** ♀ das Establishment, die etablierte Macht, die herrschende Schicht; **freedom of ~** econ., jur. Niederlassungsfreiheit f.

es·tate [ɪ'steɪt] s (großes) Grundstück, Landsitz m, Gut n; jur. Besitz m, (Erb)Masse f, Nachlaß m; **housing ~** (Wohn)Siedlung f; **industrial ~** Industriegebiet n; **real ~** Liegenschaften pl, Immobilien pl; (Am. **real**) **~ agent** s Grundstücks-, Immobilienmakler m; **~ car** s Br. mot. Kombi(wagen) m.

es·teem [ɪ'stiːm] 1. s Achtung f, Ansehen n (**with** bei); 2. v/t achten, (hoch)schätzen; ansehen or betrachten als.

es·thet·ic(s) Am. [es'θetɪk(s)] → aesthetic(s).

es·ti·mate 1. v/t ['estɪmeɪt] (ab-, ein)schätzen; veranschlagen; 2. s [~mɪt] Schätzung f; econ. (Kosten)Voranschlag m; **~ma·tion** [estɪ'meɪʃn] s Schätzung f, Meinung f; Achtung f.

es·trange [ɪ'streɪndʒ] v/t entfremden.

es·tu·a·ry [ɪ'tʃuərɪ] s Flußmündung f.

etch [etʃ] v/t ätzen; radieren; **~ing** ['etʃɪŋ] s Radierung f; Kupferstich m.

e·ter·nal [ɪ'tɜːnl] adj □ immerwährend, ewig; **~ni·ty** [~ətɪ] s Ewigkeit f.

e·ther ['iːθə] s Äther m; **e·the·re·al** [iː'θɪərɪəl] adj □ ätherisch (a. fig.).

eth·i·cal ['eθɪkl] adj □ sittlich, ethisch; **~ics** [~s] s/sg Sittenlehre f, Ethik f.

eu·pho·ri·a [juː'fɔːrɪə] s Euphorie f, Hochgefühl n.

Eu·ro|... ['jʊərəʊ] europäisch, Euro...; **~crat** s mst pl Eurokrat m; **~e·lec·tions** s pl Europawahl(en pl) f.

Eu·ro·pe·an [jʊərə'pɪən] 1. adj europäisch; 2. s Europäer(in); **~ Coal and Steel Com·mu·ni·ty** s Montanunion f; **~ Coun·cil** s Europarat m; **~ Court of Jus·tice** s Europäischer Gerichtshof; **~ (Ec·o·nom·ic) Com·mu·ni·ty** s Europäische (Wirtschafts)Gemeinschaft; **~ Ec·o·nom·ic Space** s Europäischer Wirtschaftsraum; **~ Mon·e·ta·ry Fund** s Europäischer Währungsfonds; **~ Mon·e·ta·ry U·nion** s Europäische

Währungsunion; **~ Par·lia·ment** s Europaparlament n; **~ Pa·tent Of·fice** s Europäisches Patentamt; **~ Sin·gle Mar·ket** s Europäischer Binnenmarkt.

e·vac·u·ate [ɪ'vækjʊeɪt] v/t entleeren; evakuieren; house, etc.: räumen.

e·vade [ɪ'veɪd] v/t (geschickt) ausweichen (dat); umgehen.

e·val·u·ate [ɪ'væljʊeɪt] v/t schätzen; abschätzen, bewerten, auswerten.

e·van·gel·i·cal [iːvæn'dʒelɪkl] adj □ evangelisch.

e·vap·o|rate [ɪ'væpəreɪt] v/t and v/i verdunsten or -dampfen (lassen); **~d milk** Kondensmilch f; **~ra·tion** [ɪvæpə-'reɪʃn] s Verdunstung f, -dampfung f.

e·va·sion [ɪ'veɪʒn] s Entkommen n; Umgehung f, Vermeidung f; Ausflucht f; **~sive** [~sɪv] adj □ ausweichend; **be ~** ausweichen.

eve [iːv] s Vorabend m; Vortag m; **on the ~** of unmittelbar vor (dat), am Vorabend (gen).

e·ven ['iːvn] 1. adj □ eben, gleich; gleichmäßig; ausgeglichen; glatt; number: gerade; unparteiisch; **get ~ with s.o.** fig. mit j-m abrechnen; 2. adv selbst, sogar, auch; **not ~** nicht einmal; **~ though**, **~ if** wenn auch; 3. v/t ebnen, glätten; **~ out** (v/i sich) ausgleichen.

eve·ning ['iːvnɪŋ] s Abend m; **~ class** Abendkurs m; **~ dress** Gesellschaftsanzug m; Frack m, Smoking m; Abendkleid n.

e·vent [ɪ'vent] s Ereignis n, Vorfall m; sportliche Veranstaltung n; sports: Disziplin f; sports: Wettbewerb m; **at all ~s** auf alle Fälle; **in the ~ of** im Falle (gen) or für den Fall, daß or falls; **~ful** adj □ ereignisreich.

e·ven·tu·al [ɪ'ventʃʊəl] adj schließlich; **~ly** schließlich, endlich; irgendwann.

ev·er ['evə] adv je, jemals; immer; **~ so** noch so (sehr); **~ after**, **~ since** von der Zeit an, seitdem; **~ and again** dann u. wann, hin u. wieder; **for ~** für immer, auf ewig; in letter: **Yours ~**, ... Viele Grüße, Dein(e) or Ihr(e) ...; **~green 1.** adj immergrün; unverwüstlich, esp. immer wieder gern gehört; **~ song** Evergreen m; 2. s bot. immergrüne Pflanze; **~·last·ing** adj □ ewig; dauerhaft; **~·more** adv immerfort.

ev·ery ['evrɪ] adv jede(r, -s); alle(r, -s); ~ **now and then** dann u. wann; ~ **one of them** jeder von ihnen; ~ **other day** jeden zweiten Tag, alle zwei Tage; **~·bod·y** pron jeder(mann); **~·day** adj alltäglich, Alltags...; **~·one** pron jeder(mann); **~·thing** pron alles; **~·where** adv überall; überallhin.

e·vict [ɪ'vɪkt] v/t jur. zwangsräumen; j-n gewaltsam vertreiben.

ev·i·dence ['evɪdəns] **1.** s Beweis(material) m, Beweise pl; (Zeugen)Aussage f; **give** ~ (als Zeuge) aussagen; **in** ~ als Beweis; deutlich sichtbar; **2.** v/t zeugen von; **~·dent** adj □ augenscheinlich, offenbar, klar.

e·vil ['iːvl] **1.** adj □ übel, schlimm, böse; **2.** s Übel n; das Böse; **~·mind·ed** [~'maɪndɪd] adj bösartig.

e·voke [ɪ'vəʊk] v/t (herauf)beschwören; memories: wachrufen.

ev·o·lu·tion [iːvə'luːʃn] s Evolution f, Entwicklung f.

e·volve [ɪ'vɒlv] v/t and v/i (sich) entwickeln.

ex [eks] **1.** prp econ.: ~ **factory/ship** ab Fabrik/Schiff; **2.** s F Verflossene(r m), Ex m, f.

ex- [~] ehemalig, früher.

ex·act [ɪg'zækt] **1.** adj genau, exakt; **2.** v/t payment: eintreiben; obedience: fordern; **~·ing** adj person: streng, genau; **~·i·tude** [~ɪtjuːd] → **exactness**; **~·ly** adv exakt, genau; answer: ganz recht, genau; **~·ness** s Genauigkeit f.

ex·ag·ge·rate [ɪg'zædʒəreɪt] v/t and v/i übertreiben; **~·ra·tion** [ɪgzædʒə'reɪʃn] f Übertreibung f.

ex·am F [ɪg'zæm] s Examen n.

ex·am·i·na·tion [ɪgzæmɪ'neɪʃn] s Examen n, Prüfung f; Untersuchung f; Vernehmung f; **~·ine** [ɪg'zæmɪn] v/t untersuchen; jur. vernehmen, -hören; school, etc.: prüfen (**in** in dat; **on** über acc).

ex·am·ple [ɪg'zɑːmpl] s Beispiel n; Vorbild n, Muster n; **for** ~ zum Beispiel.

ex·as·pe·rate [ɪg'zæspəreɪt] v/t wütend machen; **~·rat·ing** adj □ ärgerlich.

ex·ca·vate ['ekskəveɪt] v/t ausgraben, -heben, -schachten.

ex·ceed [ɪk'siːd] v/t überschreiten; übertreffen; **~·ing** adj □ übermäßig; **~·ing·ly** adv außerordentlich, überaus.

ex·cel [ɪk'sel] (**-ll-**) v/t übertreffen; v/i sich auszeichnen; **~·lence** ['eksələns] s ausgezeichnete Qualität; hervorragende Leistung; **Ex·cel·len·cy** [~ənsɪ] s Exzellenz f; **~·lent** [~ənt] adj □ ausgezeichnet, hervorragend.

ex·cept [ɪk'sept] **1.** v/t ausnehmen, -schließen; **2.** prp ausgenommen, außer; ~ **for** abgesehen von; **~·ing** prp ausgenommen.

ex·cep·tion [ɪk'sepʃn] s Ausnahme f; Einwand m (**to** gegen); **by way of** ~ ausnahmsweise; **make an** ~ e-e Ausnahme machen; **take** ~ **to** Anstoß nehmen an (dat); **~·al** adj außergewöhnlich; **~·al·ly** adv un-, außergewöhnlich.

ex·cerpt ['eksɜːpt] s Auszug m, Exzerpt n.

ex·cess [ɪk'ses] s Übermaß n; Überschuß m; Ausschweifung f; attr Mehr...; ~ **baggage** esp. Am..., ~ **luggage** esp. Br. aer. Übergepäck n; ~ **capacity** econ. Überkapazität f; ~ **fare** (Fahrpreis)Zuschlag m; ~ **postage** Nachgebühr f; **ex·ces·sive** [~ɪv] adj □ übermäßig, übertrieben.

ex·change [ɪks'tʃeɪndʒ] **1.** v/t (aus-, ein-, um)tauschen (**for** gegen); wechseln; **2.** s (Aus-, Um)Tausch m; (esp. Geld-) Wechsel m; a. **bill of** ~ Wechsel m; Börse f; Wechselstube f; (**telephone**) ~ Fernsprechamt n; **foreign** ~(**s** pl) Devisen pl; **rate of** ~, ~ **rate** Wechselkurs m; ~ **rate mechanism** Wechselkursmechanismus m; ~ **office** Wechselstube f; ~ **student** Austauschstudent(in), -schüler(in).

ex·cheq·uer [ɪks'tʃekə] s Staatskasse f; **Chancellor of the** ♀ Br. Schatzkanzler m, Finanzminister m.

ex·cise¹ ['eksaɪz] s Verbrauchssteuer f.

ex·cise² med. [~] v/t herausschneiden.

ex·ci·ta·ble [ɪk'saɪtəbl] adj reizbar, (leicht)erregbar.

ex·cite [ɪk'saɪt] v/t er-, anregen; reizen; **ex·cit·ed** adj □ erregt, aufgeregt; **ex·cite·ment** s Auf-, Erregung f; Reizung f; **ex·cit·ing** adj □ aufregend, spannend.

ex·claim [ɪk'skleɪm] v/t (aus)rufen.

ex·cla·ma·tion [eksklə'meɪʃn] s Ausruf m, (Auf)Schrei m; ~ **mark**, Am. a. ~ **point** Ausrufe-, Ausrufungszeichen n.

ex·clude [ɪk'skluːd] v/t ausschließen.

ex·clu|sion [ɪkˈskluːʒn] s Ausschließung f, Ausschluß m; **~sive** [~sɪv] adj □ ausschließlich; exklusiv; Exklusiv...; ~ **of** abgesehen von, ohne.

ex·cre·ment [ˈekskrɪmənt] s Kot m.

ex·crete [ekˈskriːt] v/t ausscheiden.

ex·cru·ci·at·ing [ɪkˈskruːʃɪeɪtɪŋ] adj □ **of** pain: entsetzlich, scheußlich.

ex·cur·sion [ɪkˈskɜːʃn] s Ausflug m.

ex·cu·sa·ble [ɪkˈskjuːzəbl] adj □ entschuldbar; **ex·cuse 1.** v/t [ɪkˈskjuːz] entschuldigen; ~ **me** entschuldige(n Sie); ~ **s.o.** j-m verzeihen; **2.** s [~uːs] Entschuldigung f; Ausrede f.

ex·e|cute [ˈeksɪkjuːt] v/t ausführen; vollziehen; mus. vortragen; hinrichten; jur. will: vollstrecken; **~cu·tion** [~ˈkjuːʃn] s Ausführung f; Vollziehung f; jur. (Zwangs)Vollstreckung f; punishment: Hinrichtung f; mus. Vortrag m; **put or carry a plan into** ~ e-n Plan ausführen or verwirklichen; **~cu·tion·er** [~ˈkjuːʃnə] s Henker m, Scharfrichter m; **~cu·tive** [ɪgˈzekjʊtɪv] **1.** adj □ vollziehend, ausübend, pol. Exekutiv...; econ. leitend; ~ **board** Vorstand m; ~ **committee** Exekutivausschuß m; **2.** s pol. Exekutive f, vollziehende Gewalt; econ. leitender Angestellter; **~cu·tor** [ɪgˈzekjʊtə] s Erbschaftsverwalter m, Testamentsvollstrecker m.

ex·em·pla·ry [ɪgˈzemplərɪ] adj □ vorbildlich.

ex·em·pli·fy [ɪgˈzemplɪfaɪ] v/t veranschaulichen.

ex·empt [ɪgˈzempt] **1.** adj befreit, frei; **2.** v/t ausnehmen, befreien.

ex·er·cise [ˈeksəsaɪz] **1.** s Übung f; Ausübung f; school: Übung(sarbeit) f, Schulaufgabe f; mil. Manöver n; (körperliche) Bewegung; **do one's ~s** Gymnastik machen; **get ~** Bewegung haben; **take ~** sich Bewegung verschaffen; Am. **~s** pl Feierlichkeiten pl; ~ **book** Schul-, Schreibheft n; **2.** v/t and v/i üben; ausüben; (sich) bewegen, trainieren; sich Bewegung verschaffen; mil. exerzieren.

ex·ert [ɪgˈzɜːt] v/t influence, etc.: ausüben; ~ **o.s.** sich anstrengen or bemühen; **ex·er·tion** [~ʒn] s Ausübung f; Anstrengung f, Strapaze f.

ex·hale [eksˈheɪl] v/t and v/i ausatmen; gas, smell, etc.: verströmen; smoke: ausstoßen.

ex·haust [ɪgˈzɔːst] **1.** v/t erschöpfen; entleeren; auspumpen; **2.** s tech. Abgas n, Auspuffgase pl; Auspuff m; ~ **catalytic converter** Abgaskatalysator m; ~ **fumes** pl Abgase pl; ~ **pipe** Auspuffrohr n; **~ed** adj erschöpft (a. fig.); **ex·haus·tion** [~tʃən] s Erschöpfung f; **ex·haus·tive** [~tɪv] adj □ erschöpfend.

ex·hib·it [ɪgˈzɪbɪt] **1.** v/t ausstellen; jur. vorzeigen, evidence: beibringen; fig. zeigen; **2.** s Ausstellungsstück n; Beweisstück n; **ex·hi·bi·tion** [eksɪˈbɪʃn] s Ausstellung f; Zurschaustellung f.

ex·ile [ˈeksaɪl] **1.** s Verbannung f; Exil n; Verbannte(r m) f; im Exil Lebende(r m) f; **2.** v/t in die Verbannung or ins Exil schicken.

ex·ist [ɪgˈzɪst] v/i existieren; vorhanden sein; leben; bestehen; **~ence** s Existenz f; Vorhandensein n, Vorkommen n; Leben n, Dasein n; **~ent** adj existent, bestehend, vorhanden.

ex·it [ˈeksɪt] **1.** s Ausgang m; (Autobahn)Ausfahrt f; Ausreise f; thea. Abgang m; **2.** v/i hinausgehen; thea. abgehen; v/t Am. aussteigen aus; ~ **per·mit** s Ausreisegenehmigung f.

ex·or·bi·tant [ɪgˈzɔːbɪtənt] adj □ übertrieben, maßlos; price, etc.: unverschämt.

ex·ot·ic [ɪgˈzɒtɪk] adj (**~ally**) exotisch; fremdländisch; fremd(artig).

ex·pand [ɪkˈspænd] v/t and v/i (sich) ausbreiten; (sich) ausdehnen or erweitern; expandieren; ~ **on** sich auslassen über (acc); **ex·panse** [~ns] s Ausdehnung f, Weite f; **ex·pan·sion** [~ʃn] s Ausbreitung f; phys. Ausdehnen n; fig. Erweiterung f, Ausweitung f; **ex·pan·sive** [~sɪv] adj □ ausdehnungsfähig; ausgedehnt, weit; fig. mitteilsam.

ex·pa·tri·ate [eksˈpætrɪeɪt] v/t j-n ausbürgern, j-m die Staatsangehörigkeit aberkennen.

ex·pect [ɪkˈspekt] v/t erwarten; F annehmen; **be ~ing** in anderen Umständen sein; **ex·pec·tant** [~ənt] adj □ erwartend (**of** acc); ~ **mother** werdende Mutter; **ex·pec·ta·tion** [ekspekˈteɪʃn] s Erwartung f; Hoffnung f, Aussicht f.

ex·pe·di·ent [ɪkˈspiːdɪənt] **1.** adj □ zweckmäßig; ratsam; **2.** s (Hilfs)Mittel n, (Not)Behelf m.

ex·pe·di|tion [ekspı'dıʃn] s Expedition f, (Forschungs)Reise f; mil. Feldzug m.

ex·pel [ık'spel] v/t (-ll-) ausstoßen; vertreiben, -jagen; hinauswerfen, ausschließen.

ex·pend [ık'spend] v/t money: ausgeben; aufwenden; verbrauchen; **ex·pen·di·ture** [∧dıtʃə] s Ausgabe f; Aufwand m; **∼s** pl Unkosten pl, Spesen pl, Auslagen pl; **at the ∼** auf Kosten (gen); **at any ∼** um jeden Preis; **ex·pen·sive** [∧sıv] adj □ kostspielig, teuer.

ex·pe·ri·ence [ık'spıərıəns] **1.** s Erfahrung f; (Lebens)Praxis f; Erlebnis n; **2.** v/t erfahren, erleben; **∼d** adj erfahren.

ex·per·i|ment 1. s [ık'sperımənt] Versuch m; **2.** v/i [∧ment] experimentieren; **∼men·tal** [eksperı'mentl] adj □ Versuchs..., experimentell.

ex·pert ['eksp∍:t] **1.** adj □ [pred eks'p∍:t] erfahren, geschickt; fachmännisch; **2.** s Fachmann m; Sachverständige(r m) f; **ex·per·tise** [eksp∍:'ti:z] s Sachkenntnis f, Sachverstand m.

ex·pi·ra·tion [ekspı'reıʃn] s Ausatmung f; Ablauf m, Ende n; **ex·pire** [ık'spaıə] v/i ausatmen; sein Leben or s-n Geist aushauchen; passport: ablaufen, verfallen.

ex·plain [ık'spleın] v/t erklären, erläutern; reasons: auseinandersetzen (all: **s.th. to s.o.**) j-m et.).

ex·pla·na·tion [eksplə'neıʃn] s Erklärung f; Erläuterung f; **ex·plan·a·to·ry** [ık'splænətərı] adj □ erklärend.

ex·pli·ca·ble ['eksplıkəbl] adj □ erklärlich.

ex·pli·cit [ık'splısıt] adj □ deutlich, explizit.

ex·plode [ık'spləud] v/i and v/t explodieren (lassen); fig. ausbrechen (**with** in acc), platzen (**with** vor dat); fig. sprunghaft ansteigen.

ex·ploit 1. s ['eksploıt] Heldentat f; **2.** v/t [ık'sploıt] ausbeuten; fig. ausnutzen; **ex·ploi·ta·tion** [eksploı'teıʃn] s Ausbeutung f, Auswertung f, Verwertung f, Abbau m; fig. Ausnutzung f.

ex·plo·ra·tion [eksplə'reıʃn] s Erforschung f; **ex·plore** [ık'splɔ:] v/t erforschen; **ex·plor·er** [∧rə] s Forscher(in).

ex·plo·sion [ık'spləuʒn] s Explosion f;

fig. Ausbruch m; fig. sprunghafter Anstieg; **∼sive** [∧əusıv] **1.** adj □ explosiv; fig. aufbrausend; fig. sprunghaft ansteigend; **2.** s Sprengstoff m.

ex·po·nent [ek'spəunənt] s Exponent m (a. math.); Vertreter m.

ex·port 1. v/t [ek'spɔ:t] exportieren, ausführen; **2.** s ['ekspɔ:t] Export(artikel) m, Ausfuhr(artikel m) f; **ex·por·ta·tion** [ekspɔ:'teıʃn] s Ausfuhr f.

ex·pose [ık'spəuz] v/t aussetzen; phot. belichten; ausstellen; fig. entlarven, bloßstellen, et. aufdecken; **ex·po·si·tion** [ekspə'zıʃn] s Ausstellung f.

ex·po·sure [ık'spəuʒə] s Aussetzen n; Ausgesetztsein n; fig. Bloßstellung f; Aufdeckung f; Enthüllung f, Entlarvung f; phot. Belichtung f; phot. Aufnahme f; **∼ meter** Belichtungsmesser m.

ex·press [ık'spres] **1.** adj □ Expreß..., Eil...; **∼ company** Am. (Schnell)Transportunternehmen n; **∼ train** Schnellzug m; **∼way** esp. Am. Schnellstraße f; **2.** s Eilbote m; Schnellzug m; **by ∼** → **3.** adv durch Eilboten; als Eilgut; **4.** v/t äußern, ausdrücken; auspressen.

ex·pres·sion [ık'spreʃn] s Ausdruck m; **∼less** adj □ ausdruckslos; **ex·pres·sive** [∧sıv] adj □ ausdrückend (**of** acc); ausdrucksvoll; **ex·press·ly** [∧lı] adv ausdrücklich, eigens.

ex·pro·pri·ate [eks'prəuprıeıt] v/t enteignen.

ex·pul·sion [ık'spʌlʃn] s Vertreibung f; Ausweisung f.

ex·pur·gate ['eksp∍:geıt] v/t reinigen.

ex·qui·site ['ekskwızıt] adj □ auserlesen, vorzüglich; fein; pain: heftig.

ex·tend [ık'stend] v/t ausdehnen; ausstrecken; erweitern; verlängern; help, etc.: gewähren; mil. ausschwärmen lassen; v/i sich erstrecken.

ex·ten|sion [ık'stenʃn] s Ausdehnung f; Erweiterung f; Verlängerung f; Aus-, Anbau m; teleph. Nebenanschluß m, Apparat m; **∼ cord** electr. Verlängerungsschnur f; **∼sive** [∧sıv] adj □ ausgedehnt, umfassend.

ex·tent [ık'stent] s Ausdehnung f, Weite f, Größe f, Umfang m; Grad m; **to the ∼ of** bis zum Betrag von; **to some or a certain ∼** bis zu e-m gewissen Grade, einigermaßen.

ex·ten·u·ate [ek'stenjʊeɪt] v/t abschwächen, mildern; beschönigen; *extenuating circumstances pl* jur. mildernde Umstände *pl.*

ex·te·ri·or [ek'stɪərɪə] **1.** *adj* äußerlich, äußere(r, -s), Außen...; **2.** *s das* Äußere; *TV, etc.:* Außenaufnahme *f.*

ex·ter·mi·nate [ek'stɜːmɪneɪt] v/t ausrotten (*a. fig.*), vernichten, *pests, weed: a.* vertilgen.

ex·ter·nal [ek'stɜːnl] *adj* □ äußere(r, -s), äußerlich, Außen...

ex·tinct [ɪk'stɪŋkt] *adj* erloschen; ausgestorben; **ex·tinc·tion** [~kʃn] *s* Erlöschen *n;* Aussterben *n,* Untergang *m;* (Aus)Löschen *n;* Vernichtung *f.*

ex·tin·guish [ɪk'stɪŋgwɪʃ] v/t (aus)löschen; vernichten; **~er** [~ə] *s* (Feuer-)Löschgerät *n,* Feuerlöscher *m.*

ex·tort [ɪk'stɔːt] v/t erpressen (*from* von); **ex·tor·tion** [~ʃn] *s* Erpressung *f.*

ex·tra ['ekstrə] **1.** *adj* Extra..., außer..., Außer...; Neben..., Sonder...; **~ pay** Zulage *f;* **~ time** *sports:* (Spiel)Verlängerung *f;* **2.** *adv* besonders; **3.** *s et.* Zusätzliches, Extra *n;* Zuschlag *m;* Extrablatt *n; thea., TV:* Statist(in).

ex·tract 1. *s* ['ekstrækt] Auszug *m;* **2.** v/t [ɪk'strækt] herausziehen; herauslocken; ab-, herleiten; **ex·trac·tion** [~kʃn] *s* (Heraus)Ziehen *n;* Herkunft *f.*

ex·tra|dite ['ekstrədaɪt] v/t ausliefern; *j-s* Auslieferung erwirken; **~di·tion** [ekstrə'dɪʃn] *s* Auslieferung *f.*

extra·or·di·na·ry [ɪk'strɔːdnrɪ] *adj* □ außerordentlich; ungewöhnlich; außerordentlich, Sonder...

ex·tra·ter·res·tri·al [ekstrətɪ'restrɪəl] *adj* □ außerirdisch.

ex·trav·a|gance [ɪk'strævəgəns] *s* Übertriebenheit *f;* Verschwendung *f;* Extra-

vaganz *f;* **~gant** [~t] *adj* □ übertrieben, überspannt; verschwenderisch; extravagant.

ex·treme [ɪk'striːm] **1.** *adj* □ äußerste(r, -s), größte(r, -s), höchste(r, -s); außergewöhnlich; **2.** *s das* Äußerste; Extrem *n;* höchster Grad; **~ly** *adv* äußerst, höchst.

ex·trem|is·m *esp. pol.* [ɪk'striːmɪzm] *s* Extremismus *m;* **~ist** [~ɪst] *s* Extremist(in).

ex·trem·i·ties [ɪk'stremətɪz] *s pl* Gliedmaßen *pl,* Extremitäten *pl.*

ex·tri·cate ['ekstrɪkeɪt] v/t herauswinden, -ziehen; befreien.

ex·tro·vert ['ekstrəʊvɜːt] *s* Extrovertierte(r *m) f.*

ex·u·be|rance [ɪg'zjuːbərəns] *s* Fülle *f;* Überschwang *m;* **~rant** [~t] *adj* □ reichlich, üppig; überschwenglich; ausgelassen.

eye [aɪ] **1.** *s* Auge *n;* Blick *m;* Öhr *n;* Öse *f; see ~ to ~ with s.o.* mit j-m völlig übereinstimmen; *be up to the ~s in work* bis über die Ohren in Arbeit stecken; *with an ~ to s.th.* im Hinblick auf et.; *I couldn't believe my ~s* ich traute meinen Augen nicht; *keep an ~ on* aufpassen auf (*acc*); **2.** v/t ansehen; mustern; **~ball** *s* Augapfel *m;* **~brow** *s* Augenbraue *f;* **~catch·ing** *adj* ins Auge fallend, auffallend; **...~d** ...äugig; **~lash** *s* Augenwimper *f;* **~lid** *s* Augenlid *n;* **~lin·er** *s* Eyeliner *m;* **~o·pen·er** *s: that was an ~ to me* das hat mir die Augen geöffnet; **~shad·ow** *s* Lidschatten *m;* **~sight** *s* Augen(-licht *n) pl,* Sehkraft *f;* **~strain** *s* Ermüdung *f or* Überanstrengung *f* der Augen; **~wit·ness** *s* Augenzeug|e *m,* -in *f.*

F

fa·ble ['feɪbl] *s* Fabel *f;* Sage *f;* Lüge *f.*
fab|ric ['fæbrɪk] *s* Gewebe *n,* Stoff *m;* Bau *m;* Gebäude *n;* Struktur *f;* **~ri·cate** [~eɪt] v/t fabrizieren; *mst*

fig. invent: erdichten, fälschen.
fab·u·lous ['fæbjʊləs] *adj* □ sagenhaft, der Sage angehörend; sagen-, fabelhaft.

fa·çade *arch.* [fə'sɑːd] *s* Fassade *f*.

face [feɪs] **1.** *s* Gesicht *n*; Gesicht(sausdruck *m*) *n*, Miene *f*; (Ober)Fläche *f*; Vorderseite *f*; Zifferblatt *n*; **~ to ~ with** Auge in Auge mit; *fig.* **save** (**lose**) **one's ~** das Gesicht wahren (verlieren); **~saving** **solution**, *etc.*: zur Wahrung des Gesichts; **on the ~ of it** auf den ersten Blick; **pull a long ~** ein langes Gesicht machen; **have the ~ to do** *th.* die Stirn haben, et. zu tun; **2.** *v/t* ansehen; gegenüberstehen (*dat*); (hinaus)gehen auf (*acc*); die Stirn bieten (*dat*); *arch.* verkleiden; **let's ~ it** machen wir uns nichts vor; *v/i:* **~ about** sich umdrehen; **~cloth** *s* Waschlappen *m*; **~flan·nel** *s Br.* → **face-cloth**; **~lift·ing** *s* Facelifting *n*, Gesichtsstraffung *f*; *fig.* Renovierung *f*, Verschönerung *f*.

fa·ce·tious [fə'siːʃəs] *adj* □ witzig.

fa·cile ['fæsaɪl] *adj* leicht; oberflächlich.

fa·cil·i·tate [fə'sɪlɪteɪt] *v/t* erleichtern; **~ty** [~ɔtɪ] *s ease:* Leichtigkeit *f*; Oberflächlichkeit *f*; *equipment*, *etc.*: Einrichtung *f*; *opportunity*: Möglichkeit *f*; **cooking facilities** *pl* Kochgelegenheit *f*; **sports facilities** *pl* Sportmöglichkeiten *pl*.

fac·ing ['feɪsɪŋ] *s arch.* Verkleidung *f*; **~s** *pl sewing:* Besatz *m*.

fact [fækt] *s* Tatsache *f*, Wirklichkeit *f*, Wahrheit *f*; **in ~** in der Tat, tatsächlich; **tell s.o. the ~s of life** j-n (sexuell) aufklären.

fac·tion *esp. pol.* ['fækʃn] *s* Splittergruppe *f*; Zwietracht *f*.

fac·ti·tious [fæk'tɪʃəs] *adj* □ künstlich.

fac·tor ['fæktə] *s fig.* Umstand *m*, Moment *n*, Faktor *m* (*a. math.*); *in Scotland:* Verwalter *m*.

fac·to·ry ['fæktrɪ] *s* Fabrik *f*, Werk *n*; **~ farming** industriell betriebene Viehzucht.

fac·ul·ty ['fækəltɪ] *s* Fähigkeit *f*, Kraft *f*; *fig.* Gabe *f*; *univ.* Fakultät *f*.

fad [fæd] *s* Mode(erscheinung, -torheit) *f*; (vorübergehende) Laune.

fade [feɪd] *v/i* and *v/t* (ver)welken (lassen), verblassen; schwinden; *of person:* immer schwächer werden; *film*, *radio*, *TV:* **~ in** auf- or eingeblendet werden; auf- or einblenden; **~ out** aus- or abgeblendet werden; aus- or abblenden.

fag¹ [fæg] *s F* Plackerei *f*, Schinderei *f*.

fag² *sl.* [~] *s Br.* cigarette: Glimmstengel *m*, Kippe *f*; *Am.* homosexual: Schwule(r) *m*.

fail [feɪl] **1.** *v/i* versagen; mißlingen, fehlschlagen; versiegen; nachlassen; Bankrott machen; *in test, etc.*: durchfallen; *v/t* im Stich lassen, verlassen; *in test, etc.*: j-n durchfallen lassen; **he ~ed to come** er kam nicht; **he cannot ~ to** er muß (einfach) ... ; **2.** *s:* **without ~** mit Sicherheit, ganz bestimmt; **~ing 1.** *s* Fehler *m*, Schwäche *f*; **2.** *prp* in Ermang(e)lung (*gen*); **~ure** [~ɔə] *s* Fehlen *n*; Ausbleiben *n*; Versagen *n*; Fehlschlag *m*, Mißerfolg *m*; Verfall *m*; Versäumnis *n*; Bankrott *m*; Versager *m*.

faint [feɪnt] **1.** *adj* □ schwach; matt; **2.** *v/i* ohnmächtig werden, in Ohnmacht fallen (**with** vor *dat*); **3.** *s* Ohnmacht *f*; **~heart·ed** *adj* □ verzagt.

fair¹ [feə] **1.** *adj* gerecht, ehrlich, anständig, fair; ordentlich; *weather:* schön, *wind:* günstig; *hair, skin, etc.*: hell, *hair:* a. blond; freundlich; sauber, in Reinschrift; schön, hübsch, nett; **2.** *adv* gerecht, ehrlich, anständig, fair; in Reinschrift; direkt.

fair² [~] *s* (Jahr)Markt *m*; Volksfest *n*; Ausstellung *f*, Messe *f*.

fair|ly ['feəlɪ] *adv* ziemlich; völlig; **~ness** *s* Schönheit *f*; Blondheit *f*; Anständigkeit *f*, *esp. sports:* Fairneß *f*; Ehrlichkeit *f*; Gerechtigkeit *f*.

fai·ry ['feərɪ] *s* Fee *f*; *F homosexual:* F Schwule(r) *m*, *F* Tunte *f*; **~tale** *s* Märchen *n* (*a. fig.*).

faith [feɪθ] *s* Glaube *m*; Vertrauen *n*; Treue *f*; **~ful** *adj* □ treu; ehrlich; *in letters:* **Yours ~ly** Mit freundlichen Grüßen, *formal:* Hochachtungsvoll; **~less** *adj* □ treulos; ungläubig.

fake [feɪk] **1.** *s* Schwindel *m*; Fälschung *f*; Schwindler *m*; **2.** *v/t* fälschen; imitieren, nachmachen; vortäuschen, simulieren; **3.** *adj* gefälscht.

fal·con *zo.* ['fɔːlkən] *s* Falke *m*.

fall [fɔːl] **1.** *s* Fall *m* (*a.* Fallen *n*) *m*; Sturz *m*; Einsturz *m*; *Am.* Herbst *m*; Verfall *m* (*of prices, etc.*): Sinken *n*; Gefälle *n*; *mst* **~s** *pl* Wasserfall *m*; **2.** *v/i* (**fell, fallen**) fallen, stürzen; ab-, einfallen; sinken; *of wind:* sich legen; verfallen (**into** in *acc*); **~ ill** or **sick** krank werden; **~ in love**

with sich verlieben in (acc); ~ **short of** expectations, etc.: nicht entsprechen (dat); ~ **to pieces** auseinanderfallen; fig. zusammenbrechen; ~ **back** zurückweichen; ~ **back on** fig. zurückgreifen auf (acc); ~ **for** hereinfallen auf (j-n, et.); F sich in j-n verknallen; ~ **off** become less: zurückgehen, nachlassen; ~ **on** herfallen über (acc); ~ **out** sich streiten (**with** mit); ~ **through** durchfallen (a. fig.); ~ **to** eating: reinhauen, tüchtig zugreifen.

fal·la·cy ['fæləsɪ] s Trugschluß m; Irrtum m.

fall·en ['fɔːlən] pp of **fall** 2.

fall guy Am. F ['fɔːlgaɪ] s der Lackierte, der Dumme.

fal·li·ble ['fæləbl] adj □ fehlbar.

fall·ing star ast. ['fɔːlɪŋstɑː] s Sternschnuppe f.

fall·out ['fɔːlaʊt] s Fallout m, radioaktiver Niederschlag.

fal·low ['fæləʊ] adj zo. gelbbraun, falb; agr. brach(liegend).

false [fɔːls] adj □ falsch; ~ **a·larm** s blinder Alarm; ~**hood**, ~**ness** s Falschheit f, Unwahrheit f.

fal·si·fi·ca·tion [fɔːlsɪfɪ'keɪʃn] s (Ver)Fälschung f; ~**fy** ['fɔːlsɪfaɪ] v/t (ver)fälschen; ~**ty** [~tɪ] s Falschheit f, Unwahrheit f.

fal·ter ['fɔːltə] v/i schwanken; of voice: stocken; fig. zaudern; a. v/t stammeln.

fame [feɪm] s Ruf m, Ruhm m; ~**d** adj berühmt (**for** wegen).

fa·mil·i·ar [fə'mɪljə] 1. adj □ vertraut, gewohnt; familiär; 2. s Vertraute(r) m f; ~**i·ty** [fəmɪlɪ'ærɪtɪ] s Vertrautheit f; (plumpe) Vertraulichkeit; ~**ize** [fə'mɪljəraɪz] v/t vertraut machen.

fam·i·ly ['fæməlɪ] 1. s Familie f; 2. adj Familien..., Haus...; **be in the** ~ **way** F in anderen Umständen sein; ~ **allowance** Kindergeld n; ~ **credit** Br. appr. Familienbeihilfe f; ~**friendly** hotel, etc.: familienfreundlich; ~ **planning** Familienplanung f; ~ **tree** Stammbaum m.

fam·ine ['fæmɪn] s Hungersnot f; Knappheit f (**of** an dat); ~**ished** [~ʃt] adj F fast verhungert, ausgehungert; **be** ~ F am Verhungern sein.

fa·mous ['feɪməs] adj berühmt.

fan¹ [fæn] 1. s Fächer m; Ventilator m; ~

belt tech. Keilriemen m; 2. v/t (-nn-) (zu)fächeln; an-, fig. entfachen.

fan² [~] s sports, etc.: Fan m; ~ **club** Fanklub m; ~ **mail** Verehrerpost f.

fa·nat·ic [fə'nætɪk] 1. adj (~ally), a. ~**i·cal** □ fanatisch; 2. s Fanatiker(in).

fan·ci·er ['fænsɪə] s of animals, plants: Liebhaber(in), Züchter(in).

fan·ci·ful ['fænsɪfl] adj □ phantastisch.

fan·cy ['fænsɪ] 1. s Phantasie f; Einbildung(skraft) f; whim: Laune f; Vorliebe f; Liebhaberei f; 2. adj Phantasie...; Mode...; ~ **ball** Kostümfest n, Maskenball m; ~ **dress** (Masken)Kostüm n; ~ **goods** pl Modeartikel pl, -waren pl; 3. v/t sich einbilden; Gefallen finden an (dat); v/i: **just** ~! denken Sie nur!; ~**free** adj frei u. ungebunden; ~**work** s feine Handarbeit, Stickerei f.

fang [fæŋ] s Reiß-, Fangzahn m; Hauer m; Giftzahn m.

fan·tas·tic [fæn'tæstɪk] adj (~ally) phantastisch; ~**ta·sy** ['fæntəsɪ] s Phantasie f.

far [fɑː] 1. (**farther**, **further**; **farthest**, **furthest**) 1. adj fern, entfernt, weit; 2. adv fern; weit; (sehr) viel; **as** ~ **as** bis; **in so** ~ **as** insofern als; ~**a·way** adj weit entfernt.

fare [feə] 1. s Fahrgeld n; Fahrgast m; Verpflegung f, Kost f; 2. v/i (gut) leben; **he** ~**d well** es (er)ging ihm gut; ~ **dodg·er** ['feədɒdʒə] s Schwarzfahrer(in); ~**well** [feə'wel] 1. int lebe(n Sie) wohl!; 2. s Abschied m, Lebewohl n.

far-fetched fig. [fɑː'fetʃt] adj weithergeholt, gesucht.

farm [fɑːm] 1. s Bauernhof m, Gut n, Gutshof m, Farm f; Züchterei f; **chicken** ~ Hühnerfarm f; 2. v/t (ver)pachten; land: bebauen, bewirtschaften; poultry, etc.: züchten; ~**er** s Bauer m, Landwirt m, Farmer m; of poultry, etc.: Züchter m; Pächter m; ~**hand** s Landarbeiter(in); ~**house** s Bauernhaus n; ~**ing** 1. adj Acker..., landwirtschaftlich; 2. s Landwirtschaft f; ~**stead** s Bauernhof m, Gehöft n; ~ **sub·si·dies** s pl Agrarsubventionen pl; ~**yard** s Wirtschaftshof m (of farm).

far-off [fɑːr'ɒf] adj entfernt, fern; ~**sight·ed** adj esp. Am. weitsichtig; fig. weitblickend.

far·ther ['fɑːðə] comp of **far**; ~**thest** ['fɑːðɪst] sup of **far**.

fas·ci·nate ['fæsɪneɪt] v/t faszinieren; **~·nat·ing** adj □ faszinierend; **~·na·tion** [fæsɪ'neɪʃn] s Zauber m, Reiz m, Faszination f.

fas·cis|m pol. ['fæʃɪzəm] s Faschismus m; **~t** pol. [~ɪst] **1.** s Faschist m; **2.** adj faschistisch.

fash·ion ['fæʃn] **1.** s Mode f; Art f; feine Lebensart; Form f; Schnitt m; **in** (**out of**) ~ (un)modern; ~ **parade**, ~ **show** Mode(n)schau f; **2.** v/t gestalten; **~·a·ble** adj □ modern, elegant.

fast¹ [fɑːst] **1.** s Fasten n; **2.** v/i fasten.

fast² [~] adj schnell; fest; treu; colour: echt, beständig; flott; **be ~ of** clock, watch: vorgehen; **~·back** mot. [~] s (Wagen m mit) Fließheck n; ~ **breed·er**, **~·breed·er re·ac·tor** s phys. schneller Brüter.

fas·ten ['fɑːsn] v/t befestigen; anheften; fest zumachen; zubinden; eyes, etc.: heften (**on**, **upon** auf acc); v/i door: schließen; ~ **on**, ~ **upon** sich klammern an (acc); fig. sich stürzen auf (acc); **~·er** s Verschluß m, Halter m; **~·ing** s Verschluß m, Halterung f.

fast | **food** ['fɑːstfʊd] s Schnellgericht(e pl) n; **~·food res·tau·rant** s Schnellimbiß m, -gaststätte f.

fas·tid·i·ous [fə'stɪdɪəs] adj □ anspruchsvoll, heikel, wählerisch, verwöhnt.

fast lane mot. [fɑːst'leɪn] s Überholspur f.

fat [fæt] **1.** adj □ (-tt-) fett; dick; fettig; **2.** s Fett n; **3.** v/t and v/i (-tt-) fett machen or werden; mästen.

fa·tal ['feɪtl] adj □ verhängnisvoll, fatal (**to** für); Schicksals...; tödlich; **~·i·ty** [fə'tælətɪ] s Verhängnis n; Unglücks-, Todesfall m; Todesopfer n.

fate [feɪt] s Schicksal n; Verhängnis n.

fa·ther ['fɑːðə] s Vater m; **♀ Christ·mas** n esp. Br. der Weihnachtsmann, der Nikolaus; **~·hood** [~hʊd] s Vaterschaft f; **~·in-law** [~rɪnlɔː] s Schwiegervater m; **~·less** adj vaterlos; **~·ly** adj väterlich.

fath·om ['fæðəm] **1.** s mar. Faden m; **2.** v/t mar. loten; fig. ergründen; **~·less** adj unergründlich.

fa·tigue [fə'tiːg] **1.** s Ermüdung f; Strapaze f; **2.** v/t and v/i ermüden.

fat|ten ['fætn] v/t and v/i fett machen or

werden; mästen; soil: düngen; **~·ty** [~tɪ] adj (**-ier**, **-iest**) fett(ig).

fat·u·ous ['fætjʊəs] adj □ albern.

fau·cet Am. ['fɔːsɪt] s (Wasser)Hahn m.

fault [fɔːlt] s Fehler m; Defekt m; Schuld f; **find ~ with** et. auszusetzen haben an (dat); **be at ~** Schuld haben; **~·less** adj □ fehlerfrei, -los; **~·y** adj □ (**-ier**, **-iest**) fehlerhaft, tech. a. defekt.

fa·vo(u)r ['feɪvə] **1.** s Gunst f; Gefallen m; Begünstigung f; **in ~ of** zugunsten von or gen; **do s.o. a ~** j-m e-n Gefallen tun; **2.** v/t begünstigen; bevorzugen, vorziehen; wohlwollend gegenüberstehen (dat); sports: favorisieren; beehren; **fa·vo(u)·ra·ble** adj □ günstig; **fa·vo(u)·rite** [~rɪt] **1.** s Liebling m; sports: Favorit m; **2.** adj Lieblings-.

fax [fæks] **1.** v/t and v/i faxen; **2.** s (Tele)Fax n.

fear [fɪə] **1.** s Furcht f (**of** vor dat); Befürchtung f; Angst f; **2.** v/t (be)fürchten; sich fürchten vor (dat); **~·ful** adj □ furchtsam; furchtbar; **~·less** adj □ furchtlos.

fea·si·ble ['fiːzəbl] adj □ durchführbar.

feast [fiːst] **1.** s eccl. Fest n, Feiertag m; Festessen n; fig. Fest n, (Hoch)Genuß m; **2.** v/t festlich bewirten; v/i sich gütlich tun (**on** an dat).

feat [fiːt] s (Helden)Tat f; Kunststück n.

feath·er ['feðə] **1.** s Feder f; a. **~s** pl Gefieder n; **birds of a ~** Leute vom gleichen Schlag; **in high ~** (bei) bester Laune; in Hochform; **2.** v/t mit Federn schmücken; **~·bed** s Unterbett n; **~·bed** v/t (**-dd-**) verwöhnen; **~·brained**, **~·head·ed** adj unbesonnen; albern; **~·ed** adj gefiedert; **~·weight** s sports: Federgewicht(ler m) n; person: Leichtgewicht n; fig. unbedeutende Person; et. Belangloses; **~·y** [~rɪ] adj gefiedert; feder(art)ig; in weight: federleicht.

fea·ture ['fiːtʃə] **1.** s (Gesichts-, Grund-, Haupt-, Charakter)Zug m; radio, TV: Feature n; a. **~ article**, **~ story** newspaper: Feature n; a. **~ film** Haupt-, Spielfilm m; **~s** pl Gesicht n; **2.** v/t kennzeichnen; sich auszeichnen durch; groß herausbringen or -stellen; film, TV: in der Hauptrolle zeigen.

Feb·ru·a·ry ['februərɪ] s Februar m.

fed [fed] pret and pp of **feed** 2.

fed·e|ral ['fedərəl] adj □ föderalistisch;

Bundes...; _USA:_ Zentral..., Unions..., National...; ⌾ _**Republic of Germany**_ Bundesrepublik _f_ Deutschland; ⌾ _**Bureau of Investigation**_ (_abbr._ **FBI**) _amer._ Bundeskriminalpolizei _f_; ~ _**gov-ernment**_ Bundesregierung _f_; **~·is·m** [ʌɪzəm] _s_ Föderalismus _m_; **~·rate** [ʌɪt] _v/t and v/i_ (sich) zu e-m (Staaten)Bund zusammenschließen; **~·ra·tion** [fedə-'reɪʃn] _s_ Föderation _f_ (_a. econ., pol._); (politischer) Zusammenschluß; _econ._ (Dach)Verband _m_; _pol._ Staatenbund _m_.

fee [fi:] _s_ Gebühr _f_; Honorar _n_; (Mit-glieds)Beitrag _m_; Eintrittsgeld _n_.

fee·ble ['fi:bl] _adj_ □ (_.r, ~st_) schwach.

feed [fi:d] **1.** _s_ Futter _n_; Nahrung _f_; Füt-terung _f_; _tech._ Zuführung _f_, Speisung _f_; **2.** (_**fed**_) _v/t_ füttern; ernähren; _tech._ (ein)speisen; _data:_ eingeben; _cattle, etc.:_ weiden lassen; _**be fed up with**_ et. _or j-n_ satt haben, _f_ die Nase voll haben von; _**well fed**_ wohlgenährt; _v/i_ (fres-sen; sich ernähren; weiden; **~·back** ['~bæk] _s electr., etc.:_ Feedback _n_, Rückkopplung _f_, _radio, TV:_ Feed-back _n_, Reaktion _f_ (_of listeners, etc._); Zurückleitung _f_ (_of information_) (**to** an _acc_); **~·er** [ʌə] _s Am._ Viehmäster _m_; Esser(in); _river:_ Zufluß _m_; _road, etc.:_ → **~·er road** _s_ Zubringer(straße _f_) _m_; **~·ing-bot·tle** _s_ (Säuglings-, Saug)Fla-sche _f_.

feel [fi:l] **1.** _v/t and v/i_ (_**felt**_) (sich) fühlen; befühlen; empfinden; sich anfühlen; _**I ~ like ...**_ ich möchte am liebsten ...; _**how do you ~ about ...**_ was hältst du von ...; **2.** _s_ Gefühl _n_; Empfindung _f_; **~·er** _zo._ ['fi:lə] _s_ Fühler _m_; **~·ing** Gefühl _n_.

feet [fi:t] _pl of_ **foot** 1.

feint [feint] _s_ Finte _f_; _mil._ Täuschungs-manöver _n._

fell [fel] **1.** _pret of_ **fall** 2; **2.** _v/t_ nieder-schlagen; fällen.

fel·low ['feləʊ] **1.** _s_ Gefährt|e _m_, -in _f_, Kamerad(in); Gleiche(r, -s); Gegen-stück _n_; _univ._ Fellow _m_, Mitglied _n_ e-s College; Kerl _m_, Bursche _m_, Mensch _m_; _old_ ~ _F_ alter Junge; **2.** _adj_ Mit...; ~ _**being**_ Mitmensch _m_; ~ _**countryman**_ Landsmann _m_; ~ _**student**_ Kommili-to|ne _m_, -nin _f_; ~ _**travel(l)er**_ Mitreisen-de(r) _m_, Reisegefährte _m_; **~·ship** [ʌʃɪp] _s_ Gemeinschaft _f_; Kameradschaft _f_.

fel·o·ny _jur._ ['feləni] _s_ (schweres) Verbre-chen, Kapitalverbrechen _n._

felt¹ [felt] _pret and pp of_ **feel** 1.

felt² [~] _s_ Filz _m_; ~ _**tip**_, ~ _**tip(ped) pen**_ Filzschreiber _m_, -stift _m._

fe·male ['fi:meɪl] **1.** _adj_ weiblich; **2.** _s_ Weib _n_; _zo._ Weibchen _n._

fem·i·nine ['feminɪn] _adj_ weiblich, Frau-en...; _fashion:_ fraulich, feminin; **~·nis·m** [ʌɪzəm] _s_ Feminismus _m_; **~·nist** [ʌɪst] **1.** _s_ Feminist(in); **2.** _adj_ feminis-tisch.

fen [fen] _s_ Fenn _n_, Moor _n_; Marsch _f._

fence [fens] **1.** _s_ Zaun _m_; _F_ Hehler _m_; **2.** _v/t:_ ~ _**in**_ ein-, umzäunen; einsperren; ~ _**off**_ abzäunen; _v/i sports:_ fechten; _sl._ Hehlerei treiben; **fenc·er** _s sports:_ Fechter _m_; **fenc·ing** _s_ Einfriedung _f_; _sports:_ Fechten _n_, _attr_ Fecht...

fend [fend] _v/t:_ ~ _**off**_ abwehren; _v/i:_ ~ _**for o.s.**_ für sich selbst sorgen; **~·er** _s_ Schutzvorrichtung _f_; Schutzblech _n_; _Am. mot._ Kotflügel _m_; Kamingitter _n._

fen·nel _bot._ ['fenl] _s_ Fenchel _m._

fer|ment 1. _s_ ['fɜ:ment] Ferment _n_; Gä-rung _f_; **2.** _v/i and v/t_ [fə'ment] gären (lassen); **~·men·ta·tion** [fɜ:men'teɪʃn] _s_ Gärung _f._

fern _bot._ [fɜ:n] _s_ Farn(kraut _n_) _m._

fe·ro·cious [fə'rəʊʃəs] _adj_ □ wild; grau-sam; **~·ci·ty** [fə'rɒsɪtɪ] _s_ Wildheit _f._

fer·ret ['ferɪt] **1.** _s zo._ Frettchen _f_; _fig._ Spürhund _m_; **2.** _v/i_ herumstöbern; _v/t:_ ~ _**out**_ aufspüren, -stöbern.

fer·ry ['ferɪ] **1.** _s_ Fähre _f_; **2.** _v/t_ überset-zen; **~·boat** _s_ Fährboot _n_, Fähre _f_; **~·man** _s_ Fährmann _m._

fer|tile ['fɜ:taɪl] _adj_ □ fruchtbar; reich (_**of, in**_ an _dat_); **~·til·i·ty** [fə'tɪlətɪ] _s_ Fruchtbarkeit _f_ (_a. fig._); **~·ti·lize** ['fɜ:tɪlaɪz] _v/t_ fruchtbar machen; be-fruchten; düngen; **~·ti·liz·er** [ʌə] _s_ (_esp._ Kunst)Dünger _m_, Düngemittel _n._

fer·vent ['fɜ:vənt] _adj_ □ heiß; inbrün-stig, glühend; leidenschaftlich.

fer·vo(u)r ['fɜ:və] _s_ Glut _f_; Inbrunst _f._

fes·ter ['festə] _v/i_ eitern; verfaulen.

fes|ti·val ['festəvl] _s_ Fest _n_; Feier _f_; Fest-spiele _pl_; **~·tive** [ʌɪv] _adj_ □ festlich; **~·tiv·i·ty** [fe'stɪvətɪ] _s_ Festlichkeit _f._

fes·toon [fe'stu:n] _s_ Girlande _f._

fetch [fetʃ] _v/t_ holen; _price:_ erzielen; _sigh:_ ausstoßen; **~·ing** _adj_ □ _F_ reizend.

fet·id ['fetɪd] _adj_ □ stinkend.

fet·ter ['fetə] **1.** s Fessel f (a. fig.); **2.** v/t fesseln (a. fig.).

feud [fju:d] s Fehde f; Lehen n; **~al** ['fju:dl] adj □ feudal, Lehns...; **feu·dal·is·m** ['fju:dəlɪzm] s Feudalismus m, Feudalsystem n.

fe·ver ['fi:və] s Fieber n; **~ish** adj □ fieb(e)rig; fig. fieberhaft.

few [fju:] adj and pron wenige; **a ~** ein paar, einige; **no ~er than** weniger als; **quite a ~, a good ~** e-e ganze Menge.

fi·an·cé [fɪ'ã:nseɪ] s Verlobte(r) m; **~e** [~] s Verlobte f.

fib F [fɪb] **1.** s Flunkerei f, Schwindelei f; **2.** v/i (**-bb-**) schwindeln, flunkern.

fi·bre, Am. **-ber** ['faɪbə] s Faser f; Charakter m; **fi·brous** ['faɪbrəs] adj □ faserig.

fick·le ['fɪkl] adj wankelmütig; unbeständig; **~ness** s Wankelmut m.

fic·tion ['fɪkʃn] s Erfindung f; Prosaliteratur f, Belletristik f; Romane pl; **~al** adj □ erdichtet; Roman...

fic·ti·tious [fɪk'tɪʃəs] adj □ erfunden.

fid·dle ['fɪdl] **1.** s Fiedel f, Geige f; **play first (second)** ~ esp. fig. die erste (zweite) Geige spielen; (**as) fit as a ~** kerngesund; **2.** v/i mus. fiedeln; a. ~ **about** or **around (with)** herumfingern (an dat), spielen (mit); **~r** [~ə] s Geiger(in).

fi·del·i·ty [fɪ'delətɪ] s Treue f; Genauigkeit f.

fid·get F ['fɪdʒɪt] **1.** s nervöse Unruhe; **2.** v/t and v/i nervös machen or sein; **~y** adj zapp(e)lig, nervös.

field [fi:ld] s Feld n; (Spiel)Platz m; Arbeitsfeld n; Gebiet n; Bereich m; **hold the ~** das Feld behaupten; **~e·vents** s pl sports: Sprung- u. Wurfdisziplinen pl; **~glass·es** s pl (**a pair of ~** ein) Feldstecher m or Fernglas n; **~work** s praktische (wissenschaftliche) Arbeit, archeology, etc.: a. Arbeit f im Gelände; sociol., etc.: Feldarbeit f.

fiend [fi:nd] s Satan m, Teufel m; in compounds: Süchtige(r m) f, Fanatiker(in); **~ish** ['fi:ndɪʃ] adj □ teuflisch, boshaft.

fierce [fɪəs] adj □ (**~r, ~st**) wild; scharf; heftig; **~ness** s Wildheit f, Schärfe f, Heftigkeit f.

fi·er·y ['faɪərɪ] adj □ (**-ier, -iest**) feurig; hitzig.

fif|teen [fɪf'ti:n] **1.** adj fünfzehn; **2.** s

Fünfzehn f; **~teenth** [~'ti:nθ] adj fünfzehnte(r, -s); **~th** [fɪfθ] **1.** adj fünfte(r, -s); **2.** s Fünftel n; **~th·ly** ['fɪfθlɪ] adv fünftens; **~ti·eth** ['fɪftɪɪθ] adj fünfzigste(r, -s); **~ty** [~tɪ] **1.** adj fünfzig; **2.** s Fünfzig f; **~ty-fif·ty** adv F halbe-halbe.

fig bot. [fɪg] s Feige(nbaum m) f.

fight [faɪt] **1.** s Kampf m; mil. Gefecht n; Schlägerei f; boxing: Kampf m, Fight m; Kampfeslust f; **2.** (**fought**) v/t bekämpfen; kämpfen gegen or mit, sports: a. boxen gegen; **~ off** person: F abwimmeln; cold, etc.: bekämpfen; v/i kämpfen, sich schlagen; sports: boxen; **~er** s Kämpfer m; sports: Boxer m, Fighter m; **~ing** s Kampf m, mil. Gefecht; Prügeleien pl, Schlägereien pl.

fig·u·ra·tive ['fɪgjʊrətɪv] adj □ bildlich.

fig·ure ['fɪgə] **1.** s Figur f; Gestalt f; Zahl f, Ziffer f; Preis m; **be good at ~s** ein guter Rechner sein; **2.** v/t abbilden, darstellen; Am. F meinen, glauben; sich et. vorstellen; **~ out** rauskriegen, problem: lösen; verstehen; **~ up** zusammenzählen; v/i erscheinen, vorkommen; **~ on** esp. Am. rechnen (mit); **~ skat·er** sports: Eiskunstläufer(in); **~ skat·ing** s sports: Eiskunstlauf m.

fil·a·ment ['fɪləmənt] s Faden m, Faser f; bot. Staubfaden m; electr. Glüh-, Heizfaden m.

filch F [fɪltʃ] v/t klauen, stibitzen.

file¹ [faɪl] **1.** s Ordner m, Karteikasten m; Akte f; Akten pl, Ablage f; computer: Datei f; Reihe f; **on ~** bei den Akten; **2.** v/t letters, etc.: einordnen, ablegen, zu den Akten nehmen; application, etc.: einreichen, jur. appeal: einlegen; v/i hintereinander marschieren.

file² [~] **1.** s Feile f; **2.** v/t feilen.

fil·ing ['faɪlɪŋ] s Ablegen n (of letters, etc.); **~ cabinet** Aktenschrank m.

fill [fɪl] **1.** v/t (and v/i sich) füllen; an-, aus-, erfüllen; order: ausführen; **~ in** einsetzen; Am. a. **~ out** form: ausfüllen; **~ up** vollfüllen; sich füllen; **~ her up!** F volltanken, bitte!; **2.** s Füllung f; **eat one's ~** sich satt essen.

fil·let ['fɪlɪt], Am. a. **fil·et** ['fɪleɪ] s Filet n.

fill·ing ['fɪlɪŋ] s Füllung f; med. (Zahn-) Plombe f, (-)Füllung f; **~ station** Tankstelle f.

fil·ly ['fɪlɪ] s Stutenfohlen n; fig. girl: Wildfang m.

film [fɪlm] **1.** s Häutchen n; Membran(e) f; Film m (a. phot., esp. Br.: movie); Trübung f (of eye); Nebelschleier m; **take** or **shoot a ~** e-n Film drehen; **2.** v/t (ver)filmen.

fil·ter ['fɪltə] **1.** s Filter m; **2.** v/t filtern; **~tip** s Filter m; Filterzigarette f; **~-tipped** [~'tɪpt] adj: **~ cigarette** Filterzigarette f.

filth [fɪlθ] s Schmutz m; **~y** adj □ (-ier, -iest) schmutzig; fig. unflätig.

fin zo. [fɪn] s Flosse f.

fi·nal ['faɪnl] **1.** adj letzte(r, -s); End..., Schluß...; endgültig; **~ disposal** Endlagerung f (of nuclear waste, etc.); **2.** s sports: Finale n, Endkampf, -lauf m, -runde f, -spiel m; mst **~s** pl Abschlußexamen, -prüfung f; **~ist** s sports: Finalist(in), Endkampfteilnehmer(in); **~ly** adv endlich, schließlich; endgültig.

fi·nance [faɪ'næns] **1.** s Finanzwesen n; **~s** pl Finanzen pl; **2.** v/t finanzieren.

fi·nan·cial [~nʃl] adj □ finanziell; **fi·nan·cier** [~nsɪə] s Finanzier m.

finch zo. [fɪntʃ] s Fink m.

find [faɪnd] **1.** v/t (**found**) finden; (an)treffen; auf-, herausfinden; beschaffen; jur. **s.o. (not) guilty** j-n für (nicht) schuldig erklären; **2.** s Fund m, Entdeckung f; **~ings** ['~ɪŋz] pl Befund m; jur. Feststellung f, Spruch m.

fine[1] [faɪn] **1.** adj □ (**~r, ~st**) schön; fein; verfeinert; rein; spitz, dünn, scharf; geziert; vornehm; **I'm ~** mir geht es gut; **2.** adv gut, bestens.

fine[2] [~] **1.** s Geldstrafe f, Bußgeld n; **2.** v/t zu e-r Geldstrafe verurteilen.

fin·ger ['fɪŋgə] **1.** s Finger m; → **cross** 3; **2.** v/t betasten, (herum)fingern an (dat); **~nail** s Fingernagel m; **~print** s Fingerabdruck m; **~tip** s Fingerspitze f.

fin·i·cky ['fɪnɪkɪ] adj wählerisch.

fin·ish ['fɪnɪʃ] **1.** v/t beenden, vollenden; fertigstellen; abschließen; vervollkommnen; erledigen; v/i enden, aufhören; **~ with** mit j-m, et. Schluß machen; **have ~ed** with j-n, et. nicht mehr brauchen; **2.** s Vollendung f, letzter Schliff; sports: Endspurt m, Finish m; Ziel n; **~ing line** s sport: Ziellinie f.

Finn [fɪn] s Finn|e m, -in f; **~ish** ['fɪnɪʃ] **1.** adj finnisch; **2.** s ling. Finnisch n.

fir bot. [fɜː] s a. **~-tree** Tanne f; **~cone** ['fɜːkəʊn] s Tannenzapfen m.

fire ['faɪə] **1.** s Feuer n; **be on ~** in Flammen stehen, brennen; **catch ~** Feuer fangen, in Brand geraten; **set on ~, set ~ to** anzünden; **2.** v/t an-, entzünden; fig. anfeuern; abfeuern; bricks, etc.: brennen; F employee: rausschmeißen; heizen; v/i Feuer fangen (a. fig.); feuern; **~a·larm** s Feuermelder m; **~arms** s pl Feuer-, Schußwaffen pl; **~ bri·gade** s Feuerwehr f; **~bug** s F Feuerteufel m; **~crack·er** s Frosch m, Knallkörper m; **~ de·part·ment** s Am. Feuerwehr f; **~en·gine** s Feuerwehrauto n; **~es·cape** s Feuerleiter f, -treppe f; **~ex·tin·guish·er** s Feuerlöscher m; **~guard** s Kamingitter n; **~man** s Feuerwehrmann m; Heizer m; **~place** s (offener) Kamin; **~plug** s Am. Hydrant m; **~proof** adj feuerfest; **~rais·ing** s Br. Brandstiftung f; **~side** s Herd m; Kamin m; **~ sta·tion** s Feuerwache f; **~wood** s Brennholz n; **~works** s pl Feuerwerk n; fig. F **there will be ~** da werden die Fetzen fliegen.

firm[1] [fɜːm] adj fest; derb; standhaft.

firm[2] [~] s Firma f, Betrieb m, Unternehmen n.

first [fɜːst] **1.** adj □ erste(r, -s); beste(r, -s); **2.** adv erstens; zuerst; **~ of all** an erster Stelle; zu allererst; **3.** s Erste(r, -s); **at ~** zuerst, anfangs; **from the ~** von Anfang an; **~ aid** Erste Hilfe; **~aid** adj Erste-Hilfe-...; **~ born** adj erstgeborene(r, -s), älteste(r, -s); **~ class** s erste Klasse (on train, ship, aircraft); **~class** adj erstklassig; ticket, etc.: erster Klasse; **~ly** adv erstens; **~hand** adj and adv aus erster Hand; **~ name** s Vorname m; Beiname m; **~-past-the-post sys·tem** s Br. pol. (absolutes) Mehrheitswahlrecht; **~ rate** adj erstklassig.

fish [fɪʃ] **1.** s Fisch(e pl) m; **a queer ~** F ein komischer Kauz; **2.** v/t and v/i fischen, angeln; **~ around** kramen (**for** nach); **~bone** s Gräte f.

fish|er·man ['fɪʃəmən] s Fischer m; **~e·ry** [~rɪ] s Fischerei f; **~fin·ger** s esp. Br. Fischstäbchen n.

fish·ing ['fɪʃɪŋ] s Fischen n, Angeln n; **~line** s Angelschnur f; **~rod** s Angelrute f; **~tack·le** s Angelgerät n.

fish|mon·ger s esp. Br. ['fɪʃmʌŋgə] Fischhändler m; **~ stick** s esp. Am. →

fish finger; **~·y** ['fɪʃɪ] *adj* □ (*-ier*, *-iest*) Fisch...; F verdächtig, faul.

fis|sile *tech.* ['fɪsaɪl] *adj* spaltbar; **~·sion** ['fɪʃn] *s* Spaltung *f*; **~·sure** ['fɪʃə] *s* Spalt *m*, Riß *m*.

fist [fɪst] *s* Faust *f*.

fit¹ [fɪt] **1.** *adj* □ (*-tt-*) geeignet, passend; tauglich; *sports*: fit, in (guter) Form; **2.** (*-tt-*; **fitted**, *Am. a.* **fit**) *v/t* passen (*dat*) or für; anpassen, passend machen; befähigen, geeignet machen (**for**, *to* für, zu): **~ in** *j-m* e-n Termin geben, *j-n*, *et.* einschieben; *a.* **~ on** anprobieren; *a.* **~ out** ausrüsten, -statten, einrichten, versehen (**with** mit); *a.* **~ up** ausrüsten, -statten, einrichten; montieren; *v/i* passen; *of dress*, *etc.*: sitzen; **3.** *s of dress*, *etc.*: Sitz *m*.

fit² [~] *s* Anfall *m*; *med.* Ausbruch *m*; Anwandlung *f*; **by ~s and starts** ruckweise; **give s.o. a ~** F *j-n* auf die Palme bringen; *j-m* e-n Schock versetzen.

fit|ful ['fɪtfl] *adj* □ ruckartig; *fig.* unstet; **~·ness** *s* Tauglichkeit *f*; *esp. sports*: Fitneß *f*, (gute) Form; **~·ted** *adj* zugeschnitten, nach Maß (gearbeitet); Einbau...; **~ carpet** Spannteppich *m*, Teppichboden *m*; **~ kitchen** Einbauküche *f*; **~·ter** *s* Monteur *m*; Installateur *m*; **~·ting 1.** *adj* passend; **2.** *s* Montage *f*; Anprobe *f*; **~s** *pl* Einrichtung *f*; Armaturen *pl*.

five [faɪv] **1.** *adj* fünf; **2.** *s* Fünf *f*.

fix [fɪks] **1.** *v/t* befestigen, anheften; fixieren; *look*, *etc.*: heften, richten (**on** auf *acc*); fesseln; aufstellen; bestimmen, festsetzen; reparieren, instand setzen; *esp. Am. et.* zurechtmachen; *meal*: zubereiten; **~ up** in Ordnung bringen, regeln; *j-n* unterbringen; *v/i* fest werden; **~ on** sich entschließen für or zu; **2.** F Klemme *f*; *sl.* Schuß *m* (*heroin*, *etc.*); **~·ed** *adj* □ fest; bestimmt; starr; **~·ing** ['fɪksɪŋ] *s* Befestigen *n*; Instandsetzen *n*; Fixieren *n*; Aufstellen *n*, Montieren *n*; Besatz *m*, Versteifung *f*; *Am.* **~s** *pl* Zubehör *n*, Ausrüstung *f*; **~·ture** [~stʃə] *s* Ausstattung *f*; Inventarstück *n*; *sports*: Spiel *n*, Begegnung *f*; **lighting ~** Beleuchtungskörper *m*.

fizz [fɪz] **1.** *v/i* zischen, sprudeln; **2.** *s* Zischen *n*; F Sprudel *m*.

flab·ber·gast F ['flæbəgɑːst] *v/t* verblüffen; **be ~ed** platt sein.

flag [flæg] **1.** *s* Flagge *f*; Fahne *f*; Fliese *f*; *bot.* Schwertlilie *f*; **2.** *v/t* beflaggen; mit Fliesen belegen; *v/i* ermatten, mutlos werden; **~·pole** ['flægpəʊl] → **flagstaff.**

fla·grant ['fleɪgrənt] *adj* □ abscheulich; berüchtigt; notorisch.

flag|staff ['flægstɑːf] *s* Fahnenstange *f*, -mast *m*; **~·stone** *s* Fliese *f*.

flair [fleə] *s* Talent *n*; Gespür *n*, (feine) Nase.

flake [fleɪk] **1.** *s* Flocke *f*; Schicht *f*; **2.** *v/i* (sich) flocken; abblättern; **flak·y** ['fleɪkɪ] *adj* (*-ier*, *-iest*) flockig; blätt(e)rig; **~ pastry** Blätterteig *m*.

flame [fleɪm] **1.** *s* Flamme *f* (*a. fig.*); **be in ~s** in Flammen stehen; **2.** *v/i* flammen, lodern.

flam·ma·ble *Am. and tech.* ['flæməbl] → **inflammable.**

flan [flæn] *s* Obst-, Käsekuchen *m*.

flank [flæŋk] **1.** *s* Flanke *f*; **2.** *v/t* flankieren.

flan·nel ['flænl] *s* Flanell *m*; Waschlappen *m*; **~s** *pl* Flanellhose *f*.

flap [flæp] **1.** *s* (Ohr)Läppchen *n*; Rockschoß *m*; (Hut)Krempe *f*; Klappe *f*; Klaps *m*; (Flügel)Schlag *m*; **2.** *v/t* (*-pp-*) *wings*: schlagen mit; *v/i* klatschen, schlagen (**against** gegen).

flare [fleə] **1.** *v/i* flackern; sich nach außen erweitern, sich bauschen; **~ up** aufflammen; *fig.* aufbrausen; **2.** *s* flackerndes Licht; Lichtsignal *n*.

flash [flæʃ] **1.** *s* Aufblitzen *n*, -leuchten *n*, Blitz *m*; *radio*, *TV*, *etc.*: Kurzmeldung *f*; *phot.* F Blitz *m*; *esp. Am.* F Taschenlampe *f*; **like a ~** wie der Blitz; **in a ~** im Nu; **~ of lightning** Blitzstrahl *m*; **2.** *v/i and v/t* (auf)blitzen; auflodern (lassen); *look*, *etc.*: werfen; flitzen; funken; telegrafieren; **it ~ed on me** mir kam plötzlich der Gedanke; **~·back** *s in film*, *novel*: Rückblende *f*; **~·light** *s phot.* Blitzlicht *n*; *mar.* Leuchtfeuer; *esp. Am.* Taschenlampe *f*; **~·y** *adj* □ (*-ier*, *-iest*) auffallend, -fällig.

flask [flɑːsk] *s* Taschenflasche *f*; Thermosflasche *f*.

flat [flæt] **1.** *adj* □ (*-tt-*) flach, platt; *beer*: schal; *econ.* flau; klar; glatt; *mot.* platt (*tyre*); *mus.* erniedrigt (*note*); **~ price** Einheitspreis *m*; **2.** *adv* glatt; völlig; *fall* **~** danebengehen; *sing* **~** zu tief singen;

3. *s* Fläche *f*, Ebene *f*; Flachland *n*; Untiefe *f*; (Miet)Wohnung *f*; *mus.* B *n*; *esp. Am. mot.* Reifenpanne *f*, Plattfuß *m*; **~foot** *s sl.* Bulle *m* (*policeman*); **~foot·ed** *adj* plattfüßig; **~ten** [⸝⸃tn] *v/t and v/i* (sich) ab-, verflachen.

flat·ter ['flætə] *v/t* schmeicheln (*dat*); **~er** [⸝⸃rə] *s* Schmeichler(in); **~y** [⸝⸃rɪ] *s* Schmeichelei *f*.

fla·vo(u)r ['fleɪvə] **1.** *s* Geschmack *m*; Aroma *n*; *of wine:* Blume *f*; *fig.* Beigeschmack *m*; Würze *f*; **2.** *v/t* würzen; **~ing** [⸝⸃rɪŋ] *s* Würze *f*, Aroma *n*; **~less** *adj* geschmacklos, fad.

flaw [flɔː] *s* Fehler *m*; *in character:* Mangel *m*, Defekt *m*; **~less** *adj* ☐ fehlerlos.

flax *bot.* [flæks] *s* Flachs *m*, Lein *m*.

flea *zo.* [fliː] *s* Floh *m*.

fleck [flek] *s* Fleck(en) *m*; Tupfen *m*.

fled [fled] *pret and pp of* **flee**.

fledged [fledʒd] *adj* flügge; **fledg(e)·ling** ['fledʒlɪŋ] *s* Jungvogel *m*; *fig.* Grünschnabel *m*.

flee [fliː] (*fled*) *v/i* fliehen; *v/t* fliehen aus; meiden.

fleece [fliːs] **1.** *s* Vlies *n*; **2.** *v/t* scheren; **fleec·y** ['fliːsɪ] *adj* (*-ier, -iest*) wollig; flockig.

fleet [fliːt] **1.** *adj* ☐ schnell; **2.** *s mar.* Flotte *f*.

flesh [fleʃ] *s* Fleisch *n*; **~y** ['fleʃɪ] *adj* (*-ier, -iest*) fleischig; dick.

flew [fluː] *pret of* **fly** 2.

flex[1] *esp. anat.* [fleks] *v/t* biegen, dehnen.

flex[2] *esp. Br. electr.* [⸝⸃] *s* (Anschluß-, Verlängerungs)Kabel *n*, (-)Schnur *f*.

flex·i·ble ['fleksəbl] *adj* ☐ flexibel, biegsam; *fig.* anpassungsfähig; **~ working hours** Gleitzeit *f*, gleitende Arbeitszeit.

flex·i·time ['fleksɪtaɪm] *s* Gleitzeit *f*.

flick [flɪk] *v/t* schnippen; *v/i* schnellen.

flick·er ['flɪkə] **1.** *v/i* flackern; flattern; flimmern; **2.** *s* Flackern, Flimmern *n*; Flattern *n*; *Am. zo.* Buntspecht *m*.

fli·er ['flaɪə] → **flyer**.

flight [flaɪt] *s* Flucht *f*; Flug *m* (*a. fig.*); Schwarm *m* (*birds, etc.; a. aer., mil.*); *a.* **~ of stairs** Treppe *f*; **put to ~** in die Flucht schlagen; **take (to) ~** die Flucht ergreifen; **~ of capital** *econ.* Kapitalflucht *f*; **~less** *adj zo.* flugunfähig; **~y** *adj* ☐ (*-ier, -iest*) launisch.

flim·sy ['flɪmzɪ] *adj* (*-ier, -iest*) dünn; zart; *fig.* fadenscheinig.

fling [flɪŋ] **1.** *s* Wurf *m*; Schlag *m*; **have one's** *or* **a ~** sich austoben; **2.** (*flung*) *v/i* eilen; *of horse:* ausschlagen; *fig.* toben; *v/t* werfen, schleudern; **~ o.s.** sich stürzen; **~ open** aufreißen.

flint [flɪnt] *s* Feuerstein *m*.

flip [flɪp] **1.** *s* Schnipser *m*; *somersault:* Salto *m*; **2.** *v/t* (*-pp-*) *toss:* schnipsen.

flip·pant ['flɪpənt] *adj* ☐ respektlos, schnodderig.

flip·per ['flɪpə] *s zo.* Flosse *f*; *sports:* (Schwimm)Flosse *f*.

flirt [flɜːt] **1.** *v/i* flirten; *fig. with idea, etc.:* liebäugeln; **2.** *s:* **be a ~** gern flirten; **flir·ta·tion** [flɜːˈteɪʃn] *s* Flirt *m*.

flit [flɪt] *v/i* (*-tt-*) flitzen, huschen.

float [fləʊt] **1.** *s* Schwimmer *m*; Floß *n*; **2.** *v/t* überfluten; flößen; *of water:* tragen; *mar.* flott machen; *fig.* in Gang bringen; *econ. company:* gründen; *econ. shares, etc.:* ausgeben, auf den Markt bringen; verbreiten; *v/i* schwimmen, treiben; schweben; umlaufen, in Umlauf sein; **~ing** *adj* schwimmend, treibend, Schwimm...; *econ. money, etc.:* umlaufend; *rate of exchange:* flexibel; *currency:* frei konvertierbar; **~ voter** *pol.* Wechselwähler *m*; **~ s** *econ.* Floating *n*.

flock [flɒk] **1.** *s* Herde *f* (*esp. sheep or goats*) (*a. fig.*); Schar *f*; **2.** *v/i* sich scharen; zusammenströmen.

flog [flɒg] *v/t* (*-gg-*) peitschen; prügeln; **~ging** *s* Tracht *f* Prügel.

flood [flʌd] **1.** *s a.* **~tide** Flut *f*; Überschwemmung *f*; **2.** *v/t* überfluten, überschwemmen; **~gate** *s* Schleusentor *n*; **~light** *s electr.* Flutlicht *n*.

floor [flɔː] **1.** *s* (Fuß)Boden *m*; Stock (-werk *n*) *m*; Tanzfläche *f*; *agr.* Tenne *f*; **first ~** *Br.* erster Stock, *Am.* Erdgeschoß *n*; **second ~** *Br.* zweiter Stock, *Am.* erster Stock; **~ leader** *Am. parl.* Fraktionsvorsitzende(r *m*) *f*; **~ show** Nachtklubvorstellung *f*; **take the ~** das Wort ergreifen; **2.** *v/t room:* mit e-m Fußboden auslegen; *knock down:* zu Boden schlagen; *puzzle:* verblüffen; **~board** *s* (Fußboden)Diele *f*; **~cloth** *s* Putzlappen *m*; **~ lamp** *s* Stehlampe *f*; **~walk·er** *Am.* → **shopwalker**.

flop [flɒp] **1.** *v/i* (*-pp-*) schlagen; flattern; (hin)plumpsen; sich fallen lassen; *F* durchfallen, danebengehen, ein Reinfall sein; **2.** *s* Plumps *m*; F Flop *m*, Mißerfolg *m*, Reinfall *m*, Pleite *f*; Versager *m*.

flop·py ['flɒpɪ] **1.** *adj* weich; schlaff; **2.** *s* F *a.* **~ disc** *or* **disk** Floppy disk *f*, Diskette *f*.

flor·ist ['flɒrɪst] *s* Blumenhändler *m*.

floun·der[1] *zo.* ['flaʊndə] *s* Flunder *f*.

floun·der[2] [~] *v/i* zappeln; strampeln; *fig.* sich verhaspeln.

flour ['flaʊə] *s* (feines) Mehl.

flour·ish ['flʌrɪʃ] **1.** *s* Schnörkel *m*; schwungvolle Bewegung; *mus.* Tusch *m*; **2.** *v/i* blühen, gedeihen; *v/t* schwenken.

flow [fləʊ] **1.** *s* Fließen *n*, Strömen *n* (*both a. fig.*), Rinnen *n*; Fluß *m*, Strom *m* (*both a. fig.*); *mar.* Flut *f*; **2.** *v/i* fließen, strömen, rinnen; *of hair:* wallen.

flow·er ['flaʊə] **1.** *s* Blume *f*; Blüte *f* (*a. fig.*); Zierde *f*; **2.** *v/i* blühen; **~bed** *s* Blumenbeet *n*; **~pot** *s* Blumentopf *m*; **~y** *adj* (*-ier*, *-iest*) Blumen...; *pattern:* geblümt; *fig. style:* blumig.

flown [fləʊn] *pp of* **fly** 2.

flu F [fluː] *s* Grippe *f*.

fluc·tu|ate ['flʌktʃʊeɪt] *v/i* schwanken, fluktuieren; **~·a·tion** [~'eɪʃn] *s* Schwankung *f*, Fluktuation *f*.

flue [fluː] *s* Rauchabzug *m*, Esse *f*; **~ gas** *s tech.* Rauchgas *n*; **~ desulphurization** *tech.* Rauchgasentschwefelung *f*.

flu·en|cy ['fluːənsɪ] *s* Fluß *m*, Flüssigkeit *f*; **~t** [~t] *adj* □ fließend, flüssig; *speaker:* gewandt.

fluff [flʌf] **1.** *s* Flaum *m*; Fusseln *pl*; *fig. mistake:* Schnitzer *m*; **2.** *v/t cushion:* aufschütteln; *feathers:* aufplustern; **~y** *adj* (*-ier*, *-iest*) flaumig; flockig.

flu·id ['fluːɪd] **1.** *adj* flüssig; **2.** *s* Flüssigkeit *f*.

flung [flʌŋ] *pret and pp of* **fling** 2.

flunk *Am. fig.* F [flʌŋk] *v/i and v/t* durchrasseln (lassen).

flu·o·res·cent [flʊə'resənt] *adj* fluoreszierend.

flur·ry ['flʌrɪ] *s* Nervosität *f*; Bö *f*; *Am. a.* (Regen)Schauer *m*; Schneegestöber *n*.

flush[1] [flʌʃ] **1.** *s* Erröten *n*; Erregung *f*; Spülung *f* *of toilet:* (Wasser)Spülung *f*; **2.** *v/t a.* **~ out** (aus)spülen; **~ down** hinunterspülen; **~ the toilet** spülen; *v/i* erröten, rot werden; *of toilet:* spülen.

flush[2] [~] *adj tech.* in gleicher Ebene; bündig; reichlich; (über)voll.

flush[3] [~] *s poker:* Flush *m*.

flus·ter ['flʌstə] **1.** *s* Aufregung *f*; **2.** *v/t* nervös machen, durcheinanderbringen.

flute *mus.* [fluːt] *s* Flöte *f*.

flut·ter ['flʌtə] **1.** *s* Geflatter *n*; Erregung *f*; F Spekulation *f*; **2.** *v/t* aufregen; *v/i* flattern.

flux *fig.* [flʌks] *s* Fluß *m*.

fly [flaɪ] **1.** *s zo.* Fliege *f*; Hosenschlitz *m*; **2.** *v/i and v/t* (**flew, flown**) fliegen (lassen); stürmen, stürzen; flattern, wehen; *time:* verfliegen; *kite:* steigen lassen; *aer.* überfliegen; **~ at s.o.** auf j-n losgehen; **~ into a passion** *or* **rage** in Wut geraten; **~er** *s* Flieger *m*; *Am.* Flugblatt *n*, Reklamezettel *m*; **~ing** *adj* fliegend; Flug...; **~ saucer** fliegende Untertasse; **~ squad** *of police:* Überfallkommando *n*; **~·o·ver** *s Br.* (Straßen-, Eisenbahn)Überführung *f*; **~weight** *s sports* Fliegengewicht(ler *m*) *n*; **~-wheel** *s tech.* Schwungrad *n*.

foal *zo.* [fəʊl] *s* Fohlen *n*.

foam [fəʊm] **1.** *s* Schaum *m*; **~ rubber** Schaumgummi *m*; **2.** *v/i* schäumen; **~y** *adj* (*-ier*, *-iest*) schaumig.

fo·cus ['fəʊkəs] **1.** *s* (*pl* **-cuses, -ci** [-saɪ]) *phys., etc.:* Brennpunkt *m* (*a. fig.*); Zentrum *n*; **in** (**out**) **of ~** *phot. picture:* scharf (unscharf); **2.** *v/t* (*-s- or -ss-*) *light:* bündeln; *phot.* einstellen (*a. fig.*); *v/i* sich bündeln; sich konzentrieren.

fod·der ['fɒdə] *s* (Trocken)Futter *n*.

fog [fɒg] **1.** *s* (dichter) Nebel; *fig.* Umnebelung *f*; *phot.* Schleier *m*; **2.** *v/t* (*-gg-*) *mst fig.* umnebeln; *phot.* verschleiern; **~gy** *adj* □ (*-ier*, *-iest*) neb(e)lig; nebelhaft.

foi·ble *fig.* ['fɔɪbl] *s* (kleine) Schwäche *f*.

foil[1] [fɔɪl] *s* Folie *f*; *fig.* Hintergrund *m*.

foil[2] [~] *v/t* vereiteln.

foil[3] [~] *s fencing:* Florett *n*.

fold [fəʊld] **1.** *s* Falte *f*; Falz *m*; **2.** *in compounds:* ...fach, ...fältig; **3.** *v/t* falten; falzen; *arms:* kreuzen; **~ (up)** einwickeln; *v/i* sich falten; *Am. esp. of business:* F eingehen.

fold·er ['fəʊldə] *s* Mappe *f*, Schnellhefter *m*; Faltprospekt *m*.

fold·ing ['fəʊldɪŋ] *adj* zusammenlegbar; Klapp...; **~ bed** *s* Klappbett *n*; **~ bi-**

cy·cle s Klapprad n; **~ boat** s Faltboot n; **~ chair** s Klappstuhl m; **~ door(s** pl) s Falttür f.

folk [fəʊk] s Leute pl; **~s** pl F m-e etc. Leute pl (relatives); **~lore** ['~lɔː] s Folklore f, Volkskunde f; Volkssagen pl; **~song** s Volkslied n; Folksong m.

fol·low ['fɒləʊ] v/t folgen (dat); folgen auf (acc); be-, verfolgen; profession, etc.: nachgehen (dat); **~ through** plan, etc.: bis zum Ende durchführen; **~ up** e-r Sache nachgehen; et. weiterverfolgen; v/i folgen; **~er** s Nachfolger(in); Verfolger(in); Anhänger(in); **~ing 1.** s Anhänger(schaft f) pl; Gefolge n; **the ~** das Folgende; **2.** adj folgende(r, -s); **3.** prp im Anschluß an (acc).

fol·ly ['fɒli] s Torheit f; Narrheit f.

fond [fɒnd] adj □ zärtlich; vernarrt (of in acc); **be ~ of** gern haben, lieben; **fon·dle** ['fɒndl] v/t liebkosen; streicheln; (ver)hätscheln; **~ness** s Liebe f, Zuneigung f; Vorliebe f.

font [fɒnt] s Taufstein m; Am. Quelle f.

food [fuːd] s Speise f, Nahrung f; Essen n; Futter n; Lebensmittel pl; **French ~** französische Küche; **~ aid** s Lebensmittelhilfe f; **~ chain** s Nahrungskette f; **~stuff** s Nahrungsmittel pl.

fool [fuːl] **1.** s Narr m, Närrin f, Dummkopf m; **make a ~ of s.o.** j-n zum Narren halten; **make a ~ of o.s.** sich lächerlich machen; **2.** adj Am. F närrisch, dumm; **3.** v/t narren; betrügen (out of um et.); **~ away** F vertrödeln; v/i herumalbern; (herum)spielen; **~ about** or **(a)round** herumalbern; herumspielen (**with s.o.** mit j-m); herumtrödeln.

fool|e·ry ['fuːləri] s Torheit f; **~·har·dy** [~haːdi] adj □ tollkühn; **~ish** adj □ dumm, töricht; unklug; **~ish·ness** s Dummheit f; **~proof** adj kinderleicht; todsicher, F idiotensicher.

foot [fʊt] **1.** s (pl **feet**) Fuß m (a. measure = 0,3048 m); Fußende n; **on ~** zu Fuß; im Gange, in Gang; **2.** v/t: **~ it** zu Fuß gehen; F bill: bezahlen; **~ball** s Br. Fußball(spiel n) m; Am. Football(spiel n) m; Br. Fußball m; Am. Football-Ball m; **~board** s Trittbrett n; **~bridge** s Fußgängerbrücke f; **~hold** s fester Stand; fig. Halt m.

foot·ing ['fʊtɪŋ] s Halt m, Stand m;

Grundlage f, Basis f; Stellung f; Verhältnis n; **be on a friendly ~ with s.o.** ein gutes Verhältnis zu j-m haben; **lose one's ~** ausgleiten.

foot|lights thea. ['fʊtlaɪts] s pl Rampenlicht(er pl) n; Bühne f; **~loose** adj frei, unbeschwert; **~ and fancy-free** frei u. ungebunden; **~path** s (Fuß)Pfad m; **~print** s Fußabdruck m; **~s** pl a. Fußspur(en pl) f; **~sore** adj wund an den Füßen; **~step** s Tritt m, Schritt m; Fußstapfe f; **~wear** s Schuhe pl, Schuhwerk n.

for [fɔː, fə] **1.** prp mst für; purpose, aim, direction: zu; nach; waiting, hoping, etc.: auf (acc); nach; reason, cause: aus, vor (dat), wegen (dat); in exchange: (an)statt; as part of: als; of time: **~ three days** drei Tage (lang); seit drei Tagen; distance: **I walked ~ a mile** ich ging eine Meile (weit); **I ~ one** ich zum Beispiel; **~ sure** sicher!, gewiß!; **2.** cj denn.

for·age ['fɒrɪdʒ] v/i a. **~ about** (herum)stöbern, (-)wühlen (**in** in dat; **for** nach).

for·ay ['fɒreɪ] s räuberischer Einfall.

for·bid [fə'bɪd] v/t (**-bade** or **-bad** [-bæd], **-bidden** or **-bid**) verbieten; hindern; **~ding** adj □ abstoßend.

force [fɔːs] s Stärke f, Kraft f, Gewalt f; Nachdruck m; Zwang m; mil. Heer n; Streitmacht f; **in ~** in großer Zahl or Menge; **the (police) ~** die Polizei; **armed ~s** pl (Gesamt)Streitkräfte pl; **come (put) in(to) ~** in Kraft treten (setzen); **2.** v/t zwingen, nötigen; erzwingen; aufzwingen; beschleunigen; aufbrechen; **~ open** aufbrechen.

forced [fɔːst] adj: **~ labour** Zwangsarbeit f; **~ landing** Notlandung f; **~ march** esp. mil. Gewaltmarsch m.

force|-feed ['fɔːsfiːd] v/t (**-fed**) zwangsernähren; **~ful** ['fɔːsfl] adj □ person: energisch, kraftvoll; eindrucksvoll, überzeugend.

for·ci·ble ['fɔːsəbl] adj gewaltsam; Zwangs...; eindringlich; wirksam.

ford [fɔːd] **1.** s Furt f; **2.** v/t durchwaten.

fore [fɔː] **1.** adv vorn; **2.** s Vorderteil m, n; **come to the ~** sich hervortun; **3.** adj vorder; Vorder...; **~arm** s Unterarm m; **~bod·ing** s (böses) Vorzeichen; Ahnung f; **~cast 1.** s Vorhersage f; **2.** v/t

(**-cast** or **-casted**) vorhersehen; voraussagen; **~fa·ther** s Vorfahr m; **~fin·ger** s Zeigefinger m; **~foot** s zo. Vorderfuß m; **~gone** adj von vornherein feststehend; **~ conclusion** ausgemachte Sache, Selbstverständlichkeit f; **~ground** s Vordergrund m; **~hand 1.** s sports: Vorhand(schlag m) f; **2.** adj sports: Vorhand...; **~head** ['fɒrɪd] s Stirn f.

for·eign ['fɒrən] adj fremd, ausländisch, -wärtig, Auslands..., Außen...; **~ af·fairs** pl Außenpolitik f; **~ language** Fremdsprache f; **~** minister m; 2 Office Br. pol. Außenministerium n; **~ policy** Außenpolitik f; 2 Secretary Br. pol. Außenminister m; **~ trade** econ. Außenhandel m; **~ work·er** Gastarbeiter m; **~·er** s Ausländer(in) m, Fremde(r m) f.

fore|knowl·edge ['fɔː'nɒlɪdʒ] s Vorherwissen n; **~leg** s zo. Vorderbein n; **~man** s jur. Obmann m; (Werk)Meister m, Polier m, mining: Steiger m; **~most** adj vorderste(r, -s), erste(r, -s); **~name** s Vorname m; **~run·ner** s Vorläufer(in); **~see** v/t (**-saw**, **-seen**) vorhersehen; **~sight** s fig. Weitblick m, (weise) Voraussicht.

for·est ['fɒrɪst] **1.** s Wald m (a. fig.), Forst m; **~ ranger** Am. Förster m; **2.** v/t aufforsten.

fore·stall [fɔː'stɔːl] v/t et. vereiteln; j-m zuvorkommen.

for·est|er ['fɒrɪstə] s Förster m; Waldarbeiter m; **~·ry** [~rɪ] s Forstwirtschaft f; Waldgebiet n.

fore|taste ['fɒːteɪst] s Vorgeschmack m; **~tell** [fɔː'tel] v/t (**-told**) vorhersagen; **~thought** ['fɔːθɔːt] s Vorsorge f, -bedacht m.

for·ev·er, **for ev·er** [fə'revə] adv für immer.

fore|wom·an ['fɔːwʊmən] s Aufseherin f; Vorarbeiterin f; **~word** s Vorwort n.

for·feit ['fɔːfɪt] **1.** s Verwirkung f; Strafe f; Pfand n; **2.** v/t verwirken; einbüßen.

forge[^1] [~] v/i mst **~ ahead** sich vor(wärts)arbeiten.

forge[^2] [~] **1.** s Schmiede f; **2.** v/t schmieden (a. fig. plan, etc.); banknote, etc.: fälschen; **forg·er** ['fɔːdʒə] s Fälscher(in); **for·ge·ry** [~ərɪ] s Fälschen n; Fälschung f.

for·get [fə'get] v/t (**-got**, **-gotten**) vergessen; **~ o.s.** sich vergessen, die Kontrolle über sich verlieren; **~ful** adj □ vergeßlich; **~me-not** s bot. Vergißmeinnicht n.

for·giv·a·ble [fə'gɪvəbl] adj mistake, etc.: verzeihlich.

for·give [fə'gɪv] v/t (**-gave**, **-given**) vergeben, -zeihen; debt: erlassen; **~ness** s Verzeihung f; **for·giv·ing** adj □ versöhnlich; nachsichtig.

for·go [fɔː'gəʊ] v/t (**-went**, **-gone**) verzichten auf (acc.).

fork [fɔːk] **1.** s (Eß-, Heu-, Mist- etc.)Gabel f; **2.** v/t and v/i (sich) gabeln; **~ed** adj gegabelt, gespalten; **~lift** (**truck**) s Gabelstapler m.

form [fɔːm] **1.** s Form f; Gestalt f; Formalität f; Formular n; (Schul)Bank f; (Schul)Klasse f; Kondition f; geistige Verfassung f; **2.** v/t and v/i (sich) formen, (sich) bilden; (sich) aufstellen.

form·al ['fɔːml] adj □ förmlich; formell; äußerlich; **for·mal·i·ty** [fɔː'mælətɪ] s Förmlichkeit f; Formalität f.

for·mat ['fɔːmæt] **1.** s Format n; TV, etc.: (Programm)Struktur f; **2.** v/t (**-tt-**) computer: formatieren.

for·ma|tion [fɔː'meɪʃn] s Bildung f; **~tive** ['fɔːmətɪv] adj bildend; gestaltend; **~ years** pl Entwicklungsjahre pl.

for·mer ['fɔːmə] adj vorig, früher; ehemalig, vergangen; erstere(r, -s); jene(r, -s); **~ly** [~lɪ] adv ehemals, früher.

for·mi·da·ble ['fɔːmɪdəbl] adj □ furchtbar, schrecklich; ungeheuer.

for·mu|la ['fɔːmjʊlə] s (pl **-las**, **-lae** [-liː]) chem., etc.: Formel f, Rezept(ur f) n (a. fig.); **~late** [~leɪt] v/t formulieren.

for|sake [fə'seɪk] v/t (**-sook**, **-saken**) aufgeben; verlassen; **~swear** [fə'sweə] v/t (**-swore**, **-sworn**) abschwören (dat), entsagen (dat).

fort mil. [fɔːt] s Fort n, Festung f.

forth [fɔːθ] adv vor(wärts); voran; heraus, hinaus, hervor; weiter, fort; **~com·ing** [fɔːθ'kʌmɪŋ] adj erscheinend; bereit; bevorstehend; F entgegenkommend.

for·ti·eth ['fɔːtɪɪθ] adj vierzigste(r, -s).

for·ti|fi·ca·tion [fɔːtɪfɪ'keɪʃn] s Befestigung f; **~fy** [fɔːtɪfaɪ] v/t mil. befestigen; fig. (ver)stärken; **~tude** [~tjuːd] s Seelenstärke f; Tapferkeit f.

fort·night ['fɔːtnaɪt] s vierzehn Tage.

for·tress ['fɔːtrɪs] s Festung f.

for·tu·i·tous [fɔː'tjuːɪtəs] adj □ zufällig.

for·tu·nate ['fɔːtʃnət] adj glücklich; be ~ Glück haben; **~ly** [ˌlɪ] adv glücklicherweise.

for·tune ['fɔːtʃn] s Glück n; Schicksal n; Zufall m; Vermögen n; **~tell·er** s Wahrsager(in).

for·ty ['fɔːtɪ] **1.** adj vierzig; ~ **winks** pl F Nickerchen n; **2.** s Vierzig f.

for·ward ['fɔːwəd] **1.** adj vorder; bereit(willig); fortschrittlich; vorwitzig, keck; **2.** adv a. **~s** vor(wärts); **3.** s soccer: Stürmer m; **4.** v/t befördern, (ver)senden, schicken; letter, etc.: nachsenden; **~ing a·gent** s Spediteur m.

fos·ter|·child ['fɒstətʃaɪld] s Pflegekind n; **~par·ents** pl s Pflegeltern pl.

fought [fɔːt] pret and pp of **fight** 2.

foul [faʊl] **1.** adj □ stinkend, widerlich, schlecht, übel(riechend); weather: schlecht, stürmisch; wind: widrig; sports: regelwidrig, unfair; fig. widerlich, ekelhaft; fig. abscheulich, gemein; **2.** s sports: Foul n, Regelverstoß m; **3.** v/t a. **~up** be-, verschmutzen, verunreinigen; sports: foulen.

found [faʊnd] **1.** pret and pp of **find** 1; **2.** v/t (be)gründen; stiften; tech. gießen.

foun·da·tion [faʊn'deɪʃn] s arch. Grundmauer f, Fundament n; fig. Gründung f, Errichtung f; (gemeinnützige) Stiftung; fig. Grund(lage f) m, Basis f; **~stone** s arch. Grundstein m.

found·er¹ ['faʊndə] s Gründer(in), Stifter(in); **~ member** s Gründungsmitglied n.

found·er² [ˌ] v/i mar. sinken; fig. scheitern.

found·ling ['faʊndlɪŋ] s Findling m.

foun·dry tech. ['faʊndrɪ] s Gießerei f.

foun·tain ['faʊntɪn] s Quelle f; Springbrunnen m; **~ pen** s Füllfederhalter m.

four [fɔː] **1.** adj vier; **on all ~s** auf allen vieren; **2.** s Vier f; rowing: Vierer m; **~square** [fɔː'skweə] adj viereckig; fig. unerschütterlich; **~stroke** mot. ['ˌstrəʊk] adj Viertakt...; **~teen** [ˌ'tiːn] **1.** adj vierzehn; **2.** s Vierzehn f; **~teenth** [ˌ'tiːnθ] adj vierzehnte(r, -s); **~th** [ˌθ] **1.** adj vierte(r, -s); **2.** s Viertel n; **~th·ly** ['ˌθlɪ] adv viertens.

fowl [faʊl] s Geflügel n.

fox [fɒks] **1.** s Fuchs m; **2.** v/t überlisten; **~y** ['ˌɪ] adj (-ier, -iest) fuchsartig; schlau, gerissen; Am. sl. sexy.

frac·tion ['frækʃn] s math. Bruch m; Bruchteil m.

frac·ture ['fræktʃə] **1.** s (esp. med. Knochen)Bruch m; **2.** v/t brechen.

frag·ile ['frædʒaɪl] adj zerbrechlich.

frag·ment ['frægmənt] s Bruchstück n, of china: a. Scherbe f; mus., etc.: Fragment n; **~ary** adj fragmentarisch, bruchstückhaft.

fra|grance ['freɪɡrəns] s Wohlgeruch m, Duft m; **~grant** [ˌt] adj □ wohlriechend.

frail [freɪl] adj □ ge-, zerbrechlich; zart, schwach; **~ty** ['freɪltɪ] s Zartheit f; Zerbrechlichkeit f; Schwäche f.

frame [freɪm] s Rahmen m; Gerippe n; Gerüst n; (Brillen)Gestell n; Körper m; (An)Ordnung f; phot. (Einzel)Bild n; agr. Frühbeetkasten m; **~ of mind** Gemütsverfassung f, Stimmung f; **2.** v/t bilden, formen, bauen; entwerfen; (ein)rahmen; sl. j-m et. anhängen, j-n reinlegen; **~up** esp. Am. F [ˌˈʌp] s abgekartetes Spiel; **~work** s tech. Gerippe n; Rahmen m; fig. Struktur f, System n.

fran·chise jur. ['fræntʃaɪz] s Wahl-, Bürgerrecht n; esp. Am. Konzession f.

frank [fræŋk] **1.** adj □ frei(mütig), offen; **2.** v/t letter: maschinell frankieren.

frank·fur·ter ['fræŋkfɜːtə] s Frankfurter Würstchen n.

frank·ness ['fræŋknɪs] s Offenheit f.

fran·tic ['fræntɪk] adj (~ally) wahnsinnig.

fra·ter|nal [frə'tɜːnl] adj □ brüderlich; **~ni·ty** [ˌnətɪ] s Brüderlichkeit f; Bruderschaft f; Am. univ. Verbindung f.

fraud [frɔːd] s Betrug m; F Schwindel m; **~u·lent** ['ˌjʊlənt] adj □ betrügerisch.

fray [freɪ] v/t and v/i (sich) abnutzen, (sich) durchscheuern, (sich) ausfransen.

freak [friːk] **1.** s Mißbildung f, Mißgeburt f, Monstrosität f; außergewöhnlicher Umstand; Grille f, Laune f; mst in compounds: Süchtige(r m) f; Freak m, Narr m, Fanatiker m; **~ of nature** Laune f der Natur; **film ~** Kinonarr m, -fan m; **2.** v/i: **~ out** sl. ausflippen.

freck·le ['frekl] s Sommersprosse f; **~d** adj sommersprossig.

free [friː] **1.** adj □ (~r, ~st) frei; freigebig

(*of* mit); freiwillig; *he is ~ to* inf es steht ihm frei, zu inf; *~ and easy* zwanglos; sorglos; *make ~* sich Freiheiten erlauben; *set ~* freilassen; *~ movement of goods* econ. freier Güteraustausch; 2. *v/t* (*freed*) befreien; freilassen, et. frei machen; **~dom** ['fri:dəm] *s* Freiheit *f*; freie Benutzung; Offenheit *f*; Zwanglosigkeit *f*; (plumpe) Vertraulichkeit; *~ of a city* (Ehren)Bürgerrecht *n*; *~***hold·er** *s* Grundeigentümer *m*; *~***lance** 1. *adj* frei(beruflich tätig), freischaffend; 2. *s* a. *~r* Freiberufler(in); *~***ma·son** *s* Freimaurer *m*; *~***way** *s* Am. Schnellstraße *f*; *~***wheel** tech. [fri:'wi:l] 1. *s* Freilauf *m*; 2. *v/i* im Freilauf fahren.

freeze [fri:z] 1. (*froze*, *frozen*) *v/i* (ge)frieren; erstarren; *v/t* gefrieren lassen; *food*, etc.: einfrieren, tiefkühlen; econ. *prices*, etc.: einfrieren; 2. *s* Frost *m*, Kälte *f*; econ. pol. Einfrieren *n*; *wage ~*, *~ on wages* Lohnstopp *m*; *~***dry** ['⸋'draɪ] *v/t* gefriertrocknen; **freez·er** *s* a. *deep ~* Gefriertruhe *f*, Tiefkühl-, Gefriergerät *n*; Gefrierfach *n*; **freez·ing** *adj* □ eisig; tech. Gefrier...; *~ compartment* Gefrier-, Tiefkühlfach *n*; *~ point* Gefrierpunkt *m*.

freight [freɪt] 1. *s* Fracht(geld *n*) *f*; attr Am. Güter...; 2. *v/t* be-, verfrachten; *~ car* Am. rail. ['⸋kɑ:] *s* Güterwagen *m*; *~***er** *s* Frachter *m*, Frachtschiff *n*; Fracht-, Transportflugzeug *n*; *~ train* *s* Am. Güterzug *m*.

French [frentʃ] 1. *adj* französisch; *take ~ leave* sich auf französisch empfehlen; *~ doors* pl Am. → **French window(s)**; *~ fries* pl esp. Am. Pommes frites pl; *~ kiss* Zungenkuß *m*; *~ letter* F Pariser *m*; *~ window(s* pl) Terrassen-, Balkontür *f*; 2. *s* ling. Französisch *n*; *the ~* pl die Franzosen pl; *~***man** *s* Franzose *m*; *~***wo·man** *s* Französin *f*.

fren|zied ['frenzid] *adj* wahnsinnig; *~***zy** [⸋⸋] *s* wilde Aufregung; Ekstase *f*; Raserei *f*.

fre·quen|cy ['fri:kwənsɪ] *s* Häufigkeit *f*; electr. Frequenz *f*; *~***t** 1. *adj* □ [⸋t] häufig; 2. *v/t* [frɪ'kwent] (oft) besuchen.

fresh [freʃ] *adj* □ frisch; neu; unerfahren; Am. F frech; *~***en** *v/i* frischer werden; *wind*: auffrischen; *v/t*: *~ up house*, etc.: F aufmöbeln; *~ (o.s.) up* sich frisch machen; *~***man** *s* univ. Student(in) im

ersten Jahr, *appr.* Erstsemester *n*; *~***ness** *s* Frische *f*; Neuheit *f*; Unerfahrenheit *f*; *~ wa·ter* *s* Süßwasser *n*; *~***wa·ter** *adj* Süßwasser...

fret [fret] 1. *s* Aufregung *f*, Ärger *m*; mus. Bund *m*, Grifflleiste *f*; 2. *v/t and v/i* (*-tt-*) zerfressen; (sich) ärgern; (sich) grämen; *~ away*, *~ out* aufreiben.

fret·ful ['fretfl] *adj* ärgerlich.

fri·ar ['fraɪə] *s* Mönch *m*.

fric·tion ['frɪkʃn] *s* Reibung *f* (a. *fig.*).

Fri·day ['fraɪdɪ] *s* Freitag *m*.

fridge F [frɪdʒ] *s* Kühlschrank *m*.

friend [frend] *s* Freund(in); Bekannte(r *m*) *f*; *make ~s with* sich anfreunden mit, Freundschaft schließen mit; *~***ly** *adj* freund(schaft)lich; *be ~ with* befreundet sein mit; *~***ship** *s* Freundschaft *f*.

frig·ate mar. ['frɪgɪt] *s* Fregatte *f*.

fright [fraɪt] *s* Schreck(en) *m*; fig. Vogelscheuche *f*; *~***en** ['fraɪtn] *v/t* erschrecken; *be ~ed of s.th.* Angst haben vor et. Angst haben; *~***en·ing** *adj* □ furchterregend; *~***ful** *adj* □ schrecklich.

frig·id ['frɪdʒɪd] *adj* □ kalt, frostig; psych. frigid(e).

fringe [frɪndʒ] *s* Franse *f*; Rand *m*; Ponyfrisur *f*; *~ benefits* pl econ. Gehalts-, Lohnnebenleistungen pl; *~ event* Randveranstaltung *f*; *~ group* sociol. Randgruppe *f*; 2. *v/t* mit Fransen besetzen.

frisk [frɪsk] *v/i* herumtollen; *v/t* F filzen; *j-n*, et. durchsuchen; *~***y** *adj* □ (*-ier*, *-iest*) lebhaft, munter.

frit·ter ['frɪtə] 1. *s* Pfannkuchen *m*, Krapfen *m*. 2. *v/t*: *~ away* vertun, -trödeln, -geuden.

fri·vol·i·ty [frɪ'vɒlətɪ] *s* Frivolität *f*, Leichtfertigkeit *f*; **friv·o·lous** ['frɪvələs] *adj* □ frivol, leichtfertig.

frizz·y ['frɪzɪ] *adj* □ (*-ier*, *-iest*) gekräuselt, *hair*: kraus.

fro [frəʊ] *adv*: *to and ~* hin und her.

frock [frok] *s* Kutte *f*; Kleid *n*; Kittel *m*; Gehrock *m*.

frog zo. [frog] *s* Frosch *m*; *~***man** ['⸋mən] *s* Froschmann *m*.

frol·ic ['frolɪk] 1. *s* Herumtoben *n*, -tollen *n*; Ausgelassenheit *f*; Streich *m*, Jux *m*; 2. *v/i* (*-ck-*) herumtoben, -tollen; *~***some** [⸋səm] *adj* □ lustig, fröhlich.

from [from, frəm] *prp* von; aus, von ... her; *of time*: seit, von ... (an); aus, vor (*dat*), wegen; nach, gemäß; *defend ~* schützen vor (*dat*); *~ amidst* mitten aus.

front [frʌnt] **1.** *s* Stirn *f*; Vorderseite *f*; *mil.* Front *f*; Hemdbrust *f*; Strandpromenade *f*; Kühnheit *f*, Frechheit *f*; *at the ~, in ~* vorn; *in ~ of* of place: vorn (*acc or dat*); **2.** *adj* Vorder...; *~ door* Haustür *f*; *~ entrance* Vordereingang *m*; **3.** *v/t a. v/i ~ on, ~ towards* die Front haben nach; gegenüberstehen (*dat*), gegenübertreten (*dat*); **~age** [ˈ~tɪdʒ] *s* (Vorder)Front *f* (*of house*); **~al** [~tl] *adj* Stirn...; Front..., Vorder...

fron·tier [ˈfrʌntɪə] *s* (Landes)Grenze *f*; *Am. hist.* Grenzland *n*, Grenze *f* (zum Wilden Westen); *attr* Grenz...

front| page [ˈfrʌntpeɪdʒ] *s newspaper:* Titelseite *f*; **~wheel drive** *s mot.* Vorderradantrieb *m*.

frost [frɒst] **1.** *s* Frost *m*; *a.* hoar~, white ~ Reif *m*; **2.** *v/t* (mit Zucker) bestreuen; glasieren, mattieren; **~ed glass** Milchglas *n*; **~bite** *s* Erfrierung *f*; **~bit·ten** *adj* erfroren; **~y** *adj* □ (*-ier, -iest*) eisig, frostig (*a. fig.*).

froth [frɒθ] **1.** *s* Schaum *m*; **2.** *v/i* schäumen; *v/t* zu Schaum schlagen; **~y** *adj* □ (*-ier, -iest*) schäumend, schaumig; *fig.* seicht.

frown [fraʊn] **1.** *s* Stirnrunzeln *n*; finsterer Blick; **2.** *v/i* die Stirn runzeln; finster blicken; *~ on or upon s.th.* et. mißbilligen.

froze [frəʊz] *pret of freeze* 1; **fro·zen** [ˈfrəʊzn] **1.** *pp of freeze* 1; **2.** *adj* (eis)kalt; (ein-, zu)gefroren; Gefrier...; *~ food* Tiefkühlkost *f*.

fru·gal [ˈfruːgl] *adj* □ einfach; sparsam.

fruit [fruːt] **1.** *s* Frucht *f*; Früchte *pl*; Obst *n*; **2.** *v/i* Frucht tragen; **~er·er** [ˈ~ərə] *s* Obsthändler *m*; **~ful** *adj* □ fruchtbar; **~less** *adj* □ unfruchtbar; **~y** [~ɪ] *adj* □ (*-ier, -iest*) frucht-, obstartig; *wine:* fruchtig; *voice:* klangvoll, sonor; *F joke, remark:* schlüpfrig, zweideutig.

frus|trate [frʌˈstreɪt] *v/t* vereiteln; enttäuschen; frustrieren; **~tra·tion** [~eɪʃn] *s* Vereitelung *f*; Enttäuschung *f*; Frustration *f*.

fry [fraɪ] **1.** *s* Gebratene(s) *n*; Fischbrut *f*; **2.** *v/t* braten, backen; *fried potatoes pl* Bratkartoffeln *pl*; **~ing-pan** [ˈ~ɪŋpæn] *s* Bratpfanne *f*.

fuch·sia *bot.* [ˈfjuːʃə] *s* Fuchsie *f*.

fuck V [fʌk] **1.** *v/t and v/i* V ficken, vögeln; *~ it!* F Scheiße!; *get ~ed!* der Teufel soll dich holen!; **2.** *int* F Scheiße!; **~ing** V *adj* F Scheiß..., verflucht, -dammt (*adding emphasis*); *~ hell!* verdammte Scheiße!

fudge [fʌdʒ] **1.** *v/t* F zurechtpfuschen; **2.** *s* Unsinn *m*; *cooking:* Fondant *m, n*.

fu·el [fjʊəl] **1.** *s* Brennmaterial *n; mot.* Kraftstoff *m*; *~ economy mot.* sparsamer Benzinverbrauch; **2.** *v/t* (esp. Br. *-ll-, Am. -l-*) mot., aer. (auf)tanken.

ful·fil, *Am. a.* **-fill** [fʊlˈfɪl] *v/t* (*-ll-*) erfüllen; vollziehen; **~ment** *s* Erfüllung *f*.

full [fʊl] **1.** *adj* □ Voll...; vollständig, völlig; reichlich; ausführlich; *of ~ age* volljährig; **2.** *adv* völlig, ganz; genau; **3.** *s das* Ganze; Höhepunkt *m*; *in ~* völlig; ausführlich; *to the ~* vollständig; **~blood·ed** *adj* vollblütig; kräftig; reinrassig; **~ dress** *s* Gesellschaftsanzug *m*; **~dress** *adj* formell, Gala...; **~fledged** *esp. Am.* → *fully-fledged*; **~grown** *adj* ausgewachsen; **~length** *adj* in voller Größe; bodenlang; *film, etc.:* abendfüllend; *~ moon s* Vollmond *m*; *~ stop* *ling.* Punkt *m*; *~ time s sports:* Spielende *s*; **~time** *adj* ganztägig, Ganztags...; *~ job s* Ganztagsbeschäftigung *f*.

ful·ly [ˈfʊlɪ] *adv* voll, völlig; ganz; *~-fledged* *adj* flügge; *fig.* richtig; *~grown* *Br.* → *full-grown*.

fum·ble [ˈfʌmbl] *v/i* tasten; fummeln.

fume [fjuːm] **1.** *v/i* rauchen; *be angry:* aufgebracht sein; **2.** *s:* *~s pl* Dämpfe *pl*.

fu·mi·gate [ˈfjuːmɪgeɪt] *v/t* ausräuchern, desinfizieren.

fun [fʌn] *s* Scherz *m*, Spaß *m*; *make ~ of* sich lustig machen über (*acc*).

func·tion [ˈfʌŋkʃn] **1.** *s* Funktion *f*; Beruf *m*; Tätigkeit *f*; Aufgabe *f*; Feierlichkeit *f*; **2.** *v/i* funktionieren; **~a·ry** [~ərɪ] *s* Funktionär *m*.

fund [fʌnd] **1.** *s* Fonds *m*; *~s pl* Staatspapiere *pl*; Geld(mittel *pl*) *n*; *a ~ of fig.* ein Vorrat an (*dat*); **2.** *v/t debt:* fundieren; *money:* anlegen; das Kapital aufbringen für.

fun·da·men·tal [fʌndəˈmentl] **1.** *adj* □ grundlegend; Grund...; **2.** *s:* *~s pl* Grundlage *f*, -züge *pl*, -begriffe *pl*.

fu·ne·ral [ˈfjuːnərəl] *s* Beerdigung *f*; *attr*

Trauer..., Begräbnis...; **~·re·al** [fju:'nɪə-rɪəl] *adj* □ traurig, düster.

fun·fair ['fʌnfeə] *s* Rummelplatz *m*.

fu·nic·u·lar [fju:'nɪkjʊlə] *s a.* **~ railway** (Draht)Seilbahn *f*.

fun·nel ['fʌnl] *s* Trichter *m*; Rauchfang *m*; *mar.*, *rail.* Schornstein *m*.

fun·nies *Am.* ['fʌnɪz] *s pl* Comics *pl*.

fun·ny ['fʌnɪ] *adj* □ (**-ier, -iest**) lustig, spaßig, komisch.

fur [fɜ:] **1.** *s* Pelz *m*; *on tongue:* Belag *m*; Kesselstein *m*; **~s** *pl* Pelzwaren *pl*; **2.** *v/t* mit Pelz besetzen *or* füttern.

fu·ri·ous ['fjʊərɪəs] *adj* □ wütend; wild.

furl [fɜ:l] *v/t flag, sail:* auf-, einrollen; *umbrella:* zusammenrollen.

fur·lough *mil.* ['fɜ:ləʊ] *s* Urlaub *m*.

fur·nace ['fɜ:nɪs] *s* Schmelz-, Hochofen *m*; (Heiz)Kessel *m*.

fur·nish ['fɜ:nɪʃ] *v/t* versehen (**with** mit); *et.* liefern; möblieren; ausstatten.

fur·ni·ture ['fɜ:nɪtʃə] *s* Möbel *pl*, Einrichtung *f*; Ausstattung *f*; **sectional ~** Anbaumöbel *pl*.

fur·ri·er ['fʌrɪə] *s* Kürschner *m*.

fur·row ['fʌrəʊ] **1.** *s* Furche *f*; **2.** *v/t* furchen.

fur·ry ['fɜ:rɪ] *adj* aus Pelz, pelzartig; *tongue:* belegt.

fur·ther ['fɜ:ðə] **1.** *comp of* **far**; **2.** *v/t* fördern; **~·more** *adv* ferner, überdies; **~·most** *adj* weiteste(r, -s), entfernteste(r, -s).

fur·thest ['fɜ:ðɪst] *sup of* **far**.

fur·tive ['fɜ:tɪv] *adj* □ verstohlen.

fu·ry ['fjʊərɪ] *s* Raserei *f*, Wut *f*; Furie *f*.

fuse [fju:z] **1.** *v/i* schmelzen; *electr.* durchbrennen; **2.** *s electr.* Sicherung *f*; Zünder *m*; Zündschnur *f*.

fu·se·lage *aer.* ['fju:zɪlɑ:ʒ] *s* (Flugzeug-) Rumpf *m*.

fu·sion ['fju:ʒn] *s* Verschmelzung *f*, Fusion *f*; **nuclear ~** Kernfusion *f*.

fuss F [fʌs] **1.** *s* Lärm *m*; Wesen *n*, Getue *n*; **2.** *v/i* viel Aufhebens machen (**about** um, von); sich aufregen; **~·y** ['fʌsɪ] *adj* □ (**-ier, -iest**) aufgeregt, hektisch; pedantisch, kleinlich; heikel, wählerisch.

fus·ty ['fʌstɪ] *adj* (**-ier, -iest**) muffig; *fig.* verstaubt.

fu·tile ['fju:taɪl] *adj* □ nutz-, zwecklos.

fu·ture ['fju:tʃə] **1.** *adj* (zu)künftig; **2.** *s* Zukunft *f*; *gr.* Futur *n*, Zukunft *f*; **in ~** in Zukunft, künftig.

fuzz[1] [fʌz] *s* feiner Flaum; Fusseln *pl*.

fuzz[2] *sl.* [~] *s policeman:* Bulle *m*.

G

gab F [gæb] *s* Geschwätz *n*; **have the gift of the ~** redegewandt sein.

gab·ar·dine ['gæbədi:n] *s cloth:* Gabardine *m*; *hist.* Kaftan *m*.

gab·ble ['gæbl] **1.** *s* Geschnatter *n*, Geschwätz *n*; **2.** *v/i* schnattern, schwatzen; *v/t poem, etc.:* herunterrasseln.

gab·er·dine ['gæbədi:n] → **gabardine**.

ga·ble *arch.* ['geɪbl] *s* Giebel *m*.

gad F [gæd] *v/i* (**-dd-**): **~ about, ~ around** (viel) unterwegs sein (in *dat*).

gad·fly *zo.* ['gædflaɪ] *s* Bremse *f*.

gad·get *tech.* ['gædʒɪt] *s* Apparat *m*, Gerät *n*, Vorrichtung *f*; *often contp.* technische Spielerei.

gag [gæg] **1.** *s* Knebel *m* (*a. fig.*); F Gag *m*; **2.** *v/t* (**-gg-**) knebeln; *fig.* mundtot machen.

gage *Am.* [geɪdʒ] → **gauge.**

gai·e·ty ['geɪətɪ] *s* Fröhlichkeit *f*.

gai·ly ['geɪlɪ] *adv of* **gay** 1.

gain [geɪn] **1.** *s* Gewinn *m*; Vorteil *m*; **2.** *v/t* gewinnen; erreichen; bekommen; zunehmen an (*dat*); *of watch:* vorgehen um; *v/i watch:* vorgehen; **~ in** zunehmen an (*dat*).

gait [geɪt] *s* Gang(art *f*) *m*; Schritt *m*.

gal F [gæl] *s* Mädel *n*.

gal·ax·y *ast.* ['gæləksɪ] *s* Milchstraße *f*, Galaxis *f*.

gale [geɪl] *s* Sturm *m*.

gall [gɔ:l] **1.** *s* Galle *f*; wundgeriebene

gauntlet

Stelle; F Frechheit f; **2.** v/t wund reiben; ärgern.

gal·lant ['gælənt] adj stattlich; tapfer; galant, höflich; **~·lan·try** [~rɪ] s Tapferkeit f; Galanterie f.

gal·le·ry ['gælərɪ] s Galerie f; Empore f.

gal·ley ['gælɪ] s mar. Galeere f; mar. Kombüse f; a. **~ proof** print. Fahne(nabzug m) f.

gal·lon ['gælən] s Gallone f (Br. 4,54 litres, Am. 3,78 liters).

gal·lop ['gæləp] **1.** s Galopp m; **2.** v/i and v/t galoppieren (lassen).

gal·lows ['gæləʊz] s/g Galgen m.

ga·lore [gə'lɔː] adj in rauhen Mengen.

gam·ble ['gæmbl] **1.** v/i (um Geld) spielen; **2.** s F Glücksspiel n; **~r** [~ə] s Spieler(in).

gam·bol ['gæmbl] **1.** s Luftsprung m; **2.** v/i (esp. Br. -ll-, Am. -l-) (herum)hüpfen.

game [geɪm] **1.** s (Karten-, Ball- etc.) Spiel n; (einzelnes) Spiel (a. fig.); hunt. Wild n; Wildbret n; **~s** pl Spiele pl; school: Sport m; **2.** adj mutig; bereit (**for** zu; **to do** zu tun); **~·keep·er** ['~kiːpə] s Wildhüter m.

gam·mon esp. Br. ['gæmən] s schwachgepökelter or -geräucherter Schinken.

gan·der zo. ['gændə] s Gänserich m.

gang [gæŋ] **1.** s (Arbeiter)Trupp m; Gang f, Bande f; Clique f; Horde f; **2.** v/i: **~ up** sich zusammentun, contp. sich zusammenrotten.

gang·ster ['gæŋstə] s Gangster m.

gang·way ['gæŋweɪ] s (Durch)Gang m; mar. Fallreep n; mar. Laufplanke f.

gaol [dʒeɪl], **~·bird** [dʒeɪlbɜːd], **~·er** [~ə] → **jail**, etc.

gap [gæp] s Lücke f; Kluft f; Spalte f.

gape [geɪp] v/i gähnen; klaffen; gaffen.

gar·age ['gærɑːʒ] **1.** s Garage f; (Reparatur)Werkstatt f (u. Tankstelle f); **2.** v/t car: in e-r Garage ab- or unterstellen; car: in die Garage fahren.

gar·bage esp. Am. ['gɑːbɪdʒ] s Abfall m, Müll m; **~ can** s Abfall-, Mülleimer m; Abfall-, Mülltonne f; **~ truck** s Müllwagen m.

gar·den ['gɑːdn] **1.** s Garten m; **~s** pl a. Park m, Parkanlage f; **2.** v/i im Garten arbeiten; Gartenbau treiben; **~·er** s Gärtner(in); **~·ing** s Gartenarbeit f.

gar·gle ['gɑːgl] **1.** v/t and v/i gurgeln; **2.** s Gurgeln n; Gurgelwasser n.

gar·ish ['geərɪʃ] adj □ grell, auffallend.

gar·land ['gɑːlənd] s Girlande f.

gar·lic bot. ['gɑːlɪk] s Knoblauch m.

gar·ment ['gɑːmənt] s Gewand n.

gar·nish ['gɑːnɪʃ] v/t garnieren; zieren.

gar·ri·son mil. ['gærɪsn] s Garnison f.

gas [gæs] **1.** s Gas n; Am. F Benzin n; **step on the ~** mot. Gas geben; **2.** (-ss-) v/t vergasen; v/i F faseln; a. **~ up** Am. F mot. (auf)tanken; **~ e·mis·sions** pl Abgase pl; **~·e·ous** ['gæsɪəs] adj gasförmig.

gash [gæʃ] **1.** s klaffende Wunde; Hieb m; Riß m; **2.** v/t tief (ein)schneiden in (acc).

gas·ket tech. ['gæskɪt] s Dichtung f.

gas·light ['gæslaɪt] s Gasbeleuchtung f; **~ me·ter** s Gasuhr f; **~·o·lene**, **~·o·line** Am. [~əliːn] s Benzin n.

gasp [gɑːsp] **1.** s Keuchen n, schweres Atmen; **2.** v/i keuchen; **~ for breath** nach Luft schnappen, nach Atem ringen.

gas sta·tion Am. ['gæsteɪʃn] s Tankstelle f; **~ stove** s Gasofen m, -herd m; **~·works** s Gaswerk n.

gate [geɪt] s Tor n; Pforte f; Schranke f; Sperre f; ant. Flugsteig m; sports: Besucher(zahl f) pl; **~·crash** v/i and v/t uneingeladen kommen or (hin)gehen (zu); sich ohne zu bezahlen hinein- or hereinschmuggeln (in acc); **~·crash·er** s ungeladener Gast; **~·post** s Tor-, Türpfosten m; **~·way** s Tor(weg m) n, Einfahrt f.

gath·er ['gæðə] **1.** v/t (ein-, ver)sammeln; information: zusammentragen; harvest: ernten; flowers, etc.: pflücken; deduce: schließen (**from** aus); zusammenziehen, kräuseln; **~ speed** schneller werden; v/i sich (ver)sammeln; sich vergrößern; abscess: reifen; wound: eitern; **2.** s Falte f; **~·ing** [~rɪŋ] s Versammlung f; Zusammenkunft f.

gau·dy ['gɔːdɪ] adj □ (-ier, -iest) auffällig, bunt, colour: grell; protzig.

gauge [geɪdʒ] **1.** s (Normal)Maß n; tech. instrument: Lehre f; rail. Spurweite f; Meßgerät n; fig. Maßstab m; **2.** v/t eichen; (aus)messen; fig. abschätzen.

gaunt [gɔːnt] adj □ hager; ausgemergelt.

gaunt·let ['gɔːntlɪt] s Schutzhandschuh m; fig. Fehdehandschuh m; **run the ~** Spießruten laufen.

gauze [gɔːz] *s* Gaze *f.*

gave [geɪv] *pret of* **give.**

gaw·ky ['gɔːkɪ] *adj* □ (**-ier, -iest**) unbeholfen, linkisch.

gay [geɪ] **1.** *adj* □ lustig, fröhlich; bunt, (farben)prächtig; F schwul (*homosexual*); **2.** *s* F Schwule(r) *m* (*homosexual*).

gaze [geɪz] **1.** *s* (starrer) Blick; **2.** *v/i* starren; **~ at** starren auf (*acc*), anstarren.

ga·zelle *zo.* [gə'zel] *s* Gazelle *f.*

ga·zette [gə'zet] *s* Amtsblatt *n; Am. a.* Zeitung *f.*

gear [gɪə] **1.** *s tech.* Getriebe *n; mot.* Gang *m; mst in compounds:* Vorrichtung *f,* Gerät *n; in ~* mit eingelegtem Gang; *out of ~* im Leerlauf; *change* **~(s),** *Am.* **shift ~(s)** *mot.* schalten; *landing* **~** *aer.* Fahrgestell *n; steering* **~** *mar.* Ruderanlage *f; mot.* Lenkung *f;* **2.** *v/t* anpassen (*to an acc*); **~-shift** [ˈ-ʃiːv], *Am.* **~-shift** *s mot.* Schalthebel *m.*

geese [giːs] *pl of* **goose.**

geld·ing *zo.* [ˈgeldɪŋ] *s* Wallach *m.*

gem [dʒem] *s* Edelstein *m;* Gemme *f; fig.* Glanzstück *n.*

gen·der [ˈdʒendə] *s gr.* Genus *n,* Geschlecht *n; coll.* F Geschlecht *n.*

gen·er·al [ˈdʒenərəl] **1.** *adj* □ allgemein; allgemeingültig; ungefähr; Haupt..., General...; **~ Agreement on Tariffs and Trade** (*abbr.* **GATT**) *pol.* Allgemeines Zoll- und Handelsabkommen; **~ Certificate of Education** → *certificate* 1; **~ education** *or* **knowledge** Allgemeinbildung *f;* **~ election** *Br. pol.* allgemeine Wahlen *pl;* **~ practitioner** praktischer Arzt; **2.** *s mil.* General *m;* Feldherr *m; in ~* im allgemeinen; **~·i·ty** [dʒenəˈrælɪt] *s* Allgemeinheit *f; die* große Masse; **~·ize** [ˈ-laɪz] *v/t* verallgemeinern; **gen·er·al·ly** [ˈ-lɪ] *adv* im allgemeinen, überhaupt; gewöhnlich.

gen·e·rate [ˈdʒenəreɪt] *v/t* erzeugen; **~·ra·tion** [dʒenəˈreɪʃn] *s* (Er)Zeugung *f;* Generation *f;* Menschenalter *n;* **~·ra·tor** [ˈ-reɪtə] *s* Erzeuger *m; tech.* Generator *m; esp. Am. mot.* Lichtmaschine *f.*

gen·e·ros·i·ty [dʒenəˈrɒsətɪ] *s* Großmut *f;* Großzügigkeit *f;* **~·rous** [ˈdʒenərəs] *adj* □ großmütig, großzügig.

ge·net·ic [dʒɪˈnetɪk] *adj* (**~ally**) genetisch; **~ code** genetischer Code; **~ engi-**

neering Gentechnologie *f;* **~s** *s sg* Genetik *f.*

ge·ni·al [ˈdʒiːnɪəl] *adj* □ freundlich; angenehm; wohltuend.

gen·i·tive *gr.* [ˈdʒenɪtɪv] *adj a.* **~ case** Genitiv *m,* zweiter Fall.

ge·ni·us [ˈdʒiːnɪəs] *s* Geist *m;* Genie *n.*

gent F [dʒent] *s* Herr *m;* **~s** *sg Br.* F Herrenklo *n.*

gen·teel [dʒenˈtiːl] *adj* □ vornehm; elegant.

gen·tile [ˈdʒentaɪl] **1.** *adj* heidnisch, nichtjüdisch; **2.** *s* Heid|e *m,* -in *f.*

gen·tle [ˈdʒentl] *adj* □ (**~r, ~st**) sanft; mild; zahm; leise, sacht; vornehm; **~ revolution** *hist., pol.* sanfte Revolution; **~·man** *s* Herr *m;* Gentleman *m;* **~·man·ly** [ˈ-mənlɪ] *adj* vornehm, *a.* gentlemanlike; **~·ness** *s* Sanftheit *f;* Milde *f,* Güte *f,* Sanftmut *f.*

gen·try [ˈdʒentrɪ] *s* niederer Adel; Oberschicht *f.*

gen·u·ine [ˈdʒenjʊɪn] *adj* □ echt; aufrichtig.

ge·og·ra·phy [dʒɪˈɒɡrəfɪ] *s* Geographie *f.*

ge·ol·o·gy [dʒɪˈɒlədʒɪ] *s* Geologie *f.*

ge·om·e·try [dʒɪˈɒmətrɪ] *s* Geometrie *f.*

germ *biol., bot.* [dʒɜːm] *s* Keim *m.*

Ger·man [ˈdʒɜːmən] **1.** *adj* deutsch; **2.** *s* Deutsche(r *m*) *f; ling.* Deutsch *n.*

ger·mi·nate [ˈdʒɜːmɪneɪt] *v/i and v/t* keimen (lassen).

ges·tic·u·late [dʒeˈstɪkjʊleɪt] *v/i* gestikulieren; **~·la·tion** [dʒestɪkjʊˈleɪʃn] *s* Gestikulation *f.*

ges·ture [ˈdʒestʃə] *s* Geste *f,* Gebärde *f.*

get [get] (**-tt-;** *got, got or Am.* **gotten**) *v/t* erhalten, bekommen, F kriegen; besorgen; *fetch:* holen; (mit)bringen; *receive:* verdienen, bekommen; *capture:* ergreifen, fassen, fangen; (veran)lassen; *have got* haben; *have got to* müssen; **~ one's hair cut** sich die Haare schneiden lassen; **~ by heart** auswendig lernen; *what can I ~ you?* was darf ich dir bringen?; *v/i* gelangen, geraten, kommen; gehen; werden; **~ ready** sich fertig machen; **~ about** auf den Beinen sein; herumkommen; *rumour:* sich verbreiten; **~ ahead** vorankommen; **~ ahead of** übertreffen (*acc*); **~ along** vorwärtskommen; auskommen (*with* mit); **~ at** herankommen an (*acc*); sagen wollen;

~ **away** loskommen; entkommen; ~ **back** v/i zurückgehen, -kommen; v/t zurückbekommen; ~ **in** einsteigen (in acc); ~ **off** aussteigen (aus); ~ **on** einsteigen (in acc); ~ **out** heraus-, hinausgehen; aussteigen (of aus); ~ **over** s.th. über et. hinwegkommen; ~ **through** v/i durchkommen (a. teleph.); v/t durchbekommen; ~ **to** kommen nach; ~ **together** zusammenkommen; ~ **up** aufstehen.

get|a·way ['getəweı] s Flucht f; ~ **car** Fluchtauto n; ~**·to·geth·er** F Zusammenkunft f, gemütliches Beisammensein; ~**up** s Aufmachung f.

ghast·ly ['gɑːstlı] adj (-ier, -iest) gräßlich; schrecklich; (toten)bleich; gespenstisch.

gher·kin ['gɜːkın] s Gewürzgurke f.

ghet·to ['getəʊ] s (pl -tos, -toes) Getto n; ~ **blast·er** s sl. Ghettoblaster m.

ghost [gəʊst] s Geist m, Gespenst n; fig. Spur f; ~**·ly** ['gəʊstlı] adj (-ier, -iest) geisterhaft.

gi·ant ['dʒaıənt] **1.** adj riesig; Groß..., Riesen...; **2.** s Riese m; econ. Gigant m.

gib·ber ['dʒıbə] v/i kauderwelschen; ~**·ish** [~rıʃ] s Kauderwelsch n.

gib·bet ['dʒıbıt] s Galgen m.

gibe [dʒaıb] **1.** v/i spotten (at über acc); **2.** s höhnische Bemerkung.

gib·lets ['dʒıblıts] s pl Hühner-, Gänseklein n.

gid|di·ness ['gıdınıs] s med. Schwindel m; Unbeständigkeit f; Leichtsinn m; ~**·dy** ['gıdı] adj □ (-ier, -iest) schwind(e)lig; leichtfertig; unbeständig; albern.

gift [gıft] s Geschenk n; Talent n; ~**ed** ['gıftıd] adj begabt.

gi·gan·tic [dʒaı'gæntık] adj (~ally) gigantisch, riesenhaft, riesig, gewaltig.

gig·gle ['gıgl] **1.** v/i kichern; **2.** s Gekicher n.

gild [gıld] v/t (gilded or gilt) vergolden; verschönen; ~**ed youth** Jeunesse f dorée.

gill [gıl] s zo. Kieme f; bot. Lamelle f.

gilt [gılt] **1.** pp of gild; **2.** s Vergoldung f.

gim·mick F ['gımık] s Trick m; in advertising: Gag m, Spielerei f, a. Gimmick m.

gin [dʒın] s Gin m.

gin·ger ['dʒındʒə] **1.** s Ingwer m; rötliches or gelbliches Braun; **2.** adj rötlich or gelblichbraun.

gip·sy ['dʒıpsı] s Zigeuner(in).

gi·raffe zo. [dʒı'rɑːf] s Giraffe f.

girl [gɜːl] s Mädchen n; daughter: a. Tochter f; ~**friend** s Freundin f; ~**hood** s Mädchenzeit f, Mädchenjahre pl, Jugend(zeit) f; ~**ish** adj □ mädchenhaft; Mädchen...

gi·ro econ. ['dʒaıərəʊ] **1.** s Giro(system) n; Br. Postscheckdienst m; **2.** adj Giro...; Br. Postscheck...

girth [gɜːθ] s (Sattel)Gurt m; (a. Körper)Umfang m.

gist [dʒıst] s das Wesentliche.

give [gıv] v/t and v/i (gave, given) geben; ab-, übergeben; her-, hingeben; überlassen; as a gift: schenken; grant: gewähren; sell: verkaufen; pay: (be)zahlen; result, etc.: ergeben; joy: machen, bereiten; lecture, speech: halten; ~ **birth to** zur Welt bringen; ~ **away** her-, weggeben, verschenken; fig. verraten; ~ **back** zurückgeben; ~ **in** petition, etc.: einreichen, exam paper: abgeben; nachgeben; aufgeben; ~ **off** smell: verbreiten; ausströmen; ~ **out** aus-, verteilen; supplies, strength: zu Ende gehen; ~ **up** (es) aufgeben; aufhören mit; j-n ausliefern; ~ **o.s. up** sich (freiwillig) stellen.

give-and-take [gıvən'teık] s beidseitiges Entgegenkommen, Kompromißbereitschaft f; ~**·a·way 1.** s econ. Werbegeschenk n, Give-away n; **2.** adj: ~ **price** Schleuderpreis m.

giv·en ['gıvn] **1.** pp of give; **2.** adj vorausgesetzt; in Anbetracht (gen); **be ~ to** verfallen sein (dat); neigen zu; ~ **name** Am. Vorname m.

gla·cial ['gleısıəl] adj □ eisig; Eis...; Gletscher...; ~**·ci·er** ['glæsıə] s Gletscher m.

glad [glæd] adj □ (-dd-) froh, erfreut; freudig; ~**·den** v/t erfreuen; ~**·ly** adv gern(e); ~**·ness** s Freude f.

glam·o(u)r ['glæmə] s Zauber m, Glanz m, Reiz m; ~**·ous** ['glæmərəs] adj □ bezaubernd.

glance [glɑːns] **1.** s (schneller or flüchtiger) Blick (at auf acc); at a ~ mit e-m Blick; **2.** v/i: ~ **at** flüchtig ansehen, e-n kurzen Blick werfen auf (acc); mst ~ **off** abprallen.

gland anat. [glænd] s Drüse f.

glare [gleə] **1.** s grelles Licht; wilder, starrer Blick; **2.** v/i grell leuchten; wild blicken; ~ **at** s.o. j-n anfunkeln.

glass [glɑːs] **1.** s Glas n; Opern-, Fernglas n; Barometer n; (**a pair of**) ~**es** pl (e-e) Brille; **2.** adj gläsern; Glas...; **3.** v/t verglasen; ~**house** s Treibhaus n; mil. F Bau m; ~**y** adj (**-ier, -iest**) gläsern; glasig (eyes).

glaze [gleɪz] **1.** s Glasur f; **2.** v/t verglasen; glasieren; polieren; v/i eyes: glasig werden; **gla·zi·er** ['~ɪə] s Glaser m; **glaz·ing** s Verglasen n; Verglasung f; **double** ~ Doppelverglasung f, Doppelfenster n.

gleam [gliːm] **1.** s Schimmer m, Schein m; **2.** v/i schimmern.

glee [gliː] s Fröhlichkeit f; ~**ful** adj □ ausgelassen, fröhlich.

glen [glen] s Bergschlucht f, enges Tal.

glide [glaɪd] **1.** aer. Gleitflug m; **2.** v/i and v/t (dahin)gleiten (lassen); im Gleitflug fliegen (lassen); **glid·er** s Segelflugzeug n; Segelflieger(in); **glid·ing** s Segelfliegen n.

glim·mer [ˈglɪmə] **1.** s Schimmer m; min. Glimmer m; **2.** v/i schimmern.

glimpse [glɪmps] **1.** s flüchtiger Blick (**at** auf acc); Schimmer m; flüchtiger Eindruck; **2.** v/t flüchtig erblicken.

glit·ter [ˈglɪtə] **1.** v/i glitzern, funkeln, glänzen; **2.** s Glitzern n, Funkeln n, Glanz m; **glit·te·ra·ti** sl. [ˈ~ˈrɑːtɪ] s pl Schickeria f, F Schickimickis pl.

gloat [gləʊt] v/i: ~ **over** sich hämisch or diebisch freuen über (acc); ~**ing** adj □ hämisch, schadenfroh.

glo·bal [ˈgləʊbəl] adj global, weltweit; ~ **warming** globaler Temperaturanstieg, Erwärmung f der Erdatmosphäre.

globe [gləʊb] s (Erd)Kugel f; Globus m; ~**trot·ter** F [ˈ~ˌtrɒtə] s Globetrotter(in), Weltenbummler(in).

gloom [gluːm] s Düsterkeit f; Dunkelheit f; gedrückte Stimmung, Schwermut f; ~**y** adj □ (**-ier, -iest**) dunkel; düster; schwermütig, traurig.

glo·ri·fy [ˈglɔːrɪfaɪ] v/t verherrlichen, preisen; ~**ri·ous** [~əs] adj □ herrlich; glorreich; fig. phantastisch (weather); ~**ry** [~ɪ] **1.** s Ruhm m; Herrlichkeit f, Pracht f; **2.** v/i: ~ **in** sich freuen über (acc); success, etc.: sich sonnen in (dat).

gloss [glɒs] **1.** s Glosse f, Erläuterung f;

Glanz m; **2.** v/t erläutern; Glanz geben (dat); ~ **over** beschönigen.

glos·sa·ry [ˈglɒsərɪ] s Glossar n, Wörterverzeichnis n.

gloss·y [ˈglɒsɪ] **1.** adj (**-ier, -iest**) glänzend; **2.** s F a. ~ **magazine** Hochglanzmagazin n.

glove [glʌv] s Handschuh m; ~ **compartment** mot. Handschuhfach n.

glow [gləʊ] **1.** s Glühen n; Glut f; **2.** v/i glühen; ~**worm** s zo. Glühwürmchen n.

glu·cose [ˈgluːkəʊs] s Traubenzucker m.

glue [gluː] **1.** s Leim m; **2.** v/t kleben.

glum [glʌm] adj □ (**-mm-**) bedrückt, niedergeschlagen.

glut [glʌt] v/t (**-tt-**) überschwemmen, -sättigen; ~ **o.s. with** or **on** sich vollstopfen mit; ~**ton** [ˈ~n] s Unersättliche(r m) f; Vielfraß m; ~**ton·ous** adj □ gefräßig; ~**ton·y** s Gefräßigkeit f.

gnarled [nɑːld] adj knorrig; hands: knotig.

gnash [næʃ] v/t knirschen mit.

gnat [næt] s (Stech)Mücke f.

gnaw [nɔː] v/t (and v/i: ~ **at**) nagen an (dat); a. kauen an (dat) (fingernails).

gnome [nəʊm] s Gnom m; Gartenzwerg m.

go [gəʊ] **1.** v/i (**went, gone**) gehen, fahren, fliegen; weggehen, aufbrechen, abfahren, abreisen; bus, etc.: verkehren; time: vergehen; mad, etc.: werden; way, etc.: führen (**to** nach); reach: sich erstrecken, reichen (**to** bis zu); develop: ausgehen, ablaufen, ausfallen; work properly: gehen, arbeiten, funktionieren; break down (machine): kaputtgehen; **let** ~ loslassen; ~ **shares** teilen; **I must be** ~**ing** ich muß weg or fort; ~ **to bed** ins Bett gehen; ~ **to school** zur Schule gehen; ~ **to see** besuchen; ~ **ahead** vorangehen; vorausgehen, -fahren; ~ **ahead with** s.th. et. durchführen, et. machen; ~ **at** losgehen auf (acc); ~ **between** vermitteln zwischen (dat); ~ **by** sich richten nach; ~ **down** hinuntergehen; sun: untergehen; ship: sinken; ~ **for** holen; ~ **for a walk** e-n Spaziergang machen, spazierengehen; ~ **in** hineingehen, eintreten; ~ **in for an exam** e-e Prüfung machen; ~ **off** fortgehen; ~ **on** weitergehen, -fahren; fig. fortfahren, weitermachen (**doing** zu tun); fig. vor sich gehen, vorgehen; **~ out** hinausgehen; ausgehen, *regularly:* gehen (**with** mit); *fire, etc.:* ausgehen, verlöschen; **~ through** durchgehen; durchmachen; **~ up** steigen; hinaufgehen, -steigen; **~ without** sich behelfen ohne, auskommen ohne; **2.** *s* F Mode *f*; Schwung *m*; **on the ~** auf den Beinen; im Gange; *it is no ~* es geht nicht; **in one ~** auf Anhieb; **have a ~ at** es versuchen mit; *it's your ~* du bist dran.

goad [gəʊd] **1.** *s fig.* Ansporn *m*; **2.** *v/t fig.* anstacheln.

go-a-head F ['gəʊəhed] **1.** *adj* fortschrittlich, progressiv; **2.** *s:* **give s.o. the ~** F j-m grünes Licht geben.

goal [gəʊl] *s* Mal *n*; Ziel *n*; *soccer:* Tor *n*; **~keep-er** ['~kiːpə] *s* Torwart *m*.

goat *zo.* [gəʊt] *s* Ziege *f*, Geiß *f*.

gob-ble ['gɒbl] **1.** *v/i* schmatzen; *of turkey:* kollern; *v/t mst* **~ up** verschlingen; **2.** *s* Kollern *n*; **~r** [~ə] *s* Truthahn *m*; gieriger Esser.

go-be-tween ['gəʊbɪtwiːn] *s* Vermittler (-in), Mittelsmann *m*.

gob-lin ['gɒblɪn] *s* Kobold *m*.

god [gɒd] *s eccl.* ⊊ Gott *m*; *fig.* Abgott *m*; **~child** *s* Patenkind *n*; **~dess** ['gɒdɪs] *s* Göttin *f*, **~fa-ther** *s* Pate *m* (*a. fig.*), Taufpate *m*; **~for-sak-en** *adj contp.* gottverlassen; **~less** *adj* gottlos; **~like** *adj* gottähnlich; göttlich; **~ly** *adj* (*-ier, -iest*) gottesfürchtig; fromm; **~moth-er** *s* (Tauf)Patin *f*; **~par-ent** *s* (Tauf)Pate *m*, (-)Patin *f*; **~send** F Geschenk *n* des Himmels.

gog-gle ['gɒgl] **1.** *v/i* glotzen; **2.** *s:* **~s** *pl* Schutzbrille *f*; **~box** *s Br.* F Glotze *f*.

go-ing ['gəʊɪŋ] **1.** *adj* gehend; im Gange (befindlich); **be ~ to** *inf* im Begriff sein zu *inf*, gleich *tun* wollen *or* werden; **2.** *s* Gehen *n*; Vorwärtskommen *n*; Straßenzustand *m*; Geschwindigkeit *f*, Leistung *f*; **~s-on** *s pl* F Treiben *n*, Vorgänge *pl*.

gold [gəʊld] **1.** *s* Gold *n*; **2.** *adj* golden; **~ dig-ger** *Am.* ['~dɪgə] *s* Goldgräber *m*; **~en** *adj mst fig.* golden, goldgelb; **~ handshake** *Br.* Abfindung *f*; **~fish** *s zo.* Goldfisch *m*; **~smith** *s* Goldschmied *m*.

golf [gɒlf] **1.** *s* Golf(spiel) *n*; **2.** *v/i* Golf spielen; **~ club** *s* Golfschläger *m*; Golfklub *m*; **~ course** *s*, **~ links** *s pl or sg* Golfplatz *m*.

gon-do-la ['gɒndələ] *s* Gondel *f*.

gone [gɒn] **1.** *pp of* **go** **1.**; **2.** *adj* fort; F futsch; vergangen; tot; F hoffnungslos.

good [gʊd] **1.** *adj* (**better, best**) gut; artig; gütig; gründlich; **~ at** geschickt *or* gut in (*dat*); **2.** *s* Nutzen *m*, Wert *m*, Vorteil *m*; *das Gute*, Wohl *n*; **~s** *pl econ.* Waren *pl*, Güter *pl*; *that's no ~* das nützt nichts; *for ~* für immer; **~bye** [~'baɪ] **1.** *s:* wish s.o. ~, say ~ to s.o. j-m auf Wiedersehen sagen; **2.** *int* (auf) Wiedersehen!; ⊊ **Fri-day** *s* Karfreitag *m*; **~hu-mo(u)red** *adj* □ gutgelaunt; gutmütig; **~look-ing** *adj* gutaussehend; **~na-tured** *adj* □ gutmütig; **~ness** *s* Güte *f*; *das Beste*; *thank ~!* Gott sei Dank!; *(my) ~!, ~ gracious!* du meine Güte!, du lieber Himmel!; *for ~' sake* um Himmels willen!; **~ knows** weiß der Himmel; **~will** *s* Wohlwollen *n*; *econ.* Goodwill *m*, (ideeller) Firmenwert.

good·y F ['gʊdɪ] *s sweet:* Bonbon *m, n*; *in film, novel, etc.:* der/die Gute.

goose *zo.* [guːs] *s* (*pl* **geese**) Gans *f* (*a. fig.*); **~ber-ry** *bot.* ['gʊzbərɪ] *s* Stachelbeere *f*; **~flesh** *s*, **~ pim-ples** *s pl* Gänsehaut *f*; **~step** *s* Stechschritt *m*.

gore [gɔː] *v/t with horns:* durchbohren, aufspießen.

gorge [gɔːdʒ] **1.** *s* Kehle *f*, Schlund *m*; enge (Fels)Schlucht; **2.** *v/i and v/t* (ver)schlingen; (sich) vollstopfen.

gor-geous ['gɔːdʒəs] *adj* □ prächtig.

go-ril-la *zo.* [gə'rɪlə] *s* Gorilla *m*.

gor·y ['gɔːrɪ] *adj* □ (*-ier, -iest*) blutig; *fig.* blutrünstig.

gosh F [gɒʃ] *int:* **by ~** Mensch!

gos-ling *zo.* ['gɒzlɪŋ] *s* junge Gans.

go-slow *Br. econ.* [gəʊ'sləʊ] *s* Bummelstreik *m*.

Gos-pel *eccl.* ['gɒspəl] *s* Evangelium *n*.

gos-sa-mer ['gɒsəmə] *s* Spinnfäden *pl*, *a.* Altweibersommer *m*.

gos-sip ['gɒsɪp] **1.** *s* Klatsch *m*, Tratsch *m*; Klatschbase *f*; **2.** *v/i* klatschen, tratschen.

got [gɒt] *pret and pp of* **get**.

Goth-ic ['gɒθɪk] *adj* gotisch; Schauer...; **~ novel** Schauerroman *m*.

got-ten *Am.* ['gɒtn] *pp of* **get**.

gourd *bot.* [gʊəd] *s* Kürbis *m*.

gout *med.* [gaʊt] *s* Gicht *f*.

gov·ern ['gʌvn] *v/t* regieren, beherr-

G

schen; lenken, leiten; *v/i* herrschen; **~ess** *s* Erzieherin *f*.

gov·ern·ment ['gʌvnmənt] *s* Regierung *f*; *system*: Regierungsform *f*; Herrschaft *f* (*of* über *acc*); Ministerium *n*; *attr* Staats...; **~al** [~'mentl] *adj* Regierungs...; **~ loan** *s* Staatsanleihe *f*; **~ mo·nop·o·ly** *s* staatliches Monopol; **se·cu·ri·ties** *s pl* Staatsanleihen *pl*; **~ sourc·es** *s pl appr.* Regierungskreise *pl*; **~ spend·ing** *s* öffentliche Ausgaben *pl*.

gov·er·nor ['gʌvənə] *s pol.* Gouverneur *m*; *Br. of bank*: Direktor *m*, Präsident *m*; F *father, boss*: F Alte(r) *m*.

gown [gaʊn] **1.** *s* (Frauen)Kleid *n*; Robe *f*, Talar *m*; **2.** *v/t* kleiden.

grab [græb] **1.** *v/t* (**-bb-**) (hastig *or* gierig) ergreifen, packen, fassen; **2.** *s* (hastiger *or* gieriger) Griff; *tech.* Greifer *m*.

grace [greɪs] **1.** *s* Gnade *f*; Gunst *f*; *delay*: (Gnaden)Frist *f*; *charm*: Grazie *f*, Anmut *f*; *decency*: Anstand *m*; *prayer*: Tischgebet *n*; **Your** 2 Eure Hoheit (*duke, duchess*); Eure Exzellenz (*archbishop*); **2.** *v/t* zieren, schmücken; begünstigen, auszeichnen; **~ful** *adj* □ anmutig; **~less** *adj* □ ungraziös, linkisch; ungehobelt.

gra·cious ['greɪʃəs] *adj* □ gnädig.

gra·da·tion [grə'deɪʃn] *s* Abstufung *f*.

grade [greɪd] **1.** *s* Grad *m*, Rang *m*; Stufe *f*; Qualität *f*; *esp. Am.* → **gradient**; *Am. school*: Klasse *f*; Note *f*; **make the ~** es schaffen, Erfolg haben; **~ crossing** *esp. Am.* schienengleicher Bahnübergang; **2.** *v/t* abstufen; einstufen; *tech.* planieren.

gra·di·ent *rail., etc.* ['greɪdɪənt] *s* Steigung *f* (*of slope*).

grad·u|al ['grædʒʊəl] *adj* stufenweise, allmählich; **~al·ly** [~lɪ] *adv* nach u. nach; allmählich; **~ate 1.** [~dʒʊeɪt] *v/i* die Abschlußprüfung machen, *Br.* e-n akademischen Grad erwerben, *Am.* die Schulausbildung abschließen; **she ~d from** ... sie hat in (*dat*) ... studiert; *v/t* graduieren; abstufen; **2.** *s* [~dʒʊət] *univ.* Hochschulabsolvent(in), Graduierte(r *m*) *f*, Akademiker(in); *Am.* Schulabgänger(in); **~a·tion** [grædʒʊ'eɪʃn] *s* Gradeinteilung *f*; *univ., Am. a. school*: (Ab)Schlußfeier *f*; *univ.* Erteilung *f* or Erlangung *f* e-s akademischen Grades.

graf·fi·ti [græ'fiːtɪ] *s pl or sg* Wandmalereien *pl*, -schmierereien *pl*, Graffiti *pl*.

grain [greɪn] *s* Korn *n*; Getreide *n*; Gefüge *n*; *fig.* Natur *f*; *old weight*: Gran *n*.

gram [græm] *s* Gramm *n*.

gram·mar ['græmə] *s* Grammatik *f*; **~ school** *s Br. appr.* Gymnasium *n*; *Am. appr.* Realschule *f*.

gram·mat·i·cal [grə'mætɪkl] *adj* □ grammatisch.

gramme [græm] → **gram**.

gra·na·ry ['grænərɪ] *s* Kornspeicher *m*.

grand [grænd] **1.** *adj* □ *fig.* großartig; erhaben; groß; Groß..., Haupt...; 2 **Old Party** *Am.* Republikanische Partei; **2.** *s* (*pl* **grand**) F Riese *m* (*1000 dollars or pounds*); **~child** ['græntʃaɪld] *s* Enkel(in); **~dad, a. gran·dad** ['græn~] *s* F Großpapa *m*, Opa *m*; **~daugh·ter** ['græn~] *s* Enkelin *f*, Enkeltochter *f*.

gran·deur ['grændʒə] *s* Größe *f*, Hoheit *f*; Erhabenheit *f*.

grand·fa·ther ['grændfɑːðə] *s* Großvater *m*; **~ clock** *s* Standuhr *f*.

gran·di·ose ['grændɪəʊs] *adj* □ großartig.

grand|ma F ['grænmɑː] *s* Großmama *f*, Oma *f*; **~moth·er** ['græn~] *s* Großmutter *f*; **~par·ents** ['græn~] *s pl* Großeltern *pl*; **~pa** ['grænpɑː] *s* F → **granddad**; **~pi·an·o** *s mus.* (Konzert)Flügel *m*; **~son** ['græn~] *s* Enkel *m*, Enkelsohn *m*; **~stand** *s sports*: Haupttribüne *f*.

gran·ny F ['grænɪ] *s* Oma *f*.

grant [grɑːnt] **1.** *s* Gewährung *f*; Unterstützung *f*; Stipendium *n*; **2.** *v/t* gewähren; bewilligen; verleihen; *jur.* übertragen; zugestehen; **~ed, but** zugegeben, aber; **take for ~ed** als selbstverständlich annehmen.

gran·u·lat·ed ['grænjʊleɪtɪd] *adj* körnig, granuliert; **~ sugar** Kristallzucker *m*; **~ule** [~juːl] *s* Körnchen *n*.

grape [greɪp] *s* Weinbeere *f*, -traube *f*; **~fruit** *bot.* ['~fruːt] *s* Grapefruit *f*, Pampelmuse *f*; **~vine** *s bot.* Weinstock *m*; F *j-s* Verbindungen *pl*, Gerücht *n*; *hear* **s.th. on** *or* **through the ~** et. gerüchteweise hören.

graph [græf] *s* graphische Darstellung; **~ic** *adj* (**~ally**) graphisch; anschaulich; **~ arts** *pl* Graphik *f*, graphische Kunst.

grap·ple ['græpl] v/i ringen, kämpfen; ~ **with** fig. sich herumschlagen mit et.

grasp [grɑːsp] **1.** s Griff m; Bereich m; Beherrschung f; Fassungskraft f; **2.** v/t (er)greifen, packen; begreifen.

grass [grɑːs] s Gras n; Rasen m; Weide(land n) n; F, sl. *marihuana:* Grass m; ~**hop·per** s zo. Heuschrecke f; ~ **roots** s pl pol. Basis f; ~ **wid·ow** s Strohwitwe f; Am. geschiedene Frau; ~ lebende Frau; ~ **wid·ow·er** s Strohwitwer m; Am. geschiedener Mann; Am. getrennt lebender Mann; **grass·sy** adj (-ier, -iest) grasbedeckt, Gras...

grate [greit] **1.** s Gitter n; (Feuer)Rost m; **2.** v/t reiben, raspeln; v/i knirschen; ~ **on s.o.'s nerves** an j-s Nerven zerren.

grate·ful ['greitfl] adj □ dankbar.

grat·er ['greitə] s Reibe f.

grat·ing¹ ['greitiŋ] adj □ kratzend, knirschend, quietschend; schrill; unangenehm.

grat·ing² [~] s Gitter(werk) n.

grat·i·tude ['grætitjuːd] s Dankbarkeit f.

grave¹ [greiv] adj □ (~r, ~st) ernst; (ge-) wichtig; gemessen.

grave² [~] s Grab n; ~**dig·ger** ['~dɪɡə] s Totengräber m (a. zo.).

grav·el ['grævl] s **1.** s Kies m; Schotter m; med. Harngrieß m; **2.** v/t (esp. Br. -ll-, Am. -l-) schottern, mit Kies bestreuen.

grave|**stone** ['greivstəun] s Grabstein m; ~**yard** s Friedhof m.

grav·i·ta·tion [grævi'teiʃn] s phys. Schwerkraft f; fig. Hang m, Neigung f.

grav·i·ty ['grævəti] s Schwere f, Ernst m; phys. Schwerkraft f.

gra·vy ['greivi] s Bratensaft m; Bratensoße f; ~ **boat** s Soßenschüssel f.

gray esp. Am. [grei] adj grau.

graze¹ [greiz] v/i and v/t cattle: weiden (lassen); (ab)weiden; (ab)grasen.

graze² [~] **1.** v/t streifen; schrammen; skin: (ab-, auf)schürfen, (auf)schrammen; **2.** s Abschürfung f, Schramme f.

grease 1. s [griːs] Fett n; Schmiere f; **2.** v/t [griːz] (ein)fetten; tech. (ab)schmieren; **greas·y** ['griːzɪ] adj □ (-ier, -iest) fett(ig), ölig; schmierig.

great [greit] adj □ groß, Groß...; F großartig; ~**grand...** child m: parents: Ur..., Urgroß...; ~**ly** adv sehr; ~**ness** s Größe f; Stärke f.

greed [griːd] s Gier f; ~**y** adj □ (-ier,

-iest) gierig (**for** auf acc, nach); habgierig; gefräßig.

Greek [griːk] **1.** adj griechisch; **2.** s Grieche m, -in f; ling. Griechisch n.

green [griːn] **1.** adj □ grün (a. fig.); fish, etc.: frisch; neu; Grün...; pol. (a. adv) ökologisch, grün, Umwelt...; ~ **issues** pl pol. Umweltfragen pl; **go** ~ production, etc.: umweltfreundlich werden; **the** 2**s** die Grünen; **2.** s Grün n; Grünfläche f, Rasen m; ~**s** pl grünes Gemüse, Blattgemüse n; ~**back** s Am. F Dollarschein m; ~ **belt** s round a town: Grüngürtel m; ~**gro·cer** s esp. Br. Obst- u. Gemüsehändler(in); ~**gro·cer·y** s esp. Br. Obst- u. Gemüsehandlung f; ~**horn** s Greenhorn n, Grünschnabel m; ~**house** s Gewächs-, Treibhaus n; ~ **effect** Treibhauseffekt m; ~**ish** adj grünlich.

greet [griːt] v/t grüßen; ~**ing** s Begrüßung f, Gruß m; ~**s** pl Grüße pl.

gre·nade mil. [grɪ'neid] s Granate f.

grew [gruː] pret of **grow**.

grey [grei] **1.** adj □ grau; **2.** s Grau n; **3.** v/t and v/i grau machen or werden; ~**hound** zo. ['~haund] s Windhund m.

grid [grid] s **1.** s Gitter n; electr., etc.: Versorgungsnetz n; **2.** adj electr. Gitter...; ~**i·ron** ['~aiən] s (Brat)Rost m; Am. sports: F Footballfeld n.

grief [griːf] s Gram m, Kummer m; **come to** ~ zu Schaden kommen.

griev·ance ['griːvəns] s Beschwerde f; Mißstand m; ~**e** [griːv] v/t betrüben, bekümmern, j-m Kummer bereiten; v/i bekümmert sein; ~ **for** trauern um; ~**ous** ['griːvəs] adj □ kränkend, schmerzlich; schlimm.

grill [grɪl] **1.** v/t grillen; **2.** s Grill m; Bratrost m; Gegrillte(s) n; a. ~**room** Grillroom m.

grim [grɪm] adj □ (-mm-) grimmig; schrecklich; erbittert; F schlimm.

gri·mace [grɪ'meis] **1.** s Fratze f, Grimasse f; **2.** v/i Grimassen schneiden.

grime [graim] s Schmutz m; Ruß m; **grim·y** ['graimi] adj □ (-ier, -iest) schmutzig; rußig.

grin [grɪn] **1.** s Grinsen n; **2.** v/i (-nn-) grinsen.

grind [graind] **1.** v/t (**ground**) (zer)reiben; mahlen; schleifen; barrel-organ, etc.: drehen; fig. schinden; ~ **one's**

teeth mit den Zähnen knirschen; **2.** *s* Schinderei *f*, Schufterei *f*; **~er** *s* (Messer- *etc*.)Schleifer *m*; *tech*. Schleifmaschine *f*; *tech*. Mühle *f*; **~stone** *s* Schleifstein *m*.

grip [grɪp] **1.** *v/t* (**-pp-**) packen, fassen (*a. fig*.); **2.** *s* Griff *m* (*a. fig*.); *fig*. Gewalt *f*, Herrschaft *f*; *Am*. Reisetasche *f*.

gris·ly ['grɪzlɪ] *adj* (**-ier, -iest**) gräßlich, schrecklich.

gris·tle ['grɪsl] *s in meat:* Knorpel *m*.

grit [grɪt] **1.** *s* Kies *m*; Sand(stein) *m*; *fig*. Mut *m*; **2.** *v/t* (**-tt-**): **~ one's teeth** die Zähne zusammenbeißen.

griz·zly (**bear**) *zo*. ['grɪzlɪ(beə)] *s* Grizzly(bär) *m*, Graubär *m*.

groan [grəʊn] **1.** *v/i* stöhnen, ächzen; **2.** *s* Stöhnen *n*, Ächzen *n*.

gro·cer ['grəʊsə] *s* Lebensmittelhändler *m*; **~ies** [~rɪz] *s pl* Lebensmittel *pl*; **~y** *s* Lebensmittelgeschäft *n*.

grog·gy F ['grɒgɪ] *adj* (**-ier, -iest**) schwach *od* wackelig (auf den Beinen), F groggy.

groin *anat*. [grɔɪn] *s* Leiste(ngegend) *f*.

groom [grʊm] **1.** *s* Pferdepfleger *m*, Stallbursche *m*; → **bridegroom**; **2.** *v/t* pflegen; *j-n* aufbauen, lancieren.

groove [gruːv] *s* Rinne *f*, Furche *f*, Rille *f*, Nut *f*; **groov·y** *sl*. ['gruːvɪ] *adj* (**-ier, -iest**) klasse, toll.

grope [grəʊp] *v/i* tasten; *v/t sl. girl:* befummeln.

gross [grəʊs] **1.** *adj* □ dick, fett; grob, derb; *econ*. Brutto...; **2.** *s* Gros *n* (*12 dozen*); **in the ~** im ganzen.

gro·tesque [grəʊ'tesk] *adj* □ grotesk.

ground¹ [graʊnd] **1.** *pret and pp of* **grind** 1; **2.** *adj*: **~ glass** Mattglas *n*.

ground² [graʊnd] **1.** *s* Grund *m*, Boden *m*; Gebiet *n*; (Spiel- *etc*.)Platz *m*; *reason:* (Beweg)Grund *m*; *electr*. Erde *f*; **~s** *pl* Grundstück *n*, Park(s *pl*) *m*, Gärten *pl*; (Kaffee)Satz *m*; **on the ~(s) of** auf Grund (*gen*); **stand** *or* **hold** *or* **keep one's ~** sich behaupten; **2.** *v/t* niederlegen; (be)gründen; *j-m* die Anfangsgründe beibringen; *electr*. erden; **~ crew** *s aer*. Bodenpersonal *n*; **~ floor** *s esp. Br*. Erdgeschoß *n*; **~ forc·es** *s pl mil*. Bodentruppen *pl*, Landstreitkräfte *pl*; **~ing** *s Am. electr*. Erdung *f*; Grundlagen *pl*, -kenntnisse *pl*; **~less** *adj* □ grundlos; **~ staff** *s Br. aer*. Bodenperso-

nal *n*; **~ sta·tion** *s space travel:* Bodenstation *f*; **~work** *s* Grundlage *f*.

group [gruːp] **1.** *s* Gruppe *f*; **2.** *v/t and v/i* (sich) gruppieren; **~ie** F [~ɪ] *s* Groupie *n*; **~ing** *s* Gruppierung *f*.

grove [grəʊv] *s* Wäldchen *n*, Gehölz *n*.

grov·el ['grɒvl] *v/i* (*esp. Br. -ll-, Am. -l-*) (am Boden) kriechen; *fig*. **~ before s.o.** vor j-m kriechen.

grow [grəʊ] (*grew, grown*) *v/i* wachsen; werden; **~ into** hineinwachsen in (*acc*); werden zu, sich entwickeln zu; **~ on** j-m lieb werden *or* ans Herz wachsen; **~ out of** herauswachsen aus; entstehen aus; **~ up** aufwachsen, heranwachsen; sich entwickeln; *v/t bot*. anpflanzen, anbauen, züchten; **~er** *s* Züchter *m*, Erzeuger *m*, *in compounds* ...bauer *m*.

growl [graʊl] *v/i and v/t* knurren, brummen.

grown [grəʊn] **1.** *pp of* **grow**; **2.** *adj* erwachsen; bewachsen; **~-up** ['~ʌp] **1.** *adj* erwachsen; **2.** *s* Erwachsene(r *m*) *f*.

growth [grəʊθ] *s* Wachstum *n*; (An-) Wachsen *n*; Entwicklung *f*; Erzeugnis *n*; *med*. Gewächs *n*, Wucherung *f*; **~ rate** *econ*. Wachstumsrate *f*.

grub [grʌb] **1.** *s zo*. Raupe *f*, Larve *f*, Made *f*; F *food:* Futter *n*; **2.** *v/i* (**-bb-**) graben; sich abmühen; **~by** ['grʌbɪ] *adj* (**-ier, -iest**) schmutzig.

grudge [grʌdʒ] **1.** *s* Groll *m*; **2.** *v/t* mißgönnen; ungern geben *or* tun *etc*.

gru·el ['grʊəl] *s* Haferschleim *m*.

gruff [grʌf] *adj* □ grob, schroff, barsch.

grum·ble ['grʌmbl] **1.** *v/i and v/t* murren; **2.** *s* Murren *n*; **~r** [~ə] *s fig*. Brummbär *m*.

grunt [grʌnt] **1.** *v/i and v/t* grunzen; brummen; stöhnen; **2.** *s* Grunzen *n*; Stöhnen *n*.

guar·an|tee [gærən'tiː] **1.** *s* Garantie *f*; Bürgschaft *f*; Sicherheit *f*; Zusicherung *f*; **2.** *v/t* (sich ver)bürgen für; garantieren; **~tor** [~'tɔː] *s* Bürge *m*, Bürgin *f*; **~ty** ['gærəntɪ] *s* Garantie *f*; Bürgschaft *f*; Sicherheit *f*.

guard [gɑːd] **1.** *s* Wacht *f*; *mil*. Wache *f*; Wächter *m*, Wärter *m*; *rail*. Schaffner *m*; Schutz(vorrichtung *f*) *m*; 2*s pl* *mil* Garde *f*; **be on ~** Wache haben; **be on (off) one's ~** (nicht) auf der Hut sein; **2.** *v/t* bewachen, (be)schützen (*from* vor *dat*); *v/i* sich hüten (*against* vor *dat*); **~ed**

adj □ vorsichtig, zurückhaltend; **~·i·an** *s* Hüter *m*, Wächter *m*; *jur.* Vormund *m*; *attr* Schutz...; **~·i·an·ship** *s jur.* Vormundschaft *f*.
gue(r)·ril·la *mil.* [gə'rɪlə] *s* Guerilla *m*; **~ *warfare*** Guerillakrieg *m*.
guess [ges] **1.** *s* Vermutung *f*; **2.** *v/t and v/i* vermuten; schätzen; raten; *Am.* glauben, denken; ***~ing game*** Ratespiel *n*; **~·work** *s* (reine) Vermutung(en *pl*).
guest [gest] **1.** *s* Gast *m*; **2.** *adj* Gast...; **~-house** *s* (Hotel)Pension *f*, Fremdenheim *n*; **~-room** *s* Gast-, Gäste-, Fremdenzimmer *n*.
guid·ance ['gaɪdns] *s* Führung *f*; (An)Leitung *f*.
guide [gaɪd] **1.** *s* (Reise-, Fremden)Führer(in); *tech.* Führung *f*; *a.* ***~book*** (Reise- *etc.*)Führer *m*; ***a ~ to London*** ein London-Führer; **2.** *v/t* leiten; führen; lenken; **guid·ed tour** *s* Führung *f*; **~-line** ['~laɪn] *s* Richtlinie *f*, -schnur *f*.
guild *hist.* [gɪld] *s* Gilde *f*, Zunft *f*; **♀·hall** [gɪld'hɔːl] *s* Rathaus *n* (*of London*).
guile [gaɪl] *s* Arglist *f*; **~·ful** *adj* □ arglistig; **~·less** *adj* □ arglos.
guilt [gɪlt] *s* Schuld *f*; Strafbarkeit *f*; **~·less** *adj* □ schuldlos; unkundig; **~·y** [~ɪ] *adj* □ (**-ier**, **-iest**) schuldig (**of** *gen*).
guin·ea *Br.* ['gɪnɪ] *s* Guinee *f* (*former monetary unit, = 21 shillings*); **~-pig** *s zo.* Meerschweinchen *n*; *fig.* Versuchskaninchen *n*.
gui·tar *mus.* [gɪ'tɑː] *s* Gitarre *f*.
gulch *esp. Am.* [gʌlʃ] *s* tiefe Schlucht.
gulf [gʌlf] *s* Meerbusen *m*, Golf *m*; *fig. chasm*: Kluft *f*, Abgrund *m*.
gull *zo.* [gʌl] *s* Möwe *f*.
gul·let *anat.* ['gʌlɪt] *s* Schlund *m*, Speiseröhre *f*, Gurgel *f*.
gulp [gʌlp] **1.** *s* (großer) Schluck; **2.** *v/t often **~ down** drink*: hinunterstürzen, *food*: hinunterschlingen.
gum [gʌm] **1.** *s* Gummi *m*, *n*; Klebstoff *m*; *Am. a.* ***~drop*** Gummibonbon *m*, *n*; **~s** *pl anat.* Zahnfleisch *n*; *Am.* Gummischuhe *pl*; **2.** *v/t* (**-mm-**) gummieren; kleben.
gun [gʌn] **1.** *s* Gewehr *n*; Flinte *f*; Geschütz *n*, Kanone *f*; *Am.* Revolver *m*; ***big ~*** F *fig.* hohes Tier; **2.** *v/t* (**-nn-**) *mst **~ down*** niederschießen; **~ bat·tle** *s* Feuergefecht *n*, Schießerei *f*; **~·boat** *s* Kanonenboot *n*; **~·fight** *Am.* → ***gun battle***; **~·fire** *s* Schüsse *pl*; *mil.* Geschützfeuer *n*; **~ li·cence** *s* Waffenschein *m*; **~·man** *s* Bewaffnete(r) *m*; Revolverheld *m*; **~·ner** *s mil.* Kanonier *m*; **~·point** *s*: ***at ~*** mit vorgehaltener Waffe, mit Waffengewalt; **~·pow·der** *s* Schießpulver *n*; **~·run·ner** *s* Waffenschmuggler *m*; **~·run·ning** *s* Waffenschmuggel *m*; **~·shot** *s* Schuß *m*; ***within*** (***out of***) **~** in (außer) Schußweite; **~·smith** *s* Büchsenmacher *m*.
gur·gle ['gɜːgl] **1.** *v/i* glucksen, gluckern, gurgeln; **2.** *s* Glucksen *n*, Gurgeln *n*.
gush [gʌʃ] **1.** *s* Schwall *m*, Strom *m* (*a. fig.*); **2.** *v/i* sich ergießen, schießen (***from*** aus); *fig.* schwärmen.
gust [gʌst] *s* Windstoß *m*, Bö *f*.
gut [gʌt] *s anat.* Darm *m*; *mus.* Darmsaite *f*; **~s** *pl* Eingeweide *pl*; *das* Innere; *fig.* Schneid *m*, F Mumm *m*.
gut·ter ['gʌtə] *s* Dachrinne *f*; Gosse *f* (*a. fig.*), Rinnstein *m*; **~ press** *s* Sensationspresse *f*.
guy F [gaɪ] *s* Kerl *m*, Typ *m*.
guz·zle ['gʌzl] *v/t and v/i* saufen; fressen.
gym F [dʒɪm] → ***gymnasium***, ***gymnastics***; **~·na·si·um** [dʒɪm'neɪzɪəm] *s* Turn-, Sporthalle *f*; **~·nas·tics** [~'næstɪks] *s sg* Turnen *n*, Gymnastik *f*.
gy·n(a)e·col·o|gist [gaɪnɪ'kɒlədʒɪst] *s* Gynäkolog|e *m*, -in *f*, Frauenarzt *m*, -ärztin *f*; **~·gy** [~dʒɪ] *s* Gynäkologie *f*, Frauenheilkunde *f*.
gyp·sy *esp. Am.* ['dʒɪpsɪ] → ***gipsy***.
gy·rate [dʒaɪə'reɪt] *v/i* kreisen, sich (im Kreis) drehen, (herum)wirbeln.

H

hab·it ['hæbɪt] s (An)Gewohnheit f; esp. of monk: Ordenskleidung f; out of or by ~ aus Gewohnheit; **... as was her ~** wie es ihre Gewohnheit war; **~ of mind** Geistesverfassung f; **drink has become a ~ with him** er kommt vom Alkohol nicht mehr los.

hab·i·ta·ble ['hæbɪtəbl] adj □ bewohnbar; **~·tat** [~tæt] s of animal: Lebensraum m; of plant: Standort m.

ha·bit·u·al [hə'bɪtjʊəl] adj □ gewohnt, gewöhnlich; Gewohnheits...

hack¹ [hæk] v/t and v/i (zer)hacken; computer: hacken.

hack² [~] s Reitpferd n; Mietpferd n; contp. Klepper m; a. ~ **writer** Schreiberling m.

hack·er ['hækə] s computer: Hacker m.

hack·neyed ['hæknɪd] adj phrase, etc.: abgedroschen, abgenutzt.

had [hæd] pret and pp of **have.**

had·dock zo. ['hædək] s Schellfisch m.

h(a)e·mor·rhage med. ['hemərɪdʒ] s Blutung f.

hag fig. [hæg] s häßliches altes Weib, Hexe f.

hag·gard ['hægəd] adj □ verhärmt.

hag·gle ['hægl] v/i feilschen, schachern.

hail [heɪl] **1.** s Hagel m; (Zu)Ruf m; **2.** v/i and v/t (nieder)hageln (lassen); rufen; (be)grüßen; **~ from** stammen aus; **~·stone** s Hagelkorn n; **~·storm** s Hagelschauer m.

hair [heə] s single: Haar n; coll. Haar n, Haare pl; **~·breadth** ['~bredθ] s: **by a ~** um Haaresbreite; **~·brush** s Haarbürste f; **~·cut** s Haarschnitt m; **~·do** s (pl **-dos**) F Frisur f; **~·dress·er** s Friseur m, Friseuse f; **~·dri·er, ~·dry·er** s Trockenhaube f; Haartrockner m; TM Fön m; **~·grip** s Br. Haarklammer f, -klemme f; **~·less** adj ohne Haare, kahl; **~·pin** s Haarnadel f; **~ bend** Haarnadelkurve f; **~'s breadth** → **hairbreadth**; **~·slide** s Br. Haarspange f; **~·split·ting** s Haarspalterei f; **~·spray** s Haarspray m, n; **~·style** s Frisur f; **~·styl·ist** s Hair-Stylist m, Damenfriseur m; **~·y** adj (**-ier, -iest**) behaart; haarig.

hale [heɪl] adj: **~ and hearty** gesund u. munter.

half [hɑːf] **1.** s (pl **halves** [~vz]) Hälfte f; **by halves** nur halb; **go halves** halbe-halbe machen, teilen; **2.** adj and adv halb; **~ an hour** e-e halbe Stunde; **~ a pound** ein halbes Pfund; **~ past ten** halb elf (Uhr); **~ way up** auf halber Höhe; **~·breed** s Halbblut n; **~·broth·er** s Halbbruder m; **~·caste** s Halbblut n; **~·heart·ed** adj □ halbherzig, lustlos, lau; **~·hour** s halbe Stunde; **~·ly** halbstündlich; **~·life** s phys. Halbwertszeit f; **~·mast** s: **fly at ~** auf halbmast wehen; **~·sis·ter** s Halbschwester f; **~·term** s Br. univ. Kurzferien pl in der Mitte e-s Trimesters; **~·tim·bered** adj arch. Fachwerk...; **~·time** s sports: Halbzeit f; **~·way** adj and adv halb; auf halbem Weg, in der Mitte; **~·wit·ted** adj schwachsinnig.

hal·i·but zo. ['hælɪbət] s Heilbutt m.

hall [hɔːl] s Halle f, Saal m; Flur m, Diele f; Herrenhaus n; univ. Speisesaal m; univ. **~ of residence** Studentenwohnheim n.

hal·lo Br. [hə'ləʊ] → **hello.**

hal·low ['hæləʊ] v/t heiligen, weihen.

Hal·low·e·'en [hæləʊ'iːn] s Halloween n, Abend m vor Allerheiligen.

hal·lu·ci·na·tion [həluːsɪ'neɪʃn] s Halluzination f.

hall·way esp. Am. ['hɔːlweɪ] s Halle f, Diele f; Korridor m.

ha·lo ['heɪləʊ] s (pl **-loes, -los**) ast. Hof m; Heiligenschein m.

halt [hɔːlt] **1.** s Halt(estelle f) m; Stillstand m; **2.** v/t and v/i (an)halten.

hal·ter ['hɔːltə] s Halfter m; Strick m.

halve [hɑːv] v/t halbieren; **~s** [hɑːvz] pl of **half** 1.

ham [hæm] s Schinken m; **~ and eggs** Schinken mit (Spiegel)Ei.

ham·burg·er ['hæmbɜːgə] s Hamburger m; Hacksteak n, Frikadelle f.

ham·let ['hæmlɪt] s Weiler m.

ham·mer ['hæmə] **1.** s Hammer m; **2.** v/t and v/i hämmern; v/t F sports: vernichtend schlagen, deklassieren.

ham·mock ['hæmək] s Hängematte f; a.

swinging garden ~ Hollywoodschaukel f.

ham·per¹ ['hæmpə] s (Trag)Korb m (mit Deckel); Geschenk-, F Freßkorb m.

ham·per² [~] v/t (be)hindern; stören.

ham·ster zo. ['hæmstə] s Hamster m.

hand [hænd] **1.** s Hand f (a. fig.); ~*writing*: Handschrift f; *measurement*: Handbreite f; *of clock*: (Uhr)Zeiger m; *worker*: Mann m, Arbeiter m; *cards*: Blatt n; *at* ~ bei der Hand; nahe bevorstehend; *at first* ~ aus erster Hand; *a good* (*poor*) ~ *at* (un)geschickt in (dat); ~ *and glove* ein Herz und eine Seele; *change* ~*s* den Besitzer wechseln; *lend a* ~ (mit) anfassen; *off* ~ aus dem Handgelenk or Stegreif; *on* ~ econ. vorrätig, auf Lager; esp. Am. zur Stelle, bereit; *on one's* ~*s* auf dem Hals; *on the one* ~ einerseits; *on the other* ~ andererseits; **2.** v/t ein-, aushändigen, (über)geben, (-)reichen; ~ *around* herumreichen; ~ *down* herunterreichen; vererben; ~ *in* et. hinein-, hereinreichen; *paper, essay, etc.*: abgeben; *report, forms, etc.*: einreichen; ~ *on* weiterreichen, -geben; ~ *out* aus-, verteilen; ~ *over* übergeben; aushändigen; ~ *up* hinauf-, heraufreichen; ~**bag** s Handtasche f; ~**bill** s Handzettel m, Flugblatt n; ~**book** s Handbuch n; ~**brake** s tech. Handbremse f; ~**cuff** v/t j-m Handschellen anlegen, j-n mit Handschellen fesseln; ~**cuffs** s/pl Handschellen pl; ~**ful** s Handvoll f.

hand·i·cap ['hændikæp] **1.** s Handikap n; sports: Vorgabe f; race: Vorgaberennen n; fig. Behinderung f, Benachteiligung f, Nachteil m; → *mental, physical*; **2.** v/t (*-pp-*) (be)hindern, benachteiligen; sports: mit Handikaps belegen; ~**ped** adj gehandikapt, behindert, benachteiligt; → *mental, physical*; **2.** s: *the* ~ pl med. die Behinderten pl.

hand·ker·chief ['hæŋkətʃif] s Taschentuch n.

han·dle ['hændl] **1.** s Griff m; Stiel m; Henkel m; fig. Handhabe f; *fly off the* ~ F wütend werden; **2.** v/t anfassen; handhaben; behandeln; ~**bar(s** pl) s Lenkstange f.

hand| lug·gage ['hændlʌgidʒ] s Handgepäck n; ~**made** adj handgearbeitet;

~**rail** s Geländer n; ~**shake** s Händedruck m; ~**some** ['hænsəm] adj □ (~r, ~st) ansehnlich; hübsch; anständig; ~**work** s Handarbeit f; ~**writ·ing** s Handschrift f; ~**writ·ten** adj handgeschrieben; ~**y** adj □ (*-ier, -iest*) geschickt; handlich; nützlich; zur Hand; *come in* ~ sich als nützlich erweisen; sehr gelegen kommen.

hang¹ [hæŋ] **1.** (*hung*) v/t hängen; auf-, einhängen; verhängen; hängen lassen; *wallpaper*: ankleben; v/i hängen; schweben; sich neigen; ~ *about*, ~ *around* herumlungern; ~ *back* zögern; ~ *on* sich klammern (*to* an acc) (a. fig.); F *wait*: warten; ~ *up* teleph. einhängen, auflegen; *she hung up on me* sie legte einfach auf; **2.** s Fall m, Sitz m (*of dress, etc.*); *get the* ~ *of s.th.* et. kapieren, den Dreh rauskriegen (bei et.).

hang² [~] v/t (*hanged*) (auf)hängen; ~ *o.s.* sich erhängen.

han·gar ['hæŋə] s Hangar m, Flugzeughalle f.

hang·er ['hæŋə] s Kleiderbügel m; ~**on** fig. [~ər'ɒn] s (pl hangers-on) Klette f.

hang-glid·er ['hæŋglaidə] s (Flug)Drachen m; Drachenflieger(in); ~**glid·ing** s Drachenfliegen n.

hang·ing ['hæŋiŋ] **1.** adj hängend; Hänge...; **2.** s (Er)Hängen n; ~**s** pl Tapete f, Wandbehang m, Vorhang m.

hang·man ['hæŋmən] s Henker m.

hang·o·ver F ['hæŋəʊvə] s Katzenjammer m, Kater m.

han·ker ['hæŋkə] v/i sich sehnen (*after, for* nach).

hap·haz·ard [hæp'hæzəd] **1.** s Zufall m; *at* ~ aufs Geratewohl; **2.** adj □ willkürlich, plan-, wahllos.

hap·pen ['hæpən] v/i sich ereignen, geschehen; *these things* ~ das kommt vor; *he* ~*ed to be at home* er war zufällig zu Hause; ~ *on*, ~ *upon* zufällig treffen auf (acc); ~**ing** s Ereignis n, Vorkommnis n; Happening n.

hap·pi·ly ['hæpili] adv glücklich(erweise); ~**ness** [~nis] s Glück(seligkeit f) n.

hap·py ['hæpi] adj □ (*-ier, -iest*) glücklich; beglückt; erfreut; erfreulich; geschickt; treffend; F beschwipst; ~**go-luck·y** adj unbekümmert.

ha·rangue [hə'ræŋ] **1.** s Strafpredigt f; **2.** v/t j-m e-e Strafpredigt halten.

har·ass ['hærəs] *v/t* belästigen, quälen; **∼ment** *s* Belästigung *f*, Schikane *f*; **sexual ∼** sexuelle Belästigung.

har·bo(u)r ['hɑːbə] **1.** *s* Hafen *m*; Zufluchtsort *m*; **2.** *v/t* beherbergen; *thoughts, etc.*: hegen.

hard [hɑːd] **1.** *adj* hart; schwer; mühselig; streng; ausdauernd; fleißig; heftig; *drug*: hart, *drink*: *a.* stark; **∼ of hearing** schwerhörig; **2.** *adv* stark; tüchtig; mit Mühe; **∼ by** nahe bei; **∼ up** in Not; **∼boiled** *adj* hart(gekocht); *fig.* hart, unsentimental, nüchtern; **∼ cash** *s* Bargeld *n*; F Bare(s) *n*; **∼ core** *s* harter Kern (*of gang, etc.*); *econ.* (*prices*) sich festigen; **∼core** *adj* zum harten Kern gehörend; *pornography*: hart; **∼cov·er** *print.* **1.** *adj* gebunden; **2.** *s* Hardcover *n*, gebundene Ausgabe; **∼en** *v/t and v/i* härten; hart machen *or* werden, (sich) abhärten; *fig.* (sich) verhärten (**to** gegen); *prices* sich festigen; **∼ hat** *s* Schutzhelm *m* (*for construction workers, etc.*); **∼head·ed** *adj* nüchtern, praktisch; *esp. Am.* starr-, dickköpfig; **∼ la·bo(u)r** *s jur.* Zwangsarbeit *f*; **∼ line** *s esp. pol.* harter Kurs; **∼line** *adj esp. pol.* hart, kompromißlos; **∼lin·er** *s esp. pol.* Hardliner *m*, F Betonkopf *m*; **∼heart·ed** *adj* □ hart (-herzig); **∼ly** *adv* kaum; streng; mit Mühe; **∼ness** *s* Härte *f*; Schwierigkeit *f*; Not *f*; **∼ship** *s* Bedrängnis *f*, Not *f*; Härte *f*; **∼ shoul·der** *s mot.* Standspur *f*, Seitenstreifen *m*; **∼ware** *s* Eisenwaren *pl*; Haushaltswaren *pl*; *computer*: Hardware *f*; *language lab, etc.*: Hardware *f*, technische Ausrüstung; **har·dy** *adj* □ (**-ier, -iest**) kühn; widerstandsfähig, hart; abgehärtet; *plant*: winterfest.

hare *zo.* [heə] *s* Hase *m*; **∼bell** *s bot.* Glockenblume *f*; **∼brained** *adj crazy*: verrückt; *plan*: *a.* F hirnrissig; **∼lip** *s anat.* Hasenscharte *f*.

harm [hɑːm] **1.** *s* Schaden *m*; Unrecht *n*, Böse(s) *n*; **2.** *v/t* beschädigen, verletzen; schaden (*dat*), Leid zufügen (*dat*); **∼ful** *adj* □ schädlich; **∼less** *adj* □ harmlos; unschädlich.

har·mo|ni·ous [hɑːˈməʊnɪəs] *adj* □ harmonisch; **∼ni·za·tion** [hɑːmənaɪˈzeɪʃn] *s mus.*, *fig.* Harmonisierung *f*; **∼nize** ['hɑːmənaɪz] *v/t* in Einklang bringen; harmonisieren; *v/i* harmonieren; **∼ny** ['hɑːmənɪ] *s* Harmonie *f*.

har·ness ['hɑːnɪs] **1.** *s* Harnisch *m*; (Pferde- *etc.*)Geschirr *n*; **die in ∼** *fig.* in den Sielen sterben; **2.** *v/t* anschirren; *natural forces*: nutzbar machen.

harp [hɑːp] **1.** *mus.* Harfe *f*; **2.** *v/i mus.* Harfe spielen; **∼ on** *fig.* herumreiten auf (*dat*).

har·poon [hɑːˈpuːn] **1.** *s* Harpune *f*; **2.** *v/t* harpunieren.

har·row *agr.* ['hærəʊ] **1.** *s* Egge *f*; **2.** *v/t* eggen.

har·row·ing ['hærəʊɪŋ] *adj* □ quälend, qualvoll, erschütternd.

harsh [hɑːʃ] *adj* □ rauh; herb; grell; streng; schroff; barsch.

hart *zo.* [hɑːt] *s* Hirsch *m*.

har·vest ['hɑːvɪst] **1.** *s* Ernte(zeit) *f*; (Ernte)Ertrag *m*; **2.** *v/t* ernten; einbringen; **∼er** *s* Mähdrescher *m*.

has [hæz] *3. sg pres of* **have**.

hash¹ [hæʃ] **1.** *s* Haschee *n*; *fig.* Durcheinander *n*; **make a ∼ of** verpfuschen; **2.** *v/t meat*: zerhacken, -kleinern.

hash² F [∼] *s* Hasch *n* (*hashish*).

hash·ish ['hæʃiːʃ] *s* Haschisch *n*.

haste [heɪst] *s* Eile *f*; Hast *f*; **make ∼** sich beeilen; **has·ten** ['heɪsn] *v/t j-n* antreiben; *et.* beschleunigen; *v/i* (sich be-) eilen; **hast·y** ['heɪstɪ] *adj* □ (**-ier, -iest**) (vor)eilig; hastig; hitzig, heftig.

hat [hæt] *s* Hut *m*.

hatch¹ [hætʃ] *v/t a.* **∼ out** ausbrüten; *v/i* ausschlüpfen.

hatch² [∼] *s mar., aer.* Luke *f*; *for food*: Durchreiche *f*; **∼back** *mot.* ['hætʃbæk] *s* (Wagen *m* mit) Hecktür *f*.

hatch·et ['hætʃɪt] *s* (Kriegs)Beil *n*.

hatch·way *mar.* ['hætʃweɪ] *s* Luke *f*.

hate [heɪt] **1.** *s* Haß *m*; **2.** *v/t* hassen; **∼ful** *adj* □ verhaßt; abscheulich; **ha·tred** [∼rɪd] *s* Haß *m*.

haugh|ti·ness ['hɔːtɪnɪs] *s* Stolz *m*; Hochmut *m*; **∼ty** [∼ɪ] *adj* □ stolz; hochmütig.

haul [hɔːl] **1.** *s* Ziehen *n*; (Fisch)Zug *m*; Transport(weg) *m*; **2.** *v/t* ziehen; schleppen; transportieren; *mining*: fördern; *v/i mar.* abdrehen.

haunch [hɔːntʃ] *s* Hüfte *f*; *zo.* Keule *f*; *Am. a.* **∼es** *pl* Gesäß *n*; *zo.* Hinterbacken *pl*.

haunt [hɔːnt] **1.** *s* Aufenthaltsort *m*; Schlupfwinkel *m*; **2.** *v/t* oft besuchen; heimsuchen; verfolgen; spuken in (dat); ~**ing** adj □ quälend; unvergeßlich, eindringlich.

have [hæv] (**had**) v/t haben; obtain: bekommen; keep: behalten; meal: einnehmen; ~ **to do** tun müssen; *I had my hair cut* ich ließ mir die Haare schneiden; *he will ~ it that ...* er behauptet, daß ...; *I had better go* es wäre besser, wenn ich ginge; *I had rather go* ich möchte lieber gehen; ~ **about one** bei or an sich haben; ~ **on** light, dress, etc.: anhaben; ~ **out** entfernen; tooth: ziehen lassen; ~ **it out** sich auseinandersetzen mit; F **and what ~ you** und so weiter; v/aux haben; with: with v/i often: sein (*mainly with verbs denoting change of state or position*); ~ **come** gekommen sein.

ha·ven [ˈheɪvn] s Hafen m (mst fig.).

hav·oc [ˈhævək] s Verwüstung f; **play ~ with** verwüsten, zerstören; verheerend wirken auf (acc), übel mitspielen (dat).

Ha·wai·i·an [həˈwaɪən] 1. adj hawaiisch; 2. s Hawaiianer(in); ling. Hawaiisch n.

hawk¹ zo. [hɔːk] s Habicht m, Falke m.

hawk² [~] v/t hausieren (gehen) mit; auf der Straße verkaufen.

haw·thorn bot. [ˈhɔːθɔːn] s Weißdorn m.

hay [heɪ] 1. s Heu n; 2. v/i Heu machen; ~**cock** s Heuhaufen m; ~**fe·ver** s Heuschnupfen m; ~**loft** s Heuboden m.

haz·ard [ˈhæzəd] 1. s Zufall m; Gefahr f, Wagnis n; Hasard(spiel) n; 2. v/t wagen; ~**ous** adj □ gewagt.

haze [heɪz] s Dunst m, feiner Nebel.

ha·zel [ˈheɪzl] 1. s bot. Haselnuß f, Hasel(nuß)strauch m; 2. adj (hasel)nußbraun; ~**nut** s bot. Haselnuß f.

ha·zy [ˈheɪzɪ] adj □ (-ier, -iest) dunstig, diesig; fig. unklar.

H-bomb mil. [ˈeɪtʃbɒm] s H-Bombe f, Wasserstoffbombe f.

he [hiː] 1. pron er; 2. s Er m; zo. Männchen n; 3. adj in compounds, esp. zo.: männlich, ...männchen n; ~**goat** Ziegenbock m.

head [hed] 1. s Kopf m (a. fig.); Haupt n (a. fig.); after numerals: Kopf m, Person f, cattle, etc.: Stück n; Leiter(in), Chef(in); of bed, etc.: Kopfende n; of coin: Kopfseite f; fig. Gipfel m; mar. Bug m; Hauptpunkt m, Abschnitt m; title: Überschrift f; F **have a ~** F e-n Brummschädel haben; **come to a ~ of**

abscess: eitern; fig. sich zuspitzen, zur Entscheidung kommen; **get it into one's ~ that** es sich in den Kopf setzen, daß; **lose one's ~** den Kopf or die Nerven verlieren; ~ **over heels** Hals über Kopf, kopfüber; ~ **of state** Staatsoberhaupt n; ~ **of government** Regierungschef(in); 2. adj Ober..., Haupt..., Chef..., oberste(r, -s), erste(r, -s); 3. v/t (an)führen; an der Spitze von et. stehen; vorausgehen (dat); mit e-r Überschrift versehen; ~ **off** person: ablenken; conflict: abwenden; v/i gehen, fahren, sich bewegen (**for** auf acc ... zu), lossteuern, -gehen (**for** auf acc); mar. zusteuern (**for** auf acc); ~**ache** s Kopfweh n; ~**band** s Stirnband n; ~**first** adv kopfüber; ~**hunt** v/t econ. abwerben; ~**hunt·er** s econ. Headhunter m; ~**ing** s Brief-, Titelkopf m, Rubrik f; Überschrift f, Titel m; soccer: Kopfballspiel n; ~**land** s Vorgebirge n, Kap n; ~**light** s mot. Scheinwerfer(licht n) m; ~**line** s Überschrift f; Schlagzeile f; ~s pl TV, etc.: das Wichtigste in Schlagzeilen, die Headlines pl; ~**long** 1. adj ungestüm; 2. adv kopfüber; ~**mas·ter** s econ. Direktor m, Rektor m; ~**mis·tress** s of school: Direktorin f, Rektorin f; ~ **of·fice** s econ. Hauptsitz m, Zentrale f; ~**on** adj frontal; ~ **collision** Frontalzusammenstoß m; ~**phones** s pl Kopfhörer pl; ~**quar·ters** s pl mil. Hauptquartier n; Zentrale f; ~**rest**, ~ **re·straint** s Kopfstütze f; ~**set** s esp. Am. Kopfhörer pl; ~ **start** s sports: Vorgabe f, -sprung m (a. fig.); ~**way** s fig. Fortschritt(e pl) m; **make ~** (gut) vorankommen; ~**word** s Stichwort n (in a dictionary); ~**y** adj □ (-ier, -iest) ungestüm; voreilig; zu Kopfe steigend.

heal [hiːl] v/i and v/t heilen; ~ **over**, ~ **up** (zu)heilen.

health [helθ] s Gesundheit f; ~ **club** Fitneßclub m; ~ **food** Reformkost f; ~ **food shop** (esp. Am. **store**) Reformhaus n; ~ **insurance** Krankenversicherung f; ~ **resort** Kurort m; ~ **service** öffentliches or staatliches Gesundheitswesen; ~**ful** adj □ gesund; heilsam; ~**y** adj □ (-ier, -iest) gesund.

heap [hiːp] 1. s Haufe(n) m; 2. v/t a. ~ **up** aufhäufen, fig. a. anhäufen.

hear [hɪə] (**heard**) v/t and v/i hören; erfahren; anhören, *j-m* zuhören; erhören; *witness:* vernehmen; *poem, vocabulary, etc.:* abhören; **~d** *pret and pp of* **hear**; **~er** *s* (Zu)Hörer(in); **~ing** *s* Gehör *n; jur.* Verhandlung *f; jur.* Vernehmung *f; esp. pol.* Hearing *n,* Anhörung *f; within (out of)* **~** in (außer) Hörweite; **~say** *s* Gerede *n; by* **~** vom Hörensagen *n.*

hearse [hɜːs] *s* Leichenwagen *m.*

heart [hɑːt] *s anat.* Herz *n* (*a. fig.*); Innere(s) *n;* Kern *m; fig.* Liebling *m,* Schatz *m; by* **~** auswendig; *out of* **~** mutlos; *cross my* **~** Hand aufs Herz; *lay to* **~** sich zu Herzen nehmen; *lose* **~** den Mut verlieren; *take* **~** sich ein Herz fassen; **~ache** ['hɑːteɪk] *s* Kummer *m;* **~ at·tack** *s med.* Herzanfall *m;* Herzinfarkt *m;* **~beat** *s* Herzschlag *m;* **~break** *s* Leid *n,* großer Kummer; **~break·ing** *adj* □ herzzerreißend; **~brok·en** *adj* gebrochen, verzweifelt; **~burn** *s med.* Sodbrennen *n;* **~en** *v/t* ermutigen; **~fail·ure** *s med.* Herzinsuffizienz *f;* Herzversagen *n;* **~felt** *adj* innig, tiefempfunden.

hearth [hɑːθ] *s* Herd *m* (*a. fig.*).

heart|less ['hɑːtlɪs] *adj* □ herzlos; **~rend·ing** *adj* □ herzzerreißend; **~ trans·plant** *s med.* Herzverpflanzung *f,* -transplantation *f;* **~y** *adj* □ (*-ier, -iest*) herzlich; aufrichtig; herzhaft.

heat [hiːt] *s* Hitze *f;* Wärme *f;* Eifer *m; sports:* Vorlauf *m; zo.* Läufigkeit *f;* **2.** *v/t and v/i* heizen; (sich) erhitzen (*a. fig.*); **~ed** *adj* □ erhitzt; *fig.* erregt; **~er** *s* Heizgerät *n,* Ofen *m;* **~ing** *s* Heizung *f; attr* Heiz...; **~proof,** **~re·sis·tant, ~re·sist·ing** *adj* hitzebeständig; **~ shield** *s space travel:* Hitzeschild *m;* **~stroke** *s med.* Hitzschlag *m;* **~ wave** *s* Hitzewelle *f.*

heave [hiːv] **1.** *s* Heben *n;* **2.** (*heaved, esp. mar.* **hove**) *v/t* heben; *sigh:* ausstoßen; *anchor:* lichten; *v/i* sich heben u. senken, wogen.

heav·en [hevn] *s* Himmel *m;* **~ly** [~lɪ] *adj* himmlisch.

heav·i·ness ['hevɪnɪs] *s* Schwere *f,* Druck *m;* Schwerfälligkeit *f;* Schwermut *f.*

heav·y ['hevɪ] *adj* □ (*-ier, -iest*) schwer; schwermütig; schwerfällig; trüb; drückend; *rain, etc.:* heftig; *road, etc.:* un-

wegsam; *Schwer...;* **~ cur·rent** *s electr.* Starkstrom *m;* **~du·ty** *adj tech.* Hochleistungs...; strapazierfähig; **~hand·ed** *adj* □ ungeschickt; **~weight** *s boxing, etc.:* Schwergewicht(ler *m*) *n.*

He·brew ['hiːbruː] **1.** *adj* hebräisch; **2.** *s* Hebräer(in), Jude *m,* Jüdin *f; ling.* Hebräisch *n.*

heck·le ['hekl] *v/t j-m* zusetzen; *speaker:* durch Zwischenrufe *or* -fragen aus der Fassung bringen, stören.

hec·tic ['hektɪk] *adj* (*~ally*) hektisch.

hedge [hedʒ] **1.** *s* Hecke *f;* **2.** *v/t* mit e-r Hecke einfassen *or* umgeben; *v/i* ausweichen, sich nicht festlegen (wollen); **~hog** *zo.* ['hedʒhɒg] *s* Igel *m; Am.* Stachelschwein *n;* **~row** *s* Hecke *f.*

heel [hiːl] **1.** *s* Ferse *f; Am. sl.* Lump *m; head over* **~s** Hals über Kopf; *down at* **~** *shoe:* mit schiefen Absätzen; *fig. person:* abgerissen; schlampig; *take to one's* **~s** sich aus dem Staub machen; **2.** *v/t* Absätze machen auf (*acc*).

hef·ty ['heftɪ] *adj* □ (*-ier, -iest*) kräftig, stämmig; mächtig (*punch, etc.*), gewaltig.

he·gem·o·ny [hɪ'gemənɪ] *s* Hegemonie *f.*

height [haɪt] *s* Höhe *f;* Höhepunkt *m;* **~en** ['haɪtn] *v/t* erhöhen; vergrößern.

heir [eə] *s* Erbe *m;* **~ apparent** rechtmäßiger Erbe; **~ess** ['eərɪs] *s* Erbin *f;* **~loom** ['eəluːm] *s* Erbstück *n.*

held [held] *pret and pp of* **hold** 2.

hel·i·cop·ter *s* ['helɪkɒptə] *s* Hubschrauber *m,* Helikopter *m;* **~port** *s aer.* Hubschrauberlandeplatz *m.*

hell [hel] **1.** *s* Hölle *f; attr* Höllen...; *what the* **~ ...?** F was zum Teufel ...?; *raise* **~** F e-n Mordskrach schlagen; *give s.o.* **~** F j-m die Hölle heiß machen; F *as intensifier: a* **~** *of a lot* verdammt viel; **2.** *int* F verdammt!, verflucht!; **~bent** *adj* ganz versessen, wie wild (*for, on* auf *acc*); **~ish** *adj* □ höllisch.

hel·lo [hə'ləʊ] *int* hallo!

helm *mar.* [helm] *s* Ruder *n,* Steuer *n.*

hel·met ['helmɪt] *s* Helm *m.*

helms·man *mar.* ['helmzmən] *s* Steuermann *m.*

help [help] **1.** *s* Hilfe *f;* (Hilfs)Mittel *n;* (Dienst)Mädchen *n;* **2.** *v/t j-m* helfen; **~ o.s.** sich bedienen, zulangen; *I cannot* **~**

it ich kann es nicht ändern; *I could not ~ laughing* ich mußte einfach lachen; **~er** *s* Helfer(in); **~ful** *adj* □ hilfreich; nützlich; **~ing** *s at a meal:* Portion *f*, **~less** *adj* □ hilflos; **~less·ness** *s* Hilflosigkeit *f*.

hel·ter-skel·ter [heltə'skeltə] **1.** *adv* Hals über Kopf; **2.** *adj* hastig, überstürzt; **3.** *s Br.* Rutschbahn *f*.

helve [helv] *s* Stiel *m*, Griff *m*.

Hel·ve·tian [hel'vi:ʃɪən] *s* Helvetier(in); *attr* Schweizer...

hem [hem] **1.** *s* Saum *m*; **2.** *v/t* (*-mm-*) säumen; *~ in* einschließen.

hem·i·sphere *geogr.* ['hemɪsfɪə] *s* Halbkugel *f*, Hemisphäre *f*.

hem·line ['hemlaɪn] *s* (Kleider)Saum *m*.

hemp *bot.* [hemp] *s* Hanf *m*.

hen [hen] *s zo.* Henne *f*, Huhn *n*; Weibchen *n* (*of birds*).

hence [hens] *adv* hieraus; daher; *a week ~ in* or nach e-r Woche; **~forth** [ˌ~'fɔ:θ], **~for·ward** [ˌ~'fɔ:wəd] *adv* von nun an.

hen·house ['henhaʊs] *s* Hühnerstall *m*; **~pecked** *adj* unter dem Pantoffel (stehend).

her [hɜ:, hə] *pron* sie; ihr; ihr(e); sich.

her·ald ['herəld] **1.** *s hist.* Herold *m*; **2.** *v/t* ankündigen; *~ in* einführen; **~ry** [ˌ~rɪ] *s* Wappenkunde *f*, Heraldik *f*.

herb *bot.* [hɜ:b] *s* Kraut *n*; **her·ba·ceous** *bot.* [hɜ:'beɪʃəs] *adj* krautartig; *~ border* (Stauden)Rabatte *f*; **herb·age** ['hɜ:bɪdʒ] *s* Grünpflanzen *pl*; Weide *f*; **her·biv·o·rous** *zo.* [hɜ:'bɪvərəs] *adj* □ pflanzenfressend.

herd [hɜ:d] **1.** *s* Herde *f* (*a. fig.*), *of deer, etc.*: *a.* Rudel *n*; **2.** *v/t cattle:* hüten; *v/i a. ~ together* in e-r Herde leben; sich zusammendrängen; **~s·man** *s* Hirt *m*.

here [hɪə] *adv* hier; hierher; *~ you are* hier(, bitte); *~'s to you!* auf dein Wohl!

here·a·bout(s) ['hɪərəbaʊt(s)] *adv* hier herum, in dieser Gegend; **~af·ter** [hɪər'ɑ:ftə] **1.** *adj* künftig; **2.** *adv* Jenseits; **~by** [hɪə'baɪ] *adv* hierdurch.

he·red·i·ta·ry [hɪ'redɪtərɪ] *adj* erblich; Erb...; **~ty** [ˌ~ɪ] *s* Erblichkeit *f*; ererbte Anlagen *pl*, Erbmasse *f*.

here·in [hɪər'ɪn] *adv* hierin; **~of** [ˌ~'ɒv] *adv* hiervon.

her·e·sy ['herəsɪ] *s* Häresie *f*, Ketzerei *f*; **~tic** [ˌ~tɪk] *s* Häretiker(in), Ketzer(in).

here·up·on [hɪərə'pɒn] *adv* hierauf; **~with** [ˌ~'wɪð] *adv* hiermit.

her·i·tage ['herɪtɪdʒ] *s* Erbschaft *f*.

her·mit ['hɜ:mɪt] *s* Einsiedler *m*.

he·ro ['hɪərəʊ] *s* (*pl* **-roes**) Held *m*; **~ic** [hɪ'rəʊɪk] *adj* (*~ally*) heroisch; heldenhaft; Helden...

her·o·in ['herəʊɪn] *s* Heroin *f*.

her·o·ine ['herəʊɪn] *s* Heldin *f*; **~is·m** [ˌɪzəm] *s* Heldenmut *m*, -tum *n*.

her·on *zo.* ['herən] *s* Reiher *m*.

her·ring *zo.* ['herɪŋ] *s* Hering *m*.

hers [hɜ:z] *pron* der, die, das ihr(ig)e; ihr.

her·self [hɜ:'self] *pron* sie selbst; ihr selbst; sich; *by ~* von selbst, allein, ohne Hilfe.

hes·i·tant ['hezɪtənt] *adj* □ zögernd, zaudernd, unschlüssig; **~tate** [ˌ~eɪt] *v/i* zögern, unschlüssig sein, Bedenken haben; **~ta·tion** [hezɪ'teɪʃn] *s* Zögern *n*, Unschlüssigkeit *f*; *without ~* ohne zu zögern, bedenkenlos.

hew [hju:] *v/t* (*hewed, hewed* or *hewn*) hauen, hacken; *~ down* fällen, umhauen; **~n** [hju:n] *pp of* **hew.**

hex·a·gon ['heksəgən] *s* Sechseck *n*.

hey [heɪ] *int* hei!, hei!; he!, heda!

hey·day ['heɪdeɪ] *s* Höhepunkt *m*, Blüte(zeit) *f*.

hi [haɪ] *int* hallo!; he!, heda!

hi·ber·nate *zo.* ['haɪbəneɪt] *v/i* Winterschlaf halten; **~na·tion** [ˌ~'neɪʃn] *s* Winterschlaf *m*.

hic·cup, ~cough ['hɪkʌp] **1.** *s* Schluckauf *m*; *F fig.* Störung *f*; **2.** *v/i* den Schluckauf haben.

hid [hɪd] *pret of* **hide²**; **~den** ['hɪdn] *pp of* **hide².**

hide¹ [haɪd] *s* Haut *f*, Fell *n*.

hide² [ˌ~] *v/t and v/i* (*hid, hidden*) (sich) verbergen, (sich) verstecken; **~and-seek** [haɪdn'si:k] *s* Versteckspiel *n*; **~a·way** *F* ['ˌ~əweɪ] *s* Versteck *n*; **~bound** *adj* engstirnig.

hid·e·ous ['hɪdɪəs] *adj* □ scheußlich.

hide·out ['haɪdaʊt] *s* Versteck *n*.

hid·ing¹ *F* ['haɪdɪŋ] *s* Tracht *f* Prügel.

hid·ing² [ˌ~] *s* Verstecken *n*, -bergen *n*; **~place** *s* Versteck *n*.

hi·er·ar·chy ['haɪərɑ:kɪ] *s* Hierarchie *f*.

hi-fi ['haɪfaɪ] **1.** *s* (*pl* **hi-fis**) Hi-Fi *n*; Hi-Fi-Anlage *f*; **2.** *adj* Hi-Fi-...

high [haɪ] **1.** *adj* □ hoch; *noble:* vornehm; *character:* gut, edel, stolz; *style:*

hochtrabend; extrem; *luxurious:* üppig, life: flott; F *drunk:* blau; *caused by drugs or euphoria:* F high; Haupt..., Hoch..., Ober...; **with a ~ hand** arrogant, anmaßend; **in ~ spirits** guter Laune; **be left ~ and dry** F *fig.* auf dem trockenen sitzen; **~ noon** Mittag m; **~ society** High-Society f, gehobene Gesellschaftsschicht; ☲ **Tech, ☲ Technology** Hochtechnologie f; **~ time** höchste Zeit; **~ words** heftige Worte; **2.** s *meteor.* Hoch n; **3.** *adv* hoch; stark, heftig; **~ beam** s *mot.* Fernlicht; **~brow** F **1.** s Intellektuelle(r m) f; **2.** *adj* betont intellektuell; **~class** *adj* erstklassig; **~ court** s *jur.* oberstes Gericht, oberster Gerichtshof; ☲ **fi·del·i·ty** s High-Fidelity f; **~fi·del·i·ty** *adj* High-Fidelity-...; **~fli·er** s Erfolgsmensch m, *contp.* Ehrgeizling m; **~flown** *adj* style, *etc.:* hochtrabend, geschwollen; *plans, etc.:* hochfliegend, -gesteckt; **~grade** *adj* hochwertig; **~hand·ed** *adj* □ anmaßend; **~ jump** s *sports:* Hochsprung m; **~ jump·er** s *sports:* Hochspringer(in); **~land** s *mst* **~s** *pl* Hochland n; **~lights** s *pl fig.* Höhepunkte *pl;* **~ly** *adv* hoch; sehr; **speak ~ of s.o.** j-n loben; **think ~ of** e-e hohe Meinung haben von; **~mind·ed** *adj* hochgesinnt; *ideals:* hoch; **~necked** *adj* dress, *etc.:* hochgeschlossen; **~ness** s Höhe f; *fig.* Hoheit f; **~ pitched** *adj* sound: schrill; *roof:* steil; **~pow·ered** *adj tech.* stark, Hochleistungs..., Groß...; dynamisch; **~pres·sure** *adj meteor., tech.* Hochdruck...; **~rise 1.** *adj* Hoch..., Hochhaus...; **2.** s Hochhaus n; **~road** s Hauptstraße f; **~ school** s *esp. Am.* High-School f; **~ street** s Hauptstraße f; **~strung** *adj* reizbar, nervös; **~ tea** s *Br.* (frühes) Abendessen; **~ wa·ter** s Hochwasser n; **~way** s *esp. Am.* or *jur.* Highway m, Haupt(verkehrs)straße f; ☲ **Code** *Br.* Straßenverkehrsordnung f.

hi·jack ['haɪdʒæk] **1.** *v/t* aircraft: entführen; *rob:* überfallen; **2.** s (Flugzeug-) Entführung f; Überfall m; **~er** s (Flugzeug)Entführer m, Luftpirat m; Räuber m.

hike F [haɪk] **1.** *v/i* wandern; **2.** s Wanderung f; *Am. prices, etc.:* Erhöhung f; **hik·er** s Wanderer m; **hik·ing** s Wandern n.

hi·lar·i·ous [hɪ'leərɪəs] *adj* □ *party, etc.:* ausgelassen; *film, etc.:* sehr komisch; **~ty** [hɪ'lærətɪ] s Ausgelassenheit f.

hill [hɪl] s Hügel m, Berg m; **~** F ['hɪlbɪlɪ] s Hinterwäldler m; **~ music** Hillbilly-Musik f; **~ock** ['hɪlək] s kleiner Hügel; **~side** s Hang m; **~top** s Gipfel m; **~y** *adj* (-ier, -iest) hügelig.

him [hɪm] *pron* ihn; ihm; sich; **~self** [~'self] *pron* sich; sich (selbst); (er, ihm, ihn) selbst; **by ~** von selbst, allein, ohne Hilfe.

hind[1] *zo.* [haɪnd] s Hirschkuh f.

hind[2] [~] *adj* Hinter...

hin·der ['hɪndə] *v/t* hindern (**from** an *dat);* hemmen.

hin·drance ['hɪndrəns] s Hindernis n.

hinge [hɪndʒ] **1.** s Türangel f; Scharnier n; *fig.* Angelpunkt m; **2.** *v/i:* **~ on, ~ upon** *fig.* abhängen von.

hint [hɪnt] **1.** s Wink m; Anspielung f; **take a ~** e-n Wink verstehen; **2.** *v/t* andeuten; *v/i:* **~ at** anspielen auf (*acc*).

hin·ter·land ['hɪntəlænd] s Hinterland n.

hip[1] *anat.* [hɪp] s Hüfte f.

hip[2] *bot.* [~] s Hagebutte f.

hip·po *zo.* F ['hɪpəʊ] s (*pl -pos*) → **~pota·mus** *zo.* [hɪpə'pɒtəməs] s (*pl -muses, -mi* [-maɪ]) Fluß-, Nilpferd n.

hire ['haɪə] **1.** s Miete f; Entgelt n, Lohn m; **for ~** zu vermieten, *taxi:* frei; **~ car** Leih-, Mietwagen m; **~ charge** Leihgebühr f; **~ purchase** *Br. econ.* Ratenkauf m, Teilzahlungskauf m; **2.** *v/t* mieten; *j-n* anstellen; **~ out** vermieten.

his [hɪz] *pron* sein(e); seine(r, -s).

hiss [hɪs] **1.** *v/i and v/t* zischen; zischeln; *a.* **~ at** auszischen; **2.** s Zischen n.

his·to·ri·an [hɪ'stɔːrɪən] s Historiker(in); **~tor·ic** [hɪ'stɒrɪk] *adj* (**~ally**) historisch, geschichtlich; **~tor·i·cal** [~kl] *adj* □ historisch, geschichtlich; Geschichts...; **~to·ry** ['hɪstərɪ] s Geschichte f; **~ of civilization** Kulturgeschichte f; **contemporary ~** Zeitgeschichte f.

hit [hɪt] **1.** s Schlag m, Stoß m; *fig.* (Seiten)Hieb m; (Glücks)Treffer m; *book, record, etc.:* Hit m; **2.** (*-tt-; hit*) *v/t* schlagen, stoßen; treffen; auf *et.* stoßen; **~ it off with** F sich vertragen mit; *v/i:* **~ on, ~ upon** (zufällig) stoßen auf (*acc*), finden; **~and-run** [hɪtənd'rʌn] **1.** s *a.* **~ accident** Unfall m mit Fahrerflucht; **2.** *adj:* **~ driver** unfallflüchtiger Fahrer.

hitch [hitʃ] **1.** s Ruck m; mar. Knoten m; Schwierigkeit f, Problem n, Haken m; **2.** v/t (ruckartig) ziehen, rücken; befestigen, festmachen, -haken, anbinden, ankoppeln; **~hike** ['~haɪk] v/i per Anhalter fahren, trampen; **~hik·er** s Anhalter(in), Tramper(in).

hive [haɪv] s Bienenstock m; Bienenschwarm m.

hoard [hɔːd] **1.** s Vorrat m, Schatz m; **2.** v/t a. **~ up** horten, hamstern.

hoard·ing ['hɔːdɪŋ] s Bauzaun m; Br. Reklametafel f.

hoar-frost ['hɔː'frɒst] s (Rauh)Reif m.

hoarse [hɔːs] adj □ (**~r**, **~st**) heiser, rauh.

hoar·y ['hɔːrɪ] adj □ (**-ier**, **-iest**) ergraut; fig. uralt (joke, etc.).

hoax [həʊks] **1.** s Falschmeldung f; (übler) Scherz m; **2.** v/t j-n hereinlegen.

hob·ble ['hɒbl] **1.** s Hinken n, Humpeln n; **2.** v/i humpeln, hinken (a. fig.); v/t an den Füßen fesseln.

hob·by ['hɒbɪ] s fig. Steckenpferd n, Hobby n; **~horse** s Steckenpferd n; Schaukelpferd n.

hob·gob·lin ['hɒbgɒblɪn] s Kobold m.

ho·bo Am. ['həʊbəʊ] s (pl **-boes, -bos**) Wanderarbeiter m; Landstreicher m.

hock¹ [hɒk] s esp. Br. Rheinwein m.

hock² zo. [~] s Sprunggelenk n.

hock·ey ['hɒkɪ] s sports: Br., Am. **field ~** Hockey n; Am. Eishockey n.

hoe agr. [həʊ] **1.** s Hacke f; **2.** v/t hacken.

hog [hɒg] s (Mast)Schwein n; Am. Schwein n; **~gish** ['hɒgɪʃ] adj □ schweinisch; gefräßig.

hoist [hɔɪst] **1.** s (Lasten)Aufzug m, Winde f; **2.** v/t hochziehen; hissen.

hold [həʊld] **1.** s Halten n; Halt m; Griff m; Gewalt f, Macht f, Einfluß m; mar. Lade-, Frachtraum m; **catch** (or **get, lay, take, seize**) **~ of** erfassen, ergreifen; sich aneignen; **keep ~ of** festhalten; **2.** (**held**) v/t halten; (fest)halten; (zurück-, einbe)halten; abhalten (**from** von); an-, aufhalten; elections, meeting, etc.: abhalten; sports (championship, etc.): austragen; beibehalten; position: innehaben, besitzen; office, etc.: a. bekleiden; place: einnehmen, belegen; world record, etc.: halten; fassen, enthalten; behaupten, opinion: vertreten; fesseln, in Spannung halten; aushalten; v/i standhalten; sich halten; sich verhalten;

weather: anhalten, andauern; **~ one's ground**, **~ one's own** sich behaupten; **~ the line** teleph. am Apparat bleiben; **~ good** (weiterhin) gelten; **~ still** stillhalten; **~ against** j-m et. vorhalten or vorwerfen; j-m et. übelnehmen; **~ back** (sich) zurückhalten; fig. zurückhalten mit; **~ forth** sich auslassen or verbreiten (**on** über acc); **~ off** fernhalten; et. aufschieben; ausbleiben; **~ on** (sich) festhalten (**to** an dat); aus-, durchhalten; andauern; teleph. am Apparat bleiben; **~ on to** behalten; **~ over** vertagen, -schieben; **~ together** zusammenhalten; **~ up** hochheben; hochhalten; hinstellen (**as** example, etc. als); aufhalten, verzögern; person, bank, etc.: überfallen; **~all** ['həʊldɔːl] s Reisetasche f; **~er** s Pächter m; apparatus: Halter m; Inhaber(in) (esp. econ.); **~ing** s Halten n; Halt m; Pachtgut n; Besitz m; **~ company** econ. Holding-, Dachgesellschaft f; **~up** s Verzögerung f, (a. Verkehrs)Stockung f; (bewaffneter) (Raub)Überfall m.

hole [həʊl] **1.** s Loch n; Höhle f; F fig. Klemme f; **pick ~s in** F bekritteln, madig machen; **2.** v/t aushöhlen; durchlöchern.

hol·i·day ['hɒlədɪ] s Feiertag m; freier Tag m; esp. Br. mst **~s** pl Ferien pl, Urlaub m; **need a ~** urlaubsreif sein; **~ camp** s Feriendorf n; **~-mak·er** s Urlauber(in); **~-re·sort** s Urlaubsort m.

hol·i·ness ['həʊlɪnɪs] s Heiligkeit f; **His ♀** Seine Heiligkeit f (the pope).

hol·ler Am. F ['hɒlə] v/i and v/t schreien.

hol·low ['hɒləʊ] **1.** adj □ hohl; leer; falsch; **2.** s Höhle f, (Aus)Höhlung f; (Land)Senke f; **3.** v/t: **~ out** aushöhlen.

hol·o·caust ['hɒləkɔːst] s Massenvernichtung f, -sterben n, (esp. Brand-) Katastrophe f; **the ♀** hist. der Holocaust.

ho·ly ['həʊlɪ] adj (**-ier, -iest**) heilig; ♀ **Thursday** Gründonnerstag m; **~ water** Weihwasser n; ♀ **Week** Karwoche f.

home [həʊm] **1.** s Heim n; Haus n, Wohnung f; Heimat f; Br. sports: (a. **~ win**) Heimsieg m; **at ~** zu Hause; **make oneself at ~** es sich bequem machen; **make yourself at ~** fühl dich wie zu Hause; **at ~ and abroad** im In- u. Ausland; **2.** adj (ein)heimisch, inländisch; sports:

Heim...; Heimat...; **3.** *adv* heim, nach Hause; zu Hause, daheim; ins Ziel *or* Schwarze; **strike** ~ sitzen, treffen; ~ **com·put·er** *s* Heimcomputer *m*; ~ **e·co·nom·ics** *s sg* Hauswirtschaft(slehre) *f*; **~grown** *adj vegetables, etc.*: selbstgezogen; ~ **help** *s* Haushaltshilfe *f*; **~less** *adj* heimatlos; **~like** *adj* anheimelnd, gemütlich; **~ly** *adj* (*-ier, -iest*) freundlich (**with** zu); vertraut; einfach; *Am.* unscheinbar, reizlos; **~made** *adj* selbstgemacht, Hausmacher...; ⌇ **Of·fice** *s Br. pol.* Innenministerium *n*; **~pro·duced** *adj*: ~ **goods** *pl* Inlandsprodukte *pl*; ⌇ **Sec·re·ta·ry** *s Br. pol.* Innenminister *m*; **~sick** *adj*: **be** ~ Heimweh haben; **~sick·ness** *s* Heimweh *n*; **~stead** *s* Gehöft *n*; *jur.* in *USA*: Heimstätte *f*; ~ **team** *s sports*: Gastgeber *pl*; ~ **town** *s* Heimatstadt *f*; **~ward 1.** *adj* Heim..., Rück...; **2.** *adv Am.* heimwärts, nach Hause; **~wards** *adv* → **homeward** 2; **~work** *s* Hausaufgabe(n *pl*) *f*, Schularbeiten *pl*.

hom·i·cide *jur.* ['hɒmɪsaɪd] *s* Tötung *f*; Totschlag *m*; Mord *m*; Totschläger(in); Mörder(in); ~ **squad** Mordkommission *f*.

ho·mo F ['həʊməʊ] *s* (*pl -mos*) homosexual: Homo *m*.

ho·mo·ge·ne·ous [hɒmə'dʒiːnɪəs] *adj* ⎕ homogen, gleichartig.

ho·mo·sex·u·al [hɒməʊ'seksjʊəl] **1.** *adj* ⎕ homosexuell; **2.** *s* Homosexuelle(r *m*) *f*.

hone *tech.* [həʊn] *v/t* feinschleifen.

hon|est ['ɒnɪst] *adj* ⎕ ehrlich, rechtschaffen; aufrichtig; echt; **~es·ty** [~ɪ] *s* Ehrlichkeit *f*, Rechtschaffenheit *f*; Aufrichtigkeit *f*.

hon·ey ['hʌnɪ] *s* Honig *m*; *fig.* Liebling *m*; **~comb** [~kəʊm] *s* (Honig)Wabe *f*; **~ed** [~ɪd] *adj* honigsüß; **~moon 1.** *s* Flitterwochen *pl*; **2.** *v/i* s-e Hochzeitsreise machen.

honk *mot.* [hɒŋk] *v/i* hupen.

hon·ky-tonk *Am. sl.* ['hɒŋkɪtɒŋk] *s* Spelunke *f*.

hon·or·a·ry ['ɒnərərɪ] *adj* Ehren...; ehrenamtlich.

hon·o(u)r ['ɒnə] **1.** *s* Ehre *f*; *fig.* Zierde *f*; **~s** *pl* besondere Auszeichnung(en *pl*), Ehren *pl*; **Your** ⌇ Euer Ehren; **2.** *v/t* (be)ehren; *econ.* honorieren; **~a·ble**

adj ⎕ ehrenvoll; redlich; ehrbar; renwert.

hood [hʊd] *s* Kapuze *f*; *mot.* Verdeck *n*; *Am.* (Motor)Haube *f*; *tech.* Kappe *f*.

hood·lum *Am.* F ['huːdləm] *s* Rowdy *m*; Ganove *m*.

hood·wink ['hʊdwɪŋk] *v/t* j-n reinlegen.

hoof [huːf] *s* (*pl hoofs* [~fs], *hooves* [~vz]) Huf *m*.

hook [hʊk] **1.** *s* Haken *m*; Angelhaken *m*; Sichel *f*; **by** ~ **or by crook** so oder so; **2.** *v/t and v/i* (sich) (zu-, fest)haken; angeln (*a. fig.*); **~ed** *adj* krumm, Haken...; F süchtig (**on** nach) (*a. fig.*); ~ **heroin** (*television*) heroin-(fernseh-)süchtig; **~y** *s*: **play** ~ *Am.* F (*esp.* die Schule) schwänzen.

hoo·li·gan ['huːlɪgən] *s* Rowdy *m*; Hooligan *m*; **~is·m** *s* Rowdytum *n*.

hoot [huːt] **1.** *s* Schrei *m* (*of owl, a. fig.*); *mot.* Hupen *n*; **~s of laughter** johlendes Gelächter; **2.** *v/i* heulen; johlen; *mot.* hupen; *v/t* auspfeifen, auszischen.

Hoo·ver *TM* ['huːvə] **1.** *s* Staubsauger *m*; **2.** *v/t and v/i mst* ⌇ (staub)saugen, *carpet, etc.*: *a.* absaugen.

hooves [huːvz] *pl of* **hoof**.

hop[1] [hɒp] **1.** *s* Sprung *m*; F Tanz *m*; **2.** *v/i and v/t* (*-pp-*) hüpfen; springen (über *acc*); **be ~ping mad** F e-e Stinkwut (im Bauch) haben.

hop[2] *bot.* [~] *s* Hopfen *m*.

hope [həʊp] **1.** *s* Hoffnung *f*; **2.** *v/i* hoffen (**for** auf *acc*); ~ **in** vertrauen auf (*acc*); **~ful** *adj* ⎕ hoffnungsvoll; **~less** *adj* ⎕ hoffnungslos; verzweifelt.

horde [hɔːd] *s* Horde *f*.

ho·ri·zon [hə'raɪzn] *s* Horizont *m*.

hor·i·zon·tal [hɒrɪ'zɒntl] *adj* ⎕ horizontal, waag(e)recht.

horn [hɔːn] *s* Horn *n*; Schalltrichter *m*; *mot.* Hupe *f*; **~s** *pl* Geweih *n*.

hor·net *zo.* ['hɔːnɪt] *s* Hornisse *f*.

horn·y ['hɔːnɪ] *adj* (*-ier, -iest*) hornig, schwielig; V geil.

hor·o·scope ['hɒrəskəʊp] *s* Horoskop *n*.

hor·ren·dous [hɒ'rendəs] *adj* schrecklich, entsetzlich; *prices*: horrend

hor·ri·ble ['hɒrəbl] *adj* ⎕ schrecklich, furchtbar, scheußlich; F gemein; **~rid** ['hɒrɪd] *adj* ⎕ gräßlich, abscheulich; schrecklich; **~ri·fy** [~faɪ] *v/t* erschrecken; entsetzen; **~ror** [~] *s* Entsetzen *n*, Schauder *m*; Schrecken *m*; Greuel *m*.

horse [hɔːs] *s zo.* Pferd *n*; Bock *m*, Gestell *n*; **wild ~s will not drag me there** keine zehn Pferde bringen mich dorthin; **~back** *s*: **on ~** zu Pferde, beritten; **~ chest·nut** *s bot.* Roßkastanie *f*; **~hair** *s* Roßhaar *n*; **~man** *s* (geübter) Reiter; **~man·ship** *s* Reitkunst *f*; **op·e·ra** [~] *F* Western *m*; **~pow·er** *s phys.* Pferdestärke *f* (*abbr. HP*) (*abbr. PS*); **~rac·ing** *s* Pferderennen *n or pl*; **~rad·ish** *s* Meerrettich *m*; **~shoe** *s* Hufeisen *n*; **~wom·an** *s* (geübte) Reiterin.

hor·ti·cul·ture [ˈhɔːtɪkʌltʃə] *s* Gartenbau *m*.

hose¹ [həʊz] *s* Schlauch *m*.

hose² [~] *s pl* Strümpfe *pl*, Strumpfwaren *pl*; **~sier·y** [~ʒərɪ] *s* Strumpfwaren *pl*.

hos·pi·ta·ble [ˈhɒspɪtəbl] *adj* □ gastfreundlich, gastfrei.

hos·pi·tal [ˈhɒspɪtl] *s* Krankenhaus *n*, Klinik *f*; *mil.* Lazarett *n*; **in** (*Am.* **in the**) **~** im Krankenhaus; **~i·ty** [hɒspɪˈtælətɪ] *s* Gastfreundschaft *f*, Gastlichkeit *f*; **~ize** [ˈhɒspɪtəlaɪz] *v/t* ins Krankenhaus einliefern *or* -weisen.

host¹ [həʊst] *s* Gastgeber *m*; (Gast)Wirt *m*; *TV, etc.*: Talkmaster *m*; Showmaster *m*; Moderator *m*; *in holiday club*: Animateur *m*; **your ~ was ...** *TV, etc.*: durch die Sendung führte Sie ...

host² [~] *s* Menge *f*, Masse *f*.

host³ *eccl.* [~] *s often* ⚷ Hostie *f*.

hos·tage [ˈhɒstɪdʒ] *s* Geisel *f*; **take s.o. ~** j-n als Geisel nehmen.

hos·tel [ˈhɒstl] *s esp. Br.* (Studenten-, Arbeiter- *etc.*)(Wohn)Heim *n*; *mst* **youth ~** Jugendherberge *f*.

host·ess [ˈhəʊstɪs] *s* Gastgeberin *f*; (Gast)Wirtin *f*; Hostess *f*; *aer.* Stewardeß *f*; → *a.* **host¹**.

hos·tile [ˈhɒstaɪl] *adj* feindlich (gesinnt); **~ to foreigners** ausländerfeindlich; **~til·i·ty** [hɒˈstɪlətɪ] *s* Feindseligkeit *f* (**to** gegen).

hot [hɒt] *adj and adv* (**-tt-**) heiß; scharf; beißend; hitzig, heftig; eifrig; *food, a. tracks*: warm; *F* heiß, gestohlen; radioaktiv; **~bed** *s* Mistbeet *n*; *fig.* Brutstätte *f*.

hotch·potch [ˈhɒtʃpɒtʃ] *s* Mischmasch *m*; Gemüsesuppe *f*.

hot dog [hɒtˈdɒg] *s* Hot dog *n, m*.

ho·tel [həʊˈtel] *s* Hotel *n*.

hot·head [ˈhɒthed] *s* Hitzkopf *m*; **~house** *s* Treibhaus *n*; **~ line** *s pol.* heißer Draht; **~pot** *s* Eintopf *m*; **~ spot** *s esp. pol.* Unruhe-, Krisenherd *m*; **~spur** *s* Hitzkopf *m*; **~wa·ter** *adj* Heißwasser...; **~ bottle** Wärmflasche *f*.

hound [haʊnd] **1.** *s* Jagdhund *m*; *fig.* Hund *m*; **2.** *v/t* jagen, hetzen.

hour [ˈaʊə] *s* Stunde *f*; Zeit *f*, Uhr *f*; **~ly** [~lɪ] *adj* stündlich.

house 1. *s* [haʊs] Haus *n*; *Br.* **the** ⚷ das Unterhaus; die Börse; **2.** [haʊz] *v/t* unterbringen; *v/i* hausen; **~a·gent** *s* Makler *m*; **~bound** *adj fig.* ans Haus gefesselt; **~hold** *s* Haushalt *m*; *attr* Haushalts...; **~hold·er** *s* Hausherr *m*; **~hus·band** *s* Hausmann *m*; **~keep·er** *s* Haushälterin *f*; **~keep·ing** *s* Haushaltung *f*, Haushaltsführung *f*; **~maid** *s* Hausmädchen *n*; **~man** *s Br. med.* Arzt *m* im Praktikum (*abbr.* AIP); **~warm·ing** (**par·ty**) *s* Einzugsparty *f*; **~wife** *s* Hausfrau *f*; **~work** *s* Hausarbeit *f*.

hous·ing [ˈhaʊzɪŋ] *s* Unterbringung *f*; Wohnung *f*, Wohnungsbau *m*; **~ estate** *Br.* Wohnsiedlung *f*; **~ policy** Wohnungspolitik *f*; **~ shortage(s** *pl*) Wohnungs-, Wohnraumknappheit *f*.

hove [həʊv] *pret and pp of* **heave** 2.

hov·el [ˈhɒvl] *s* Schuppen *m*; Hütte *f*.

hov·er [ˈhɒvə] *v/i* schweben; herumlungern; *fig.* schwanken; **~craft** *s* (*pl* **-craft**[**s**]) Hovercraft *n*, Luftkissenfahrzeug *n*.

how [haʊ] *adv* wie; **~ do you do?** guten Tag!; **~ is she?** wie geht es ihr?; **~ are you?** *about health*: wie geht es dir?, *when meeting s.o.*: wie geht's?; **~ about ...?** wie steht's mit ...?; *F* **and ~!** F und wie!

how·dy *Am. F* [ˈhaʊdɪ] *int* Tag!

how·ev·er [haʊˈevə] **1.** *adv* wie auch (immer), wenn auch noch so ...; **2.** *cj* (je)doch.

howl [haʊl] **1.** *v/i and v/t* heulen; brüllen; **2.** *s* Heulen *n*, Geheul *n*; **~er** *F* [~ə] *s* grober Schnitzer, *F* Hammer *m*.

hub [hʌb] *s* (Rad)Nabe *f*; *fig.* Mittel-, Angelpunkt *m*.

hub·bub [ˈhʌbʌb] *s* Tumult *m*.

hub·by *F* [ˈhʌbɪ] *s* (Ehe)Mann *m*.

huck·ster [ˈhʌkstə] *s* Hausierer(in).

hud·dle [ˈhʌdl] **1.** *v/t and v/i a.* **~ together**

(sich) zusammendrängen, zusammenpressen; **~ (o.s.) up** sich zusammenkauern; **2.** s (wirrer) Haufen, Wirrwarr m, Durcheinander n.

huff [hʌf] s Verärgerung f; Verstimmung f; **be in a ~** verärgert or -stimmt sein.

hug [hʌg] **1.** s Umarmung f; **2.** v/t (**-gg-**) an sich drücken, umarmen; fig. festhalten an (dat); sich dicht halten an (acc).

huge [hjuːdʒ] adj □ ungeheuer, riesig; **~ness** s ungeheure Größe.

hulk·ing ['hʌlkɪŋ] adj sperrig, klotzig; ungeschlacht, schwerfällig.

hull [hʌl] **1.** s bot. Schale f, Hülse f; mar. Rumpf m; **2.** v/t enthülsen; schälen.

hul·la·ba·loo [hʌləbə'luː] s (pl **-loos**) Lärm m.

hul·lo ['hʌ'ləʊ] int hallo!

hum [hʌm] v/i and v/t (**-mm-**) summen; brummen.

hu·man ['hjuːmən] **1.** adj □ menschlich, Menschen...; **~ly possible** menschenmöglich; **~ being** Mensch m; **~ chain** Menschenkette f; **~ rights** pl Menschenrechte pl; **2.** s Mensch m; **~e** [hjuː'meɪn] adj □ human, menschenfreundlich; **~·i·tar·i·an** [hjuːmænɪ'teərɪən] **1.** s Menschenfreund m; **2.** adj menschenfreundlich; **~·i·ty** [hjuː'mænətɪ] s die Menschheit, die Menschen pl; Humanität f, Menschlichkeit f; **humanities** pl Geisteswissenschaften pl; Altphilologie f.

hum·ble ['hʌmbl] **1.** adj □ (**~r**, **~st**) demütig; bescheiden; **2.** v/t erniedrigen; demütigen; **~ness** s Demut f.

hum·bug ['hʌmbʌg] s F Unsinn m, Humbug m; person: Gauner m; Br. Pfefferminzbonbon m, n.

hum·drum ['hʌmdrʌm] adj eintönig.

hu·mid ['hjuːmɪd] adj feucht, naß; **~·i·ty** [hjuː'mɪdətɪ] s Feuchtigkeit f.

hu·mil·i·ate [hjuː'mɪlɪeɪt] v/t erniedrigen, demütigen; **~·a·tion** [hjuːmɪlɪ'eɪʃn] s Erniedrigung f, Demütigung f; **~·ty** [hjuː'mɪlətɪ] s Demut f.

hum·ming·bird zo. ['hʌmɪŋbɜːd] s Kolibri m.

hu·mor·ous ['hjuːmərəs] adj □ humoristisch, humorvoll; spaßig.

hu·mo(u)r ['hjuːmə] **1.** s Laune f, Stimmung f; Humor m; das Spaßige; **out of ~** schlecht gelaunt; **2.** v/t j-m s-n Willen lassen; eingehen auf (acc).

hump [hʌmp] **1.** s of camel: Höcker m,

Buckel m; **2.** v/t krümmen; Br. F den Rücken nehmen, tragen; **~ o.s.** Am. sl. sich ranhalten; **~·back(ed)** ['~bæk(t)] → **hunchback(ed)**.

hunch [hʌntʃ] **1.** s → **hump** 1; Ahnung f, Gefühl n; **2.** v/t a. **~ up** krümmen; **~·back** ['~bæk] s Buckel m; Bucklige(r m) f; **~·backed** adj buck(e)lig.

hun·dred ['hʌndrəd] **1.** adj hundert; **2.** s Hundert n (unit); Hundert f (numeral); **~th** [~θ] **1.** adj hundertste(r, -s); **2.** s Hundertstel n; **~·weight** s Br. appr. Zentner m (= 50,8 kg).

hung [hʌŋ] **1.** pret and pp of **hang¹**; **2.** adj abgehangen (meat); **~ parliament** pol. parlamentarische Pattsituation.

Hun·gar·i·an [hʌŋ'geərɪən] **1.** adj ungarisch; **2.** s Ungar(in); ling. Ungarisch n.

hun·ger ['hʌŋgə] **1.** s Hunger m (a. fig.: **for** nach); **die of ~** verhungern; **2.** v/i hungern (**for**, **after** nach); **~ strike** s Hungerstreik m.

hun·gry ['hʌŋgrɪ] adj □ (**-ier**, **-iest**) hungrig; **be ~** Hunger haben.

hunk [hʌŋk] s dickes Stück.

hunt [hʌnt] **1.** s Jagd f (a. fig.: **for** nach); Jagd(revier n) f; Jagd(gesellschaft) f; **2.** v/t jagen; area: bejagen; hetzen; **~ out**, **~ up** aufspüren; v/i: **~ after**, **~ for** Jagd machen auf (acc); **~·er** s Jäger m; Jagdpferd n; **~·ing** s Jagen n; attr Jagd...; **~·ing-ground** s Jagdrevier n.

hur·dle ['hɜːdl] s sports: Hürde f (a. fig.); **~r** [~ə] s sports: Hürdenläufer(in); **~ race** s sports: Hürdenrennen n.

hurl [hɜːl] **1.** s Schleudern n; **2.** v/t schleudern; words: ausstoßen.

hur·ri·cane ['hʌrɪkən] s Hurrikan m, Wirbelsturm m; Orkan m.

hur·ried ['hʌrɪd] adj □ eilig; übereilt.

hur·ry ['hʌrɪ] **1.** s (große) Eile, Hast f; **be in a (no) ~** es (nicht) eilig haben; **not ... in a ~** F nicht so bald, nicht so leicht; **there's no ~** es eilt nicht; **2.** v/t (an)treiben; drängen; et. beschleunigen; eilig schicken or bringen; v/i eilen, hasten; **~ up** sich beeilen.

hurt [hɜːt] **1.** s Schmerz m; Verletzung f, Wunde f; Schaden m; **2.** v/t (**hurt**) verletzen, -wunden (a. fig.); weh tun (dat); schaden (dat); v/i schmerzen, weh tun; **~·ful** adj □ verletzend.

hus·band ['hʌzbənd] **1.** s (Ehe)Mann m; **2.** v/t haushalten mit; verwalten; **~·ry**

[~rɪ] *s agr.* Landwirtschaft *f; fig.* Haushalten *n,* sparsamer Umgang (**of** mit).

hush [hʌʃ] **1.** *int* still!; **2.** *s* Stille *f;* **3.** *v/t* zum Schweigen bringen; beruhigen; ~ **up** vertuschen; ~ **mon·ey** ['hʌʃmʌnɪ] *s* Schweigegeld *n.*

husk [hʌsk] **1.** *s bot.* Hülse *f,* Schote *f,* Schale *f* (*a. fig.*); **2.** *v/t* enthülsen; **hus·ky** ['hʌskɪ] **1.** *adj* □ (**-ier, -iest**) hülsig; trocken; heiser; F stramm, stämmig; **2.** *s* F stämmiger Kerl.

hus·sy ['hʌsɪ] *s* Fratz *m,* Göre *f;* Flittchen *n.*

hus·tings ['hʌstɪŋz] *s pl Br. pol.* Wahlkampf *m*

hus·tle ['hʌsl] **1.** *v/t* (an)rempeln; stoßen; drängen; *v/i* sich drängen; hasten, hetzen; sich beeilen; **2.** *s:* ~ **and bustle** Gedränge *n;* Gehetze *n;* Getriebe *n.*

hut [hʌt] *s* Hütte *f;* Baracke *f.*

hutch [hʌtʃ] *s* (*esp.* Kaninchen)Stall *m.*

hy·a·cinth *bot.* ['haɪəsɪnθ] *s* Hyazinthe *f.*

hy·ae·na *zo.* [haɪ'iːnə] *s* Hyäne *f.*

hy·brid *biol.* ['haɪbrɪd] *s* Bastard *m,* Mischling *m,* Kreuzung *f; attr* Bastard...; Zwitter...; ~**ize** [~aɪz] *v/t* kreuzen.

hy·drant ['haɪdrənt] *s* Hydrant *m.*

hy·drau·lic [haɪ'drɔːlɪk] *adj* □ (~**ally**) hydraulisch; ~**s** *sg* Hydraulik *f.*

hy·dro|- ['haɪdrəʊ] Wasser...; Hydro...; ~**car·bon** *s chem.* Kohlenwasserstoff *m;* ~**chlor·ic ac·id** *s chem.* Salzsäure *f;* ~**e·lec·tric pow·er sta·tion** *s tech.* Wasserkraftwerk *n;* ~**foil** *s mar.* Trag-

flächen-, Tragflügelboot *n;* ~**gen** *s chem.* Wasserstoff *m;* ~**gen bomb** *s mil.* Wasserstoffbombe *f;* ~**plane** *s aer.* Wasserflugzeug *n; mar.* Gleitboot *n;* ~**pon·ics** *agr.* [~'pɒnɪks] *s sg* Hydrokultur *f.*

hy·e·na *zo.* [haɪ'iːnə] *s* Hyäne *f.*

hy·giene ['haɪdʒiːn] *s* Hygiene *f;* **hy·gien·ic** [haɪ'dʒiːnɪk] *adj* (~**ally**) hygienisch.

hymn [hɪm] **1.** *s* Hymne *f;* Lobgesang *m;* Kirchenlied *n;* **2.** *v/t* preisen.

hy·per- ['haɪpə] hyper-..., Hyper-..., über..., höher, größer; ~**mar·ket** *s* Groß-, Verbrauchermarkt *m;* ~**sen·si·tive** [~'sensətɪv] *s* überempfindlich (**to** gegen).

hy·phen ['haɪfn] *s* Bindestrich *m;* ~**ate** [~eɪt] *v/t* mit Bindestrich schreiben.

hyp·no·tize ['hɪpnətaɪz] *v/t* hypnotisieren.

hy·po·chon·dri·ac [haɪpəʊ'kɒndriæk] *s* Hypochonder *m.*

hy·poc·ri·sy [hɪ'pɒkrəsɪ] *s* Heuchelei *f;* **hyp·o·crite** ['hɪpəkrɪt] *s* Heuchler(in); Scheinheilige(r *m*) *f;* **hyp·o·crit·i·cal** [hɪpə'krɪtɪkl] *adj* □ heuchlerisch, scheinheilig.

hy·poth·e·sis [haɪ'pɒθɪsɪs] *s* (*pl* **-ses** [-siːz]) Hypothese *f.*

hys·te·ri·a *med.* [hɪ'stɪərɪə] *s* Hysterie *f;* ~**ter·i·cal** [~'sterɪkl] *adj* □ hysterisch; ~**ter·ics** [~'sterɪks] *s pl* hysterischer Anfall; **go into** ~ hysterisch werden; F e-n Lachkrampf bekommen.

I

I [aɪ] *pron* ich; *it is* ~ ich bin es.

ice [aɪs] **1.** *s* Eis *n;* **2.** *v/t* gefrieren lassen; *cake:* mit Zuckerguß überziehen, glasieren; *in* Eis kühlen; *v/i a.* ~ **up** vereisen; ~ **age** *s* Eiszeit *f;* ~**berg** *s* Eisberg *m* (*a. fig.*); ~**bound** *adj harbour:* zugefroren; ~**box** *s* Eisfach *n; Am.* Kühlschrank *m;* ~ **cream** *s* (Speise)Eis *n;* ~ **cube** *s* Eiswürfel *m;* ~ **floe** *s* Eisscholle *f;* ~ **hock·ey** *s* Eishockey *n;* ~

lol·ly *s Br.* Eis *n* am Stiel; ~ **rink** *s* (Kunst)Eisbahn *f;* ~ **show** *s* Eisrevue *f.*

i·ci·cle ['aɪsɪkl] *s* Eiszapfen *m.*

ic·ing ['aɪsɪŋ] *s* Zuckerguß *m,* Glasur *f;* Vereisung *f; ice hockey:* unerlaubter Weitschuß, Befreiungsschlag *m,* Icing *n.*

i·cy ['aɪsɪ] *adj* □ (**-ier, -iest**) eisig (*a. fig.*); vereist.

i·dea [aɪ'dɪə] *s* Idee *f;* Begriff *m;* Vorstellung f; Gedanke m; Meinung f; Ahnung f; Plan m.

i·deal [aɪˈdɪəl] **1.** adj □ ideal, vollkommen; **2.** s Ideal n; ~**is·m** s Idealismus m; ~**ize** [~aɪz] v/t idealisieren.

i·den·ti·cal [aɪˈdentɪkl] adj □ identisch, gleich(bedeutend); ~**fi·ca·tion** [aɪdentɪfɪˈkeɪʃn] s Identifizierung f; Ausweis m; ~**fy** [aɪˈdentɪfaɪ] v/t identifizieren; ausweisen; erkennen; ~**ty** [~ətɪ] s Identität f; Persönlichkeit f, Eigenart f; ~ **card** (Personal)Ausweis m.

i·de·o·log·i·cal [aɪdɪəˈlɒdʒɪkl] adj □ ideologisch; ~**ol·o·gy** [aɪdɪˈɒlədʒɪ] s Ideologie f.

id·i·om [ˈɪdɪəm] s Idiom n; Redewendung f; ~**o·mat·ic** [ɪdɪəˈmætɪk] adj (~ally) idiomatisch.

id·i·ot [ˈɪdɪət] s Idiot(in), Schwachsinnige(r m) f; ~**ic** [ɪdɪˈɒtɪk] adj (~ally) blödsinnig.

i·dle [ˈaɪdl] **1.** adj □ (~**r**, ~**st**) person: müßig, untätig, träge, faul; econ. unproduktiv, tot (money), ungenutzt (capacity); ~ **hours** pl Mußestunden pl; **2.** v/t mst ~ **away** vertrödeln; v/i faulenzen; tech. leer laufen; ~**ness** s Untätigkeit f, Müßiggang m; Faul-, Trägheit f; Muße f; Zwecklosigkeit f.

i·dol [ˈaɪdl] s Idol n (a. fig.); Götzenbild n; ~**ize** [ˈaɪdəlaɪz] v/t abgöttisch verehren, vergöttern.

i·dyl·lic [aɪˈdɪlɪk] adj (~ally) idyllisch.

if [ɪf] **1.** cj wenn, falls; ob; **2.** s Wenn n.

ig·nite [ɪɡˈnaɪt] v/t and v/i anzünden, (sich) entzünden; mot. zünden; **ig·ni·tion** [ɪɡˈnɪʃən] s An-, Entzündung n; mot. Zündung f.

ig·no·min·i·ous [ɪɡnəˈmɪnɪəs] adj □ schändlich, schimpflich (defeat).

ig·no·rance [ˈɪɡnərəns] s Unwissenheit f; **ig·no·rant** [~t] adj unwissend; ungebildet; ungehobelt; **ig·nore** [ɪɡˈnɔː] v/t ignorieren, nicht beachten; jur. verwerfen.

ill [ɪl] **1.** adj (**worse**, **worst**) krank; schlimm, schlecht, übel; böse; **fall ~**, **be taken ~** krank werden; **2.** s mst pl Übel n, Mißstand m; ~**ad·vised** [ɪləd'vaɪzd] adj □ schlechtberaten; unbesonnen, unklug; ~**bred** adj schlechterzogen; ungezogen; ~ **breed·ing** s schlechtes Benehmen.

il·le·gal [ɪˈliːɡl] adj □ unerlaubt; jur. ille-

gal, ungesetzlich; ~ **parking** Falschparken n.

il·leg·i·ble [ɪˈledʒəbl] adj □ unleserlich.

il·le·git·i·mate [ɪlɪˈdʒɪtɪmət] adj □ illegitim; unrechtmäßig; unehelich.

ill·fat·ed [ɪlˈfeɪtɪd] adj unglücklich, Unglücks...; ~**hu·mo(u)red** adj schlechtgelaunt.

il·lib·e·ral [ɪˈlɪbərəl] adj □ engstirnig; intolerant; knaus(e)rig.

il·li·cit [ɪˈlɪsɪt] adj □ unerlaubt.

il·lit·e·rate [ɪˈlɪtərət] **1.** adj □ unwissend, ungebildet; **2.** s Analphabet(in).

ill·judged [ɪlˈdʒʌdʒd] adj unbesonnen, unklug; ~**man·nered** adj □ ungezogen; ~**na·tured** adj □ boshaft, bösartig.

ill·ness [ˈɪlnɪs] s Krankheit f.

il·log·i·cal [ɪˈlɒdʒɪkl] adj □ unlogisch.

ill·tem·pered [ɪlˈtempəd] adj schlechtgelaunt, übellaunig; ~**timed** adj ungelegen, unpassend, zur unrechten Zeit.

il·lu·mi·nate [ɪˈljuːmɪneɪt] v/t be-, erleuchten (a. fig.); fig. erläutern, erklären; ~**nat·ing** [~ɪŋ] adj Leucht...; fig. aufschlußreich; ~**na·tion** [~ˈneɪʃn] s Er-, Beleuchtung f; fig. Erläuterung f, Erklärung f; ~**s** pl Illumination f, Festbeleuchtung f.

il·lu·sion [ɪˈluːʒn] s Illusion f, Täuschung f; ~**sive** [~sɪv], ~**so·ry** [~ərɪ] adj □ illusorisch, trügerisch.

il·lus·trate [ˈɪləstreɪt] v/t illustrieren, bebildern; erläutern; ~**tra·tion** [ɪləˈstreɪʃn] s Erläuterung f; Illustration f; Bild n, Abbildung f; ~**tra·tive** [ˈɪləstreɪtɪv] adj □ erläuternd.

il·lus·tri·ous [ɪˈlʌstrɪəs] adj □ berühmt.

ill will [ɪlˈwɪl] s Feindschaft f.

im·age [ˈɪmɪdʒ] s Bild n; Statue f; Götzenbild n; Ebenbild n; Image n; **im·ag·e·ry** [~ərɪ] s Bilder pl; Bildersprache f, Metaphorik f.

i·ma·gi·na·ble [ɪˈmædʒɪnəbl] adj □ denkbar; ~**ry** [~ərɪ] adj eingebildet, imaginär; ~**tion** [ɪmædʒɪˈneɪʃn] s Einbildung(skraft) f; ~**tive** [ɪˈmædʒɪnətɪv] adj □ ideen-, einfallsreich.

i·ma·gine [ɪˈmædʒɪn] v/t and v/i sich et. einbilden or vorstellen or denken; **can you ~?** stell dir vor!; **as you can ~** wie du dir denken kannst.

im·bal·ance [ɪmˈbæləns] s Unausgewogenheit f; pol., etc.: Ungleichgewicht n.

im·be·cile ['ɪmbɪsiːl] **1.** adj □ schwachsinnig; **2.** s Schwachsinnige(r m) f; contp. Idiot m, Trottel m.

im·bue [ɪm'bjuː] v/t durchdringen, erfüllen (**with** mit).

im·i·tate ['ɪmɪteɪt] v/t nachahmen, imitieren; **~·ta·tion** [ɪmɪ'teɪʃn] s Nachahmung f, Imitation f; attr nachgemacht, unecht, künstlich, Kunst...

im·mac·u·late [ɪ'mækjʊlət] adj □ unbefleckt, rein; fehlerlos.

im·ma·te·ri·al [ɪmə'tɪərɪəl] adj □ unkörperlich; unwesentlich (**to** für).

im·ma·ture [ɪmə'tjʊə] adj □ unreif.

im·mea·su·ra·ble [ɪ'meʒərəbl] adj □ unermeßlich.

im·me·di·ate [ɪ'miːdɪət] adj □ unmittelbar; unverzüglich, sofortig; **~·ly 1.** adv sofort; **2.** cj sobald; sofort, als.

im·mense [ɪ'mens] adj □ riesig; fig. a. enorm, immens; prima, großartig.

im·merse [ɪ'mɜːs] v/t (ein-, unter)tauchen; fig. versenken or vertiefen (**in** in acc); **im·mer·sion** [~ʃn] s Ein-, Untertauchen n; **~ heater** Boiler m, portable: Tauchsieder m.

im·mi·grant ['ɪmɪɡrənt] s Einwander|er m, -in f, Immigrant(in); **~·grate** [~ɡreɪt] v/i einwandern; v/t ansiedeln (**into** in dat); **~·gra·tion** [~'ɡreɪʃn] s Einwanderung f, Immigration f.

im·mi·nent ['ɪmɪnənt] adj □ nahe bevorstehend; **~ danger** drohende Gefahr.

im·mo·bile [ɪ'məʊbaɪl] adj unbeweglich.

im·mod·e·rate [ɪ'mɒdərət] adj □ maßlos.

im·mod·est [ɪ'mɒdɪst] adj □ unbescheiden; unanständig.

im·mor·al [ɪ'mɒrəl] adj □ unmoralisch.

im·mor·tal [ɪ'mɔːtl] **1.** adj □ unsterblich; **2.** s Unsterbliche(r m) f; **~·i·ty** [ɪmɔː'tælətɪ] s Unsterblichkeit f.

im·mo·va·ble [ɪ'muːvəbl] **1.** adj □ unbeweglich; unerschütterlich; unnachgiebig; **2.** **~s** s pl Immobilien pl.

im·mune [ɪ'mjuːn] adj (**against**, **from**, **to**) immun (gegen); geschützt (gegen), frei (von); pol. immun; **im·mu·ni·ty** [~ətɪ] s Immunität f (a. pol.); Unempfindlichkeit f.

im·mu·ta·ble [ɪ'mjuːtəbl] adj □ unveränderlich.

imp [ɪmp] s Teufelchen n; child: Racker m.

im·pact ['ɪmpækt] s (Zusammen)Stoß m; Anprall m; Einwirkung f.

im·pair [ɪm'peə] v/t beeinträchtigen.

im·par|tial [ɪm'pɑːʃl] adj □ unparteiisch; **~·ti·al·i·ty** [ɪmpɑːʃɪ'ælətɪ] s Unparteilichkeit f, Objektivität f.

im·pass·a·ble [ɪm'pɑːsəbl] adj □ unpassierbar; to cars: unbefahrbar.

im·passe [æm'pɑːs] s fig. Sackgasse f, toter Punkt.

im·pas·sioned [ɪm'pæʃnd] adj leidenschaftlich.

im·pas·sive [ɪm'pæsɪv] adj □ teilnahmslos; face: unbewegt.

im·pa|tience [ɪm'peɪʃns] s Ungeduld f; **~·tient** [~t] adj □ ungeduldig.

im·peach [ɪm'piːtʃ] v/t anklagen (**for**, **of**, **with** gen); anfechten, anzweifeln.

im·pec·ca·ble [ɪm'pekəbl] adj □ untadelig, einwandfrei.

im·pede [ɪm'piːd] v/t (be)hindern.

im·ped·i·ment [ɪm'pedɪmənt] s Hindernis n; med. Behinderung f, Störung f.

im·pel [ɪm'pel] v/t (**-ll-**) (an)treiben.

im·pend·ing [ɪm'pendɪŋ] adj nahe bevorstehend; **~ danger** drohende Gefahr.

im·pen·e·tra·ble [ɪm'penɪtrəbl] adj □ undurchdringlich; fig. unergründlich; fig. unzugänglich (**to** dat).

im·per·a·tive [ɪm'perətɪv] **1.** adj □ notwendig, dringend, unbedingt erforderlich; befehlend; gebieterisch; gr. imperativisch; **2.** s Befehl m; a. **~ mood** gr. Imperativ m, Befehlsform f.

im·per·cep·ti·ble [ɪmpə'septəbl] adj □ unmerklich.

im·per·fect [ɪm'pɜːfɪkt] **1.** adj □ unvollkommen; unvollendet; **2.** s a. **~ tense** gr. Imperfekt n.

im·pe·ri·al·is|m pol. [ɪm'pɪərɪəlɪzəm] s Imperialismus m; **~t** pol. [~ɪst] s Imperialist m.

im·per·il [ɪm'perəl] v/t (esp. Br. **-ll-**, Am. **-l-**) gefährden.

im·pe·ri·ous [ɪm'pɪərɪəs] adj □ herrisch, gebieterisch; dringend.

im·per·me·a·ble [ɪm'pɜːmɪəbl] adj □ undurchlässig.

im·per·son·al [ɪm'pɜːsnl] adj □ unpersönlich.

im·per·so·nate [ɪm'pɜːsəneɪt] v/t thea., etc.: verkörpern, darstellen.

im·per·ti|nence [ɪm'pɜːtɪnəns] s Unverschämtheit f, Ungehörigkeit f, Frechheit f; **~nent** [~t] adj □ unverschämt, ungehörig, frech.

im·per·tur·ba·ble [ɪmpə'tɜːbəbl] adj □ unerschütterlich, gelassen.

im·per·vi·ous [ɪm'pɜːvɪəs] adj □ unzugänglich (**to** für); undurchlässig.

im·pe·tu·ous [ɪm'petjʊəs] adj □ ungestüm, heftig; impulsiv.

im·pe·tus ['ɪmpɪtəs] s Antrieb m, Schwung m.

im·pi·e·ty [ɪm'paɪətɪ] s Gottlosigkeit f; Respektlosigkeit f.

im·pinge [ɪm'pɪndʒ] v/i: **~ on**, **~ upon** sich auswirken auf (acc), beeinflussen.

im·pi·ous ['ɪmpɪəs] adj □ gottlos; pietätlos; respektlos.

im·plac·a·ble [ɪm'plækəbl] adj □ unversöhnlich, unnachgiebig.

im·plant [ɪm'plɑːnt] v/t med. einpflanzen; fig. einprägen.

im·ple|ment 1. s ['ɪmplɪmənt] Werkzeug n; Gerät n; **2.** v/t [~ment] ausführen; **~men·ta·tion** [ɪmplɪmen'teɪʃn] s Aus-, Durchführung f; pol. Umsetzung f, Implementation f.

im·pli|cate ['ɪmplɪkeɪt] v/t j-n verwickeln; **~ca·tion** [~'keɪʃn] s Verwicklung f; Implikation f, Einbeziehung f; Folgerung f.

im·pli·cit [ɪm'plɪsɪt] adj □ implizit, indirekt, unausgesprochen; faith, etc.: unbedingt, blind.

im·plore [ɪm'plɔː] v/t inständig bitten, anflehen; (er)flehen.

im·ply [ɪm'plaɪ] v/t implizieren, (mit) einbegreifen; bedeuten; andeuten.

im·po·lite [ɪmpə'laɪt] adj □ unhöflich.

im·port[1] econ. **1.** s ['ɪmpɔːt] Import m, Einfuhr f; Import-, Einfuhrartikel m; **~s** pl (Gesamt)Import m, (-)Einfuhr f; Importgüter pl; **2.** v/t [ɪm'pɔːt] importieren, einführen.

im·port[2] **1.** s ['ɪmpɔːt] meaning: Bedeutung f; **~ance** Wichtigkeit f; **2.** v/t [ɪm'pɔːt] bedeuten, beinhalten.

im·por|tance [ɪm'pɔːtəns] s Bedeutung f, Wichtigkeit f; **~tant** [~t] adj □ bedeutend, wichtig; wichtigtuerisch.

im·por·ta·tion [ɪmpɔː'teɪʃn] → **import**[1] 1.

im·pose [ɪm'pəʊz] v/t auferlegen, -bürden, -drängen, -zwingen (**on**, **upon** dat); v/i: **~ on**, **~ upon** j-m imponieren,

j-n beeindrucken; j-n ausnutzen; sich j-m aufdrängen; j-m zur Last fallen; **im·pos·ing** [~ɪŋ] adj □ imponierend, eindrucksvoll, imposant.

im·pos·si·bil·i·ty [ɪmpɒsə'bɪlətɪ] s Unmöglichkeit f; **~ble** [ɪm'pɒsəbl] adj unmöglich.

im·pos·tor [ɪm'pɒstə] s Betrüger m.

im·po|tence ['ɪmpətəns] s Unfähigkeit f; Hilflosigkeit f; Schwäche f; med. Impotenz f; **~tent** [~t] adj □ unfähig; hilflos; schwach; med. impotent.

im·pov·er·ish [ɪm'pɒvərɪʃ] v/t arm machen; soil: auslaugen.

im·prac·ti·ca·ble [ɪm'præktɪkəbl] adj □ undurchführbar, unbrauchbar; street: unpassierbar.

im·prac·ti·cal [ɪm'præktɪkl] adj □ unpraktisch; theoretisch; unbrauchbar.

im·preg|na·ble [ɪm'pregnəbl] adj □ uneinnehmbar (fortress); fig. unerschütterlich, unwiderlegbar (argument); **~nate** ['ɪmpregneɪt] v/t biol. schwängern; chem. sättigen; tech. imprägnieren.

im·press [ɪm'pres] v/t (auf-, ein)drücken; (deutlich) klarmachen; einschärfen; j-n beeindrucken; j-n mit et. erfüllen; **im·pres·sion** [~ʃn] s Eindruck m; print. Abdruck m; Abzug m; Auflage f; **be under the ~ that** den Eindruck haben, daß; **im·pres·sive** adj □ eindrucksvoll.

im·print 1. v/t [ɪm'prɪnt] aufdrücken, -prägen; fig. einprägen (**on**, **in** dat); **2.** s ['ɪmprɪnt] Eindruck m; Stempel m (a. fig.); print. Impressum m.

im·pris·on jur. [ɪm'prɪzn] v/t inhaftieren; **~ment** s jur. Freiheitsstrafe f, Gefängnis(strafe f) n, Haft f.

im·prob·a·ble [ɪm'prɒbəbl] adj □ unwahrscheinlich.

im·prop·er [ɪm'prɒpə] adj □ unrichtig; unsuitable: ungeeignet, unpassend; behaviour: unanständig, unschicklich.

im·prove [ɪm'pruːv] v/t verbessern; veredeln, -feinern; v/i sich (ver)bessern; **~ on**, **~ upon** übertreffen; **~ment** s (Ver-)Besserung f; Fortschritt m (**on**, **upon** gegenüber).

im·pro·vise ['ɪmprəvaɪz] v/t and v/i improvisieren.

im·pru·dent [ɪm'pruːdənt] adj □ unklug.

im·pu|dence ['ɪmpjʊdəns] *s* Unverschämtheit *f*, Frechheit *f*; **~dent** *adj* □ unverschämt, frech.

im·pulse ['ɪmpʌls] *s* Impuls *m*, (An)Stoß *m*; *fig.* (An)Trieb *m*; **im·pul·sive** [ɪm'pʌlsɪv] *adj* □ (an)treibend; *fig.* impulsiv.

im·pu·ni·ty [ɪm'pjuːnətɪ] *s* Straflosigkeit *f*; *with ~* ungestraft.

im·pure [ɪm'pjʊə] *adj* □ unrein (*a. eccl.*), schmutzig; verfälscht; *fig.* schlecht, unmoralisch.

in [ɪn] **1.** *prp* in (*dat*), innerhalb (*gen*); an (*dat*): *~ the morning* am Morgen, morgens; *~ number* an der Zahl; *~ itself* an sich; auf (*dat*): *~ the street* auf der Straße; *~ English* auf Englisch; auf (*acc*): *~ this manner* auf diese Art; bei: *~ Shakespeare* bei Shakespeare; *~ crossing the road* beim Überqueren der Straße; mit: *engaged ~ reading* mit Lesen beschäftigt; *~ a word* mit einem Wort; nach: *~ my opinion* meiner Meinung nach; über (*acc*): *rejoice ~ s.th.* über et. jubeln; unter (*dat*): *~ the circumstances* unter diesen Umständen; *one ~ ten* einer unter zehn; *~ 1992* 1992; *~ that ...* insofern as, weil; **2.** *adv* innen, drinnen; herein; hinein; in, im Mode; *be ~ for et.* zu erwarten haben, *exam, etc.*: vor sich haben; *you are ~ for trouble* du kannst dich auf etwas gefaßt machen; *be ~ with* gut mit *j-m* stehen; **3.** *adj* hereinkommend; Innen...; F *fashionable:* in.

in·a·bil·i·ty [ɪnə'bɪlətɪ] *s* Unfähigkeit *f*.

in·ac·ces·si·ble [ɪnæk'sesəbl] *adj* □ unzugänglich, unerreichbar (*to* für *or dat*).

in·ac·cu·rate [ɪn'ækjʊrət] *adj* □ ungenau; unrichtig.

in·ac·tive [ɪn'æktɪv] *adj* □ untätig; *econ.* lustlos, flau; *volcano:* erloschen; **~tiv·i·ty** [~'tɪvətɪ] *s* Untätigkeit *f*; *econ.* Lustlosigkeit *f*, Flauheit *f*.

in·ad·e·quate [ɪn'ædɪkwət] *adj* □ unangemessen, unzulänglich, ungenügend.

in·ad·mis·si·ble [ɪnəd'mɪsəbl] *adj* □ unzulässig, unerlaubt.

in·ad·ver·tent [ɪnəd'vɜːtənt] *adj* □ unachtsam; unbeabsichtigt, versehentlich.

in·a·lie·na·ble [ɪn'eɪlɪənəbl] *adj* □ *rights:* unveräußerlich.

i·nane *fig.* [ɪ'neɪn] *adj* □ leer; albern.

in·an·i·mate [ɪn'ænɪmət] *adj* □ leblos; *nature:* unbelebt; geistlos, langweilig.

in·ap·pro·pri·ate [ɪnə'prəʊprɪət] *adj* □ *dress, etc.:* unpassend, ungeeignet.

in·apt [ɪn'æpt] *adj* □ *comment:* unpassend.

in·ar·tic·u·late [ɪnɑː'tɪkjʊlət] *adj* □ unartikuliert, undeutlich; unverständlich; unfähig (, deutlich) zu sprechen.

in·as·much [ɪnəz'mʌtʃ] *cj:* **~ as** insofern als.

in·at·ten·tive [ɪnə'tentɪv] *adj* □ unaufmerksam.

in·au·di·ble [ɪn'ɔːdəbl] *adj* □ unhörbar.

in·au·gu|ral [ɪ'nɔːgjʊrəl] *s* Antrittsrede *f*; *attr* Antritts...; **~rate** [~reɪt] *v/t* (feierlich) einführen; einweihen; einleiten; **~ra·tion** [ɪnɔːgjʊ'reɪʃn] *s* Amtseinführung *f*; Einweihung *f*; Beginn *m*; **2 Day** *Am.* Tag *m* der Amtseinführung des neugewählten Präsidenten der USA (*January 20th*).

in·born [ɪn'bɔːn] *adj* angeboren.

in·built ['ɪnbɪlt] *adj* eingebaut, Einbau...

in·cal·cu·la·ble [ɪn'kælkjʊləbl] *adj* □ unberechenbar.

in·can·des·cent [ɪnkæn'desnt] *adj* □ (weiß)glühend.

in·ca·pa·ble [ɪn'keɪpəbl] *adj* □ unfähig, nicht imstande (*of* ger *zu inf*); hilflos.

in·ca·pac·i|tate [ɪnkə'pæsɪteɪt] *v/t* unfähig machen; **~ty** [~sətɪ] *s* Unfähigkeit *f*.

in·car|nate [ɪn'kɑːnət] *adj eccl.* fleischgeworden; *fig.* verkörpert; **~na·tion** [~'neɪʃn] *s eccl.* Inkarnation *f*, Fleischwerdung *f*; *fig.* Inkarnation *f*, Inbegriff *m*.

in·cau·tious [ɪn'kɔːʃəs] *adj* □ unvorsichtig.

in·cen·di·a·ry [ɪn'sendɪərɪ] **1.** *adj* Brand...; *fig.* aufwiegelnd, -hetzend; **2.** *s* Brandstifter *m*; Aufwiegler *m*.

in·cense¹ ['ɪnsens] *s* Weihrauch *m*.

in·cense² [ɪn'sens] *v/t* in Wut bringen.

in·cen·tive [ɪn'sentɪv] *s* Ansporn *m*, Antrieb *m*, Anreiz *m*; *econ.* *tax ~s* steuerliche Anreize *pl*; → *investment.*

in·ces·sant [ɪn'sesnt] *adj* □ unaufhörlich.

in·cest ['ɪnsest] *s* Inzest *m*, Blutschande *f*.

inch [ɪntʃ] **1.** *s* Inch *m* (= 2,54 cm), Zoll *m* (*a. fig.*); *by ~es* allmählich; *every ~*

durch u. durch; **2.** *v/i and v/t* (sich) zentimeterweise *or* sehr langsam bewegen.

in·ci·dence ['ınsıdəns] *s* Vorkommen *n*; **~·dent** [~t] *s* Vorfall *m*, Ereignis *n*, Vorkommnis *n*; **~·den·tal** [ınsı'dentl] *adj* □ zufällig; gelegentlich; Neben...; beiläufig; **~·ly** nebenbei.

in·cin·e·rate [ın'sınəreıt] *v/t* verbrennen; **~·ra·tor** [~ə] *s* Verbrennungsofen *m*; Verbrennungsanlage *f*.

in·cise [ın'saız] *v/t* ein-, aufschneiden; **in·ci·sion** [ın'sıʒn] *s* (Ein)Schnitt *m*; **in·ci·sive** [ın'saısıv] *adj* □ (ein)schneidend; scharf; **in·ci·sor** *anat.* [~aızə] *s* Schneidezahn *m*.

in·cite [ın'saıt] *v/t* anspornen, anregen; anstiften; **~·ment** *s* Anregung *f*; Ansporn *m*; Anstiftung *f*.

in·cli·na·tion [ınklı'neıʃn] *s* Neigung *f* (*a. fig.*); **in·cline** [ın'klaın] **1.** *v/i* sich neigen, (schräg) abfallen; **~ to fig.** zu et. neigen; *v/t* neigen; geneigt machen; **2.** *s* Gefälle *n*, (Ab)Hang *m*; **in·clined** *adj*: **be ~ to** Lust haben zu.

in·close [ın'kləʊz], **in·clos·ure** [~əʊʒə] → **enclose, enclosure**.

in·clude [ın'kluːd] *v/t* einschließen; enthalten; **~d** eingeschlossen; mit inbegriffen; *tax ~d* inklusive Steuer; **in·clud·ing** *prp* einschließlich; **in·clu·sion** [~ʒn] *s* Einschluß *m*, Einbeziehung *f*; **in·clu·sive** [~sıv] *adj* □ einschließlich, inklusive (*of gen*); **be ~ of** einschließen (*acc*); **~ terms** *pl* Pauschalpreis *m*.

in·co·her·ence [ınkəʊ'hıərəns] *s* Zusammenhang(s)losigkeit *f*; **~·ent** *adj* □ (logisch) unzusammenhängend, unklar, unverständlich.

in·come *econ.* ['ınkʌm] *s* Einkommen *n*, Einkünfte *pl*; **~ sup·port** *s Br. since 1988: appr.* Sozialhilfe *f*; **~ tax** *s econ.* Einkommensteuer *f*.

in·com·ing ['ınkʌmıŋ] *adj* hereinkommend; ankommend; nachfolgend, neu; **~ orders** *pl econ.* Auftragseingänge *pl*; **~s** *pl* Einkünfte *pl*, Einnahmen *pl*.

in·com·mu·ni·ca·tive [ınkə'mjuːnıkətıv] *adj* □ nicht mitteilsam, verschlossen.

in·com·pa·ra·ble [ın'kɒmpərəbl] *adj* □ unvergleichlich.

in·com·pat·i·ble [ınkəm'pætəbl] *adj* □ unvereinbar; unverträglich; *computer*: nicht kompatibel, inkompatibel.

in·com·pe·tence [ın'kɒmpıtəns] *s* Unfähigkeit *f*; Inkompetenz *f*; **~·tent** [~t] *adj* □ unfähig; nicht fach- *or* sachkundig; unzuständig, inkompetent.

in·com·plete [ınkəm'pliːt] *adj* □ unvollständig; unvollkommen.

in·com·pre·hen·si·ble [ınkɒmprı'hensəbl] *adj* □ unbegreiflich, unfaßbar; **~·sion** [~ʃn] *s* Unverständnis *n*.

in·con·cei·va·ble [ınkən'siːvəbl] *adj* □ unbegreiflich, unfaßbar; undenkbar.

in·con·clu·sive [ınkən'kluːsıv] *adj* □ nicht überzeugend; ergebnis-, erfolglos.

in·con·gru·ous [ın'kɒŋgrʊəs] *adj* □ nicht übereinstimmend; nicht passend.

in·con·se·quent [ın'kɒnsıkwənt] *adj* □ unlogisch.

in·con·sid·e·ra·ble [ınkən'sıdərəbl] *adj* □ gering(fügig), unbedeutend; **~·er·ate** [~ət] *adj* □ unüberlegt; rücksichtslos.

in·con·sis·ten·cy [ınkən'sıstənsı] *s* Unvereinbarkeit *f*; Inkonsequenz *f*; **~·tent** *adj* □ unvereinbar; widersprüchlich; unbeständig; inkonsequent.

in·con·so·la·ble [ınkən'səʊləbl] *adj* □ untröstlich.

in·con·spic·u·ous [ınkən'spıkjʊəs] *adj* □ unauffällig.

in·con·stant [ın'kɒnstənt] *adj* □ unbeständig, veränderlich.

in·con·ve·ni·ence [ınkən'viːnıəns] **1.** *s* Unbequemlichkeit *f*; Unannehmlichkeit *f*; **2.** *v/t* belästigen, stören; **~·ent** *adj* □ unbequem; unangenehm, lästig.

in·cor·po·rate [ın'kɔːpəreıt] *v/t and v/i* (sich) verbinden *or* vereinigen *or* zusammenschließen; *include*: aufnehmen, eingliedern, inkorporieren; *econ., jur.* als Gesellschaft eintragen (lassen); **~·rat·ed** *adj Am.* (*abbr. Inc.*) *econ., jur.* als (Aktien)Gesellschaft eingetragen; **~·ra·tion** [ınkɔːpə'reıʃn] *s* Vereinigung *f*, -bindung *f*, Zusammenschluß *m*; Eingliederung *f*; *Am. econ., jur.* Eintragung *f* als (Aktien)Gesellschaft.

in·cor·rect [ınkə'rekt] *adj* □ unrichtig, falsch; inkorrekt.

in·cor·ri·gi·ble [ın'kɒrıdʒəbl] *adj* □ unverbesserlich.

in·cor·rup·ti·ble [ınkə'rʌptəbl] *adj* □ unbestechlich; unvergänglich.

in·crease 1. *v/t and v/i* [ın'kriːs] zunehmen, (an)wachsen, (an)steigen, (sich) vergrößern *or* -mehren; *taxes, prices, etc.:* erhöhen; *noise, etc.:* steigern *or* verstärken; **2.** *s* ['ɪnkri:s] Zunahme *f*, Vergrößerung *f*; (An)Wachsen *n*, Steigen *n*, Steigerung *f*; Zuwachs *m*; **in·creas·ing·ly** [ɪn'kri:sɪŋlɪ] *adv* zunehmend, immer mehr; **~ difficult** immer schwieriger.

in·cred·i·ble [ɪn'kredəbl] *adj* □ unglaublich, unglaubhaft.

in·cre·du·li·ty [ɪnkrɪ'dju:lətɪ] *s* Ungläubigkeit *f*; **in·cred·u·lous** [ɪn'kredjʊləs] *adj* □ ungläubig, skeptisch.

in·crim·i·nate [ɪn'krɪmɪneɪt] *v/t* beschuldigen; *j-n* belasten.

in·cu·bate ['ɪnkjʊbeɪt] *v/t* ausbrüten (*a. fig.*); **~·ba·tor** [~ə] *s* Brutapparat *m*, Brutkasten *m*; *med. a.* Inkubator *m*.

in·cur [ɪn'kɜ:] *v/t* (*-rr-*) sich *et.* zuziehen, auf sich laden, geraten in (*acc*); *debts:* machen; *risk, etc.:* eingehen; *loss, etc.:* erleiden.

in·cur·a·ble [ɪn'kjʊərəbl] *adj* □ unheilbar.

in·cu·ri·ous [ɪn'kjʊərɪəs] *adj* □ nicht neugierig; gleichgültig, uninteressiert.

in·cur·sion [ɪn'kɜ:ʃn] *s* (feindlicher) Einfall; plötzlicher Angriff; Eindringen *n*.

in·debt·ed [ɪn'detɪd] *adj econ.* verschuldet; *fig.* (zu Dank) verpflichtet.

in·de·cent [ɪn'di:snt] *adj* □ unanständig, anstößig; *jur.* unsittlich, unzüchtig; **~ assault** *jur.* Sittlichkeitsverbrechen *n*.

in·de·ci·sion [ɪndɪ'sɪʒn] *s* Unentschlossenheit *f*; **~·sive** [~'saɪsɪv] *adj* □ unbestimmt, ungewiß; unentschlossen, unschlüssig.

in·deed [ɪn'di:d] **1.** *adv* in der Tat, tatsächlich, wirklich; allerdings; **thank you very much ~!** vielen herzlichen Dank!; **2.** *int* ach wirklich?

in·de·fat·i·ga·ble [ɪndɪ'fætɪgəbl] *adj* □ unermüdlich.

in·de·fen·si·ble [ɪndɪ'fensəbl] *adj* □ *theory, etc.:* unhaltbar; *behaviour, etc.:* unentschuldbar.

in·de·fi·na·ble [ɪndɪ'faɪnəbl] *adj* □ undefinierbar, unbestimmbar.

in·def·i·nite [ɪn'defɪnət] *adj* □ unbestimmt; unbegrenzt; unklar.

in·del·i·ble [ɪn'delɪbl] *adj* □ unauslösch-

lich, untilgbar; *fig.* unvergeßlich; **~ pencil** Kopier-, Tintenstift *m*.

in·del·i·cate [ɪn'delɪkət] *adj* □ unfein, derb; taktlos.

in·dem·ni·fy [ɪn'demnɪfaɪ] *v/t j-n* entschädigen (**for** für); versichern; *jur. j-m* Straflosigkeit zusichern; **~·ty** [~ətɪ] *s* Schadenersatz *m*, Entschädigung *f*, Abfindung *f*; Versicherung *f*; *jur.* Straflosigkeit *f*.

in·dent [ɪn'dent] *v/t* einkerben, auszacken; *line:* einrücken; *jur. contract:* mit Doppel ausfertigen; **~ on** *s.o.* **for** *s.th. esp. Br. econ.* et. bei j-m bestellen.

in·den·tures *econ., jur.* [ɪn'dentʃəz] *s pl* Ausbildungs-, Lehrvertrag *m*.

in·de·pen·dence [ɪndɪ'pendəns] *s* Unabhängigkeit *f*; Selbständigkeit *f*; Auskommen *n*; 2 **Day** *Am.* Unabhängigkeitstag *m* (*July 4th*); **~·dent** *adj* □ unabhängig; selbständig.

in·de·scri·ba·ble [ɪndɪ'skraɪbəbl] *adj* □ unbeschreiblich.

in·de·struc·ti·ble [ɪndɪ'strʌktəbl] *adj* □ unzerstörbar; unverwüstlich.

in·de·ter·mi·nate [ɪndɪ'tɜ:mɪnət] *adj* □ unbestimmt; unklar, vage.

in·dex ['ɪndeks] **1.** *s* (*pl* **-dexes, -dices** [-dɪsiːz]) (Inhalts-, Namens-, Sach-, Stichwort)Verzeichnis *n*, Register *n*, Index *m*; Index-, Meßziffer *f*; *tech.* Zeiger *m*; Anzeichen *n*; **cost of living ~** Lebenshaltungskosten-Index *m*; **2.** *v/t* mit e-m Inhaltsverzeichnis versehen; in ein Verzeichnis aufnehmen; **~ card** *s* Karteikarte *f*; **~ fin·ger** *s* Zeigefinger *m*.

In·di·an ['ɪndɪən] **1.** *adj* indisch; indianisch, Indianer...; **2.** *s* Inder(in); *a.* **American ~, Red ~** Indianer(in); **~ corn** *s bot.* Mais *m*; **~ file** *s:* **in ~** im Gänsemarsch; **~ sum·mer** *s* Altweiber-, Nachsommer *m*.

in·di·cate ['ɪndɪkeɪt] *v/t* (an)zeigen; hinweisen *or* -deuten auf (*acc*); andeuten; *v/i mot.* blinken; **~·ca·tion** [~'keɪʃn] *s* (An)Zeichen *n*, Hinweis *m*, Andeutung *f*; **in·dic·a·tive** *gr.* [ɪn'dɪkətɪv] *s* (*a. adj* **~ mood**) Indikativ *m*; **~·ca·tor** ['ɪndɪkeɪtə] *s* (An)Zeiger *m*; *mot.* Blinker *m*, Richtungsanzeiger *m*.

in·di·ces ['ɪndɪsi:z] *pl of* **index**.

in·dict *jur.* [ɪn'daɪt] *v/t* anklagen (**for** wegen); **~·ment** *s jur.* Anklage *f*.

in·dif·fer|ence [ɪn'dɪfrəns] s Gleichgültigkeit f, Interesselosigkeit f; **~ent** adj □ gleichgültig (**to** gegen), interesselos (**to** gegenüber); durchschnittlich, mittelmäßig.

in·di·ges|ti·ble [ɪndɪ'dʒestəbl] adj □ unverdaulich; **~tion** [~tʃən] s Verdauungsstörung f, Magenverstimmung f.

in·dig|nant [ɪn'dɪgnənt] adj □ entrüstet, empört, ungehalten (**at, over, about** über acc); **~na·tion** [ɪndɪg'neɪʃn] s Entrüstung f, Empörung f (**at, over, about** über acc); **~ni·ty** [ɪn'dɪgnətɪ] s Demütigung f, unwürdige Behandlung.

in·di·rect [ɪndaɪ'rekt] adj □ indirekt (a. gr.); **by ~ means** auf Umwegen.

in·dis|creet [ɪndɪ'skri:t] adj □ unbesonnen; taktlos; indiskret; **~cre·tion** [~reʃn] s Unbesonnenheit f; Taktlosigkeit f; Indiskretion f.

in·dis·crim·i·nate [ɪndɪ'skrɪmɪnət] adj □ unterschieds-, wahllos; willkürlich.

in·di·spen·sa·ble [ɪndɪ'spensəbl] adj □ unentbehrlich, unerläßlich.

in·dis|posed [ɪndɪ'spəʊzd] adj indisponiert; unpäßlich; abgeneigt; **~po·si·tion** [ɪndɪspə'zɪʃn] s Abneigung f (**to** gegen); Unpäßlichkeit f.

in·dis·pu·ta·ble [ɪndɪ'spju:təbl] adj □ unbestreitbar, unstreitig.

in·dis·tinct [ɪndɪ'stɪŋkt] adj □ undeutlich; unklar, verschwommen.

in·dis·tin·guish·a·ble [ɪndɪ'stɪŋgwɪʃəbl] adj □ nicht zu unterscheiden(d).

in·di·vid·u·al [ɪndɪ'vɪdjʊəl] **1.** adj □ persönlich; individuell; besondere(r, -s); einzeln, Einzel...; **2.** s Individuum n, Einzelne(r m) f; **~is·m** s Individualismus m; **~ist** s Individualist(in); **~i·ty** [ɪndɪvɪdjʊ'ælətɪ] s Individualität f, (persönliche) Note; **~ly** [ɪndɪ'vɪdjʊəlɪ] adv einzeln, jede(r, -s) für sich.

in·di·vis·i·ble [ɪndɪ'vɪzəbl] adj □ unteilbar.

in·do·lent ['ɪndələnt] adj □ träge, faul, arbeitsscheu; med. schmerzlos.

in·dom·i·ta·ble [ɪn'dɒmɪtəbl] adj □ unbezähmbar, nicht unterzukriegen(d).

in·door ['ɪndɔ:] adj zu or im Hause (befindlich), Haus..., Zimmer..., Innen..., sports: Hallen...; **~s** [ɪn'dɔ:z] adv zu or im Hause; im or ins Haus.

in·dorse [ɪn'dɔ:s] → **endorse** etc.

in·duce [ɪn'dju:s] v/t veranlassen, her-

vorrufen, bewirken; **~ment** s Anlaß m; Anreiz m, Ansporn m.

in·duct [ɪn'dʌkt] v/t **into a position**: einführen, -setzen; **~·duc·tion** [~kʃn] s (Amts)Einführung f, Einsetzung f; electr. Induktion f; **of birth**: Einleitung f.

in·dulge [ɪn'dʌldʒ] v/t nachsichtig sein gegen, gewähren lassen, j-m nachgeben; v/i: **~ in sth.** sich et. gönnen or leisten; **in·dul·gence** s Nachsicht f, Nachgiebigkeit f; Schwäche f, Leidenschaft f; **in·dul·gent** adj □ nachsichtig, -giebig.

in·dus·tri·al [ɪn'dʌstrɪəl] adj □ industriell, Industrie..., Gewerbe..., Betriebs...; **~ action** Arbeitskampf(maßnahmen pl) m; **~ area** Industriegebiet n; **~ waste** Industriemüll m; **~ist** econ. Industrielle(r m) f; **~ize** econ. [~əlaɪz] v/t industrialisieren.

in·dus·tri·ous [ɪn'dʌstrɪəs] adj □ fleißig.

in·dus·try ['ɪndəstrɪ] s econ. Industrie (-zweig m) f; Gewerbe(zweig m) n, Branche f; Fleiß m.

in·ed·i·ble [ɪn'edɪbl] adj □ ungenießbar, nicht eßbar.

in·ef·fec|tive [ɪnɪ'fektɪv], **~tu·al** [~tʃʊəl] adj □ unwirksam, wirkungslos; untauglich.

in·ef·fi·cient [ɪnə'fɪʃnt] adj □ unfähig, untauglich; leistungsschwach, unproduktiv.

in·el·e·gant [ɪn'elɪgənt] adj □ unelegant; schwerfällig.

in·el·i·gi·ble [ɪn'elɪdʒəbl] adj □ nicht wählbar; ungeeignet; nicht berechtigt; esp. mil. untauglich.

in·ept [ɪ'nept] adj □ remark: unpassend; behaviour: ungeschickt; person: albern, töricht.

in·e·qual·i·ty [ɪnɪ'kwɒlətɪ] s Ungleichheit f.

in·ert [ɪ'nɜ:t] adj □ phys. träge (a. fig.); chem. inaktiv; **in·er·tia** [ɪ'nɜ:ʃə] s Trägheit f (a. fig.).

in·es·ca·pa·ble [ɪnɪ'skeɪpəbl] adj □ unvermeidlich, unausweichlich.

in·es·sen·tial [ɪnɪ'senʃl] adj unwesentlich, unwichtig (**to** für).

in·es·ti·ma·ble [ɪn'estɪməbl] adj □ unschätzbar.

in·ev·i·ta·ble [ɪn'evɪtəbl] adj □ unvermeidlich; zwangsläufig.

in·ex·act [ɪnɪg'zækt] *adj* □ ungenau.

in·ex·cu·sa·ble [ɪnɪk'skju:zəbl] *adj* □ unverzeihlich, unentschuldbar.

in·ex·haus·ti·ble [ɪnɪg'zɔ:stəbl] *adj* □ unerschöpflich; unermüdlich.

in·ex·o·ra·ble [ɪn'eksərəbl] *adj* □ unerbittlich.

in·ex·pe·di·ent [ɪnɪk'spi:dɪənt] *adj* □ unzweckmäßig; nicht ratsam.

in·ex·pen·sive [ɪnɪk'spensɪv] *adj* □ nicht teuer, billig, preiswert.

in·ex·pe·ri·ence [ɪnɪk'spɪərɪəns] *s* Unerfahrenheit *f*; **~d** *adj* unerfahren.

in·ex·pert [ɪn'ekspɜ:t] *adj* □ unerfahren; ungeschickt.

in·ex·plic·a·ble [ɪnɪk'splɪkəbl] *adj □* unerklärlich.

in·ex·pres·si·ble [ɪnɪk'spresəbl] *adj* □ unaussprechlich, unbeschreiblich; **~ve** [~sɪv] *adj* ausdruckslos.

in·fal·li·ble [ɪn'fæləbl] *adj* □ unfehlbar.

in·fa·mous [ɪnfəməs] *adj* □ berüchtigt; schändlich, niederträchtig; **~my** [~ɪ] *s* Schande *f*; Niedertracht *f*, Gemeinheit *f*, Infamie *f*.

in·fan|cy [ɪnfənsɪ] *s* frühe Kindheit; *jur.* Minderjährigkeit *f*; **in its ~** *fig.* in den Anfängen *or* Kinderschuhen steckend; **~t** [~t] *s* Säugling *m*; Kleinkind *n*; *jur.* Minderjährige(r *m*) *f*.

in·fan·tile [ɪnfəntaɪl] *adj* kindlich; Kindes..., Kinder...; infantil, kindisch.

in·fan·try *mil.* [ɪnfəntrɪ] *s* Infanterie *f*.

in·fat·u·at·ed [ɪn'fætjʊeɪtɪd] *adj* vernarrt (**with** in *acc*).

in·fect [ɪn'fekt] *v/t med.* *j-n, et.* infizieren, *j-n* anstecken (*a. fig.*); verunreinigen; **in·fec·tion** [~kʃn] *s med.* Infektion *f*, Ansteckung *f* (*a. fig.*); **in·fec·tious** [~kʃəs] *adj* □ *med.* infektiös, ansteckend (*a. fig.*).

in·fer [ɪn'fɜ:] *v/t* (**-rr-**) folgern, schließen (**from** aus); **~ence** [ɪnfərəns] *s* (Schluß)Folgerung *f*.

in·fe·ri·or [ɪn'fɪərɪə] **1.** *adj* (**to**) untergeordnet (*dat*), *in position:* tieferstehend, niedriger, geringer (als); minderwertig; **be ~ to s.o.** *j-m* untergeordnet sein; *j-m* unterlegen sein; **2.** *s* Untergebene(r *m*) *f*; **~i·ty** [ɪnfɪərɪ'ɒrətɪ] *s* Unterlegenheit *f*; geringerer Wert *or* Stand, Minderwertigkeit *f*; **~ complex** *psych.* Minderwertigkeitskomplex *m*.

in·fer|nal [ɪn'fɜ:nl] *adj* □ höllisch, Höllen...; **~no** [~əʊ] *s* (*pl* **-nos**) Inferno *n*, Hölle *f*.

in·fer·tile [ɪn'fɜ:taɪl] *adj* unfruchtbar.

in·fest [ɪn'fest] *v/t* heimsuchen; verseuchen, befallen; *fig.* überschwemmen (**with** mit).

in·fi·del·i·ty [ɪnfɪ'delətɪ] *s* Untreue *f*.

in·fil·trate [ɪnfɪltreɪt] *v/t* eindringen in (*acc*); einsickern in (*acc*), durchdringen; *pol.* unterwandern; *pol.* einschleusen; *v/i* eindringen (**into** in *acc*); *pol.* unterwandern (**into** *acc*), sich einschleusen (**into** in *acc*).

in·fi·nite [ɪnfɪnət] *adj* □ unendlich.

in·fin·i·tive *gr.* [ɪn'fɪnətɪv] *s* (*a. adj* **~ mood**) Infinitiv *m*, Nennform *f*.

in·fin·i·ty [ɪn'fɪnətɪ] *s* Unendlichkeit *f*.

in·firm [ɪn'fɜ:m] *adj* □ schwach; gebrechlich; **in·fir·ma·ry** [~ərɪ] *s* Krankenhaus *n*; Krankenstube *f*, -zimmer *n* (*in school, etc.*); **in·fir·mi·ty** [~ətɪ] *s* Schwäche *f* (*a. fig.*); Gebrechlichkeit *f*.

in·flame [ɪn'fleɪm] *v/t and v/i* entflammen (*mst fig.*); *med.* (sich) entzünden; erregen; erzürnen.

in·flam·ma·ble [ɪn'flæməbl] *adj* leichtentzündlich; feuergefährlich; **~tion** *med.* [ɪnflə'meɪʃn] *s* Entzündung *f*; **~to·ry** [ɪn'flæmətərɪ] *adj med.* entzündlich; *fig.* aufrührerisch, Hetz...

in·flate [ɪn'fleɪt] *v/t* aufpumpen, -blasen, -blähen (*a. fig.*); *econ. price, etc.:* in die Höhe treiben; **in·fla·tion** [~ʃn] *s* Aufblähung *f*; *econ.* Inflation *f*.

in·flect *gr.* [ɪn'flekt] *v/t* flektieren, beugen; **in·flec·tion** [~kʃn] → **inflexion**.

in·flex|i·ble [ɪn'fleksəbl] *adj* □ unbiegsam, starr (*a. fig.*); *fig.* unbeugsam; **~ion** *esp. Br.* [~kʃn] *s gr.* Flexion *f*, Beugung *f*; *mus.* Modulation *f*.

in·flict [ɪn'flɪkt] *v/t* (**on, upon**) *suffering, etc.:* zufügen (*dat*); *wound, etc.:* beibringen (*dat*); *blow, etc.:* versetzen (*dat*); *punishment, etc.:* verhängen (über *acc*); aufbürden, -drängen (*dat*); **in·flic·tion** [~kʃn] *s* Zufügung *f*; *of punishment:* Verhängung *f*; Plage *f*.

in·flow [ɪnfləʊ] *s* Zustrom *m*, -fluß *m*.

in·flu|ence [ɪnfluəns] **1.** *s* Einfluß *m*; **2.** *v/t* beeinflussen; **~en·tial** [ɪnflʊ'enʃl] *adj* □ einflußreich.

in·flu·en·za *med.* [ɪnflʊ'enzə] *s* Grippe *f*.

in·flux [ɪnflʌks] *s* Einströmen *n*; *econ.* (Waren)Zufuhr *f*; *fig.* (Zu)Strom *m*.

in·form [ɪn'fɔːm] v/t benachrichtigen, unterrichten (**of** von), informieren (**of** über acc); v/i: ~ **against** or on or upon **s.o.** j-n anzeigen; j-n denunzieren.

in·for·mal [ɪn'fɔːml] adj formlos, zwanglos; ~**i·ty** [ɪnfɔ:'mælətɪ] s Formlosigkeit f; Ungezwungenheit f.

in·for·ma|tion [ɪnfə'meɪʃn] s Auskunft f; Nachricht f; Information f; ~ **desk** Informationsschalter m; ~ **science** Informatik f, ~ **storage** computer: Datenspeicherung f; ~**tive** [ɪn'fɔ:mətɪv] adj informativ; lehrreich; mitteilsam; **in·form·er** [ɪn'fɔ:mə] s Denunziant(in); Spitzel m.

in·fra·struc·ture ['ɪnfrəstrʌktʃə] s Infrastruktur f.

in·fre·quent [ɪn'fri:kwənt] adj □ selten.

in·fringe [ɪn'frɪndʒ] v/t (and v/i: ~ **on**, ~ **upon**) rights, contract, etc.: verletzen.

in·fu·ri·ate [ɪn'fjʊərɪeɪt] v/t wütend machen.

in·fuse [ɪn'fju:z] v/t tea: aufgießen; fig. einflößen; fig. erfüllen (**with** mit); **in·fu·sion** [~ʒn] s Aufguß m, Tee m; Einflößen f; med. Infusion f.

in·ge·ni·ous [ɪn'dʒi:nɪəs] adj □ genial; geist-, sinnreich; erfinderisch; raffiniert; ~**nu·i·ty** [ɪndʒɪ'nju:ətɪ] s Genialität f; Einfallsreichtum m.

in·gen·u·ous [ɪn'dʒenjʊəs] adj □ offen, aufrichtig; unbefangen; naiv.

in·got ['ɪŋɡət] s (Gold- etc.)Barren m.

in·gra·ti·ate [ɪn'ɡreɪʃɪeɪt] v/t: ~ **o.s. with s.o.** sich bei j-m beliebt machen.

in·grat·i·tude [ɪn'ɡrætɪtju:d] s Undankbarkeit f.

in·gre·di·ent [ɪn'ɡri:dɪənt] s Bestandteil m; cooking: Zutat f.

in·grow·ing ['ɪnɡrəʊɪŋ] adj nach innen wachsend; eingewachsen.

in·hab|it [ɪn'hæbɪt] v/t bewohnen, leben in (dat); ~**i·ta·ble** adj bewohnbar; ~**i·tant** s Bewohner(in); Einwohner(in).

in·hale [ɪn'heɪl] v/t and v/i einatmen, med. a. inhalieren.

in·her·ent [ɪn'hɪərənt] adj □ anhaftend; innewohnend, eigen (**in** dat).

in·her|it [ɪn'herɪt] v/t erben; ~**i·tance** [~əns] s Erbe n, Erbschaft f; biol. Vererbung f.

in·hib·it [ɪn'hɪbɪt] v/t hemmen (a. psych.), hindern; ~**ed** adj psych. gehemmt; **in·hi·bi·tion** psych. [ɪnhɪ'bɪʃn] s Hemmung f.

in·hos·pi·ta·ble [ɪn'hɒspɪtəbl] adj □ ungastlich; region, etc.: unwirtlich.

in·hu·man [ɪn'hju:mən] adj □ unmenschlich; ~**e** [ɪnhju:'meɪn] adj □ inhuman; menschenunwürdig.

in·im·i·cal [ɪ'nɪmɪkl] adj □ feindselig (**to** gegen); nachteilig (**to** für).

in·im·i·ta·ble [ɪ'nɪmɪtəbl] adj □ unnachahmlich.

i·ni·tial [ɪ'nɪʃl] **1.** adj □ anfänglich, Anfangs...; **2.** s Initiale f, (großer) Anfangsbuchstabe; ~**tial·ly** [~ʃəlɪ] adv am or zu Anfang, anfangs; ~**ti·ate 1.** s [~ʃɪət] Eingeweihte(r m) f; **2.** v/t [~ʃɪeɪt] beginnen, in die Wege leiten; einführen, einweihen; aufnehmen; ~**ti·a·tion** [ɪnɪʃɪ'eɪʃn] s Einleitung f, Anfang f; ~ **fee** esp. Am. Aufnahmegebühr f; ~**tia·tive** [ɪ'nɪʃɪətɪv] s Initiative f; erster Schritt; Entschlußkraft f; Unternehmungsgeist m; **take the** ~ die Initiative ergreifen; **on one's own** ~ aus eigenem Antrieb.

in·ject med. [ɪn'dʒekt] v/t injizieren, einspritzen; **in·jec·tion** med. [~kʃn] s Injektion f, Spritze f.

in·junc·tion [ɪn'dʒʌŋkʃn] s jur. gerichtliche Verfügung; ausdrücklicher Befehl.

in·jure ['ɪndʒə] v/t verletzen, verwunden; (be)schädigen; schaden (dat); kränken; **in·ju·ri·ous** [ɪn'dʒʊərɪəs] adj □ schädlich; beleidigend; **be** ~ **to** schaden (dat); ~ **to health** gesundheitsschädlich; **in·ju·ry** ['ɪndʒərɪ] s med. Verletzung f; Unrecht n; Schaden m; Kränkung f.

in·jus·tice [ɪn'dʒʌstɪs] s Ungerechtigkeit f; Unrecht n; **do s.o. an** ~ j-m unrecht tun.

ink [ɪŋk] s Tinte f; mst printer's ~ Druckerschwärze f; attr Tinten...

ink·ling ['ɪŋklɪŋ] s Andeutung f; dunkle or leise Ahnung.

ink|pad ['ɪŋkpæd] s Stempelkissen n; ~**y** [~ɪ] adj (-ier, -iest) voll Tinte, Tinten...; tinten-, pechschwarz.

in·laid ['ɪnleɪd] adj eingelegt, Einlege...; ~ **work** Einlegearbeit f.

in·land 1. adj ['ɪnlənd] inländisch, einheimisch; Binnen...; **2.** s [~] das Landesinnere; Binnenland n. **3.** adv [ɪn'lænd] landeinwärts; ~ **rev·e·nue** s Br. Steuereinnahmen *pl*; ⸋ **Rev·e·nue** *s Br.* Finanzamt *n.*

in·lay ['ɪnleɪ] *s* Einlegearbeit *f*; (Zahn-)Füllung *f*, Plombe *f.*

in·let ['ɪnlet] *s* Meeresarm *m*; Flußarm *m*; *tech.* Einlaß *m.*

in·mate ['ɪnmeɪt] *s* Insass|e *m*, -in *f*; Mitbewohner(in).

in·most ['ɪnməʊst] → *innermost.*

inn [ɪn] *s* Gasthaus *n*, Wirtshaus *n.*

in·nate [ɪ'neɪt] *adj* □ angeboren.

in·ner ['ɪnə] *adj* innere(r, -s); Innen...; verborgen; **~ city** Innenstadt *f*, Stadtzentrum *n*; **~·city decay** der Verfall der Innenstädte; **~·most** *adj* innerste(r, -s (*a. fig.*).

in·nings ['ɪnɪŋz] *s cricket, baseball: appr.* Spielzeit *f*, Schlagrunde *f.*

inn·keep·er ['ɪnkiːpə] *s* Gastwirt(in).

in·no·cence ['ɪnəsns] *s* Unschuld *f*; Harmlosigkeit *f*; Naivität *f*; **~·cent** [~t] **1.** *adj* □ unschuldig; *mistake:* unabsichtlich, harmlos; arglos, naiv; **2.** *s* Unschuldige(r *m*) *f*; Einfältige(r *m*) *f.*

in·noc·u·ous [ɪ'nɒkjʊəs] *adj* □ harmlos.

in·no·vate ['ɪnəveɪt] *v/t technology, etc.:* neu einführen; *v/i* Neuerungen einführen; **~·va·tion** [ɪnəʊ'veɪʃn] *s* Neuerung *f.*

in·nu·mer·a·ble [ɪ'njuːmərəbl] *adj* □ unzählig, zahllos.

i·noc·u|late *med.* [ɪ'nɒkjʊleɪt] *v/t* (ein)impfen; **~·la·tion** *med.* [ɪnɒkjʊ'leɪʃn] *s* Impfung *f.*

in·of·fen·sive [ɪnə'fensɪv] *adj* □ harmlos.

in·op·e·ra·ble [ɪn'ɒpərəbl] *adj med.* inoperabel, nicht operierbar; *plan, etc.:* undurchführbar.

in·op·por·tune [ɪn'ɒpətjuːn] *adj* □ inopportun, unangebracht, ungelegen.

in·pa·tient *med.* ['ɪnpeɪʃnt] *s* stationärer Patient, stationäre Patientin.

in·put ['ɪnpʊt] *s* Input *m: econ.* Produktionsmittel *pl*; Arbeitsaufwand *m*; Energiezufuhr *f; point of ~: electr.* Eingang *m; computer:* (Daten- or Programm)Eingabe *f.*

in·quest *jur.* ['ɪnkwest] *s* gerichtliche Untersuchung.

in·quir|e [ɪn'kwaɪə] *v/t und v/i a.* **~ about** fragen or sich erkundigen nach; **~ into** untersuchen; **in·quir·ing** *adj* □ forschend; wißbegierig; **in·quir·y** [~rɪ] *s* Erkundigung *f*; Untersuchung *f*; Ermittlung *f*; **make inquiries** Erkundigungen einziehen.

in|qui·si·tion [ɪnkwɪ'zɪʃn] *s jur.* Untersuchung *f*; Verhör *n; eccl. hist.* Inquisition *f*; **~·quis·i·tive** [~'kwɪzətɪv] *adj* □ neugierig; wißbegierig.

in·road(s) *fig.* ['ɪnrəʊd(z)] *s* (**into, on**) Eingriff *m* (in *acc*); übermäßige Inanspruchnahme (*gen*); **make ~s into** *market, etc.:* eindringen in (*acc*).

in|sane [ɪn'seɪn] *adj* □ geisteskrank, wahnsinnig; **~·san·i·ty** [~'sænətɪ] *s* Geisteskrankheit *f*, Wahnsinn *m.*

in·sa·tia·ble [ɪn'seɪʃəbl] *adj* □ unersättlich.

in|scribe [ɪn'skraɪb] *v/t* (ein-, auf)schreiben, einmeißeln, -ritzen; *book:* mit e-r Widmung versehen; **~·scrip·tion** [~'skrɪpʃn] *s* Inschrift *f*; Widmung *f.*

in·scru·ta·ble [ɪn'skruːtəbl] *adj* □ unerforschlich, unergründlich.

in·sect *zo.* ['ɪnsekt] *s* Insekt *n*; **in·sec·ti·cide** [ɪn'sektɪsaɪd] *s* Insektenvertilgungsmittel *n*, Insektizid *n.*

in·se·cure [ɪnsɪ'kjʊə] *adj* □ unsicher; nicht sicher or fest.

in·sem|i·nate [ɪn'semɪneɪt] *v/t* befruchten, *cattle:* besamen; **~·i·na·tion** [ɪnsemɪ'neɪʃn] *s* Befruchtung *f*, Besamung *f.*

in·sen·si·ble [ɪn'sensəbl] *adj* □ unempfindlich (**to** gegen); bewußtlos; unmerklich; gefühllos, gleichgültig; **~·tive** [~sətɪv] *adj* unempfindlich, gefühllos (**to** gegen); unempfänglich.

in·sep·a·ra·ble [ɪn'sepərəbl] *adj* □ untrennbar; unzertrennlich.

in·sert 1. *v/t* [ɪn'sɜːt] einfügen, -setzen, -führen, (hinein)stecken; *coin:* einwerfen; inserieren; **2.** *s* ['ɪnsɜːt] Bei-, Einlage *f*; **in·ser·tion** [ɪn'sɜːʃn] *s* Einfügen *n*, Einsetzen *n*, -führen *n*, Hineinstecken *n*; Einfügung *f*; Einwurf *m* (**of** *coin*); Anzeige *f*, Inserat *n.*

in·shore [ɪn'ʃɔː] **1.** *adv* an or nahe der Küste; **2.** *adj* Küsten...

in·side [ɪn'saɪd] **1.** *s* Innenseite *f*; das Innere; **turn ~ out** umkrempeln; auf den Kopf stellen; **2.** *adj* innere(r, -s), Innen...; Insider...; **3.** *adv* im Innern, (dr)innen; **~ of a week** F innerhalb e-r Woche; **4.** *prp* innen in (*dat*); in (*acc*) ... (hinein); **in·sid·er** [~ə] *s* Eingeweihte(r *m*) *f*, Insider *m.*

in·sid·i·ous [ɪnˈsɪdɪəs] *adj* □ heimtückisch.

in·sight [ˈɪnsaɪt] *s* Einsicht *f*, Einblick *m*; Verständnis *n*.

in·sig·nif·i·cant [ɪnsɪɡˈnɪfɪkənt] *adj* bedeutungslos; unbedeutend.

in·sin·cere [ɪnsɪnˈsɪə] *adj* □ unaufrichtig.

in·sin·u·ate [ɪnˈsɪnjʊeɪt] *v/t* andeuten, anspielen auf (*acc*); **~·a·tion** [ˌɪnˈeɪʃn] *s* Anspielung *f*, Andeutung *f*.

in·sist [ɪnˈsɪst] *v/i* bestehen, beharren (**on**, **upon** *auf dat*); **in·sis·tence** *s* Bestehen *n*, Beharren *n*; Beharrlichkeit *f*; **in·sis·tent** *adj* □ beharrlich, hartnäckig.

in·sol·u·ble [ɪnˈsɒljʊbl] *adj* □ unlöslich; unlösbar (*problem, etc.*).

in·sol·vent [ɪnˈsɒlvənt] *adj* zahlungsunfähig, insolvent.

in·som·ni·a [ɪnˈsɒmnɪə] *s* Schlaflosigkeit *f*.

in·spect [ɪnˈspekt] *v/t* untersuchen, prüfen, nachsehen; besichtigen, inspizieren; **in·spec·tion** [ˌkʃn] *s* Prüfung *f*, Untersuchung *f*, Kontrolle *f*; Inspektion *f*; **in·spec·tor** [ˌktə] *s* Aufsichtsbeamte(r) *m*, Inspektor *m*; (Polizei)Inspektor *m*, (-)Kommissar *m*.

in·spi·ra·tion [ɪnspəˈreɪʃn] *s* Inspiration *f*, Eingebung *f*; **in·spire** [ɪnˈspaɪə] *v/t* inspirieren; hervorrufen; *hope, etc.*: wecken; *respect, etc.*: einflößen.

in·stall [ɪnˈstɔːl] *v/t tech.* installieren, einrichten, aufstellen, einbauen; *wires, cables, etc.*: legen; *in an official post, etc.*: einsetzen; **in·stal·la·tion** [ɪnstəˈleɪʃn] *s tech.* Installation *f*, Einrichtung *f*, -bau *m*; *tech. apparatus, etc.*: Anlage *f*; *ceremony*: Einsetzung *f*, -führung *f*.

in·stal·ment, *Am. a.* **-stall-** [ɪnˈstɔːlmənt] *s econ.* Rate *f*; (Teil)Lieferung *f* (*of book, etc.*); Fortsetzung *f* (*of novel, etc.*); *radio, TV*: (Sende)Folge *f*; **monthly ~** Monatsrate *f*.

in·stance [ˈɪnstəns] *s* Beispiel *n*; (besonderer) Fall *m*; *jur.* Instanz *f*; **for ~** zum Beispiel; **at s.o.'s ~** auf j-s Veranlassung (hin).

in·stant [ˈɪnstənt] **1.** *adj* □ sofortig; *reaction, etc.*: unmittelbar; *econ.* Fertig...; **~ coffee** löslicher Kaffee, Pulverkaffee *m*, Instantkaffee *m*; **2.** *s* Augenblick *m*; **this (very) ~** auf der Stelle, sofort;

in·stan·ta·ne·ous [ˌ~ˈteɪnɪəs] *adj* □ sofortig, augenblicklich; Moment...; **~·ly** *adv* sofort, unverzüglich.

in·stead [ɪnˈsted] *adv* statt dessen, dafür; **~ of** an Stelle von, (an)statt.

in·step *anat.* [ˈɪnstep] *s* Spann *m*, Rist *m*.

in·sti·gate [ˈɪnstɪɡeɪt] *v/t* anstiften; aufhetzen; veranlassen; **~·ga·tor** *s* Anstifter(in); (Auf)Hetzer(in).

in·stil, *Am. a.* **-still** *fig.* [ɪnˈstɪl] *v/t* (*-ll-*) beibringen, einflößen (**into** *dat*).

in·stinct [ˈɪnstɪŋkt] *s* Instinkt *m*; **in·stinc·tive** [ɪnˈstɪŋktɪv] *adj* □ instinktiv.

in·sti·tute [ˈɪnstɪtjuːt] **1.** *s* Institut *n*; *group of scientists, etc.*: Gesellschaft *f*; **2.** *v/t organization*: einrichten, gründen; *reforms*: einführen, einleiten; **~·tu·tion** [ɪnstɪˈtjuːʃn] *s* Institut *n*, Anstalt *f*; Einführung *f*; Institution *f*, Einrichtung *f*.

in·struct [ɪnˈstrʌkt] *v/t* unterrichten; belehren; *j-n* anweisen, beauftragen (**to do s.th.** et. zu tun); **in·struc·tion** [ˌkʃn] *s* Unterricht *m*; Anweisung *f*, Instruktion *f*; *computer*: Befehl *m*; **~s for use** Gebrauchsanweisung *f*; **operating ~s** Bedienungsanleitung *f*; **in·struc·tive** *adj* □ instruktiv, lehrreich; **in·struc·tor** *s* Lehrer *m*; Ausbilder *m*; *Am. univ.* Dozent *m*.

in·stru·ment [ˈɪnstrəmənt] *s* Instrument *n*; Werkzeug *n* (*a. fig.*); **~ panel** *tech.* Armaturenbrett *n*; **~·men·tal** [ɪnstrʊˈmentl] *adj* □ behilflich, dienlich; *mus.* Instrumental...

in·sub·or·di·nate [ɪnsəˈbɔːdənət] *adj* aufsässig; **~·na·tion** [ˌ~ˈneɪʃn] *s* Auflehnung *f*.

in·suf·fer·a·ble [ɪnˈsʌfərəbl] *adj* □ unerträglich, unausstehlich.

in·suf·fi·cient [ɪnsəˈfɪʃnt] *adj* □ unzulänglich, ungenügend.

in·su·lar [ˈɪnsjʊlə] *adj* □ insular, Insel...; *fig.* engstirnig.

in·su·late [ˈɪnsjʊleɪt] *v/t house, etc.*: isolieren; **~·la·tion** [ɪnsjʊˈleɪʃn] *s* Isolierung *f*; Isoliermaterial *n*.

in·sult 1. *s* [ˈɪnsʌlt] Beleidigung *f*; **2.** *v/t* [ɪnˈsʌlt] beleidigen.

in·sur·ance [ɪnˈʃʊərəns] *s* Versicherung *f*; Versicherungssumme *f*; **~ company** Versicherungsgesellschaft *f*; **~ policy** Versicherungspolice *f*; **~e** [ɪnˈʃʊə] *v/t* versichern (**against** gegen).

in·sur·moun·ta·ble *fig.* [ˌɪnsəˈmaʊntəbl] *adj* □ unüberwindlich.

in·tact [ɪnˈtækt] *adj* unberührt; unversehrt, intakt.

in·tan·gi·ble [ɪnˈtændʒəbl] *adj* nicht greifbar; unbestimmt.

in·te|gral [ˈɪntɪɡrəl] *adj* □ ganz, vollständig; wesentlich; ~**grate** [~eɪt] *v/t* integrieren, zu e-m Ganzen zusammenfassen; einbeziehen, -gliedern; *Am.* die Rassenschranken aufheben zwischen (*dat*); *v/i* sich integrieren; ~**grat·ed** *adj* einheitlich; *tech.* eingebaut; ~**gra·tion** [~ˈɡreɪʃn] *s* Integration *f.*

in·teg·ri·ty [ɪnˈteɡrətɪ] *s* Integrität *f,* Rechtschaffenheit *f;* Vollständigkeit *f.*

in·tel|lect [ˈɪntɪlekt] *s* Intellekt *m,* Verstand *m;* ~**lec·tual** [ɪntəˈlektjʊəl] **1.** *adj* □ intellektuell, Verstandes..., geistig; ~ **property** geistiges Eigentum; **2.** *s* Intellektuelle(r *m*) *f.*

in·tel·li·gence [ɪnˈtelɪdʒəns] *s* Intelligenz *f,* Verstand *m;* Informationen *pl; a.* ~ **department** Geheimdienst *m;* ~**gent** *adj* □ intelligent, klug.

in·tel·li·gi·ble [ɪnˈtelɪdʒəbl] *adj* □ verständlich (r *m*) *f.*

in·tend [ɪnˈtend] *v/t* beabsichtigen, vorhaben, planen; ~**ed for** bestimmt für.

in·tense [ɪnˈtens] *adj* □ intensiv; stark, heftig; angespannt; ernsthaft.

in·ten|si·fy [ɪnˈtensɪfaɪ] *v/t* intensivieren; (*a. v/i* sich) verstärken; ~**si·ty** [~ətɪ] *s* Intensität *f;* ~**sive** *adj* intensiv; stark, heftig; ~ **care unit** *med.* Intensivstation *f;* ~ **farming** *of animals:* Intensivhaltung *f.*

in·tent [ɪnˈtent] **1.** *adj* □ gespannt, aufmerksam; ~ **on** fest entschlossen zu (*dat*); konzentriert auf (*acc*); **2.** *s* Absicht *f,* Vorhaben *n;* **to all ~s and purposes** in jeder Hinsicht; **in·ten·tion** *s* Absicht *f; jur.* Vorsatz *m;* **in·ten·tion·al** *adj* □ absichtlich, vorsätzlich.

in·ter|- [ˈɪnt-] zwischen, Zwischen...; gegenseitig, einander; ~**act** [~ˈrækt] *v/i* aufeinander einwirken, sich gegenseitig beeinflussen; ~**cede** [~ˈsiːd] *v/i* vermitteln, sich einsetzen (**with** bei; **for** für).

in·ter|cept [ɪntəˈsept] *v/t* abfangen; aufhalten; ~**cep·tion** [~pʃn] *s* Abfangen *n;* Aufhalten *n.*

in·ter·ces·sion [ɪntəˈseʃn] *s* Fürbitte *f,* -sprache *f.*

in·ter·change 1. *v/t* [ɪntəˈtʃeɪndʒ] austauschen; **2.** *s* [ˈ~tʃeɪndʒ] Austausch *m;* kreuzungsfreier Verkehrsknotenpunkt *m.*

in·ter·course [ˈɪntəkɔːs] *s* (**sexual ~**) (Geschlechts)Verkehr *m; communication:* Verkehr *m,* Umgang *m.*

in·ter|dict 1. *v/t* [ɪntəˈdɪkt] untersagen, verbieten (**s.th. to s.o.** j-m et.; **s.o. from doing** j-m zu tun); **2.** *s* [ˈɪntədɪkt], ~**dic·tion** [ɪntəˈdɪkʃn] *s* Verbot *n.*

in·ter·est [ˈɪntrɪst] **1.** *s* Interesse *n* (**in** an *dat,* für), (An)Teilnahme *f;* Nutzen *m; econ.* Anteil *m,* Beteiligung *f; econ.* Zins(en *pl*) *m; mst pl econ.* Interessenten *pl,* Interessengruppe(n *pl*) *f;* **take an ~ in** sich interessieren für; **2.** *v/t* interessieren (**in** für et.); **be ~ed in** sich interessieren für; ~**ing** *adj* □ interessant.

in·ter·face [ˈɪntəfeɪs] *s computer:* Schnittstelle *f,* Knoten *m.*

in·ter·fere [ɪntəˈfɪə] *v/i* sich einmischen (**with** in *acc*); stören; ~**fer·ence** *s* Einmischung *f;* Störung *f*

in·ter·gov·ern·men·tal [ɪntəɡʌvnˈmentl] *adj pol.* zwischenstaatlich; ~ **agreement** Regierungsabkommen *n;* ~ **talks** *pl* Gespräche *pl* auf Regierungsebene.

in·te·ri·or [ɪnˈtɪərɪə] **1.** *adj* □ innere(r, -s), Innen...; Binnen...; Inlands...; ~ **decorator** Innenarchitekt(in); **2.** *s* das Innere; Interieur *n; pol.* innere Angelegenheiten *pl;* **Department of the 𝔒** *Am.* Innenministerium *n.*

in·ter|ject [ɪntəˈdʒekt] *v/t remark:* einwerfen; ~**jec·tion** [~kʃn] *s* Einwurf *m;* Ausruf *m; ling.* Interjektion *f.*

in·ter|lace [ɪntəˈleɪs] *v/t* (ineinander) verflechten; ~**lock** [~ˈlɒk] *v/i* ineinandergreifen; *v/t* (miteinander) verzahnen; ~**lop·er** [ˈ~ləʊpə] *s* Eindringling *m;* ~**lude** [ˈ~luːd] *s* Zwischenspiel *n;* Pause *f;* ~**s of bright weather** zeitweilig schön.

in·ter·me·di|a·ry [ɪntəˈmiːdɪərɪ] *s* Vermittler(in); ~**ate** [~ət] *adj* □ in der Mitte liegend, Mittel..., Zwischen...; ~ **-range missile** Mittelstreckenrakete *f;* ~ **test** *or* **exam(ination)** Zwischenprüfung *f.*

in·ter·mi·na·ble [ɪnˈtɜːmɪnəbl] *adj* □ endlos.

in·ter·mis·sion [ɪntəˈmɪʃn] s Unterbrechung f, Aussetzen n; *esp. Am. thea., in concert, etc.*: Pause f.

in·ter·mit·tent [ɪntəˈmɪtənt] adj □ (zeitweilig) aussetzend, periodisch (auftretend); **~ fever** med. Wechselfieber n.

in·tern¹ [ɪnˈtɜːn] v/t internieren.

in·tern² Am. med. [ˈɪntɜːn] s Arzt m im Praktikum (*abbr.* AIP).

in·ter·nal [ɪnˈtɜːnl] adj □ innere(r, -s); einheimisch, Inlands...; **~combustion engine** Verbrennungsmotor m.

in·ter·na·tion·al [ɪntəˈnæʃənl] **1.** adj □ international; **~ law** jur. Völkerrecht n; **2.** s sports: Internationale m, f, Nationalspieler(in); internationaler Wettkampf; Länderspiel n.

in·ter·pose [ɪntəˈpəʊz] v/t veto: einlegen; remark: einwerfen; v/i eingreifen.

in·ter|pret [ɪnˈtɜːprɪt] v/t auslegen, erklären, deuten, interpretieren; a. v/i dolmetschen; **~pre·ta·tion** [ɪntɜːprɪˈteɪʃn] s Auslegung f, Deutung f, Interpretation f; **~pret·er** [ɪnˈtɜːprɪtə] s Dolmetscher(in); Interpret(in).

in·ter·ro|gate [ɪnˈterəɡeɪt] v/t (be-, aus)fragen; verhören; **~ga·tion** [ɪnterəˈɡeɪʃn] s Befragung f; Verhör m; Frage f; note or mark or point of **~** ling. Fragezeichen n; **~ga·tive** [ɪntəˈrɒɡətɪv] adj □ fragend, Frage...; gr. Interrogativ..., Frage...

in·ter·rupt [ɪntəˈrʌpt] v/t and v/i unterbrechen; **~rup·tion** [~pʃn] s Unterbrechung f.

in·ter|sect [ɪntəˈsekt] v/t durchschneiden; v/i sich schneiden or kreuzen; **~sec·tion** [~kʃn] s Schnittpunkt m; (Straßen- etc.) Kreuzung f.

in·ter·sperse [ɪntəˈspɜːs] v/t einstreuen, hier u. da einfügen.

in·ter·state Am. [ɪntəˈsteɪt] adj zwischen den einzelnen Bundesstaaten.

in·ter·twine [ɪntəˈtwaɪn] v/t and v/i (sich ineinander) verschlingen; **inextricably ~d** of fate, etc.: untrennbar verbunden.

in·ter·val [ˈɪntəvl] s Intervall n (a. mus.), Abstand m; thea., in concert, etc.: Pause f; **at ~s** of in Abständen von; **at ten-minute ~s** of bus, etc.: im Zehnminutentakt.

in·ter|vene [ɪntəˈviːn] v/i of person: einschreiten, intervenieren; of time: dazwischenliegen; of event: (unerwartet) dazwischenkommen; **~ven·tion** [~ˈvenʃn] s Eingreifen n, -griff m, Intervention f; **~ price** econ. Interventionspreis m.

in·ter·view [ˈɪntəvjuː] **1.** s TV, etc.: Interview n; Unterredung f; (Vorstellungs-)Gespräch n; **2.** v/t j-n interviewen, befragen; ein Vorstellungsgespräch führen mit; **~er** s Interviewer(in); Leiter(in) e-s Vorstellungsgesprächs.

in·ter·weave [ɪntəˈwiːv] v/t (**-wove, -woven**) (miteinander) verweben, -flechten, -schlingen.

in·tes·tine anat. [ɪnˈtestɪn] s Darm m; **~s** pl Eingeweide pl.

in·ti·ma·cy [ˈɪntɪməsɪ] s Intimität f (a. sexual), Vertrautheit f; Vertraulichkeit f.

in·ti·mate¹ [ˈɪntɪmət] **1.** adj □ intim (a. sexual), vertraut; vertraulich; **2.** s Vertraute(r m) f.

in·ti|mate² [ˈɪntɪmeɪt] v/t andeuten; **~ma·tion** [ɪntɪˈmeɪʃn] s Andeutung f.

in·tim·i|date [ɪnˈtɪmɪdeɪt] v/t einschüchtern; **~da·tion** [ɪntɪmɪˈdeɪʃn] s Einschüchterung f.

in·to [ˈɪntʊ, ˈɪntə] prp in (acc), in (acc) hinein; gegen (acc); math. in (acc); **4 ~ 20 goes five times** 4 geht fünfmal in 20; F **be ~ s.th.** F (voll) abfahren auf et., auf et. stehen.

in·tol·e·ra·ble [ɪnˈtɒlərəbl] adj □ unerträglich; **~rance** [ɪnˈtɒlərəns] s Intoleranz f; **~rant** adj intolerant.

in·to·na·tion [ɪntəˈneɪʃn] s gr. Intonation f, Tonfall m; mus. Intonation f.

in·tra- [ˈɪntrə] intra..., binnen...; **~Community trade** EG-Binnenhandel m.

in·trac·ta·ble [ɪnˈtræktəbl] adj □ unlenksam, eigensinnig (a. child); material: unnachgiebig; schwer zu handhaben(d); illness: hartnäckig.

in·tran·si·tive gr. [ɪnˈtrænsətɪv] adj □ intransitiv.

in·tra·ve·nous med. [ɪntrəˈviːnəs] adj intravenös.

in·trep·id [ɪnˈtrepɪd] adj □ unerschrocken.

in·tri·cate [ˈɪntrɪkət] adj □ verwickelt, kompliziert.

in·trigue [ɪnˈtriːɡ] **1.** s Intrige f; Machenschaft f; **2.** v/t faszinieren, interessieren; v/i intrigieren.

in·trin·sic [ɪnˈtrɪnsɪk] adj □ (**~ally**) wirklich, wahr, inner(lich).

ion

in·tro|duce [ɪntrə'dju:s] v/t vorstellen (**to** dat), j-n bekannt machen (**to** mit); einführen; einleiten; **~·duc·tion** [~'dʌkʃn] s Vorstellung f; Einführung f; Einleitung f; **letter of ~** Empfehlungsschreiben n; **~·duc·to·ry** [~tərɪ] adj einleitend, Einführungs..., Einleitungs...

in·tro·spec|tion [ɪntrəʊ'spekʃn] s Selbstbeobachtung f; **~·tive** [~tɪv] adj selbstbeobachtend.

in·tro·vert psych. ['ɪntrəʊvɜ:t] s introvertierter Mensch; **~ed** adj psych. introvertiert, in sich gekehrt.

in·trude [ɪn'tru:d] v/i sich einmischen; sich ein- or aufdrängen; stören; **am I intruding?** störe ich?; **in·trud·er** s Eindringling m; **in·tru·sion** [~ʒn] s Aufdrängen n; Einmischung f; Auf-, Zudringlichkeit f; Störung f; Verletzung f; **in·tru·sive** [~sɪv] adj □ aufdringlich.

in·tu·i|tion [ɪntju:'ɪʃn] s Intuition f; Ahnung f; **~·tive** [ɪn'tju:ɪtɪv] adj □ intuitiv.

in·un·date ['ɪnʌndeɪt] v/t überschwemmen, -fluten (a. fig.).

in·vade [ɪn'veɪd] v/t eindringen, einfallen in, mil. a. einmarschieren in (acc); überlaufen, -schwemmen; **in·vad·er** s Eindringling m.

in·va·lid¹ ['ɪnvəlɪd] **1.** adj dienstunfähig; kränklich, invalide; Kranken...; **2.** s Invalide m, f.

in·val|id² [ɪn'vælɪd] adj □ ticket, etc.: ungültig; argument: nicht schlüssig; **~·i·date** [~eɪt] v/t argument, theory, etc.: entkräften; jur. ungültig machen.

in·val·u·a·ble [ɪn'væljʊəbl] adj □ unschätzbar.

in·var·i·a·ble [ɪn'veərɪəbl] adj □ unveränderlich; **~·bly** [~lɪ] adv ausnahmslos.

in·va·sion [ɪn'veɪʒn] s Invasion f, Einfall m; fig. Eingriff m, Verletzung f.

in·vec·tive [ɪn'vektɪv] s Schmähung f, Beschimpfung f.

in·vent [ɪn'vent] v/t erfinden; **in·ven·tion** [~nʃn] s Erfindung(sgabe) f; **in·ven·tive** adj □ erfinderisch; **in·ven·tor** s Erfinder(in); **in·ven·to·ry** ['ɪnvəntrɪ] s Inventar n; Bestandsverzeichnis n; Am. Inventur f.

in·verse ['ɪn'vɜ:s] **1.** adj □ umgekehrt; **2.** s Umkehrung f, Gegenteil n; **in·ver·sion** [ɪn'vɜ:ʃn] s Umkehrung f; gr. Inversion f.

in·vert [ɪn'vɜ:t] v/t umkehren; gr. sentence, etc.: umstellen; **~ed commas** pl Anführungszeichen pl.

in·ver·te·brate zo. [ɪn'vɜ:tɪbrət] **1.** adj wirbellos; **2.** s wirbelloses Tier.

in·vest econ. [ɪn'vest] v/t and v/i investieren, anlegen.

in·ves·ti|gate [ɪn'vestɪgeɪt] v/t untersuchen; überprüfen; v/i Untersuchungen or Ermittlungen anstellen (**into** über acc), nachforschen; **~·ga·tion** [ɪnvestɪ'geɪʃn] s Untersuchung f; Ermittlung f, Nachforschung f; **~·ga·tor** [ɪn'vestɪgeɪtə] s Untersuchungs-, Ermittlungsbeamte(r) m; **private ~** Privatdetektiv m.

in·vest·ment econ. [ɪn'vestmənt] s Investition f, (Kapital)Anlage f; **~ consultant** Anlageberater m; **~ incentive** Investitionsanreiz m; **~·or** s Kapitalanleger m, Investor m.

in·vin·ci·ble [ɪn'vɪnsəbl] adj □ unbesiegbar; unüberwindlich.

in·vi·o·la·ble [ɪn'vaɪələbl] adj □ unverletzlich, unantastbar; **~·te** [~lət] adj unverletzt; unversehrt.

in·vis·i·ble [ɪn'vɪzəbl] adj □ unsichtbar.

in·vi·ta·tion [ɪnvɪ'teɪʃn] s Einladung f; Aufforderung f; **in·vite** [ɪn'vaɪt] v/t einladen; auffordern; danger, etc.: herausfordern; **~ s.o. in** j-n hereinbitten; **in·vit·ing** adj □ einladend, verlockend.

in·voice econ. ['ɪnvɔɪs] **1.** s (Waren-) Rechnung f; Lieferschein m; **2.** v/t in Rechnung stellen, berechnen.

in·voke [ɪn'vəʊk] v/t anrufen; zu Hilfe rufen (acc); appellieren an (acc); spirits: (herauf)beschwören.

in·vol·un·ta·ry [ɪn'vɒləntərɪ] adj □ unfreiwillig; unabsichtlich; unwillkürlich.

in·volve [ɪn'vɒlv] v/t verwickeln, hineinziehen (**in** in acc); umfassen; zur Folge haben, mit sich bringen; betreffen; **~d** adj kompliziert; person: betroffen; **~·ment** s Verwicklung f; Beteiligung f; Engagement n; (Geld)Verlegenheit f.

in·vul·ne·ra·ble [ɪn'vʌlnərəbl] adj □ unverwundbar; fig. unanfechtbar.

in·ward ['ɪnwəd] **1.** adj innere(r, -s), innerlich; **2.** adv mst **~s** einwärts, nach innen.

i·o·dine chem. ['aɪədi:n] s Jod n.

i·on phys. ['aɪən] s Ion n.

IOU F [aɪəʊˈjuː] s (= **I owe you**) Schuldschein m.

I·ra·ni·an [ɪˈreɪnɪən] **1.** adj iranisch, persisch; **2.** s Iraner(in), Perser(in); ling. Iranisch n, Persisch n.

I·ra·qi [ɪˈrɑːkɪ] **1.** adj irakisch; **2.** s Iraker(in); ling. Irakisch n.

i·ras·ci·ble [ɪˈræsəbl] adj □ jähzornig.

i·rate [aɪˈreɪt] adj □ zornig, wütend.

ir·i·des·cent [ɪrɪˈdesnt] adj schillernd.

i·ris [ˈaɪərɪs] s anat. Regenbogenhaut f, Iris f; bot. Schwertlilie f, Iris f.

I·rish [ˈaɪərɪʃ] **1.** adj irisch; **2.** s ling. Irisch n; **the ~** pl die Iren pl; **~·man** s Ire m; **~·wom·an** s Irin f.

irk·some [ˈɜːksəm] adj lästig, ärgerlich.

i·ron [ˈaɪən] **1.** s Eisen n; a. **flat-~** Bügeleisen n; **~s** pl Hand- u. Fußschellen pl; **strike while the ~ is hot** fig. das Eisen schmieden, solange es heiß ist; **2.** adj eisern (a. fig.), Eisen..., aus Eisen; **3.** v/t bügeln; **~ out** fig. et. ausbügeln, difficulties: beseitigen; ♀ **Cur·tain** s hist. Eiserner Vorhang.

i·ron·ic [aɪˈrɒnɪk] (**~ally**), **i·ron·i·cal** [~kl] adj □ ironisch, spöttisch.

i·ron|ing [ˈaɪənɪŋ] s Bügeln n; Bügelwäsche f; **~·board** Bügelbrett n; **~ lung** s med. eiserne Lunge; **~·mon·ger** s Br. Eisenwarenhändler m; **~·mon·ger·y** s Br. Eisenwaren pl; **~·works** s sg Eisenhütte f.

i·ron·y [ˈaɪərənɪ] s Ironie f.

ir·ra·tion·al [ɪˈræʃənl] adj □ irrational, unvernünftig; vernunftlos (animal).

ir·rec·on·cil·a·ble [ɪˈrekənsaɪləbl] adj □ unversöhnlich; unvereinbar.

ir·re·cov·er·a·ble [ɪrɪˈkʌvərəbl] adj □ unersetzlich; unwiederbringlich.

ir·ref·u·ta·ble [ɪˈrefjʊtəbl] adj □ unwiderlegbar, nicht zu widerlegen(d).

ir·reg·u·lar [ɪˈregjʊlə] adj □ unregelmäßig; uneben; ungleichmäßig; regelwidrig; ungesetzlich; ungehörig.

ir·rel·e·vant [ɪˈreləvənt] adj □ irrelevant, nicht zur Sache gehörig; unerheblich, belanglos (**to** für).

ir·rep·a·ra·ble [ɪˈrepərəbl] adj □ irreparabel, nicht wiedergutzumachen(d).

ir·re·place·a·ble [ɪrɪˈpleɪsəbl] adj unersetzlich.

ir·re·pres·si·ble [ɪrɪˈpresəbl] adj □ nicht zu unterdrücken(d); unerschütterlich; un(be)zähmbar.

ir·re·proa·cha·ble [ɪrɪˈprəʊtʃəbl] adj □ einwandfrei, tadellos, untadelig.

ir·re·sis·ti·ble [ɪrɪˈzɪstəbl] adj □ unwiderstehlich.

ir·res·o·lute [ɪˈrezəluːt] adj □ unentschlossen.

ir·re·spec·tive [ɪrɪˈspektɪv] adj □: **~ of** ungeachtet (gen), ohne Rücksicht auf (acc); unabhängig von.

ir·re·spon·si·ble [ɪrɪˈspɒnsəbl] adj □ unverantwortlich; verantwortungslos.

ir·re·trie·va·ble [ɪrɪˈtriːvəbl] adj □ unwiederbringlich, unersetzlich; nicht wiedergutzumachen(d).

ir·rev·e·rent [ɪˈrevərənt] adj □ respektlos.

ir·rev·o·ca·ble [ɪˈrevəkəbl] adj □ unwiderruflich, unabänderlich, endgültig.

ir·ri·gate [ˈɪrɪgeɪt] v/t (künstlich) bewässern.

ir·ri·ta|ble [ˈɪrɪtəbl] adj □ reizbar; **~te** [~teɪt] v/t reizen; ärgern; **~·ting** [~tɪŋ] adj □ aufreizend; annoying: ärgerlich; **~·tion** [ɪrɪˈteɪʃn] s Reizung f; Gereiztheit f, Ärger m.

is [ɪz] 3. sg pres of **be**.

Is·lam [ˈɪzlɑːm] s der Islam.

is·land [ˈaɪlənd] s Insel f; a. **traffic ~** Verkehrsinsel f; **~·er** s Inselbewohner(in).

isle poet. [aɪl] s Insel f.

is·let [ˈaɪlɪt] s Inselchen n.

i·so|late [ˈaɪsəleɪt] v/t absondern; isolieren; **~·lat·ed** adj einsam, abgeschieden; einzeln; **~·la·tion** [aɪsəˈleɪʃn] s Isolierung f; Absonderung f; **live in ~** zurückgezogen leben; **~ ward** med. Isolierstation f.

Is·rae·li [ɪzˈreɪlɪ] **1.** adj israelisch; **2.** s Israeli m, Bewohner(in) des Staates Israel.

is·sue [ˈɪʃuː, ˈɪsjuː] **1.** s subject: Thema n, Frage f; econ. Ausgabe f (of banknotes, etc.); Erteilung f (of order, etc.); print. Ausgabe f, Exemplar n (of book, etc.); print. Ausgabe f, Nummer f (of newspaper, etc.); esp. jur. Streitfrage f; Ausgang m, Ergebnis n; **at ~** zur Debatte stehend; **contemporary ~s** aktuelle Fragen; **date of ~** stamps, etc.: Ausgabedatum n, -tag m; **point at ~** strittiger Punkt; **2.** v/i herauskommen; problems: herkommen, -rühren (**from** von); v/t econ., materials, etc.: ausgeben; orders, etc.: erteilen; book, news-

paper, *etc.*: herausgeben, veröffentlichen.

isth·mus ['ısməs] *s* Landenge *f*.

it [ıt] *pron* es; er, ihn, sie; *after prp*: **by ~** dadurch; **for ~** dafür.

I·tal·i·an [ı'tæljən] **1.** *adj* italienisch; **2.** *s* Italiener(in); *ling.* Italienisch *n*.

i·tal·ics *print.* [ı'tælıks] *s pl* Kursivschrift *f*.

itch [ıtʃ] **1.** *s med.* Krätze *f*; Jucken *n*; Verlangen *n*; **2.** *v/i and v/t* jucken; *I ~ all over* es juckt mich überall; *be ~ing to inf* darauf brennen, zu *inf*.

i·tem ['aıtəm] *s* Punkt *m*; Gegenstand *m*;

Posten *m*, Artikel *m*; *a.* **news ~** (Zeitungs)Notiz *f*, (kurzer) Artikel; *radio*, *TV*: (kurze) Meldung; **~ize** [~aız] *v/t* einzeln angeben *or* aufführen.

i·tin·e·rant [ı'tınərənt] *adj* □ reisend; umherziehend, Reise..., Wander...; **~ra·ry** [aı'tınərərı] *s* Reiseroute *f*; Reisebeschreibung *f*.

its [ıts] *pron* sein(e), ihr(e), dessen, deren.

it·self [ıt'self] *pron* sich; (sich) selbst; *by ~* (für sich) allein; von selbst; *in ~* an sich.

i·vo·ry ['aıvərı] *s* Elfenbein *n*.

i·vy *bot.* ['aıvı] *s* Efeu *m*.

J

jab [dʒæb] **1.** *v/t* (*-bb-*) stechen; stoßen; **2.** *s* Stich *m*, Stoß *m*; F *med.* Spritze *f*.

jab·ber ['dʒæbə] *v/t and v/i* (daher)plappern.

jack [dʒæk] **1.** *s tech.* Hebevorrichtung *f*; *tech.* Wagenheber *m*; *electr.* Klinke *f*; *electr.* Steckdose *f*, Buchse *f*; *mar.* Gösch *f*, kleine Bugflagge; *playing card*: Bube *m*; **2.** *v/t*: **~ up** *car*: aufbocken.

jack·al *zo.* ['dʒækɔːl] *s* Schakal *m*.

jack·ass ['dʒækæs] *s* Esel *m* (*a. fig.*).

jack·et ['dʒækıt] *s* Jacke *f*, Jackett *n*; *tech.* Mantel *m*; Schutzumschlag *m* (*of book*); *Am.* (Schall)Plattenhülle *f*.

jack|·knife ['dʒæknaıf] **1.** *s* Klappmesser *n*; **2.** *v/i* zusammenklappen, -knicken; **~·of-all-trades** *s* Alleskönner *m*, Hansdampf *m* in allen Gassen; **~·pot** *s* Haupttreffer *m*, -gewinn *m*; Jackpot *m*; *hit the ~* F den Haupttreffer machen; *fig.* das große Los ziehen.

jade [dʒeıd] *s* Jade *m*, *f*; Jadegrün *n*.

jag [dʒæg] *s* Zacken *m*; **~·ged** ['dʒægıd] *adj* □ gezackt; zackig.

jag·u·ar *zo.* ['dʒægjoə] *s* Jaguar *m*.

jail [dʒeıl] **1.** *s* Gefängnis *n*; **2.** *v/t* einsperren; **~·bird** *s* F Knastbruder *m*; **~·er** *s* Gefängnisaufseher *m*; **~·house** *s Am.* Gefängnis *n*.

jam¹ [dʒæm] *s* Konfitüre *f*, Marmelade *f*.

jam² [~] **1.** *s* Gedränge *n*, Gewühl *n*; *tech.* Klemmen *n*, Blockierung *f*; Stauung *f*, Stockung *f*; *traffic ~* Verkehrsstau *m*; *be in a ~* F in der Klemme sein; **2.** *v/t and v/i* (*-mm-*) *tech.* (sich) (ver)klemmen, blockieren; (hinein)zwängen, (-)stopfen; einklemmen; pressen, quetschen; **~ the brakes on**, **~ on the brakes** auf die Bremse steigen.

jamb [dʒæm] *s* (Tür-, Fenster)Pfosten *m*.

jan·gle ['dʒæŋgl] *v/i and v/t* klimpern *or* klirren (mit); bimmeln (lassen); F tratschen.

Jan·u·a·ry ['dʒænjoərı] *s* Januar *m*.

Jap·a·nese [dʒæpə'niːz] **1.** *adj* japanisch; **2.** *s* Japaner(in); *ling.* Japanisch *n*; *the ~ pl* die Japaner *pl*.

jar¹ [dʒɑː] *s* Krug *m*, Topf *m*; (Marmelade- *etc.*)Glas *n*.

jar² [~] **1.** *v/i* (*-rr-*) knarren, kreischen, quietschen; sich nicht vertragen; *v/t* erschüttern (*a. fig.*); **2.** *s* Knarren *n*, Kreischen *n*, Quietschen *n*; Erschütterung *f* (*a. fig.*); Schock *m*.

jar·gon ['dʒɑːgən] *s* Jargon *m*, Fachsprache *f*.

jaun·dice *med.* ['dʒɔːndıs] *s* Gelbsucht *f*; **~d** *adj med.* gelbsüchtig; *fig.* neidisch, eifersüchtig, voreingenommen.

jaunt [dʒɔːnt] **1.** *s* Ausflug *m*, Spritztour *f*; **2.** *v/i* e-n Ausflug machen; **jaun·ty**

['dʒɔːntɪ] *adj* □ (*-ier*, *-iest*) munter, unbeschwert; flott.

jav·e·lin ['dʒævlɪn] *s sports*: Speer *m*; ~ (**throw**[**ing**]), **throwing the** ~ Speerwerfen *n*; ~ **thrower** Speerwerfer(in).

jaw [dʒɔː] *s anat.* Kinnbacken *m*, Kiefer *m*; **~s** *pl* Rachen *m*; Maul *n*; Schlund *m*; *tech.* Backen *pl*; **~bone** *s anat.* Kieferknochen *m*.

jay *zo.* [dʒeɪ] *s* Eichelhäher *m*.

jay·walk ['dʒeɪwɔːk] *v/i* unachtsam über die Straße gehen; **~er** *s* unachtsamer Fußgänger.

jazz *mus.* [dʒæz] *s* Jazz *m*.

jeal·ous ['dʒeləs] *adj* □ eifersüchtig (*of* auf *acc*); neidisch; **~y** *s* Eifersucht *f*; Neid *m*.

jeans [dʒiːnz] *s pl* Jeans *pl*.

jeep *TM* [dʒiːp] *s* Jeep *m*.

jeer [dʒɪə] **1.** *s* Spott *m*; höhnische Bemerkung; **2.** *v/i* spotten (*at* über *acc*); *v/t* verspotten, -höhnen.

jel·lied ['dʒelɪd] *adj* eingedickt (*fruit juice*); in Gelee.

jel·ly ['dʒelɪ] **1.** *s* Gallert(e *f*) *n*; Gelee *n*; **2.** *v/i and v/t* gelieren; **~ ba·by** *s Br.* Gummibärchen *n*; **~ bean** *s* Gummi-, Geleebonbon *m*, *n*; **~fish** *s zo.* Qualle *f*.

jeop·ar·dize ['dʒepədaɪz] *v/t* gefährden; **~dy** [~ɪ] *s* Gefahr *f*; **put in** ~ gefährden.

jerk [dʒɜːk] **1.** *s* (plötzlicher) Ruck; Sprung *m*, Satz *m*; *med.* Zuckung *f*, Zucken *n*; F Schwachkopf *m*, Blödmann *m*; **2.** *v/t and v/i* (plötzlich) ziehen, zerren, reißen (an *dat*); schleudern; schnellen; **~y** *adj* □ (*-ier*, *-iest*) ruckartig; holprig; abgehackt (*way of speaking*).

jer·sey ['dʒɜːzɪ] *s* Pullover *m*; *sports*: Trikot *n*.

jest [dʒest] **1.** *s* Spaß *m*; **2.** *v/i* scherzen; **~er** *s hist.* (Hof)Narr *m*.

jet [dʒet] **1.** *s* (Wasser-, Gas- *etc.*)Strahl *m*; *tech.* Düse *f*; → ~ **engine**, ~ **plane**; **2.** *v/i* (*-tt-*) hervorschießen, (her)ausströmen; *aer.* jetten; ~ **en·gine** *s tech.* Düsen-, Strahltriebwerk *n*; ~ **lag** *s* Jetlag *m*; **I'm suffering from** ~ ich habe noch mit dem Zeitunterschied zu kämpfen; ~ **plane** *s* Düsenflugzeug *n*, Jet *m*; **~pro·pelled** *adj* mit Düsenantrieb, Düsen...; ~ **set** *s* Jet-set *m*; ~ **set·ter** *s* Angehörige(r *m*) *f* des Jet-set.

jet·ty *mar.* ['dʒetɪ] *s* Mole *f*; Pier *m*.

Jew [dʒuː] *s* Jude *m*, Jüdin *f*; *attr* Juden...

jew·el ['dʒuːəl] *s* Juwel *m*, *n*, Edelstein *m*; Schmuckstück *n*; **~ler**, *Am.* **~er** *s* Juwelier *m*; **~lery**, *Am.* **~ry** [~lrɪ] *s* Juwelen *pl*; Schmuck *m*.

Jew|ess ['dʒuːɪs] *s* Jüdin *f*; **~ish** [~ɪʃ] *adj* jüdisch.

jib *mar.* [dʒɪb] *s* Klüver *m*.

jif·fy F ['dʒɪfɪ] *s*: **in a** ~ im Nu, sofort.

jig·saw ['dʒɪgsɔː] *s* Laubsäge *f*; → ~ **puz·zle** *s* Puzzle(spiel) *n*.

jilt [dʒɪlt] *v/t girl*: sitzenlassen; *lover*: den Laufpaß geben (*dat*).

jin·gle ['dʒɪŋgl] **1.** *s* Geklingel *n*, Klimpern *n*; Spruch *m*, Vers *m*; *advertising* ~ Werbespruch *m*; **2.** *v/i and v/t* klingeln; klimpern (mit); klinge(l)n lassen.

jit·ters F ['dʒɪtəz] *s pl*: **the** ~ Bammel *m*, das große Zittern.

job [dʒɒb] *s* (ein Stück) Arbeit *f*; *econ.* Akkordarbeit *f*; Beruf *m*, Beschäftigung *f*, Stellung *f*, Stelle *f*, Arbeit *f*, Job *m*; Aufgabe *f*, Sache *f*; **by the** ~ im Akkord; **out of** ~ arbeitslos; **~ber** *s Br. econ.* Börsenspekulant *m*; **~hop·ping** *s Am.* häufiger Arbeitsplatzwechsel; ~ **hunt·er** *s* Arbeit(s)suchende(r *m*) *f*; ~ **hunt·ing** *s*: **be** ~ auf Arbeitssuche sein; **~less** *adj* arbeitslos; ~ **work** *s* Akkordarbeit *f*.

jock·ey ['dʒɒkɪ] *s* Jockei *m*, Rennreiter(in).

jog [dʒɒg] **1.** *s* (leichter) Stoß, Schubs *m*; *sports*: Dauerlauf *m*; Trott *m*; **2.** (*-gg-*) *v/t* (an)stoßen, (*fig.* auf)rütteln; *v/i mst* ~ **along**, ~ **on** dahintrotten, -zuckeln; *sports*: Dauerlauf machen, joggen; **~ging** *s sports*: Dauerlauf *m*, Jogging *n*, Joggen *n*.

join [dʒɔɪn] **1.** *v/t* verbinden, zusammenfügen (**to** mit); vereinigen; sich anschließen (*dat*) *or* an (*acc*), sich gesellen zu; eintreten in (*acc*), beitreten (*dat*); ~ **hands** sich die Hände reichen; *fig.* sich zusammentun; *v/i* sich verbinden *or* vereinigen; ~ **in** teilnehmen an (*dat*), mitmachen bei, sich beteiligen an (*dat*); ~ **up** Soldat werden; **2.** *s* Verbindungsstelle *f*, Naht *f*.

join·er ['dʒɔɪnə] *s* Tischler *m*, Schreiner *m*; **~y** *s esp. Br.* Tischlerhandwerk *n*; Tischlerarbeit *f*.

joint [dʒɔɪnt] **1.** *s* Verbindung(sstelle) *f*;

Naht(stelle) f; *anat.*, *tech.* Gelenk n; *bot.* Knoten m; *Br.* Braten m; *sl.* Spelunke f; *sl.* Joint m; *out of* ~ ausgerenkt; *fig.* aus den Fugen; **2.** *adj* □ gemeinsam; Mit...; ~ **heir** Miterbe m; ~ **stock** *econ.* Aktienkapital n; → **venture** 1; **3.** *v/t* verbinden, zusammenfügen; *meat:* zerlegen; ~**ed** *adj* gegliedert; Glieder...; ~**stock** *econ.* Aktien...; ~ **company** *Br.* Aktiengesellschaft f.

joke [dʒəʊk] **1.** *s* Witz m; Scherz m, Spaß m; *practical* ~ Streich m; **2.** *v/i* scherzen, Witze machen; **jok·er** s Spaßvogel m; *playing card:* Joker m.

jol·ly ['dʒɒlɪ] **1.** *adj* (*-ier*, *-iest*) lustig, fidel, vergnügt; **2.** *adv Br.* F mächtig, sehr; ~ **good** prima.

jolt [dʒəʊlt] **1.** *v/t* and *v/i* stoßen, rütteln, holpern; *fig.* aufrütteln; **2.** *s* Ruck m, Stoß m; *fig.* Schock m.

jos·tle ['dʒɒsl] **1.** *v/t* (an)rempeln; drängen; **2.** *s* Stoß m, Rempelei f; Zusammenstoß m.

jot [dʒɒt] **1.** *s: not a* ~ keine Spur, kein bißchen; **2.** *v/t* (*-tt-*) *mst* ~ **down** schnell hinschreiben or notieren.

jour·nal ['dʒɜːnl] *s* Journal n; (Fach-)Zeitschrift f; (Tages)Zeitung f; Tagebuch n; ~**is·m** s Journalismus m; ~**ist** s Journalist(in).

jour·ney ['dʒɜːnɪ] **1.** *s* Reise f; Fahrt f; *go on a* ~ verreisen; **2.** *v/i* reisen; ~**man** s Geselle m.

jo·vi·al ['dʒəʊvɪəl] *adj* □ heiter, jovial.

joy [dʒɔɪ] *s* Freude f; *for* ~ vor Freude; ~**ful** *adj* □ freudig; erfreut; ~**less** *adj* □ freudlos, traurig; ~**stick** s *aer.* Steuerknüppel m; F of *computer:* Joystick m.

ju·bi·lant ['dʒuːbɪlənt] *adj* jubelnd, überglücklich.

ju·bi·lee ['dʒuːbɪliː] *s* Jubiläum n.

judge [dʒʌdʒ] **1.** *s* jur. Richter m; Schieds-, Preisrichter m; Kenner(in), Sachverständige(r m) f; **2.** *v/i* urteilen; *v/t* jur. verhandeln, die Verhandlung führen über (*acc*); jur. ein Urteil fällen über (*acc*); richten; beurteilen; halten für.

judg(e)·ment ['dʒʌdʒmənt] *s jur.* Urteil n; Urteilsvermögen n; Meinung f, Ansicht f, Urteil n; *eccl.* (Straf)Gericht; *pass* ~ *on jur.* ein Urteil fällen über (*acc*); ♀ **Day**, **Day of** ♀ *eccl.* Tag m des Jüngsten Gerichts.

ju·di·cial [dʒuː'dɪʃl] *adj* □ *jur.* gerichtlich, Gerichts...; *kritisch; unparteiisch.*

ju·di·cia·ry *jur.* [dʒuː'dɪʃɪərɪ] *s* Richter(stand m) pl.

jug [dʒʌɡ] *s* Krug m, Kanne f.

jug·gle ['dʒʌɡl] *v/t* and *v/i* jonglieren (mit); manipulieren; *facts*, *figures*, *etc.:* frisieren; ~**r** s Jongleur m; Schwindler(in).

juice [dʒuːs] *s* Saft m; *sl. mot.* Sprit m; **juic·y** *adj* □ (*-ier*, *-iest*) saftig; F pikant, gepfeffert.

juke·box ['dʒuːkbɒks] *s* Musikbox f, Musikautomat m.

Ju·ly [dʒuːˈlaɪ] *s* Juli m.

jum·ble ['dʒʌmbl] **1.** *s* Durcheinander n; **2.** *v/t a.* ~ **together**, ~ **up** durcheinanderbringen, -werfen; ~ **sale** s *Br.* Wohltätigkeitsbasar m.

jum·bo ['dʒʌmbəʊ] **1.** *s* (*pl* -*bos*) Koloß m; *aer.* Jumbo m; **2.** *adj a.* ~**sized** riesig; ~ **jet** *aer.* Jumbo-Jet m.

jump [dʒʌmp] **1.** *s* Sprung m; *the* ~**s** pl große Nervosität; *high* (*long*) ~ *sports:* Hoch-(Weit)sprung m; *get the* ~ *on* F zuvorkommen; **2.** *v/i* springen; zusammenzucken, -fahren, hochfahren; ~ *at the chance* mit beiden Händen zugreifen; ~ *to conclusions* übereilte Schlüsse ziehen; *v/t* (hinweg)springen über (*acc*); überspringen; springen lassen; ~ *the queue Br.* sich vordränge(l)n; ~ *the lights* bei Rot über die Kreuzung fahren, F bei Rot drüberfahren; ~ **ball** s *sports:* Sprungball m; *esp. basketball:* Jump m; ~**er** s Springer(in); *Br.* Pullover m; *Am.* Trägerkleid n; F *basketball:* Sprungwurf m; ~**ing jack** s Hampelmann m; ~**y** *adj* (*-ier*, *-iest*) nervös.

junc·tion ['dʒʌŋkʃn] *s* Verbindung f; (Straßen)Kreuzung f; *rail.* Knotenpunkt m; ~**ture** [~ktʃə] *s: at this* ~ an dieser Stelle, in diesem Augenblick.

June [dʒuːn] *s* Juni m.

jun·gle ['dʒʌŋɡl] *s* Dschungel m.

ju·ni·or ['dʒuːnɪə] **1.** *adj* jüngere(r, -s); untergeordnet, rangniedriger; *sports:* Junioren..., Jugend...; **2.** *s* Jüngere(r m) f; F Junior m; *Am.* univ. Student(in) im vorletzten Studienjahr.

junk¹ *mar.* ['dʒʌŋk] s Dschunke f.

junk² F [~] *s* Plunder m, Kram m; *sl.* Stoff m (*esp. heroin*); ~ **food** Junkfood n; ~**ie**, ~**y** *sl.* ['dʒʌŋkɪ] *s* Fixer(in), Junkie m; **~ mail** s F Reklame(zettel m) f; **~ yard** s Schrottplatz m.

jur·is·dic·tion [dʒʊərɪs'dɪkʃn] s jur. Gerichtsbarkeit f; Zuständigkeit(sbereich m) f.

ju·ris·pru·dence jur. [dʒʊərɪs'pru:dəns] s Rechtswissenschaft f.

ju·ror jur. ['dʒʊərə] s Geschworene(r m) f, Schöffe m, Schöffin f.

ju·ry ['dʒʊərɪ] s jur. die Geschworenen pl; Jury f, Preisrichter pl; **~·man** s jur. Geschworene(r) m; **~·wom·an** s jur. Geschworene f.

just [dʒʌst] **1.** adj □ gerecht; berechtigt; angemessen; **2.** adv gerade, (so)eben; gerade, genau, eben; gerade (noch), ganz knapp; nur, bloß; F einfach, wirklich; F **~ about** F so ziemlich, in etwa;

~ now gerade (jetzt); (so)eben.

jus·tice ['dʒʌstɪs] s Gerechtigkeit f; Rechtmäßigkeit f; Recht n; Gerichtsbarkeit f, Justiz f; jur. Richter m; **2 of the Peace** Friedensrichter m; **court of ~** Gericht(shof m) n.

jus·ti·fi·ca·tion [dʒʌstɪfɪ'keɪʃn] s Rechtfertigung f; **~·fy** ['~ɪfaɪ] v/t rechtfertigen.

just·ly ['dʒʌstlɪ] adv mit or zu Recht.

jut [dʒʌt] (**-tt-**) v/i: **~ out** vorspringen, hervorragen, -stehen.

ju·ve·nile ['dʒu:vənaɪl] **1.** adj jung, jugendlich; Jugend..., für Jugendliche; **court** Jugendgericht n; **~ delinquency** Jugendkriminalität f; **~ delinquent** jugendlicher Straftäter; **2.** s Jugendliche(r m) f.

K

kan·ga·roo zo. [kæŋgə'ru:] s (pl **-roos**) Känguruh n.

keel mar. [ki:l] **1.** s Kiel m; **2.** v/i: **~ over** umschlagen, kentern.

keen [ki:n] adj □ scharf (a. fig.); schneidend (cold); heftig; stark, groß (appetite, etc.); **~ on** F scharf or erpicht auf (acc); **be ~ on hunting** ein leidenschaftlicher Jäger sein; **~·ness** s Schärfe f; Heftigkeit f; Scharfsinn m.

keep [ki:p] **1.** s (Lebens)Unterhalt m; **for ~s** F für immer; **2.** (**kept**) v/t (auf-, [bei]be-, er-, fest-, zurück)halten; unterhalten, sorgen für; law, etc.: einhalten, befolgen; goods, diary, etc.: führen; secret: für sich behalten; promise: halten, einlösen; (auf)bewahren; abhalten (**from** von), hindern (an dat); animals: halten; bed: hüten; (be)schützen; **~ s.o. company** j-m Gesellschaft leisten; **~ company with** verkehren mit; **~ one's head** die Ruhe bewahren; **~ early hours** früh zu Bett gehen; **~ one's temper** sich beherrschen; **~ time** richtig gehen (clock, watch); Takt or Schritt halten; **~ s.o. waiting** j-n warten lassen; **~ away** fernhalten; **~ s.th. from s.o.** j-m

et. vorenthalten or verschweigen or verheimlichen; **~ in pupil:** nachsitzen lassen; **~ on clothes:** anbehalten, hat: aufbehalten; **~ up** aufrechterhalten; courage: bewahren; instand halten; fortfahren mit, weitermachen; nicht schlafen lassen; **~ it up** so weitermachen; weitermachen; v/i bleiben; sich halten; fortfahren, weitermachen; **~ doing** immer wieder tun; **~ going** weitergehen; **~ away** sich fernhalten; **~ from doing s.th.** et. nicht tun; **~ off** weg-, fernbleiben; **~ on** fortfahren (**doing** zu tun); **~ on talking** weiterreden; **~ to** sich halten an (acc); **~ up** stehen bleiben; andauern, anhalten; **~ up with** Schritt halten mit; **~ up with the Joneses** nicht hinter den Nachbarn zurückstehen (wollen).

keep|er ['ki:pə] s Wärter(in), Wächter(in), Aufseher(in); Verwalter(in); Inhaber(in); **~·fit cen·tre** s Fitneßcenter n; **~·ing** Verwahrung f; Obhut f; **be in** (**out of**) **~ with** ... (nicht) übereinstimmen mit ...; **~·sake** s Andenken n (present).

keg [keg] s Fäßchen n, kleines Faß.

ken·nel ['kenl] s Hundehütte f; **~s** pl Hundezwinger m; Hundepension f.

kept [kept] *pret and pp of* **keep** 2.

kerb [kɜ:b], **~stone** ['~stəʊn] *s* Bordstein *m*.

ker·nel ['kɜ:nl] *s* Kern *m* (*a. fig.*).

ketch·up ['ketʃəp] *s* Ketchup *m, n.*

ket·tle ['ketl] *s* (Koch)Kessel *m*; **~drum** *s mus.* (Kessel)Pauke *f*.

key [ki:] **1.** *s* Schlüssel *m*; *of typewriter, piano, computer, etc.:*Taste *f*; (Druck-) Taste *f*; *mus.* Tonart *f*; *fig.* Ton *m*; *fig.* Schlüssel *m*, Lösung *f*; *attr* Schlüssel...; **2.** *v/t* anpassen (**to** an *acc*); **~ed up** nervös, aufgeregt, überdreht; **~board** *s* Klaviatur *f*; Tastatur *f*; **~hole** *s* Schlüsselloch *n*; **~ man** *s* Schlüsselfigur *f*; **~mon·ey** *s* Br. Abstand(ssumme *f*) *m* (*for a flat*); **~note** *s mus.* Grundton *m*; *fig.* Grundgedanke *m*, Tenor *m*; **~ring** *s* Schlüsselring *m*; **~stone** *s arch.* Schlußstein *m*; *fig.* Grundpfeiler *m*; **~word** *s* Schlüssel-, Stichwort *n*.

kick [kɪk] **1.** *s* (Fuß)Tritt *m*; Stoß *m*; F Kraft *f*, Feuer *n*; F Nervenkitzel *m*; **get a ~ out of s.th.** e-n Riesenspaß an et. haben; **for ~s** (nur) zum Spaß; **2.** *v/t* (mit dem Fuß) stoßen *or* treten; *soccer:* schießen, treten, kicken; **~ off** von sich schleudern; **~ out** hinauswerfen; **~ up** hochschleudern; **~ up a fuss** *or* **row** F Krach schlagen; *v/i* (mit dem Fuß) treten *or* stoßen; (hinten) ausschlagen; strampeln; **~ off** *soccer:* anstoßen, den Anstoß ausführen; **~er** *s* Fußballspieler *m*; **~off** *s soccer:* Anstoß *m*.

kid [kɪd] **1.** *s* Zicklein *n*, Kitz *n*; Ziegenleder *n*; F Kind *n*; **~ brother** F kleiner Bruder; **2.** (*-dd-*) *v/t* j-n aufziehen; **~ s.o.** j-m et. vormachen; *v/i* Spaß machen; **he is only ~ding** er macht ja nur Spaß; **no ~ding!** im Ernst!; **~ glove** *s* Glacéhandschuh *m* (*a. fig.*).

kid·nap ['kɪdnæp] *v/t* (*-pp-, Am. a. -p-*) entführen, kidnappen; **~per** *s* Entführer(in), Kidnapper(in); **~ping** *s* Entführung *f*, Kidnapping *n*.

kid·ney ['kɪdnɪ] *s anat.* Niere *f* (*a. food*); **~ bean** *bot.* Weiße Bohne; **~ machine** Dialysegerät *n*, künstliche Niere.

kill [kɪl] **1.** *v/t* töten (*a. fig.*); umbringen; vernichten; *hunt.* erlegen, schießen; *animals:* schlachten; *fig.* erlegen, schießen; **be ~ed in an accident** tödlich verunglücken; **~ time** die Zeit totschlagen; **2.** *s* Tötung *f*; *hunt.* Jagdbeute *f*; **~er** *s*

Mörder(in), F Killer *m*; **~ing** *adj* □ mörderisch, tödlich.

kiln [kɪln] *s* Brenn-, Darrofen *m*.

ki·lo F ['ki:ləʊ] *s* (*pl -los*) Kilo *n*.

kil·o|gram(me) ['kɪləgræm] *s* Kilogramm *n*; **~me·tre**, *Am.* **~me·ter** *s* Kilometer *m*.

kilt [kɪlt] *s* Kilt *m*, Schottenrock *m*.

kin [kɪn] *s* Verwandtschaft *f*, Verwandte *pl*.

kind [kaɪnd] **1.** *adj* □ gütig, freundlich, liebenswürdig, nett; **2.** *s* Art *f*, Sorte *f*; Art *f*, Gattung *f*, Geschlecht *n*; **pay in ~** in Naturalien zahlen; *fig.* mit gleicher Münze heimzahlen.

kin·der·gar·ten ['kɪndəga:tn] *s* Kindergarten *m*.

kind-heart·ed [kaɪnd'ha:tɪd] *adj* □ gütig.

kin·dle ['kɪndl] *v/t* anzünden; *a. v/i* (sich) entzünden (*a. fig.*).

kin·dling ['kɪndlɪŋ] *s* Material *n* zum Anzünden, Anmachholz *n*.

kind|ly ['kaɪndlɪ] *adj* (*-ier, -iest*) *and adv* freundlich, liebenswürdig, nett; gütig; **~ness** *s* Güte *f*; Freundlichkeit *f*, Liebenswürdigkeit *f*; Gefälligkeit *f*.

kin·dred ['kɪndrɪd] **1.** *adj* verwandt; *fig.* gleichartig; **~ spirits** *pl* Gleichgesinnte *pl*; **2.** *s* Verwandtschaft *f*.

king [kɪŋ] *s* König *m* (*a. fig., in chess and card games*); **~dom** ['kɪŋdəm] *s* Königreich *n*; *eccl.* Reich *n* Gottes; **animal** (**mineral, vegetable**) **~** Tier-(Mineral-, Pflanzen)reich *n*; **~ly** *adj* (*-ier, -iest*) königlich; **~-size(d)** *adj* extrem groß.

kink [kɪŋk] *s* Schleife *f*, Knoten *m*; *fig.* Schrulle *f*, Tick *m*, Spleen *m*; **~y** ['kɪŋkɪ] *adj* (*-ier, -iest*) schrullig, spleenig; F (*sexually*) pervers.

ki·osk ['ki:ɒsk] *s* Kiosk *m*.

kip·per ['kɪpə] *s* Räucherhering *m*.

kiss [kɪs] **1.** *s* Kuß *m*; **2.** *v/t and v/i* (sich) küssen.

kit [kɪt] *s* Ausrüstung *f* (*a. mil. and sports*); Werkzeug(e *pl*) *n*; Werkzeugtasche *f*, -kasten *m*; Bastelsatz *m*; → **first-aid**; **~bag** ['kɪtbæg] *s* Seesack *m*.

kitch·en ['kɪtʃɪn] *s* Küche *f*; *attr* Küchen...; **~ette** [kɪtʃɪ'net] *s* Kleinküche *f*, Kochnische *f*; **~ gar·den** *s* Küchen-, Gemüsegarten *m*.

kite [kaɪt] *s* (Papier-, Stoff)Drachen *m*; *zo.* Milan *m*.

kit·ten ['kɪtn] s Kätzchen n.

knack [næk] s Kniff m, Trick m, Dreh m; Geschick n, Talent n.

knave [neɪv] s Schurke m, Spitzbube m; playing card: Bube m, Unter m.

knead [niːd] v/t kneten; massieren.

knee [niː] s Knie n; tech. Kniestück n; **~·cap** s anat. Kniescheibe f; **~deep** adj knietief, bis an die Knie (reichend); **~joint** s anat. Kniegelenk n (a. tech.); **~l** [niːl] v/i (**knelt**, Am. a. **kneeled**) knien (**to** vor dat); **~length** adj knielang (skirt, etc.).

knell [nel] s Totenglocke f.

knelt [nelt] pret and pp of **kneel**.

knew [njuː] pret of **know**.

knick·er|bock·ers ['nɪkəbɒkəz] s pl Knickerbocker pl, Kniehosen pl; **~s** Br. F [~z] pl (Damen)Schlüpfer m.

knife [naɪf] **1.** s (pl **knives** [~vz]) Messer n; **2.** v/t schneiden; mit e-m Messer verletzen; erstechen.

knight [naɪt] **1.** s Ritter m; in chess: Springer m; **2.** v/t zum Ritter schlagen; **~hood** s Ritterwürde f, -stand m; Ritterschaft f.

knit [nɪt] (**-tt-**; **knit** or **knitted**) v/t stricken; a. **~ together** zusammenfügen, verbinden; **~ one's brows** die Stirn runzeln; v/i stricken; zusammenwachsen (of bones); **~ting** s Stricken n; Strickzeug n; attr Strick...; **~·wear** s Strickwaren pl.

knives [naɪvz] pl of **knife** 1.

knob [nɒb] s Knopf m, Knauf m; Buckel m; Brocken m.

knock [nɒk] **1.** s Stoß m; Klopfen n (a. mot.), Pochen n; **there is a ~** es klopft; **2.** v/i schlagen, pochen, klopfen; stoßen (**against**, **into** gegen); **~ about**, **~ around** F sich herumtreiben; F herumliegen; **~ at the door** an die Tür klopfen; **~ off** F Feierabend or Schluß machen, aufhören; v/t stoßen, schlagen; F schlechtmachen, verreißen; **~ about**, **~ around** herumstoßen, übel zurichten; **~ down** niederschlagen, umwerfen; um-, überfahren; at an auction: et. zuschlagen (**to s.o.** j-m); price: herabsetzen;

tech. auseinandernehmen, zerlegen; house: abreißen; tree: fällen; **be ~ed down** überfahren werden; **~ off** herunterstoßen; abschlagen; F aufhören mit; F hinhauen (do quickly); deduct: abziehen, nachlassen; Br. F ausrauben; **~ out** (her)ausschlagen, (her)ausklopfen; k.o. schlagen; fig. F umwerfen, schocken; **be ~ed out of** ausscheiden aus (from a competition); **~ over** umwerfen, umstoßen; um-, überfahren; **be ~ed over** überfahren werden; **~ up** hochschlagen; Br. F rasch auf die Beine stellen, improvisieren (a meal); sl. woman: schwängern, V anbumsen; **~er** s Türklopfer m; **~ers** s pl V Titten pl; **~·kneed** adj X-beinig; **~out** s boxing: Knockout m, K.o. m.

knoll [nəʊl] s kleiner runder Hügel.

knot [nɒt] **1.** s Knoten m; Astknorren m; mar. Knoten m, Seemeile f; Gruppe f, Knäuel m, n (of people); **2.** v/t (**-tt-**) (ver)knoten, (-)knüpfen; **~·ty** adj (**-ier**, **-iest**) knotig; knorrig; fig. verzwickt.

know [nəʊ] v/t and v/i (**knew**, **known**) wissen; kennen; erfahren; (wieder)erkennen, unterscheiden; (es) können or verstehen; **~ French** Französisch können; **come to ~** erfahren; **get to ~** kennenlernen; **~ one's business**, **~ the ropes**, **~ a thing or two**, **~ what's what** sich auskennen, Erfahrung haben; **you ~** wissen Sie; **~·how** ['nəʊhaʊ] s Know-how n, praktische (Sach-, Spezial-) Kenntnis(se pl) f; **~·ing** adj □ klug; schlau; verständnisvoll; wissend; **~·ing·ly** adv wissend; absichtlich, bewußt; **~l·edge** ['nɒlɪdʒ] s Kenntnis(se pl) f; Wissen n; **to my ~** meines Wissens; **~n** [nəʊn] pp of **know**; bekannt; **make ~** bekanntmachen.

knuck·le ['nʌkl] **1.** s (Finger)Knöchel m; **2.** v/i: **~ down to work** sich an die Arbeit machen; **~·dust·er** s Schlagring m.

KO F [keɪ'əʊ] s (pl **KO's**) boxing: K.o. m.

kook sl. Am. [kuːk] s Spinner(in); **~·y** adj versponnen; idiotisch

Krem·lin ['kremlɪn] s: **the ~** der Kreml.

L

lab F [læb] s Labor n.

la·bel ['leɪbl] **1.** s Etikett n, Aufkleber m, Schild(chen) n; Aufschrift f, Beschriftung f; (Schall)Plattenfirma f; **2.** v/t (esp. Br. **-ll-**, Am. **-l-**) etikettieren, beschriften; fig. abstempeln als.

la·bo·ra·to·ry [lə'bɒrətərɪ] s Labor(atorium) n; **~ assistant** Laborant(in).

la·bo·ri·ous [lə'bɔːrɪəs] adj □ mühsam; schwerfällig (style).

la·bo(u)r ['leɪbə] **1.** s (schwere) Arbeit; Mühe f; med. Wehen pl; Arbeiter pl, Arbeitskräfte pl; **Labour** pol. die Labour Party; **hard ~** jur. Zwangsarbeit f; **2.** adj Arbeiter..., Arbeits...; **3.** v/i (schwer) arbeiten; sich abmühen, sich quälen; **~ under** leiden unter (dat), zu kämpfen haben mit; v/t ausführlich behandeln; **~ed** adj schwerfällig (style); mühsam (breathing, etc.); **~er** s (esp. ungelernter) Arbeiter; **Labour Exchange** s Br. F or hist. Arbeitsamt n; **Labour Party** s pol. Labour Party f; **la·bor u·nion** s Am. pol. Gewerkschaft f.

lace [leɪs] **1.** s Spitze f; Borte f; Schnürsenkel m; **2.** v/t: **~ up** (zu-, zusammen-)schnüren; shoe: zubinden; **~d with brandy** mit e-m Schuß Weinbrand.

la·ce·rate ['læsəreɪt] v/t zerfleischen, aufreißen; feelings: verletzen.

lack [læk] **1.** s (of) Fehlen n (von), Mangel m (an dat); **2.** v/t nicht haben; **he ~s money** es fehlt ihm an Geld; v/i: **be ~ing** fehlen; **he is ~ing in courage** ihm fehlt der Mut; **~·lus·tre**, Am. **~·lus·ter** ['læklʌstə] adj glanzlos, matt.

la·con·ic [lə'kɒnɪk] adj (~ally) lakonisch, wortkarg, kurz u. prägnant.

lac·quer ['lækə] **1.** s Lack m; Haarspray m, n; Nagellack m; **2.** v/t lackieren.

lad [læd] s Bursche m, Junge m.

lad·der ['lædə] s Leiter f; Br. Laufmasche f; **~·proof** adj (lauf)maschenfest.

la·den ['leɪdn] adj (schwer)beladen.

la·ding ['leɪdɪŋ] s Ladung f, Fracht f.

la·dle ['leɪdl] **1.** s (Schöpf)Kelle f, Schöpflöffel m; **2.** v/t: **~ out** soup: austeilen.

la·dy ['leɪdɪ] s Dame f; Lady f (a. title); **~**

doctor Ärztin f; **Ladies(')**, Am. **Ladies' room** Damentoilette f; **ladies and gentlemen** m-e Damen und Herren; **~·bird** s zo. Marienkäfer m; **~·like** adj damenhaft.

lag [læg] **1.** v/i (**-gg-**) **~ behind** zurückbleiben; sich verzögern; **2.** s Verzögerung f; Zeitabstand m, -differenz f.

la·ger ['lɑːgə] s helles Bier; **a pint of ~, please!** ein Helles, bitte!

la·goon [lə'guːn] s Lagune f.

laid [leɪd] pret and pp of **lay³**.

lain [leɪn] pp of **lie²** 2.

lair [leə] s of wild animal: Höhle f, Bau m; fig. Schlupfwinkel m.

la·i·ty ['leɪətɪ] s Laien pl.

lake [leɪk] s See m.

lamb [læm] **1.** s Lamm n; **2.** v/i lammen.

lame [leɪm] **1.** adj □ lahm (a. fig.); **2.** v/t lähmen; **~ duck** s person: Versager(in); Am. pol. nicht nochmals wählbarer Politiker; econ. a. **~ company** zahlungsunfähige Firma, finanziell angeschlagene Firma.

la·ment [lə'ment] **1.** s Wehklage f; Klagelied n; **2.** v/t and v/i (be)klagen; (be)trauern; **lam·en·ta·ble** ['læməntəbl] adj □ beklagenswert; kläglich; **lam·en·ta·tion** [læmən'teɪʃn] s Wehklage f.

lamp [læmp] s Lampe f; Laterne f; **~·post** Laternenpfahl m; **~·shade** Lampenschirm m.

lam·poon [læm'puːn] s Schmähschrift f.

lance [lɑːns] s Lanze f.

land [lænd] **1.** s Land n; agr. Land n, Boden m; Land-, Grundbesitz m; pol. Land n, Staat m, Nation f; **by ~** auf dem Landweg; **~s** pl Ländereien pl; **2.** v/t landen; v/i landen; goods: löschen; F job, etc.: erwischen, kriegen; F **~ s.o. (o.s.) into trouble, etc.:** j-n (sich) bringen in (acc); **~·a·gent** s Gutsverwalter m; **~·ed** adj Land..., Grund...; **~·hold·er** s Grundbesitzer(in).

land·ing ['lændɪŋ] s Landung f; Anlegen n (of ship); Anlegestelle f; Treppenabsatz m; Flur m, Gang m (on stairs); **~·field** s aer. Landebahn f; **~·gear** s aer. Fahrgestell n; **~·stage** s mar. Landungsbrücke f, -steg m.

land|la·dy ['lændleɪdɪ] s Vermieterin f;
Wirtin f; **~·lord** ['~lɔːd] s Vermieter m;
Wirt m; Hauseigentümer m; Grundbe-
sitzer m; **~·mark** s Grenzstein m; Orien-
tierungspunkt m; Wahrzeichen n; fig.
Markstein m; **~·own·er** s Grundbesit-
zer(in); **~·scape** s Landschaft f (a.
paint.); **~·slide** s Erdrutsch m (a. pol.);
a ~ victory pol. ein überwältigender
Wahlsieg; **~·slip** s (kleiner) Erdrutsch.

lane [leɪn] s Feldweg m; Gasse f, Sträß-
chen n; mar. (Fahrt)Route f; aer. Flug-
schneise f; mot. Fahrbahn f, Spur f;
Sport: (einzelne) Bahn; **get in ~!** bitte
einordnen!

lan·guage ['læŋgwɪdʒ] s Sprache f; **~
barrier** Sprachbarriere f; **~ course**
Sprachkurs m; **~ laboratory** Sprachlabor n; **~ teaching** Sprachunterricht m.

lan·tern ['læntən] s Laterne f.

lap¹ [læp] s Schoß m.

lap² [~] **1.** s sports: Runde f; **2.** (-pp-) v/t
sports: überrunden; wrap: wickeln; v/i
sports: e-e Runde zurücklegen.

lap³ [~] (-pp-) v/t: **~ up** auflecken,
-schlecken; v/i plätschern.

la·pel [lə'pel] s Revers n, m.

lapse [læps] **1.** s of time: Verlauf m; small
fault: (kleiner) Fehler or Irrtum; jur.
Verfall m; **2.** v/i verfallen (a. jur.), erlöschen.

lar·ce·ny jur. ['lɑːsənɪ] s Diebstahl m.

larch bot. [lɑːtʃ] s Lärche f.

lard [lɑːd] **1.** s Schweinefett n, -schmalz
n; **2.** v/t meat: spicken; **lar·der** s Speisekammer f; Speiseschrank m.

large [lɑːdʒ] adj □ (~r, ~st) groß; umfassend, weitgehend, ausgedehnt; **at ~** in
Freiheit, auf freiem Fuß; ganz allgemein; in der Gesamtheit; (sehr) ausführlich; **~·ly** adv zum großen Teil; im
wesentlichen; **~·mind·ed** adj tolerant;
~·ness s Größe f.

lar·i·at esp. Am. ['læriət] s Lasso n, m.

lark¹ zo. [lɑːk] s Lerche f.

lark² F [~] s Jux m, Spaß m.

lar·va zo. ['lɑːvə] s (pl -vae [-viː]) Larve f.

lar·ynx anat. ['læriŋks] s Kehlkopf m.

las·civ·i·ous [lə'sɪvɪəs] adj □ lüstern.

la·ser phys. ['leɪzə] s Laser m; **~ beam** s
Laserstrahl m.

lash [læʃ] **1.** s Peitschenschnur f; Peit-
schenhieb m; Wimper f; **2.** v/t peitschen, schlagen; (fest)binden; v/i: **~ out**

(wild) um sich schlagen; **~ out at** fig.
heftig angreifen (acc).

lass, ~·ie [læs, 'læsɪ] s Mädchen n.

las·si·tude ['læsɪtjuːd] s Mattigkeit f.

las·so [læ'suː] s (pl -[e]s) Lasso n, m.

last¹ [lɑːst] **1.** adj letzte(r, -s); vorige(r,
-s); äußerste(r, -s); neueste(r, -s); **~ but
one** vorletzte(r, -s); **~ night** gestern
abend; **~ date of sale** econ. Verfallsdatum n; **2.** s der, die, das Letzte; **at ~**
endlich; **to the ~** bis zum Schluß; **3.** adv
zuletzt; **~ but not least** nicht zuletzt.

last² [~] v/i (an-, fort)dauern; flowers,
etc.: (sich) halten; food, etc.: (aus)rei-
chen.

last³ [~] s (Schuhmacher)Leisten m.

last·ing ['lɑːstɪŋ] adj □ dauerhaft; beständig.

last·ly ['lɑːstlɪ] adv schließlich, zum
Schluß.

latch [lætʃ] **1.** s Klinke f; Schnappschloß
n; **2.** v/t einklinken, -zuklinken; **~·key** s Haus-
schlüssel m.

late [leɪt] adj □ (~r, ~st) spät; jüngste(r,
-s), letzte(r, -s); frühere(r, -s), ehemalig;
verstorben; **be ~** zu spät kommen, sich
verspäten; **at (the) ~st** spätestens; **as ~
as** noch, erst; **of ~** kürzlich; **~r on** später; **~·ly** adv kürzlich.

la·tent ['leɪtənt] adj □ verborgen, latent.

lath [lɑːθ] s Latte f.

lathe tech. [leɪð] s Drehbank f.

la·ther ['lɑːðə] **1.** s (Seifen)Schaum m; **2.**
v/t einseifen; v/i schäumen.

Lat·in ['lætɪn] **1.** adj ling. lateinisch; ro-
manisch; südländisch; **2.** s ling. Latein
n; Roman|e m, -in f, Südländer(in).

lat·i·tude ['lætɪtjuːd] s geogr. Breite f;
fig. Spielraum m.

lat·ter ['lætə] adj letztere(r, -s) (of two);
letzte(r, -s), spätere(r, -s).

lat·tice ['lætɪs] s Gitter n.

lau·da·ble ['lɔːdəbl] adj □ lobenswert.

laugh [lɑːf] **1.** s Lachen n, Gelächter n;
have the last ~ es (am Ende) j-m zeigen; **have a good ~ about** sich köstlich
amüsieren über (acc); **2.** v/i lachen; **~
at** j-n auslachen, sich lustig machen
über j-n; **~·a·ble** adj □ lächerlich; **~·ter**
s Lachen n, Gelächter n.

launch [lɔːntʃ] **1.** v/t ship: vom Stapel
laufen lassen; boat: aussetzen; hurl:
schleudern; rocket: starten, abschießen; fig. in Gang setzen; company:

gründen; *product*: einführen, auf den Markt bringen; **2.** *s mar.* Barkasse *f*; → **~ing** *s mar.* Stapellauf *m*; Abschuß *m* (*of rocket*); *fig.* Start(en *n*) *m*; **~ pad** Abschußrampe *f*; **~ site** Abschußbasis *f*.

laun|de·rette [lɔːndəˈret], *esp. Am.* **~·dro·mat** [ˈ·drəmæt] *s* Waschsalon *m*, Münzwäscherei *f*; **~dry** [ˈ·drɪ] *s* Wäscherei *f*; *clothes*, *etc.*: Wäsche *f*.

laur·el *bot.* [ˈlɒrəl] *s* Lorbeer *m* (*a. fig.*).

lav·a·to·ry [ˈlævətərɪ] *s* Toilette *f*, Klosett *n*; *public* **~** Bedürfnisanstalt *f*.

lav·ish [ˈlævɪʃ] **1.** *adj* □ freigebig, verschwenderisch; **2.** *v/t*: **~ s.th. on s.o.** j-n mit et. überhäufen or überschütten.

law [lɔː] *s* Gesetz *n*; Recht *n*; (Spiel)Regel *f*; Rechtswissenschaft *f*, Jura *pl*; *F* die Polizei; **~ and order** Recht *or* Ruhe u. Ordnung; **~·a·bid·ing** *adj* gesetzestreu; **~court** *s* Gericht(shof *m*) *n*; **~ful** *adj* □ gesetzlich; rechtmäßig, legitim; rechtsgültig; **~·less** *adj* □ gesetzlos; gesetzwidrig; zügellos.

lawn [lɔːn] *s* Rasen *m*.

law|suit [ˈlɔːsjuːt] *s* Prozeß *m*; **~yer** [ˈlɔːjə] *s* (Rechts)Anwalt *m*, (-)Anwältin *f*.

lax [læks] *adj* □ locker, lax; schlaff; lasch; **~·a·tive** *med.* [ˈlæksətɪv] **1.** *adj* abführend; **2.** *s* Abführmittel *n*.

lay[1] [leɪ] *pret of* **lie**[2] *v/i*.

lay[2] [~] *adj eccl.* weltlich; Laien...

lay[3] [~] (**laid**) *v/t* legen; umlegen; *plan*: schmieden; *table*: decken; *eggs*: legen; beruhigen, besänftigen; auferlegen; *complaint*: vorbringen, *charge*: erheben; *bet*: abschließen; *risk money*: wetten; **~ in** einlagern, sich eindecken mit; **~ low** niederstrecken, -werfen; **~ off** *econ. workers*: vorübergehend entlassen, *work*: einstellen; **~ open** darlegen; **~ out** ausbreiten; *garden*, *etc.*: anlegen; entwerfen, planen; *print.* gestalten; **~ up** *supplies*: anlegen, sammeln; **be laid up** das Bett hüten müssen; *v/i of hens*: (Eier) legen.

lay-by *Br. mot.* [ˈleɪbaɪ] *s* Parkbucht *f*, -streifen *m*; Park-, Rastplatz *m*.

lay·er [ˈleɪə] *s* Lage *f*, Schicht *f*.

lay·man [ˈleɪmən] *s* Laie *m*.

lay|off *econ.* [ˈleɪɒf] *s* vorübergehende Arbeitseinstellung, Feierschicht(en *pl*) *f*; **~out** *s* Anlage *f*; Plan *m*; *print.* Layout *n*, Gestaltung *f*.

la·zy [ˈleɪzɪ] *adj* □ (**-ier**, **-iest**) faul; träg(e), langsam; müde *or* faul machend.

lead[1] [led] *s chem.* Blei *n*; *mar.* Lot *n*.

lead[2] [liːd] **1.** *s* Führung *f*; Leitung *f*; Spitzenposition *f*; Beispiel *n*; *thea.* Hauptrolle *f*; *thea.* Hauptdarsteller(in); *sports and fig.*: Führung *f*, Vorsprung *m*; *card games*: Vorhand *f*; *electr.* Leitung *f*; (Hunde)Leine *f*; Hinweis *m*, Tip *m*, Anhaltspunkt *m*; **2.** (**led**) *v/t* führen; leiten; (an)führen; verleiten, bewegen (**to** zu); *card*: ausspielen; **~ on** *F* j-n anführen, auf den Arm nehmen; *v/i* führen; vorangehen; *sports and fig.*: in Führung liegen; **~ off** den Anfang machen; **~ up to** führen zu, überleiten zu.

lead·ed [ˈledɪd] *adj* verbleit, bleihaltig.

lead·en [ˈledn] *adj* bleiern (*a. fig.*), Blei...

lead·er [ˈliːdə] *s* (An)Führer(in), Leiter(in); Erste(r *m*) *f*; *Br.* Leitartikel *m*; **~ship** [~ʃɪp] *s* Führung *f*, Leitung *f*.

lead-free [ˈledfriː] *adj* bleifrei.

lead·ing [ˈliːdɪŋ] *adj* leitend; führend; Haupt...

leaf [liːf] **1.** *s* (*pl* **leaves** [~vz]) Blatt *n*; (*of door*, *etc.*) Flügel *m*; (*of table*) Klappe *f*; **2.** *v/i*: **~ through** durchblättern; **~·let** [ˈliːflɪt] *s* Prospekt *m*; Broschüre *f*, Informationsblatt *n*; Merkblatt *n*; **~·y** *adj* (**-ier**, **-iest**) belaubt.

league [liːg] *s* Liga *f* (*a. hist. and sports*); Bund *m*.

leak [liːk] **1.** *s* Leck *n*, undichte Stelle (*a. fig.*); **2.** *v/i* lecken, leck sein; tropfen; **~ out** auslaufen, -strömen, entweichen; *fig.* durchsickern; **~·age** [ˈ·ɪdʒ] *s* Lecken *n*, Auslaufen *n*, -strömen *n*; *fig.* Durchsickern *n*; **~·y** *adj* (**-ier**, **-iest**) leck, undicht.

lean[1] [liːn] *v/i and v/t* (*esp. Br.* **leant**, *esp. Am.* **leaned**) (sich) lehnen; (sich) stützen; (sich) neigen; **~ on**, **~ upon** sich verlassen auf (*acc*).

lean[2] [~] **1.** *adj* mager; **2.** *s* mageres Fleisch.

leant *esp. Br.* [lent] *pret and pp of* **lean**[1].

leap [liːp] **1.** *s* Sprung *m*, Satz *m*; **2.** *v/i and v/t* (**leapt** *or* **leaped**) (über)springen; **~ at** *fig.* sich stürzen auf (*acc*); **~t** [lept] *pret and pp of* **leap** 2; **~ year** [ˈliːpjɜː] *s* Schaltjahr *n*.

learn [lɜːn] *v/t and v/i* (**learned** *or* **learnt**) (er)lernen; erfahren, hören; **~ed**

['lɜːnɪd] *adj* gelehrt; **~er** *s* Anfänger(in); Lernende(r *m*) *f*; **~ driver** *mot.* Fahrschüler(in); **~ing** *s* (Er)Lernen *n*; Gelehrsamkeit *f*; **~t** [lɜːnt] *pret and pp of* **learn**.

lease [liːs] **1.** *s* Pacht *f*, Miete *f*; Pacht-, Mietvertrag *m*; **2.** *v/t* (ver)pachten, (ver)mieten.

leash [liːʃ] *s* (Hunde)Leine *f*.

least [liːst] **1.** *adj* (*sup of* **little** 1) kleinste(r, -s), geringste(r, -s), wenigste(r, -s); **2.** *adv* (*sup of* **little** 2) am wenigsten; **~ of all** am allerwenigsten; **3.** *s das* Geringste, *das* Mindeste, *das* Wenigste; **at ~** wenigstens; **to say the ~** gelinde gesagt.

leath·er ['leðə] **1.** *s* Leder *n*; **2.** *adj* ledern; Leder...

leave [liːv] **1.** *s* Erlaubnis *f*; *a.* **~ of absence** Urlaub *m*; Abschied *m*; **take (one's) ~** sich verabschieden; **2.** (*left*) *v/t* (hinter-, übrig-, ver-, zurück)lassen; stehen-, liegenlassen, vergessen; vermachen, -erben; *v/i* (fort-, weg)gehen, abreisen, abfahren, abfliegen (**for** nach).

leaves [liːvz] *s pl of* **leaf** 1; Laub *n*.

leav·ings ['liːvɪŋz] *s pl* Überreste *pl*.

lech·er·ous ['letʃərəs] *adj* □ lüstern.

lec|ture ['lektʃə] **1.** *s univ.* Vorlesung *f*, Vortrag *m*; Strafpredigt *f*; **2.** *v/i univ.* e-e Vorlesung halten; e-n Vortrag halten; *v/t* tadeln, abkanzeln; **~tur·er** [~rə] *s univ.* Dozent(in); Redner(in).

led [led] *pret and pp of* **lead²** 2.

led·ger *econ.* *s* Hauptbuch *n*.

leech [liːtʃ] *s zo.* Blutegel *m*; *fig.* Blutsauger *m*, Schmarotzer *m*.

leek *bot.* [liːk] *s* Lauch *m*, Porree *m*.

leer [lɪə] **1.** *s* anzüglicher (Seiten)Blick; **2.** *v/i* anzüglich *od.* lüstern blicken; schielen (**at** nach).

lee|ward *mar.* ['liːwəd] *adv* leewärts; **~way** *s mar.* Abtrift *f*; *fig.* Rückstand *m*; *fig.* Spielraum *m*.

left¹ [left] *pret and pp of* **leave** 2; **~lug·gage (office)** *Br. rail.* Gepäckaufbewahrung *f*.

left² [~] **1.** *adj* linke(r, -s); **2.** *adv* (nach) links; **3.** *s* Linke *f* (*a. pol.*, *boxing*), linke Seite; **on** *or* **to the ~** links; **~hand** *adj* linke(r, -s); **~ drive** *mot.* Linkssteuerung *f*; **~hand·ed** *adj* □ linkshändig; für Linkshänder.

left·o·vers ['leftəʊvəz] *s pl* (Speise)Reste *pl*.

left wing [left'wɪŋ] **1.** *adj pol.* linke(r, -s), linksgerichtet; **2.** *s pol., sports*: linker Flügel, Linksaußen *m*.

lefty ['leftɪ] *s esp. Br.* F Linke(r *m*) *f*; *esp. Am.* Linkshänder(in).

leg [leg] *s* Bein *n*; Keule *f*; (Stiefel)Schaft *m*; *math.* Schenkel *m*; **pull s.o.'s ~** F j-n auf den Arm nehmen; **stretch one's ~s** sich die Beine vertreten.

leg·a·cy ['legəsɪ] *s* Vermächtnis *n*.

le·gal ['liːgl] *adj* □ legal, gesetz-, rechtmäßig; gesetzlich, rechtlich; juristisch; Rechts...; **~ize** [~aɪz] *v/t* legalisieren, rechtskräftig machen.

le·ga·tion [lɪ'geɪʃn] *s* Gesandtschaft *f*.

leg·end ['ledʒənd] *s* Legende *f*, Sage *f*; Bildunterschrift *f*; **le·gen·da·ry** *adj* legendär, sagenhaft.

leg·gings ['legɪnz] *s pl* Gamaschen *pl*; *fashion*: Leggings *pl*.

le·gi·ble ['ledʒəbl] *adj* □ leserlich.

le·gion *fig.* ['liːdʒən] *s* Legion *f*, Heer *n*.

le·gis·la|tion [ledʒɪs'leɪʃn] *s* Gesetzgebung *f*; **~tive** *pol.* ['ledʒɪslətɪv] **1.** *adj* □ gesetzgebend, legislativ; **2.** *s* Legislative *f*, gesetzgebende Gewalt; **~tor** ['ledʒɪsleɪtə] *s* Gesetzgeber *m*.

le·git·i·mate [lɪ'dʒɪtɪmət] *adj* □ legitim; gesetz-, rechtmäßig, berechtigt; ehelich.

leg·less ['leglɪs] *adj* ohne Beine; *sl.* sternhagelvoll; **~pull** *s* F Jux *m*, Scherz *m*; **~room** *s in car*: Beinfreiheit *f*.

lei·sure ['leʒə] *s* Muße *f*, Freizeit *f*; **at ~** in Ruhe, ohne Hast; **~ activities** *pl* Freizeitgestaltung *f*; **~ wear** Freizeitkleidung *f*; **~ly** *adj und adv* gemächlich.

lem·on *bot.* ['lemən] *s* Zitrone *f*; **~ade** [lemə'neɪd] *s* Zitronenlimonade *f*; **~ squash** *s Br.* Zitronenwasser *n*.

lend [lend] *v/t* (**lent**) (ver-, aus)leihen, (aus)borgen.

length [leŋθ] *s* Länge *f*; Strecke *f*; (Zeit-)Dauer *f*; **at ~** endlich, schließlich; ausführlich; **go to any** *or* **great** *or* **considerable ~s** sehr weit gehen; **~en** *v/t* verlängern; *v/i* länger werden; **~ways**, **~wise** *adv* der Länge nach; **~y** *adj* □ (*-ier, -iest*) sehr lang.

le·ni·ent ['liːnɪənt] *adj* □ mild(e), nachsichtig.

lens *opt.* [lenz] *s* Linse *f*.

lent¹ [lent] *pret and pp of* **lend**.

Lent² [~] *s* Fastenzeit *f*.

len·til *bot.* ['lentil] *s* Linse *f*.

leop·ard *zo.* ['lepəd] *s* Leopard *m*.

lep·ro·sy *med.* ['leprəsi] *s* Lepra *f*.

les·bi·an ['lezbiən] **1.** *adj* lesbisch; **2.** *s* Lesbierin *f*, F Lesbe *f*.

less [les] **1.** *adj and adv* (*comp of* **little** 1, 2) kleiner, geringer, weniger; **2.** *prp* weniger, minus, abzüglich.

less·en ['lesn] *v/t and v/i* (sich) vermindern *or* -ringern; abnehmen; herabsetzen.

less·er ['lesə] *adj* kleiner, geringer.

les·son ['lesn] *s* Lektion *f*; (Unterrichts-)Stunde *f*; pl. Lektion *f*, Lehre *f*; ~s *pl* Unterricht *m*.

let [let] (**let**) *v/t* lassen; vermieten, -pachten; ~ **alone** in Ruhe lassen; geschweige denn; ~ **down** herab-, herunterlassen; *clothes*: verlängern; *j-n* im Stich lassen; (*a v/i*) ~ **go** loslassen; ~ **o.s. go** sich gehenlassen; ~ **in** (her)einlassen; ~ **o.s. in for s.th.** sich et. aufhalsen *or* einbrocken; ~ **s.o. in on s.th.** j-n in et. einweihen; ~ **off** abschießen; *j-n* laufenlassen; aussteigen lassen; ~ **out** hinauslassen; ausplaudern; vermieten; *v/i*: ~ **up** aufhören.

le·thal ['li:θl] *adj* □ tödlich; Todes...

leth·ar·gy ['leθədʒi] *s* Lethargie *f*.

let·ter ['letə] **1.** *s* Buchstabe *m*; *print.* Type *f*; Brief *m*, Schreiben *n*; ~s *pl* Literatur *f*; *attr* Brief...; **2.** *v/t* beschriften; ~**box** *s* Briefkasten *m*; ~**ed** *adj* (literarisch) gebildet; ~**ing** *s* Beschriftung *f*.

let·tuce *bot.* ['letis] *s* (*esp.* Kopf)Salat *m*.

leu·k(a)e·mia *med.* [lju:'ki:mɪə] *s* Leukämie *f*.

lev·el ['levl] **1.** *adj* waag(e)recht; eben; gleich; ausgeglichen; **my ~ best** F mein möglichstes; ~ **crossing** *Br.* Bahnübergang *m*; **2.** *s* Ebene *f*, ebene Fläche; (gleiche) Höhe, (Wasser)Spiegel *m*, (-)Stand *m*; Wasserwaage *f*; *fig.* Niveau *n*, Stand *m*, Stufe *f*; **on the ~** F ehrlich, aufrichtig; **3.** *v/t* (*esp. Br.* **-ll-**, *Am.* **-l-**) (ein)ebnen, planieren; niederschlagen, fällen; ~ **at** *weapon*: richten auf (*acc*); *accusations*: erheben gegen; ~**headed** *adj* vernünftig, nüchtern.

le·ver ['li:və] *s* Hebel *m*; ~**age** *s* Hebelkraft *f*, -wirkung *f*; *fig.* Einfluß *m*;

~**aged** *adj*: ~ **buyout** *or* **take-over** *econ. appr.* kreditfinanzierte Übernahme.

lev·y ['levi] **1.** *s* Steuereinziehung *f*; Steuer *f*; *mil.* Aushebung *f*; **2.** *v/t taxes* einziehen, erheben; *mil.* ausheben.

lewd [lju:d] *adj* □ unanständig, obszön; schmutzig.

li·a·bil·i·ty [laɪə'bɪlətɪ] *s jur.* Haftung *f*, Haftpflicht *f*; *econ.* Passiva *pl*.

li·a·ble ['laɪəbl] *adj jur.* haftbar, -pflichtig; **be ~ for** haften für; **be ~ to** neigen zu; anfällig sein für.

li·ar ['laɪə] *s* Lügner(in).

li·bel ['laɪbl] **1.** *s jur.* schriftliche Verleumdung *or* Beleidigung *f*; **2.** *v/t* (*esp. Br.* **-ll-**, *Am.* **-l-**) verleumden, beleidigen.

lib·er·al ['lɪbərəl] **1.** *adj* □ liberal (*a. pol.*), aufgeschlossen; großzügig; reichlich; **2.** *s* Liberale(r *m*) *f* (*a. pol.*); ~**i·ty** [lɪbə'rælətɪ] *s* Großzügigkeit *f*; Aufgeschlossenheit *f*.

lib·e|rate ['lɪbəreɪt] *v/t* befreien; ~**ra·tion** [~'reɪʃn] *s* Befreiung *f*; ~ **the·ology** Befreiungstheologie *f*; ~**ra·tor** *s* Befreier *m*.

lib·er·ty ['lɪbətɪ] *s* Freiheit *f*; **take liberties** sich Freiheiten herausnehmen; **be at ~** frei sein.

li·brar·i·an [laɪ'breərɪən] *s* Bibliothekar(in); **li·bra·ry** ['laɪbrərɪ] *s* Bibliothek *f*; Bücherei *f*.

lice [laɪs] *pl of* **louse**.

li·cence, *Am.* **-cense** ['laɪsəns] *s* Lizenz *f*, Konzession *f*; Freiheit *f*; Zügellosigkeit *f*; **license plate** *Am. mot.* Nummernschild *n*; **driving** ~, *Am.* **driver's license** Führerschein *m*.

li·cense, -cence [~] *v/t j-m* e-e Lizenz *or* Konzession erteilen; (amtlich) genehmigen *or* zulassen.

lick [lɪk] **1.** *s* Lecken *n*; Salzlecke *f*; **2.** *v/t* (ab-, auf-)belecken; F verdreschen, -prügeln; F schlagen, besiegen; *v/i* lecken; *flames*: züngeln.

lid [lɪd] *s* Deckel *m*; (Augen)Lid *n*.

lie¹ [laɪ] **1.** *s* Lüge *f*; **give s.o. the ~** j-n Lügen strafen; **2.** *v/i* lügen.

lie² [~] **1.** *s* Lage *f*; **2.** *v/i* (**lay, lain**) liegen; ~ **behind** *fig.* dahinterstecken; ~ **down** sich hinlegen; **let sleeping dogs ~** *fig.* daran rühren wir lieber nicht; ~**down** *s*

F Nickerchen n; **~in** s: *have a ~* Br. F sich gründlich ausschlafen.

lieu·ten·ant [lef'tenənt; *mar.* le'tenənt; *Am.* luː'tenənt] s Leutnant m.

life [laɪf] s (*pl lives* [~vz]) Leben n; Menschenleben n; Lebensbeschreibung f, Biographie f; *for ~* fürs (ganze) Leben, *job, etc.*: auf Lebenszeit; *esp. jur.* lebenslänglich; *be imprisoned for ~* lebenslänglich bekommen; *~ imprisonment*, *~ sentence* lebenslängliche Freiheitsstrafe; **~ as·su·rance** s Lebensversicherung f; **~belt** s Rettungsgürtel m; **~boat** s Rettungsboot n; **~cy·cle a·nal·y·sis** s Ökobilanz f; **~guard** s mil. Leibgarde f; Bademeister m; Rettungsschwimmer m; **~ in·sur·ance** s Lebensversicherung f; **~jack·et** s Schwimmweste f; **~less** adj □ leblos; matt, schwung-, lustlos; **~like** adj lebensecht; **~long** adj lebenslang; **~ pre·serv·er** s Am. Schwimmweste f; Rettungsgürtel m; **~time 1.** s Lebenszeit f; **2.** adj auf Lebenszeit, lebenslang.

lift [lɪft] **1.** s (Hoch-, Auf)Heben n; phys., aer. Auftrieb m; esp. Br. Lift m, Aufzug m, Fahrstuhl m; *give s.o. a ~* cheer s.o. up: j-n aufmuntern, j-m Auftrieb geben; *hitchhiker*: j-n (im Auto) mitnehmen; **2.** v/t (hoch-, auf)heben; erheben; ban: aufheben; steuern: straffen; F klauen, stehlen; v/i sich heben (fog); **~ off** abheben (rocket, etc.); **~off** ['lɪftɒf] s Start m, Abheben n (of rocket, etc.).

light¹ [laɪt] **1.** s Licht n (a. fig.); Lampe f; Leuchten n, Glanz m; fig. Aspekt m; *can you give me a ~, please?* haben Sie Feuer?; *put a ~ to* anzünden; **2.** adj licht, hell; blond; **3.** (*lit or lighted*) v/t: ~ (*up*) be-, erleuchten; anzünden; v/i sich entzünden, brennen; *~ up* aufleuchten.

light² [~] adj and adv leicht (a. fig.); *make ~ of* et. leichtnehmen.

light·en¹ ['laɪtn] v/t erhellen; aufhellen; aufheitern; v/i hell(er) werden, sich aufhellen.

light·en² [~] v/t and v/i leichter machen or werden; erleichtern.

light·er ['laɪtə] s Anzünder m; Feuerzeug n; mar. Leichter m.

light|-head·ed ['laɪthedɪd] adj benommen, benebelt; leichtfertig, töricht; **~heart·ed** adj □ fröhlich, unbeschwert; **~house** s Leuchtturm m.

light·ing ['laɪtɪŋ] s Beleuchtung f; Anzünden n.

light|-mind·ed [laɪt'maɪndɪd] adj leichtfertig; **~ness** s Leichtheit f; Leichtigkeit f.

light·ning ['laɪtnɪŋ] s Blitz m; attr blitzschnell, Blitz...; **~ con·duc·tor**, Am. **~ rod** s Blitzableiter m.

light·weight ['laɪtweɪt] s boxing, etc.: Leichtgewicht(ler m) n.

like [laɪk] **1.** adj and prp gleich; ähnlich; (so) wie; F als ob; *~ that* so; *feel ~* Lust haben auf (acc) or zu; *what is he ~?* wie ist er?; *that is just ~ him!* das sieht ihm ähnlich!; *that's more ~ it!* F das gefällt mir schon besser!; **2.** s der, die, das gleiche, et. Gleiches; *his ~* seinesgleichen; *the ~* dergleichen; *the ~s of you* Leute wie du; *my ~s and dislikes* was ich mag und was ich nicht mag; **3.** v/t gern haben, (gern) mögen; gern tun etc.; *how do you ~ it?* wie gefällt es dir?, wie findest du es?; *I ~ that!* iro. das hab' ich gern!; *I should ~ to come* ich würde gern kommen; v/i wollen; *as you ~* wie du willst; *if you ~* wenn Sie wollen; **~li·hood** ['~lɪhʊd] s Wahrscheinlichkeit f; **~ly 1.** adj (*-ier, -iest*) wahrscheinlich; geeignet; **2.** adv wahrscheinlich; *not ~!* F bestimmt nicht!; **~ness** s Ähnlichkeit f; (Ab)Bild n; Gestalt f; **~wise** adv gleich-, ebenfalls; auch.

lik·ing ['laɪkɪŋ] s (*for*) Vorliebe f (für), Gefallen n (an dat).

li·lac ['laɪlək] **1.** adj lila; **2.** s bot. Flieder m.

lil·y bot. ['lɪlɪ] s Lilie f; *~ of the valley* Maiglöckchen n; **~white** adj schneeweiß.

limb [lɪm] s arms, legs: Glied n; Ast m.

lime¹ [laɪm] s Kalk m.

lime² bot. [~] s Linde f; Limone f.

lime·light fig. ['laɪmlaɪt] s Rampenlicht n.

lim·it ['lɪmɪt] **1.** s fig. Grenze f; *within ~s* in Grenzen; *off ~s* Am. Zutritt verboten (*to* für); *that is the ~!* F das ist der Gipfel!, das ist (doch) die Höhe!; *go to the ~* bis zum Äußersten gehen; **2.** v/t beschränken (*to* auf acc).

lim·i·ta·tion [lɪmɪ'teɪʃn] s Ein-, Beschränkung f; fig. Grenze f.

lim·it·ed ['lɪmɪtɪd] adj beschränkt, begrenzt; *~ (liability) company* Br. econ.

Gesellschaft f mit beschränkter Haftung; **~less** adj □ grenzenlos.

limp [lɪmp] **1.** v/i hinken, humpeln; **2.** s Hinken n, Humpeln n; **3.** adj schlaff; schwach, müde; weich.

lim·pid ['lɪmpɪd] adj □ klar, durchsichtig.

line [laɪn] **1.** s Linie f (a. math.), Strich m; written: Zeile f; of poem: Vers m; on face: Falte f, Runzel f, Furche f; row: Reihe f; queue: (Menschen)Schlange f; of ancestors: (Ahnen)Reihe f, Linie f; of railway, etc.: (Bahn-, Verkehrs)Linie f, Strecke f; (Eisenbahn-, Verkehrs)Gesellschaft f; teleph., etc.: Leitung f; Branche f, Fach n, Gebiet n; sports: (Ziel)Linie f; Leine f, Angelschnur f; Äquator m; Richtung f; econ. goods: Posten m; fig. Grenze f; **~s** pl thea. Rolle f, Text m; **be in ~ for** gute Aussichten haben auf (acc); **be in ~ with** übereinstimmen mit; **draw the ~** haltmachen, e-e Grenze ziehen (**at** bei); **hold the ~** teleph. am Apparat bleiben; **stand in ~** Am. Schlange stehen; **2.** v/t lin(i)ieren; face: zeichnen; streets: säumen; clothes: füttern; tech. auskleiden; (a. v/i) **~ up** (sich) in e-r Reihe aufstellen.

lin·e·ar ['lɪnɪə] adj linear, geradlinig; Längen...

lin·en ['lɪnɪn] **1.** s Leinen n; (Bett-, Tisch)Wäsche f; **2.** adj leinen, Leinen...; **~-clos·et**, **~-cup·board** s Wäscheschrank m.

lin·er ['laɪnə] s Linien-, Passagierschiff n; Verkehrsflugzeug n; → **eyeliner**

lin·ger ['lɪŋgə] v/i zögern; verweilen, sich aufhalten; dahinsiechen; a. **~ on** sich hinziehen.

lin·ge·rie ['lɛ̃ːʒəriː] s Damenunterwäsche f.

lin·ing ['laɪnɪŋ] s Futter(stoff n) n; mot. (Brems)Belag m; tech. Aus-, Verkleidung f.

link [lɪŋk] **1.** s (Ketten)Glied n; Manschettenknopf m; fig. (Binde)Glied n, Verbindung f; **2.** v/t and v/i (sich) verbinden; **~ up** miteinander verbinden; spacecraft: (an)koppeln.

links [lɪŋks] s pl Dünen pl; a. **golf ~** Golfplatz m.

link-up ['lɪŋkʌp] s Zusammenschluß m, Verbindung f, Kopplung(smanöver n) f (of spacecraft).

lin·seed ['lɪnsiːd] s bot. Leinsamen m; **~ oil** Leinöl n.

li·on zo. ['laɪən] s Löwe m; **~ess** zo. [~nɪs] s Löwin f.

lip [lɪp] s Lippe f; of cup, etc.: Rand m; sl. Unverschämtheit f; **~stick** s Lippenstift m.

li·que·fy ['lɪkwɪfaɪ] v/i and v/t (sich) verflüssigen.

liq·uid ['lɪkwɪd] **1.** adj flüssig; eyes: feucht (schimmernd); **2.** s Flüssigkeit f.

liq·ui·date ['lɪkwɪdeɪt] v/t liquidieren (a. econ.); debt: tilgen.

liq·uid|ize ['lɪkwɪdaɪz] v/t zerkleinern, pürieren; **~iz·er** [~ə] s Mixgerät n, Mixer m

liq·uor ['lɪkə] s Br. alkoholisches Getränk; Am. Schnaps m.

lisp [lɪsp] **1.** s Lispeln n; **2.** v/i and v/t lispeln.

list [lɪst] **1.** s Liste f, Verzeichnis n; **2.** v/t (in e-e Liste) eintragen; verzeichnen, auflisten.

lis·ten ['lɪsn] v/i (**to**) lauschen, horchen (auf acc); anhören (acc), zuhören (dat); hören (auf acc); **~ in** (im Radio) hören (**to** acc); secretly: mithören; **~er** s Zuhörer(in); (Radio)Hörer(in).

list·less ['lɪstlɪs] adj teilnahmslos, lustlos.

lit [lɪt] pret and pp of **light¹** 3.

lit·er·al ['lɪtərəl] adj □ (wort)wörtlich; buchstäblich; prosaisch.

lit·e·ra|ry ['lɪtərərɪ] adj □ literarisch, Literatur...; **~ture** [~rətʃə] s Literatur f.

lit·i·ga·tion jur. [lɪtɪ'geɪʃn] s Prozeß m.

li·tre, Am. **-ter** ['liːtə] s Liter m, n.

lit·ter ['lɪtə] s vehicle: Sänfte f; stretcher: Tragbahre f, Trage f; straw: Streu f; zo. Wurf m; waste: Abfall m, esp. herumliegendes Papier; mess: Durcheinander n, Unordnung f; **2.** v/t zo. werfen; verstreuen; **be ~ed with** übersät sein mit; v/i zo. Junge werfen; **~ bas·ket**, **~ bin** s Abfallkorb m.

lit·tle ['lɪtl] **1.** adj (**less**, **least**) klein; gering(fügig), unbedeutend; wenig; **~ one** Kleiner m, Kleine f, Kleines n (child); **2.** adv (**less**, **least**) wenig, kaum; überhaupt nicht; **3.** s Kleinigkeit f; **a ~** ein bißchen, etwas; **~ by ~** nach und nach; **not a ~** recht wenig.

live¹ [lɪv] v/i leben; wohnen; **~ to see** erleben; **~ off s.th.** leben von et.; **~ off s.o.** auf j-s Kosten leben; **~ on** leben von; **~ through** durchmachen, -stehen; **~ up to** one's reputation: gerecht werden (dat), one's principles: gemäß leben (dat); promise: halten; expectations: erfüllen; **~ with** mit j-m zusammenleben; mit et. leben; **you ~ and learn** man lernt nie aus; v/t life: führen.

live² [laɪv] **1.** adj lebend, lebendig; wirklich, richtig; aktuell; coal: glühend; ammunition: scharf; electr. stromführend, geladen; TV: direkt, Direkt..., live, Live..., Original...; **2.** adv TV: direkt, live, original.

live·able ['lɪvəbl] adj life: erträglich, lebenswert; house: wohnlich.

live|li·hood ['laɪvlɪhʊd] s (Lebens)Unterhalt m; **~li·ness** [~nɪs] s Lebhaftigkeit f; **~ly** [~lɪ] adj (-ier, -iest) lebhaft, lebendig; aufregend; schnell; bewegt.

liv·er anat. ['lɪvə] s Leber f.

lives [laɪvz] pl of life.

live·stock ['laɪvstɒk] s Vieh(bestand m) n.

liv·ing ['lɪvɪŋ] **1.** adj □ lebend(ig); **the ~ image of** das genaue Ebenbild gen; **2.** s das Leben; Lebensweise f; Lebensunterhalt m; eccl. Pfründe f; **the ~ pl** die Lebenden pl; **standard of ~** Lebensstandard m; **~ room** s Wohnzimmer n.

liz·ard zo. ['lɪzəd] s Eidechse f.

load [ləʊd] **1.** s Last f (a. fig.); Ladung f; Belastung f; **2.** v/t (auf-, be)laden; gun: laden; j-n überhäufen (**with** mit); **~ a camera** e-n Film einlegen; **~ing** s Laden n; Ladung f, Fracht f; attr Lade...

loaf¹ [ləʊf] s (pl loaves [~vz]) Laib m (Brot); Brot n.

loaf² [~] v/i herumlungern; **~er** s Faulenzer(in).

loam [ləʊm] s Lehm m; **~y** adj (-ier, -iest) lehmig.

loan [ləʊn] **1.** s Anleihe f; Darlehen n; Leihgabe f; **on ~** leihweise; **2.** v/t esp. Am. j-m et. ausleihen; **~word** s Lehnwort n.

loath [ləʊθ] adj □ abgeneigt; **be ~ to do s.th.** et. ungern tun; **~e** [ləʊð] v/t sich ekeln vor (dat); verabscheuen; **~ing** s Ekel m; Abscheu m; **~some** adj □ abscheulich, ekelhaft; verhaßt.

loaves [ləʊvz] pl of loaf¹.

lob [lɒb] tennis: **1.** s Lob m; **2.** v/t j-n überlobben; ball: lobben; v/i e-n Lob spielen.

lob·by ['lɒbɪ] **1.** s Vorhalle f; of theatre: Foyer n; parl. Wandelhalle f; pol. Lobby f, Interessengruppe f; **2.** v/t pol. beeinflussen, Einfluß nehmen auf (acc).

lobe anat., bot. [ləʊb] s Lappen m; a. **ear~** Ohrläppchen n.

lob·ster zo. ['lɒbstə] s Hummer m.

lo·cal ['ləʊkl] **1.** adj □ örtlich, Orts-, lokal, Lokal...; **~ elections** pl Kommunalwahlen pl; **~ government** Gemeindeverwaltung f; **2.** s Einheimische(r m) f; a. **~ train** Nahverkehrszug m; **the ~** Br. F die Stammkneipe; **~i·ty** [ləʊ'kælətɪ] s Örtlichkeit f; Lage f; **~ize** ['ləʊkəlaɪz] v/t lokalisieren.

lo·cate [ləʊ'keɪt] v/t ausfindig machen; orten; **be ~d** liegen, sich befinden; **lo·ca·tion** [~eɪʃn] s Lage f; Standort m; Platz m (**for** für); film: Drehort m; **on ~** auf Außenaufnahme.

loch ScotE [lɒx, lɒk] s See m.

lock¹ [lɒk] **1.** s of door, gun, etc.: Schloß n; Schleuse(nkammer) f; tech. Sperrvorrichtung f; **2.** v/t (ab-, ver-, zu)schließen, zu-, versperren; umschließen, umfassen; **~ away** wegschließen; **~ in** einschließen, -sperren; **~ out** aussperren; **~ up** abschließen; wegschließen; einsperren; v/i sich schließen lassen; tech. blockieren.

lock² [~] s (Haar)Locke f.

lock|er ['lɒkə] s Schrank m, Spind m; Schließfach n; **~ room** Umkleideraum m; **~et** [~ɪt] s Medaillon n; **~out** s econ. Aussperrung f; **~smith** s Schlosser m; **~up** s (Haft)Zelle f; F Gefängnis n.

lo·co Am. sl. ['ləʊkəʊ] adj bekloppt.

lo·co·mo|tion [ləʊkə'məʊʃn] s Fortbewegung(sfähigkeit) f; **~tive** ['ləʊkəməʊtɪv] **1.** adj (Fort)Bewegungs...; **2.** s a. **~ engine** Lokomotive f.

lo·cust zo. ['ləʊkəst] s Heuschrecke f.

lodge [lɒdʒ] **1.** s Häuschen n; Jagd-, Skihütte f etc.; Pförtnerhaus n, -loge f; (masonic ~) (Freimaurer)Loge f; **2.** v/t (esp. vorübergehend or in Untermiete) wohnen; stecken(bleiben) (bullet, etc.), (fest)sitzen; v/t aufnehmen, beherbergen, unterbringen; bullet: jagen (**in** in acc); complaint: einlegen; charge: einreichen; **lodg·er** s Untermieter(in); **lodg·ing** s Unterkunft f; **~s** pl (esp. möbliertes) Zimmer n.

loft [lɒft] s (Dach)Boden m; Heuboden

m; Empore *f*; **~y** *adj* □ (**-ier, -iest**) hoch; erhaben; stolz.

log [lɒg] *s* (Holz)Klotz *m*, (gefällter) Baumstamm; *mar.* Log *n*; → **~book** *s mar.*, *aer.* Logbuch *n*; *mot.* Fahrtenbuch *n*; *Br. mot.* Kraftfahrzeugbrief *m*; **~ cab·in** *s* Blockhaus *n*, -hütte *f*.

log-ger-head ['lɒgəhed] *s*: **be at ~s** sich in den Haaren liegen.

log·ic ['lɒdʒɪk] *s* Logik *f*; **~al** *adj* □ logisch.

loin [lɔɪn] *s anat.* Lende *f*; *cooking*: Lende(nstück *n*) *f*.

loi·ter ['lɔɪtə] *v/i* trödeln, schlendern, bummeln; herumlungern.

loll [lɒl] *v/i* sich rekeln *or* lümmeln; **~ about** herumlümmeln; **~ out** *tongue*: heraushängen.

lol·li·pop ['lɒlɪpɒp] *s* Lutscher *m*; Eis *n* am Stiel; **~ man, ~ woman** *Br.* F Schülerlotse *m*; **~ly** F ['lɒlɪ] *s* Lutscher *m*; **~ice(d)** ~ Eis *n* am Stiel.

lone|li·ness ['ləʊnlınıs] *s* Einsamkeit *f*; **~ly** (**-ier, -iest**), **~some** *adj* □ einsam.

long¹ [lɒŋ] **1.** *s* (e-e) lange Zeit; **before ~** bald; **for ~** lange; **take ~** lange brauchen *or* dauern; **2.** *adj* lang; langfristig; **in the ~ run** schließlich; **be ~** lange brauchen; **3.** *adv* lang(e); **as *or* so ~ as** solange; vorausgesetzt, daß; **~ ago** vor langer Zeit; **no ~er** nicht mehr, nicht länger; **so ~!** F bis dann!, tschüs!

long² [~] *v/i* sich sehnen (**for** nach).

long-dis·tance [lɒŋ'dɪstəns] *adj* Fern...; Langstrecken...; **~ call** *teleph.* Ferngespräch *n*; **~ runner** *sports*: Langstreckenläufer(in); **~hand** *s* Schreibschrift *f*.

long·ing ['lɒŋıŋ] **1.** *adj* □ sehnsüchtig; *s* Sehnsucht *f*, Verlangen *n*.

lon·gi·tude *geogr.* ['lɒndʒɪtjuːd] *s* Länge *f*.

long| jump ['lɒŋdʒʌmp] *s sports*: Weitsprung *m*; **~range** *adj plan*: langfristig; *mil.* Langstrecken...; **~shore·man** *s* Hafenarbeiter *m*; **~sight·ed** *adj* □ weitsichtig; **~stand·ing** *adj* seit langer Zeit bestehend; alt; **~term** *adj* langfristig, auf lange Sicht; **~ wave** *s electr.* Langwelle *f*; **~wind·ed** *adj* □ langatmig.

loo *Br.* F [luː] *s* Klo *n*.

look [lʊk] **1.** *s* Blick *m*; Miene *f*, (Gesichts)Ausdruck *m*; (**good**) **~s** *pl* gutes Aussehen; **have a ~ at s.th.** sich et.

ansehen; **I don't like the ~ of it** es gefällt mir nicht; **2.** *v/t and v/i* sehen, blicken, schauen (**at, on** auf *acc*, nach); nachsehen; *pale, etc.*: aussehen; aufpassen, achten; *face in a direction*: sehen, gehen (**window, etc.**); **~ here!** schau mal (her); hör mal (zu)!; **~ like** aussehen wie; **it ~s as if** sie sieht (so) aus, als ob; **~ after** aufpassen auf (*acc*), sich kümmern um, sorgen für; **~ ahead** nach vorne sehen; *fig.* vorausschauen; **~ around** sich umsehen; **~ at** ansehen; **~ back** sich umsehen; **~ back to** *fig.* zurückblicken auf (*acc*), zurückdenken an (*acc*); **~ down** herab-, heruntersehen (*a. fig.* **on** *s.o.* auf *j-n*); **~ for** suchen; **~ forward to** sich freuen auf (*acc*); **~ in** hereinschauen (**on** bei) (*as a visitor*); F fernsehen; **~ into** untersuchen, prüfen; **~ on** zusehen, -schauen (*dat*); **~ on to** liegen zu, (hinaus)gehen auf (*acc*) (*window, etc.*); **~ on, ~ upon** betrachten, ansehen (**as** als); **~ out** hinaus-, heraussehen; aufpassen, sich vorsehen; Ausschau halten (**for** nach); **~ over** et. durchsehen; *j-n* mustern; **~ round** sich umsehen; **~ through** et. durchsehen; **~ up** aufblicken, -sehen; et. nachschlagen; *j-n* aufsuchen.

look-a·like ['lʊkəlaɪk] *s* F Doppelgänger(in); genaues Gegenstück.

look-out ['lʊkaʊt] *s* Ausguck *m*; Ausschau *f*; F Aussicht(en *pl*) *f*; **that is my ~** F das ist meine Sache.

loom [luːm] **1.** *s* Webstuhl *m*; **2.** *v/i a.* **~ up** undeutlich sichtbar werden *or* auftauchen.

loo·ny ['luːnı] F **1.** *s* Verrückte(r *m*) *f*; **2.** *adj* verrückt, bekloppt; **~ bin** F Klapsmühle *f*.

loop [luːp] **1.** *s* Schlinge *f*, Schleife *f*; Schlaufe *f*; Öse *f*; *aer.* Looping *m*, *n*; *computer*: Programmschleife *f*; **2.** *v/t* in Schleifen legen; schlingen; *v/i* e-e Schleife machen; sich schlingen; **~hole** ['luːphəʊl] *s mil.* Schießscharte *f*; *fig.* Hintertürchen *n*; **a ~ in the law** e-e Gesetzeslücke.

loose [luːs] **1.** *adj* □ (**~r, ~st**) los(e); locker; weit; frei; ungenau; liederlich; **let ~** loslassen; freilassen; **2.** *v/t*: **be on the ~** frei herumlaufen; **loos·en** ['luːsn] *v/t and v/i* (sich) lösen; (sich) lockern; **~ up** *sports*: Lockerungsübungen machen.

loot [luːt] **1.** *v/t* plündern; **2.** *s* Beute *f*.

lop [lɒp] v/t (**-pp-**) tree: beschneiden, stutzen; **~ off** abhauen, abhacken; **~·sid·ed** adj □ schief; einseitig.

lord [lɔːd] s Herr m, Gebieter m; Lord m; **the ♀** der Herr (God); **my ~** [mɪˈlɔːd] address: Mylord, Euer Gnaden, Euer Ehren; ♀ **Mayor** Br. Oberbürgermeister m; **the ♀'s Prayer** das Vaterunser; **the ♀'s Supper** das Abendmahl; **~·ly** adj (-ier, -iest) vornehm, edel; gebieterisch; hochmütig, arrogant; **~·ship** s: **his** or **your ~** seine or Euer Lordschaft.

lore [lɔː] s Kunde f; Überlieferungen pl.

lor·ry Br. [ˈlɒrɪ] s Last(kraft)wagen m, Lastauto n, Laster m; rail. Lore f.

lose [luːz] (**lost**) v/t verlieren (a. job, etc.); verpassen, -säumen; et. nicht mitbekommen; nachgehen (watch, etc.); **~ o.s.** sich verirren; sich verlieren; v/i Verluste erleiden; verlieren; nachgehen (watch, etc.); **los·er** s [ˈluːzə] s Verlierer(in).

loss [lɒs] s Verlust m; Schaden m; **at a ~** econ. mit Verlust; **be at a ~** nicht mehr weiterwissen; → **dead.**

lost [lɒst] 1. pret and pp of **lose**; 2. adj verloren; verlorengegangen; verirrt; verschwunden; time: verloren, vergeudet; chance: versäumt; **be ~ in thought** in Gedanken versunken or vertieft sein; **~ property office** Fundbüro n.

lot [lɒt] s Los n; econ. Partie f, Posten m (of goods); esp. Am. Bauplatz m; esp. Am. Parkplatz m; esp. Am. Filmgelände n; F Gruppe f, Gesellschaft f; Los n, Schicksal n; **the ~** F alles, das Ganze; **a ~ of** F, **~s of** F viel, e-e Menge; **~s and ~s of** F jede Menge; **a bad ~** F ein übler Kerl; **cast** or **draw ~s** losen.

loth [ləʊθ] → **loath.**

lo·tion [ˈləʊʃn] s Lotion f.

lot·te·ry [ˈlɒtərɪ] s Lotterie f.

loud [laʊd] adj □ laut (a. adv); fig. schreiend, grell (colours, etc.); **~·speak·er** s Lautsprecher m.

lounge [laʊndʒ] 1. v/i faulenzen; herumlungern; schlendern; 2. s Bummel m; Wohnzimmer n; Aufenthaltsraum m, Lounge f (of hotel); Warteraum m, Lounge f (of airport); **~ suit** s Straßenanzug m.

louse zo. [laʊs] s (pl lice [laɪs]) Laus f; **lou·sy** [ˈlaʊzɪ] adj (-ier, -iest) verlaust; F miserabel, mies, saumäßig.

lout [laʊt] s Flegel m, Lümmel m.

lov·a·ble [ˈlʌvəbl] adj □ liebenswert; reizend.

love [lʌv] 1. s Liebe f (of, for, to, towards zu); Liebling m, Schatz m; Br. (address) m-e Liebe, mein Lieber, mein Liebes; tennis: null; **be in ~ with** s.o. in j-n verliebt sein; **fall in ~ with** s.o. sich in j-n verlieben; **make ~** sich lieben, miteinander schlafen, F Liebe machen; **give my ~ to her** grüße sie herzlich von mir; **send one's ~ to** j-n grüßen lassen; **~ from** herzliche Grüße von (in letter); 2. v/t lieben; gern mögen; **~ af·fair** s Liebesaffäre f; **~·ly** adj (-ier, -iest) lieblich, wunderschön, entzückend, reizend; **lov·er** s Liebhaber m, Geliebte(r) m; Geliebte f; of art, music, etc.: Liebhaber(in), Freund(in).

lov·ing [ˈlʌvɪŋ] adj □ liebevoll, liebend.

low¹ [ləʊ] 1. adj nieder, niedrig (a. fig.); tief; gering(schätzig); supplies: knapp; light: gedämpft, schwach; unhappy: niedergeschlagen; socially: untere(r, -s), niedrig; mean: gewöhnlich, niedrig, gemein; mus. note: tief; voice: leise; 2. adv niedrig; tief (a. fig.); leise; 3. s meteor. Tief(druckgebiet) n; Tiefstand m, Tiefpunkt m.

low² [~] v/i brüllen, muhen (cow).

low·brow [ˈləʊbraʊ] 1. s geistig Anspruchslose(r m) f; 2. adj geistig anspruchslos; **~·cal·o·rie** adj kalorienarm; **~·cost** adj preiswert, preisgünstig.

low·er [ˈləʊə] 1. adj niedriger, tiefer; geringer; leiser; untere(r, -s), Unter...; 2. v/t herunterlassen; niedriger machen; eyes, voice, price, etc.: senken; (ab)schwächen; standard: herabsetzen; erniedrigen; **~ o.s.** sich herablassen; sich demütigen; v/i fallen, sinken; **~ deck** s mar. Unterdeck n.

low·land [ˈləʊlənd] s mst **~s** pl Tiefland n; **~·li·ness** s Niedrigkeit f; Bescheidenheit f; **~·ly** adj and adv (-ier, -iest) niedrig; bescheiden; **~·necked** adj (tief) ausgeschnitten (of blouse, dress, etc.); **~·pitched** adj mus. tief; **~·pres·sure** adj meteor. Tiefdruck...; tech. Niederdruck...; **~·priced** adj preisgünstig; **~·rise** adj esp. Am. niedrig (gebaut); **~ sea·son** s Nebensaison f; **~·spir·it·ed** adj niedergeschlagen.

loy·al ['lɔɪəl] *adj* □ loyal, treu; **~·ty** [~tɪ] *s* Loyalität *f*, Treue *f*.

loz·enge ['lɒzɪndʒ] *s math.* Raute *f*; *sweet:* Pastille *f*.

lu·bri·cant ['luːbrɪkənt] *s* Schmiermittel *n*; **~·cate** [~keɪt] *v/t* schmieren, ölen; **~·ca·tion** [luːbrɪ'keɪʃn] *s* Schmieren *n*, Ölen *n*.

lu·cid ['luːsɪd] *adj* □ klar; deutlich.

luck [lʌk] *s* Schicksal *n*; Glück *n*; *bad* ~, *hard* ~ Unglück *n*, Pech *n*; *good* ~ Glück *n*; *good* ~*!* viel Glück!; *be in* (*out of*) ~ (kein) Glück haben; **~·i·ly** ['lʌkɪlɪ] *adv* glücklicherweise, zum Glück; **~·y** *adj* □ (*-ier*, *-iest*) glücklich; Glücks...; *be* ~ Glück haben.

lu·cra·tive ['luːkrətɪv] *adj* □ einträglich, lukrativ.

lu·di·crous ['luːdɪkrəs] *adj* □ lächerlich.

lug [lʌg] *v/t* (*-gg-*) zerren, schleppen.

lug·gage *esp. Br.* ['lʌgɪdʒ] *s* (Reise)Gepäck *n*; **~ lock·er** *s* (Gepäck)Schließfach *n*; **~ rack** *s* Gepäcknetz *n*, -ablage *f*; **~·trol·ley** *s* Kofferkuli *m*; **~ van** *s esp. Br.* Gepäckwagen *m*.

luke·warm ['luːkwɔːm] *adj* □ lau (-warm); *fig.* lau, mäßig.

lull [lʌl] **1.** *v/t* beruhigen; *mst* **~ to sleep** einlullen; *v/i* sich legen *or* beruhigen; **2.** *s* Pause *f*; Flaute *f* (*a. econ.*), Windstille *f*.

lul·la·by ['lʌləbaɪ] *s* Wiegenlied *n*.

lum·ba·go *med.* [lʌm'beɪgəʊ] *s* Hexenschuß *m*.

lum·ber ['lʌmbə] **1.** *s esp. Am.* Bau-, Nutzholz *n*; *esp. Br.* Gerümpel *n*; **2.** *v/t:* **~ s.o. with s.th.** *Br.* F j-m et. aufhalsen; *v/i* rumpeln, poltern (*truck, etc.*); schwerfällig gehen, trampeln; **~·jack**, **~·man** *s esp. Am.* Holzfäller *m*, -arbeiter *m*; **~ mill** *s* Sägewerk *n*; **~ room** *s* Rumpelkammer *f*; **~·yard** *s* Holzplatz *m*, -lager *n*.

lu·mi·na·ry ['luːmɪnərɪ] *s* Himmelskörper *m*; *fig.* Leuchte *f*, Koryphäe *f*; **~·nous** [~əs] *adj* □ leuchtend, Leucht...

lump [lʌmp] **1.** *s* Klumpen *m*; Beule *f*; Stück *n* (*sugar, etc.*); *in the* ~ in Bausch und Bogen; **~ sugar** *s* Würfelzucker *m*; **~ sum** *s* Pauschalsumme *f*; **2.** *v/t* zusammentun, -stellen, -legen, -werfen, -fassen; *v/i* Klumpen bilden; **~·y** *adj* □ (*-ier*, *-iest*) klumpig.

lu·na·cy ['luːnəsɪ] *s* Wahnsinn *m*.

lu·nar ['luːnə] *adj* Mond...; **~ module**

lu·na·tic ['luːnətɪk] **1.** *adj* irr-, wahnsinnig; **2.** *s* Irre(r *m*) *f*, Wahnsinnige(r *m*) *f*, Geisteskranke(r *m*) *f*.

lunch [lʌntʃ], *formal* **lun·cheon** ['lʌntʃən] **1.** *s* Lunch *m*, Mittagessen *n*; **2.** *v/i* zu Mittag essen; **~ hour**, **~ time** *s* Mittagszeit *f*, -pause *f*.

lung *anat.* [lʌŋ] *s* Lunge(nflügel *m*) *f*; *the* **~s** *pl* die Lunge.

lunge [lʌndʒ] **1.** *s fencing:* Ausfall *m*; **2.** *v/i fencing:* e-n Ausfall machen (*at* gegen); losstürzen (*at* auf *acc*).

lurch [lɜːtʃ] **1.** *v/i* taumeln, torkeln; **2.** *s:* *leave in the* ~ im Stich lassen.

lure [ljʊə] **1.** *s* Köder *m*; *fig.* Lockung *f*; **2.** *v/t* ködern, (an)locken.

lu·rid ['ljʊərɪd] *adj* □ grell, schreiend (*colours, etc.*); schockierend, widerlich.

lurk [lɜːk] *v/i* lauern; **~ about**, **~ around** herumschleichen.

lus·cious ['lʌʃəs] *adj* □ köstlich, lecker; üppig; *girl:* knackig.

lush [lʌʃ] *adj* saftig, üppig.

lust [lʌst] **1.** *s* sinnliche Begierde, Lust *f*; Gier *f*; **2.** *v/i:* **~ after**, **~ for** begehren; gierig sein nach.

lus·tre, *Am.* **-ter** ['lʌstə] *s* Glanz *m*, Schimmer *m*; **~·trous** *adj* □ glänzend, schimmernd.

lust·y ['lʌstɪ] *adj* □ (*-ier*, *-iest*) kräftig, stark u. gesund, vital; kraftvoll.

lute *mus.* [luːt] *s* Laute *f*.

Lu·ther·an ['luːθərən] *adj* lutherisch.

lux·ate *med.* ['lʌkseɪt] *v/t* sich et. verrenken.

lux·u·ri·ant [lʌg'zjʊərɪənt] *adj* □ üppig; **~·ri·ate** [~eɪt] *v/i* schwelgen (*in* in *dat*); **~·ri·ous** [~əs] *adj* □ luxuriös, üppig, Luxus...; **~·ry** ['lʌkʃərɪ] *s* Luxus *m*; Komfort *m*; Luxusartikel *m*; *attr* Luxus...

lye [laɪ] *s* Lauge *f*.

ly·ing ['laɪɪŋ] **1.** *ppr of lie*[1] 2 *and lie*[2]; **2.** *adj* lügnerisch, verlogen; **~·in** *med.* [~ɪn] *s* Wochenbett *n*.

lymph *physiol.* [lɪmf] *s* Lymphe *f*.

lynch [lɪntʃ] *v/t* lynchen; **~ law** ['lɪntʃlɔː] *s* Lynchjustiz *f*.

lynx *zo.* [lɪŋks] *s* Luchs *m*.

lyr·ic ['lɪrɪk] **1.** *adj* lyrisch; **2.** *s* lyrisches Gedicht; **~s** *pl* Lyrik *f*; *of song:* (Lied)Text *m*; **~·i·cal** *adj* □ lyrisch, gefühlvoll; schwärmerisch.

L

M

ma F [mɑː] s Mama f, Mutti f.

ma'am [mæm] s addressing the Queen: Majestät; Am. addressing a woman politely: gnä' Frau (dated or formal).

mac Br. F [mæk] → **mackintosh**.

ma·ca·bre [mə'kɑːbrə] adj makaber.

mac·a·ro·ni [mækə'rəʊnɪ] s sg Makkaroni pl.

mach·i·na·tion [mækɪ'neɪʃn] s mst pl Machenschaften pl.

ma·chine [mə'ʃiːn] **1.** s Maschine f; Mechanismus m; **2.** v/t maschinell herstellen or drucken; mit der (Näh)Maschine nähen; **~made** adj maschinell hergestellt; **~rea·da·ble** adj computer: maschinenlesbar.

ma·chin|e·ry [mə'ʃiːnərɪ] s Maschinen pl; Maschinerie f; **~ist** [~ɪst] s Maschinenbauer m; Maschinist m; Maschinennäherin f.

ma·chine| time [mə'ʃiːntaɪm] s Betriebszeit f; computer: Rechenzeit f; **~ trans·la·tion** s maschinelle Übersetzung.

mack Br. F [mæk] → **mackintosh**.

mack·e·rel zo. ['mækrəl] s Makrele f.

mack·in·tosh esp. Br. ['mækɪntɒʃ] s Regenmantel m.

mac·ro(-) ['mækrəʊ] **1.** in compounds: Makro..., makro...; **2.** s (pl **-ros**) computer: Makro n.

mad [mæd] adj □ wahnsinnig, verrückt; toll(wütig); F wütend; fig. wild; **go ~**, Am. **get ~** verrückt or wahnsinnig werden; **drive s.o. ~** j-n verrückt or wahnsinnig machen; **like ~** wie toll, wie verrückt (work, etc.).

mad·am ['mædəm] s addressing a woman politely: gnädige Frau, gnädiges Fräulein (both dated or formal); → **sir**.

mad|cap ['mædkæp] **1.** adj verrückt; **2.** s verrückter Kerl; **~den** v/t verrückt or rasend machen; **~den·ing** adj □ verrückt or rasend machend.

made [meɪd] pret and pp of **make** 1; **~ of gold** aus Gold.

mad|house ['mædhaʊs] s Irrenhaus n; **~ly** adv wie verrückt, wie besessen; F irre, wahnsinnig; **~man** s Wahnsinnige(r) m, Verrückte(r) m; **~ness** s Wahnsinn m; (Toll)Wut f; **~wom·an** s

Wahnsinnige f, Verrückte f.

mag·a·zine [mægə'ziːn] s Magazin n; (Munitions)Lager n; Zeitschrift f.

Ma·gi ['meɪdʒaɪ] s pl: **the (three) ~** die (drei) Weisen aus dem Morgenland, die Heiligen Drei Könige.

ma·gic ['mædʒɪk] **1.** adj (**~ally**), a. **~al** □ magisch, Zauber...; **2.** s Zauber(ei f) m; fig. Wunder n; **ma·gi·cian** [mə'dʒɪʃn] s Zauberer m; Zauberkünstler m.

ma·gis·trate ['mædʒɪstreɪt] s Friedensrichter m.

mag·net ['mægnɪt] s Magnet m; **~ school** Br. appr. Eliteschule f; **~ic** [mæg'netɪk] adj (**~ally**) magnetisch, Magnet...; **~ field** phys. Magnetfeld n; **~ tape** Magnetband n.

mag·nif|i·cence [mæg'nɪfɪsns] s Pracht f, Herrlichkeit f; **~i·cent** [~t] adj prächtig, herrlich.

mag·ni|fy ['mægnɪfaɪ] v/t vergrößern; **~ing glass** Vergrößerungsglas n, Lupe f; **~tude** [~tjuːd] s Größe f; Wichtigkeit f; Ausmaß n.

mag·num ['mægnəm] s champagne: Magnum f, Anderthalbliterflasche f.

mag·pie zo. ['mægpaɪ] s Elster f.

ma·hog·a·ny [mə'hɒgənɪ] s Mahagoni (-holz) n.

maid [meɪd] s (Dienst)Mädchen n, Hausangestellte f; old or lit.: (junges) Mädchen, (junge) unverheiratete Frau; **old ~** alte Jungfer; **~ of hono(u)r** Ehren-, Hofdame f; esp. Am. (erste) Brautjungfer.

maid·en ['meɪdn] **1.** s → **maid**; **2.** adj jungfräulich; unverheiratet; fig. Jungfern..., Erstlings...; **~ name** of married woman: Mädchenname m; **~ly** adj jungfräulich; mädchenhaft.

mail¹ [meɪl] s hist. (Ketten)Panzer m.

mail² [~] **1.** s Post(dienst m) f; Post(sendung) f; **by ~** mit der Post; **2.** v/t esp. Am. mit der Post schicken, aufgeben; **~a·ble** adj Am. postversandfähig; **~bag** s Postsack m; Am. postman's bag: Posttasche f; **~box** s Am. Briefkasten m; **~ car·ri·er** Am., **~man** s Am. Briefträger m, Postbote m; **~ or·der** s of goods: postalische Bestellung; Mailorder f; **~-order** ... in compounds: Versand..., Versandhaus...

maim [meɪm] v/t verstümmeln, zum Krüppel machen.

main [meɪn] **1.** adj Haupt..., größte(r, -s), wichtigste(r, -s); hauptsächlich; **by ~ force** mit äußerster Kraft; **~ road** Haupt(verkehrs)straße f; **2.** s mst **~s** pl Haupt(gas-, -wasser-, -strom)leitung f; (Strom)Netz n; **in the ~** in der Hauptsache, im wesentlichen; **~-frame** s computer: Großrechner m; **~-land** s Festland n; **~-ly** adv hauptsächlich; **~-spring** s Hauptfeder f (in a watch); tech. and fig. Triebfeder f; **~-stay** s mar. Großstag n; fig. Hauptstütze f; **~-stream** s Hauptstrom m; fig. Hauptrichtung f; mus. Mainstream m.

main-tain [meɪnˈteɪn] v/t (aufrecht)erhalten; beibehalten; instand halten; tech., mot. a. warten; unterstützen; unterhalten; behaupten.

main-te-nance ['meɪntənəns] s Erhaltung f; Unterhalt m; Instandhaltung f; tech., mot. a. Wartung f.

maize esp. Br. bot. [meɪz] s Mais m.

ma-jes-tic [məˈdʒestɪk] adj (**~ally**) majestätisch; **~-ty** ['mædʒəstɪ] s Majestät f; Würde f, Hoheit f.

ma-jor ['meɪdʒə] **1.** adj größere(r, -s); fig. a. bedeutend, wichtig; jur. volljährig; **C ~** mus. C-Dur n; **~ key** mus. Dur(tonart f) n; **~ league** Am. baseball, etc.: oberste Spielklasse f; **~ road** Haupt(verkehrs)straße f; **2.** s mil. Major m; jur. Volljährige(r m) f; Am. univ. Hauptfach n; mus. Dur n.

ma-jor-i-ty [məˈdʒɒrətɪ] s Mehrheit f, Mehrzahl f; jur. Volljährigkeit f; **a two-thirds ~** e-e Zweidrittelmehrheit; **~ decision** Mehrheitsentscheidung f; **~ vot-ing** s pol. Mehrheitswahl(system n) f.

make [meɪk] **1.** (**made**) v/t machen; manufacture: anfertigen, herstellen, erzeugen; meal: (zu)bereiten; create: (er-)schaffen; result: (aus)machen, (er)geben; appoint: machen zu, ernennen zu; compel: j-n lassen, veranlassen zu, bringen zu, force: zwingen zu; money: verdienen; turn out to be: sich erweisen als, abgeben; achieve: F et. erreichen, et. schaffen; mistake: machen; peace, etc.: schließen; speech: halten; F distance:

zurücklegen; time: feststellen; **~ s.th. do, ~ do with s.th.** mit et. auskommen, sich mit et. behelfen; **do you ~ one of us?** machen Sie mit?; **what do you ~ of it?** was halten Sie davon?; **~ friends with** sich anfreunden mit; **~ good** wiedergutmachen; promise, etc.: halten, erfüllen; **~ haste** sich beeilen; **~ way** Platz machen; vorwärtskommen; v/i sich anschicken (**to do** zu tun); sich begeben; führen, gehen (way, etc.); with adverbs and prepositions: **~ away with** sich davonmachen mit (money, etc.); beseitigen; **~ for** zugehen auf (acc); sich aufmachen nach; **~ into** verarbeiten zu; **~ off** sich davonmachen, sich aus dem Staub machen; **~ out** ausfindig machen; erkennen; verstehen; entziffern; bill, etc.: ausstellen; over property: überschreiben, übertragen; **~ up** ergänzen, vervollständigen; zusammenstellen; bilden, ausmachen; invent: sich et. ausdenken; quarrel: beilegen; (sich) zurechtmachen or schminken; **~ up one's mind** sich entschließen; **be made up of** bestehen aus, sich zusammensetzen aus; **~ up for** nach-, aufholen; für et. entschädigen; **2.** s Mach-, Bauart f; (Körper)Bau m; Form f; Fabrikat n, Erzeugnis n.

make-be-lieve ['meɪkbɪliːv] s Schein m, Vorwand m, Verstellung f; **mak-er** s Hersteller m; ♀ Schöpfer m (God); **~-shift 1.** s Notbehelf m; **2.** adj behelfsmäßig, Behelfs...; **~-up** s cosmetics: Schminke f, Make-up n; theatre: Maske f; print. Umbruch m; Aufmachung f.

mak-ing ['meɪkɪŋ] s Machen n; Erzeugung f, Herstellung f; **be in the ~** im Entstehen sein, F in der Mache sein; **he has the ~s of ...** er hat das Zeug zu ...

mal-ad-just-ed [mæləˈdʒʌstɪd] adj schlecht angepaßt or angeglichen; **~-ment** s schlechte Anpassung f.

mal-ad-min-i-stra-tion [mælədmɪnɪˈstreɪʃn] s schlechte Verwaltung f; pol. Mißwirtschaft f.

male [meɪl] **1.** adj männlich; Männer...; **2.** s Mann m; zo. Männchen n; **~ chau-vin-ist** s Chauvinist m, F Chauvi m; **~ pig** F Chauvischwein n; **~ nurse** s med. Krankenpfleger m.

mal-e-dic-tion [mælɪˈdɪkʃn] Fluch m, Verwünschung f.

mal·for·ma·tion [mælfɔːˈmeɪʃn] *s* Mißbildung *f*.

mal·ice [ˈmælɪs] *s* Bosheit *f*; Groll *m*.

ma·li·cious [məˈlɪʃəs] *adj* □ boshaft; böswillig; **~ness** *s* Bosheit *f*.

ma·lign [məˈlaɪn] **1.** *adj* □ schädlich; *med.* → **malignant**; **2.** *v/t* verleumden; **ma·lig·nant** [məˈlɪgnənt] *adj med.* bösartig, maligne; boshaft; **ma·lig·ni·ty** [~əti] *s* Bösartigkeit *f* (*a. med.*); Bosheit *f*.

mall *Am.* [mɔːl, mæl] *s* Einkaufszentrum *n*, Einkaufstraße *f*.

mal·let [ˈmælɪt] *s* Holzhammer *m*; (Polo-, Krocket)Schläger *m*.

mal·nu·tri·tion [mælnjuːˈtrɪʃn] *s* Unterernährung *f*; Fehlernährung *f*.

mal·prac·tice [mælˈpræktɪs] *s med.* falsche Behandlung; *jur.* Amtsvergehen *n*; Untreue *f* (*in an official position, etc.*).

malt [mɔːlt] *s* Malz *n*.

mal·treat [mælˈtriːt] *v/t* schlecht behandeln; mißhandeln.

ma·ma, mam·ma [məˈmɑː] *s* Mama *f*, Mutti *f*.

mam·mal *zo.* [ˈmæml] *s* Säugetier *n*.

mam·moth [ˈmæməθ] **1.** *s zo.* Mammut *n*; **2.** *adj* riesig.

mam·my F [ˈmæmɪ] *s* Mami *f*; *Am. contp.* farbiges Kindermädchen.

man [mæn, -mən] **1.** *s* (*pl man* [men; -mən]) Mann *m*; Mensch(en *pl*) *m*; Menschheit *f*; *servant:* Diener *m*; Angestellte(r) *m*; *worker:* Arbeiter *m*; *mil.* Mann *m*, (einfacher) Soldat; F *husband:* (Ehe)Mann *m*; F *boyfriend:* Freund *m*; F *lover:* Geliebte(r) *m*; *chess:* (Schach-) Figur *f*; *draughts:* Damestein *m*; **the ~ in** (*Am. a.* **on**) **the street** der Durchschnittsbürger; **2.** *adj* männlich; **3.** *v/t* (**-nn-**) *mil., mar.* bemannen; **~ o.s.** sich ermannen.

man·age [ˈmænɪdʒ] *v/t* handhaben; verwalten; *company, etc.:* leiten *or* führen; *estate, etc.:* bewirtschaften; *artist, actor, etc.:* managen; mit *j-m* fertig werden; *et.* fertigbringen; F *work, meal, etc.:* bewältigen, schaffen; **~ to** *inf* es fertigbringen, zu *inf*; *v/i* die Aufsicht haben, das Geschäft führen; auskommen; F es schaffen; F es einrichten, es ermöglichen; **~·a·ble** *adj* □ handlich; lenksam; **~ment** *s* Verwaltung *f*; *econ.* Management *n*, Unternehmensfüh-

rung *f*; *econ.* (Geschäfts)Leitung *f*, Direktion *f*; (kluge) Taktik; **~ studies** Betriebswirtschaft *f*; **labo(u)r and ~** Arbeitnehmer u. Arbeitgeber.

man·ag·er [ˈmænɪdʒə] *s* Verwalter *m*; *econ.* Manager *m*; *econ.* Geschäftsführer *m*, Leiter *m*, Direktor *m*; *thea.* Intendant *m*; *thea.* Regisseur *m*; Manager *m* (*of artist, actor, etc.*); (Guts)Verwalter *m*; *sports:* Cheftrainer *m*; **be a good ~** gut *or* sparsam wirtschaften können; **~ess** *s* Verwalterin *f*; *econ.* Managerin *f*; *econ.* Geschäftsführerin *f*, Leiterin *f*, Direktorin *f*; Managerin *f* (*of artist, actor, etc.*).

man·a·ge·ri·al *econ.* [mænəˈdʒɪərɪəl] *adj* geschäftsführend, leitend; **~ position** leitende Stellung; **~ staff** leitende Angestellte *pl*.

man·ag·ing *econ.* [ˈmænɪdʒɪŋ] *adj* geschäftsführend; Betriebs...

man|date [ˈmændeɪt] *s* Mandat *n*; Auftrag *m*; Vollmacht *f*; **~·da·to·ry** [~ətərɪ] *adj* vorschreibend; obligatorisch.

mane [meɪn] *s* Mähne *f*.

ma·neu·ver [məˈnuːvə] → **manoeuvre**.

man·ful [ˈmænfl] *adj* □ mannhaft, beherzt.

mange *vet.* [meɪndʒ] *s* Räude *f*.

man·ger [ˈmeɪndʒə] *s* Krippe *f*.

man·gy [ˈmeɪndʒɪ] *adj* □ (**-ier, -iest**) *vet.* räudig; *fig.* schäbig.

man·hood [ˈmænhʊd] *s* Mannesalter *n*; Männlichkeit *f*; die Männer *pl*.

ma·ni·a [ˈmeɪnɪə] *s* Wahn(sinn) *m*; *fig.* (**for**) Sucht *f* (nach), Leidenschaft (für), Manie *f* (für); **~c** [ˈmeɪnɪæk] *s* Wahnsinnige(r *m*) *f*; *fig.* Fanatiker(in).

man·i·cure [ˈmænɪkjʊə] **1.** *s* Maniküre *f*, **2.** *v/t* maniküren.

man·i|fest [ˈmænɪfest] **1.** *adj* □ offenbar, -kundig, deutlich (erkennbar); **2.** *v/t* offenbaren, kundtun, deutlich zeigen; **3.** *s mar.* Ladungsverzeichnis *n*; **~·fes·ta·tion** [mænɪfeˈsteɪʃn] *s* Offenbarung *f*; Kundgebung *f*; **~·fes·to** [mænɪˈfestəʊ] *s* (*pl* **-tos, -toes**) Manifest *n*; *pol.* Grundsatzerklärung *f*, (Wahl)Programm *n* (*of a party*).

man·i·fold [ˈmænɪfəʊld] **1.** *adj* □ mannigfaltig; **2.** *v/t* vervielfältigen.

ma·nip·u|late [məˈnɪpjʊleɪt] *v/t* manipulieren; (geschickt) handhaben; **~·la·tion** [mənɪpjʊˈleɪʃn] *s* Manipulation *f*;

Handhabung *f*, Behandlung *f*, Verfahren *n*; Kniff *m*.

man|jack [mæn'dʒæk] *s*: **every ~** jeder einzelne; **~kind** [ˌ'kaɪnd] *s* die Menschheit, die Menschen *pl*; ['ˌkaɪnd] die Männer *pl*; **~ly** *adj* (**-ier**, **-iest**) männlich; mannhaft.

man·ner ['mænə] *s* Art *f*, Weise *f*, Art u. Weise *f*; Stil(art *f*) *m*; **in this ~** auf diese Art und Weise; **~s** *pl* Benehmen *n*, Manieren *pl*; Sitten *pl*; **~ed** *adj* ... geartet; gekünstelt; **~ly** *adj* manierlich, gesittet, anständig.

ma·noeu·vre, *Am.* **ma·neu·ver** [mə'nuːvə] **1.** *s* Manöver *n* (*a. fig.*); **2.** *v/i and v/t* manövrieren (*a. fig.*).

man-of-war [mænɔv'wɔː] *s* (*pl* **men-of-war**) *dated* Kriegsschiff *n*.

man·or *Br.* ['mænə] *s hist.* Rittergut *n*; (Land)Gut *n*; *sl.* Polizeibezirk *m*; **lord of the ~** Gutsherr *m*; → **~house** *s* Herrenhaus *n*, -sitz *m*.

man·pow·er ['mænpaʊə] *s* menschliche Arbeitskraft; Menschenpotential *n*; Personal *n*, Arbeitskräfte *pl*.

man·ser·vant ['mænsɜːvənt] *s* (*pl* **menservants**) Diener *m*.

man·sion ['mænʃn] *s* (herrschaftliches) Wohnhaus *n*, Villa *f*.

man·slaugh·ter *jur.* ['mænslɔːtə] *s* Totschlag *m*, fahrlässige Tötung.

man·tel|piece ['mæntlpiːs], **~shelf** *s* Kaminsims *m*.

man·tle ['mæntl] **1.** *s tech.* Glühstrumpf *m*; *fig.* Hülle *f*; **a ~ of snow** e-e Schneedecke; **2.** *v/t* einhüllen, bedecken.

man·u·al ['mænjʊəl] **1.** *adj* □ Hand...; mit der Hand (gemacht); **2.** *s* Handbuch *n*.

man·u·fac|ture [mænjʊ'fæktʃə] **1.** *s* Herstellung *f*, Fabrikation *f*; Fabrikat *n*; **2.** *v/t* (an-, ver)fertigen, erzeugen, herstellen, fabrizieren; verarbeiten; **~tur·er** *s* Hersteller *m*, Erzeuger *m*; Fabrikant *m*; **~tur·ing** *s* Herstellungs...; Fabrik...; Gewerbe...; Industrie...

ma·nure [mə'njʊə] **1.** *s* Dünger *m*, Mist *m*, Dung *m*; **2.** *v/t* düngen.

man·u·script ['mænjʊskrɪpt] *s* Manuskript *n*; Handschrift *f*.

man·y ['menɪ] **1.** *adj* (**more**, **most**) viel(e); **~ (a)** manche(r, -s), manch ei-ne(r, -s); **~ times** oft; **as ~ (as)** ebenso-viele (wie); **he's had one too ~** F er hat

---

e-n zuviel getrunken; **2.** *s* viele; Menge *f*; **a good ~** ziemlich viel(e); **a great ~** sehr viele.

map [mæp] **1.** *s* (Land-, Straßen- *etc.*) Karte *f*; *of streets, town:* Stadtplan *m*; **2.** *v/t* (**-pp-**) e-e Karte machen von; auf e-r Karte eintragen; **~ out** *fig.* planen; einteilen.

ma·ple *bot.* ['meɪpl] *s* Ahorn *m*.

mar [mɑː] *v/t* (**-rr-**) schädigen; verderben.

mar·ble ['mɑːbl] **1.** *s* Marmor *m*; Murmel *f*; **2.** *adj* marmorn, aus Marmor.

March[1] [mɑːtʃ] *s* März *m*.

march[2] [ˌ] **1.** *s* Marsch *m*; *fig.* Fortgang *m*; **the ~ of events** der Lauf der Dinge; **2.** *v/i and v/t* marschieren (lassen); *fig.* fort-, vorwärtsschreiten.

mare [meə] *s zo.* Stute *f*; **~'s nest** *fig.* Schwindel *m*, (Zeitungs)Ente *f*.

mar·ga·rine [mɑːdʒə'riːn], *Br.* F **marge** [mɑːdʒ] *s* Margarine *f*.

mar·gin ['mɑːdʒɪn] *s* Rand *m* (*a. fig.*); Grenze *f* (*a. fig.*); Spielraum *m*; Verdienst-, Gewinn-, Handelsspanne *f*; **by a narrow ~** *fig.* mit knapper Not; **~al** *adj* □ am Rande (befindlich); Rand...; **~ note** Randbemerkung *f*.

ma·ri·na [mə'riːnə] *s* Bootshafen *m*, Jachthafen *m*.

ma·rine [mə'riːn] *s* Marine *f*; *mar.* Marineinfanterist *m*; *paint.* Seestück *n*; *attr* See...; Meeres...; Marine...; Schiffs...;

mar·i·ner ['mærɪnə] *s* Seemann *m*.

mar·i·tal ['mærɪtl] *adj* □ ehelich, Ehe...; **~ status** *jur.* Familienstand *m*.

mar·i·time ['mærɪtaɪm] *adj* an der See liegend *or* lebend; *fig.* Küsten...; Schiffahrts...

mark[1] [mɑːk] *s* (deutsche) Mark.

mark[2] [ˌ] **1.** *s* Marke *f*, Markierung *f*, Bezeichnung *f*; *sign:* Zeichen *n* (*a. fig.*); *indication:* Merkmal *n*; *birth~:* (Körper)Mal *n*; *target:* Ziel *n* (*a. fig.*); *of feet, tyres:* (Fuß-, Brems-, Reifen)Spur *f* (*a. fig.*); *trade name:* (Fabrik-, Waren)Zeichen *n*, (Schutz-, Handels)Marke *f*; *econ.* Preisangabe *f*; *at school:* (Schul-)Note *f*, Zensur *f*; Punkt *m*; *sports:* Startlinie *f*; *fig.* Norm *f*; *fig.* Bedeutung *f*, Rang *m*; **a man of ~** e-e bedeutende Persönlichkeit; **be up to the ~** (gesundheitlich) auf der Höhe sein; **be wide of the ~** *fig.* sich gewaltig irren; den Kern der Sache nicht treffen; **hit the ~** *fig.* (ins Schwarze) treffen; **miss the ~** danebenschießen; *fig.* sein Ziel verfehlen; **2.** *v/t* (be)zeichnen; markieren; kennzeichnen; be(ob)achten, achtgeben auf (*acc*); sich *et.* merken; Zeichen hinterlassen auf (*dat*); *at school:* benoten, zensieren; *note:* notieren, vermerken; *econ. goods:* auszeichnen; *econ. price:* festsetzen; *sports:* decken; **~ my words** denke an m-e Worte; **to ~ the occasion** zur Feier des Tages; **~ down** notieren, vermerken; *econ. price:* herabsetzen; **~ off** abgrenzen; *esp. on a list:* abhaken; **~ out with lines, etc.:** markieren, bezeichnen; **~ up** *econ. price:* heraufsetzen; *v/i* markieren; achtgeben, aufpassen; *sports:* decken; **~ed** *adj* □ auffallend; merklich; ausgeprägt; **~er** ['mɑːkə] *s* Markierstift; *sports:* Lesezeichen *n*; *sports:* Bewacher(in).

mar·ket ['mɑːkɪt] **1.** *s* Markt(platz) *m*; *Am.* (Lebensmittel)Geschäft *n*, Laden *m*; *econ.* Absatz *m*; *econ.* (**for**) Nachfrage *f* (nach), Bedarf *m* (an *dat*); **in the ~** auf dem Markt; **be on the ~** (zum Verkauf) angeboten werden; **play the ~** (an der Börse) spekulieren; **2.** *v/t* auf den Markt bringen; verkaufen; *v/i esp. Am.* **go ~ing** einkaufen gehen; **~·a·ble** *adj* □ marktfähig, -gängig; **~e·con·o·my** *s econ.* Marktwirtschaft *f*; **~eer** [mɑːkə·'tɪə] *s Br. pol.* Anhänger(in) der EG; **~for·ces** *s pl econ.* Marktkräfte *pl*; **~gar·den** *s Br.* Gemüsegärtnerei *f*; **~ing** *s econ.* Marketing *n*, Absatzpolitik *f*; Marktbesuch *m*; **~mech·a·nis·ms** *s pl econ.* Marktmechanismus *pl*; **~po·si·tion** *s econ.:* **dominant ~** marktbeherrschende Rolle; **~re·search** *s econ.* Marktforschung *f*.

marks·man ['mɑːksmən] *s* Scharfschütze *m*; **~ship** *s* Treffsicherheit *f*.

mar·ma·lade ['mɑːməleɪd] *s esp.* Orangenmarmelade *f*.

mar·mot *zo.* ['mɑːmət] *s* Murmeltier *n*.

ma·roon [mə'ruːn] **1.** *adj* kastanienbraun; **2.** *v/t on island:* aussetzen; **3.** *s* Leuchtrakete *f*.

mar·riage ['mærɪdʒ] *s* Heirat *f*, Hochzeit *f*; Ehe(stand *m*) *f*; *civil:* standesamtliche Trauung; **mar·ria·gea·ble** [~dʒəbl] *adj* heiratsfähig; **~ar·ti·cles** *s pl* Ehevertrag *m*; **~cer·tif·i·cate** *s*, **~lines** *s pl*

esp. Br. F Trauschein *m*; **~por·tion** *s* Mitgift *f*.

mar·ried ['mærɪd] *adj* verheiratet; ehelich, Ehe...; **~couple** Ehepaar *n*; **~life** Ehe(leben *n*) *f*.

mar·row ['mærəʊ] *s anat.* (Knochen-)Mark *n*; *fig.* Kern *m*, das Wesentlichste; (**vegetable**) **~** *Br. bot.* Kürbis *m*; **frozen to the ~** bis auf die Knochen durchgefroren.

mar·ry ['mærɪ] *v/t* (ver)heiraten; *eccl.* trauen; **get married to** sich verheiraten mit; *v/i* (sich ver)heiraten.

marsh [mɑːʃ] *s* Sumpf *m*; Morast *m*.

mar·shal ['mɑːʃl] **1.** *s mil.* Marschall *m*; *hist.* Hofmarschall *m*, Zeremonienmeister *m*; *Am.* Branddirektor *m*; *Am.* Polizeidirektor *m*; *Am.* Bezirkspolizeichef *m*; *US ~ Am.* (Bundes)Vollzugsbeamte(r) *m*; **2.** *v/t* (*esp. Br. -ll-, Am. -l-*) ordnen, aufstellen; führen; *rail. train:* zusammenstellen.

marsh·y ['mɑːʃɪ] *adj* (**-ier, -iest**) sumpfig, morastig.

mar·ten *zo.* ['mɑːtɪn] *s* Marder *m*.

mar·tial ['mɑːʃl] *adj* □ kriegerisch; militärisch; Kriegs...; **~law** *mil.* Kriegsrecht *n*; (**state of**) **~law** *mil.* Ausnahmezustand *m*.

mar·tyr ['mɑːtə] **1.** *s* Märtyrer(in) (**to** *gen*); **2.** *v/t* (zu Tode) martern.

mar·vel ['mɑːvl] **1.** *s* Wunder *n*, *et.* Wunderbares; **2.** *v/i* (*esp. Br. -ll-, Am. -l-*) sich wundern; **~(l)ous** ['mɑːvələs] *adj* □ wunderbar; erstaunlich.

mar·zi·pan [mɑːzɪ'pæn] *s* Marzipan *n*.

mas·ca·ra [mæ'skɑːrə] *s* Wimperntusche *f*.

mas·cot ['mæskət] *s* Maskottchen *n*.

mas·cu·line ['mæskjʊlɪn] *adj gr.* maskulin; *appearance, voice:* männlich, maskulin; Männer...

mash [mæʃ] **1.** *s* Gemisch *n*; *brewing:* Maische *f*; *fodder:* Mengfutter *n*; Püree *n*; **2.** *v/t* zerdrücken; (ein)maischen; **~ed potatoes** *pl* Kartoffelbrei *m*, Kartoffelpüree *n*; **~er** *s* (Kartoffel)Stampfer *m*.

mask [mɑːsk] **1.** *s* Maske *f*; **2.** *v/t* maskieren; *fig.* verbergen; tarnen; **~ed** *adj* maskiert; **~advertising** Schleichwerbung *f*; **~ball** Maskenball *m*.

ma·son ['meɪsn] *s* Steinmetz *m*; *Am.* Maurer *m*; *mst* ♀ Freimaurer *m*; **~ry** *s* Mauerwerk *n*.

maturity

mas·que·rade [mæskə'reɪd] **1.** s Maskenball m; fig. Maske f, Verkleidung f; **2.** v/i fig. sich maskieren.

mass [mæs] **1.** s eccl. a. 2 Messe f; Masse f; Menge f; **the ~es** pl die (breite) Masse; **~ media** pl Massenmedien pl; **~ meeting** Massenversammlung f; **2.** v/t and v/i (sich) (an)sammeln.

mas·sa·cre ['mæsəkə] **1.** s Blutbad n; **2.** v/t niedermetzeln.

mas·sage ['mæsɑːʒ] **1.** s Massage f; **2.** v/t massieren.

mas·sif ['mæsiːf] s (Gebirgs)Massiv n.

mas·sive ['mæsɪv] adj massiv; groß u. schwer; fig. gewaltig.

mast mar. [] s Mast m.

mas·ter ['mɑːstə] **1.** s Meister m; Herr m (a. fig.); Gebieter m; esp. Br. Lehrer m; mar. of merchant ship: Kapitän m; univ. Rektor m; 2 **of Arts** (abbr. **MA**) Magister m Artium; **~ of ceremonies** esp. Am. Conférencier m; **be one's own ~** sein eigener Herr sein; **2.** adj Meister...; Haupt..., hauptsächlich; fig. führend; **3.** v/t Herr sein or herrschen über (acc); language, etc.: meistern, beherrschen; **~key** s Hauptschlüssel m; **~ly** adj meisterhaft, virtuos; **~piece** s Meisterstück n; **~ship** s Meisterschaft f; Herrschaft f; esp. Br. Lehramt n; **~y** s Herrschaft f; Überlegenheit f, Oberhand f; Meisterschaft f; Beherrschung f.

mas·tur·bate ['mæstəbeɪt] v/i and v/t masturbieren.

mat [mæt] **1.** s Matte f; Deckchen n; Unterlage f, -setzer m; **2.** v/t and v/i (-tt-) (sich) verflechten or -filzen; fig. bedecken; **3.** adj mattiert, matt.

match[1] [mætʃ] s Zünd-, Streichholz n.

match[2] **1.** s sports: Partie f, Wettkampf m, Treffen n, Match n, Spiel n; Heirat f; der, die, das gleiche; **be a ~ for** j-m gewachsen sein; **find or meet one's ~** s-n Meister finden; **2.** v/t passend machen, anpassen; passen zu; et. Passendes finden or geben zu; es aufnehmen mit; passend verheiraten; **be well ~ed** gut zusammenpassen; v/i zusammenpassen.

match·box ['mætʃbɒks] s Zünd-, Streichholzschachtel f.

match|**less** ['mætʃlɪs] adj □ unvergleichlich, einzigartig; **~mak·er** s Ehestifter(in), Kuppler(in).

mate[1] [meɪt] → **checkmate**.

mate[2] [~] **1.** s Kamerad(in), F Kumpel m; work~: (Arbeits)Kolleg|e m, -gin f; spouse: Gatt|e m, -in f; of animals: Männchen n, Weibchen n; assistant: Gehilf|e m, -in f; mar. Maat m; **2.** v/t and v/i (sich) paaren.

ma·te·ri·al [mə'tɪərɪəl] **1.** adj □ materiell; körperlich; wesentlich; **2.** s Material n; Stoff m; Werkstoff m; **writing ~s** pl Schreibmaterial(ien pl) n.

ma·ter|nal [mə'tɜːnl] adj □ mütterlich, Mutter...; mütterlicherseits; **~ni·ty** [~ətɪ] **1.** s Mutterschaft f; **2.** adj Schwangerschafts..., Umstands...; **~ hospital** Entbindungsklinik f; **~ ward** Entbindungsstation f.

math Am. F [mæθ] s F Mathe f.

math·e|ma·ti·cian [mæθɪmə'tɪʃn] s Mathematiker m; **~mat·ics** [~'mætɪks] s mst sg Mathematik f.

maths Br. F [mæθs] s mst sg F Mathe f.

mat·i·née thea., mus. ['mætɪneɪ] s Nachmittagsvorstellung f, Frühvorstellung f; Matinee f.

ma·tric·u·late [mə'trɪkjʊleɪt] v/t and v/i (sich) immatrikulieren.

mat·ri·mo|ni·al [mætrɪ'məʊnɪəl] adj ehelich, Ehe...; **~ny** ['mætrɪmənɪ] s Ehe (-stand m) f.

ma·trix ['meɪtrɪks] s (pl **-trices** [-trɪsiːz], **-trixes**) s tech. Matrize f; math. Matrix f.

ma·tron ['meɪtrən] s Matrone f; Hausmutter f; Br. Oberschwester f.

mat·ter ['mætə] **1.** s Materie f, Material n, Substanz f, Stoff m; med. Eiter m; Gegenstand m; Sache f; Angelegenheit f; Anlaß m, Veranlassung f (**for** zu); **printed ~ mail:** Drucksache f; **what's the ~ (with you)?** was ist los (mit Ihnen)?; **no ~** es hat nichts zu sagen; **no ~ who** gleichgültig, wer; **a ~ of course** e-e Selbstverständlichkeit; **for that ~, for the ~ of that** was das betrifft; **a ~ of fact** e-e Tatsache f; **2.** v/i von Bedeutung sein; **it doesn't ~** es macht nichts; **~-of-fact** adj sachlich.

mat·tress ['mætrɪs] s Matratze f.

ma·ture [mə'tjʊə] **1.** adj □ (**~r, ~st**) reif (a. fig.); econ. fällig; fig. reiflich erwogen; **2.** v/t zur Reife bringen; v/i reifen; econ. fällig werden; **ma·tu·ri·ty** [~rətɪ] s Reife f; econ. Fälligkeit f.

M

maul [mɔːl] v/t übel zurichten, roh umgehen mit; *fig.* verreißen.

Maun·dy Thurs·day *eccl.* [mɔːndɪˈθɜːzdɪ] s Gründonnerstag m.

maw *zo.* [mɔː] s (Tier)Magen m, *esp.* Labmagen m; Rachen m; Kropf m.

mawk·ish [ˈmɔːkɪʃ] adj □ rührselig, sentimental.

max·i· [ˈmæksɪ] Maxi..., riesig, Riesen...

max·im [ˈmæksɪm] s Grundsatz m.

max·i·mum [ˈmæksɪməm] **1.** s (pl **-ma** [-mə], **-mums**) Maximum n, Höchstmaß n, -stand m, -betrag m; **2.** adj höchste(r, -s), maximal, Höchst...

May[1] [meɪ] s Mai m.

may[2] [~] v/aux (**might**) mögen, können, dürfen.

may·be [ˈmeɪbɪ] adv vielleicht.

may·bee·tle *zo.* [ˈmeɪbiːtl], **~bug** s zo. Maikäfer m.

May·day [ˈmeɪdeɪ] **1.** int Mayday; **2.** s Maydaysignal n.

May Day [ˈmeɪdeɪ] s der 1. Mai.

mayor [meə] s Bürgermeister m; **~ess** [~res] s Bürgermeisterin f; Frau f des Bürgermeisters.

may·pole [ˈmeɪpəʊl] s Maibaum m.

maze [meɪz] s Irrgarten m, Labyrinth n; *fig.* Verwirrung f; **in a** ~ → **~d** [meɪzd] adj verwirrt.

me [miː, mɪ] pron mich; mir; F ich.

mead [miːd] s Met m.

mead·ow [ˈmedəʊ] s Wiese f.

mea·gre, *Am.* **-ger** [ˈmiːgə] adj □ mager (a. fig.), dürr; dürftig.

meal [miːl] s Mahl(zeit f) n; Essen n; Mehl n; **go out for a** ~ essen gehen; **enjoy your** ~ guten Appetit!; **~ticket** Essensmarke f.

mean[1] [miːn] adj □ gemein, niedrig, gering; armselig; knauserig; schäbig; *Am.* boshaft, ekelhaft.

mean[2] [~] **1.** adj mittel, mittlere(r, -s) Mittel..., Durchschnitts...; **2.** s Mitte f; **~s** pl (Geld)Mittel pl; (a. sg.) Mittel n; **by all** ~s auf alle Fälle, unbedingt; **by no** ~s keineswegs; **by ~s of** mittels (gen).

mean[3] [~] (**meant**) v/t meinen; beabsichtigen; bestimmen; bedeuten; v/i: ~ **well** (**ill**) es gut (schlecht) meinen.

mean·ing [ˈmiːnɪŋ] **1.** adj □ bedeutsam; **2.** s Sinn m, Bedeutung f; **~ful** adj □ bedeutungsvoll; sinnvoll; **~less** adj bedeutungslos; sinnlos.

meant [ment] *pret and pp of* **mean**[3].

mean·time [ˈmiːntaɪm] **1.** adv mittlerweile, inzwischen; **2.** s: **in the** ~ inzwischen; **~while** → **meantime** f.

mea·sles *med.* [ˈmiːzlz] s sg Masern pl.

mea·su·ra·ble [ˈmeʒərəbl] adj □ meßbar.

mea·sure [ˈmeʒə] **1.** s Maß n; Maß n, Meßgerät n; *mus.* Takt m; Maßnahme f; *fig.* Maßstab m; ~ **of capacity** Hohlmaß n; **beyond** ~ über alle Maßen; **in a great** ~ großenteils; **made to** ~ nach Maß gemacht; **take** ~s Maßnahmen treffen *or* ergreifen; **2.** v/t (ab-, aus-, ver)messen; j-m Maß nehmen; v/i: ~ **up to** den Ansprüchen (gen) genügen; **~d** adj gemessen; wohlüberlegt; maßvoll; **~less** adj □ unermeßlich; **~ment** s Messung f; Maß n.

meat [miːt] s Fleisch n; *fig.* Gehalt m; **cold** ~ kalte Platte; **~y** adj (-ier, -iest) fleischig; *fig.* gehaltvoll.

me·chan·ic [mɪˈkænɪk] s Mechaniker m; **~i·cal** adj □ mechanisch; Maschinen...; ~ **engineering** Maschinenbau m; **~ics** s mst sg phys. Mechanik f.

mech·a·nis·m [ˈmekənɪzəm] s Mechanismus m; **~nize** [~aɪz] v/t mechanisieren; **~d** mil. motorisiert, Panzer...

med·al [ˈmedl] s Medaille f; Orden m; **~(l)ist** [~ɪst] s sports: Medaillengewinner(in).

med·dle [ˈmedl] v/i sich einmischen (**with**, **in** in acc); **~some** [~səm] adj zu-, aufdringlich.

me·di·a [ˈmiːdɪə] s pl die Medien pl (newspapers, TV, etc.); F ~ **circus** Medienlandschaft f, F Medienrummel m.

med·i·ae·val [medɪˈiːvl] → **medieval**.

me·di·al [ˈmiːdɪəl] adj Mittel...

me·di·an [ˈmiːdɪən] adj die Mitte bildend *or* einnehmend, Mittel...

me·di·ate [ˈmiːdɪeɪt] v/i vermitteln (**between** zwischen dat); **~ation** [miːdɪˈeɪʃn] s Vermittlung f; **~ator** [ˈmiːdɪeɪtə] s Vermittler m.

med·i·cal [ˈmedɪkl] **1.** adj □ medizinisch, ärztlich; ~ **certificate** ärztliches Attest; ~ **man** F Doktor m; **2.** s ärztliche Untersuchung f.

med·i·cate [ˈmedɪkeɪt] v/t medizinisch behandeln; mit Arzneistoff(en) versetzen; **~d bath** medizinisches Bad.

me·di·ci·nal [me'dɪsɪnl] *adj* □ medizinisch; heilend, Heil...; *fig.* heilsam.

medi·cine ['medsɪn] *s* Medizin *f* (*substance, science*).

me·di·e·val [medɪ'iːvl] *adj* □ mittelalterlich.

me·di·o·cre [miːdɪ'əʊkə] *adj* mittelmäßig, zweitklassig.

med·i|tate ['medɪteɪt] *v/i* nachdenken, überlegen; meditieren; *v/t* im Sinn haben, planen, erwägen; **~·ta·tion** [~'teɪʃn] *s* Nachdenken *n*; Meditation *f*; **~·ta·tive** ['~tətɪv] *adj* □ nachdenklich, meditativ.

Med·i·ter·ra·ne·an [medɪtə'reɪnɪən] **1.** *s* Mittelmeer *n*; **2.** *adj* Mittelmeer...

me·di·um ['miːdɪəm] **1.** *s* (*pl* -**dia** [-dɪə], **-diums**) Mitte *f*; Mittel *n*; Vermittlung *f*; Medium *n*; (Lebens)Element *n*; **2.** *adj* *steak*: halbdurch, medium; mittlere(r, -s), Mittel..., Durchschnitts...

med·ley ['medlɪ] *s* Gemisch *n*; *mus.* Medley *n*, Potpourri *n*.

meek [miːk] *adj* □ sanft-, demütig, bescheiden; **~·ness** *s* Sanft-, Demut *f*.

meet [miːt] (**met**) *v/t* treffen (auf *acc*); begegnen (*dat*); abholen; *opponent*; stoßen auf (*acc*); *need, demand, etc.*: nachkommen (*dat*); *requirements*: genügen (*dat*); *deadline*: einhalten; *j-n* kennenlernen; *Am. j-m* vorgestellt werden; *fig. j-m* entgegenkommen; *v/i* sich treffen; zusammenstoßen; sich versammeln; sich kennenlernen; *sports*: sich begegnen; **~ with** stoßen auf (*acc*); erleiden; **~·ing** *s* Begegnung *f*; (Zusammen)Treffen *n*; Versammlung *f*, Tagung *f*.

mel·an·chol·y ['melənkəlɪ] **1.** *s* Melancholie *f*, Schwermut *f*; **2.** *adj* melancholisch, traurig.

mel·low ['meləʊ] **1.** *adj* □ mürbe; reif; weich; mild; **2.** *v/t and v/i* reifen (lassen); weich machen *or* werden; (sich) mildern.

me·lo|di·ous [mɪ'ləʊdɪəs] *adj* □ melodisch; **~·dy** ['melədɪ] *s* Melodie *f*; Lied *n*.

mel·on *bot.* ['melən] *s* Melone *f*.

melt [melt] *v/i* (zer)schmelzen (*a. v/t*); *fig.* zerfließen, dahinschmelzen, sich erweichen lassen (*at dark*); **~·ing-point** *s phys.* Schmelzpunkt *m*; **~·ing-pot** *s fig.* Schmelztiegel *m*.

mem·ber ['membə] *s* Mitglied *n*; Angehörige(r *m*) *f*; **♀ of Parliament** *parl. Br.* Mitglied *n* des Unterhauses, Abgeordnete(r *m*) *f*; **♀ of Congress** *parl. Am.* Kongreßabgeordnete(r *m*) *f*; **~ of the European Parliament** (*abbr.* **MEP**) Mitglied *n* des europäischen Parlaments, Europaabgeordnete(r *m*) *f*; **~·ship** *s* Mitgliedschaft *f*; Mitgliederzahl *f*; **~ card** Mitgliedsausweis *m*; **~ state** *s pol. of EC*: Mitgliedsstaat *m*.

mem·brane ['membreɪn] *s* Membran(e) *f*, Häutchen *n*.

me·men·to [mɪ'mentəʊ] *s* (*pl* -**toes**, -**tos**) Mahnzeichen *n*; Andenken *n*.

mem·o ['meməʊ] *s* (*pl* -**os**) → *memorandum*.

mem·oir ['memwɑː] *s* Denkschrift *f*; **~s** *pl* Memoiren *pl*.

mem·o·ra·ble ['memərəbl] *adj* □ denkwürdig; **~·ran·dum** [~'rændəm] *s* (*pl* -**da** [-də], -**dums**) Notiz *f*; *pol.* Note *f*; *jur.* Schriftsatz *m*; **~·ri·al** [mɪ'mɔːrɪəl] *s* Denkmal *n* (**to** für); Gedenkfeier *f*; Denkschrift *f*, Eingabe *f*; *attr* Gedächtnis..., Gedenk...; **~·rize** ['meməraɪz] *v/t* auswendig lernen, memorieren; **~·ry** ['memərɪ] *s* Gedächtnis *n*; Erinnerung *f*; Andenken *n*; *computer*: Speicher *m*; **in ~ of** zum Andenken an (*acc*).

men [men] *pl of* **man** 1; Mannschaft *f*.

men·ace ['menəs] **1.** *v/t* (be)drohen; **2.** *s* (Be)Drohung *f*; drohende Gefahr.

mend [mend] **1.** *v/t* (ver)bessern; ausbessern, flicken; besser machen; **~ one's ways** sich bessern; *v/i* sich bessern; **2.** *s* ausgebesserte Stelle; **on the ~** auf dem Wege der Besserung.

men·da·cious [men'deɪʃəs] *adj* □ lügnerisch, verlogen; unwahr.

men·di·cant ['mendɪkənt] **1.** *adj* bettelnd, Bettel...; **2.** *s* Bettler(in); Bettelmönch *m*.

men·in·gi·tis *med.* [menɪn'dʒaɪtɪs] *s* Meningitis *f*, Hirnhautentzündung *f*.

men·stru|ate *physiol.* ['menstrʊeɪt] *v/i* menstruieren, die Regel *or* Periode haben; **~·a·tion** [~'eɪʃn] *s* Menstruation *f*.

men·tal ['mentl] *adj* □ geistig, Geistes...; *esp. Br.* F geisteskrank, -gestört; **~ arithmetic** Kopfrechnen *n*; **~ handicap** geistige Behinderung; **~ home**, **~ hospital** Nervenklinik *f*; **~·ly handicapped** geistig behindert; **~·i·ty** [men'tælətɪ] *s* Mentalität *f*.

M

men·tion ['menʃn] **1.** s Erwähnung f; **2.** v/t erwähnen; **don't ~ it!** bitte (sehr)!

men·u ['menjuː] s Speise(n)karte f; Speisenfolge f; computer: Menü n.

mer·can·tile ['mɜːkəntaɪl] adj kaufmännisch, Handels...

mer·ce·na·ry ['mɜːsɪnərɪ] **1.** adj gewinnsüchtig; **2.** s mil. Söldner m.

mer·chan·dise ['mɜːtʃəndaɪz] s Ware(n pl) f.

mer·chant ['mɜːtʃənt] **1.** s Kaufmann m; esp. Am. Ladenbesitzer m, Einzelhändler m; **2.** adj Handels..., Kaufmanns...; **~ bank** s Handelsbank f; **~·man**, **~·ship** s Handelsschiff n.

mer·ci·ful ['mɜːsɪfl] adj □ barmherzig; **~·less** adj □ unbarmherzig.

mer·cu·ry ['mɜːkjʊrɪ] s Quecksilber n.

mer·cy ['mɜːsɪ] s Barmherzigkeit f; Gnade f; **be at the ~ of s.o.** j-m auf Gedeih u. Verderb ausgeliefert sein.

mere [mɪə] adj □ rein; bloß; **~·ly** ['mɪəlɪ] adv bloß, nur, lediglich.

merge [mɜːdʒ] v/t and v/i verschmelzen (**in** mit); econ. fusionieren; **merg·er** s Verschmelzung f; econ. Fusion f.

me·rid·i·an [mə'rɪdɪən] s geogr. Meridian m; fig. Gipfel m.

mer|it ['merɪt] **1.** s Verdienst n; Wert m; Vorzug m; **2.** v/t verdienen; **~·i·toc·ra·cy** [merɪ'tɒkrəsɪ] s Leistungsgesellschaft f; **~·i·to·ri·ous** [ˌ'tɔːrɪəs] adj □ verdienstvoll; lobenswert.

mer·maid ['mɜːmeɪd] s Nixe f.

mer·ri·ment ['merɪmənt] s Lustigkeit f; Belustigung f.

mer·ry ['merɪ] adj □ (**-ier, -iest**) lustig, fröhlich; **make ~** sich amüsieren, lustig sein, feiern; **~·go-round** s Karussell n; **~·mak·ing** s Feiern n.

mesh [meʃ] **1.** s Masche f; fig. often **~es** pl Netz n; **be in ~** tech. (ineinander)greifen; **2.** v/t in e-m Netz fangen.

mess¹ [mes] **1.** s Unordnung f; Schmutz m, F Schweinerei f; trouble: F Patsche f; **make a ~ of** verpfuschen; **2.** v/t in Unordnung bringen; verpfuschen; v/i: **~ about**, **~ around** F herummurksen; sich herumtreiben.

mess² [~] s Kasino n, Messe f.

mes·sage ['mesɪdʒ] s Botschaft f (**to** acc); Mitteilung f, Bescheid m; **give s.o. a ~** j-m et. ausrichten.

mes·sen·ger ['mesɪndʒə] s Bote m.

mess·y ['mesɪ] adj □ (**-ier, -iest**) unordentlich; unsauber, schmutzig.

met [met] pret and pp of **meet**.

met·al ['metl] s Metall n; **me·tal·lic** [mɪ'tælɪk] adj (**~ally**) metallisch, Metall...

met·a·phor ['metəfə] s Metapher f.

me·te·or ['miːtɪə] s Meteor n.

me·te·or·ol·o·gy [miːtɪə'rɒlədʒɪ] s Meteorologie f, Wetterkunde f.

me·ter tech. ['miːtə] s Messer m, Meßgerät n, Zähler m.

meth·od ['meθəd] s Methode f; Art f u. Weise f; Verfahren n; Ordnung f, System n; **me·thod·ic** [mɪ'θɒdɪk] (**~ally**), **me·thod·i·cal** [~kl] adj □ methodisch, planmäßig; überlegt.

me·tic·u·lous [mɪ'tɪkjʊləs] adj □ peinlich genau, übergenau.

me·tre, Am. **-ter** ['miːtə] s Meter m, n; Versmaß n.

met·ric ['metrɪk] adj (**~ally**) metrisch; Maß...; Meter...; **~ system** metrisches (Maß- u. Gewichts)System.

me·trop·o·lis [mɪ'trɒpəlɪs] s Metropole f, Hauptstadt f; **met·ro·pol·i·tan** [metrə'pɒlɪtən] adj hauptstädtisch.

Mex·i·can ['meksɪkən] **1.** adj mexikanisch; **2.** s Mexikaner(in).

mi·aow [mɪː'aʊ] v/i miauen.

mice [maɪs] pl of **mouse**.

mickey ['mɪkɪ] s: F **take the ~ out of s.o.** j-n auf den Arm nehmen, F j-n verarschen.

mi·cro- ['maɪkrəʊ] Mikro..., (sehr) klein.

mi·cro|chip ['maɪkrəʊtʃɪp] s computer: Microchip m; **~·el·ec·tron·ics** s sg Mikroelektronik f; **~·phone** s Mikrophon n; **~·pro·ces·sor** s Mikroprozessor m; **~·scope** s Mikroskop n; **~·wave** (**ov·en**) s Mikrowellenherd m, F Mikrowelle f.

mid [mɪd] adj mittlere(r, -s), Mitt(el)...; **in ~-air** (mitten) in der Luft; **be in one's ~-forties** Mitte Vierzig sein; **~·day 1.** s Mittag m; **2.** adj mittägig; Mittag(s)...

mid·dle ['mɪdl] **1.** s Mitte f; F waist: Taille f; **2.** adj mittlere(r, -s), Mittel...; **~·aged** adj mittleren Alters; ♀ **Ag·es** pl Mittelalter n; **~·class** adj bürgerlich, Mittelstands...; **~ class(·es** pl) s Mittelstand m; **~ name** s zweiter Vorname; **~·of-the-road** adj ideas, political views:

gemäßigt, moderat; **~sized** *adj* mittelgroß; **~ weight** *s boxing:* Mittelgewicht(ler *m*) *n*.

mid·dling ['mɪdlɪŋ] *adj* mittelmäßig, Mittel...; leidlich, F passabel.

midge *zo.* [mɪdʒ] *s* Stechmücke *f*.

midg·et ['mɪdʒɪt] *s* Zwerg *m*, Knirps *m*.

mid|land ['mɪdlənd] **1.** *adj* binnenländisch; **2.** *s* Binnenland *n*; **~night** *s* Mitternacht *f*; **~ship·man** *s mar.* Midshipman *m: Br.* Fähnrich *m* zur See; *Am.* Seeoffiziersanwärter *m*; **~st** [mɪdst] *s* Mitte *f*; **in the ~ of** mitten in (*dat*); **~sum·mer** *s ast.* Sommersonnenwende *f*; Hochsommer *m*; **~way 1.** *adj* in der Mitte befindlich, mittlere(r, -s); **2.** *adv* auf halbem Wege; **~wife** *s* Hebamme *f*; **~wif·er·y** ['~wɪfərɪ] *s* Geburtshilfe *f*; **~win·ter** *s ast.* Wintersonnenwende *f*; Mitte *f* des Winters; *in ~* mitten im Winter.

might [maɪt] **1.** *s* Macht *f*, Gewalt *f*; Kraft *f*; *with ~ and main* dated mit aller Kraft *or* Gewalt; **2.** *pret of may²*; **~y** *adj* (**~**-*ier, -iest*) mächtig, gewaltig.

mi·grant ['maɪgrənt] *s* Auswanderer *m*; *~ worker:* Wanderarbeiter(in); *bird:* Zugvogel *m*; **mi·grate** [maɪ'greɪt] *v/i* (aus)wandern, (fort)ziehen (*a. zo.*); **mi·gra·tion** [~ʃn] *s* Wanderung *f*; **mi·gra·to·ry** ['maɪɡrətərɪ] *adj* wandernd; *zo.* Zug...

mike F [maɪk] *s microphone:* Mikro *n*.

mil·age ['maɪlɪdʒ] → *mileage.*

mild [maɪld] *adj* □ mild; sanft; gelind; leicht; *to put it ~ly* gelinde gesagt; **~ness** Milde *f*.

mile [maɪl] *s* Meile *f* (*1,609 km*).

mile·age ['maɪlɪdʒ] *s* zurückgelegte Meilenzahl *or* Fahrtstrecke, Meilenstand *m*; *a. ~ allowance* Meilen-, *appr.* Kilometergeld *n*.

mile·stone ['maɪlstəʊn] *s* Meilenstein *m* (*a. fig.*).

mil·i·tant ['mɪlɪtənt] *adj* □ militant; streitend; streitbar, kriegerisch; **~ta·ry** [~ərɪ] **1.** *adj* □ militärisch, Militär...; Heeres..., Kriegs...; **2** *Government* Militärregierung *f*; **2.** *s das* Militär, Soldaten *pl*, Truppen *pl*.

mi·li·tia [mɪ'lɪʃə] *s* Miliz *f*, Bürgerwehr *f*.

milk [mɪlk] **1.** *s* Milch *f*; *it's no use crying over spilt ~* geschehen ist geschehen; **2.** *v/t* melken; *v/i* Milch ge-

ben; **~maid** *s* Melkerin *f*; Milchmädchen *n*; **~man** *s* Milchmann *m*; **~pow·der** *s* Milchpulver *n*; **~shake** *s* Milchmixgetränk *n*; **~sop** *s* Weichling *m*, Muttersöhnchen *n*; **~y** *adj* (**-***ier, -iest*) milchig; Milch...; **2** *Way ast.* Milchstraße *f*.

mill [mɪl] **1.** *s* Mühle *f*; Fabrik *f*, Spinnerei *f*; **2.** *v/t grain, etc.:* mahlen; *tech.* fräsen; *coin:* rändeln.

mil·le·pede *zo.* ['mɪlɪpiːd] *s* Tausendfüß(l)er *m*.

mill·er ['mɪlə] *s* Müller *m*.

mil·let ['mɪlɪt] *s* Hirse *f*.

mil·lion ['mɪljən] *s* Million *f*; **~aire** [mɪljə'neə] *s* Millionär(in); **~th** ['mɪljənθ] **1.** *adj* millionste(r, -s); **2.** *s* Millionstel *n*.

mil·li·pede *zo.* ['mɪlɪpiːd] → *millepede.*

mill|·pond ['mɪlpɒnd] *s* Mühlteich *m*; **~stone** *s* Mühlstein *m*.

mim·ic ['mɪmɪk] **1.** *adj* mimisch; Schein...; **2.** *s* Imitator *m*; **3.** *v/t* (**-***ck-*) nachahmen; nachäffen; **~ry** [~rɪ] *s* Nachahmung *f*; *zo.* Mimikry *f*.

mince [mɪns] **1.** *v/t* zerhacken, -stückeln; *he does not ~ matters* er nimmt kein Blatt vor den Mund; *v/i* ісh zieren; **2.** *s a.* **~d meat** Hackfleisch *n*; **~meat** *s* (e-e süße) Pastetenfüllung; **~ pie** *s* Pastete *f* (*filled with mincemeat*) ; **minc·er** [~ə] *s* Fleischwolf *m*.

mind [maɪnd] **1.** *s* Sinn *m*, Gemüt *n*, Herz *n*; Geist *m* (*a. phls.*); Verstand *m*; Meinung *f*, Ansicht *f*; Absicht *f*; Neigung *f*, Lust *f*; Gedächtnis *n*; *in or to my ~* meiner Ansicht nach; *be out of one's ~* verrückt sein, von Sinnen sein, den Verstand verloren haben; *change one's ~* seine Meinung ändern; *bear or keep s.th. in ~* (immer) an et. denken; *have (half) a ~ to* (beinahe) Lust haben zu; *have s.th. on one's ~* et. auf dem Herzen haben; *make up one's ~* sich entschließen; → *presence*; **2.** *v/t and v/i* merken *or* achten auf (*acc*); sich kümmern um; etwas (einzuwenden) haben gegen; *~!* gib acht!; *never ~!* macht nichts!; *~ the step!* Achtung, Stufe!; *I don't ~ (it)* ich habe nichts dagegen; *do you ~ if I smoke?* stört es Sie, wenn ich rauche?; *would you ~ taking off your hat?* würden Sie bitte den Hut abnehmen?; *~ your own business!* kümmern

Sie sich um Ihre Angelegenheiten!; **~·ful** adj □ (**of**) eingedenk (gen); achtsam (auf acc); **~·less** adj □ (**of**) unbekümmert (um), ohne Rücksicht auf acc).

mine¹ [maɪn] pron der, die, das meinige or mine.

mine² [~] **1.** s Bergwerk n, Mine f, Zeche f, Grube f; mil. Mine f; fig. Fundgrube f; **2.** v/i graben; minieren; v/t graben in (dat); mining: fördern; mil. verminen; **min·er** ['maɪnə] s Bergmann m.

min·e·ral ['mɪnərəl] **1.** s Mineral n; **~s** pl Br. Mineralwasser n; **2.** adj mineralisch, Mineral...; **~ water** Mineralwasser n.

min·gle ['mɪŋgl] v/t (ver)mischen; v/i sich mischen or mengen (**with** unter acc).

min·i ['mɪnɪ] s Minikleid n, -rock m; car: TM Mini m.

min·i- ['mɪnɪ] Mini..., Klein(st)...

min·i·a·ture ['mɪnɪətʃə] **1.** s Miniatur(gemälde n) f; **2.** adj in Miniatur; Miniatur...; Klein...; **~ camera** Kleinbildkamera f.

min·i|mize ['mɪnɪmaɪz] v/t auf ein Minimum reduzieren, minimieren (risk, etc.); schlechtmachen; bagatellisieren; **~·mum** [~əm] **1.** s (pl **-ma** [-mə], **-mums**) Minimum n, Mindestmaß n, -betrag m; **2.** adj niedrigste(r, -s), minimal, Mindest...

min·ing ['maɪnɪŋ] s Bergbau m; attr Berg(bau)..., Bergwerks...; Gruben...; **~ industry** Bergbau m.

min·i·skirt ['mɪnɪskɜːt] s Minirock m.

min·is·ter ['mɪnɪstə] **1.** s eccl. Geistliche(r) m; pol. Minister(in); diplomat: Gesandte(r) m; **2.** v/i: **~ to** helfen (dat), unterstützen (acc).

min·is·try ['mɪnɪstrɪ] s eccl. geistliches Amt; pol. Ministerium n, Regierung f.

mink zo. [mɪŋk] s Nerz m.

mi·nor ['maɪnə] **1.** adj kleinere(r, -s), geringere(r, -s); fig. a. unbedeutend, geringfügig; jur. minderjährig; **A ~** mus. a-Moll n; **~ key** mus. Moll(tonart f) n; **~ league** Am. baseball, etc.: untere Spielklasse; **2.** s jur. Minderjährige(r m) f; Am. univ. Nebenfach n; mus. Moll n; **~·i·ty** [~'nɒrətɪ] s Minderheit f; jur. Minderjährigkeit f.

min·ster ['mɪnstə] s Münster n.

min·strel ['mɪnstrəl] s Minnesänger m; Bänkelsänger m.

mint¹ [mɪnt] **1.** s Münze f, Münzamt n; **a ~ of money** e-e Menge Geld; **2.** v/t münzen, prägen.

mint² bot. [~] s Minze f.

min·u·et mus. [mɪnjʊ'et] s Menuett n.

mi·nus ['maɪnəs] **1.** prp minus, weniger; F ohne; **2.** adj negativ.

min·ute¹ ['mɪnɪt] s Minute f; Augenblick m; **in a ~** sofort; **just a ~** Moment mal!; **it won't take a ~** es dauert nicht lange; **have you got a ~?** hast du einen Augenblick Zeit?; **at the last ~** in letzter Minute; **~s** pl Protokoll n.

mi·nute² [maɪ'njuːt] adj □ sehr klein, winzig; unbedeutend; sehr genau; **~·ness** s Kleinheit f; Genauigkeit f.

mir·a·cle ['mɪrəkl] s Wunder n; **as if by (a)** ~ wie durch ein Wunder; **work (perform)** **~s** Wunder tun (vollbringen); **mi·rac·u·lous** [mɪ'rækjʊləs] adj □ wunderbar.

mi·rage ['mɪrɑːʒ] s Luftspiegelung f; fig Illusion f.

mire ['maɪə] s Sumpf m; Schlamm m; Kot m.

mir·ror ['mɪrə] **1.** s Spiegel m; **2.** v/t (wider)spiegeln (a. fig.).

mirth [mɜːθ] s Fröhlichkeit f, Heiterkeit f; **~·ful** adj □ fröhlich, heiter; **~·less** adj □ freudlos.

mis- [mɪs] miß..., falsch, schlecht.

mis·ad·ven·ture [mɪsəd'ventʃə] s Mißgeschick n; Unglück(sfall m) n.

mis·an|thrope ['mɪzənθrəʊp], **~·thro·pist** [mɪ'zænθrəpɪst] s Menschenfeind m; Misanthrop m.

mis·ap|ply [mɪsə'plaɪ] v/t falsch anwenden; **~·ap·pre·hend** [~æprɪ'hend] v/t mißverstehen; **~·ap·pro·pri·ate** [~ə-'prəʊprɪeɪt] v/t unterschlagen, veruntreuen; **~·be·have** [~bɪ'heɪv] v/i sich schlecht benehmen; **~·cal·cu·late** [~'kælkjʊleɪt] v/t falsch berechnen; v/i sich verrechnen.

mis·car|riage [mɪs'kærɪdʒ] s med. Fehlgeburt f; Mißlingen n; of letters: Verlust m, Fehlleitung f; **~ of justice** Fehlspruch m, -urteil n; **~·ry** [~ɪ] v/i mißlingen, scheitern; verlorengehen (letter); med. e-e Fehlgeburt haben.

mis·cel·la·ne·ous [mɪsɪ'leɪnɪəs] adj □ ge-, vermischt; verschiedenartig; "²"

,,Verschiedenes"; **~ny** [mɪ'selənɪ] s Gemisch n; Sammelband m.

mis·chief ['mɪstʃɪf] s Schaden m; Unfug m; Mutwille m, Übermut m; **~mak·er** s Unheil-, Unruhestifter(in).

mis·chie·vous ['mɪstʃɪvəs] adj □ schädlich; boshaft, mutwillig; schelmisch.

mis·con·ceive [mɪskən'siːv] v/t falsch auffassen, mißverstehen.

mis·con·duct **1.** s [mɪs'kɒndʌkt] schlechtes Benehmen; Verfehlung f; schlechte Verwaltung; **2.** v/t [mɪskən-'dʌkt] schlecht verwalten; **~ o.s.** sich schlecht benehmen.

mis|con·strue [mɪskən'struː] v/t falsch auslegen, mißdeuten; **~deed** ['ˌdiːd] s Missetat f, Vergehen n; Verbrechen n; **~·de·mea·no(u)r** jur. [ˌdɪ'miːnə] s Vergehen n; **~·di·rect** [ˌdɪ'rekt] v/t fehl-, irreleiten; letter, etc.: falsch adressieren; **~·do·ing** ['ˌduːɪŋ] s mst **~s** pl → **misdeed**.

mise en scène thea. [miːzɑ̃ː'seɪn] s Inszenierung f.

mi·ser ['maɪzə] s Geizhals m.

mis·e·ra·ble ['mɪzərəbl] adj □ elend; unglücklich; erbärmlich.

mi·ser·ly ['maɪzəlɪ] adj geizig, F knick(e)rig; kleinlich.

mis·er·y ['mɪzərɪ] s Elend n, Not f.

mis|fire ['mɪs'faɪə] v/i versagen (gun); mot. fehlzünden, aussetzen; **~fit** ['ˌfɪt] s Außenseiter m, Einzelgänger m; schlechtsitzendes Kleidungsstück; **~for·tune** [ˌ'fɔːtʃən] s Unglück(sfall m) n; Mißgeschick n; **~giv·ing** [ˌ'gɪvɪŋ] s böse Ahnung, Befürchtung f; **~guide** [ˌ'gaɪd] v/t fehl-, irreleiten; **~hap** ['ˌhæp] s Unglück n; Unfall m; Mißgeschick n; Panne f; **~in·form** [ˌɪn'fɔːm] v/t falsch unterrichten; **~in·ter·pret** [ˌɪn'tɜːprɪt] v/t mißdeuten, falsch auffassen; **~lay** [ˌ'leɪ] v/t (-laid) et. verlegen; **~lead** [ˌ'liːd] v/t (-led) irreführen; verleiten.

mis·man·age [mɪs'mænɪdʒ] v/t schlecht verwalten or führen or handhaben; **~ment** s Mißwirtschaft f.

mis·place [mɪs'pleɪs] v/t an e-e falsche Stelle legen or setzen; et. verlegen; falsch anbringen.

mis·print 1. v/t [mɪs'prɪnt] verdrucken; **2.** s ['mɪsprɪnt] Druckfehler m.

mis·read [mɪs'riːd] v/t (-read [-red])

falsch lesen or deuten.

mis·rep·re·sent [mɪsreprɪ'zent] v/t falsch darstellen, verdrehen.

miss¹ [mɪs] s (before the name 2) Fräulein n; 2 Germany 1991 (die) Miss Germany 1991.

miss² [ˌ] **1.** s Fehlschlag m, -schuß m, -stoß m, -wurf m; Versäumen n, Entrinnen n; **2.** v/t (ver)missen; verfehlen, -passen, -säumen; auslassen; übergehen; übersehen; überhören; **he ~ed ...** ihm entging ...; **you haven't ~ed much** du hast nicht viel verpaßt; v/i nicht treffen; mißglücken.

mis·shap·en [mɪs'ʃeɪpən] adj mißgebildet.

mis·sile ['mɪsaɪl, Am. 'mɪsəl] **1.** s (Wurf)Geschoß n; mil. Rakete f; **2.** adj mil. Raketen...

miss·ing ['mɪsɪŋ] adj fehlend, weg, nicht da; mil. vermißt; **be ~** object: fehlen, weg sein; person: vermißt sein or werden.

mis·sion ['mɪʃn] s pol. Auftrag m; (innere) Berufung, Sendung f, Lebensziel n; pol. Gesandtschaft f; eccl., pol. Mission f; mil. Einsatz m, (Kampf)Auftrag m; **~a·ry** ['mɪʃənrɪ] **1.** s Missionar m; **2.** adj Missions...

mis·spell [mɪs'spel] v/t (-spelt or -spelled) falsch buchstabieren or schreiben.

mis·spend [mɪs'spend] v/t (-spent) falsch verwenden; vergeuden.

mist [mɪst] **1.** s (feiner or leichter) Nebel; Dunst m; **2.** v/i sich trüben; beschlagen.

mis|take [mɪ'steɪk] **1.** v/t (-took, -taken) sich irren in (dat); verkennen; mißverstehen; verwechseln (for mit); **2.** s Mißverständnis n; Irrtum m; Versehen n; Fehler m; **~tak·en** [ˌ-ən] adj □ irrig, falsch (verstanden); **be ~** sich irren.

mis·ter ['mɪstə] s (before the name 2) Herr m (abbr. **Mr**).

mis·tle·toe bot. ['mɪsltəʊ] s Mistel f.

mis·tress ['mɪstrɪs] s Herrin f; of household: Frau f des Hauses; esp. Br. teacher: Lehrerin f; lover: Geliebte f; expert: Meisterin f, Expertin f.

mis·trust [mɪs'trʌst] **1.** v/t mißtrauen (dat); **2.** s Mißtrauen n; **~ful** adj □ mißtrauisch.

mist·y ['mɪstɪ] adj □ (-ier, -iest) neb(e)lig; unklar.

M

mis·un·der|stand [mɪsʌndəˈstænd] v/t (-*stood*) mißverstehen; j-n nicht verstehen; **~stand·ing** s Mißverständnis n; **~stood** adj unverstanden, writer, etc.: verkannt.

mis|us·age [mɪsˈjuːzɪdʒ] s Mißbrauch m; Mißhandlung f; **~use** 1. v/t [mɪsˈjuːz] mißbrauchen, -handeln; 2. s [~s] Mißbrauch m.

mite [maɪt] s zo. Milbe f; small child or animal: Wurm m, kleines Ding; hist. Heller m; fig. Scherflein n.

mit·i·gate ['mɪtɪgeɪt] v/t mildern, lindern.

mi·tre, Am. **-ter** ['maɪtə] s Mitra f, Bischofsmütze f.

mitt [mɪt] s baseball: (Fang)Handschuh m; sl. Boxhandschuh m; → **mitten**.

mit·ten ['mɪtn] s Fausthandschuh m; Halbhandschuh m (with bare fingers).

mix [mɪks] v/t and v/i (sich) (ver)mischen; mixen; verkehren (**with** mit); **~ed** gemischt; fig. zweifelhaft; **~ed doubles** sports: gemischtes Doppel, Mixed n; **~ed school** esp. Br. Koedukationsschule f; **~ up** durcheinanderbringen; **be ~ed up with** in e-e Sache verwickelt sein; **~ture** ['mɪkstʃə] s Mischung f.

moan [məʊn] 1. s Stöhnen n; 2. v/i stöhnen.

moat [məʊt] s Burg-, Wassergraben m.

mob [mɒb] 1. s Mob m, Pöbel m; 2. v/t (-*bb-*) (lärmend) bedrängen; gang: herfallen über (acc), angreifen.

mo·bile ['məʊbaɪl] adj beweglich; mil. mobil, motorisiert; face: lebhaft; work-force: mobil; **~ home** esp. Br. Wohnwagen m.

mo·bil·i·za·tion mil. [məʊbɪlaɪˈzeɪʃn] s Mobilmachung f; **~ze** mil. ['məʊbɪlaɪz] v/t and v/i mobil machen.

moc·ca·sin ['mɒkəsɪn] s weiches Leder; Mokassin m (shoe).

mock [mɒk] 1. s Spott m; 2. adj Schein...; falsch, nachgemacht; 3. v/t verspotten; nachmachen; täuschen; spotten (gen) v/i spotten (**at** über acc); **~e·ry** s Spott m, Hohn m, Spötterei f; Gespött n; Nachäfferei f; **~ing-bird** s zo. Spottdrossel f; **~ tur·tle soup** s Mockturtlesuppe f, falsche Schildkrötensuppe.

mode [məʊd] s (Art f u.) Weise f; (Erscheinungs)Form f; Mode f; Brauch m.

mod·el ['mɒdl] 1. s Modell n; Muster n; Vorbild n; Mannequin n, (Foto)Modell n; **male ~** Dressman m; 2. adj Muster...; 3. v/t (esp. Br. -ll-, Am. -l-) modellieren; (ab)formen; show clothes, etc.: vorführen; fig. formen, bilden; v/i for an artist: Modell stehen; als Mannequin or (Foto)Modell arbeiten.

mod·e|rate 1. adj □ ['mɒdərət] (mittel)mäßig; gemäßigt; vernünftig, angemessen; 2. v/t and v/i [~reɪt] (sich) mäßigen; **~ra·tion** [~'reɪʃn] s Mäßigung f; Mäßigkeit f.

mod·ern ['mɒdən] adj modern, neu; **~ize** [~aɪz] v/t modernisieren.

mod|est ['mɒdɪst] adj □ bescheiden; anständig, sittsam; **~es·ty** s Bescheidenheit f.

mod·i|fi·ca·tion [mɒdɪfɪˈkeɪʃn] s Ab-, Veränderung f; Einschränkung f; **~fy** ['mɒdɪfaɪ] v/t (ab)ändern; mildern.

mods Br. [mɒdz] s pl in the sixties: Halbstarke pl.

mod·ule ['mɒdjuːl] s Verhältniszahl f; tech. Baueinheit f; tech., electr. Modul n, electr. a. Baustein m; of spacecraft: (Kommando- etc.)Kapsel f.

moi·e·ty ['mɔɪətɪ] s Hälfte f; Teil m.

moist [mɔɪst] adj feucht; **~en** ['mɔɪsn] v/t be-, anfeuchten; v/i feucht werden; **mois·ture** [~stʃə] s Feuchtigkeit f.

mo·lar ['məʊlə] s Backenzahn m.

mo·las·ses [məˈlæsɪz] s sg Melasse f; Am. Sirup m.

mole[1] zo. [məʊl] s Maulwurf m.

mole[2] [~] s Muttermal n.

mole[3] [~] s Mole f, Hafendamm m.

mol·e·cule ['mɒlɪkjuːl] s Molekül n.

mole·hill ['məʊlhɪl] s Maulwurfshügel m; **make a mountain out of a ~** aus e-r Mücke e-n Elefanten machen.

mo·lest [məʊˈlest] v/t belästigen.

mol·li·fy ['mɒlɪfaɪ] v/t besänftigen, beruhigen.

mol·ly·cod·dle ['mɒlɪkɒdl] 1. s Weichling m, Muttersöhnchen n; 2. v/t verweichlichen, -zärteln.

mol·ten ['məʊltən] adj geschmolzen.

mom Am. F [mɒm] s Mami f, Mutti f.

mo·ment ['məʊmənt] s Moment m, Augenblick m; Bedeutung f; → **momentum**; **mo·men·ta·ry** [~rɪ] adj □ momentan, augenblicklich; vorübergehend; **mo·men·tous** [məˈmentəs] adj □

bedeutend, folgenschwer; **mo·men·tum** [məˈmentəm] s phys. (pl **-ta** [-tə], **-tums**) Moment n; Triebkraft f.

mon·arch [ˈmɒnək] s Monarch(in); **~·ar·chy** [~ɪ] s Monarchie f.

mon·as·tery [ˈmɒnəstrɪ] s (Mönchs-) Kloster n.

Mon·day [ˈmʌndɪ] s Montag m.

mon·e·ta·ry econ. [ˈmʌnɪtərɪ] adj monetär, währungspolitisch; Währungs...; Geld...; ~ **union** Währungsunion f.

mon·ey [ˈmʌnɪ] s Geld n; **ready ~** Bargeld n; **earn good ~** gut verdienen; **~·box** s Sparbüchse f; **~·chang·er** s (Geld)Wechsler m (person); Am. Wechselautomat m; **~ or·der** s Postanweisung f.

mon·grel [ˈmʌŋgrəl] s Mischling m, Bastard m; attr Bastard...

mon·i·tor [ˈmɒnɪtə] **1.** s tech., TV: Monitor m; pupil: (Klassen)Ordner m; **2.** v/t kontrollieren; weather, etc.: beobachten; listen: abhören.

monk [mʌŋk] s Mönch m.

mon·key [ˈmʌŋkɪ] **1.** s zo. Affe m; tech. Rammbock m; **put s.o.'s ~ up** F j-n auf die Palme bringen; **~ business** F fauler Zauber; Blödsinn m, Unfug m; **2.** v/i: ~ **about**, ~ **around** F (herum)albern; ~ (**about** or **around**) **with** F herummurksen an (dat); **~·wrench** s tech. tool: Engländer m.

monk·ish [ˈmʌŋkɪʃ] adj mönchisch.

mon·o [ˈmɒnəʊ] s (pl **-os**) Radio etc.: Mono n; Monogerät n; attr Mono...

mon·o· [ˈmɒnəʊ] adj ein(fach), einzeln.

mon·o·chrome [ˈmɒnəkrəʊm] adj einfarbig, monochrom; TV, etc.: Schwarzweiß...

mon·o·cle [ˈmɒnəkl] s Monokel n.

mo·nog·a·my [mɒˈnɒgəmɪ] s Einehe f.

mon·o·logue, Am. a. **~·log** [ˈmɒnəlɒg] s Monolog m.

mo·nop·o·list [məˈnɒpəlɪst] s Monopolist m; **~·lize** v/t monopolisieren; fig. an sich reißen; **~·ly** s Monopol n (**of** auf acc).

mo·not·o·nous [məˈnɒtənəs] adj monoton, eintönig; **~·ny** s Monotonie f.

mon·soon [mɒnˈsuːn] s Monsun m.

mon·ster [ˈmɒnstə] s Ungeheuer n (a. fig.); Monstrum n; attr Riesen...

mon·stros·i·ty [mɒnˈstrɒsətɪ] s Ungeheuer(lichkeit f) n; **~·strous** [ˈmɒn-

strəs] adj □ ungeheuer(lich); gräßlich.

month [mʌnθ] s Monat m; **this day ~** heute in e-m Monat; **~·ly 1.** adj monatlich; Monats...; **2.** s Monatsschrift f.

mon·u·ment [ˈmɒnjʊmənt] s Denkmal n; **~·al** [mɒnjʊˈmentl] adj □ monumental; großartig; Gedenk...

moo [muː] v/i muhen.

mood [muːd] s Stimmung f, Laune f; **~s** pl schlechte Laune; **~·y** adj □ (**-ier**, **-iest**) launisch; übellaunig; niedergeschlagen.

moon [muːn] **1.** s Mond m; **once in a blue ~** F alle Jubeljahre (einmal); **2.** v/i: ~ **about**, ~ **around** F herumirren; träumen, dösen; **~·light** s Mondlicht n, -schein m; **~·lit** adj mondhell; **~·struck** adj mondsüchtig; ~ **walk** s Mondspaziergang m.

Moor¹ [mʊə] s Maure m, Mohr m.

moor² [~] s Moor n; Ödland n, Heideland n.

moor³ mar. [~] v/t vertäuen; **~·ings** s pl mar. Vertäuung f; Liegeplatz m.

moose zo. [muːs] s nordamerikanischer Elch.

mop [mɒp] **1.** s Mop m; (Haar)Wust m; **2.** v/t (**-pp-**) auf-, abwischen.

mope [məʊp] v/i den Kopf hängen lassen.

mo·ped Br. mot. [ˈməʊped] s Moped n.

mor·al [ˈmɒrəl] **1.** adj □ moralisch; Moral..., Sitten...; **2.** s Moral f; Lehre f; **~s** pl Sitten pl; **mo·rale** [mɒˈrɑːl] s esp. mil., sports, etc.: Moral f, Stimmung f, Haltung f; **mo·ral·i·ty** [məˈrælətɪ] s Moralität f; Sittlichkeit f; Moral f; **mor·al·ize** [ˈmɒrəlaɪz] v/i moralisieren.

mo·rass [məˈræs] s Morast m, Sumpf m.

mor·bid [ˈmɔːbɪd] adj □ krankhaft.

more [mɔː] **1.** adj and adv mehr; noch (mehr); ~ **and** ~ immer mehr; ~ **and** ~ **difficult** immer schwieriger; **2.** s and pron: **no** ~ nichts mehr; **no** ~ **than** ebensowenig wie; **once** ~ noch einmal, wieder; (**all**) **the** ~ **so** (nur) um so mehr; **so much the** ~ **as** um so mehr als.

mo·rel bot. [mɒˈrel] s Morchel f.

more·o·ver [mɔːˈrəʊvə] adv außerdem, überdies, weiter, ferner.

morgue [mɔːg] s Am. Leichenschauhaus n; F (Zeitungs)Archiv n.

morn·ing [ˈmɔːnɪŋ] s Morgen m; Vormittag m; **good ~!** guten Morgen!; **in**

M

the ~ morgens; morgen früh; *tomorrow* ~ morgen früh; ~ **pa·per** s Morgenzeitung f.

mo·ron ['mɔːrən] s Schwachsinnige(r m) f; *contp.* Idiot m.

mo·rose [mə'rəʊs] adj □ mürrisch.

mor·phine ['mɔːfiːn] s Morphium n.

Morse code ['mɔːskəʊd] s Morsealphabet n.

mor·sel ['mɔːsl] s Bissen m; Stückchen n, fig. das or ein bißchen.

mor·tal ['mɔːtl] **1.** adj □ sterblich; tödlich; Tod(es)...; **2.** s Sterbliche(r m) f; ~**i·ty** [mɔː'tælətɪ] s Sterblichkeit f.

mor·tar ['mɔːtə] s Mörser m; Mörtel m.

mort|gage ['mɔːgɪdʒ] **1.** s Hypothek f; **2.** v/t mit e-r Hypothek belasten; e-e Hypothek aufnehmen auf (acc); ~**gag·ee** [mɔːgə'dʒiː] s Hypothekengläubiger m; ~**gag·er** ['mɔːgɪdʒə], ~**ga·gor** [mɔːgə'dʒɔː] s Hypothekenschuldner m.

mor·ti·cian Am. [mɔː'tɪʃn] s Leichenbestatter m.

mor·ti|fi·ca·tion [mɔːtɪfɪ'keɪʃn] s Kränkung f; Ärger m; ~**fy** ['mɔːtɪfaɪ] v/t kränken; ärgern.

mor·tu·a·ry ['mɔːtjʊərɪ] s Leichenhalle f.

mo·sa·ic [məʊ'zeɪɪk] s Mosaik n.

mosque [mɒsk] s Moschee f.

mos·qui·to zo. [mə'skiːtəʊ] s (pl -toes) Moskito m; Stechmücke f.

moss bot. [mɒs] s Moos n; ~**y** adj bot. (-ier, -iest) moosig, bemoost.

most [məʊst] **1.** adj □ meist(e, -s); die meisten; ~ **people** pl die meisten Leute pl; **2.** adv am meisten; very: höchst, äußerst; forming the superlative: the ~ **important point** der wichtigste Punkt; ~ **of all** am allermeisten; **3.** s das meiste, das Höchste; das meiste; die meisten pl; **at (the)** ~ höchstens; **make the** ~ **of** möglichst ausnutzen; ~**ly** adv hauptsächlich, meistens.

MOT [eməʊ'tiː] s F Br. appr. TÜV m.

mo·tel [məʊ'tel] s Motel n.

moth zo. [mɒθ] s Motte f; ~**eat·en** ['mɒθiːtn] adj mottenfressen.

moth·er ['mʌðə] **1.** s Mutter f; **2.** v/t bemuttern; ~ **coun·try** s Vater-, Heimatland n; Mutterland n; ~**hood** s Mutterschaft f; ~**in-law** s Schwiegermutter f; ~**ly** adj mütterlich; ♀**'s Day** s Muttertag m; ~ **tongue** s Muttersprache f.

mo·tif mus., paint. [məʊ'tiːf] s (Leit)Motiv n.

mo·tion ['məʊʃn] **1.** s Bewegung f; Gang m (a. tech.); parl. Antrag m; physiol. Stuhlgang m, often ~s pl Stuhl m; **2.** v/t j-m (zu)winken, j-m ein Zeichen geben; v/i winken; ~**less** adj bewegungslos; ~ **pic·ture** s Film m.

mo·ti|vate ['məʊtɪveɪt] v/t motivieren, begründen; ~**va·tion** [məʊtɪ'veɪʃn] s Motivierung f, Begründung f; Motivation f.

mo·tive ['məʊtɪv] **1.** s Motiv n, Beweggrund m; **2.** adj bewegend, treibend (a. fig.); Antriebs...

mot·ley ['mɒtlɪ] adj bunt, scheckig.

mo·tor ['məʊtə] **1.** s Motor m; fig. treibende Kraft; Br. dated: Auto n; **2.** adj motorisch; bewegend; Motor...; Kraft...; Auto...; **3.** v/i Br. dated: mit dem Auto fahren; ~ **bi·cy·cle** s Motorrad n; Am. Moped n; Am. Mofa n; ~**bike** s F Motorrad n; Am. Moped n; Am. Mofa n; ~**boat** s Motorboot n; ~ **bus** s Autobus m; ~**cade** s Autokolonne f; ~ **car** s Br. dated: (Kraft)Wagen m, Kraftfahrzeug n, Auto(mobil) n; ~ **coach** s Reisebus m; ~**cy·cle** s Motorrad n; ~**cy·clist** s Motorradfahrer(in); ~**ing** s Autofahren n; **school of** ~ Fahrschule f; ~**ist** s Kraft-, Autofahrer(in); ~**ize** v/t motorisieren; ~ **launch** s Motorbarkasse f; ~**way** s Br. Autobahn f.

mot·tled ['mɒtld] adj gefleckt.

mo(u)ld [məʊld] **1.** s agr. Gartenerde f, Humus(boden) m; Schimmel m, Moder m; tech. (Guß)Form f (a. fig.); geol. Abdruck m; character: Art f; **2.** v/t formen, gießen (on, upon nach).

mo(u)l·der ['məʊldə] v/i zerfallen.

mo(u)ld·y ['məʊldɪ] adj (-ier, -iest) schimm(e)lig, dumpfig, mod(e)rig.

mo(u)lt [məʊlt] v/i and v/t (sich) mausern; hair: verlieren.

mound [maʊnd] s Erdhügel m, -wall m.

mount [maʊnt] **1.** s Berg m; Reitpferd n; **2.** v/i (auf-, hoch)steigen; aufsitzen, aufs Pferd steigen; v/t be-, ersteigen; montieren, aufziehen, -kleben; jewel: fassen; ~**ed police** berittene Polizei.

moun·tain ['maʊntɪn] **1.** s Berg m; ~s pl Gebirge n; **2.** adj Berg..., Gebirgs...; ~**eer** [~'nɪə] s Bergbewohner(in); Bergsteiger(in); ~**eer·ing** [~'nɪərɪŋ] s Bergsteigen n; **~ous** ['~əs] adj bergig, gebirgig.

mourn [mɔːn] v/t and v/i (be)trauern; trauern um; **~er** s Trauernde(r m) f; **~ful** adj □ traurig; Trauer...; **~ing** s Trauer f; attr Trauer...

mouse [maʊs] s (pl mice [maɪs] Maus f (a. computer).

mous·tache [mə'stɑːʃ], Am. **mus·tache** ['mʌstæʃ] s Schnurrbart m.

mouth [maʊθ] s (pl mouths [maʊðz]) Mund m; Maul n; Mündung f; Öffnung f; **~ful** s Schluck m; Bissen m; **~·or·gan** s Mundharmonika f; **~·piece** s Mundstück n; fig. Sprachrohr n.

mo·va·ble ['muːvəbl] adj □ beweglich.

move [muːv] **1.** v/t (fort)bewegen; in Bewegung setzen; (weg)rücken; (an)treiben; chess, etc.: e-n Zug machen mit; et. beantragen; provoke: er-, aufregen; affect: bewegen, rühren, ergreifen; **~ down** pupil: zurückstufen; **~ up** pupil: versetzen; **(on** house Br. umziehen; **~ heaven and earth** Himmel und Hölle in Bewegung setzen; v/i sich (fort)bewegen; sich rühren; chess: ziehen; (um)ziehen (**to** nach); med. sich entleeren; fig. voran-, fortschreiten; **~ away** weg-, fortziehen; **~ for s.th.** et. beantragen; **~ in** einziehen; anrücken (police, etc.); vorgehen (**on** demonstrators, etc.); **~ on** weitergehen; **~ out** ausziehen; **2.** s (Fort)Bewegung f, Aufbruch m; Umzug m; chess, etc.: Zug m; fig. Schritt m; **on the ~** in Bewegung; auf den Beinen; **get a ~ on!** Tempo!, mach(t) schon!, los!; **make a ~** aufbrechen; fig. handeln; **~·a·ble** → **movable**; **~·ment** s Bewegung f; tendency, etc.: Bestrebung f, Tendenz f, Richtung f; mus. Tempo n; mus. Satz m; tech. (Geh)Werk n; physiol. Stuhlgang m.

mov·ie esp. Am. F ['muːvɪ] s Film m; **~s** pl Kino n.

mov·ing ['muːvɪŋ] adj □ bewegend (a. fig.); sich bewegend, beweglich; **~ staircase** Rolltreppe f.

mow [məʊ] v/t and v/i (**~ed**, **~n** or **~ed**) mähen; **~er** ['məʊə] s Mäher(in); Mähmaschine f, esp. Rasenmäher m; **~·ing-ma·chine** s Mähmaschine f; **~n** pp of **mow**.

much [mʌtʃ] **1.** adj (**more**, **most**) viel; **2.** adv sehr; in compounds: viel...; before

comp: viel; before sup: bei weitem; fast; **~ as I would like** so gern ich möchte; **I thought as ~** das dachte ich mir; **~ to my surprise** zu m-r großen Überraschung; → **so**; **3.** s Menge f, große Sache, Besondere(s) n; **make ~ of** viel Wesens machen von; **I am not ~ of a dancer** F ich bin kein großer Tänzer.

muck [mʌk] s Mist m (F a. fig.); **~·rake 1.** s Mistgabel f; **2.** v/i Skandale aufdecken; contp. im Schmutz wühlen.

mud [mʌd] s Schlamm m; Kot m, Schmutz m (a. fig.).

mud·dle ['mʌdl] **1.** v/t verwirren; a. **~ up**, **~ together** durcheinanderbringen; F benebeln; v/i pfuschen, stümpern; **~ through** F sich durchwursteln; **2.** s Durcheinander n; Verwirrung f.

mud·dy ['mʌdɪ] adj □ (**-ier, -iest**) schlammig; trüb; **~·guard** s Kotflügel m; Schutzblech n.

muff [mʌf] s Muff m.

muf·fle ['mʌfl] v/t often **~ up** ein-, umhüllen, umwickeln; voice, etc.: dämpfen; **~r** s (dicker) Schal; Am. mot. Auspufftopf m.

mug¹ [mʌg] s Krug m; Becher m.

mug² F [~] v/t (**-gg-**) überfallen u. ausrauben; **~ger** s F Straßenräuber m; **~·ging** s F Raubüberfall m.

mug·gy ['mʌgɪ] adj schwül.

mug·wump Am. iro. ['mʌgwʌmp] s hohes Tier; pol. Unabhängige(r) m.

mu·lat·to mst contp. [mjuː'lætəʊ] s (pl **-tos**, Am. **-toes**) Mulatt|e m, -in f.

mul·ber·ry bot. ['mʌlbərɪ] s Maulbeerbaum m; Maulbeere f.

mule [mjuːl] s zo. Maultier n, -esel m; fig. störrischer Mensch; **mu·le·teer** [~ɪ'tɪə] s Maultiertreiber m.

mull¹ [mʌl] s Mull m.

mull² [~] v/i: **~ over** überdenken.

mulled [mʌld] adj: **~ claret**, **~ wine** Glühwein m.

mul·li·gan Am. F ['mʌlɪgən] s Eintopfgericht n.

mul·ti· ['mʌltɪ] in compounds: viel..., mehr..., reich, Mehrfach..., Multi...

mul·ti|chan·nel [mʌltɪ'tʃænl] adj TV, etc.: Mehrkanal...; **~·cul·tu·ral** adj society: multikulturell; **~·far·i·ous** [~'feərɪəs] adj mannigfaltig; **~·form** adj vielförmig, -gestaltig; **~·lat·e·ral** adj vielseitig; pol. multilateral, mehrseitig;

M

~·lin·gual adj dictionary, etc.: mehrsprachig; **~·na·tion·al 1.** s multinationaler Konzern, F Multi m; **2.** adj multinational; **~·par·ty sys·tem** s pol. Mehrparteiensystem n; **~·ple** ['mʌltɪpl] **1.** adj vielfach; **2.** s math. Vielfache(s) n; **~·pli·ca·tion** [ˌmʌltɪplɪ'keɪʃn] s Vervielfachung f; Vermehrung f; math. Multiplikation f; **~ table** Einmaleins n; **~·pli·ci·ty** [ˌmʌltɪ'plɪsɪtɪ] s Vielfalt f; **~·ply** ['mʌltɪplaɪ] v/t and v/i (sich) vermehren (a. biol.); vervielfältigen; math. multiplizieren, malnehmen (**by** mit); **~ 3 by 4** drei mit vier multiplizieren or malnehmen.

mul·ti·sto·rey [ˌmʌltɪ'stɔːrɪ] adj mehrstöckig; **~ car-park** Park(hoch)haus n.

mul·ti|tude ['mʌltɪtjuːd] s Vielheit f; Menge f; **~·tu·di·nous** [ˌmʌltɪ'tjuːdɪnəs] adj zahlreich.

mum¹ [mʌm] **1.** int: **~'s the word** nichts verraten!; **2.** adj: **keep ~** den Mund halten.

mum² Br. F [~] s Mami f, Mutti f.

mum·ble ['mʌmbl] v/t and v/i murmeln, nuscheln.

mum·my¹ ['mʌmɪ] s Mumie f.

mum·my² Br. F [~] s Mami f, Mutti f.

mumps med. [mʌmps] s/ sg Ziegenpeter m, Mumps m.

munch [mʌntʃ] v/t and v/i geräuschvoll or schmatzend kauen, mampfen.

mun·dane [mʌn'deɪn] adj □ weltlich.

mu·ni·ci·pal [mjuː'nɪsɪpl] adj □ städtisch, Stadt..., kommunal, Gemeinde...; **~·i·ty** [mjuːnɪsɪ'pælɪtɪ] s Stadt f mit Selbstverwaltung; Stadtverwaltung f.

mu·ral ['mjʊərəl] **1.** s Wandgemälde n; **2.** adj Mauer..., Wand...

mur·der ['mɜːdə] **1.** s Mord m; **it was ~** a. fig. es war mörderisch; **she can get away with ~** sie kann sich alles erlauben; **2.** v/t (er)morden; fig. verhunzen; **~·er** s Mörder m; **~·ess** s Mörderin f; **~·ous** adj □ mörderisch; Mord...

murk·y ['mɜːkɪ] adj □ (**-ier**, **-iest**) dunkel, finster.

mur·mur ['mɜːmə] **1.** s Murmeln n; Gemurmel n; Murren n; **2.** v/t and v/i murmeln; murren.

mur·rain ['mʌrɪn] s Viehseuche f.

mus|cle ['mʌsl] s Muskel m; **~·cu·lar** ['mʌskjʊlə] adj Muskel...; muskulös.

Muse¹ [mjuːz] s Muse f.

muse² [~] v/i (nach)sinnen, (-)grübeln.

mu·se·um [mjuː'zɪəm] s Museum n.

mush [mʌʃ] s Brei m, Mus n; Am. Maisbrei m.

mush·room ['mʌʃrʊm] **1.** bot. Pilz m, esp. Champignon m; **2.** v/i rasch wachsen; **~ up** (wie Pilze) aus dem Boden schießen.

mu·sic ['mjuːzɪk] s Musik f; Musikstück n; Noten pl; **set to ~** vertonen; fig. **that's ~ to my ears** das ist Musik in meinen Ohren; **~·al 1.** s Musical n; **2.** adj □ musikalisch; Musik...; wohlklingend; **~ box** esp. Br. Spieldose f; **~ box** esp. Am. Spieldose f; **~·hall** s Br. Varieté(theater) n; **mu·si·cian** [mjuː'zɪʃn] s Musiker(in); **~·stand** s Notenständer m; **~·stool** s Klavierstuhl m.

musk [mʌsk] s Moschus m, Bisam m; **~·deer** zo. [mʌsk'dɪə] s Moschustier n.

mus·ket mil. hist. ['mʌskɪt] s Muskete f.

musk·rat ['mʌskræt] s zo. Bisamratte f; Bisampelz m.

muss Am. F [mʌs] s Durcheinander n.

mus·sel zo. ['mʌsl] s (Mies)Muschel f.

must¹ [mʌst] **1.** v/aux müssen; dürfen; **I ~ go to the bank** ich muß auf die Bank; **you ~ not** (F **mustn't**) du darfst nicht; **you ~ be crazy** du bist wohl verrückt!; **2.** s Muß n; **this film is a(n absolute) ~** diesen Film muß man (unbedingt) gesehen haben..

must² [~] s Schimmel m, Moder m.

must³ [~] s Most m.

mus·tache Am. ['mʌstæʃ] → **moustache.**

mus·ta·chi·o [məˈstɑːʃɪəʊ] s (pl **-os**) mst **~s** pl Schnauzbart m.

mus·tard ['mʌstəd] s Senf m.

mus·ter ['mʌstə] **1.** s mil. Appell m; **pass ~** fig. den Anforderungen genügen (**with** bei); **2.** v/t mil. versammeln, antreten lassen; a. **~ up** courage, etc.: aufbieten, zusammennehmen.

must·y ['mʌstɪ] adj (**-ier**, **-iest**) mod(e)rig, muffig.

mu·ta|ble ['mjuːtəbl] adj □ veränderlich; fig. wankelmütig; **~·tion** [mjuː'teɪʃn] s Veränderung f; biol. Mutation f.

mute [mjuːt] **1.** adj □ stumm; **2.** s Stumme(r m) f; Statist(in); **3.** v/t dämpfen.

mu·ti·late ['mjuːtɪleɪt] v/t verstümmeln.

mu·ti|neer [mjuːtɪ'nɪə] s Meuterer m;

M

~nous ['mju:tɪnəs] *adj* □ meuterisch; rebellisch; **~ny** ['mju:tɪnɪ] **1.** *s* Meuterei *f*; **2.** *v/i* meutern.

mut·ter ['mʌtə] **1.** *s* Gemurmel *n*; Murren *n*; **2.** *v/t and v/i* murmeln; murren.

my [maɪ] *pron* mein(e).

my·self [maɪ'self] *pron* (ich) selbst; mir; mich; **by ~** allein.

mut·ton ['mʌtn] *s* Hammel-, Schaffleisch *n*; **leg of ~** Hammelkeule *f*; **~ chop** *s* Hammelkotelett *n*.

mu·tu·al ['mju:tʃʊəl] *adj* □ wechselseitig, gegenseitig; F *shared*: gemeinsam.

muz·zle ['mʌzl] **1.** *s zo.* Maul *n*, Schnauze *f*; Mündung *f (of gun)*; Maulkorb *m*;

2. *v/t* e-n Maulkorb anlegen (*dat*); *fig.* den Mund stopfen (*dat*).

mys·te·ri·ous [mɪ'stɪərɪəs] *adj* □ geheimnisvoll, mysteriös; **~ry** ['mɪstərɪ] *s* Mysterium *n*; Geheimnis *n*; Rätsel *n*.

mys·tic ['mɪstɪk] **1.** *adj a.* **~ti·cal** [~kl] □ mystisch; geheimnisvoll; **2.** *s* Mystiker(in); **~ti·fy** [~faɪ] *v/t* täuschen; verwirren; in Dunkel hüllen.

myth [mɪθ] *s* Mythe *f*, Mythos *m*, Sage *f*.

N

nab F [næb] *v/t* (**-bb-**) schnappen, erwischen.

nag [næg] **1.** *s* F Gaul *m*, Klepper *m*; **2.** (**-gg-**) *v/i* nörgeln, F meckern; **~ at** herumnörgeln an (*dat*); *v/t* herumnörgeln, -meckern an (*dat*).

nail [neɪl] **1.** *s* (Finger-, Zehen)Nagel *m*; *tech.* Nagel *m*; *zo.* Kralle *f*, Klaue *f*; **2.** *v/t* (an-, fest)nageln; *eyes, etc.*: heften (**to** auf *acc*); **~ar·i·um** [neɪ'læərɪəm] *s Am.* Maniküresalon *m*, Nagelstudio *n*; **~ e·nam·el, ~ pol·ish** *s Am.* Nagellack *m*; **~ remover** Nagellackentferner *m*; **~ scis·sors** *s pl* Nagelschere *f*; **~ var·nish** *s Br.* Nagellack *m*.

na·ive, na·ïve [nɑː'iːv] *adj* □ naiv.

na·ked ['neɪkɪd] *adj* □ nackt, bloß; kahl; *fig.* ungeschminkt; **~ness** *s* Nacktheit *f*, Blöße *f*; Kahlheit *f*; *fig.* Ungeschminktheit *f*.

name [neɪm] **1.** *s* Name *m*; Ruf *m*; **by the ~ of** ... namens ...; **what's your ~?** wie heißen Sie?; **call s.o. ~s** j-n beschimpfen; **2.** *v/t* (be)nennen; erwähnen; ernennen zu; **~less** *adj* □ namenlos; unbekannt; **~ly** *adv* nämlich; **~plate** *s* Namens-, Tür-, Firmenschild *n*; **~sake** [~seɪk] *s* Namensvetter *m*.

nan·ny ['nænɪ] *s* Kindermädchen *n*; **~goat** *s zo.* Ziege *f*.

nap [næp] **1.** *s* Schläfchen *n*; **have or take**

a ~ → 2. *v/i* (**-pp-**) ein Nickerchen machen.

nape [neɪp] *s mst* **~ of the neck** Genick *n*, Nacken *m*.

nap·kin ['næpkɪn] *s* Serviette *f*; *Br.* Windel *f*; **~py** *Br.* F ['næpɪ] *s* Windel *f*.

nar·co·sis *med.* [nɑː'kəʊsɪs] *s (pl* **-ses** [-siːz]*)* Narkose *f*.

nar·cot·ic [nɑː'kɒtɪk] **1.** *adj* (**~ally**) narkotisch, betäubend, einschläfernd; Rauschgift...; **~ addiction** Rauschgiftsucht *f*; **~ drug** Rauschgift *n*; **2.** *s* Betäubungsmittel *n*; Rauschgift *n*; **~s squad** Rauschgiftdezernat *n*.

nar·rate [nə'reɪt] *v/t* erzählen; **~ra·tion** [~ʃn] *s* Erzählung *f*; **~ra·tive** ['nærətɪv] **1.** *adj* □ erzählend; **2.** *s* Erzählung *f*; **~ra·tor** [nə'reɪtə] *s* Erzähler(in).

nar·row ['nærəʊ] **1.** *adj* eng, schmal; beschränkt; knapp (*majority, escape*); engherzig; **2.** **~s** *s pl* Engpaß *m*; Meerenge *f*; **3.** *v/i and v/t* (sich) verengen; beschränken; einengen; *stitch*: abnehmen; **~chest·ed** *adj* schmalbrüstig; **~mind·ed** *adj* □ engherzig, -stirnig, beschränkt; **~ness** *s* Enge *f*; Beschränktheit *f (a. fig.)*; Engherzigkeit *f*.

na·sal ['neɪzl] *adj* □ nasal; Nasen...

nas·ty ['nɑːstɪ] *adj* □ (**-ier, -iest**) schmutzig; garstig; eklig, widerlich; böse; häßlich; abstoßend, unangenehm.

na·tal ['neɪtl] *adj* Geburts...

na·tion ['neɪʃn] *s* Nation *f*, Volk *n*.

na·tion·al ['næʃənl] **1.** *adj* □ national, National..., Landes..., Volks..., Staats...; **2.** *s* Staatsangehörige(r *m*) *f*; ~ **an·them** *s* Nationalhymne *f*; ~ **dress** *s* National-, Landestracht *f*; ♀ **Health (Ser·vice)** *s Br.* staatlicher Gesundheitsdienst; ~ **hol·i·day** *s* gesetzlicher Feiertag; ♀ **In·sur·ance** *s Br.* Sozialversicherung *f*.

na·tion·al·i·ty [næʃə'nælətɪ] *s* Nationalität *f*, Staatsangehörigkeit *f*; ~**·is·m** ['næʃənəlɪzm] *s* Nationalismus *m*; ~**·ist** *s* Nationalist(in); ~**·ize** *v/t person:* naturalisieren, einbürgern; *property:* verstaatlichen.

na·tion·al| park ['næʃənl'paːk] *s* Nationalpark *m*; ♀ **So·cial·is·m** *s hist.* der Nationalsozialismus; ♀ **So·cial·ist** *hist.* **1.** *adj* nationalsozialistisch; **2.** *s* Nationalsozialist(in).

na·tion-wide ['neɪʃnwaɪd] *adj* die ganze Nation umfassend, landesweit.

na·tive ['neɪtɪv] **1.** *adj* □ angeboren; heimatlich, Heimat...; eingeboren, einheimisch; ~ **language** Muttersprache *f*; **2.** *s* Eingeborene(r *m*) *f*; ~ **speaker** Muttersprachler(in); ~**born** *adj* gebürtig.

nat·u·ral ['nætʃrəl] *adj* □ natürlich; angeboren; ungezwungen; ~ **science** Naturwissenschaft *f*; ~**·ist** *s* Naturforscher(in), *esp.* Biologie *m*, -in *f*; *phls.* Naturalist(in); ~**·ize** *v/t* einbürgern; ~**·ly** *adv* von Natur aus; natürlich (*a. of course*); ~**·ness** *s* Natürlichkeit *f*.

na·ture ['neɪtʃə] *s* Natur *f*; ~ **reserve** Naturschutzgebiet *n*; ~ **trail** Naturlehrpfad *m*.

-na·tured ['neɪtʃəd] *in compounds:* ...artig, ...mütig.

na·tur·is·m ['neɪtʃərɪzəm] → *nudism*; **na·tur·ist** ['neɪtʃərɪst] → *nudist*.

naugh·ty ['nɔːtɪ] *adj* □ (*-ier, -iest*) unartig, frech, ungezogen.

nau·se|a ['nɔːsɪə] *s* Übelkeit *f*; Ekel *m*; ~**·ate** ['nɔːsɪeɪt] *v/t:* ~ **s.o.** (bei) j-m Übelkeit verursachen; **be** ~**d** sich ekeln; ~**·at·ing** *adj* ekelerregend; ~**·ous** ['nɔːsɪəs] *adj* □ ekelhaft.

nau·ti·cal ['nɔːtɪkl] *adj* nautisch, See...

na·val *mil.* ['neɪvl] *adj* See...; Marine...; ~ **base** Flottenstützpunkt *m*.

na·vel ['neɪvl] *s anat.* Nabel *m*; *fig.* Mittelpunkt *m*.

nav·i|ga·ble ['nævɪgəbl] *adj* □ schiffbar; fahrbar; lenkbar; ~**gate** [~eɪt] *v/i* fahren, segeln, steuern; *v/t sea, etc.:* befahren; steuern; ~**ga·tion** [~'geɪʃn] *s* Schiffahrt *f*; Navigation *f*; ~**ga·tor** ['~geɪtə] *s mar.* Seefahrer *m*; *mar.* Steuermann *m*; *aer.* Navigator *m*.

na·vy ['neɪvɪ] *s* Kriegsmarine *f*.

near [nɪə] **1.** *adj and adv* nahe; kurz (*distance*); *related:* nahe verwandt; *friend:* eng befreundet *or* vertraut; knapp; genau, wörtlich; sparsam, geizig; ~ **at hand** dicht dabei; **2.** *prp* nahe, in der Nähe (*gen*) *or* von, nahe an (*dat*) *or* bei; **3.** *v/t* sich nähern (*dat*); ~**by** *adj and adv* in der Nähe (gelegen); nahe; ~**ly** *adv* nahe; fast, beinahe; annähernd; genau; ~**ness** *s* Nähe *f*; ~**side** *s Br. mot.* Beifahrerseite *f*; ~ **door** Beifahrertür *f*; ~**sight·ed** *adj* kurzsichtig.

neat [niːt] *adj* □ ordentlich; sauber; gepflegt; hübsch, adrett; *esp. Br.* pur (*whisky, etc.*); ~**ness** *s* Sauberkeit *f*; nettes Aussehen; Gewandtheit *f*.

neb·u·lous ['nebjʊləs] *adj* □ neb(e)lig.

ne·ces·sa·ry ['nesəsərɪ] **1.** *adj* □ notwendig; unvermeidlich; **2.** *s mst* **necessaries** *pl* Bedürfnisse *pl*; ~**si·tate** [nɪ'sesɪteɪt] *v/t et.* erfordern, verlangen; ~**si·ty** [~ətɪ] *s* Notwendigkeit *f*; Bedürfnis *n*; Not *f*.

neck [nek] **1.** *s* (*a. of bottle*) Hals *m*; Nacken *m*, Genick *n*; Ausschnitt *m* (*of dress*); ~ **and** ~ Kopf an Kopf; ~ **or nothing** auf Biegen od. Brechen; F *be a pain in the* ~ j-m auf die Nerven (*or* F auf den Geist) gehen; **2.** *v/t and v/i* F (ab)knutschen, knutschen *or* schmusen (*mit*); ~**er·chief** ['nekətʃɪf] *s* Halstuch *n*; ~**ing** *s* F Geschmuse *n*, Geknutsche *n*; ~**lace** ['neklɪs], ~**let** [~lɪt] *s* Halskette *f*; ~**line** *s* (*of dress, etc.*) Ausschnitt *m*; ~**tie** *s Am.* Krawatte *f*, Schlips *m*.

nec·ro·man·cy ['nekrəʊmænsɪ] *s* Toten-, Geisterbeschwörung *f*.

née, *Am. a.* **nee** [neɪ] *adj before a woman's original family name:* geborene ...

need [niːd] **1.** *s* Not *f*; Notwendigkeit *f*; Bedürfnis *n*; Mangel *m*, Bedarf *m*; *be or stand in* ~ *of* dringend brauchen; *if* ~ *be* falls nötig, nötigenfalls; **2.** *v/t* nötig haben, brauchen, bedürfen (*gen*);

v/aux müssen, brauchen; **~ful** *adj* □ notwendig.

nee·dle ['niːdl] **1.** *s* Nadel *f*; Zeiger *m*; **2.** *v/t* nähen; *fig.* F aufziehen, reizen; *fig.* anstacheln.

need·less ['niːdlɪs] *adj* □ unnötig.

nee·dle·wom·an ['niːdlwʊmən] *s* Näherin *f*; **~·work** *s* Handarbeit *f*.

need·y ['niːdɪ] *adj* □ (*-ier, -iest*) bedürftig, arm.

ne·gate [nɪˈgeɪt]   *v/t* verneinen; **ne·ga·tion** [nɪˈgeɪʃn] *s* Verneinung *f*; **neg·a·tive** ['negətɪv] **1.** *adj* □ negativ; verneinend; **2.** *s* Verneinung *f*; *phot.* Negativ *n*; *answer in the* **~** verneinen; **3.** *v/t* verneinen; ablehnen.

ne·glect [nɪˈglekt] **1.** *s* Vernachlässigung *f*; Nachlässigkeit *f*; **2.** *v/t* vernachlässigen; **~·ful** *adj* □ nachlässig.

neg·li·gence ['neglɪdʒəns] *s* Nachlässigkeit *f*; **~·gent** *adj* □ nachlässig.

neg·li·gi·ble ['neglɪdʒəbl] *adj* nebensächlich; unbedeutend.

ne·go·ti·ate [nɪˈgəʊʃɪeɪt] *v/t and v/i* verhandeln (über *acc*); zustande bringen; *hill, etc.:* bewältigen; **~·a·tion** [nɪgəʊʃɪˈeɪʃn] *s* Ver-, Unterhandlung *f*; Bewältigung *f*; **~·a·tor** [nɪˈgəʊʃɪeɪtə] *s* Unterhändler *m*.

Ne·gress ['niːgrɪs] *s* Negerin *f*; **Ne·gro** [~əʊ] *s* (*pl -groes*) Neger *m*.

neigh [neɪ] **1.** *s* Wiehern *n*; **2.** *v/i* wiehern.

neigh·bo(u)r ['neɪbə] *s* Nachbar(in); Nächste(r *m*) *f*; **~·hood** *s* Nachbarschaft *f*, Umgebung *f*, Nähe *f*; **~·ing** *adj* benachbart; **~·ly** *adj* nachbarlich, freundlich; **~·ship** *s* Nachbarschaft *f*.

nei·ther ['naɪðə, *Am.* 'niːðə] **1.** *adj and pron* keine(r, -s) (von beiden); **2.** *adv* noch, auch nicht; **3.** *cj:* **~ ... nor ...** weder ... noch ...

ne·on *chem.* ['niːən] *s* Neon *n*; **~ lamp** Neonlampe *f*; **~ sign** Leuchtreklame *f*.

neph·ew ['nevjuː] *s* Neffe *m*.

nep·o·tis·m ['nepətɪzəm] *s* Vetternwirtschaft *f*, F Filzokratie *f*.

nerve [nɜːv] **1.** *s* Nerv *m*; Sehne *f*; *of leaf:* Rippe *f*; Kraft *f*, Mut *m*; Dreistigkeit *f*; *lose one's* **~** den Mut verlieren; *get on s.o.'s* **~** *s* j-m auf die Nerven gehen, F j-n nerven; *you've got a* **~***!* F Sie haben Nerven!; **2.** *v/t* kräftigen; ermutigen; **~·less** *adj* □ kraftlos.

ner·vous ['nɜːvəs] *adj* □ Nerven...; ner-

vös; nervig, kräftig; **~·ness** *s* Nervigkeit *f*; Nervosität *f*.

nest [nest] **1.** *s* Nest *n* (*a. fig.*); **2.** *v/i* nisten.

nes·tle ['nesl] *v/i* (sich) (an)schmiegen *or* kuscheln (*to, against* an *acc*); *a.* **~ down** sich behaglich niederlassen.

net[1] [net] **1.** *s* Netz *n*; **2.** *v/t* (*-tt-*) mit e-m Netz fangen *or* umgeben.

net[2] [~] **1.** *adj* netto; Rein...; **~ profit** Reingewinn *m* netto; **2.** *v/t* (*-tt-*) netto einbringen.

net·tle ['netl] **1.** *s bot.* Nessel *f*; **2.** *v/t* ärgern.

net·work ['netwɜːk] *s* (Straßen-, Kanaletc.)Netz *n*; *TV, etc.:* Sendernetz *n*, -gruppe *f*; *cooperation:* Netzwerk *n*.

neu·ro·sis *psych.* [njʊəˈrəʊsɪs] *s* (*pl -ses* [-siːz]) Neurose *f*; **neu·rot·ic** [njʊəˈrɒtɪk] **1.** *adj* neurotisch; **2.** *s* Neurotiker(in).

neu·ter ['njuːtə] **1.** *adj* geschlechtslos; *gr.* sächlich; **2.** *s* kastriertes Tier; *gr.* Neutrum *n*.

neu·tral ['njuːtrəl] **1.** *adj* neutral; unparteiisch; **~ gear** *mot.* Leerlauf *m*; **2.** *s* Neutrale(r *m*) *f*; Null(punkt *m*) *f*; *mot.* Leerlauf(stellung *f*) *m*; **~·i·ty** [njuːˈtrælətɪ] *s* Neutralität *f*; **~·ize** ['njuːtrəlaɪz] *v/t* neutralisieren.

neu·tron *phys.* ['njuːtrɒn] *s* Neutron *n*.

nev·er ['nevə] *adv* nie(mals); gar nicht; **~·more** ['nevə] *adv* nie wieder; **~·the·less** [nevəðə'les] *adv* nichtsdestoweniger, dennoch.

N

new [njuː] *adj* neu; frisch; unerfahren; **~·com·er** *s* Neuankömmling *m*; Neuling *m*; **~·ly** ['njuːlɪ] *adv* neulich; neu.

news [njuːz] *s mst sg* Neuigkeit(en *pl*) *f*, Nachricht(en *pl*) *f*; *be in the* **~** Schlagzeilen machen; **~·a·gent** *s* Zeitungshändler *m*; **~·boy** *s* Zeitungsjunge *m*, -austräger *m*; **~·cast** *s TV, etc.:* Nachrichtensendung *f*; **~·cast·er** *s TV, etc.:* Nachrichtensprecher(in); **~·deal·er** *s Am.* Zeitungshändler *m*; **~·mon·ger** *s* Klatschmaul *n*; **~·pa·per** *s* Zeitung *f*; *attr* Zeitungs...; **~·print** *s* Zeitungspapier *n*; **~·reel** *s* (*dated*) *film:* Wochenschau *f*; **~·room** *s* Nachrichtenredaktion *f*; **~·stand** *s* Zeitungskiosk *m*.

new year [njuː'jɜː] *s* neu, das neue Jahr; *New Year's Day* Neujahrstag *m*; *New Year's Eve* Silvester *m, n*; *Happy New Year!* Gutes neues Jahr!

next [nekst] **1.** adj nächste(r, -s); **(the)** ~ **day** am nächsten Tag; ~ **to** gleich neben or nach; fig. fast; ~ **but one** übernächste(r, -s); ~**door to** fig. beinahe, fast; **2.** adv als nächste(r, -s), gleich darauf; das nächste Mal; **3.** s der, die, das Nächste; ~**door** adj benachbart, nebenan; ~ **of kin** s der, die nächste Verwandte, die nächsten Angehörigen pl.

nib·ble ['nɪbl] v/t knabbern an (dat); v/i: ~ **at** nagen or knabbern an (dat); fig. (herum)kritteln an (dat).

nice [naɪs] adj □ (~**r**, ~**st**) fein; wählerisch; (peinlich) genau; heikel; nett; sympathisch; schön; hübsch; ~**ly** adv (sehr) gut; **ni·ce·ty** [~ətɪ] s Feinheit f; Genauigkeit f; Spitzfindigkeit f.

niche [nɪtʃ] s Nische f.

nick [nɪk] **1.** s Kerbe f; **in the** ~ **of time** im richtigen Augenblick or letzten Moment; **2.** v/t (ein)kerben, Br. sl. j-n schnappen (einlochen); F schnappen; F klauen.

nick·el ['nɪkl] **1.** s min. Nickel m; Am. a. Fünfcentstück n; **2.** v/t vernickeln.

nick·name ['nɪkneɪm] **1.** s Spitzname m; **2.** v/t j-m den Spitznamen ... geben.

niece [niːs] s Nichte f.

nif·ty F ['nɪftɪ] adj (-**ier**, -**iest**) hübsch, schick, fesch; clever: geschickt.

nig·gard ['nɪgəd] s Geizhals m; ~**ly** adj geizig, knaus(e)rig; karg.

night [naɪt] s Nacht f; Abend m; **at** ~, **by** ~, **in the** ~ nachts; ~**cap** s Nachtmütze f, -haube f; Schlaftrunk m; ~**club** s Nachtklub m, -lokal n; ~**dress** s (Damen-, Kinder)Nachthemd n; ~**fall** s Einbruch m der Nacht; ~**gown** esp. Am., ~**ie** F → **nightdress**; **night·in·gale** zo. [~ɪŋgeɪl] s Nachtigall f; ~**life** s Nachtleben n; ~**ly** adj and adv nächtlich; jede Nacht or jeden Abend (stattfindend); ~**mare** s Alptraum m; ~**nurse** s Nachtschwester f, man: Pfleger m im Nachtdienst; ~**owl** s zo. Eule f; F fig. Nachtschwärmer(in); ~**school** s Abendschule f; ~**shirt** s (Herren)Nachthemd n; ~**y** F → **nightie**.

nil [nɪl] s esp. sports: null.

nim·ble ['nɪmbl] adj □ (~**r**, ~**st**) flink, behend(e).

nine [naɪn] **1.** adj neun; ~ **to five** normale Dienststunden; **a** ~**to-five job** e-e (An)Stellung mit geregelter Arbeitszeit; **2.** s Neun f; ~**pin** s Kegel m; ~**s** sg

Kegeln n; ~**teen** [~'tiːn] **1.** adj neunzehn; **2.** s Neunzehn f; ~**teenth** [~θ] adj neunzehnte(r, -s); ~**tieth** ['~tɪɪθ] adj neunzigste(r, -s); ~**ty** ['~tɪ] **1.** adj neunzig; **2.** s Neunzig f.

nin·ny F ['nɪnɪ] s Dummkopf m.

ninth [naɪnθ] **1.** adj neunte(r, -s); **2.** s Neuntel n; ~**ly** [~lɪ] adv neuntens.

nip [nɪp] **1.** s Kneifen n; tech. Knick m; Frost m; Schlückchen n; **2.** v/t and v/i (-**pp-**) kneifen, klemmen; cold: schneiden; sl. flitzen; nippen (an dat); ~ **in the bud** im Keim ersticken.

nip·per ['nɪpə] s zo. of crab: Schere f; **(a pair of)** ~**s** pl (e-e) (Kneif)Zange f.

nip·ple ['nɪpl] s Brustwarze f.

no [nəʊ] **1.** adj kein(e); **at** ~ **time** nie; **in** ~ **time** im Nu; ~ **one** keiner; **2.** adv nein; nicht; **I won't say** ~ da kann ich nicht nein sagen; **3.** s (pl noes) Nein n.

no·bil·i·ty [nəʊ'bɪlətɪ] s Adel m (a. fig.).

no·ble ['nəʊbl] **1.** adj □ (~**r**, ~**st**) adlig; edel; vornehm; vortrefflich; **2.** s Adlige(r m) f; ~**man** s Adlige(r) m; ~**mind·ed** s edelmütig; ~**wom·an** s Adlige f.

no·bod·y ['nəʊbədɪ] **1.** pron niemand, keiner; **2.** s Niemand m, Null f.

no-claim bo·nus [nəʊ'kleɪmbəʊnəs] s Schadenfreiheitsrabatt m.

nod [nɒd] **1.** v/i and v/t (-**dd-**) nicken (mit); sich neigen; ~ **off** einnicken; ~**ding acquaintance** oberflächliche Bekanntschaft; **2.** s Nicken n; **give s.o. a** ~ j-m zunicken.

noise [nɔɪz] **1.** s Lärm m; Geräusch n; Geschrei n; **big** ~ contp. person: großes Tier; **2.** v/t: ~ **abroad** (**about, around**) et. verbreiten; ~**less** adj □ geräuschlos.

nois·y ['nɔɪzɪ] adj □ (-**ier**, -**iest**) geräuschvoll; laut; lärmend; colour: grell; aufdringlich.

nom·i·nal ['nɒmɪnl] adj □ nominell; (nur) dem Namen nach (vorhanden); namentlich; ~ **value** econ. Nennwert m; ~**nate** [~eɪt] v/t ernennen; nominieren, (zur Wahl) vorschlagen; ~**na·tion** [nɒmɪ'neɪʃn] s Ernennung f; of candidate: Nominierung f, Aufstellung f; ~**nee** [~'niː] s Kandidat(in).

nom·i·na·tive gr. ['nɒmɪnətɪv] s (a. adj ~ **case**) Nominativ m, erster Fall.

non- [nɒn] in compounds: nicht..., Nicht..., un...

noteworthy

non·al·co·hol·ic [nɒnælkə'hɒlɪk] *adj* alkoholfrei; **~a·ligned** *pol.* [~ə'laɪnd] *adj* blockfrei; **~cash** *adj econ.* bargeldlos.

nonce [nɒns] *s: for the* **~** nur für diesen Fall.

non·com·mis·sioned [nɒnkə'mɪʃnd] *adj* nicht bevollmächtigt; **~ officer** *mil.* Unteroffizier *m;* **~com·mit·tal** [~kə'mɪtl] *adj* unverbindlich; *be* **~** sich nicht festlegen; **~con·duc·tor** *s esp. electr.* Nichtleiter *m;* **~con·form·ist** [~kən'fɔ:mɪst] *s* Nonkonformist(in); ♀ *Br. eccl.* Dissident(in); **~de·script** ['nɒndɪskrɪpt] *adj* nichtssagend; *person:* unscheinbar.

none [nʌn] **1.** *pron* keine(r, -s); nichts; **2.** *adv* keineswegs, gar nicht; **~ the less** nichtsdestoweniger.

non-EC coun·try [nɒnɪ:si:'kʌntrɪ] *s pol.* Nicht-EG-Land *n.*

non-e·vent [nɒnɪ'vent] *s* F Reinfall *m.*

non-ex·ist·ence [nɒnɪg'zɪstəns] *s* Nicht(vorhanden)sein *n;* Fehlen *n.*

non-fic·tion [nɒn'fɪkʃn] *s* Sachbücher *pl.*

non-par·ty [nɒn'pɑ:tɪ] *adj* parteilos.

non-per·form·ance *jur.* [nɒnpə'fɔ:məns] *s* Nichterfüllung *f.*

non·plus [nɒn'plʌs] **1.** *s* Verlegenheit *f;* **2.** *v/t* (**-ss-**) *j-n* (völlig) verwirren.

non-pol·lut·ing [nɒnpə'lu:tɪŋ] *adj* umweltfreundlich, ungiftig.

non-res·i·dent [nɒn'rezɪdənt] *adj* nicht im Haus or am Ort wohnend.

non|sense ['nɒnsəns] *s* Unsinn *m;* Quatsch *m,* Nonsens *m;* **~sen·si·cal** [nɒn'sensɪkl] *adj* □ unsinnig.

non-skid [nɒn'skɪd] *adj* rutschfest.

non-smok·er [nɒn'sməʊkə] *s* Nichtraucher(in); *rail.* Nichtraucher(abteil *n) m.*

non-stop [nɒn'stɒp] *adj* Nonstop..., ohne Halt, durchgehend (*train*), ohne Zwischenlandung (*aircraft*).

non-u·nion [nɒn'ju:nɪən] *adj* nicht (gewerkschaftlich) organisiert.

non-vi·o·lence [nɒn'vaɪələns] *s* (Politik *f* der) Gewaltlosigkeit *f.*

noo·dle ['nu:dl] *s* Nudel *f.*

nook [nʊk] *s* Ecke *f,* Winkel *m.*

noon [nu:n] *s* Mittag *m; at* (*high*) **~** um 12 Uhr mittags; **~day, ~tide, ~time** *Am.* → **noon.**

noose [nu:s] **1.** *s* Schlinge *f;* **2.** *v/t* mit der Schlinge fangen; schlingen.

nope F [nəʊp] *adv* ne(e), nein.

nor [nɔ:] *cj* noch; auch nicht.

norm [nɔ:m] *s* Norm *f,* Regel *f;* Muster *n;* Maßstab *m;* **nor·mal** ['nɔ:ml] *adj* □ normal; **nor·mal·ize** ['~əlaɪz] *v/t* normalisieren; normen.

north [nɔ:θ] **1.** *s* Nord(en *m);* **2.** *adj* nördlich, Nord...; **~east 1.** *s* Nordost(en *m);* **2.** *adj a.* **~east·ern** nordöstlich; **nor·ther·ly** ['nɔ:ðəlɪ], **nor·thern** *adj* nördlich, Nord...; **~ward(s)** ['nɔ:θwəd(z)] *adv* nördlich, nordwärts; **~west** *s* Nordwest(en *m);* **2.** *adj a.* **~west·ern** nordwestlich.

Nor·we·gian [nɔ:'wi:dʒən] **1.** *adj* norwegisch; **2.** *s* Norweger(in); *ling.* Norwegisch *n.*

nose [nəʊz] **1.** *s* Nase *f;* Spitze *f;* Schnauze *f;* **follow your ~** immer der Nase nach!; **pay through the ~** F sich dumm und dämlich zahlen; **2.** *v/t* riechen; **~ one's way** vorsichtig fahren; *v/i* (**~ about** *or* **around**) (herum)schnüffeln; **~bleed** *s* Nasenbluten *n;* **have a ~** Nasenbluten haben; **~dive** *s aer.* Sturzflug *m;* **~gay** *s* Sträußchen *n.*

nos·ey ['nəʊzɪ] → **nosy.**

nos·tal·gia [nɒ'stældʒɪə] *s* Nostalgie *f,* Sehnsucht *f.*

nos·tril ['nɒstrəl] *s* Nasenloch *n;* Nüster *f* (*of horse*).

nos·y F ['nəʊzɪ] *adj* (**-ier, -iest**) neugierig.

not [nɒt] *adv* nicht; **~ a** kein(e).

no·ta·ble ['nəʊtəbl] **1.** *adj* □ bemerkenswert; **2.** *s* angesehene Person.

no·ta·ry ['nəʊtərɪ] *s mst* **~ public** Notar *m.*

no·ta·tion [nəʊ'teɪʃn] *s* Bezeichnung *f.*

notch [nɒtʃ] **1.** *s* Kerbe *f,* Einschnitt *m;* Scharte *f; Am. geol.* Engpaß *m;* **2.** *v/t* (ein)kerben.

note [nəʊt] **1.** *s* Zeichen *n;* Notiz *f; print.* Anmerkung *f;* Briefchen *n,* Zettel *m; esp. Br.* Banknote *f;* (esp. Schuld-) Schein *m; diplomacy, mus.:* Note *f; mus.* Ton *m (a. fig.); fig.* Ruf *m;* Beachtung *f;* **take ~s** sich Notizen machen; **2.** *v/t* bemerken; (besonders) beachten *or* achten auf (*acc*); besonders erwähnen; *a.* **~ down** niederschreiben, notieren; **~book** *s* Notizbuch *n;* **~ed** ['nəʊtɪd] *adj* bekannt, berühmt (**for** wegen); **~pa·per** *s* Briefpapier *n;* **~wor·thy** *adj* bemerkenswert.

nothing 202

noth·ing ['nʌθɪŋ] **1.** *pron* nichts; **2.** *s* Nichts *n*; Null *f*; ~ *but* nichts als, nur; *for* ~ umsonst; *good for* ~ zu nichts zu gebrauchen; *come to* ~ zunichte werden; *to say* ~ *of* ganz zu schweigen von; *there is* ~ *like* es geht nichts über (*acc*).

no·tice ['nəʊtɪs] **1.** *s* Nachricht *f*, Bekanntmachung *f*; Anzeige *f*, Ankündigung *f*; Kündigung *f*; Be(ob)achtung *f*; *at short* ~ kurzfristig; *give* ~ *that* bekanntgeben, daß; *give* (*a week's*) ~ (acht Tage vorher) kündigen; *hand in* (*Am. give*) *one's* ~ kündigen; *take* ~ *of* Notiz nehmen von; *without* ~ fristlos; **2.** *v/t* bemerken; (besonders) beachten *or* achten auf (*acc*); ~·a·ble *adj* □ wahrnehmbar; bemerkenswert; ~ *board s Br.* Schwarzes Brett.

no·ti·fi·ca·tion [nəʊtɪfɪ'keɪʃn] *s* Anzeige *f*, Meldung *f*; Bekanntmachung *f*; ~·fy ['nəʊtɪfaɪ] *v/t et.* anzeigen, melden; *j-n* benachrichtigen.

no·tion ['nəʊʃn] *s* Begriff *m*, Vorstellung *f*; Absicht *f*; ~s *pl Am.* Kurzwaren *pl*.

no·to·ri·ous [nəʊ'tɔːrɪəs] *adj* □ notorisch; all-, weltbekannt; berüchtigt.

not·with·stand·ing [nɒtwɪθ'stændɪŋ] **1.** *prp* ungeachtet, trotz (*gen*); **2.** *adv* dennoch, trotzdem.

nought [nɔːt] *s* Null *f*; *poet. or dated:* Nichts *n*.

noun *gr.* [naʊn] *s* Substantiv *n*, Hauptwort *n*.

nour·ish ['nʌrɪʃ] *v/t* (er)nähren; *fig.* hegen; ~·ing *adj* nahrhaft; ~·ment *s* Ernährung *f*; Nahrung(smittel *n*) *f*.

nov·el ['nɒvl] **1.** *adj* neu(artig); **2.** *s* Roman *m*; ~·ist *s* Romanschriftsteller(in); **no·vel·la** [nəʊ'velə] *s* (*pl -las*, *-le*) Novelle *f*; ~·ty *s* Neuheit *f*.

No·vem·ber [nəʊ'vembə] *s* November *m*.

nov·ice ['nɒvɪs] *s* Neuling *m*, Anfänger(in) (*at* auf dem Gebiet *gen*); *eccl.* Novize *m, f*.

now [naʊ] **1.** *adv* nun, jetzt; eben; *just* ~ gerade eben; ~ *and again or then* dann und wann; **2.** *cj* a. ~ *that* nun da.

now·a·days ['naʊədeɪz] *adv* heutzutage.

no·where ['nəʊweə] *adv* nirgends, nirgendwo(hin); ~ *near* nicht annähernd; *get* ~ nichts erreichen, nicht vorankommen.

nox·ious ['nɒkʃəs] *adj* □ schädlich.

noz·zle *tech.* ['nɒzl] *s* Düse *f*; Tülle *f*.

nu·ance [nju:'ɑ̃ːns] *s* Nuance *f*.

nub [nʌb] *s* Knötchen *n*; kleiner Klumpen; *the* ~ *fig.* der springende Punkt (*of* bei).

nu·cle·ar ['nju:klɪə] *adj* nuklear, Nuklear..., atomar, Atom..., Kern...; ~·free *adj* atomwaffenfrei; ~·pow·ered *adj* atomgetrieben; ~ *pow·er sta·tion s* Kernkraftwerk *n*; ~ *re·ac·tor s* Kernreaktor *m*; ~ *war·head s mil.* Atomsprengkopf *m*; ~ *weap·ons s pl* Kernwaffen *pl*; ~ *waste s* Atommüll *m*.

nude [nju:d] **1.** *adj* nackt; **2.** *s paint.* Akt *m*.

nudge [nʌdʒ] **1.** *v/t j-n* anstoßen, (an-)stupsen; **2.** *s* Stups(er) *m*.

nud·is·m ['nju:dɪzəm] *s* Nudismus *m*, Freikörperkultur *f*, FKK *n*; **nud·ist** ['nju:dɪst] *s* Nudist(in), FKK-Anhänger(in); **nu·di·ty** ['nju:dɪtɪ] *s* Nacktheit *f*.

nug·get ['nʌgɪt] *s* (*esp.* Gold)Klumpen *m*.

nui·sance ['nju:sns] *s* Ärgernis *n*, Unfug *m*, Plage *f*; lästiger Mensch, Nervensäge *f*; *what a ~!* wie ärgerlich!; *be a ~ to s.o.* j-m lästig fallen; *make a ~ of o.s.* den Leuten auf die Nerven gehen *or* fallen.

nuke [nju:k] **1.** *s Am. sl.* Kernwaffe *f*; **2.** *v/t* F mit Atomwaffen angreifen; *fig.* vernichten, weed: vertilgen.

null [nʌl] **1.** *adj* nichtssagend; ~ *and void* null und nichtig; **2.** *s tech.*, *math.* Null *f*.

numb [nʌm] **1.** *adj* starr (*with vor dat*); *fingers, etc.*: taub; **2.** *v/t* starr *or* taub machen; ~·ed erstarrt.

num·ber ['nʌmbə] **1.** *s math.* Zahl *f*; *of car, house, etc.:* Nummer *f*; (An)Zahl *f*; *of periodical, etc.:* Heft *n*, Ausgabe *f*, Nummer *f*; *bus, etc.:* Linie *f*; *without* ~ zahllos; *in* ~ an der Zahl; **2.** *v/t* zählen; numerieren; ~·less *adj* zahllos; ~·plate *s esp. Br. mot.* Nummernschild *n*.

nu·me·ral ['nju:mərəl] **1.** *s* Zahl(en...) *f*; **2.** *s math.* Ziffer *f*; *ling.* Numerale *n*, Zahlwort *n*; ~·rous *adj* □ zahlreich.

nun [nʌn] *s* Nonne *f*; ~·ne·ry *s* Nonnenkloster *n*.

nurse [nɜːs] **1.** *s* Kindermädchen *n*; a. *dry*-~ Säuglingsschwester *f*; a. *wet*-~ Amme *f*; (Kranken)Pflegerin *f*, (Kranken)Schwester *f*; *at* ~ in Pflege; *put out*

to **~** in Pflege geben; **2.** *v/t and v/i* stillen, nähren; großziehen; pflegen; hätscheln; **~maid** *s* Kindermädchen *n*;
nur·se·ry [ˈnɜːsərɪ] *s* Kinderzimmer *n*; *agr.* Baum-, Pflanzschule *f*; **~ rhymes** *pl* Kinderlieder *pl*, -reime *pl*; **~ school** Kindergarten *m*; **~ slope** *skiing:* F Idiotenhügel *m*.
nurs·ing [ˈnɜːsɪŋ] *s* Stillen *n*; (Kranken-)Pflege *f*; **~ bot·tle** *s* (Säuglings-, Saug-)Flasche *f*; **~ home** *s* Br. Privatklinik *f*.
nur·ture [ˈnɜːtʃə] **1.** *s* Pflege *f*; Erziehung *f*; **2.** *v/t* aufziehen; (er)nähren.

nut [nʌt] *s* bot. Nuß *f*; tech. (Schrau-

ben)Mutter *f*; *sl.* verrückter Kerl; **~s** *pl* Am. sl. Eier *pl*; **be ~s** *sl.* verrückt sein; **~crack·er** *s a.* **~s** *pl* Nußknacker *m*; **~meg** *s* bot. Muskatnuß *f*.
nu·tri·ment [ˈnjuːtrɪmənt] *s* Nahrung *f*.
nu·tri|tion [njuːˈtrɪʃn] *s* Ernährung *f*; Nahrung *f*; **~·tious** [~ʃəs], **~·tive** [ˈnjuːtrɪtɪv] *adj* □ nahrhaft.
nut|shell [ˈnʌtʃel] *s* Nußschale *f*; **in a ~** in aller Kürze; **~·ty** [ˈnʌtɪ] *adj* (*-ier, -iest*) voller Nüsse; nußartig; *sl.* verrückt.
ny·lon [ˈnaɪlɒn] *s* Nylon *n*; **~s** *pl* Nylonstrümpfe *pl.*
nymph [nɪmf] *s* Nymphe *f*.

O

o [əʊ] **1.** *int* oh!; ach!; **2.** *s in phone numbers:* Null *f*.
oaf [əʊf] *s* Dummkopf *m*; Tölpel *m.*
oak bot. [əʊk] *s* Eiche *f.*
oar [ɔː] *s* Ruder *n*; **~s·man** [ˈɔːzmən] *s* Ruderer *m.*
o·a·sis [əʊˈeɪsɪs] *s* (*pl* -*ses* [-siːz]) Oase *f* (*a. fig.*).
oat [əʊt] *s* mst **~s** *pl* bot. Hafer *m*; *feel one's* **~s** F groß in Form sein; *Am.* sich wichtig vorkommen; *sow one's wild* **~s** sich die Hörner abstoßen.
oath [əʊθ] *s* (*pl* **~s** [əʊðz]) Eid *m*, Schwur *m*; Fluch *m*; **be on ~** unter Eid stehen; **take** (**make, swear**) **an ~** e-n Eid leisten, schwören.
oat·meal [ˈəʊtmiːl] *s* Hafermehl *n.*
ob·du·rate [ˈɒbdjʊrət] *adj* □ verstockt.
o·be·di|ence [əˈbiːdɪəns] Gehorsam *m*; **~·ent** *adj* □ gehorsam.
o·bei·sance [əʊˈbeɪsəns] *s* Ehrerbietung *f*; Verbeugung *f*; *do* (**make, pay**) **~ to s.o.** j-m huldigen.
o·bese [əʊˈbiːs] *adj* fett(leibig); **o·bes·i·ty** [~ətɪ] *s* Fettleibigkeit *f.*
o·bey [əˈbeɪ] *v/t and v/i* gehorchen (*dat*); *order, etc.:* befolgen, Folge leisten (*dat*).
o·bit·u·a·ry [əˈbɪtjʊərɪ] *s* Todesanzeige *f*; Nachruf *m*; *attr* Todes..., Toten...
ob·ject 1. *s* [ˈɒbdʒɪkt] Gegenstand *m*;

Ziel *n*, Zweck *m*, Absicht *f*; Objekt *n* (*a. gr.*); **2.** [əbˈdʒekt] *v/t* einwenden (**to** gegen); *v/i* et. dagegen haben (**to** *ger* daß).
ob·jec|tion [əbˈdʒekʃn] *s* Einwand *m*, -spruch *m*; **~·tio·na·ble** *adj* □ nicht einwandfrei; unangenehm.
ob·jec·tive [əbˈdʒektɪv] **1.** *adj* □ objektiv, sachlich; **2.** *s* Ziel *n*; *opt.* Objektiv *n.*
ob·li·ga·tion [ɒblɪˈɡeɪʃn] *s* Verpflichtung *f*; econ. Schuldverschreibung *f*; **be under an ~ to s.o.** j-m (zu Dank) verpflichtet sein; **be under ~ to** *inf* die Verpflichtung haben, zu *inf*; **ob·lig·a·to·ry** [əˈblɪɡətərɪ] *adj* □ verpflichtend, (rechts)verbindlich.
o·blige [əˈblaɪdʒ] *v/t* (zu Dank) verpflichten; nötigen, zwingen; **~ s.o.** j-m e-n Gefallen tun; *much* **~d** sehr verbunden, danke bestens; **o·blig·ing** *adj* □ verbindlich, zuvor-, entgegenkommend, gefällig.
o·blique [əˈbliːk] *adj* □ schräg, schief (*a. fig.:* look, *etc.*); *hint:* indirekt.
o·blit·er·ate [əˈblɪtəreɪt] *v/t* auslöschen, tilgen (*a. fig.*); F *opponents:* vernichten (*a. sports*).
o·bliv·i|on [əˈblɪvɪən] *s* Vergessen(heit *f*) *n*; **~·ous** *adj* □: **be ~ of s.th.** et. vergessen haben; **be ~ to s.th.** blind sein gegen et., et. nicht beachten.
ob·long [ˈɒblɒŋ] *adj* länglich; rechteckig.

ob·nox·ious [əbˈnɒkʃəs] *adj* □ anstößig; widerwärtig, verhaßt.

ob·scene [əbˈsiːn] *adj* □ obszön, unanständig; *fig.* **the ~ poverty in the Third World** der Skandal der Armut in der Dritten Welt.

ob·scure [əbˈskjʊə] **1.** *adj* □ *fig.* dunkel, unklar; unbekannt; **2.** *v/t hide:* verdecken; **ob·scu·ri·ty** [~rəti] *s* Dunkelheit *f* (*a. fig.*), Unklarheit *f*; **sink into ~** in Vergessenheit geraten.

ob·ser·va·ble [əbˈzɜːvəbl] *adj* □ bemerkbar; bemerkenswert; **~vance** [~ns] *s* Befolgung *f*; Brauch *m*; **~vant** *adj* □ beachtend; aufmerksam; **~va·tion** [ɒbzəˈveɪʃn] *s* Beobachtung *f*; Bemerkung *f*; *attr* Beobachtungs...; Aussichts...; **~va·to·ry** [əbˈzɜːvətri] *s* Observatorium *n*, Stern-, Wetterwarte *f*.

ob·serve [əbˈzɜːv] *v/t* be(ob)achten, sehen; *custom, etc.:* (ein)halten; *law, etc.:* befolgen; bemerken, äußern; *v/i* sich äußern.

ob·sess [əbˈses] *v/t* heimsuchen, quälen; **~ed by** *or* **with** besessen von; **ob·ses·sion** *s* Besessenheit *f*; **ob·ses·sive** *adj* □ *psych.* zwanghaft, Zwangs...

ob·so·lete [ˈɒbsəliːt] *adj* veraltet.

ob·sta·cle [ˈɒbstəkl] *s* Hindernis *n*.

ob·sti·na·cy [ˈɒbstɪnəsɪ] *s* Hartnäckigkeit *f*; Eigensinn *m*; **~nate** [~nət] *adj* □ halsstarrig; eigensinnig; hartnäckig.

ob·struct [əbˈstrʌkt] *v/t* verstopfen, -sperren; blockieren; (be)hindern; **ob·struc·tion** [~kʃn] *s* Verstopfung *f*; Blockierung *f*; Behinderung *f*; Hindernis *n*; **ob·struc·tive** *adj* □ blockierend; hinderlich.

ob·tain [əbˈteɪn] *v/t* erlangen, erhalten, bekommen; **ob·tai·na·ble** *adj econ.* erhältlich.

ob·trude [əbˈtruːd] *v/t and v/i* (sich) aufdrängen (**on** *dat*); **ob·tru·sive** [~sɪv] *adj* □ aufdringlich.

ob·tuse [əbˈtjuːs] *adj* □ stumpf; dumpf; begriffsstutzig.

ob·vi·ate [ˈɒbvɪeɪt] *v/t* beseitigen; vorbeugen (*dat.*).

ob·vi·ous [ˈɒbvɪəs] *adj* □ offensichtlich, augenfällig, klar, einleuchtend.

oc·ca·sion [əˈkeɪʒn] **1.** *s* Gelegenheit *f*; Anlaß *m*; Veranlassung *f*; (festliches) Ereignis; **on the ~ of** anläßlich (*gen*); **2.**

v/t veranlassen; **~al** *adj* □ gelegentlich, Gelegenheits...

Oc·ci·dent [ˈɒksɪdənt] *s* Westen *m*; Okzident *m*, Abendland *n*; **2·den·tal** [ɒksɪˈdentl] *adj* □ abendländisch, westlich.

oc·cu·pant [ˈɒkjʊpənt] *s of flat, etc.:* Bewohner(in); *of car:* Insass| e *m*, -in *f*; *jur.* Besitzer(in); **~pa·tion** [ɒkjʊˈpeɪʃn] *s* Besitz(nahme) *f*; *mil.* Besetzung *f*, Besatzung *f*, Okkupation *f*; *profession:* Beruf *m*; *activity:* Beschäftigung *f*; **~py** [ˈɒkjʊpaɪ] *v/t* einnehmen; in Besitz nehmen; *mil.* besetzen; besitzen; innehaben; *flat, etc.:* bewohnen; *take up time:* in Anspruch nehmen; beschäftigen.

oc·cur [əˈkɜː] *v/i* (*-rr-*) vorkommen; sich ereignen; **it ~red to me** mir fiel ein; **~rence** [əˈkʌrəns] *s* Vorkommen *n*; Vorfall *m*, Ereignis *n*.

o·cean [ˈəʊʃn] *s* Ozean *m*, Meer *n*.

o'clock [əˈklɒk] *adv telling the time:* Uhr; (**at**) **five ~** (um) fünf Uhr.

Oc·to·ber [ɒkˈtəʊbə] *s* Oktober *m*.

oc·u·lar [ˈɒkjʊlə] *adj* Augen...; **~list** [~ɪst] *s* Augenarzt *m*.

odd [ɒd] *adj* □ *number:* ungerade; einzeln; *after numbers:* und einige *or* etwas darüber; überzählig; gelegentlich; sonderbar, merkwürdig; **five pounds ~** fünf Pfund und ein paar Zerquetschte; **~i·ty** [ˈɒdətɪ] *s* Seltsamkeit *f*.

odds [ɒdz] *s often sg* (Gewinn)Chancen *pl*; Vorteil *m*; Verschiedenheit *f*; Unterschied *m*; Uneinigkeit *f*; **be at ~ with s.o.** mit j-m im Streit sein, uneins sein mit j-m; **the ~ are that** es ist sehr wahrscheinlich, daß; **~ and ends** Reste *pl*; Krimskrams *m*.

ode [əʊd] *s poem:* Ode *f*.

o·di·ous [ˈəʊdɪəs] *adj* □ verhaßt, ekelhaft.

o·do(u)r [ˈəʊdə] *s* Geruch *m*; Duft *m*.

of [ɒv, əv] *prp* von; um (**cheat ~** betrügen um); *with cause:* von, an (*dat*) (**die ~** sterben an); aus (**~ charity** aus Menschenfreundlichkeit); vor (*dat*) (**be afraid ~** Angst haben vor); auf (*acc*) (**proud ~** stolz auf); über (*acc*) (**be ashamed ~** sich schämen über *or* wegen); nach (**smell ~ roses** nach Rosen riechen); von, über (*acc*) (**speak ~ s.th.** von et. sprechen); an (*acc*) (**think ~ s.o.** an j-n denken); *origin:* von, aus; *material:* aus, von; **nimble ~ foot** leichtfüßig;

the city **~** *London* die Stadt London; *the works* **~** *Dickens* Dickens' Werke; *your letter* **~ ...** Ihr Schreiben vom ...; *five minutes* **~** *twelve Am.* fünf Minuten vor zwölf.

off [ɒf] **1.** *adv* fort, weg; ab, herunter(...), los(...); *distance:* entfernt; *time:* bis hin (**3 months ~**); *light, etc.:* aus(-), ab(geschaltet); *tap, etc.:* zu; *button, etc.:* ab(-), los(gegangen); frei (*at work*); ganz, zu Ende; *econ.* flau; verdorben (*meat, etc.*); *fig.* aus, vorbei; *be* **~** a) fort *or* weg sein, (weg)gehen; b) *cancelled:* abgesagt sein, ausfallen; **~** *and on* ab u. an; ab u. zu; *well* (*badly*) **~** gut (schlecht) daran; *I'm* **~** *ich geh'* jetzt; **~** *we go!* auf geht's!; **2.** *prp* fort von, weg von; von (... ab, weg, herunter); abseits von, entfernt von; frei von (*work*); *mar.* auf der Höhe von; *be* **~** *duty* dienstfrei haben; *be* **~** *smoking* nicht mehr rauchen; **3.** *adj* (weiter) entfernt; Seiten..., Neben...; (arbeits-, dienst)frei; *econ.* flau, still, tot; *int.* fort!, weg!, raus!

of·fal ['ɒfl] *s* Abfall *m*; **~s** *pl esp. Br. of animal:* Innereien *pl*.

of·fence, *Am.* **-fense** [ə'fens] *s* Angriff *m*; Beleidigung *f*, Kränkung *f*, Ärgernis *n*, Vergehen *n*, Verstoß *m*; *jur.* Straftat *f*.

of·fend [ə'fend] *v/t* beleidigen, verletzen, kränken; *v/i* verstoßen (**against** gegen); **~** gegen **~** Übel-, Missetäter(in); *jur.* Straffällige(r *m*) *f*; **first ~** *jur.* nicht Vorbestrafte(r *m*) *f*, Ersttäter(in).

of·fen·sive [ə'fensɪv] **1.** *adj* □ beleidigend; anstößig; ekelhaft; Offensiv..., Angriffs...; **2.** *s* Offensive *f*.

of·fer ['ɒfə] **1.** *s* Anerbieten *n*; Anerbieten *n*; **~** *of marriage* Heiratsantrag *m*; **2.** *v/t* anbieten (*a. econ.*); *price, advice, etc.:* bieten; *prize, award:* aussetzen; *prayers, sacrifice:* darbringen; *be willing:* sich bereit erklären zu; *resistance:* leisten; *v/i* sich bieten; **~·ing** *s eccl.* Opfer(n) *n*; Anerbieten *n*, Angebot *n*.

off·hand [ɒf'hænd] *adj and adv* aus dem Stegreif, auf Anhieb; Stegreif..., unvorbereitet; ungezwungen, frei.

of·fice ['ɒfɪs] *s* Büro *n*; Geschäftsstelle *f*; Amt *n*; Pflicht *f*; Dienst *m*, Gefälligkeit *f*; *eccl.* Gottesdienst *m*; **2** Ministerium *n*; **~** *hours pl* Dienststunden *pl*, Geschäftszeit *f*; **of·fi·cer** *s* Beamt|e(r *m*),

-in *f*; Polizist *m*, Polizeibeamte(r) *m*; *mil.* Offizier *m*.

of·fi·cial [ə'fɪʃl] **1.** *adj* □ offiziell, amtlich; Amts...; **2.** *s* Beamt|e(r) *m*, -in *f*.

of·fi·ci·ate [ə'fɪʃɪeɪt] *v/i* amtieren.

of·fi·cious [ə'fɪʃəs] *adj* □ aufdringlich, übereifrig.

off-·li·cence *Br.* ['ɒflaɪsəns] *s* Alkoholkonzession *f*; Spirituosengeschäft *n*; **~·print** *s* Sonderdruck *m*; **~·peak** *adj:* **~** *fare* verbilligter Fahr-, Flugpreis; **~** *ticket* verbilligte Fahr-, Flugkarte; **~·put·ting** *adj* smell, etc.: abstoßend; **~·sea·son** *s* Nebensaison *f*; **~·set 1.** *v/t* [ɒf'set] ausgleichen; **2.** *s* ['ɒfset] *print.* Offset-Druck *m*; **~·shoot** *s bot.* Sproß *m*, Ableger *m*; **~·side 1.** *s sports:* Abseits(stellung *f*, -position *f*) *n*; *mot.* Fahrerseite *f*; **~** *door* Fahrertür *f*; **2.** *adj sports:* abseits; **~·spring** *s* Nachkomme(nschaft *f*) *m*; *fig.* Ergebnis *n*.

of·ten ['ɒfn] *adv* oft(mals), häufig.

o·gle ['əʊgl] *v/t* (*a. v/i* **~** *at*) liebäugeln mit, schöne Augen machen (*dat*).

oh [əʊ] *int* oh!; ach!

oil [ɔɪl] **1.** *s* Öl *n*; **2.** *v/t* ölen; schmieren (*a. fig.*); **~·cloth** *s* Wachstuch *n*; **~** *rig s* (Öl)Bohrinsel *f*; **~·skin** *s* Ölleinwand *f*; **~s** *pl* Ölzeug *n*; **~** *slick* Ölteppich *m*; **~·y** *adj* □ (-*ier, -iest*) ölig (*a. fig.*); fettig; schmierig (*a. fig.*).

oint·ment ['ɔɪntmənt] *s* Salbe *f*.

O.K., **o·kay** F [əʊ'keɪ] **1.** *adj* richtig, gut, in Ordnung; **2.** *int* einverstanden!; gut!, in Ordnung!; **3.** *v/t* genehmigen, zustimmen (*dat*).

old [əʊld] **1.** *adj* (**~er, ~est**, *a.* **elder**, **eldest**) alt; altbekannt; erfahren; **~** *age* (das) Alter; **~** *people's home* Alters-, Altenheim *n*; *grow* **~** alt werden; F **~** *chap* F alter Junge; **2.** *s: the* **~** *things:* das Alte, Altes *n*; *people:* alte Menschen; **~·age** *adj* Alters...; **~·fash·ioned** *adj* altmodisch; **~·ish** *adj* ältlich.

ol·ive ['ɒlɪv] *s bot.* Olive *f*; Ölbaum *m*; *adj* olivgrün *n*.

O·lym·pic Games [əlɪmpɪk'geɪmz] *s pl* Olympische Spiele *pl*; *Summer* (*Winter*) **~** *pl* Olympische Sommer-(Winter)spiele *pl*.

om·i·nous ['ɒmɪnəs] *adj* □ unheilvoll.

o·mis·sion [əʊ'mɪʃn] *s* Unterlassung *f*; Auslassung *f*.

o·mit [ə'mɪt] *v/t* (-*tt-*) unterlassen; auslassen.

om·nip·o|tence [ɒmˈnɪpətəns] s Allmacht f; **~tent** adj □ allmächtig.

on [ɒn] **1.** prp mst auf (dat, acc); an (dat) (**~ the wall** an der Wand); direction, aim: auf (acc) ... (hin), an (acc), nach (dat) ... (hin); fig. auf (acc) ... (hin); day, date, etc.: an (dat); **~ Sunday** am Sonntag; **~ the 1st of April** am ersten April); (gleich) nach, bei (**~ his arrival** bei s-r Ankunft); belonging to: zu, employed: bei (**be ~ a committee** e-m Ausschuß angehören; **be ~ the Daily Mail** bei der Daily Mail arbeiten); situation: in (dat), auf (dat), zu (**~ duty** im Dienst); topic: über (acc); **be ~ the pill** die Pille nehmen; **~ the street** Am. auf der Straße; **get ~ a train** esp. Am. in e-n Zug einsteigen; **~ hearing it** als ich etc. es hörte; **2.** adj and adv light, etc.: an(ge-schaltet), eingeschaltet; tap: laufend, auf; (dar)auf (put ~, etc.); clothes: an (put ~) (**have a coat ~** e-n Mantel anhaben); auf (keep ~); weiter (go ~, speak ~, etc.); **and so ~** und so weiter; **~ and ~** immer weiter; **~ to ...** auf (hinauf or hinaus); **be ~** im Gange sein, los sein; thea. gespielt werden; laufen (movie); **what's ~?** was ist los?, was gibt's?

once [wʌns] **1.** adv einmal; je(mals); einst; **at ~** (so)gleich, sofort; zugleich; **all at ~** plötzlich; **for ~** diesmal, ausnahmsweise; **~ (and) for all** ein für allemal; **~ again**, **~ more** noch einmal; **~ in a while** dann und wann; **2.** cj a. **~ that** sobald.

one [wʌn] **1.** adj ein(e); einzig; eine(r, -s); man; eins, **~'s** sein(e) ...; **~ day** eines Tages; **~ Smith** ein gewisser Smith; **2.** pron ein(e); man; the **~ who** derjenige, welcher; **~ another** einander; **3.** s: **~ by ~**, **~ after another**, **~ after the other** e-r nach dem andern; **be at ~ with s.o.** mit j-m einig sein; **I for ~** ich für meinen Teil; **the little ~s** pl die Kleinen pl.

one|self [wʌnˈself] pron sich (selbst); (sich) selbst; **~·sid·ed** adj □ einseitig; **~way** adj: **~ street** Einbahnstraße f; **~ ticket** Am. einfache Fahrkarte; aer. einfaches Ticket.

on·ion bot. [ˈʌnjən] s Zwiebel f.

on·look·er [ˈɒnlʊkə] s Zuschauer(in).

on·ly [ˈəʊnlɪ] **1.** adj einzige(r, -s); **2.** adv nur, bloß; erst; **~ yesterday** erst gestern; **3.** cj: **~ (that)** nur daß.

on·rush [ˈɒnrʌʃ] s Ansturm m.

on·set [ˈɒnset], **on·slaught** [ˈɒnslɔ:t] s Angriff m; Anfang m; med. Ausbruch m (of fever, etc.).

on·ward [ˈɒnwəd] **1.** adj fortschreitend; **2.** a. **~s** adv vorwärts, weiter.

ooze [u:z] **1.** s Schlamm m; **2.** v/i sickern; **~ away** fig. schwinden; v/t ausströmen, -schwitzen.

o·pen [ˈəʊpən] **1.** adj □ offen; geöffnet; auf; frei (fields, etc.); öffentlich; offen, unentschieden; offen, freimütig; freigebig; fig. zugänglich (to für); aufgeschlossen (to für); **2.** s: **in the ~ (air)** im Freien; **come out into the ~** fig. an die Öffentlichkeit treten; **3.** v/t öffnen; eröffnen (a. fig.); v/i sich öffnen, aufgehen; fig. öffnen, aufmachen, anfangen; **~ into** führen nach (door, etc.); **~ on to** hinausgehen auf (acc) (window, etc.); **~ out** sich ausbreiten

o·pen|-air [əʊpənˈeə] adj im Freien (stattfindend), Freilicht..., Freiluft..., a. Open-air-...; **~er** s for cans, bottles, etc.: Öffner m; **~-eyed** adj staunend; wach; mit offenen Augen; **~-hand·ed** adj freigebig, großzügig; **~-heart·ed** adj offen(herzig), aufrichtig; **~·ing** s (Er)Öffnung f; freie Stelle; Gelegenheit f; attr Eröffnungs...; **~-mind·ed** adj fig. aufgeschlossen; **~-plan of·fice** s Großraumbüro n.

op·e·ra [ˈɒpərə] s Oper f; **~-glass·es** s pl Opernglas n.

op·e|rate [ˈɒpəreɪt] v/t bewirken, (mit sich) bringen; tech. machine: bedienen, et. betätigen; business: betreiben; v/i tech. arbeiten, funktionieren, laufen; wirksam werden or sein; mil. operieren; med. operieren (on or upon s.o. j-n); **operating room** Am., **operating theatre** Br. Operationssaal m; **~·ra·tion** [ɒpəˈreɪʃn] s Wirkung f (on auf acc); tech. Betrieb m, Tätigkeit f; med., mil. Operation f; **be in ~** in Betrieb sein; **come into ~** jur. in Kraft treten; **~·ra·tive** [ˈɒpərətɪv] **1.** adj □ wirksam, tätig; praktisch; med. operativ; **2.** s Arbeiter m; **~·ra·tor** [ˌeɪtə] s tech. Bedienungsperson f; Telefonist(in).

o·pin·ion [əˈpɪnjən] s Meinung f; Ansicht f; Stellungnahme f; Gutachten n; **in my ~** meines Erachtens.

op·po·nent [əˈpəʊnənt] s Gegner m.

op·por·tune ['ɒpətjuːn] *adj* □ passend; rechtzeitig; günstig; **~tu·ni·ty** [ɒpə-'tjuːnəti] *s* (günstige) Gelegenheit.

op·pose [ə'pəʊz] *v/t* entgegen-, gegenüberstellen; sich widersetzen (*dat*), bekämpfen; **~d** *adj* entgegengesetzt; *be* **~** *to* gegen ... sein; **op·po·site** ['ɒpəzɪt] **1.** *adj* □ gegenüberliegend; entgegengesetzt; **2.** *prp and adv* gegenüber; **3.** *s* Gegenteil *n*, -satz *m*; **op·po·si·tion** [ɒpə'zɪʃn] *s* Widerstand *m*; Gegensatz *m*; Widerspruch *m*; Opposition *f* (*a. pol.*).

op·press [ə'pres] *v/t* be-, unterdrücken; **op·pres·sion** *s* Unterdrückung *f*; Druck *m*, Bedrängnis *f*; Bedrücktheit *f*; **op·pres·sive** *adj* □ (be)drückend; hart, grausam; schwül (*weather*).

opt [ɒpt] *v/i* sich entscheiden (*for* für).

op·tic ['ɒptɪk] *adj* Augen..., Seh...; → **op·ti·cal** *adj* □ optisch; **op·ti·cian** [ɒp'tɪʃn] *s* Optiker *m*.

op·ti·mis·m ['ɒptɪmɪzəm] *s* Optimismus *m*; **~mist** [~mɪst] *s* Optimist(in); **~mist·ic** [~'mɪstɪk] *adj* (~ally) optimistisch.

op·tion ['ɒpʃn] *s* Wahl(freiheit) *f*; Alternative *f*; *econ.* Vorkaufsrecht *n*, Option *f*; **~al** *adj* □ freigestellt, wahlfrei.

op·u·lence ['ɒpjʊləns] *s* (großer) Reichtum, Überfluß *m*.

o·pus ['əʊpəs] *s* Opus *n*, Werk *n*.

or [ɔː] *cj* oder; **~** *else* sonst.

or·a·cle ['ɒrəkl] *s* Orakel *n*.

o·ral ['ɔːrəl] **1.** *adj* □ mündlich; Mund...; **2.** *s* F *exam:* mündliche Prüfung.

or·ange ['ɒrɪndʒ] **1.** *s* Orange *f* (*colour*); *bot.* Orange *f*, Apfelsine *f*; **2.** *adj* orange(farben); **~ade** [~'eɪd] *s* Orangenlimonade *f*.

or·bit ['ɔːbɪt] **1.** *s* Kreis-, Umlaufbahn *f*; *get* or *put into* **~** in e-e Umlaufbahn gelangen or bringen; **2.** *v/t planet:* umkreisen; *satellite:* auf e-e Umlaufbahn bringen; *v/i* die Erde *etc.* umkreisen, sich auf e-r Umlaufbahn bewegen.

or·ches·tra ['ɔːkɪstrə] *s mus.* Orchester *n*; *Am. thea.* Parkett *n*.

or·chid *bot.* ['ɔːkɪd] *s* Orchidee *f*.

or·deal *fig.* [ɔː'diːl] *s* schwere Prüfung; Qual *f*, Tortur *f*.

or·der ['ɔːdə] **1.** *s* Ordnung *f*; Anordnung *f*, Reihenfolge *f*; Befehl *m*; *in restaurant, etc.:* Bestellung *f*; *econ.* Bestellung *f*, Auftrag *m*; *econ.* Zahlungsauftrag *m*; *parl. etc.* (Geschäfts)Ordnung *f*; Klasse *f*, Rang *m*; Orden *m* (*a. eccl.*); *in* **~** um zu *inf*; *in* **~** *that* damit; *out of* **~** nicht in Ordnung; defekt; nicht in Betrieb; *get out of* **~** durcheinandergeraten, -kommen; *made to* **~** auf Bestellung anfertigen; **2.** *v/t* (an-, *med.* ver-)ordnen; befehlen; *econ., in restaurant, etc.:* bestellen; *fig.* in schicken; **~ book** *s econ.* Auftragsbuch *n*; **~ly 1.** *adj* ordentlich; *fig.* ruhig; **2.** *s mil.* (Offiziers)Bursche *m*; *mil.* Sanitätssoldat *m*; Krankenpfleger *m*.

or·di·nal ['ɔːdɪnl] **1.** *adj* Ordnungs...; **2.** *s a.* **~** *number math.* Ordnungszahl *f*.

or·di·nary ['ɔːdnrɪ] *adj* □ üblich, gewöhnlich, normal.

ore [ɔː] *s* Erz *n*.

or·gan ['ɔːgən] *s mus.* Orgel *f*; *anat. and fig.* Organ *n*; **~ic** [ɔː'gænɪk] *adj* (~ally) organisch; *farming:* biodynamisch; **~is·m** *s* Organismus *m*.

or·gan·i·za·tion [ɔːgənaɪ'zeɪʃn] *s* Organisation *f*; **~ize** ['ɔːgənaɪz] *v/t* organisieren; **~d** *crime* das organisierte Verbrechen; **~iz·er** *s* Organisator(in).

or·gas·m ['ɔːgæzəm] *s* Orgasmus *m*

or·gy ['ɔːdʒɪ] *s* Orgie *f* (*a. fig.*).

o·ri·ent ['ɔːrɪənt] **1.** *s:* ♀ Osten *m*; Orient *m*, Morgenland *n*; **2.** *v/t:* **~ o.s.** sich orientieren (*by* an *dat*, nach) (*a. fig.*); **~·en·tal** [ɔːrɪ'entl] *adj* □ orientalisch, östlich; **2.** *s:* ♀ Orientale *m*, -in *f*; **~·en·tate** ['ɔːrɪəntert] *v/t* → **orient 2.**

or·i·gin ['ɒrɪdʒɪn] *s* Ursprung *m*; Anfang *m*; Herkunft *f*.

o·rig·i·nal [ə'rɪdʒənl] **1.** *adj* □ ursprünglich; originell; Original...; **2.** *s* Original *n*; **~·i·ty** [ərɪdʒə'nælətɪ] *s* Orginalität *f*; **~·ly** *adv* originell; ursprünglich, zuerst.

o·rig·i·nate [ə'rɪdʒɪnert] *v/t* hervorbringen, schaffen; *v/i* entstehen; **~·na·tor** *s* Urheber(in).

or·na·ment *s* ['ɔːnəmənt] Verzierung *f*; *fig.* Zierde *f*; **2.** *v/t* [~ment] verzieren, schmücken; **~·men·tal** [ɔːnə'mentl] *adj* □ schmückend, Zier...

or·nate [ɔː'nert] *adj* □ reichverziert, reichgeschmückt; überladen.

or·phan ['ɔːfn] **1.** *s* Waise *f*; **2.** *adj a.* **~ed** verwaist; **~·age** [~ɪdʒ] *s* Waisenhaus *n*.

or·tho·dox ['ɔːθədɒks] *adj* □ orthodox; strenggläubig; üblich, anerkannt.

O

os·cil·late ['ɒsɪleɪt] v/i schwingen; *fig.* schwanken.

os·ten·si·ble [ɒ'stensəbl] adj □ angeblich.

os·ten·ta|tion [ɒstən'teɪʃn] s Zurschaustellung f; Protzerei f; **~tious** [~ʃəs] adj □ großtuerisch, prahlerisch.

os·tra·cize ['ɒstrəsaɪz] v/t verbannen; ächten.

os·trich zo. ['ɒstrɪtʃ] s Strauß m.

oth·er ['ʌðə] adj andere(r, -s); **some ~ time** ein andermal; **one ~ thing** noch etwas, noch eins; **the ~ day** neulich; **the ~ morning** neulich morgens; **every ~ day** jeden zweiten Tag; **~wise** adv anders; andernfalls, sonst.

ot·ter ['ɒtə] s zo. Otter m; Otterfell n.

ought [ɔːt] v/aux sollte(st) *etc.*; **you ~ to have done it** Sie hätten es tun sollen.

ounce [aʊns] s Unze f (Br. = 28,35 g; Am. = 29,6 g).

our ['aʊə] pron unser; **~s** pron der, die, das uns(e)re; unser; **~selves** [aʊə'selvz] pron uns (selbst); wir selbst.

oust [aʊst] v/t verdrängen, -treiben, hinauswerfen; *from office:* entheben.

out [aʊt] **1.** adv aus; heraus (go, throw, *etc.*); heraus (come, *etc.*); außen, draußen; nicht zu Hause; *sports:* aus, draußen; aus der Mode, F out; vorbei; erloschen; aus(gegangen); verbraucht; (bis) zu Ende; **~ and about** (wieder) auf den Beinen; **way ~** Ausgang m; **be ~** nicht da or ausgegangen sein; **~ of** aus (... heraus); hinaus; außerhalb; **~ of breath** außer Atem; (hergestellt) aus; **~ of fear** aus Furcht; **in nine cases ~ of ten** in neun von zehn Fällen; **be ~ of s.th.** et. nicht mehr haben; **2.** s Ausweg m; **the ~s** pl parl. die Opposition; **3.** int hinaus!, raus!

out|bal·ance [aʊt'bæləns] v/t überwiegen, -treffen; **~bid** v/t (-dd-; -bid) überbieten; **~board** adj Außenbord...; **~break** s Ausbruch m; **~ of war** Kriegsausbruch m; **~build·ing** s Nebengebäude m (a. fig.); **~burst** s Ausbruch m (a. fig.); **~cast 1.** adj ausgestoßen; **2.** s Ausgestoßene(r m) f; **~come** s Ergebnis n, Resultat n; **~cry** s Aufschrei m, Schrei m der Entrüstung; **~dat·ed** adj überholt, veraltet; **~dis·tance** v/t (weit) überholen, hinter sich lassen;

~do v/t (-did, -done) übertreffen.

out·door ['aʊtdɔː] s Außen..., außerhalb des Hauses, im Freien, draußen; **~s** adv draußen, im Freien.

out·er ['aʊtə] adj äußere(r, -s); Außen...; **~ space** All n, Weltraum m; **~most** [~məʊst] adj äußerst.

out·fit ['aʊtfɪt] s Ausrüstung f, Ausstattung f; F Haufen m, Trupp m, (Arbeits)Gruppe f; Am. mil. Einheit f; **~ter** s Br. Herrenausstatter m.

out|go·ing ['aʊtgəʊɪŋ] **1.** adj weg-, abgehend; retiring: scheidend; *friendly:* kontaktfreudig; **2.** s Ausgehen n; **~s** pl (Geld)Ausgaben pl; **~grow** v/t (-grew, -grown) herauswachsen aus (clothes); größer werden als, hinauswachsen über (acc); **~house** s Nebengebäude n; Am. Außenabort m.

out·ing ['aʊtɪŋ] s Ausflug m.

out|last [aʊt'lɑːst] v/t überdauern, -leben; **~law** s Geächtete(r m) f; **~lay** s (Geld)Auslage(n pl) f, Ausgabe(n pl) f; **~let** s Auslaß m, Abfluß m, Austritt m, Abzug m; econ. Absatzmarkt m; Am. electr. Anschluß m, Steckdose f; fig. Ventil n; **~line 1.** s Umriß m; Überblick m; Skizze f; **2.** v/t umreißen; skizzieren; **~live** v/t überleben; **~look** s Ausblick m (a. fig.); Auffassung f; **~ly·ing** adj entlegen; **~match** v/t weit übertreffen; **~num·ber** v/t zahlenmäßig übertreffen.

out·pa·tient med. ['aʊtpeɪʃnt] s ambulanter Patient, ambulante Patientin; **~s(' department)** Ambulanz f.

out|post ['aʊtpəʊst] s Vorposten m; **~pour·ing** s (esp. Gefühls)Erguß m.

out·put ['aʊtpʊt] s Output m: econ. and tech. Arbeitsertrag m, -leistung f; econ. Produktion f, Ausstoß m, Ertrag m; electr. Ausgangsleistung f; electr. Ausgang m (of amplifier, etc.); computer: (Daten)Ausgabe f.

out|rage ['aʊtreɪdʒ] **1.** s Ausschreitung f; Gewalttat f; **2.** v/t empören; beleidigen; Gewalt antun (dat); **~ra·geous** [aʊt'reɪdʒəs] adj □ abscheulich; empörend, unerhört.

out|right [adj 'aʊtraɪt, adv aʊt'raɪt] gerade heraus; völlig; direkt; **~run** v/t (-nn-; -ran, -run) schneller laufen als; fig. übertreffen, hinausgehen über (acc); **~set** s Anfang m; Aufbruch m;

~·shine *v/t* (**-*shone***) überstrahlen; *fig. a.* in den Schatten stellen.
out|side [aʊt'saɪd] **1.** *s* Außenseite *f*; *das* Äußere; *sports*: Außenstürmer *m*; ***at the*** (***very***) ~ (aller)höchstens; *attr*: ~ ***left*** (***right***) *sports*: Linksaußen (Rechtsaußen) *m*; **2.** *adj* äußere(r, -s), Außen...; außerhalb, draußen; äußerste(r, -s) (*price*); **3.** *adv* draußen, außerhalb; heraus, hinaus; **4.** *prp* außerhalb; **~·sid·er** *s* Außenseiter(in), -stehende(r *m*) *f*.
out|size ['aʊtsaɪz] *s* Übergröße *f*; **~·skirts** *s pl* Außenbezirke *pl*, (Stadt-) Rand *m*; **~·smart** *v/t* F überlisten; **~·spo·ken** *adj* offen, freimütig; **~·spread** *adj* ausgestreckt, -breitet; **~·stand·ing** *adj* hervorragend (*a. fig.*); ausstehend (*debts*); ungeklärt (*question*); unerledigt (*work*); **~·stay** *v/t* länger bleiben als; ~ ***one's welcome*** j-s Gastfreundschaft überbeanspruchen *or* ausnützen; **~·stretched** → ***outspread***; **~·strip** *v/t* (**-*pp*-**) überholen (*a. fig.*); **~·vote** *v/t pol., a. fig.* überstimmen.
out·ward ['aʊtwəd] **1.** *adj* äußere(r, -s); äußerlich; nach (dr)außen gerichtet; **2.** *adv mst* **~s** (nach) auswärts, nach (dr)außen; **~·ly** *adv* äußerlich.
out|weigh [aʊt'weɪ] *v/t* schwerer sein als; *fig.* überwiegen; **~·wit** *v/t* (**-*tt*-**) überlisten; **~·worn** *adj* erschöpft; *fig.* abgegriffen; überholt.
o·val ['əʊvl] **1.** *adj* □ oval; **2.** *s* Oval *n*.
o·va·ry *anat.* ['əʊvərɪ] *s* Eierstock *m*.
o·va·tion [əʊ'veɪʃn] *s* begeisterter Beifall, Ovation *f*; ***standing*** ~ stehende Ovationen *pl*.
ov·en ['ʌvn] *s* Backofen *m*; ***put s.th. in the*** ~ et. backen; **~·able**, **~·proof** *adj* hitzebeständig, backofenfest; **~-read·y** *adj* backfertig, bratfertig.
o·ver ['əʊvə] **1.** *adv* hinüber; darüber; herüber; drüben; über...; darüber...; ***hand*** ~ *et.* übergeben; ***boil*** ~ überkochen; ***fall*** ~ umfallen; ***turn*** ~ herumdrehen; ***read*** ~ (von Anfang bis Ende) durchlesen; ganz, über u. über; ***switch*** ~ umschalten; ***think*** ~ (gründlich) überlegen; nochmals, wieder; übermäßig, über...; darüber, mehr; übrig; zu Ende, vorüber, vorbei, aus; (***all***) ~ ***again*** noch einmal, (ganz) von vorn; ~ ***against*** gegenüber (*dat*); ***all*** ~ ganz vorbei; ~ ***and*** ~ ***again*** immer wieder; **2.** *prp* über; über (*acc*) ... hin(weg); ~ ***and above*** neben, zusätzlich zu.
o·ver·act [əʊvər'ækt] *v/t thea., etc.*: übertrieben spielen; *v/i fig.* übertreiben.
o·ver·all **1.** *s* ['əʊvərɔːl] *Br.* (Arbeits)Kittel *m*; **~s** *pl* Arbeitsanzug *m*, Overall *m*; **2.** *adj* [əʊvər'ɔːl] gesamt, Gesamt...; *parl.* ~ ***majority*** absolute Mehrheit.
o·ver|awe [əʊvər'ɔː] *v/t* einschüchtern; **~·bal·ance** **1.** *s* Übergewicht *n*; **2.** *v/i* das Gleichgewicht verlieren; umkippen; überwiegen (*a. fig.*); *v/t* aus dem Gleichgewicht bringen; **~·bear·ing** *adj* □ anmaßend; **~·board** *adv mar.* über Bord; **~·cast** *adj* bewölkt; **~·charge** **1.** *v/t electr., tech.* überladen; *v/i* zuviel verlangen (***for*** für); **2.** *s* Überpreis *m*; Aufschlag *m*; **~·coat** *s* Mantel *m*; **~·come** *v/t* (**-*came***, **-*come***) überwinden, -wältigen; **~·crowd** *v/t* überfüllen; **~·do** *v/t* (**-*did***, **-*done***) übertreiben; zu sehr kochen *or* braten; überanstrengen; **~·draft** *s econ.* Kontoüberziehung *f*; **~·draw** *v/t* (**-*drew***, **-*drawn***) *econ. bank account*: überziehen; **~·due** *adj* überfällig; **~·eat** *v/i* (**-*ate***, **-*eaten***) *a.* ~ ***o.s.*** sich überessen.
o·ver·flow **1.** [əʊvə'fləʊ] *v/t* überfluten, -schwemmen; *v/i* überfließen, -laufen; **2.** *s* ['əʊvəfləʊ] Überschwemmung *f*; Überschuß *m*; *tech.* Überlauf *m*.
o·ver|grow [əʊvə'grəʊ] (**-*grew***, **-*grown***) *v/t* überwuchern; *v/i* zu groß werden; **~·grown** *adj* überwuchert; übergroß.
o·ver|hang **1.** [əʊvə'hæŋ] (**-*hung***) *v/t* über (*dat*) hängen; *v/i* überhängen; **2.** *s* ['əʊvəhæŋ] Überhang *m*; **~·haul** *v/t car, etc.*: überholen.
o·ver·head **1.** *adv* [əʊvə'hed] (dr)oben; **2.** *adj* ['əʊvəhed] Hoch..., Ober...; *econ.* allgemein (*costs*); ~ ***projector*** Overheadprojektor *m*; **3.** *s mst Br.* **~s** *pl econ.* allgemeine Unkosten *pl*.
o·ver|hear [əʊvə'hɪə] *v/t* (**-*heard***) (zufällig) belauschen, (mit an)hören; **~·joyed** *adj* überglücklich (***at*** über *acc*); **~·kill** *s mil.* Overkill *m*; *fig.* Übermaß *n*, Zuviel *n* (***of*** an *dat*); **~·lap** *v/t and v/i* (**-*pp*-**) sich überschneiden (mit); *tech.* (sich) überlappen; **~·lay** *v/t* (**-*laid***) belegen, überziehen; **~·leaf** *adv* umseitig; **~·load** *v/t* überladen; **~·look** *v/t* übersehen (*a. fig.*); **~*ing the sea*** mit Blick auf das

O

Meer; **~night 1.** *adv* über Nacht; *stay ~* übernachten; **2.** *adj* Nacht..., Übernachtungs...; **~pay** *v/t* (*-paid*) zuviel bezahlen für; **~peo·pled** *adj* übervölkert; **~plus** *s* Überschuß *m* (*of* an *dat*); **~pow·er** *v/t* überwältigen; **~pro·duc·tion** *s econ.* Überproduktion *f*; **~rate** *v/t* überschätzen; **~reach** *v/t* übervorteilen; **~ o.s.** sich übernehmen; **~ride** *v/t* (*-rode*, *-ridden*) *fig.* sich hinwegsetzen über (*acc*); umstoßen; **~rule** *v/t* überstimmen; *jur. verdict:* aufheben.

o·ver·run [əʊvə'rʌn] *v/t* (*-nn-*; *-ran*, *-run*) *land:* überfluten; überwuchern; *signal:* überfahren; *time:* überziehen; *be ~ with* wimmeln von.

o·ver·sea(s) [əʊvə'si:(z)] **1.** *adj* überseeisch, Übersee...; **2.** *adv* in or nach Übersee.

o·ver|see [əʊvə'si:] *v/t* (*-saw*, *-seen*) beaufsichtigen; **~seer** ['əʊvəsɪə] *s* Aufseher *m*; Vorarbeiter *m*.

o·ver|shad·ow [əʊvə'ʃædəʊ] *v/t* überschatten (*a. fig.*); *fig.* in den Schatten stellen; **~sight** *s* Versehen *n*; **~sleep** *v/i* (*-slept*) verschlafen; **~staffed** *adj* (personell) überbesetzt.

o·ver·state [əʊvə'steɪt] *v/t* übertreiben; **~ment** *s* Übertreibung *f*.

o·ver·strain 1. *v/t* [əʊvə'streɪn] überanstrengen; **~ o.s.** sich übernehmen; **2.** *s* ['əʊvəstreɪn] Überanstrengung *f*.

o·ver·take [əʊvə'teɪk] *v/t* (*-took*, *-taken*) *j-n* überraschen; überholen; **~tax** *v/t* zu hoch besteuern; *fig.* überschätzen; überfordern.

o·ver·throw 1. *v/t* [əʊvə'θrəʊ] (*-threw*, *-thrown*) (um)stürzen (*a. fig.*); besie-

gen; **2.** *s* ['əʊvəθrəʊ] (Um)Sturz *m*; Niederlage *f*.

o·ver·time *econ.* ['əʊvətaɪm] *s* Überstunden *pl*; *be on ~*, *do ~* Überstunden machen.

o·ver·ture ['əʊvətjʊə] *s mus.* Ouvertüre *f*; *mus.* Vorspiel *n*; *mst* **~s** *pl* Vorschlag *m*, Antrag *m*.

o·ver|turn [əʊvə'tɜ:n] *v/t and v/i* (um-) stürzen (*a. fig.*); **~weight** *s* Übergewicht *n*; **~whelm** *v/t* überwältigen (*a. fig.*); **~work 1.** *s* Überarbeitung *f*; **2.** *v/i* sich überarbeiten; *v/t* überanstrengen.

owe [əʊ] *v/t money, etc.*: schulden, schuldig sein; verdanken; **~ s.th. to s.o.** j-m et. zu verdanken haben.

ow·ing ['əʊɪŋ] *adj*: *be ~* zu zahlen sein; **~ to** infolge (*gen*); wegen (*gen*); dank (*dat*).

owl *zo.* [aʊl] *s* Eule *f*.

own [əʊn] **1.** *adj* eigen; selbst; einzig, (innig) geliebt; **2.** *s*: *my ~* mein Eigentum; *a house of one's ~* ein eigenes Haus; *hold one's ~* standhalten; **3.** *v/t* besitzen; *admit:* zugeben.

own·er ['əʊnə] *s* Eigentümer(in); **~ship** ['əʊnəʃɪp] *s* Eigentum(srecht) *n*.

ox *zo.* [ɒks] *s* (*pl oxen* ['ɒksn]) Ochse *m*.

ox·i·da·tion *chem.* [ɒksɪ'deɪʃn] *s* Oxydation *f*, Oxydierung *f*; **ox·ide** *chem.* ['ɒksaɪd] *s* Oxyd *n*; **ox·i·dize** *chem.* ['ɒksɪdaɪz] *v/t and v/i* oxydieren; **ox·y·gen** *chem.* ['ɒksɪdʒən] *s* Sauerstoff *m*.

oy·ster *zo.* ['ɔɪstə] *s* Auster *f*.

o·zone *chem.* ['əʊzəʊn] *s* Ozon *n*; **~friend·ly** *adj of aerosols, etc.*: FCKW-frei; **~ hole** *s* Ozonloch *n*; **~ lay·er** *s* Ozonschicht *f*; *the hole in the ~* das Ozonloch.

P

pace [peɪs] **1.** *s* Schritt *m*; Gang *m*; Tempo *n*; **2.** *v/t* abschreiten; durchschreiten; *v/i* (einher)schreiten; **~ up and down** auf u. ab gehen.

pac·i·fi·er *Am.* ['pæsɪfaɪə] *s* Schnuller *m*; **~fy** [~aɪ] *v/t* beruhigen, besänftigen.

pack [pæk] **1.** *s* Pack(en) *m*, Paket *n*,

Ballen *m*, Bündel *n*; *Am.* Packung *f* (*cigarettes*); Meute *f* (*dogs*); Rudel *n* (*wolves*); Pack *n*, Bande *f*; *med.*, *cosmetic:* Packung *f*; *a.* **~ of cards** Spiel *n* Karten; *a.* **~ of films** *phot.* Filmpack *m*; *a* **~ of lies** ein Haufen Lügen; **2.** *v/t* (voll)packen; bepacken; vollstopfen;

zusammenpferchen; *econ.* eindosen; *tech.* (ab)dichten; *Am.* F *gun, etc.*: (bei sich) tragen; *often* ~ **up** zusammen-, ver-, ein-, abpacken; *mst* ~ **off** (rasch) fortschicken, -jagen; *v/i* sich *gut etc.* verpacken *or* konservieren lassen; *often* ~ **up** (zusammen)packen; **send s.o.** ~**ing** j-n fortjagen; ~ **into** *car, etc.*: sich hineinquetschen *or* sich drängen in (*acc*).

pack|age ['pækɪdʒ] *s* Pack *m*, Ballen *m*; Paket *n*; Packung *f*; Frachtstück *n*; ~ **tour** Pauschalreise *f*; ~**er** *s* Packer(in *f*); *Am.* Konservenhersteller *m*; ~**et** *s* Päckchen *n*; Packung *f* (*cigarettes*); *a.* ~**boat** *mar.* Postschiff *n*; ~**ing** *s* Pakken *n*; Verpackung *f*.

pact [pækt] *s* Vertrag *m*, Pakt *m*.

pad [pæd] **1.** *s* Polster *n*; Beinschutz *m*; Schreib-, Zeichenblock *m*; Abschußrampe *f* (*for rockets*); *a.* **ink**~ Stempelkissen *n*; **2.** *v/t* (**-dd-**) (aus)polstern, wattieren; ~**ding** *s* Polsterung *f*, Wattierung *f*.

pad·dle ['pædl] **1.** *s* Paddel *n*; *mar.* (Rad)Schaufel *f*; **2.** *v/t and v/i* paddeln; planschen; ~**wheel** *s mar.* Schaufelrad *n*.

pad·lock ['pædlɒk] *s* Vorhängeschloß *n*.

pa·gan ['peɪɡən] **1.** *adj* heidnisch; **2.** *s* Heid(e *m*, -in *f*.

page[1] [peɪdʒ] **1.** *s* Seite *f* (*of book, etc.*); **2.** *v/t* paginieren.

page[2] [~] **1.** *s* (Hotel)Page *m*; **2.** *v/t* j-n ausrufen lassen.

paid [peɪd] *pret and pp of* **pay** 2.

pail [peɪl] *s* Eimer *m*.

pain [peɪn] **1.** *s* Schmerz(en *pl*) *m*; Kummer *m*; ~**s** *pl* Mühe *f*; **on** *or* **under** ~ **of death** bei Todesstrafe; **be in (great)** ~ (große) Schmerzen haben; **take** ~**s** sich Mühe geben; → **arse, neck** 1; **2.** *v/t* j-n schmerzen, *j-m* weh tun; ~**ful** *adj* □ schmerzhaft; schmerzlich; peinlich; mühsam; *memories*: *a.* traurig; ~**less** *adj* □ schmerzlos; ~**s·tak·ing** *adj* □ sorgfältig, gewissenhaft.

paint [peɪnt] **1.** *s* Farbe *f*; *contr.* Schminke *f*; Anstrich *m*; **2.** *v/t* (an-, be)malen; (an)streichen; ~**box** *s* Malkasten *m*; ~**brush** *s* (Maler)Pinsel *m*; ~**er** *s* Maler(in); ~**ing** *s* Malen *n*; Malerei *f*; Gemälde *n*, Bild *n*.

pair [peə] **1.** *s* Paar *n*; *a* ~ **of** ... ein Paar ...,

ein(e) ...; *a* ~ **of scissors** e-e Schere; **2.** *v/i zo.* sich paaren; zusammenpassen; ~ **off** Paare bilden; paarweise weggehen.

pa·ja·ma(s) *Am.* [pə'dʒɑːmə(z)] → **pyjama(s)**.

pal [pæl] *s* Kumpel *m*, Kamerad *m*.

pal·ace ['pælɪs] *s* Palast *m*, Schloß *n*.

pal·at·a·ble ['pælətəbl] *adj* □ wohlschmeckend, schmackhaft (*a. fig.*).

pal·ate ['pælɪt] *s anat.* Gaumen *m*; *fig.* Geschmack *m*.

pale[1] [peɪl] *s* Pfahl *m*; *fig.* Grenzen *pl.*

pale[2] [~] **1.** *adj* □ (*~r*, *~st*) blaß, bleich, fahl; ~ **ale** helles Bier; **2.** *v/i* blaß *or* bleich werden; ~**ness** *s* Blässe *f*.

pal·ings ['peɪlɪŋz] *s pl* Pfahlzaun *m*.

pal·i·sade [pælɪ'seɪd] *s* Palisade *f*; ~**s** *pl Am.* Steilufer *n*.

pal·li|ate ['pælɪeɪt] *v/t med.* lindern; *fig.* bemänteln; ~**a·tive** *med.* [~ətɪv] *s* Linderungsmittel *n*.

pal|lid ['pælɪd] *adj* □ blaß; ~**lid·ness**, ~**lor** [~ə] *s* Blässe *f*.

palm [pɑːm] **1.** *s* Handfläche *f*; *bot.* Palme *f*; **2.** *v/t* in der Hand verbergen; ~ **s.th. off on** *or* **upon s.o.** j-m et. andrehen; ~**tree** *s bot.* Palme *f*.

pal·pi|tate ['pælpɪteɪt] *v/i* klopfen (*heart*); ~**ta·tion** [pælpɪ'teɪʃn] *s* Herzklopfen *n*.

pal·try ['pɔːltrɪ] *adj* □ (**-ier, -iest**) armselig; wertlos.

pam·per ['pæmpə] *v/t* verwöhnen; *child*: *a.* verhätscheln, verzärteln.

pam·phlet ['pæmflɪt] *s* Broschüre *f*; (kurze, kritische) Abhandlung.

pan [pæn] *s* Pfanne *f*; Tiegel *m*.

pan- [~] *in compounds*: all..., ganz..., gesamt..., pan..., Pan...

pan·a·ce·a [pænə'sɪə] *s* Allheilmittel *n*.

pan·cake ['pænkeɪk] *s* Pfann-, Eierkuchen *m*; ♀ **Day** *Br.* Faschingsdienstag *m*; ~ **landing** *s* F Bauchlandung *f*.

pan·da *zo.* ['pændə] *s* Panda *m*; ~ **car** *Br.* (Funk)Streifenwagen *m*; ~ **crossing** *s Br.* Fußgängerübergang *m* mit Druckampel.

pan·de·mo·ni·um [pændɪ'məʊnɪəm] *s* Hölle(nlärm *m*) *f*.

pan·der ['pændə] **1.** *v/i* Vorschub leisten (**to** *dat*); *dated:* sich als Kuppler betätigen; **2.** *s* dated Kuppler *m*.

pane [peɪn] *s* (Fenster)Scheibe *f*.

pan·e·gyr·ic [pænɪ'dʒɪrɪk] *s* Lobrede *f*.

pan·el ['pænl] **1.** s arch. Fach n, of door: Füllung f, of wall: Täfelung f; electr., tech. Instrumentenbrett n, Schalttafel f; jur. Geschworenenliste f; jur. die Geschworenen pl; die Diskussionsteilnehmer pl; **2.** v/t (esp. Br. **-ll-**, Am. **-l-**) täfeln.

pang [pæŋ] s plötzlicher Schmerz; fig. Angst f, Qual f; **~s** pl **of conscience** Gewissensbisse pl.

pan·han·dle ['pænhændl] **1.** s Pfannenstiel m; Am. stretch of land: schmaler Landstreifen; **2.** v/i Am. F betteln.

pan·ic ['pænɪk] **1.** adj panisch; **2.** s Panik f; **3.** v/i (**-ck-**) in Panik geraten.

pan·sy bot. ['pænzɪ] s Stiefmütterchen n.

pant [pænt] v/i breathe: nach Luft schnappen, keuchen, schnaufen.

pan·ther zo. ['pænθə] s Panther m; Am. Puma m.

pan·ties ['pæntɪz] s pl (Damen)Schlüpfer m; Kinderhöschen n.

pan·ti·hose esp. Am. ['pæntɪhəʊz] s Strumpfhose f.

pan·try ['pæntrɪ] s Speisekammer f.

pants [pænts] s pl esp. Am. Hose f; esp. Br. Unterhose f; esp. Br. Schlüpfer m.

pap [pæp] s Brei m.

pa·pa [pə'pɑː] s Papa m.

pa·pal ['peɪpl] adj □ päpstlich.

pa·per ['peɪpə] **1.** s Papier n; Zeitung f; schriftliche Prüfung; Prüfungsarbeit f; Vortrag m, Aufsatz m; **~s** pl (Ausweis)Papiere pl; **2.** v/t tapezieren; **~·back** s Taschenbuch n, Paperback n; **~·bag** s (Papier)Tüte f; **~·clip** s Büroklammer f; **~·hang·er** s Tapezierer m; **~·mill** s Papierfabrik f; **~·weight** s Briefbeschwerer m.

pap·py ['pæpɪ] adj (**-ier, -iest**) breiig.

par [pɑː] s econ. Nennwert m, Pari n; golf: Par n; **at ~** zum Nennwert; **be on a ~ with** gleich or ebenbürtig sein (dat).

par·a·ble ['pærəbl] s Gleichnis n, Parabel f.

par·a·chute ['pærəʃuːt] **1.** s Fallschirm m; **2.** v/i mit dem Fallschirm abspringen; **~·chut·ist** s Fallschirmspringer(in).

pa·rade [pə'reɪd] **1.** s (Um)Zug m; mil. (Truppen)Parade f; Zurschaustellung f, Vorführung f; (Strand)Promenade f; **make a ~ of** fig. zur Schau stellen; **2.** v/i and v/t mil. antreten (lassen); mil. vor-

beimarschieren (lassen); zur Schau stellen; **~·ground** s mil. Exerzier-, Paradeplatz m.

par·a·dise ['pærədaɪs] s Paradies n.

par·a·gon ['pærəgən] s Vorbild n, Muster n; **a ~ of virtue** F ein Ausbund an Tugend(haftigkeit).

par·a·graph ['pærəgrɑːf] s print. Absatz m, Abschnitt m; kurze Zeitungsnotiz.

par·al·lel ['pærəlel] **1.** adj parallel; **2.** s math. Parallele f (a. fig.); Gegenstück n; Vergleich m; **without (a) ~** ohnegleichen; **3.** v/t (**-l-**, Br. a. **-ll-**) vergleichen; entsprechen (dat); gleichen (dat); parallel (ver)laufen zu.

par·a·lyse, Am. **-lyze** ['pærəlaɪz] v/t med. lähmen (a. fig.); fig. zunichte machen; **pa·ral·y·sis** med. [pə'rælɪsɪs] s (pl **-ses** [-siːz]) Paralyse f, Lähmung f.

par·a·mount ['pærəmaʊnt] adj höher stehend (**to** als), übergeordnet, oberste(r, -s); höchste(r, -s); fig. größte(r, -s).

par·a·noi·a [pærə'nɔɪə] s med. Paranoia f; a. Verfolgungswahn m, krankhaftes Mißtrauen; **~·noid** ['pærənɔɪd] adj med. paranoid; fig. krankhaft.

par·a·pet ['pærəpɪt] s Brüstung f; Geländer n.

par·a·pher·na·li·a [pærəfə'neɪlɪə] s pl Ausrüstung f; Zubehör n, m; F Br. Scherereien pl.

par·a·site ['pærəsaɪt] s Schmarotzer m.

par·a·sol ['pærəsɒl] s Sonnenschirm m.

par·a·troop·er mil. ['pærətruːpə] s Fallschirmjäger m; **~s** pl mil. Fallschirmtruppen pl.

par·boil ['pɑːbɔɪl] v/t ankochen.

par·cel ['pɑːsl] **1.** s Paket n, Päckchen n; Bündel n; Parzelle f; **2.** v/t (esp. Br. **-ll-**, Am. **-l-**): **~ out** aus-, aufteilen.

parch [pɑːtʃ] v/t and v/i rösten, (aus)dörren.

parch·ment ['pɑːtʃmənt] s Pergament n.

pard Am. sl. [pɑːd] s Partner m.

par·don ['pɑːdn] **1.** s Verzeihung f; jur. Begnadigung f; **~?** wie bitte?; **2.** v/t verzeihen; jur. begnadigen; **~ me!** Entschuldigung!; **~·a·ble** adj □ verzeihlich.

pare [peə] v/t (be)schneiden (a. fig.); schälen.

par·ent ['peərənt] s Elternteil m; fig. Ursache f; **~s** pl Eltern pl; **~-teach·er meet·ing** school: Elternabend m; → **single**

parent; **~age** [~idʒ] s Abstammung f; **pa·ren·tal** [pə'rentl] adj elterlich.

pa·ren·the·sis [pə'renθisis] s (pl **-ses** [-si:z]) Einschaltung f; print. (runde) Klammer.

par·ing ['peəriŋ] s Schälen n; (Be)schneiden n; **~s** pl Schalen pl; Schnipsel pl.

par·ish ['pæriʃ] **1.** s Gemeinde f; **2.** adj Pfarr..., Kirchen...; pol. Gemeinde...; **~ church** Pfarrkirche f; **~ council** Gemeinderat m; **pa·rish·io·ner** [pə'riʃənə] s Gemeindemitglied n.

par·i·ty ['pærəti] s Gleichheit f.

park [pɑ:k] **1.** s Park m, Anlagen pl; Naturschutzgebiet n, Park m; Am. (Sport)Platz m; **the ~** Br. F der Fußballplatz, das Stadion; mst **car-~** Parkplatz m; **2.** v/t and v/i mot. parken.

par·ka ['pɑ:kə] s Parka m, f.

park·ing mot. ['pɑ:kiŋ] s Parken n; **no ~** Parkverbot, Parken verboten; **~ for 200 cars** 200 Parkplätze; **~ disc** s Parkscheibe f; **~ fee** s Parkgebühr f; **~ lot** s Am. Parkplatz m; **~ me·ter** s Parkuhr f; **~ or·bit** s space travel: Parkbahn f; **~ tick·et** s Strafzettel m.

par·lance ['pɑ:ləns] s Ausdrucksweise f, Sprache f.

par·lia|ment ['pɑ:ləmənt] s Parlament n; **member of ~** Abgeordnete(r m) f; **Member of ~** Br. Unterhausmitglied n; **~·men·tar·i·an** [~men'teəriən] s Parlamentarier(in); **~·men·ta·ry** [~'mentəri] adj □ parlamentarisch, Parlaments...

par·lo(u)r ['pɑ:lə] s dated Wohnzimmer n; Empfangs-, Sprechzimmer n; **beauty ~** Am. Schönheitssalon m; **~ car** rail. Am. Salonwagen m; **~·maid** s Br. Hausmädchen n.

pa·ro·chi·al [pə'rəukiəl] adj □ Pfarr..., Kirchen..., Gemeinde...; fig. engstirnig, beschränkt.

par·o·dy ['pærədi] **1.** s Parodie f; **2.** v/t parodieren.

pa·role [pə'rəul] **1.** s mil. Parole f; jur. bedingte Haftentlassung; jur. Hafturlaub m; **he is out on ~** jur. er wurde bedingt entlassen; er hat Hafturlaub; **2.** v/t: **~ s.o.** jur. j-n bedingt entlassen; j-m Hafturlaub gewähren.

par·quet [pɑ:'kei] s Parkett(fußboden m) n; Am. thea. Parkett n.

par·rot ['pærət] **1.** s zo. Papagei m (a. fig.); **2.** v/t nachplappern.

par·ry ['pæri] v/t abwehren, parieren.

par·si·mo·ni·ous [pɑ:si'məuniəs] adj □ sparsam, geizig, knaus(e)rig.

pars·ley bot. ['pɑ:sli] s Petersilie f.

par·son ['pɑ:sn] s Pfarrer m; **~·age** [~idʒ] s Pfarrei f, Pfarrhaus n.

part [pɑ:t] **1.** s Teil m, Anteil m; Seite f, Partei f; thea., fig. Rolle f; Stimme f; Gegend f; Am. of hair: Scheitel m; **a man of (many) ~s** ein vielseitiger Mensch; **take ~ in s.th.** an e-r Sache teilnehmen; **take s.th. in bad (good) ~** et. (nicht) übelnehmen; **for my ~** ich für mein(en) Teil; **for the most ~** meistens; **in ~** teilweise, zum Teil; **on the ~ of** von seiten, seitens (gen); **on my ~** meinerseits; **2.** adj Teil...; **3.** adv teils; **4.** v/t (ab-, ein-, zer)teilen; trennen; hair: scheiteln; **~ company** sich trennen (**with** von); v/i sich trennen (**with** von).

part ex·change [pɑ:tiks'tʃeindʒ] s econ.: **take (offer) s.th. in ~** et. in Zahlung nehmen (geben).

par|tial ['pɑ:ʃl] adj □ Teil..., teilweise, partiell; parteiisch, eingenommen (**to** für); **~·ti·al·i·ty** [pɑ:ʃi'æləti] s Parteilichkeit f; Vorliebe f (**for** für).

par·tic·i|pant [pɑ:'tisipənt] s Teilnehmer(in); **~·pate** [~peit] v/i teilnehmen, sich beteiligen (**in** an dat); **~·pa·tion** [~'peiʃn] s Teilnahme f, Beteiligung f.

par·ti·ci·ple gr. ['pɑ:tisipl] s Partizip n.

par·ti·cle ['pɑ:tikl] s Teilchen n.

par·tic·u·lar [pə'tikjulə] **1.** adj □ besondere(r, -s), einzeln, Sonder...; genau, eigen; wählerisch; **2.** s Einzelheit f; **~s** pl nähere Umstände pl or Angaben pl; Personalien pl; **for further ~s apply to ... nähere Auskünfte erteilt ...; in ~** insbesondere; **~·i·ty** [~'lærəti] s Besonderheit f; Ausführlichkeit f; Eigenheit f; **~·ly** [~li] adv besonders, vor allem.

part·ing ['pɑ:tiŋ] **1.** s Trennung f, Abschied m; of hair: Scheitel m; **~ of the ways** esp. fig. Scheideweg m; **2.** adj Abschieds...

par·ti·san [pɑ:ti'zæn] s Parteigänger(in); mil. Partisan m; attr Partei...

par·ti·tion [pɑ:'tiʃn] **1.** s Teilung f; Trennwand f; Verschlag m; Fach n; **2.** v/t: **~ off** abteilen, abtrennen.

part·ly ['pɑ:tli] adv teilweise, zum Teil.

part·ner ['pɑ:tnə] **1.** s Partner(in); **2.** v/t zusammenbringen; sich zusammentun mit (*j-m*); **~·ship** *s* Teilhaber-, Partnerschaft *f*; *econ.* Handelsgesellschaft *f*.

part-own·er ['pɑːtəʊnə] *s* Miteigentümer(in).

par·tridge *zo.* ['pɑːtrɪdʒ] *s* Rebhuhn *n*.

part|·time [pɑːt'taɪm] **1.** *adj* Teilzeit..., Halbtags...; **2.** *adv* halbtags; **~·tim·er** *s* Teilzeitbeschäftigte(r *m*) *f*.

par·ty ['pɑːtɪ] *s* Party *f*, Fest *n*; *pol.* Partei *f*; *group:* (Arbeits-, Reise- *etc.*)Gruppe *f*; *rescue team, etc.:* Mannschaft *f*; Beteiligte(r *m*) *f*, F *person:* Type *f*, Individuum *n*; **~ line** *s* *pol.* Parteilinie *f*; **~ pol·i·tics** *s sg* Parteipolitik *f*.

pass [pɑːs] **1.** *s* (Dienst)Ausweis *m*; Passier-, Erlaubnisschein *m*; *of exam:* Bestehen *n*; *Br. univ. appr.:* ausreichend, bestanden; kritische Lage; *sports:* Paß *m*, (Ball)Abgabe *f*, Vorlage *f*, Zuspiel *n*; (Gebirgs)Paß *m*; Durch-, Zugang *m*; *card games:* Passen *n*; Handbewegung *f*, (Zauber)Trick *m*; Annäherungsversuch *m*; *free* **~** Freikarte *f*; **2.** *v/i* (vorbei)gehen, (-)fahren, (-)kommen, (-)ziehen *etc.*; *move from s.o. to s.o.:* übergehen, übertragen werden (**to** auf *acc*); *change:* übergehen; herumgereicht werden, von Hand zu Hand gehen; *sports:* (den Ball) abspielen *or* abgeben *or* passen (**to** zu); vergehen, vorübergehen (*time, pain, etc.*); angenommen werden, gelten; durchkommen; *univ.*, *school:* (die Prüfung) bestehen; *parl.* Rechtskraft erlangen; *card games:* passen; **~ away** sterben, *formal:* die Augen schließen; **~ by** vorüber- *or* vorbeigehen, passieren; **~ for** *or* **as** gelten für *or* als, gehalten werden für, **~ off** ablaufen, vonstatten gehen; **~ out** F ohnmächtig werden; *v/t* vorbei-, vorübergehen, -fahren, -fließen, -kommen, -ziehen *etc.* an (*dat*); *et.* passieren; vorbeifahren an (*dat*), überholen (*a. mot.*); durch-, überschreiten (durch-)kommen, passieren; vorbeilassen; reichen, geben; streichen (*with hand over s.th.*); (*sports*) *ball:* abspielen, abgeben, passen (**to** zu); *exam:* bestehen; *candidate:* bestehen *or* durchkommen lassen; *et.* durchgehen lassen; *time:* ver-, zubringen; *money:* in Umlauf bringen; *judgement:* abgeben; *opinion:* äußern; *remark:* machen;

fig. (hinaus)gehen über (*acc*), übersteigen.

pass·a·ble ['pɑːsəbl] *adj* □ *river, road:* passierbar; *fig.* gangbar; *knowledge:* passabel, leidlich.

pas·sage ['pæsɪdʒ] *s* Durchgang *m*; Durchfahrt *f*; Durchreise *f*; Korridor *m*, Gang *m*; Reise *f*, (Über)Fahrt *f*, Flug *m*; *parl.* Annahme *f* (*of law*); *mus.* Passage *f*; (Text)Stelle *f*; **bird of ~** Zugvogel *m*.

pass·book *econ.* ['pɑːsbʊk] *s* Bankbuch *n*; Sparbuch *n*.

pas·sen·ger ['pæsɪndʒə] *s* Passagier *m*, Fahr-, Fluggast *m*, Reisende(r *m*) *f*, (*of car, etc.*) Insasse *m*.

pass·er·by [pɑːsə'baɪ] *s* Vorbei-, Vorübergehende(r *m*) *f*, Passant(in).

pas·sion ['pæʃn] *s* Leidenschaft *f*; (Gefühls)Ausbruch *m*; Wut *f*, Zorn *m*; 2 *eccl.* Passion *f*; 2 *Week eccl.* Karwoche *f*; **~·ate** [~ət] *adj* □ leidenschaftlich.

pas·sive ['pæsɪv] *adj* □ passiv (*a. gr.*); teilnahmslos; untätig.

pass·port ['pɑːspɔːt] *s* (Reise)Paß *m*.

pass·word ['pɑːswɜːd] *s* Kennwort *n*.

past [pɑːst] **1.** *adj* vergangen, *pred* vorüber; *gr.* Vergangenheits...; frühere(r, -s); *for some time* **~** seit einiger Zeit; **~ tense** *gr.* Vergangenheit *f*, Präteritum *n*; **2.** *adv* vorbei; **3.** *prp* *time:* nach, über (*acc*); über ... (*acc*) hinaus; an ... (*dat*) vorbei; *half* **~** *two* halb drei; **~ endurance** unerträglich; **~ hope** hoffnungslos; **4.** *s* Vergangenheit *f* (*a. gr.*).

paste [peɪst] **1.** *s* Teig *m*; Kleister *m*; Paste *f*; **2.** *v/t* (be)kleben; **~·board** ['~bɔːd] *s* Pappe *f*; *attr* Papp-.

pas·tel [pæ'stel] *s* Pastell(zeichnung *f*) *n*.

pas·teur·ize ['pæstəraɪz] *v/t* pasteurisieren, keimfrei machen.

pas·time ['pɑːstaɪm] *s* Zeitvertreib *m*, Freizeitbeschäftigung *f*.

pas·tor ['pɑːstə] *s* Pastor *m*, Seelsorger *m*; **~·al** *adj* □ Hirten...; idyllisch; *eccl.* pastoral.

pas·try ['peɪstrɪ] *s* Kuchen *m*, Torte *f*; Konditorwaren *pl*, Feingebäck *n*; **~·cook** *s* Konditor *m*.

pas·ture ['pɑːstʃə] **1.** *s* Weide(land *n*) *f*; Grasfutter *n*; **2.** *v/t and v/i* grasen, (ab)weiden (lassen).

pat [pæt] **1.** *s* Klaps *m*; Portion *f* (*butter*);

2. *v/t* (-*tt*-) tätscheln; klopfen; **3.** *adj* gerade recht; parat, bereit.

patch [pætʃ] **1.** *s* Fleck *m*; Flicken *m*; Stück *n* Land; *med.* Pflaster *n*; **in ~es** stellenweise; **2.** *v/t* flicken; **~·work** *s* Patchwork *n*; *contp.* Flickwerk *n*.

pa·tent ['pertənt, *Am.* 'pætənt] **1.** *adj* offen(kundig); patentiert; Patent...; ~ **agent**, *Am.* ~ **attorney** Patentanwalt *m*; ~ **letters** ['pætənt] *pl* Patenturkunde *f*; ~ **leather** Lackleder *n*; **2.** *s* Patent *n*; Privileg *n*, Freibrief *m*; Patenturkunde *f*; **3.** *v/t* patentieren (lassen); **~·ee** [pertən'ti:] *s* Patentinhaber(in); **~ of·fice** *s* Patentamt *n*; **~ pro·tec·tion** *s* Patentschutz *m*.

pa·ter|nal [pə'tɜ:nl] *adj* □ väterlich(erseits); **~·ni·ty** [~əti] *s* Vaterschaft *f*.

path [pɑ:θ] *s* (*pl* **paths** [pɑ:ðz]) Pfad *m*; Weg *m*.

pa·thet·ic [pə'θetɪk] *adj* (**~ally**) bemitleidenswert, mitleiderregend; *attempt:* kläglich, erbärmlich; **it's ~** F es ist zum Heulen; **pa·thos** ['peɪθɒs] *s* Mitleid *n*; das Mitleiderregende.

pa·tience ['peɪʃns] *s* Geduld *f*; Ausdauer *f*; *Br.* Patience *f* (*card game*); **pa·tient** [~t] **1.** *adj* □ geduldig; **2.** *s* Patient(in).

pat·i·o ['pætɪəʊ] *s* (*pl* -**os**) Terrasse *f*; Innenhof *m*, Patio *m*.

pa·tri·ot ['pætrɪət] *s* Patriot(in); **~·ic** [pætrɪ'ɒtɪk] *adj* (**~ally**) patriotisch.

pa·trol [pə'trəʊl] **1.** *s mil.* Patrouille *f*; (Polizei)Streife *f*; **on ~** auf Patrouille, auf Streife; **2.** *v/t* und *v/i* (-*ll*-) patrouillieren, auf Streife sein (in *dat*), s-e Runde machen (in *dat*); **~ car** *s* (Funk-) Streifenwagen *m*; **~·man** *s Am.* (Streifen)Polizist *m*; *Br.* (motorisierter) Pannenhelfer (*of automobile association*).

pa·tron ['peɪtrən] *s* Schirmherr *m*; Gönner *m*; (Stamm)Kunde *m*, Stammgast *m*; **pat·ron·age** ['pætrənɪdʒ] *s* Schirmherrschaft *f*; Gönnerschaft *f*; Kundschaft *f*; Schutz *m*; **pat·ron·ize** ['pætrənaɪz] *v/t* fördern, unterstützen; (Stamm)Kunde *or* Stammgast sein bei; gönnerhaft *or* herablassend behandeln; **~ saint** *s* Schutzheilige(r *m*) *f*.

pat·ter ['pætə] *v/i* plappern; prasseln (*rain*); trappeln (*feet*).

pat·tern ['pætən] **1.** *s* Muster *n* (*a. fig.*); Modell *n*; **2.** *v/t* (nach)bilden, formen (*after, on* nach).

paunch ['pɔ:nʃ] *s* (dicker) Bauch.

pau·per ['pɔ:pə] *s* Arme(r *m*) *f*.

pause [pɔ:z] **1.** *s* Pause *f*, Unterbrechung *f*; **2.** *v/i* e-e Pause machen.

pave [peɪv] *v/t* pflastern; **~ the way for** *fig.* den Weg ebnen für; **~·ment** *s Br.* Gehsteig *m*; Pflaster *n*; *Am.* Fahrbahn *f*; **~ artist** Pflastermaler(in).

paw [pɔ:] **1.** *s* Pfote *f*, Tatze *f*; F **keep your ~s off** Pfoten weg!; **2.** *v/t* F betatschen; F derb *or* ungeschickt anfassen; F befummeln; *a. v/i:* ~ (**the ground**) (mit den Hufen *etc.*) scharren.

paw·ky *esp. Br.* ['pɔ:kɪ] *adj* □ *humour:* trocken.

pawn [pɔ:n] **1.** *s chess:* Bauer *m*; Pfand *n*; **in** *or* **at ~** verpfändet; **2.** *v/t* verpfänden; **~·bro·ker** *s* Pfandleiher *m*; **~·shop** *s* Leihhaus *n*.

pay [peɪ] **1.** *s* (Be)Zahlung *f*; Sold *m*; Lohn *m*; **2.** (**paid**) *v/t* (be)zahlen; (be)lohnen; sich lohnen für; *attention:* schenken; *visit:* abstatten; *honour:* erweisen; *compliment:* machen; ~ **attention** *or* **heed to** achtgeben auf (*acc*); ~ **down**, ~ **cash** bar bezahlen; ~ **in** einzahlen; ~ **into** account: einzahlen auf (*acc*); ~ **off** *et.* ab(be)zahlen; *j-n* bezahlen und entlassen; *j-n* voll auszahlen; *v/i* zahlen; sich lohnen; ~ **for** (*fig.* für) *et.* bezahlen; **~·a·ble** *adj* zahlbar, fällig; **~·as-you-earn** (**tax**) **sys·tem** *s appr.* direkter Lohnsteuerabzug; **~·bed** *s in hospital:* Privatbett *n*; **~·day** *s* Zahltag *m*; **~·ee** [~'i:] *s* Zahlungsempfänger(in); **~ en·ve·lope** *s Am.* Lohntüte *f*; **~·freeze** *s* Lohnstopp *m*; **~ in·crease** *s econ.* Lohn-, Gehaltserhöhung *f*; **~·ing** *adj* lohnend; **~·mas·ter** *s* Zahlmeister *m*; **~·ment** *s* (Be-, Ein-, Aus)Zahlung *f*; Lohn *m*, Sold *m*; **~ pack·et** *s Br.* Lohntüte *f*; **~ phone** *s Br.* Münzfernsprecher *m*; **~·roll** *s* Lohnliste *f*; **~ slip** *s* Lohn-, Gehaltsstreifen *m*; **~ sta·tion** *Am.*, **~ tel·e·phone** *s Am.* Münzfernsprecher *m*; **~·TV** *s* Abonnementsfernsehen *n*.

pea *bot.* [pi:] *s* Erbse *f*.

peace [pi:s] *s* Frieden *m*; Ruhe *f*; **at ~** in Frieden; **~·a·ble** *adj* □ friedliebend, friedlich; **~·ful** *adj* □ friedlich; **~·keep·ing** *adj* zur Friedenssicherung; **~ force** Friedenstruppe *f*; **~·ma·ker** *s* Friedensstifter *m*.

peach *bot.* [pi:tʃ] *s* Pfirsich(baum) *m*.

pea|cock zo. ['pi:kɒk] s Pfau(hahn) m; **~hen** s zo. Pfauhenne f.

peak [pi:k] s Spitze f, Gipfel m; attr Spitzen..., Höchst..., Haupt...; ~ **hours** pl Hauptverkehrs-, Stoßzeit f; **~ed** adj spitz.

peal [pi:l] **1.** s (Glocken)Läuten n; Glockenspiel n; Dröhnen n; ~s pl **of laughter** schallendes Gelächter; **2.** v/i and v/t erschallen (lassen); dröhnen.

pea·nut bot. ['pi:nʌt] s Erdnuß f.

pear bot. [peə] s Birne f; Birnbaum m.

pearl [pɜ:l] **1.** s Perle f (a. fig.); attr Perl(en)...; **2.** v/i tropfen, perlen; **~y** adj (-ier, -iest) perlenartig, Perl(en)...

peas·ant ['peznt] **1.** s Kleinbauer m; **2.** adj kleinbäuerlich, Kleinbauern...; **~ry** [~ri] s Kleinbauernstand m; die Kleinbauern pl.

peat [pi:t] s Torf m.

peb·ble ['pebl] s Kiesel(stein) m.

peck [pek] **1.** v/t picken (bird); j-m e-n flüchtigen Kuß geben; **2.** s F flüchtiger Kuß, Küßchen n.

pe·cu·li·ar [pɪ'kju:lɪə] adj □ eigen(tümlich); besondere(r, -s); seltsam; **~·i·ty** [~'ærəti] s Eigenheit f.

ped·a|gog·ics [pedə'gɒdʒɪks] s mst sg Pädagogik f; **~gogue**, Am. a. **~gog** ['pedəgɒg] s Pädagoge m; F Pedant m, Schulmeister m.

ped·al ['pedl] **1.** s Pedal n; attr Fuß...; **2.** v/i (esp. Br. -ll-, Am. -l-) das Pedal treten; radfahren; F strampeln.

pe·dan·tic [pɪ'dæntɪk] adj (~ally) pedantisch.

ped·dle ['pedl] v/t and v/i hausieren gehen (mit); ~ **drugs** mit Drogen handeln; **~r** s Drogenhändler m; Am. → **pedlar.**

pe·des·tri·an [pɪ'destrɪən] **1.** adj zu Fuß; fig. prosaisch, trocken; **2.** s Fußgänger(in); ~ **cross·ing** s Fußgängerübergang m; ~ **pre·cinct** s Fußgängerzone f.

ped·i·gree ['pedigri:] s Stammbaum m.

ped·lar ['pedlə] s Hausierer m.

pee [pi:] F **1.** s: **have** (**go for**) **a** ~ pinkeln (gehen); **2.** v/i pinkeln.

peek [pi:k] **1.** v/i spähen, gucken, lugen; **2.** s flüchtiger or heimlicher Blick.

peel [pi:l] **1.** s Schale f, Rinde f, Haut f; **2.** v/t schälen; a. ~ **off** abschälen, label, etc.: abziehen; clothes: abstreifen; v/i a. ~ **off** sich (ab)schälen, abblättern.

peep [pi:p] **1.** s neugieriger or verstohlener Blick; Piep(s)en n; **2.** v/i gucken, neugierig or verstohlen blicken; a. ~ **out** hervorschauen; fig. sich zeigen; piep(s)en; **~hole** s Guckloch n; **~ing Tom** s Spanner m, Voyeur m.

peer [pɪə] **1.** v/i spähen, lugen; ~ **at** (sich) genau ansehen, anstarren; **2.** s Gleiche(r m) f; Br. Peer m; **~·less** adj □ unvergleichlich.

peev·ish ['pi:vɪʃ] adj □ verdrießlich, gereizt.

peg [peg] **1.** s (Holz)Stift m, Zapfen m, Dübel m, Pflock m; for clothes: Haken m; Br. a. clothes ~: (Wäsche)Klammer f; for tent: (Zelt)Hering m; mus. Wirbel m; fig. Aufhänger m; **take s.o. down a** ~ (**or two**) F j-m e-n Dämpfer aufsetzen; **2.** (-gg-) v/t festpflocken; mst ~ **out** boundary, etc.: abstecken; v/i: ~ **away**, ~ **along** F dranbleiben (**at** an dat).

pel·i·can zo. ['pelɪkən] s Pelikan m.

pel·let ['pelɪt] s Kügelchen n; Pille f; Schrotkorn n.

pelt [pelt] **1.** s Fell n, (rohe) Haut, (Tier)Pelz m; **2.** v/t bewerfen; v/i a. ~ **down** (nieder)prasseln (rain, etc.).

pel·vis ['pelvɪs] s (pl -vises, -ves [-vi:z]) Becken n.

pen¹ [pen] **1.** s Füller m; Kugelschreiber m; dated: (Schreib)Feder f; Federhalter m; **2.** v/t (-nn-) schreiben.

pen² [~] **1.** s Pferch m, (Schaf)Hürde f; **2.** v/t (-nn-): ~ **in**, ~ **up** einpferchen, -sperren.

pe·nal ['pi:nl] adj □ Straf...; strafbar; ~ **code** Strafgesetzbuch n; ~ **servitude** Zwangsarbeit f; **~·ize** [~ɑɪz] v/t bestrafen; **pen·al·ty** ['penltɪ] s Strafe f; sports: a. Strafpunkt m; soccer: Elfmeter m; ~ **area** soccer: Strafraum m; ~ **box** soccer: Strafraum m; ice hockey: Strafbank f; ~ **goal** soccer: Elfmetertor n; ~ **kick** soccer: Strafstoß m.

pen·ance ['penəns] s Buße f.

pence [pens] pl of **penny.**

pen·cil ['pensl] **1.** s (Blei-, Farb-, Zeichen)Stift m; **2.** v/t (esp. Br. -ll-, Am. -l-) zeichnen; (mit Bleistift) aufschreiben or anzeichnen or anstreichen; eyebrows: nachziehen; **~sharp·en·er** s Bleistiftspitzer m.

pend·ing ['pendɪŋ] **1.** adj jur. schwebend; **2.** prp während; bis zu.

pen·du·lum ['pendjʊləm] s Pendel n.

pen·e|tra·ble ['penɪtrəbl] adj □ durchdringbar; **~trate** [~eɪt] v/t and v/i durchdringen; **~** (*into*) eindringen in (*acc*) (a. *fig.*); **~trat·ing** adj □ durchdringend, scharf (*mind*); scharfsinnig; **~tra·tion** [~'treɪʃn] s Durch-, Eindringen n; Scharfsinn m; **~tra·tive** ['penɪtrətɪv] adj → **penetrating**.

pen-friend [prenfrend] s Brieffreund(in).

pen·guin zo. ['pengwɪn] s Pinguin m.

pen·hold·er ['penhəʊldə] s dated Federhalter m.

pe·nin·su·la [pə'nɪnsjʊlə] s Halbinsel f.

pe·nis anat. ['pi:nɪs] s Penis m.

pen·i|tence ['penɪtəns] s Buße f, Reue f; **~tent** [~t] **1.** adj □ reuig, bußfertig; **2.** s Büßer(in); **~ten·tia·ry** [penɪ'tenʃərɪ] s Am. (Staats)Gefängnis n.

pen|knife ['pennaɪf] s Taschenmesser n; **~name** s Schriftstellername m, Pseudonym n.

pen·ni·less ['penɪlɪs] adj ohne e-n Pfennig (Geld), mittellos.

pen·ny ['penɪ] s (pl **-nies**, coll. **pence** [pens]): a. **new** ~ Br. Penny m; Am. Cent(stück n) m; fig. Pfennig m.

pen·sion¹ ['penʃn] **1.** s Rente f, Pension f, Ruhegeld n; **2.** v/t often ~ **off** pensionieren; **~er** [~ə] s, Rentner(in), Pensionär(in).

pen·sion² ['pɒnsɪɒn] s boardinghouse: Pension f.

pen·sive ['pensɪv] adj □ nachdenklich.

pen·tath|lete [pen'tæθli:t] s sports: Fünfkämpfer(in); **~lon** [~ɒn] s sports: Fünfkampf m.

Pen·te·cost ['pentɪkɒst] s Pfingsten n.

pent·house ['penthaʊs] s Penthouse n, -haus n; Dachterrassenwohnung f; Vor-, Schutzdach n.

pent-up [pent'ʌp] adj emotions: an-, aufgestaut.

peo·ple ['pi:pl] **1.** s Volk n, Nation f; Leute pl; Angehörige pl; coll. die Leute pl; man; **2.** v/t besiedeln, bevölkern.

pep F [pep] **1.** s Elan m, Schwung m, Pep m; **~ pill** Aufputschpille f; **2.** v/t (-pp-) mst ~ **up** j-n or et. in Schwung bringen.

pep·per ['pepə] **1.** s Pfeffer m; **2.** v/t pfeffern; **~mint** s bot. Pfefferminze f; Pfefferminzbonbon m, n; **~y** adj pfefferig; fig. hitzig.

per [pɜ:] prp per, durch; pro, für, je.

per·am·bu·la·tor esp. Br. ['præmbjʊleɪtə] s → **pram**.

per·ceive [pə'si:v] v/t (be)merken, wahrnehmen, empfinden, erkennen.

per cent, Am. **per·cent** [pə'sent] s Prozent n.

per·cen·tage [pə'sentɪdʒ] s Prozentsatz m; Prozente pl; (An)Teil m.

per·cep|ti·ble [pə'septəbl] adj □ wahrnehmbar, merklich; **~tion** [~pʃn] s Wahrnehmung(svermögen n) f; Erkenntnis f; Auffassung(sgabe) f.

perch [pɜ:tʃ] **1.** s zo. Barsch m; (Sitz)Stange f (for birds); **2.** v/i sich setzen or niederlassen, sitzen (birds).

per·co|late ['pɜ:kəleɪt] v/t coffee, etc.: filtern, durchsickern lassen; v/i durchsickern (a. fig.); gefiltert werden; **~la·tor** s Kaffeemaschine f, -automat m.

per·cus·sion [pə'kʌʃn] s Schlag m, Erschütterung f; med. Abklopfen n; mus. coll. Schlagzeug n; ~ **instrument** mus. Schlaginstrument n.

per·e·gri·na·tion [perɪgrɪ'neɪʃn] s Wanderschaft f; Wanderung f.

pe·ren·ni·al [pə'renɪəl] adj immer wiederkehrend, beständig; immerwährend; bot. perennierend.

per|fect 1. adj □ ['pɜ:fɪkt] vollkommen; vollendet; virtuos; gänzlich, völlig; **2.** s [~] a. ~ **tense** gr. Perfekt n; **3.** v/t [pə'fekt] vervollkommnen; vollenden; **~fec·tion** [pə'fekʃn] s Vollendung f; Vollkommenheit f; fig. Gipfel m.

per|fid·i·ous [pə'fɪdɪəs] adj □ treulos (**to** gegen), verräterisch; **~fi·dy** ['pɜ:fɪdɪ] s Treulosigkeit f, Verrat m.

per·fo·rate ['pɜ:fəreɪt] v/t durchlöchern.

per·form [pə'fɔ:m] v/t verrichten, ausführen, tun; duty, etc.: erfüllen; thea., mus. aufführen, spielen, vortragen (a. v/i); **~ance** s Verrichtung f, Ausführung f; Leistung f; thea., mus. Aufführung f, Vorstellung f, Vortrag m; **~er** s Künstler(in).

per·fume 1. s ['pɜ:fju:m] Duft m, Wohlgeruch m; Parfüm n; **2.** v/t [pə'fju:m] mit Duft erfüllen, parfümieren.

per·haps [pə'hæps, præps] adv vielleicht.

per·il ['perəl] **1.** s Gefahr f; **2.** v/t gefährden; **~ous** [~əs] adj □ gefährlich.

pe·rim·e·ter [pə'rɪmɪtə] s math. Umkreis m; Umgrenzungslinie f, Grenze f.

pe·ri·od ['pɪərɪəd] *s* Periode *f*; Zeitraum *m*; *gr. esp. Am.* Punkt *m*; *gr.* Gliedsatz *m*, Satzgefüge *n*; (Unterrichts)Stunde *f*; *physiol.* Periode *f*, Regel *f*, Tage *pl*; **~ic** [pɪərɪ'ɒdɪk] *adj* periodisch; **~i·cal** [ʌkl] **1.** *adj* □ periodisch; **2.** *s* Zeitschrift *f*.

pe·riph·e·ral [pə'rɪfərəl] *adj* peripher; *fig.* nebensächlich; **~ region** *geogr.*, *econ.* Randgebiet *n*; **2.** *s computer*: Peripheriegerät *n*; **~e·ry** *s* Peripherie *f*, Rand *m*.

per·ish ['perɪʃ] *v/i* umkommen, zugrunde gehen; **~a·ble** *adj* □ leichtverderblich; **~ing** *adj* □ *esp. Br.* F sehr kalt; F verdammt, verflixt.

per·jure ['pɜːdʒə] *v/t*: **~ o.s.** e-n Meineid leisten; **~ju·ry** [ʌrɪ] *s* Meineid *m*; *commit* **~** e-n Meineid leisten.

perk [pɜːk] *v/i*: **~ up** sich wieder erholen, munter werden (*person*); *v/t*: **~ up** *head*: heben, *ears*: spitzen; schmücken, verschönern; *j-n* aufmöbeln, munter machen.

perk·y ['pɜːkɪ] *adj* □ (**-ier, -iest**) munter; keck, dreist, flott.

perm F [pɜːm] **1.** *s* Dauerwelle *f*; **2.** *v/t* *j-m* e-e Dauerwelle machen.

per·ma|nence ['pɜːmənəns] *s* Dauer *f*; **~nent** *adj* □ dauernd, ständig; dauerhaft; Dauer...; **~ wave** Dauerwelle *f*.

per·me·a·ble ['pɜːmɪəbl] *adj* □ durchlässig; **~ate** [ʌeɪt] *v/t* durchdringen; *v/i* dringen (**into** in *acc*, **through** durch).

per·mis·si·ble [pə'mɪsəbl] *adj* □ zulässig; **~sion** [ʌʃn] *s* Erlaubnis *f*; *ask* **~** um Erlaubnis bitten; **with your ~** wenn Sie gestatten; **~sive** [ʌsɪv] *adj* □ zulässig, erlaubt; tolerant; (sexuell) freizügig; **~ society** tabufreie Gesellschaft.

per·mit 1. [pə'mɪt] *v/t* erlauben, gestatten; *v/i*: **weather ~ting** wenn das Wetter es zuläßt; **2.** *s* ['pɜːmɪt] Erlaubnis *f*, Genehmigung *f*; Passierschein *m*.

per·ni·cious [pə'nɪʃəs] *adj* □ verderblich, schädlich; *med.* bösartig.

per·pen·dic·u·lar [pɜːpən'dɪkjʊlə] *adj* □ senkrecht; aufrecht; steil.

per·pe·trate ['pɜːpɪtreɪt] *v/t* verüben.

per·pet·u·al [pə'petʃʊəl] *adj* □ fortwährend, ständig, ewig; **~ate** [ʌeɪt] *v/t* bewahren; verewigen.

per·plex [pə'pleks] *v/t* verwirren; **~·i·ty** [ʌətɪ] *s* Verwirrung *f*.

per·se|cute ['pɜːsɪkjuːt] *s* verfolgen; **~cu·tion** [pɜːsɪ'kjuːʃn] *s* Verfolgung *f*; **~cu·tor** [pɜːsɪkjuːtə] *s* Verfolger(in).

per·se·ver|ance [pɜːsɪ'vɪərəns] *s* Beharrlichkeit *f*, Ausdauer *f*; **~e** [pɜːsɪ'vɪə] *v/i* beharrlich weitermachen (**at, in, with** mit).

per|sist [pə'sɪst] *v/i* beharren, bestehen (**in** auf *dat*); fortdauern, anhalten; **~sis·tence**, **~sis·ten·cy** [ʌəns, ʌsɪ] *s* Beharrlichkeit *f*; Hartnäckigkeit *f*, Ausdauer *f*; **~sis·tent** *adj* □ beharrlich, ausdauernd; anhaltend.

per|son ['pɜːsn] *s* Person *f* (*a. gr., jur.*); **~age** *s* (hohe *or* bedeutende) Persönlichkeit *f*; **~al** *adj* □ persönlich (*a. gr.*); *attr* Personal...; Privat...; **~ call** *teleph.* Privatgespräch *n*; **~ computer** Personalcomputer *m*, PC *m*; **~ data** *pl* Personalien *pl*; **~al·i·ty** [pɜːsə'nælətɪ] *s* Persönlichkeit *f*; *personalities pl* anzügliche *or* persönliche Bemerkungen *pl*; **~i·fy** [pɜː'sɒnɪfaɪ] *v/t* verkörpern; **~nel** [pɜːsə'nel] *s* Personal *n*, Belegschaft *f*; *mil.* Mannschaften *pl*; *mar., aer.* Besatzung *f*; **~ department** Personalabteilung *f*; **~ manager** Personalchef *m*.

per·spec·tive [pə'spektɪv] *s* Perspektive *f*; Ausblick *m*, Fernsicht *f*.

per·spic·u·ous [pə'spɪkjʊəs] *adj* klar.

per·spi·ra·tion [pɜːspə'reɪʃn] *s* Schwitzen *n*; Schweiß *m*; Transpiration *f*; **~spire** [pə'spaɪə] *v/i* schwitzen, transpirieren.

per|suade [pə'sweɪd] *v/t* überreden; überzeugen; **~sua·sion** [ʌʒn] *s* Überredung *f*; Überzeugung *f*, (feste) Meinung; Glaube *m*; **~sua·sive** [ʌsɪv] *adj* □ überredend; überzeugend.

pert [pɜːt] *adj* □ keck (*a. hat*), vorlaut, frech, naseweis.

per·ti·nent ['pɜːtɪnənt] *adj* □ sachdienlich, relevant, zur Sache gehörig.

per·turb [pə'tɜːb] *v/t* beunruhigen.

pe·rus|al [pə'ruːzl] *s* sorgfältige Durchsicht; **~e** [ʌz] *v/t* (sorgfältig) durchlesen; prüfen.

per·vade [pə'veɪd] *v/t* durchdringen (*smell, idea, etc.*).

per|verse [pə'vɜːs] *adj* □ *psych.* pervers; eigensinnig, verstockt; **~ver·sion** [ʌʃn] *s* Verdrehung *f*; Abkehr *f*; *psych.* Perversion *f*; **~ver·si·ty** [ʌətɪ] *s psych.* Perversität *f*; Eigensinn *m*, Verstocktheit *f*.

per·vert 1. *v/t* [pə'vɜːt] verdrehen; verführen; **2.** s psych. ['pɜːvɜːt] perverser Mensch, Perverse(r m) f.

pes·si·mis·m ['pesɪmɪzəm] s Pessimismus m; **~·mist** [~mɪst] s Pessimist(in); **~·mist·ic** [~'mɪstɪk] adj (**~ally**) pessimistisch.

pest [pest] s lästiger Mensch, Nervensäge f; lästige Sache, Plage f; zo. Schädling m; **pes·ter** v/t belästigen, plagen.

pet [pet] **1.** s Heimtier n; Liebling m; **2.** adj Lieblings...; Tier...; **~ dog** Schoßhund m; **~ name** Kosename m; **~ shop** Tierhandlung f, Zoogeschäft n; **3.** (-tt-) v/t (ver)hätscheln; streicheln, liebkosen; v/i F Petting machen.

pet·al bot. ['petl] s Blütenblatt n.

pe·ti·tion [pɪ'tɪʃn] **1.** s Bittschrift f, Eingabe f, Gesuch n, Petition f; Unterschriftenliste f; **2.** v/t bitten, ersuchen; v/i ein Gesuch einreichen (**for** um), e-n Antrag stellen (**for** auf acc).

pet·ri·fy ['petrɪfaɪ] v/t versteinern.

pet·rol ['petrəl] s Br. Benzin n; **~ pump** Zapfsäule f; **~ station** Tankstelle f.

pe·tro·le·um chem. [pɪ'trəʊlɪəm] s Petroleum n, Erd-, Mineralöl n; **~ refinery** Erdölraffinerie f.

pet·ti·coat ['petɪkəʊt] s Unterrock m.

pet·ting F ['petɪŋ] s Petting n.

pet·tish ['petɪʃ] adj □ launisch, reizbar.

pet·ty ['petɪ] adj □ (**-ier, -iest**) klein, geringfügig, Bagatell...; **~ cash** Portokasse f; **~ larceny** jur. einfacher Diebstahl.

pet·u·lant ['petjʊlənt] adj □ gereizt.

pew [pjuː] s Kirchenbank f.

pew·ter ['pjuːtə] s Zinn n; Zinngeschirr n; Zinnkrug m.

phan·tom ['fæntəm] s Phantom n, Trugbild n; Gespenst n.

phar·ma·cy ['fɑːməsɪ] s Pharmazie f; Apotheke f.

phase [feɪz] **1.** s Phase f; **2.** v/t schritt- or stufenweise planen or durchführen; **~ in** scheme, etc.: schrittweise einführen; **~ out** scheme, etc.: auslaufen lassen.

pheas·ant zo. ['feznt] s Fasan m.

phe·nom·e·non [fɪ'nɒmɪnən] s (pl **-na** [-ə]) Phänomen n, Erscheinung f.

phi·al ['faɪəl] s Phiole f, Fläschchen n.

phi·lan·thro·pist [fɪ'lænθrəpɪst] s Philanthrop m, Menschenfreund m.

phi·lol·o·gist [fɪ'lɒlədʒɪst] s Philolog|e m, -in f; **~·gy** [~ɪ] s Philologie f.

phi·los·o·pher [fɪ'lɒsəfə] s Philosoph m; **~·phize** [~aɪz] v/i philosophieren; **~·phy** [~ɪ] s Philosophie f.

phlegm [flem] s Schleim m; Phlegma n.

phone F [fəʊn] **1.** s Telefon n; **pick up** (**put down**) **the ~** den Hörer abnehmen (auflegen); **~ book**, **~ directory** Telefonbuch n; **~ booth**, **~ box** Telefonzelle f; **~ card** Telefonkarte f; a. Kartentelefon n; **→ a. telephone**; **2.** v/i telefonieren; v/t j-n anrufen.

pho·net·ics [fə'netɪks] s sg Phonetik f, Lautlehre f; phonetische Umschrift or Angaben pl.

pho·n(e)y sl. ['fəʊnɪ] **1.** s Fälschung f; Schwindler(in); **2.** adj (**-ier, -iest**) falsch, unecht.

phos·pho·rus chem. ['fɒsfərəs] s Phosphor m.

pho·to F ['fəʊtəʊ] s (pl **-tos**) Foto n, Bild n.

pho·to- [~] Licht..., Photo..., Foto...; **~·cop·i·er** s Fotokopiergerät n; **~·cop·y 1.** s Fotokopie f; **2.** v/t fotokopieren; **~·gen·ic** [~'dʒenɪk] adj fotogen.

pho·to·graph ['fəʊtəgraːf] **1.** s Fotografie f (picture); **2.** v/t fotografieren; **~·tog·ra·pher** [fə'tɒgrəfə] s Fotograf(in); **~·tog·ra·phy** [~ɪ] s Fotografie f (art, business).

phras·al ['freɪzl] adj: **~ verb** Verb n mit Adverb u./od. Präposition; **phrase** [freɪz] **1.** s (Rede)Wendung f, Redensart f, (idiomatischer) Ausdruck; **~ book** Sprachführer m; **2.** v/t ausdrücken.

phys·i·cal ['fɪzɪkl] adj □ physisch; körperlich; physikalisch; **~ education**, **~ training** Leibeserziehung f; **~ handicap** Körperbehinderung f; **~·ly handicapped** körperbehindert; **phy·si·cian** [fɪ'zɪʃn] s Arzt m; **~·i·cist** ['fɪzɪsɪst] s Physiker m; **~·ics** [~ɪks] s sg Physik f.

phy·sique [fɪ'ziːk] s Körper(bau) m, Statur f.

pi·an·o ['pjænəʊ] s (pl **-os**) Klavier n.

pi·az·za [pɪ'ætsə] s Piazza f, (Markt-) Platz m; Am. (große) Veranda.

pick¹ [pɪk] **→ pickaxe**.

pick² [pɪk] **1.** s (Aus)Wahl f; **take your ~** suchen Sie sich etwas aus; **2.** v/t (auf)hacken; (auf)picken (bird); entfernen; pflücken; bone: abnagen; bohren or stochern in (dat); lock: mit e-m Dietrich öffnen, F knacken; quarrel: vom

Zaun brechen; (sorgfältig) (aus)wählen; *Am. mus. strings:* zupfen, *banjo:* spielen; ~ **one's nose** in der Nase bohren; ~ **one's teeth** in den Zähnen (herum)stochern; ~ **s.o.'s pocket** j-n bestehlen; **have a bone to ~ with** s.o. mit j-m ein Hühnchen zu rupfen haben; ~ **out** *et.* auswählen; heraussuchen; ~ **up** aufhacken; aufheben, -lesen, -nehmen; aufpicken *(bird); trail:* aufnehmen; *criminal:* aufgreifen; F *et.* aufschnappen; *foreign language:* sich aneignen; *in a car:* mitnehmen *or* abholen; F *j-n* zufällig kennenlernen, auflesen; *a.* ~ **up speed** *mot.* schneller werden; **~a-back** *adv* huckepack.

pick|axe, *Am.* **~ax** ['pıkæks] *s* Spitzhacke *f.*

pick·et ['pıkıt] **1.** *s* Pfahl *m;* Streikposten *m;* ~ **line** Streikpostenkette *f;* **2.** *v/t* mit Streikposten besetzen, Streikposten aufstellen vor *(dat); v/i* Streikposten stehen.

pick·ings ['pıkıŋz] *s pl* Überbleibsel *pl,* Reste *pl;* Ausbeute *f;* Profit *m,* (unehrlicher) Gewinn.

pick·le ['pıkl] **1.** *s* (Salz)Lake *f; mst* ~**s** *pl* Eingepökelte(s) *n,* Pickles *pl;* F mißliche Lage; **2.** *v/t* einlegen, (-)pökeln; ~**d herring** Salzhering *m.*

pick|lock ['pıklok] *s* Einbrecher *m;* Dietrich *m;* **~pock·et** *s* Taschendieb *m;* **~up** *s* Tonabnehmer *m;* Kleinlieferwagen *m;* F Staßenbekanntschaft *f.*

pic·nic ['pıknık] **1.** *s* Picknick *n;* **2.** *v/i* (-ck-) ein Picknick machen, picknicken.

pic·to·ri·al [pık'tɔːriəl] **1.** *adj* □ malerisch; illustriert; **2.** *s* Illustrierte *f.*

pic·ture ['pıktʃə] **1.** *s* Bild *n;* Gemälde *n;* bildschöne Sache *or* Person; Film *m; attr* Bilder...; **~s** *pl esp. Br.* Kino *n; put s.o.* **in the** ~ *j*-n ins Bild setzen, *j*-n informieren; **2.** *v/t* abbilden; *fig.* schildern, beschreiben; *fig.* sich *et.* vorstellen; **~ post·card** *s* Ansichtskarte *f;* **pic·ture·some** ['~səm] *adj* fotogen; **pic·tur·esque** [~'resk] *adj* □ malerisch.

pie [paı] *s* Pastete *f;* Obstkuchen *m.*

pie·bald ['paıbɔːld] *adj* (bunt)scheckig.

piece [piːs] **1.** *s* Stück *n;* Teil *m, n* (of *machine, etc.*); *chess:* Figur *f; board games:* Stein *m; by the* ~ stückweise; im Akkord; *a* ~ **of advice** ein Rat; *a* ~ **of**

news e-e Neuigkeit *f; of a* ~ einheitlich; **give** s.o. **a** ~ **of one's mind** *j*-m gründlich die Meinung sagen; **take to ~s** zerlegen; **2.** *v/t:* ~ **together** zusammensetzen, -flicken; **~·meal** *adj and adv* stückweise; **~work** *s* Akkordarbeit *f; do* ~ im Akkord arbeiten.

pier [pıə] *s* Pfeiler *m; mar.* Pier *m,* Hafendamm *m,* Mole *f,* Landungsbrücke *f.*

pierce [pıəs] *v/t* durchbohren, -stechen, -stoßen; durchdringen; eindringen *in (acc).*

pi·e·ty ['paıətı] *s* Frömmigkeit *f;* Pietät *f.*

pig [pıg] *s zo.* Schwein *n (a. fig.* F); *esp. Am.* Ferkel *n; sl. contp.* Bulle *m (policeman).*

pi·geon ['pıdʒın] *s* Taube *f;* **~·hole 1.** *s* Fach *n;* **2.** *v/t* in Fächer einordnen.

pig|head·ed [pıg'hedıd] *adj* dickköpfig; **~·i·ron** *s* Roheisen *n;* **~·skin** *s* Schweinsleder *n;* **~·sty** *s* Schweinestall *m;* **~·tail** *s* (Haar)Zopf *m.*

pike [paık] *s zo.* Hecht *m;* Schlagbaum *m;* Mautstraße *f;* Maut *f; mil. hist.* Pike *f,* Spieß *m.*

pile [paıl] **1.** *s* Haufen *m;* Stapel *m,* Stoß *m;* F Haufen *m,* Masse *f; electr.* Batterie *f;* Pfahl *m;* Flor *m (of carpets, etc.);* **~s** *pl* F *med.* Hämorrhoiden *pl;* **(atomic)** ~ Atommeiler *m,* (Kern)Reaktor *m;* **2.** *v/t often* ~ **up,** ~ **on** (an-, auf)häufen, (auf)stapeln, aufschichten.

pil·fer ['pılfə] *v/t* stehlen, F stibitzen.

pil·grim ['pılgrım] *s* Pilger(in); **~·age** [~ıdʒ] *s* Pilger-, Wallfahrt *f.*

pill [pıl] *s* Pille *f (a. fig.);* **the** ~ die (Antibaby)Pille.

pil·lar ['pılə] *s* Pfeiler *m,* Ständer *m;* Säule *f;* **~·box** *s Br.* Briefkasten *m.*

pil·li·on *mot.* ['pılıən] *s* Soziussitz *m.*

pil·lo·ry ['pılərı] **1.** *s hist.* Pranger *m;* **2.** *v/t hist. and fig.* an den Pranger stellen; *fig.* anprangern.

pil·low ['pıləʊ] *s* (Kopf)Kissen *n;* **~·case,** **~·slip** *s* (Kopf)Kissenbezug *m.*

pi·lot ['paılət] **1.** *s aer.* Pilot *m; mar.* Lotse *m;* **2.** *adj* Versuchs..., Probe..., Pilot...; ~ **film** *TV* Pilotfilm *m;* ~ **project** Pilotprojekt *n;* ~ **scheme** Versuchsprojekt *n;* **3.** *v/t* lotsen; steuern.

pimp [pımp] **1.** *s* Zuhälter *m;* **2.** *v/i* Zuhälter sein.

pim·ple ['pımpl] *s* Pickel *m,* Pustel *f.*

pin [pın] **1.** *s* (Steck-, Krawatten-, Hut-

etc.)Nadel f; tech. Pflock m, Bolzen m, Stift m, Dorn m; mus. Wirbel m; nine-pins: Kegel m; bowling: Pin m; (**clothes**) ~ Am. Wäscheklammer f; (**drawing-**)~ Br. Reißzwecke f; **2.** v/t (**-nn-**) (an)heften, anstecken (**to an** acc), befestigen (**to an** dat); pressen, drücken (**against, to** gegen, an acc).

pin·a·fore ['pɪnəfɔː] s Schürze f.

pin·cers ['pɪnsəz] s pl (**a pair of** ~ e-e) (Kneif)Zange.

pinch [pɪntʃ] **1.** s Kneifen n; Prise f (salt, tobacco, etc.); fig. Druck m, Not f; **2.** v/t kneifen, zwicken, (ein)klemmen; F klauen; F arrest: F schnappen, erwischen; v/i kneifen (shoe, poverty, etc.); a. ~ **and scrape** sich einschränken, knausern.

pin·cush·ion ['pɪnkʊʃn] s Nadelkissen n.

pine [paɪn] **1.** s bot. Kiefer f, Föhre f; **2.** v/i sich sehnen (**for** nach); ~ (**away**) vor Gram vergehen; ~**ap·ple** bot. ['~æpl] s Ananas f.

pin·ion ['pɪnjən] **1.** s zo. Flügelspitze f; zo. Schwungfeder f; tech. Ritzel n; **2.** v/t die Flügel stutzen (dat); fesseln.

pink [pɪŋk] **1.** s bot. Nelke f; Rosa n; **be in the** ~ (**of** condition **or** health) in Top- or Hochform sein; **2.** adj rosa(farben).

pin·mon·ey ['pɪnmʌnɪ] s (selbstverdientes) Taschengeld (der Hausfrau).

pin·na·cle ['pɪnəkl] s arch. Fiale f; (Berg)Spitze f; fig. Gipfel m, Höhepunkt m.

pint [paɪnt] s Pint n (= 0,57 or Am. 0,47 litre); Br. F Halbe f (beer).

pi·o·neer [paɪə'nɪə] **1.** s Pionier m (a. mil.); **2.** v/i and v/t den Weg bahnen (für).

pi·ous ['paɪəs] adj □ fromm, religiös.

pip [pɪp] s vet. Pips m; F miese Laune; (Obst)Kern m; Auge n (on dice, etc.); mil. Br. F Stern m (indicating rank); sound: Ton m, Piepsen n.

pipe [paɪp] **1.** s Rohr n, Röhre f; Pfeife f (a. mus.); mus. Flöte f; of bird: Pfeifen n, Lied n; Pipe f (wine cask = 477,3 litres); **2.** v/t (durch Rohre) leiten; v/i pfeifen; flöten; piep(s)en (bird, etc.); ~**line** s Rohrleitung f; for oil, gas, etc.: Pipeline f; **pip·er** s Pfeifer m.

pip·ing ['paɪpɪŋ] **1.** adj pfeifend, schrill; adv ~ **hot** siedend heiß; **2.** s Rohrleitung

f, -netz n; tailoring: Paspel f, Biese f; Pfeifen n, Piep(s)en n.

pi·quant ['piːkənt] adj □ pikant.

pique [piːk] **1.** s Groll m; **2.** v/t kränken, reizen; ~ **o.s. on** sich brüsten mit.

pi·ra·cy ['paɪərəsɪ] s Piraterie f, Seeräuberei f; **pi·rate** [~ət] **1.** s Pirat m, Seeräuber m; Piratenschiff n; ~ **radio station** Piratensender m; **2.** v/t idea, etc.: stehlen, klauen; book, record, etc.: e-n Raubdruck or e-e Raubkopie herstellen von.

piss V [pɪs] v/i pissen; ~ **off!** verpiß dich!, hau ab!; ~**ed** V adj Br. F besoffen, Am. stocksauer; **be ~ off with** die Schnauze voll haben von.

pis·tol ['pɪstl] s Pistole f.

pis·ton tech. ['pɪstən] s Kolben m.

pit [pɪt] **1.** s Grube f (a. mining, anat.); agr. Miete f; Fallgrube f, Falle f; motor sports: Box f; athletics: Sprunggrube f; thea. Br. Parterre n; a. **orchestra** ~ Orchestergraben m; Am. (Obst)Stein m, Kern m; **2.** v/t (**-tt-**) agr. einmieten; mit Narben bedecken; Am. entsteinen, -kernen.

pitch [pɪtʃ] **1.** s min. Pech n; Br. Stand(platz) m (of street trader, etc.); mus. Tonhöhe f; Grad m, Stufe f, Höhe f; Gefälle n, Neigung f; Wurf m (a. sports); esp. Br. sports: Spielfeld n, Platz m; mar. Stampfen n (of ship); **2.** v/t werfen; schleudern; tent, etc.: aufschlagen, -stellen; mus. (an)stimmen; ~ **too high** fig. expectations: zu hoch stecken; v/i mil. (sich) lagern; hinschlagen; mar. stampfen (ship); ~ **into** F herfallen über (acc); ~**black**, ~**dark** adj pechschwarz; stockdunkel.

pitch·er ['pɪtʃə] s Krug m; baseball: Werfer m.

pitch·fork ['pɪtʃfɔːk] s Heu-, Mistgabel f.

pit·e·ous ['pɪtɪəs] adj □ kläglich.

pit·fall ['pɪtfɔːl] s Fallgrube f; fig. Falle f.

pith [pɪθ] s Mark n; fig. Kern m; fig. Kraft f; ~**y** ['pɪθɪ] adj □ (-**ier**, -**iest**) markig, kernig.

pit·i·a·ble ['pɪtɪəbl] adj □ bemitleidenswert; erbärmlich; ~**ful** adj □ bemitleidenswert; erbärmlich, jämmerlich (a. contp.); ~**less** adj □ unbarmherzig.

pit·tance ['pɪtəns] s Hungerlohn m.

pit·y ['pɪtɪ] **1.** s Mitleid n (**on** mit); **it is a** ~ es ist schade; **2.** v/t bemitleiden.

piv·ot ['pɪvət] **1.** s tech. (Dreh)Zapfen m; fig. Dreh-, Angelpunkt m; **2.** v/i sich drehen (**on, upon** um).

piz·za ['piːtsə] s Pizza f.

pla·ca·ble ['plækəbl] adj □ versöhnlich.

plac·ard ['plækɑːd] **1.** s Plakat n; Transparent n; **2.** v/t anschlagen; mit em Plakat bekleben.

place [pleɪs] **1.** s Platz m; Ort m; Stelle f; Stätte f; (Arbeits)Stelle f, (An)Stellung f; Wohnsitz m, Haus n, Wohnung f; Wohnort m; (soziale) Stellung; ~ of delivery econ. Erfüllungsort m; **give ~** to j-m Platz machen; **in ~ of** an Stelle (gen); **out of ~** fehl am Platz; **2.** v/t stellen, legen, setzen; j-n ein-, anstellen; order: erteilen (**with s.o.** j-m); **be ~d** sports: sich plazieren; **I can't ~ him** fig. ich weiß nicht, wo ich ihn hintun soll.

plac·id ['plæsɪd] adj □ sanft; ruhig.

pla·gia·ris·m ['pleɪdʒərɪzəm] s Plagiat m; **~rize** [~raɪz] v/i and v/t plagiieren.

plague [pleɪg] **1.** s Seuche f; Pest f; Plage f; **2.** v/t plagen, quälen.

plaice zo. [pleɪs] s Scholle f.

plain [pleɪn] **1.** adj □ klar; deutlich; einfach, schlicht; unscheinbar, wenig anziehend; häßlich (person); offen (u. ehrlich); einfarbig; rein (truth, nonsense, etc.); **2.** adv klar, deutlich; **3.** s Ebene f, Flachland n; **the Great ~s** pl Am. die Prärien pl; **~ choc·o·late** s Zartbitterschokolade f; **~-clothes man** s Polizist m or Kriminalbeamte(r) m in Zivil; **~ deal·ing** s Redlichkeit f; **~s·man** s Am. Präriebewohner m.

plain·tiff jur. ['pleɪntɪf] s Kläger(in); **~tive** [~v] adj □ traurig, klagend.

plait [plæt, Am. pleɪt] **1.** s (Haar- etc.) Flechte f; Zopf m; **2.** v/t flechten.

plan [plæn] **1.** s Plan m; **2.** v/t (-nn-) planen; entwerfen; ausarbeiten.

plane [pleɪn] **1.** adj flach, eben (a. math.); **2.** s Ebene f, (ebene) Fläche; aer. Tragfläche f; aircraft: Flugzeug n, F Maschine f; tech. tool: Hobel m; fig. Stufe f, Niveau n; **by ~** mit dem Flugzeug, auf dem Luftweg; **go by ~** fliegen; **3.** v/t (ein)ebnen; tech. hobeln.

plan·et ast. ['plænɪt] s Planet m.

plank [plæŋk] **1.** s Planke f, Bohle f, Diele f; pol. Programmpunkt m; **2.** v/t dielen; verschalen; ~ **down** F et. hin-

knallen; money: auf den Tisch legen, blechen.

plant [plɑːnt] **1.** s bot. Pflanze f; tech. Anlage f, Fabrik f; **2.** v/t (an-, ein-) pflanzen (a. fig.); bepflanzen; besiedeln; anlegen; (auf)stellen; punch: verpassen; **plan·ta·tion** [plænˈteɪʃn] s Pflanzung f, Plantage f; Besied(e)lung f; **~er** s Pflanzer m; Plantagenbesitzer m; agr. Pflanzmaschine f; Übertopf m.

plaque [plɑːk] s (Schmuck)Platte f; Gedenktafel f; med. Zahnbelag m.

plash [plæʃ] v/i platschen.

plas·ter ['plɑːstə] **1.** s arch. (Ver)Putz m; (a. **sticking ~**) med. Pflaster n; a. ~ **of Paris** Gips m (a. med.); **2.** v/t verputzen; wall: bekleben; med. wound: verpflastern, ein Pflaster kleben auf (acc); ~ **cast** s Gipsabdruck m, -abguß m; med. Gipsverband m; **plas·tered** ['plɑːstəd] adj sl. drunk: blau.

plas·tic ['plæstɪk] **1.** adj (**~ally**) plastisch (a. med.); aus Plastik, Plastik...; ~ **money** F Kreditkarten pl; ~ **packaging** Kunststoffverpackung f; **2.** s often **~s** sg Plastik(material) n, Kunststoff m.

plate [pleɪt] **1.** s Platte f; Teller m; (Bild-)Tafel f; Schild n; (Kupfer-, Stahl)Stich m; (Tafel)Besteck n; tech. Grobblech n; **2.** v/t plattieren; panzern.

plat·form ['plætfɔːm] s Plattform f; geol. Hochebene f; rail. Bahnsteig m; Br. of bus: Plattform f; (Redner)Tribüne f; Podium n; tech. Rampe f, Bühne f; pol. Parteiprogramm n; esp. Am. pol. Aktionsprogramm n (for election campaign).

plat·i·num chem. ['plætɪnəm] s Platin n.

plat·i·tude fig. ['plætɪtjuːd] s Plattheit f.

plau·si·ble ['plɔːzəbl] adj □ glaubhaft.

play [pleɪ] **1.** s Spiel n; Schauspiel n, (Theater)Stück n; tech. Spiel n; fig. Spielraum m; **2.** v/t and v/i spielen; tech. Spiel(raum) haben; ~ **back** ball: zurückspielen (**to** zu); tape: abspielen; ~ **off** fig. ausspielen (**against** gegen); ~ **on**, ~ **upon** fig. s.o.'s weakness: ausnutzen; ~**ed out** fig. erledigt, erschöpft; **~back** s Wiedergabe f, Abspielen n; **~bill** s Theaterplakat n; Am. Programm(heft) n; **~boy** s Playboy m; **~er** s (Schau)Spieler(in); Plattenspieler m; **~fel·low** s Spielgefährte m, -in f; **~ful** adj □ verspielt; spielerisch, scherzhaft; **~girl** s Playgirl n; **~go-er** s (esp. häufige[r]) Theaterbesucher(in); **~ground** s Spielplatz m; Schulhof m; **~house** s thea. Schauspielhaus n; Spielhaus n (for children); **~mate** = **playfellow**; Gespiel|e m, -in f; **~thing** s Spielzeug n; **~wright** s Dramatiker m.

plea [pli:] s jur. Einspruch m; Ausrede f; Gesuch n; **on the ~ of** or **that** unter dem Vorwand (gen or daß).

plead [pli:d] (**~ed**, esp. ScotE., Am. **pled**) v/i jur. plädieren; **~ for** für j-n sprechen; sich einsetzen für; **~ (not) guilty** sich (nicht) schuldig bekennen; v/t sich berufen auf (acc), et. vorschützen; s.o.'s case: vertreten; jur. (als Beweis) anführen; **~ing** s jur. Plädoyer m.

pleas·ant ['pleznt] adj □ angenehm, erfreulich; freundlich; sympathisch; **~ry** s Scherz m, Spaß m.

please [pli:z] v/i and v/t (j-m) gefallen, angenehm sein; befriedigen; belieben; **~ yourself** (ganz) wie Sie wünschen; 2. int bitte; (**yes,**) **~** (ja,) bitte; (oh ja,) gerne; **~ come in!** bitte treten Sie ein!; **~d** adj erfreut, zufrieden; **be ~ at** erfreut sein über (acc); **be ~ to do** et. gerne tun; **~ to meet you!** angenehm!; **be ~ with** befriedigt sein von; Vergnügen haben an (dat); **pleas·ing** ['pli:zɪŋ] adj □ angenehm, gefällig.

plea·sure ['pleʒə] s Vergnügen n, Freude f; Belieben n; attr Vergnügungs...; **at ~** nach Belieben; **my ~, it's a ~** gern geschehen, es war mir ein Vergnügen; **~boat** s Vergnügungs-, Ausflugsdampfer m; **~ground** s (Park)Anlage(n pl) f; Vergnügungspark m.

pleat [pli:t] 1. s (Plissee)Falte f; 2. v/t fälteln, plissieren.

pled [pled] pret and pp of **plead**.

pledge [pledʒ] 1. s Pfand n; Trinkspruch m, Toast m; Versprechen n, Gelöbnis n; 2. v/t verpfänden; j-m zutrinken; **he ~d himself** er verpflichtete sich.

ple·na·ry ['pli:nərɪ] adj Voll..., Plenar...

plen·ti·ful ['plentɪfl] adj □ reichlich.

plen·ty ['plentɪ] 1. s Fülle f, Überfluß m; **~ of** reichlich; 2. adv F reichlich.

pli·a·ble ['plaɪəbl] adj □ biegsam; fig. geschmeidig, nachgiebig.

pli·ers ['plaɪəz] s pl (**a pair of ~** e-e) (Draht-, Kombi)Zange.

plight [plaɪt] s (schlechter) Zustand, schwierige Lage, Notlage f.

plim·soll Br. ['plɪmsəl] s Turnschuh m.

plod [plɒd] v/i (**-dd-**) a. **~ along, ~ on** sich dahinschleppen; **~ away** sich abplagen (**at** mit), schuften.

plop [plɒp] v/i and v/t (**-pp-**) plumpsen or (esp. into water) platschen lassen.

plot [plɒt] 1. s Stück n Land, Parzelle f, Grundstück n; (geheimer) Plan, Komplott n, Anschlag m, Intrige f; Handlung f (of drama, etc.); 2. (**-tt-**) v/t auf-, einzeichnen; planen, anzetteln; v/i sich verschwören (**against** gegen).

plough, Am. **plow** [plaʊ] 1. s Pflug m; 2. v/i and v/t (um)pflügen; **~share** s Pflugschar f.

pluck [plʌk] 1. s Rupfen n, Zupfen n, Zerren n, Reißen n; Zug m, Ruck m; Innereien pl; fig. Mut m, Schneid m; 2. v/t pflücken; bird: rupfen (a. fig.); mus. strings: zupfen; **~ up courage** Mut fassen; v/i zupfen, ziehen, zerren (**at** an dat); **~y** F adj □ (**-ier, -iest**) mutig.

plug [plʌg] 1. s Pflock m, Dübel m; electr. Stecker m, F Steckdose f; Hydrant m; mot. (Zünd)Kerze f; radio, TV: F Schleichwerbung f; 2. v/t (**-gg-**) (a. **~ up**) zu-, verstopfen, zustöpseln; F radio, TV, etc.: (ständig) Reklame machen für; **~ in** electr. einstecken, einstöpseln, anschließen.

plum [plʌm] s bot. Pflaume(nbaum m) f; Rosine f (a. fig.).

plum·age ['plu:mɪdʒ] s Gefieder n.

plumb [plʌm] 1. adj and adv lot-, senkrecht; fig. völlig; F total; 2. s (Blei)Lot n; 3. v/t loten, sondieren (a. fig.); Wasser- or Gasleitungen legen in (dat); **~ in** connect: anschließen; v/i als Rohrleger arbeiten; **~er** s Klempner m, Installateur m; **~ing** s Klempnerarbeit f; Rohrleitungen pl; sanitäre Installation.

plume [plu:m] 1. s Feder f; Federbusch m; 2. v/t mit Federn schmücken; plumage: putzen; **~ o.s. on** sich brüsten mit.

plump [plʌmp] 1. adj drall, prall, mollig; F glatt (refusal, etc.); 2. v/i and v/t a. **~ down** (hin)plumpsen (lassen); 3. s Plumps m; 4. adv F unverblümt, geradeheraus.

plum pud·ding [plʌm'pʊdɪŋ] s Plumpudding m.

plun·der ['plʌndə] **1.** s Plünderung f; Raub m, Beute f; **2.** v/t plündern.

plunge [plʌndʒ] **1.** s (Ein-, Unter)Tauchen n; (Kopf)Sprung m; Sturz m; **take the ~** fig. den entscheidenden Schritt wagen; **2.** v/i and v/t (ein-, unter)tauchen; (sich) stürzen (**into** in acc); knife, etc.: stoßen; mar. stampfen (ship).

plu·per·fect gr. [pluː'pɜːfɪkt] s (a. adj **~ tense**) Plusquamperfekt n.

plu·ral gr. ['pluərəl] s Plural m, Mehrzahl f; **~·i·ty** [pluə'rælətɪ] s Vielzahl f.

plus [plʌs] **1.** prp plus; **2.** adj positiv; Plus...; **3.** cj F und außerdem, wie auch; **4.** s Plus n; Mehr n.

plush [plʌʃ] s Plüsch m.

ply [plaɪ] **1.** s Lage f, Schicht f (of cloth, wood, etc.); Strähne f (thread, etc.); fig. Neigung f; **three-~** dreifach (thread, etc.); dreifach gewebt (carpet); **2.** v/t handhaben, umgehen mit; fig. j-m zusetzen, j-n überhäufen (**with** mit); v/i bus, etc.: regelmäßig fahren (**between** zwischen dat); **~wood** s Sperrholz n.

pneu·mat·ic [njuː'mætɪk] adj (**~ally**) Luft...; pneumatisch; **~ brake** tech. Druckluftbremse f.

pneu·mo·ni·a med. [njuː'məʊnɪə] s Lungenentzündung f.

poach¹ [pəʊtʃ] v/t pochieren; **~ed eggs** pl verlorene Eier pl.

poach² [~] v/t and v/i wildern; **~er** s Wilddieb m, Wilderer m.

PO Box [piː'əʊbɒks] s Postfach n.

pock med. [pɒk] s Pocke f, Blatter f.

pock·et ['pɒkɪt] **1.** s (Hosen- etc.)Tasche f; billiards: Loch n; **air pocket**, **with an empty ~** mit leeren Taschen; **it's beyond my ~** es übersteigt meine finanziellen Möglichkeiten; **... to suit every ~**, **... easy on the ~** ... für jeden Geldbeutel; **2.** v/t einstecken (a. fig.); emotion: unterdrücken; billiards: einlochen; **~ one's pride** s-n Stolz überwinden; **3.** adj im Taschenformat, Taschen...; **~ bil·liards** s pl Pool-, Lochbillard n; **~book** s notebook: Notizbuch n; wallet: Brieftasche f; Am. handbag: Handtasche f; Am. paperback: Taschenbuch n; **~ cal·cu·la·tor** s Taschenrechner m; **~knife** s Taschenmesser n; **~mon·ey** s Taschengeld n.

pod bot. [pɒd] s Hülse f, Schote f.

po·em ['pəʊɪm] s Gedicht n.

po·et ['pəʊɪt] s Dichter m; **~ess** s Dichterin f; **~ic** [pəʊ'etɪk] (**~ally**), **~i·cal** □ dichterisch; **~ics** s sg Poetik f; **~ry** ['pəʊɪtrɪ] s Dichtkunst f; Dichtung f; coll. Dichtungen pl, Gedichte pl.

point [pɔɪnt] **1.** s Spitze f; geogr. Landspitze f; gr., math., phys., etc. Punkt m; math. (Dezimal)Punkt m, Komma n; phys. Grad m (on scale); mar. Kompaßstrich m; Auge n (on playing card, etc.); sports: Punkt m; place: Punkt m, Stelle f, Ort m; main idea: springender Punkt; purpose: Zweck m, Ziel n; of joke: Pointe f, fig. hervorstechende Eigenschaft; **~s** pl Br. rail. Weiche f; **~ of view** Stand-, Gesichtspunkt m; **the ~ is that ...** die Sache ist die, daß ...; **make a ~ of s.th.** auf e-r Sache bestehen; **there is no ~ in doing** es hat keinen Zweck, zu tun; **in ~ of** hinsichtlich (gen); **to the ~** zur Sache (gehörig); **off** or **beside the ~** nicht zur Sache (gehörig); **on the ~ of** ger im Begriff zu inf; boxing, etc.: **beat s.o. on ~s** j-n nach Punkten schlagen; **win** (**lose**) **on ~s** nach Punkten gewinnen (verlieren); **winner on ~s** Punktsieger m; **1.5** [wʌnpɔɪnt'faɪv] eins Komma fünf (1,5); **2.** v/t (zu)spitzen; **~ at** weapon, etc.: richten auf (acc); with fingers: zeigen auf (acc); **~ out** zeigen; fig. hinweisen auf (acc); **~ at** deuten or weisen auf (acc); **~ to** compass needle: weisen or zeigen nach; hinweisen auf (acc); **~ed** adj □ spitz; Spitz...; fig. scharf, unmißverständlich; **~er** s Zeiger m; Zeigestock m; zo. **~** (**dog**) Vorstehhund m; F Tip m, Hinweis m; **~less** adj □ sinnlos; zwecklos.

poise [pɔɪz] **1.** s Gleichgewicht n; (Körper-, Kopf)Haltung f; **2.** v/t im Gleichgewicht halten; head, etc.: tragen, halten; v/i schweben.

poi·son ['pɔɪzn] **1.** s Gift n; **2.** v/t vergiften; **~ gas** s Giftgas n; **~ing** s Vergiftung f; **~ous** adj □ giftig (a. fig.).

poke [pəʊk] **1.** s Stoß m; F Faustschlag m; **2.** v/t stoßen, puffen; fire: schüren; hole: bohren; **~ fun at** sich über j-n lustig machen; **~ one's nose into everything** F s-e Nase überall hineinstecken; v/i (herum)stochern (**among, at, in** in dat).

pok·er¹ ['pəʊkə] s Feuerhaken m.

po·ker² [~] s card game: Poker n; **play ~** pokern, Poker spielen.

P

pok·y F ['pəʊkɪ] *adj* (*-ier*, *-iest*) eng; schäbig.

po·lar ['pəʊlə] *adj* polar; ~ *bear* zo. Eisbär *m*.

Pole¹ [pəʊl] *s* Pole *m*, Polin *f*.

pole² [~] *s* Pol *m*; Stange *f*; Mast *m*; Deichsel *f*; *sports*: (Sprung)Stab *m*.

po·lem|ic [pə'lemɪk], *a.* ~**i·cal** *adj* □ polemisch.

pole-star ['pəʊlstɑː] *s ast.* Polarstern *m*; *fig.* Leitstern *m*.

pole-vault ['pəʊlvɔːlt] **1.** *s* Stabhochsprung *m*; **2.** *v/i* stabhochspringen; ~**er** *s* Stabhochspringer *m*; ~**ing** *s* Stabhochspringen *n*, -sprung *m*.

po·lice [pə'liːs] **1.** *s pl* Polizei *f*; ~ überwachen; ~**man** *s* Polizist *m*; ~**of·fi·cer** *s* Polizeibeamte(r) *m*, Polizist *m*; ~ **sta·tion** *s* Polizeiwache *f*, -revier *n*; ~**wom·an** *s* Polizistin *f*.

pol·i·cy ['pɒlɪsɪ] *s* Vorgehensweise *f*, Politik *f*, Taktik *f*; Klugheit *f*; (Versicherungs)Police *f*.

po·li·o *med.* ['pəʊlɪəʊ] *s* Polio *f*, Kinderlähmung *f*.

Pol·ish¹ ['pəʊlɪʃ] **1.** *adj* polnisch; **2.** *s ling.* Polnisch *n*.

pol·ish² ['pɒlɪʃ] **1.** *s* Politur *f*; Schuhcreme *f*; *fig.* Schliff *m*; **2.** *v/t* polieren; *shoes*: putzen; *fig.* verfeinern.

po·lite [pə'laɪt] *adj* □ (~*r*, ~*st*) artig, höflich; ~**ness** *s* Höflichkeit *f*.

po·li·tic ['pɒlɪtɪk] *adj* □ diplomatisch; klug.

po·lit·i·cal [pə'lɪtɪkl] *adj* □ politisch; staatlich, Staats...; ~ *asylum* politisches Asyl; ~**i·ti·cian** [pɒlɪ'tɪʃn] *s* Politiker(in); **pol·i·tick·ing** ['pɒlɪtɪkɪŋ] *s contp.* politisches Hickhack; **pol·i·tics** ['pɒlɪtɪks] *s sg or pl* Politik *f*; *univ.* Politologie *f*.

pol·ka ['pɒlkə] *s* Polka *f*.

poll [pəʊl] **1.** *s* (Ergebnis *n* e-r) (Meinungs)Umfrage *f*; Wahl *f*, Abstimmung *f*; Stimmenzahl *f*; *heavy* ~ hohe Wahlbeteiligung; *go to the* ~*s* wählen (gehen), zur Wahl gehen; **2.** *v/t votes*: erhalten; *votes* abgeben.

pol·len *bot.* ['pɒlən] *s* Pollen *m*, Blütenstaub *m*; ~ *count* *s* Pollenwerte *pl*.

poll·ing ['pəʊlɪŋ] *s* Wählen *n*, Wahl *f*; ~ *booth* Wahlkabine *f*, -zelle *f*; ~ *district* Wahlbezirk *m*; ~ *place* Am., ~ *station* esp. Br. Wahllokal *n*.

poll-tax ['pəʊltæks] *s* Kopfsteuer *f*.

pol|lut·ant [pə'luːtənt] *s* Schadstoff *m*; ~**lute** *v/t be-*, verschmutzen; verunreinigen; *fig.* verderben; ~**lut·er** *s* Umweltverschmutzer *m*, Umweltsünder *m*; ~**lu·tion** *s* Verunreinigung *f*; (Luft-, Wasser-, Umwelt)Verschmutzung *f*; *a.* Schadstoffe *pl*; ~ *control* *appr.* Reduzierung *f* der Umweltbelastung; ~ *level* *der* Grad der Umweltverschmutzung.

po·lo ['pəʊləʊ] *s sports*: Polo *n*; ~**neck** *s* Rollkragen(pullover) *m*.

pomp [pɒmp] *s* Pomp *m*, Prunk *m*.

pom·pous ['pɒmpəs] *adj* □ pompös, prunkvoll; aufgeblasen; schwülstig.

pond [pɒnd] *s* Teich *m*, Weiher *m*.

pon·der ['pɒndə] *v/t* erwägen; *v/i* nachdenken.

po·ny zo. ['pəʊnɪ] *s* Pony *n*.

poo·dle zo. ['puːdl] *s* Pudel *m*.

pool [puːl] **1.** *s* Teich *m*; Pfütze *f*, Lache *f*; (Schwimm)Becken *n*; Pool *m*; *card games*: Gesamteinsatz *m*; *econ.* Kartell *n*; *econ.* Fonds *m*, F Topf *m*; *mst* ~*s pl* (Fußball- etc.)Toto *n*, *m*; *Am.* Poolbillard *n*; ~**room** Am. Billardspielhalle *f*; Wettannahmestelle *f*; **2.** *v/t money*, *ideas*, *etc.*: in e-n Topf werfen, zusammenlegen.

poop *mar.* [puːp] *s* Heck *n*; *a.* ~ *deck* (erhöhtes) Achterdeck.

poor [pʊə] *adj* □ arm(selig); dürftig; schlecht; ~**ly 1.** *adj* kränklich, unpäßlich; **2.** *adv* arm(selig), dürftig.

pop¹ [pɒp] **1.** *s* Knall *m*; F *lemonade*: Limo *f*; **2.** (*-pp-*) *v/t* knallen lassen; F *put*: tun, stecken; *v/i* knallen; *balloon*: platzen; huschen; ~ *in* hereinplatzen (*visitor*); ~ *in for a cup of tea* auf e-e Tasse Tee vorbeischauen.

pop² [~] **1.** *s a.* ~ *music* Schlagermusik *f*; Pop(musik *f*) *m*; **2.** *adj* volkstümlich, beliebt; Schlager...; Pop...; ~ *concert* Popkonzert *n*; ~ *singer* Schlagersänger(in); ~ *song* Schlager *m*.

pop³ Am. F [~] *s* Paps *m*, Papa *m*; *elderly man*: Opa *m*.

pop·corn ['pɒpkɔːn] *s* Popcorn *n*, Puffmais *m*.

pope [pəʊp] *s mst* ♀ Papst *m*.

pop-eyed F ['pɒpaɪd] *adj* glotzäugig.

pop·lar ['pɒplə] *s* Pappel *f*.

pop·py bot. ['pɒpɪ] *s* Mohn *m*; ~**cock** *s* F Quatsch *m*, dummes Zeug.

pop·u·lace ['pɒpjuləs] *s die* breite Masse, *contp.* Pöbel *m*; **~·lar** *adj* □ beliebt, populär; weitverbreitet; Volks...; **~·lar·i·ty** [~'lærətɪ] *s* Popularität *f*, Beliebtheit *f*.

pop·u·late ['pɒpjuleɪt] *v/t* bevölkern, bewohnen; **~·la·tion** [~'leɪʃn] *s* Bevölkerung *f*; **~·lous** *adj* □ dichtbesiedelt, -bevölkert.

porce·lain ['pɔːslɪn] *s* Porzellan *n*.

porch [pɔːtʃ] *s* Vorhalle *f*, Portal *n*, Vorbau *m*; *Am.* Veranda *f*.

por·cu·pine *zo.* ['pɔːkjupaɪn] *s* Stachelschwein *n*.

pore [pɔː] **1.** *s* Pore *f*; **2.** *v/i*: **~ over** *et.* eifrig studieren.

pork [pɔːk] *s* Schweinefleisch *n*; **~·y** *adj* F fett; dick.

porn [pɔːn], **por·no** F ['pɔːnəʊ] **1.** *s (pl -nos)* Porno(film) *m*; **2.** *adj* Porno...; **por·nog·ra·phy** [pɔː'nɒɡrəfɪ] *s* Pornographie *f*.

po·rous ['pɔːrəs] *adj* □ porös.

por·poise *zo.* ['pɔːpəs] *s* Tümmler *m*.

por·ridge ['pɒrɪdʒ] *s* Haferbrei *m*.

port¹ [pɔːt] *s* Hafen(stadt *f*) *m*.

port² [~] *s mar.* (Lade)Luke *f*; *mar., aer.* → **porthole**.

port³ *mar., aer.* [~] *s* Backbord *n*.

port⁴ [~] *s* Portwein *m*.

por·ta·ble ['pɔːtəbl] **1.** *adj* tragbar; **2.** *s* TV, *computer*: Portable *m*.

por·tal ['pɔːtl] *s* Portal *n*, Tor *n*.

por·ter ['pɔːtə] *s* (Gepäck)Träger *m*; *esp. Br.* Pförtner *m*, Portier *m*; *Am. rail.* Schlafwagenschaffner *m*; *beer*: Porter *m, n.*

port·hole *mar., aer.* ['pɔːthəʊl] *s* Bullauge *n.*

por·tion ['pɔːʃn] **1.** *s* (An)Teil *m*; Portion *f (food)*; Erbteil *n*; Aussteuer *f*; *fig.* Los *n*; **2.** *v/t*: **~ out** aus-, verteilen (**among** unter *acc*).

por·trait ['pɔːtrɪt] *s* Porträt *n*, Bild *n.*

por·tray [pɔː'treɪ] *v/t* malen, porträtieren; schildern; **~·al** [~əl] *s* Porträtieren *n*; Schilderung *f.*

pose [pəʊz] **1.** *s* Pose *f*; Haltung *f*; **2.** *v/t* aufstellen; *question, etc.*: stellen, aufwerfen; *v/i* posieren; Modell sitzen *or* stehen; **~ as** sich ausgeben als *or* für.

posh F [pɒʃ] *adj* schick, piekfein.

po·si·tion [pə'zɪʃn] *s* Position *f*, Lage *f*, Stellung *f (a. fig.)*; Stand *m*; *fig.* Standpunkt *m.*

pos·i·tive ['pɒzətɪv] **1.** *adj* □ positiv (*a. math.*); bestimmt, ausdrücklich; feststehend, sicher; bejahend; überzeugt; rechthaberisch; **2.** *s phot.* Positiv *n.*

pos·sess [pə'zes] *v/t* besitzen, haben; beherrschen; *fig.* erfüllen; **~ o.s.** *of et.* in Besitz nehmen; **~·sessed** *adj* besessen; **~·ses·sion** *s* Besitz *m*; *fig.* Besessenheit *f*; **~·ses·sive** **1.** *adj* □ *gr.* possessiv, besitzanzeigend; *person*: besitzergreifend; **~ case** *gr.* Genitiv *m*; **2.** *s gr.* Possessivpronomen *n*, besitzanzeigendes Fürwort; Genitiv *m*; **~·ses·sor** *s* Besitzer(in).

pos·si·bil·i·ty [pɒsə'bɪlətɪ] *s* Möglichkeit *f*; **~·ble** ['pɒsəbl] *adj* möglich; **~·bly** [~lɪ] *adv* möglicherweise, vielleicht; **if I ~ can** wenn ich irgend kann.

post [pəʊst] **1.** *s* Pfosten *m*, Pfahl *m*; *job*: Stelle *f*, Amt *n*; *esp. Br.* Post *f*; **2.** *v/t* notice, *etc.*: anschlagen; aufstellen; postieren; eintragen; *esp. Br. letter, etc.*: einstecken, abschicken, aufgeben; **~ up** *j-n* informieren.

post·age ['pəʊstɪdʒ] *s* Porto *n*; **~ stamp** *s* Briefmarke *f.*

post·al ['pəʊstl] **1.** *adj* □ postalisch, Post...; **~ order** *Br.* Postanweisung *f*; **2.** *s a.* **~ card** *Am.* Postkarte *f.*

post|**·bag** *esp. Br.* ['pəʊstbæɡ] *s* Postsack *m*, -beutel *m*; **~·box** *s esp. Br.* Briefkasten *m*; **~·card** *s* Postkarte *f*; *a.* **picture ~** Ansichtskarte *f*; **~·code** *s Br.* Postleitzahl *f.*

post·er ['pəʊstə] *s* Plakat *n*; Poster *n*, *m.*

poste res·tante [pəʊst'resˈtɑːnt] *esp. Br.* **1.** *s* Schalter *m* für postlagernde Sendungen; **2.** *adj letter*: postlagernd.

pos·te·ri·or [pɒ'stɪərɪə] **1.** *adj* □ später (**to** als); hinter; **2.** *s often pl* Hinterteil *n.*

pos·ter·i·ty [pɒ'sterətɪ] *s* Nachwelt *f*; Nachkommen(schaft *f*) *pl.*

post-free *esp. Br.* [pəʊst'friː] *adj* portofrei.

post-grad·u·ate [pəʊst'ɡrædjʊət] **1.** *adj* nach dem ersten akademischen Grad; **~ study** Aufbaustudium *n*; **2.** *s* j-d, der nach dem ersten akademischen Grad weiterstudiert; *in Germany mst:* Doktorand(in).

post·hu·mous ['pɒstjʊməs] *adj* □ nachgeboren; post(h)um.

pray

post|man *esp. Br.* ['pəustmən] *s* Briefträger *m*; **~·mark 1.** *s* Poststempel *m*; **2.** *v/t* (ab)stempeln; **~·mas·ter** *s* Postamtsvorsteher *m*; **~ of·fice** *s* Post(amt *n*) *f*; **~·of·fice box** *s* Postfach *n*; **~·paid** *adj* portofrei.

post·pone [pəust'pəun] *v/t* ver-, aufschieben; **~·ment** *s* Verschiebung *f*, Aufschub *m*.

post·script ['pəusskrıpt] *s* (*abbr.* **PS**) Postskriptum *n*.

pos·ture ['pɒstʃə] **1.** *s* (Körper)Haltung *f*, Stellung *f*; **2.** *v/i* posieren, sich in Positur werfen.

post-war [pəust'wɔ:] *adj* Nachkriegs...

po·sy ['pəuzı] *s* Sträußchen *n*.

pot [pɒt] **1.** *s* Topf *m*; Kanne *f*; Tiegel *m*; *F sports:* Pokal *m*; *sl. hashish:* Hasch *n*; *sl. marijuana:* Grass *n*; **2.** *v/t* (*-tt-*) in e-n Topf geben; *plant:* eintopfen; *billiards:* einlochen.

po·ta·to [pə'teıtəu] *s* (*pl* **-toes**) Kartoffel *f*; → **chip** 1, **crisp** 3.

pot-bel·ly ['pɒtbelı] *s F* Schmerbauch *m*, Wampe *f*; *person:* Dickwanst *m*.

po·ten|cy ['pəutənsı] *s* Macht *f*; Stärke *f*; *physiol.* Potenz *f*; **~t** *adj* mächtig; stark; *physiol.* potent; **~·tial** [pə'tenʃl] **1.** *adj* potentiell; möglich; **2.** *s* Potential *n*; Leistungsfähigkeit *f*.

pot-herb ['pɒthɜ:b] *s* Küchenkraut *n*.

po·tion ['pəuʃn] *s* (Arznei-, Gift-, Zauber)Trank *m*.

pot·ter¹ ['pɒtə] *v/i*: **~ about** herumwerkeln.

pot·ter² [~] *s* Töpfer(in); **~·y** *s* Töpferei *f*; Töpferware(n *pl*) *f*.

pot·ty ['pɒtı] *adj F* verrückt.

pouch [pautʃ] *s* Tasche *f*; Beutel *m* (*a. zo.*); *anat.* Tränensack *m*.

poul·try ['pəultrı] *s* Geflügel *n*.

pounce [pauns] **1.** *s* Satz *m*, Sprung *m*; **2.** *v/i* sich stürzen; *eagle, etc.:* herabstoßen (**on**, **upon** auf *acc*).

pound¹ [paund] *s* Pfund *n* (*weight*); **~ (sterling)** Pfund *n* (Sterling) (*abbr.* **£** = *100 pence*).

pound² [~] *s for stray animals:* Zwinger *m*, Tierheim *n*; *for cars:* Abstellplatz *m*.

pound³ [~] *v/t* zerstoßen; -stampfen; *v/i* stampfen; **~ at** *or* **on** hämmern *or* trommeln an (*acc*) *or* gegen.

pour [pɔ:] *v/t* gießen, schütten; **~ out** *drink:* eingießen; *v/i* strömen, rinnen;

it's ~ing down es gießt in Strömen.

pout [paut] **1.** *s* Schmollen *n*; **2.** *v/t lips:* schürzen; *v/i* e-n Schmollmund machen; schmollen.

pov·er·ty ['pɒvətı] *s* Armut *f*; Mangel *m*.

pow·der ['paudə] **1.** *s* Pulver *n*; Puder *m*; **2.** *v/t* pulverisieren; (sich *et.*) pudern; bestreuen; **~·box** *s* Puderdose *f*; **~·room** *s* Damentoilette *f*.

pow·er ['pauə] **1.** *s* Kraft *f*, Stärke *f*; Macht *f*; Gewalt *f*; *tech.* Leistung *f*; *jur.* Vollmacht *f*; *math.* Potenz *f*; **in ~** an der Macht, im Amt; **2.** *v/t tech.* antreiben; **rock·et-~ed** *adj* raketengetrieben; **~·cur·rent** *s electr.* Starkstrom *m*; **~ cut** *s electr.* Stromsperre *f*; Strom-, Netzausfall *m*; **~·ful** *adj* □ mächtig; kräftig; wirksam; **~·less** *adj* □ macht-, kraftlos; **~·plant** → **power-station**; **~ pol·i·tics** *s often sg* Machtpolitik *f*; **~·sta·tion** *s* Elektrizitäts-, Kraftwerk *n*.

pow-wow *Am. F* ['pauwau] *s* Versammlung *f*.

prac·ti|ca·ble ['præktıkəbl] *adj* □ durchführbar; begeh-, befahrbar (*road*); brauchbar; **~·cal** *adj* □ praktisch; tatsächlich; sachlich; **~ joke** Streich *m*; **~·cal·ly** *adv* so gut wie.

prac·tice, *Am. a.* **-tise** ['præktıs] **1.** *s* Praxis *f* (*a. med.*); Übung *f*; Gewohnheit *f*; Brauch *m*; Praktik *f*; **it is common ~** es ist allgemein üblich; **put into ~** in die Praxis umsetzen; **2.** *v/t Am.* → **prac·tise** [~] *v/t* in die Praxis umsetzen; ausüben; betreiben; üben; *v/i* (sich) üben; praktizieren; **~d** geübt (**in** in *dat*).

prac·ti·tion·er [præk'tıʃnə] *s: general ~** Allgemeinarzt *m*, praktischer Arzt; **legal ~** Rechtsanwalt *m*.

prai·rie ['preərı] *s* Grasebene *f*; Prärie *f* (*in North America*).

praise [preız] **1.** *s* Lob *n*; **2.** *v/t* loben, preisen; **~·wor·thy** ['~wɜ:ðı] *adj* lobenswert.

pram *esp. Br.* [præm] *s* Kinderwagen *m*.

prance [prɑ:ns] *v/i* sich bäumen, steigen; tänzeln (*horse*); (einher)stolzieren.

prank [præŋk] *s* Streich *m*.

prat *F* [præt] *s* Schwachkopf *m*, Trottel *m*.

prat·tle *F* ['prætl] **1.** *s* Geplapper *n*; **2.** *v/i and v/t* (*et.* dahin)plappern.

prawn *zo.* [prɔ:n] *s* Garnele *f*.

pray [preı] *v/i and v/t* beten; inständig

(er)bitten; **~er** [preə] s Gebet n; often **~s** pl Am.dacht f; **the Lord's** 2 das Vaterunser; **~book** Gebetbuch n.

pre- [priː; prɪ] temporal: vor, vorher, früher als; of place: vor, davor.

preach [priːtʃ] v/i and v/t predigen; **~er** s Prediger(in).

pre·am·ble [priːˈæmbl] s Einleitung f.

pre·car·i·ous [prɪˈkɛərɪəs] adj □ unsicher, bedenklich; gefährlich.

pre·cau·tion [prɪˈkɔːʃn] s Vorkehrung f, Vorsicht(smaßregel, -smaßnahme) f; **~a·ry** adj vorbeugend.

pre|cede [priːˈsiːd] v/t voraus-, vorangehen (dat); **~·ce·dence**, **~·ce·den·cy** [ˈpresɪdəns, ~sɪ] s Vorrang m; **~·ce·dent** [ˈpresɪdənt] s Präzedenzfall m.

pre·cept [ˈpriːsept] s Grundsatz m.

pre·cinct [ˈpriːsɪŋkt] s Bezirk m; Am. Wahlbezirk m, -kreis m; Am. (Polizei-) Revier n; **~s** pl Umgebung f; Bereich m; Grenzen pl; → **pedestrian precinct**.

pre·cious [ˈpreʃəs] **1.** adj □ kostbar; edel (gems, etc.); F schön, nett, fein; **2.** adv F reichlich, herzlich.

pre·ci·pice [ˈpresɪpɪs] s Abgrund m.

pre·cip·i|tate 1. [prɪˈsɪpɪteɪt] v/t (hinab)stürzen; chem. (aus)fällen; fig. beschleunigen; v/i chem. ausfallen; meteor. sich niederschlagen; **2.** [~tət] adj □ überstürzt, hastig; **3.** chem. [~tət] s Niederschlag m; **~·ta·tion** [prɪsɪpɪˈteɪʃn] s Sturz m; chem. Ausfällen n; meteor. Niederschlag m; fig. Überstürzung f, Hast f; **~tous** [prɪˈsɪpɪtəs] adj □ steil (abfallend), jäh.

pré·cis [ˈpreɪsiː] s (pl **-cis** [-siːz]) (gedrängte) Übersicht, Zusammenfassung f, Inhaltsangabe f.

pre|cise [prɪˈsaɪs] adj □ genau, präzis; **at one o'clock ~ly** genau or pünktlich um ein Uhr; **be more ~!** drücke dich deutlicher aus!; **~·ci·sion** [~ˈsɪʒn] s Genauigkeit f; Präzision f.

pre·clude [prɪˈkluːd] v/t ausschließen; e-r Sache vorbeugen; j-n hindern.

pre·co·cious [prɪˈkəʊʃəs] adj □ frühreif; altklug.

pre·con·ceived [priːkənˈsiːvd] adj vorgefaßt (opinion); **~·cep·tion** [~ˈsepʃn] s vorgefaßte Meinung.

pre·de·ces·sor [ˈpriːdɪsesə] s Vorgänger(in).

pre·de·ter·mine [priːdɪˈtɜːmɪn] v/t her festsetzen; vorherbestimmen.

pre·dic·a·ment [prɪˈdɪkəmənt] s mißliche Lage, Zwangslage f.

pred·i·cate 1. v/t [ˈpredɪkeɪt] behaupten; gründen (on auf dat); **2.** s gr. [~kət] Prädikat n, Satzaussage f.

pre|dict [prɪˈdɪkt] v/t vorhersagen, prophezeien; **~·dic·tion** s Prophezeiung f.

pre·di·lec·tion [priːdɪˈlekʃn] s Vorliebe f.

pre·dis|pose [priːdɪˈspəʊz] v/t j-n (im voraus) geneigt or empfänglich machen (to für); **~·po·si·tion** [~pəˈzɪʃn] s: **~ to** Neigung f zu; esp. med. Anfälligkeit f für.

pre·dom·i|nance [prɪˈdɒmɪnəns] s Vorherrschaft f, Vormacht(stellung) f, fig. Übergewicht n; **~·nant** [~t] adj □ vorherrschend; **~·nate** [~eɪt] v/i die Oberhand haben; vorherrschen.

pre·em·i·nent [priːˈemɪnənt] adj □ herausragend.

pre·emp·tion [prɪˈempʃn] s econ. Vorkauf(srecht n) m; **~·tive** [~tɪv] adj Vorkaufs...; mil. Präventiv...

pre·ex·ist [priːɪɡˈzɪst] v/i vorher dasein.

pre·fab F [ˈpriːfæb] s Fertighaus n.

pre·fab·ri·cate [priːˈfæbrɪkeɪt] v/t vorfabrizieren; **~d house** Fertighaus n.

pref·ace [ˈprefɪs] **1.** s Vorrede f, Vorwort n, Einleitung f; **2.** v/t einleiten.

pre·fect [ˈpriːfekt] s Präfekt m; school: Br. Aufsichts-, Vertrauensschüler(in).

pre·fer [prɪˈfɜː] v/t (**-rr-**) vorziehen, bevorzugen, lieber haben or mögen or tun; jur. charges: einreichen; eccl. befördern.

pref·e·ra·ble [ˈprefərəbl] adj (**to**) vorzuziehen(d) (dat), besser (als); **~·ra·bly** [~lɪ] adv vorzugsweise, besser; **~·rence** [~əns] s Vorliebe f; Vorzug m; **~·ren·tial** [prefəˈrenʃl] adj □ bevorzugt; Vorzugs...

pre·fix [ˈpriːfɪks] s Präfix n, Vorsilbe f.

preg·nan|cy [ˈpregnənsɪ] s Schwangerschaft f; Trächtigkeit f (of animal); fig. Bedeutung(sgehalt m) f, Tragweite f; **~t** adj □ schwanger; trächtig (animal); fig. bedeutungsvoll.

pre·judge [priːˈdʒʌdʒ] v/t im voraus or vorschnell be- or verurteilen.

prej·u·dice [ˈpredʒʊdɪs] **1.** s Voreingenommenheit f, Vorurteil n; Nachteil m, Schaden m; **2.** v/t j-n (günstig or ungünstig) beeinflussen, einnehmen (**in**

favour of für; *against* gegen); benachteiligen; *chances*: beeinträchtigen; **~d** (vor)eingenommen; **~di·cial** [~'dɪʃl] *adj* □ nachteilig.

pre·lim·i·na·ry [prɪ'lɪmɪnərɪ] **1.** *adj* □ vorläufig; einleitend; Vor...; **2.** *s* Einleitung *f*; Vorbereitung *f*.

prel·ude ['prelju:d] *s* Vorspiel *n*.

pre·mar·i·tal [pri:'mærɪtəl] *adj* vorehelich.

pre·ma·ture [premə'tjʊə] *adj* □ vorzeitig, verfrüht; *fig.* vorschnell.

pre·med·i·tate [pri:'medɪteɪt] *v/t* vorsätzlich planen; **~tat·ed** *adj* vorsätzlich; **~ta·tion** [~'teɪʃn] *s* Vorsatz *m*.

prem·i·er ['premjə] **1.** *adj* führend; **2.** *s pol.* Premierminister *m*.

prem·is·es ['premɪsɪz] *s pl* Grundstück *n*, Gebäude *n or pl*, Anwesen *n*; Lokal *n*.

pre·mi·um ['pri:mjəm] *s* Prämie *f*; *econ.* Agio *n*; Versicherungsprämie *f*; *at a ~* über pari; *fig.* sehr gefragt.

pre·mo·ni·tion [pri:mə'nɪʃn] *s* (Vor-)Warnung *f*, (Vor)Ahnung *f*.

pre·oc·cu·pied [pri:'ɒkjʊpaɪd] *adj* gedankenverloren; **~py** [~aɪ] *v/t* ausschließlich beschäftigen; *j-n* (völlig) in Anspruch nehmen.

prep F [prep] → *preparation*, *preparatory school*.

pre·paid *mail* [pri:'peɪd] *adj* frankiert; ~ *envelope* Freiumschlag *m*.

prep·a·ra·tion [prepə'reɪʃn] *s* Vorbereitung *f*; Zubereitung *f*; **pre·par·a·to·ry** [prɪ'pærətərɪ] *adj* □ vorbereitend; ~ (*school*) Vor(bereitungs)schule *f*.

pre·pare [prɪ'peə] *v/t* vorbereiten; zurechtmachen; (zu)bereiten; *v/i* sich vorbereiten, sich anschicken; **~d** *adj* □ bereit; gefaßt.

pre·pay [pri:'peɪ] *v/t* (*-paid*) vorausbezahlen; frankieren.

pre·pon·de|rance [prɪ'pɒndərəns] *s fig.* Übergewicht *n*; **~rant** [~t] *adj* überwiegend; **~rate** [~reɪt] *v/i* überwiegen.

prep·o·si·tion *gr.* [prepə'zɪʃn] *s* Präposition *f*, Verhältniswort *n*.

pre·pos·sess [pri:pə'zes] *v/t* einnehmen; *be ~ed by* eingenommen sein von; **~ing** *adj* □ einnehmend, anziehend.

pre·pos·ter·ous [prɪ'pɒstərəs] *adj* absurd; lächerlich, grotesk.

pre·req·ui·site [pri:'rekwɪzɪt] *s* Vorbe-

dingung *f*, (Grund)Voraussetzung *f*.

pre·rog·a·tive [prɪ'rɒgətɪv] *s* Vorrecht *n*.

pres·age ['presɪdʒ] **1.** *s* (böses) Vorzeichen; (Vor)Ahnung *f*; **2.** *v/t* (vorher) ankündigen; prophezeien.

pre·scribe [prɪ'skraɪb] *v/t* vorschreiben; *med.* verschreiben.

pre·scrip·tion [prɪ'skrɪpʃn] *s* Vorschrift *f*, Verordnung *f*; *med.* Rezept *n*.

pres·ence ['prezns] *s* Gegenwart *f*, Anwesenheit *f*; *~ of mind* Geistesgegenwart *f*.

pres·ent¹ ['preznt] **1.** *adj* □ gegenwärtig; anwesend, vorhanden; jetzig; laufend (*year*, *etc.*); vorliegend (*case*, *etc.*); *~ tense gr.* Präsens *n*, Gegenwart *f*; **2.** *s* Gegenwart *f*, *gr. a.* Präsens *n*; Geschenk *n*; *at ~* jetzt; *for the ~* vorläufig.

pre·sent² [prɪ'zent] *v/t* (dar)bieten; *thea.*, *film*: bringen, zeigen; *radio*, *TV*: bringen, moderieren; vorlegen, (-)zeigen; *j-n* vorstellen; (über)reichen; (be)schenken.

pre·sen·ta·tion [prezən'teɪʃn] *s* Verleihung *f*, Überreichung *f*; *gift*: Geschenk *n*; *of person*: Vorstellung *f*; Schilderung *f*, *thea.*, *film*: Darbietung *f*; *radio*, *TV*: Moderation *f*; *of petition*: Einreichung *f*; *of cheque*, *etc.*: Vorlage *f*.

pres·ent-day [preznt'deɪ] *adj* heutig, gegenwärtig, modern.

pre·sen·ti·ment [prɪ'zentɪmənt] *s* Vorgefühl *n*, (*mst* böse Vor)Ahnung *f*.

pres·ent·ly ['prezntlɪ] *adv* bald (darauf); *Am.* zur Zeit, jetzt.

pres·er·va·tion [prezə'veɪʃn] *s* Bewahrung *f*, Schutz *m*, Erhaltung *f* (*a. fig.*); Konservierung *f*; Einmachen *n*, -kochen *n*; *~ agent* Haltbarmacher *m*; **pre·ser·va·tive** [prɪ'zɜːvətɪv] **1.** *adj* bewahrend; konservierend; *~ agent* Haltbarmacher *m*; **2.** *s* Konservierungsmittel *n*.

pre·serve [prɪ'zɜːv] **1.** *v/t* bewahren, behüten; erhalten; einmachen; **2.** *s hunt.* (Jagd)Revier *n*, (Jagd-, Fisch)Gehege *n*; *fig.* Reich *n*; *mst* **~s** *pl* das Eingemachte.

pre·side [prɪ'zaɪd] *v/i* den Vorsitz führen (*at*, *over* bei).

pres·i|den·cy ['prezɪdənsɪ] *s* Vorsitz *m*; Präsidentschaft *f*; **~dent** [~t] *s* Präsident(in); Vorsitzende(r *m*) *f*; *univ.* Rektor *m*; *Am. econ.* Direktor *m*.

P

press [pres] **1.** *s* Druck *m* (*a. fig.*); (Wein- *etc.*)Presse *f*; *printing house*: Druckerei *f*; *publishing firm*: Verlag *m*; Druck(en *n*) *m*; *a.* **printing-~** Druckerpresse *f*; *newspapers, etc.*: die Presse; *crowd*: Andrang *m*, (Menschen)Menge *f*; **2.** *v/t* (aus)pressen; (zusammen-) drücken; drücken auf (*acc*); *clothes*: bügeln; (be)drängen; bestehen auf (*dat*); aufdrängen (**on** *dat*); be **~ed for time** es eilig haben; *v/i* pressen, drücken; bügeln; (sich) drängen; ~ **for** dringen or drängen auf (*acc*), fordern; ~ **on** (zügig) weitermachen; ~ **a·gen·cy** *s* Nachrichtenbüro *n*, Presseagentur *f*; ~ **a·gent** *s* Presseagent *m*; ~**but·ton** *s* Druckknopf *m*; ~**ing** *adj* □ dringend; ~**stud** *s Br.* Druckknopf *m*; **pres·sure** [~ʃə] *s* Druck *m* (*a. fig.*); Bedrängnis *f*, Belastung *f*.

pres·tige [preˈstiːʒ] *s* Prestige *n*.

pre·su·ma·ble [prɪˈzjuːməbl] *adj* □ vermutlich; ~**me** [~ˈzjuːm] *v/t* annehmen, vermuten, voraussetzen; sich *et.* herausnehmen; *v/i* sich erdreisten; anmaßend sein; ~ **on**, ~ **upon** ausnutzen or mißbrauchen (*acc*).

pre·sump·tion [prɪˈzʌmpʃn] *s* Vermutung *f*; Wahrscheinlichkeit *f*; Anmaßung *f*; ~**tive** *adj* □ mutmaßlich; ~**tu·ous** [~tjʊəs] *adj* □ überheblich; vermessen.

pre·sup·pose [priːsəˈpəʊz] *v/t* voraussetzen; ~**po·si·tion** [prɪsʌpəˈzɪʃn] *s* Voraussetzung *f*.

pre·tence, *Am.* **-tense** [prɪˈtens] *s* Vortäuschung *f*; Vorwand *m*; Schein *m*, Verstellung *f*.

pre·tend [prɪˈtend] *v/t* vorgeben; vortäuschen; heucheln; *v/i* sich verstellen; Anspruch erheben (**to** auf *acc*); ~**ed** *adj* □ angeblich.

pre·ten·sion [prɪˈtenʃn] *s* Anspruch *m* (**to** auf *acc*); Anmaßung *f*.

pre·ter·it(e) *gr.* [ˈpretərɪt] *s* Präteritum *n*, erste Vergangenheit.

pre·text [ˈpriːtekst] *s* Vorwand *m*.

pret·ty [ˈprɪtɪ] **1.** *adj* □ (**-ier**, **-iest**) hübsch; niedlich; nett; F **a ~ penny** F e-e schöne Stange Geld; **2.** *adv* ziemlich.

pre·vail [prɪˈveɪl] *v/i* die Oberhand haben or gewinnen; (vor)herrschen; maßgebend or ausschlaggebend sein; ~ **on**

or **upon** *s.o.* **to do** *s.th.* j-n dazu bewegen, et. zu tun; ~**ing** *adj* □ (vor)herrschend.

pre·vent [prɪˈvent] *v/t* verhindern, -hüten; vorbeugen (*dat*); j-n hindern; ~**ven·tion** [~ʃn] *s* Verhinderung *f*, Verhütung *f*; ~**ven·tive** *adj* □ *esp. med.* vorbeugend, präventiv.

pre·view [ˈpriːvjuː] *s* Vorschau *f*; Vorbesichtigung *f*.

pre·vi·ous [ˈpriːvɪəs] *adj* □ vorher-, vorausgehend, Vor...; voreilig; ~ **to** bevor, vor (*dat*); ~ **knowledge** Vorkenntnisse *pl*; ~**ly** *adv* vorher, früher.

pre·war [priːˈwɔː] *adj* Vorkriegs...

prey [preɪ] **1.** *s* Raub *m*, Beute *f*; **beast of** ~ Raubtier *n*; **bird of** ~ Raubvogel *m*; **be** or **fall a** ~ **to** die Beute (*gen*) werden; *fig.* geplagt werden von; **2.** *v/i*: ~ **on**, ~ **upon** *zo.* Jagd machen auf (*acc*), fressen (*acc*); *fig.* berauben (*acc*), ausplündern (*acc*); ausbeuten (*acc*); *fig.* nagen or zehren an (*dat*).

price [praɪs] **1.** *s* Preis *m*; Lohn *m*; **2.** *v/t goods*: auszeichnen; den Preis festsetzen für; *fig.* bewerten, schätzen; ~**con·trol** *s econ.* Preiskontrolle *f*; ~**cut** *s* Preissenkung *f*; ~**less** *adj* von unschätzbarem Wert, unbezahlbar; ~**sup·port** *s econ.* Preisstützung *f*, Subvention *f*; **pric·ing** *s econ.* Preispolitik *f*, Preisgestaltung *f*.

prick [prɪk] **1.** *s* Stich *m*; V Schwanz *m* (*penis*); ~**s** *pl of* **conscience** Gewissensbisse *pl*; **2.** *v/t* (durch)stechen; *fig.* peinigen; *a.* ~ **out** *pattern*: ausstechen; ~ **up one's ears** die Ohren spitzen; *v/i* stechen.

prick·le [ˈprɪkl] *s* Stachel *m*, Dorn *m*; ~**ly** *adj* (**-ier**, **-iest**) stach(e)lig.

pride [praɪd] **1.** *s* Stolz *m*; Hochmut *m*; **take** (**a**) ~ **in** stolz sein auf (*acc*); **2.** *v/t*: ~ **o.s. on** or **upon** stolz sein auf (*acc*).

priest [priːst] *s* Priester *m*.

prig [prɪg] *s* Tugendbold *m*, selbstgefälliger Mensch; Pedant *m*.

prim [prɪm] *adj* □ (**-mm-**) steif; prüde.

pri·ma·cy [ˈpraɪməsɪ] *s* Vorrang *m*; ~**ri·ly** [~rəlɪ] *adv* in erster Linie; ~**ry** [~rɪ] **1.** *adj* □ ursprünglich; hauptsächlich; primär; elementar; höchst; Erst..., Ur..., Anfangs...; Haupt...; **2.** *s a.* ~ **election** *Am. pol.* Vorwahl *f*; ~**ry school** *s Br.* Grundschule *f*.

proceed

prime [praɪm] **1.** *adj* □ erste(r, -s), wichtigste(r, -s), Haupt...; erstklassig, vorzüglich; **~ cost** *econ.* Selbstkosten *pl*; **~ minister** Premierminister *m*, Ministerpräsident *m*; **~ number** *math.* Primzahl *f*; **~ time** *TV* Hauptsendezeit *f*, beste Sendezeit; **2.** *s fig.* Blüte(zeit) *f*; das Beste, höchste Vollkommenheit; **3.** *v/t* vorbereiten; *pump:* anlassen; instruieren; *paint.* grundieren.

pri-m(a)e-val [praɪˈmiːvl] *adj* uranfänglich, Ur...

prim-i-tive [ˈprɪmɪtɪv] *adj* □ ursprünglich, Ur...; primitiv (*a. contp.*); *art:* naiv.

prince [prɪns] *s* Fürst *m*; Prinz *m*; **prin-cess** [prɪnˈses, *attr* ˈprɪnses] *s* Fürstin *f*; Prinzessin *f*.

prin-ci-pal [ˈprɪnsəpl] **1.** *adj* □ erste(r, -s), hauptsächlich, Haupt...; **2.** *s* Hauptperson *f*, Vorsteher *m*; (Schul-) Direktor *m*, Rektor *m*; Chef(in); *jur.* Haupttäter(in); *econ.* (Grund)Kapital *n*; **~i-ty** [prɪnsɪˈpælətɪ] *s* Fürstentum *n*.

prin-ci-ple [ˈprɪnsəpl] *s* Prinzip *n*, Grundsatz *m*; **on ~** grundsätzlich, aus Prinzip.

print [prɪnt] **1.** *s print.* Druck *m*; Druckbuchstaben *pl*; (Finger- *etc.*)Abdruck *m*; (Stahl-, Kupfer)Stich *m*; *phot.* Abzug *m*; Drucksache *f, esp. Am.* Zeitung *f*; **in ~** gedruckt; **out of ~** vergriffen; **2.** *v/t* (ab-, auf-, be)drucken; in Druckbuchstaben schreiben; *fig.* einprägen (**on** *dat*); **~ (off** *or* **out)** *phot.* abziehen, kopieren; **~ out** *computer:* ausdrucken; **~out** *computer:* Ausdruck *m*; **~ed matter** *mail:* Drucksache *f*; **~er** [ˈprɪntə] *s person, machine:* Drucker *m*.

print-ing [ˈprɪntɪŋ] *s* Druck *m*, Drucken *n*; *phot.* Abziehen *n*, Kopieren *n*; **~ink** *s* Druckerschwärze *f*; **~of-fice** *s* (Buch)Druckerei *f*; **~press** *s* Druckerpresse *f*.

pri-or [ˈpraɪə] **1.** *adj* früher, älter (**to** als); **2.** *adv:* **~ to** *vor* (*dat*); **3.** *s eccl.* Prior *m*; **~i-ty** [praɪˈɒrɪtɪ] *s* Priorität *f*; Vorrang *m*; *mot.* Vorfahrt(srecht) *f*; **a top ~** e-e Sache von höchster Dringlichkeit.

prise *esp. Br.* [praɪz] → **prize²**.

pris-m [ˈprɪzəm] *s* Prisma *n*.

pris-on [ˈprɪzn] *s* Gefängnis *n*; **~er** [~ə] *s* Gefangene(r *m*) *f*; Häftling *m*; **take s.o. ~** j-n gefangennehmen.

pri-va-cy [ˈprɪvəsɪ] *s* Zurückgezogenheit

f; Privatleben *n*; Intim-, Privatsphäre *f*; Geheimhaltung *f*.

pri-vate [ˈpraɪvɪt] **1.** *adj* □ privat, Privat...; persönlich; vertraulich; geheim; **~ eye** F Privatdetektiv *m*, F Schnüffler *m*; **~ parts** *pl* Geschlechtsteile *pl*; **~ sector** *econ.* Privatwirtschaft *f*; **2.** *s mil.* Gefreite(r *m*) *f*; **in ~** privat, im Privatleben; unter vier Augen.

pri-va-tion [praɪˈveɪʃn] *s* Not *f*, Entbehrung *f*.

pri-vat|i-za-tion *econ.* [praɪvətaɪˈzeɪʃn] *s* Privatisierung *f*; **~ize** *econ.* [ˈpraɪvətaɪz] *v/t* privatisieren.

priv-i-lege [ˈprɪvɪlɪdʒ] *s* Privileg *n*; Vorrecht *n*; **~d** *adj* privilegiert.

priv-y [ˈprɪvɪ] *adj* (**-ier, -iest**): **~ to** eingeweiht in (*acc*); **2 Council** Staatsrat *m*; **2 Councillor** Geheimer Rat (*person*).

prize¹ [praɪz] **1.** *s* (Sieges)Preis *m*, Prämie *f*, Auszeichnung *f*; (Lotterie)Gewinn *m*; **2.** *adj* preisgekrönt; Preis...; **~winner** Preisträger(in); **3.** *v/t* (hoch)schätzen.

prize², *esp. Br.* **prise** [praɪz] *v/t* (auf-) stemmen; **~ open** aufbrechen.

pro¹ [prəʊ] **1.** *prp* für; **2.** *s:* **the ~s and cons** das Für und Wider, das Pro und Kontra.

pro² F [~] *s* (*pl* **pros**) *sports:* F Profi *m*; *prostitute:* F Nutte *f*.

pro- [prəʊ] *in compounds:* (eintretend) für, pro..., ...freundlich.

prob-a|bil-i-ty [prɒbəˈbɪlətɪ] *s* Wahrscheinlichkeit *f*; **~ble** *adj* □ wahrscheinlich.

pro-ba-tion [prəˈbeɪʃn] *s* Probe *f*, Probezeit *f*; *jur.* Bewährung(sfrist) *f*; **~ officer** Bewährungshelfer(in).

probe [prəʊb] **1.** *s med., tech.* Sonde *f*; *fig.* Sondierung *f*; **lunar ~** Mondsonde *f*; **2.** *v/t* sondieren (*a. med.*); untersuchen.

prob-lem [ˈprɒbləm] *s* Problem *n*; *math.* Aufgabe *f*; **~at-ic** [ˈmætɪk] (**~ally**), **~at-i-cal** *adj* □ problematisch, zweifelhaft.

pro-ce-dure [prəˈsiːdʒə] *s* Verfahren *n*; Handlungsweise *f*.

pro-ceed [prəˈsiːd] *v/i* weitergehen (*a. fig.*); sich begeben (**to** nach); fortfahren; vor sich gehen; vorgehen; **~ from** kommen *or* ausgehen *or* herrühren von; **~ to** schreiten *or* übergehen zu, sich machen an (acc); **~·ing** s Vorgehen n; Handlung f; **~s** pl jur. Verfahren n, (Gerichts)Verhandlung(en pl) f; (Tätigkeits)Bericht m; **~s** pl Erlös m, Ertrag m, Gewinn m.

pro|cess ['prəʊses] **1.** s Fortschreiten n, Fortgang m; Vorgang m; Verlauf m (of time); Prozeß m, Verfahren n; **be in ~** in Gang sein; **in ~ of construction** im Bau (befindlich); **2.** v/t tech. bearbeiten; waste: aufbereiten; phot. entwickeln; jur. gerichtlich belangen; **~·ces·sion** [prə'seʃn] s Prozession f; **~·ces·sor** s Prozessor m.

pro·claim [prə'kleɪm] v/t proklamieren, erklären, ausrufen; **proc·la·ma·tion** [prɒklə'meɪʃn] s Proklamation f, Bekanntmachung f; Erklärung f.

pro·cure [prə'kjʊə] v/t be-, verschaffen; v/i Kuppelei betreiben.

prod [prɒd] **1.** s Stich m, Stoß m; fig. Ansporn m; **2.** v/t (-dd-) stoßen (a. v/i); fig. anstacheln, anspornen.

prod·i·gal ['prɒdɪgl] **1.** adj ☐ verschwenderisch; **2.** s Verschwender(in).

pro·di·gious [prə'dɪdʒəs] adj ☐ erstaunlich, ungeheuer; **prod·i·gy** ['prɒdɪdʒɪ] s Wunder n (object or person); **child or infant ~** Wunderkind n.

prod·uce¹ ['prɒdjuːs] s (Natur)Erzeugnis(se pl) n, (Landes)Produkte pl; Ertrag m; tech. Leistung f, Ausstoß m.

pro|duce² [prə'djuːs] v/t produzieren, erzeugen, herstellen; hervorbringen; econ. interest, etc.: (ein)bringen; heraus-, hervorziehen; vor/zeigen; proof, etc.: beibringen; reasons: vorbringen; math. line: verlängern; film: produzieren; fig. hervorrufen, erzielen; **~·duc·er** s Erzeuger(in), Hersteller(in); film, TV: Produzent(in); thea., etc.: Br. Regisseur(in).

prod·uct ['prɒdʌkt] s Produkt n, Erzeugnis n; **~ liability** econ. Produkthaftung f.

pro·duc|tion [prə'dʌkʃn] s Produktion f; Erzeugung f, Herstellung f; Erzeugnis n; Hervorbringen n; thea., etc.: Inszenierung f; Beibringung f; **~·tive** adj ☐ produktiv; ertragreich; schöpferisch; **~·tive·ness**, **~·tiv·i·ty** [prɒdʌk'tɪvɪtɪ] s Produktivität f.

prof F [prɒf] s Professor m, F Prof m.

pro|fa·na·tion [prɒfə'neɪʃn] s Entwei-

hung f; **~·fane** [prə'feɪn] **1.** adj ☐ profan, weltlich; gottlos, lästerlich; **2.** v/t entweihen; **~·fan·i·ty** [~'fænətɪ] s Gottlosigkeit f; Fluchen n.

pro·fess [prə'fes] v/t erklären, beteuern; interest, etc.: bekunden; declare one's faith in: sich bekennen zu; **~ed** adj ☐ erklärt; angeblich.

pro·fes·sion [prə'feʃən] s Bekenntnis n, Erklärung f; Beruf m; **~·al 1.** adj ☐ Berufs...; Amts...; professionell; beruflich; fachmännisch; freiberuflich; **~ man (woman)** Akademiker(in); **2.** s Fachmann m; sports: Berufsspieler(in), -sportler(in), Profi; Berufskünstler(in).

pro·fes·sor [prə'fesə] s Professor(in); Am. Dozent(in).

pro·fi·cien|cy [prə'fɪʃənsɪ] s Tüchtigkeit f; **~t** [~t] adj ☐ tüchtig; bewandert.

pro·file ['prəʊfaɪl] s Profil n.

prof|it ['prɒfɪt] **1.** s Gewinn m, Profit m; Vorteil m, Nutzen m; **2.** v/t j-m nützen; v/i: **~ from or by** Nutzen ziehen aus; **~·i·ta·ble** adj ☐ nützlich, vorteilhaft; gewinnbringend, einträglich; **~·i·teer** [~'tɪə] **1.** v/i Schiebergeschäfte machen; **2.** s Profitmacher m, Schieber m; **~·it-shar·ing** s Gewinnbeteiligung f.

prof·li·gate ['prɒflɪgət] adj lasterhaft; verschwenderisch.

pro·found [prə'faʊnd] adj ☐ tief; tiefgründig, gründlich, profund.

pro|fuse [prə'fjuːs] adj ☐ verschwenderisch; (über)reich; **~·fu·sion** fig. [~ʒn] s Überfluß m, (Über)Fülle f.

pro·gen·i·tor [prəʊ'dʒenɪtə] s Vorfahr m, Ahn m; **prog·e·ny** ['prɒdʒənɪ] s Nachkommen(schaft pl) pl; zo. Brut f.

prog·no·sis [prɒg'nəʊsɪs] s (pl **-ses** [~siːz]) Prognose f.

pro·gram ['prəʊgræm] **1.** s computer: Programm n; Am. → Br. **programme** 1; **2.** v/t (-mm-) computer: programmieren; Am. → Br. **programme** 2; **~·er** → **programmer**.

pro|gramme, Am. **-gram** ['prəʊgræm] **1.** s Programm n; radio, TV: a. Sendung f; **2.** v/t (vor)programmieren; planen; **~·gram·mer** s computer: Programmierer(in).

pro|gress 1. s ['prəʊgres] Fortschritt(e pl) m; Vorrücken n; Fortgang m; **in ~** im Gang; **2.** v/i [prə'gres] fortschreiten;

~gres·sion s Fortschreiten n; Weiterentwicklung f; **~gres·sive 1.** adj □ fortschreitend; fortschrittlich; **2.** s pol. Progressive(r m) f.

pro|hib·it [prə'hɪbɪt] v/t verbieten; verhindern; **~hi·bi·tion** [prəʊɪ'bɪʃn] s Verbot n; Prohibition f; **~hi·bi·tion·ist** s Prohibitionist m; **~hib·i·tive** [prə'hɪbɪtɪv] adj □ verbietend; Schutz...; unerschwinglich (price).

proj|ect' ['prɒdʒekt] s Projekt n; Vorhaben n, Plan m.

project² [prə'dʒekt] v/t planen, entwerfen; werfen, schleudern; projizieren; v/i vorspringen, -ragen; **~jec·tile** [~aɪl] s Projektil n, Geschoß n; **~jec·tion** [~kʃn] s Entwurf m; Vorsprung m, vorspringender Teil; math., phot. Projektion f; **~jec·tion·ist** [~kʃənɪst] s Filmvorführer(in); **~jec·tor** opt. [~tə] s Projektor m.

pro·le·tar·i·an [prəʊlɪ'teərɪən] **1.** adj proletarisch; **2.** s Proletarier(in).

pro·lif·e·rate [prə'lɪfəreɪt] v/i number: sich stark erhöhen; plants, etc.: wuchern, sich stark vermehren; **pro·lif·e·ra·tion** [~'reɪʃn] s starke Erhöhung или Vermehrung f; of nuclear weapons: Weitergabe f; **~ of algae** Algenpest f.

pro·lif·ic [prə'lɪfɪk] adj (**~ally**) fruchtbar.

pro·logue, Am. a. **-log** ['prəʊlɒg] s Prolog m.

pro·long [prə'lɒŋ] v/t verlängern.

prom·e·nade [prɒmə'nɑːd] **1.** s (Strand)Promenade f; **2.** v/i and v/t promenieren (auf dat).

prom·i·nent ['prɒmɪnənt] adj □ vorstehend, hervorragend (a. fig.); fig. prominent.

pro·mis·cu·ous [prə'mɪskjʊəs] adj □ unordentlich, verworren; sexuell freizügig.

prom|ise ['prɒmɪs] **1.** s Versprechen n; fig. Aussicht f; **2.** v/t versprechen; **~is·ing** adj □ vielversprechend.

prom·on·to·ry geol. ['prɒməntrɪ] s Vorgebirge n.

pro|mote [prə'məʊt] v/t et. fördern; j-n befördern; Am. school: versetzen; parl. unterstützen; econ. gründen; sales figures: steigern; econ. werben für; organize: veranstalten; **~mot·er** s Förderer m, Befürworter m; sports: Veranstalter m; **~mo·tion** s Förderung f; Beförde-

rung f; econ. Gründung f; econ. Verkaufsförderung f, Werbung f.

prompt [prɒmpt] **1.** adj □ umgehend, unverzüglich, sofortig; bereit(willig); pünktlich; **2.** v/t j-n veranlassen; idea: eingeben; j-m vorsagen, soufflieren; **~er** s Souffleu/r m, -se f; **~ness** s Schnelligkeit f; Bereitschaft f.

prone [prəʊn] adj □ mit dem Gesicht nach unten (liegend); hingestreckt; **be ~ to** fig. neigen zu.

prong [prɒŋ] s Zinke f; Spitze f.

pro·noun gr. ['prəʊnaʊn] s Pronomen n, Fürwort n.

pro·nounce [prə'naʊns] v/t aussprechen; verkünden; erklären für.

pron·to F ['prɒntəʊ] adv fix, schnell.

pro·nun·ci·a·tion [prənʌnsɪ'eɪʃn] s Aussprache f.

proof [pruːf] **1.** s Beweis m; Probe f; print. Korrekturfahne f, -bogen m; print., phot. Probeabzug m; **2.** adj fest; in compounds: ...fest, ...beständig, ...dicht, ...sicher; **~read** v/i and v/t (**-read**) Korrektur lesen; **~read·er** s Korrektor m.

prop [prɒp] **1.** s Stütze f (a. fig.); **2.** v/t (**-pp-**) a. **up** stützen; sich, et. lehnen (**against** gegen).

prop·a·gan·da [prɒpə'gændə] s Propaganda f.

prop·a|gate ['prɒpəgeɪt] v/i and v/t (sich) fortpflanzen; verbreiten; **~ga·tion** [~'geɪʃn] s Fortpflanzung f; Verbreitung f.

pro·pel [prə'pel] v/t (**-ll-**) (vorwärts-, an-) treiben; **~ler** s Propeller m, (Luft-, Schiffs)Schraube f; **~ling pen·cil** s Drehbleistift m.

prop·er ['prɒpə] adj □ eigen(tümlich); passend; richtig; anständig, korrekt; zuständig; esp. Br. F ordentlich, tüchtig, gehörig; Eigen...; **~ name** Eigenname m; **~ty** [~tɪ] s Eigentum n, Besitz m; Vermögen n; Eigenschaft f.

proph·e|cy ['prɒfɪsɪ] s Prophezeiung f; **~sy** [~aɪ] v/t prophezeien, weissagen.

proph·et ['prɒfɪt] s Prophet m.

pro·por·tion [prə'pɔːʃn] **1.** s Verhältnis n; Gleichmaß n; (An)Teil m; **~s** pl (Aus)Maße pl; **2.** v/t in das richtige Verhältnis bringen; **~al** adj □ proportional; → **~ate** [~nət] adj □ im richtigen Verhältnis (**to** zu), angemessen.

pro·pos·al [prəˈpəʊzl] *s* Vorschlag *m*, (*a.* Heirats)Antrag *m*; Angebot *n*; **~e** *v/t* vorschlagen; beabsichtigen, vorhaben; e-n Toast ausbringen auf (*acc*); **~ s.o.'s health** auf j-s Gesundheit trinken; *v/i* e-n Heiratsantrag machen (**to** *dat*); **prop·o·si·tion** [prɒpəˈzɪʃn] *s* Vorschlag *m*, Antrag *m*; *econ.* Angebot *n*; Behauptung *f*.

pro·pound [prəˈpaʊnd] *v/t question*, *etc.*: vorlegen; vorschlagen.

pro·pri·e·ta·ry [prəˈpraɪətərɪ] *adj* Eigentümer...; Eigentums...; *econ.* gesetzlich geschützt (*as patent*); **~tor** [~ə] *s* Eigentümer *m*, Geschäftsinhaber *m*; **~ty** [~ɪ] *s* Richtigkeit *f*; Schicklichkeit *f*, Anstand *m*; **the proprieties** *pl* die Anstandsformen *pl*.

pro·pul·sion *tech.* [prəˈpʌlʃn] *s* Antrieb *m*.

pro·sa·ic *fig.* [prəʊˈzeɪk] *adj* (**~ally**) prosaisch, nüchtern, trocken.

prose [prəʊz] *s* Prosa *f*.

pros·e·cute [ˈprɒsɪkjuːt] *v/t* (*a.* strafrechtlich) verfolgen; *studies*, *etc.*: betreiben; *jur.* anklagen (**for** wegen); **~cu·tion** [~ˈkjuːʃn] *s* Durchführung *f* (*of plan*, *etc.*); *jur.* Strafverfolgung *f*, Anklage *f*; **~cu·tor** *jur.* [ˈ~kjuːtə] *s* Ankläger *m*; **public ~** Staatsanwalt *m*.

pros·pect 1. *s* [ˈprɒspekt] Aussicht *f* (*a. fig.*); *econ.* Interessent *m*; **2.** *v/i* [prəˈspekt]: **~ for** *mining:* schürfen nach; bohren nach (*oil*).

pro·spec·tive [prəˈspektɪv] *adj* □ (zu-) künftig, voraussichtlich.

pro·spec·tus [prəˈspektəs] *s* (*pl* **-tuses**) (Werbe)Prospekt *m*.

pros·per [ˈprɒspə] *v/i* Erfolg haben; gedeihen, blühen; *v/t* begünstigen; segnen; **~i·ty** [prɒˈsperətɪ] *s* Gedeihen *n*, Wohlstand *m*, Glück *n*; *econ.* Wohlstand *m*, Konjunktur *f*, Blüte(zeit) *f*; **~i·ty gap** *s pol.* Wohlstandsgefälle *n*; **~ous** [ˈprɒspərəs] *adj* □ erfolgreich, blühend; wohlhabend; günstig.

pros·ti·tute [ˈprɒstɪtjuːt] *s* Prostituierte *f*, Dirne *f*; **male ~** Strichjunge *m*.

pros|trate 1. *adj* [ˈprɒstreɪt] hingestreckt; erschöpft; daniederliegend; demütig; gebrochen; **2.** *v/t* [prɒˈstreɪt] niederwerfen; erschöpfen; *fig.* niederschmettern; **~tra·tion** [~ˈstreɪʃn] *s* Niederwerfen *n*, Fußfall *m*; Erschöpfung *f*.

pros·y *fig.* [ˈprəʊzɪ] *adj* (**-ier**, **-iest**) prosaisch; langweilig.

pro·tag·o·nist [prəʊˈtægənɪst] *s thea.* Hauptfigur *f*; *fig.* Vorkämpfer(in).

pro|tect [prəˈtekt] *v/t* (be)schützen; **~tec·tion** [~kʃn] *s* Schutz *m*; *jur.* (Rechts)Schutz *m*; *econ.* Schutzzoll *m*; **~tec·tion·is·m** *s econ.* Protektionismus *m*; **~tec·tive** *adj* □ (be)schützend; Schutz...; **~ duty** *econ.* Schutzzoll *m*; **~tec·tor** *s* (Be)Schützer *m*; Schutz-, Schirmherr *m*; **~tec·tor·ate** [~rət] *s pol.* Protektorat *n*.

pro·test 1. *s* [ˈprəʊtest] Protest *m*; Einspruch *m*; **2.** [prəˈtest] *v/i* protestieren (**against** gegen); *v/t Am.* protestieren gegen; beteuern.

Prot·es·tant [ˈprɒtɪstənt] **1.** *adj* protestantisch; **2.** *s* Protestant(in).

prot·es·ta·tion [prɒteˈsteɪʃn] *s* Beteuerung *f*; Protest *m* (**against** gegen).

pro·to·col [ˈprəʊtəkɒl] **1.** *s* Protokoll *n*; **2.** *v/t* (**-ll-**) protokollieren.

pro·to·type [ˈprəʊtətaɪp] *s* Prototyp *m*, Urbild *n*.

pro·tract [prəˈtrækt] *v/t* in die Länge ziehen, hinziehen.

pro|trude [prəˈtruːd] *v/i* heraus-, (her-) vorstehen, -ragen, -treten; **~tru·sion** *s* Herausragen *n*, (Her)Vorstehen *n*, Hervortreten *n*.

pro·tu·ber·ance [prəˈtjuːbərəns] *s* Auswuchs *m*, Beule *f*.

proud [praʊd] *adj* □ stolz (**of** auf *acc*).

prove [pruːv] *v/t* (**proved**, **proved** or *esp. Am.* **proven**) v/t be-, er-, nachweisen; prüfen; *v/i* sich herausstellen or erweisen als; **prov·en** [ˈpruːvən] **1.** *esp. Am.* *pp* of **prove**; **2.** *adj* be-, erwiesen; bewährt.

prov·erb [ˈprɒvɜːb] *s* Sprichwort *n*.

pro·vide [prəˈvaɪd] *v/t* besorgen, beschaffen, liefern; bereitstellen; versorgen, ausstatten; *jur.* vorsehen, festsetzen; *v/i* (vor)sorgen; **~d** (**that**) vorausgesetzt, daß; sofern; **~ for** *family:* sorgen für, versorgen; **the treaty ~s for ...** der Vertrag sieht vor, ...

prov·i|dence [ˈprɒvɪdəns] *s* Vorsehung *f*; Voraussicht *f*, Vorsorge *f*; **~dent** *adj* □ vorausblickend, vorsorglich; haushälterisch; **~den·tial** [~ˈdenʃl] *adj* □ durch die (göttliche) Vorsehung bewirkt; glücklich, günstig.

P

pro·vid·er [prə'vaɪdə] *s of family*: Ernährer *m*; *econ.* Lieferant *m*.

prov·ince ['prɒvɪns] *s* Provinz *f*; *fig.* Gebiet *n*; *fig.* Fach *n*, Aufgabenbereich *m*; **pro·vin·cial** [prə'vɪnʃl] **1.** *adj* □ Provinz..., provinziell; kleinstädtisch; **2.** *s* Provinzbewohner(in).

pro·vi·sion [prə'vɪʒn] *s* Beschaffung *f*, Vorsorge *f*; *jur.* Bestimmung *f*, Vorkehrung *f*, Maßnahme *f*; **~s** *pl* (Lebensmittel)Vorrat *m*, Proviant *m*, Lebensmittel *pl*; **~al** *adj* □ provisorisch; *driving licence, etc.*: vorläufig.

pro·vi·so [prə'vaɪzəʊ] *s* (*pl* **-sos**, *Am. a.* **-soes**) Bedingung *f*, Vorbehalt *m*.

prov·o·ca·tion [prɒvə'keɪʃn] *s* Herausforderung *f*; **pro·voc·a·tive** [prə'vɒkətɪv] *adj* herausfordernd; aufreizend; **pro·voke** [prə'vəʊk] *v/t* reizen; herausfordern; provozieren.

prov·ost ['prɒvəst] *Br. mst* 2 *of certain colleges*: Rektor *m*; *ScotE.* Bürgermeister *m*.

prow *mar.* [praʊ] *s* Bug *m*.

prowl [praʊl] **1.** *v/i a.* **~ about**, **~ around** herumstreichen; *v/t* durchstreifen; **2.** *s* Herumstreifen *n*; **~ car** *s Am.* (Funk-) Streifenwagen *m*.

prox·im·i·ty [prɒk'sɪmətɪ] *s* Nähe *f*.

prox·y ['prɒksɪ] *s* (Stell)Vertreter(in); (Stell)Vertretung *f*, Vollmacht *f*; **by ~** in Vertretung.

prude [pruːd] *s* prüder Mensch; **be a ~** prüde sein.

pru·dence ['pruːdns] *s* Klugheit *f*, Vernunft *f*; Vorsicht *f*; **~dent** *adj* □ klug, vernünftig; vorsichtig.

prud·er·y ['pruːdərɪ] *s* Prüderie *f*; **~ish** *adj* □ prüde, spröde.

prune [pruːn] **1.** *s* Backpflaume *f*; **2.** *v/t* *agr.* beschneiden (*a. fig.*); *a.* **~ away**, **~ off** wegschneiden.

pry¹ [praɪ] *v/i* neugierig gucken *or* sein; **~ about** herumschnüffeln; **~ into** s-e Nase stecken in (*acc*).

pry² [~] → **prize²**.

psalm [sɑːm] *s* Psalm *m*.

pseu·do- ['sjuːdəʊ] *in compounds*: Pseudo..., falsch.

pseu·do·nym ['sjuːdənɪm] *s* Pseudonym *n*, Deckname *m*.

psy·chi·a·trist [saɪ'kaɪətrɪst] *s* Psychiater *m*; **~try** *s* Psychiatrie *f*.

psy·chic ['saɪkɪk] (**~ally**), **~·chi·cal** *adj* □ übersinnlich, übernatürlich; psychisch.

psy·cho·log·i·cal [saɪkə'lɒdʒɪkl] *adj* □ psychologisch; **~·chol·o·gist** [saɪ'kɒlədʒɪst] *s* Psychologe *m*, -in *f*; **~·cholo·gy** *s* Psychologie *f*.

pub *Br.* F [pʌb] *s* Pub *m*, *n*, Kneipe *f*; **~ crawl** F Kneipentour *f*.

pu·ber·ty ['pjuːbətɪ] *s* Pubertät *f*.

pu·bic *anat.* ['pjuːbɪk] *adj* Scham...; **~ bone** Schambein *n*; **~ hair** Schamhaare *pl*.

pub·lic ['pʌblɪk] **1.** *adj* □ öffentlich; staatlich, Staats...; allgemein bekannt; **~ spirit** Gemein-, Bürgersinn *m*; **go ~** *econ. company*: an die Börse gehen; **2.** *s* Öffentlichkeit *f*; *die* Öffentlichkeit, *das* Publikum, *die* Leute *pl*.

pub·li·can *esp. Br.* ['pʌblɪkən] *s* Gastwirt(in).

pub·li·ca·tion [pʌblɪ'keɪʃn] *s* Bekanntmachung *f*; Veröffentlichung *f*; *monthly ~* Monatsschrift *f*.

pub·lic com·pa·ny *s econ.* Aktiengesellschaft *f*; **~ con·ve·ni·ence** *s Br.* öffentliche Toiletten *pl*; **~ health** *s die* öffentliche Gesundheit; **~ service** *s das* öffentliche Gesundheitswesen; **~ hol·i·day** *s* gesetzlicher Feiertag; **~ house** *s Br.* → **pub**.

pub·lic·i·ty [pʌb'lɪsətɪ] *s* Öffentlichkeit *f*; Reklame *f*, Werbung *f*.

pub·lic| law *jur.* **1.** *s* öffentliches Recht; **2.** *adj* öffentlich-rechtlich; **~ li·bra·ry** *s* Leihbücherei *f*; **~ mon·ey** *s* öffentliche Gelder *pl*; **~ o·pin·ion** *s* öffentliche Meinung; **~ poll** Meinungsumfrage *f*; **~ pur·chas·er** *s econ.* öffentlicher Auftraggeber; **~ pur·chas·ing** *s econ. die* Vergabe öffentlicher Aufträge; **~ re·la·tions** *s pl* Public Relations *pl*, Öffentlichkeitsarbeit *f*; **~ school** *s Br.* Privatschule *f*, Public School *f*; *Am.* staatliche Schule; **~ ser·vice** *s* öffentlicher Dienst; **~ spend·ing** *s pol.*, *econ.* Ausgaben *pl* der öffentlichen Hand; **~ trans·port** *s* öffentliche Verkehrsmittel *pl*.

pub·lish ['pʌblɪʃ] *v/t* bekanntmachen; veröffentlichen; *book, etc.*: herausgeben, verlegen; **~ing house** Verlag *m*; **~er** *s* Herausgeber *m*, Verleger *m*; **~s** *pl* Verlag(sanstalt *f*) *m*.

pud·ding ['pʊdɪŋ] *s* Pudding *m*; (*solid*)

Süßspeise, Nachspeise f, -tisch m; *with meat, etc.*: Fleischpastete f; **black ~** Blutwurst f; **white ~** Preßsack m.

pud·dle ['pʌdl] s Pfütze f.

puff [pʌf] **1.** s kurzer Atemzug, Schnaufer m; leichter Windstoß, Hauch m; *at cigarette*: Zug m; (Dampf-, Rauch-)Wölkchen n; (Puder)Quaste f; **2.** v/i *and* v/t (auf)blasen; pusten; paffen; schnauben, schnaufen, keuchen; ~ **up** sich (auf)blähen; **~ed up eyes** geschwollene Augen; ~ **pas·try** s Blätterteiggebäck n; **~·y** adj (*-ier*, *-iest*) geschwollen; aufgedunsen; bauschig.

pug zo. [pʌg] s a. **~·dog** Mops m.

puke sl. [pjuːk] v/i *and* v/t (aus)kotzen.

pull [pʊl] **1.** s Ziehen n, Zerren n; Zug m; *of planet*: Anziehungskraft f; *of tide*: Sog m; *print.* Fahne f, (Probe)Abzug m; *rowing*: Ruderpartie f; Zug m (**from** *a cigarette, etc.* an); Schluck m (**at** *a bottle* aus); *fig.* Einfluß m, Beziehungen pl; **2.** v/t *and* v/i ziehen; reißen; ~ (**at** *or* **on**) ziehen an (*dat*); ~ **about** herumzerren; ~ **ahead of** vorbeiziehen an (*dat*), überholen (*acc*) (*car, etc.*); ~ **away** anfahren (*bus, etc.*); sich losreißen (**from** von); ~ **down** niederreißen; ~ **in** einfahren (*train*); anhalten (*car, boat*); ~ **off** F zustande bringen, schaffen; ~ **out** herausfahren (**of** aus), abfahren (*train, etc.*); aussscheren (*car, etc.*); *fig.* sich zurückziehen, aussteigen; ~ **over** (s-n Wagen) an die *or* zur Seite fahren; ~ **round** *patient*: durchbringen; durchkommen (*patient*); ~ **through** j-n durchbringen; ~ **o.s. together** sich zusammennehmen, sich zusammenreißen; ~ **up** *car, horse, etc.*: anhalten; (an)halten (*car, etc.*); ~ **up with**, ~ **up to** j-n einholen.

pul·ley tech. ['pʊlɪ] s Rolle f; Flaschenzug m.

pull-in Br. ['pʊlɪn] s Raststätte f (*esp. for truckers*); **~·o·ver** s Pullover m; **~·up** s Br. → **pull-in**.

pulp [pʌlp] s Brei m; Fruchtfleisch n; ~ **magazine** Schundblatt n.

pul·pit ['pʊlpɪt] s Kanzel f.

pulp·y ['pʌlpɪ] adj (*-ier*, *-iest*) breiig; fleischig.

pul·sate [pʌl'seɪt] v/i pulsieren, schlagen; **pulse** [pʌls] s Puls(schlag) m.

pul·ver·ize ['pʌlvəraɪz] v/t pulverisieren; v/i zu Staub werden.

pum·mel ['pʌml] v/t (*esp. Br. -ll-, Am. -l-*) mit den Fäusten bearbeiten, verprügeln.

pump [pʌmp] **1.** s Pumpe f; *shoe*: Pumps m; **2.** v/t pumpen; F j-n aushorchen, -fragen; ~ **up** *tyre, etc.*: aufpumpen; **at·tend·ant** s Tankwart m.

pump·kin bot. ['pʌmpkɪn] s Kürbis m.

pun [pʌn] **1.** s Wortspiel n; **2.** v/i (*-nn-*) ein Wortspiel machen.

Punch¹ [pʌntʃ] s Kasper(le n) m; ~ **-and-Judy show** Kasperl(e)theater n.

punch² [~] **1.** s (Faust)Schlag m; Punsch m; *tool*: Locher m, Lochzange f; **2.** v/t schlagen (**with** *fist*), boxen; (ein)hämmern auf (*acc*); (aus)stanzen, lochen; *esp. Am. time clock*: stechen, *card*: stempeln; *Am. cattle*: treiben; **~(ed) card/tape** Lochkarte f/-streifen m; **~·line** s Pointe f.

punc·tu·al ['pʌŋktʃʊəl] adj pünktlich; **~·i·ty** [~'æləti] s Pünktlichkeit f.

punc·tu·ate gr. ['pʌŋktʃʊeɪt] v/t interpunktieren; **~·a·tion** gr. [~'eɪʃn] s Interpunktion f, Zeichensetzung f; ~ **mark** Satzzeichen n.

punc·ture ['pʌŋktʃə] **1.** s (Ein)Stich m, Loch n; *mot.* Reifenpanne f; **2.** v/t durchstechen; ein Loch machen in (*dat or acc*); v/i platzen (*balloon*); **be ~d** mot. e-n Platten haben, platt sein.

pun·gen·cy ['pʌndʒənsɪ] s Schärfe f; **~t** [~t] adj stechend, beißend, scharf.

pun·ish ['pʌnɪʃ] v/t (be)strafen; *boxing*: übel zurichten; **~·a·ble** adj □ strafbar; **~·ing** adj F *blow, pace, etc.*: mörderisch; *strenuous*: aufreibend; **~·ment** s Strafe f; Bestrafung f; *boxing*: Prügel pl; **take a lot of ~** F schwer einstecken müssen.

punk [pʌŋk] s sl. Punk m (a. mus.), Punker(in) m; Ganove m; ~ **rock(er)** mus. Punkrock(er) m.

pu·ny ['pjuːnɪ] adj (*-ier*, *-iest*) winzig; schwächlich.

pup zo. [pʌp] s Welpe m, junger Hund.

pu·pa zo. ['pjuːpə] s (pl *-pae* [-piː], *-pas*) Puppe f.

pu·pil ['pjuːpl] s anat. Pupille f; Schüler(in).

pup·pet ['pʌpɪt] s Marionette f (a. fig.); **~·show** s Puppenspiel n.

pup·py ['pʌpɪ] s zo. Welpe m, junger Hund; fig. Schnösel m.

pur|chase ['pɜːtʃəs] **1.** s (An-, Ein)Kauf m; jur. Erwerb(ung f) m; Anschaffung f; grip: Halt m; **make ~s** Einkäufe machen; **2.** v/t (er)kaufen; jur. erwerben; **~chas·er** s Käufer(in); → **public purchaser**; **~chas·ing pow·er** s econ. Kaufkraft f.

pure [pjʊə] adj □ (**~r**, **~st**) rein; pur; **~bred** adj reinrassig.

pu·rée ['pjʊəreɪ] s Püree n; **tomato ~** Tomatenmark n.

pur·ga|tive med. ['pɜːgətɪv] **1.** adj abführend; **2.** s Abführmittel n; **~to·ry** eccl. [~ərɪ] s Fegefeuer n.

purge [pɜːdʒ] **1.** s med. Abführmittel n; pol. Säuberung f; **2.** v/t mst fig. reinigen; pol. säubern; v/i med. abführen.

pu·ri·fy ['pjʊərɪfaɪ] v/t reinigen; läutern.

pu·ri·tan ['pjʊərɪtən] (hist. ℈) **1.** s Puritaner(in); **2.** adj puritanisch.

pu·ri·ty ['pjʊərətɪ] s Reinheit f (a. fig.).

purl [pɜːl] v/i murmeln (stream).

pur·loin [pɜː'lɔɪn] v/t entwenden.

pur·ple ['pɜːpl] **1.** adj purpurn, purpurrot; **2.** s Purpur m; **3.** v/t und v/i (sich) purpurn färben.

pur·port ['pɜːpət] **1.** s Sinn, Inhalt m; **2.** v/t behaupten, vorgeben.

pur·pose ['pɜːpəs] **1.** s Absicht f, Vorhaben n; Zweck m; Entschlußkraft f; **for the ~ of** ger um zu inf; **on ~** absichtlich; **to the ~** zweckdienlich; **to no ~** vergebens; **2.** v/t beabsichtigen, vorhaben; **~ful** adj □ zweckmäßig; absichtlich; zielbewußt; **~less** adj □ zwecklos; ziellos; **~ly** adv absichtlich.

purr [pɜː] v/i schnurren (cat); summen (engine).

purse [pɜːs] **1.** s Geldbeutel m, -börse f; Am. (Damen)Handtasche f; Geldgeschenk n; Siegprämie f; boxing: Börse f; **~ snatcher** Am. Handtaschenräuber m; **2.** v/t: **~ (up) one's lips** e-n Schmollmund machen.

pur·su·ance [pə'sjuːəns] s: **in (the) ~ of** bei der Ausführung or Ausübung (gen).

pur|sue [pə'sjuː] v/t verfolgen (a. fig.); streben nach; profession: nachgehen (dat); studies: betreiben, nachgehen (dat); fortsetzen, -fahren in (dat); **~su·er** s Verfolger(in); **~suit** s Verfolgung f; mst **~s** pl Beschäftigung f.

pur·vey [pə'veɪ] v/t goods: liefern; **~or** s Lieferant m.

pus [pʌs] s Eiter m.

push [pʊʃ] **1.** s (An-, Vor)Stoß m; Schub m; Druck m; Notfall m; Anstrengung f, Bemühung f; F Schwung m, Energie f, Tatkraft f; **2.** v/t and v/i stoßen; schieben; drängen; button: drücken; (an)treiben; a. **~ through** durchführen; claim, etc.: durchsetzen; F verkaufen, drugs: pushen; **~ s.th. on s.o.** j-m et. aufdrängen; a. **~ through** durch- or vordrängen; **~ one's way** sich durch- or vordrängen; **~ along, ~ on, ~ forward** weitermachen, -gehen, -fahren etc.; **~but·ton** s tech. Druckknopf m, -taste f; **~chair** s Br. (Falt)Sportwagen m (for small children); **~er** s F Pusher m; **~o·ver** s Kinderspiel n, Kleinigkeit f; **be a ~ for** auf j-n or et. hereinfallen.

puss [pʊs] s Mieze f (a. fig.: girl), Kätzchen n, Katze f; **pus·sy** s: a. **~cat** Mieze f, Kätzchen n; **pus·sy·foot** v/i F leisetreten, sich nicht festlegen.

put [pʊt] (-tt-; put) v/t setzen, legen, stellen, stecken, tun; bringen (to bed); time, work: verwenden (**into** auf acc); question: stellen, vorlegen; sports shot: stoßen; werfen; say: ausdrücken, sagen; **~ to school** zur Schule schicken; **~ s.o. to work** j-n an die Arbeit setzen; **~ about** rumours: verbreiten; mar. ship: wenden (a. v/i); **~ across** idea, etc.: an den Mann bringen, verkaufen; **~ back** clock: zurückstellen (a. watch, clock), -tun); fig. aufhalten; **~ by** money: zurücklegen; **~ down** v/t hin-, niederlegen, -setzen, -stellen; j-n absetzen, aussteigen lassen; (auf-, nieder)schreiben; eintragen; zuschreiben (**to** dat); revolt: niederschlagen; mismanagement: unterdrücken; (a. v/i) aer. landen, aufsetzen; **~ forth** energy: aufbieten; buds, leaves, etc.: treiben; **~ forward** watch, clock: vorstellen; opinion, etc.: vorbringen; **~ o.s. forward** sich bemerkbar machen; **~ in** v/t herein-, hineinlegen, -setzen, -stellen, -stecken; hineintun; claim: erheben; petition: einreichen; document: vorlegen; application: stellen; as employee: einstellen; remark: einwerfen; v/i einkehren (**at** in dat); mar. einlaufen (**at** in dat); **~ off** v/t clothes: ablegen (a. fig.); postpone: auf-, verschieben; vertrösten; j-n abbringen; hindern; passen-

gers: aussteigen lassen; *v/i mar.* auslaufen; ~ *on clothes*: anziehen; *hat, glasses*: aufsetzen; *watch, clock*: vorstellen; an-, einschalten; vortäuschen, -spielen; ~ *on airs* sich aufspielen; ~ *on speed* beschleunigen; ~ *on weight* zunehmen; ~ *out v/t* ausmachen, (-)löschen; sich *et.* verrenken; (her)ausstrecken; verwirren; ärgern; *j-m* Ungelegenheiten bereiten; *energy*: aufbieten; *money*: ausleihen; *v/i mar.* auslaufen; ~ *right in* Ordnung bringen; ~ *through* teleph. verbinden (**to** mit); ~ *together* zusammensetzen; zusammenstellen; ~ *up v/t* hinauflegen, -stellen; hochheben, -schieben, -ziehen; *picture, etc.*: aufhängen; *hair*: hochstecken; *umbrella*: aufspannen; *tent, etc.*: aufstellen; errichten, bauen; *goods*: anbieten; *price*: erhöhen; *resistance*: leisten; *fight*: liefern; *guests*: unterbringen, (bei sich) aufnehmen; *announcement*: anschlagen; *v/i*: ~ *up at* einkehren *or* absteigen in (*dat*); ~ *up for* kandidieren für, sich bewerben um; ~ *up with* sich gefallen lassen, sich abfinden mit.

pu·tre·fy ['pjuːtrɪfaɪ] *v/i* verwesen.

pu·trid ['pjuːtrɪd] *adj* □ faul, verfault, verwest; *sl.* scheußlich, saumäßig; ~**i·ty** [pjuːˈtrɪdəti] *s* Fäulnis *f*.

put·ty ['pʌtɪ] **1.** *s* Kitt *m*; **2.** *v/t* kitten.

put-you-up *Br.* F ['pʊtjuːʌp] *s* Schlafcouch *f*, -sessel *m*.

puz·zle ['pʌzl] **1.** *s* Rätsel *n*; schwierige Aufgabe; Verwirrung *f*; Geduld(s)spiel *n*; **2.** *v/t* verwirren; *j-m* Kopfzerbrechen machen; ~ *out* austüfteln; *v/i* verwirrt sein; sich den Kopf zerbrechen; ~**head·ed** *adj* konfus.

pyg·my ['pɪgmɪ] *s* Pygmäe *m*; Zwerg *m*; *attr* zwergenhaft.

py·ja·ma *Br.* [pəˈdʒɑːmə] *s* Schlafanzug..., Pyjama...; ~**s** *Br.* [~əz] *s pl* Schlafanzug *m*, Pyjama *m*.

py·lon ['paɪlən] *s* (Leitungs)Mast *m*.

pyr·a·mid ['pɪrəmɪd] *s* Pyramide *f*.

pyre ['paɪə] *s* Scheiterhaufen *m*.

Py·thag·o·re·an [paɪθægəˈrɪən] **1.** *adj* pythagoreisch; **2.** *s* Pythagoreer *m*.

py·thon *zo.* ['paɪθn] *s* Pythonschlange *f*.

pyx *eccl.* [pɪks] *s* Hostienbehälter *m*.

Q

quack¹ [kwæk] **1.** *s* Quaken *n*; **2.** *v/i* quaken.

quack² [~] *s* Scharlatan *m*; *a.* ~ *doctor* Quacksalber *m*, Kurpfuscher *m*; ~**er·y** ['kwækərɪ] *s* Quacksalberei *f*.

quad·ran|gle ['kwɒdræŋgl] *s* Viereck *n*; *court*: viereckiger Innenhof; ~**gu·lar** [kwɒˈdræŋgjʊlə] *adj* □ viereckig.

quad·ren·nial [kwɒˈdrenɪəl] *adj* □ vierjährig; vierjährlich (wiederkehrend).

quad·ru|ped ['kwɒdrʊped] *s* Vierfüß(l)er *m*; ~**ple** [~pl] **1.** *adj* □ vierfach; Vierer...; **2.** *v/t* and *v/i* (sich) vervierfachen; ~**plets** [~plɪts] *s pl* Vierlinge *pl*.

quag·mire ['kwægmaɪə] *s* Sumpf(land *n*) *m*, Moor *n*; Morast *m*.

quail¹ *zo.* [kweɪl] *s* Wachtel *f*.

quail² [~] *v/i* verzagen; (vor Angst) zittern (**before** vor *dat*; **at** bei).

quaint [kweɪnt] *adj* □ anheimelnd, malerisch; wunderlich, drollig.

quake [kweɪk] **1.** *v/i* zittern, beben (**with**, **for** vor *dat*); **2.** *s* F Erdbeben *n*.

Quak·er ['kweɪkə] *s* Quäker *m*.

qual·i|fi·ca·tion [kwɒlɪfɪˈkeɪʃn] *s* Qualifikation *f*, Eignung *f*, Befähigung *f*; Einschränkung *f*; *gr.* nähere Bestimmung; ~**fy** ['kwɒlɪfaɪ] *v/t* (*v/i* sich) qualifizieren; befähigen; bezeichnen; *gr.* näher bestimmen; einschränken; abschwächen, mildern; ~**ta·tive** ['kwɒlɪtətɪv] *adj* qualitativ; ~**ty** ['kwɒlətɪ] *s* Eigenschaft *f*; Beschaffenheit *f*; *econ.* Qualität *f*.

qualm [kwɑːm] *s* Übelkeit *f*; *often* ~**s** *pl* Skrupel *m*, Bedenken *n*.

quan·ti|fy ['kwɒntɪfaɪ] *v/t* quantifizieren, in Zahlen ausdrücken; ~**ta·tive** ['~tətɪv] *adj* quantitativ, mengenmäßig;

~ty ['kwɒntəti] s Quantität f, Menge f; große Menge.

quan·tum ['kwɒntəm] s (pl **-ta** [-tə]) Quantum n, Menge f; phys. Quant n.

quar·an·tine ['kwɒrənti:n] **1.** s Quarantäne f; **2.** v/t unter Quarantäne stellen.

quar·rel ['kwɒrəl] **1.** s Streit m; **2.** v/i (esp. Br. **-ll-**, Am. **-l-**) (sich) streiten; **~some** adj □ zänkisch, streitsüchtig.

quar·ry ['kwɒri] **1.** s Steinbruch m; hunt. (Jagd)Beute f; fig. Fundgrube f; **2.** v/t stone: brechen.

quart [kwɔ:t] s Quart n (= 1,136 l).

quar·ter ['kwɔ:tə] **1.** s Viertel n, vierter Teil; Viertel(stunde f) n; Vierteljahr n, Quartal n; Viertelpfund n; Viertelzentner m; Am. Vierteldollar m (25 cents); sports: (Spiel)Viertel n; (esp. Hinter)Viertel n (of animal); (Stadt)Viertel n; (Himmels-, Wind)Richtung f; Gegend f, Richtung f; ~s pl Quartier n (a. mil.), Unterkunft f; **a ~ (of an hour)** e-e Viertelstunde; time: **a ~ to** (Am. **of**) (ein) Viertel vor; **a ~ past** (Am. **after**) (ein) Viertel nach; **at close ~s** in or aus nächster Nähe; **from official ~s** von amtlicher Seite; **2.** v/t vierteln, in vier Teile teilen; beherbergen; mil. einquartieren; **~back** s American Football: Quarterback m; **~day** s Quartalstag m; **~deck** s mar. Achterdeck n; **~fi·nal** s sports: Viertelfinalspiel n; **~s** pl Viertelfinale n; **~ly 1.** adj and adv vierteljährlich; **2.** s Vierteljahrsschrift f.

quar·tet(te) [kwɔ:'tet] s Quartett n.

quartz min. [kwɔ:ts] s Quarz m; **~ clock** Quarzuhr f; **~ watch** Quarzarmbanduhr f.

qua·si ['kweizai] adv gleichsam, sozusagen; Quasi..., Schein...

qua·ver ['kweivə] **1.** s Zittern n; mus. Triller m; **2.** v/t and v/i mit zitternder Stimme sprechen or singen; mus. trillern.

quay [ki:] s Kai m.

quea·sy ['kwi:zi] adj □ (**-ier, -iest**) empfindlich (stomach, conscience); **I feel ~** mir ist übel or schlecht.

queen [kwi:n] s Königin f (a. zo.); card games, chess: Dame f; sl. homosexual: Schwule(r) m, Homo m; **~ bee** Bienenkönigin f; **~like**, **~ly** adj wie e-e Königin, königlich.

queer [kwiə] adj sonderbar, seltsam; wunderlich; komisch; F schwul.

quench [kwentʃ] v/t flames, fire: (aus)löschen; thirst, etc.: löschen, stillen; hope: zunichte machen.

quer·u·lous ['kwerʊləs] adj □ quengelig, mürrisch, verdrossen.

que·ry ['kwiəri] **1.** s Frage(zeichen n) f; Zweifel m; **2.** v/t (be)fragen; be-, anzweifeln.

quest [kwest] **1.** s Suche f; **2.** v/i suchen (**for** nach).

ques·tion ['kwestʃən] **1.** s Frage f; Problem n, (Streit)Frage f, (Streit)Punkt m; Zweifel m; Sache f, Angelegenheit f; **ask ~s** Fragen stellen; **beyond (all) ~** ohne Frage; **in ~** fraglich; **call in ~** et. an-, bezweifeln; **that is out of the ~** das kommt nicht in Frage; **2.** v/t (be)fragen; jur. vernehmen, -hören; et. an-, bezweifeln; **~a·ble** adj □ fraglich; fragwürdig; **~er** s Fragesteller(in); **~mark** s Fragezeichen n; **~mas·ter** s Br. Quizmaster m; **~naire** [kwestʃə'neə] s Fragebogen m.

queue [kju:] **1.** s Reihe f (of persons, etc.), (Warte)Schlange f; **2.** v/i mst **~ up** Schlange stehen; anstehen; sich anstellen.

quib·ble ['kwibl] **1.** s Spitzfindigkeit f, Haarspalterei f; **2.** v/i spitzfindig sein; **~ with** s.o. **about** or **over** s.th. sich mit j-m über et. herumstreiten.

quick [kwik] **1.** adj schnell, rasch; prompt; aufgeweckt, wach (mind); scharf (eye, ear); lebhaft; hitzig, aufbrausend; **be ~!** mach schnell!; **2.** s: **cut s.o. to the ~** fig. j-n tief verletzen; **~en** v/t and v/i (sich) beschleunigen; v/i schneller werden; **~freeze** v/t (**-froze, -frozen**) einfrieren, tiefkühlen; **~ie** s F auf die Schnelle gemachte Sache; kurze Sache, kurze Frage; F e-r auf die Schnelle (a. sex); **~ly** adv schnell, rasch; **~ness** s Schnelligkeit f; rasche Auffassungsgabe; Schärfe f (of eye, etc.); Lebhaftigkeit f; Hitzigkeit f; **~sand** s Treibsand m; **~wit·ted** adj geistesgegenwärtig; schlagfertig.

quid Br. sl. [kwid] s (pl **~**) Pfund n (Sterling).

qui·es·cence [kwai'esns] s Ruhe f, Stille f; **~cent** [~t] adj □ ruhend; fig. ruhig, still.

qui·et ['kwaɪət] **1.** adj □ ruhig, still; *be ~!* sei still!; **2.** s Ruhe f; *on the ~* heimlich(, still u. leise); **3.** esp. Am. → **~en** esp. Br. [ʌtn] v/t beruhigen; v/i mst ~ **down** sich beruhigen; **~ness** s Ruhe f, Stille f.

quilt [kwɪlt] **1.** s Steppdecke f; **2.** v/t steppen; wattieren.

quin·ine [kwɪ'niːn, Am. 'kwaɪnaɪn] s Chinin n.

quin·quen·ni·al [kwɪŋ'kwenɪəl] adj □ fünfjährig; fünfjährlich.

quin·tes·sence [kwɪn'tesns] s Quintessenz f; Inbegriff m.

quin·tu·ple ['kwɪntjʊpl] **1.** adj □ fünffach; **2.** v/t and v/i (sich) verfünffachen; **~plets** [ʌlɪts] s pl Fünflinge pl.

quip [kwɪp] **1.** s geistreiche Bemerkung; Stichelei f; **2.** v/i (-pp-) witzeln, spötteln.

quirk [kwɜːk] s Eigenart f, seltsame Angewohnheit; Laune f (of fate, etc.); arch. Hohlkehle f.

quit [kwɪt] **1.** (-tt-; Br. ~ted or ~, Am. mst ~) v/t verlassen; job: aufgeben; aufhören mit; v/i aufhören; weggehen; ausziehen (tenant); *give notice to ~* j-m kündigen; **2.** adj frei, los.

quite [kwaɪt] adv ganz, völlig, vollständig; ziemlich, recht; ganz, sehr, durchaus; *~ nice* ganz or recht nett; *~ (so)!*

ganz recht; *~ the thing* F ganz große Mode; *she's ~ a beauty* sie ist e-e wirkliche Schönheit; *I ~ agree* ganz meine Meinung.

quits [kwɪts] adj: *be ~ with s.o.* mit j-m quitt sein.

quit·ter F ['kwɪtə] s Drückeberger m.

quiv·er[1] ['kwɪvə] v/i zittern, beben.

quiv·er[2] [~] s Köcher m.

quiz [kwɪz] **1.** s (pl quizzes) Prüfung f, Test m; Quiz n; **2.** v/t (-zz-) ausfragen; j-n prüfen; **~mas·ter** s esp. Am. Quizmaster m; **~zi·cal** adj □ spöttisch.

quoit [kɔɪt] s Wurfring m; **~s** sg Wurfringspiel n.

quo·rum ['kwɔːrəm] s beschlußfähige Anzahl or Mitgliederzahl, Quorum n.

quo·ta ['kwəʊtə] s Quote f, Anteil m, Kontingent n.

quo·ta·tion [kwəʊ'teɪʃn] s Anführung f, Zitat n; Beleg(stelle f) n; econ. (Börsen-, Kurs)Notierung f; Preis(angabe f) m; estimate: Kostenvoranschlag m; *~ marks* s pl Anführungszeichen pl.

quote [kwəʊt] **1.** s from author: Zitat n; **~s** s pl Anführungszeichen pl, F Gänsefüßchen pl; **2.** v/t anführen, zitieren (text); econ. price: nennen, berechnen; stock exchange: notieren (at mit); v/i zitieren (from aus); ..., *I ~* ..., ich zitiere.

quo·tient math. ['kwəʊʃnt] s Quotient m.

R

rab·bi ['ræbaɪ] s Rabbiner m.

rab·bit ['ræbɪt] s Kaninchen n.

rab·ble ['ræbl] s Pöbel m, Mob m; **~rous·er** s Aufrührer m, Demagoge m; **~rous·ing** adj □ aufwieglerisch, demagogisch.

rab·id ['ræbɪd] adj □ tollwütig (animal); fig. wild, wütend.

ra·bies vet. ['reɪbiːz] s Tollwut f.

rac·coon zo. [rə'kuːn] s Waschbär m.

race[1] [reɪs] s Rasse f; Geschlecht n, Stamm m; Volk n, Nation f; (Menschen)Schlag m.

race[2] [~] **1.** s Lauf m (a. fig.); (Wett)Ren-

nen n; Strömung f; **~s** pl Pferderennen n; **2.** v/i and v/t rennen; rasen; um die Wette laufen or fahren (mit); tech. durchdrehen; **~course** s Rennbahn f, -strecke f; **~horse** s Rennpferd n; **rac·er** s Läufer(in); Rennpferd n; Rennboot n; Rennwagen m; Rennrad n.

ra·cial ['reɪʃl] adj rassisch; Rassen...; **~is·m** s Rassismus m.

rac·ing ['reɪsɪŋ] s (Wett)Rennen n; (Pferde)Rennsport m; attr Renn...

rack [ræk] **1.** s Gestell n; Kleiderständer m; in train, etc.: Gepäcknetz n; on car:

Dachgepäckträger m; *for fodder:* Raufe f, Futtergestell n; *for torture:* Folter(bank) f; **go to ~ and ruin** verfallen (*building, person*); dem Ruin entgegentreiben (*country, economy*); **2.** v/t strecken; foltern, quälen (*a. fig.*); **~ one's brains** sich den Kopf zerbrechen.

rack·et ['rækɪt] **1.** s *tennis, etc.:* Schläger m; *loud noise:* Lärm m, Trubel m; F Schwindel(geschäft n) m, Gaunerei f; F *occupation:* Job m; **2.** v/i lärmen; sich amüsieren.

rack·e·teer [rækə'tɪə] s Gauner m, Erpresser m; **~ing** s Gaunereien pl, kriminelle Geschäfte pl.

ra·coon *Br. zo.* [rə'ku:n] → **raccoon**.

rac·y ['reɪsɪ] adj □ (*-ier, -iest*) kraftvoll, lebendig; stark; würzig; urwüchsig; *Am. risqué:* gewagt.

ra·dar ['reɪdɑ] s Radar(gerät) n.

ra·di|ance ['reɪdɪəns] s Strahlen n, strahlender Glanz (*a. fig.*); **~ant** adj □ strahlend, leuchtend (*a. fig.* **with** vor dat); **~ heater** s Heizstrahler m.

ra·di|ate ['reɪdɪeɪt] v/t aus)strahlen; v/i strahlenförmig ausgehen; **~a·tion** [~'eɪʃn] s (Aus)Strahlung f; **~a·tor** ['~ə] s Heizkörper m; *mot.* Kühler m.

rad·i·cal ['rædɪkl] **1.** adj □ *bot., math.* Wurzel...; Grund..., radikal, drastisch; eingewurzelt; *pol.* radikal; **2.** s *pol.* Radikale(r m) f; *math.* Wurzel f; *chem.* Radikal n.

ra·di·o ['reɪdɪəʊ] **1.** s (*pl -os*) Radio(apparat m) n; Funk(spruch m) m; Funk...; **~ play** Hörspiel n; **~ set** Radio n; **by ~** über Funk; **on the ~** im Radio; **2.** v/t funken; **~·ac·tive** adj radioaktiv; **~ waste** Atommüll m; **~·ac·tiv·i·ty** s Radioaktivität f; **~·ther·a·py** s *med.* Strahlen-, Röntgentherapie f.

rad·ish *bot.* ['rædɪʃ] s Rettich m; (**red**) ~ Radieschen n.

ra·di·us ['reɪdɪəs] s (*pl -dii* [-dɪaɪ], *-uses*) Radius m.

raf·fle ['ræfl] **1.** s Tombola f, Verlosung f; **2.** v/t verlosen.

raft [rɑ:ft] **1.** s Floß n; **2.** v/i *and* v/t flößen; **~er** s *tech.* (Dach)Sparren m; **~s·man** s Flößer m.

rag¹ [ræg] s Lumpen m; Fetzen m; Lappen m; **in ~s** zerlumpt; **~-and-bone man** *esp. Br.* Lumpensammler m.

rag² *sl.* [~] **1.** s Unfug m; Radau m;

Schabernack m; **2.** (*-gg-*) v/t j-n aufziehen; j-n anschnauzen; j-m e-n Schabernack spielen; v/i *Br.* herumtollen, Radau machen.

rag·a·muf·fin ['rægəmʌfɪn] s zerlumpter Kerl; Gassenjunge m.

rage [reɪdʒ] **1.** s Wut(anfall m) f, Zorn m, Raserei f; Wüten n, Toben n (*of storm, etc.*); Sucht f, Gier f (**for** nach); Manie f; Ekstase f; **it is (all) the ~** es ist jetzt die große Mode; **2.** v/i wüten, rasen, toben.

rag·ged ['rægɪd] adj □ rauh; *hair:* zottig; *rocks:* zerklüftet, zackig; *person:* zerlumpt; *clothes:* ausgefranst; *exhausted:* ausgelaugt; F erledigt; F **be run ~** F völlig fertig sein.

raid [reɪd] **1.** s Überfall m, (*esp. air ~:* Luft)Angriff m; *by police:* Razzia f; **2.** v/t einbrechen in (*acc*); überfallen, plündern; e-e Razzia durchführen in (*dat*).

rail¹ [reɪl] v/i schimpfen.

rail² [~] **1.** s Geländer n; Stange f; *mar.* Reling f, rail. Schiene f; (Eisen)Bahn f; **by ~** mit der Bahn; **off the ~s** fig. aus dem Geleise, durcheinander; verrückt; **run off** *or* **leave, jump the ~s** entgleisen; **2.** v/t *a.* **~ in** mit e-m Geländer umgeben; *a.* **~ off** durch ein Geländer (ab)trennen.

rail·ing ['reɪlɪŋ] s *a.* **~s** pl Geländer n.

rail·ler·y ['reɪlərɪ] s Stichelei f.

rail·road *Am.* ['reɪlrəʊd] s Eisenbahn f.

rail·way *esp. Br.* ['reɪlweɪ] s Eisenbahn f; **~·man** s Eisenbahner m.

rain [reɪn] **1.** s Regen m; **~s** pl Regenfälle pl; **the ~s** pl die Regenzeit (*in tropical countries*); **~ or shine** bei jedem Wetter; **2.** v/i *and* v/t regnen; **it's ~ing buckets** *or* **cats and dogs** es schüttet wie aus Kübeln; **it never ~s but it pours** es kommt immer gleich knüppeldick, ein Unglück kommt selten allein; **~·bow** s Regenbogen m; **~·coat** s Regenmantel m; **~·fall** s Regenmenge f; **~·for·est** s Regenwald m; **~·proof 1.** adj regenwasserundurchlässig; imprägniert (*material*); **2.** s Regenmantel m; **~·y** adj (*-ier, -iest*) regnerisch; Regen...; **for a ~ day** fig. für schlechte Zeiten *or* Notzeiten.

raise [reɪz] **1.** v/t often **~ up** (auf-, hoch-) heben; (*often fig.*) erheben; errichten; erhöhen (*a. fig.:* salary); money, *etc.*:

aufbringen; *loan:* aufnehmen; *family:* gründen; *children:* aufziehen; (auf)erwecken; anstiften; züchten, ziehen; *siege, etc.:* aufheben; **2.** *s* Lohn-, Gehaltserhöhung *f*.

rai·sin ['reɪzn] *s* Rosine *f*.

rake [reɪk] **1.** *s* Rechen *m*, Harke *f*; Wüstling *m*; Lebemann *m*; **2.** *v/t* (glatt)harken, (-)rechen; *fig.* durchstöbern; *v/i:* **~ about** (herum)stöbern; **~-off** *s* F (Gewinn)Anteil *m*.

rak·ish ['reɪkɪ] *adj* □ *life:* liederlich, ausschweifend; *person:* verwegen, keck; *mar.* schnittig (*ship*).

ral·ly ['rælɪ] **1.** *s* Treffen *n*; (Massen)Versammlung *f*; Kundgebung *f*; Erholung *f*; *mot.* Rallye *f*; **2.** *v/t and v/i* (sich ver)sammeln; sich erholen.

ram [ræm] **1.** *s zo.* Widder *m*, Schafbock *m*; ♈ *ast.* Widder *m*; *tech.*, *mar.* Ramme *f*; **2.** *v/t* (*-mm-*) (fest)rammen; *mar.* rammen; **~ s.th. down s.o.'s head** *fig.* j-m et. eintrichtern.

ram|ble ['ræmbl] **1.** *s* Streifzug *m*; Wanderung *f*; **2.** *v/i* umherstreifen; abschweifen; **~bler** *s* Wanderer *m*; **~bling** *adj* abschweifend; weitschweifend; weitläufig; *plant:* rankend; **~ rose** *bot.* Kletterrose *f*.

ram·i·fy ['ræmɪfaɪ] *v/i* sich verzweigen.

ramp [ræmp] *s* Rampe *f*.

ram·pant ['ræmpənt] *adj* □ wuchernd; *fig.* zügellos.

ram·part ['ræmpɑːt] *s* Wall *m*.

ram·shack·le ['ræmʃækl] *adj* baufällig; wack(e)lig; klapp(e)rig.

ran [ræn] *pret of* **run** 1.

ranch [rɑːntʃ, *Am.* ræntʃ] *s* Ranch *f*, Viehfarm *f*; **~er** *s* Rancher *m*, Viehzüchter *m*; Farmer *m*.

ran·cid ['rænsɪd] *adj* □ ranzig.

ran·co(u)r ['ræŋkə] *s* Groll *m*, Haß *m*.

ran·dom ['rændəm] **1.** *s:* **at ~** aufs Geratewohl, blindlings; **2.** *adj* ziel-, wahllos; zufällig; willkürlich.

rang [ræŋ] *pret of* **ring¹** 2.

range [reɪndʒ] **1.** *s* Reihe *f*; *mountains:* (Berg)Kette *f*; *econ.* Kollektion *f*, Sortiment *m*; *stove:* Herd *m*; *scope:* Raum *m*, Umfang *m*, Bereich *m*; *distance:* Reichweite *f*, Schußweite *f*, Entfernung *f*; *area:* (ausgedehnte) Fläche *f*; *shooting ~:* Schießstand *m*; *grazing ground:* offenes Weidegebiet *n*; **at close ~** aus nächster

Nähe; **within ~ of vision** in Sichtweite; **a wide ~ of** eine große Auswahl an (*dat*); **2.** *v/t* (ein)reihen, ordnen; *area, etc.:* durchstreifen; *v/i* in e-r Reihe or Linie stehen; (umher)streifen; sich erstrecken, reichen; zählen, gehören (**among, with** zu); **~ from ... to ...**, **~ between ... and ...** sich zwischen (*dat*) ... und ... bewegen (*prices, etc.*).

rang·er ['reɪndʒə] *s* Förster *m*; Aufseher *m* e-s Forsts or Parks; Angehörige(r) *m* e-r berittenen Schutztruppe.

rank [ræŋk] **1.** *s row:* Reihe *f*, Linie *f*; *class:* Klasse *f*; *social ~:* Rang *m*, Stand *m*; *taxi ~:* Taxistand *m*; **the ~ and file** *fig.* die große Masse; *pol.*, *of party:* das Fußvolk, die Basis; *mil.* Glied *n*; **~s** *pl mil.* die Mannschaften *pl*; **2.** *v/t* einreihen, (ein)ordnen; einstufen; *v/i* gehören (**among, with** zu); e-n Rang or e-e Stelle einnehmen (**above** über *dat*); **~ as** gelten als; **3.** *adj plants:* üppig; *smell:* ranzig, stinkend; *beginner:* blutig; *injustice, etc.:* kraß.

ran·kle *fig.* ['ræŋkl] *v/i* nagen, weh tun.

ran·sack ['rænsæk] *v/t* durchwühlen, -stöbern, -suchen; ausrauben.

ran·som ['rænsəm] **1.** *s* Lösegeld *n*; Auslösung *f*; **2.** *v/t* loskaufen, auslösen.

rant [rænt] **1.** *s* Schwulst *m*; **2.** *v/i* Phrasen dreschen; *v/t* mit Pathos vortragen.

rap¹ [ræp] **1.** *s* Klaps *m*; Klopfen *n*; **2.** *v/i and v/t* (*-pp-*): **~ (at)** klopfen an (*acc*); **~ (on)** klopfen auf (*acc*).

rap² *fig.* [~] *s* Heller *m*, Deut *m*.

ra·pa·cious [rə'peɪʃəs] *adj* □ habgierig; (raub)gierig; **~ci·ty** [rə'pæsətɪ] *s* Habgier *f*; (Raub)Gier *f*.

rape¹ [reɪp] **1.** *s* Notzucht *f*, Vergewaltigung *f* (*a. fig.*); **2.** *v/t* vergewaltigen.

rape² *bot.* [~] *s* Raps *m*.

rap·id ['ræpɪd] **1.** *adj* □ schnell, rasch, rapid(e); steil; **2.** *s:* **~s** *pl* Stromschnelle(n *pl*) *f*; **ra·pid·i·ty** [rə'pɪdətɪ] *s* Schnelligkeit *f*.

rap·proche·ment *pol.* [ræ'prɔʃmɑ̃ːŋ] *s* Wiederannäherung *f*.

rapt [ræpt] *adj* □ entzückt; versunken; **rap·ture** ['ræptʃə] *s* Entzücken *n*; **go into ~s** in Entzücken geraten.

rare [reə] *adj* □ (**~r, ~st**) selten; *phys.* dünn (*air*); halbgar, nicht durchgebraten (*meat*); F ausgezeichnet, köstlich.

rare·bit ['reəbɪt] s: **Welsh ~** überbackener Käsetoast.

rar·i·ty ['reərətɪ] s Seltenheit f; Rarität f.

ras·cal ['rɑːskəl] s Schuft m; co. Gauner m, Schlingel m.

rash¹ [ræʃ] adj □ hastig, vorschnell; übereilt; unbesonnen; waghalsig.

rash² med. [~] s (Haut)Ausschlag m.

rash·er ['ræʃə] s Speckscheibe f.

rasp [rɑːsp] **1.** s Raspel f; **2.** v/t raspeln; krächzen.

rasp·ber·ry bot. ['rɑːzbərɪ] s Himbeere f.

rat [ræt] s zo. Ratte f; pol. Überläufer m; **smell a ~** Lunte or den Braten riechen; **~s!** sl. Quatsch!

rate [reɪt] **1.** s (Verhältnis)Ziffer f; Rate f; Verhältnis n; (Aus)Maß n; Satz m; Preis m, Gebühr f, Taxe f; (Gemeinde)Abgabe f, (Kommunal)Steuer f; Grad m, Rang m, Klasse f; Geschwindigkeit f; Tempo n; **at any ~** auf jeden Fall; **~ of exchange** (Umrechnungs-, Wechsel-) Kurs m; **~ of interest** Zinssatz m, -fuß m; **2.** v/t einschätzen; besteuern; **~ among** rechnen or zählen zu; **be ~ed** gelten als.

ra·ther ['rɑːðə] adv eher, lieber; vielmehr; besser gesagt; ziemlich, fast; int: **~!** und ob!, allerdings!; **I'd ~ not!** lieber nicht!; **I had or would ~ (not) go** ich möchte lieber (nicht) gehen.

rat·i·fy pol. ['rætɪfaɪ] v/t ratifizieren.

rat·ing ['reɪtɪŋ] s Schätzung f; Steuersatz m; mar. Dienstgrad m; Matrose m; sports: Klasse f, Kategorie f (sailing, etc.); TV Einschaltquote f.

ra·ti·o math. ['reɪʃɪəʊ] s (pl -os) Verhältnis n.

ra·tion ['ræʃn] **1.** s Ration f, Zuteilung f; **2.** v/t rationieren.

ra·tion·al ['ræʃənl] adj □ vernunftgemäß; vernünftig; rational (a. math.); **~i·ty** [ræʃə'nælətɪ] s Vernunft f; **~ize** econ. ['ræʃnəlaɪz] v/t rationalisieren.

rat race ['rætreɪs] s täglicher Konkurrenzkampf.

rat·tle ['rætl] **1.** s Gerassel n; Geklapper n; Klapper f; **2.** v/i and v/t rasseln (mit); klappern; **~ (at)** rütteln an (dat); **~ off** poem, etc.: herunterrasseln; **~snake** s zo. Klapperschlange f; **~trap** s fig. Klapperkasten m (car, etc.).

rat·tling ['rætlɪŋ] **1.** adj rasselnd; F schnell, flott; **2.** adv F sehr, äußerst; **~ good** prima.

rau·cous ['rɔːkəs] adj □ heiser, rauh.

rav·age ['rævɪdʒ] **1.** s Verwüstung f; **2.** v/t verwüsten; plündern.

rave [reɪv] v/i rasen, toben; schwärmen (**about**, of von).

rav·el ['rævl] (esp. Br. -ll-, Am. -l-) v/t verwickeln; **~ (out)** auftrennen; fig. entwirren; v/i a. **~ out** ausfasern, aufgehen.

ra·ven zo. ['reɪvn] s Rabe m.

rav·e·nous ['rævənəs] adj □ gefräßig; heißhungrig; gierig; raubgierig.

ra·vine [rə'viːn] s Hohlweg m; Schlucht f, Klamm f.

rav·ish ['rævɪʃ] v/t entzücken; hinreißen; **~ing** adj □ hinreißend, entzückend; **~ment** s Entzücken n.

raw [rɔː] adj □ roh; Roh..., data: unaufbereitet; sore: wund; rauh (climate); inexperienced: ungeübt, unerfahren; **~boned** adj knochig, hager; **~ hide** s Rohleder n.

ray [reɪ] s Strahl m; fig. Schimmer m.

ray·on ['reɪɒn] s Kunstseide f.

raze [reɪz] v/t house, etc.: abreißen; fortress: schleifen; fig. ausmerzen, tilgen; **~ s.th. to the ground** et. dem Erdboden gleichmachen.

ra·zor ['reɪzə] s Rasiermesser n; Rasierapparat m; **~blade** s Rasierklinge f; **~edge** s fig. kritische Lage; **be on a ~** auf des Messers Schneide stehen.

re- [riː] in compounds: wieder, noch einmal, neu; zurück, wider.

reach [riːtʃ] **1.** s Griff m; Reichweite f; Fassungskraft f; **beyond ~, out of ~** unerreichbar; **within easy ~** leicht erreichbar; **2.** v/i reichen; langen, greifen; sich erstrecken; v/t (hin-, her)reichen; (hin-, her)langen; erreichen, erzielen; a. **~ out** ausstrecken.

re·act [rɪ'ækt] v/i reagieren (**to** auf acc); (ein)wirken (**on, upon** auf acc).

re·ac·tion [rɪ'ækʃn] s Reaktion f (a. chem., pol.); Rückwirkung f; **~a·ry 1.** adj reaktionär; **2.** s Reaktionär(in).

re·ac·tor phys. [rɪ'æktə] s (Kern)Reaktor m.

read [riːd] (read [red]) v/t lesen; interpret: deuten; (an)zeigen (thermometer); univ. studieren; **~ medicine** Medizin studieren; v/i book, essay, etc.: sich lesen (lassen); text: lauten; **~ to s.o.** j-m

R

vorlesen; **rea·da·ble** *adj* □ lesbar; leserlich; lesenswert; **read·er** *s* (Vor-)Leser(in); *print.* Korrektor *m*; Lektor *m*; *univ.* Dozent *m*; Lesebuch *s.*

read·i·ly ['redɪlɪ] *adv* gleich; leicht; bereitwillig, gern; **~ness** *s* Bereitschaft *f*; Bereitwilligkeit *f.*

read·ing ['riːdɪŋ] *s* Lesen *n*; Lesung *f* (*a. parl.*); Stand *m* (*of thermometer*); Belesenheit *f*; Lektüre *f*; Lesart *f*; Auslegung *f*; Auffassung *f*; *attr* Lese...

re·ad·just [riːə'dʒʌst] *v/t* wieder in Ordnung bringen; wieder anpassen; *tech.* nachstellen, neu einstellen; **~ment** *s* Wiederanpassung *f*; Neuordnung *f*; *tech.* Korrektur *f*, Neueinstellung *f.*

read·y ['redɪ] *adj* □ (*-ier, -iest*) bereit, fertig; bereitwillig; im Begriff (*to do* zu tun); schnell; schlagfertig, gewandt; leicht; *econ.* bar; **~ for use** gebrauchsfertig; **get ~** (sich) fertig machen; **~ cash, ~ money** Bargeld *n*; **~made** *adj* fertig, Konfektions...

re·a·gent *chem.* [riː'eɪdʒənt] *s* Reagens *n.*

real [rɪəl] *adj* □ wirklich, tatsächlich, real, wahr, eigentlich; echt; **~ es·tate** *s* Grundbesitz *m*, Immobilien *pl.*

re·a·lis|m ['rɪəlɪzəm] *s* Realismus *m*; **~t** [~ɪst] *s* Realist *m*; **~tic** [rɪə'lɪstɪk] *adj* (*~ally*) realistisch; sachlich; wirklichkeitsnah.

re·al·i·ty [rɪ'ælətɪ] *s* Wirklichkeit *f.*

re·a·li|za·tion [rɪəlaɪ'zeɪʃn] *s* Realisierung *f* (*a. econ.*); Verwirklichung *f*; Erkenntnis *f*; **~ze** ['rɪəlaɪz] *v/t* sich klarmachen; erkennen, einsehen; verwirklichen; realisieren (*a. econ.*); zu Geld machen.

real·ly ['rɪəlɪ] *adv* wirklich, tatsächlich; **~!** ich muß schon sagen!

realm [relm] *s* Königreich *n*; Reich *n*; Bereich *m.*

real|tor *Am.* ['rɪəltə] *s* Grundstücksmakler *m*; **~ty** *jur.* [~ɪ] *s* Grundeigentum *n*, -besitz *m.*

reap [riːp] *v/t grain:* schneiden; *field:* mähen; *fig.* ernten; **~er** *s dated* Schnitter(in); *harvester:* Mähmaschine *f.*

re·ap·pear [riːə'pɪə] *v/i* wieder erscheinen.

rear [rɪə] **1.** *v/t* auf-, großziehen; züchten; (er)heben; *v/i horse:* sich aufbäumen; **2.** *s* Rück-, Hinterseite *f*; Hintergrund *m*; *mot., mar.* Heck *n*; *mil.* Nach-

hut *f*; *at* (*Am.* **in**) *the ~ of* hinter (*dat*); **3.** *adj* Hinter..., Rück...; **~ wheel drive** Hinterradantrieb *m*; **~lamp, ~light** *s mot.* Rücklicht *n.*

re·arm *mil.* [riː'ɑːm] *v/i and v/t* (wieder)aufrüsten; **re·ar·ma·ment** *mil.* [~məmənt] *s* (Wieder)Aufrüstung *f.*

rear|most ['rɪəməʊst] *adj* hinterste(r, -s); **~-view mir·ror** *s mot.* Rückspiegel *m*; **~ward 1.** *adj* rückwärtig; **2.** *adv a.* **~s** rückwärts.

rea·son ['riːzn] **1.** *s* Vernunft *f*; Verstand *m*; Recht *n*, Billigkeit *f*; Ursache *f*, Grund *m*; *for ~s of* ... aus ...gründen; *by ~ of* wegen; *for this ~* aus diesem Grund; *with ~* aus gutem Grund; *without any ~, for no ~* ohne jeden Grund, grundlos; *listen to ~* Vernunft annehmen; *it stands to ~ that* es leuchtet ein, daß; **2.** *v/i* vernünftig *or* logisch denken; argumentieren; *v/t* folgern, schließen (*from* aus); *a.* **~ out** (logisch) durchdenken; **~ away** wegdiskutieren; **~ s.o. into** (*out of*) *s.th.* j-m et. ein-(aus)reden; **rea·so·na·ble** *adj* □ vernünftig; angemessen; berechtigt.

re·as·sure [riːə'ʃʊə] *v/t* (nochmals) versichern; beteuern; beruhigen.

re·bate ['riːbeɪt] *s econ.* Rabatt *m*, Abzug *m*; Rückzahlung *f.*

reb·el[1] ['rebl] **1.** *s* Rebell *m*; Aufrührer *m*; Aufständische(r) *m*; **2.** *adj* rebellisch, aufrührerisch.

re·bel[2] [rɪ'bel] *v/i* rebellieren, sich auflehnen; **~lion** [~lɪən] *s* Empörung *f*; **~lious** [~lɪəs] → **rebel[1]** 2.

re·birth [riː'bɜːθ] *s* Wiedergeburt *f.*

re·bound [rɪ'baʊnd] **1.** *v/i* zurückprallen; **2.** *s* [*mst* 'riːbaʊnd] Rückprall *m*; *in ball games:* Abpraller *m*, *esp. basketball:* Rebound *m.*

re·buff [rɪ'bʌf] **1.** *s* schroffe Abweisung, Abfuhr *f*; **2.** *v/t* abblitzen lassen, abweisen.

re·build [riː'bɪld] *v/t* (*-built*) wieder aufbauen; *house:* a. umbauen.

re·buke [rɪ'bjuːk] **1.** *s* Tadel *m*; **2.** *v/t* tadeln.

re·call [rɪ'kɔːl] **1.** *s* Zurückrufung *f*; Abberufung *f*; Widerruf *m*; *beyond ~, past ~* unwiderruflich; **2.** *v/t* zurückrufen; ab(be)rufen; sich erinnern an (*acc*); j-n erinnern (*to* an *acc*); widerrufen; *econ. capital:* kündigen.

re·ca·pit·u·late [riːkəˈpɪtjʊleɪt] v/t and v/i rekapitulieren, kurz wiederholen, zusammenfassen.

re·cap·ture [riːˈkæptʃə] v/t wiedererfreien; mil. zurückerobern; fig. wiedereinfangen (past emotions, etc.).

re·cast [riːˈkɑːst] v/t (-cast) tech. umgießen; umarbeiten, neu gestalten; thea. part: umbesetzen.

re·cede [rɪˈsiːd] v/i zurücktreten; receding fliehend (chin, forehead).

re·ceipt [rɪˈsiːt] **1.** s Empfang m; econ. Eingang m (goods); Quittung f; ~s pl Einnahmen pl; **2.** v/t quittieren.

re·cei·va·ble [rɪˈsiːvəbl] adj annehmbar; econ. ausstehend; **re·ceive** [~v] v/t empfangen; erhalten, bekommen; aufnehmen; annehmen; anerkennen; **re·ceived** adj (allgemein) anerkannt; **re·ceiv·er** s Empfänger m; teleph. Hörer m; Hehler m; of taxes: Einnehmer m; official ~ jur. Konkursverwalter m.

re·cent [ˈriːsnt] adj □ neu; frisch; modern; ~ events pl die jüngsten Ereignisse pl; **~·ly** adv kürzlich, neulich.

re·cep·ta·cle [rɪˈseptəkl] s Behälter m.

re·cep·tion [rɪˈsepʃn] s Aufnahme f (a. fig.); Empfang m (a. radio, TV); Annahme f; ~ desk s Rezeption f (in hotel); **~·ist** s Empfangsdame f, -chef m; of doctor: Sprechstundenhilfe f; ~ room s Empfangszimmer n.

re·cep·tive [rɪˈseptɪv] adj □ empfänglich, aufnahmefähig (of, to für).

re·cess [rɪˈses] s Unterbrechung f, (Am. a. Schul)Pause f; esp. parl. Ferien pl; (entlegener) Winkel m; Nische f; ~es pl fig. das Innere, Tiefe(n pl) f; **re·ces·sion** s Zurückziehen n, Zurücktreten n; econ. Rezession f, Konjunkturrückgang m.

re·ci·pe [ˈresɪpɪ] s (Koch)Rezept n.

re·cip·i·ent [rɪˈsɪpɪənt] s Empfänger(in).

re·cip·ro·cal [rɪˈsɪprəkl] adj wechsel-, gegenseitig; **~·cate** [~eɪt] v/i sich erkenntlich zeigen; tech. sich hin- und herbewegen; v/t good wishes, etc.: erwidern; **re·ci·pro·ci·ty** [resɪˈprɒsətɪ] s Gegenseitigkeit f.

re·cit·al [rɪˈsaɪtl] s Bericht m; Erzählung f; mus. (Solo)Vortrag m, Konzert n; **re·ci·ta·tion** [resɪˈteɪʃn] s Hersagen n; Vortrag m; **re·cite** [rɪˈsaɪt] v/t vortragen; aufsagen; berichten.

reck·less [ˈreklɪs] adj □ unbekümmert; rücksichtslos; leichtsinnig.

reck·on [ˈrekən] v/t er-, berechnen; glauben, schätzen (that daß); ~ among rechnen or zählen zu; ~ as halten für; ~ up zusammenrechnen; v/i: ~ on, ~ upon zählen auf (acc); ~ with (nicht) rechnen mit; **~·ing** s (Be)Rechnung f; be out in one's ~ sich verrechnet haben.

re·claim [rɪˈkleɪm] v/t zurückfordern; j-n bekehren, bessern; zivilisieren; urbar machen; ~ with(out) zurück)gewinnen.

re·cline [rɪˈklaɪn] v/i sich zurücklehnen; liegen, ruhen; **~d** liegend; **reclining seat** verstellbarer Sitz, in car, etc.: Liegesitz m.

re·cluse [rɪˈkluːs] s Einsiedler(in).

rec·og·ni·tion [rekəɡˈnɪʃn] s Anerkennung f; (Wieder)Erkennen n; **~·nize** [ˈrekəɡnaɪz] v/t anerkennen; (wieder)erkennen; zugeben, einsehen.

re·coil 1. v/i [rɪˈkɔɪl] zurückprallen; zurückschrecken; **2.** s [ˈriːkɔɪl] Rückstoß m, -lauf m.

rec·ol·lect [rekəˈlekt] v/t sich erinnern an (acc); **~·lec·tion** [ˈlekʃn] s Erinnerung f (of an acc); Gedächtnis n.

rec·om·mend [rekəˈmend] v/t empfehlen; **~·men·da·tion** [rekəmenˈdeɪʃn] s Empfehlung f; Vorschlag m.

rec·om·pense [ˈrekəmpens] **1.** s Belohnung f, Vergeltung f; Entschädigung f; Ersatz m; **2.** v/t belohnen, vergelten; entschädigen; ersetzen.

re·con·cile [ˈrekənsaɪl] v/t aus-, versöhnen; in Einklang bringen; disagreement: schlichten; **~·cil·i·a·tion** [rekənsɪlɪˈeɪʃn] s Ver-, Aussöhnung f.

re·con·di·tion [riːkənˈdɪʃn] v/t wieder herrichten; tech. (general)überholen; **~·ed engine** mot. Austauschmotor m.

re·con·nais·sance [rɪˈkɒnɪsəns] s mil. Aufklärung f, Erkundung f; **~·noi·tre**, Am. **~·noi·ter** [rekəˈnɔɪtə] v/t erkunden, auskundschaften.

re·con·sid·er [riːkənˈsɪdə] v/t wieder erwägen; nochmals überlegen.

re·con·sti·tute [riːˈkɒnstɪtjuːt] v/t wiederherstellen.

re·con·struct [riːkənˈstrʌkt] v/t wiederaufbauen; **~·struc·tion** [~kʃn] s Wiederaufbau m, Wiederherstellung f.

rec·ord¹ [ˈrekɔːd] s Aufzeichnung f; jur.

Protokoll *n*; (Gerichts)Akte *f*; Urkunde *f*; Register *n*, Verzeichnis *n*; (schrift-
licher) Bericht; Ruf *m*, Leumund *m*;
Schallplatte *f*; *sports*: Rekord *m*; **place
on** ~ schriftlich niederlegen; ~ **office**
Archiv *n*; ~ **player** Plattenspieler *m*; **off
the** ~ inoffiziell.

re-cord² [rɪ'kɔ:d] *v/t* aufzeichnen,
schriftlich niederlegen; *on disc, tape,
etc.*: aufnehmen; ~**er** *s* Aufnahmege-
rät *n*, *esp.* Tonbandgerät *n*, Kassetten-,
Videorecorder *m*; *mus.* Blockflöte *f*;
~**ing** *s* TV, *etc.*: Aufzeichnung *f*, -nah-
me *f*.

re-coup [rɪ'ku:p] *v/t* j-n entschädigen
(**for** für); *et.* wiedereinbringen.

re-cov-er [rɪ'kʌvə] *v/t* wiedererlangen,
-bekommen, -finden; *losses*: wiedereinbringen, wiedergutmachen; *debts, etc.*:
eintreiben; *car, ship, etc.*: bergen; **be
~ed** wiederhergestellt sein; *et.* sich erholen; genesen; ~**y** *s* Wiedererlangung
f; Bergung *f*; Genesung *f*, Erholung *f*;
past ~ unheilbar krank.

rec-re-ate [ˈrekrɪeɪt] *v/t* erfrischen; *v/i (a.
~ o.s.)* ausspannen, sich erholen;
~**a-tion** [ˌrekrɪˈeɪʃn] *s* Erholung *f*; ~
centre Freizeitzentrum *n*.

re-crim-i-na-tion [rɪˌkrɪmɪˈneɪʃn] *s* Gegen-
beschuldigung *f*; ~**s** *pl* gegenseitige
Beschuldigungen.

re-cruit [rɪ'kru:t] **1.** *s mil.* Rekrut *m*; *fig.*
Neuling *m*; **2.** *v/t staff, etc.*: einstellen;
members: werben.

rec-tan-gle *math.* [ˈrektæŋgl] *s* Rechteck
n.

rec-ti|fy [ˈrektɪfaɪ] *v/t* berichtigen; ver-
bessern; *damage*: korrigieren; *electr.*
gleichrichten; ~**tude** [ˌtjuːd] *s* Gerad-
heit *f*, Redlichkeit *f*.

rec|tor [ˈrektə] *s Br. eccl.* Pfarrer *m*; Rek-
tor *m*; ~**to-ry** *s* Pfarre(i) *f*; Pfarrhaus *n*.

re-cum-bent [rɪˈkʌmbənt] *adj* liegend.

re-cu-pe-rate [rɪˈkjuːpəreɪt] *v/i* sich erholen; *v/t health*: wiedererlangen.

re-cur [rɪ'kɜ:] *v/i* (*-rr-*) wiederkehren (**to**
zu), sich wiederholen; zurückkommen
(**to** auf *acc*); ~**rence** [rɪˈkʌrəns] *s*
Rückkehr *f*, Wiederauftreten *n*; ~**rent**
adj □ wiederkehrend.

re-cy|cle [riːˈsaɪkl] *v/t waste*: wiederver-
werten, recyceln; ~**cling** [ˌlɪŋ] *s* Wie-
derverwertung *f*, Recycling *n*.

red [red] **1.** *adj* rot; ~ **heat** Rotglut *f*; **2.** *s*

Rot *n*; *esp. pol.* Rote(r *m*) *f*; **be in the** ~
in den roten Zahlen sein.

red|breast *zo.* [ˈredbrest] *s a.* **robin** ~
Rotkehlchen *n*; ~**den** *v/i and v/t* (sich)
röten; erröten; ~**dish** *adj* rötlich.

re-dec-o-rate [riːˈdekəreɪt] *v/t room*: neu
streichen *or* tapezieren.

re-deem [rɪ'di:m] *v/t* zurück-, loskaufen; ablösen; *promise*: einlösen; büßen;
entschädigen für; erlösen; 2**-er** *s eccl.*
Erlöser *m*, Heiland *m*.

re-demp-tion [rɪˈdempʃn] *s* Rückkauf
m; Auslösung *f*; Erlösung *f*.

re-de-vel-op [riːdɪˈveləp] *v/t building,
part of town*: sanieren; ~**ment** *s* Sanie-
rung *f*; ~ **area** Sanierungsgebiet *n*.

red|-hand-ed [red'hændɪd] *adj*: **catch
s.o.** ~ j-n auf frischer Tat ertappen;
~**head** *s* Rotschopf *m*; ~**head-ed** *adj*
rothaarig; ~**hot** *adj* rotglühend; *fig.*
hitzig; 2 **In-di-an** *s* Indianer(in);
~**let-ter day** *s* Festtag *m*; *fig.* Freuden-
tag *m*, Glückstag *m*; denkwürdiger
Tag; ~ **light** *s* Rotlicht *n*, rotes Licht;
~**light dis-trict** *s* Rotlichtbezirk *m*,
Bordellviertel *n*; ~**ness** *s* Röte *f*.

re-dou-ble [riːˈdʌbl] *v/t and v/i* (sich) verdoppeln.

re-dress [rɪ'dres] **1.** *s* Abhilfe *f*; Wieder-
gutmachung *f*; *jur.* Entschädigung *f*; **2.**
v/t abhelfen (*dat*); abschaffen, beseitigen; wiedergutmachen.

red tape [red'teɪp] *s* Bürokratismus *m*, *F*
Amtsschimmel *m*, *F* Papierkrieg *m*.

re-duce [rɪ'dju:s] *v/t* verringern, -min-
dern; einschränken; *price*: herabsetzen; zurückführen; bringen (**to** auf, in
acc, zu); verwandeln (**to** in *acc*), machen zu; *math.*, *chem.* reduzieren; *med.*
einrenken; ~ **to writing** schriftlich niederlegen; **re-duc-tion** [rɪˈdʌkʃn] *s* Herabsetzung *f*, (Preis)Nachlaß *m*, Rabatt
m; Verminderung *f*; Verkleinerung *f*;
Reduktion *f*; Verwandlung *f*; *med.* Ein-
renkung *f*.

re-dun-dant [rɪˈdʌndənt] *adj* □ überflüssig; *style*: weitschweifig; *worker*: arbeitslos; **be made** ~ *worker*: entlassen
werden.

reed *bot.* [riːd] *s* Schilfrohr *n*.

re-ed-u-ca-tion [riːˌedjʊˈkeɪʃn] *s* Um-
schulung *f*, Umerziehung *f*.

reef [riːf] *s* (Felsen)Riff *n*; *mar.* Reff *n*.

reek [riːk] **1.** *s* Gestank *m*, unangeneh-

mer Geruch; **2.** v/i stinken, unangenehm riechen (**of** nach).

reel [riːl] **1.** s Haspel f; (Garn-, Film-)
Rolle f, Spule f; **2.** v/t: ~ (**up**) (auf)wik-
keln, (-)spulen; v/i wirbeln; schwan-
ken; taumeln.

re·e·lect [riːi'lekt] v/t wiederwählen.

re·en·ter [riː'entə] v/i and v/t wieder eintreten (in acc).

re·es·tab·lish [riːi'stæbliʃ] v/t wiederherstellen.

ref F [ref] → referee.

re·fer [ri'fɜː] v/t and v/i: ~ to ver- or
überweisen an (acc); sich beziehen auf
(acc); erwähnen (acc); zuordnen (dat);
befragen (acc), nachschlagen in (dat);
zurückführen auf (acc), zuschreiben
(dat).

ref·er·ee [refə'riː] **1.** s Schiedsrichter m;
boxing: Ringrichter m; wrestling:
Kampfrichter m; arbitrator: Schlichter
m; Br. Gutachter(in), Referenz f (person); **2.** v/t and v/i sports: als Schiedsrichter fungieren (bei), schiedsrichtern;
match: a. pfeifen.

ref·er·ence ['refrəns] s Referenz f, Empfehlung f, Zeugnis n; note: Verweis(ung
f) m, Hinweis m; Erwähnung f, Anspielung f; Bezugnahme f, Beziehung f;
Nachschlagen n, Befragen n; **in** or **with**
~ **to** was ... betrifft, bezüglich (gen);
~ **book** Nachschlagewerk n; ~ **library**
Handbibliothek f; ~ **number** Aktenzeichen n; **make** ~ **to** et. erwähnen.

ref·e·ren·dum [refə'rendəm] s (pl -da
[-də], -dums) Volksentscheid m.

re·fill 1. s ['riːfil] Nachfüllung f; Ersatz-
packung f; Ersatzmine f (for pen); **2.** v/t
[riː'fil] wieder füllen, auffüllen.

re·fine [ri'fain] v/t tech. raffinieren, veredeln; verfeinern, kultivieren; (v/i sich)
läutern; v/i: ~ **on**, ~ **upon** et. verfeinern,
-bessern; ~**d** adj fein, vornehm; ~**ment**
s Veredlung f; Verfeinerung f; Läu-
terung f; Feinheit f, Vornehmheit f;
re·fin·er·y s tech. Raffinerie f; metall.
(Eisen)Hütte f.

re·fit mst mar. [riː'fit] (-tt-) v/t ausbessern; neu ausrüsten; v/i ausgebessert
werden; neu ausgerüstet werden.

re·flect [ri'flekt] v/t zurückwerfen, re-
flektieren; widerspiegeln (a. fig.); zum
Ausdruck bringen; v/i: ~ **on**, ~ **upon**
nachdenken über (acc); ein schlechtes

Licht werfen auf (acc); **re·flec·tion** s
Reflexion f, Zurückstrahlung f; Wider-
spiegelung f (a. fig.); Reflex m; Spiegel-
bild n; careful thought: Überlegung f,
Reflexion f, Gedanke m; **re·flec·tive**
adj □ reflektierend, zurückstrahlend;
nachdenklich.

re·flex ['riːfleks] **1.** adj Reflex...; **2.** s Wi-
derschein m, Reflex m (a. physiol.);
~**ive** gr. [ri'fleksiv] adj □ reflexiv,
rückbezüglich.

re·for·est [riː'fɒrist] v/t aufforsten.

re·form [ri'fɔːm] **1.** s Verbesserung f, Reform f; **2.** v/t verbessern, reformieren;
(v/i sich) bessern.

ref·or·ma·tion [refə'meiʃn] s Reformie-
rung f; Besserung f; eccl. ⁀ Reformati-
on f; **re·form·er** [ri'fɔːmə] s eccl. Refor-
mator m; esp. pol. Reformer m.

re·fract [ri'frækt] v/t light: brechen;
re·frac·tion s (Licht)Brechung f.

re·frain [ri'frein] **1.** v/i sich enthalten
(**from** gen), unterlassen (**from** acc); **2.** s
Kehrreim m, Refrain m.

re·fresh [ri'freʃ] v/t (o.s. sich) erfrischen,
stärken; memory, etc.: auffrischen;
~**ment** s Erfrischung f (a. drink).

re·frig·e·rant [ri'fridʒərənt] s tech. Kühl-
mittel n; ~**rate** [-reit] v/t kühlen;
~**ra·tor** s Kühlschrank m, -raum m; ~
van, Am. ~ **car** rail. Kühlwagen m.

ref·uge ['refjuːdʒ] s Zuflucht(sstätte) f;
Verkehrsinsel f; **women's** ~ Frauen-
haus n; ~**u·gee** [refju'dʒiː] s Flüchtling
m; ~ **camp** Flüchtlingslager n.

re·fund 1. v/t [riː'fʌnd] zurückzahlen; ersetzen; **2.** s ['riːfʌnd] Rückzahlung f;
Erstattung f.

re·fur·bish [riː'fɜːbiʃ] v/t aufpolieren (a.
fig.).

re·fus·al [ri'fjuːzl] s Ablehnung f, (Ver-)
Weigerung f; econ. Vorkaufsrecht n (**of**
auf acc).

re·fuse¹ [ri'fjuːz] v/t verweigern; abweisen, ablehnen; ~ **to do s.th.** sich weigern, et. zu tun; v/i sich weigern; ver-
weigern (horse).

ref·use² ['refjuːs] s Ausschuß m; Abfall
m, Müll m.

re·fute [ri'fjuːt] v/t widerlegen.

re·gain [ri'gein] v/t wiedergewinnen.

re·gard [ri'gɑːd] **1.** s (Hoch)Achtung f;
Rücksicht f; Hinblick m, -sicht f; **with** ~

R

to hinsichtlich (*gen*); **~s** *pl* Grüße *pl* (*esp. in letters*); **kind ~s** herzliche Grüße; **2.** *v/t* ansehen; betrachten; (be)achten; betreffen; **~ s.o. as** j-n halten für; **as ~s ...** was ... betrifft; **~ing** *prp* hinsichtlich (*gen*); **~less** *adv:* **~ of** ohne Rücksicht auf (*acc*), ungeachtet (*gen*).

re·gen·e·rate [rɪ'dʒenəreɪt] *v/t and v/i* (sich) erneuern; (sich) regenerieren; (sich) neu bilden.

re·gent ['riːdʒənt] *s* Regent(in); **Prince ♀** Prinzregent *m*.

reg·i·ment 1. *s* ['redʒɪmənt] *mil.* Regiment *n*; **2.** *v/t* ['~ment] organisieren; reglementieren; **~als** *mil.* [redʒɪ'mentlz] *s pl* Uniform *f*.

re·gion ['riːdʒən] *s* Gegend *f*, Gebiet *n*; *fig.* Bereich *m*; **~al** *adj* □ regional; örtlich; Regional..., Orts...

re·gis·ter ['redʒɪstə] **1.** *s* Register *n*, Verzeichnis *n*; *tech.* Schieber *m*, Ventil *n*; *mus.* Register *n*; Zählwerk *n*; **cash ~** Registrierkasse *f*; **2.** *v/t and v/i* registrieren; *enter:* (sich) eintragen *or* -schreiben (lassen); *enrol:* (sich) anmelden; *record:* (an)zeigen, auf-, verzeichnen; *letter:* einschreiben (lassen); *Br. luggage:* aufgeben; *with police:* sich melden; **~ed letter** Einschreibebrief *m*; **~ed office** *econ.* eingetragener Firmensitz.

re·gis·trar [redʒɪ'strɑː] *s* Standesbeamte(r) *m*; **~tra·tion** [~eɪʃn] *s* Eintragung *f*; Anmeldung *f*; *mot.* Zulassung *f*; **~fee** Anmeldegebühr *f*; **~try** ['redʒɪstrɪ] *s* Eintragung *f*; Registratur *f*; Register *n*; **~ office** Standesamt *n*.

re·gress ['riːgres], **re·gres·sion** [rɪ'greʃn] *s* Rückwärtsbewegung *f*; rückläufige Entwicklung.

re·gret [rɪ'gret] **1.** *s* Bedauern *n*; Schmerz *m*; **2.** *v/t* (-*tt*-) bedauern; *loss:* beklagen; **~ful** *adj* □ bedauernd; **~ta·ble** *adj* □ bedauerlich.

reg·u·lar ['regjʊlə] *adj* □ regelmäßig; regulär, normal, gewohnt; geregelt; geordnet; genau, pünktlich; richtig, recht, ordentlich; F richtig(gehend); *mil.* regulär; **~i·ty** [regjʊ'lærətɪ] *s* Regelmäßigkeit *f*; Richtigkeit *f*, Ordnung *f*.

reg·u·late ['regjʊleɪt] *v/t* regeln, ordnen; regulieren; **~la·tion** [regjʊ'leɪʃn] **1.** *s* Regulierung *f*; **~s** *pl* Vorschrift *f*, Bestimmung *f*; **2.** *adj* vorschriftsmäßig.

re·hash *fig.* [riː'hæʃ] **1.** *v/t* wiederaufwärmen; **2.** *s* Aufguß *m*.

re·hears·al [rɪ'hɜːsl] *s thea.* Probe *f*; Wiederholung *f*; **~e** [rɪ'hɜːs] *v/t thea.* proben (*a. v/i*); wiederholen; aufsagen.

reign [reɪn] **1.** *s* Regierung *f*; *a. fig.* Herrschaft *f*; **2.** *v/i* herrschen, regieren.

re·im·burse [riːɪm'bɜːs] *v/t* j-n entschädigen; *expenses:* erstatten.

rein [reɪn] **1.** *s* Zügel *m*; **2.** *v/t* zügeln.

rein·deer *zo.* ['reɪndɪə] *s* Ren(tier) *n*.

re·in·force [riːɪn'fɔːs] *v/t* verstärken; **~ment** *s* Verstärkung *f*.

re·in·state [riːɪn'steɪt] *v/t* wiedereinsetzen; wieder instand setzen.

re·in·sure [riːɪn'ʃʊə] *v/t* rückversichern.

re·it·e·rate [riː'ɪtəreɪt] *v/t* (dauernd) wiederholen.

re·ject [rɪ'dʒekt] *v/t* ab-, zurückweisen; abschlagen; verwerfen; ablehnen; **re·jec·tion** *s* Verwerfung *f*; Ablehnung *f*; Zurückweisung *f*.

re·joice [rɪ'dʒɔɪs] *v/t* erfreuen; *v/i* sich freuen (**at, over** über *acc*); **re·joic·ing 1.** *adj* □ freudig; **2.** *s* Freude *f*; **~s** *pl* Freudenfest *n*.

re·join [riː'dʒɔɪn] *v/t* sich wieder vereinigen mit; wieder zurückkehren zu; [rɪ'dʒɔɪn] *reply:* erwidern.

re·ju·ve·nate [rɪ'dʒuːvɪneɪt] *v/t* verjüngen.

re·kin·dle [riː'kɪndl] *v/t and v/i* (sich) wieder entzünden; *love, etc.:* wieder entflammen.

re·lapse [rɪ'læps] **1.** *s* Rückfall *m*; **2.** *v/i* rückfällig werden; *en* in Rückfall haben.

re·late [rɪ'leɪt] *v/t* erzählen; in Beziehung bringen; *v/i* sich beziehen (**to** auf *acc*); **re·lat·ed** *adj* verwandt (**to** mit).

re·la·tion [rɪ'leɪʃn] *s* Beziehung *f*, Verhältnis *n*; Verwandtschaft *f*; Verwandte(r *m*) *f*; *account:* Bericht *m*; **~s** *pl* Beziehungen *pl*; **in ~ to** in bezug auf (*acc*); **~ship** *s* Verwandtschaft *f*; Beziehung *f*.

rel·a·tive ['relətɪv] **1.** *adj* □ relativ, verhältnismäßig; bezüglich (**to** *gen*); *gr.* Relativ..., bezüglich; entsprechend; **2.** *s gr.* Relativpronomen *n*, bezügliches Fürwort; Verwandte(r *m*) *f*.

re·lax [rɪ'læks] *v/t and v/i* (sich) lockern; nachlassen (in *dat*); (sich) entspannen, ausspannen; **~a·tion** [riːlæk'seɪʃn] *s* Lockerung *f*; Nachlassen *n*; Entspannung f, Erholung f; **~ed** adj locker, entspannt.

re·lay¹ 1. s ['ri:leɪ] Ablösung f; electr. Relais n; radio: Übertragung f; sports: Staffel f; **~ race** Staffellauf m; **2.** v/t [ri:'leɪ] radio: übertragen.

re·lay² [ri:'leɪ] v/t (-laid) cable: neu verlegen.

re·lease [rɪ'li:s] **1.** s Freilassung f; Befreiung f; Freigabe f; tech., phot. Auslöser m; **2.** v/t freilassen; erlösen; freigeben; right: aufgeben, übertragen; film: herausbringen; tech. auslösen.

rel·e·gate ['relɪgeɪt] v/t verbannen; verweisen (**to** an acc); **be ~d** sports: absteigen.

re·lent [rɪ'lent] v/i nachgeben; storm, etc.: nachlassen; **~less** adj □ unbarmherzig.

rel·e·vant ['relɪvant] adj □ sachdienlich; zutreffend; relevant, erheblich.

re·li·a·bil·i·ty [rɪlaɪə'bɪlɪtɪ] s Zuverlässigkeit f; **~ble** [rɪ'laɪəbl] adj □ zuverlässig.

re·li·ance [rɪ'laɪəns] s Vertrauen n; Verlaß m.

rel·ic ['relɪk] s (Über)Rest m; Reliquie f.

re·lief [rɪ'li:f] s Erleichterung f; (angenehme) Unterbrechung; mil. Ablösung f, Entsatz m; Hilfe f; art: Relief n.

re·lieve [rɪ'li:v] v/t erleichtern; mildern, lindern; mil. ablösen, entsetzen; (ab-)helfen (dat); entlasten, befreien; (angenehm) unterbrechen, beleben; **~ o.s.** or **nature** seine Notdurft verrichten, sich erleichtern.

re·li·gion [rɪ'lɪdʒən] s Religion f; **~gious** adj □ Religions...; religiös; gewissenhaft.

re·lin·quish [rɪ'lɪŋkwɪʃ] v/t aufgeben; verzichten auf (acc); loslassen.

rel·ish ['relɪʃ] **1.** s (Wohl)Geschmack m; Würze f; Genuß m; fig. Reiz m; **with great ~** mit großem Appetit; fig. mit großem Vergnügen, esp. iro. mit Wonne; **2.** v/t genießen; gern essen; Geschmack or Gefallen finden an (dat).

re·luc·tance [rɪ'lʌktəns] s Widerstreben n; esp. phys. Widerstand m; **~tant** adj □ widerstrebend, widerwillig.

re·ly [rɪ'laɪ] v/i: **~ on, ~ upon** sich verlassen auf (acc), bauen auf (acc).

(Über)Reste pl; a. **mortal ~s** die sterblichen Überreste pl; **~der** s Rest m.

re·mand jur. [rɪ'mɑ:nd] **1.** v/t: **~ s.o.** (**in custody**) j-n in Untersuchungshaft halten; **2.** s a. **~ in custody** Verbleiben n in der Untersuchungshaft; **prisoner on ~** Untersuchungsgefangene(r m) f; **~ home centre** Br. Untersuchungsgefängnis n für Jugendliche.

re·mark [rɪ'mɑ:k] **1.** s Bemerkung f; Äußerung f; **2.** v/t bemerken; äußern; v/i sich äußern (**on, upon** über acc, zu); **re·mar·ka·ble** adj □ bemerkenswert; außergewöhnlich.

rem·e·dy ['remədɪ] **1.** s (Heil-, Hilfs-, Gegen-, Rechts)Mittel n; (Ab)Hilfe f; **2.** v/t heilen; abhelfen (dat).

re·mem|ber [rɪ'membə] v/t and v/i sich erinnern (an acc); denken an (acc); beherzigen; **do you ~ when ...** weißt du noch, als or wann ...; **~ me to her** grüße sie von mir; **~brance** s Erinnerung f; Gedächtnis n; Andenken n.

re·mind [rɪ'maɪnd] v/t j-n erinnern (**of** an acc); **that ~s me** ... dabei fällt mir ein ...; **~er** s Gedächtnisstütze f, -hilfe f.

rem·i·nis|cence [remɪ'nɪsns] s Erinnerung f; **~cent** adj □ (sich) erinnernd; **be ~ of** sich erinnern an.

re·mis·sion [rɪ'mɪʃn] s Vergebung f (**of** sins); Erlaß m (**of** penalty, etc.); Nachlassen n.

re·mit [rɪ'mɪt] (-tt-) sins: vergeben; debts, etc.: erlassen; money: überweisen; **~tance** s econ. (Geld)Sendung f, Überweisung f.

rem·nant ['remnənt] s (Über)Rest m.

re·mod·el [ri:'mɒdl] v/t umbilden.

re·mon|strance [rɪ'mɒnstrəns] s Einspruch m; Protest m; **rem·on·strate** ['remənstreɪt] v/i Vorhaltungen machen (**about** wegen; **with s.o.** j-m); protestieren.

re·morse [rɪ'mɔ:s] s Gewissensbisse pl; Reue f; **without ~** unbarmherzig; **~less** adj □ unbarmherzig.

re·mote [rɪ'məʊt] adj □ (**~r, ~st**) entfernt, entlegen; **~ control** tech. Fernlenkung f, -steuerung f, -bedienung f; **~ness** s Entfernung f; Abgelegenheit f.

re·mov|al [rɪ'mu:vl] s Entfernen n; Beseitigung f; change of house: Umzug m; dismissal: Entlassung f; **~ van** Möbelwagen *m*; **~e** [~uːv] **1.** *v/t* entfernen; wegräumen, wegschaffen; beseitigen; entlassen; *v/i* (aus-, um-, ver)ziehen; **2.** *s* Entfernung *f*; *fig.* Schritt *m*, Stufe *f*; **~er** *s* (Möbel)Spediteur *m*.

Re·nais·sance [rə'neɪsəns] *s* die Renaissance.

re·name [riː'neɪm] *v/t* umbenennen, umtaufen.

re·nas|cence [rɪ'næsns] *s* Wiedergeburt *f*; Erneuerung *f*; Renaissance *f*; **~cent** [~nt] *adj* wiederauflebend, -erwachend.

ren·der ['rendə] *v/t* machen; (wieder)geben; *help, etc.*: leisten; *honour, etc.*: erweisen; *thanks*: abstatten; *translate*: übersetzen; *mus.* vortragen; *thea.* gestalten, interpretieren; *reason*: angeben; *econ. account*: vorlegen; übergeben; machen *zu*; *fat*: auslassen; **~ing** *s* Wiedergabe *f*; Vortrag *m*; Interpretation *f*; Übersetzung *f*, Übertragung *f*.

ren·di·tion *esp. Am.* [ren'dɪʃn] *s* Wiedergabe *f*; Interpretation *f*; Vortrag *m*.

ren·e·gade ['renɪgeɪd] *s* Abtrünnige(r *m*) *f*; Renegat(in).

re·new [rɪ'njuː] *v/t* erneuern; *conversation, etc.*: wiederaufnehmen; *strength, etc.*: wiedererlangen; *passport, etc.*: verlängern; **~a·ble** *adj* erneuerbar; zu erneuern; *passport*: verlängerbar; **sources of energy** regenerationsfähige Energiequellen; **~al** *s* Erneuerung *f*; *of passport*: Verlängerung *f*; → **urban**.

re·nounce [rɪ'naʊns] *v/t* entsagen (*dat*); verzichten auf (*acc*); verleugnen.

ren·o·vate ['renəʊveɪt] *v/t* renovieren; erneuern.

re·nown [rɪ'naʊn] *s* Ruhm *m*, Ansehen *n*; **re·nowned** *adj* berühmt, namhaft.

rent¹ [rent] *s* Riß *m*; Spalte *f*.

rent² [~] **1.** *s* Miete *f*; Pacht *f*; **for ~** zu vermieten; **2.** *v/t* (ver)mieten, (-)pachten; *car, etc.*: leihen; **~al** *s* Miete *f*; Pacht *f*; Leihgebühr *f*.

re·nun·ci·a·tion [rɪnʌnsɪ'eɪʃn] *s* Entsagung *f*; Verzicht *m* (**of** auf *acc*).

re·pair [rɪ'peə] **1.** *s* Ausbesserung *f*, Reparatur *f*; **~s** *pl* Instandsetzungsarbeiten *pl*; **~ shop** Reparaturwerkstatt *f*; **in good ~** in gutem Zustand, gut erhalten; **out of ~** baufällig; **2.** *v/t* reparieren, ausbessern; wiedergutmachen.

rep·a·ra·tion [repə'reɪʃn] *s* Wiedergut-machung *f*; Entschädigung *f*; **~s** *pl pol.* Reparationen *pl*.

rep·ar·tee [repɑː'tiː] *s* schlagfertige Antwort; Schlagfertigkeit *f*.

re·pay [riː'peɪ] *v/t* (*-paid*) *et.* zurückzahlen; *visit*: erwidern; *et.* vergelten; *j-n* entschädigen; **~ment** *s* Rückzahlung *f*.

re·peal [rɪ'piːl] **1.** *s* Aufhebung *f* (*of law*); **2.** *v/t* aufheben; widerrufen.

re·peat [rɪ'piːt] **1.** *v/t* wiederholen; nachsprechen; aufsagen; nachliefern; *v/i* aufstoßen (**on** *dat*) (*food*); **2.** *s* Wiederholung *f*; *mus.* Wiederholungszeichen *n*; **~ order** *econ.* Nachbestellung *f*.

re·pel [rɪ'pel] *v/t* (*-ll-*) *enemy*: zurückschlagen; *fig.* zurückweisen; *j-n* abstoßen; **~lent** [~ənt] **1.** *adj* abstoßend (*a. fig.*); **2.** *s*: (*insect*) **~** Insektenschutzmittel *n*.

re·per·cus·sion [riːpə'kʌʃn] *s* Rückprall *m*; *mst pl* **~s** Auswirkungen *pl*.

rep·er·to·ry ['repətərɪ] *s thea.* Repertoire *n*; *fig.* Fundgrube *f*.

rep·e·ti·tion [repɪ'tɪʃn] *s* Wiederholung *f*; Aufsagen *n*; Nachbildung *f*.

re·place [rɪ'pleɪs] *v/t* wieder hinstellen *or* -legen; an *j-s* Stelle treten; ablösen; **~ment** *s* Ersatz *m*.

re·plant [riː'plɑːnt] *v/t* umpflanzen.

re·play *sports* **1.** *s* ['riːpleɪ] Wiederholungsspiel *n*; (*action*) **~** Wiederholung *f*; **2.** *v/t* [riː'pleɪ] *match*: wiederholen.

re·plen·ish [rɪ'plenɪʃ] *v/t* (wieder) auffüllen; ergänzen; **~ment** *s* Auffüllung *f*; Ergänzung *f*.

re·plete [rɪ'pliːt] *adj* reich ausgestattet, voll(gepfropft) (**with** mit).

rep·li·ca ['replɪkə] *s of painting, etc.*: Originalkopie *f*; Nachbildung *f*.

re·ply [rɪ'plaɪ] **1.** *v/i and v/t* antworten, erwidern (**to** auf *acc*); **2.** *s* Antwort *f*, Erwiderung *f*; **in ~ to your letter** in Beantwortung Ihres Schreibens; **~-paid envelope** Freiumschlag *m*.

re·port [rɪ'pɔːt] **1.** *s* Bericht *m*; Meldung *f*, Nachricht *n*; *rumour*: Gerücht *n*; *reputation*: Ruf *m*; *of gun*: Knall *m*; **(school) ~** (Schul)Zeugnis *n*; **2.** *v/t* berichten (über *acc*); (*v/i* sich) melden; anzeigen; **it is ~ed that** es heißt, (daß); **~ed speech** *gr.* indirekte Rede; **~er** *s* Reporter(in), Berichterstatter(in).

re·pose [rɪ'pəʊz] **1.** *s* Ruhe *f*; **2.** *v/t* (*o.s.*

sich) ausruhen; (aus)ruhen lassen; **~ trust**, etc., **in** Vertrauen etc. setzen auf or in (acc); v/i (sich) ausruhen; ruhen; beruhen (**on** auf dat).

re·pos·i·to·ry [rɪ'pɒzɪtərɪ] s (Waren)Lager n; fig. Fundgrube f, Quelle f.

rep·re|sent [reprɪ'zent] v/t darstellen; verkörpern; thea. part: darstellen, play: aufführen; (fälschlich) hinstellen, darstellen (**as, to be** als); act for: vertreten; **~sen·ta·tion** [~'teɪʃn] s Darstellung f; thea. Aufführung f; Vertretung f; **~sen·ta·tive** [~'zentətɪv] **1.** adj □ darstellend (**of** acc); (stell)vertretend; a. parl. repräsentativ; typisch; **2.** s Vertreter(in); Bevollmächtigte(r m) f; Repräsentant(in); parl. Abgeordnete(r m) f; **House of ⌂s** Am. parl. Repräsentantenhaus n.

re·press [rɪ'pres] v/t unterdrücken; psych. verdrängen; **re·pres·sion** [~ʃn] s Unterdrückung f; psych. Verdrängung f.

re·prieve [rɪ'priːv] **1.** s Begnadigung f; (Straf)Aufschub m; fig. Gnadenfrist f; **2.** v/t begnadigen; j-m Strafaufschub or fig. e-e Gnadenfrist gewähren.

rep·ri·mand [reprɪ'mɑːnd] **1.** s Verweis m; **2.** v/t j-m e-n Verweis erteilen.

re·print 1. v/t [riː'prɪnt] neu auflegen or drucken, nachdrucken; **2.** s ['riː'prɪnt] Neuauflage f, Nachdruck m.

re·pri·sal [rɪ'praɪzl] s Repressalie f, Vergeltungsmaßnahme f.

re·proach [rɪ'prəʊtʃ] **1.** s Vorwurf m; Schande f; **2.** v/t vorwerfen (**s.o. with s.th.** j-m et.); j-m Vorwürfe machen; **~ful** adj □ vorwurfsvoll.

re·pro·cess [riː'prəʊses] v/t atomic waste: wiederaufbereiten; **~ing plant** s Wiederaufbereitungsanlage f.

re·pro|duce [riːprə'djuːs] v/t (wieder)erzeugen; (v/i sich) fortpflanzen; wiedergeben, reproduzieren; **~duc·tion** [~'dʌkʃn] s Wiedererzeugung f; Fortpflanzung f; Reproduktion f; **~duc·tive** [~'dʌktɪv] adj Fortpflanzungs...

re·proof [rɪ'pruːf] s Tadel m, Rüge f.

re·prove [rɪ'pruːv] v/t tadeln, rügen.

rep·tile zo. ['reptaɪl] s Reptil n.

re·pub|lic [rɪ'pʌblɪk] s Republik f; **~li·can 1.** adj republikanisch; **2.** s Republikaner(in).

re·pu·di·ate [rɪ'pjuːdɪeɪt] v/t nicht aner-

kennen; ab-, zurückweisen; j-n verstoßen.

re·pug|nance [rɪ'pʌɡnəns] s Abneigung f, Widerwille m; **~nant** adj □ abstoßend; widerlich.

re·pulse [rɪ'pʌls] **1.** s mil. Abwehr f; Zurück-, Abweisung f; **2.** v/t mil. zurückschlagen, abwehren; zurück-, abweisen; **re·pul·sion** s Abscheu m, Widerwille m; phys. Abstoßung f; **re·pul·sive** adj □ abstoßend (a. phys.), widerwärtig.

rep·u·ta|ble ['repjʊtəbl] adj □ angesehen, achtbar; ehrbar, anständig; **~tion** [repjʊ'teɪʃn] s Ruf m, Ansehen n; **re·pute** [rɪ'pjuːt] **1.** s Ruf m; **2.** v/t halten für; **be ~d (to be)** gelten als; **re·put·ed** adj vermeintlich; angeblich.

re·quest [rɪ'kwest] **1.** s Bitte f, Ersuchen n; Ersuchen n; econ. Nachfrage f; **by ~, on ~** auf Wunsch; **in (great) ~** (sehr) gesucht or begehrt; **~ stop** Bedarfshaltestelle f; **2.** v/t um et. bitten or ersuchen; j-n (höflich) bitten or ersuchen.

re·quire [rɪ'kwaɪə] v/t verlangen, fordern; brauchen, erfordern; **if ~d** falls notwendig; **~d** adj erforderlich; **~ment** s (An)Forderung f; Erfordernis n; to get a job: Voraussetzung f; **~s** pl Bedarf m.

req·ui|site ['rekwɪzɪt] **1.** adj erforderlich; **2.** s Erfordernis n; (Bedarfs-, Gebrauchs)Artikel m; **toilet ~s** pl Toilettenartikel pl; **~si·tion** [rekwɪ'zɪʃn] **1.** s Anforderung f; mil. Requisition f; **2.** v/t anfordern; mil. requirieren.

re·sale ['riːseɪl] s Wieder-, Weiterverkauf m; **~ price** Wiederverkaufspreis m.

re·scind jur. [rɪ'sɪnd] v/t judgement, etc.: aufheben; contract: annullieren; **re·scis·sion** jur. [rɪ'sɪʒn] s Aufhebung f; Annullierung f.

res·cue ['reskjuː] **1.** s Rettung f; Hilfe f; Befreiung f; **2.** v/t retten; befreien.

re·search [rɪ'sɜːtʃ] **1.** s Forschung f; Untersuchung f; Nachforschung f; **2.** v/i forschen, Nachforschungen anstellen; v/t et. untersuchen, erforschen; **~er** s Forscher(in).

re·sem|blance [rɪ'zembləns] s Ähnlichkeit f (**to** mit); **bear ~ to** Ähnlichkeit haben mit; **~ble** [rɪ'zembl] v/t gleichen, ähnlich sein (dat).

R

re·sent [rɪˈzent] v/t übelnehmen; sich ärgern über (acc); **~·ful** adj □ ärgerlich; **~ment** s Ärger m; Groll m

res·er·va·tion [rezəˈveɪʃn] s of rooms, etc.: Reservierung f, Vorbestellung f; Vorbehalt m; Reservat(ion f) n; **central** ~ Br. of motorway: Mittelstreifen m.

re·serve [rɪˈzɜːv] **1.** s Reserve f (a. mil.); Vorrat m; econ. Rücklage f; Zurückhaltung f; Vorbehalt m; sports: Ersatzmann m; **2.** v/t aufbewahren, aufsparen; (sich) vorbehalten; (sich) zurückhalten mit; ticket, seat, etc.: reservieren (lassen), belegen, vorbestellen; **~d** adj □ fig. zurückhaltend, reserviert.

res·er·voir [ˈrezəvwɑː] s for water: Behälter m, Sammel-, Staubecken n; fig. Reservoir n.

re·side [rɪˈzaɪd] v/i wohnen, ansässig sein, s-n Wohnsitz haben; **~ in** fig. innewohnen (dat).

res·i·dence [ˈrezɪdəns] s Wohnsitz m, -ort m; Aufenthalt m; (Amts)Sitz m; (herrschaftliches) Wohnhaus; Residenz f; **~ permit** Aufenthaltsgenehmigung f, **~dent 1.** adj wohnhaft; ortsansässig; **2.** s Ortsansässige(r m) f, Einwohner(in); Bewohner(in); Hotelgast m; mot. Anlieger m; **~den·tial** [rezɪˈdenʃl] adj Wohn...; **~ area** Wohngegend f.

re·sid·u·al [rɪˈzɪdjʊəl] adj übrig(geblieben); zurückbleibend; restlich; **res·i·due** [ˈrezɪdjuː] s Rest m; Rückstand m.

re·sign [rɪˈzaɪn] v/t aufgeben; office: niederlegen; überlassen; verzichten auf (acc); **~ o.s. to** sich ergeben in (acc); sich abfinden mit; v/i zurücktreten; **res·ig·na·tion** [rezɪgˈneɪʃn] s Rücktritt(sgesuch n) m; Resignation f; **~ed** [rɪˈzaɪnd] adj □ ergeben, resigniert.

re·sil·i·ence [rɪˈzɪlɪəns] s Elastizität f, fig. Unverwüstlichkeit f; **~ent** adj elastisch; fig. unverwüstlich.

res·in [ˈrezɪn] s Harz n.

re·sist [rɪˈzɪst] v/t widerstehen (dat); sich widersetzen (dat); v/i Widerstand leisten; **~ance** s Widerstand m (a. electr., phys.); med. Widerstandsfähigkeit f; **line of least ~** Weg m des geringsten Widerstands; **re·sis·tant** adj widerstandsfähig.

res·o·lute [ˈrezəluːt] adj □ entschlossen, energisch; **~·lu·tion** [rezəˈluːʃn] s Entschlossenheit f; Bestimmtheit f; Be-

schluß m; pol. Resolution f; Lösung f.

re·solve [rɪˈzɒlv] **1.** v/t auflösen; fig. lösen; doubts, etc.: zerstreuen; beschließen, entscheiden; v/i (a. ~ o.s.) sich auflösen; **~ on, ~ upon** sich entschließen zu; **2.** s Entschluß m; Beschluß m; **~d** adj □ entschlossen.

res·o·nance [ˈrezənəns] s Resonanz f; **~nant** adj □ nach-, widerhallend.

re·sort [rɪˈzɔːt] **1.** s Zuflucht f; Ausweg m; Aufenthalt(sort) m; holiday ~: Urlaubsort m, Erholungsort m; **health ~** Kurort m; **seaside ~** Seebad n; **summer ~** Sommerurlaubsort m; **2.** v/i: ~ **to** oft besuchen; seine Zuflucht nehmen zu.

re·sound [rɪˈzaʊnd] v/i and v/t widerhallen (lassen).

re·source [rɪˈsɔːs] s Hilfsquelle f, -mittel n; Zuflucht f; Findigkeit f; **~s** pl (natürliche) Reichtümer pl, Mittel pl, Bodenschätze pl; **~·ful** adj □ einfallsreich, findig.

re·spect [rɪˈspekt] **1.** s Beziehung f, Hinsicht f; Achtung f, Respekt m; Rücksicht f; **with ~ to** ... was ... (an)betrifft; **in this ~** in dieser Hinsicht; **~s** pl Empfehlungen pl, Grüße pl; **give my ~s to** ... grüßen Sie ... von mir; **2.** v/t achten, schätzen; respektieren; betreffen; **as ~s** ... was ... betrifft or anbelangt; **re·spec·ta·ble** adj □ ehrbar; anständig; angesehen, geachtet (person); ansehnlich, beachtlich (sum); **~·ful** adj □ ehrerbietig; **yours ~ly** hochachtungsvoll; **~ing** prp hinsichtlich (gen).

re·spec·tive [rɪˈspektɪv] adj □ jeweilig; **we went to our ~ places** wir gingen jeder an seinen Platz; **~·ly** adv beziehungsweise.

res·pi·ra·tion [respəˈreɪʃn] s Atmung f; **~tor** med. [ˈrespəreɪtə] s Atemgerät n; **re·spire** [rɪˈspaɪə] v/i atmen.

re·spite [ˈrespaɪt] s Frist f; Aufschub m; Stundung f; Ruhepause f (**from** von); **without** (a) ~ ohne Unterbrechung.

re·splen·dent [rɪˈsplendənt] adj □ glänzend, strahlend.

re·spond [rɪˈspɒnd] v/i and v/t antworten, erwidern; **~ to** reagieren or ansprechen auf (acc).

re·sponse [rɪˈspɒns] s Antwort f, Erwiderung f; fig. Reaktion f; **meet with little ~** wenig Anklang finden.

retract

re·spon·si·bil·i·ty [rɪspɒnsə'bɪlətɪ] s Verantwortung f; **on one's own** ~ auf eigene Verantwortung; **sense of** ~ Verantwortungsgefühl n; **take** (**accept, assume**) ~ **for** die Verantwortung übernehmen für; **~ble** [rɪ'spɒnsəbl] adj □ verantwortlich; verantwortungsvoll.

rest[1] [rest] **1.** s Ruhe f; Rast f; Pause f, Unterbrechung f; Erholung f; tech. Stütze f; (Telefon)Gabel f; **have** or **take a** ~ sich ausruhen; **be at** ~ ruhig sein; **2.** v/i ruhen; rasten; schlafen; sich lehnen, sich stützen (**on** auf acc); ~ **on,** ~ **upon** ruhen auf (eyes, load); fig. beruhen auf (dat); ~ **with** fig. liegen bei (mistake, responsibility); v/t (aus)ruhen lassen; stützen (**on** auf acc); lehnen (**against** gegen).

rest[2] [~] s: **the** ~ der Rest; **and all the** ~ **of it** und so weiter und so fort; **for the** ~ im übrigen.

res·tau·rant ['restərɔ̃, ~rɒnt] s Restaurant n, Gaststätte f.

rest·ful ['restfl] adj ruhig, erholsam.

rest·ing-place ['restɪŋpleɪs] s Ruheplatz m; (letzte) Ruhestätte.

res·ti·tu·tion [restɪ'tju:ʃn] s Wiederherstellung f; Rückerstattung f.

res·tive ['restɪv] adj □ widerspenstig.

rest·less ['restlɪs] adj □ ruhelos; rastlos; unruhig; **~ness** s Ruhelosigkeit f; Rastlosigkeit f; Unruhe f.

res·to·ra·tion [restə'reɪʃn] s Wiederherstellung f; Wiedereinsetzung f; Restaurierung f; Rekonstruktion f, Nachbildung f; (Rück)Erstattung f.

re·store [rɪ'stɔː] v/t wiederherstellen; wiedereinsetzen (**to** in acc); restaurieren; (rück)erstatten, zurückgeben; zurücklegen; ~ **s.o.** (**to health**) j-n wiederherstellen.

re·strain [rɪ'streɪn] v/t zurückhalten (**from** von); in Schranken halten; bändigen, zügeln; emotions: unterdrücken; **~t** s Zurückhaltung f; Zwang m.

re·strict [rɪ'strɪkt] v/t be-, einschränken; **re·stric·tion** s Be-, Einschränkung f; econ. often pl Restriktionen pl; **without** **~s** uneingeschränkt.

rest room Am. ['restru:m] s Toilette f.

re·struc·ture [riː'strʌktʃə] v/t economy, etc.: umstrukturieren.

re·sult [rɪ'zʌlt] **1.** s Ergebnis n, Resultat n; Folge f; **2.** v/i folgen, sich ergeben

(**from** aus); ~ **in** hinauslaufen auf (acc), zur Folge haben.

re·sume [rɪ'zjuːm] v/t wiederaufnehmen; fortsetzen; seat: wieder einnehmen; **re·sump·tion** [rɪ'zʌmpʃn] s Wiederaufnahme f; Fortsetzung f.

re·sur·rec·tion [rezə'rekʃn] s Wiederaufleben n; ♀ eccl. Auferstehung f.

re·sus·ci·tate [rɪ'sʌsɪteɪt] v/t wiederbeleben; fig. wieder aufleben lassen.

re·tail 1. ['riːteɪl] s Einzelhandel m; **by** ~, adv ~ im Einzelhandel; **2.** adj [~] Einzelhandels...; **3.** v/t [riː'teɪl] im Einzelhandel verkaufen; **~er** econ. Einzelhändler(in); ~ **price** s econ. Einzelhandelspreis m; ~ **index** econ. Einzelhandelspreisindex m.

re·tain [rɪ'teɪn] v/t behalten; zurück(be)halten; zurückhalten; ~ **power** an der Macht bleiben.

re·tal·i·ate [rɪ'tælɪeɪt] v/i Vergeltung üben, sich revanchieren (**against** an dat); sports: a. kontern; **~a·tion** [rɪtælɪ'eɪʃn] s Vergeltung f.

re·tard [rɪ'tɑːd] v/t verzögern, aufhalten, hemmen; (**mentally**) **~ed** psych. (geistig) zurückgeblieben.

retch [retʃ] v/i würgen.

re·tell [riː'tel] v/t (-**told**) nacherzählen; wiederholen.

re·think [riː'θɪŋk] v/t (-**thought**) et. nochmals überdenken.

re·ti·cent ['retɪsənt] adj verschwiegen; schweigsam; zurückhaltend.

ret·i·nue ['retɪnjuː] s Gefolge n.

re·tire [rɪ'taɪə] v/t zurückziehen; pensionieren; v/i sich zurückziehen; zurück-, abtreten; sich zur Ruhe setzen; in Pension or Rente gehen, sich pensionieren lassen; **~d** adj □ zurückgezogen; pensioniert, im Ruhestand (lebend); **be** ~ in Pension or Rente sein; ~ **pay** Ruhegeld n; **~ment** s Ausscheiden n, Aus-, Rücktritt m; Ruhestand m; Zurückgezogenheit f; ~ **pension** Ruhegeld n; **re·tir·ing** adj zurückhaltend.

re·tort [rɪ'tɔːt] **1.** s (scharfe or treffende) Erwiderung f; **2.** v/t (scharf or treffend) erwidern.

re·touch [riː'tʌtʃ] v/t et. überarbeiten; phot. retuschieren.

re·trace [rɪ'treɪs] v/t zurückverfolgen; ~ **one's steps** zurückgehen.

re·tract [rɪ'trækt] v/t offer: zurückziehen; *statement*: zurücknehmen; *claws, aer. undercarriage*: einziehen; *v/i* eingezogen werden (*claws, undercarriage*).

re·train [riːˈtreɪn] *v/t and v/i* umschulen.

re·tread 1. *v/t* [riːˈtred] *tyres*: runderneuern; 2. *s* [ˈriːtred] runderneuerter Reifen.

re·treat [rɪˈtriːt] 1. *s* Rückzug *m*; Zuflucht(sort *m*) *f*; Schlupfwinkel *m*; **sound the ~** *mil.* zum Rückzug blasen; 2. *v/i* sich zurückziehen.

ret·ri·bu·tion [retrɪˈbjuːʃn] *s* Vergeltung *f*; **in ~** als Vergeltung.

re·trieve [rɪˈtriːv] *v/t* wiederfinden, -bekommen; wiedergewinnen, -erlangen; wiedergutmachen; *hunt.* apportieren.

ret·ro- [ˈretrəʊ] (zu)rück...; **~·ac·tive** [~ˈæktɪv] *adj* □ rückwirkend; **~·grade** [ˈ~greɪd] *adj* rückläufig; rückschrittlich; **~·spect** [~spekt] *s* Rückblick *m*; **~·spec·tive** [~ˈspektɪv] *adj* □ (zu)rückblickend; *jur.* rückwirkend.

re·try *jur.* [riːˈtraɪ] *v/t* wiederaufnehmen, neu verhandeln.

re·turn [rɪˈtɜːn] 1. *s* Rück-, Wiederkehr *f*; Wiederauftreten *n*; *Br.* Rückfahrkarte *f*, *aer.* Rückflugticket *n*; *econ.* Rückzahlung *f*; Rückgabe *f*; Entgelt *n*, Gegenleistung *f*; (amtlicher) Bericht; (Steuer)Erklärung *f*; *parl.* Wahl *f* (*of candidate*); *sports*: Rückspiel *n*; *tennis, etc.*: Rückschlag *m*, Return *m*; Erwiderung *f*; *attr* Rück...; **~s** *pl econ.* Umsatz *m*; Ertrag *m*, Gewinn *m*; **many happy ~s of the day** herzliche Glückwünsche zum Geburtstag; **in ~ for** (als Gegenleistung) für; **by ~ (of post)**, *Am.* **by ~ mail** *Am.* postwendend; **~ match** *sports*: Rückspiel *n*; **~ ticket** *Br.* Rückfahrkarte *f*, *aer.* Rückflugticket *n*; 2. *v/i* zurückkehren, -kommen; wiederkommen; *v/t* zurückgeben; *money*: zurückzahlen; zurückschicken, -senden; zurückstellen, -bringen, -tun; *profit*: abwerfen; (zur Steuerveranlagung) angeben; *parl. candidate*: wählen; (*tennis, etc.*) *ball*: zurückschlagen, -geben; erwidern; vergelten; **~ a verdict of guilty** *jur.* j-n schuldig sprechen.

re·u·ni·fi·ca·tion *pol.* [riːjuːnɪfɪˈkeɪʃn] *s* Wiedervereinigung *f*.

re·u·nion [riːˈjuːnɪən] *s* Wiedervereinigung *f*; Treffen *n*, Zusammenkunft *f*.

re·val·ue *econ.* [riːˈvæljuː] *v/t currency*: aufwerten.

re·vamp F [riːˈvæmp] *v/t* renovieren; *company*: auf Vordermann bringen; *text, etc.*: überarbeiten.

re·veal [rɪˈviːl] *v/t* enthüllen; offenbaren; **~·ing** *adj* aufschlußreich.

rev·el [ˈrevl] *v/i* (*esp. Br.* -**ll**-, *Am.* -**l**-) ausgelassen sein; **~** in schwelgen in (*dat*); sich weiden an (*dat*).

rev·e·la·tion [revəˈleɪʃn] *s* Enthüllung *f*; Offenbarung *f*.

rev·el·ry [ˈrevlrɪ] *s* (laute) Festlichkeit.

re·venge [rɪˈvendʒ] 1. *s* Rache *f*; *esp. sports, match*: Revanche *f*; **in ~ for** sich Rache für; 2. *v/t* rächen; **~·ful** *adj* □ rachsüchtig; **re·veng·er** *s* Rächer(in).

rev·e·nue *econ.* [ˈrevənjuː] *s* Staatseinkünfte *pl*, -einnahmen *pl*; *Br.* **Inland R Finanzamt** *n*.

re·ver·be·rate *phys.* [rɪˈvɜːbəreɪt] *v/t* zurückwerfen; zurückstrahlen; *v/i* widerhallen.

re·vere [rɪˈvɪə] *v/t* (ver)ehren.

rev·e·rence [ˈrevərəns] 1. *s* Verehrung *f*; Ehrfurcht *f*; 2. *v/t* (ver)ehren; **~·rend** 1. *adj* ehrwürdig; 2. *s* Geistliche(r) *m*.

rev·e·rent [ˈrevərənt], **~·ren·tial** [~ˈrenʃl] *adj* □ ehrerbietig, ehrfurchtsvoll.

re·vers·al [rɪˈvɜːsl] *s* Umkehrung *f*, Umschwung *m*; **~·e** 1. *s* Gegenteil *n*; Rück-, Kehrseite *f*; *mot.* Rückwärtsgang *m*; Rückschlag *m*; 2. *adj* □ umgekehrt; Rück(wärts)...; **in ~ order** in umgekehrter Reihenfolge; **~ gear** *mot.* Rückwärtsgang *m*; **~ side of cloth**: linke (Stoff)Seite; 3. *v/t* umkehren; *judgement*: umstoßen; *mot. car*: rückwärts fahren; *v/i mot.* zurücksetzen, -stoßen; **~·i·ble** *adj* □ doppelseitig (tragbar).

re·vert [rɪˈvɜːt] *v/i* (**to**) zurückkehren (zu); zurückkommen (auf *acc*); wieder zurückfallen (in *acc*); *jur.* zurückfallen (an *j-n*).

re·view [rɪˈvjuː] 1. *s* Nachprüfung *f*, (Über)Prüfung *f*, Revision *f*; *mil.* Parade *f*; Rückblick *m*; *of book*: (Buch)Besprechung *f*, Kritik *f*, Rezension *f*; **pass s.th. in ~** et. Revue passieren lassen; 2. *v/t* (über-, nach)prüfen; *mil.* inspizieren; *book, etc.*: besprechen, rezensieren; *fig.* überblicken, -schauen; **~·er** *s* Rezensent(in).

re·vise [rɪˈvaɪz] *v/t* überarbeiten, durchsehen, revidieren; *Br.* (*v/i* den Stoff) wiederholen (**for an exam** für);

re·vi·sion [rɪˈvɪʒn] s Revision f; Überarbeitung f; Br. Wiederholung.
re·viv·al [rɪˈvaɪvl] s Wiederbelebung f; Wiederaufleben n, -blühen n; Erneuerung f; fig. Erweckung f; **re·vive** v/t wiederbeleben; wiederaufleben lassen; wiederherstellen; v/i wiederaufleben; sich erholen.
re·voke [rɪˈvəʊk] v/t widerrufen, zurücknehmen, rückgängig machen.
re·volt [rɪˈvəʊlt] **1.** s Revolte f, Aufstand m, -ruhr m; **2.** v/i sich auflehnen, revoltieren (**against** gegen); v/t fig. abstoßen; **~ing** adj □ abstoßend; ekelhaft; scheußlich.
rev·o·lu·tion [revəˈluːʃn] s tech. Umdrehung f; fig. Revolution f (a. pol.), Umwälzung f, Umschwung m; **~ar·y 1.** adj revolutionär; Revolutions...; **2.** s pol. and fig. Revolutionär(in); **~ize** v/t fig. revolutionieren.
re·volve [rɪˈvɒlv] v/i sich drehen (**about**, **round** um); **~ around** fig. sich um j-n or et. drehen; v/t drehen; **re·volv·ing** adj sich drehend, Dreh...
re·vue [rɪˈvjuː] s Revue f; Kabarett n.
re·vul·sion fig. [rɪˈvʌlʃn] s Abscheu m.
re·ward [rɪˈwɔːd] **1.** s Belohnung f; Entgelt n; **2.** v/t belohnen; **~ing** adj □ lohnend; fast: dankbar.
re·write [riːˈraɪt] v/t (-**wrote**, -**written**) neu (or um)schreiben.
rhap·so·dy [ˈræpsədɪ] s mus. Rhapsodie f; fig. Schwärmerei f, Wortschwall m.
rhe·to·ric [ˈretərɪk] s Rhetorik f; fig. contp. leere Phrasen pl.
rheu·ma·tism med. [ˈruːmətɪzəm] s Rheumatismus m.
rhu·barb bot. [ˈruːbɑːb] s Rhabarber m.
rhyme [raɪm] **1.** s Reim m; Vers m; **without ~ or reason** ohne Sinn und Verstand; **2.** v/i and v/t sich reimen.
rhythm [ˈrɪðəm] s Rhythmus m; **~·mic** (**~ally**), **~·mi·cal** adj □ rhythmisch.
rib [rɪb] **1.** s anat. Rippe f; **2.** v/t (-**bb-**) F hänseln, aufziehen.
rib·ald [ˈrɪbəld] adj lästerlich, zotig.
rib·bon [ˈrɪbən] s Band n; Ordensband n; Farbband n; Streifen m; **~s** pl Fetzen pl.
rib cage anat. [ˈrɪbkeɪdʒ] s Brustkorb m.
rice bot. [raɪs] s Reis m.
rich [rɪtʃ] **1.** adj □ reich (**in** an dat); splendid: prächtig, kostbar; fruchtbar,

fett (soil); voll (sound); schwer, nahrhaft (food); schwer (wine, smell); satt (colour); **2.** s: **the ~** pl die Reichen pl; **~es** s pl Reichtum m, Reichtümer pl.
rid [rɪd] v/t (-**dd-**; **rid**) befreien, frei machen (**of** von); **get ~ of** loswerden.
rid·dance [ˈrɪdəns] s: **good ~!** das (die, das) wären wir (Gott sei Dank) los!
rid·den [ˈrɪdn] **1.** pp of **ride** 2; **2.** in compounds: geplagt von ...; **fever-~** fieberkrank.
rid·dle[1] [ˈrɪdl] s Rätsel n.
rid·dle[2] [~] **1.** s grobes (Draht)Sieb; **2.** v/t durchsieben; durchlöchern.
ride [raɪd] **1.** s Ritt m; Fahrt f; Reitweg m; **give s.o. a ~** j-n (im Auto) mitnehmen; **2.** (**rode**, **ridden**) v/i reiten; fahren (**on a bicycle** auf e-m Fahrrad; **in**, Am. **on a bus** im Bus); v/t Pferde, etc.: reiten; bicycle, motorbike: fahren, fahren auf (dat); **rid·er** s Reiter(in); Fahrer(in).
ridge [rɪdʒ] **1.** s (Gebirgs)Kamm m, Grat m; arch. First m; agr. Rain m; **~ tent** s Hauszelt n.
rid·i·cule [ˈrɪdɪkjuːl] **1.** s Spott m; **2.** v/t lächerlich machen, verspotten; **ri·dic·u·lous** [rɪˈdɪkjələs] adj □ lächerlich; **make o.s. (look) ~** sich lächerlich machen.
rid·ing [ˈraɪdɪŋ] s Reiten n; attr Reit...
riff·raff [ˈrɪfræf] s Gesindel n.
ri·fle[1] [ˈraɪfl] s Gewehr n; Büchse f.
ri·fle[2] [~] v/t (aus)plündern; durchwühlen.
rift [rɪft] s Riß m, Sprung m; Spalte f.
rig[1] [rɪg] v/t (-**gg-**) manipulieren.
rig[2] [~] **1.** s mar. Takelage f; tech. Bohranlage f, -turm m; Förderturm m; F Aufmachung f; **2.** v/t (-**gg-**) ship: auftakeln; **~ up** F (behelfsmäßig) herrichten, zusammenbauen; **~ging** s mar. Takelage f.
right [raɪt] **1.** adj □ recht; richtig; rechte(r, -s), Rechts...; all **~!** in Ordnung!, gut!; **that's all ~!** das macht nichts!, schon gut!, bitte!; **I am perfectly all ~** mir geht es ausgezeichnet; **that's ~!** richtig!, ganz recht!, stimmt!; **be ~** recht haben; **put ~, set ~** in Ordnung bringen; berichtigen, korrigieren; **..., ~?** ..., nicht wahr?, oder (nicht)?; **2.** adv rechts; recht, richtig, gerade(wegs), direkt; ganz (und gar); genau, gerade; **~ away**

sofort; **~ on** geradeaus; **turn ~** (sich) nach rechts wenden, rechts abbiegen; **3.** s Recht n; Rechte f (a. pol., boxing), rechte Seite or Hand; **by ~ of** auf Grund (gen); **on** or **to the ~** rechts; **~ of way** Durchgangsrecht n; mot. Vorfahrt f; **4.** v/t aufrichten; et. wiedergutmachen; in Ordnung bringen; **~eous** ['raɪtʃəs] adj □ rechtschaffen; selbstgerecht; gerecht(fertigt), berechtigt; **~ful** adj □ rechtmäßig; gerecht; **~hand** adj rechte(r, -s); **~ drive** Rechtssteuerung f; **~hand·ed** adj rechtshändig; **~ly** adv richtig; mit Recht; **~wing** adj pol. rechte(r, -s), rechtsgerichtet.

rig·id ['rɪdʒɪd] adj □ starr, steif; fig. streng, hart; **~i·ty** [rɪ'dʒɪdəti] s Starrheit f, Strenge f, Härte f.

rig·or·ous ['rɪɡərəs] adj □ streng, rigoros; (peinlich) genau.

rig·o(u)r ['rɪɡə] s Strenge f, Härte f.

rile F [raɪl] v/t ärgern, reizen.

rim [rɪm] s Rand m; Krempe f; Felge f; Radkranz m; **~less** adj randlos (glasses); **~med** adj mit (e-m) Rand.

ring[1] [rɪŋ] **1.** s Klang m; Geläut(e) n; Klingeln n, Läuten n; (Telefon)Anruf m; **give s.o. a ~** j-n anrufen; **there was a ~ at the door** es hat geklingelt; **2.** v/i and v/t (**rang, rung**) läuten; klingeln; klingen; erschallen; esp. Br. teleph. anrufen; **~ the bell** läuten, klingeln; F fig. **this tune ~s a bell** diese Melodie kommt mir bekannt vor; esp. Br. teleph. **~ back** zurückrufen; **~ off** (den Hörer) auflegen, Schluß machen; **~ s.o. up** j-n or bei j-m anrufen.

ring[2] [~] **1.** s Ring m; Kreis m; Manege f (Box)Ring m; (Verbrecher-, Spionageetc.)Ring m; **2.** v/t umringen; einrahmen; **~ bind·er** s Ringbuch n; **~lead·er** s Rädelsführer m; **~let** s (Ringel)Locke f; **~mas·ter** s Zirkusdirektor m; **~ road** s Br. Umgehungsstraße f; Ringstraße f; **~side** s: **at the ~** boxing: am Ring; **~ seat** Ringplatz m; Manegenplatz m.

rink [rɪŋk] s (esp. Kunst)Eisbahn f; Rollschuhbahn f.

rinse [rɪns] **1.** s Spülung f; **2.** v/t often **~ out** (ab-, aus)spülen.

ri·ot ['raɪət] **1.** s Aufruhr m; Tumult m, Krawall m; **run ~** randalieren; **2.** v/i Krawall machen, randalieren; e-n Auf-

stand machen; **~er** s Aufrührer(in); Randalierer m; **~ous** adj □ aufrührerisch; lärmend; ausgelassen, wild.

rip [rɪp] **1.** s Riß m; **2.** (**-pp-**) v/t zerreißen; v/t (zer)reißen; F sausen, rasen.

ripe [raɪp] adj □ reif; **rip·en** v/i and v/t reifen (lassen), reif werden; **~ness** s Reife f.

rip·ple ['rɪpl] **1.** s kleine Welle; Kräuselung f; Rieseln n; **2.** v/i and v/t (sich) kräuseln; rieseln.

rise [raɪz] **1.** s (An-, Auf)Steigen n; (Preis-, Gehalts-, Lohn)Erhöhung f; Steigung f; Anhöhe f; origin: Ursprung m; fig. Aufstieg m; **give ~ to** verursachen, führen zu; **2.** v/i (**rose, risen**) sich erheben, aufstehen; end a meeting: die Sitzung schließen; auf-, hoch-, emporsteigen; (an)steigen; sich erheben, emporragen; aufkommen (storm, etc.); eccl. auferstehen; aufgehen (sun, seed); entspringen (river); (an)wachsen, sich steigern; sich erheben, revoltieren; in one's job: aufsteigen; **~ to the occasion** sich der Lage gewachsen zeigen; F **~ and shine!** F raus aus den Federn!; **ris·en** pp of **rise** 2; **ris·er** s: **early ~** Frühaufsteher(in).

ris·ing ['raɪzɪŋ] s (An-, Auf)Steigen n; ast. Aufgehen n, -gang m; Aufstand m.

risk [rɪsk] **1.** s Gefahr f, Wagnis n, Risiko n (a. econ.); **be at ~** in Gefahr sein; **run the ~ of doing s.th.** Gefahr laufen, et. zu tun; **run or take a ~** ein Risiko eingehen; **2.** v/t wagen, riskieren; **~y** adj □ riskant, gefährlich, gewagt.

rite [raɪt] s Ritus m; Zeremonie f; **rit·u·al** ['rɪtʃʊəl] **1.** adj □ rituell; Ritual...; **2.** s Ritual n.

ri·val ['raɪvl] **1.** s Rival|e m, -in f, Konkurrent(in); **2.** adj rivalisierend, Konkurrenz...; **3.** v/t (esp. Br. **-ll-**, Am. **-l-**) rivalisieren or konkurrieren mit; **~ry** s Rivalität f; Konkurrenz(kampf m) f.

riv·er ['rɪvə] s Fluß m, Strom m (a. fig.); **~side** s: **1.** s Flußufer n; **2.** adj am Ufer or Fluß (gelegen).

riv·et ['rɪvɪt] **1.** s tech. Niet(e f) m, n; **2.** v/t tech. (ver)nieten; fig. eyes, etc.: heften; fig. fesseln.

road [rəʊd] s (Auto-, Land)Straße f; Weg m; **on the ~** unterwegs; thea. auf Tournee; **across the ~** über die or der Straße, gegenüber; **is this the ~ to ...?**

roof rack

geht es hier nach ...?; *the ~ to success* der Weg zum Erfolg; ~ **ac·ci·dent** *s* Verkehrsunfall *m*; **~block** *s* Straßensperre *f*; ~ **haul·age** *s* Spedition *f*; ~ **haul·i·er** *s* Spediteur *m*; **~hog** *s* Verkehrsrowdy *m*; ~ **map** *s* Straßenkarte *f*; ~ **safe·ty** *s* Verkehrssicherheit *f*; **~side** **1.** *s* Straßen-, Wegrand *m*; **2.** *adj* an der Landstraße (gelegen); **~way** *s* Fahrbahn *f*; ~ **works** *s pl* Straßenbauarbeiten *pl*; **~wor·thy** *adj mot.* verkehrssicher.

roam [rəʊm] *v/i* (umher)streifen, (-)wandern; *v/t* durchstreifen.

roar [rɔː] **1.** *v/i* brüllen (*a. v/t*); brausen, tosen, donnern; **2.** *s* Brüllen *n*; Gebrüll *n*; Brausen *n*; Krachen *n*, Getöse *n*; *laughter:* schallendes Gelächter.

roast [rəʊst] **1.** *s* Braten *m*; **2.** *v/t* braten; rösten; **3.** *adj* gebraten; ~ **beef** Rost- or Rinderbraten *m*.

rob [rɒb] *v/t* (**-bb-**) berauben; **~ber** *s* Räuber *m*; **~ber·y** *s* Raub *m*; ~ **with violence** *jur.* schwerer Raub.

robe [rəʊb] *s* (Amts)Robe *f*, Talar *m*; Bade-, Hausmantel *m*, Morgenrock *m*.

rob·in *zo.* ['rɒbɪn] *s* Rotkehlchen *n*.

ro·bot ['rəʊbɒt] *s* Roboter *m*.

ro·bust [rə'bʌst] *adj* □ robust, kräftig.

rock [rɒk] **1.** *s* Fels(en) *m*; Klippe *f*; Gestein *n*; *Br. sweet:* Zuckerstange *f*; *on the* **~s** a) mit Eiswürfeln (*whisky, etc.*), b) kaputt, in die Brüche gegangen (*marriage*); ~ **crystal** Bergkristall *m*; **2.** *v/t* schaukeln, wiegen; erschüttern (*a. fig.*); **~bot·tom** *s* F: ~ **prices** *pl* Schleuderpreise *pl*; *our spirits reached* ~ unsere Stimmung sank auf den Nullpunkt.

rock·er ['rɒkə] *s* Kufe *f*; *Am.* Schaukelstuhl *m*; *Br.* Rocker *m*; *off one's* ~ *sl.* übergeschnappt.

rock·et ['rɒkɪt] *s* Rakete *f*; *attr* Raketen...; **~pro·pelled** *adj* mit Raketenantrieb; **~ry** *s* Raketentechnik *f*.

rock·ing·chair ['rɒkɪntʃeə] *s* Schaukelstuhl *m*; **~horse** *s* Schaukelpferd *n*.

rock·y ['rɒkɪ] *adj* felsig, Felsen...

rod [rɒd] *s* Rute *f*; Stab *m*; *tech.* Stange *f*.

rode [rəʊd] *pret of* **ride** 2.

ro·dent *zo.* ['rəʊdənt] *s* Nagetier *n*.

ro·de·o [rəʊ'deɪəʊ] *s (pl -os)* Rodeo *m, n*.

roe¹ *zo.* [rəʊ] *s* Reh *n*.

roe² *zo.* [~] *s a. hard* ~ Rogen *m*; *a. soft* ~ Milch *f*.

rogue [rəʊg] *s* Schurke *m*, Gauner *m*; Schlingel *m*, Spitzbube *m*; **ro·guish** *adj* □ spitzbübisch.

role, rôle *thea.* [rəʊl] *s* Rolle *f* (*a. fig.*).

roll [rəʊl] **1.** *s* Rolle *f*; Brötchen *n*, Semmel *f*; (*esp. of names:* Namens-, Anwesenheits)Liste *f*; Brausen *n*; *of thunder:* Rollen *n*; *of drums:* Wirbel *m*; *mar.* Schlingern *n*; **2.** *v/t* rollen; wälzen; walzen; *cigarette:* drehen; ~ **up** *sleeve:* hochkrempeln; *mot. window:* hochkurbeln; *v/i* rollen; fahren; sich wälzen; (g)rollen (*thunder*); dröhnen; brausen; wirbeln (*drums*); *mar.* schlingern; **~call** *s* Namensaufruf *m*; *mil.* Appell *m*.

roll·er ['rəʊlə] *s* Rolle *f*, Walze *f*; (Locken)Wickler *m*; *mar.* Sturzwelle *f*, Brecher *m*; ~ **coast·er** *s* Achterbahn *f*; ~ **skate** *s* Rollschuh *m*; **~skate** *v/i* Rollschuh laufen; **~skat·ing** *s* Rollschuhlaufen *n*; ~ **tow·el** *s* Rollhandtuch *n*.

rol·lick·ing ['rɒlɪkɪŋ] *adj* übermütig.

roll·ing ['rəʊlɪŋ] *adj* rollend *etc.*; Roll..., Walz...; ~ **mill** *tech.* Walzwerk *n*; ~ **pin** Nudelholz *n*.

roll·neck ['rəʊlnek] **1.** *s* Rollkragen (-pullover) *m*; **2.** *adj* → **~ed** *adj* Rollkragen-.

Ro·man ['rəʊmən] **1.** *adj* römisch; **2.** *s* Römer(in).

ro·mance¹ [rəʊ'mæns] **1.** *s* (Ritter-, Vers)Roman *m*; Abenteuer-, Liebesroman *m*; Romanze *f* (*a. fig.*); Romantik *f*, Zauber *m*; **2.** *v/i* phantasieren.

Ro·mance² *ling.* [~] (*a. adj:* ~ *languages*) die romanischen Sprachen *pl*.

Ro·ma·ni·an [ruː'meɪnɪən] **1.** *adj* rumänisch; **2.** *s* Rumän|e(in), -in *f*; *ling.* Rumänisch *n*.

ro·man|tic [rə'mæntɪk] **1.** *adj* (**~ally**) romantisch (veranlagt); **2.** *s* Romantiker(in); Schwärmer(in); **~ti·cis·m** *s* Romantik *f*.

romp [rɒmp] **1.** *s* Tollen *n*, Toben *n*; **2.** *v/i a.* ~ **about**, ~ **around** herumtollen, -toben; **~er·suit** *s, a.* **~ers** *s pl* Strampelanzug *m*, -hose *f*.

roof [ruːf] **1.** *s* Dach *n* (*a. fig.*); ~ *of the mouth anat.* Gaumen *m*; **2.** *v/t* mit e-m Dach versehen; ~ *in, ~ over* überdachen; **~ing 1.** *s* Material *n* zum Dachdecken; **2.** *adj* Dach...; ~ **felt** Dachpappe *f*; ~ **rack** Dachgepäckträger *m*.

R

rook [rʊk] **1.** s chess: Turm m; zo. Saatkrähe f; **2.** v/t betrügen (**of** um).

room [ruːm] **1.** s Raum m; Platz m; Zimmer n; fig. Spielraum m; **~s** pl (Miet)Wohnung f; **2.** v/i Am. wohnen; **~er** s esp. Am. Untermieter(in); **~ing-house** s Am. Fremdenheim n, Pension f; **~mate** s Zimmergenoss|e m, -in f; **~y** adj □ (**-ier, -iest**) geräumig.

roost [ruːst] **1.** s Schlafplatz m (of birds); Hühnerstange f; **2.** v/i sich zum Schlaf niederhocken (birds); **~er** s esp. Am. zo. (Haus)Hahn m.

root [ruːt] **1.** s Wurzel f; **2.** v/i Wurzeln schlagen; wühlen (**for** nach); **~ about, ~ around** herumwühlen (**among** in dat); v/t tief einpflanzen; **~ out** ausrotten; **~ up** ausgraben; **~ed** adj eingewurzelt; **deeply ~** fig. tief verwurzelt; **stand ~ to the spot** wie angewurzelt stehen(bleiben).

rope [rəʊp] **1.** s Tau n; Seil n; Strick m; Schnur f (pearls, etc.); **be at the end of one's ~** mit s-m Latein am Ende sein; **know the ~s** sich auskennen; **2.** v/t verschnüren; festbinden; **~ off** (durch ein Seil) absperren or abgrenzen; **~ lad-der** s Strickleiter f; **~ tow** s Schlepplift m; **~way** s (Seil)Schwebebahn f.

ro·sa·ry eccl. ['rəʊzərɪ] s Rosenkranz m.

rose¹ [rəʊz] s bot. Rose f; (Gießkannen-)Brause f; Rosa-, Rosenrot n.

rose² [~] pret of **rise** 2.

ros·trum ['rɒstrəm] s (pl **-tra** [-trə], **-trums**) Rednertribüne f, -pult n.

ros·y ['rəʊzɪ] adj □ (**-ier, -iest**) rosig.

rot [rɒt] **1.** s Fäulnis f; Br. F Quatsch m; **2.** (**-tt-**) v/t (ver)faulen lassen; v/i (ver)faulen, (~)modern, verrotten.

ro·ta·ry ['rəʊtərɪ] adj rotierend, sich drehend; Rotations...; **ro·tate** [rəʊ'teɪt] v/i and v/t rotieren (a. pol.) or kreisen (lassen), (sich) drehen; agr. crops: wechseln; **ro·ta·tion** s Rotation f (a. pol.), (Um)Drehung f, Umlauf m; Wechsel m.

ro·tor esp. aer. ['rəʊtə] s Rotor m.

rot·ten ['rɒtn] adj □ verfault, faul(ig); morsch; mies; gemein; **feel ~** sl. sich beschissen fühlen.

ro·tund [rəʊ'tʌnd] adj □ rundlich.

rough [rʌf] **1.** adj □ rauh; roh; grob; barsch; hart; holp(e)rig, uneben; grob,

ungefähr (estimate, etc.); unfertig, Roh...; **~ copy** erster Entwurf, Konzept n; **~ draft** Rohfassung f; **2.** adv roh, rauh, hart; **3.** s holp(e)riger Boden; golf: Rough n; **4.** v/t an-, aufrauhen; **~ it** F primitiv or anspruchslos leben; **~age** s Ballaststoffe pl; **~cast 1.** s tech. Rohputz m; **2.** adj unfertig; **3.** v/t (**-cast**) tech. roh verputzen; roh entwerfen; **~en** v/t rauh werden; v/t an-, aufrauhen; **~neck** s Am. F Grobian m; Ölbohrarbeiter m; **~ness** s Rauheit f; rauhe Stelle; Roheit f; Grobheit f; **~shod** adv: ride ~ **over** j-n rücksichtslos behandeln; rücksichtslos über et. hinweggehen.

round [raʊnd] **1.** adj □ rund; voll (voice, etc.); abgerundet (style); unverblümt; **a ~ dozen** ein rundes Dutzend; **in ~ figures** auf- or abgerundet; **2.** adv rund-, rings(her)um; überall, auf or von or nach allen Seiten; **ask s.o. ~** zu sich einladen; **~ about** ungefähr; **all the year ~** das ganze Jahr hindurch; **the other way ~** umgekehrt; **3.** prp (rund) um; um (... herum); in or auf (dat) ... herum; **4.** s Rund n, Kreis m; Runde f; (Leiter)Sprosse f; Br. Scheibe f (bread, etc.); (Dienst)Runde f, Rundgang m; med. Visite f (in hospital); mus. Kanon m; **5.** v/t runden; (herum)gehen or (-)fahren um, biegen um; **~ off** abrunden; fig. runden, beschließen; **~ up** figure, etc.: aufrunden (**to** auf acc); cattle: zusammentreiben; people, etc.: zusammentrommeln, auftreiben.

round|a·bout ['raʊndəbaʊt] **1.** adj: **~ way** or **route** Umweg m; **in a ~ way** fig. auf Umwegen; **2.** s Br. Karussell n; Br. Kreisverkehr m; **~ish** adj rundlich; **~ trip** s Rundreise f; Am. Hin- u. Rückfahrt f, aer. Hin- u. Rückflug m; **~trip** adj: **~ ticket** Am. Rückfahrkarte, aer. Rückflugticket n; **~up** s Zusammentreiben n (of cattle).

rouse [raʊz] v/t wecken; game birds: aufjagen; j-n aufrütteln; j-n reizen, erzürnen; anger: erregen; **~ o.s.** sich aufraffen; v/i aufwachen.

route [ruːt] s (Reise-, Fahrt)Route f, (-)Weg m; (Bahn-, Bus-, Flug)Strecke f; mil. Marschroute f.

rou·tine [ruː'tiːn] **1.** s Routine f; **2.** adj üblich, routinemäßig, Routine...

rove [rəʊv] *v/i* umherstreifen, -wandern; *v/t* durchstreifen, -wandern.

row¹ [rəʊ] *s* Reihe *f*.

row² [raʊ] **1.** *s* Krach *m*, Lärm *m*; (lauter) Streit, Krach *m*; **2.** *v/i* (sich) streiten.

row³ [rəʊ] **1.** *s* Rudern *n*; Ruderpartie *f*; **2.** *v/i and v/t* rudern; **~boat** *s Am.* Ruderboot *n*; **~er** *s* Ruder|er *m*, -in *f*; **~ing boat** *s Br.* Ruderboot *n*.

roy·al [ˈrɔɪəl] *adj* königlich; **~ty** *s* Königtum *n*; Königswürde *f*; *coll.* das Königshaus, die königliche Familie; *econ.* Tantieme *f*.

rub [rʌb] **1.** *s:* **give s.th. a good ~** et. (ab)reiben; et. polieren; **2.** **(-bb-)** *v/t* reiben; polieren; (wund) scheuern; **~ down** abschmirgeln, abschleifen; trokkenreiben, (ab)frottieren; **~ in** einreiben; **~ it in** *fig.* F darauf herumreiten; **~ off** ab-, wegreiben, ab-, wegwischen; **~ out** *Br.* ausradieren; **~ up** aufpolieren; **~ s.o. up the wrong way** j-n verstimmen; *v/i* reiben (**against, on** an *dat,* gegen).

rub·ber [ˈrʌbə] **1.** *s* Gummi *m, n;* (Radier)Gummi *m;* Wischtuch *n;* F *condom:* Gummi *m,* Präser *m;* **~s** *pl Am.* (Gummi)Überschuhe *pl;* Br. Turnschuhe *pl;* **~ band** *s* Gummiband *n;* **~ cheque,** *Am.* **~ check** *s* geplatzter Scheck; **~neck** *Am.* F **1.** *s* Gaffer(in); **2.** *v/i* gaffen; **~y** *adj* gummiartig; zäh, wie Gummi (*meat*).

rub·bish [ˈrʌbɪʃ] *s* Schutt *m;* Abfall *m,* Müll *m; fig.* Schund *m;* Quatsch *m,* Blödsinn *m;* **~ bin** *s Br.* Mülleimer *m;* **~ chute** *s* Müllschlucker *m.*

rub·ble [ˈrʌbl] *s* Schutt *m.*

ru·by [ˈruːbɪ] *s* Rubin(rot *n*) *m.*

ruck·sack [ˈrʌksæk] *s* Rucksack *m.*

rud·der [ˈrʌdə] *s mar.* (Steuer)Ruder *n; aer.* Seitenruder *n.*

rud·dy [ˈrʌdɪ] *adj* □ (**-ier, -iest**) rot, rötlich; frisch, gesund.

rude [ruːd] *adj* □ (**~r, ~st**) unhöflich, grob; unanständig; heftig, wild; ungebildet; primitiv, kunstlos.

ru·di·men·ta·ry [ruːdɪˈmentərɪ] *adj* elementar, Anfangs...; **~ments** [ˈruːdɪmənts] *s pl* Anfangsgründe *pl.*

rue·ful [ˈruːfl] *adj* □ reuig.

ruf·fle [ˈrʌfl] **1.** *s* Krause *f,* Rüsche *f;* Kräuseln *n;* **2.** *v/t* kräuseln; *hair,* *feathers:* sträuben; zerknüllen; *fig.* aus der Ruhe bringen; (ver)ärgern.

rug [rʌg] *s* (Reise-, Woll)Decke *f;* Vorleger *m,* Brücke *f,* (kleiner) Teppich.

rug·ged [ˈrʌgɪd] *adj* □ rauh (*a. fig.*); wild, zerklüftet, schroff.

ru·in [ˈruːɪn] **1.** *s* Ruin *m,* Verderben *n,* Untergang *m; mst* **~s** *pl* Ruine(n *pl*) *f,* Trümmer *pl;* **2.** *v/t* ruinieren, zugrunde richten, zerstören, zunichte machen, zerrütten; **~ous** *adj* □ verfallen; ruinös.

rule [ruːl] **1.** *s* Regel *f;* Spielregel *f;* Vorschrift *f;* Satzung *f;* Herrschaft *f,* Regierung *f;* Lineal *n; as a* **~** in der Regel; **work to ~** *s* Dienst nach Vorschrift tun; **~s** *pl* (Geschäfts-, Gerichts- *etc.*)Ordnung *f;* **~(s) of the road** Straßenverkehrsordnung *f;* **stick to the ~s** sich an die Spielregeln halten; **~ of thumb** Faustregel *f;* **2.** *v/t* beherrschen, herrschen über (*acc*); lenken, leiten; anordnen, verfügen; liniieren; **~ out** ausschließen; *v/i* herrschen; **rul·er** *s* Herrscher(in); Lineal *n.*

rum [rʌm] *s* Rum *m; Am.* Alkohol *m.*

rum·ble [ˈrʌmbl] *v/i* rumpeln, poltern, (g)rollen (*thunder*), knurren (*stomach*).

ru·mi·nant *zo.* [ˈruːmɪnənt] **1.** *adj* wiederkäuend; **2.** *s* Wiederkäuer *m;* **~nate** [~eɪt] *v/i zo.* wiederkäuen; *fig.* grübeln (**about, over** über *acc* oder *dat*).

rum·mage [ˈrʌmɪdʒ] **1.** *s* gründliche Durchsuchung; Ramsch *m;* **~ sale** *Am.* Ramschverkauf *m;* Wohltätigkeitsbasar *m;* **2.** *v/i a.* **~ about** herumstöbern, -wühlen (**among, in** in *dat*).

ru·mo(u)r [ˈruːmə] **1.** *s* Gerücht *n;* **2.** *v/t:* **it is ~ed** man sagt *oder* munkelt, es geht das Gerücht.

rump [rʌmp] *s* Steiß *m,* F *of person:* Hinterteil *n, of animal:* Hinterbacken *pl.*

rum·ple [ˈrʌmpl] *v/t* zerknittern, -knüllen.

run [rʌn] **1.** (**-nn-; ran, run**) *v/i* laufen, rennen, eilen; fahren; verkehren, fahren, gehen (*train, bus*); fließen, strömen; verlaufen (*road*), führen (*route*); *tech.* laufen; in Betrieb *oder* Gang sein; gehen (*watch, clock, etc.*); schmelzen (*butter, etc.*); zer-, auslaufen (*colour*); lauten (*text*); gehen (*tune*); laufen (*play, film*), gegeben werden; *jur.* gelten, laufen; *esp. Am. pol.* kandidieren

(for für); **~ across** s.o. j-n zufällig treffen, auf j-n stoßen; **~ after** hinter (dat) herlaufen, j-m etc. nachlaufen; **~ along!** F ab mit dir!; **~ away** davonlaufen; **~ away** durchbrennen mit; durchgehen mit (temper, enthusiasm, etc.); **~ away with** (clock, watch, etc.); fig. herunterkommen; **~ dry** austrocknen; **~ into** (hinein)laufen or (-)rennen in (acc); fahren gegen; j-n zufällig treffen; geraten in (debts, etc.); sich belaufen auf (acc); **~ low** knapp werden; **~ off with → ~ away with;** **~ out** ablaufen (time); ausgehen, knapp werden; **~ out of petrol** kein Benzin mehr haben; **~ over** überlaufen, -fließen; überfliegen, durchgehen, -lesen; **~ short** knapp werden; **~ short of petrol** kein Benzin mehr haben; **~ through** überfliegen, durchgehen, -lesen; **~ up to** sich belaufen auf (acc); v/t distance: durchlaufen, route: einschlagen; fahren; laufen lassen; train, bus: fahren or verkehren lassen; hand, etc.: gleiten lassen; business: betreiben; company: führen, leiten; fließen lassen; temperature, fever: haben; **~ down** an-, überfahren; fig. schlechtmachen; herunterwirtschaften; **~ errands** Besorgungen or Botengänge machen; **~ s.o. home** F j-n nach Hause bringen or fahren; **~ in car:** einfahren; F criminal: einbuchten; **~ over** überfahren; **~ s.o. through** j-n durchbohren; **~ up** price, etc.: in die Höhe treiben; bill, debts, etc.: auflaufen lassen; **2.** s Laufen n, Rennen n, Lauf m; Verlauf m; Fahrt f; Spazierfahrt f; Reihe f, Folge f, Serie f; econ. Ansturm m, Run m (on auf acc), stürmische Nachfrage (nach); Am. Bach m; Am. Laufmasche f; Gehege n; Auslauf m, (Hühner)Hof m; sports: Bob-, Rodelbahn f; (Ski)Abfahrt(sstrecke) f; thea., film: Laufzeit f; F **the ~s** pl diarrhoea: F Dünnpfiff m; **have a ~ of 20 nights** thea. 20mal nacheinander gegeben werden; **in the long ~** auf die Dauer; **in the short ~** fürs nächste; **on the ~** auf der Flucht.

run|a·bout F mot. ['rʌnəbaut] s kleiner leichter Wagen; **~·a·way** s Ausreißer m.

rung¹ [rʌŋ] pp of **ring¹** 2.

rung² [~] s (Leiter)Sprosse f (a. fig.).

run·ner ['rʌnə] s Läufer(in); horse: Rennpferd n; Bote m; (Schlitten-, Schlittschuh)Kufe f; carpet: Läufer m; for table: Tischläufer m; Am. Laufmasche f; **~ bean** s Br. bot. Stangenbohne; **~-up** s (pl **runners-up**) sports: Zweite(r m) f.

run·ning ['rʌnɪŋ] **1.** adj laufend; fließend; **two days ~** zwei Tage hintereinander; **2.** s Laufen n; Rennen n; **~-board** s Trittbrett n.

run·way aer. ['rʌnweɪ] s Start-, Lande-, Rollbahn f.

rup·ture ['rʌptʃə] **1.** s Bruch m, Riß m; (Zer)Platzen n; **2.** v/i brechen; bersten, (zer)platzen.

ru·ral ['ruərəl] adj □ ländlich, Land...

ruse [ruːz] s List f, Kniff m, Trick m.

rush¹ bot. [rʌʃ] s Binse f.

rush² [~] **1.** s Eile f; (An)Sturm m; Andrang m, Gedränge n; econ. stürmische Nachfrage; Hetze f, Hochbetrieb m; **2.** v/i stürzen, jagen, hetzen, stürmen; **~ at** sich stürzen auf (acc); **~ in** hereinstürzen, -stürmen; v/t jagen, hetzen, drängen, (an)treiben; losstürmen auf (acc), angreifen; schnell bringen; **~ hour** s Hauptverkehrszeit f, Stoßzeit f; **~-hour traf·fic** s Stoßverkehr m.

Rus·sian ['rʌʃn] **1.** adj russisch; **2.** s Russ|e m, -in f; ling. Russisch n.

rust [rʌst] **1.** s Rost m; Rostbraun n; **2.** v/i and v/t (ver-, ein)rosten (lassen).

rus·tic ['rʌstɪk] **1.** adj (**~ally**) ländlich, rustikal; bäurisch; **2.** s Bauer m.

rus·tle ['rʌsl] **1.** v/i rascheln; rauschen; v/t rascheln mit; Am. cattle: stehlen; **2.** s Rascheln n; Rauschen n.

rust|less ['rʌstlɪs] adj rostfrei; **~·y** adj □ (-ier, -iest) rostig; fig. eingerostet.

rut¹ [rʌt] s Wagenspur f; esp. fig. ausgefahrenes Geleise.

rut² zo. [~] s Brunst f, Brunft f.

ruth·less ['ruːθlɪs] adj □ umbarmherzig; rücksichts-, skrupellos.

rut|ted ['rʌtɪd], **~·ty** [~] adj (-ier, -iest) ausgefahren (path).

rye bot. [raɪ] s Roggen m.

S

sa·ble ['seɪbl] *s zo.* Zobel(pelz) *m.*

sab·o·tage ['sæbətɑːʒ] **1.** *s* Sabotage *f;* **2.** *v/t* sabotieren.

sa·bre, *Am. mst* **-ber** ['seɪbə] *s* Säbel *m.*

sack [sæk] **1.** Sack *m; Am.* (Einkaufs-) Tüte *f;* Sackkleid *n; hist.* Plünderung *f;* **get the ~** F entlassen werden; F den Laufpaß bekommen; **give s.o. the ~** F j-n entlassen; F j-m den Laufpaß geben; **2.** *v/t* einsacken; F rausschmeißen, entlassen; F *j-m* den Laufpaß geben; *hist.* plündern; **~cloth** *s* Sackleinen *n,* -leinwand *f;* **~ing** *s* Sackleinen *n;* F Entlassung *f.*

sac·ra·ment *eccl.* ['sækrəmənt] *s* Sakrament *n.*

sa·cred ['seɪkrɪd] *adj* □ heilig; geistlich.

sac·ri·fice ['sækrɪfaɪs] **1.** *s* Opfer *n; at a* ~ *econ.* mit Verlust; **2.** *v/t* opfern; *econ.* mit Verlust verkaufen.

sac·ri·lege ['sækrɪlɪdʒ] *s* Sakrileg *n;* Entweihung *f;* Frevel *m;* **~le·gious** [~'lɪdʒəs] *adj* □ frevelhaft.

sad [sæd] *adj* □ traurig; jämmerlich, elend; schlimm; *colour:* dunkel, matt.

sad·dle ['sædl] **1.** *s* Sattel *m;* **2.** *v/t* satteln; *fig.* belasten; **~r** *s* Sattler *m.*

sa·dis·m ['seɪdɪzəm] *s* Sadismus *m.*

sad·ness ['sædnɪs] *s* Traurigkeit *f.*

safe [seɪf] **1.** *adj* □ (**~r, ~st**) sicher; unversehrt; zuverlässig; **2.** *s* Safe *m, n,* Geldschrank *m;* Fliegenschrank *m;* **~con·duct** *s* freies Geleit; Geleitbrief *m;* **~guard 1.** *s* Schutz *m* (**against** gegen, vor *dat*); **2.** *v/t* sichern, schützen (**against** gegen, vor *dat*).

safe·ty ['seɪftɪ] *s* Sicherheit *f;* Sicherheits...; **~belt** *s* Sicherheitsgurt *m;* **~cage** *s mot.* Sicherheits-Fahrgastzelle *f;* **~ hel·met** *s* Schutzhelm *m;* **~ is·land** *s Am.* Verkehrsinsel *f;* **~lock** *s* Sicherheitsschloß *n;* **~pin** *s* Sicherheitsnadel *f;* **~ ra·zor** *s* Rasierapparat *m.*

saf·fron ['sæfrən] *s* Safran(gelb *n*) *m.*

sag [sæg] *v/i* (**-gg-**) durchsacken; *tech.* durchhängen; abfallen, (herab)hängen; sinken, fallen, absacken.

sage¹ [seɪdʒ] **1.** *adj* □ (**~r, ~st**) klug, weise; **2.** *s* Weise(r) *m.*

sage² *bot.* [~] *s* Salbei *m, f.*

said [sed] *pret and pp of* **say** 1.

sail [seɪl] **1.** *s* Segel *n or pl;* (Segel)Fahrt *f;* Windmühlenflügel *m;* (Segel)Schiff(e *pl*) *n;* **set ~** auslaufen (**for** nach); **2.** *v/i* segeln, fahren; auslaufen (*ship*); absegeln; *fig.* schweben; *v/t mar.* befahren; *ship:* steuern; *sailboat:* segeln; **~boat** *s Am.* Segelboot *n;* **~er** *s* Segler *m* (*ship*); **~ing-boat** *s Br.* Segelboot *n;* **~ing-ship**, **~ing-ves·sel** *s* Segelschiff *n;* **~or** *s* Seemann *m,* Matrose *m;* **be a good** (**bad**) **~** (nicht) seefest sein; **~plane** *s* Segelflugzeug *n.*

saint [seɪnt] **1.** *s* Heilige(r *m*) *f; before name:* Sankt ...; **2.** *v/t* heiligsprechen; **~ly** ['seɪntlɪ] *adj* heilig, fromm.

sake [seɪk] *s:* **for the ~ of** um ... (*gen*) willen; **for my ~** meinetwegen; **for God's ~** um Gottes willen.

sa·la·ble ['seɪləbl] → **saleable**.

sal·ad ['sæləd] *s* Salat *m.*

sal·a·ried ['sælərɪd] *adj* (fest)angestellt, (-)bezahlt; **~ employee** Angestellte(r *m*) *f,* Gehaltsempfänger(in); **~ job** feste Anstellung.

sal·a·ry ['sælərɪ] *s* Gehalt *n;* **~ earn·er** *s* Angestellte(r *m*) *f,* Gehaltsempfänger(in).

sale [seɪl] *s* Verkauf *m;* Ab-, Umsatz *m;* (Saison)Schlußverkauf *m;* Auktion *f;* **for ~** zu verkaufen; **be on ~** verkauft werden, erhältlich sein.

sale·a·ble *esp. Br.* ['seɪləbl] *adj* verkäuflich.

sales|clerk *Am.* ['seɪlzklɑːk] *s* (Laden-) Verkäufer(in); **~man** *s* Verkäufer *m;* (Handels)Vertreter *m;* **~per·son** *s* Verkäufer(in); (Handels)Vertreter(in); **~ slip** *s Am.* Kassenbeleg *m,* -zettel *m;* **~wom·an** *s* Verkäuferin *f;* (Handels)Vertreterin *f.*

sa·line ['seɪlaɪn] *adj* salzig, Salz...

sa·li·va [sə'laɪvə] *s* Speichel *m.*

sal·low ['sæləʊ] *adj* blaß, gelblich, fahl.

salm·on *zo.* ['sæmən] *s* Lachs *m,* Salm *m.*

sa·loon [sə'luːn] *s* Salon *m;* Saal *m;* erste Klasse (*on ships*); *Am.* Kneipe *f,* Wirtschaft *f,* Saloon *m;* **~** (**car**) *Br. mot.* Limousine *f.*

salt [sɔːlt] **1.** *s* Salz *n; fig.* Würze *f;* **2.** *adj* salzig; gesalzen, gepökelt; Salz...; Pökel...; **3.** v/t (ein)salzen; pökeln; **~cellar** s Salzfäßchen n, -streuer m; **~petre**, Am. **~pe·ter** chem. [~'pi:tə] s Salpeter m; **~wa·ter** adj Salzwasser...; **~y** adj (-ier, -iest) salzig.

sa·lu·bri·ous [sə'lu:briəs], **sal·u·ta·ry** ['sæljʊtərɪ] adj □ heilsam, gesund.

sal·u·ta·tion [sælju:'teɪʃn] s Gruß m, Begrüßung f; Anrede f (in letter).

sa·lute [sə'lu:t] **1.** s Gruß m; mil. Salut m; **2.** v/t (be)grüßen; v/i mil. salutieren.

sal·vage ['sælvɪdʒ] **1.** s Bergung(sgut n) f; Bergegeld n; **2.** v/t bergen; retten.

sal·va·tion [sæl'veɪʃn] s Erlösung f; (Seelen)Heil n; Rettung f; ♀ Army Heilsarmee f.

salve¹ [sælv] v/t retten, bergen.

salve² [~] **1.** s Salbe f; fig. Balsam m, Trost m; **2.** v/t fig. beschwichtigen, beruhigen.

same [seɪm] adj, pron, adv: **the ~** der-, die-, dasselbe; **all the ~** trotzdem; **it is all the ~ to me** es ist mir (ganz) gleich; **~ to you!** danke gleichfalls!

sam·ple ['sɑ:mpl] **1.** s Probe f, Muster n; **2.** v/t probieren; kosten.

san·a·to·ri·um [sænə'tɔ:rɪəm] s (pl -ums, -a [-ə]) Sanatorium n.

sanc·ti·fy ['sæŋktɪfaɪ] v/t eccl. heiligen, weihen; sanktionieren.

sanc·tion ['sæŋkʃn] **1.** s Sanktion f (a. pol.); Billigung f, Zustimmung f; **2.** v/t billigen; sanktionieren.

sanc·ti·ty ['sæŋktətɪ] s Heiligkeit f; **~tu·a·ry** ['sæŋktjʊərɪ] s Heiligtum n; das Allerheiligste; Asyl n; Schutzgebiet n (for animals); **seek ~ with** Zuflucht suchen bei.

sand [sænd] **1.** s Sand m; **~s** pl Sand(fläche f) m; Sandbank f; **2.** v/t mit Sand bestreuen; schmirgeln.

san·dal ['sændl] s Sandale f.

sand|bag ['sændbæg] **1.** s Sandsack m; **2.** v/t mit Sandsäcken befestigen; **~dune** s Sanddüne f; **~glass** s Sanduhr f; **~hill** s Sanddüne f.

sand·wich ['sænwɪdʒ] **1.** s Sandwich n; **2.** v/t einklemmen, -zwängen; a. **~ in** fig. ein-, dazwischenschieben.

sand·y ['sændɪ] adj (-ier, -iest) sandig; hair: rotblond.

sane [seɪn] adj (~r, ~st) geistig gesund; jur. zurechnungsfähig; vernünftig.

sang [sæŋ] pret of **sing**.

san|gui·na·ry ['sæŋgwɪnərɪ] adj □ blutdürstig; blutig; **~guine** [~gwɪn] adj □ leichtblütig; zuversichtlich; rot, frisch, blühend (complexion).

san·i·tar·i·um Am. [sænɪ'teərɪəm] s (pl -ums, -a [-ə]) → **sanatorium**.

san·i·ta·ry ['sænɪtərɪ] adj □ Gesundheits..., gesundheitlich, sanitär (a. tech.); **~ napkin** Am., **~ towel** Damenbinde f.

san·i·ta·tion [sænɪ'teɪʃn] s Hygiene f; sanitäre Einrichtungen pl.

san·i·ty ['sænətɪ] s geistige Gesundheit; jur. Zurechnungsfähigkeit f.

sank [sæŋk] pret of **sink**.

San·ta Claus [sæntə'klɔ:z] s der Weihnachtsmann, der Nikolaus.

sap [sæp] **1.** s bot. Saft m (in plants); fig. Lebenskraft f; **2.** v/t (-pp-) schwächen; **~less** adj saft-, kraftlos; **~ling** s bot. junger Baum.

sap·phire ['sæfaɪə] s Saphir m.

sap·py ['sæpɪ] adj (-ier, -iest) saftig; fig. kraftvoll.

sar·casm ['sɑ:kæzəm] s Sarkasmus m.

sar·dine zo. [sɑ:'di:n] s Sardine f.

sash [sæʃ] s Schärpe f; Fensterrahmen m; **~win·dow** s Schiebefenster n.

sat [sæt] pret and pp of **sit**.

Sa·tan ['seɪtən] s Satan m.

satch·el ['sætʃəl] s Schulmappe f, -tasche f, -ranzen m.

sate [seɪt] v/t übersättigen.

sa·teen [sæ'ti:n] s (Baum)Wollsatin m.

sat·el·lite ['sætəlaɪt] s Satellit m; a. **~ state** Satellit(enstaat) m; **~ dish** s Parabolantenne f.

sa·ti·ate ['seɪʃɪeɪt] v/t übersättigen.

sat·in ['sætɪn] s (Seiden)Satin m.

sat|ire ['sætaɪə] s Satire f; **~i·rist** [~ərɪst] s Satiriker(in); **~ir·ize** [~əraɪz] v/t verspotten.

sat·is·fac|tion [sætɪs'fækʃn] s Befriedigung f, Genugtuung f; Zufriedenheit f; eccl. Sühne f; Gewißheit f; **~to·ry** [~'fæktərɪ] adj □ befriedigend, zufriedenstellend.

sat·is·fy ['sætɪsfaɪ] v/t befriedigen, zufriedenstellen; überzeugen; **be satisfied with** zufrieden sein mit.

sat·u·rate chem. and fig. ['sætʃəreɪt] v/t sättigen.

Sat·ur·day ['sætədi] *s* Sonnabend *m*, Samstag *m*.

sat·ur·nine ['sætənain] *adj* □ *fig.* düster, finster.

sauce [sɔːs] **1.** *s* Soße *f*; *Am.* Kompott *n*; *fig.* Würze *f*, Reiz *m*; **F** Frechheit *f*; *none of your* ~*!* werd bloß nicht frech!; **2.** *v/t* **F** frech sein *zu j-m*; ~**boat** *s* Soßenschüssel *f*; ~**pan** *s* Kochtopf *m*; Kasserolle *f*.

sau·cer ['sɔːsə] *s* Untertasse *f*.

sauc·y ['sɔːsi] *adj* □ (*-ier*, *-iest*) frech; **F** flott, keß.

saun·ter ['sɔːntə] **1.** *s* Schlendern *n*, Bummel *m*; **2.** *v/i* schlendern, bummeln.

saus·age ['sɒsidʒ] *s* Wurst *f*; *a.* **small** ~ Würstchen *n*.

sav|age ['sævidʒ] **1.** *adj* □ wild; roh, grausam; **2.** *s* Wilde(r *m*) *f*; Rohling *m*, Barbar(in); ~**ag·er·y** *s* Wildheit *f*; Roheit *f*, Grausamkeit *f*.

save [seiv] **1.** *v/t* retten; *eccl.* erlösen, bewahren; (auf-, er)sparen; schonen; (*sports*) *ball*, *shot*: halten, *goal*: verhindern; **2.** *prp* and *cj*: *rhet.* außer (*dat*); ~ *for* bis auf (*acc*); ~ *that* nur daß; **3.** *s* *sports*: Ballabwehr *f*, Parade *f*.

sav·er ['seivə] *s* Retter(in); Sparer(in); *it is a time*~, es spart Zeit.

sav·ing ['seiviŋ] **1.** *adj* □ ...sparend; rettend; **2.** *s* Rettung *f*; ~*s pl* Ersparnisse *pl*; ~*s ac·count* *s* Sparkonto *n*; ~*s bank* *s* Sparkasse *f*; ~*s book* *s* Sparbuch *n*; ~*s de·pos·it* *s* Spareinlage *f*.

sa·vio(u)r ['seivjə] *s* Retter *m*; *the* 2 *eccl.* der Erlöser, der Heiland.

sa·vo(u)r ['seivə] **1.** *s* (Wohl)Geschmack *m*; *fig.* Beigeschmack *m*; *fig.* Würze *f*, Reiz *m*; **2.** *v/t* *fig.* genießen; *v/i* *fig.* schmecken, riechen (*of* nach); ~**y** *adj* □ schmackhaft; appetitlich; pikant.

saw¹ [sɔː] *pret of* **see¹**.

saw² [~] *s* Sprichwort *n*.

saw³ [~] **1.** *v/t* (~*ed*, *a.* ~*n or* ~*ed*) sägen; **2.** *s* Säge *f*; ~**dust** *s* Sägemehl *n*, -späne *pl*; ~**mill** *s* Sägewerk *n*; ~*n pp of* **saw³** ¹.

Sax·on ['sæksn] **1.** *adj* sächsisch; *ling. often* germanisch; **2.** *s* Sachse *m*, Sächsin *f*.

say [sei] **1.** *v/t* and *v/i* (*said*) sagen; auf-, hersagen; berichten; ~ *grace* das Tischgebet sprechen; *what do you* ~ *to* ...*?* was hältst du von ...?, wie wäre es mit

...?, wie steht es mit ...?; *it* ~*s* es lautet (*writing*, *document*, *etc.*); *it* ~*s here* hier heißt es, hier steht; *that is to* ~ das heißt; (*and*) *that's* ~*ing s.th.* (und) das will was heißen; *you don't* ~ (*so*)*!* was Sie nicht sagen!; *I* ~*!* sag(en Sie) mal!; ich muß schon sagen!; *you can* ~ *that again*, **F** *you said it* **F** das kannst du laut sagen; *he is said to be* ... er soll ... sein; *no sooner said than done* gesagt, getan; **2.** *s* Rede *f*, Wort *n*; Mitspracherecht *n*; *let him have his* ~ laß(t) ihn (doch auch mal) reden *or* s-e Meinung äußern; *have a or some (no)* ~ *in s.th.* et. (nichts) zu sagen haben bei et.; *have the final* ~ das letzte Wort haben; ~**ing** *s* Reden *n*; Sprichwort *n*, Redensart *f*; Ausspruch *m*; *it goes without* ~ es versteht sich von selbst; *as the* ~ *goes* wie es so schön heißt.

scab [skæb] *s* *med.*, *bot.* Schorf *m*; Räude *f*; *sl.* Streikbrecher *m*.

scaf·fold ['skæfəld] *s* (Bau)Gerüst *n*; Schafott *n*; ~**ing** *s* (Bau)Gerüst *n*.

scald [skɔːld] **1.** *s* Verbrühung *f*; **2.** *v/t* sich *et.* verbrühen; *milk*: abkochen; ~**ing hot** kochendheiß; glühendheiß (*day*, *etc.*).

scale¹ [skeil] **1.** *s* Schuppe *f*; Kesselstein *m*; *med.* Zahnstein *m*; **2.** *v/t* and *v/i* (sich) (ab)schuppen, (sich) ablösen; *med. teeth*: von Zahnstein reinigen.

scale² [~] **1.** *s* Waagschale *f*; (*a pair of*) ~*s pl* (e-e) Waage *f*; **2.** *v/t* wiegen.

scale³ [~] **1.** *s* Stufenleiter *f*; *mus.* Tonleiter *f*; Skala *f*; Maßstab *m*; *fig.* Ausmaß *n*; **2.** *v/t* ersteigen; ~ *up* (*down*) maßstab(s)getreu vergrößern (verkleinern).

scalp [skælp] **1.** *s* Kopfhaut *f*; Skalp *m*; **2.** *v/t* skalpieren.

scal·y ['skeili] *adj* (*-ier*, *-iest*) schuppig.

scamp [skæmp] **1.** *s* Taugenichts *m*; **2.** *v/t* pfuschen bei.

scam·per ['skæmpə] **1.** *v/i a.* ~ *about*, ~ *around* (herum)tollen, herumhüpfen; hasten; **2.** *s* (Herum)Tollen *n*, Herumhüpfen *n*.

scan [skæn] *v/t* (*-nn-*) genau prüfen; forschend ansehen; *horizon*, *etc.*: absuchen; *computer*, *radar*, *TV*: abtasten; *headlines*: überfliegen.

scan·dal ['skændl] *s* Skandal *m*; Ärgernis *n*; Klatsch *m*; ~**ize** [~dəlaiz] *v/t*: *be* ~*d at s.th.* über et. empört *or* entrüstet sein; **~mon·ger** s F Klatschmaul n; *journalist*: Klatschkolumnist(in); **~ous** adj □ skandalös, anstößig.

Scan·di·na·vi·an [skændɪ'neɪvɪən] **1.** adj skandinavisch; **2.** s Skandinavier(in); *ling*. Skandinavisch n.

scant [skænt] adj □ knapp, gering; **~y** adj □ (*-ier, -iest*) knapp, spärlich, kärglich, dürftig.

scape|goat ['skeɪpgəʊt] s Sündenbock m; **~grace** [~greɪs] s Taugenichts m.

scar [skɑː] **1.** s Narbe f; *fig*. (Schand-) Fleck m, Makel m; Klippe f; **2.** (*-rr-*) v/t e-e Narbe or Narben hinterlassen auf (*dat*); v/i: **~ over** vernarben.

scarce [skeəs] adj (**~r, ~st**) knapp, rar, selten; **~ly** adv kaum; **scar·ci·ty** [~ətɪ] s Mangel m, Knappheit f (*of* an dat).

scare [skeə] **1.** v/t erschrecken; **~ away**, **~ off** verscheuchen; **be ~d** (*of s.th.*) (vor et.) Angst haben; **2.** s Schreck(en) m, Panik f; **~crow** s Vogelscheuche f (a. fig.).

scarf [skɑːf] s (pl *scarfs* [~fs], *scarves* [~vz]) Schal m, Hals-, Kopf-, Schultertuch n.

scar·let ['skɑːlət] **1.** s Scharlach(rot n) m; **2.** scharlachrot; **~ fever** med. Scharlach m; **~ runner** bot. Feuerbohne f.

scarred [skɑːd] adj narbig.

scarves [skɑːvz] pl of *scarf*.

scath·ing ['skeɪðɪŋ] adj look: vernichtend; *critisism*: beißend.

scat·ter ['skætə] v/t and v/i (sich) zerstreuen; aus-, verstreuen; auseinanderstieben (*birds, etc.*); **~brain** s F Schussel m; **~brained** adj zerstreut, F schusselig; **~ed** adj verstreut; *showers, etc.*: vereinzelt.

sce·na·ri·o [sɪ'nɑːrɪəʊ] s (pl *-os*) *film*: Drehbuch n.

scene [siːn] s Szene f; Schauplatz m; **~s** pl Kulissen pl; **sce·ne·ry** ['siːnərɪ] s Szenerie f; Bühnenbild n, Kulissen pl, Dekoration f; Landschaft f.

scent [sent] **1.** s (*esp.* Wohl)Geruch m, Duft m; *esp. Br.* Parfüm n; *hunt.* Witterung f; *gute etc.* Nase; Fährte f (*a. fig.*); **2.** v/t wittern; *esp. Br.* parfümieren; **~less** adj geruchlos.

scep|tic, *Am.* **skep-** ['skeptɪk] s Skeptiker(in); **~ti·cal**, *Am.* **skep-** adj □ skeptisch.

scep·tre, *Am.* **-ter** ['septə] s Zepter n.

sched·ule ['ʃedjuːl, *Am.* 'skedʒuːl] **1.** s Zeitplan m, Stundenplan m; *esp. Am.* Verzeichnis n, Tabelle f; Plan m; *esp. Am.* Fahr-, Flugplan m; **be ahead of ~** dem Zeitplan voraus sein; **be behind ~** Verspätung haben; im Rückstand sein; **be on ~** (fahr)planmäßig or pünktlich ankommen; **2.** v/t (in e-e Liste *etc.*) eintragen; festlegen, -setzen, planen; **~d** adj planmäßig (*departure, etc.*); **~ flight** aer. Linienflug m.

scheme [skiːm] **1.** s Schema n; Plan m, Projekt n, Programm n; Intrige f; **2.** v/t planen; v/i Pläne machen; intrigieren.

schol·ar ['skɒlə] s Gelehrte(r m) f; Gebildete(r m) f; *univ.* Stipendiat(in); *dated*: Schüler(in); **~ly** adj gelehrt; **~ship** s Gelehrsamkeit f; *univ.* Stipendium n.

school [skuːl] **1.** s zo. Schwarm m; Schule f (a. fig.); *univ.* Fakultät f; *Am.* Hochschule f; **at ~** auf or in der Schule; **2.** v/t schulen, ausbilden; *animal*: dressieren; **~boy** s Schüler m; **~chil·dren** pl Schulkinder pl, Schüler pl; **~fel·low** s Mitschüler(in); **~girl** s Schülerin f; **~ing** s (Schul)Ausbildung f; **~mate** s Mitschüler(in); **~teach·er** s Lehrer(in).

schoo·ner ['skuːnə] s mar. Schoner m; *Am.* großes Bierglas; *Br.* großes Sherryglas.

sci·ence ['saɪəns] s Wissenschaft f; a. **natural ~** die Naturwissenschaft(en pl); Kunst(fertigkeit) f, Technik f; **~ fic·tion** s Science-fiction f.

sci·en·tif·ic [saɪən'tɪfɪk] adj (**~ally**) (natur)wissenschaftlich; exakt, systematisch; kunstgerecht.

sci·en·tist ['saɪəntɪst] s (Natur)Wissenschaftler(in).

scin·til·late ['sɪntɪleɪt] v/i funkeln.

scis·sors ['sɪzəz] s pl (**a pair of ~** e-e) Schere.

scoff [skɒf] **1.** s Spott m; **2.** v/i spotten.

scone [skɒn] s (weiches) Teegebäck.

scoop [skuːp] **1.** s Schaufel f; Schöpfkelle f, *for icecream, etc.*: Portionierer m; F Coup m, gutes Geschäft; *newspaper*: F Exklusivmeldung f, Knüller m; **2.** v/t schöpfen, schaufeln; **~ up** (auf)schaufeln; zusammenraffen.

scoot·er ['skuːtə] s (Kinder)Roller m; (Motor)Roller m.

scope [skəʊp] s Bereich m; Gesichtskreis *m*, (geistiger) Horizont; Spielraum *m*.

scorch [skɔːtʃ] *v/t* versengen, -brennen; *v/i* F (dahin)rasen.

score [skɔː] **1.** *s sports:* (Spiel)Stand *m*, Punkt-, Trefferzahl *f*, (Spiel)Ergebnis *n*; große (An)Zahl, Menge *f*; *mus.* Partitur *f*; Kerbe *f*; **keep ~** *sports:* anschreiben; **what's the ~?** wie steht es?; **the ~ is 2-2** es steht 2 zu zwei; **~s of** viele; **run up a ~** Schulden machen; **on the ~ of** wegen (*gen*); **2.** *v/t and v/i sports:* erzielen (*points, goals*), punkten, goals: *a.* schießen; *record the score:* anschreiben; *mus.* instrumentieren; *Am.* F scharf kritisieren; einkerben; **~board** *s sports:* Anzeigetafel *f*; **~keep·er** *s sports:* Anschreiber(in); **scor·er** *s* Anschreiber(in); *soccer:* Torschütze *m*, -schützin *f*.

scorn [skɔːn] **1.** *s* Verachtung *f*; Spott *m*; **2.** *v/t* verachten; verschmähen; **~ful** *adj* □ verächtlich.

Scot [skɒt] *s* Schott|e *m*, -in *f*.

Scotch [skɒtʃ] **1.** *adj* schottisch; **2.** *s ling.* Schottisch *n*; schottischer Whisky; **the ~** *pl* die Schotten *pl*; **~·man**, **~·wom·an** → *Scotsman*, *Scotswoman*.

scot-free [skɒtˈfriː] *adj* ungestraft.

Scots [skɒts] → **Scotch**; **the ~** *pl* die Schotten *pl*; **~·man** *s* Schotte *m*; **~·wom·an** *s* Schottin *f*.

Scot·tish [ˈskɒtɪʃ] *adj* schottisch.

scour[1] [ˈskaʊə] *v/t* scheuern; reinigen.

scour[2] [~] *v/t* durchsuchen, -stöbern.

scourge [skɜːdʒ] **1.** *s* Geißel *f* (*a. fig.*); *fig.* Plage *f*; **2.** *v/t* geißeln.

scout [skaʊt] **1.** *s esp. mil.* Späher *m*, Kundschafter *m*; *sports:* Spion *m*, Beobachter *m*; *aer.* Aufklärer *m*; *Br. mot.* motorisierter Pannenhelfer; **(boy) ~** Pfadfinder *m*; **(girl) ~** *Am.* Pfadfinderin *f*; **talent ~** Talentsucher *m*; **2.** *v/i esp. mil.* auf Erkundung sein; **~ about**, **~ around** sich umsehen (*for* nach).

scowl [skaʊl] **1.** *s* finsteres Gesicht; **2.** *v/i* finster blicken.

scrab·ble [ˈskræbl] *v/i* scharren; (herum)tasten, (-)wühlen.

scram·ble [ˈskræmbl] **1.** *v/i* klettern; sich balgen (*for* um); *v/t* verrühren; **~d eggs** *pl* Rührei *n*; **2.** *s* Kletterei *f*; Balgerei *f*; *fig.* Gerangel *n*.

scrap [skræp] **1.** *s* Stückchen *n*, Fetzen *m*; (Zeitungs)Ausschnitt *m*; Altmaterial *n*; Schrott *m*; **~s** *pl* Abfall *m*, (*esp.* Speise)Reste *pl*; **2.** *v/t* (*-pp-*) ausrangieren; verschrotten; **~book** *s* Sammelalbum *n*.

scrape [skreɪp] **1.** *s* Kratzen *n*; Kratzer *m*, Schramme *f*; *fig.* Klemme *f*; **2.** *v/t* (ab)schaben, (ab)kratzen (*from* von); **~ together** F *money:* zusammenkratzen; *v/i* scheuern (*against* an *dat*).

scrap|-heap [ˈskræphiːp] *s* Abfall-, Schrotthaufen *m*; **~·i·ron**, **~·met·al** *s* Alteisen *n*, Schrott *m*; **~·pa·per** *s* Schmierpapier *n*; Altpapier *n*.

scratch [skrætʃ] **1.** *s* Kratzer *m*, Schramme *f*; Kratzen *n*; *sports:* Startlinie *f*; **start from ~** *fig.* ganz von vorn (*or* von Null) anfangen; **be up to ~** den Erwartungen entsprechen, F auf Zack sein; **bring s.th. up to ~** et. auf Vordermann bringen; **2.** *adj* zusammengewürfelt; improvisiert; *sports:* ohne Vorgabe; **3.** *v/t and v/i* (zer)kratzen; (zer)schrammen; (sich) kratzen, *animal:* kraulen; **~ out**, **~ through**, **~ off** aus-, durchstreichen; **~ pad** *s Am.* Notizblock *m*; **~ pa·per** *s Am.* Schmierpapier *n*.

scrawl [skrɔːl] **1.** *v/t* kritzeln; **2.** *s* Gekritzel *n*, F Klaue *f*.

scraw·ny [ˈskrɔːnɪ] *adj* (*-ier, -iest*) dürr.

scream [skriːm] **1.** *s* Schrei *m*; Gekreisch *n*; **he is a ~** F er ist zum Schreien komisch; **2.** *v/i and v/t* schreien, kreischen.

screech [skriːtʃ] → **scream**.

screen [skriːn] **1.** *s* Wand-, Ofen-, Schutzschirm *m*; (Film)Leinwand *f*; *der* Film, *das* Kino; *radar*, *TV*, *computer:* Bildschirm *m*; Fliegengitter *n*; *fig.* Schutz *m*, Tarnung *f*; **2.** *v/t* abschirmen (*a. ~ off*) (*from* gegen); (be)schützen (*from* vor *dat*); *picture:* projizieren; *TV:* senden; *film:* verfilmen; *fig. j-n* decken; *fig. person:* überprüfen; **~·play** *s* Drehbuch *n*.

screw [skruː] **1.** *s* Schraube *f*; (Flugzeug-, Schiffs)Schraube *f*; Propeller *m*; **2.** *v/t* schrauben; V bumsen, vögeln; **~ up** zuschrauben, F *spoil:* vermasseln; **~ up one's courage** sich ein Herz fassen; **~·ball** *s Am. sl.* komischer Kauz, Spinner *m*; **~·driv·er** *s* Schraubenzieher *m*.

scrib·ble [ˈskrɪbl] **1.** *s* Gekritzel *n*; **2.** *v/t* (hin)kritzeln.

scrimp [skrɪmp] *v/i* sparen, knausern (**on** mit).

script [skrɪpt] *s* Schrift *f*; Handschrift *f*; *print.* Schreibschrift *f*; Manuskript *n*; *film*, *TV*: Drehbuch *n*.

Scrip·ture ['skrɪptʃə] *s*: (**Holy**) **~**, **The** (**Holy**) **~s** *pl* die Heilige Schrift.

scroll¹ [skrəʊl] *s* Schriftrolle *f*; Schnecke *f* (*of violin*); Schnörkel *m*.

scroll² [~] *v/t computer*: rollen, scrollen.

scro·tum *anat.* ['skrəʊtəm] *s* (*pl* **-ta** [-tə], **-tums**) Hodensack *m*.

scrub¹ [skrʌb] *s* Gestrüpp *n*, Buschwerk *n*; Knirps *m*; *contp.* Null *f* (*person*); *Am. sports*: zweite (Spieler)Garnitur.

scrub² [~] **1.** *s* Schrubben *n*, Scheuern *n*; **2.** *v/t* (**-bb-**) schrubben, scheuern.

scru·ple ['skru:pl] **1.** *s* Skrupel *m*, Zweifel *m*, Bedenken *n*; **2.** *v/i* Bedenken haben; **~pu·lous** [~jʊləs] *adj* □ voller Skrupel; gewissenhaft; ängstlich.

scru·ti·nize ['skru:tɪnaɪz] *v/t* (genau) prüfen; **~ny** [~ɪ] *s* forschender Blick; genaue (*esp. pol.* Wahl)Prüfung.

scu·ba ['sku:bə] *s* Unterwasser-Atemgerät *n*; **~ diving** Sporttauchen *n*.

scuff [skʌf] *v/t* abwetzen; *v/i* schlurfen.

scuf·fle ['skʌfl] **1.** *s* Balgerei *f*, Rauferei *f*; **2.** *v/i* sich balgen, raufen.

scull [skʌl] *s* **1.** Skull *n* (*oar*); Skullboot *n*; **2.** *v/t and v/i* rudern, skullen.

scul·ler·y ['skʌlərɪ] *s* Spülküche *f*.

sculp·tor ['skʌlptə] *s* Bildhauer *m*; **~tress** *s* Bildhauerin *f*; **~ture 1.** *s* Bildhauerei *f*; Skulptur *f*, Plastik *f*; **2.** *v/t* (heraus)meißeln, formen.

scum [skʌm] *s* (Ab)Schaum *m*; **the ~ of the earth** *fig.* der Abschaum der Menschheit.

scurf [skɜ:f] *s* (Haut-, *esp.* Kopf)Schuppen *pl.*

scur·ri·lous ['skʌrɪləs] *adj* □ gemein, unflätig; beleidigend.

scur·ry ['skʌrɪ] *v/i* hasten, huschen.

scur·vy *med.* ['skɜ:vɪ] *s* Skorbut *m.*

scut·tle ['skʌtl] **1.** *s* Kohleneimer *m*; **2.** *v/i →* **scurry**; sich hastig zurückziehen.

scythe *agr.* [saɪð] *s* Sense *f.*

sea [si:] *s* See *f*, Meer *n* (*a. fig.*); hohe Welle; **at ~** auf See; (*all*) **at ~** *fig.* (völlig) ratlos; **by ~** auf dem Seeweg, mit dem Schiff; **by the ~** am Meer, an der See; **~board** *s* Küste(ngebiet *n*) *f*; **~coast** *s* Meeresküste *f*; **~far·ing** [~feərɪŋ] *adj*

seefahrend; **~food** *s* Meeresfrüchte *pl*; **~front** *s* *appr.* Uferstraße *f*, Uferpromenade *f*; **~go·ing** *adj mar.* (hoch)seetüchtig; (Hoch)See...; **~gull** *s* *zo.* Möwe *f.*

seal¹ [si:l] **1.** *s* Siegel *n*; Stempel *m*; *tech.* Dichtung *f*; *fig.* Bestätigung *f*; **2.** *v/t* versiegeln; *fig.* besiegeln; **~ off** *fig.* abriegeln; **~ up** (fest) verschließen *or* abdichten.

seal² *zo.* [~] *s* Robbe *f*, Seehund *m.*

sea-lev·el ['si:levl] *s* Meeresspiegel *m*, -höhe *f.*

seal·ing-wax ['si:lɪŋwæks] *s* Siegellack *m.*

seam [si:m] **1.** *s* Naht *f*; *mar.* Fuge *f*; *geol.* Flöz *n*; Narbe *f*; **2.** *v/t*: **~ together** zusammennähen; **~ed with** *face*: zerfurcht von.

sea·man ['si:mən] *s* Seemann *m*, Matrose *m.*

seam·stress ['semstrɪs] *s* Näherin *f.*

sea·plane ['si:pleɪn] *s* Wasserflugzeug *n*; **~port** *s* Seehafen *m*; Hafenstadt *f*; **~pow·er** *s* Seemacht *f.*

sear [sɪə] *v/t* versengen, -brennen; *med.* ausbrennen; verdorren lassen.

search [sɜ:tʃ] **1.** *s* Suche *f*, Suchen *n*, Forschen *n*; *jur.* Fahndung *f* (**for** nach); Unter-, Durchsuchung *f*; **in ~ of** auf der Suche nach; **2.** *v/t* durch-, untersuchen; *med.* sondieren; *conscience*: erforschen, prüfen; **~ me!** F keine Ahnung!; *v/i* suchen, forschen (**for** nach); **~ into** untersuchen, ergründen; **~ing** *adj* □ forschend, prüfend; eingehend (*examination, inquiry, etc.*); **~light** *s* (Such-) Scheinwerfer *m*; **~par·ty** *s* Suchmannschaft *f*; **~war·rant** *s* *jur.* Haussuchungs-, Durchsuchungsbefehl *m.*

sea·shore ['si:ʃɔ:] *s* See-, Meeresküste *f*; **~sick** *adj* seekrank; **~sick·ness** *s* Seekrankheit *f*; **~side**: *s*: **at the ~** am Meer; **go to the ~** ans Meer fahren; **~ place**, **~ resort** Seebad *n.*

sea·son ['si:zn] **1.** *s* Jahreszeit *f*; (rechte) Zeit; Saison *f*; *Br.* F → **season ticket**; **cherries are now in ~** jetzt ist Kirschenzeit; **out of ~** nicht (auf dem Markt) zu haben; *fig.* zur Unzeit; **with the compliments of the ~** die besten Wünsche zum Fest; **2.** *v/t* würzen; *wood*: ablagern; **sea·so·na·ble** *adj* □ zeitgemäß; rechtzeitig; **~al** *adj*

□ saisonbedingt, Saison...; **~ing** s Würze f (a. fig.); Gewürz n; **~ tick·et** s rail., etc. Dauer-, Zeitkarte f; thea. Abonnement n.

seat [si:t] **1.** s Sitz m; Sessel m, Stuhl m, Bank f, (Sitz)Platz m; Platz m, Sitz m (in theatre, etc.); (country) ~ Landsitz m; buttocks: Gesäß n, Hosenboden m; fig. Sitz m (membership), pol. a. Mandat n; fig. Stätte f, Ort m, Schauplatz m; → **take** 1; **2.** v/t (hin)setzen; fassen, Sitzplätze haben für; **~ed** sitzend; ...sitzig; **be ~ed** sitzen; **be ~ed!** nehmen Sie Platz!; **remain ~ed** sitzen bleiben; **~belt** s aer., mot. Sicherheitsgurt m.

seal·ur·chin zo. [si:ə'tʃɪn] s Seeigel m; **~ward 1.** adj seewärts gerichtet; **2.** adv a. **~s** seewärts; **~weed** s bot. (See-) Tang m; **~wor·thy** adj seetüchtig.

se·cede [sɪ'si:d] v/i sich trennen, abfallen (**from** von); **se·ces·sion** [sɪ'seʃn] s Abfall m, Absplitterung f, Sezession f; **se·ces·sion·ist** s Abtrünnige(r m) f.

se·clude [sɪ'klu:d] v/t abschließen, absondern; **se·clud·ed** adj einsam; zurückgezogen; abgelegen; **se·clu·sion** [~ʒn] s Zurückgezogen-, Abgeschiedenheit f.

sec·ond¹ ['sekənd] s Sekunde f; **just a ~!** Moment, bitte!; **have you got a ~?** hast du e-n Moment Zeit?

sec·ond² [~] **1.** adj □ zweite(r, -s); **~ to none** unübertroffen; **on ~ thought** nach reiflicher Überlegung; **2.** adv als zweite(r, -s), an zweiter Stelle; **3.** s der, die, das Zweite; Sekundant m; Beistand m; **~s** pl Ware(n pl) f zweiter Wahl, zweite Wahl; F Nachschlag m; **4.** v/t sekundieren (dat); unterstützen.

sec·ond·a·ry ['sekəndərɪ] adj □ sekundär, untergeordnet; Neben...; Hilfs...; Sekundär...; **~ education** höhere Schulbildung; **~ modern (school)** Br. (appr.) Kombination f aus Real- u. Hauptschule; **~ school** höhere Schule.

sec·ond|-hand [sekənd'hænd] adj aus zweiter Hand (a. adv); gebraucht; antiquarisch; **~ly** [~lɪ] adv zweitens; **~rate** adj zweitklassig.

se·cre·cy ['si:krɪsɪ] s Heimlichkeit f; Verschwiegenheit f; **~t** [~t] **1.** adj □ geheim; Geheim...; verschwiegen; verborgen; **2.** s Geheimnis n; **in ~** heimlich, insgeheim; **be in the ~** eingeweiht sein;

keep s.th. a ~ from s.o. j-m et. verheimlichen.

sec·re·ta·ry ['sekrətrɪ] s Schriftführer m; Sekretär(in); **♀ of State** Br. Staatssekretär m; Br. Minister m; Am. Außenminister m.

se·crete [sɪ'kri:t] v/t verbergen; biol., med. absondern; **se·cre·tion** [~ʃn] s Verbergen n; biol., med. Absonderung f; **se·cre·tive** [~tɪv] adj verschlossen, geheimnistuerisch.

se·cret·ly ['si:krɪtlɪ] adv heimlich, insgeheim.

sec·tion ['sekʃn] s med. Sektion f; Schnitt m; Teil m; Abschnitt m; jur. Paragraph m; print. Absatz m; Abteilung f; Gruppe f.

se·cure [sɪ'kjʊə] **1.** adj □ sicher; fest; gesichert; **2.** v/t (sich et.) sichern; schützen; garantieren; befestigen; (fest) (ver)schließen; **se·cu·ri·ty** s Sicherheit f; Sicherheitsmaßnahmen pl; Sorglosigkeit f; Garantie f; Bürge m; Kaution f; **securities** pl Wertpapiere pl; **~ check** Sicherheitskontrolle f.

se·date [sɪ'deɪt] adj □ gesetzt; ruhig.

sed·a·tive mst med. ['sedətɪv] **1.** adj beruhigend; **2.** s Beruhigungsmittel n.

sed·i·ment ['sedɪmənt] s Sediment n; (Boden)Satz m; geol. Ablagerung f.

se·duce [sɪ'dju:s] v/t verführen; **se·duc·er** s Verführer m; **se·duc·tion** [sɪ'dʌkʃn] s Verführung f; **se·duc·tive** adj □ verführerisch.

see¹ [si:] (**saw, seen**) v/i sehen; make sure: nachsehen; reflect: überlegen; **I ~!** ich verstehe; ich seh so!; **~ about** sich kümmern um; **I'll ~ about it** ich werde es mir überlegen, mal sehen; **~ into** untersuchen, nachgehen (dat); **~ through** j-n or et. durchschauen; **~ to** sich kümmern um; v/t sehen; meet: besuchen, treffen; dafür sorgen(, daß); doctor, etc.: aufsuchen, konsultieren; einsehen; **~ s.o. home** j-n nach Hause bringen or begleiten; **~ you!** F bis dann!, auf bald!, wir sehen uns!; **~ you later!** bis später!, bis nachher!; **~ s.o. off** j-n verabschieden (at station, etc. am Bahnhof etc.); **~ s.o. out** j-n hinausbegleiten; **~ through** et. durchhalten; j-m durchhelfen; **live to ~** erleben.

see² [~] s: **the Holy ♀** der Heilige Stuhl.

seed [si:d] **1.** s Same(n) m, Saat(gut n) f;

(Obst)Kern m; coll. Samen pl; mst **~s** pl fig. Saat f, Keim m; **go** or **run to ~** schießen (salad, etc.); fig. herunterkommen; **2.** v/t (be)säen; entfernen; v/i in Samen schießen; **~·less** adj kernlos (fruit); **~·ling** s agr. Sämling m; **~·y** adj □ F (-ier, -iest) schäbig; elend.

seek [si:k] v/t and v/i (sought) suchen (**after, for** nach); streben nach.

seem [si:m] v/i (er)scheinen; **it ~s to me that ...** mir scheint, daß ...; **~·ing** adj □ scheinbar.

seen [si:n] pp of **see**[1].

seep [si:p] v/i (durch)sickern.

see-saw ['si:sɔ:] **1.** s Wippe f, Wippschaukel f; **2.** v/i wippen; fig. schwanken.

seethe [si:ð] v/i sieden; schäumen (a. fig.); fig. kochen.

seg·ment ['segmənt] s Abschnitt m; Segment n.

seg·re|gate ['segrigeit] v/t absondern, trennen (a. social groups); **~·ga·tion** [~'geiʃn] s Absonderung f; Rassentrennung f.

seize [si:z] v/t ergreifen, packen, fassen; an sich reißen; jur. beschlagnahmen; j-n ergreifen, festnehmen; (ein)nehmen, erobern; fig. erfassen.

sei·zure ['si:ʒə] s Ergreifung f; jur. Beschlagnahme f; med. Anfall m.

sel·dom ['seldəm] adv selten.

se·lect [sɪ'lekt] **1.** v/t auswählen, -suchen; **2.** adj ausgewählt; erlesen; exklusiv; **se·lec·tion** s Auswahl f; Auslese f.

self [self] **1.** s (pl **selves** [selvz] Selbst n, Ich n; **2.** pron selbst; econ. or F → **myself,** etc.; **~·as·sured** adj selbstbewußt, -sicher; **~·ca·ter·ing 1.** s Selbstversorgung f; **2.** adj mit Selbstversorgung; **~·cen·t(e)red** adj egozentrisch; **~·col·o(u)red** adj esp. bot. einfarbig; **~·com·mand** s Selbstbeherrschung f; **~·con·fi·dence** s Selbstvertrauen n, -bewußtsein n; **~·con·fi·dent** adj □ selbstsicher, -bewußt; **~·con·scious** adj □ befangen, gehemmt, unsicher; **~·con·tained** adj (in sich) geschlossen, selbständig; fig. verschlossen; **~ flat** Br. abgeschlossene or separate Wohnung; **~·con·trol** s Selbstbeherrschung f; **~·de·fence,** Am. **~·de·fense** f s Selbstverteidigung f; **in ~** in Notwehr; **~·de·ni·al** s Selbstverleugnung f;

~·de·ter·mi·na·tion s esp. pol. Selbstbestimmung f; **~·drive** adj: **~ hire** Autovermietung f; **~ vehicle** Mietwagen m; **~·em·ployed** adj selbständig; **~·ev·i·dent** adj selbstverständlich; **~·gov·ern·ment** s pol. Selbstverwaltung f, Autonomie f; **~·help** s Selbsthilfe f; **~·in·dul·gent** adj maßlos, zügellos; **~·in·struc·tion** s Selbstunterricht m; **~·in·terest** s Eigennutz m, eigenes Interesse; **~·ish** adj □ selbstsüchtig; **~·made** adj selbstgemacht; **~ man** Selfmademan m; **~·pit·y** s Selbstmitleid n; **~·pos·ses·sion** s Selbstbeherrschung f; **~·re·li·ant** adj selbstsicher, -bewußt; **~·re·spect** s Selbstachtung f; **~·right·eous** adj □ selbstgerecht; **~·ser·vice 1.** adj mit Selbstbedienung, Selbstbedienungs...; **2.** s Selbstbedienung f; **~·willed** adj eigenwillig, -sinnig.

sell [sel] (**sold**) v/t verkaufen (a. fig.); j-m et. aufschwatzen; **~ off** abstoßen; **~ out** ausverkaufen; v/i sich verkaufen (lassen), gehen (goods); verkauft werden (**at,** for für); **~·by date** s Verfallsdatum n; **~·er** s Verkäufer(in); **good ~** econ. gutgehender Artikel.

selves [selvz] pl of **self** 1.

sem·blance ['sembləns] s Anschein m.

se·men biol. ['si:men] s Samen m, Sperma n.

sem·i ['semi] **1.** s Br. F Doppelhaushälfte f; **2.** adj halb..., Halb...; **~·co·lon** s Semikolon n, Strichpunkt m; **~·detached (house)** s Doppelhaushälfte f; **~·fi·nal** s sports: Halb-, Semifinalspiel n; **~·s** pl Halb-, Semifinale n, Vorschlußrunde f.

sem·i·nar ['semina:] s Seminar n; Am. Konferenz f; **sem·i·na·ry** ['seminəri] s (Priester)Seminar n; fig. Schule f.

semp·stress ['semstris] → **seamstress.**

sen·ate ['senit] s Senat m; **sen·a·tor** ['senətə] s Senator m.

send [send] (**sent**) v/t senden, schicken; (with adj or ppr) machen; **~ s.o. mad** j-n wahnsinnig machen; **~ forth** aussenden, -strahlen; hervorbringen; veröffentlichen; **~ in** einsenden, -schicken, -reichen; **~ up** fig. price, etc.: steigen lassen, in die Höhe treiben; **~ word to s.o.** j-m Nachricht geben; v/i: **~ for** nach j-m schicken, j-n kommen lassen, j-n holen or rufen (lassen); **~·er** s Absender(in).

se·nile ['si:naɪl] *adj* greisenhaft, senil; **se·nil·i·ty** [sɪ'nɪlətɪ] *s* Senilität *f*.

se·nior ['si:nɪə] **1.** *adj* senior; älter; rang-, dienstälter; Ober...; ~ **citizens** *pl* ältere Mitbürger *pl*, Senioren *pl*; ⊕ **Citizen's Railcard** Seniorenpaß *m*; ~ **partner** *econ.* Seniorpartner *m*; **2.** *s* Ältere(r *m*) *f*; Rang-, Dienstältere(r *m*) *f*; Senior(in); **he is my ~ by a year** er ist ein Jahr älter als ich; ~**·i·ty** [si:nɪ'ɒrətɪ] *s* höheres Alter *or* Dienstalter.

sen·sa·tion [sen'seɪʃn] *s* (Sinnes)Empfindung *f*; Gefühl *n*; Eindruck *m*; Sensation *f*; ~**al** *adj* □ sensationell; aufsehenerregend.

sense [sens] **1.** *s* Sinn *m* (**of** für); Empfindung *f*, Gefühl *n*; Verstand *m*; Bedeutung *f*; Ansicht *f*; **in** (**out of**) **one's ~s** bei (von) Sinnen; **bring s.o. to his** *or* **her ~s** j-n zur Vernunft bringen; **make ~** Sinn haben; **talk ~** vernünftig reden; **2.** *v/t* spüren, fühlen.

sense·less ['senslɪs] *adj* □ bewußtlos; unvernünftig, dumm; sinnlos; ~**ness** *s* Bewußtlosigkeit *f*; Unvernunft *f*; Sinnlosigkeit *f*.

sen·si·bil·i·ty [sensɪ'bɪlətɪ] *s* Sensibilität *f*, Empfindungsvermögen *n*; *phys., etc.*: Empfindlichkeit *f*; **sensibilities** *pl* Empfindsamkeit *f*, Zartgefühl *n*.

sen·si·ble ['sensəbl] *adj* □ vernünftig; spür-, fühlbar; **be ~ of s.th.** sich e-r Sache bewußt sein; et. empfinden.

sen·si|tive ['sensɪtɪv] *adj* empfindlich (**to** gegen); Empfindungs...; sensibel, empfindsam, feinfühlig; ~**tive·ness** *s*, ~**tiv·i·ty** [~'tɪvətɪ] *s* Sensibilität *f*; Empfindlichkeit *f*.

sen·sor *tech.* ['sensə] *s* Sensor *m*.

sen·su·al ['senʃʊəl] *adj* □ sinnlich.

sen·su·ous ['senʃʊəs] *adj* □ sinnlich; Sinnes...; sinnenfroh.

sent [sent] *pret and pp of* **send**.

sen·tence ['sentəns] **1.** *s jur.* (Straf)Urteil *n*; *gr.* Satz *m*; **serve one's ~** s-e Strafe absitzen; **2.** *v/t jur.* verurteilen.

sen·ti·ment ['sentɪmənt] *s* (seelische) Empfindung, Gefühl *n*; Meinung *f*; → **sentimentality**; ~**men·tal** [~'mentl] *adj* □ empfindsam; sentimental; ~**men·tal·i·ty** [~men'tælətɪ] *s* Sentimentalität *f*.

sen·try *mil.* ['sentrɪ] *s* Wache *f*, (Wach[t])Posten *m*.

sep·a|ra·ble ['sepərəbl] *adj* □ trennbar; ~**rate 1.** *adj* □ ['seprət] (ab)getrennt, gesondert, separat; einzeln; **2.** *v/t and v/i* ['sepəreɪt] (sich) trennen; (sich) absondern; (sich) scheiden; aufteilen (**into** in *acc*); ~**ra·tion** [sepə'reɪʃn] *s* Trennung *f*; Scheidung *f*.

sep·sis *med.* ['sepsɪs] *s* (*pl* **-ses** [-si:z]) Sepsis *f*, Blutvergiftung *f*.

Sep·tem·ber [sep'tembə] *s* September *m*.

sep·tic *med.* ['septɪk] *adj* (~**ally**) septisch.

se·pul·chral [sɪ'pʌlkrəl] *adj* Grab...; *fig.* düster, Grabes...; **sep·ul·chre**, *Am.* **-cher** ['sepəlkə] *s* Grab(stätte *f*) *n*.

se·quel ['si:kwəl] *s* Folge *f*; Nachspiel *n*; (Roman- *etc.*)Fortsetzung *f*; **a four-~ program(me)** *TV* ein Vierteiler *m*, e-e vierteilige Serie.

se·quence ['si:kwəns] *s* (Aufeinander-, Reihen)Folge *f*; *film*: Szene *f*; **se·quent** [~t] *adj* (aufeinander)folgend.

se·ques·trate *jur.* [sɪ'kwestreɪt] *v/t property*: einziehen; beschlagnahmen.

ser·e·nade *mus.* [serə'neɪd] **1.** *s* Serenade *f*, Ständchen *n*; **2.** *v/t* j-m ein Ständchen bringen.

se·rene [sɪ'ri:n] *adj* □ klar; heiter; ruhig; **se·ren·i·ty** [sɪ'renətɪ] *s* Heiterkeit *f*; Ruhe *f*.

ser·geant ['sɑ:dʒənt] *s mil.* Feldwebel *m*; (Polizei)Wachtmeister *m*.

se·ri·al ['sɪərɪəl] **1.** *adj* □ serienmäßig, Reihen..., Serien..., Fortsetzungs...; **2.** *s* Fortsetzungsroman *m*; (Hörspiel-, Fernseh)Folge *f*, Serie *f*.

se·ries ['sɪəri:z] *s* (*pl* **-ries**) Reihe *f*; Serie *f*; Folge *f*.

se·ri·ous ['sɪərɪəs] *adj* □ ernst; ernsthaft, ernstlich; *newspaper*: seriös; **be ~** es ernst meinen (**about** mit); **you can't be ~!** das kann nicht Ihr Ernst sein!; **take s.o. ~ly** j-n ernst nehmen; ~**ly wounded** schwer verletzt; ~**ness** *s* Ernst(haftigkeit *f*) *m*.

ser·mon ['sɜ:mən] *s eccl.* Predigt *f*; *iro.* (Moral-, Straf)Predigt *f*.

ser·pent *zo.* ['sɜ:pənt] *s* Schlange *f*; ~**pen·tine** [~aɪn] *adj* schlangenförmig; gewunden, *road*: kurvenreich, Serpentinen...

se·rum ['sɪərəm] *s* (*pl* **-rums**, **-ra** [-rə]) Serum *n*.

ser·vant ['sɜ:vənt] *s a.* **domestic ~** Die-

S

ner(in), Hausangestellte(r m) f, Dienst-
bote m, -mädchen n, Bedienstete(r m) f;
public ~ Staatsbeamt|er m, -in f; Ange-
stellte(r m) f im öffentlichen Dienst;
→ civil.

serve [sɜːv] **1.** v/t dienen (dat); period of
service (a. mil.): ableisten; apprentice-
ship: (durch)machen; jur. sentence: ver-
büßen; genügen (dat); customers: bedienen; meal: servieren, auftragen, brin-
chen; drink: servieren, einschenken;
versorgen (**with** mit); be useful: nützen,
dienlich sein (dat); purpose: erfüllen;
tennis, etc.: aufschlagen, volleyball: a.
aufgeben; (it) ~s him right (das) geschieht ihm ganz recht; ~ out et. aus-,
verteilen; v/i dienen (a. mil.; **as, for**
als); econ. bedienen; nützen; genügen;
tennis, etc.: aufschlagen, volleyball: a.
aufgeben; XY to ~ tennis, etc.: Aufschlag XY; ~ at table (bei Tisch) servieren, bedienen; **2.** s tennis, etc.: Aufschlag m, volleyball: a. Aufgabe f.

ser·vice ['sɜːvɪs] **1.** s Dienst m; econ.,
etc.: Dienstleistung f; in hotel, etc.: Bedienung f; favour: Gefälligkeit f; eccl.
Gottesdienst m; mil. (Wehr-, Militär-)
Dienst m; tech. Wartung f, mot. a. Inspektion f; Service m, Kundendienst m;
trains, etc.: (Zug- etc.)Verkehr m; set of
dishes: Service n; tennis, etc.: Aufschlag
m, volleyball: a. Aufgabe f; **be at s.o.'s**
~ j-m zur Verfügung stehen; **2.** v/t tech.
warten, pflegen; **ser·vi·ce·a·ble** adj □
brauchbar, nützlich; praktisch; strapazierfähig; ~ **ar·e·a** s Br. (Autobahn-)
Raststätte f; ~ **charge** s Bedienungszu-
schlag m; Bearbeitungsgebühr f; ~
in·dus·try s econ. Dienstleistungsge-
werbe n; ~ **sta·tion** s Tankstelle f; (Reparatur)Werkstatt f.

ser|vile ['sɜːvaɪl] adj □ sklavisch (a.
fig.); unterwürfig, kriecherisch; ~**·vil·i-
ty** [sɜː'vɪlətɪ] s Unterwürfigkeit f, Krie-
cherei f.

serv·ing ['sɜːvɪŋ] s of food: Portion f.

ser·vi·tude ['sɜːvɪtjuːd] s Knechtschaft f;
Sklaverei f.

ses·sion ['seʃn] s Sitzung(speriode) f; **be
in** ~ jur., parl. tagen.

set [set] **1.** (-tt-; set) v/t setzen; stellen;
legen; causing to happen: (ver)setzen,
bringen; veranlassen zu; ein-, herrichten, ordnen; tech. (ein)stellen; (alarm-)

clock: stellen; gem: fassen; besetzen
(**with** jewels mit); liquid: erstarren lassen; hair: legen; med. fracture, bone:
einrenken, -richten; mus. vertonen;
print. absetzen; task: stellen; time,
price: festsetzen; record: aufstellen; ~
s.o. laughing j-n zum Lachen bringen;
~ an example ein Beispiel geben; ~
one's hopes on s-e Hoffnung setzen
auf (acc); ~ the table den Tisch decken;
~ one's teeth die Zähne zusammenbeißen; ~ at ease beruhigen; ~ s.o.'s mind
at rest j-n beruhigen; ~ great (little)
store by großen (geringen) Wert legen
auf (acc); ~ aside beiseite legen, wegle-
gen; jur. aufheben; verwerfen; ~ forth
darlegen; ~ off hervorheben; ~ up errichten; aufstellen; einrichten, gründen; government: bilden; j-n etablieren;
v/i untergehen (sun, etc.); gerinnen, fest
werden; erstarren (a. face, muscles);
med. sich einrenken; hunt. vorstehen
(pointer); ~ about doing s.th. sich daranmachen, et. zu tun; ~ about s.o. F
über j-n herfallen; ~ forth aufbrechen; ~
in einsetzen (begin); ~ off aufbrechen; ~
on angreifen; ~ out aufbrechen; ~ to
sich daranmachen; ~ up sich niederlassen (as als); ~ up as sich ausgeben
für; **2.** adj fest; starr; festgesetzt, bestimmt; bereit, entschlossen; vorge-
schrieben; ~ fair barometer: beständig;
~ phrase feststehender Ausdruck; ~
speech wohlüberlegte Rede; **3.** s Satz
m, Garnitur f; Service n; Set n, m; ge-
sammelte Ausgabe (of author); (Schrif-
ten)Reihe f, (Artikel)Serie f; radio, TV:
Gerät n, Apparat m; thea. Bühnen-
ausstattung f; film: Szenenaufbau m;
tennis, etc.: Satz m; hunt. Vorstehen n;
agr. Setzling m; (Personen)Kreis m,
contp. Clique f; Sitz m, Schnitt m
(clothes); poet. Untergang m (sun);
fig. Richtung f, Tendenz f; **have a
shampoo and** ~ sich die Haare waschen und legen lassen; ~**·back** s fig.
Rückschlag m.

set-tee [se'tiː] s (kleines) Sofa.

set the·o·ry math. ['setθɪərɪ] s Mengen-
lehre f.

set·ting ['setɪŋ] s Setzen n; Einrichten n;
Fassung f (of jewel); Gedeck n; tech.
Einstellung f; thea. Bühnenbild n; film:
Ausstattung f; mus. Vertonung f; (Son-

nen- *etc.*)Untergang *m*; Umgebung *f*; Schauplatz *m*; *fig.* Rahmen *m*.

set·tle ['setl] **1.** *s* Sitzbank *f*; **2.** *v/t* vereinbaren, abmachen, festsetzen; erledigen, in Ordnung bringen, regeln; *question, etc.*: klären, entscheiden; *deal*: abschließen; *bill*: begleichen; *econ. account*: ausgleichen; *quarrel, dispute*: beilegen, schlichten; *a.* ~ *down* beruhigen; *child*: versorgen; *property*: vermachen (**on** *dat*); *annuity*: aussetzen (**on** *dat*); *land*: besiedeln; ~ *s.o. in* j-m helfen, sich einzugewöhnen; ~ *o.s.* sich niederlassen; ~ *one's affairs* s-e Angelegenheiten in Ordnung bringen; *that* ~*s it* F damit ist der Fall erledigt; *that's* ~*d then* das ist also klar; *v/i* sich niederlassen *or* setzen; *a.* ~ *down* sich ansiedeln *or* niederlassen; sich (häuslich) niederlassen; sich senken (*walls, etc.*); beständig werden (*weather*); *a.* ~ *down fig.* sich beruhigen, sich setzen; sich setzen (*sediment*); sich klären (*liquid*); sich legen (*dust*); ~ *back* sich (gemütlich) zurücklehnen; ~ *down to* sich widmen (*dat*); ~ *in* sich einrichten; sich einleben *or* eingewöhnen; ~ *on*, ~ *upon* sich entschließen zu; ~*d* auf fest; geregelt (*life*); beständig (*weather*); ~**ment** *s* (Be-)Siedlung *f*; Klärung *f*, Erledigung *f*; Übereinkunft *f*, Abmachung *f*; Bezahlung *f*; Schlichtung *f*, Beilegung *f*; *jur.* (Eigentums)Übertragung *f*; ~**r** *s* Siedler *m*.

set-up ['setʌp] *s* F Um-, Zustände *pl*; Arrangement *n*; abgekartete Sache.

sev·en ['sevn] **1.** *adj* sieben; **2.** *s* Sieben *f*; ~**teen** [~'ti:n] **1.** *adj* siebzehn; **2.** *s* Siebzehn *f*; ~**teenth** [~'ti:nθ] *adj* siebzehnte(r, -s); ~**th** ['~θ] **1.** *adj* sieb(en)te(r, -s); **2.** *s* Sieb(en)tel *n*; ~**th·ly** [~θlɪ] *adv* sieb(en)tens; ~**ti·eth** [~tɪɪθ] *adj* siebzigste(r, -s); ~**ty** [~tɪ] **1.** *adj* siebzig; **2.** *s* Siebzig *f*.

sev·e·ral ['sevrəl] *adj* □ mehrere; verschieden; einige; einzeln; eigen; getrennt; ~**ly** *adv* einzeln, gesondert, getrennt.

se·vere [sɪ'vɪə] *adj* □ (~*r*, ~*st*) streng; scharf; hart; rauh (*weather*); hart (*winter*); ernst, finster (*look, etc.*); heftig (*pain, etc.*); schlimm, schwer (*disease, etc.*); **se·ver·i·ty** [sɪ'verətɪ] *s* Strenge *f*, Härte *f*; Heftigkeit *f*, Stärke *f*; Ernst *m*.

sew [səʊ] *v/t and v/i* (**sewed**, **sewn** *or* **sewed**) nähen; heften.

sew·age ['sju:ɪdʒ] *s* Abwasser *n*; ~ *pollution* Abwasserverunreinigung *f*.

sew·er[1] ['səʊə] *s* Näherin *f*.

sew·er[2] [sjʊə] *s* Abwasserkanal *m*; ~**age** ['~rɪdʒ] *s* Kanalisation *f*.

sew·ing ['səʊɪŋ] *s* Nähen *n*; Näharbeit *f*; *attr* Näh...; ~**n** [səʊn] *pp* of **sew**.

sex [seks] *s* Geschlecht *n*; Sexualität *f*; Sex *m*; ~**is·m** *s* Sexismus *m*; ~**ist 1.** *s* Sexist(in); **2.** *adj* sexistisch.

sex·ton ['sekstən] *s* Küster *m* (u. Totengräber *m*).

sex·u·al ['seksʊəl] *adj* □ geschlechtlich, Geschlechts..., sexuell, Sexual...; ~ *intercourse* Geschlechtsverkehr *m*; → *harassment*; ~**u·al·i·ty** [~'ælətɪ] *s* Sexualität *f*; ~**y** *adj* F (-*ier*, -*iest*) sexy, aufreizend.

shab·by ['ʃæbɪ] *adj* □ (-*ier*, -*iest*) schäbig; gemein.

shack [ʃæk] *s* Hütte *f*, Bude *f*.

shack·le ['ʃækl] **1.** *s* Fessel *f* (*fig. mst pl*); **2.** *v/t* fesseln.

shade [ʃeɪd] **1.** *s* Schatten *m* (*a. fig.*); (Lampen- *etc.*)Schirm *m*; Schattierung *f*; *Am.* Rouleau *n*; *fig.* Nuance *f*; *fig.* F Spur *f*; **2.** *v/t* beschatten; verdunkeln (*a. fig.*); abschirmen; schützen; schattieren; *v/i*: ~ *off* allmählich übergehen (*into* in *acc*).

shad·ow ['ʃædəʊ] **1.** *s* Schatten *m* (*a. fig.*); Phantom *n*; *fig.* Spur *f*; **2.** *v/t* e-n Schatten werfen auf (*acc*); *fig.* j-n beschatten, überwachen; ~**y** *adj* schattig, dunkel; unbestimmt, vage.

shad·y ['ʃeɪdɪ] *adj* □ (-*ier*, -*iest*) schattenspendend; schattig, dunkel; F zweifelhaft.

shaft [ʃɑ:ft] *s* Schaft *m*; Stiel *m*; *poet.* Pfeil *m* (*a. fig.*); *poet.* Strahl *m*; *tech.* Welle *f*; Deichsel *f*; *mining*: Schacht *m*.

shag·gy ['ʃægɪ] *adj* (-*ier*, -*iest*) zottig.

shake [ʃeɪk] **1.** (**shook**, **shaken**) *v/t* schütteln; rütteln an (*dat*); erschüttern; ~ *down* herunterschütteln; ~ *hands* sich die Hand geben *or* schütteln; ~ *off* abschütteln (*a. fig.*); ~ *up bed*: aufschütteln; *fig.* aufrütteln; *v/i* zittern (*a. voice*), beben, wackeln, (sch)wanken (*with* vor *dat*); *mus.* trillern; ~ *down* F kampieren; **2.** *s* Schütteln *n*; Erschütterung f; Beben n; mus. Triller m; (Milch-etc.)Shake m; **~down 1.** s (Behelfs)Lager n; Am. F Erpressung f; Am. F Durchsuchung f; **2.** adj: **~ flight** aer. Testflug m; **~ voyage** mar. Testfahrt f; **shak·en 1.** pp of **shake** 1; **2.** adj erschüttert.

shak·y ['ʃeɪkɪ] adj □ (**-ier**, **-iest**) wack(e)lig (a. fig.); (sch)wankend; zitternd; zitt(e)rig; **feel ~** sich etwas schwach (auf den Beinen) fühlen.

shall [ʃæl] v/aux (pret **should**; negative: **~ not**, **shan't**) ich, du etc. soll(st) etc.; ich werde, wir werden.

shal·low ['ʃæləʊ] **1.** adj □ seicht; flach; fig. oberflächlich; **2.** s seichte Stelle, Untiefe f; **3.** v/i (sich) verflachen.

sham [ʃæm] **1.** adj falsch; Schein...; **2.** s (Vor)Täuschung f, Heuchelei f; Fälschung f; Schwindler(in); **3.** (**-mm-**) v/t vortäuschen; v/i sich verstellen; simulieren; **~ ill(ness)** sich krank stellen.

sham·ble ['ʃæmbl] v/i watscheln; **~s** s sg Schlachtfeld n, wüstes Durcheinander, Chaos n.

shame [ʃeɪm] **1.** s Scham f; Schande f; **for ~!**, **~ on you!** pfui!, schäm dich!; **put to ~** beschämen; **2.** v/t beschämen; j-m Schande machen; **~faced** adj □ schüchtern, schamhaft; **~ful** adj □ schändlich, beschämend; **~less** adj □ schamlos.

sham·poo [ʃæm'puː] **1.** s Shampoo n, Schampon n, Haarwaschmittel n; Kopf-, Haarwäsche f; → **set** 3; **2.** v/t head, hair: waschen; j-m den Kopf or die Haare waschen.

sham·rock bot. ['ʃæmrɒk] s Kleeblatt n.

shank [ʃæŋk] s Unterschenkel m, Schienbein n; bot. Stiel m; (mar. Anker)Schaft m.

shan·ty ['ʃæntɪ] s Hütte f, Bude f; Seemannslied n.

shape [ʃeɪp] **1.** s Gestalt f, Form f (a. fig.); physical or mental: Verfassung f; **2.** v/t gestalten, formen, bilden; anpassen (**to** dat); v/i a. **~ up** sich entwickeln; **~d** adj geformt; **...~** ...förmig; **~less** adj formlos; **~ly** adj (**-ier**, **-iest**) wohlgeformt.

share [ʃeə] **1.** s (An)Teil m; Beitrag m; econ. Aktie f; agr. Pflugschar f; **have a ~ in** Anteil haben an (dat); **go ~s** teilen; **2.** v/t teilen; v/i teilhaben (**in** an dat);

~crop·per s Am. Farmpächter m; **~hold·er**, **~own·er** s econ. Aktionär(in), Anteilseigner(in).

shark [ʃɑːk] s zo. Hai(fisch) m; Gauner m, Betrüger m; Kredit- or Miethai m.

sharp [ʃɑːp] **1.** adj □ scharf (a. fig.); needle: spitz; slope, etc.: steil, jäh; pain: schneidend, stechend, heftig; acid, etc.: beißend, scharf; sound: durchdringend, schrill; mind, etc.: schnell, pfiffig, schlau, gerissen; mus. (um e-n Halbton) erhöht; **C ~** mus. Cis n; **2.** adv scharf; jäh, plötzlich; mus. zu hoch; pünktlich, genau; **at eight o'clock ~** Punkt 8 (Uhr); **look ~!** F paß auf!, gib acht!; F mach fix or schnell!; **3.** s mus. Kreuz n; mus. durch ein Kreuz erhöhte Note.

sharp|en ['ʃɑːpən] v/t (ver)schärfen; spitzen; verstärken; **~en·er** s for knife: Schärfer m; (Bleistift)Spitzer m; **~er** s Gauner m, Schwindler m; Falschspieler m; **~eyed** adj scharfsichtig; fig. a. scharfsinnig; **~ness** s Schärfe f (a. fig.); **~shoot·er** s Scharfschütze m; **~sight·ed** adj scharfsichtig; fig. a. scharfsinnig; **~wit·ted** adj scharfsinnig.

shat [ʃæt] pret and pp of **shit** 2.

shat·ter ['ʃætə] v/t zerschmettern, -schlagen; health, nerves: zerstören, -rütten.

shave [ʃeɪv] **1.** v/t and v/i (**shaved**, **shaved** or as adj **shaven**) (sich) rasieren; (ab)schaben; (glatt)hobeln; streifen; a. knapp vorbeikommen an (dat); **2.** s Rasieren n, Rasur f; **have (get) a ~** sich rasieren (lassen); **have a close or narrow ~** mit knapper Not davonkommen or entkommen; **that was a close ~** das war knapp; **shav·en** pp of **shave** 1; **shav·ing 1.** s Rasieren n; **~s** pl (esp. Hobel)Späne pl; **2.** adj Rasier...

shawl [ʃɔːl] s (Umhänge)Tuch n, Umhang m; Kopftuch n.

she [ʃiː] **1.** pron sie; **2.** s Sie f; zo. Weibchen n; **3.** adj in compounds, esp. zo.: weiblich, ...weibchen n; **~dog** Hündin f; **~goat** Geiß f.

sheaf [ʃiːf] s (pl **sheaves**) agr. Garbe f; Bündel n.

shear [ʃɪə] **1.** v/t (**sheared**, **shorn** or **sheared**) scheren; **2.** s (a pair of) **~s** pl (e-e) große Schere.

sheath [ʃiːθ] s (pl **sheaths** [~ðz]) Scheide

f; Futteral *n*, Hülle *f*; **~e** [ʃiːð] *v/t* in die Scheide *or* in ein Futteral stecken; *esp. tech.* umhüllen.

sheaves [ʃiːvz] *pl of* **sheaf**.

she-bang *esp. Am. sl.* [ʃəˈbæŋ] *s:* **the whole ~** der ganze Kram.

shed¹ [ʃed] *v/t* (*-dd-*; *shed*) aus-, vergießen; verbreiten; *leaves, etc.:* abwerfen.

shed² [~] *s* Schuppen *m*; Stall *m*.

sheep [ʃiːp] *s* (*pl* **sheep**) *zo.* Schaf *n*; Schafleder *n*; **~dog** *s* Schäferhund *m*; **~ish** *adj* □ einfältig; verlegen; **~skin** *s* Schaffell *n*; Schafleder *n*.

sheer [ʃɪə] *adj* rein; bloß; glatt; hauchdünn; steil; senkrecht; direkt.

sheet [ʃiːt] *s* Bett-, Leintuch *n*, Laken *n*; *of glass, etc.*: Platte *f*; *of paper*: Blatt *n*, Bogen *m*; weite Fläche (*water, etc.*); *mar.* Schot(e) *f*, Segelleine *f*; **the rain came down in ~s** es regnete in Strömen; **~ i-ron** *s tech.* Eisenblech *n*; **~ light-ning** *s* Wetterleuchten *n*.

shelf [ʃelf] *s* (*pl* **shelves**) (Bücher-, Wand- *etc.*)Brett *n*, Regal *n*, Fach *n*; Riff *n*; **on the ~** *fig.* ausrangiert; **~life** *s of food, etc.:* Haltbarkeit *f*, Lagerfähigkeit *f*.

shell [ʃel] **1.** *s* Schale *f*; *bot.* Hülse *f*, Schote *f*; Muschel *f*; Schneckenhaus *n*; *zo.* Panzer *m*; Gerüst *n*, Gerippe *n*, *arch. a.* Rohbau *m*; *mil.* Granate *f* (Geschoß-, Patronen)Hülse *f*; *Am.* Patrone *f*; **2.** *v/t* schälen; enthülsen; *mil.* (mit Granaten) beschießen; **~fire** *s* Granatfeuer *n*; **~fish** *s zo.* Schal(en)tier *n*; *pl* Meeresfrüchte *pl*; **~proof** *adj* bombensicher.

shel·ter [ˈʃeltə] **1.** *s* Schutzhütte *f*, -raum *m*, -dach *n*; Zufluchtsort *m*; Obdach *n*, Schutz *m*, Zuflucht *f*; **take ~** Schutz suchen; **bus ~** *s* Wartehäuschen *n*; **2.** *v/t* (be)schützen; beschirmen; *j-m* Schutz *or* Zuflucht gewähren; *v/i* Schutz *or* Zuflucht suchen.

shelve [ʃelv] *v/t* in ein Regal stellen; *fig. et.* auf die lange Bank schieben; *fig. et.* zurückstellen; *v/i* sanft abfallen (*land*).

shelves [ʃelvz] *pl of* **shelf**.

she-nan-i-gans F [ʃɪˈnænɪɡəns] *s pl* Blödsinn *m*, Mumpitz *m*; übler Trick.

shep·herd [ˈʃepəd] **1.** *s* Schäfer *m*, Hirt *m*; **2.** *v/t* hüten; führen, leiten.

sher·iff *Am.* [ˈʃerɪf] *s* Sheriff *m*.

shield [ʃiːld] **1.** *s* (Schutz)Schild *m*; Wappenschild *m*, *n*; *fig.* Schutz *m*; **2.** *v/t* (be)schützen (*from vor dat*); *j-n* decken.

shift [ʃɪft] **1.** *s* Veränderung *f*, Verschiebung *f*, Wechsel *m*; *trick:* List *f*, Kniff *m*, Ausflucht *f*; (Arbeits)Schicht *f*; **work in ~s** Schicht (*or* Arbeit) machen; **make ~** es fertigbringen (**to do** zu tun); sich behelfen; sich durchschlagen; **2.** *v/t* (um-, aus)wechseln, verändern; *a. fig.* verlagern, -schieben, -legen; *guilt, etc.*: (ab)schieben (**onto** auf *acc*); **~ gear(s)** *esp. Am. mot.* schalten; *v/i* wechseln; sich verlagern *or* -schieben; *esp. Am. mot.* schalten (**into, to** in *acc*); **~ from one foot to the other** von e-m Fuß auf den anderen treten; **~ in one's chair** auf s-m Stuhl (ungeduldig *etc.*) hin u. her rutschen; **~ for o.s.** sich selbst (weiter)helfen; **~ key** *s typewriter:* Umschalttaste *f*; **~less** *adj* □ hilflos; faul; **~y** *adj* □ (*-ier, -iest*) *fig.* gerissen; verschlagen; unzuverlässig.

shil·ling [ˈʃɪlɪŋ] *s until 1971 British coin:* Schilling *m*.

shin [ʃɪn] **1.** *s a.* **~bone** Schienbein *n*; **2.** *v/i* (*-nn-*) **~ up** hinaufklettern.

shim·mer [ˈʃɪmə] **1.** *s* Schimmer *m*; **2.** *v/i* schimmern.

shine [ʃaɪn] **1.** *s* Schein *m*; Glanz *m*; **2.** *v/i* (*shone*) scheinen; leuchten; *fig.* glänzen, strahlen; → **rise** *2*; *v/t* (*shined*) polieren, putzen.

shin·gle [ˈʃɪŋɡl] *s* Schindel *f*; *Am.* F (Firmen)Schild *n*; grober Strandkies; **~s** *sg med.* Gürtelrose *f*.

shin·y [ˈʃaɪnɪ] *adj* (*-ier, -iest*) blank, glänzend.

ship [ʃɪp] **1.** *s* Schiff *n*; F Flugzeug *n*; F Raumschiff *n*; **2.** (*-pp-*) *v/t mar.* an Bord nehmen *or* bringen; *mar.* verschiffen; *econ.* transportieren, versenden; *mar.* (an)heuern; *v/i mar.* anheuern; **~board** *s mar.:* **on ~** an Bord; **~ment** *s* Verschiffung *f*; Versand *m*; Schiffsladung *f*; **~own·er** *s* Schiffseigner(in); Reeder *m*; **~ping** *s* Verschiffung *f*; Versand *m*; *coll.* Schiffe *pl*, Flotte *f*; *attr* Schiffs...; Versand...; **~wreck** **1.** *s* Schiffbruch *m*; *fig.* Scheitern *n*; **2.** *v/t*: **be ~ed** schiffbrüchig werden *or* sein; *fig. a.* scheitern; **~yard** *s* (Schiffs)Werft *f*.

shirk [ʃɜːk] *v/i and v/t* sich drücken (vor *dat*); **~er** *s* Drückeberger(in).

shirt [ʃɜːt] s (Herren-, Ober)Hemd n; sports: Trikot n; a. ~ **blouse** Hemdbluse f; F **keep your ~ on** F reg dich nicht auf!; ~**sleeve 1.** s Hemdsärmel m; **2.** adj hemdsärmelig; leger, ungezwungen; ~**waist** s Am. Hemdbluse f.

shit V [ʃɪt] **1.** s Scheiße f (a. fig.); Scheißen n; sl. hashish: Shit m, n; F **don't give me that** ~ F erzähl (mir) nicht so einen Scheiß!; **2.** v/i (-tt-; **shit**[**ted**] or **shat**) scheißen.

shiv-er [ˈʃɪvə] **1.** s Splitter m; Schauer m, Zittern n, Frösteln n; **2.** v/i zersplittern; zittern, (er)schauern, frösteln; ~**y** adj fröstelnd.

shoal [ʃəʊl] s Schwarm m (esp. fish); Masse f; Untiefe f, seichte Stelle; Sandbank f.

shock [ʃɒk] **1.** s (heftiger) Stoß m; (a. emotional) Erschütterung f, Schock m, Schreck m, (plötzlicher) Schlag (**to** für); med. (Nerven)Schock m; of hair: Schopf m; **2.** v/t erschüttern; fig. schokkieren, empören; ~ **ab-sorb-er** s tech. Stoßdämpfer m; ~**ing** adj □ schockierend, empörend, anstößig; haarsträubend; F scheußlich.

shod [ʃɒd] pret and pp of **shoe** 2.

shod-dy [ˈʃɒdɪ] **1.** s Reißwolle f; fig. Schund m; **2.** adj (-ier, -iest) falsch; minderwertig, schäbig.

shoe [ʃuː] **1.** s Schuh m; Hufeisen n; **2.** v/t (**shod**) horse: beschlagen; ~**black** s Schuhputzer m; ~**horn** s Schuhanzieher m; ~**lace** s Schnürsenkel m; ~**mak-er** s Schuhmacher m; ~**shine** s esp. Am. Schuhputzen n; ~ **boy** Am. Schuhputzer m; ~**string** s Schnürsenkel m.

shone [ʃɒn, Am. ʃəʊn] pret and pp of **shine** 2.

shook [ʃʊk] pret of **shake** 1.

shoot [ʃuːt] s Jagd f; Jagd(revier n) f; Jagdgesellschaft f; bot. Schößling m, (Seiten)Trieb m; **2.** (**shot**) v/t (ab)schießen; erschießen; werfen, stoßen; fotografieren, aufnehmen; film: drehen; unter (dat) hindurchschießen, über (acc) hinwegschießen; bot. treiben; bot. (ein)spritzen; ~ **up** sl. heroin, etc.: drücken; v/i schießen; jagen; stechen (pain); (dahin-, vorbei- etc.)schießen, (-)jagen, (-)rasen; bot. sprießen, keimen; fotografieren; filmen; ~ **ahead of**

überholen (acc); ~**er** s Schütz|e m, -in f; F Schießeisen n (gun).

shoot-ing [ˈʃuːtɪŋ] **1.** s Schießen n; Schießerei f; Erschießung f; Jagd f; film: Dreharbeiten pl; **2.** adj stechend (pain); ~**gal-le-ry** s Schießstand m, -bude f; ~**range** s Schießplatz m; ~ **star** s Sternschnuppe f.

shop [ʃɒp] **1.** s Laden m, Geschäft n; Werkstatt f; Betrieb m; Job m fachsimpeln; **2.** v/i (-pp-) mst go ~**ping** einkaufen gehen; ~ **as-sis-tant** s Br. Verkäufer(in); ~**keep-er** s Ladenbesitzer(in); ~**lift-er** s Ladendieb(in); ~**lift-ing** s Ladendiebstahl m; ~**per** s Käufer(in).

shop-ping [ˈʃɒpɪŋ] **1.** s Einkauf m, Einkaufen n; Einkäufe pl (goods); **do one's** ~ (s-e) Einkäufe machen; **2.** adj Laden..., Einkaufs...; ~ **bag** Am. Tragtasche f; ~ **centre** (Am. **center**) Einkaufszentrum n; ~ **street** Geschäfts-, Ladenstraße f.

shop-stew-ard [ʃɒpˈstjuəd] s gewerkschaftlicher Vertrauensmann; ~**walk-er** s Br. Aufsicht(sperson) f (in large shop); ~**win-dow** s Schaufenster n.

shore [ʃɔː] s Küste f, Ufer n, Strand m; **on** ~ an Land.

shorn [ʃɔːn] pp of **shear** 1.

short [ʃɔːt] **1.** adj □ kurz; klein; knapp; kurz angebunden, barsch (**with** gegen); mürbe (pastry); stark, unverdünnt (drink); **in** ~ kurz(um); ~ **of** knapp an (dat); **a** ~ **time** or **while ago** vor kurzem; **2.** adv plötzlich, jäh, abrupt; ~ **of** abgesehen von, außer (dat); **come** or **fall** ~ **of** et. nicht erreichen; **cut** ~ plötzlich unterbrechen; **stop** ~ plötzlich innehalten, stutzen; **stop** ~ **of** zurückschrecken vor (dat); → **run** 1; ~**age** s Fehlbetrag m; Knappheit f, Mangel m (**of** an dat); ~**com-ing** s Unzulänglichkeit f; Fehler m, Mangel m; ~ **cut** s Abkürzung(sweg m) f; **take a** ~ (den Weg) abkürzen; ~**dat-ed** adj econ. kurzfristig; ~**dis-tance** adj Nah...; ~**en** v/t (ab-, ver)kürzen; v/i kürzer werden; ~**en-ing** s Backfett n; ~**hand** s Kurzschrift f; ~ **typist** Stenotypistin f; ~**ly** adv kurz; bald; ~**ness** s Kürze f; Mangel m; Schroffheit f; ~**s** s pl (a **pair of** ~**s**) Shorts pl; esp. Am. (e-e) (Herren)Unterhose; ~**sight-ed** adj □ kurzsichtig (a. fig.); ~**term** adj econ. kurz-

shuffle

fristig; **~ wave** s phys. Kurzwelle f; **~wind·ed** adj □ kurzatmig.

shot [ʃɒt] **1.** pret and pp of **shoot** 2; **2.** s Schuß m; Abschuß m; Geschoß n, Kugel f; a. small **~** Schrot(kugeln pl) m, n; Schußweite f; Schütz|e m, -in f; soccer, etc.: Schuß m, basketball, etc.: Wurf m, tennis, golf: Schlag m; phot., film: Aufnahme f; med. F Spritze f, Injektion f; F Schuß m (injection of drug, small quantity of alcohol); fig. Versuch m; fig. Vermutung f; **have a ~ at** et. versuchen; **not by a long ~** F noch lange nicht; **big ~** F großes Tier; **like a ~** F blitzartig, sofort; **~gun** s Schrotflinte f; **~ marriage** or **wedding** F Mußheirat f; **~put** s sports: Kugelstoßen n; Stoß m, Wurf m; **~put·ter** s sports: Kugelstoßer(in).

should [ʃʊd, ʃəd] pret of **shall**.

shoul·der [ˈʃəʊldə] **1.** s Schulter f (a. of animals; a. fig.); Achsel f; Am. Bankett n (of road); **2.** v/t auf die Schulter or fig. auf sich nehmen; schultern; drängen; **~blade** s anat. Schulterblatt n; **~strap** s Träger m (of dress, etc.).

shout [ʃaʊt] **1.** s (lauter) Schrei or Ruf; Geschrei n; **2.** v/i and v/t (laut) rufen; schreien.

shove [ʃʌv] **1.** s Schubs m, Stoß m; **2.** v/t and v/i schieben, stoßen.

shov·el [ˈʃʌvl] **1.** s Schaufel f; **2.** v/t (esp. Br. -ll-, Am. -l-) schaufeln.

show [ʃəʊ] **1.** (showed, shown or showed) v/t zeigen; ausstellen; erweisen; beweisen; **~ in** herein-, hineinführen; **~ off** zur Geltung bringen; **~ out** heraus-, hinausführen, -bringen; **~ round** herumführen; **~ up** herauf-, hinaufführen; j-n bloßstellen; et. aufdecken; v/i a. **~ up** sichtbar werden or sein; sich zeigen; zu sehen sein; **~ off** angeben, prahlen, sich aufspielen; **~ up** F auftauchen, sich blicken lassen; **2.** s (Her)Zeigen n; Zurschaustellung f; Ausstellung f; Vorführung f, -stellung f, Schau f; F (Theater-, Film)Vorstellung f, radio, TV: Sendung f, Show f; outward appearance: Schein m; **on ~** zu besichtigen; **bad ~!** F das ist ein schwaches Bild!; **good ~!** gut gemacht!; **~biz** F, **~ busi·ness** s Showbusineß n, Showgeschäft n, Vergnügungs-, Unterhaltungsbranche f; **~case** s Schaukasten m, Vitrine f; **~down** s Aufdecken

n der Karten (a. fig.); fig. Kraftprobe f.

show·er [ˈʃaʊə] **1.** s (Regen- etc.) Schauer m; Dusche f; Fülle f; **have** or **take a ~** duschen; **2.** v/t überschütten, -häufen; v/i gießen; (sich) brausen or duschen; **~ down** niederprasseln; **~y** adj □ (-ier, -iest) regnerisch.

show|-jump·er [ˈʃəʊdʒʌmpə] s sports: Springreiter(in); **~jump·ing** s sports: Springreiten n; **~n** pp of **show** 1; **~room** s Ausstellungsraum m; **~win·dow** s Schaufenster n; **~y** adj □ (-ier, -iest) prächtig; protzig.

shrank [ʃræŋk] pret of **shrink**.

shred [ʃred] **1.** s Stückchen n; Fetzen m (a. fig.); fig. Spur f; **2.** v/t (-dd-) zerfetzen; in Streifen schneiden.

shrew [ʃruː] s woman: F Hausdrachen m.

shrewd [ʃruːd] adj □ scharfsinnig; schlau.

shriek [ʃriːk] **1.** s schriller Schrei; Gekreisch n; **2.** v/i kreischen, schreien.

shrill [ʃrɪl] **1.** adj □ schrill, gellend; **2.** v/i schrillen, gellen; v/t et. kreischen.

shrimp [ʃrɪmp] s zo. Garnele f, Krabbe f; fig. contp. Knirps m.

shrine [ʃraɪn] s Schrein m.

shrink [ʃrɪŋk] (shrank, shrunk) (ein-, zusammen)schrumpfen; einlaufen; zurückweichen (from vor dat); zurückschrecken (from, at vor dat); **~age** [ˈ~ɪdʒ] s Einlaufen n; (Ein-, Zusammen)Schrumpfen n; Schrumpfung f; fig. Verminderung f.

shriv·el [ˈʃrɪvl] v/i and v/t (esp. Br. -ll-, Am. -l-) (ein-, zusammen)schrumpfen (lassen), (ver)welken (lassen).

shroud [ʃraʊd] **1.** s Leichentuch n; fig. Schleier m; **2.** v/t in ein Leichentuch hüllen; fig. hüllen.

Shrove|tide [ˈʃrəʊvtaɪd] s Fastnachts-, Faschingszeit f; **~ Tues·day** s Fastnachts-, Faschingsdienstag m.

shrub [ʃrʌb] s Strauch m; Busch m; **~be·ry** [ˈʃrʌbərɪ] s Gebüsch n.

shrug [ʃrʌg] **1.** (-gg-) v/i (and v/t: **~ one's shoulders**) mit den Achseln zucken; **2.** s Achselzucken n.

shrunk [ʃrʌŋk] pp of **shrink**; **~en** [ˈ~ən] adj (ein-, zusammen)geschrumpft.

shud·der [ˈʃʌdə] **1.** v/i schaudern; (er-)zittern, (er)beben; **2.** s Schauder m.

shuf·fle [ˈʃʌfl] **1.** v/t playing cards: mischen; (a. v/i:) (**one's feet**) schlurfen;

S

~ off *clothes*: abstreifen; *fig. work, etc.*: abwälzen (**on, upon** *auf acc*); **2.** *s* (Karten)Mischen *n*; Schlurfen *n*; Umstellung *f*; *pol.* (Kabinetts)Umbildung *f*; *fig.* Ausflucht *f*, Schwindel *m*.

shun [ʃʌn] *v/t* (**-nn-**) (ver)meiden.

shunt [ʃʌnt] **1.** *s rail.* Rangieren *n*; *electr.* Nebenschluß *m*; **2.** *v/t rail.* rangieren; *electr.* nebenschließen; beiseite schieben; *fig. et.* aufschieben.

shut [ʃʌt] *v/t and v/i* (**-tt-**; **shut**) (sich) schließen; zumachen; **~ down** *company, etc.*: schließen; **~ off** *water, gas, etc.*: abstellen; **~ up** einschließen; *house, etc.*: verschließen; einsperren; *person*: zum Schweigen bringen; **~ up!** F halt die Klappe!; **~ter** *s* Fensterladen *m*; *phot.* Verschluß *m*; **~ speed** *phot.* Belichtung(szeit) *f*.

shut·tle [ˈʃʌtl] **1.** *s tech.* Schiffchen *n*; Pendelverkehr *m*; → **space shuttle**; **2.** *v/i bus, etc.*: pendeln; **~cock** *s sports*: Federball *m*; **~ di·plo·ma·cy** *s pol.* Pendeldiplomatie *f*; **~ ser·vice** *s* Pendelverkehr *m*.

shy [ʃaɪ] **1.** *adj* □ (**~er** *or* **shier**, **~est** *or* **shiest**) scheu; schüchtern; **2.** *v/i* scheuen (**at** *vor dat*); **~ away from** *fig.* zurückschrecken vor (*dat*); **~ness** *s* Schüchternheit *f*; Scheu *f*.

Si·be·ri·an [saɪˈbɪərɪən] **1.** *adj* sibirisch; **2.** *s* Sibirier(in).

sick [sɪk] *adj* krank (**of** an *dat*; **with** vor *dat*); überdrüssig (**of** *gen*); *fig.* krank (**of** vor *dat*; **for** nach); F *fig.* geschmacklos, makaber (*joke, etc.*); **be ~** sich übergeben (müssen); **be ~ of s.th.** et. satt haben; **I be ~ and tired of ...** F die Nase (gestrichen) voll haben von ...; **fall ~** krank werden; **I feel ~** mir ist schlecht *or* übel; **go ~, report ~** sich krank melden; **be off ~** wegen Krankheit fehlen, krank (geschrieben) sein; **skive off ~** krankmachen, krankfeiern; **~ben·e·fit** *s Br.* Krankengeld *n*; **~en** *v/i* krank werden; kränkeln; **~ at** sich ekeln vor (*dat*); *v/t* krank machen; anekeln; **~en·ing** *adj* □ ekelhaft, widerlich; *fig.* unerträglich, F zum Kotzen.

sick·le [ˈsɪkl] *s* Sichel *f*.

sick·leave [ˈsɪkliːv] *s* Fehlen *n* wegen Krankheit; **be on ~** wegen Krankheit fehlen; **~ly** *adj* (**-ier**, **-iest**) kränklich; schwächlich; bleich, blaß; ungesund

(*climate*); ekelhaft; matt (*smile*); **~ness** *s* Krankheit *f*; Übelkeit *f*.

side [saɪd] **1.** *s* Seite *f*; **~ by ~** Seite an Seite; **take ~s with** Partei ergreifen für; **2.** *adj* Seiten...; Neben...; **3.** *v/i* Partei ergreifen (**with** für); **~board** *s* Anrichte *f*, Sideboard *n*; **~car** *s mot.* Beiwagen *m*; **~dish** *s* Beilage *f* (**with** *main dish*); **~long 1.** *adv* seitwärts; **2.** *adj* seitlich; Seiten...; **~road, ~street** *s* Nebenstraße *f*; **~walk** *s Am.* Gehsteig *m*; **~ artist** *Am.* Pflastermaler(in); **~ward(s), ~ways** *adv* seitlich; seitwärts.

sid·ing *rail.* [ˈsaɪdɪŋ] *s* Nebengleis *n*.

siege [siːdʒ] *s* Belagerung *f*; **lay ~ to** belagern; *fig. j-n* bestürmen.

sieve [sɪv] **1.** *s* Sieb *n*; **2.** *v/t* sieben.

sift [sɪft] *v/t* sieben; *fig.* sichten, prüfen.

sigh [saɪ] **1.** *s* Seufzer *m*; **2.** *v/i* seufzen.

sight [saɪt] **1.** *s* Sehvermögen *n*, Sehkraft *f*, Auge(nlicht) *n*; Anblick *m*; Sicht *f* (*a. econ.*); Visier *n*; *fig.* Auge *n*; **~s** *pl* Sehenswürdigkeiten *pl*; **at ~, on ~** sofort; *mus.* **at ~** vom Blatt; **at the ~ of** beim Anblick (*gen*); **at first ~** auf den ersten Blick; **be out of ~** außer Sicht sein; **catch ~ of** erblicken; **know by ~** vom Sehen kennen; **lose ~ of** aus den Augen verlieren; **(with)in ~** in Sicht(weite); **2.** *v/t* sichten, erblicken; (an)visieren; **~ed** *adj* sehend; **...~** ...sichtig; **~ly** *adj* (**-ier**, **-iest**) ansehnlich, stattlich; **~see·ing 1.** *s* Besichtigung *f* von Sehenswürdigkeiten; **go ~** e-e Besichtigungstour machen; **2.** *adj*: **~ tour** Besichtigungstour *f*, (Stadt)Rundfahrt *f*; **~see·er** *s* Tourist(in).

sign [saɪn] **1.** *s* Zeichen *n*; Wink *m*; *notice*: Schild *n*; **in ~ of** zum Zeichen (*gen*); **2.** *v/t and v/i* unterzeichnen, unterschreiben.

sig·nal [ˈsɪɡnl] **1.** *s* Signal *n* (*a. fig.*); Zeichen *n*; **2.** *adj* bemerkenswert; außerordentlich; **3.** (*esp. Br.* **-ll-**, *Am.* **-l-**) *v/t fig. readiness, etc.*: signalisieren; **~ s.o. to do s.th.** j-m (ein) Zeichen geben, et. zu tun; *v/i*: **~ for a taxi** e-m Taxi winken.

sig·na·to·ry [ˈsɪɡnətərɪ] **1.** *s* Unterzeichner(in); **2.** *adj* unterzeichnend; **~ pow·ers** *pl pol.* Signatarmächte *pl*; **~ture** [~tʃə] *s* Signatur *f*; Unterschrift *f*.

sign·board [ˈsaɪnbɔːd] *s* (Aushänge-) Schild *n*; **~er** *s* Unterzeichner(in).

sig·nif·i·cance ['sɪg'nɪfɪkəns] s Bedeutung f; **~·cant** adj □ bedeutsam; bezeichnend (**of** für); **~·ca·tion** [sɪgnɪfɪ'keɪʃn] s Bedeutung f, Sinn m.

sig·ni·fy ['sɪgnɪfaɪ] v/t andeuten; zu verstehen geben; bedeuten.

sign-post ['saɪnpəʊst] s Wegweiser m.

si·lence ['saɪləns] **1.** s (Still)Schweigen n; Stille f, Ruhe f; **~!** Ruhe!; **put** or **reduce to ~ → 2.** v/t zum Schweigen bringen; **si·lenc·er** s tech. Schalldämpfer m; mot. Auspufftopf m.

si·lent ['saɪlənt] adj □ still; schweigend; schweigsam; stumm; **~ partner** Am. econ. stiller Teilhaber.

silk [sɪlk] s Seide f; attr Seiden...; **~·en** adj seiden, Seiden...; **~·worm** s zo. Seidenraupe f; **~·y** adj □ (**-ier, -iest**) seidig, seidenartig.

sill [sɪl] s Schwelle f; Fensterbrett n.

sil·ly ['sɪlɪ] adj □ (**-ier, -iest**) albern, töricht, dumm, verrückt; **~ fool** F Dummkopf m; **~ season** press: Sauregurkenzeit f.

silt [sɪlt] **1.** s Schlamm m; **2.** v/i and v/t mst **~ up** verschlammen.

sil·ver ['sɪlvə] **1.** s Silber n; **2.** adj silbern, Silber...; **3.** v/t versilbern; **~ plate, ~ware** n Tafelsilber n; **~·y** adj silberglänzend; fig. silberhell.

sim·i·lar ['sɪmɪlə] adj □ ähnlich, gleich; **~·i·ty** [sɪm'lærətɪ] s Ähnlichkeit f.

sim·mer ['sɪmə] v/i and v/t köcheln, leicht kochen or sieden (lassen); fig. kochen (**with** vor dat), gären (**emotions**); **~ down** sich beruhigen or abregen.

sim·per ['sɪmpə] **1.** s einfältiges Lächeln; **2.** v/i einfältig lächeln.

sim·ple ['sɪmpl] adj □ (**~r, ~st**) einfach, simpel m; **clothes, etc.**: schlicht; **foolish**: einfältig, arglos, naiv; **~·heart·ed, ~·mind·ed** adj einfältig, arglos, naiv.

sim·plic·i·ty [sɪm'plɪsətɪ] s Einfachheit f; Unkompliziertheit f; Schlichtheit f; Einfalt f; **~·fi·ca·tion** [ˌfɪ'keɪʃn] s Vereinfachung f; **~·fy** ['ˌfaɪ] v/t vereinfachen.

sim·ply ['sɪmplɪ] adv einfach; bloß.

sim·u·late ['sɪmjʊleɪt] v/t vortäuschen; simulieren; mil., tech. a. **conditions**: (wirklichkeitsgetreu) nachahmen.

sim·ul·ta·ne·ous [ˌsɪml'teɪnɪəs] adj □ gleichzeitig, simultan.

sin [sɪn] **1.** s Sünde f; **2.** v/i (**-nn-**) sündigen.

since [sɪns] **1.** prp seit; **2.** adv seitdem; **3.** cj seit(dem); da (ja).

sin·cere [sɪn'sɪə] adj □ aufrichtig, ehrlich, offen; **Yours ~ly** letter: Mit freundlichen Grüßen; **sin·cer·i·ty** [ˈserətɪ] s Aufrichtigkeit f; Offenheit f.

sin·ew anat. ['sɪnjuː] s Sehne f; **~·y** [ˌjuːɪ] adj sehnig; fig. kraftvoll.

sin·ful ['sɪnfl] adj □ sündig, sündhaft.

sing [sɪŋ] v/t and v/i (**sang, sung**) singen; **~ to s.o.** j-m vorsingen.

singe [sɪndʒ] v/t (ver-, ab)sengen.

sing·er ['sɪŋə] s Sänger(in).

sing·ing ['sɪŋɪŋ] s Gesang m, Singen n; **~ bird** Singvogel m.

sin·gle ['sɪŋgl] **1.** adj □ einzig; einzeln; Einzel...; einfach; ledig, unverheiratet; **bookkeeping by ~ entry** econ. einfache Buchführung; **in ~ file** im Gänsemarsch; **2.** s Br. einfache Fahrkarte, aer. einfaches Ticket; Single f (**record**); Single m, f, Unverheiratete(r m) f; Br. Einpfund-, Am. Eindollarschein m; **~s** sg, pl tennis: Einzel n; **3.** v/t: **~ out** auswählen, -suchen; **~·breast·ed** adj einreihig (**jacket, etc.**); **~·en·gined** adj aer. einmotorig; ♀ **Eu·ro·pe·an Act** s pol. die Einheitliche Europäische Akte; **~ (Eu·ro·pe·an) cur·ren·cy** s europäische Einheitswährung; ♀ **(Eu·ro·pe·an) Mar·ket** s pol. europäischer Binnenmarkt; **~·hand·ed** adj eigenhändig, allein; **~·heart·ed, ~·mind·ed** adj □ aufrichtig; zielstrebig; **~ par·ent** s Alleinerziehende(r m) f; **~·family** Familie f mit nur einem Elternteil.

sin·glet Br. ['sɪŋglɪt] s ärmelloses Unterhemd or Trikot.

sin·gle-track ['sɪŋgltræk] adj rail. eingleisig; F fig. einseitig.

sin·gu·lar ['sɪŋgjʊlə] **1.** adj □ einzigartig; eigenartig; sonderbar; **2.** s a. **~ number** gr. Singular m, Einzahl f; **~·i·ty** [ˈlærətɪ] s Einzigartigkeit f; Eigentümlichkeit f.

sin·is·ter ['sɪnɪstə] adj □ unheilvoll; böse.

sink [sɪŋk] **1.** (**sank, sunk**) v/i sinken; ein-, nieder-, unter-, versinken; sich senken; (ein)dringen; (-)sickern; v/t (ver)senken; **well**: bohren; **money**: fest anlegen; **2.** s Ausguß m, Spülbecken n,

Spüle *f*; **~ing** *s* (Ein-, Ver)Sinken *n*; Versenken *n*; *econ.* Tilgung *f*; **~fund** Tilgungsfonds *m*.

sin·less ['sɪnlɪs] *adj* ☐ sündenfrei; **sin·ner** *s* Sünder(in).

sin·u·ous ['sɪnjʊəs] *adj* ☐ gewunden.

sip [sɪp] **1.** *s* Schlückchen *n*; **2.** (*-pp-*) *v/t* nippen an (*dat*) or von; schluckweise trinken; *v/i* nippen (**at** an *dat* or von).

sir [sɜː] *s* Herr *m* (*form of address*); ♀ [sə] Sir *m* (*title*); **Dear Sir or Madam** Sehr geehrte Damen und Herren.

sire ['saɪə] *s mst poet.* Vater *m*; Vorfahr *m*; *zo.* Vater(tier *n*) *m*.

si·ren ['saɪərən] *s* Sirene *f* (*a. myth.*).

sir·loin ['sɜːlɔɪn] *s* Lendenstück *n*.

sis·sy F ['sɪsɪ] *s* Weichling *m*.

sis·ter ['sɪstə] *s* (*a.* Ordens-, Ober-, Kranken)Schwester *f*; **~in-law** *s* Schwägerin *f*; **~ly** *adj* schwesterlich.

sit [sɪt] (*-tt-*; **sat**) *v/i* sitzen; e-e Sitzung halten, tagen; *fig.* liegen, stehen; **~ down** sich setzen; **~ in** ein Sit-in veranstalten; **~ in for** für *j-n* einspringen; **~ up** aufrecht sitzen; aufbleiben; *v/t* setzen; sitzen auf (*dat*); *exam:* machen.

site [saɪt] *s* Lage *f*; Stelle *f*; Stätte *f*; (Bau)Gelände *n*.

sit·ting ['sɪtɪŋ] *s* Sitzung *f*; **~ room** *s* Wohnzimmer *n*.

sit·u·at·ed ['sɪtjʊeɪtɪd] *adj* gelegen; **be ~** liegen, gelegen sein; **~a·tion** [~'eɪʃn] *s* Lage *f*, Situation *f*; *job:* Stellung *f*, Stelle *f*.

six [sɪks] **1.** *adj* sechs; **2.** *s* Sechs *f*; **~teen** [~'tiːn] **1.** *adj* sechzehn; **2.** *s* Sechzehn *f*; **~teenth** [~'tiːnθ] *adj* sechzehnte(r, -s); **~th** [~θ] **1.** *adj* sechste(r, -s); **2.** *s* Sechstel *n*; **~th·ly** ['~θlɪ] *adv* sechstens; **~ti·eth** [~tɪθ] *adj* sechzigste(r, -s); **~ty** [~tɪ] **1.** *adj* sechzig; **2.** *s* Sechzig *f*.

size [saɪz] **1.** *s* Größe *f*; Format *n*; **2.** *v/t* nach Größe(n) ordnen; **~ up** F abschätzen; **~d** *adj* von or in ... Größe.

siz(e)·a·ble ['saɪzəbl] *adj* ☐ (ziemlich) groß.

siz·zle ['sɪzl] *v/i* zischen; knistern; brutzeln; **sizzling** (**hot**) glühendheiß.

skate [skeɪt] **1.** *s* Schlittschuh *m*; Rollschuh *m*; **2.** *v/i* Schlittschuh laufen, eislaufen; Rollschuh laufen; **~board 1.** *s* Skateboard *n*; **2.** *v/i* Skateboard fahren; **skat·er** *s* Schlittschuhläufer(in); Rollschuhläufer(in); **skat·ing** *s* Schlitt-

schuh-, Eislaufen *n*, Eislauf *m*; Rollschuhlauf(en *n*) *m*.

ske·dad·dle F ['skɪ'dædl] *v/i* abhauen.

skel·e·ton ['skelɪtn] *s* Skelett *n*; Gerippe *n*; Gestell *n*; *attr* Skelett...; **~key** Nachschlüssel *m*.

skep|tic ['skeptɪk], **~ti·cal** [~l] *Am.* → **sceptic(al).**

sketch [sketʃ] **1.** *s* Skizze *f*; Entwurf *m*; *thea.* Sketch *m*; **2.** *v/t* skizzieren; entwerfen.

ski [skiː] **1.** *s* Schi *m*, Ski *m*; *attr* Schi..., Ski...; **2.** *v/i* Schi or Ski laufen or fahren.

skid [skɪd] **1.** *s* Bremsklotz *m*; *aer.* (Gleit)Kufe *f*; *mot.* Rutschen *n*, Schleudern *n*; **~mark** *mot.* Bremsspur *f*; **2.** *v/i* (*-dd-*) rutschen; schleudern.

ski|er ['skiːə] *s* Schi-, Skiläufer(in); **~ing** *s* Schi-, Skilauf(en *n*) *m*, -fahren *n*, -sport *m*.

skil·ful ['skɪlfl] *adj* ☐ geschickt; geübt.

skill [skɪl] *s* Geschicklichkeit *f*, Fertigkeit *f*; **~ed** *adj* geschickt; ausgebildet, Fach...; **~worker** Facharbeiter *m*; **~ful** *Am.* → **skilful.**

skim [skɪm] (*-mm-*) *v/t* abschöpfen; *milk:* entrahmen; (hin)gleiten über (*acc*); *book:* überfliegen; **~through** durchblättern; **~milk** *s* Magermilch *f*.

skimp [skɪmp] *v/t j-n* knapphalten; sparen an (*dat*); *v/i* knausern (**on** mit); **~y** *adj* ☐ (*-ier, -iest*) knapp; dürftig.

skin [skɪn] **1.** *s* Haut *f*; Fell *n*; Schale *f*; (*-nn-*) *v/t* (ent)häuten; *animal:* abbalgen; *fruit:* schälen; *v/i a.* **~over** zuheilen; **~deep** *adj* (nur) oberflächlich; **~diving** *s* Sporttauchen *n*; **~flint** *s* Knicker *m*; **~ny** *adj* (*-ier, -iest*) mager; **~ny-dip** *v/i* (*-pp-*) F nackt baden.

skip [skɪp] **1.** *s* Sprung *m*; **2.** (*-pp-*) *v/i* hüpfen, springen; seilhüpfen; *v/t* überspringen.

skip·per ['skɪpə] *s mar.* Schiffer *m*; *mar.*, *aer.*, *sports:* Kapitän *m*.

skir·mish ['skɜːmɪʃ] **1.** *s mil. and fig.* Geplänkel *n*; **2.** *v/i* plänkeln.

skirt [skɜːt] **1.** *s* (Damen)Rock *m*; (Rock)Schoß *m*; *often* **~s** *pl* Rand *m*, Saum *m*; **2.** *v/t* (um)säumen; sich entlangziehen an (*dat*).

skit [skɪt] *s* Stichelei *f*; Satire *f*; **~tish** *adj* ☐ ausgelassen; scheu (*horse*).

skit·tle ['skɪtl] *s* Kegel *m*; **play** (**at**) **~s** kegeln; **~al·ley** *s* Kegelbahn *f*.

skive [skaɪv] *v/i* blaumachen; *a.* **~ off** (**sick**) krankmachen, krankfeiern; **skiv-er** *s* Drückeberger(in).

skulk [skʌlk] *v/i* (herum)schleichen; lauern; sich drücken.

skull [skʌl] *s* Schädel *m.*

skul(l)·dug·ge·ry F [skʌlˈdʌgərɪ] *s* Gaunerei *f.*

skunk *zo.* [skʌŋk] *s* Skunk *m*, Stinktier *n.*

sky [skaɪ] *s often* **skies** *pl* Himmel *m*; **~·jack** F *aircraft*: entführen; **~·jack·er** *s* F Flugzeugentführer(in); **~·lab** *s Am.* Raumlabor *n*; **~·light** *s* Oberlicht *n*, Dachfenster *n*; **~·line** *s* Horizont *m*, Silhouette *f*, Skyline *f*; **~·rock·et** *v/i* F in die Höhe schießen (*prices*), sprunghaft ansteigen; **~·scrap·er** *s* Wolkenkratzer *m*; **~·ward(s)** *adj and adv* himmelwärts.

slab [slæb] *s* Platte *f*, Fliese *f*; (dicke) Scheibe (*of cheese, etc.*).

slack [slæk] **1.** *adj* □ schlaff; locker; (nach)lässig; flau (*a. econ.*); **2.** *s mar.* Lose *f*; Flaute *f* (*a. econ.*); Kohlengrus *m*; **~·en** *v/i and v/t* nachlassen; (sich) verringern; (sich) lockern; (sich) entspannen; (sich) verlangsamen; **~s** *s pl* Freizeithose *f.*

slag [slæg] *s* Schlacke *f.*

slain [sleɪn] *pp of* **slay.**

slake [sleɪk] *v/t lime*: löschen; *thirst*: löschen, stillen.

slam [slæm] **1.** *s* Zuschlagen *n*; Knall *m*; **2.** *v/t* (*-mm-*) *door, etc.*: zuschlagen, zuknallen; **~ the book on the desk** das Buch auf den Tisch knallen.

slan·der [ˈslɑːndə] **1.** *s* Verleumdung *f*; **2.** *v/t* verleumden; **~·ous** *adj* □ verleumderisch.

slang [slæŋ] **1.** *s* Slang *m*; Berufssprache *f*; lässige Umgangssprache; **2.** *v/t j-n* wüst beschimpfen.

slant [slɑːnt] **1.** *s* schräge Fläche; Abhang *m*; Neigung *f*; Standpunkt *m*, Einstellung *f*; Tendenz *f*; **2.** *v/i and v/t* schräg legen *or* liegen; sich neigen; **~·ing** *adj* □, **~·wise** *adv* schief, schräg.

slap [slæp] **1.** *s* Klaps *m*, Schlag *m*; **a ~ in the face** ein Schlag ins Gesicht (*a. fig.*); **2.** (*-pp-*) *v/t* e-n Klaps geben (*dat*); schlagen; *v/i* klatschen; **~·stick** F Klamotte *f*; *a.* **~ comedy film**, *etc.*: Slapstickkomödie *f.*

slash [slæʃ] **1.** *s* Hieb *m*; Schnitt(wunde

f) *m*; Schlitz *m*; **2.** *v/t* (auf)schlitzen; schlagen, hauen; *fig.* scharf kritisieren.

slate [sleɪt] **1.** *s* Schiefer *m*; Schiefertafel *f*; *esp. Am. pol.* Kandidatenliste *f*; **2.** *v/t* mit Schiefer decken; *Br.* F heftig kritisieren; *Am.* F *candidates*: aufstellen; **~·pen·cil** *s* Griffel *m.*

slaugh·ter [ˈslɔːtə] **1.** *s* Schlachten *n*; *fig.* Blutbad *n*, Gemetzel *n*; **2.** *v/t* schlachten; *fig.* niedermetzeln; **~·house** *s* Schlachthaus *n*, -hof *m.*

Slav [slɑːv] **1.** *s* Slaw|e *m*, -in *f*; **2.** *adj* slawisch.

slave [sleɪv] **1.** *s* Sklav|e *m*, -in *f* (*a. fig.*); **2.** *v/i* sich (ab)placken, schuften; **slav·er** [ˈslævə] **1.** *s* Geifer *m*, Sabber *m*; **2.** *v/i* geifern, sabbern; **sla·ve·ry** [ˈsleɪvərɪ] *s* Sklaverei *f*; Plackerei *f*; **slav·ish** *adj* □ sklavisch.

slay [sleɪ] *v/t* (**slew**, **slain**) erschlagen; töten.

sled [sled] **1.** → **sledge¹** 1; **2.** (*-dd-*) → **sledge¹** 2.

sledge¹ [sledʒ] **1.** *s* Schlitten *m*; **2.** *v/i* Schlitten fahren, rodeln.

sledge² [~] *s a.* **~·hammer** Vorschlaghammer *m.*

sleek [sliːk] **1.** *adj* □ glatt, glänzend (*hair, fur*); geschmeidig; **2.** *v/t* glätten.

sleep [sliːp] **1.** (**slept**) *v/i* schlafen; **~** (**up**)**on** *or* **over** et. überschlafen; **~ with s.o.** *have sex*: mit j-m schlafen; *v/t* schlafen; *j-n* für die Nacht unterbringen; **~ away** *time*: verschlafen; **2.** *s* Schlaf *m*; **get** *or* **go to ~** einschlafen; **put to ~** *animal*: einschläfern; **sleep·er** [ˈsliːpə] *s* Schlafende(r *m*) *f*; *on railway track*: Schwelle *f*; *rail.* Schlafwagen *m*; **~·ette** [~ˈret] *s on train, aircraft, etc.*: Liege-, Ruhesitz *m.*

sleep·ing [ˈsliːpɪŋ] *adj* schlafend; Schlaf...; **☆ Beau·ty** *s* Dornröschen *n*; **~·car(·riage)** *s rail.* Schlafwagen *m*; **~ part·ner** *s Br. econ.* stiller Teilhaber.

sleep|·less [ˈsliːpləs] *adj* □ schlaflos; **~·less·ness** *s* Schlaflosigkeit *f*; **~·walk·er** *s* Schlafwandler(in); **~·y** *adj* □ (*-ier, -iest*) schläfrig; müde; verschlafen.

sleet [sliːt] **1.** *s* Schneeregen *m*; Graupelschauer *m*; **2.** *v/i*: **it was ~·ing** es gab Schneeregen; es graupelte.

sleeve [sliːv] *s* Ärmel *m*; *tech.* Muffe *f*; *Br.* (Schall)Plattenhülle *f.*

sleigh [sleɪ] *s* (*esp. Pferde*)Schlitten *m.*

S

sleight [slaɪt] *s*: ~ **of hand** (Taschenspieler)Trick *m*; Fingerfertigkeit *f*.

slen·der ['slendə] *adj* □ schlank; schmächtig; *fig.* schwach; dürftig.

slept [slept] *pret and pp of* **sleep** 1.

sleuth [sluːθ] *s a.* ~**hound** Spürhund *m* (*a. fig. detective*).

slew [sluː] *pret of* **slay**.

slice [slaɪs] **1.** *s* Schnitte *f*, Scheibe *f*, Stück *n*; (An)Teil *m*; **2.** *v/t* (in) Scheiben schneiden; aufschneiden.

slick [slɪk] **1.** *adj* □ glatt, glitschig; F geschickt, raffiniert; **2.** *adv* direkt; **3.** *s* Ölfleck *m*, -teppich *m*; ~**er** *s Am.* F Regenmantel *m*; gerissener Kerl.

slid [slɪd] *pret and pp of* **slide** 1.

slide [slaɪd] **1.** *v/i and v/t* (**slid**) gleiten (lassen); rutschen; schlittern; ausgleiten; ~ *into fig.* in *et.* hineinschlittern; *let things* ~ *fig.* die Dinge laufen lassen; **2.** *s* Gleiten *n*, Rutschen *n*, Schlittern *n*; Rutschbahn *f*; Rutsche *f*; *tech.* Schieber *m*; *phot.* Dia(positiv) *n*; *Br.* (Haar-) Spange *f*; *a.* **land**~ Erdrutsch *m*; ~**rule** *s math.* Rechenschieber *m*.

slid·ing ['slaɪdɪŋ] *adj* □ gleitend, rutschend; Schiebe...; ~ **door** Schiebetür *f*.

slight [slaɪt] **1.** *adj* □ leicht; schwach; gering, unbedeutend; **2.** *s* Geringschätzung *f*; **3.** *v/t* geringschätzig behandeln; beleidigen, kränken.

slim (**-mm-**) [slɪm] **1.** *adj* □ schlank, dünn; *fig.* gering, dürftig; **2.** *v/i* e-e Schlankheitskur machen, abnehmen.

slime [slaɪm] *s* Schlamm *m*; Schleim *m*; **slim·y** *adj* (**-ier, -iest**) schlammig; schleimig; *fig.* schmierig; kriecherisch.

sling [slɪŋ] *s* (Stein)Schleuder *f*; (Trag)Schlinge *f*, Tragriemen *m*; *med.* Schlinge *f*, Binde *f*; **2.** *v/t* (**slung**) schleudern; auf-, umhängen; *a.* ~ *up* hochziehen.

slink [slɪŋk] *v/i* (**slunk**) schleichen.

slip [slɪp] **1.** *v/i and v/t* (**-pp-**) gleiten (lassen); rutschen, *on ice*: *a.* schlittern; ausgleiten, -rutschen; (ver)rutschen; loslassen; ~ *away* wegschleichen, sich fortstehlen; ~ *by time*: verstreichen; ~ *in remark*: dazwischenwerfen; ~ *into* hineinstecken *or* hineinschieben in (*acc*); ~ *off* (*on*) *ring, dress, etc.*: abstreifen (überstreifen); ~ *up* (e-n) Fehler machen; *have* ~**ped s.o.'s memory** *or* *mind* j-m entfallen sein; *she let* ~ *that*

... ihr ist herausgerutscht, daß ...; **2.** *s* (Aus)Gleiten *n*, (-)Rutschen *n*; Fehltritt *m* (*a. fig.*); (Flüchtigkeits)Fehler *m*; Fehler *m*, Panne *f*; Streifen *m*, Zettel *m*; *econ.* (Kontroll)Abschnitt *m*; (Kissen)Bezug *m*; Unterkleid *n*, -rock *m*; *a* ~ *of a boy* (*girl*) ein schmächtiges Bürschchen (ein zartes Ding); ~ *of the* **tongue** Versprecher *m*; *give s.o. the* ~ j-m entwischen; ~**ped disc** *s med.* Bandscheibenvorfall *m*; ~**per** *s* Pantoffel *m*, Hausschuh *m*; ~**per·y** *adj* □ (**-ier, -iest**) glatt, schlüpfrig; *fig. person*: zwielichtig; ~**road** *s Br.* Autobahnauffahrt *f*, -ausfahrt *f*; Zubringer (-straße *f*) *m*; ~**shod** *adj* schlampig, nachlässig; ~**stream** *sports* **1.** *s* Windschatten *m*; **2.** *v/i* im Windschatten fahren.

slit [slɪt] **1.** *s* Schlitz *m*, Spalt *m*; **2.** *v/t* (**-tt-**; **slit**) (auf-, zer)schlitzen.

slith·er ['slɪðə] *v/i* gleiten, rutschen.

sliv·er ['slɪvə] *s* Splitter *m*.

slob·ber ['slɒbə] **1.** *s* Sabber *m*, Geifer *m*; **2.** *v/i* geifern, sabbern.

slo·gan ['sləʊgən] *s* Slogan *m*; Schlagwort *n*; Werbespruch *m*.

slo·mo F ['sləʊməʊ] → **slowmo**.

sloop *mar.* [sluːp] *s* Schaluppe *f*.

slop [slɒp] **1.** *s for sick people*: Süppchen *n*; ~*s pl* Spül-, Schmutzwasser *n*; **2.** (**-pp-**) *v/t* verschütten; *v/i*: ~ *over* überschwappen.

slope [sləʊp] **1.** *s* (Ab)Hang *m*; Neigung *f*, Gefälle *n*; **2.** *v/t tech.* abschrägen; *v/i* abfallen; schräg verlaufen; sich neigen.

slop·py ['slɒpɪ] *adj* □ (**-ier, -iest**) naß, schmutzig; schlampig; labb(e)rig (*food*); rührselig.

slot [slɒt] *s* Schlitz *m*, (Münz)Einwurf *m*.

sloth [sləʊθ] *s* Faulheit *f*; *zo.* Faultier *n*.

slot-ma·chine ['slɒtməʃiːn] *s* (Waren-, Spiel)Automat *m*.

slouch [slaʊtʃ] **1.** *v/i* krumm *or* (nach-) lässig dastehen *or* dasitzen; F (herum-) latschen; **2.** *s* schlaffe, schlechte Haltung; ~ *hat* Schlapphut *m*.

slough[1] [slaʊ] *s* Sumpf(loch *n*) *m*.

slough[2] [slʌf] *v/t skin*: abwerfen.

slow [sləʊ] **1.** *adj* □ langsam; schwerfällig; träge; *be* ~ nachgehen (*clock*, *watch*); **2.** *adv* langsam; **3.** ~ *down*, ~ *up* *v/t speed*: verlangsamen, -ringern; *v/i* langsamer werden; ~**coach** *s* Langweiler m; ~**down** s Verlangsamung f; of inflation, etc.: Sinken n; a. ~ (**strike**) Am. econ. Bummelstreik m; ~ **lane** s mot. Kriechspur f; ~**mo** F, ~**mo·tion** s TV Zeitlupe f; ~**poke** Am. → **slow-coach**; ~**worm** s zo. Blindschleiche f.

sludge [slʌdʒ] s Schlamm m; Matsch m.

slug [slʌg] **1.** s zo. Wegschnecke f; Stück n Rohmetall; esp. Am. (Pistolen)Kugel f; Am. (Faust)Schlag m; **2.** v/t (-gg-) Am. F j-m e-n harten Schlag versetzen.

slug|gard ['slʌgəd] s Faulpelz m; ~**gish** adj □ träge; econ. schleppend.

sluice tech. [slu:s] s Schleuse f.

slum·ber ['slʌmbə] **1.** s mst ~s pl Schlummer m; **2.** v/i schlummern.

slump [slʌmp] **1.** v/i plumpsen; econ. fallen, stürzen (prices); **2.** s econ. (Kurs-, Preis)Sturz m; (starker) Konjunkturrückgang.

slums [slʌmz] s pl Slums pl, Elendsviertel n or pl.

slung [slʌŋ] pret and pp of **sling** 2.

slunk [slʌŋk] pret and pp of **slink**.

slur [slɜ:] **1.** v/t (-rr-) verunglimpfen, verleumden; undeutlich (aus)sprechen; mus. notes: binden; **2.** s Verunglimpfung f, Verleumdung f; undeutliche Aussprache; mus. Bindebogen m.

slush [slʌʃ] s Schlamm m, Matsch m; Schneematsch m; Kitsch m.

slut [slʌt] s Schlampe f; Nutte f.

sly [slaɪ] adj □ (~**er**, ~**est**) schlau, listig; hinterlistig; **on the** ~ heimlich.

smack [smæk] **1.** s (Bei)Geschmack m; Schmatz m (kiss); Schmatzen m; klatschender Schlag, Klatsch m, Klaps m; (Peitschen)Knall m; fig. Spur f, Andeutung f; **2.** v/i schmecken (**of** nach); v/t klatschend schlagen, knallen mit; j-m e-n Klaps geben; ~ **one's lips** schmatzen.

small [smɔ:l] **1.** adj klein; effect, etc.: gering; not much: wenig; minor: unbedeutend, bescheiden; (sozial) niedrig; petty: kleinlich; **feel** ~ sich schämen; sich ganz klein und häßlich vorkommen; look ~ beschämt or schlecht dastehen; **the** ~ **hours** pl die frühen Morgenstunden pl; **in a** ~ **way** bescheiden; **it's a** ~ **world** die Welt ist doch die Welt ist; **2.** s: ~ **of the back** anat. Kreuz n; ~**s** pl Br. F Unterwäsche f, Taschentücher pl etc.; **wash one's** ~**s** kleine Wäsche

waschen; ~ **arms** s pl Handfeuerwaffen pl; ~ **change** s Kleingeld n; ~**ish** adj ziemlich klein; ~**pox** s med. Pocken pl; ~ **talk** s oberflächliche Konversation; ~**time** adj F unbedeutend.

smart [smɑ:t] **1.** adj □ klug; gewandt, geschickt; gerissen, raffiniert; elegant, schick, fesch; forsch; flink; hart, scharf; heftig; schlagfertig; ~ **aleck** F Klugscheißer m; **2.** ~ stechender Schmerz; **3.** v/i schmerzen; leiden; ~**ness** s Klugheit f; Gewandtheit f; Gerissenheit f; Eleganz f; Schärfe f.

smash [smæʃ] **1.** v/t zerschlagen, -trümmern; (zer)schmettern; fig. vernichten; v/i zersplittern; krachen; zusammenstoßen; fig. zusammenbrechen; **2.** s heftiger Schlag; Zerschmettern n; Krach m; Zusammenbruch m (a. econ.); tennis, etc.: Schmetterball m (a. ~ **hit** F toller Erfolg; ~**ing** adj esp. Br. F toll, sagenhaft; ~**up** s Zusammenstoß m; Zusammenbruch m.

smat·ter·ing ['smætərɪŋ] s oberflächliche Kenntnis; **have a** ~ **of German** ein paar Brocken Deutsch können.

smear [smɪə] **1.** v/t (be-, ein-, ver-) schmieren; fig. verleumden; v/i schmieren; **2.** s Schmiere f; Fleck m.

smell [smel] **1.** s Geruch(ssinn) m; Duft m; Gestank m; **2.** (smelt or smelled) v/t riechen (an dat); v/i riechen (**at** an dat); duften; stinken; ~**y** adj (-**ier**, -**iest**) übelriechend, stinkend.

smelt[1] [smelt] pret and pp of **smell** 2.

smelt[2] metall. [~] v/t ore: (ein)schmelzen, verhütten.

smile [smaɪl] **1.** s Lächeln n; **2.** v/i lächeln; ~ **at** j-n anlächeln.

smirch [smɜ:tʃ] v/t besudeln.

smirk [smɜ:k] v/i grinsen.

smith [smɪθ] s Schmied m.

smith·e·reens [smɪðə'ri:nz] s pl Stücke pl, Splitter pl, Fetzen pl; **smash to** ~ in tausend Stücke schlagen or zerbrechen.

smith·y ['smɪðɪ] s Schmiede f.

smit·ten ['smɪtn] adj betroffen, heimgesucht; fig. hingerissen (**with** von); co. verliebt, -knallt (**with** in acc).

smock [smɒk] s Kittel m.

smog [smɒg] s Smog m.

smoke [sməʊk] **1.** s Rauch m; **have a** ~ (eine) rauchen; **2.** v/i rauchen; qualmen dampfen; v/t rauchen; räuchern;

~dried *adj* geräuchert; **smok·er** *s* Raucher(in); *rail*. F Raucher(abteil *n*) *m*; **~stack** *s* rail., mar. Schornstein *m*.

smok·ing ['sməʊkɪŋ] *s* Rauchen *n*; *attr* Rauch(er)...; **~com·part·ment** *s* rail. Raucherabteil *n*.

smok·y ['sməʊkɪ] *adj* □ (**-ier**, **-iest**) rauchig; verräuchert.

smooth [smu:ð] **1.** *adj* □ glatt; eben; ruhig (*tech.*, *sea*, *journey*); sanft (*voice*); flüssig (*style*, *etc.*); mild (*wine*); (aal-) glatt, gewandt (*manner*); **2.** *v/t* glätten; *fig.* besänftigen; **~ away** *fig.* wegräumen; **~ down** *v/i* sich glätten; *v/t* glattstreichen; **~ out** *wrinkles*: glattstreichen; **~ness** *s* Glätte *f*.

smo(u)l·der ['sməʊldə] *v/i* schwelen.

smudge [smʌdʒ] **1.** *v/t* (ver-, be)schmieren; *v/i* schmutzig werden; **2.** *s* Schmutzfleck *m*.

smug·gle ['smʌgl] *v/t* schmuggeln; **~r** *s* Schmuggler(in).

smut [smʌt] *s* Ruß(fleck) *m*; Schmutzfleck *m*; *fig.* Zote(n *pl*) *f*; **~ty** *adj* □ (**-ier**, **-iest**) schmutzig.

snack [snæk] *s* Imbiß *m*; **have a ~** e-e Kleinigkeit essen; **~bar** *s* Snackbar *f*, Imbißstube *f*.

snag [snæg] *s* *fig.* Haken *m*, Schwierigkeit *f*.

snail *zo.* [sneɪl] *s* Schnecke *f*.

snake *zo.* [sneɪk] *s* Schlange *f*.

snap [snæp] **1.** *s* (Zu)Schnappen *n*, Biß *m*; *sound*: Knacken *n*, Krachen *n*; Knacks *m*; *of whip*: Knallen *n*; F *phot.* Schnappschuß *m*; *fig.* F Schwung *m*, Schmiß *m*; *cold* ~ Kälteeinbruch *m*; **2.** (**-pp-**) *v/i* schnappen (**at** nach); *a.* **~ shut** zuschnappen (*lock*); *sound*: krachen, knacken, knallen; *break*: (zer)brechen; zerkrachen, -springen, -reißen; **~ at s.o.** j-n anschnauzen; **~ to it!**, *Am. a.* **~ it up!** *sl.* mach schnell!, Tempo!; **~ out of it!** *sl.* hör auf (damit)!, komm, komm!; *v/t* schnappen nach, schnappen, greifen nach; knallen mit; (auf- *or* zu)schnappen *or* zuknallen lassen; *phot.* knipsen; zerbrechen; j-n anschnauzen, anfahren; **~ one's fingers** mit den Fingern schnalzen; **~ one's fingers at** *fig.* j-n, *et.* nicht ernst nehmen; **~ out** *words*: hervorstoßen; **~ up** wegschnappen; an sich reißen; **~fas·ten·er** *s* Druckknopf *m*; **~pish** *adj* □ bissig; schnippisch; **~py**

adj (**-ier**, **-iest**) bissig; F flott; F schnell; **make it ~!**, *Br. a.* **look ~!** F mach fix!; **~shot** *s* Schnappschuß *m*, Momentaufnahme *f*.

snare [sneə] **1.** *s* Schlinge *f*, Falle *f* (*a. fig.*); **2.** *v/t* fangen; *fig.* umgarnen.

snarl [snɑ:l] **1.** *v/i and v/t* wütend knurren; **2.** *s* Knurren *n*, Zähnefletschen *n*; Knoten *m*; *fig.* Gewirr *n*.

snatch [snætʃ] **1.** *s* schneller Griff; Ruck *m*; Stückchen *n*; **2.** *v/t* schnappen; ergreifen; *et.* an sich reißen; nehmen; *v/i*: **~ at** greifen nach.

sneak [sni:k] **1.** *v/i* schleichen; *Br. sl.* petzen; *v/t sl.* stibitzen; **2.** *s* F Leisetreter *m*, Kriecher *m*; *Br. sl.* Petze *f*; **~ers** *s pl esp. Am.* Turnschuhe *pl*; **~y** *adj* F gerissen, raffiniert.

sneer [snɪə] **1.** *s* höhnisches Grinsen; höhnische Bemerkung; **2.** *v/i* höhnisch grinsen; spotten; höhnen.

sneeze [sni:z] **1.** *v/i* niesen; **2.** *s* Niesen *n*.

snick·er ['snɪkə] *v/i esp. Am.* kichern; *esp. Br.* wiehern.

sniff [snɪf] *v/t and v/i* riechen, schnuppern; schnüffeln (**a.** *glue*), schnupfen (*snuff*, *cocaine*); *fig.* die Nase rümpfen.

snig·ger *esp. Br.* ['snɪgə] *v/i* kichern.

snip [snɪp] **1.** *s* Schnitt *m*; Schnipsel *m*, *n*; **2.** *v/t* (**-pp-**) schnippeln, schnipseln.

snipe [snaɪp] **1.** *s zo.* Schnepfe *f*; **2.** *v/i* aus dem Hinterhalt schießen; **snip·er** *s* Heckenschütze *m*.

snob [snɒb] *s* Snob *m*; **~bish** *adj* □ versnobt.

snoop F [snu:p] **1.** *v/i*: **~ about**, **~ around** F *fig.* herumschnüffeln; **2.** *s* Schnüffler(in).

snooze F [snu:z] **1.** *s* Nickerchen *n*; **2.** *v/i* ein Nickerchen machen; dösen.

snore [snɔ:] **1.** *v/i* schnarchen; **2.** *s* Schnarchen *n*.

snort [snɔ:t] *v/i and v/t* schnauben; prusten.

snout [snaʊt] *s* Schnauze *f*; Rüssel *m*.

snow [snəʊ] **1.** *s* Schnee *m*; (*a. sl.*: *cocaine*, *heroin*); **2.** *v/i* schneien; **~ed in** *or* **up** eingeschneit; **be ~ed under** *fig.* erdrückt werden; **~bound** *adj* eingeschneit; **~capped**, **~clad**, **~covered** *adj* schneebedeckt; **~drift** *s* Schneewehe *f*; **~drop** *s bot.* Schneeglöckchen *n*; **~white** *adj* schneeweiß; **~y** *adj* □

(**-ier**, **-iest**) schneeig; schneebedeckt, verschneit; schneeweiß.

snub [snʌb] **1.** v/t (**-bb-**) j-n vor den Kopf stoßen, brüskieren; j-m über den Mund fahren; j-n schneiden; **2.** s Brüskierung f; **~nosed** adj stupsnasig.

snuff [snʌf] **1.** s Schnupftabak m; **take ~** schnupfen; **2.** v/t schnupfen; **candle**: ausdrücken.

snug [snʌg] adj □ (**-gg-**) geborgen; behaglich; enganliegend; **~gle** v/i sich anschmiegen or kuscheln (**up to s.o.** an j-n).

so [səʊ] adv so; cj also, deshalb; **I hope ~** ich hoffe es; **I think ~** ich glaube or denke schon; **are you tired? - ~ I am** bist du müde? Ja; **you are tired, ~ am I** du bist müde, ich auch; **I hope ~** hoffentlich; **~ far** bisher; **~ much for ...** so viel zu ...; **~ much for that** das hätten wir; **very much ~!** allerdings!, und wie!

soak [səʊk] v/t einweichen; durchnässen; (durch)tränken; **~ in** einsaugen; **~ up** aufsaugen; v/i sich vollsaugen; ein-, durchsickern; **~ing (wet)** klatschnaß.

soap [səʊp] **1.** s Seife f; **soft ~** Schmierseife f; sl. fig. Schmeichelei f; **~ (opera)** F TV: Seifenoper f; **2.** v/t ab-, einseifen; **~box** s Seifenkiste f; **get up on one's ~** F fig. Volksreden halten; **~y** adj □ (**-ier**, **-iest**) seifig; fig. F schmeichlerisch.

soar [sɔː] v/i (hoch) aufsteigen, sich erheben; in großer Höhe fliegen or schweben; aer. segeln, gleiten.

sob [sɒb] **1.** s Schluchzen n; **2.** v/i and v/t (**-bb-**) schluchzen.

so·ber ['səʊbə] **1.** adj □ nüchtern; **2.** v/t and v/i mst **~ up** (wieder) nüchtern machen or werden; **~ness** s, **so·bri·e·ty** [səʊ'braɪətɪ] s Nüchternheit f.

so-called [səʊ'kɔːld] adj sogenannt.

soc·cer ['sɒkə] s Fußball m.

so·cia·ble ['səʊʃəbl] **1.** adj □ gesellig; gemütlich; **2.** s geselliges Beisammensein.

so·cial ['səʊʃl] **1.** adj □ gesellig; gesellschaftlich; sozial; Sozial..., Gesellschafts...; **2.** s geselliges Beisammensein; 2 **Char·ter** s of EC: die Sozialcharta; **~ dem·o·crat** s pol. Sozialdemokrat(in); **~ dem·o·crat·ic** adj pol. sozialdemokratisch; **~ fab·ric** s Gesellschaftsgefüge n; **~ in·sur·ance** s Sozialversicherung f.

so·cial|is·m ['səʊʃəlɪzəm] s Sozialismus m; **~ist** **1.** s Sozialist(in); **2.** → **~is·tic** [~'lɪstɪk] adj (**~ally**) sozialistisch; **~ize** v/t sozialisieren; vergesellschaften; v/i gesellschaftlich verkehren (**with** mit).

so·cial| pol·i·cy [səʊʃl'pɒləsɪ] s Sozialpolitik f; **~ sci·ence** s Sozialwissenschaft f; **~ se·cu·ri·ty** s Sozialhilfe f; **be on ~** Sozialhilfe beziehen; **~ ser·vic·es** s pl staatliche Sozialleistungen pl; **cuts in ~** Sozialabbau m; **~ work** s Sozialarbeit f; **~ work·er** s Sozialarbeiter(in).

so·ci·e·ty [sə'saɪətɪ] s Gesellschaft f; Verein m, Vereinigung f.

so·ci·ol·o·gy [səʊsɪ'ɒlədʒɪ] s Soziologie f.

sock [sɒk] s Socke f; Einlegesohle f.

sock·et ['sɒkɪt] s anat. (Augen-, Zahn-) Höhle f; anat. (Gelenk)Pfanne f; tech. Muffe f; electr. Fassung f; electr. Steckdose f; electr. (Anschluß)Buchse f.

sod [sɒd] s Grasnarbe f; Rasenstück n; sl. person: V Sau f, F blöder Hund.

so·da ['səʊdə] s chem. Soda f, n; Soda (-wasser) n; **~foun·tain** s Siphon m; Am. Erfrischungstheke f, Eisbar f.

soft [sɒft] **1.** adj □ weich; mild; sanft; sacht, leise; gedämpft (**light**, etc.); leicht, angenehm (**job**); weichlich; **~ in the head** F einfältig, doof; alkoholfrei (**drink**); weich (**drugs**); **have a ~ job** F e-e ruhige Kugel schieben; **2.** adv sanft, leise; **~en** ['sɒfn] v/t weich machen; **voice**, etc.: dämpfen; **water**: enthärten; j-n erweichen; fig. mildern; v/i weich(er) or sanft(er) or mild(er) werden; **~head·ed** adj doof; **~heart·ed** adj weichherzig; **~ware** s computer: Software f; **~y** s F Trottel m; weichlicher Typ; Schwächling m.

sog·gy ['sɒgɪ] adj (**-ier**, **-iest**) durchnäßt; feucht.

soil [sɔɪl] s Boden m, Erde f.

sol·ace ['sɒləs] **1.** s Trost m; **2.** v/t trösten.

so·lar ['səʊlə] adj Sonnen..., Solar...

sold [səʊld] pret and pp of **sell**.

sol·dier ['səʊldʒə] s Soldat m.

sole[1] [səʊl] adj □ alleinig, einzig, Allein...; **~ agent** Alleinvertreter m.

sole[2] [~] **1.** s (Fuß-, Schuh)Sohle f; **2.** v/t besohlen.

sole³ zo. [~] s Seezunge f.

sol|emn ['sɒləm] adj □ feierlich; ernst; **so·lem·ni·ty** [sə'lemnətɪ] s Feierlichkeit f.

so·li·cit [sə'lɪsɪt] v/t (dringend) bitten (um); v/i sich anbieten (prostitute).

so·lic·i·tor [sə'lɪsɪtə] s Br. jur. Anwalt; Am. Agent m, Werber m.

sol·id ['sɒlɪd] **1.** adj □ fest; derb, kräftig; stabil; massiv; math. körperlich, räumlich, Raum...; gewichtig, triftig; solid(e), gründlich; solid(e), zuverlässig (person); einmütig, solidarisch; **a ~ hour** e-e volle Stunde; **2.** s fester Stoff; geom. Körper m; **~s** pl feste Nahrung; **sol·i·dar·i·ty** [sɒlɪ'dærətɪ] s Solidarität f.

so·lid·i·fy [sə'lɪdɪfaɪ] v/i and v/t fest werden (lassen); verdichten; **~ty** s Festigkeit f; Solidität f.

so·lil·o·quy [sə'lɪləkwɪ] s Selbstgespräch n; esp. thea. Monolog m.

sol·i·taire [sɒlɪ'teə] s gem: Solitär m; Am. card game: Patience f.

sol·i·ta·ry ['sɒlɪtərɪ] adj □ einsam; einzeln; einsiedlerisch; **~ confinement** Einzelhaft f; **~tude** s Einsamkeit f; Verlassenheit f; Öde f.

so·lo ['səʊləʊ] s (pl **-los**) Solo n; aer. Alleinflug m; **~ist** s mus. Solist(in).

sol·u·ble ['sɒljʊbl] adj löslich; fig. lösbar; **so·lu·tion** [sə'lu:ʃn] s (Auf)Lösung f.

solve [sɒlv] v/t lösen; **sol·vent 1.** adj chem. (auf)lösend; econ. zahlungsfähig; **2.** s chem. Lösungsmittel n.

som·bre, Am. **-ber** ['sɒmbə] adj □ düster, trüb(e); fig. trübsinnig.

some [sʌm, səm] adj and pron (irgend)ein; before it: einige, ein paar, manche; etwas; etwa; F beachtlich, vielleicht ein (in exclamations); **~ 20 miles** etwa 20 Meilen; **to ~ extent** einigermaßen; **~bod·y** pron (irgend) jemand, irgendjemand; **~day** adv eines Tages; **~how** adv irgendwie; **~ or other** irgendwie; **~one** pron (irgend) jemand, irgendeiner; **~place** adv Am. → **somewhere**.

som·er·sault ['sʌməsɔːlt] **1.** s Salto m; Purzelbaum m; **turn a ~** → **2.** v/i e-n Salto machen; e-n Purzelbaum schlagen.

some|thing ['sʌmθɪŋ] adv and pron (irgend) etwas; **~ like** so etwas wie, so

ungefähr; **~ or other** irgend etwas; **the book is really ~** F das Buch ist echt spitze; **~time 1.** adv irgendwann; **2.** adj ehemalige(r, -s); **~times** adv manchmal; **~what** adv etwas, ziemlich; irgendwie; **~where** adv irgendwo(hin); F **get ~** weiterkommen, zu etwas bringen.

son [sʌn] s Sohn m.

song [sɒŋ] s Lied n; Gesang m; Gedicht n; **for a ~** für ein Butterbrot; **~bird** s Singvogel m.

son·ic ['sɒnɪk] adj Schall...; **~ boom**, Br. a. **~ bang** s Überschallknall m.

son-in-law ['sʌnɪnlɔː] s Schwiegersohn m.

son·net ['sɒnɪt] s Sonett n.

so·no·rous [sə'nɔ:rəs] adj □ klangvoll.

soon [su:n] adv bald; früh; gern; **as or so ~ as** sobald als or wie; **~er** adv eher; früher; lieber; **~ or later** früher oder später; **the ~ the better** je eher, desto besser; **no ~ ... than** kaum ... als; **no ~ said than done** gesagt, getan.

soot [sʊt] **1.** s Ruß m; **2.** v/i verrußen.

soothe [su:ð] v/t beruhigen, besänftigen, beschwichtigen; lindern, mildern; **sooth·ing** adj □ besänftigend; lindernd; **sooth·say·er** ['su:θseɪə] s Wahrsager(in).

soot·y ['sʊtɪ] adj □ (-ier, -iest) rußig.

sop [sɒp] **1.** s eingetunktes Brotstück; **2.** v/t (-pp-) eintunken.

so·phis·ti·cat·ed [sə'fɪstɪkeɪtɪd] adj anspruchsvoll, kultiviert; intellektuell; blasiert; tech. hochentwickelt; tech. kompliziert; verfälscht; **soph·ist·ry** ['sɒfɪstrɪ] s Spitzfindigkeit f.

soph·o·more Am. ['sɒfəmɔː] s College-Student(in) or Schüler(in) e-r High-School im zweiten Jahr.

so·po·rif·ic [sɒpə'rɪfɪk] **1.** adj (**~ally**) einschläfernd; **2.** s Schlafmittel n.

sor·cer|er ['sɔ:sərə] s Zauberer m, Hexenmeister m; **~ess** s Zauberin f, Hexe f; **~y** s Zauberei f, Hexerei f.

sor·did ['sɔ:dɪd] adj □ schmutzig; schäbig, elend, miserabel.

sore [sɔː] **1.** adj □ (**~r, ~st**) schlimm, entzündet; wund, weh; gereizt; verärgert, böse; **a ~ throat** Halsschmerzen pl, Angina f; **2.** s Wunde f, Entzündung f; **~head** s Am. F mürrischer Mensch.

sor·row ['sɒrəʊ] s Kummer m, Leid n;

Schmerz *m*, Jammer *m* **~ful** *adj* □ traurig, betrübt.

sor·ry ['sɒrɪ] *adj and int* (**-ier**, **-iest**) betrübt, bekümmert; traurig; *be ~ about s.th.* et. bereuen *or* bedauern; *I am (so) ~!* es tut mir (sehr) leid, Verzeihung!; *~!* Verzeihung!, Entschuldigung!; *I am ~ for him* er tut mir leid; *we are ~ to say* wir müssen leider sagen.

sort [sɔːt] **1.** *s* Sorte *f*, Art *f*; *what ~ of* was für; *of a ~*, *of ~s* F so was wie; *~ of* irgendwie, gewissermaßen; *out of ~s* F nicht auf der Höhe; **2.** *v/t* sortieren; **~ out** (aus)sortieren; *fig.* in Ordnung bringen.

sot [sɒt] *s* Säufer *m*, Trunkenbold *m*.

sought [sɔːt] *pret and pp of* **seek.**

soul [səʊl] *s* Seele *f* (*a. fig.*); Inbegriff *m*; *mus.* Soul *m*.

sound [saʊnd] **1.** *adj* □ gesund; intakt; *econ.* solid(e), stabil, sicher; vernünftig; *jur.* gültig; zuverlässig; kräftig, tüchtig; fest, tief (*sleep*); **2.** *s* Ton *m*, Schall *m*, Laut *m*, Klang *m*; *mus.* Sound *m*; *med.* Sonde *f*; *geogr.* Sund *m*, Meerenge *f*; **3.** *v/i and v/t* (er)tönen, (-)klingen; erschallen (lassen); sich anhören; sondieren; *mar.* (aus)loten; *med.* abhorchen; **~ bar·ri·er** *s* Schallmauer *f*; **~film** *s* Tonfilm *m*; **~ing** *s mar.* Lotung *f*; *pl* lotbare Wassertiefe; **~less** *adj* □ lautlos; **~ lev·el** *s* Geräusch-, Lärmpegel *m*; **~ness** *s* Gesundheit *f* (*a. fig.*); **~ pol·lu·tion** *s* Lärmbelästigung *f*; **~proof** *adj* schalldicht; **~track** *s of film:* Tonspur *f*; Filmmusik *f*; **~wave** *s* Schallwelle *f*.

soup [suːp] **1.** *s* Suppe *f*; *(some)* ~ e-e Suppe; **2.** *v/t:* **~ up** F *engine:* frisieren.

sour ['saʊə] **1.** *adj* □ sauer; *fig.* verbittert; **2.** *v/t* säuern; *fig.* ver-, erbittern; *v/i* sauer (*fig.* verbittert) werden.

source [sɔːs] **1.** *s* Quelle *f*; Ursprung *m*; **2.** *v/t esp. econ.* erwerben.

sour·ish ['saʊərɪʃ] *adj* □ säuerlich; **~ness** *s* saurer Geschmack; *fig. of person:* Bitterkeit *f.*

south [saʊθ] **1.** *s* Süden *m*; **2.** *adj* südlich, Süd...; **~east** **1.** *s* Südosten *m*; **2.** *adj* südöstlich; **~east·er** *s* Südostwind *m*; **~east·ern** *adj* südöstlich.

south·er·ly ['sʌðəlɪ] *adj*, **~n** [~n] *adj* südlich, Süd...; **~n·most** *adj* südlichste(r, -s).

south·ward(s) ['saʊθwəd(z)] *adv* südwärts, nach Süden.

south·|west [saʊθ'west] **1.** *s* Südwesten *m*; **2.** *adj* südwestlich; **~west·er** *s* Südwestwind *m*; *mar.* Südwester *m*; **~west·er·ly**, **~west·ern** *adj* südwestlich.

sou·ve·nir [suːvə'nɪə] *s* Souvenir *n*, Andenken *n.*

sove·reign ['sɒvrɪn] **1.** *adj* □ höchste(r,-s); unübertrefflich; souverän, unumschränkt; **2.** *s* Herrscher(in); Monarch(in); Sovereign *m* (*former British coin*); **~ty** [~ntɪ] *s* höchste (Staats)Gewalt; Souveränität *f*, Landeshoheit *f.*

sow[1] [saʊ] *s* Sau *f*, (Mutter)Schwein *n.*

sow[2] [səʊ] *v/t* (*sowed*, *sown or sowed*) (aus)säen, ausstreuen; besäen; **~n** [~n] *pp of* **sow**[2].

spa [spɑː] *s* Heilbad *n*; Kurort *m.*

space [speɪs] **1.** *s* (Welt)Raum *m*; Raum *m*, Platz *m*; Abstand *m*, Zwischenraum *m*; Zeitraum *m*; **2.** *v/t mst* **~ out** *print.* sperren; **~ age** *s* Weltraumzeitalter *m*; **~ cap·sule** *s* Raumkapsel *f*; **~craft** *s* Raumfahrzeug *n*; **~ flight** *s* (Welt-)Raumflug *m*; **~lab** *s* Raumlabor *n*; **~port** *s* Raumfahrtzentrum *n*; **~probe** *s* (Welt)Raumsonde *f*; **~ re·search** *s* (Welt)Raumforschung *f*; **~sav·ing** *adj* platzsparend; **~ship** *s* Raumschiff *n*; **~ shut·tle** *s* Raumfähre *f*; **~ sta·tion** *s* (Welt)Raumstation *f*; **~suit** *s* Raumanzug *m*; **~ walk** *s* Weltraumspaziergang *m*; **~wom·an** *s* (Welt)Raumfahrerin *f.*

spa·cious ['speɪʃəs] *adj* □ geräumig; weit; umfassend.

spade [speɪd] *s* Spaten *m*; *playing-card:* Pik *n*, Grün *n*; *king of ~s* Pik-König *m*; *call a ~ a ~* das Kind beim (rechten) Namen nennen.

span [spæn] **1.** *s* Spanne *f*; *arch.* Spannweite *f*; **2.** *v/t* (**-nn-**) um-, überspannen; (aus)messen.

span·gle ['spæŋgl] **1.** *s* Flitter *m*, Paillette *f*; **2.** *v/t* mit Flitter *or* Pailletten besetzen; *fig.* übersäen.

Span·iard ['spænjəd] *s* Spanier(in).

Span·ish ['spænɪʃ] **1.** *adj* spanisch; **2.** *s ling.* Spanisch *n*; *the ~ pl coll.* die Spanier *pl.*

spank F [spæŋk] **1.** *v/t* verhauen; **2.** *s* Klaps *m*, Schlag *m*; **~ing 1.** *adj* □

schnell, flott; tüchtig, gehörig; **2.** adv: **~ clean** blitzsauber; F **~ new** F funkelnagelneu; **3.** s F Haue f, Tracht f Prügel.

span·ner tech. ['spænə] s Schraubenschlüssel m.

spar [spa:]v/i (**-rr-**) boxing: sparren; fig. sich streiten.

spare [speə] **1.** adj □ sparsam; kärglich, mager; überzählig; überschüssig; Ersatz..., Reserve...; **~ part** Ersatzteil n, a. m; **~ room** Gästezimmer n; **~ time**, **~ hours** pl Freizeit f, Mußestunden pl; **2.** s tech. Ersatzteil n, a. m; **3.** v/t (ver)schonen; erübrigen; entbehren; (übrig)haben; ersparen; sparen mit; trouble, expense: scheuen.

spar·ing ['speərɪŋ] adj □ sparsam.

spark [spa:k] **1.** s Funke(n) m; **2.** v/i Funken sprühen; **~ing-plug** s Br. mot. Zündkerze f.

spar|kle ['spa:kl] **1.** s Funke(n) m; Funkeln n; **2.** v/i funkeln; blitzen; perlen (wine); **~kling** adj □ funkelnd, sprühend; fig. geistsprühend, spritzig; **~ wine** Schaumwein m.

spark-plug Am. mot. ['spa:kplʌg] s Zündkerze f.

spar·row zo. ['spærəʊ] s Sperling m, Spatz m; **~hawk** s zo. Sperber m.

sparse [spa:s] adj □ spärlich, dünn.

spas·m ['spæzəm] s med. Krampf m; Anfall m; **spas·mod·ic** [spæz'mɒdɪk] adj (**~ally**) med. krampfhaft, -artig; fig. sprunghaft.

spas·tic med. ['spæstɪk] **1.** adj (**~ally**) spastisch; **2.** s Spastiker(in).

spat [spæt] pret and pp of **spit²** 2.

spat·ter ['spætə] v/t and v/i (be)spritzen.

spawn [spɔːn] **1.** zo. Laich m; fig. contp. Brut f; **2.** v/i zo. laichen; v/t fig. hervorbringen.

speak [spi:k] (**spoke**, **spoken**) v/i sprechen, reden (**to** mit; **about** über acc); **~ out**, **~ up** laut u. deutlich sprechen; offen reden; **~ to** s.o. j-n or mit j-m sprechen; v/t (aus)sprechen; sagen; äußern; language: sprechen, können; **~er** s Sprecher(in), Redner(in); of radio, etc.: Lautsprecher m; ♀ parl. Präsident m; **Mr** ♀! Herr Vorsitzender!

spear [spɪə] **1.** s Speer m; Spieß m, Lanze f; **2.** v/t durchbohren, aufspießen.

spe·cial ['speʃl] **1.** adj □ besondere(r, -s); speziell; Sonder...; Spezial...; **2.** s

newspaper: Sonderausgabe f; rail. Sonderzug m; radio, TV: Sendung f; constable: Hilfspolizist(in); Am. Tagesgericht n (in restaurant); Am. econ. Sonderangebot n; **on ~** Am. econ. im Angebot; **~ist** s Spezialist(in), Fachmann m, -frau f; med. Facharzt m, -ärztin f; **spe·ci·al·i·ty** [speʃi'ælətɪ] s Besonderheit f; Spezialfach n; econ. Spezialität f; **~ize** ['speʃəlaɪz] v/i and v/t (sich) spezialisieren; **~ly** ['speʃəlɪ] adv besonders; extra; **~ty** esp. Am. → speciality.

spe·cies ['spi:ʃi:z] s (pl **-cies**) Art f, Spezies f.

spe|cif·ic [spɪ'sɪfɪk] adj (**~ally**) spezifisch; besondere(r, -s); bestimmt; **~ci·fy** ['spesɪfaɪ] v/t spezifizieren, einzeln angeben; **~ci·men** ['spesɪmən] s Probe f, Muster n; Exemplar n.

spe·cious ['spi:ʃəs] adj □ blendend, bestechend; trügerisch; Schein...

speck [spek] s Fleck(en) m; Stückchen n, **~le** s Fleck(en) m, Sprenkel m, Tupfen m; **~led** adj gefleckt, gesprenkelt, getüpfelt.

spec·ta·cle ['spektəkl] s Schauspiel n; Anblick m; (**a pair of**) **~s** pl (e-e) Brille f.

spec·tac·u·lar [spek'tækjʊlə] **1.** adj □ spektakulär, sensationell, aufsehenerregend; **2.** s große (Fernseh)Schau, Galavorstellung f.

spec·ta·tor [spek'teɪtə] s Zuschauer(in).

spec|tral ['spektrəl] adj □ gespenstisch; **~tre**, Am. **~ter** s Gespenst n.

spec·u|late ['spekjʊleɪt] v/i grübeln, nachsinnen; econ. spekulieren; **~la·tion** [~'leɪʃn] s theoretische Betrachtung; Nachdenken n; Grübeln n; econ. Spekulation f; **~la·tive** ['~lətɪv] adj □ grüblerisch; theoretisch; econ. spekulativ; **~la·tor** ['~leɪtə] s econ. Spekulant m.

sped [sped] pret and pp of **speed** 2.

speech [spi:tʃ] s Sprache f; Reden n, Sprechen n; Rede f, Ansprache f; **make a ~** e-e Rede halten; **~-day** s Br. school: (Jahres)Schlußfeier f; **~-less** adj □ sprachlos.

speed [spi:d] **1.** s Geschwindigkeit f, Tempo n, Schnelligkeit f, Eile f; tech. Drehzahl f; mot. Gang m; phot. Lichtempfindlichkeit f; phot. Belichtungszeit f; sl. Speed n (drug); **full** or **top ~** Höchstgeschwindigkeit f; **a ten-~ bi-**

cycle ein Zehngangfahrrad; **2.** (*sped*) *v/i* (dahin)eilen, schnell fahren, rasen; ~ *up* (*pret and pp* **speeded**) die Geschwindigkeit erhöhen; *v/t* rasch befördern; ~ *up* (*pret and pp* **speeded**) beschleunigen; **~boat** *s* Rennboot *n*; **~ing** *s mot.* zu schnelles Fahren, Geschwindigkeitsüberschreitung *f*; ~ **limit** *s mot.* Geschwindigkeitsbegrenzung *f*, Tempolimit *n*; **~o** F *mot.* [∫ʊ] *s* (*pl* -*os*) Tacho *m*; **~om·e·ter** *mot.* [spɪˈdɒmɪtə] *s* Tachometer *m*, *n*; **~up** *s* Beschleunigung *f*, Temposteigerung *f*; *econ.* Produktionserhöhung *f*; **~way** *s sports:* Speedwayrennen *n*; Speedwaybahn *f*; *Am. mot.* Schnellstraße *f*; *Am. sports: mot.* Rennstrecke *f*; **~y** *adj* □ (-*ier*, -*iest*) schnell, rasch.

spell [spel] **1.** *s* Weile *f*, Weilchen *n*; Anfall *m*; Zauber(spruch) *m*; *fig.* Zauber *m*; *a* ~ *of fine weather* e-e Schönwetterperiode; *hot* ~ Hitzewelle *f*; **2.** *v/t:* ~ *s.o. at s.th. esp. Am.* j-n bei et. ablösen; (*spelt or Am.* **spelled**) buchstabieren; richtig schreiben; bedeuten; geschrieben werden, sich schreiben; **~bound** *adj* (wie) gebannt, fasziniert, gefesselt; **~er** *s computer:* Rechtschreib(korrektur)system *n*; *be a good* (*bad*) ~ in Rechtschreibung gut (schlecht) sein; **~ing** *s* Buchstabieren *n*; Rechtschreibung *f*.

spelt [spelt] *pret and pp of* **spell** 2.

spend [spend] **1.** *v/t* (*spent*) verwenden; *money:* ausgeben; verbrauchen; verschwenden; *energy, etc.:* aufwenden; *time, holiday:* zu-, verbringen; ~ *o.s.* sich erschöpfen; **2.** *s* Ausgaben(höhe *f*) *pl*; **~thrift** *s* Verschwender(in).

spent [spent] **1.** *pret and pp of* **spend** 1; **2.** *adj* erschöpft, matt.

sperm [spɜːm] *s* Sperma *n*, Samen *m*.

spew [spjuː] *v/i* F *vomit:* brechen, speien; ~ *out of water, etc.:* hervorsprudeln.

sphere [sfɪə] *s* Kugel *f*; Erd-, Himmelskugel *f*; *fig.* Sphäre *f*; (Wirkungs)Kreis *m*, Bereich *m*, Gebiet *n*; **spher·i·cal** [ˈsferɪkl] *adj* □ sphärisch; kugelförmig.

spice [spaɪs] **1.** *s* Gewürz(e *pl*) *n*; *fig.* Würze *f*, Anflug *m*; **2.** *v/t* würzen.

spick and span [spɪkənˈspæn] *adj* blitzsauber; wie aus dem Ei gepellt; funkelnagelneu.

---

spic·y [ˈspaɪsɪ] *adj* □ (-*ier*, -*iest*) würzig; gewürzt; *fig.* pikant.

spi·der *zo.* [ˈspaɪdə] *s* Spinne *f*.

spig·ot [ˈspɪɡət] *s* (Faß)Zapfen *m*; (Zapf-, *Am.* Leitungs)Hahn *m*.

spike [spaɪk] **1.** *s* Stift *m*; Spitze *f*; Dorn *m*; Stachel *m*; *agr.* Ähre *f*; *sports:* Spike *m*; **~s** *pl sports, mot.:* Spikes *pl, mot. a.* Spikereifen *pl*; **2.** *v/t* festnageln; mit (Eisen)Spitzen *etc.* versehen; ~ *heel* *s* Pfennigabsatz *m*.

spill [spɪl] **1.** (*spilt or* **spilled**) *v/t* ver-, ausschütten; *blood:* vergießen; verstreuen; *rider:* abwerfen; *sl.* ausplaudern; → *milk* 1; *v/i* überlaufen; *sl.* auspacken, singen; **2.** *s* Sturz *m* (*from horse, etc.*).

spilt [spɪlt] *pret and pp of* **spill** 1.

spin [spɪn] **1.** (-*nn*-; *spun*) *v/t* spinnen; schnell drehen, (herum)wirbeln; *coin:* hochwerfen; *fig.* sich et. ausdenken, erzählen; ~ *s.th. out* et. in die Länge ziehen, et. ausspinnen; *v/i* spinnen; sich drehen; *aer.* trudeln; *mot.* durchdrehen (*wheels*); ~ *along* dahinrasen; **2.** *s* schnelle Drehung; *aer.* Trudeln *n*; *go for a* ~ e-e Spritztour machen.

spin·ach *bot.* [ˈspɪnɪtʃ] *s* Spinat *m*.

spin·al *anat.* [ˈspaɪnl] *adj* Rückgrat...; ~ *column* Wirbelsäule *f*, Rückgrat *n*; ~ *cord*, ~ *marrow* Rückenmark *n*.

spin·dle [ˈspɪndl] *s* Spindel *f*.

spin·dri·er [ˈspɪndraɪə] *s* (Wäsche-) Schleuder *f*; **~dry** *v/t washing:* schleudern; **~dry·er** → **spin-drier**.

spine [spaɪn] *s anat.* Wirbelsäule *f*, Rückgrat *n*; *bot., zo.* Stachel *m*; (Gebirgs)Grat *m*; (Buch)Rücken *m*.

spin·ning|-mill [ˈspɪnɪŋmɪl] *s* Spinnerei *f*; **~wheel** *s* Spinnrad *n*.

spin·ster [ˈspɪnstə] *s jur.* ledige Frau; *contp.* alte Jungfer.

spin·y *bot., zo.* [ˈspaɪnɪ] *adj* (-*ier*, -*iest*) stach(e)lig.

spi·ral [ˈspaɪərəl] **1.** *adj* □ spiralig; Spiral...; gewunden; ~ *staircase* Wendeltreppe *f*; **2.** *s* Spirale *f*; *price* ~ Preisspirale *f*.

spire [ˈspaɪə] *s* (Turm-, Berg- *etc.*)Spitze *f*; Kirchturm(spitze *f*) *m*.

spir·it [ˈspɪrɪt] **1.** *s* Geist *m*; Schwung *m*; Elan *m*; Mut *m*; Gesinnung *f*; *chem.* Spiritus *m*; **~s** *pl* alkoholische *or* geistige Getränke *pl*, Spirituosen *pl*; *high* (*low*) ~**s** *pl* gehobene (gedrückte) Stimmung; *that's the* ~! das lobe ich mir!; **2.** *v/t*: ~ *away or off* wegschaffen, -zaubern; ~**ed** *adj* □ temperamentvoll, lebhaft; energisch; feurig (*horse, etc.*); geistvoll; ~**less** *adj* □ geistlos; temperamentlos; mutlos.

spir·i·tu·al ['spɪrɪtjʊəl] **1.** *adj* □ geistig; geistlich; geistreich; **2.** *s mus.* Spiritual *n*; ~**ism** [~ɪzəm] *s* Spiritismus *m*.

spit¹ [spɪt] **1.** *s* (Brat)Spieß *m*; *geogr.* Landzunge *f*; **2.** *v/t* (-**tt**-) aufspießen.

spit² [~] **1.** *s* Speichel *m*, Spucke *f*; Fauchen *n*; F Ebenbild *n*; **2.** *v/i and v/t* (-**tt**-; *spat, Am. a.* **spit**) spucken; fauchen; *rain:* sprühen; *a.* ~ *out* (aus)spucken.

spite [spaɪt] **1.** *s* Bosheit *f*; Groll *m*; *in* ~ *of* trotz (*gen*); **2.** *v/t* j-n ärgern; ~**ful** *adj* □ boshaft, gehässig.

spit·fire ['spɪtfaɪə] *s* Hitzkopf *m*.

spit·ting im·age [spɪtɪŋ'ɪmɪdʒ] *s* Ebenbild *n*.

spit·tle ['spɪtl] *s* Speichel *m*, Spucke *f*.

spit·toon [spɪ'tu:n] *s* Spucknapf *m*.

splash [splæʃ] **1.** *s* Spritzer *m*, (Spritz-)Fleck *m*; Klatschen *n*, Platschen *n*; **2.** *v/t and v/i* (be)spritzen; platschen; planschen; (hin)klecksen; ~ *down* wassern (*spacecraft*); ~**down** *s* Wasserung *f*.

spleen [spli:n] *s anat.* Milz *f*; schlechte Laune.

splen·did ['splendɪd] *adj* □ glänzend, prächtig, herrlich; F großartig, hervorragend; ~**do(u)r** [~ə] *s* Glanz *m*, Pracht *f*, Herrlichkeit *f*.

splice [splaɪs] *v/t ropes:* spleißen; *film:* zusammenkleben.

splint *med.* [splɪnt] **1.** *s* Schiene *f*; **2.** *v/t* schienen.

splin·ter ['splɪntə] **1.** *s* Splitter *m*; **2.** *v/t and v/i* (zer)splittern; ~ *off* (*fig.* sich) abspliltern.

split [splɪt] **1.** *s* Spalt *m*, Riß *m*, Sprung *m*; *fig.* Spaltung *f*; **2.** *adj* gespalten; **3.** (-**tt**-; *split*) *v/t* (zer)spalten; zerreißen; ~ *hairs* Haarspalterei treiben; ~ *one's sides laughing or with laughter* sich totlachen; *v/i* sich spalten; sich teilen (*into* in *acc*); zerspringen, (-)platzen, (-)bersten; ~**ting** *adj* heftig, rasend (*headache*).

splut·ter ['splʌtə] *v/t and v/i* (heraus)stottern; *spit:* prusten, spucken; *of fire:* zischen; *of engine:* stottern.

spoil [spɔɪl] **1.** *s mst* ~**s** *pl* Beute *f*; *fig.* Ausbeute *f*, Gewinn *m*; **2.** *v/t* (**spoilt** *or* **spoiled**) verderben; ruinieren; *child:* verwöhnen, -ziehen; ~**er** *s mot.* Spoiler *m*; ~**sport** *s* Spielverderber(in); ~**t** *pret and pp of* **spoil** 2.

spoke¹ [spəʊk] *s* Speiche *f*; (Leiter-)Sprosse *f*.

spoke² [~] *pret of* **speak**; **spok·en 1.** *pp of* **speak**; **2.** *adj* gesprochen (*language*); ~**s·man** *s* Wortführer *m*, Sprecher *m*; ~**·per·son** *s* Sprecher(in); ~**s·wom·an** *s* Wortführerin *f*, Sprecherin *f*.

sponge [spʌndʒ] **1.** *s* Schwamm *m*; F Schmarotzer(in); *Br.* → *sponge-cake*; **2.** *v/t* mit e-m Schwamm (ab)waschen; ~ *off* weg-, abwischen; ~ *up* aufsaugen, -wischen; *v/i* F *fig.* schmarotzen; ~**cake** *s* Biskuitkuchen *m*; **spong·er** *s* F *fig.* Schmarotzer(in); **spong·y** *adj* (-*ier*, -*iest*) schwammig.

spon·sor ['spɒnsə] **1.** *s* Geldgeber(in), Sponsor(in) (*a. sports*); Bürg|e *m*, -in *f*; (Tauf)Pat|e *m*, -in *f*; Förderer *m*, Gönner(in); Schirmherr(in); **2.** *v/t sports, etc.:* sponsern; bürgen für; fördern; die Schirmherrschaft (*gen*) übernehmen; ~**ship** *s* Bürgschaft *f*; Patenschaft *f*; Schirmherrschaft *f*; Unterstützung *f*, Förderung *f*.

spon·ta·ne·i·ty [spɒntə'neɪətɪ] *s* Spontaneität *f*, eigener Antrieb; Ungezwungenheit *f*; ~**ous** [spɒn'teɪnɪəs] *adj* □ spontan; unvermittelt; ungezwungen, natürlich; von selbst (entstanden); Selbst...

spook [spu:k] *s* Spuk *m*; ~**y** *adj* (-*ier*, -*iest*) gespenstisch, Spuk...

spool [spu:l] *s* Spule *f*; Rolle *f*; *a.* ~ *of thread Am.* Garnrolle *f*.

spoon [spu:n] **1.** *s* Löffel *m*; **2.** *v/t* löffeln; ~**ful** *s* (ein) Löffel(voll) *m*.

spo·rad·ic [spə'rædɪk] *adj* (~*ally*) sporadisch, gelegentlich, vereinzelt.

spore *bot.* [spɔː] *s* Spore *f*, Keimkorn *n*.

sport [spɔːt] **1.** *s* Sport(art *f*) *m*; Zeitvertreib *m*; *fun:* Spaß *m*, Scherz *m*; F feiner Kerl; ~**s** *pl* Sport *m*; *Br. school:* Sportfest *m*; *do* ~ Sport treiben; *be a bad* (*good*) ~ ein schlechter (guter) Verlierer sein; **2.** *v/i* herumtollen; spielen; *v/t* F stolz (zur Schau) tragen, protzen mit; ~**ing** *adj* sportlich, Sport...; *chance:* fair; **spor·tive** *adj* □ verspielt; ~**s** *adj*

Sport...; **~s·man** s Sportler m;
~s·man·ship s (sportliche) Fairneß;
~s·wom·an s Sportlerin f.

spot [spɒt] **1.** s Fleck m; Tupfen m; Makel m; Stelle f, Ort m; med. Leberfleck m; med. Pickel m; radio, TV: (Werbe-)
Spot m; Br. F Tropfen m, Schluck m; **a ~ of** Br. F etwas; **on the ~** auf der Stelle, sofort; **2.** adj econ. sofort liefer- or zahlbar; **3.** (-tt-) v/t besprizten, sprenkeln; entdecken, sehen, erkennen; v/i fleckig werden; **~less** adj □ fleckenlos; fig. makellos, tadellos; **~light** s thea. Scheinwerfer(licht n) m; fig. **be in the ~** im Rampenlicht der Öffentlichkeit stehen; **~ter** s Beobachter m; mil. Aufklärer m; **~ty** adj (-ier, -iest) fleckig; pikkelig.

spouse [spaʊz] s Gatt|e m, -in f.

spout [spaʊt] **1.** s Ausguß m, Schnabel m
(of teapot, etc.); tube: Strahlrohr n; water ~: (Wasser)Strahl m; **2.** v/i (heraus-)
spritzen; hervorsprudeln.

sprain med. [spreɪn] **1.** s Verstauchung f;
2. v/t sich ~t. verstauchen.

sprang [spræŋ] pret of **spring** 2.

sprat zo. [spræt] s Sprotte f.

sprawl [sprɔːl] v/i sich rekeln; ausgestreckt daliegen; bot. wuchern.

spray [spreɪ] **1.** s Sprühregen m, Gischt
m, f, Schaum m; Spray m, n; → **sprayer**; **2.** v/t zerstäuben; (ver)sprühen; besprühen; hair: sprayen; plants: spritzen; v/i sprühen; spritzen; **~er** s
Zerstäuber m, Sprüh-, Spraydose f.

spread [spred] **1.** (spread) v/t a. ~ **out**
ausbreiten; ausstrecken; spreizen; ausdehnen; verbreiten; belegen; butter, etc.: (auf)streichen; bread, etc.: streichen; **~ the word** es verbreiten; **~ the table** den Tisch decken; v/i sich aus- or verbreiten; sich ausdehnen; **2.** s Aus-, Verbreitung f; Ausdehnung f; Spannweite f; Fläche f; (Bett)Decke f;
(Brot)Aufstrich m; F Festessen n.

spree F [spriː] s: **go (out) on a ~** e-e
Sauftour machen; **go on a buying** (or
shopping, spending) ~ wie verrückt einkaufen.

sprig bot. [sprɪg] s kleiner Zweig.

spright·ly ['spraɪtlɪ] adj (-ier, -iest) lebhaft, munter.

spring [sprɪŋ] **1.** s Sprung m, Satz m;

tech. (Sprung)Feder f; Sprungkraft f,
Elastizität f; Quelle f; fig. Triebfeder f;
fig. Ursprung m; Frühling m (a. fig.),
Frühjahr n; **2.** (sprang or Am. sprung,
sprung) v/t springen lassen; (zer-)
sprengen; game: aufjagen; **~ a leak**
mar. leck werden; **~ a surprise on s.o.**
j-n überraschen; v/i springen; entspringen (from dat); fig. herkommen, stammen (from von); bot. sprießen; **~ up**
aufkommen (ideas, etc.); **~board** s
Sprungbrett n; **~ tide** s Springflut f;
~time s Frühling(szeit f) m, Frühjahr
n; **~y** adj □ (-ier, -iest) federnd.

sprin·kle ['sprɪŋkl] v/t and v/i (be)streuen; (be)sprengen; sprühen (rain);
~kler s Berieselungsanlage f; Sprinkler
m; Rasensprenger m; **~kling** s Sprühregen m; **a ~ of** fig. ein wenig, ein paar.

sprint [sprɪnt] sports **1.** v/i sprinten;
spurten; **2.** s Sprint m; Spurt m; **~er** s
sports: Sprinter(in).

sprout [spraʊt] **1.** v/i sprießen; wachsen;
2. s bot. Sproß m; **(Brussels) ~s** pl bot.
Rosenkohl m.

spruce¹ [spruːs] adj □ schmuck, adrett.

spruce² bot. [~] s a. **~ fir** Fichte f, Rottanne f.

sprung [sprʌŋ] pret and pp of **spring** 2.

spry [spraɪ] adj munter, flink.

spun [spʌn] pret and pp of **spin** 1.

spur [spɜː] **1.** s Sporn m (a. zo., bot.);
Vorsprung m, Ausläufer m (of mountains); fig. Ansporn m; **on the ~ of the
moment** der Eingebung des Augenblicks folgend, spontan; **2.** v/t (-rr-)
horse: die Sporen geben (dat); often **~
on** fig. anspornen.

spurt¹ [spɜːt] **1.** v/i plötzlich aktiv werden; sports: spurten, sprinten; **2.** s
plötzliche Aktivität or Anspannung;
sports: Spurt m, Sprint m.

spurt² [~] **1.** v/i (heraus)spritzen; **2.** s
(Wasser- etc.)Strahl m.

sput·ter ['spʌtə] → **splutter**.

spy [spaɪ] **1.** s Spion(in); Spitzel m; **2.** v/t
erspähen, entdecken; ausspionieren;
v/i spionieren; **~ on, ~ upon** j-n nachspionieren; j-n bespitzeln; **~glass** s
Fernglas n; **~hole** s Guckloch n, Spion
m.

squab·ble ['skwɒbl] **1.** s Zank m, Kabbelei f; **2.** v/i sich zanken.

squad [skwɒd] s Gruppe f (a. mil.); police: (Überfall- etc.)Kommando n; Dezernat n; sports: Mannschaft f, Truppe f; **~ car** Am. (Funk)Streifenwagen m; **~ron** mil. ['skwɒdrən] s Schwadron f; (Panzer)Bataillon n; aer. Staffel f; mar. Geschwader n.

squal·id ['skwɒlɪd] adj □ schmutzig, verwahrlost, -kommen, armselig.

squall [skwɔːl] **1.** s meteor. Bö f; Schrei m; **~s** pl Geschrei n; **2.** v/i schreien.

squal·or ['skwɒlə] s Schmutz m.

squan·der ['skwɒndə] v/t verschwenden, -geuden.

square [skweə] **1.** adj □ (vier)eckig; quadratisch, Quadrat...; ... im Quadrat; rechtwink(e)lig stimmend, in Ordnung; quits: quitt, gleich; honest: anständig, ehrlich, offen; stocky: gedrungen; F old-fashioned: überholt, altmodisch, spießig; **2.** s Quadrat n (a. math.); Viereck n; Feld n (on game-board); in town: Platz m; sl. altmodischer Spießer; **3.** v/t quadratisch or rechtwink(e)lig machen; number: ins Quadrat erheben; shoulders: straffen; sports: unentschieden beenden (match); econ. ausgleichen (account); econ. begleichen (debt); fig. in Einklang bringen or (v/i) stehen (**with** mit); anpassen (**to** an acc); v/i passen (**with** zu); **~built** adj person: gedrungen; **~ dance** s esp. Am. Square dance m; **~ mile** s Quadratmeile f.

squash[1] [skwɒʃ] **1.** s Gedränge n; Brei m, Matsch m; Br. (Orangen- etc.)Saft m; sports: Squash n; **2.** v/t (zer-, zusammen)quetschen; zusammendrücken.

squash[2] bot. [~] s Kürbis m.

squat [skwɒt] **1.** (-tt-) v/i hocken, kauern; (a. v/t) sich illegal ansiedeln (auf dat); **~ down** sich hinhocken; v/t empty building: besetzen; **2.** adj in der Hocke; untersetzt, vierschrötig; **~ter** s Squatter m, illegaler Siedler; Schafzüchter m (in Australia); Hausbesetzer(in); **~ movement** Hausbesetzerszene f.

squawk [skwɔːk] **1.** v/i kreischen, schreien; **2.** s Gekreisch n, Geschrei n.

squeak [skwiːk] v/i quiek(s)en, piepen, piepsen; quietschen.

squeal [skwiːl] v/i schreien, kreischen; quietschen, kreischen (brakes, etc.); quiek(s)en, piep(s)en.

squeam·ish ['skwiːmɪʃ] adj □ empfindlich; mäkelig; heikel; penibel.

squeeze [skwiːz] **1.** v/t (aus-, zusammen)drücken, (-)pressen, (aus)quetschen; v/i sich zwängen or quetschen; **2.** s Druck m; Gedränge n; **squeez·er** s (Frucht)Presse f.

squid zo. [skwɪd] s Tintenfisch m.

squint [skwɪnt] v/i schielen; blinzeln.

squire ['skwaɪə] s Gutsherr m.

squirm F [skwɜːm] v/i sich winden.

squir·rel zo. ['skwɪrəl, Am. 'skwɜːrəl] s Eichhörnchen n.

squirt [skwɜːt] **1.** s Spritze f; Strahl m; F Wichtigtuer m; **2.** v/i and v/t (be)spritzen.

stab [stæb] **1.** s Stich m, (Dolch- etc.)Stoß m; **2.** (-bb-) v/t niederstechen; et. aufspießen; v/i stechen (**at** nach).

sta·bil·i·ty [stə'bɪlətɪ] s Stabilität f; Standfestigkeit f, Beständigkeit f; **~ize** ['steɪbəlaɪz] v/t and v/i (sich) stabilisieren.

sta·ble[1] ['steɪbl] adj □ stabil, fest.

sta·ble[2] [~] **1.** s Stall m; **2.** v/t in den Stall bringen; im Stall halten.

stack [stæk] **1.** s agr. (Heu-, Stroh-, Getreide)Schober m; Stapel m; F Haufen m; Schornstein(reihe f) m; **~s** pl (Haupt)Magazin n (in library); **2.** v/t a. **~ up** (auf)stapeln.

sta·di·um ['steɪdɪəm] s (pl -diums, -dia [-dɪə]) sports: Stadion n.

staff [stɑːf] s. Stab m (a. mil.), Stock m; Stütze f; (pl staves [steɪvz]) mus. Notensystem n; (Mitarbeiter)Stab m; Personal n, Belegschaft f; Beamtenstab m; Lehrkörper m; **2.** v/t besetzen (**with** mit); **~ mem·ber** s Mitarbeiter(in); **~ room** s Lehrerzimmer n.

stag zo. [stæg] s Hirsch m.

stage [steɪdʒ] **1.** s thea. Bühne f; das Theater; fig. Schauplatz m; Stufe f; Stadium n, Phase f; Teilstrecke f, Fahrzone f (bus, etc.); Etappe f; tech. Bühne f, Gerüst n; tech. Stufe f (of rocket); **2.** v/t inszenieren; veranstalten; **~coach** s hist. Postkutsche f; **~craft** s dramaturgisches or schauspielerisches Können; **~ de·sign** s Bühnenbild n; **~ de·sign·er** s Bühnenbildner(in); **~ di·rec·tion** s Regieanweisung f; **~ fright** s Lampenfieber n; **~ prop·er·ties** s pl Requisiten pl.

stag·ger ['stægə] **1.** v/i schwanken, taumeln, torkeln; fig. wanken(d werden); ~ **about** or **around** herumtorkeln; v/t ins Wanken bringen; working hours, etc.: staffeln; fig. überwältigen, sprachlos machen; **2.** s Schwanken n, Taumeln n; ~**ing** adj fig. atemberaubend, umwerfend (news, revelations).

stag|nant ['stægnənt] adj □ stehend (water, air); stagnierend; stockend; econ. still, flau; fig. träge; ~**nate** [~'neit] v/i stagnieren, stillstehen, stocken.

stain [stein] **1.** s Fleck m; Beize f; fig. Schandfleck m; **2.** v/t beschmutzen, beflecken; färben, wood: beizen; glass: bemalen; v/i schmutzen, Flecken geben; ~**ed glass** Buntglas n; ~**less** adj □ rostfrei, nichtrostend; esp. fig. fleckenlos.

stair [steə] s Stufe f; ~**s** pl Treppe f, Stiege f; ~**case**, ~**way** s Treppe(nhaus n) f.

stake [steik] **1.** s Pfahl m, Pfosten m; Marterpfahl m; (Wett-, Spiel)Einsatz m (a. fig.); ~**s** pl horse-race: Dotierung f; Rennen n; **pull up** ~**s** fig. Am. fig. F s-e Zelte abbrechen; **be at** ~ fig. auf dem Spiel stehen; **2.** v/t wagen, aufs Spiel setzen; ~ **off**, ~ **out** abstecken.

stale [steil] adj □ (~**r**, ~**st**) not fresh: alt; beer, etc.: schal, abgestanden; air: verbraucht; fig. fad.

stalk[1] bot. [stɔːk] s Stengel m, Stiel m, Halm m.

stalk[2] [~] v/i hunt. (sich an)pirschen; often ~ **along** (einher)stolzieren; v/t sich heranpirschen an (acc); verfolgen, hinter j-m herschleichen.

stall[1] [stɔːl] **1.** s Box f (in stable); (Verkaufs)Stand m, (Markt)Bude f; Chorstuhl m; ~**s** pl Br. thea. Parkett n; **2.** v/t animal: in Boxen unterbringen; mot. engine: abwürgen; v/i absterben (engine).

stall[2] [~] v/i ausweichen; a. ~ **for time** Zeit schinden; sports: auf Zeit spielen.

stal·li·on zo. ['stæljən] s (Zucht)Hengst m.

stal·wart ['stɔːlwət] adj □ stramm, kräftig; supporter: unerschütterlich, treu.

stam·i·na ['stæmɪnə] s Ausdauer f, Zähigkeit f; Durchhaltevermögen n, Kondition f.

stam·mer ['stæmə] **1.** v/i and v/t stottern, stammeln; **2.** s Stottern n.

stamp [stæmp] **1.** s (Auf)Stampfen n; Stempel m (a. fig.); (Brief)Marke f; fig. Gepräge n; fig. Art f; **2.** v/t aufstampfen mit; (ab)stempeln (a. fig.); letter: frankieren; (auf)prägen; ~ **out** (aus)stanzen; v/i (auf)stampfen; ~ **al·bum** s Briefmarkenalbum n; ~ **col·lec·tion** s Briefmarkensammlung f.

stam·pede [stæm'piːd] **1.** s Panik f, wilde, panische Flucht; (Massen)Ansturm m; **2.** v/i of horses, etc.: durchgehen; v/t in Panik versetzen.

stanch [stɑːntʃ] → **staunch**[1] and [2].

stand [stænd] **1.** (**stood**) v/i stehen; sich befinden; bleiben; fig. festbleiben; mst ~ **still** stillstehen, stehenbleiben; ~ **about** herumstehen; ~ **aside** beiseite treten; ~ **back** zurücktreten; ~ **by** dabeisein, -stehen; beistehen; zu j-m halten or stehen, j-m helfen; ~ **for** kandidieren für; bedeuten; eintreten für; F sich er. gefallen lassen; ~ **in** einspringen (**for s.o.** für j-n); ~ **in for** film: j-n doubeln; ~ **off** sich entfernt halten; fig. Abstand halten; ~ **on** (fig. be)stehen auf (dat); ~ **out** hervorstehen, -treten; sich abheben (**against** gegen); aus-, durchhalten; fig. herausragen; standhalten (dat); ~ **over** liegenbleiben; (sich) vertagen (**to** auf acc); ~ **to** stehen zu; mil. in Bereitschaft stehen or versetzen; ~ **up** aufstehen, sich erheben; ~ **up for** eintreten für; ~ **up to** mutig gegenüberstehen (dat); standhalten (dat); ~ **upon** → ~ **on**; v/t stellen; endure: aushalten, vertragen, ertragen; test, etc.: sich unterziehen (dat); exam.: a. bestehen; chance: haben; F spendieren; ~ **a round** F e-e Runde schmeißen; **2.** s Stand m; Stillstand m; (Stand)Platz m, Standort m; Stand(platz) m (for taxis); (Verkaufs-, Messe)Stand m; fig. Standpunkt m; support: Ständer m; in stadium: Tribüne f; esp. Am. jur. Zeugenstand m; **make a** ~ **against** sich entgegenstellen (dat).

stan·dard ['stændəd] **1.** s Standarte f, Fahne f, Flagge f; norm: Standard m, Norm f; Maßstab m; level: Niveau n, Stand m, Grad m; of currency: Münzfuß m, (Gold- etc.)Währung f; of lamp, etc.: Ständer m; ~ **of living** Lebensstandard m; **2.** adj maßgebend; normal;

Normal...; **~ize** *v/t* norm(ier)en, standardisieren, vereinheitlichen.

stand·by ['stændbaɪ] **1.** *s* (*pl* **-bys**) Beistand *m*, Hilfe *f*; Bereitschaft *f*; Ersatz *m*; **2.** *adj* Not..., Ersatz..., Reserve...; Bereitschafts...; **~in** *s film*: Double *n*; Ersatzmann *m*, Vertreter(in).

stand·ing ['stændɪŋ] **1.** *adj* stehend (*a. fig.*); (fest)stehend; *econ.* laufend; ständig; **2.** *s* Stellung *f*, Rang *m*; Ruf *m*, Ansehen *n*; Dauer *f*; *of long* **~** alt; **~ or·der** *s econ.* Dauerauftrag *m*; **~room** *s* Stehplatz *m*.

stand·off·ish [stænd'ɒfɪʃ] *adj* reserviert, ablehnend, zurückhaltend; **~point** *s* Standpunkt *m*; **~still** *s* Stillstand *m*; **be at a ~** stocken, ruhen, an e-m toten Punkt angelangt sein; stillstehen; **~up** *adj* stehend; im Stehen (eingenommen) (*meal*); **~ collar** *s* Stehkragen *m*.

stank [stæŋk] *pret of* **stink** 2.

stan·za ['stænzə] *s* Stanze *f*; Strophe *f*.

sta·ple¹ ['steɪpl] *s* Haupterzeugnis *n*; Hauptgegenstand *m*; *attr* Haupt...

sta·ple² [~] **1.** *s* Krampe *f*; Heftklammer *f*; **2.** *v/t* heften; **~r** *s* Heftmaschine *f*.

star [stɑː] **1.** *s* Stern *m*; *thea.*, *film*, *sports*: Star *m*; *The* **~s and Stripes** *pl* das Sternenbanner; **2.** (*-rr-*) *v/t* mit Sternen schmücken; in der *or* e-r Hauptrolle zeigen; *a film ~ring ...* ein Film mit ... in der Hauptrolle; *v/i* die *or* e-e Hauptrolle spielen (*in* in *dat*).

star·board *mar.* ['stɑːbəd] *s* Steuerbord *n*.

stare [steə] **1.** *s* Starren *n*; starrer *or* erstaunter Blick; **2.** *v/i* (**~ at** an)starren; erstaunt blicken.

stark [stɑːk] **1.** *adj* □ starr; rein, bar, völlig (*nonsense*); **2.** *adv* völlig; **~ naked** *or Br.* **~ers** splitternackt.

star·light ['stɑːlaɪt] *s* Sternenlicht *n*.

star·ling *zo.* ['stɑːlɪŋ] *s* Star *m*.

star·lit ['stɑːlɪt] *s* stern(en)klar.

star·ry ['stɑːrɪ] *adj* (*-ier*, *-iest*) Stern(en)...; **~ry-eyed** *adj* F naiv; romantisch; **~span·gled** *adj* sternenbesät; *The* **~ Banner** das Sternenbanner.

start [stɑːt] **1.** *s* Start *m*; Aufbruch *m*, Abreise *f*, Abfahrt *f*, *aer.* Abflug *m*, Start *m*, Beginn *m*, Anfang *m*; *sports*: Vorgabe *f*; *fig.* Vorsprung *m*; *in surprise*, *etc.*: Auffahren *n*, -schrecken *n*; Schreck *m*; *for a ~* fürs erste, zunächst

einmal; *from the ~* von Anfang an; *get the ~ of s.o.* j-m zuvorkommen; **2.** *v/i* *set out*: sich auf den Weg machen, aufbrechen; abfahren (*train*), auslaufen (*ship*), *aer.* abfliegen, starten; *sports*: starten; *tech.* anspringen (*engine*), anlaufen (*machine*); *begin*: anfangen, beginnen; *in surprise*: auffahren, hochschrecken; stutzen; *to ~ with* zunächst einmal; *~ from scratch* F ganz von vorne anfangen; *v/t* in Gang setzen *or* bringen, *tech. a.* anlassen; anfangen, beginnen; *sports*: starten (lassen); **~er** *sports*: Starter *m*; *mot.* Anlasser *m*, Starter *m*; **~s** *pl* F Vorspeise *f*.

star·tle ['stɑːtl] *v/t* erschrecken; aufschrecken; **~ling** *adj* erschreckend; überraschend, aufsehenerregend.

star·va·tion [stɑː'veɪʃn] *s* Hungern *n*; Verhungern *n*, Hungertod *m*; *attr* Hunger...; **~e** [stɑːv] *v/i* and *v/t* verhungern (lassen); *fig.* verkümmern (lassen); *I'm starving!* F ich bin am Verhungern!

state [steɪt] **1.** *s* Zustand *m*, Stand *m*; *often* **2** *pol.* Staat *m*, *attr* Staats...; *lie in* **~** feierlich aufgebahrt liegen; *the ~ of things* der Stand der Dinge; **2.** *v/t* angeben; erklären, darlegen; feststellen; festsetzen, -legen.

state aid ['steɪteɪd] *s mst pl econ.* staatliche Hilfe, Subvention *f*; **2 De·part·ment** *s Am. pol.* Außenministerium *n*; **~ly** *adj* (*-ier*, *-iest*) stattlich; würdevoll; erhaben; **~ment** *s* Angabe *f*; (Zeugen- *etc.*)Aussage *f*; Darstellung *f*; Erklärung *f*, Verlautbarung *f*, Statement *n*; Aufstellung *f*, *esp. econ.* (Geschäfts-, Monats- *etc.*)Bericht *m*; **~ of account** *s* Kontoauszug *m*; **~of-the-art** *adj* auf dem neuesten Stand der Technik; **~owned** *adj* staatseigen; **~man** *s pol.* Staatsmann *m*; **~ sub·si·dies** *s pl* → **state aid**.

stat·ic ['stætɪk] *adj* (**~ally**) statisch.

sta·tion ['steɪʃn] **1.** *s* Platz *m*, Posten *m*; Station *f*; (Polizei- *etc.*)Wache *f*; (Tank- *etc.*)Stelle *f*; (Fernseh-, Rundfunk)Sender *m*; *rail.* Bahnhof *m*; *rank*: Stellung *f*, Rang *m*; **2.** *v/t* aufstellen, postieren; *mar.*, *mil.* stationieren; **~a·ry** *adj* □ (still)stehend; fest(stehend); gleichbleibend.

sta·tion·er ['steɪʃnə] *s* Schreibwarenhändler m; **~'s** (**shop**) Schreibwarenhandlung f; **~·er·y** s Schreibwaren pl; Briefpapier n.

sta·tion-|-mas·ter ['steɪʃnmɑ:stə] s rail. Stationsvorsteher m; **~ wag·on** s Am. mot. Kombiwagen m.

sta·tis·tics [stə'tɪstɪks] s pl and sg Statistik f; → **vital statistics**.

stat·ue ['stætʃu:] s Standbild n, Plastik f, Statue f.

stat·ure ['stætʃə] s Statur f, Wuchs m.

sta·tus ['steɪtəs] s (Familien)Stand m; Stellung f, Rang m; Status m.

stat·ute ['stætʃu:t] s Statut n, Satzung f; Gesetz n.

staunch¹ [stɔ:ntʃ] v/t blood: stillen.

staunch² [~] adj □ treu, zuverlässig.

stay [steɪ] **1.** s Aufenthalt m, Besuch m; jur. Aufschub m; tech. Stütze f; **~s** pl Korsett n; **2.** v/i bleiben (**with s.o.** bei j-m); sich (vorübergehend) aufhalten, wohnen (**at, in** in dat; **with s.o.** bei j-m); **~ away** (**from**) fernbleiben (dat), wegbleiben (von); □ die Finger lassen (von); **~ up** aufbleiben, wach bleiben.

stead·y ['stedɪ] **1.** adj □ (**-ier, -iest**) fest; gleichmäßig, stetig, (be)ständig; zuverlässig; ruhig, sicher; **2.** adv: **go ~ with s.o.** F (fest) mit j-m gehen; **3.** v/i and v/t (sich) festigen, fest or sicher or ruhig machen or werden; (sich) beruhigen; **4.** s F feste Freundin, fester Freund.

steak [steɪk] s Steak n.

steal [sti:l] **1.** (**stole, stolen**) v/t stehlen (a. fig.); v/i stehlen; **~ away** sich davonstehlen; **2.** s Am. sl. Diebstahl m; esp. Am. F bargain: Geschenk n; **it's a ~** das ist ja geschenkt.

stealth [stelθ] s: **by ~** heimlich, verstohlen; **~y** adj □ (**-ier, -iest**) heimlich, verstohlen.

steam [sti:m] **1.** s Dampf m; Dunst m; attr Dampf...; **2.** v/i dampfen; **~ up** (sich) beschlagen (glass); v/t food: dünsten, dämpfen; **~er** s mar. Dampfer m; **~y** adj □ (**-ier, -iest**) dampfig, dampffend; dunstig; beschlagen (glass).

steel [sti:l] **1.** s Stahl m; **2.** adj stählern; Stahl...; **3.** v/t fig. stählen, wappnen; **~work·er** s Stahlarbeiter m; **~works** s sg Stahlwerk n.

steep [sti:p] **1.** adj □ steil, jäh; F toll; **2.** v/t einweichen; eintauchen; ziehen las

sen; **be ~ed in s.th.** fig. von et. durchdrungen sein.

stee·ple ['sti:pl] s (spitzer) Kirchturm; **~chase** s horse-race: Hindernisrennen n; athletics: Hindernislauf m.

steer¹ zo. [stɪə] s junger Ochse.

steer² [~] v/t steuern, lenken; **~age** s mar. Steuerung f; Zwischendeck n.

steer·ing ['stɪərɪŋ] s mot. Lenkung f; mar. Steuerung f; **~ col·umn** s mot. Lenksäule f; **~ wheel** s mar. Steuerrad n; mot. a. Lenkrad n.

stem [stem] **1.** s (Baum-, Wort)Stamm m; Stiel m; Stengel m; **2.** (**-mm-**) v/i stammen (**from** von); v/t eindämmen; bleeding: stillen; ankämpfen gegen.

stench [stentʃ] s Gestank m.

sten·cil ['stensl] s Schablone f; print. Matrize f.

ste·nog·ra·|pher [stə'nɒɡrəfə] s Stenograph(in) f; **~phy** s Stenographie f.

step [step] **1.** s Schritt m, Tritt m; kurze Strecke; (Treppen)Stufe f; Trittbrett n; fig. Fußstapfe f; (**a pair of**) **~s** pl (e-e) Trittleiter; **mind the ~!** Vorsicht, Stufe!; **take ~s** fig. Schritte unternehmen; **2.** (**-pp-**) v/i schreiten, treten; gehen; **~ out** fort ausschreiten; v/t: **~ off, ~ out** abschreiten; **~ up** ankurbeln, steigern.

step- [~] in compounds: Stief...; **~fa·ther** s Stiefvater m; **~moth·er** s Stiefmutter f.

steppe [step] s Steppe f.

step·ping-stone fig. ['stepɪŋstəʊn] s Sprungbrett n.

ster·e·o ['steriəʊ] s (pl **-os**) radio, etc.: Stereo n; Stereogerät n; attr Stereo...

ster|ile ['steraɪl] adj unfruchtbar; steril; **ste·ril·i·ty** [stə'rɪlətɪ] s Sterilität f; **~il·ize** ['steralaɪz] v/t sterilisieren.

ster·ling ['stɜ:lɪŋ] **1.** adj lauter, echt, gediegen; **2.** s econ. Sterling m (currency).

stern [stɜ:n] **1.** adj □ ernst; finster, streng, hart; **2.** s mar. Heck n; **~ness** s Ernst m; Strenge f.

stew [stju:] **1.** v/t and v/i schmoren, dünsten; **2.** s Eintopf m, Schmorgericht n; **be in a ~** in heller Aufregung sein.

stew·ard [stjʊəd] s Verwalter m; mar., aer. Steward m; (Fest)Ordner m; **~ess** s mar., aer. Stewardeß f.

stick [stɪk] **1.** s Stock m; Stecken m; trokkener Zweig; Stengel m, Stiel m; (Lippen- etc.)Stift m; Stab m; Stange f;

S

(Besen- *etc.*)Stiel *m*; **~s** *pl* Kleinholz *n*; **2.** (**stuck**) *v/i* stecken(bleiben); (fest)kleben (**to** an *dat*); sich heften (**to** an *acc*); **~ at nothing** vor nichts zurückschrecken; **~ out** ab-, hervor-, herausstehen; **~ to** bleiben bei; *v/t* (ab)stechen; stecken, heften (**to** an *acc*); kleben; F *knife*: stoßen; F *et.*, *j-n* (v)ertragen, ausstehen; **~ out** herauss(t)recken; **~ it out** F durchhalten; **~er** *s* Aufkleber *m*; *anti-...* **~** Anti-...-Aufkleber *m*; **~ing plas·ter** *s* Heftpflaster *n*.

stick·y ['stɪkɪ] *adj* □ (*-ier, -iest*) klebrig; schwierig, heikel.

stiff [stɪf] **1.** *adj* □ steif; starr; hart; fest; mühsam; stark (*alcoholic drink*); **be bored ~** F zu Tode gelangweilt sein; *keep a ~ upper lip* Haltung bewahren; **2.** *sl.* Leiche *f*; **~en** *v/i* sich versteifen; steif werden, erstarren; *v/t* versteifen; **~necked** *adj* halsstarrig.

sti·fle ['staɪfl] *v/t* ersticken; *fig.* unterdrücken.

sti·let·to [stɪ'letəʊ] *s* (*pl -tos, -toes*) Stilett *n*; **~ heel** *s* Pfennigabsatz *m*.

still [stɪl] **1.** *adj* □ still; ruhig; unbeweglich; *keep ~* stillhalten; **2.** *adv* noch (immer), (immer) noch; *nevertheless*: trotzdem; und doch, dennoch; **3.** *v/t* stillen; beruhigen; **4.** *s* Destillierapparat *m*; **~born** *adj* totgeboren; **~ life** *s* (*pl still lifes*) *paint.* Stilleben *n*; **~ness** *s* Stille *f*, Ruhe *f*.

stilt [stɪlt] *s* Stelze *f*; **~ed** *adj* □ gestelzt (*style*).

stim·u·lant ['stɪmjʊlənt] **1.** *adj med.* stimulierend; **2.** *s med.* Reiz-, Aufputschmittel *n*; Genußmittel *n*; Anreiz *m*; **~late** ['~leɪt] *v/t med.* stimulieren (*a. fig.*), anregen, aufputschen; *fig. a.* anspornen; **~la·tion** ['~leɪʃn] *s med.* Reiz *m*, Reizung *f*; Anreiz *m*, Antrieb *m*, Anregung *f*; **~lus** ['~ləs] *s* (*pl -li* [-laɪ]) *med.* Reiz *m*; (An)Reiz *m*, Antrieb *m*.

sting [stɪŋ] **1.** *s* Stachel *m*; Stich *m*, Biß *m*; **2.** *v/t and v/i* (**stung**) stechen; brennen; schmerzen; *fig.* anstacheln, reizen.

stin·gi·ness ['stɪndʒɪnɪs] *s* Geiz *m*; **~gy** *adj* □ (*-ier, -iest*) geizig, knaus(e)rig; dürftig.

stink [stɪŋk] **1.** *s* Gestank *m*; *kick up or raise a ~* F Stunk machen; **2.** *v/i* (**stank** *or* **stunk, stunk**) stinken.

stint [stɪnt] **1.** *s* Einschränkung *f*; Arbeit

f; **2.** *v/t* knausern mit; einschränken; *j-n* knapphalten.

stip·u·late ['stɪpjʊleɪt] *v/t and v/i:* **~** (**for**) sich *et.* ausbedingen, ausmachen, vereinbaren; **~la·tion** ['~leɪʃn] *s* Abmachung *f*, Klausel *f*, Bedingung *f*.

stir [stɜː] **1.** *s* Rühren *n*; Bewegung *f*; Aufregung *f*, Aufruhr *m*; Aufsehen *n*; **2.** *v/t and v/i* (*-rr-*) (sich) rühren; (sich) bewegen; erwachen; (um)rühren; *fig.* erregen; **~ up** aufhetzen; *dispute, etc.*: entfachen.

stir·rup ['stɪrəp] *s* Steigbügel *m*.

stitch [stɪtʃ] **1.** *s* Stich *m*; Masche *f*; Seitenstechen *n*; **2.** *v/t* nähen; heften.

stock [stɒk] **1.** *s of tree*: (Baum)Strunk *m*; *handle*: Griff *m*; *of gun*: (Gewehr-)Schaft *m*; *origin*: Stamm *m*, Familie *f*, Herkunft *f*; Rohstoff *m*; *cookery*: (Gemüse-, Fleisch)Brühe *f*; *supply*: Vorrat *m*; *econ.* Waren(lager *n*) *pl*; (Wissens-)Schatz *m*; *a. live~* Vieh(bestand *m*) *n*; *econ.* Stammkapital *n*; *econ.* Anleihekapital *n*; **~s** *pl econ.* Effekten *pl*; Aktien *pl*; Staatspapiere *pl*; **in** (**out of**) **~** *econ.* (nicht) vorrätig *or* auf Lager; *take ~ econ.* Inventur machen; *take ~ of fig.* sich klarwerden über (*acc*); **2.** *adj* vorrätig; Serien..., Standard...; *fig.* stehend, stereotyp; **3.** *v/t* ausstatten, versorgen; *econ. goods*: führen, vorrätig haben.

stock|breed·er ['stɒkbriːdə] *s* Viehzüchter *m*; **~brok·er** *s econ.* Börsenmakler *m*; **~ ex·change** *s econ.* Börse *f*; **~ farm·er** *s* Viehzüchter *m*; **~hold·er** *s esp. Am. econ.* Aktionär(in).

stock·ing ['stɒkɪŋ] *s* Strumpf *m*.

stock|job·ber *econ.* ['stɒkdʒɒbə] *s* Börsenhändler *m*; *Am.* Börsenspekulant *m*; **~ mar·ket** *s econ.* Börse *f*; Börsengeschäft *n*; **~still** *adv* stockstill, unbeweglich; **~tak·ing** *s econ.* Bestandsaufnahme *f* (*a. fig.*), Inventur *f*; **~y** *adj* (*-ier, -iest*) stämmig, untersetzt.

stok·er ['stəʊkə] *s* Heizer *m*.

stole [stəʊl] *pret of* **steal** 1; **sto·len** ['stəʊlən] *pp of* **steal** 1.

stol·id ['stɒlɪd] *adj* □ gleichmütig; stur.

stom·ach ['stʌmək] **1.** *s* Magen *m*; Leib *m*, Bauch *m*; *fig.* Lust *f*; **2.** *v/t fig.* (v)ertragen; **~ache** *s* Magenschmerzen *pl*, Bauchweh *n*; **~ up·set** *s* Magenverstimmung *f*.

stone [stəʊn] **1.** s Stein m; (Obst)Stein m, (-)Kern m; *pl* **stone** Br. unit of weight (= 14 lb = 6,35 kg); **2.** adj steinern; Stein...; **3.** v/t steinigen; entsteinen, -kernen; **~blind** adj stockblind.

stoned sl. [stəʊnd] adj of alcohol: F stockbesoffen; of drugs: sl. stoned.

stone|-dead [stəʊn'ded] adj mausetot; **~deaf** adj stocktaub; **~ma·son** s Steinmetz m; **~ware** s Steinzeug n.

ston·y ['stəʊnɪ] adj □ (-ier, -iest) steinig; fig. steinern, kalt.

stood [stʊd] pret and pp of **stand** 1.

stool [stuːl] s Hocker m, Schemel m; physiol. Stuhl(gang) m; **~pi·geon** s Lockvogel m; Spitzel m.

stoop [stuːp] **1.** v/i sich bücken; gebeugt gehen; fig. sich erniedrigen or herablassen; v/t neigen, beugen; **2.** s gebeugte Haltung.

stop [stɒp] **1.** (-pp-) v/t aufhören (mit); stoppen; anhalten; aufhalten; hindern; payment, activity, etc.: einstellen; bleeding: stillen; a. **~ up** ver-, zustopfen; v/i(an)halten, stehenbleiben, stoppen; aufhören; **~ dead** plötzlich stehenbleiben or aufhören; **~ off** F kurz haltmachen; **~ over** kurz haltmachen; Zwischenstation machen; **~ short** plötzlich anhalten; **2.** s Halt m; Stillstand m; Ende n; Pause f; rail., etc.: Aufenthalt m; Station f; (Bus)Haltestelle f; mar. Anlegestelle f; phot. Blende f; mst **full ~** gr. Punkt m; **~gap** s Notbehelf m; **~light** s mot. Brems-, Stopplicht n; **~o·ver** s esp. Am. Zwischenstation f; aer. Zwischenlandung f; **~page** [~ɪdʒ] s Unterbrechung f; Stopp m; (Verkehrs)Stockung f, Stau m; Verstopfung f; (Gehalts-, Lohn)Abzug m; Sperrung f (of cheque); (Arbeits-, Zahlungs- etc.)Einstellung f; **~per** s Stöpsel m, Pfropfen m; **~ping** s med. Plombe f; **~ sign** s mot. Stoppschild n; **~watch** s Stoppuhr f.

stor·age ['stɔːrɪdʒ] s Lagerung f, Speicherung f; computer: Speicher m; Lagergeld n; attr Speicher... (a. computer); **~ charges** pl econ. Lagerkosten pl.

store [stɔː] **1.** s Vorrat m; Lagerhaus n; Br. Kauf-, Warenhaus n; esp. Am. Laden m, Geschäft n; fig. Fülle f, Reichtum m; **in ~** vorrätig, auf Lager; **2.** v/t versorgen; a. **~ up, ~ away** (auf)spei-

chern, (ein)lagern; electr., computer: speichern; **~house** s Lagerhaus n; fig. Fundgrube f; **~keep·er** s Lagerverwalter m; esp. Am. Ladenbesitzer(in).

sto·rey, esp. Am. **-ry** ['stɔːrɪ] s Stock (-werk) n m; **-sto·reyed**, esp. Am. **-sto·ried** mst ... Stockwerken, ...stöckig.

stork zo. [stɔːk] s Storch m.

storm [stɔːm] **1.** s Sturm m; Unwetter n; Gewitter n; **2.** v/i stürmen; toben; v/t stürmen (a. mil.); **~y** adj □ (-ier, -iest) stürmisch.

sto·ry¹ ['stɔːrɪ] s Geschichte f; Erzählung f; thea., etc.: Handlung f; F Lüge f, Märchen n; **short ~** Kurzgeschichte f; Erzählung f.

sto·ry² esp. Am. [~] → **storey**.

stout [staʊt] adj □ stark, kräftig; derb; dick; tapfer.

stove¹ [stəʊv] s Ofen m, Herd m.

stove² [~] pret and pp of **stave** 2.

stow [stəʊ] v/t (ver)stauen, packen; **~ away** wegräumen; **~a·way** s mar., aer. blinder Passagier.

strad·dle ['strædl] **1.** v/i die Beine spreizen; v/t rittlings sitzen auf (dat); jump: grätschen über (acc); **2.** s sports: Grätsche f; high jump: Straddle m.

straight [streɪt] **1.** adj gerade; glatt (hair); pur (whisky, etc.); aufrichtig, offen, ehrlich; **put ~** in Ordnung bringen; **2.** adv gerade(aus); gerade(wegs); direkt; klar (think); ehrlich, anständig; a. **~ out** offen, rundheraus; **~ away** sofort; **~en** v/t gerademachen, (gerade)richten; **~ out** in Ordnung bringen; v/i gerade werden; **~ up** sich aufrichten; **~for·ward** adj □ ehrlich, redlich, offen; einfach.

strain [streɪn] **1.** s biol. Rasse f, Art f; (Erb)Anlage f, Hang m, Zug m; tech. Spannung f; mental tension: (Über)Anstrengung f, Anspannung f, Belastung f, Druck m, Streß m; med. Zerrung f; fig. Ton(art f) m; mst **~s** pl mus. Weise f, Melodie f; **2.** v/t (an)spannen; über-anstrengen; med. sich etw. zerren or verstauchen; fig et. strapazieren, überfordern; durchseihen, filtern; v/i sich spannen; sich anstrengen; sich abmühen (after um); zerren (at an dat); **~ed** adj gezwungen, unnatürlich; **~er** s Sieb n, Filter m.

strait [streɪt] s (in proper names: **2s** pl)

Meerenge f, Straße f; **~s** pl Not(lage) f; **be in dire ~s** in großen Nöten sein; **~ened** adj: **in ~ circumstances** in bescheidenen or beschränkten Verhältnissen; **~jack·et** s Zwangsjacke f.

strand [strænd] **1.** s Strang m; (Haar-) Strähne f; poet. Gestade n, Ufer n; **2.** v/t and v/i auf den Strand setzen; fig. stranden (lassen).

strange [streindʒ] adj □ (~r, ~st) fremd; seltsam, merkwürdig, sonderbar; **strang·er** s Fremde(r m) f.

stran·gle [ˈstræŋgl] v/t erwürgen.

strap [stræp] **1.** s Riemen m; Gurt m; Band n; Träger m (of dress); **2.** v/t (-pp-) festschnallen; mit e-m Riemen schlagen; **~hang** v/i F in bus, etc.: stehen; **~hang·er** s F stehender Fahrgast.

stra·te·gic [strəˈtiːdʒik] adj (~ally) strategisch; **strat·e·gy** [ˈstrætidʒi] s Strategie f.

stra·tum geol. [ˈstrɑːtəm] s (pl -ta [-tə]) Schicht f (a. fig.), Lage f.

straw [strɔː] **1.** s Stroh(halm m) n; **2.** adj Stroh...; **~ber·ry** s bot. Erdbeere f.

stray [strei] **1.** v/i (herum)streunen; (herum)streifen; sich verirren; **2.** adj verirrt, streunend; vereinzelt; **3.** s verirrtes or streunendes Tier.

streak [striːk] **1.** s Strich m, Streifen m; fig. Spur f; fig. (Glücks- etc.)Strähne f; **~ of lightning** Blitzstrahl m; **2.** v/t streifen; v/i rasen, flitzen; F run naked: flitzen, blitzen; **~er** s F Flitzer(in), Blitzer(in).

stream [striːm] **1.** s Bach m, Flüßchen n; Strom m, Strömung f; **2.** v/i strömen; tränen (eyes); triefen; flattern, wehen; **~er** s Wimpel m; (flatterndes) Band.

street [striːt] s Straße f; attr Straßen...; **in** (Am. **on**) **the ~** auf der Straße; **~car** s Am. Straßenbahn(wagen m) f; **~map** s Stadtplan m; **~wise** adj sl. appr. F mit allen Wassern gewaschen.

strength [streŋθ] s Stärke f, Kraft f; **on the ~ of** auf (acc) ... hin, auf Grund (gen); **~en** v/t (ver)stärken; fig. bestärken; v/i stark werden.

stren·u·ous [ˈstrenjʊəs] adj □ anstrengend; eifrig.

stress [stres] **1.** s Akzent m, Betonung f; fig. Nachdruck m; fig. Belastung f, Anspannung f; strain: Streß m; **2.** v/t betonen.

stretch [stretʃ] **1.** v/t strecken; (aus)dehnen; recken; fig. übertreiben; fig. es nicht allzu genau nehmen mit; **~ out** ausstrecken; v/i sich erstrecken; sich dehnen (lassen); **2.** s Dehnen n; Übertreibung f, Zeit(raum m, -spanne) f; Strecke f, Fläche f; **~er** s (Kranken)Trage f.

strick·en [ˈstrikən] adj heimgesucht, schwer betroffen; ergriffen.

strict [strikt] adj □ streng; genau; **~ly speaking** genaugenommen; **~ness** s Genauigkeit f; Strenge f.

strid·den [ˈstridn] pp of **stride** 1.

stride [straid] **1.** v/i (**strode, stridden**) (a. **~ out**) ausschreiten; **2.** s großer Schritt.

strife [straif] s Streit m, Hader m.

strike [straik] **1.** s econ. Streik m; (Öl-, Erz)Fund m; mil. (Luft)Angriff m; mil. Atomschlag m; **be on ~** streiken; **go on ~** in (den) Streik treten; **a lucky ~** ein Glückstreffer; **first ~** mil. Erstschlag m; **2.** (**struck**) v/t schlagen; treffen; stoßen; schlagen or stoßen gegen or auf (acc); find suddenly: stoßen or treffen auf (acc); flag, sail: streichen; mus. anschlagen; match: anzünden; light: machen; tent: abbrechen; einschlagen in (acc) (lightning); root: schlagen; impress: j-n beeindrucken; occur: j-m auf- or einfallen; **be struck by** beeindruckt sein von; **it ~s me as rather strange** es kommt mir recht seltsam vor; **~ off, ~ out** (aus)streichen; **~ up** mus. anstimmen; friendship: schließen; v/i schlagen; mar. auflaufen (**on** auf acc); econ. streiken; **~ home** fig. ins Schwarze treffen; **strik·er** s econ. Streikende(r m) f; soccer: Stürmer(in); **strik·ing** adj □ Schlag...; auffallend; eindrucksvoll; treffend.

string [striŋ] **1.** s Schnur f; Bindfaden m; Band n; Faden m, Draht m; (Bogen-) Sehne f; bot. Faser f; Reihe f, Kette f; mus. Saite f; **~s** pl mus. Streichinstrumente pl, die Streicher pl; **pull the ~s** fig. der Drahtzieher sein; **no ~s attached** ohne Bedingungen; **2.** v/t (**strung**) spannen; pearls, etc.: aufreihen; mus. besaiten; bespannen; (ver-, zu)schnüren; beans: abziehen; **be strung up** angespannt or erregt sein; **~band** s mus. Streichorchester n.

strin·gent [ˈstrindʒənt] adj □ streng, scharf; zwingend; knapp.

string·y ['strɪŋɪ] adj (-ier, -iest) faserig; sehnig; zäh.

strip [strɪp] **1.** (-pp-) v/t entkleiden (a. fig.); a. **~ off** abziehen, abstreifen, (ab-) schälen; a. **~ down** tech. zerlegen, auseinandernehmen; fig. entblößen, berauben; v/i sich ausziehen; **2.** s Streifen m.

stripe [straɪp] s Streifen m; mil. Tresse f.

strive [straɪv] v/i (strove, striven) streben; sich bemühen; ringen (for um); **striv·en** ['strɪvn] pp of **strive** 1.

strode [strəʊd] pret of **stride** 1.

stroke [strəʊk] **1.** s Schlag m; Streich m, Stoß m; Strich m; med. Schlag(anfall) m; **~ of (good) luck** Glücksfall m; **2.** v/t streichen über (acc); streicheln.

stroll [strəʊl] **1.** v/i schlendern, (herum-) bummeln; herumziehen; **2.** s Bummel m, Spaziergang m; **~er** s Spaziergänger(in); esp. Am. pram: Sportwagen m, Buggy m.

strong [strɒŋ] adj □ stark, kräftig; energisch; überzeugt; fest; stark, schwer (drink, etc.); **~box** s Geld-, Stahlkassette f; **~hold** s Festung f; fig. Hochburg f; **~mind·ed** adj willensstark; **~room** s Stahlkammer f, Tresor (-raum) m.

strove [strəʊv] pret of **strive**.

struck [strʌk] pret and pp of **strike** 2.

struc·ture ['strʌktʃə] s Bau(werk n) m; Struktur f, Gefüge n; Gebilde n.

strug·gle ['strʌgl] **1.** v/i sich (ab)mühen; kämpfen, ringen; sich winden, zappeln, sich sträuben; **2.** s Kampf m, Ringen n; Anstrengung f.

strung [strʌŋ] pret and pp of **string** 2.

stub [stʌb] **1.** s (Baum)Stumpf m; Stummel m; Kontrollabschnitt m; **2.** v/t (-bb-) (aus)roden; toe: sich et. stoßen; **~ out** cigarette, etc.: ausdrücken.

stub·ble ['stʌbl] s Stoppel(n pl) f; → **designer stubble**.

stub·born ['stʌbən] adj □ eigensinnig; widerspenstig; stur; hartnäckig.

stuck [stʌk] pret and pp of **stick** 2; **~up** adj F hochnäsig.

stud¹ [stʌd] **1.** s Ziernagel m; Knauf m; Manschetten-, Kragenknopf m; **2.** v/t (-dd-) mit Nägeln etc. beschlagen; übersäen.

stud² [~] s Gestüt n; a. **~horse** (Zucht-)

Hengst m; **~farm** Gestüt n; **~mare** Zuchtstute f.

stu·dent ['stjuːdnt] s Student(in); Am. Schüler(in).

stud·ied ['stʌdɪd] adj □ einstudiert; gesucht, gewollt; wohlüberlegt.

stu·di·o ['stjuːdɪəʊ] s (pl -os) Atelier n, Studio n; TV, etc.: Studio n, Aufnahme-, Senderaum m; **~ couch** s Schlafcouch f.

stu·di·ous ['stjuːdɪəs] adj □ fleißig; eifrig bemüht; sorgfältig, peinlich.

stud·y ['stʌdɪ] **1.** s Studium n; room: Studier-, Arbeitszimmer n; paint., etc.: Studie f; **studies** pl Studium n, Studien pl; **in a brown ~** in Gedanken versunken, geistesabwesend; **2.** v/t and v/i (ein)studieren; lernen; studieren, erforschen.

stuff [stʌf] **1.** s Stoff m; Zeug n; **2.** v/t (voll-, aus)stopfen; cookery: füllen; **get ~ed!** F hau ab!, F verpiß dich!; v/t sich vollstopfen; **~ing** s Füllung f; **~y** adj (-ier, -iest) dumpf, muffig, stickig; langweilig, fad; F spießig; F prüde.

stum·ble ['stʌmbl] **1.** s Stolpern n, Straucheln n; Fehltritt m; **2.** v/i stolpern, straucheln; **~ across, ~ on, ~ upon** zufällig stoßen auf (acc).

stump [stʌmp] **1.** s Stumpf m, Stummel m; **2.** v/t F verblüffen; v/i stampfen, stapfen; **~y** adj □ (-ier, -iest) gedrungen; plump.

stun [stʌn] v/t (-nn-) betäuben (a. fig.).

stung [stʌŋ] pret and pp of **sting** 2.

stunk [stʌŋk] pret and pp of **stink** 2.

stun·ning F ['stʌnɪŋ] adj □ toll, phantastisch.

stunt¹ [stʌnt] s Kunststück n; (Reklame)Trick m; Sensation f; **~ man** film: Stuntman m, Double n.

stunt² [~] v/t (im Wachstum etc.) hemmen; **~ed** adj verkümmert.

stu·pe·fy ['stjuːpɪfaɪ] v/t betäuben; fig. verblüffen.

stu·pen·dous [stjuːˈpendəs] adj □ verblüffend, erstaunlich.

stu·pid ['stjuːpɪd] adj □ dumm, einfältig; stumpfsinnig, blöd; **~i·ty** [~ˈpɪdətɪ] s Dummheit f; Stumpfsinn m.

stu·por ['stjuːpə] s Erstarrung f, Betäubung f.

stur·dy ['stɜːdɪ] adj □ (-ier, -iest) robust, kräftig; fig. entschlossen.

S

stut·ter ['stʌtə] **1.** v/i and v/t stottern; stammeln; **2.** s Stottern n; Stammeln n.

sty¹ [staɪ] s Schweinestall m.

sty², **stye** med. [~] s Gerstenkorn n.

style [staɪl] **1.** s Stil m; Mode f; (Mach)Art f; Titel m, Anrede f; **2.** v/t entwerfen; gestalten.

styl·ish ['staɪlɪʃ] adj □ stilvoll; elegant; **~·ish·ness** s Eleganz f; **~·ist** s Stilist(in).

suave [swɑːv] adj □ verbindlich; mild.

sub- [sʌb] in compounds: Unter..., unter...; Neben..., untergeordnet; Hilfs...; fast ...

sub·di·vi·sion ['sʌbdɪvɪʒn] s Unterteilung f; Unterabteilung f.

sub·due [səb'djuː] v/t unterwerfen; bezwingen; bändigen; dämpfen.

sub·ject 1. adj ['sʌbdʒɪkt] unterworfen; untergeben; abhängig; untertan; ausgesetzt (**to** dat); **be ~ to** neigen zu; **~ to** vorbehaltlich (gen); **2.** s [~] Untertan (-in); Staatsbürger(in), Staatsangehörige(r m) f; gr. Subjekt n, Satzgegenstand m; Thema n, Gegenstand m; (Lehr-, Schul-, Studien)Fach n; **3.** v/t [səb'dʒekt] unterwerfen; fig. unterwerfen, -ziehen, aussetzen (**to** dat); **~·jec·tion** s [səb'dʒekʃn] s Unterwerfung f; Abhängigkeit f.

sub·ju·gate ['sʌbdʒugeɪt] v/t unterjochen, -werfen.

sub·junc·tive gr. [səb'dʒʌŋktɪv] s (a. adj **~ mood**) Konjunktiv m.

sub·lease [sʌb'liːs], **~·let** v/t (-tt-; -let) untervermieten.

sub·lime [sə'blaɪm] adj □ erhaben; ideas, etc.: sublim.

sub·ma·chine gun [sʌbmə'ʃiːngʌn] s Maschinenpistole f.

sub·ma·rine ['sʌbməriːn] **1.** adj unterseeisch, Untersee...; **2.** s mar., mil. Unterseeboot n.

sub·merge [səb'mɜːdʒ] v/t and v/i (unter)tauchen; überschwemmen.

sub·mis·sion [səb'mɪʃn] s Unterwerfung f; Unterbreitung f; **~·sive** [~sɪv] adj □ unterwürfig; ergeben.

sub·mit [səb'mɪt] (-tt-) v/t (v/i sich) unterwerfen or -ziehen; unterbreiten, vorlegen (**to** dat); v/i sich fügen or ergeben (**to** dat or in acc).

sub·or·di·nate 1. adj □ [sə'bɔːdɪnət] un-

tergeordnet; nebensächlich; **~ clause** gr. Nebensatz m; **2.** s [~] Untergebene(r m) f; **3.** v/t [~eɪt] unterordnen.

sub·scribe [səb'skraɪb] v/t money: stiften, spenden (**to** für); specified sum: zeichnen; with one's name: unterzeichnen, unterschreiben mit; v/i: **~ to** newspaper, etc.: abonnieren; **~·scrib·er** s Unterzeichner(in); Spender(in); Abonnent(in); teleph. Teilnehmer(in), Anschluß m; **~·scrip·tion** [~'skrɪpʃn] s Vorbestellung f, Subskription f, of newspaper, etc.: Abonnement n; membership fee: (Mitglieds)Beitrag m; Spende f.

sub·se·quent ['sʌbsɪkwənt] adj (nach-)folgend; später; **~·ly** nachher; später.

sub·side [səb'saɪd] v/i sinken; sich senken; sich setzen; sich legen (wind, etc.); **~ into** verfallen in (acc); **~·sid·i·a·ry** [~'sɪdɪərɪ] **1.** adj □ Hilfs...; Neben..., untergeordnet; **2.** s econ. Tochter(gesellschaft) f; **~·si·dize** econ. ['sʌbsɪdaɪz] v/t subventionieren; **~·si·dy** econ. [~] s Beihilfe f; Subvention f; **~ policies** econ. Subventionspolitik f.

sub·sist [səb'sɪst] v/i leben, sich ernähren (**on** von); **~·sis·tence** s Dasein n, Existenz f; (Lebens)Unterhalt m.

sub·stance ['sʌbstəns] s Substanz f; das Wesentliche, Kern m, Gehalt m; Vermögen n.

sub·stan·dard [sʌb'stændəd] adj unter der Norm; **~ film** Schmalfilm m.

sub·stan·tial [səb'stænʃl] adj □ wesentlich; wirklich (vorhanden); beträchtlich; reichlich, kräftig (a. meal); stark; solid; vermögend; namhaft (sum).

sub·stan·ti·ate [səb'stænʃɪeɪt] v/t beweisen, begründen.

sub·stan·tive gr. ['sʌbstəntɪv] s Substantiv n, Hauptwort n.

sub·sti·tute ['sʌbstɪtjuːt] **1.** v/t and v/i an die Stelle setzen or treten (**for** von); **~ A for B** B durch A ersetzen, B gegen A austauschen or auswechseln; **2.** s Stellvertreter(in), Vertretung f; Ersatz m; **~·tu·tion** [~'tjuːʃn] s Stellvertretung f; Ersatz m; sports: Auswechslung f.

sub·ter·ra·ne·an [sʌbtə'reɪnɪən] adj □ unterirdisch.

sub·ti·tle ['sʌbtaɪtl] s Untertitel m.

sub·tle ['sʌtl] adj □ (**~r**, **~st**) fein(sinnig); subtil; scharf(sinnig).

sulky

sub·tract math. [səb'trækt] v/t abziehen, subtrahieren.

sub·trop·i·cal [sʌb'trɒpɪkl] adj subtropisch.

sub·urb ['sʌbɜːb] s Vorstadt f, -ort m; **~ur·ban** [sə'bɜːbən] adj vorstädtisch; **~ railway** Br. S-Bahn f.

sub·ven·tion econ. [səb'venʃn] s Subvention f.

sub·ver·sion [səb'vɜːʃn] s Subversion f; Umsturz m; **~sive** adj □ umstürzlerisch, subversiv; **~t** v/t stürzen.

sub·way ['sʌbweɪ] s (Straßen-, Fußgänger)Unterführung f; Am. Untergrundbahn f, U-Bahn f.

suc·ceed [sək'siːd] v/i Erfolg haben; glücken, gelingen; **~ to** folgen (dat) od auf (acc), nachfolgen (dat); v/t (nach-)folgen (dat), j-s Nachfolger werden.

suc·cess [sək'ses] s Erfolg m; **~ful** adj □ erfolgreich.

suc·ces·sion [sək'seʃn] s (Nach-, Erb-, Reihen)Folge f; **in ~** nacheinander; **~sive** adj □ aufeinanderfolgend; **~sor** s Nachfolger(in).

suc·cumb [sə'kʌm] v/i: **~ to illness, etc.** unter-, erliegen (dat).

such [sʌtʃ] adj solche(r, -s); derartige(r, -s); adv so; pron solch; **~ a man** ein solcher Mann; **no ~ thing** nichts dergleichen; **~ is life** so ist das Leben; **~ as** wie (zum Beispiel).

suck [sʌk] **1.** v/t saugen (an dat); aussaugen; lutschen (an dat); v/i saugen (at an dat); **2.** s Saugen n; **~er** s Saugnapf m, -organ n; bot. Wurzelschößling m; F Trottel m, Simpel m; **~le** v/t säugen, stillen; **~ling** s Säugling m.

suc·tion ['sʌkʃn] s (An)Saugen n; Sog m; attr (An)Saug...

sud·den ['sʌdn] adj □ plötzlich; (**all) of a ~** (ganz) plötzlich.

suds [sʌdz] s pl Seifenlauge f; Seifenschaum m; **~y** adj (-ier, -iest) schaumig.

sue [sjuː] v/t verklagen (for auf acc, wegen); a. **~ out** erwirken; v/i nachsuchen (for um); klagen.

suede, suède [sweɪd] s Wildleder n.

suf·fer ['sʌfə] v/i leiden (from an, unter dat); büßen; v/t erleiden, erdulden; (zu)lassen; **~ance** s Duldung f; **~er** s Leidende(r m) f; Dulder(in); **~ing** s Leiden n.

suf·fice [sə'faɪs] v/i and v/t (j-m) genügen; **~ it to say** es genügt wohl, wenn ich sage.

suf·fi·cien|cy [sə'fɪʃnsɪ] s genügende Menge; Auskommen n; **~t** adj genügend, genug, ausreichend; **be ~** genügen, (aus)reichen.

suf·fix ['sʌfɪks] s Suffix n, Nachsilbe f.

suf·fo·cate ['sʌfəkeɪt] v/i and v/t ersticken.

suf·frage pol. ['sʌfrɪdʒ] s Wahl-, Stimmrecht n.

suf·fuse [sə'fjuːz] v/t übergießen; überziehen.

sug·ar ['ʃʊgə] **1.** s Zucker m; **2.** v/t zuckern; **~ba·sin**, esp. Am. **~ bowl** s Zuckerdose f; **~cane** s bot. Zuckerrohr n; **~coat** v/t überzuckern; fig. versüßen; **~y** adj zuckerig; fig. zuckersüß.

sug|gest [sə'dʒest, Am. səg'dʒest] v/t vorschlagen, anregen; nahelegen; hinweisen auf (acc); idea: eingeben; andeuten; denken lassen an (acc); **~ges·tion** s Anregung f, Vorschlag m; psych. Suggestion f; Eingebung f; Andeutung f; **~ges·tive** adj □ anregend; vielsagend; zweideutig; **be ~ of s.th.** auf et. hindeuten, an et. denken lassen; den Eindruck von et. erwecken.

su·i·cide ['sjʊɪsaɪd] **1.** s Selbstmord m; Selbstmörder(in); **commit ~** Selbstmord begehen; **2.** v/i Am. Selbstmord begehen.

suit [sjuːt] **1.** s (Herren)Anzug m; (Damen)Kostüm n; Anliegen n; cards: Farbe f; jur. Prozeß m; follow ~ fig. dem Beispiel folgen, dasselbe tun; **2.** v/t j-m passen, zusagen, bekommen; j-n kleiden, j-m stehen, passen zu; **~ oneself** tun, was e-m beliebt; **~ yourself** mach, was du willst; **~ s.th. to** et. anpassen (dat) or an (acc); **be ~ed** geeignet sein (for, to für, zu); v/i passen; **sui·ta·ble** adj □ passend, geeignet (for, to für, zu); **~case** s (Hand)Koffer m.

suite [swiːt] s Gefolge n; mus. Suite f; Zimmerflucht f, Suite f; (Möbel-, Sitz-) Garnitur f, (Zimmer)Einrichtung f.

sul·fur Am. ['sʌlfə] → **sulphur**.

sulk [sʌlk] v/i schmollen, eingeschnappt sein; **~i·ness** s schlechte Laune; **~y 1.** adj □ (-ier, -iest) verdrießlich; schmollend; **2.** s sports: Sulky n, Traberwagen m.

sul·len ['sʌlən] *adj* □ verdrossen, mürrisch; düster, trübe.

sul|phur *chem.* ['sʌlfə] *s* Schwefel *m*; **~phu·ric** *chem.* [sʌl'fjʊərɪk] *adj* □ Schwefel...

sul·tri·ness ['sʌltrɪnɪs] *s* Schwüle *f*; **sul·try** *adj* □ (-*ier*, -*iest*) schwül; *fig.* heftig, hitzig.

sum [sʌm] **1.** *s* Summe *f*; Betrag *m*; Rechenaufgabe *f*; *fig.* Inbegriff *m*; **do ~s** rechnen; **2.** *v/t* (-*mm*-): **~ up** zusammenzählen, addieren; *j-n* kurz einschätzen; *situation:* erfassen; zusammenfassen.

sum|mar·ize ['sʌməraɪz] *v/t* zusammenfassen; **~ma·ry 1.** *adj* □ kurz (zusammengefaßt); *jur.* Schnell...; **2.** *s* (kurze) Inhaltsangabe, Zusammenfassung *f*.

sum·mer ['sʌmə] *s* Sommer *m*; *in early (late)* **~** im Früh-(Spät)sommer; **~ school** Ferienkurs *m*; **~·ly**, **~·y** *adj* sommerlich; **~·time** *s* Sommerzeit *f*.

sum·mit ['sʌmɪt] *s* Gipfel *m* (a. *fig.*).

sum·mon ['sʌmən] *v/t* auffordern; (einbe)rufen; *jur.* vorladen; **~ up** *courage, etc.:* zusammennehmen, aufbieten; **~s** *s* Aufforderung *f*; *jur.* Vorladung *f*.

sump·tu·ous ['sʌmptʃʊəs] *adj* □ kostspielig; üppig, aufwendig.

sun [sʌn] **1.** *s* Sonne *f*; *attr* Sonnen...; **2.** *v/t* (-*nn*-) der Sonne aussetzen; **~ o.s.** sich sonnen; **~bath** *s* Sonnenbad *n*; **~beam** *s* Sonnenstrahl *m*; **~burn** *s* Sonnenbrand *m*.

sun·dae ['sʌndeɪ] *s* Eisbecher *m* mit Früchten.

Sun·day ['sʌndɪ] *s* Sonntag *m*; *on* **~** (am) Sonntag; *on* **~s** sonntags.

sun|di·al ['sʌndaɪəl] *s* Sonnenuhr *f*; **~down** *s sunset*.

sun|dries ['sʌndrɪz] *s pl* Verschiedene(s) *n*; **~dry** *adj* verschiedene.

sung [sʌŋ] *pp of* **sing**.

sun-glass·es ['sʌnɡlɑːsɪz] *s pl* (*a pair of* **~** e-e) Sonnenbrille.

sunk [sʌŋk] *pret and pp of* **sink 1**.

sunk·en ['sʌŋkən] *adj* versunken; tiefliegend; *fig.* eingefallen.

sun|-loung·er ['sʌnlaʊndʒə] *s* Sonnenstuhl *m*, Sonnenliege *f*; **~ny** *adj* □ (-*ier*, -*iest*) sonnig; **~rise** *s* Sonnenaufgang *m*; **~set** *s* Sonnenuntergang *m*; **~shade** *s* Sonnenschirm *m*; Markise *f*; **~shine** *s* Sonnenschein *m*; **~stroke** *s*

med. Sonnenstich *m*; **~tan** *s* (Sonnen-)Bräune *f*; **~·wor·ship·per** *s* Sonnenanbeter(in).

su·per F ['suːpə] *adj* super, toll, prima, Spitze, Klasse.

su·per- ['sjuːpə] *in compounds:* Über..., über...; Ober..., über...; Super..., Groß...; **~a·bun·dant** [~rə'bʌndənt] *adj* □ überreichlich; überschwenglich.

su·per·an·nu·ate [sjuːpə'rænjʊeɪt] *v/t* pensionieren; **~d** pensioniert; veraltet; **~a·tion** [~'eɪʃn] *s pension:* Rente *f*; *contribution:* Beitrag *m* zur Rentenversicherung.

su·perb [sjuː'pɜːb] *adj* □ prächtig, herrlich, großartig; ausgezeichnet.

su·per|charg·er *mot.* ['sjuːpətʃɑːdʒə] *s* Kompressor *m*; **~cil·i·ous** [~'sɪliəs] *adj* □ hochmütig; **~e·go** *s psych.* Über-Ich *n*; **~fi·cial** [~'fɪʃl] *adj* □ oberflächlich; **~fine** *adj* extrafein; **~flu·i·ty** [~'fluːətɪ] *s* Überfluß *m*; **~flu·ous** [sjuː'pɜːfluəs] *adj* □ überflüssig; überreichlich; **~grass** *s* F *of place:* (Top)Informant(in); **~heat** *v/t mot.* überhitzen; **~hu·man** *adj* □ übermenschlich; **~im·pose** *v/t* darauf-, darüberlegen; überlagern; **~in·tend** *v/t* die (Ober)Aufsicht haben über (*acc*), überwachen; leiten; **~in·tend·ent 1.** *s* Leiter *m*, Direktor *m*; (Ober)Aufseher *m*, Inspektor *m*; *Br.* Kommissar(in); *Am.* Polizeichef *m*; *Am.* Hausverwalter *m*; **2.** *adj* aufsichtführend.

su·pe·ri·or [sjuː'pɪərɪə] **1.** *adj* □ höhere(r, -s), höherstehend, vorgesetzt; besser, hochwertiger; überlegen (*to dat*); hervorragend; **2.** *s* Vorgesetzte(r *m*) *f*; *mst Father* 2 *eccl.* Superior *m*; *mst Lady* 2, *Mother* 2 *eccl.* Oberin *f*; **~·i·ty** [sjuːpɪərɪ'ɒrətɪ] *s* Überlegenheit *f*.

su·per·la·tive [sjuː'pɜːlətɪv] **1.** *adj* □ höchste(r, -s); überragend; **2.** *s a.* **~ degree** *gr.* Superlativ *m*.

su·per|mar·ket ['sjuːpəmɑːkɪt] *s* Supermarkt *m*; **~nat·u·ral** *adj* □ übernatürlich; **~sede** [~'siːd] *v/t* ersetzen; verdrängen; absetzen; ablösen; **~son·ic** *adj phys.* Überschall...; **~sti·tion** [~'stɪʃn] *s* Aberglaube *m*; **~sti·tious** *adj* □ abergläubisch; **~struc·ture** *s* Aufbau *m*; *sociol.* Überbau *m*; **~vene** [~'viːn] *v/i* (noch) hinzukommen; dazwischenkommen; **~vise** ['~vaɪz] *v/t* beaufsichtigen, überwachen; **~·vi·sion** [~'vɪʒn] s (Ober)Aufsicht f; Beaufsichtigung f, Überwachung f; **~·vi·sor** ['~vaɪzə] s Aufseher(in); Leiter(in); *univ.* Doktorvater m.

sup·per ['sʌpə] s Abendessen n; **the** (**Lord's**) ♀ das heilige Abendmahl; **have ~** zu Abend essen.

sup·plant [sə'plɑ:nt] v/t verdrängen.

sup·ple|ment 1. s ['sʌplɪmənt] Ergänzung f; Nachtrag m; (Zeitungs- *etc.*) Beilage f; 2. v/t [~ment] ergänzen; **~·men·tal** [~'mentl] □, **~·men·ta·ry** [~'mentərɪ] adj Ergänzungs...; nachträglich; Nachtrags...

sup·pli·er [sə'plaɪə] s Lieferant(in); a. **~s** pl Lieferfirma f.

sup·ply [sə'plaɪ] 1. v/t liefern; *deficiency:* abhelfen (dat); *post, etc.:* ausfüllen; beliefern, ausstatten, versorgen; ergänzen; 2. s Lieferung f; Versorgung f; Zufuhr f; *econ.* Angebot n; (Stell)Vertretung f; *mst* **supplies** pl Vorrat m; *econ.* Artikel m, Bedarf m; *parl.* bewilligter Etat; **~ and demand** *econ.* Angebot und Nachfrage.

sup·port [sə'pɔ:t] 1. s Stütze f; Hilfe f; *tech.* Träger m; Unterstützung f; (Lebens)Unterhalt m; 2. v/t tragen, (ab)stützen; unterstützen; unterhalten, sorgen für (*family, etc.*); ertragen; **~·er** s Anhänger(in) (*a. sports*), Befürworter(in).

sup·pose [sə'pəʊz] v/t annehmen; voraussetzen; vermuten; **he is ~d to ...** er soll ...; **~ we go** gehen wir!; wie wär's, wenn wir gingen?; **what is that ~d to mean?** was soll denn das?; *after question:* **I ~ not** ich glaube kaum; **I ~ so** ich nehme es an, vermutlich.

sup|posed [sə'pəʊzd] adj □ vermeintlich; **~·pos·ed·ly** adv angeblich.

sup·po·si·tion [sʌpə'zɪʃn] s Voraussetzung f; Annahme f, Vermutung f.

su·pra·na·tion·al [su:prə'næʃənəl] adj *pol.* supra-, übernational, überstaatlich.

sup|press [sə'pres] v/t unterdrücken; **~·pres·sion** [~ʃn] s Unterdrückung f.

sup·pu·rate *med.* ['sʌpjʊəreɪt] v/i eitern.

su·prem|a·cy [sjʊ'preməsɪ] s Oberhoheit f; Vorherrschaft f; Überlegenheit f; Vorrang m; **~·e** [~'pri:m] adj höchste(r, -s); oberste(r, -s); Ober...; größte(r, -s).

sur·charge 1. v/t [sɜː'tʃɑːdʒ] e-n Zuschlag *or* ein Nachporto erheben auf (*acc*); 2. s ['sɜːtʃɑːdʒ] Zuschlag m; Nach-, Strafporto n; Über-, Aufdruck m (*on stamps*).

sure [ʃʊə] 1. adj □ (**~r, ~st**): ~ (**of**) sicher, gewiß (gen); überzeugt (von); **make ~ that** sich (davon) überzeugen, daß; **for ~!** F auf jeden Fall!; 2. adv *Am.* F wirklich; **it ~ was** das war vielleicht kalt!; **~!** klar!, aber sicher!; **~ enough** ganz bestimmt; tatsächlich; **~·ly** adv sicher(lich); **sure·ty** ['ʃɔːrətɪ] s *sum:* Kaution f; *person:* Bürge m.

surf [sɜːf] 1. s Brandung f; 2. v/i *sports:* surfen.

sur·face ['sɜːfɪs] 1. s (Ober)Fläche f; *aer.* Tragfläche f; 2. v/i *mar.* auftauchen (*submarine*).

surf|board ['sɜːfbɔːd] s Surfbrett n; **~·boat** s Brandungsboot n.

sur·feit ['sɜːfɪt] 1. s Übersättigung f; Überdruß m; 2. v/t *and* v/i (sich) übersättigen *or* -füttern.

surf|er ['sɜːfə] s *sports:* Surfer(in), Wellenreiter(in); **~·ing, ~·rid·ing** s *sports:* Surfen n, Wellenreiten n.

surge [sɜːdʒ] 1. s Woge f; 2. v/i wogen; (vorwärts)drängen; a. **~ up** (auf)wallen (*emotions*).

sur|geon ['sɜːdʒən] s Chirurg m; **~·ge·ry** s Chirurgie f; operativer Eingriff, Operation f; *Br.* Sprechzimmer n; **~ hours** pl *Br.* Sprechstunde(n pl) f.

sur·gi·cal ['sɜːdʒɪkl] adj □ chirurgisch.

sur·ly ['sɜːlɪ] adj □ (**-ier, -iest**) mürrisch, grob.

sur·mount [sɜː'maʊnt] v/t überwinden.

sur·name ['sɜːneɪm] s Familien-, Nach-, Zuname m.

sur·pass *fig.* [sə'pɑːs] v/t übersteigen, -treffen; **~·ing** adj unvergleichlich.

sur·plus ['sɜːpləs] 1. s Überschuß m, Mehr n; 2. adj überschüssig; Über(schuß)...

sur·prise [sə'praɪz] 1. s Überraschung f; Überrump(e)lung f; 2. v/t überraschen; überrumpeln.

sur·ren·der [sə'rendə] 1. s Übergabe f; Kapitulation f; Aufgabe f; Verzicht m; Hingabe f; 2. v/t übergeben; aufgeben; v/i sich ergeben (**to** dat), kapitulieren; sich hingeben *or* überlassen (**to** dat).

S

sur·ro·gate ['sʌrəgɪt] s Ersatz m; ~ **moth-er** Leihmutter f.

sur·round [sə'raʊnd] v/t umgeben; mil. umzingeln, -stellen; ~**ing** adj umliegend; ~**ings** s pl Umgebung f.

sur·tax ['sɜːtæks] s Steuerzuschlag m.

sur·vey 1. v/t [sɜː'veɪ] überblicken; sorgfältig prüfen; begutachten; area: vermessen; 2. s ['sɜːveɪ] Überblick m (a. fig.); sorgfältige Prüfung; Inspektion f, Besichtigung f; Gutachten n; (Land-) Vermessung f; (Lage)Karte f, (-)Plan m; ~**or** [sə'veɪə] s Landmesser m; (Bau)Inspektor m.

sur·viv·al [sə'vaɪvl] s Überleben n; Fortleben n; Überbleibsel n; ~ **kit** Überlebensausrüstung f; ~**vive** [~aɪv] v/i überleben (a. v/t), am Leben bleiben; noch leben; fortleben; bestehen bleiben; ~**vi·vor** s Überlebende(r m) f.

sus·cep·ti·ble [sə'septəbl] adj □ empfänglich (**to** für); empfindlich (**to** gegen); **be** ~ **of** et. zulassen.

sus·pect 1. v/t [sə'spekt] (be)argwöhnen; in Verdacht haben, verdächtigen; vermuten, befürchten; 2. s ['sʌspekt] Verdächtige(r m) f; 3. adj [~] → ~**ed** [sə'spektɪd] adj verdächtig.

sus·pend [sə'spend] v/t (auf)hängen; aufschieben; in der Schwebe lassen; payment: einstellen; jur. sentence, etc.: aussetzen; suspendieren; sports: j-n sperren; ~**ed** adj schwebend; hängend; jur. zur Bewährung ausgesetzt; suspendiert; ~**er** s Br. Strumpf-, Sockenhalter m; (a. **a pair of**) ~**s** pl Am. Hosenträger pl.

sus|pense [sə'spens] s Ungewißheit f; Unentschiedenheit f; Spannung f; ~**·pen·sion** s Aufhängung f; Aufschub m; (einstweilige) Einstellung; Suspendierung f, Amtsenthebung f; sports: Sperre f; ~ **bridge** Hängebrücke f; ~ **railroad**, esp. Br. ~ **railway** Schwebebahn f.

sus·pi|cion [sə'spɪʃn] s Verdacht m; Mißtrauen n; fig. Spur f; ~**cious** adj □ verdächtig; mißtrauisch.

sus·tain [sə'steɪn] v/t stützen, tragen; et. (aufrecht)erhalten; aushalten (a. fig.); erleiden; family: ernähren; j-m Kraft geben; jur. objection: stattgeben (dat).

swab [swɒb] **1.** s Scheuerlappen m, Mop

m; med. Tupfer m; med. Abstrich m; **2.** v/t (**-bb-**): ~ **up** aufwischen.

swad·dle ['swɒdl] v/t baby: wickeln.

swag·ger ['swægə] v/i stolzieren; prahlen, großtun.

swal·low¹ zo. ['swɒləʊ] s Schwalbe f.

swal·low² [~] **1.** s Schluck m; **2.** v/t (hinunter-, ver)schlucken; insult: einstecken, schlucken; F für bare Münze nehmen; fig. ~ **the bait** den Köder schlucken; v/i schlucken.

swam [swæm] pret of swim 1.

swamp [swɒmp] **1.** s Sumpf m; **2.** v/t überschwemmen (a. fig.); boat: vollaufen lassen; ~**y** adj (**-ier, -iest**) sumpfig.

swan zo. [swɒn] s Schwan m.

swank F [swæŋk] **1.** s Angabe f, Protzerei f; **2.** v/i angeben, protzen; ~**y** adj □ (**-ier, -iest**) protzig, angeberisch.

swap F [swɒp] **1.** s Tausch m; **2.** v/t (**-pp-**) (ein-, aus)tauschen.

swarm [swɔːm] **1.** s (Bienen- etc.) Schwarm m; Haufen m, Schar f, Horde f; **2.** v/i schwärmen (bees); wimmeln (**with** von).

swar·thy ['swɔːðɪ] adj (**-ier, -iest**) dunkel(häutig).

swas·ti·ka ['swɒstɪkə] s Hakenkreuz n.

swat [swɒt] v/t (**-tt-**) fly, etc.: totschlagen.

sway [sweɪ] **1.** s Schwanken n; Einfluß m; Herrschaft f; **2.** v/i and v/t schwanken; (sich) wiegen; schwingen; beeinflussen; beherrschen.

swear [sweə] v/i and v/t (**swore, sworn**) schwören; fluchen; ~ **s.o. in** j-n vereidigen; ~**word** s Fluch m, Kraftausdruck m, Schimpfwort n.

sweat [swet] **1.** s Schweiß m; Schwitzen n; **by the** ~ **of one's brow** im Schweiße seines Angesichts; **in a** ~, F **all of a** ~ in Schweiß gebadet (a. fig.); **2.** (**sweated**, Am. a. **sweat**) v/i schwitzen; v/t (aus-) schwitzen; in Schweiß bringen; employees: schuften lassen, ausbeuten; ~**er** ['swetə] s Sweater m, Pullover m; econ. Ausbeuter m; ~**shirt** s Sweatshirt n; ~ **suit** s sports: esp. Am. Trainingsanzug m; ~**y** adj □ (**-ier, -iest**) schweißig; verschwitzt.

Swede [swiːd] s Schwed|e m, -in f; **2d-ish** [~ɪʃ] **1.** adj schwedisch; **2.** s ling. Schwedisch n.

sweep [swiːp] **1.** (**swept**) v/t fegen (a. fig.), kehren; scan: absuchen; gleiten or schweifen über (*acc*); *v/i* (majestätisch) gleiten; *on skis*: (dahin)rauschen; **2.** *s* Kehren *n*; Schwung *m*; schwungvolle Bewegung; (*fig.* Dahin)Fegen *n*; Spielraum *m*, Bereich *m*; *esp. Br.* Schornsteinfeger *m*; **make a clean ~** gründlich aufräumen (**of** mit); *sports*: überlegen siegen; **~er** *s* (Straßen)Kehrer *m*; Kehrmaschine *f*; *soccer*: Ausputzer *m*; **~ing** *adj* □ schwungvoll; umfassend; *victory*, *success*: durchschlagend; **~ings** *pl* Kehricht *m*, Müll *m*.

sweet [swiːt] **1.** *adj* □ süß; lieblich; freundlich; frisch; duftend; **have a ~ tooth** gern Süßes essen, gerne naschen; **2.** *s Br.* Süßigkeit *f*, Bonbon *m*, *n*; *Br.* Nachtisch *m*; *form of address*: Süße(r *m*) *f*, Schatz *m*; **~en** *v/t* (ver)süßen; **~en·er** *s* Süßstoff *m*; **~heart** *s* Schatz *m*, Liebste(r *m*) *f*; **~ish** *adj* süßlich; **~shop** *s Br.* Süßwarenladen *m*.

swell [swel] **1.** (**swelled**, **swollen** *or* **swelled**) *v/i* (an)schwellen; sich (auf-) blähen; sich bauschen; *v/t* aufblähen; (an)schwellen lassen; **2.** *adj Am.* F prima; **3.** *s* Anschwellen *n*; Schwellung *f*; *mar.* Dünung *f*; **~ing 1.** *s med.* Schwellung *f*, Geschwulst *f*; **2.** *adj sail*: gebläht; *sound*, *etc.*: anschwellend.

swel·ter ['sweltə] *v/i* vor Hitze (fast) umkommen.

swept [swept] *pret and pp of* **sweep** 1.

swerve [swɜːv] **1.** *v/i* ausbrechen (*car*, *horse*); schwenken (*road*); *mot.* das Steuer *or* den Wagen herumreißen; **2.** *s mot.* Schlenker *m*; Ausweichbewegung *f*; Schwenk *m* (*of road*).

swift [swift] *adj* □ schnell, eilig, flink; **~ness** *s* Schnelligkeit *f*.

swill [swil] **1.** *s* (Ab)Spülen *n*; Schmutzwasser *n*; **2.** *v/t and v/i* (ab)spülen; F saufen.

swim [swim] **1.** *v/t and v/i* (-mm-; **swam**, **swum**) (durch)schwimmen; schweben; **my head ~s** mir ist schwind(e)lig; **2.** *s* Schwimmen *n*; **go for a ~** schwimmen gehen; **have** *or* **take a ~** baden, schwimmen; **be in the ~** auf dem laufenden sein; **~mer** *s* Schwimmer(in); **~ming 1.** *s* Schwimmen *n*; **2.** *adj* Schwimm...; **~bath(s** *pl*) *s Br.* Schwimmbad *n*, *esp.* Hallenbad *n*; **~pool** Schwimmbecken *n*, Swimmingpool *m*; Schwimmbad *n*; (**a pair of**)

~trunks *pl* (e-e) Badehose; **~suit** *s* Badeanzug *m*.

swin·dle ['swindl] **1.** *v/t* beschwindeln; betrügen; **2.** *s* Schwindel *m*, Betrug *m*.

swine [swain] *s* Schwein *n*.

swing [swiŋ] **1.** *v/i and v/t* (**swung**) schwingen; schwenken; schlenkern; baumeln (lassen); (sich) schaukeln; *of door*: sich (in den Angeln) drehen; F baumeln, hängen; **2.** *s* Schwingen *n*; Schwung *m*; Schaukel *f*; Spielraum *m*; **~ in opinion** Meinungsumschwung *m*; **in full ~** in vollem Gange; **~door** *s Br.* Pendel-, Drehtür *f*; **~ing** *adj step*, *music*: schwungvoll; **~ door** *Am.* → **swing-door**.

swin·ish ['swainiʃ] *adj* □ schweinisch.

swipe [swaip] **1.** *v/i*: **~ at** schlagen nach; *v/t* F klauen; **2.** *s* harter Schlag.

swirl [swɜːl] **1.** *v/i and v/t* (herum)wirbeln, strudeln; **2.** *s* Wirbel *m*, Strudel *m*.

Swiss [swis] **1.** *adj* schweizerisch, Schweizer...; **2.** *s* Schweizer(in); **the ~** *pl* die Schweizer *pl*.

switch [switʃ] **1.** *s electr.* Schalter *m*; *stick*: Gerte *f*; *Am. rail.* Weiche *f*; *of hair*: Haarteil *n*; **do** *or* **make a ~** tauschen; **2.** *v/t and v/i electr.*, *TV*, *etc.*: (um)schalten; *fig.* wechseln, überleiten; peitschen; *esp. Am. rail.* rangieren; **~off** ab-, ausschalten; **~ on** an-, einschalten; **~board** *s electr.* Schalttafel *f*; *teleph.* Zentrale *f*; Vermittlung *f*.

swol·len ['swəʊlən] *pp of* **swell** 1; **~head·ed** *adj* F eingebildet.

swoop [swuːp] **1.** *v/i*: **~ down on** *or* **upon** herabstoßen auf (*acc*) (*bird of prey*); *fig.* herfallen über (*acc*); **2.** *s* Herabstoßen *n*; Razzia *f*.

swop F [swɒp] → **swap**.

sword [sɔːd] *s* Schwert *n*.

swore [swɔː] *pret of* **swear**.

sworn [swɔːn] *pp of* **swear**.

swum [swʌm] *pp of* **swim** 1.

swung [swʌŋ] *pret and pp of* **swing** 1.

syl·la·ble ['siləbl] *s* Silbe *f*.

syl·la·bus ['siləbəs] *s* (*pl* **-buses**, **-bi** [-bai]) (*esp.* Vorlesungs)Verzeichnis *n*; Lehrplan *m*.

sym·bol ['simbl] *s* Symbol *n*, Sinnbild *n*; **~ic** [sim'bɒlik], **~i·cal** *adj* □ sinnbildlich; **~is·m** ['simbəlizəm] *s* Symbolik *f*; **~ize** *v/t* symbolisieren.

sym|met·ric [sɪˈmetrɪk], **~·met·ri·cal** adj □ symmetrisch, ebenmäßig; **~·me·try** [ˈsɪmɪtrɪ] s Symmetrie f; Ebenmaß n.

sym·pa|thet·ic [sɪmpəˈθetɪk] adj (**~ally**) mitfühlend; **~ strike** Sympathiestreik m; **~·thize** [ˈsɪmpəθaɪz] v/i sympathisieren, mitfühlen; **~·thy** s Anteilnahme f, Mitgefühl n.

sym·pho·ny mus. [ˈsɪmfənɪ] s Sinfonie f, Symphonie f; **~ orchestra** Sinfonie-, Symphonieorchester n.

symp·tom [ˈsɪmptəm] s Symptom n.

syn·chro|nize [ˈsɪŋkrənaɪz] v/i synchron gehen (clock) or laufen (machine); v/t machines: synchronisieren; actions: aufeinander abstimmen; **~·nous** adj □ gleichzeitig; synchron.

syn·di·cate [ˈsɪndɪkət] s Syndikat n.

syn·o·nym [ˈsɪnənɪm] s Synonym n; **sy·non·y·mous** [sɪˈnɒnɪməs] adj □ synonym; gleichbedeutend.

sy·nop·sis [sɪˈnɒpsɪs] s (pl **-ses** [-siːz]) Übersicht f, Zusammenfassung f.

syn|the·sis [ˈsɪnθəsɪs] s (pl **-ses** [-siːz]) Synthese f; **~·the·siz·er** s mus. Synthesizer m; **~·thet·ic** [sɪnˈθetɪk], **~·thet·i·cal** adj □ synthetisch; **~ fibre** Kunstfaser f.

sy·ringe [ˈsɪrɪndʒ] **1.** s Spritze f; **2.** v/t (be-, ein-, aus)spritzen.

syr·up [ˈsɪrəp] s Sirup m.

sys|tem [ˈsɪstəm] s System n; physiol. Organismus m, Körper m; Plan m, Ordnung f; **~ of government** pol. Regierungssystem n; **~·te·mat·ic** [sɪstɪˈmætɪk] adj (**~ally**) systematisch.

T

ta Br. F [tɑː] int danke.

tab [tæb] s Streifen m; Etikett n, Schildchen n, Anhänger m; Schlaufe f, (Mantel)Aufhänger m; F Rechnung f.

ta·ble [ˈteɪbl] **1.** s Tisch m; Tafel f; Tisch-, Tafelrunde f; Tabelle f, Verzeichnis n; **at ~** bei Tisch; **turn the ~s** den Spieß umdrehen (**on s.o.** j-m gegenüber); **2.** v/t tabellarisch anordnen; parl. motion: einbringen; **~·cloth** s Tischtuch n, -decke f; **~·lin·en** s Tischwäsche f; **~·mat** s Untersetzer m; Set n; **~ set** s radio, TV: Tischgerät n; **~·spoon** s Eßlöffel m.

tab·let [ˈtæblɪt] s pill: Tablette f; (Gedenk)Tafel f; piece: Stück n; Tafel f (chocolate).

ta·ble|top [ˈteɪbltɒp] s Tischplatte f; **~·ware** s Geschirr n u. Besteck n.

ta·boo [təˈbuː] **1.** adj tabu, unantastbar; verboten; verpönt; **2.** s (pl **-boos**) Tabu n; **3.** v/t er. für tabu erklären.

tab·u·lar [ˈtæbjʊlə] adj □ tabellarisch; **~·late** [~eɪt] v/t tabellarisch (an)ordnen.

tack [tæk] **1.** s Stift m, Reißnagel m, Zwecke f; sewing: Heftstich m; mar.

Halse f; mar. (Auf)Kreuzen n; fig. Weg m; **2.** v/t heften (**to** an acc); v/i mar. wenden; fig. lavieren.

tack·le [ˈtækl] **1.** s Gerät n; mar. Takel-, Tauwerk n; tech. Flaschenzug m; soccer: Angriff m auf e-n Gegenspieler; **2.** v/t (an)packen; soccer: angreifen (opponent); problem, etc.: in Angriff nehmen; lösen, fertig werden mit.

tack·y [ˈtækɪ] adj (**-ier**, **-iest**) klebrig; Am. F schäbig.

tact [tækt] s Takt m, Feingefühl n; **~·ful** adj □ taktvoll.

tac·tics [ˈtæktɪks] s pl and sg Taktik f.

tact·less [ˈtæktlɪs] adj □ taktlos.

tad·pole zo. [ˈtædpəʊl] s Kaulquappe f.

tag [tæg] **1.** s (Schnürsenkel)Stift m; Schildchen n, Etikett n; loses Ende, Fetzen m, Lappen m; Redensart f, Zitat n; a. **question ~** gr. Frageanhängsel n; Fangen n (game); **2.** (**-gg-**) v/t etikettieren, auszeichnen; anhängen (**to**, **on to** an acc); v/i: **~ along** F mitkommen; **~ along behind s.o.** hinter j-m hertrotten or -zockeln.

tail [teɪl] **1.** s Schwanz m; Schweif m; hinteres Ende, Schluß m; **~s** pl Rückseite *f* (*of coin*); F Frack *m*; **turn ~** davonlaufen; **~ up** in Hochstimmung, fidel; **2.** *v/t:* **~ s.o.** F j-n beschatten; *v/i:* **~ after s.o.** j-m hinterherlaufen; **~ away**, **~ off** abflauen, sich verlieren; nachlassen; **~back** *s mot.* Rückstau *m*; **~coat** *s* Frack *m*; **~light** *s mot.*, *etc.*: Rück-, Schlußlicht *n.*

tai·lor ['teɪlə] **1.** *s* Schneider *m*; **2.** *v/t* schneidern; **~made** *adj* Schneider..., Maß...

taint [teɪnt] **1.** *s* (Schand)Fleck *m*, Makel *m*; (*of illness, etc.*: (verborgene) Anlage; **2.** *v/t* beflecken; verderben; *med.* anstecken; **become ~ed** verderben, schlecht werden (*meat, etc.*).

take [teɪk] **1.** (**took, taken**) *v/t* nehmen; (an-, ein-, entgegen-, heraus-, hin-, mit-, weg)nehmen; *grasp*: fassen, pakken, ergreifen (*a. prisoner*): fangen, *mil.* gefangennehmen; *assume possesion*: sich aneignen, Besitz ergreifen von; *carry*: (hin-, weg)bringen; *accept, etc.*: (*et. gut*) aufnehmen; *insult*: hinnehmen; *et.* ertragen, aushalten; halten (**for** für); auffassen; *fig.* fesseln; *phot. et.* aufnehmen, *picture*: machen; *temperature*: messen; *notes*: machen, niederschreiben; *exam*: machen, ablegen; *holidays, rest, etc.*: machen; *day off, bath*: nehmen; *standard size, etc.*: haben; *illness*: sich holen; *food*: zu sich nehmen; *meal*: einnehmen; *newspaper*: beziehen; *train, bus, etc.*: nehmen; *route*: wählen; *show the way*: j-n wohin führen; *prize*: gewinnen; *opportunity, measures*: ergreifen; *presidency, etc.*: übernehmen; *oath*: ablegen; *time, patience*: erfordern, brauchen; *time*: dauern; *courage*: fassen; *offence*: nehmen; **I ~ it that** ich nehme an, daß; **~ it or leave it** F mach, was du willst; **~n all in all** im großen und ganzen; **be ~n** besetzt sein; **be ~n ill** *or* F **bad** krank werden; **be ~n with** begeistert *or* entzückt sein von; **~ breath** verschnaufen; **~ comfort** sich trösten; **~ compassion on** Mitleid mit *j-m* haben; sich erbarmen (*gen*); **~ counsel** beraten; **~ a drive** e-e Fahrt machen; **~ fire** Feuer fangen; **~ in hand** unternehmen; **~ hold of** ergreifen; **~ a look** e-n Blick tun *or* werfen (**at** *auf acc*); **can I ~ a message?** kann ich et. ausrichten?; **~ to pieces** auseinandernehmen, zerle-

gen; **~ pity on** Mitleid haben mit; **~ place** stattfinden; spielen (*plot*); **~ a risk** ein Risiko eingehen *or* auf sich nehmen; **~ a seat** Platz nehmen; **~ a walk** e-n Spaziergang machen; **~ my word for it** verlaß dich drauf; **~ along** mitnehmen; **~ apart** auseinandernehmen, zerlegen; **~ around** *j-n* herumführen; **~ away** wegnehmen; **... to ~ away** *Br. of food*: ... zum Mitnehmen; **~ down** herunternehmen; *building*: abreißen; notieren; **~ from** *j-m* wegnehmen; *math.* abziehen von; **~ in** kürzer *or* enger machen; *newspaper*: halten; aufnehmen (*as a guest, etc.*); *situation*: überschauen; *fig.* einschließen; verstehen; erfassen; F *j-n* reinlegen; **be ~n in** reingefallen sein; **~ in lodgers** (Zimmer) vermieten; **~ off** ab-, wegnehmen; *clothes*: ablegen; *hat, etc.*: abnehmen; **~ a day off** e-n Tag Urlaub machen, e-n Tag freinehmen; **~ on** an-, übernehmen; *workers, etc.*: einstellen; *passengers*: zusteigen lassen; **~ out** heraus-, entnehmen; *stain*: entfernen; *j-n* ausführen; *insurance*: abschließen; **~ over** *office, task, idea, etc.*: übernehmen; **~ up** aufheben, -nehmen; sich befassen mit; *case, idea, etc.*: aufgreifen; *space, time*: in Anspruch nehmen; *v/i med.* wirken, anschlagen (*medicine*); F gefallen, ankommen, ziehen; **~ after** *resemble*: j-m ähnlich sein; **~ off** abspringen; *aer., space travel*: starten; **~ on** Anklang finden; **~ over** die Amtsgewalt (*etc.*) übernehmen; **~ to** sich hingezogen fühlen zu, Gefallen finden an (*dat*); **~ to doing s.th.** anfangen, et. zu tun; **~ up with** sich anfreunden mit; **2.** *s fishing*: Fang *m*; (Geld)Einnahme(n *pl*) *f*; *hunt.* Beute *f*; Anteil *m* (**of** *an dat*); *film*: Szene(naufnahme) *f*, Take *m*; **~a·way** **1.** *adj food, etc.*: zum Mitnehmen; **2.** *s* Restaurant *n* mit Straßenverkauf; Essen *n* zum Mitnehmen; **~in** *s* F Schwindel *m*, Betrug *m*; **tak·en** *pp of* take 1; **~off** *s* Absprung *m*; *aer., space travel*: Start *m*, Abflug *m*; Abheben *n*; F Nachahmung *f*; **~o·ver** *s econ.* Übernahme *f*; (**un**)**friendly** **~** (un)erwünschte Übernahme; → **leveraged**; **~o·ver bid** *s econ.* Übernahmeangebot *n.*

tak·ing ['teɪkɪŋ] **1.** *adj* □ F anziehend, fesselnd, einnehmend; ansteckend; **2.** *s*

(An-, Ab-, Auf-, Ein-, Ent-, Hin-, Weg-
etc.)Nehmen *n*; Inbesitznahme *f*; *mil.*
Einnahme *f*; F Aufregung *f*; **~s** *pl econ.*
Einnahme(n *pl*) *f*.

tale [teɪl] *s* Erzählung *f*; Geschichte *f*;
Märchen *n*, Sage *f*; *tell* **~s** klatschen; *it
tells its own* ~ es spricht für sich selbst.

tal·ent ['tælənt] *s* Talent *n*, Begabung *f*,
Anlage *f*; **~ed** *adj* talentiert, begabt.

talk [tɔːk] **1.** *s* Gespräch *n*; Unterhaltung
f; Unterredung *f*; Plauderei *f*; *lecture*:
Vortrag *m*; *contp.* Geschwätz *n*; *way of
conversation*: Sprache *f*, Art *f* zu reden;
2. *v/i and v/t* sprechen; reden; plaudern; ~ *to s.o.* mit j-m sprechen *od.*
reden; ~ *at s.o.* auf j-n einreden; ~ *over
s.th.* et. besprechen; **~·a·tive** *adj* □ gesprächig, geschwätzig; **~·er** *s* Schwät-
zer(in); **~·ing-to** *s* Strafpredigt *f*; **~ show** *s*
TV: Talk-Show *f*; **~·show host** *s* TV:
Talkmaster(in).

tall [tɔːl] *adj* groß; lang; hoch; F übertrieben, unglaublich; *that's a ~ order* F das
ist ein bißchen viel verlangt.

tal·low ['tæləʊ] *s* Talg *m*.

tal·ly ['tælɪ] **1.** *s econ.* (Ab-, Gegen-)
Rechnung *f*; Kontogegenbuch *n*; Etikett *n*, Kennzeichen *n*; *sports*: Punkt
(-zahl *f*) *m*; **2.** *v/t* in Übereinstimmung
bringen; *v/i* übereinstimmen.

tal·on ['tælən] *s* Kralle *f*, Klaue *f*.

tame [teɪm] **1.** *adj* □ (*~r*, **~st**) zahm;
folgsam; harmlos; lahm, fad(e); **2.** *v/t*
zähmen, bändigen.

tam·per ['tæmpə] *v/i*: ~ *with* sich (unbefugt) zu schaffen machen an (*dat*); j-n
zu bestechen suchen; *document*: fälschen.

tam·pon *med.* ['tæmpən] *s* Tampon *m*.

tan [tæn] **1.** *s* (Sonnen)Bräune *f*; **2.** *adj*
gelbbraun; **3.** (*-nn-*) *v/t* gerben; bräunen; *v/i* braun werden.

tang [tæŋ] *s* scharfer Geschmack *or* Geruch; (scharfer) Klang.

tan·gent ['tændʒənt] *s math.* Tangente *f*;
fly or go off at a ~ plötzlich (vom Thema) abschweifen.

tan·ge·rine *bot.* [tændʒə'riːn] *s* Mandarine *f*.

tan·gi·ble ['tændʒəbl] *adj* □ fühl-, greifbar; klar.

tan·gle ['tæŋgl] **1.** *s* Gewirr *n*; *fig.* Verwirrung *f*, Verwicklung *f*; **2.** *v/t and v/i*
(sich) verwirren, (sich) verwickeln.

tank [tæŋk] **1.** *s mot., etc.*: Tank *m*;
(Wasser)Becken *n*, Zisterne *f*; *mil.* Panzer *m*, Tank *m*; **2.** *v/t*: ~ (*up*) auf-, volltanken.

tank·ard ['tæŋkəd] *s* Humpen *m*, *esp.*
(Bier)Krug *m*.

tank·er ['tæŋkə] *s mar.* Tanker *m*; *aer.*
Tankflugzeug *n*; *mot.* Tankwagen *m*.

tan|ner ['tænə] *s* Gerber *m*; **~·ne·ry** *s*
Gerberei *f*.

tan·ta·lize ['tæntəlaɪz] *v/t* quälen.

tan·ta·mount ['tæntəmaʊnt] *adj* gleichbedeutend (*to* mit).

tan·trum ['tæntrəm] *s* Wutanfall *m*.

tap [tæp] **1.** *s* leichtes Klopfen; (Wasser-,
Gas-, Zapf)Hahn *m*; Zapfen *m*; **~ room**
Br. Schankstube *f*; *on* ~ vom Faß
(*beer*); **~s** *pl Am. mil.* Zapfenstreich *m*;
2. *v/t and v/i* (*-pp-*) leicht pochen, klopfen, tippen (*on, at* auf, an, gegen *acc*);
anzapfen (*a. telephone*); abzapfen;
~·dance *s* Steptanz *m*.

tape [teɪp] **1.** *s* schmales Band, Streifen
m; *sports*: Zielband *n*; *tel.* Papierstrei-
fen *m*; (Magnet-, Video-, Ton)Band *n*;
→ *red tape*; **2.** *v/t* mit e-m Band befestigen; mit Klebestreifen verkleben;
auf (Ton)Band aufnehmen; *TV*: aufzeichnen; ~ *cas·sette* *s* Tonbandkas-
sette *f*; ~ *deck* *s* Tapedeck *n*; ~ *li·bra·ry*
s Bandarchiv *n*; ~ *mea·sure* *s* Band-
maß *n*.

ta·per ['teɪpə] **1.** *s* dünne Wachskerze; **2.**
adj spitz (zulaufend); **3.** *v/i often* ~ *off*
spitz zulaufen; *v/t* zuspitzen.

tape|-re·cord ['teɪprɪkɔːd] *v/t* auf (Ton-)
Band aufnehmen; ~ *re·cord·er* *s*
(Ton)Bandgerät *n*; ~ *re·cord·ing* *s*
(Ton)Bandaufnahme *f*; ~ *speed* *s*
Bandgeschwindigkeit *f*.

ta·pes·try ['tæpɪstrɪ] *s* Gobelin *m*, Wand-
teppich *m*.

tape·worm *zo., med.* ['teɪpwɜːm] *s* Band-
wurm *m*.

tar [tɑː] **1.** *s* Teer *m*; **2.** *v/t* (*-rr-*) teeren.

tar·dy ['tɑːdɪ] *adj* □ (*-ier, -iest*) langsam;
Am. spät.

tare *econ.* [teə] *s* Tara *f*.

tar·get ['tɑːgɪt] *s* (Schieß-, Ziel)Scheibe *f*;
mil., radar: Ziel *n*; *objective, goal*: (Lei-
stungs- *etc.*)Ziel *n*, (-)Soll *n*; *fig.* Zielscheibe *f* (*of joke, etc.*); ~ *group* *econ.*
Zielgruppe *f*; ~ *language* *ling.* Zielspra-
che *f*; ~ *practice* Übungsschießen *n*.

tar·iff ['tærɪf] s (esp. Zoll)Tarif m; **~ re-strictions** pl, **~ walls** pl econ. Zoll-schranken pl.

tar·nish ['tɑːnɪʃ] **1.** v/t tech. matt or blind machen; ideals, reputation: trüben; v/i matt or trüb werden, anlaufen; **2.** s Trübung f; Belag m.

tart [tɑːt] **1.** adj □ sauer, herb; fig. scharf, beißend; **2.** s esp. Br. Obstku-chen m, (Obst)Torte f; sl. Flittchen n.

tar·tan ['tɑːtn] s Tartan m: Schottentuch n; Schottenmuster n.

task [tɑːsk] s Aufgabe f; Arbeit f; **take to ~** zur Rede stellen; **~ force** s mar., mil. Sonder-, Spezialeinheit f; Sonderdezer-nat n (of police).

tas·sel ['tæsl] s Troddel f, Quaste f.

taste [teɪst] **1.** s Geschmack m; (Kost-) Probe f; Neigung f, Vorliebe f (for et., zu); **2.** v/t kosten; (ab)schmecken; food: probieren, versuchen; v/i schmecken (**of** nach); **~ful** adj □ schmackhaft; fig. geschmackvoll; **~less** adj □ fad(e); fig. geschmacklos.

tast·y ['teɪstɪ] adj □ (**-ier, -iest**) schmackhaft; sl. music, woman, etc.: F super, spitze.

ta-ta F [tæ'tɑ:] int auf Wiedersehen!

tat·ter ['tætə] s Fetzen m.

tat·tle ['tætl] **1.** v/i klatschen, tratschen; **2.** s Klatsch m, Tratsch m.

tat·too [tə'tu:] **1.** s (pl **-toos**) mil. Zapfen-streich m; Tätowierung f; **2.** v/i fig. trommeln (**at, an** gegen, **an** acc); v/t tätowieren.

taught [tɔːt] pret and pp of **teach**.

taunt [tɔːnt] **1.** s Stichelei f, Spott m; **2.** v/t verhöhnen, verspotten.

taut [tɔːt] adj □ straff; angespannt.

tav·ern dated ['tævn] s Wirtshaus n, Schenke f.

taw·dry ['tɔːdrɪ] adj □ (**-ier, -iest**) billig, geschmacklos; knallig.

taw·ny ['tɔːnɪ] adj □ (**-ier, -iest**) gelbbraun.

tax [tæks] **1.** s Steuer f, Abgabe f; fig. Belastung f (**on, upon** gen); → **incen-tive, include; 2.** v/t besteuern; fig. strapazieren, arg auf e-e harte Probe stel-len; j-n zur Rede stellen; **~ s.o. with s.th.** j-n e-r Sache beschuldigen; **~·a·tion** [tæk'seɪʃn] s Besteuerung f; Steuer(n pl) f; **double ~** econ. Doppel-besteuerung f.

tax·i F ['tæksɪ] **1.** s a. **~cab** Taxi n, Taxe f; **2.** v/i (**-ing, taxying**) aer. rollen; **~ driv·er** s Taxifahrer(in); **~ rank**, esp. Am. **~ stand** s Taxistand m.

tax·pay·er ['tækspeɪə] s Steuerzah-ler(in); **~ re·turn** s Steuererklärung f.

tea [ti:] s Tee m; → **high tea; ~bag** s Tee-, Aufgußbeutel m.

teach [ti:tʃ] v/t (**taught**) lehren, unter-richten, j-m et. beibringen; **~·a·ble** adj gelehrig; lehrbar; **~er** s Lehrer(in); **~in** s Teach-in n.

tea|·co·sy ['ti:kəʊzɪ] s Teewärmer m; **~cup** s Teetasse f; **storm in a ~** fig. Sturm m im Wasserglas; **~ket·tle** s Tee-, Wasserkessel m.

team [ti:m] s Team n, Arbeitsgruppe f; Gespann n; sports and fig.: Mannschaft f, Team n; **~ster** s Am. LKW-Fahrer m; **~work** s Zusammenarbeit f, Team-work n; Zusammenspiel n.

tea·pot ['ti:pɒt] s Teekanne f.

tear¹ [teə] v/t and v/i (**tore, torn**) zer-ren; (zer)reißen; rasen; **2.** s Riß m.

tear² [tɪə] s Träne f; **in ~s** weinend, in Tränen (aufgelöst); **~ful** adj □ tränen-reich; weinend.

tea·room ['ti:rʊm] s Teestube f.

tease [ti:z] v/t necken, hänseln; ärgern.

teat [ti:t] s zo. Zitze f; anat. Brustwarze f (of woman); (Gummi)Sauger m.

tech·ni·cal ['teknɪkl] adj □ technisch; fig. rein formal; Fach...; **~i·ty** [ˌ'kælətɪ] s technische Besonderheit or Einzelheit; Fachausdruck m; reine Formsache f.

tech·ni·cian [tek'nɪʃn] s Techniker(in); Facharbeiter(in).

tech·nique [tek'ni:k] s Technik f, Ver-fahren n, Methode f.

tech·no·crat ['teknəkræt] s Techno-krat(in); **~ic** [ˌ'krætɪk] adj technokra-tisch.

tech·nol·o·gy [tek'nɒlədʒɪ] s Technolo-gie f, Technik f; **~ trans·fer** s Technolo-gietransfer m.

ted·dy| bear ['tedɪbeə] s Teddybär m; 2 **boy** s esp. Br. (in the 1950's) Halbstar-ke(r) m.

te·di·ous ['ti:dɪəs] adj □ langweilig, er-müdend; style: a. weitschweifig.

teen [ti:n] → **teenage(d), teenager.**

teen·age(d) ['ti:neɪdʒ(d)] adj im Teen-ageralter; für Teenager; **~ag·er** s Teenager m.

T

teens [ti:nz] *s pl* Teenageralter *n*; Teenager *pl*; **be in one's ~** ein Teenager sein.
tee·ny¹ F ['ti:nɪ] *s* Teeny *m*.
tee·ny² F [~], *a.* **~wee·ny** F [~'wi:nɪ] *adj* (**-ier, -iest**) klitzeklein, winzig.
tee shirt ['ti:ʃɜ:t] → **T-shirt**.
teeth [ti:θ] *pl of* **tooth**; **~e** [ti:ð] *v/i* zahnen, Zähne bekommen.
tee·to·tal·(l)er [ti:'təʊtlə] *s* Abstinenzler(in).
tel·e·book ['telɪbʊk] *s to a TV series*: Begleitbuch *n*; **~cast 1.** *s* Fernsehsendung *f*; **2.** *v/t* (**-cast**) im Fernsehen übertragen *or* bringen; **~com·mu·ni·ca·tions** *s pl* Telekommunikation *f*; **~course** *s* Fernsehlehrgang *m*, -kurs *m*; **~fax → fax**; **~gram** *s* Telegramm *n*.
tel·e·graph ['telɪgrɑ:f] **1.** *s* Telegraf *m*; *v/t* telegrafieren; **~ese** [~grə'fi:z] *s* Telegrammstil *m*; **~ic** [~'græfɪk] *adj* (**~ally**) telegrafisch; im Telegrammstil; **te·leg·ra·phy** [tɪ'legrəfɪ] *s* Telegrafie *f*.
tel·e·phone ['telɪfəʊn] **1.** *s* Telefon *n*, Fernsprecher *m*; **2.** *v/i and v/t* telefonieren; anrufen; **~ booth** *esp. Am.*, **~ box** *s Br.* Telefonzelle *f*; **tel·e·phon·ic** [~'fɒnɪk] *adj* (**~ally**) telefonisch.
tel·e·pho·to lens *phot.* [telɪfəʊtəʊ'lenz] *s* Teleobjektiv *n*; **~print·er** *s* Fernschreiber *m*; **~scope** [~skəʊp] **1.** *s* Fernrohr *n*; **2.** *v/i and v/t* (sich) ineinanderschieben; **~type·writ·er** *Am.* [~'taɪpraɪtə] *s* Fernschreiber *m*; **~vise** ['~vaɪz] *v/t* im Fernsehen übertragen *or* bringen; **~vi·sion** ['~vɪʒn] *s* Fernsehen *n*; **be on ~** im Fernsehen kommen; **watch ~** fernsehen; *a.* **~ set** Fernsehapparat *m*, -gerät *n*.
tel·ex ['teleks] **1.** *s* Telex *n*, Fernschreiben *n*; **2.** *v/t j-m et.* telexen *or* per Fernschreiben mitteilen.
tell [tel] (**told**) *v/t* sagen, erzählen; *see*: erkennen, nennen; *distinguish*: unterscheiden; *count*: zählen; **~ s.o. to do s.th.** j-m sagen, er solle et. tun; **~ off** abzählen; F abkanzeln; *v/i* erzählen (**~ of** von; **about** über *acc*); sich auswirken (**on** auf *acc*); sitzen (*punch, etc.*); **~ on s.o.** j-n verpetzen; **you never can ~** man kann nie wissen; **~er** *s esp. Am.* (Bank)Kassierer *m*; **~ing** *adj* □ wirkungsvoll; aufschlußreich, vielsagend; **~tale 1.** *s* Klatschbase *f*, Petze *f*; **2.** *adj fig.* verräterisch.

tel·ly *Br.* F ['telɪ] *s* Fernseher *m*.
temp F [temp] **1.** *s* Zeitarbeitskraft *f*; **2.** *v/i* Zeitarbeit machen; **~a·gen·cy** *s* F Zeitarbeitsunternehmen *n*.
tem·per ['tempə] **1.** *v/t* mäßigen, mildern; *tech.* tempern; *metal*: härten; **2.** *s tech.* Härte(grad *m*) *f*; Temperament *n*, Charakter *m*; Laune *f*, Stimmung *f*, Wut *f*; **keep one's ~** sich beherrschen; **lose one's ~** in Wut geraten.
tem·pe·ra·ment ['tempərəmənt] *s* Temperament *n*; **~ra·men·tal** [~'mentl] *adj* □ von Natur aus; launisch; **~rance** *s* Mäßigkeit *f*; Enthaltsamkeit *f*; **~rate** ['~rət] *adj* □ gemäßigt; zurückhaltend; maßvoll; mäßig; **~ra·ture** ['~prətʃə] *s* Temperatur *f*.
tem|pest ['tempɪst] *s* Sturm *m*; Gewitter *n*; **~pes·tu·ous** [tem'pestʃʊəs] *adj* □ stürmisch; ungestüm.
tem·ple ['templ] *s* Tempel *m*; *anat.* Schläfe *f*.
tem·po·ral ['tempərəl] *adj* □ zeitlich; weltlich; **~ra·ry** *adj* □ zeitweilig; vorläufig; vorübergehend; Not..., (Aus-)Hilfs..., Behelfs...
tempt [tempt] *v/t j-n* versuchen; verleiten; (ver)locken; **temp·ta·tion** [~'teɪʃn] *s* Versuchung *f*; Reiz *m*; **~ing** *adj* □ verführerisch.
ten [ten] **1.** *adj* zehn; **2.** *s* Zehn *f*.
ten·a·ble ['tenəbl] *adj* haltbar (*theory, etc.*); verliehen (*office*).
te·na·cious [tɪ'neɪʃəs] *adj* zäh; gut (*memory*); **be ~ of s.th.** zäh an et. festhalten; **~ci·ty** [tɪ'næsətɪ] *s* Zähigkeit *f*; Festhalten *n*; Verläßlichkeit *f* (*of memory*).
ten·ant ['tenənt] *s* Pächter *m*; Mieter *m*.
tend [tend] *v/i* sich bewegen, streben (**to** nach, auf *acc* ... zu); fig. tendieren, neigen (**to** zu); *v/t* pflegen; hüten; *tech.* bedienen; **ten·den·cy** *s* Tendenz *f*; Richtung *f*; Neigung *f*; Zweck *m*.
ten·der ['tendə] **1.** *adj* □ zart; weich; empfindlich; heikel (*subject*); sanft, zart, zärtlich; **2.** *s* Angebot *n*, *econ.* Kostenvoranschlag *m*; *rail., mar.* Tender *m*; *legal* ~ gesetzliches Zahlungsmittel; **3.** *v/i econ.*: ~ **for** ein Angebot machen für; *v/t resignation*: einreichen; **~foot** *s (pl -foots, -feet) Am.* F Neuling *m*, Anfänger *m*; **~loin** *s* Filet *n*; **~ness** *s* Zartheit *f*; Zärtlichkeit *f*.
ten·don *anat.* ['tendən] *s* Sehne *f*.

ten·dril *bot.* ['tendrɪl] *s* Ranke *f*.

ten·e·ment ['tenɪmənt] *s* Mietwohnung *f*; *a.* **~ house** Mietshaus *n*, *contp.* Mietskaserne *f*.

ten·nis ['tenɪs] *s* Tennis *n*; **~ court** *s* Tennisplatz *m*.

ten·or ['tenə] *s* Fortgang *m*, Verlauf *m*; Inhalt *m*, 'Tenor *m*; *mus.* Te'nor *m*.

tense [tens] **1.** *s gr.* Zeit(form) *f*, Tempus *n*; **2.** *adj* □ (**~r, ~st**) gespannt (*a. fig.*); straff; (über)nervös, verkrampft; **ten·sion** *s* Spannung *f*.

tent [tent] **1.** *s* Zelt *n*; **2.** *v/i* zelten.

ten·ta·cle *zo.* ['tentəkl] *s* Fühler *m*; Fangarm *m* (*of octopus*).

ten·ta·tive ['tentətɪv] *adj* □ versuchend; Versuchs...; vorsichtig, zögernd, zaghaft; **~ly** versuchsweise.

ten·ter·hooks *fig.* ['tentəhʊks] *s pl*: **be on ~** wie auf (glühenden) Kohlen sitzen.

tenth [tenθ] **1.** *adj* zehnte(r, -s); **2.** *s* Zehntel *n*; **~ly** ['ˌlɪ] *adv* zehntens.

tent|-peg ['tentpeg] *s* Hering *m*; **~ pole** *s* Zeltstange *f*.

ten·u·ous ['tenjʊəs] *adj* □ dünn; zart, fein; *fig.* dürftig.

ten·ure ['tenjʊə] *s* Besitz(art *f*, -dauer *f*) *m*; **~ of office** Amtsdauer *f*.

tep·id ['tepɪd] *adj* □ lau(warm).

term [tɜːm] **1.** *s* (bestimmte) Zeit, Dauer *f*; Frist *f*; Termin *m*; Zahltag *m*; Amtszeit *f*; *jur.* Sitzungsperiode *f*; *univ.* Semester *n*, Quartal *n*, Trimester *n*; *expression*: (Fach)Ausdruck *m*, Wort *n*, Bezeichnung *f*, Begriff *m*; **~s** *pl* (Vertrags)Bedingungen *pl*; Beziehungen *pl*; **be on good (bad) ~s with** gut (schlecht) stehen mit; **we are not on speaking ~s** wir sprechen nicht (mehr) miteinander; **come to ~s** sich einigen; **2.** *v/t* (be)nennen; bezeichnen.

ter·mi|nal ['tɜːmɪnl] **1.** *adj* □ End...; letzte(r, -s); *med.* unheilbar; **~ly** zum Schluß; **2.** *s* Endstück *n*; *electr.* Pol *m*; *rail.*, *etc.*: Endstation *f*, Endbahnhof *m*; *aer.* Terminal *m*, *n*, Abfertigungsgebäude *n*; *computer*: Terminal *n*; **~nate** [ˌneɪt] *v/t* begrenzen; beend(ig)en; *contract*: lösen, kündigen; **~na·tion** [ˌneɪʃn] *s* Beendigung *f*; Ende *n*; *gr.* Endung *f*.

ter·mi·nus ['tɜːmɪnəs] *s* (*pl* **-ni** [-naɪ], **-nuses**) Endstation *f*.

ter·race ['terəs] *s* Terrasse *f*; *of houses*: Häuserreihe *f*; **~d** *adj* terrassenförmig (angelegt); **~ house** *Br.* → **~ house** *s* *Br.* Reihenhaus *n*.

ter·res·tri·al [tɪ'restrɪəl] *adj* □ irdisch; Erd...; *zo.*, *bot.* Land...; *TV*: terrestrisch.

ter·ri·ble ['terəbl] *adj* □ schrecklich.

ter·rif·ic F [tə'rɪfɪk] *adj* (**~ally**) toll, phantastisch; irre (*speed*, *heat*, *etc.*).

ter·ri·fy ['terɪfaɪ] *v/t* j-m Angst u. Schrecken einjagen.

ter·ri·to|ri·al [terɪ'tɔːrɪəl] *adj* □ territorial, Land...; **~ry** ['terɪtərɪ] *s* Territorium *n*, (Hoheits-, Staats)Gebiet *n*.

ter·ror ['terə] *s* Entsetzen *n*; Terror *m*; **~is·m** *s* Terrorismus *m*; **~ist** *s* Terrorist(in); **~ize** *v/t* terrorisieren.

terse [tɜːs] *adj* □ (**~r, ~st**) knapp; kurz u. bündig.

test [test] **1.** *s* Probe *f*; Versuch *m*; Test *m*; Untersuchung *f*; (Eignungs)Prüfung *f*; *chem.* Reagens *n*; **2.** *v/t* probieren; prüfen; testen; **3.** *adj* Probe..., Versuchs..., Test...

tes·ta·ment ['testəmənt] *s* Testament *n*; **last will and ~** *jur.* Testament *n*.

tes·ti·cle *anat.* ['testɪkl] *s* Hoden *m*.

tes·ti·fy ['testɪfaɪ] *v/t* bezeugen; *v/i* (als Zeuge) aussagen.

tes·ti·mo|ni·al [testɪ'məʊnɪəl] *s* (Führungs)Zeugnis *n*; Zeichen *n* der Anerkennung; **~ny** ['testɪmənɪ] *s jur.* Zeugenaussage *f*; Beweis *m*.

test-tube ['testtjuːb] *s chem.* Reagenzglas *n*; **~ ba·by** *s* Retortenbaby *n*.

tes·ty ['testɪ] *adj* □ (**-ier, -iest**) gereizt, reizbar, kribbelig.

teth·er ['teðə] **1.** *s* Haltestrick *m*; *fig.* Spielraum *m*; **at the end of one's ~** *fig.* am Ende s-r Kräfte; **2.** *v/t* anbinden.

text [tekst] *s* Text *m*; Wortlaut *m*; **~book** *s* Lehrbuch *n*.

tex·tile ['tekstaɪl] **1.** *adj* Textil..., Gewebe...; **2.** *s*: **~s** *pl* Textilwaren *pl*, Textilien *pl*.

text| in·put [tekst'ɪnpʊt] *s computer*: Texteingabe *f*; **~ pro·cess·ing** *s computer*: Textverarbeitung *f*.

tex·ture ['tekstʃə] *s* Gewebe *n*; Gefüge *n*; Struktur *f*.

than [ðæn, ðən] *cj* als.

thank [θæŋk] **1.** *v/t* danken (*dat*); **~ you** danke; **no, ~ you** nein, danke; **(yes,) ~**

you ja, bitte; **2.** *s*: ~**s** *pl* Dank *m*; ~**s danke (schön)**! *no*, ~**s** nein, danke; ~**s to** dank (*dat or gen*); ~**ful** *adj* □ dankbar; ~**less** *adj* □ undankbar; ~**s·giv·ing** *s* Dankgebet *n*; ♀ (*Day*) *Am.* Erntedankfest *n*.

that [ðæt, ðət] **1.** *pron and adj* (*pl those* [ðəuz]) jene(r, -s), der, die, das, der-, die-, dasjenige; solche(r, -s); *only sg:* das; *F* ... **and all** ~ F ... und so; ~ **is** (*to say*) das heißt; ~'**s it!** das wär's!, *showing approval:* richtig so!; **2.** *adv* F so, dermaßen; ~ **much** so viel; **3.** *rel pron* (*pl that*) der, die, das, welche(r, -s); **4.** *cj* daß; damit; weil; da, als.

thatch [θætʃ] **1.** *s* Reet *n*; Strohdach *n*; **2.** *v/t* mit Stroh decken.

thaw [θɔː] **1.** *s* Tauwetter *n*; (Auf)Tauen *n*; **2.** *v/t and v/i* (auf)tauen.

the [ðiː; *before vowel:* ðɪ; *before consonant:* ðə] **1.** *def art* der, die, das, *pl* die; **2.** *adv* desto, um so: ~ ... ~ je ..., desto.

the·a·tre, *Am.* **-ter** [ˈθɪətə] *s* Theater *n*; *fig.* Schauplatz *m*; **the·at·ri·cal** [θɪˈætrɪkl] *adj* □ theatralisch; *fig.* theatralisch.

theft [θeft] *s* Diebstahl *m*.

their [ðeə] *poss pron pl* ihr(e); ~**s** [~z] *poss pron* der (die, das) ihrige or ihre.

them [ðem, ðəm] *pron* sie (*acc pl*); ihnen.

theme [θiːm] *s* Thema *n*; *film, TV:* Melodie *f*.

them·selves [ðəmˈselvz] *pron* sie (*acc pl*) selbst; sich (selbst).

then [ðen] **1.** *adv* dann; damals; da; denn; also, folglich; **by** ~ bis dahin; inzwischen; **every now and** ~ ab und zu, gelegentlich; **there and** ~ sofort; **now** ~ also (nun); **but then** ~ andererseits aber; **2.** *attr adj* damalig.

the·ol·o·gy [θɪˈɒlədʒɪ] *s* Theologie *f*.

the·o·ret·ic [θɪəˈretɪk] (~**ally**), ~**ret·i·cal** *adj* □ theoretisch; ~**re·ti·cian** [~rəˈtɪʃn] *s*, ~**rist** [ˈθɪərɪst] *s* Theoretiker(in); ~**ry** [ˈθɪərɪ] *s* Theorie *f*.

ther·a·peu·tic [θerəˈpjuːtɪk] *adj* (~**ally**) therapeutisch; ~**pist** [ˈ~pɪst] *s* Therapeut(in); ~**py** [ˈ~pɪ] *s* Therapie *f*.

there [ðeə] *adv* da; dort; darin; (da-, dort)hin; *int* da!, na!; ~ **is**, *pl* ~ **are** es gibt, es ist, es sind; ~ **you are!** *giving s.th. to s.o.:* bitte sehr!, *spotting s.o.:* da bist du ja!; **we are getting** ~ wir schaffen es (schon); ~**a·bout(s)** *adv* da herum; so ungefähr; ~**af·ter** *adv* danach;

~**by** *adv* dadurch; ~**fore** *adv* darum, deswegen, deshalb, daher; ~**up·on** *adv* darauf(hin); ~**with** *adv* damit.

ther·mal [ˈθɜːml] **1.** *adj* □ Thermal...; *phys.* thermisch, Wärme...; **2.** *s* Thermik *f*; **ther·mom·e·ter** [θəˈmɒmɪtə] *s* Thermometer *n*.

Ther·mos *TM* [ˈθɜːməs] *s a.* ~ **flask** Thermosflasche *f TM*.

these [ðiːz] *pl of* this.

the·sis [ˈθiːsɪs] *s* (*pl* -**ses** [-siːz]) These *f*; Dissertation *f*.

they [ðeɪ] *pron pl* sie; man.

thick [θɪk] **1.** *adj* □ dick; *hair, forest: a.* dicht; *liquid:* trüb; *soup:* legiert; *accent:* stark; F dumm; F *very friendly:* F dick befreundet; ~ **with** über und über bedeckt von; voll von, voller; *that's a bit* ~! *sl.* das ist ein starkes Stück!; **2.** *s* dickster Teil; *fig.* Brennpunkt *m*; *in the* ~ *of* mitten in (*dat*); ~**en** *v/t and v/i* (sich) verdicken; (sich) verstärken; legieren; (sich) verdichten; dick(er) werden; ~**et** *s* Dickicht *n*; ~**head·ed** *adj* dumm; ~**ness** *s* Dicke *f*, Stärke *f*; Dichte *f*; ~**skinned** *adj fig.* dickfellig.

thief [θiːf] *s* (*pl* thieves [θiːvz]) Dieb(in); **thieve** [θiːv] *v/i and v/t* stehlen.

thigh *anat.* [θaɪ] *s* (Ober)Schenkel *m*.

thim·ble [ˈθɪmbl] *s* Fingerhut *m*.

thin [θɪn] **1.** *adj* □ (-**nn-**) dünn; *hair, forest: a.* licht; *not fat:* mager; *sparse:* spärlich, dürftig, schwach; *excuse:* fadenscheinig; **2.** *v/t and v/i* (-**nn-**) verdünnen; (sich) lichten; abnehmen.

thing [θɪŋ] *s* Ding *n*; Sache *f*; Gegenstand *m*; Geschöpf *n*; ~**s** *pl* Sachen *pl*; die Dinge *pl* (*circumstances*); **the** ~ das Richtige.

think [θɪŋk] (**thought**) *v/i* denken (**of** an *acc*); überlegen, nachdenken (**about** über *acc*); ~ **of** sich erinnern an (*acc*); sich et. ausdenken; ~ **of doing s.th.** beabsichtigen, et. zu tun; *it made me* ~ es machte mich nachdenklich; ~ **again!** denk noch mal nach; **what do you** ~ **of ...?** was hältst du von ...?; *v/t* et. denken; meinen, glauben; sich vorstellen; halten für; *et.* halten (**of** von) et.; beabsichtigen, vorhaben; ~ **s.th. over** sich et. überlegen, nachdenken.

third [θɜːd] **1.** *adj* dritte(r, -s); **2.** *s* Drittel *n*; ~**ly** *adv* drittens; ~**rate** *adj* drittklassig.

thirst [θɜːst] s Durst m; **~y** adj □ (**-ier, -iest**) durstig; dürr (land); **be ~** Durst haben, durstig sein.

thir|teen [θɜːˈtiːn] **1.** adj dreizehn; **2.** s Dreizehn f; **~teenth** [ˌ-ˈtiːnθ] adj dreizehnte(r, -s); **~tieth** [ˈθɜːtiɪθ] adj dreißigste(r, -s); **~ty** [ˈθɜːtɪ] **1.** adj dreißig; **2.** s Dreißig f.

this [ðɪs] pron and adj (pl **these** [ðiːz]) diese(r, -s); **~ morning** heute morgen; **~ is John speaking** teleph. hier (spricht) John.

this·tle bot. [ˈθɪsl] s Distel f.

thorn [θɔːn] s Dorn m; **~y** adj (**-ier, -iest**) dornig; fig. schwierig; heikel.

thor·ough [ˈθʌrə] adj □ gründlich, genau; vollkommen; vollständig, völlig; vollendet; **~bred** s Vollblut(pferd) n; attr Vollblut...; **~go·ing** adj gründlich; kompromißlos; durch und durch.

those [ðəʊz] pl of **that** 1.

though [ðəʊ] cj obwohl, wenn auch; zwar; adv jedoch, doch; **as ~** als ob.

thought [θɔːt] **1.** pret and pp of **think; 2.** s Gedanke m, Einfall m; (Nach)Denken n; **on second ~s** nach reiflicher Überlegung; **~ful** adj □ gedankenvoll, nachdenklich; rücksichtsvoll (**of** gegen); **~less** adj □ gedankenlos, unbesonnen; rücksichtslos (**of** gegen).

thou·sand [ˈθaʊzənd] **1.** adj tausend; **2.** s (pl **~, ~s**) Tausend n; **~th** [ˌ-ntθ] **1.** adj tausendste(r, -s); **2.** s Tausendstel n.

thrash [θræʃ] v/t verdreschen, -prügeln; sports: j-m e-e Abfuhr erteilen; **~ out** fig. gründlich erörtern; v/i: **~ about, ~ around** in bed: sich hin und her werfen; um sich schlagen; zappeln (fish); **~ing** s Dresche, Tracht f Prügel; sports: Abfuhr f, Schlappe f.

thread [θred] **1.** s Faden m (a. fig.); Zwirn m, Garn n; tech. (Schrauben)Gewinde n; **2.** v/t einfädeln; aufreihen; v/i fig. sich durchwinden (**through** durch); **~bare** adj fadenscheinig (a. fig.); fig. abgedroschen.

threat [θret] s (Be)Drohung f; **~en** v/t (be-, an)drohen; **~en·ing** adj drohend; bedrohlich.

three [θriː] **1.** adj drei; **2.** s Drei f; **~fold** adj dreifach.

thresh agr. [θreʃ] v/t and v/i dreschen; **~er** s Drescher m; Dreschmaschine f;

~ing s Dreschen n; **~ing-ma·chine** s Dreschmaschine f.

thresh·old [ˈθreʃhəʊld] s Schwelle f.

threw [θruː] pret of **throw** 1.

thrift [θrɪft] s Sparsamkeit f; Wirtschaftlichkeit f; **~less** adj □ verschwenderisch; **~y** adj □ (**-ier, -iest**) sparsam; poet. blühend.

thrill [θrɪl] **1.** v/t erschauern lassen, erregen, packen; v/i (er)beben, erschauern, zittern; **2.** s Zittern n, Erregung f; (Nerven)Kitzel m, Sensation f; Beben n; **~er** s Reißer m, Thriller m (film, etc.); **~ing** adj spannend, aufregend.

thrive [θraɪv] (**thrived** or **throve, thrived** or **thriven**) v/i gedeihen; fig. blühen; Erfolg haben.

throat [θrəʊt] s Kehle f, Gurgel f; Hals m; **clear one's ~** sich räuspern.

throb [θrɒb] **1.** v/i (**-bb-**) (heftig) pochen, klopfen, schlagen; pulsieren; **2.** s Pochen n, Schlagen n; Pulsschlag m.

throne [θrəʊn] s Thron m.

throng [θrɒŋ] **1.** s Gedränge n; (Menschen)Menge f; **2.** v/i and v/t sich drängen (in dat); **be ~ed with** wimmeln von.

throt·tle [ˈθrɒtl] **1.** v/t erdrosseln; v/i: **~ back, ~ down** mot. tech. drosseln, Gas wegnehmen; **2.** s a. **~valve** mot., tech. Drosselklappe f.

through [θruː] **1.** prp durch; hindurch; Am. (von ...) bis; **Monday ~ Friday** Am. von Montag bis Freitag; **live ~ s.th.** survive: et. überleben; experience: et. erleben; **2.** adj Durchgangs...; durchgehend; **~ car** Am., **~ carriage, ~ coach** Br. rail. Kurswagen m; **~ flight** aer. Direktflug m; **~ travel(l)er** Transitreisende(r) m f; **~out 1.** prp überall in (dat); während; **2.** adv durch und durch, ganz und gar, durchweg; **~put** s econ. computer: Durchsatz m, Leistung f; **~ traf·fic** s Durchgangsverkehr m; **~way** s Am. Schnellstraße f.

throve [θrəʊv] pret of **thrive**.

throw [θrəʊ] **1.** (**threw, thrown**) v/t (ab)werfen, schleudern; Am. competition, etc.: absichtlich verlieren; dice: werfen; number: würfeln; tech. ein-, ausschalten; **~ away** wegwerfen; money: verschwenden; **~ over** fig. aufgeben (friend, etc.); **~ up** hochwerfen; fig. et.

aufgeben, hinwerfen (*job*, *etc.*); v/i: ~ **up** F *vomit*: erbrechen, sich übergeben; **2.** s Wurf m; **~·a·way** adj Wegwerf...; Einweg...; ~ **price** Schleuderpreis m; ~ **society** Wegwerfgesellschaft f; **~·n** pp of **throw** 1.

thrush zo. [θrʌʃ] s Drossel f.

thrust [θrʌst] **1.** s Stoß m; Vorstoß m; *tech.* Druck m, Schub m; **2.** v/t (**thrust**) stoßen; stecken, schieben; ~ **o.s. into** sich drängen in (acc); ~ **s.th. upon s.o.** j-m et. aufdrängen.

thud [θʌd] **1.** v/i (**-dd-**) dumpf (auf)schlagen, F bumsen; **2.** s dumpfer (Auf-)Schlag, F Bums m.

thug [θʌg] s (Gewalt)Verbrecher m, Schläger m.

thumb [θʌm] **1.** s Daumen m; **2.** v/t: ~ **a lift** or **ride** per Anhalter fahren; **well-~ed** *book*, *etc.*: abgegriffen; v/i: ~ **through a book** ein Buch durchblättern; **~·tack** s Am. Reißzwecke f, -nagel m.

thump [θʌmp] **1.** s dumpfer Schlag; **2.** v/t heftig schlagen or hämmern or pochen gegen or auf (acc); v/i (laut) (auf)schlagen; (laut) pochen (*heart*).

thun·der [ˈθʌndə] **1.** s Donner m; **2.** v/i and v/t donnern; **~·bolt** s Blitz m (und Donner m); **~·clap** s Donnerschlag m; **~·ous** adj □ donnernd; **~·storm** s Gewitter n; **~·struck** adj fig. wie vom Donner gerührt.

Thurs·day [ˈθɜːzdɪ] s Donnerstag m.

thus [ðʌs] adv so; also, somit.

thwart [θwɔːt] **1.** v/t durchkreuzen, vereiteln; **2.** s Ruderbank f.

tick¹ zo. [tɪk] s Zecke f.

tick² [~] **1.** s Ticken n; (Vermerk)Häkchen n, Haken m; **2.** v/i ticken; v/t anhaken; ~ **off** abhaken.

tick³ [~] s of pillow: Inlett n; of mattress: Matratzenbezug m.

tick·er tape [ˈtɪkəteɪp] s Lochstreifen m; ~ **parade** esp. Am. Konfettiparade f.

tick·et [ˈtɪkɪt] **1.** s Fahrkarte f, -schein m; Flugkarte f, Ticket n; (Eintritts-, Theater- *etc.*)Karte f; mot. Strafzettel m; gebührenpflichtige Verwarnung; Etikett n, Schildchen n, (Preis- *etc.*)Zettel m; esp. Am. pol. (Wahl-, Kandidaten-) Liste f; **2.** v/t etikettieren; *goods*: auszeichnen; **~·can·cel·(l)ing ma·chine** s (Fahrschein)Entwerter m; ~ **col·lec-**

tor s rail. (Bahnsteig)Schaffner(in); Fahrkartenkontrolleur(in); ~ **ma-chine** s a. **automatic** ~ Fahrkartenautomat m; **~·of·fice** s rail. Fahrkartenschalter m; thea. Kasse f.

tick·le [ˈtɪkl] v/t and v/i kitzeln (a. fig.); **~·lish** adj □ kitz(e)lig; fig. heikel.

tid·al [ˈtaɪdl] adj Gezeiten...; ~ **wave** Flutwelle f.

tid·bit Am. [ˈtɪdbɪt] → **titbit**.

tide [taɪd] **1.** s Gezeiten pl; Ebbe f und Flut f; fig. Strom m, Strömung f; **high ~** Flut f; **low ~** Ebbe f; **2.** v/t: ~ **over** fig. j-m hinweghelfen über (acc); j-n über Wasser halten.

ti·dy [ˈtaɪdɪ] **1.** adj □ (**-ier, -iest**) ordentlich, sauber, reinlich, aufgeräumt; F ganz schön, beträchtlich (*sum*); **2.** s Behälter m; Abfallkorb m; **3.** v/t a. ~ **up** zurechtmachen; in Ordnung bringen; aufräumen.

tie [taɪ] **1.** s (Schnür)Band n; Schleife f; Krawatte f, Schlips m; fig. Band n, Bindung f; fig. (lästige) Fessel, Last f; *sports*: Punktegleichstand m, Unentschieden n; *parl.* Stimmengleichheit f; *sports*: a. (Ausscheidungs)Spiel n; Am. rail. Schwelle f; **2.** v/t (an-, fest-, fig. ver)binden; v/i *sports*: punktgleich sein; *with adverbs*: ~ **down** fig. binden (**to** an acc); ~ **in with** passen zu; verbinden or koppeln mit; ~ **up** zu-, an-, ver-, zusammenbinden; **~·break(·er)** s *tennis*: Tiebreak m, n; **~·in** s econ. Kopplungsgeschäft n, -verkauf m; **a book movie** ~ Am. appr: das Buch zum Film; **~·up** s (Ver)Bindung f; econ. Fusion f; Stockung f; esp. Am. Streik m.

ti·ger zo. [ˈtaɪgə] s Tiger m.

tight [taɪt] **1.** adj □ dicht; fest; eng; knapp (sitzend); straff, (an)gespannt; econ. knapp; F blau, besoffen; F knick(e)rig, geizig; **be in a ~ corner** or **place** or F **spot** fig. in der Klemme sein; **2.** adv fest; **hold** ~ festhalten; **~·en** v/t fest-, anziehen; *belt*: enger schnallen; a. ~ **up** (v/i sich) zusammenziehen; **~·fist·ed** adj knick(e)rig, geizig; **~·ness** s Festigkeit f; Dichte f; Straffheit f; Knappheit f; Enge f; Geiz m; **~·s** pl (Tänzer- *etc.*)Trikot n; esp. Br. Strumpfhose f.

ti·gress zo. [ˈtaɪgrɪs] s Tigerin f.

tile [taɪl] **1.** s (Dach)Ziegel m; Kachel f;

Platte f; Fliese f; **2.** v/t (mit Ziegeln etc.) decken; kacheln; fliesen.

till¹ [tɪl] s (Laden)Kasse f.

till² [~] **1.** prp bis (zu); **2.** cj bis.

tilt [tɪlt] **1.** s Kippen n; Neigung f; Stoß m; **2.** v/i and v/t (um)kippen.

tim·ber ['tɪmbə] **1.** s (Bau-, Nutz)Holz n; aer. Spant m; Baumbestand m, Bäume pl; **2.** v/t zimmern; **~ed** adj a. **half-~** Fachwerk...

time [taɪm] **1.** s Zeit f; Uhrzeit f; Frist f; Mal n; mus. Takt m; Tempo n; **~s** pl mal, ...mal; **...up** die Zeit ist um or abgelaufen; **for the ~ being** vorläufig; **have a good ~** sich gut unterhalten or amüsieren; **what's the ~?**, what ~ is it? wieviel Uhr ist es?, wie spät ist es?; **~ and again** immer wieder; **all the ~** ständig, immer; **at a ~** auf einmal, zusammen; **at any ~, at all ~s** jederzeit; **at the same ~** gleichzeitig, zur selben Zeit; **in ~** rechtzeitig; **in no ~** im Nu, im Handumdrehen; **on ~** pünktlich; **2.** v/t messen, (ab)stoppen; zeitlich abstimmen; timen (a. sports); den richtigen Zeitpunkt wählen or bestimmen für; **~ card** s Stechkarte f; **~ clock** s Stechuhr f; **~-con·sum·ing** adj zeitraubend; **~keep·er** s sports Zeitnehmer(in); **~ lim·it** s zeitliche Begrenzung; Frist f; **~ly** adj rechtzeitig.

tim·er ['taɪmə] s Timer m, Schaltuhr f.

time| sheet ['taɪmʃiːt] s Stechkarte f; **~ sig·nal** s radio, TV: Zeitzeichen n; **~·ta·ble** s Terminkalender m; Fahr-, Flug-, Stundenplan m.

tim|id ['tɪmɪd], **~·or·ous** [~ərəs] adj □ ängstlich; schüchtern.

tin [tɪn] **1.** s Zinn n; Weißblech n; esp. Br. (Konserven)Dose f, (-)Büchse f; **2.** v/t (-nn-) verzinnen; esp. Br. (in Büchsen) einmachen, eindosen.

tinc·ture ['tɪŋktʃə] s med. Tinktur f; fig. Anstrich m.

tin·foil [tɪnfɔɪl] s Stanniol(papier) n.

tinge [tɪndʒ] **1.** s Tönung f; fig. Anflug m, Spur f; **2.** v/t tönen, färben; fig. e-n Anstrich geben (dat).

tin·gle ['tɪŋgl] v/i klingen; prickeln.

tink·er ['tɪŋkə] v/i herumpfuschen, -basteln (at an dat).

tin·kle ['tɪŋkl] v/i and v/t klingeln (mit).

tin| o·pen·er esp. Br. ['tɪnˌəʊpnə] s Dosenöffner m; **~ plate** s Weißblech n.

tin·sel ['tɪnsl] s Flitter m; Lametta n.

tint [tɪnt] **1.** s (zarte) Farbe; (Farb)Ton m, Tönung f, Schattierung f; **2.** v/t (leicht) färben; tönen.

ti·ny ['taɪnɪ] adj □ (**-ier, -iest**) winzig, sehr klein.

tip [tɪp] **1.** s Spitze f; Filter m (of cigarette); for waiter, etc.: Trinkgeld n; advice: Tip m, Wink m; Br. dump: Schuttabladeplatz m; **2.** v/t (-pp-) mit e-r Spitze versehen; (um)kippen; j-m ein Trinkgeld geben; a. **~ off** j-m e-n Tip or Wink geben.

tip·sy ['tɪpsɪ] adj □ (**-ier, -iest**) angeheitert.

tip-toe ['tɪptəʊ] **1.** v/i auf Zehenspitzen gehen; **2.** s: **on ~** auf Zehenspitzen.

tire¹ Am. ['taɪə] → **tyre**.

tire² v/t and v/i ermüden, müde machen or werden; **~d** adj □ müde; **~less** adj □ unermüdlich; **~some** adj □ ermüdend; lästig.

tis·sue ['tɪʃuː] s Gewebe n; Papiertaschentuch n; → **~ pa·per** s Seidenpapier n.

tit¹ [tɪt] → **teat**.

tit² zo. [~] s a. **~mouse** Meise f.

tit·bit esp. Br. ['tɪtbɪt] s Leckerbissen m.

ti·tle ['taɪtl] s (Buch-, Ehren- etc.)Titel m; Überschrift f; jur. Rechtsanspruch m; **~d** adj ad(e)lig.

tit·ter ['tɪtə] **1.** v/i kichern; **2.** s Kichern n.

tit·tle-tat·tle F ['tɪtltætl] **1.** s Tratsch m, Klatsch m; **2.** v/i tratschen, klatschen.

to [tuː; tʊ, tə] **1.** prp zu; gegen, nach, an, in, auf (acc); bis zu, bis an (acc); für; **a quarter ~ one** (ein) Viertel vor eins; **from Monday ~ Friday** Br. von Montag bis Freitag; **~ me**, etc. mir etc.; **here's to you!** auf Ihr Wohl!, prosit!; **2.** Partikel: um zu; **I weep ~ think of it** ich weine, wenn ich daran denke; **3.** adv zu, geschlossen; **pull ~** door: zuziehen; **come ~** (wieder) zu sich kommen; **~ and fro** hin und her, auf und ab.

toad zo. [təʊd] s Kröte f; **~·stool** s bot. ungenießbarer Pilz, Giftpilz m; **~·y 1.** s Speichellecker(in); **2.** v/i fig. kriechen (**to** vor dat).

toast [təʊst] **1.** s Toast m; Toast m, Trinkspruch m; **2.** v/t toasten; rösten; fig. wärmen; trinken auf (acc).

to·bac·co [təˈbækəʊ] s (pl **-cos**) Tabak m; **~·nist** [~ənɪst] s Tabakhändler m.

to·bog·gan [təˈbɒgən] **1.** s Rodelschlitten m; **2.** v/i rodeln.

to·day [təˈdeɪ] adv heute; heutzutage; *a week ~, ~ week* heute in einer Woche.

tod·dle [ˈtɒdl] v/i wackeln, auf wack(e)ligen Beinen gehen (*esp. small child*); F (dahin)zotteln; **~r** s Kleinkind n.

tod·dy [ˈtɒdɪ] s appr. Grog m.

to-do F [təˈduː] s Lärm m; Getue n, Aufheben n.

toe [təʊ] **1.** s anat. Zehe f; Spitze f (*of shoe, etc.*); → *tread* 1; **2.** v/t: ~ *the line* sich einordnen; ~ *the party line* linientreu sein; **~nail** s Zehennagel m.

tof·fee, a. **~·fy** [ˈtɒfɪ] s Sahnebonbon m, n, Toffee n.

to·geth·er [təˈgeðə] adv zusammen; zugleich; *days, etc.*: nacheinander.

toil [tɔɪl] **1.** s mühselige Arbeit, Mühe f, Plackerei f; **2.** v/i sich plagen.

toi·let [ˈtɔɪlɪt] s Toilette f; *go to the ~* auf die Toilette gehen; **~·pa·per** s Toilettenpapier n.

to·ken [ˈtəʊkən] **1.** s Zeichen n; Andenken n, Geschenk n; *voucher*: Gutschein m; *as a ~, in ~ of* als oder zum Zeichen (*gen*); **2.** adj symbolisch; Schein..., Alibi...; ~ *strike* Warnstreik m.

told [təʊld] pret and pp of *tell*.

tol·e·ra·ble [ˈtɒlərəbl] adj □ erträglich; **~·rance** s Toleranz f; Nachsicht f; **~·rant** adj □ tolerant (*of* gegen); **~·rate** [ˈ~eɪt] v/t dulden; ertragen; **~·ra·tion** [~ˈreɪʃn] s Duldung f.

toll [təʊl] **1.** s Straßenbenutzungsgebühr f, Maut f; fig. Tribut m, (Zahl f der) Todesopfer pl; *the ~ of the road* die Verkehrsopfer pl; **2.** v/i and v/t läuten; **~·bar**, **~·gate** s Schlagbaum m.

to·ma·to bot. [təˈmɑːtəʊ, Am. təˈmeɪtəʊ] s (pl **-toes**) Tomate f.

tomb [tuːm] s Grab(mal) n.

tom·boy [ˈtɒmbɔɪ] s girl: Wildfang m.

tomb·stone [ˈtuːmstəʊn] s Grabstein m.

tom·cat zo. [ˈtɒmkæt] s Kater m.

to·mor·row [təˈmɒrəʊ] **1.** adv morgen; **2.** s das Morgen; **~'s** paper, etc.: morgig, von morgen.

ton [tʌn] s unit of weight: Tonne f.

tone [təʊn] **1.** s Ton m, Klang m, Laut m; (Farb)Ton m; **2.** v/t (ab)tönen; ~ *down* (v/i sich) abschwächen or mildern.

tongs [tɒŋz] s pl (**a pair of ~** e-e) Zange.

tongue [tʌŋ] s anat. Zunge f; Sprache f; *of shoe*: Zunge f, Lasche f; *hold one's ~* den Mund halten; → *slip* 2; **~·tied** adj fig. stumm, sprachlos; **~ twist·er** s Zungenbrecher m.

ton·ic [ˈtɒnɪk] **1.** adj (**~ally**) stärkend, belebend; **2.** s mus. Grundton m; Stärkungsmittel n, Tonikum n.

to·night [təˈnaɪt] adv heute abend or nacht.

ton·nage mar. [ˈtʌnɪdʒ] s Tonnage f.

ton·sil anat. [ˈtɒnsl] s Mandel f; **~·li·tis** med. [tɒnsɪˈlaɪtɪs] s Mandelentzündung f.

too [tuː] adv zu, allzu; auch, ebenfalls.

took [tʊk] pret of *take* 1.

tool [tuːl] s Werkzeug n, Gerät n; **~·bag** s Werkzeugtasche f; **~·box** s Werkzeugkasten m; **~·kit** s Werkzeugtasche f.

toot [tuːt] **1.** v/i blasen (*a. v/t*), tuten, hupen; **2.** s Tuten n.

tooth [tuːθ] s (pl **teeth** [tiːθ]) Zahn m; **~·ache** s Zahnschmerzen pl; **~·brush** s Zahnbürste f; **~·less** adj □ zahnlos; **~·paste** s Zahnpasta f, -creme f; **~·pick** s Zahnstocher m.

top¹ [tɒp] **1.** s ober(st)es Ende; Oberteil n; Spitze f (*a. fig.*); Gipfel m (*a. fig.*); *of tree*: Wipfel m; Kopf(ende n) m; (Topfetc.)Deckel m; mot. Verdeck n; *at the ~ of one's voice* aus vollem Halse; *on ~* oben(auf); obendrein; *on ~ of* (oben) auf (*dat*); **2.** adj oberste(r, -s), höchste(r, -s), Höchst..., Spitzen...; **3.** v/t (**-pp-**) oben bedecken; überragen (*a. fig.*); *list, etc.*: an der Spitze (*gen*) stehen; ~ *up* tank, etc.: auf-, nachfüllen; ~ *s.o. up* j-m nachschenken.

top² [~] s Kreisel m.

top·flight [ˈtɒpflaɪt] adj erstklassig, Spitzen...; ~ *hat* s Zylinder(hut) m.

top·ic [ˈtɒpɪk] s Gegenstand m, Thema n; **~·al** adj □ lokal; aktuell.

top·less [ˈtɒplɪs] adj oben ohne, Oben-ohne-...; **~·lev·el** adj Spitzen...; **~·most** adj höchste(r, -s), oberste(r, -s).

top·ple [ˈtɒpl] v/t: (~ *down*, ~ *over* um)kippen; fig. government: stürzen.

top·sy-tur·vy [ˈtɒpsɪˈtɜːvɪ] adj and adv auf den Kopf (gestellt); drunter und drüber.

torch [tɔːtʃ] s Fackel f; *a. electric ~* esp. Br. Taschenlampe f; **~·light** s Fackelschein m; ~ *procession* Fackelzug m.

tore [tɔː] pret of *tear¹* 1.

track

tor·ment 1. s ['tɔːment] Qual f, Marter f;
2. v/t [tɔː'ment] quälen, peinigen, plagen.

torn [tɔːn] pp of **tear**¹ 1.

tor·na·do [tɔː'neɪdəʊ] s (pl **-does**, **-dos**)
Wirbelsturm m, Tornado m.

tor·pe·do [tɔː'piːdəʊ] **1.** s (pl **-does**) Torpe-
pedo m; **2.** v/t torpedieren (a. fig.).

tor|rent ['tɒrənt] s Sturz-, Wildbach m;
reißender Strom; fig. Strom m, Schwall
m; **~·ren·tial** [tə'renʃl] adj: **~ rain(s)**
sintflutartige Regenfälle.

tor·toise zo. ['tɔːtəs] s (Land)Schildkröte
f.

tor·tu·ous ['tɔːtjʊəs] adj □ gewunden.

tor·ture ['tɔːtʃə] **1.** s Folter(ung) f; Tortur f; **2.** v/t foltern.

toss [tɒs] **1.** s (Hoch)Werfen n, Wurf m;
Zurückwerfen n (of head); **2.** v/t werfen,
schleudern; a. v/i **~ about** (sich) hin-
und herwerfen; schütteln; **~ off** drink:
hinunterstürzen; work: hinhauen; V
masturbate: (sich) e-n runterholen; a. **~
up** hochwerfen; with a coin: losen, kno-
beln (**for** um).

tot F [tɒt] s small child: Knirps m.

to·tal ['təʊtl] **1.** adj □ ganz, gänzlich,
völlig; total; gesamt; **2.** s Gesamtbe-
trag m, -menge f; **3.** v/t (esp. Br. **-ll-**,
Am. **-l-**) sich belaufen auf (acc);
~·i·tar·i·an [təʊtælɪ'teərɪən] adj totali-
tär; **~·i·ty** [təʊ'tælətɪ] s Gesamtheit f.

tot·ter ['tɒtə] v/i torkeln, (sch)wanken,
wackeln.

touch [tʌtʃ] **1.** v/t berühren; anrühren;
anfassen; grenzen or stoßen an (acc);
fig. rühren; erreichen; mus. anschlagen; **~ glasses** anstoßen; **a bit ~ed** fig.
ein bißchen verrückt; **~ up** auffrischen;
retuschieren; v/i sich berühren; **~ at**
mar. anlegen in (dat); **~ down** aer. aufsetzen; **2.** s Berührung f; Tastsinn m,
-gefühl n; Verbindung f, Kontakt m;
mus. Anschlag m; paint. (Pinsel)Strich
m; **a ~ of vinegar**, etc. e-e Spur Essig
etc.; **he has a ~ of style** er hat irgendwie Stil; **be in ~** Kontakt haben; **keep
in ~** laß von dir hören!, melde dich mal
wieder!; **~-and-go** adj: **it is ~** es steht
auf des Messers Schneide; **~·ing** adj □
rührend; **~·stone** s Prüfstein m; **~·y** adj
□ (**-ier**, **-iest**) empfindlich; heikel.

tough [tʌf] adj □ zäh (a. fig.); robust,
stark; hart, grob, brutal, übel; **~·en** v/t

and v/i zäh machen or werden; **~·ness** s
Zähigkeit f.

tour [tʊə] **1.** s (Rund)Reise f, Tour f;
Rundgang m, -fahrt f; thea. Tournee f
(a. sports); **~ operator** Reiseveranstal-
ter m; **→ conduct 2; 2.** v/t bereisen;
~·is·m s Tourismus m, Fremdenver-
kehr m; **~·ist** s Tourist(in); **~ agency**
Reisebüro n; **~ information** (centre), **~
office** Verkehrsverein m, Fremdenver-
kehrsbüro n, Touristeninformation f; **~
season** Reisesaison f, -zeit f; **~ trap**
bar, etc.: appr. Nepplokal n; **resort**:
appr. überteuerter Touristenort.

tour·na·ment ['tʊənəmənt] s Turnier n.

tow [təʊ] **1.** s Schleppen n; **take in ~** ins
Schlepptau nehmen; **2.** v/t (ab)schlep-
pen; ziehen.

to·ward(s) [tə'wɔːd(z)] prp in direction
of: gegen; nach ... zu, auf (acc) ... zu; in
relation to: gegenüber, zu.

tow·el ['taʊəl] **1.** s Handtuch n; **2.** v/t
(esp. Br. **-ll-**, Am. **-l-**) (ab)trocknen;
(ab)reiben.

tow·er ['taʊə] **1.** s Turm m; fig. Stütze f,
Bollwerk n; a. **~ block** (Büro-, Wohn-)
Hochhaus n; **2.** v/i (hoch)ragen, sich
erheben; **~·ing** adj □ (turm)hoch; rasend (rage).

town [taʊn] **1.** s Stadt f; **2.** adj Stadt...;
städtisch; **~ cen·tre**, Am. **~ cen·ter** s
Innenstadt f, City f; **~ clerk** s Br. städti-
scher Verwaltungsbeamter; **~ coun·cil**
s Br. Stadtrat m; **~ coun·cil(l)or** s Br.
Stadtrat m, -rätin f; **~ hall** s Rathaus n;
~s·folk s pl Städter pl; **~·ship** s Stadtgemeinde f; Stadtgebiet n; **~s·man** s
Städter m; (Mit)Bürger m; **~s·peo·ple**
s pl → **townsfolk**; **~s·wom·an** s Städte-
rin f; (Mit)Bürgerin f.

tox|ic ['tɒksɪk] adj (**~ally**) giftig; Gift...; **~
waste** Giftmüll m; **~·in** s Giftstoff m.

toy [tɔɪ] **1.** s Spielzeug n; **~s** pl Spielsa-
chen pl, -waren pl. **2.** adj Spielzeug...;
Miniatur...; Zwerg...; **3.** v/i spielen.

trace [treɪs] **1.** s Spur f (a. fig.); **2.** v/t
nachspüren (dat), j-s Spur folgen; verfolgen; herausfinden; (auf)zeichnen;
(durch)pausen.

trac·ing ['treɪsɪŋ] s Pauszeichnung f.

track [træk] **1.** s Spur f, Fährte f; rail.
Gleis n, Geleise n and pl; Pfad m (a.
computer); of tape: Spur f; (Raupen-)
Kette f; sports: (Renn-, Aschen)Bahn f;

~-and-field *sports*: Leichtathletik...; **~ events** *pl sports*: Laufdisziplinen *pl*; **~ suit** Trainingsanzug *m*; **2.** *v/t* nachgehen, -spüren (*dat*), verfolgen; **~ down, ~ out** aufspüren; **~ing station** space travel: Bodenstation *f*.

tract [trækt] *s* Fläche *f*, Strecke *f*, Gegend *f*; *text*: Traktat *n*, Abhandlung *f*.

trac|tion ['trækʃn] *s* Ziehen *n*, Zug *m*; **~ engine** Zugmaschine *f*; **~tor** *s tech.* Trecker *m*, Traktor *m*.

trade [treɪd] **1.** *s* Handel *m*; Gewerbe *n*, Beruf *m*, Handwerk *n*; **2.** *v/i* Handel treiben, handeln; **~ on** ausnutzen; **~ def·i·cit** *s* Handelsbilanzdefizit *n*; **~ mark** *s* Warenzeichen *n*; **~ price** *s* Großhandelspreis *m*; **trad·er** *s* Händler *m*; **~s·man** *s* (Einzel)Händler *m*; **~(s) u·nion** *s* Gewerkschaft *f*; **~(s) u·nion·ist** *s* Gewerkschaftler(in); **~ wind** *s* Passat(wind) *m*; **trad·ing part·ner** *s* Handelspartner *m*.

tra·di·tion [trə'dɪʃn] *s* Tradition *f*; Überlieferung *f*; **~al** *adj* □ traditionell.

traf·fic ['træfɪk] **1.** *s* Verkehr *m*; Handel *m*; **2.** *v/i* (*-ck-*) (*a.* illegal) handeln (**in** mit); **~ cir·cle** *s Am.* Kreisverkehr *m*; **~ jam** *s* (Verkehrs)Stau *m*, Verkehrsstockung *f*; **~ light(s** *pl*) Verkehrsampel *f*; **~ sign** *s* Verkehrszeichen *n*, -schild *n*; **~ sig·nal** = **traffic light(s**); **~ war·den** *s Br.* Politesse *f*.

tra|ge·dy ['trædʒɪdɪ] *s* Tragödie *f*; **~gic** (**~ally**), **trag·i·cal** *adj* □ tragisch.

trail [treɪl] **1.** *s* Schleppe *f*; Spur *f*; Pfad *m*, Weg *m*; *fig.* Schweif *m*; **2.** *v/t* hinter sich herziehen; verfolgen, *j-n* beschatten; *v/i* schleifen; sich schleppen; *bot.* kriechen, sich ranken; **~er** *s bot.* Kriechpflanze *f*; *mot.* Anhänger *m*; *Am. mot.* Wohnwagen *m*, Wohnanhänger *m*, Caravan *m*; *film, TV*: (Programm)Vorschau *f*.

train [treɪn] **1.** *s rail.* (Eisenbahn)Zug *m*; *line of people, etc.*: Zug *m*; Gefolge *n*; Reihe *f*, Folge *f*, Kette *f*; Schleppe *f* (*of dress*); **2.** *v/t* erziehen; schulen; *dog*: abrichten; ausbilden; *sports*: trainieren; **~ee** [~'niː] *s* Auszubildende(r *m*) *f*, F Azubi *m*, *f*; **~er** *s* Ausbilder *m*; *sports*: Trainer *m*; **~ing** *s* Ausbildung *f*; Üben *n*; *esp. sports*: Training *n*.

trai·tor ['treɪtə] *s* Verräter *m*.

tram(·car) *Br.* ['træm(kɑː)] *s* Straßenbahn(wagen *m*) *f*.

tramp [træmp] **1.** *s* Getrampel *n*; Wanderung *f*; Tramp *m*, Landstreicher(in), *in city*: Stadtstreicher(in); **2.** *v/i* trampeln, treten; (*v/t* durch)wandern.

tram·ple ['træmpl] *v/i* (*v/t* zer)trampeln.

trance [trɑːns] *s* Trance *f*.

tran·quil ['træŋkwɪl] *adj* □ ruhig; gelassen; **~(l)i·ty** [~'kwɪlətɪ] *s* Ruhe *f*; Gelassenheit *f*; **~(l)ize** *v/t* beruhigen; **~(l)iz·er** *s* Beruhigungsmittel *n*.

trans|act [træn'zækt] *v/t* abwickeln, abmachen; **~ac·tion** *s* Erledigung *f*; Geschäft *n*, Transaktion *f*.

trans·al·pine [trænz'ælpaɪn] *adj* transalpin.

trans·at·lan·tic [trænzət'læntɪk] *adj* transatlantisch, Übersee...

tran|scend [træn'send] *v/t* überschreiten, hinausgehen über (*acc*); übertreffen; **~scen·dence, ~scen·den·cy** *s* Überlegenheit *f*; *phls.* Transzendenz *f*.

tran·scribe [træn'skraɪb] *v/t* abschreiben; *from shorthand*: übertragen.

tran|script ['trænskrɪpt], **~scrip·tion** [~'skrɪpʃn] *s* Abschrift *f*; Umschrift *f*.

trans·fer 1. [træns'fɜː] *v/t* übertragen; versetzen, -legen; *money*: überweisen; (*sports*) *player*: transferieren (**to** zu), abgeben (**to** an *acc*); *v/i* übertreten; *sports*: wechseln (*player*); *rail., etc.*: umsteigen; **2.** *s* ['trænsfɜː] Übertragung *f*; Versetzung *f*, -legung *f*; *econ.* (Geld-) Überweisung *f*; *sports*: Transfer *m*, Wechsel *m*; *Am. rail., etc.*: Umsteigefahrschein *m*; **~a·ble** [træns'fɜːrəbl] *adj* übertragbar; **~ fee** ['trænsfɜː] *s sports*: Ablösesumme *f*.

trans·fig·ure [træns'fɪɡə] *v/t* umgestalten; verklären.

trans·fix [træns'fɪks] *v/t* durchstechen; **~ed** *adj fig.* versteinert, starr (**with** vor *dat*).

trans|form [træns'fɔːm] *v/t* umformen; um-, verwandeln; **~for·ma·tion** [trænsfə'meɪʃn] *s* Umformung *f*; Um-, Verwandlung *f*.

trans|fuse *med.* [træns'fjuːz] *v/t blood*: übertragen; **~fu·sion** *s med.* (Blut-) Übertragung *f*, (-)Transfusion *f*.

trans|gress [træns'gres] *v/t* überschreiten; *law, etc.*: übertreten, verletzen; *v/i* sich vergehen; **~gres·sion** *s* Überschreitung *f*; Übertretung *f*; Vergehen *n*; **~gres·sor** *s* Übeltäter(in); Rechts-brecher(in) *m*.

tran·sient ['trænzıənt] **1.** *adj* □ → *tran-sitory*; **2.** *s Am.* Durchreisende(r *m*) *f*.

tran·sis·tor [træn'sıstə] *s* Transistor *m*.

tran·sit ['trænsıt] *s* Durchgang *m*; Tran-sit-, Durchgangsverkehr *m*; *econ.* Transport *m* (*of goods*); **~ camp** Durch-gangslager *n*; **~ visa** Transit-, Durch-reisevisum *n*.

tran·si·tion [træn'sıʒn] *s* Übergang *m*; **~al** *adj* Übergangs... (*period, etc.*).

tran·si·tive *gr.* ['trænsıtıv] *adj* □ transi-tiv.

tran·si·to·ry ['trænsıtərı] *adj* □ vorüber-gehend; vergänglich, flüchtig.

trans·late [træns'leıt] *v/t* übersetzen, -tragen; *fig.* umsetzen; **~la·tion** *s* Übersetzung *f*, -tragung *f*; **~la·tor** *s* Übersetzer(in).

trans·lu·cent [trænz'luːsnt] *adj* licht-durchlässig.

trans·mi·gra·tion [trænzmaı'greıʃn] *s* Seelenwanderung *f*.

trans·mis·sion [trænz'mıʃn] *s* Übermitt-lung *f*; Übertragung *f*; *biol.* Vererbung *f*; *phys.* Fortpflanzung *f*; *mot.* Getriebe *n*; *radio, TV:* Sendung *f*.

trans·mit [trænz'mıt] *v/t* (*-tt-*) übermit-teln, -senden; übertragen; *radio, TV:* senden; *biol.* vererben; *phys.* (weiter-)leiten; **~ter** *s* Übermittler(in); *radio, tel., etc.:* Sender *m*.

trans·par·ent [træns'pærənt] *adj* □ durchsichtig (*a. fig.*).

tran·spire [træn'spaıə] *v/t* ausdünsten, -schwitzen; *v/i fig.* durchsickern.

trans|plant [træns'plɑːnt] **1.** *s med.* Ver-pflanzung *f*, Transplantation *f*; *organ:* Transplantat *n*; **2.** *v/t* umpflanzen; ver-pflanzen (*a. med.*), transplantieren; **~plan·ta·tion** [‿'teıʃn] *s* Verpflanzung *f* (*a. med.*), Transplantation *f*.

trans|port 1. *v/t* [træns'pɔːt] transportie-ren, befördern, fortschaffen; *fig. j-n* hinreißen; **2.** *s* ['trænspɔːt] Transport *m*, Beförderung *f*; Versand *m*; Verkehr *m*; Beförderungsmittel *n*; *mil.* Trans-portschiff *n*, -flugzeug *n*; *public* ~ öf-fentliche Verkehrsmittel *pl*; *be in* ~*s* of außer sich sein vor (*dat*); **~por·ta·tion** [‿'teıʃn] *s* Transport *m*, Beförderung *f*.

trans·pose [træns'pəʊz] *v/t* versetzen, umstellen; *mus.* transponieren.

trap [træp] **1.** *s* Falle *f* (*a. fig.*); *tech.* Klappe *f*; *sl. mouth:* Schnauze *f*; *keep one's* ~ *shut sl.* die Schnauze halten; *set a* ~ *for s.o.* j-m e-e Falle stellen; **2.** *v/t* (*-pp-*) (in e-r Falle) fangen; *fig.* in e-e Falle locken; **~door** *s* Falltür *f*; *thea.* Versenkung *f*.

tra·peze [trə'piːz] *s* Trapez *n*.

trap·per ['træpə] *s* Trapper *m*, Fallen-steller *m*, Pelztierjäger *m*.

trash [træʃ] *s esp. Am.* Abfall *m*, Abfälle *pl*; Müll *m*; Unsinn *m*, F Blech *n*; *contp. people:* Gesindel *n*; *film, etc.:* Kitsch *m*; **~ can** *s Am.* Abfall-, Mülleimer *m*; *Am.* Abfall-, Mülltonne *f*; **~y** *adj* □ (*-ier, -iest*) wertlos, kitschig.

trav·el ['trævl] **1.** (*esp. Br. -ll-, Am. -l-*) *v/i* reisen; sich bewegen; *esp. fig.* schwei-fen, wandern; *econ.* Vertreter sein; *v/t* bereisen; **2.** *s* Reisen *n*; *tech.* (Kol-ben)Hub *m*; **~s** *pl* Reisen *pl*; **~ a·gen·cy**, ~ **bu·reau** *s* Reisebüro *n*; **~(l)er** *s* Reisende(r *m*) *f*; *econ.* Vertreter *m*; **~'s cheque** (*Am.* **check**) Reisescheck *m*; **~ sick·ness** *s* Reisekrankheit *f*.

tra·verse ['trævəs] *v/t* durch-, überque-ren; durchziehen; führen über (*acc*).

trav·es·ty ['trævıstı] **1.** *s* Travestie *f*; Ka-rikatur *f*, Zerrbild *n*; **2.** *v/t* travestieren; ins Lächerliche ziehen.

trawl *mar.* [trɔːl] **1.** *s* (Grund)Schlepp-netz *n*; **2.** *v/i and v/t* mit dem Schlepp-netz fischen; **~er** *s mar.* Trawler *m*.

tray [treı] *s* (Servier)Brett *n*, Tablett *n*; Ablagekorb *m*.

treach·er|ous ['tretʃərəs] *adj* □ verräte-risch, treulos; (heim)tückisch, trüge-risch; **~y** *s* Verrat *m* (*to* an *dat*), Treu-losigkeit *f* (*to* gegen).

trea·cle ['triːkl] *s* Sirup *m*.

tread [tred] **1.** *v/i and v/t* (*trod, trodden*) treten; (be)schreiten; trampeln; ~ *on s.o.'s toes fig.* j-m auf die Füße or Zehen treten or F steigen; **2.** *s* Tritt *m*, Schritt *m*; *tech.* Lauffläche *f*; *mot.* Pro-fil *n*; **trea·dle** *s* Pedal *n*; Tritt *m*; **~mill** *s* Tretmühle *f* (*a. fig.*).

trea|son ['triːzn] *s* Verrat *m*; **~so·na·ble** *adj* □ verräterisch.

treas|ure ['treʒə] **1.** *s* Schatz *m*, Reich-tum *m*; ~ *trove* Schatzfund *m*; **2.** *v/t* sehr schätzen; ~ *up* sammeln, anhäu-fen; **~ur·er** *s* Schatzmeister *m*; Kassen-wart *m*.

treas·ur·y ['treʒərı] s Schatzkammer f; ♀ Finanzministerium n; ♀ **Bench** s Br. parl. Regierungsbank f; ♀ **De·part·ment** s Am. Finanzministerium n.

treat [tri:t] **1.** v/t behandeln, umgehen mit; betrachten; ~ **s.o. to s.th.** j-m et. spendieren; v/i: ~ **of** handeln von; ~ **with** verhandeln mit; **2.** s Vergnügen n; **school** ~ Schulausflug m, -fest n; **it is my** ~ es geht auf meine Rechnung.

trea·tise ['tri:tız] s Abhandlung f.

treat·ment ['tri:tmənt] s Behandlung f.

treat·y ['tri:tı] s Vertrag m; **the** ♀ **of Rome** pol. hist. die Römischen Verträge.

tre·ble ['trebl] **1.** adj □ dreifach; **2.** s mus. Diskant m, Sopran m; radio: Höhen pl; **3.** v/t and v/i (sich) verdreifachen.

tree [tri:] s Baum m.

tre·foil bot. ['trefɔıl] s Klee m.

trem·ble ['trembl] v/i zittern.

tre·men·dous [trı'mendəs] adj □ gewaltig; F enorm; riesig; F klasse, toll.

trem·or ['tremə] s Zittern n; Beben n.

trem·u·lous ['tremjʊləs] adj □ zitternd, bebend.

trench [trentʃ] **1.** s (mil. Schützen)Graben m; Furche f; **2.** v/t mit Gräben durchziehen; v/i (mil. Schützen)Gräben ausheben.

tren·chant ['trentʃənt] adj □ scharf (comment, criticism).

trend [trend] s Richtung f; fig. (Ver)Lauf m; fig. Trend m, Entwicklung f, Tendenz f; ~**y** esp. Br. F (-ier, -iest) adj modern; **be** ~ Mode sein, F in sein.

trep·i·da·tion [trepı'deıʃn] s Zittern n; Angst f, Beklommenheit f.

tres·pass ['trespəs] **1.** s jur. unbefugtes Betreten; Vergehen n; **2.** v/i: ~ (**up**)**on** jur. widerrechtlich betreten; über Gebühr in Anspruch nehmen; **no** ~**ing** Betreten verboten; ~**er** s jur. Rechtsverletzer m; Unbefugte(r m) f.

tres·tle ['tresl] s Gestell n, Bock m.

tri·al ['traıəl] **1.** s Versuch m; Probe f, Prüfung f (a. fig.); jur. Prozeß m, Verhandlung f; fig. Plage f; **by** ~ **and error** durch Ausprobieren; **on** ~ auf or zur Probe; **give s.th.** (**s.o.**) **a** ~ e-n Versuch mit et. (j-m) machen; **be on** ~ jur. angeklagt sein; **put s.o. on** ~ jur. j-n vor

Gericht bringen; **2.** adj Versuchs..., ...

tri·an·gle ['traıæŋgl] s Dreieck n; ~**gu·lar** [~'æŋgjʊlə] adj □ dreieckig.

tri·ath·lon [traı'æθlɒn] s Triathlon n.

tribe [traıb] s (Volks)Stamm m; contp. Sippe f; bot., zo. Klasse f.

tri·bu·nal [traı'bju:nl] s jur. Gericht(shof m) n; fig. Tribunal n; **trib·une** ['trıbju:n] s hist. Tribun m; platform: Tribüne f.

trib·u·ta·ry ['trıbjʊtərı] **1.** adj □ zinspflichtig; fig. helfend; geogr. Neben...; **2.** s Nebenfluß m; ~**ute** ['~ju:t] s Tribut m (a. fig.), Zins m; Anerkennung f.

trice [traıs] s: F **in a** ~ im Nu.

trick [trık] **1.** s Kniff m, List f, Trick m; Kunststück n; Streich m; (schlechte) Angewohnheit; **play a** ~ **on s.o.** j-m e-n Streich spielen; **2.** v/t überlisten, F hereinlegen; ~**e·ry** s Betrügerei f.

trick·le ['trıkl] v/i tröpfeln, rieseln.

trick·ster ['trıkstə] s Gauner(in); ~**y** adj □ (-ier, -iest) verschlagen; F heikel; verzwickt, verwickelt, schwierig.

tri·cy·cle ['traısıkl] s Dreirad n.

tri·dent ['traıdənt] s Dreizack m.

tri·fle ['traıfl] **1.** s Kleinigkeit f; Lappalie f; **a** ~ ein bißchen, ein wenig, etwas; **2.** v/i spielen; spaßen; v/t: ~ **away** verschwenden; ~**fling** adj □ geringfügig; unbedeutend.

trig·ger ['trıgə] s Abzug m (of gun); phot. Auslöser m.

trill [trıl] **1.** s Triller m; gerolltes r; **2.** v/i and v/t trillern; esp. das r rollen.

tril·lion ['trıljən] s Br. Trillion f = 10^{18}, Am. Billion f = 10^{12}.

trim [trım] **1.** adj □ (-mm-) ordentlich; schmuck; gepflegt; **2.** s (guter) Zustand; Ordnung f; **in good** ~ in Form; **3.** v/t (-mm-) zurechtmachen, in Ordnung bringen; (a. ~ **up** heraus)putzen, schmücken; dress, etc.: besetzen; stutzen, trimmen, (be)schneiden; budget: kürzen; aer., mar. trimmen; ~**ming** s: ~**s** pl Besatz m; Zutaten pl, Beilagen pl (of dish).

Trin·i·ty eccl. ['trınıtı] s Dreieinigkeit f.

trin·ket ['trıŋkıt] s Schmuckstück n.

trip [trıp] **1.** s (kurze) Reise, Fahrt f; Ausflug m, Spritztour f; fall: Stolpern n, Fallen n, Fehltritt m (a. fig.); fig. Versehen n, Fehler m; sl. Trip m (on *drugs*); **we make a ~ to ...** wir fahren nach ...; **2. (-pp-)** *v/i* trippeln; stolpern (**over** über *acc*); *fig.* (e-n) Fehler machen; *v/t a.* **~ up** j-m ein Bein stellen (*a. fig.*).

tripe [traɪp] *s* Kaldaunen *pl*, Kutteln *pl*; F Quatsch *m*.

trip|le ['trɪpl] *adj* dreifach; **~ jump** *sports*: Dreisprung *m*; **~lets** *s pl* Drillinge *pl*.

trip·li·cate 1. *adj* ['trɪplɪkɪt] dreifach; **in** dreifacher Ausfertigung; **2.** *v/t* [~keɪt] verdreifachen.

tri·pod ['traɪpɒd] *s* Dreifuß *m*; *phot.* Stativ *n*.

trip·per *esp. Br.* ['trɪpə] *s* Ausflügler(in).

trite [traɪt] *adj* □ abgedroschen, banal.

tri|umph ['traɪəmf] **1.** *s* Triumph *m*, Sieg *m*; **2.** *v/i* triumphieren; **~·um·phal** [~ʌmfl] *adj* Sieges..., Triumph...; **~·um·phant** [~ʌmfənt] *adj* □ triumphierend.

triv·i·al ['trɪvɪəl] *adj* □ bedeutungslos; unbedeutend; trivial; alltäglich.

trod [trɒd] *pret of* **tread** 1; **~·den** *pp of* **tread** 1.

trol·l(e)y ['trɒlɪ] *s Br.* Handwagen *m*; *for suitcases, etc.:* Gepäckwagen *m*, Kofferkuli *m*; *in shops, etc.:* Einkaufswagen *m*, *golf:* Caddie *m*; *Br. rail.* Draisine *f*; *Br.* Tee-, Servierwagen *m*; *electr. of tram:* Kontaktrolle *f*; *Am.* Straßenbahn(wagen *m*) *f*; **~·bus** *s* Oberleitungsbus *m*, O-Bus *m*.

trom·bone *mus.* [trɒm'bəʊn] *s* Posaune *f*.

troop [truːp] **1.** *s* Trupp *m*; **~s** *pl mil.* Truppen *pl*; **2.** *v/i sich* scharen; (herein*etc.*)strömen, marschieren; **~ away, ~ off** F abziehen; *v/t:* **~ the colours** *Br. mil.* e-n Fahnenparade abhalten; **~·er** *s mil.* Kavallerist *m*; *Am.* Polizist(in).

tro·phy ['trəʊfɪ] *s* Trophäe *f*.

trop|ic ['trɒpɪk] **1.** *s* Wendekreis *m*; **~s** *pl* Tropen *pl*; **2.** *adj* (**~ally**) → **~·i·cal** *adj* □ tropisch; **~ rain forest** tropischer Regenwald.

trot [trɒt] **1.** *s* Trott *m*, Trab *m*; **2.** *v/i and v/t* (**-tt-**) trotten; traben (lassen).

trou·ble ['trʌbl] **1.** *s* Mühe *f*, Plage *f*, Last *f*, Belästigung *f*, Störung *f*; Ärger *m*, Unannehmlichkeiten *pl*, Schwierigkeiten *pl*, Scherereien *pl*; **ask** *or* **look for ~** unbedingt Ärger haben wollen; **take (the) ~** sich (die) Mühe machen; **don't**

---

go to a lot of ~ mach dir keine (allzu) großen Umstände; **what's the ~?** was ist los?; **2.** *v/t* stören, beunruhigen, belästigen; quälen, plagen; j-m Mühe machen; bitten (**for** um); **don't ~ yourself** bemühen Sie sich nicht; **~·mak·er** *s* Unruhestifter(in); **~·some** *adj* □ beschwerlich; lästig.

trough [trɒf] *s* Trog *m*; Rinne *f*; Wellental *n*.

trounce [traʊns] *v/t sports:* vernichtend schlagen.

troupe *thea.* [truːp] *s* Truppe *f*.

trou·ser ['traʊzə] *s:* **(a pair of) ~s** *pl* (e-e) (lange) Hose; Hosen *pl*; *attr* Hosen...; **~ suit** *s Br.* Hosenanzug *m*.

trous·seau ['truːsəʊ] *s* Aussteuer *f*.

trout *zo.* [traʊt] *s* Forelle(n *pl*) *f*.

trow·el ['traʊəl] *s* Maurerkelle *f*.

tru·ant ['truːənt] *s* Schulschwänzer(in); **play ~** (die Schule) schwänzen.

truce *mil.* [truːs] *s* Waffenstillstand *m*.

truck [trʌk] *s rail.* offener Güterwagen; *esp. Am.* Last(kraft)wagen *m*, Lkw *m*; Transportkarren *m*; Tausch(handel) *m*; *Am.* Gemüse *n*; **~·er** *s Am.* Lastwagen-, Fernfahrer *m*; **~ farm** *s Am.* Gemüsegärtnerei *f*.

truc·u·lent ['trʌkjʊlənt] *adj* □ wild, roh, grausam; gehässig.

trudge [trʌdʒ] *v/i sich* (mühsam dahin)schleppen, (mühsam) stapfen.

true [truː] *adj* □ (**~r**, **~st**) wahr; echt, wirklich; treu; genau; richtig; (**it is**) **~** gewiß, freilich, zwar; **come ~** in Erfüllung gehen; wahr werden; **~ to nature** naturgetreu.

tru·ly ['truːlɪ] *adv* wirklich; wahrhaft; aufrichtig; genau; treu; **Yours ~** *ending a letter:* Hochachtungsvoll.

trump [trʌmp] **1.** *s* Trumpf(karte *f*) *m*; **2.** *v/t* (über)trumpfen; **~ up** erfinden.

trum·pet ['trʌmpɪt] **1.** *s mus.* Trompete *f*; **2.** *v/i* trompeten; *v/t fig.* ausposaunen.

trun·cheon ['trʌntʃən] *s* (Gummi)Knüppel *m*, Schlagstock *m*.

trunk [trʌŋk] *s* (Baum)Stamm *m*; Rumpf *m*; Rüssel *m*; (Schrank)Koffer *m*, Truhe *f*; *Am. mot.* Kofferraum *m*; **~·line** *s rail.* Hauptlinie *f*; *dated teleph.* Fernleitung *f*; **~s** *s pl* Turnhose *f*; Badehose *f*; *sports:* Shorts *pl*; *esp. Br.* (Herren)Unterhose *f*.

truss [trʌs] **1.** *s* Bündel *n*, Bund *n*; *med.*

Bruchband *n*; *arch.* Träger *m*, Fachwerk *n*; **2.** *v/t* (zusammen)binden; *arch.* stützen.

trust [trʌst] **1.** *s* Vertrauen *n*; Glaube *m*; Kredit *m*; Pfand *n*; Verwahrung *f*; *jur.* Treuhand *f*; *jur.* Treuhandvermögen *n*; *econ.* Trust *m*; *econ.* Kartell *n*; ~ **company** Treuhandgesellschaft *f*; **in** ~ zu treuen Händen; **2.** *v/t* (ver)trauen (*dat*); anvertrauen, übergeben (*s.o. with s.th., s.th. to s.o.* j-m et.); zuversichtlich hoffen; *v/i* vertrauen (**in, to** auf *acc*); ~**ee** [trʌsˈtiː] *s jur.* Sach-, Verwalter *m*; Treuhänder *m*; ~**ful, ~ing** *adj* □ vertrauensvoll; ~**worthy** *adj* □ vertrauenswürdig, zuverlässig.

truth [truːθ] *s* (*pl* ~**s** [truːðz, truːθs]) Wahrheit *f*; Wirklichkeit *f*; Genauigkeit *f*; ~**ful** *adj* □ wahr(heitsliebend).

try [traɪ] **1.** *v/t* versuchen; probieren; prüfen; *jur.* verhandeln über *et.* or gegen *j-n*; vor Gericht stellen; *eyes, etc.*: anstrengen; ~ **on** *dress, etc.*: anprobieren; ~ **out** ausprobieren; *v/i* sich bemühen *or* bewerben (**for** um); **2.** *s* Versuch *m*; ~**ing** *adj* □ anstrengend; kritisch.

tsar *hist.* [zɑː] *s* Zar *m*.

T-shirt [ˈtiːʃɜːt] *s* T-Shirt *n*.

tub [tʌb] *s* Faß *n*, Tonne *f*; Zuber *m*, Kübel *m*; *Br.* F (Bade)Wanne *f*; *Br.* F (Wannen)Bad *n*.

tube [tjuːb] *s* Rohr *n*; *electr.* Röhre *f*; Tube *f*; (*inner* ~) Luft)Schlauch *m*; Tunnel *m*; die Londoner U-Bahn; **the** ~ *Am.* F die Röhre, die Glotze (*TV*); ~**less** *adj* schlauchlos.

tu·ber *bot.* [ˈtjuːbə] *s* Knolle *f*.

tu·ber·cu·lo·sis *med.* [tjuːbɜːkjʊˈləʊsɪs] *s* Tuberkulose *f*.

tu·bu·lar [ˈtjuːbjʊlə] *adj* □ röhrenförmig, Röhren...

tuck [tʌk] **1.** *s* Biese *f*; Saum *m*, Abnäher *m*; **2.** *v/t* stecken; ~ **away** weg-, verstecken; ~ **in**, ~ **up** (warm) zudecken; ~ **s.o. up in bed** j-n ins Bett packen; ~ **up** *skirt*: schürzen; *sleeve*: hochkrempeln.

Tues·day [ˈtjuːzdɪ] *s* Dienstag *m*.

tuft [tʌft] *s* Büschel *n*; (Haar)Schopf *m*.

tug [tʌg] **1.** *s* Zerren *n*, heftiger Ruck; *a.* ~**boat** *mar.* Schlepper *m*; *fig.* Anstrengung *f*; **2.** (*-gg-*) *v/t* ziehen, zerren; *mar.* schleppen; *v/i* sich mühen; ~ **of war** *s* Tauziehen *n*.

tu·i·tion [tjuːˈɪʃn] *s* Unterricht *m*; Schulgeld *n*.

tu·lip *bot.* [ˈtjuːlɪp] *s* Tulpe *f*.

tum·ble [ˈtʌmbl] **1.** *v/i* fallen; stürzen; purzeln; taumeln; sich wälzen; **2.** *s* Sturz *m*; Wirrwarr *m*; ~**down** *adj* baufällig; ~**dri·er** *s* Wäschetrockner *m*.

tum·bler [ˈtʌmblə] *s* Becher *m*; *zo.* Tümmler *m*; → **tumble-drier**.

tu·mid [ˈtjuːmɪd] *adj* geschwollen.

tum·my F [ˈtʌmɪ] *s* Bauch *m*, Bäuchlein *n*.

tu·mo(u)r *med.* [ˈtjuːmə] *s* Tumor *m*.

tu·mult [ˈtjuːmʌlt] *s* Tumult *m*; **tu·mul·tu·ous** [tjuːˈmʌltjʊəs] *adj* □ lärmend; stürmisch.

tu·na *zo.* [ˈtuːnə] *s* Thunfisch *m*.

tune [tjuːn] **1.** *s* Melodie *f*; *mus.* (Ein)Stimmung *f*; *fig.* Harmonie *f*; **in** ~ (gut)gestimmt; **out of** ~ verstimmt; **2.** *v/t mus.* stimmen; ~ **in** *v/i* (das Radio *etc.*) einschalten; *v/t radio, etc.*: einstellen (**to** auf *acc*); ~ **up** *v/i* die Instrumente stimmen; *v/t mot. engine*: tunen; ~**ful** *adj* □ melodisch; ~**less** *adj* □ unmelodisch.

tun·er [ˈtjuːnə] *s radio, TV*: Tuner *m*.

tun·nel [ˈtʌnl] **1.** *s* Tunnel *m*; *mining*: Stollen *m*; **wind** ~ Windkanal *m*: **2.** *s* *and v/i* (*esp. Br. -ll-, Am. -l-*) e-n Tunnel bohren (durch).

tun·ny *zo.* [ˈtʌnɪ] *s* Thunfisch *m*.

tur·bine *tech.* [ˈtɜːbaɪn] *s* Turbine *f*.

tur·bot *zo.* [ˈtɜːbət] *s* Steinbutt *m*.

tur·bu·lent [ˈtɜːbjʊlənt] *adj* □ unruhig; ungestüm; stürmisch, turbulent.

tu·reen [təˈriːn] *s* Terrine *f*.

turf [tɜːf] **1.** *s* (*pl* ~**s, turves** [tɜːvz]) Rasen *m*; Torf *m*; **the** ~ die (Pferde)Rennbahn; der Pferderennsport *m*; **2.** *v/t* mit Rasen bedecken.

tur·gid [ˈtɜːdʒɪd] *adj* □ geschwollen; *fig. style: a.* schwülstig.

Turk [tɜːk] *s* Türk|e *m*, -in *f*.

tur·key [ˈtɜːkɪ] *s zo.* Truthahn *m*, -henne *f*, Pute(r *m*) *f*; *talk* ~ *esp. Am.* F offen or sachlich reden.

Turk·ish [ˈtɜːkɪʃ] **1.** *adj* türkisch; **2.** *s ling.* Türkisch *n*.

tur·moil [ˈtɜːmɔɪl] *s* Aufruhr *m*, Unruhe *f*; Durcheinander *n*.

turn [tɜːn] **1.** *v/t* (um-, herum)drehen; (um)wenden; *page*: umdrehen, -blättern; lenken, richten; verwandeln; *j-n* abbringen (**from** von); abwenden; *text*: übertragen, -setzen; bilden, formen; *tech*. drechseln; *leaves*: verfärben; **~ a corner** um eine Ecke biegen; **~ loose** los-, freilassen; **~ s.o. sick** j-n krank machen; **~ sour** *milk*: sauer werden lassen; → **somersault**; **~ s.o. against** j-n aufhetzen gegen; **~ aside** abwenden; **~ away** abwenden; abweisen; **~ down** umbiegen; *collar*: umschlagen; *bed*: aufdecken, *blanket*: zurückschlagen; *gas, etc.*: klein(er) stellen; *radio, etc.*: leiser stellen; *j-n, et*. ablehnen, F *j-m* e-n Korb geben; **~ in** *esp. Am*. einreichen, -senden; **~ off** *gas, water, etc.*: abdrehen; *light, radio, etc.*: ausschalten, -machen; **~ on** *gas, water, etc.*: aufdrehen; *radio, etc.*: anstellen; *light, radio, etc.*: anmachen, einschalten; F antörnen; F anmachen (*a. sexually*); **~ out** *econ. goods*: produzieren; hinauswerfen; **→ ~ off**; **~ over** *econ. goods*: umsetzen; umdrehen; *page*: umblättern; umwerfen; übergeben (**to** *dat*); überlegen; **~ up** nach oben drehen or biegen; *collar*: hochschlagen; *sleeve*: hochkrempeln; *trousers, etc.*: auf-, umschlagen; *gas, etc.*: aufdrehen; *radio, etc.*: lauter stellen; *v/i* sich drehen (lassen); sich (um-, herum)drehen; *mot*. wenden; sich (ab-, hin-, zu)wenden; (ab-, ein)biegen; e-e Biegung machen (*road, etc.*); sich (ver-)wandeln; umschlagen (*weather, etc.*); *become*: werden; **~ (sour)** sauer werden (*milk*); **~ upside down** sich überschlagen (*car*); **~ about** sich umdrehen; *mil*. kehrtmachen; **~ aside, ~ away** sich abwenden; **~ back** zurückkehren; **~ in** F ins Bett gehen; **~ off** abbiegen; **~ out** *develop*: ausfallen, -gehen; sich herausstellen (als); **~ over** sich umdrehen; **~ to** nach ... abbiegen; sich zuwenden (*dat*); sich an *j-n* wenden; werden zu; **~ up** F auftauchen; **2.** *s* (Um)Drehung *f*; *bend*: Biegung *f*, Kurve *f*, Kehre *f*; (einzelne) Windung *f* (*of cable, etc.*); *change of direction*: Wendung *f*, Wendepunkt *m* (*a. fig.*), Wende *f*, Wechsel *m*; *trip*: (kurze) Fahrt *f*; *service*: Dienst *m*, Gefallen *m*, Zweck *m*; *inclination*: Neigung *f*, Talent *n*; F Schrecken *m*; **~ (of mind)** Denkart *f*, -weise *f*; **at every ~** auf Schritt und Tritt; **by ~s** abwechselnd; **in ~** der Reihe nach; **it is my ~** ich bin an

der Reihe; **take ~s** (mit)einander or sich (gegenseitig) abwechseln (**at** in *dat*, bei); **~coat** s Abtrünnige(r) *m*, Überläufer(in); F Wendehals *m*; **~er** s *tech*. Drechsler *m*; Dreher *m*; **~ing** s Biegung *f*; Straßenecke *f*; (Weg)Abzweigung *f*; Querstraße *f*; *tech*. Drehen *n*, Drechseln *n*; **~ing-point** s *fig*. Wendepunkt *m*; **~out** s Aufmachung *f*, *esp*. Kleidung *f*; Teilnahme *f*, Besucher(zahl *f*) *pl*, Beteiligung *f*; *econ*. Gesamtproduktion *f*; **~o·ver** s *econ*. Umsatz *m*; Personalwechsel *m*, Fluktuation *f*; **~pike** s *a*. **~ road** *Am*. gebührenpflichtige Schnellstraße; **~stile** s Drehkreuz *n*; **~ta·ble** s *rail*. Drehscheibe *f*; Plattenteller *m*.

tur·pen·tine *chem*. ['tɜːpəntaɪn] s Terpentin *n*.

tur·ret ['tʌrɪt] s Türmchen *n*; *mil., mar.* Geschützturm *m*.

tur·tle *zo*. ['tɜːtl] s (See)Schildkröte *f*; **~dove** s *zo*. Turteltaube *f*; **~neck** s Rollkragen *m*; *a*. **~ sweater** Rollkragenpullover *m*.

tusk [tʌsk] s Fangzahn *m*; Stoßzahn *m*; Hauer *m*.

tus·sle ['tʌsl] **1.** s Rauferei *f*, Balgerei *f*; **2.** *v/i* raufen, sich balgen.

tus·sock ['tʌsək] s (Gras)Büschel *n*.

tut [tʌt] *int* ach was!; Unsinn!

tu·te·lage ['tjuːtɪlɪdʒ] s *jur*. Vormundschaft *f*; (An)Leitung *f*.

tu·tor ['tjuːtə] **1.** s Privat-, Hauslehrer *m*; *Br. univ*. Tutor *m*; *Am. univ*. Assistent *m*; **2.** *v/t* unterrichten; schulen, erziehen; **tu·to·ri·al** [tjuːˈtɔːrɪəl] **1.** s *Br. univ.* Tutorenkurs *m*; **2.** *adj* Tutor(en)...

tux·e·do *Am*. [tʌkˈsiːdəʊ] s (*pl* **-dos, -does**) Smoking *m*.

TV F [tiːˈviː] **1.** s TV *n*, Fernsehen *n*; Fernseher *m*, Fernsehapparat *m*; **on ~** im Fernsehen; **2.** *adj* Fernseh...

twang [twæŋ] **1.** s Schwirren *n*; *mst* **nasal ~** näselnde Aussprache; **2.** *v/i and v/t* schwirren (lassen); näseln; klimpern or kratzen auf (*dat*), zupfen.

tweak [twiːk] *v/t* zwicken, kneifen.

tweet [twiːt] *v/i* F zwitschern.

tweez·ers ['twiːzəz] *s pl* (**a pair of ~** e-e) Pinzette *f*.

twelfth [twelfθ] **1.** *adj* zwölfte(r, -s); **2.** *s* Zwölftel *n*; **2-night** s Dreikönigsabend *m*.

twelve [twelv] **1.** *adj* zwölf; **2.** *s* Zwölf *f.*

twen|ti·eth ['twentiθ] *adj* zwanzigste(r, -s); **~·ty 1.** *adj* zwanzig; **2.** *s* Zwanzig *f.*

twice [twais] *adv* zweimal.

twid·dle ['twidl] *v/t:* ~ **one's thumbs** Däumchen drehen (*a. fig.*).

twig [twig] *s* dünner Zweig, Ästchen *n.*

twi·light ['twailait] *s* Zwielicht *n; (esp.* Abend)Dämmerung *f; fig.* Verfall *m.*

twin [twin] **1.** *adj* Zwillings...; doppelt; **2.** *s* Zwilling *m;* **~s** *pl* Zwillinge *pl;* **~-bedded room** Zweibettzimmer *n;* ~ **brother** Zwillingsbruder *m;* **~-engined** *aer.* zweimotorig; **~-jet** *aer.* zwei-, doppelstrahlig; **~-lens reflex camera** *phot.* Spiegelreflexkamera *f;* ~ **sister** Zwillingsschwester *f;* ~ **town** Partnerstadt *f;* **3.** *v/i towns:* e-e (Städte)Partnerschaft eingehen.

twine [twain] **1.** *s* Bindfaden *m,* Schnur *f;* Zwirn *m;* **2.** *v/t* zusammendrehen; verflechten; (*v/i* sich) schlingen *or* winden; umschlingen, -ranken.

twinge [twind3] *s* stechender Schmerz, Zwicken *n,* Stich *m.*

twin·kle ['twiŋkl] **1.** *v/i* funkeln, blitzen; huschen; zwinkern; **2.** *s* Funkeln *n,* Blitzen *n;* (Augen)Zwinkern *n,* Blinzeln *n.*

twirl [tw3:l] **1.** *s* Wirbel *m;* **2.** *v/t and v/i* wirbeln.

twist [twist] **1.** *s* Drehung *f;* Windung *f;* Biegung *f; thread:* Twist *m,* Garn *n;* Kringel *m,* Zopf *m (bread, cakes, etc.); mus.* Twist *m; fig.* Entstellung *f; fig.* (ausgeprägte) Neigung *or* Veranlagung; **2.** *v/t and v/i* (sich) drehen *or* winden; zusammendrehen; verdrehen; (sich) verziehen *or* -zerren; *mus.* twisten, Twist tanzen.

twit *fig.* [twit] *v/t* (**-tt-**) j-n aufziehen.

twitch [twitʃ] **1.** *v/t* zucken mit; zupfen an (*dat*); *v/i* zucken; **2.** *s* Zuckung *f.*

twit·ter ['twitə] **1.** *v/i* zwitschern; **2.** *s* Gezwitscher *n; in a ~, all of a ~* aufgeregt.

two [tu:] **1.** *adj* zwei; *in ~s* zu zweit, zu

zweien; *in ~* entzwei; *put ~ and ~ together fig.* zwei und zwei zusammenzählen, sich einen Vers darauf machen; **2.** *s* Zwei *f; the ~* die beiden; *the ~ of us* wir zwei, wir beide(n); *that makes ~ of us* F mir geht's ebenso; **~·bit** *adj Am. fig.* unbedeutend, klein; **~·cy·cle** *adj Am. tech.* Zweitakt...; **~-edged** *adj* zweischneidig; **~-fold** *adj* zweifach; **~pence** *Br.* ['tʌpəns] *s* zwei Pence *pl;* **~pen·ny** *Br.* ['tʌpni] *adj* zwei Pence wert; **~piece 1.** *adj* zweiteilig; **2.** *s a.* **~ dress** Jackenkleid *n; a.* ~ **swimming-costume** Zweiteiler *m;* **~-seat·er** *s mot., aer.* Zweisitzer *m;* **~-stroke** *adj esp. Br. tech.* Zweitakt...; **~-way** *adj* Doppel...; ~ **adapter** *electr.* Doppelstecker *m;* ~ **traffic** Gegenverkehr *m.*

ty·coon *Am.* F [tai'ku:n] *s* Industriemagnat *m; oil* ~ Ölmagnat *m.*

type [taip] **1.** *s* Typ *m;* Urbild *n;* Vorbild *n;* Muster *n;* Art *f,* Sorte *f; print.* Type *f,* Buchstabe *m; true to* ~ artgemäß, typisch; *set in* ~ *print.* setzen; **2.** *v/t et.* mit der Maschine (ab)schreiben, (ab)tippen; *v/i* maschineschreiben, tippen; **~-writ·er** *s* Schreibmaschine *f;* ~ **ribbon** Farbband *n.*

ty·phoid *med.* ['taifɔid] **1.** *adj* typhös; ~ *fever* → **2.** *s* (Unterleibs)Typhus *m.*

ty·phoon [tai'fu:n] *s* Taifun *m.*

ty·phus *med.* ['taifəs] *s* Flecktyphus *m,* -fieber *n.*

typ·i·cal ['tipikl] *adj* □ typisch; bezeichnend, kennzeichnend (*of* für); **~·fy** *v/t* typisch sein für; versinnbildlichen.

typ·ist ['taipist] *s* Maschinenschreiber(in); Schreibkraft *f.*

ty·ran·nic [ti'rænik] (**~ally**), **~·ni·cal** *adj* □ tyrannisch.

tyr·an·nize ['tirənaiz] *v/t* tyrannisieren; **~·ny** *s* Tyrannei *f.*

ty·rant ['taiərənt] *s* Tyrann(in).

tyre *Br.* ['taiə] *s* (Rad-, Auto)Reifen *m.*

Tyr·o·lese [tirə'li:z] **1.** *s* Tiroler(in); **2.** *s* tirolisch, Tiroler...

tzar *hist.* [zɑ:] *s* Zar *m.*

U

u·biq·ui·tous [juːˈbɪkwɪtəs] *adj* □ allgegenwärtig, überall zu finden(d).

ud·der [ˈʌdə] *s* Euter *n*.

ug·ly [ˈʌɡlɪ] *adj* □ (*-ier*, *-iest*) häßlich; schlimm; gemein; widerwärtig, übel.

ul·cer *med.* [ˈʌlsə] *s* Geschwür *n*; **~ate** *med.* [ˈ⌐reɪt] *v/i and v/t* eitern (lassen); **~ous** *adj med.* eiternd.

ul·te·ri·or [ʌlˈtɪərɪə] *adj* □ jenseitig; weiter; tiefer(liegend), versteckt.

ul·ti·mate [ˈʌltɪmət] *adj* □ äußerste(r, -s), letzte(r, -s) End...; **~ly** *adv* letztlich; schließlich.

ul·ti·ma·tum [ʌltɪˈmeɪtəm] *s* (*pl* **-tums**, **-ta** [-tə]) Ultimatum *n*.

ul·tra [ˈʌltrə] *adj* übermäßig; extrem; super...; Ultra..., ultra...; **~·fash·ion·a·ble** *adj* hypermodern; **~·mod·ern** *adj* hypermodern.

um·bil·i·cal cord *anat.* [ʌmbɪlɪklˈkɔːd] *s* Nabelschnur *f*.

um·brel·la [ʌmˈbrelə] *s* Regenschirm *m*; *mil.*, *aer.* Abschirmung *f*; *fig.* Schutz *m*.

um·pire [ˈʌmpaɪə] **1.** *s* Schiedsrichter *m*; **2.** *v/i and v/t* als Schiedsrichter fungieren (bei); schlichten; *match*: a. leiten.

un- [ʌn] *in compounds*: un..., Un...; ent...; nicht...

un·a·bashed [ʌnəˈbæʃt] *adj* unverfroren; unerschrocken.

un·a·bat·ed [ʌnəˈbeɪtɪd] *adj* unvermindert.

un·a·ble [ʌnˈeɪbl] *adj* unfähig, außerstande, nicht in der Lage.

un·ac·com·mo·dat·ing [ʌnəˈkɒmədeɪtɪŋ] *adj* unnachgiebig; ungefällig.

un·ac·coun·ta·ble [ʌnəˈkaʊntəbl] *adj* unerklärlich, seltsam.

un·ac·cus·tomed [ʌnəˈkʌstəmd] *adj* ungewohnt; ungewöhnlich.

un·ac·quaint·ed [ʌnəˈkweɪntɪd] *adj*: **be ~ with s.th.** et. nicht kennen, mit e-r Sache nicht vertraut sein.

un·ad·vised [ʌnədˈvaɪzd] *adj* unbesonnen, unüberlegt; unberaten.

un·af·fect·ed [ʌnəˈfektɪd] *adj* □ unberührt; ungerührt; ungekünstelt.

un·aid·ed [ʌnˈeɪdɪd] *adj* ohne Unterstützung, (ganz) allein; *eye*: bloß.

un·al·ter·a·ble [ʌnˈɔːltərəbl] *adj* unveränderlich; **un·al·tered** *adj* unverändert.

u·na·nim·i·ty [juːnəˈnɪmətɪ] *s* Einmütigkeit *f*; **u·nan·i·mous** [juːˈnænɪməs] *adj* □ einmütig, -stimmig; **~ voting** *pol.* Einstimmigkeitsprinzip *n*.

un·an·swer·a·ble [ʌnˈɑːnsərəbl] *adj* □ unwiderleglich; **un·an·swered** [ʌnˈɑːnsəd] *adj* unbeantwortet.

un·ap·proa·cha·ble [ʌnəˈprəʊtʃəbl] *adj* □ unzugänglich, unnahbar.

un·apt [ʌnˈæpt] *adj* □ ungeeignet.

un·a·shamed [ʌnəˈʃeɪmd] *adj* □ schamlos.

un·asked [ʌnˈɑːskt] *adj* ungefragt; ungebeten; uneingeladen.

un·as·sist·ed [ʌnəˈsɪstɪd] *adj* ohne Hilfe or Unterstützung.

un·as·sum·ing [ʌnəˈsjuːmɪŋ] *adj* □ anspruchslos, bescheiden.

un·at·tached [ʌnəˈtætʃt] *adj* nicht gebunden; ungebunden, ledig, frei.

un·at·trac·tive [ʌnəˈtræktɪv] *adj* □ wenig anziehend, reizlos, unattraktiv.

un·au·thor·ized [ʌnˈɔːθəraɪzd] *adj* unberechtigt; unbefugt.

un·a·vai·la·ble [ʌnəˈveɪləbl] *adj* nicht verfügbar.

un·a·void·a·ble [ʌnəˈvɔɪdəbl] *adj* □ unvermeidlich.

un·a·ware [ʌnəˈweə] *adj*: **be ~ of** et. nicht bemerken; **~s** *adv* unversehens, unvermutet; versehentlich.

un·bal·ance [ʌnˈbæləns] *v/t* aus dem Gleichgewicht bringen; **~d** *adj* unausgeglichen; **of ~ mind** geistesgestört.

un·bear·a·ble [ʌnˈbeərəbl] *adj* □ unerträglich.

un·beat·a·ble [ʌnˈbiːtəbl] *adj team*, *price*, *etc.*: unschlagbar, unbesiegbar.

un·beat·en [ʌnˈbiːtn] *adj* ungeschlagen, unbesiegt; unübertroffen.

un·be·com·ing [ʌnbɪˈkʌmɪŋ] *adj* □ unkleidsam; unpassend, unschicklich.

un·be·known(st) [ʌnbɪˈnəʊn(st)] *adv* (*to*) ohne (*j-s*) Wissen; unbekannt (*to dat*).

un·be·lief *eccl.* [ʌnbɪˈliːf] *s* Unglaube *m*.

un·be·lie·va·ble [ʌnbɪ'liːvəbl] *adj* □ unglaublich; **un·be·liev·ing** *adj* □ ungläubig.

un·bend [ʌn'bend] *v/i* (*-bent*) sich entspannen; aus sich herausgehen, auftauen; **~ing** □ unbiegsam; *fig.* unbeugsam.

un·bi·as(s)ed [ʌn'baɪəst] *adj* □ unvoreingenommen; *jur.* unbefangen.

un·bid·den [ʌn'bɪdn] *adj* unaufgefordert; ungebeten; ungeladen.

un·bind [ʌn'baɪnd] *v/t* (*-bound*) losbinden, befreien; lösen; den Verband abnehmen von.

un·born [ʌn'bɔːn] *adj* (noch) ungeboren; (zu)künftig, kommend.

un·break·a·ble [ʌn'breɪkəbl] *adj* unzerbrechlich.

un·bri·dled *fig.* [ʌn'braɪdld] *adj* ungezügelt; **~ tongue** lose Zunge.

un·bro·ken [ʌn'brəʊkən] *adj* ungebrochen; unversehrt; ununterbrochen; nicht zugeritten (*horse*).

un·bur·den [ʌn'bɜːdn] *v/t*: **~ o.s.** (**to s.o.**) (j-m) sein Herz ausschütten.

un·but·ton [ʌn'bʌtn] *v/t* aufknöpfen.

un·called-for [ʌn'kɔːldfɔː] *adj* unerwünscht; unverlangt; unpassend.

un·can·ny [ʌn'kænɪ] *adj* (*-ier, -iest*) unheimlich.

un·cared-for [ʌn'keədfɔː] *adj* unbeachtet; vernachlässigt; ungepflegt.

un·ceas·ing [ʌn'siːsɪŋ] *adj* □ unaufhörlich.

un·ce·re·mo·ni·ous [ʌnserɪ'məʊnɪəs] *adj* □ ungezwungen; grob; unhöflich.

un·cer·tain [ʌn'sɜːtn] *adj* □ unsicher; ungewiß; unbestimmt; unzuverlässig; **~ty** *s* Unsicherheit *f*.

un·chal·lenged [ʌn'tʃæləndʒd] *adj* unangefochten.

un·change·a·ble [ʌn'tʃeɪndʒəbl] *adj* □ unveränderlich, unwandelbar; **un·changed** *adj* unverändert; **un·chang·ing** *adj* □ unveränderlich.

un·char·i·ta·ble [ʌn'tʃærɪtəbl] *adj* □ lieblos; unbarmherzig; unfreundlich.

un·chart·ed [ʌn'tʃɑːtɪd] *adj* auf keiner Landkarte verzeichnet, unerforscht (*a. fig.*).

un·checked [ʌn'tʃekt] *adj* ungehindert; unkontrolliert.

un·civ·il [ʌn'sɪvl] *adj* □ unhöflich; **un·civ·i·lized** *adj* unzivilisiert.

un·claimed [ʌn'kleɪmd] *adj right, claim:* nicht beansprucht.

un·clas·si·fied [ʌn'klæsɪfaɪd] *adj* nicht klassifiziert; nicht geheim.

un·cle ['ʌŋkl] *s* Onkel *m*.

un·clean [ʌn'kliːn] *adj* unrein, unsauber, schmutzig.

un·col·oured [ʌn'kʌləd] *adj* farblos; *fig.* unparteiisch.

un·com·for·ta·ble [ʌn'kʌmfətəbl] *adj* □ unbehaglich, ungemütlich; unangenehm; **be ~** sich unbehaglich fühlen.

un·com·mon [ʌn'kɒmən] *adj* □ ungewöhnlich.

un·com·mu·ni·ca·tive [ʌnkə'mjuːnɪkətɪv] *adj* □ wortkarg, verschlossen.

un·com·plain·ing [ʌnkəm'pleɪnɪŋ] *adj* □ klaglos, ohne Murren, geduldig.

un·com·pli·cat·ed [ʌn'kɒmplɪkeɪtɪd] *adj* unkompliziert.

un·com·pro·mis·ing [ʌn'kɒmprəmaɪzɪŋ] *adj* □ kompromißlos.

un·con·cern [ʌnkən'sɜːn] *s* Unbekümmertheit *f*; Gleichgültigkeit *f*; **~ed** *adj* □ unbekümmert; unbeteiligt; gleichgültig; uninteressiert (**with** an *dat*).

un·con·di·tion·al [ʌnkən'dɪʃənl] *adj* □ bedingungslos (*surrender*); vorbehaltlos (*promise*).

un·con·firmed [ʌnkən'fɜːmd] *adj* unbestätigt; *eccl.* nicht konfirmiert.

un·con·nect·ed [ʌnkə'nektɪd] *adj* □ unverbunden; unzusammenhängend.

un·con·quer·a·ble [ʌn'kɒŋkərəbl] *adj* □ unüberwindlich; unbesiegbar; **un·con·quered** *adj* unbesiegt.

un·con·scious [ʌn'kɒnʃəs] **1.** *adj* □ unbewußt; *med.* bewußtlos; **be ~ of s.th.** sich e-r Sache nicht bewußt sein; **2.** *s psych.* das Unbewußte; **~ness** *s med.* Bewußtlosigkeit *f*.

un·con·sti·tu·tion·al [ʌnkɒnstɪ'tjuːʃənl] *adj* □ *pol.* verfassungswidrig.

un·con·trol·la·ble [ʌnkən'trəʊləbl] *adj* □ unkontrollierbar; unbeherrscht; **un·con·trolled** *adj* □ unbeaufsichtigt; unbeherrscht.

un·con·ven·tion·al [ʌnkən'venʃənl] *adj* □ unkonventionell; unüblich; ungezwungen.

un·con·vinced [ʌnkən'vɪnst] *adj* nicht überzeugt (**of** von); **un·con·vinc·ing** *adj* nicht überzeugend.

un·cooked [ʌn'kʊkt] *adj* roh.

undies

un·cork [ʌn'kɔːk] v/t entkorken.

un·count|a·ble [ʌn'kaʊntəbl] adj unzählbar; **~ed** adj ungezählt.

un·coup·le [ʌn'kʌpl] v/t ab-, aus-, loskoppeln.

un·couth [ʌn'kuːθ] adj □ ungehobelt.

un·cov·er [ʌn'kʌvə] v/t aufdecken, freilegen; entblößen.

un·cul·ti·vat·ed [ʌn'kʌltɪveɪtɪd], **un·cultured** [-tʃəd] adj unkultiviert.

un·dam·aged [ʌn'dæmɪdʒd] adj unbeschädigt, unversehrt, heil.

un·daunt·ed [ʌn'dɔːntɪd] adj unerschrocken, furchtlos.

un·de·ceive [ʌndɪ'siːv] v/t j-m die Augen öffnen; j-n aufklären.

un·de·cid·ed [ʌndɪ'saɪdɪd] adj unentschieden, offen; unentschlossen.

un·de·fined [ʌndɪ'faɪnd] adj □ unbestimmt; unbegrenzt.

un·de·mon·stra·tive [ʌndɪ'mɒnstrətɪv] adj □ zurückhaltend, reserviert.

un·de·ni·a·ble [ʌndɪ'naɪəbl] adj □ unleugbar; unbestreitbar.

un·der ['ʌndə] **1.** adv unten; darunter; **2.** prp unter (acc or dat); **3.** adj in compounds: unter..., Unter...; ungenügend, zu gering; **~age** adj minderjährig; **~bid** v/t (-**dd**-; -**bid**) unterbieten; **~brush** s Unterholz n; **~car·riage** s aer. Fahrwerk n, -gestell n; mot. Fahrgestell n; **~clothes** pl, **~cloth·ing** s Unterkleidung f, -wäsche f; **~cov·er** adj getarnt; verdeckt; spy, etc.: geheim, Geheim...; **~cut** v/t (-**tt**-; -**cut**) price: unterbieten; **~dog** s Verlierer m, Unterlegene(r m) f; der soziale Schwächere or Benachteiligte; **~done** adj nicht gar, nicht durchgebraten; **~es·ti·mate** v/t unterschätzen; **~ex·pose** v/t phot. unterbelichten; **~fed** adj unterernährt; **~floor heat·ing** s Fußbodenheizung f; **~go** v/t (-**went**, -**gone**) durchmachen; erdulden; sich unterziehen (dat); **~grad·u·ate** s Student(in); **~ground 1.** adj unterirdisch; Untergrund...; **2.** s esp. Br. Untergrundbahn f, U-Bahn f; **~growth** s Unterholz n; **~hand(·ed)** adj □ hinterhältig; **~lie** v/t (-**lay**, -**lain**) zugrunde liegen (dat); **~line** v/t unterstreichen; **~ling** s contp. Untergebene(r m) f; **~mine** v/t unterminieren; fig. untergraben; schwächen; **~most** adj unterste(r, -s); **~neath 1.** prp unter(halb); **2.** adv unten; darunter; **~nour·ished** adj unterernährt; **~pass** s Unterführung f; **~pin** v/t (-**nn**-) untermauern (a. fig.); **~plot** s thea., etc.: Nebenhandlung f; **~priv·i·leged** adj benachteiligt, unterprivilegiert; **~rate** v/t unterschätzen; **~sec·re·ta·ry** s pol. Staatssekretär m; **~sell** v/t (-**sold**) econ. j-n unterbieten; goods: verschleudern; **~shirt** s Am. Unterhemd n; **~signed** s: the **~** der, die Unterzeichnete; **~size(d)** adj zu klein; **~skirt** s Unterrock m; **~staffed** adj (personell) unterbesetzt.

un·der·stand [ʌndə'stænd] v/t and v/i (-**stood**) verstehen; sich verstehen auf (acc); (als sicher) annehmen; erfahren, hören; (sinngemäß) ergänzen; **make o.s. understood** sich verständlich machen; **an understood thing** e-e abgemachte Sache; **~a·ble** adj verständlich; **~ing** s Verstand m; Einvernehmen n; Verständigung f, Abmachung f, Einigung f; Voraussetzung f.

un·der·state [ʌndə'steɪt] v/t herunterspielen; untertreiben; **~ment** s Understatement n, Untertreibung f.

un·der·take [ʌndə'teɪk] v/t (-**took**, -**taken**) unternehmen; übernehmen; sich verpflichten; **~tak·er** ['ʌndəteɪkə] s Leichenbestatter m; Beerdigungs-, Bestattungsinstitut n; **~tak·ing** s [ʌndə-'teɪkɪŋ] s Unternehmen n; Zusicherung f; ['ʌndəteɪkɪŋ] Leichenbestattung f.

un·der·tone ['ʌndətəʊn] s leiser Ton; fig. Unterton m; **~val·ue** v/t unterschätzen; **~wear** s Unterkleidung f, -wäsche f; **~wood** s Unterholz n; **~world** s Unterwelt f; **~writ·er** s insurance: Versicherer m.

un·de·served [ʌndɪ'zɜːvd] adj □ unverdient; **un·de·serv·ing** adj □ unwürdig.

un·de·signed [ʌndɪ'zaɪnd] adj □ unbeabsichtigt, unabsichtlich.

un·de·sir·a·ble [ʌndɪ'zaɪərəbl] **1.** adj □ unerwünscht; **2.** s unerwünschte Person.

un·de·vel·oped [ʌndɪ'veləpt] adj unerschlossen (site); unentwickelt.

un·de·vi·at·ing [ʌn'diːvieɪtɪŋ] adj □ unentwegt, unbeirrbar.

un·dies F ['ʌndɪz] s pl (Damen)Unterwäsche f.

U

un·dig·ni·fied [ʌn'dɪgnɪfaɪd] *adj* □ unwürdig, würdelos.

un·dis·ci·plined [ʌn'dɪsɪplɪnd] *adj* undiszipliniert; ungeschult.

un·dis·guised [ʌndɪs'gaɪzd] *adj* □ nicht verkleidet; *fig.* unverhohlen.

un·dis·put·ed [ʌndɪ'spjuːtɪd] *adj* □ unbestritten.

un·do [ʌn'duː] *v/t* (*-did*, *-done*) aufmachen; (auf)lösen; ungeschehen machen, aufheben; vernichten; **~·ing** *s* Aufmachen *n*; Ungeschehenmachen *n*; Vernichtung *f*; Verderben *n*; **un·done** *adj* zugrunde gerichtet, ruiniert, erledigt.

un·doubt·ed [ʌn'daʊtɪd] *adj* □ unzweifelhaft, zweifellos.

un·dreamed [ʌn'driːmd], **un·dreamt** [ʌn'dremt] *adj*: **~·of** ungeahnt.

un·dress [ʌn'dres] *v/t* (*v/i* sich) entkleiden *or* ausziehen; **~ed** *adj* unbekleidet.

un·due [ʌn'djuː] *adj* □ unpassend; übermäßig; *econ.* noch nicht fällig.

un·du|late ['ʌndjʊleɪt] *v/i* wogen; wallen; wellenförmig verlaufen; **~·la·tion** [~'leɪʃn] *s* wellenförmige Bewegung.

un·du·ly [ʌn'djuːlɪ] *adj* übertrieben, unmäßig; unangemessen.

un·earth [ʌn'ɜːθ] *v/t* ausgraben; *fig.* aufstöbern; **~·ly** *adj* überirdisch; unheimlich; **at an ~ hour** F zu e-r unchristlichen Zeit.

un·eas|i·ness [ʌn'iːzɪnɪs] *s* Unruhe *f*; Unbehagen *n*; **~·y** *adj* □ (*-ier*, *-iest*) unbehaglich; unruhig; unsicher.

un·ed·u·cat·ed [ʌn'edjʊkeɪtɪd] *adj* ungebildet.

un·e·mo·tion·al [ʌnɪ'məʊʃənl] *adj* □ leidenschaftslos; passiv; nüchtern.

un·em|ployed [ʌnɪm'plɔɪd] **1.** *adj* arbeitslos; ungenützt; **2.** *s*: **the ~** *pl* die Arbeitslosen *pl*; **~·ploy·ment** *s* Arbeitslosigkeit *f*; **~ benefit** *Br.*, **~ compensation** *Am.* Arbeitslosenunterstützung *f*.

un·end·ing [ʌn'endɪŋ] *adj* □ endlos.

un·en·dur·a·ble [ʌnɪn'djʊərəbl] *adj* □ unerträglich.

un·e·qual [ʌn'iːkwəl] *adj* □ ungleich; nicht gewachsen (**to** dat); **~·(l)ed** *adj* unerreicht, unübertroffen.

un·er·ring [ʌn'ɜːrɪŋ] *adj* □ unfehlbar.

un·es·sen·tial [ʌnɪ'senʃl] *adj* unwesentlich, unwichtig.

un·e·ven [ʌn'iːvn] *adj* □ uneben; ungleich(mäßig); *temper:* unausgeglichen; *number:* ungerade.

un·e·vent·ful [ʌnɪ'ventfl] *adj* □ ereignislos; ohne Zwischenfälle.

un·ex·am·pled [ʌnɪg'zɑːmpld] *adj* beispiellos.

un·ex·cep·tio·na·ble [ʌnɪk'sepʃnəbl] *adj* □ untadelig; einwandfrei.

un·ex·pec·ted [ʌnɪk'spektɪd] *adj* □ unerwartet.

un·fail·ing [ʌn'feɪlɪŋ] *adj* □ unfehlbar, nie versagend; unerschöpflich; *fig.* treu.

un·fair [ʌn'feə] *adj* □ unfair; ungerecht; *econ. competition:* unlauter.

un·faith·ful [ʌn'feɪθfl] *adj* □ un(ge)treu, treulos; nicht wortgetreu.

un·fa·mil·i·ar [ʌnfə'mɪlɪə] *adj* ungewohnt; unbekannt; nicht vertraut (**with** mit).

un·fash·ion·a·ble [ʌn'fæʃənəbl] *adj* unmodern.

un·fas·ten [ʌn'fɑːsn] *v/t* öffnen, aufmachen; lösen; **~ed** *adj* unbefestigt, lose.

un·fath·o·ma·ble [ʌn'fæðəməbl] *adj* □ unergründlich.

un·fa·vo(u)·ra·ble [ʌn'feɪvərəbl] *adj* □ ungünstig; unvorteilhaft.

un·feel·ing [ʌn'fiːlɪŋ] *adj* □ gefühllos.

un·fin·ished [ʌn'fɪnɪʃt] *adj* unvollendet; unfertig; unerledigt.

un·fit [ʌn'fɪt] **1.** *adj* □ ungeeignet, untauglich; *sports:* nicht fit, nicht in (guter) Form; **2.** *v/t* (*-tt-*) ungeeignet *or* untauglich machen.

un·fix [ʌn'fɪks] *v/t* losmachen, lösen.

un·fledged [ʌn'fledʒd] *adj bird:* ungefiedert, (noch) nicht flügge; *fig.* unreif.

un·flinch·ing [ʌn'flɪntʃɪŋ] *adj* □ entschlossen, unnachgiebig; unerschrokken.

un·fold [ʌn'fəʊld] *v/t and v/i* (sich) entfalten, (sich) öffnen; auseinanderfalten, -klappen; *fig.* darlegen, enthüllen.

un·forced [ʌn'fɔːst] *adj* ungezwungen.

un·fore|see·a·ble [ʌnfɔː'siːəbl] *adj* unvorhersehbar; **~·seen** *adj* unvorhergesehen, unerwartet.

un·for·get·ta·ble [ʌnfə'getəbl] *adj* □ unvergeßlich.

un·for·giv·ing [ʌnfə'gɪvɪŋ] *adj* unversöhnlich, nachtragend.

un·for·got·ten [ʌnfə'gɒtn] *adj* unvergessen.

un·for·tu·nate [ʌnˈfɔːtʃnət] **1.** *adj* □ unglücklich; **2.** *s* Unglückliche(r *m*) *f*; **~·ly** *adv* unglücklicherweise, leider.

un·found·ed [ʌnˈfaʊndɪd] *adj* □ unbegründet, grundlos.

un·friend·ly [ʌnˈfrendlɪ] *adj* (*-ier, -iest*) unfreundlich; ungünstig.

un·furl [ʌnˈfɜːl] *v/t* entfalten, aufrollen.

un·fur·nished [ʌnˈfɜːnɪʃt] *adj* unmöbliert.

un·gain·ly [ʌnˈgeɪnlɪ] *adj* unbeholfen, plump, linkisch.

un·gen·er·ous [ʌnˈdʒenərəs] *adj* □ nicht freigebig; kleinlich; unfair.

un·god·ly [ʌnˈgɒdlɪ] *adj* gottlos; F scheußlich; **at an ~ hour** F zu e-r unchristlichen Zeit.

un·gov·er·na·ble [ʌnˈgʌvənəbl] *adj* □ *country*: unregierbar; *passion*: zügellos, wild.

un·grace·ful [ʌnˈgreɪsfl] *adj* □ ungraziös, ohne Anmut; unbeholfen.

un·gra·cious [ʌnˈgreɪʃəs] *adj* □ ungnädig; unfreundlich.

un·grate·ful [ʌnˈgreɪtfl] *adj* □ undankbar.

un·guard·ed [ʌnˈgɑːdɪd] *adj* □ unbewacht; ungeschützt; unvorsichtig.

un·guent *pharm.* [ˈʌŋgwənt] *s* Salbe *f*.

un·ham·pered [ʌnˈhæmpəd] *adj* ungehindert.

un·han·dy [ʌnˈhændɪ] *adj* □ (*-ier, -iest*) unhandlich; ungeschickt; unbeholfen.

un·hap·py [ʌnˈhæpɪ] *adj* □ (*-ier, -iest*) unglücklich.

un·harmed [ʌnˈhɑːmd] *adj* unversehrt.

un·health·y [ʌnˈhelθɪ] *adj* □ (*-ier, -iest*) ungesund.

un·heard-of [ʌnˈhɜːdɒv] *adj* unerhört; beispiellos.

un·heed|ed [ʌnˈhiːdɪd] *adj* □ unbeachtet; **~·ing** *adj* sorglos.

un·hes·i·tat·ing [ʌnˈhezɪteɪtɪŋ] *adj* prompt; anstandslos, bereitwillig.

un·ho·ly [ʌnˈhəʊlɪ] *adj* (*-ier, -iest*) unheilig; gottlos; F → *ungodly*.

un·hook [ʌnˈhʊk] *v/t* auf-, loshaken.

un·hoped-for [ʌnˈhəʊptfɔː] *adj* unverhofft, unerwartet.

un·hurt [ʌnˈhɜːt] *adj* unverletzt.

u·ni·corn *myth.* [ˈjuːnɪkɔːn] *s* Einhorn *n*.

u·ni·fi·ca·tion [juːnɪfɪˈkeɪʃn] *s* Vereinigung *f*; Vereinheitlichung *f*.

u·ni·form [ˈjuːnɪfɔːm] **1.** *adj* □ gleichförmig, -mäßig, gleich; einheitlich; **2.** *s* Uniform *f*, Dienstkleidung *f*; **3.** *v/t* uniformieren; **~·i·ty** [ˈʌˈfɔːmətɪ] *s* Gleichförmigkeit *f*; Einheitlichkeit *f*.

u·ni·fy [ˈjuːnɪfaɪ] *v/t* verein(ig)en; vereinheitlichen.

u·ni·lat·er·al [juːnɪˈlætərəl] *adj* □ einseitig.

un·i·ma·gi·na|ble [ʌnɪˈmædʒɪnəbl] *adj* □ unvorstellbar; **~·tive** *adj* □ phantasie-, einfallslos.

un·im·por·tant [ʌnɪmˈpɔːtənt] *adj* □ unwichtig, unbedeutend.

un·in·formed [ʌnɪnˈfɔːmd] *adj* nicht unterrichtet *or* eingeweiht.

un·in·hab·i·ta·ble [ʌnɪnˈhæbɪtəbl] *adj* □ unbewohnbar; **~·it·ed** *adj* unbewohnt.

un·in·jured [ʌnɪnˈdʒəd] *adj* unbeschädigt, unverletzt.

un·in·tel·li·gi·ble [ʌnɪnˈtelɪdʒəbl] *adj* □ unverständlich.

un·in·ten·tion·al [ʌnɪnˈtenʃənl] *adj* □ unabsichtlich, unbeabsichtigt.

un·in·ter·est·ing [ʌnˈɪntrɪstɪŋ] *adj* □ uninteressant.

un·in·ter·rupt·ed [ʌnɪntəˈrʌptɪd] *adj* □ ununterbrochen.

u·nion [ˈjuːnɪən] *s* Vereinigung *f*; Verbindung *f*; Union *f*; Verband *m*, Verein *m*, Bund *m*; *pol.* Vereinigung *f*, Zusammenschluß *m*; Gewerkschaft *f*; **~·ist** *s* Gewerkschaftler(in) *f*; ♀ **Jack** *s* Union Jack *m*; **~ suit** *s Am.* lange Hemdhose.

u·nique [juːˈniːk] *adj* □ einzigartig, einmalig.

u·ni·son *mus. and fig.* [ˈjuːnɪzn] *s* Einklang *m*.

u·nit [ˈjuːnɪt] *s* Einheit *f*; *tech.* (Bau)Einheit *f*; *math.* Einer *m*; **kitchen ~** Küchenelement *n*.

u·nite [juːˈnaɪt] *v/t and v/i* (sich) vereinigen, (sich) verbinden; (sich) zusammenschließen; **u·nit·ed** *adj* vereinigt, vereint; **u·ni·ty** [ˈjuːnətɪ] *s* Einheit *f*; Einigkeit *f*, Eintracht *f*.

u·ni·ver·sal [juːnɪˈvɜːsl] *adj* □ allgemein; allumfassend; Universal...; Welt...; **~·i·ty** [ˈsælətɪ] *s* Allgemeinheit *f*; umfassende Bildung; Vielseitigkeit *f*.

u·ni·verse [ˈjuːnɪvɜːs] *s* Weltall *n*, Universum *n*.

u·ni·ver·si·ty [juːnɪˈvɜːsətɪ] *s* Universität *f*; **~ graduate** Hochschulabsolvent(in), Akademiker(in).

U

un·just [ʌn'dʒʌst] *adj* □ ungerecht; **∼ly** zu Unrecht.

un·jus·ti·fi·a·ble [ʌn'dʒʌstɪfaɪəbl] *adj* □ nicht zu rechtfertigen(d), unentschuldbar.

un·kempt [ʌn'kempt] *adj* ungekämmt; zerzaust; ungepflegt.

un·kind [ʌn'kaɪnd] *adj* □ unfreundlich.

un·know·ing [ʌn'nəʊɪŋ] *adj* □ unwissend; unbewußt; **un·known 1.** *adj* unbekannt; **∼ to me** ohne mein Wissen; **2.** *s* der, die, das Unbekannte.

un·lace [ʌn'leɪs] *v/t* aufschnüren.

un·latch [ʌn'lætʃ] *v/t* door: aufklinken.

un·law·ful [ʌn'lɔːfl] *adj* □ ungesetzlich, widerrechtlich, illegal.

un·lead·ed ['ʌnledɪd] *adj* bleifrei.

un·learn [ʌn'lɜːn] *v/t* (**-ed** or **-learnt**) verlernen.

un·less [ən'les] *cj* wenn ... nicht, außer wenn ...., es sei denn, daß ...

un·like [ʌn'laɪk] **1.** *adj* □ ungleich; **2.** *prp* unähnlich (**s.o.** j-m); anders als; im Gegensatz zu; **∼ly** *adj* unwahrscheinlich.

un·lim·it·ed [ʌn'lɪmɪtɪd] *adj* unbegrenzt.

un·load [ʌn'ləʊd] *v/t* ent-, ab-, ausladen; *mar. cargo*: löschen.

un·lock [ʌn'lɒk] *v/t* aufschließen; **∼ed** *adj* unverschlossen.

un·looked-for [ʌn'lʊktfɔː] *adj* unerwartet, überraschend.

un·loose [ʌn'luːs], **un·loos·en** [ʌn'luːsn] *v/t* lösen; lockern; losmachen.

un·love·ly [ʌn'lʌvlɪ] *adj* reizlos, unschön; **un·lov·ing** *adj* □ lieblos.

un·luck·y [ʌn'lʌkɪ] *adj* □ (**-ier, -iest**) unglücklich; unheilvoll; **be ∼** Pech haben.

un·man [ʌn'mæn] *v/t* (**-nn-**) entmannen; entmutigen; **∼ned** space travel: unbemannt.

un·man·age·a·ble [ʌn'mænɪdʒəbl] *adj* □ unkontrollierbar.

un·mar·ried [ʌn'mærɪd] *adj* unverheiratet, ledig.

un·mask [ʌn'mɑːsk] *v/t* demaskieren; *fig.* entlarven.

un·matched [ʌn'mætʃt] *adj* unerreicht, unübertroffen, unvergleichlich.

un·mean·ing [ʌn'miːnɪŋ] *adj* □ nichtssagend.

un·mea·sured [ʌn'meʒəd] *adj* ungemessen; unermeßlich.

un·mind·ful [ʌn'maɪndfl] *adj* □: **be ∼ of**

nicht achten auf (*acc*); nicht denken an (*acc*).

un·mis·ta·ka·ble [ʌnmɪ'steɪkəbl] *adj* □ unverkennbar; unmißverständlich.

un·mit·i·gat·ed [ʌn'mɪtɪɡeɪtɪd] *adj* ungemildert; **∼ scoundrel** Erzhalunke *m*.

un·mount·ed [ʌn'maʊntɪd] *adj* unberitten; ungefaßt (*gem*); nicht aufgezogen (*picture*).

un·moved [ʌn'muːvd] *adj* unbewegt, ungerührt.

un·mu·sic·al [ʌn'mjuːzɪkl] *adj* tune: unmelodiös; *person*: unmusikalisch.

un·named [ʌn'neɪmd] *adj* ungenannt; *without name*: namenlos.

un·nat·u·ral [ʌn'nætʃrəl] *adj* □ unnatürlich.

un·ne·ces·sa·ry [ʌn'nesəsərɪ] *adj* □ unnötig; überflüssig.

un·neigh·bo·u·r·ly [ʌn'neɪbəlɪ] *adj* nicht gutnachbarlich; unfreundlich.

un·nerve [ʌn'nɜːv] *v/t* entnerven.

un·no·ticed [ʌn'nəʊtɪst] *adj* unbemerkt.

un·ob·jec·tio·na·ble [ʌnəb'dʒekʃnəbl] *adj* □ einwandfrei.

un·ob·serv·ant [ʌnəb'zɜːvənt] *adj* □ unachtsam; **un·ob·served** *adj* □ unbemerkt.

un·ob·tai·na·ble [ʌnəb'teɪnəbl] *adj* unerreichbar.

un·ob·tru·sive [ʌnəb'truːsɪv] *adj* □ unaufdringlich, bescheiden.

un·oc·cu·pied [ʌn'ɒkjʊpaɪd] *adj* unbesetzt; unbewohnt; unbeschäftigt.

un·of·fend·ing [ʌnə'fendɪŋ] *adj* harmlos.

un·of·fi·cial [ʌnə'fɪʃl] *adj* □ nichtamtlich, inoffiziell.

un·op·posed [ʌnə'pəʊzd] *adj* ungehindert.

un·owned [ʌn'əʊnd] *adj* herrenlos.

un·pack [ʌn'pæk] *v/t* auspacken.

un·paid [ʌn'peɪd] *adj* unbezahlt.

un·par·al·leled [ʌn'pærəleld] *adj* einmalig, beispiellos, ohnegleichen.

un·par·don·a·ble [ʌn'pɑːdnəbl] *adj* □ unverzeihlich.

un·per·ceived [ʌnpə'siːvd] *adj* □ unbemerkt.

un·per·turbed [ʌnpə'tɜːbd] *adj* ruhig, gelassen.

un·pick [ʌn'pɪk] *v/t* stitches, *etc.*: auftrennen.

un·placed [ʌn'pleɪst] *adj*: **be ∼** sports: sich nicht placieren können.

un·pleas·ant [ʌnˈpleznt] *adj* □ unangenehm, unerfreulich; unfreundlich; **~ness** *s* Unannehmlichkeit *f*; Unstimmigkeit *f*.

un·pol·ished [ʌnˈpɒlɪʃt] *adj* unpoliert; *fig.* ungehobelt, ungebildet.

un·pol·lut·ed [ʌnpəˈluːtɪd] *adj* unverschmutzt, unverseucht, sauber (*environment*).

un·pop·u·lar [ʌnˈpɒpjʊlə] *adj* □ unpopulär, unbeliebt; **~·i·ty** [~ˈlærətɪ] *s* Unbeliebtheit *f*.

un·prac·ti·cal [ʌnˈpræktɪkl] *adj* □ unpraktisch; **~tised**, *Am.* **~ticed** *adj* ungeübt.

un·pre·ce·dent·ed [ʌnˈpresɪdəntɪd] *adj* □ beispiellos; noch nie dagewesen.

un·prej·u·diced [ʌnˈpredʒʊdɪst] *adj* □ unbefangen, unvoreingenommen.

un·pre·med·i·tat·ed [ʌnprɪˈmedɪteɪtɪd] *adj* □ unüberlegt; nicht vorsätzlich.

un·pre·pared [ʌnprɪˈpeəd] *adj* unvorbereitet.

un·pre·ten·tious [ʌnprɪˈtenʃəs] *adj* □ bescheiden, schlicht.

un·prin·ci·pled [ʌnˈprɪnsəpld] *adj* ohne Grundsätze; gewissenlos.

un·prof·i·ta·ble [ʌnˈprɒfɪtəbl] *adj* □ unrentabel.

un·proved [ʌnˈpruːvd], **un·prov·en** [ʌnˈpruːvn] *adj* unbewiesen.

un·pro·vid·ed [ʌnprəˈvaɪdɪd] *adj*: **~ with** nicht versehen mit, ohne; **~ for** unversorgt, mittellos.

un·pro·voked [ʌnprəˈvəʊkt] *adj* □ ohne Anlaß, grundlos.

un·qual·i·fied [ʌnˈkwɒlɪfaɪd] *adj* unqualifiziert, ungeeignet; uneingeschränkt.

un·ques·tio·na·ble [ʌnˈkwestʃənəbl] *adj* □ unzweifelhaft, fraglos; **~tion·ing** *adj* bedingungslos, blind.

un·quote [ʌnˈkwəʊt] *adv*: **~!** Ende des Zitats!

un·rav·el [ʌnˈrævl] *v/t* (*esp. Br.* **-ll-**, *Am.* **-l-**) aufentwirren; (*v/i sich*) entwirren.

un·read [ʌnˈred] *adj* book: ungelesen; *person:* wenig belesen; **un·rea·da·ble** [ʌnˈriːdəbl] *adj* writing: unleserlich; *book:* schwer lesbar.

un·real [ʌnˈrɪəl] *adj* □ unwirklich, irreal; **un·re·a·lis·tic** *adj* (**~ally**) wirklichkeitsfremd, unrealistisch.

un·rea·so·na·ble [ʌnˈriːznəbl] *adj* □ unvernünftig; unsinnig; unmäßig.

un·rec·og·niz·a·ble [ʌnˈrekəgnaɪzəbl] *adj* □ nicht wiederzuerkennen(d).

un·re·deemed [ʌnrɪˈdiːmd] *adj* □ *eccl.* unerlöst; nicht eingelöst (*bill, pawn*); ungetilgt (*debt*).

un·re·fined [ʌnrɪˈfaɪnd] *adj* nicht raffiniert, roh, Roh...; *fig.* unkultiviert.

un·re·flect·ing [ʌnrɪˈflektɪŋ] *adj* □ gedankenlos, unüberlegt.

un·re·gard·ed [ʌnrɪˈgɑːdɪd] *adj* unbeachtet; unberücksichtigt.

un·re·lat·ed [ʌnrɪˈleɪtɪd] *adj* unzusammenhängend, ohne Beziehung (**to** zu).

un·re·lent·ing [ʌnrɪˈlentɪŋ] *adj* □ erbarmungslos (*fight, etc.*); unvermindert.

un·re·li·a·ble [ʌnrɪˈlaɪəbl] *adj* □ unzuverlässig.

un·re·lieved [ʌnrɪˈliːvd] *adj* ungemildert; ungemindert.

un·re·mit·ting [ʌnrɪˈmɪtɪŋ] *adj* □ unablässig, unaufhörlich; unermüdlich.

un·re·quit·ed [ʌnrɪˈkwaɪtɪd] *adj*: **~ love** unerwiderte Liebe.

un·re·served [ʌnrɪˈzɜːvd] *adj* □ rückhaltlos; frei, offen; nicht reserviert.

un·re·sist·ing [ʌnrɪˈzɪstɪŋ] *adj* □ widerstandslos.

un·re·spon·sive [ʌnrɪˈspɒnsɪv] *adj* □ unempfänglich (**to** für); teilnahmslos.

un·rest [ʌnˈrest] *s* Unruhe *f*, *pol. a.* Unruhen *pl*.

un·re·strained [ʌnrɪˈstreɪnd] *adj* □ ungehemmt; uneingeschränkt.

un·re·strict·ed [ʌnrɪˈstrɪktɪd] *adj* □ uneingeschränkt.

un·right·eous [ʌnˈraɪtʃəs] *adj* □ ungerecht; unredlich.

un·ripe [ʌnˈraɪp] *adj* unreif.

un·ri·val(l)ed [ʌnˈraɪvld] *adj* unvergleichlich, unerreicht, einzigartig.

un·roll [ʌnˈrəʊl] *v/t* ent-, aufrollen; *v/i* sich entfalten.

un·ruf·fled [ʌnˈrʌfld] *adj* glatt; *fig.* gelassen, ruhig.

un·ru·ly [ʌnˈruːlɪ] *adj* (**-ier**, **-iest**) ungebärdig, widerspenstig.

un·safe [ʌnˈseɪf] *adj* □ unsicher.

un·said [ʌnˈsed] *adj* unausgesprochen.

un·sal(e)·a·ble [ʌnˈseɪləbl] *adj* unverkäuflich.

un·san·i·tar·y [ʌnˈsænɪtərɪ] *adj* unhygienisch.

un·sat·is|fac·to·ry [ʌnsætɪsˈfæktərɪ] *adj* □ unbefriedigend, unzulänglich; **~fied**

[ʌn'sætɪsfaɪd] *adj* unbefriedigt; **~·fy·ing** → **unsatisfactory**.

un·sa·vo(u)r·y [ʌn'seɪvərɪ] *adj* □ unappetitlich (*a. fig.*), widerwärtig.

un·say [ʌn'seɪ] *v/t* (-said) zurücknehmen, widerrufen.

un·scathed [ʌn'skeɪðd] *adj* unversehrt, unverletzt.

un·schooled [ʌn'skuːld] *adj* ungeschult, nicht ausgebildet.

un·screw [ʌn'skruː] *v/t* ab-, los-, aufschrauben; *v/i* sich abschrauben lassen.

un·scru·pu·lous [ʌn'skruːpjʊləs] *adj* □ bedenken-, gewissen-, skrupellos.

un·sea·soned [ʌn'siːznd] *adj* nicht abgelagert (*timber*); ungewürzt; *fig.* nicht abgehärtet.

un·seat [ʌn'siːt] *v/t rider*: abwerfen; *from office: j-n* s-s Postens entheben; *pol. j-m* s-n Sitz (im Parlament) nehmen.

un·see·ing [ʌn'siːɪŋ] *adj* □ *fig.* blind; **with ~ eyes** mit leerem Blick.

un·seem·ly [ʌn'siːmlɪ] *adj* ungehörig.

un·self·ish [ʌn'selfɪʃ] *adj* □ selbstlos, uneigennützig; **~·ness** *s* Selbstlosigkeit *f*.

un·set·tle [ʌn'setl] *v/t* durcheinanderbringen; beunruhigen; aufregen; erschüttern; **~d** *adj* unbeständig, veränderlich (*weather*).

un·shak·en [ʌn'ʃeɪkən] *adj* unerschüttert; unerschütterlich.

un·shaved [ʌn'ʃeɪvd], **un·shav·en** [ʌn'ʃeɪvn] *adj* unrasiert.

un·ship [ʌn'ʃɪp] *v/t* ausschiffen.

un·shrink|a·ble [ʌn'ʃrɪŋkəbl] *adj* nicht einlaufend (*fabric*); **~·ing** *adj* □ unverzagt, furchtlos.

un·sight·ly [ʌn'saɪtlɪ] *adj* häßlich.

un·skil(l)·ful [ʌn'skɪlfl] *adj* □ ungeschickt; **un·skilled** *adj worker*: ungelernt.

un·so·cia·ble [ʌn'səʊʃəbl] *adj* □ ungesellig; **un·so·cial** *adj* unsozial; asozial; **work ~ hours** *Br.* außerhalb der normalen Arbeitszeit arbeiten.

un·so·lic·it·ed [ʌnsə'lɪsɪtɪd] *adj* unaufgefordert; **~ goods** *econ.* unbestellte Ware(n).

un·sol·va·ble [ʌn'sɒlvəbl] *adj chem.* unlöslich; *fig.* unlösbar; **un·solved** *adj* ungelöst.

un·so·phis·ti·cat·ed [ʌnsə'fɪstɪkeɪtɪd] *adj* ungekünstelt, natürlich, naiv.

un·sound [ʌn'saʊnd] *adj* □ ungesund; verdorben; wurmstichig, morsch; nicht stichhaltig (*argument*); verkehrt; *of ~ mind jur.* unzurechnungsfähig.

un·spar·ing [ʌn'speərɪŋ] *adj* □ freigebig; schonungslos, unbarmherzig.

un·spea·ka·ble [ʌn'spiːkəbl] *adj* □ unsagbar, unbeschreiblich, entsetzlich.

un·spoiled, un·spoilt [ʌn'spɔɪld, ~t] *adj* unverdorben; nicht verzogen (*child*).

un·spo·ken [ʌn'spəʊkən] *adj* ungesagt; **~·of** unerwähnt.

un·stead·y [ʌn'stedɪ] *adj* □ (-ier, -iest) unsicher; schwankend, unbeständig; unregelmäßig; *fig.* unsolide.

un·strained [ʌn'streɪnd] *adj* unfiltriert; *fig.* ungezwungen.

un·strap [ʌn'stræp] *v/t* (-pp-) ab-, auf-, losschnallen.

un·stressed *ling.* [ʌn'strest] *adj* unbetont.

un·strung [ʌn'strʌŋ] *adj mus.* saitenlos; *mus.* entspannt (*string*); *fig.* zerrüttet, entnervt (*person*).

un·stuck [ʌn'stʌk] *adj*: **come ~** sich lösen, abgehen; *fig.* scheitern (*person, plan*).

un·stud·ied [ʌn'stʌdɪd] *adj* ungekünstelt, natürlich.

un·suc·cess·ful [ʌnsək'sesfl] *adj* □ erfolglos, ohne Erfolg.

un·suit·a·ble [ʌn'sjuːtəbl] *adj* □ unpassend; unangemessen.

un·sure [ʌn'ʃɔː] *adj* (~r, ~st) unsicher.

un·sur·passed [ʌnsə'pɑːst] *adj* unübertroffen.

un·sus·pect|ed [ʌnsə'spektɪd] *adj* □ unverdächtig; unvermutet; **~·ing** *adj* □ nichts ahnend; arglos.

un·sus·pi·cious [ʌnsə'spɪʃəs] *adj* □ arglos; unverdächtig.

un·tan·gle [ʌn'tæŋgl] *v/t* entwirren.

un·tapped [ʌn'tæpt] *adj* unangezapft (*barrel*); ungenutzt (*resources, energy*).

un·teach·a·ble [ʌn'tiːtʃəbl] *adj* unbelehrbar (*person*); nicht lehrbar (*subject*).

un·ten·a·ble [ʌn'tenəbl] *adj* unhaltbar (*theory, position, etc.*).

un·thank·ful [ʌn'θæŋkfl] *adj* □ undankbar.

un·think|a·ble [ʌn'θɪŋkəbl] *adj* undenkbar; **~·ing** *adj* □ gedankenlos.

un·thought [ʌn'θɔːt] *adj* unüberlegt; **~·of** unvorstellbar; unerwartet.

un·ti·dy [ʌn'taɪdɪ] *adj* □ (*-ier*, *-iest*) unordentlich.

un·tie [ʌn'taɪ] *v/t* aufknoten, *knot, etc.*: lösen; losbinden.

un·til [ən'tɪl] **1.** *prp* bis; **2.** *cj* bis (daß); *not* ~ erst als *or* wenn.

un·time·ly [ʌn'taɪmlɪ] *adj* vorzeitig; ungelegen.

un·tir·ing [ʌn'taɪərɪŋ] *adj* □ unermüdlich.

un·to ['ʌntʊ] → *to* 1.

un·told [ʌn'təʊld] *adj* unerzählt; ungesagt; unermeßlich; unsäglich.

un·touched [ʌn'tʌtʃt] *adj* unberührt (*meal, etc.*); *fig.* ungerührt.

un·trou·bled [ʌn'trʌbld] *adj* ungestört; ruhig.

un·true [ʌn'truː] *adj* □ unwahr, falsch.

un·trust·wor·thy [ʌn'trʌstwɜːðɪ] *adj* unzuverlässig, nicht vertrauenswürdig.

un·truth·ful [ʌn'truːθfl] *adj* □ unwahr; unaufrichtig; falsch.

un·used[1] [ʌn'juːzd] *adj* unbenutzt, ungebraucht.

un·used[2] [ʌn'juːst] *adj* nicht gewöhnt (*to* an *acc*); nicht gewohnt (*to doing* zu tun).

un·u·su·al [ʌn'juːʒʊəl] *adj* □ ungewöhnlich.

un·var·nished *fig.* [ʌn'vɑːnɪʃt] *adj* ungeschminkt.

un·veil [ʌn'veɪl] *v/t* entschleiern; *monument, etc.*: enthüllen.

un·versed [ʌn'vɜːst] *adj* unbewandert, unerfahren (*in* in *dat*).

un·want·ed [ʌn'wɒntɪd] *adj* unerwünscht.

un·war·rant·ed [ʌn'wɒrəntɪd] *adj* ungerechtfertigt, unberechtigt.

un·wel·come [ʌn'welkəm] *adj* unwillkommen.

un·well [ʌn'wel] *adj*: **she is** *or* **feels** ~ sie fühlt sich unwohl *or* unpäßlich, sie ist unpäßlich.

un·whole·some [ʌn'həʊlsəm] *adj* ungesund (*a. fig.*).

un·wield·y [ʌn'wiːldɪ] *adj* □ unhandlich, sperrig; unbeholfen.

un·will·ing [ʌn'wɪlɪŋ] *adj* □ widerwillig; ungern; *be* ~ *to do et.* nicht tun wollen.

un·wind [ʌn'waɪnd] *v/t and v/i* (*-wound*) auf-, loswickeln; (sich) abwickeln; F sich entspannen, abschalten.

un·wise [ʌn'waɪz] *adj* □ unklug.

un·wor·thy [ʌn'wɜːðɪ] *adj* unwürdig; *he is* ~ *of it* er verdient es nicht, er ist es nicht wert.

un·wrap [ʌn'ræp] *v/t* (*-pp-*) auswickeln, auspacken, aufwickeln.

un·writ·ten ['ʌnrɪtn] *adj*: ~ *law* ungeschriebenes Gesetz.

un·yield·ing [ʌn'jiːldɪŋ] *adj* □ starr, fest; *fig.* unnachgiebig.

un·zip [ʌn'zɪp] *v/t* (*-pp-*) den Reißverschluß (*gen*) öffnen.

up [ʌp] **1.** *adv* nach oben, hoch, (her-, hin)auf, in die Höhe, empor, aufwärts; oben; von ... an; flußaufwärts; *Br. esp. to capital*: in der *or* in die (Haupt-) Stadt; *Br. esp.* in *or* nach London; ~*right*: aufrecht, gerade; *baseball*: am Schlag; ~ *to* hinauf nach *or* zu; bis (zu); ~ *North* im Norden; ~ *there* dort oben, dort hinauf; ~ *here* hier oben, hier herauf; ~ *and away* auf und davon; *walk* ~ *and down* auf und ab gehen, hin und her gehen; *rents have gone* ~ die Mieten sind gestiegen; *it is* ~ *to him* es liegt an ihm; es hängt von ihm ab; *what are you* ~ *to?* was hast du vor?, was machst du (*there* da)?; **2.** *adv* aufwärts..., nach oben; oben; hoch; aufgegangen (*sun*); gestiegen (*prices*); abgelaufen, um (*time*); auf(gestanden); ~ *and about* wieder auf den Beinen; *what's* ~*?* was ist los?; ~ *train* Zug *m* nach der Stadt; **3.** *prp* hinauf; ~ (*the*) *country* landeinwärts; F ~ *yours!* F du kannst mich mal!; **4.** (*-pp-*) *v/i* aufstehen, sich erheben; *v/t prices, etc.*: erhöhen; **5.** *s*: *the* ~*s and downs pl* das Auf u. Ab, die Höhen u. Tiefen *pl* (*of life* des Lebens).

up-and-com·ing [ʌpən'kʌmɪŋ] *adj* aufstrebend, vielversprechend.

up·bring·ing ['ʌpbrɪŋɪŋ] *s* Erziehung *f*.

up·com·ing *Am.* ['ʌpkʌmɪŋ] *adj* bevorstehend.

up·coun·try [ʌp'kʌntrɪ] *adj and adv* landeinwärts; im Inneren des Landes (gelegen).

up·date [ʌp'deɪt] *v/t* auf den neuesten Stand bringen.

up·end [ʌp'end] *v/t* hochkant stellen; *receptacle*: umstülpen.

up-front F [ʌp'frʌnt] *adj* vorne; *of payment*: Voraus...; *person*: aufgeschlossen, offen.

U

up·grade [ʌp'greɪd] *v/t j-n* (im Rang) befördern.

up·heav·al *fig.* [ʌp'hiːvl] *s* Umwälzung *f*.

up·hill [ʌp'hɪl] *adj and adv* bergauf; *fig.* mühsam.

up·hold [ʌp'həʊld] *v/t* (*-held*) aufrechterhalten, unterstützen; *jur.* bestätigen.

up·hol·ster [ʌp'həʊlstə] *v/t* chair, *etc.*: polstern; **~er** *s* Polsterer *m*; **~y** *s* Polsterung *f*; (Möbel)Bezugsstoff *m*; Polstern *n*; Polsterei *f*.

up·keep ['ʌpkiːp] *s* Instandhaltung(skosten *pl*) *f*, Unterhalt(ungskosten *pl*) *m*.

up·land ['ʌplənd] *s mst* **~s** *pl* Hochland *n*.

up·lift *fig.* [ʌp'lɪft] *v/t* aufrichten, erbauen.

up·on [ə'pɒn] *prp → on* 1; *once ~ a time there was* es war einmal.

up·per ['ʌpə] *adj* obere(r, -s), höhere(r, -s), Ober...; **~ middle class** obere Mittelschicht; **~ class** *s* Oberschicht *f*; **~most 1.** *adj* oberste(r, -s), höchste(r, -s); **2.** *adv* obenan, ganz oben.

up·right ['ʌpraɪt] **1.** *adj* □ aufrecht; *fig.* rechtschaffen; **2.** *s* (senkrechte) Stütze, Träger *m*.

up·ris·ing ['ʌpraɪzɪŋ] *s* Erhebung *f*, Aufstand *m*.

up·roar ['ʌprɔː] *s* Aufruhr *m*; **~i·ous** [ʌp'rɔːrɪəs] *adj* □ lärmend, laut, tosend (*applause*), schallend (*laughter*).

up·root [ʌp'ruːt] *v/t* entwurzeln; (her-) ausreißen.

up·set [ʌp'set] *v/t* (*-tt-*; *-set*) umwerfen, (um)stürzen, umkippen, umstoßen; durcheinanderbringen (*a. fig.*); *stomach*: verderben; *fig. j-n* aus der Fassung bringen; *be ~* aufgeregt sein, aus der Fassung sein, durcheinander sein.

up·shot ['ʌpʃɒt] *s* Ergebnis *n*.

up·side down [ʌpsaɪd'daʊn] *adv* das Oberste zuunterst; verkehrt (herum).

up·stairs [ʌp'steəz] *adj and adv* im oberen Stockwerk (gelegen); die Treppe hinauf, (nach) oben.

up·start ['ʌpstɑːt] *s* Emporkömmling *m*.

up·stream [ʌp'striːm] *adv* fluß-, stromaufwärts.

up·tight F ['ʌptaɪt] *adj* nervös.

up-to-date [ʌptə'deɪt] *adj* modern; auf dem neuesten Stand.

up·town *Am.* [ʌp'taʊn] *adj and adv* im or in das Wohn- or Villenviertel.

up·turn ['ʌptɜːn] *s* Aufschwung *m*.

up·ward(s) ['ʌpwəd(z)] *adv* aufwärts (gerichtet).

u·ra·ni·um *chem.* [jʊə'reɪnɪəm] *s* Uran *n*.

ur·ban ['ɜːbən] *adj* städtisch, Stadt...; **~ renewal** Stadtsanierung *f*; **~e** [ɜː'beɪn] *adj* □ gewandt, weltmännisch; gebildet.

urge [ɜːdʒ] **1.** *v/t j-n* (be)drängen (*to do* zu tun); dringen auf (*acc*); *claim*: geltend machen; *often* **~ on** *j-n* drängen, (an)treiben; **2.** *s* Verlangen *n*, Drang *m*.

ur·gen·cy ['ɜːdʒənsɪ] *s* Dringlichkeit *f*; Drängen *n*; **ur·gent** *adj* □ dringend; dringlich; eilig.

u·ri·nal ['jʊərɪnl] *s* Harnglas *n*; Pissoir *n*; **~nate** ['~neɪt] *v/i* urinieren; **u·rine** ['jʊərɪn] *s* Urin *m*, Harn *m*.

urn [ɜːn] *s* Urne *f*; *in cafeteria, etc.*: Tee-, Kaffeemaschine *f*.

us [ʌs, əs] *pron* uns; *all of ~* wir alle; *both of ~* wir beide.

us·age ['juːzɪdʒ] *s* Brauch *m*, Gepflogenheit *f*; Sprachgebrauch *m*; Behandlung *f*; Verwendung *f*, Gebrauch *m*.

use 1. *s* [juːs] Gebrauch *m*, Benutzung *f*, Verwendung *f*; *custom*: Gewohnheit *f*, Brauch *m*; **~fulness**: Nutzen *m*; (*of*) *no ~* nutz-, zwecklos; *have no ~* (*of*) keine Verwendung haben für; *Am.* F nicht mögen; **2.** *v/t* [juːz] gebrauchen, benutzen, ver-, anwenden; handhaben; **~ up** ver-, aufbrauchen; *I ~d to do* ich pflegte zu tun, früher tat ich; **~d** *adj* [juːzd] ge-, verbraucht; [juːst] gewöhnt (*to* an *acc*), gewohnt (*to* zu or *acc*); **~ful** *adj* □ brauchbar, nützlich; Nutz...; **~less** *adj* □ nutz-, zwecklos, unnütz.

us·er ['juːzə] *s* Benutzer(in); *of drugs*: Konsument(in); **~-friend·ly** *adj* benutzerfreundlich.

ush·er ['ʌʃə] **1.** *s* Gerichtsdiener *m*; Platzanweiser *m*; **2.** *v/t mst* **~ in** herein-, hineinführen, *era*: einleiten; **~ette** ['~ret] *s* Platzanweiserin *f*.

u·su·al [ju'ʒʊəl] *adj* □ gewöhnlich, üblich, gebräuchlich.

u·surp [ju'zɜːp] *v/t* sich widerrechtlich aneignen; *power*: an sich reißen, usurpieren; **~er** *s* Usurpator *m*.

valuation

u·ten·sil [ju:'tensl] *s* Gerät *n*.

u·te·rus *anat.* ['ju:tərəs] *s* (*pl* **-ri** [-raɪ]) Gebärmutter *f*.

u·til·i·ty [ju:'tɪlətɪ] **1.** *s* Nützlichkeit *f*, Nutzen *m*; **utilities** *pl* Leistungen *pl* der öffentlichen Versorgungsbetriebe; **2.** *adj* Gebrauchs...

u·ti||li·za·tion [ju:tɪlaɪ'zeɪʃn] *s* (Aus)Nutzung *f*, Verwertung *f*, Verwendung *f*; **~lize** ['ju:tɪlaɪz] *v/t* (aus)nutzen, verwerten, verwenden.

ut·most ['ʌtməʊst] *adj* äußerste(r, -s).

u·to·pi·an [ju:'təʊpɪən] **1.** *adj* utopisch; **2.** *s* Utopist(in).

ut·ter ['ʌtə] **1.** *adj* □ *fig.* äußerste(r, -s), völlig; **2.** *v/t* äußern; *sigh, etc.*: ausstoßen, von sich geben; **~ance** *s* Äußerung *f*; Aussprache *f*.

U-turn ['ju:tɜ:n] *s mot.* Wende *f*; *fig.* Kehrtwendung *f*.

u·vu·la *anat.* ['ju:vjʊlə] *s* (*pl* **-lae** [-li:], **-las**) (Gaumen)Zäpfchen *n*.

V

vac F [væk] *s Br. univ.* Semesterferien *pl*.

va||can·cy ['veɪkənsɪ] *s* Leere *f*; freies Zimmer (*hotel*); offene *or* freie Stelle; *fig.* geistige Leere; **~cant** *adj* □ leer (*a. fig.*); free (*room, seat*); leer(stehend), unbewohnt (*house*); offen, frei (*job*); unbesetzt, vakant (*office*); *fig.* geistesabwesend.

va·cate [vəˈkeɪt, *Am.* 'veɪ-] *v/t* räumen, *job*: aufgeben, *post*: scheiden aus, *office*: niederlegen; **va·ca·tion** [vəˈkeɪʃn, *Am.* veɪ'-] **1.** *s esp. Am.* Schulferien *pl*; *univ.* Semesterferien *pl*; *jur.* Gerichtsferien *pl*; *esp. Am.* Urlaub *m*, Ferien *pl*; **be on ~** *esp. Am.* im Urlaub sein, Urlaub machen; **take a ~** *esp. Am.* sich Urlaub nehmen, Urlaub machen; **2.** *v/i esp. Am.* Urlaub machen; **va·ca·tion·ist** *s esp. Am.* Urlauber(in).

vac||cin·ate ['væksɪneɪt] *v/t* impfen; **~cin·a·tion** [~'neɪʃn] *s* (Schutz)Impfung *f*; **~cine** *med.* ['~si:n] *s* Impfstoff *m*.

vac·il·late *mst fig.* ['væsɪleɪt] *v/i* schwanken.

vac·u·um ['vækjʊəm] **1.** *s* (*pl* **-uums**, **-ua**) *phys.* Vakuum *n*; **~ bottle** Thermosflasche *f TM*; **~ cleaner** Staubsauger *m*; **~ flask** Thermosflasche *f TM*; **~-packed** vakuumverpackt; **2.** *v/t carpet*: saugen; *v/i* (staub)saugen.

vag·a·bond ['vægəbɒnd] *s* Landstreicher(in).

va·ga·ry ['veɪgərɪ] *s* Laune *f*; *strange idea*: verrückter Einfall.

va·gi·na *anat.* [vəˈdʒaɪnə] *s* Vagina *f*, Scheide *f*; **~nal** *adj anat.* vaginal, Vaginal..., Scheiden...

va||grant ['veɪgrənt] **1.** *adj* □ wandernd, vagabundierend; *fig.* unstet; **2.** *s* Landstreicher(in).

vague [veɪg] *adj* □ (*~r, ~st*) vage, verschwommen; unbestimmt; unklar.

vain [veɪn] *adj* □ eitel, eingebildet; nutzlos, vergeblich; **in ~** vergebens, vergeblich, umsonst.

vale [veɪl] *s poet. or in place names*: Tal *n*.

val·en·tine ['væləntaɪn] *s* Valentinsgruß *m* (*sent on St Valentine's Day, 14th February*); Empfänger(in) e-s Valentinsgrußes.

va·le·ri·an *bot.* [vəˈlɪərɪən] *s* Baldrian *m*.

val·et ['vælɪt] *s* (Kammer)Diener *m*; Hoteldiener *m*.

val||id ['vælɪd] *adj* □ gültig; *argument*: triftig, stichhaltig; *claim*: berechtigt; **be ~** gelten; **become ~** Rechtskraft erlangen; **~i·date** *v/t jur.* für gültig erklären, bestätigen; **~id·i·ty** [vəˈlɪdətɪ] *s* (*jur.* Rechts)Gültigkeit *f*; Stichhaltigkeit *f*; Richtigkeit *f*.

val·ley ['vælɪ] *s* Tal *n*.

val·o(u)r ['vælə] *s* Mut *m*, Tapferkeit *f*.

val·u·a·ble ['væljʊəbl] **1.** *adj* □ wertvoll; **2.** *s*: **~s** *pl* Wertsachen *pl*.

val·u·a·tion [væljʊ'eɪʃn] *s* Bewertung *f*, Schätzung *f*; Schätz-, Taxwert *m*.

val·ue ['vælju:] **1.** s Wert m; econ. Währung f; mst ~s pl fig. (cultural or ethical) Werte pl; **at** ~ econ. zum Tageskurs; **give (get) good** ~ **for money** econ. reell bedienen (bedient werden); **2.** v/t (ab)schätzen, veranschlagen; fig. schätzen, bewerten; **~ad·ded tax** s econ. (abbr. **VAT**) Mehrwertsteuer f (abbr. MWSt); **~d** adj veranschlagt; geschätzt; **~less** adj wertlos.

valve [vælv] s tech. Ventil n; anat. (Herzetc.)Klappe f; Br. electr. (Radio-, Fernseh)Röhre f.

vam·pire ['væmpaɪə] s Vampir m.

van¹ [væn] s Lieferwagen m; esp. Br. rail. Güter-, Gepäckwagen m; F Wohnwagen m.

van² mil. [~] → **vanguard.**

van·dal ['vændəl] hist. Vandale m; fig. Vandale m, Rowdy m; **~is·m** s Vandalismus m; **~ize** v/t wie die Vandalen hausen in (dat), mutwillig zerstören, verwüsten.

vane [veɪn] s Wetterfahne f; (Propeller)Flügel m; tech. Schaufel f.

van·guard mil. ['vænɡɑːd] s Vorhut f.

va·nil·la [və'nɪlə] s Vanille f.

van·ish ['vænɪʃ] v/i verschwinden.

van·i·ty ['vænətɪ] s Eitelkeit f; Nichtigkeit f; **~ bag** s Kosmetiktäschchen n; **~ case** s Kosmetikkoffer m.

van·quish ['væŋkwɪʃ] v/t besiegen.

van·tage rare ['vɑːntɪdʒ] s tennis: Vorteil m; **~ground** s mst mil. günstige Stellung.

vap·id ['væpɪd] adj □ schal; fad(e).

va·por·ize ['veɪpəraɪz] v/i and v/t verdampfen, verdunsten (lassen).

va·po(u)r ['veɪpə] s Dampf m, Dunst m; **~ trail** aer. Kondensstreifen m.

var·i·a·ble ['veərɪəbl] **1.** adj □ veränderlich, wechselnd, unbeständig; tech. verstellbar; **2.** s veränderliche Größe; **~ance** s: **be at ~ (with)** uneinig sein (mit j-m), anderer Meinung sein (als j-d); im Widerspruch stehen (zu); **~ant 1.** adj abweichend, verschieden; **2.** s Variante f; **~a·tion** [~'eɪʃn] s Schwankung f, Abweichung f; Variation f.

var·i·cose veins med. [værɪkəʊs'veɪnz] s pl Krampfadern pl.

var·ied ['veərɪd] adj □ verschieden, unterschiedlich; life, etc.: abwechslungsreich.

va·ri·e·ty [və'raɪətɪ] s Mannigfaltigkeit f, Vielzahl f, Abwechslung f; econ. Auswahl f; Sorte f, Art f; Spielart f, Variante f; **for the sake of** ~ zur Abwechslung; **for a** ~ **of reasons** aus den verschiedensten Gründen; ~ **show** Varietévorstellung f; ~ **theatre** Varieté(theater) n.

var·i·ous ['veərɪəs] adj □ verschiedene, mehrere; verschiedenartig.

var·mint F ['vɑːmɪnt] s zo. Schädling m; Halunke m.

var·nish ['vɑːnɪʃ] **1.** s Firnis m; Lack m; Politur f; fig. Tünche f; **2.** v/t firnissen; lackieren; furniture: (auf)polieren; fig. beschönigen.

var·y ['veərɪ] v/i and v/t (sich) (ver)ändern; variieren; wechseln (mit et.); abweichen or verschieden sein (**from** von); ~ **in price** sich im Preis unterscheiden; **opinions on this matter** ~ in dieser Sache gehen die Meinungen auseinander; **~ing** adj □ unterschiedlich.

vase [vɑːz, Am. veɪs, veɪz] s Vase f.

vast [vɑːst] adj □ ungeheuer, gewaltig, riesig, umfassend, weit; majority: überwältigend.

vat [væt] s Faß n, Bottich m.

vau·de·ville Am. ['vəʊdəvɪl] s Varieté n.

vault¹ [vɔːlt] s (Keller)Gewölbe n; Wölbung f; Stahlkammer f, Tresorraum m; Gruft f.

vault² [~] **1.** s esp. sports: Sprung m; **2.** v/i springen (**over** über acc); v/t überspringen, springen über (acc); **~ing-horse** s gymnastics: Pferd n; **~ing-pole** s athletics: Sprungstab m.

veal [viːl] s Kalbfleisch n; ~ **chop** Kalbskotelett n; ~ **cutlet** Kalbsschnitzel n; **roast** ~ Kalbsbraten m.

veer [vɪə] v/i sich drehen; car: a. plötzlich die Richtung ändern, ausscheren.

vege·ta·ble ['vedʒtəbl] **1.** adj Gemüse...; pflanzlich; **2.** s Pflanze f; mst ~s pl Gemüse n.

veg·e·tar·i·an [vedʒɪ'teərɪən] **1.** s Vegetarier(in); **be a** ~ vegetarisch leben, Vegetarier sein; **2.** adj vegetarisch; **~tate** fig. ['~teɪt] v/i (dahin)vegetieren; **~ta·tive** ['~tətɪv] adj □ vegetativ; wachstumsfördernd.

ve·he·mence ['viːɪməns] s Heftigkeit f; Gewalt f; **~ment** adj □ heftig; ungestüm.

ve·hi·cle ['viːɪkl] s Fahrzeug n; fig. Vermittler *m*, Träger *m*; *fig.* Ausdrucksmittel *n*.

veil [veɪl] **1.** *s* Schleier *m*; **2.** *v/t* verschleiern; *fig.* verbergen.

vein [veɪn] *s anat.* Vene *f*; Ader *f* (*a. fig.*); *fig.* Veranlagung *f*, Neigung *f*; *fig.* Stimmung *f*.

ve·loc·i·pede *Am.* [vɪ'lɒsɪpiːd] *s* (Kinder)Dreirad *n*.

ve·loc·i·ty [vɪ'lɒsətɪ] *s* Geschwindigkeit *f*.

vel·vet ['velvɪt] **1.** *s* Samt *m*; **2.** *adj* aus Samt, Samt...; **~y** *adj* samtig.

ve·nal ['viːnl] *adj* käuflich; bestechlich, korrupt.

vend [vend] *v/t* verkaufen; **~ing-ma·chine** *s* (Verkaufs)Automat *m*; **~or** *s esp. jur.* Verkäufer(in); (Verkaufs)Automat *m*.

ve·neer [və'nɪə] **1.** *s* Furnier *n*; *fig.* äußerer Anstrich, Tünche *f*; **2.** *v/t* furnieren.

ven·e·ra·ble ['venərəbl] *adj* □ ehrwürdig; **~rate** ['~reɪt] *v/t* (ver)ehren; **~ra·tion** [~'reɪʃn] *s* Verehrung *f*.

ve·ne·re·al [vɪ'nɪərɪəl] *adj* Geschlechts...; **~ disease** *med.* Geschlechtskrankheit *f*.

Ve·ne·tian [vɪ'niːʃn] **1.** *adj* venezianisch; **2 blind** Jalousie *f*; **2.** *s* Venezianer(in).

ven·geance ['vendʒəns] *s* Rache *f*; **with a ~** F wie verrückt, ganz gehörig.

ve·ni·al ['viːnɪəl] *adj* □ verzeihlich; *eccl.* läßlich (*sin*).

ven·i·son ['venɪzn] *s* Wildbret *n*.

ven·om ['venəm] *s* (*esp.* Schlangen)Gift *n*; *fig.* Gift *n*, Gehässigkeit *f*; **~ous** *adj* □ giftig (*a. fig.*).

ve·nous ['viːnəs] *adj* Venen...); venös.

vent [vent] **1.** *s* (Abzugs)Öffnung *f*; Luft-, Spundloch *n*; Schlitz *m*; **give ~ to → 2.** *v/t fig. anger, etc.*: Luft machen (*dat*), auslassen, abreagieren (**on** an *dat*).

ven·ti·late ['ventɪleɪt] *v/t* ventilieren, (be-, ent-, durch)lüften; *fig.* erörtern; **~la·tion** [~'leɪʃn] *s* Ventilation *f*, Lüftung *f*; *fig.* Erörterung *f*; **~la·tor** *s* Ventilator *m*; *med. a.* **~ machine** Beatmungsgerät *n*.

ven·tril·o·quist [ven'trɪləkwɪst] *s* Bauchredner *m*.

ven·ture ['ventʃə] **1.** *s* Wagnis *n*, Risiko *n*; Abenteuer *n*; *econ.* Unternehmen *n*; *econ.* Spekulation *f*; **at a ~** auf gut Glück; **joint ~** *econ.* Gemeinschaftsunternehmen *n*, Joint-venture *n*; **2.** *v/t* (*v/i* sich) wagen; riskieren.

ve·ra·cious [və'reɪʃəs] *adj* □ wahrhaftig; wahrheitsgemäß.

verb *gr.* [vɜːb] *s* Verb *n*, Zeitwort *n*; **~al** *adj* □ wörtlich; mündlich; **ver·bi·age** ['vɜːbɪɪdʒ] *s* Wortschwall *m*; **ver·bose** [vɜː'bəʊs] *adj* □ wortreich, langatmig.

ver·dant *poet.* ['vɜːdənt] *adj* grün; *fig.* unreif.

ver·dict ['vɜːdɪkt] *s jur.* Spruch *m* (*of jury*); *fig.* Urteil *n*; **bring in** or **return a ~ of guilty** auf schuldig erkennen.

ver·di·gris ['vɜːdɪgrɪs] *s* Grünspan *m*.

ver·dure ['vɜːdʒə] *s* (frisches) Grün.

verge [vɜːdʒ] **1.** *s* Rand *m*, Grenze *f*; *of road*: Bankett *n*; **on the ~ of** am Rande (*gen*), dicht vor (*dat*); **on the ~ of despair** der Verzweiflung nahe; **2.** *v/i*: **~ (up)on** grenzen an (*acc*) (*a. fig.*).

ver·i·fi·able ['verɪfaɪəbl] *adj* nachprüfbar; **~fi·ca·tion** [~fɪ'keɪʃn] *s* Überprüfung *f*; Nachweis *m*; Bestätigung *f*; **~fy** *v/t* (nach)prüfen; beweisen; bestätigen.

ver·i·ta·ble ['verɪtəbl] *adj* wahr, wirklich.

ver·mi·cel·li [vɜːmɪ'selɪ] *s sg* Fadennudeln *pl*, Vermicelli *pl*.

ver·mi·form ap·pen·dix *anat.* [vɜːmɪfɔːməˈpendɪks] *s* Wurmfortsatz *m*.

ver·min ['vɜːmɪn] *s* Ungeziefer *n*; Schädling(e *pl*) *m*; *fig.* Gesindel *n*, Pack *n*; **~ous** *adj* voller Ungeziefer.

ver·nac·u·lar [və'nækjʊlə] **1.** *adj* □ einheimisch; Volks...; **2.** *s* Landes-, Volkssprache *f*; Jargon *m*.

ver·sa·tile ['vɜːsətaɪl] *adj* □ vielseitig; flexibel.

verse [vɜːs] *s* Vers(e *pl*) *m*; Strophe *f*; Dichtung *f*; **~d** *adj* bewandert; **be (well) ~ in** sich (gut) auskennen in (*dat*).

ver·si·fy ['vɜːsɪfaɪ] *v/t* in Verse bringen; *v/i* Verse machen.

ver·sion ['vɜːʃn] *s* Fassung *f*, Darstellung *f*; Version *f*, Lesart *f*; *translation*: Übersetzung *f*, Text *m*; Ausführung *f*, Modell *n* (*of car, etc.*).

ver·sus ['vɜːsəs] *prp jur.*, *sports*: gegen.

ver·te|bra *anat.* ['vɜːtɪbrə] *s* (*pl* **-brae** [-briː]) Wirbel *m*; **~brate** *zo.* [~eɪt] *s* Wirbeltier *n*.

ver·ti·cal ['vɜːtɪkl] *adj* □ vertikal, senkrecht.

V

ver·tig·i·nous [vɜː'tɪdʒɪnəs] *adj* schwindelerregend, schwindelnd (*height*).

ver·ti·go ['vɜːtɪgəʊ] *s* (*pl* -**gos**) Schwindel(anfall) *m*.

verve [vɜːv] *s* Schwung *m*, Begeisterung *f*; Elan *m*.

ver·y ['verɪ] **1.** *adv* sehr; *with sup.*: aller...; *the ~ best* das allerbeste; *~ little* sehr wenig; *thank you ~ much* danke sehr; *the ~ same car* genau das gleiche Auto; **2.** *adj* gerade, genau; bloß; rein; der-, die-, dasselbe; *the ~ same* ebenderselbe; *in the ~ act* auf frischer Tat; gerade dabei; *the ~ opposite* genau das Gegenteil; *the ~ thing* genau das (richtige); *the ~ thought* der bloße Gedanke (*of* an *acc*).

ves·i·cle *med.* ['vesɪkl] *s* Bläschen *n*.

ves·sel ['vesl] *s* Gefäß *n* (*a.* anat., bot., fig.); *mar.* Fahrzeug *n*, Schiff *n*.

vest [vest] *s Br.* Unterhemd *n*; *Am.* Weste *f*.

ves·ti·bule ['vestɪbjuːl] *s anat.* Vorhof *m*; *of house*: (Vor)Halle *f*.

ves·tige *fig.* ['vestɪdʒ] *s* Spur *f*.

vest·ment ['vestmənt] *s* Amtstracht *f*, Robe *f*.

ves·try *eccl.* ['vestrɪ] *s* Sakristei *f*.

vet [vet] **1.** *s* Tierarzt *m*; *Am. mil.* Veteran *m*; **2.** *v/t* (-**tt**-) *co.* verarzten; gründlich prüfen.

vet·er·an ['vetərən] **1.** *adj* altgedient; erfahren; **2.** *s* Veteran *m*.

vet·er·i·nar·i·an *Am.* [vetərɪ'neərɪən] *s* Tierarzt *m*.

vet·er·i·na·ry ['vetərɪnərɪ] **1.** *adj* tierärztlich; **2.** *s ~ surgeon Br.* Tierarzt *m*.

ve·to ['viːtəʊ] **1.** *s* (*pl* -**toes**) Veto *n*; **2.** *v/t* sein Veto einlegen gegen.

vex [veks] *v/t* ärgern; schikanieren; **~·a·tion** [~'seɪʃn] *s* Verdruß *m*; Ärger (-nis *n*) *m*; **~·a·tious** *adj* ärgerlich.

vi·a ['vaɪə] *prp* über (*acc*), via.

vi·a·duct ['vaɪədʌkt] *s* Viadukt *m*, *n*.

vi·al ['vaɪəl] *s* Phiole *f*, Fläschchen *n*.

vi·brate [vaɪ'breɪt] *v/i* vibrieren; zittern; **vi·bra·tion** *s* Schwingung *f*; Zittern *n*, Vibrieren *n*.

vic·ar *eccl.* ['vɪkə] *s* Vikar *m*; **~·age** ['~rɪdʒ] *s* Pfarrhaus *n*.

vice¹ [vaɪs] *s* Laster *n*; Untugend *f*; Fehler *m*; **~ squad** Sittenpolizei *f*, -dezernat *n*, F Sitte *f*.

vice² *Br. tech.* [~] *s* Schraubstock *m*.

vi·ce³ ['vaɪsɪ] *prp* an Stelle von.

vice⁴ F [vaɪs] *s* Vize *m*; *attr* stellvertretend, Vize...; **~·roy** *s* Vizekönig *m*.

vice ver·sa [vaɪsɪ'vɜːsə] *adv* umgekehrt.

vi·cin·i·ty [vɪ'sɪnətɪ] *s* Nachbarschaft *f*; Nähe *f*.

vi·cious ['vɪʃəs] *adj* □ lasterhaft; bösartig; boshaft; **~ circle** Teufelskreis *m*.

vi·cis·si·tude [vɪ'sɪsɪtjuːd] *s* Wandel *m*, Wechsel *m*; **~s** *pl* Wechselfälle *pl*, das Auf und Ab.

vic·tim ['vɪktɪm] *s* Opfer *n*; **~·ize** *v/t* (auf)opfern; schikanieren; (ungerechterweise) bestrafen.

vic·tor ['vɪktə] *s* Sieger(in); **♀·to·ri·an** *hist.* [~'tɔːrɪən] *adj* Viktorianisch; **~·to·ri·ous** *adj* □ siegreich; Sieges...; **~·to·ry** ['~tərɪ] *s* Sieg *m*.

vid·e·o ['vɪdɪəʊ] **1.** *s* (*pl* -**os**) Video *n*; *a.* Videogerät *n*, -recorder *m*; **2.** *adj* Video...; **3.** *v/t* auf Video(kassette) aufnehmen; **~ cas·sette** *s* Videokassette *f*; **~ (cas·sette) re·cord·er** *s* Videorecorder *m*; **~ disc** *s* Bildplatte *f*; **~ game** *s* Videospiel *n*; **~ nas·ty** *s* F Gewalt-, Horror- *or* Pornovideo(film *m*) *n*; **~·phone** *s* Bildtelefon *n*; **~·tape 1.** *s* Videoband *n*; **2.** *v/t* auf Videoband aufnehmen.

vie [vaɪ] *v/i* wetteifern (**with** mit; **for** um).

Vi·en·nese [vɪə'niːz] **1.** *s* Wiener(in); **2.** *adj* wienerisch, Wiener...

view [vjuː] **1.** *s* Sicht *f*, Blick *m*; Besichtigung *f*; Aussicht *f* (*of* auf *acc*); Anblick *m*; Ansicht *f* (*a.* fig.); Absicht *f*; *in ~* sichtbar, zu sehen; *in ~ of* im Hinblick auf (*acc*); angesichts (*gen*); *on ~* zu besichtigen; *with a ~ to inf or of ger* in der Absicht zu *inf*; *have* (*keep*) *in ~* im Auge haben (behalten); **2.** *v/t* ansehen, besichtigen; *fig.* betrachten; *v/i* fernsehen; **~·da·ta** *s pl* Bildschirmtext *m*; **~·er** *s* Fernsehzuschauer(in), Fernseher(in); *tech.* Diabetrachter *m*; **~·find·er** *s phot.* (Bild)Sucher *m*; **~·less** *adj* ohne eigene Meinung; *poet.* unsichtbar; **~·point** *s* Gesichts-, Standpunkt *m*.

vig·il ['vɪdʒɪl] *s* Nachtwache *f*; **~·i·lance** *s* Wachsamkeit *f*; **~·i·lant** *adj* □ wachsam; **~·i·lan·te** [~'læntɪ] *s*: **~ group** Bürgerwehr *f*.

vig·or·ous ['vɪgərəs] *adj* □ kräftig; energisch; nachdrücklich; **~·o(u)r** *s* Kraft *f*;

V

Vitalität f; Energie f; Nachdruck m; **with** ~ kräftig, schwungvoll.

Vi·king ['vaɪkɪŋ] **1.** s Wiking(er) m; **2.** adj wikingisch, Wikinger...

vile [vaɪl] adj □ gemein; abscheulich.

vil·la ['vɪlə] s for holidays: Ferienhaus n; country house: Landhaus n, Villa f.

vil·lage ['vɪlɪdʒ] s Dorf n; ~ **green** s Dorfanger m, -wiese f; ~ **id·i·ot** s F Dorftrottel m; **vil·lag·er** s Dorfbewohner(in).

vil·lain ['vɪlən] s Schurke m, Schuft m, Bösewicht m; ~**ous** adj □ schurkisch; F scheußlich; ~**y** s Schurkerei f.

vim F [vɪm] s Schwung m, Schmiß m.

vin·di·cate ['vɪndɪkeɪt] v/t rechtfertigen; rehabilitieren; ~**ca·tion** [ˌ~'keɪʃn] s Rechtfertigung f.

vin·dic·tive [vɪn'dɪktɪv] adj □ rachsüchtig, nachtragend.

vine bot. [vaɪn] s Wein(stock) m, (Wein-) Rebe f.

vin·e·gar ['vɪnɪɡə] s (Wein)Essig m.

vine|**grow·er** ['vaɪnɡrəʊə] s Winzer(in); ~**grow·ing** s Weinbau m; ~ **district** Weingegend f; ~**yard** ['vɪnjəd] s Weinberg m.

vin|**tage** ['vɪntɪdʒ] **1.** s Weinlese f; (Wein)Jahrgang m; **2.** adj klassisch; erlesen; altmodisch; ~ **car** mot. Oldtimer m; ~**tag·er** s Weinleser(in).

vi·o·la mus. [vɪ'əʊlə] s Bratsche f.

vi·o·late ['vaɪəleɪt] v/t verletzen; oath, etc.: brechen; rape: vergewaltigen; ~**la·tion** [ˌ~'leɪʃn] s Verletzung f (Eid etc.)Bruch m; Vergewaltigung f.

vi·o·lence ['vaɪələns] s Gewalt(tätigkeit) f; Heftigkeit f; ~**lent** adj □ gewaltsam, gewalttätig; heftig.

vi·o·let bot. ['vaɪələt] s Veilchen n.

vi·o·lin mus. [vaɪə'lɪn] s Violine f, Geige f.

VIP F [ˌviːaɪ'piː] s prominente Persönlichkeit, VIP m.

vi·per zo. ['vaɪpə] s Viper f, Natter f.

vir·gin ['vɜːdʒɪn] **1.** s Jungfrau f; **2.** adj a. ~**al** adj □ jungfräulich; ~**i·ty** [və'dʒɪnətɪ] s Jungfräulichkeit f.

vir·ile ['vɪraɪl] adj männlich; Mannes...; **vi·ril·i·ty** [vɪ'rɪlətɪ] s Männlichkeit f; physiol. Mannes-, Zeugungskraft f.

vir·tu·al ['vɜːtʃʊəl] adj □ eigentlich; ~**ly** adv praktisch.

vir|**tue** ['vɜːtʃuː] s Tugend f; Vorzug m; **in** or **by** ~ **of** kraft, vermöge (gen); **make**

a ~ **of necessity** aus der Not e-e Tugend machen; ~**tu·os·i·ty** [ˌvɜːtjʊ'ɒsətɪ] s Virtuosität f; ~**tu·ous** ['vɜːtʃʊəs] adj □ tugendhaft; rechtschaffen.

vir·u·lent ['vɪrʊlənt] adj □ med. (sehr) giftig, bösartig (a. fig.).

vi·rus ['vaɪərəs] s med. Virus n, m; fig. Gift n.

vi·sa ['viːzə] s Visum n, Sichtvermerk m; ~**ed**, ~'**d** adj mit e-m Sichtvermerk or Visum (versehen).

vis·cose ['vɪskəʊs] s Viskose f.

vis·count ['vaɪkaʊnt] s Vicomte m; ~**ess** s Vicomtesse f.

vis·cous ['vɪskəs] adj □ zähflüssig.

vise Am. tech. [vaɪs] s Schraubstock m.

vis·i·bil·i·ty [ˌvɪzɪ'bɪlətɪ] s Sichtbarkeit f; Sichtweite f; ~**ble** ['vɪzəbl] adj □ sichtbar; fig. (er)sichtlich; pred zu sehen (object).

vi·sion ['vɪʒn] s Sehvermögen n, -kraft f; fig. Seherblick m; Vision f; ~**a·ry 1.** adj phantastisch; **2.** s Hellseher(in); Phantast(in).

vis|**it** ['vɪzɪt] **1.** v/t besuchen; aufsuchen; besichtigen; dated fig. heimsuchen; ~ **s.th. on s.o.** eccl. j-n für et. (be)strafen; v/i e-n Besuch or Besuche machen; Am. plaudern (**with** mit); **2.** s Besuch m; **pay** or **make a** ~ **to s.o.** j-m e-n Besuch abstatten; ~**i·ta·tion** [ˌ~'teɪʃn] s Besuch m; Besichtigung f; fig. Heimsuchung f; ~**it·ing** s Besuche pl; ~ **hours** pl in hospital, etc.: Besuchszeit f; ~ **team** sports: Gastmannschaft f, die Gäste pl; ~**it·or** s Besucher(in), Gast m; pl sports: die Gäste pl.

vi·sor ['vaɪzə] s Visier n; (Mützen-) Schirm m; mot. Sonnenblende f.

vis·ta ['vɪstə] s (Aus-, Durch)Blick m.

vis·u·al ['vɪzjʊəl] adj Seh-, Gesichts...; visuell; ~ **aids** pl school: Anschauungsmaterial n; ~ **display unit** computer: Bildschirm m, Datensichtgerät n; ~ **instruction** school: Anschauungsunterricht m; ~**ize** v/t sich vorstellen, sich ein Bild machen von.

vi·tal ['vaɪtl] **1.** adj □ Lebens...; lebenswichtig; wesentlich; (hoch)wichtig; vital; ~ **parts** pl → **2.** s: ~**s** lebenswichtige Organe pl, edle Teile pl; ~**i·ty** [vaɪ'tælətɪ] s Lebenskraft f, Vitalität f; ~**ize** v/t beleben; ~ **sta·tis·tics** s pl Bevölkerungsstatistik f; F Br. of woman: die Maße pl.

vit·a·min ['vɪtəmɪn] s Vitamin n; ~ **deficiency** Vitaminmangel m.

vi·ti·ate ['vɪʃɪeɪt] v/t verderben; beeinträchtigen.

vit·re·ous ['vɪtrɪəs] adj □ Glas..., gläsern.

vi·va·cious [vɪ'veɪʃəs] adj □ lebhaft; **vi·vac·i·ty** [vɪ'væsətɪ] s Lebhaftigkeit f.

viv·id ['vɪvɪd] adj □ lebhaft, lebendig.

vix·en ['vɪksn] s Füchsin f; zänkisches Weib, Drachen m.

V-neck ['viːnek] s V-Ausschnitt m; **V-necked** adj mit V-Ausschnitt.

vo·cab·u·la·ry [və'kæbjʊlərɪ] s Wörterverzeichnis n; Wortschatz m.

vo·cal ['vəʊkl] adj □ stimmlich, Stimm..., laut; mus. Vokal..., Gesang...; klingend; ling. stimmhaft; **~ist** ['vəʊkəlɪst] s Sänger(in); **~ize** ['vəʊkəlaɪz] v/t (ling. stimmhaft) aussprechen.

vo·ca·tion [vəʊ'keɪʃn] s Berufung f; Beruf m; **~al** adj □ beruflich, Berufs...; **~ adviser** Berufsberater m; **~ education** Berufsausbildung f; **~ guidance** Berufsberatung f; **~ school** Am. appr. Berufsschule f; **~ training** Berufsausbildung f.

vogue [vəʊg] s Mode f; **be in ~** (in) Mode sein.

voice [vɔɪs] **1.** s Stimme f; **active (passive)** ~ gr. Aktiv n (Passiv n); **give ~ to** Ausdruck geben or verleihen (dat); **2.** v/t äußern, ausdrücken; ling. (stimmhaft) (aus)sprechen.

void [vɔɪd] **1.** adj leer; jur. (rechts)unwirksam, ungültig; **~ of** frei von, arm an (dat), ohne; **2.** s Leere f; fig. Lücke f.

vol·a·tile ['vɒlətaɪl] adj chem. flüchtig (a. fig.); flatterhaft.

vol·ca·no [vɒl'keɪnəʊ] s (pl -noes, -nos) Vulkan m.

vol·ley ['vɒlɪ] **1.** s Salve f; (Geschoß etc.)Hagel m; fig. Schwall m; tennis: Volley m, Flugball m; **2.** v/i tennis: e-n Volley spielen or schlagen; mil. e-e Salve or Salven abgeben; **~ball** s sports: Volleyball(spiel n) m.

volt electr. [vəʊlt] s Volt n; **~age** electr. ['~ɪdʒ] s Spannung f; **~me·ter** s electr. Volt-, Spannungsmesser m.

vol·ume ['vɒljuːm] s Band m (book); Vo-

lumen n; fig. Masse f, große Menge; (esp. Stimm)Umfang m; sound: Lautstärke f; **vo·lu·mi·nous** [və'ljuːmɪnəs] adj □ vielbändig; umfangreich, voluminös.

vol·un|ta·ry ['vɒləntərɪ] adj □ freiwillig; **~teer** [vɒlən'tɪə] **1.** s Freiwillige(r m) f; **2.** v/i freiwillig dienen; sich freiwillig melden; sich erbieten; v/t help, etc.: freiwillig anbieten; remark, etc.: sich erlauben.

vo·lup·tu|a·ry [və'lʌptjʊərɪ] s Lüstling m; **~ous** adj □ wollüstig; body: üppig, sinnlich, verlockend.

vom·it ['vɒmɪt] **1.** v/t (er)brechen; v/i (sich er)brechen; **2.** s Erbrochene(s) n; Erbrechen n.

vo·ra·cious [və'reɪʃəs] adj □ gefräßig, gierig, unersättlich; **vo·rac·i·ty** [vɒ'ræsətɪ] s Gefräßigkeit f, Gier f.

vor·tex ['vɔːteks] s (pl **-texes**, **-tices** [-tɪsiːz]) Wirbel m, Strudel m (mst fig.).

vote [vəʊt] **1.** s (Wahl)Stimme f; Abstimmung f; Stimm-, Wahlrecht n; Abschluß m, Votum n; **~ of no confidence** Mißtrauensvotum n; **take a ~** on s.th. über et. abstimmen; **2.** v/t wählen; bewilligen; v/i abstimmen; wählen; **~ for** stimmen für; F für et. sein; **vot·er** s Wähler(in).

vot·ing ['vəʊtɪŋ] s Abstimmung f, Stimmabgabe f; attr Wahl...; **~pa·per** s Stimmzettel m; **~ right** s Wahl-, Stimmrecht n; **~s in local elections** Kommunalwahlrecht n; **~ sys·tem** s Wahlsystem n.

vouch [vaʊtʃ] v/i: **~ for** (sich ver)bürgen für; **~er** s Beleg m, Unterlage f; Gutschein m.

vow [vaʊ] **1.** s Gelübde n; (Treu)Schwur m; **take a ~**, **make a ~** ein Gelübde ablegen; F (sich) geloben.

vow·el ling. ['vaʊəl] s Vokal m, Selbstlaut m.

voy|age ['vɔɪdʒ] s (längere) (See-, Flug)Reise; **~ag·er** s (See)Reisende(r m) f.

vul·gar ['vʌlgə] adj □ gewöhnlich, unfein, ordinär; vulgär, pöbelhaft; geschmacklos; **~ tongue** die Sprache des Volkes; **~i·ty** [vʌl'gærətɪ] s Vulgarität f; ungehobeltes Wesen; Ungezogenheit f; Geschmacklosigkeit f.

vul·ne·ra·ble ['vʌlnərəbl] adj □ ver-

wundbar (*a. fig.*); *mil.*, *sports*: ungeschützt, offen; *fig.* angreifbar.
vul·pine ['vʌlpaɪn] *adj* Fuchs..., fuchsartig; schlau, listig.
vul·ture *zo.* ['vʌltʃə] *s* Geier *m*.
vy·ing ['vaɪɪŋ] *adj* wetteifernd.

W

wad [wɒd] **1.** *s* (Watte)Bausch *m*;
Pfropf(en) *m*; Banknotenbündel *n*; **2.**
v/t (-*dd*-) wattieren, auspolstern; zu
e-m Bausch zusammenpressen; **~·ding**
s for packing: Einlage *f*, Füllmaterial *n*;
Wattierung *f*; Watte *f*.
wad·dle ['wɒdl] **1.** *v/i* watscheln; **2.** *s*
watschelnder Gang, Watscheln *n*.
wade [weɪd] *v/i* waten; **~ through** *fig.* F
sich (hin)durcharbeiten; *v/t* durchwaten.
wa·fer ['weɪfə] *s* Waffel *f*; Oblate *f*; *eccl.*
Hostie *f*.
waf·fle¹ ['wɒfl] *s* Waffel *f*.
waf·fle² *Br.* F [~] **1.** *v/i* schwafeln; **2.** *s*
Geschwafel *n*.
waft [wɑːft] **1.** *v/t and v/i* wehen; **2.** *s*
Hauch *m*.
wag [wæg] **1.** *v/t and v/i* (-*gg*-) wackeln
or wedeln (mit); **2.** *s* Schütteln *n*; Wedeln *n*; Spaßvogel *m*.
wage¹ [weɪdʒ] *v/t* war: führen, *campaign*: unternehmen (**on**, **against** gegen).
wage² [~] *s mst* **~s** *pl* (Arbeits)Lohn *m*;
~·earn·er *s econ.* Lohnempfänger(in);
~ freeze *s econ.* Lohnstopp *m*; **~
in·crease** *s* Lohnerhöhung *f*; **~
pack·et** *s econ.* Lohntüte *f*.
wag·gish ['wægɪʃ] *adj* ☐ schelmisch.
wag·gle ['wægl] *v/i and v/t* wackeln
(mit).
wag·(g)on ['wægən] *s* (Last-, Roll)Wa-
gen *m*; *Br. rail.* (offener) Güterwagen;
~·er *s* Fuhrmann *m*.
wag·tail *zo.* ['wægteɪl] *s* Bachstelze *f*.
wail [weɪl] **1.** *s* (Weh)Klagen *n*; **2.** *v/i*
(weh)klagen; schreien, wimmern, heu-
len (*a. wind*).
waist [weɪst] *s* Taille *f*; schmalste Stelle;
mar. Mitteldeck *n*; **~·coat** *s* Weste *f*;
~·line *s* Taille *f*.

wait [weɪt] **1.** *v/i* warten (**for** auf *acc*); *a.* **~
at** (*Am. on*) **table** bedienen, servieren; **~
on**, **~ upon** j-n bedienen; *v/t* abwarten;
2. *s* Warten *n*; **lie in ~ for s.o.** j-m
auflauern; **~·er** *s* Kellner *m*; **~, the bill**
(*Am. check*), **please!** (Herr) Ober, bitte
zahlen!
wait·ing ['weɪtɪŋ] *s* Warten *n*; Dienst *m*;
in ~ dienstuend; **~·room** *s* Wartezimmer *n*; *rail., etc.*: Wartesaal *m*.
wait·ress ['weɪtrɪs] *s* Kellnerin *f*, Bedienung *f*; **~, the bill** (*Am. check*), **please!**
Bedienung, bitte zahlen!
waive [weɪv] *v/t* verzichten auf (*acc*).
wake [weɪk] **1.** *s mar.* Kielwasser *n* (*a.
fig.*); **in the ~ of** im Kielwasser (*of a
ship*); *fig.* im Gefolge (*gen*); **2.** (**woke** *or*
waked, **woken** *or* **waked**) *v/i a.* **~ up**
aufwachen; *v/t a.* **~ up** (auf)wecken; *fig.*
wachrufen; **~·ful** *adj* ☐ wachsam;
schlaflos; **wak·en** → **wake** 2.
walk [wɔːk] **1.** *v/i* gehen (*a. sports*), zu
Fuß gehen, laufen; spazierengehen;
wandern; im Schritt gehen; **~ out** *econ.*
streiken; **~ out on** F im Stich lassen,
boy-, girlfriend: verlassen; *v/t* (zu Fuß)
gehen; führen, *dog*: ausführen; *horse*:
im Schritt gehen lassen; begleiten;
durchwandern; auf und ab gehen in *or*
auf (*dat*); **2.** *s* (Spazier)Gang *m*; *hike*:
Wanderung *f*; Spazierweg *m*; **a 5 minutes' ~** fünf Minuten zu Fuß; **~ of life**
(soziale) Schicht; Beruf *m*; **~·a·bout** *s
of politician, etc.*: Bad *n* in der Menge;
~·er *s* Spaziergänger(in); *sports*: Geher
m; **be a good ~** gut zu Fuß sein.
walk·ie-talk·ie [wɔːkɪˈtɔːkɪ] *s* Walkie-tal-
kie *n*, tragbares Funksprechgerät.
walk·ing ['wɔːkɪŋ] *s* (zu Fuß)Gehen *n*;
Spazierengehen *n*, Wandern *n*; *attr*
Spazier...; Wander...; **~ pa·pers** *s pl
Am.* F Laufpaß *m* (*dismissal*); **~·stick** *s*

Spazierstock *m*; **~tour** *s* Wanderung *f*.

walk|-out *econ.* ['wɔːkaʊt] *s* Ausstand *m*, Streik *m*; **~-o·ver** *s* F *fig.* Spaziergang *m*, leichter Sieg; **~up** *s* Am. (Miets-) Haus *n* ohne Fahrstuhl; Wohnung *f* in e-m Haus ohne Fahrstuhl.

wall [wɔːl] **1.** *s* Wand *f*; Mauer *f*; **2.** *v/t a.* **~ in** mit e-r Mauer umgeben; **~ up** zumauern.

wal·let ['wɒlɪt] *s* Brieftasche *f*.

wall-flow·er *fig.* ['wɔːlflaʊə] *s* Mauerblümchen *n*.

wal·lop F ['wɒləp] *v/t j-n* verdreschen.

wal·low ['wɒləʊ] *v/i* sich wälzen.

wall|-pa·per ['wɔːlpeɪpə] **1.** *s* Tapete *f*; **2.** *v/t* tapezieren; **~sock·et** *s electr.* (Wand)Steckdose *f*; **~-to~** *adj*: **~ carpet** Spannteppich *m*; **~ carpeting** Teppichboden *m*.

wal·nut *bot.* ['wɔːlnʌt] *s* Walnuß(baum *m*) *f*.

wal·rus *zo.* ['wɔːlrəs] *s* Walroß *n*.

waltz [wɔːls] **1.** *s* Walzer *m*; **2.** *v/i* Walzer tanzen.

wand [wɒnd] *s* Zauberstab *m*.

wan·der ['wɒndə] *v/i* herumwandern, -laufen, umherstreifen; *fig.* abschweifen; irregehen; phantasieren.

wane [weɪn] **1.** *v/i* abnehmen (*moon*); *fig.* schwinden; **2.** *s* Abnehmen *n*.

wan·gle F ['wæŋgl] *v/t* deichseln, hinkriegen; *v/i* mogeln.

wank V [wæŋk] **1.** *v/i* wichsen, sich e-n runterholen; **2.** *s*: **have a ~** sich e-n runterholen; **~er** *s* V Wichser *m*.

want [wɒnt] **1.** *s* Mangel *m* (**of** an *dat*); Bedürfnis *n*; Not *f*; **2.** *v/i* ermangeln (**for** *gen*); **he ~s for nothing** es fehlt ihm an nichts; *v/t* wünschen, (haben) wollen; *need*: bedürfen (*gen*), brauchen; nicht (genug) haben; **you ~ to ... du** solltest ...; **it ~s s.th.** es fehlt an et. (*dat*); **he ~s energy** es fehlt ihm an Energie; **~ed** gesucht; **~ad** *s* F Stellenangebot *n*, -gesuch *n*; *Am.* Kaufgesuch *n*; **~ing** *adj*: **be ~** es fehlen lassen (**in** an *dat*); unzulänglich sein.

wan·ton ['wɒntən] *adj* □ mutwillig; ausgelassen.

war [wɔː] *s* Krieg *m*; *attr* Kriegs...; **make** or **wage ~** Krieg führen (**on**, **against** gegen).

war·ble ['wɔːbl] *v/i and v/t* trillern, trällern.

ward [wɔːd] **1.** *s* (Krankenhaus)Station *f*, Abteilung *f*; Krankenzimmer *n*; (Gefängnis)Trakt *m*; Zelle *f*; (Stadt-, Wahl)Bezirk *m*; *jur.* Mündel *n*; **in ~** *jur.* unter Vormundschaft (stehend); **2.** *v/t*: **~ off** abwehren; **war·den** *s* Aufseher *m*; *univ.* Rektor *m*; *Am.* (Gefängnis)Direktor *m*; **~er** *s Br.* Aufsichtsbeamte(r) *m* (*in prison*).

war·drobe ['wɔːdrəʊb] *s* Garderobe *f*; Kleiderschrank *m*; **~ trunk** Schrankkoffer *m*.

ware [weə] *s in compounds*: Ware(n *pl*) *f*, Artikel *m or pl*; **~house 1.** *s* (Waren-) Lager *n*; Lagerhaus *n*, Speicher *m*; **2.** *v/t* auf Lager bringen, (ein)lagern.

war|fare ['wɔːfeə] *s* Krieg(führung *f*) *m*; **~head** *s mil.* Spreng-, Gefechtskopf *m* (*of missile, etc.*).

war·i·ness ['weərɪnɪs] *s* Vorsicht *f*.

war·like ['wɔːlaɪk] *adj* kriegerisch.

warm [wɔːm] **1.** *adj* □ warm (*a. fig.*); heiß; *fig.* hitzig; *applause*: begeistert; *smile*: herzlich; **2.** *s* et. Warmes (Auf-, An)Wärmen *n*; **3.** *v/t a.* **~ up** (auf-, an-, er)wärmen; *v/i a.* **~ up** warm werden, sich erwärmen; warmlaufen (*engine, etc.*); *sports*: sich warm machen, sich aufwärmen; **~-heart·ed** *adj* herzlich; *person*: warmherzig; **~th** *s* Wärme *f*.

warn [wɔːn] *v/t* warnen (**of**, **against** vor *dat*); verwarnen; ermahnen; verständigen; **~ing** *s* (Ver)Warnung *f*; Mahnung *f*; Kündigung *f*; *attr* warnend, Warn...

warp [wɔːp] *v/i* sich verziehen (*wood*); *v/t fig.* verdrehen, verzerren; beeinflussen; *j-n* abbringen (**from** von).

war|rant ['wɒrənt] **1.** *s* Vollmacht *f*; Rechtfertigung *f*; Berechtigung *f*; *jur.* Durchsuchungs-, Haftbefehl *m*; Berechtigungsschein *m*; **~ of arrest** *jur.* Haftbefehl *m*; **2.** *v/t* bevollmächtigen; rechtfertigen; verbürgen, garantieren; **~ran·ty** *s econ.*: **it's still under ~** darauf ist noch Garantie.

war·ri·or ['wɒrɪə] *s* Krieger *m*.

wart [wɔːt] *s* Warze *f*; Auswuchs *m*.

war·y ['weərɪ] *adj* □ (**-ier**, **-iest**) wachsam, vorsichtig.

was [wɒz, wəz] *1. and 3. sg pret of* **be**: war; *past pass of* **be**: wurde.

wash [wɒʃ] **1.** *v/t* waschen; (ab)spülen; **~ up** abwaschen, abspülen; *v/i* sich waschen (lassen); *by the sea, river*: gespült *or* geschwemmt werden; **~ up** *Br.* Geschirr spülen; **2.** *s* Waschen *n*; Wäsche *f*; Wellenschlag *m*; Spülwasser *n*; **mouth~** Mundwasser *n*; **3.** *adj* Wasch...; **~a·ble** *adj* waschbar; **~and-wear** *adj* bügelfrei; pflegeleicht; **~ba·sin** *s* Waschbecken *n*; **~cloth** *s Am.* Waschlappen *m*; **~er** *s* Wäscherin *f*; Waschmaschine *f*; → **dishwasher**; *tech.* Unterlegscheibe *f*; **~ing 1.** *s* Waschen *n*; Wäsche *f*; **2.** *adj* Wasch...; **~ing ma·chine** *s* Waschmaschine *f*; **~ing pow·der** *s* Waschpulver *n*, -mittel *n*; **~ing-up** *s Br.* Abwasch *m*; **~rag** *s Am.* Waschlappen *m*; **~y** *adj* (**-ier**, **-iest**) wässerig, wäßrig.

wasp *zo.* [wɒsp] *s* Wespe *f*.

wast·age ['weɪstɪdʒ] *s* Verlust *m*; Vergeudung *f*.

waste [weɪst] **1.** *adj land*: öde, unbebaut; *superfluous*: überflüssig; Abfall...; **lay ~** verwüsten; **2.** *s* Verschwendung *f*, -geudung *f*; *refuse*: Abfall *m*; *land*: Ödland *n*, Wüste *f*; **3.** *v/t* verwüsten; verschwenden; verzehren; *v/i* verschwendet werden; **~ a·void·ance** *s* Müllvermeidung *f*; **~ dis·pos·al** *s* Müllbeseitigung *f*; **~ unit** Müllschlucker *m*; **~ful** *adj* □ verschwenderisch; **~ pa·per** *s* Abfallpapier *n*; Altpapier *n*; **~(-pa·per) bas·ket** *s* Papierkorb *m*; **~ pipe** *s* Abflußrohr *n*; **~ prod·uct** *s* Abfallprodukt *n*; **~ re·duc·tion** *s* Müllverringerung *f*, Reduzierung *f* der Abfallmenge; **~ wa·ter** *s* Abwasser *n*; **~ treatment** Abwasseraufbereitung *f*.

watch [wɒtʃ] **1.** *s* Wache *f*; (Taschen-, Armband)Uhr *f*; **2.** *v/i* zusehen, zuschauen; wachen; **~ for** warten auf (*acc*); **~ out** (**for**) aufpassen, achtgeben (auf *acc*); sich hüten (vor *dat*); **~ out!** Achtung!, Vorsicht!; *v/t* bewachen; beobachten; achtgeben auf (*acc*); *chance*: abwarten; **~dog** *s* Wachhund *m*; *fig.* Überwacher(in); **~ful** *adj* □ wachsam; **~mak·er** *s* Uhrmacher *m*; **~man** *s* (Nacht)Wächter *m*.

wa·ter ['wɔːtə] **1.** *s* Wasser *n*; Gewässer *n*; **the ~s** *pl* Heilquelle *f*; *drink or* **take the ~s** e-e (Trink)Kur machen; **2.** *v/t* bewässern; (be)sprengen; (be)gießen; mit Wasser versorgen; tränken; verwässern (*a. fig.*); *v/i* wässern (*mouth*);

tränen (*eyes*); **~ can·non** *s* Wasserwerfer *m*; **~ clos·et** *s* (Wasser)Klosett *n*; **~col·o(u)r** *s* Wasser-, Aquarellfarbe *f*; Aquarell(malerei *f*) *n*; **~course** *s* Wasserlauf *m*; Flußbett *n*; Kanal *m*; **~fall** *s* Wasserfall *m*; **~front** *s* Hafengebiet *n*, -viertel *n*; **~ ga(u)ge** *s tech.* Wasserstandsanzeiger *m*; Pegel *m*; **~hole** *s* Wasserloch *n*.

wa·ter·ing ['wɔːtərɪŋ] *s* Bewässern *n*; (Be)Gießen *n*; Tränken *n* (*of animals*); **~can** *s* Gießkanne *f*; **~place** *s* Wasserstelle *f*; Tränke *f*; Bad(eort *m*) *n*; Seebad *n*; **~pot** *s* Gießkanne *f*.

wa·ter| lev·el ['wɔːtəlevl] *s* Wasserspiegel *m*; Wasserstand(slinie *f*) *m*; *tech.* Wasserwaage *f*; **~ main** *s tech.* Hauptwasserrohr *n*; **~mark** *s print.* Wasserzeichen *n*; **~mel·on** *s bot.* Wassermelone *f*; **~ pol·lu·tion** *s* Wasserverschmutzung *f*; **~ po·lo** *s sports*: Wasserball(spiel *n*) *m*; **~proof 1.** *adj* wasserdicht; **2.** *s* Regenmantel *m*; **3.** *v/t* imprägnieren; **~shed** *s geogr.* Wasserscheide *f*; *fig.* Wendepunkt *m*; **~side** *s* Fluß-, Seeufer *n*; **~ ski·ing** *s sports*: Wasserski(laufen) (*n*); **~tight** *adj* wasserdicht; *fig.* unanfechtbar; stichhaltig (*argument*); **~way** *s* Wasserstraße *f*; **~works** *s often sg* Wasserwerk *n*; **turn on the ~** *fig.* F losheulen; **~y** *adj* wässerig, wäßrig.

watt *electr.* [wɒt] *s* Watt *n*.

wave [weɪv] **1.** *s* Welle *f* (*a. phys.*); Woge *f*; Winken *n*; **2.** *v/t* wellen; schwingen; schwenken; **~ s.o. aside** j-n beiseite winken; *v/i* wogen; wehen, flattern; **~ at** *or* **to s.o.** j-m (zu)winken, j-m ein Zeichen geben; **~length** *s phys.* Wellenlänge *f* (*a. fig.*).

wa·ver [weɪvə] *v/i hesitate*: (sch)wanken; *light*: flackern.

wav·y ['weɪvɪ] *adj* (**-ier**, **-iest**) wellig; wogend.

wax¹ [wæks] **1.** *s* Wachs *n*; Siegellack *m*; Ohrenschmalz *n*; **2.** *v/t* wachsen; bohnern.

wax² [~] *v/i* zunehmen (*moon*).

wax|works ['wækswɜːks] *s sg* Wachsfigurenkabinett *n*; **~y** *adj* (**-ier**, **-iest**) wachsartig; weich.

way [weɪ] **1.** *s* Weg *m*; Straße *f*; Art *f* und Weise *f*; (Eigen)Art *f*; Strecke *f*; Richtung *f*; *fig.* Hinsicht *f*; **~ in** Eingang *m*; **~**

W

out Ausgang *m*; *fig*. Ausweg *m*; **right of ~** *jur.* Wegerecht *n*, *esp. mot.* Vorfahrt(srecht *n*) *f*; **this ~** hierher, hier entlang; **by the ~** übrigens; **by ~ of** durch; **on the ~, on one's ~** unterwegs; **out of the ~** ungewöhnlich; **under ~** in Fahrt; **give ~** zurückweichen; *mot.* die Vorfahrt lassen (**to** *dat*); nachgeben; abgelöst werden (**to** von); sich hingeben (**to** *dat*); **have one's ~** s-n Willen haben; **lead the ~** vorangehen; **2.** adv weit; **~ off** weit weg; **~ back** vor or seit langer Zeit; **~•bill** *s* Frachtbrief *m*; **~•lay** *v/t* (*-laid*) *j-m* auflauern; *j-n* abfangen, abpassen; **~ sta•tion** *s Am.* Zwischenstation *f*; **~ train** *s Am.* Bummelzug *m*; **~•ward** *adj* □ launisch; eigensinnig.

we [wi:, wɪ] *pron* wir.

weak [wi:k] *adj* □ schwach; schwächlich; dünn (*drink*); **~•en** *v/t* schwächen; *v/i* schwach werden; **~•ling** *s* Schwächling *m*; **~•mind•ed** *adj* schwachsinnig; willensschwach; **~•ness** *s* Schwäche *f*.

weal [wi:l] *s* Strieme(n *m*) *f*.

wealth [welθ] *s* Reichtum *m*; *econ.* Besitz *m*, Vermögen *n*; *fig.* Fülle *f*; **~•y** *adj* (*-ier, -iest*) reich; wohlhabend.

wean [wi:n] *v/t* entwöhnen; **~ s.o. from s.th.** *j-m* et. abgewöhnen.

weap•on ['wepən] *s* Waffe *f*.

wear [weə] **1.** (*wore, worn*) *v/t clothing, etc.*: tragen; zur Schau tragen; *a.* **~ away, ~ down, ~ off, ~ out** *clothes, etc.*: abnutzen, abtragen; entkräften; *tyres*: abfahren; *a.* **~ out** ermüden; *patience*: erschöpfen; *a.* **~ away, ~ down** zermürben; entkräften; *v/i shoes, etc.*: sich tragen; *last*: sich halten; *a.* **~ away, ~ down, ~ off, ~ out** sich abnutzen or abtragen, verschleißen; sich abfahren (*tyres*); **~ off** *fig.* sich verlieren; **~ on** sich dahinschleppen (*time, etc.*); **~ out** *fig.* sich erschöpfen; **2.** *s* Tragen *n*; (Be-)Kleidung *f*; Abnutzung *f*; **for hard ~** strapazierfähig; **the worse for ~** abgetragen; **~ and tear** *s* Verschleiß *m*; **~•er** *s* Träger(in).

wear•i•ness ['wɪərɪnɪs] *s* Müdigkeit *f*; Überdruß *m*; **~•i•some** *adj* □ ermüdend; langweilig; **~•y** ['wɪərɪ] **1.** *adj* □ (*-ier, -iest*) müde; überdrüssig; ermüdend; anstrengend; **2.** *v/t and v/i* ermüden; überdrüssig werden (**of** *gen*).

wea•sel *zo.* ['wi:zl] *s* Wiesel *n*.

weath•er ['weðə] **1.** *s* Wetter *n*, Witterung *f*; **2.** *v/t* dem Wetter aussetzen; *mar. storm*: abwettern; *fig.* überstehen; *v/i* verwittern; **~•beat•en** *adj* vom Wetter mitgenommen; **~ bu•reau** *s* Wetteramt *n*; **~ chart** *s* Wetterkarte *f*; **~ fore•cast** *s* Wetterbericht *m*, -vorhersage *f*; **~•worn** *adj* verwittert.

weave [wi:v] *v/t and v/i* (*wove, woven*) weben; flechten; *fig.* ersinnen, erfinden; **weav•er** *s* Weber *m*.

web [web] *s* Gewebe *n*, Netz *n*; *zo.* Schwimm-, Flughaut *f*.

wed•ding ['wedɪŋ] **1.** *s* Hochzeit *f*, *ceremony*: Trauung *f*; **2.** *adj* Hochzeits..., Braut..., Trau...; **~ ring** Ehe-, Trauring *m*.

wedge [wedʒ] **1.** *s* Keil *m*; **2.** *v/t* (ver)keilen; (ein)keilen, (ein)zwängen (**in** *in acc*).

Wednes•day ['wenzdɪ] *s* Mittwoch *m*.

wee [wi:] *adj* klein, winzig; F **a ~ bit** ein klein wenig.

weed [wi:d] **1.** *s* Unkraut *n*; **2.** *v/t* jäten; säubern (**of** von); **~ out** *fig.* aussondern, -sieben; *v/i* Unkraut jäten; **~•kill•er** *s* Unkrautvertilgungsmittel *n*; **~•y** *adj* (*-ier, -iest*) voller Unkraut, unkrautbewachsen; F schmächtig.

week [wi:k] *s* Woche *f*; **today ~, this day ~** heute in or vor e-r Woche; **a ~ on Monday, Monday ~** Montag in einer Woche; **~•day** *s* Wochentag *m*; **on ~s** werktags; **~•end** *s* Wochenende *n*; **a long ~** ein verlängertes Wochenende; **~•end•er** *s* Wochenendausflügler(in); **~•ly 1.** *adj* wöchentlich; Wochen...; *s* **season-ticket** Wochenkarte *f*; **2.** *s a.* **~ paper** Wochenblatt *n*, Wochenschrift *f*.

weep [wi:p] *v/i and v/t* (*wept*) weinen; tropfen; **~•ing** *adj*: **~ willow** bot. Trauerweide *f*; **~•y** *adj* F (*-ier, -iest*) weinerlich; rührselig, sentimental.

weigh [weɪ] *v/t* (ab)wiegen; *fig.* ab-, erwägen; **~ anchor** *mar.* den Anker lichten; **~ed down** niedergedrückt; *v/i* wiegen (*a. fig.*); ausschlaggebend sein; **~ on, ~ upon** lasten auf (*dat*).

weight [weɪt] **1.** *s* Gewicht *n* (*a. fig.*); Last *f*; *fig.* Bedeutung *f*; Einfluß *m*; **put on ~, gain ~** zunehmen; **lose ~** abnehmen; **2.** *v/t* beschweren;

wheeze

belasten; **~less** adj schwerelos; **~less-ness** s Schwerelosigkeit f; **~ lift·ing** s sports: Gewichtheben n; **~y** adj □ (-ier, -iest) (ge)wichtig; wuchtig.

weir [wɪə] s Wehr n; Fischreuse f.

weird [wɪəd] adj □ unheimlich; F sonderbar, seltsam.

wel·come ['welkəm] **1.** adj willkommen; **you are ~** to inf es steht Ihnen frei, zu inf; **(you are) ~!** nichts zu danken!, bitte sehr!; **2.** s Willkommen n, Empfang m; **3.** v/t willkommen heißen; fig. begrüßen.

weld tech. [weld] v/t (ver-, zusammen-)schweißen.

wel·fare ['welfeə] s Wohl(ergehen) n; Sozialhilfe f; Wohlfahrt f; **~ state** s pol. Wohlfahrtsstaat m; **~ work** s Sozialarbeit f; **~ work·er** s Sozialarbeiter(in).

well¹ [wel] **1.** s Brunnen m; Quelle f; tech. Bohrloch n; Fahrstuhl-, Licht-, Luftschacht m; **2.** v/i quellen.

well² [~] **1.** adj and adv (better, best) wohl; gut; ordentlich; gründlich; gesund; **be ~, feel ~** sich wohl fühlen; **be ~ off** in guten Verhältnissen leben, wohlhabend sein; **2.** int nun!, na!; **~-bal-anced** adj ausgewogen (diet); (innerlich) ausgeglichen (person); **~-be·ing** s Wohl(befinden) n; **~-born** adj aus guter Familie; **~-de·fined** adj deutlich; klar umrissen; **~-done** adj (meat:) (gut) durchgebraten (meat); **~-in·ten·tioned** adj wohlmeinend; gutgemeint; **~-kept** adj gepflegt, in gutem Zustand; **~-known** adj bekannt; **~-man·nered** adj mit guten Manieren; **~-off** adj wohlhabend; **~-read** adj (zeitlich) günstig, im richtigen Augenblick; sports: gut getimt (pass, etc.); **~-to-do** adj wohlhabend; **~-worn** adj abgetragen; fig. abgedroschen.

Welsh [welʃ] **1.** adj walisisch; **2.** s ling. Walisisch n; **the ~** pl die Waliser pl; **~ rab·bit, ~ rare·bit** s überbackener Käsetoast.

welt [welt] s Strieme(n m) f.

wel·ter ['weltə] s Wirrwarr m, Durcheinander n.

went [went] pret of **go** 1.

wept [wept] pret and pp of **weep**.

were [wɜː, wə] **1.** pret of **be** (German forms:) du warst, Sie waren, wir, sie waren, ihr wart; **2.** pret pass of **be**:

wurde(n); **3.** subj past of **be**: wäre(n).

west [west] **1.** s West(en m) m; a. Westen m, westlicher Landesteil; **the ~** der Westen, die Weststaaten pl (of the USA); pol. der Westen; **2.** adj West..., westlich; **3.** adv westwärts, nach Westen; **~er·ly** adj westlich; **~ern 1.** adj westlich; **2.** s Western m, Wildwestfilm m; **~ward(s)** adj and adv westwärts.

wet [wet] **1.** adj naß, feucht; F weak: schlapp(schwänzig); **2.** s Nässe f, Feuchtigkeit f; F Br. (a. pol.) F Waschlappen m, Schlappschwanz m; **3.** v/t (-tt-; wet or wetted) naß machen, anfeuchten.

weth·er zo. ['weðə] s Hammel m.

wet|lands ['wetlændz] s pl Feuchtgebiete pl; **~nurse** s Amme f.

whack [wæk] **1.** s (knallender) Schlag; F (An)Teil m; **2.** v/t F schlagen; **~ed** adj F exhausted: fertig, erledigt; **~ing 1.** adj and adv F Mords...; **2.** s (Tracht f) Prügel pl.

whale zo. [~] s Wal m; **~bone** s Fischbein n; **~ oil** s Tran m.

whal|er ['weɪlə] s Walfänger m (a. ship); **~ing** s Walfang m.

wharf [wɔːf] s (pl wharfs, wharves [~vz]) Kai m.

what [wɒt] **1.** pron was; wie; was für ein(e), welche(r, -s), with pl: was für; (das,) was; **know ~'s ~** Bescheid wissen; **~ about ...?** wie steht's mit ...?; **~ for?** wozu?; **~ of it?, so ~?** na und?; **~ next?** was sonst noch?; iro. sonst noch was?, das fehlte noch!; **and ~'s more** und außerdem; **~ luck!** was für ein Glück!; **2.** int was!, wie!; interrogative: was?, wie?; **~·(so·)ev·er** adj and pron was auch (immer); alles, was; **no ... ~** überhaupt kein(e).

wheat bot. [wiːt] s Weizen m.

wheel [wiːl] **1.** s Rad n; mot. Steuer(rad) n, Lenkrad n; a. **potter's ~** Töpferscheibe f; movement: Drehung f; mil. Schwenkung f; **2.** v/t and v/i rollen, fahren, schieben; sich drehen; mil. schwenken; **~bar·row** s Schubkarre(n m) f; **~chair** s Rollstuhl m; **~ clamp** s mot. Parkkralle f; **~ed** adj mit Rädern; fahrbar; in compounds: ...räd(e)rig.

-wheel·er ['wiːlə] in compounds: Wagen m or Fahrzeug n mit ... Rädern.

wheeze [wiːz] v/i schnaufen, keuchen.

W

whelp [welp] **1.** *s zo.* Welpe *m;* Junge(s) *n; dated* F *naughty child:* Lauser *m;* **2.** *v/i* (Junge) werfen.

when [wen] **1.** *adv* wann; **2.** *cj* wenn; als; während, obwohl, wo ... (doch).

when·ev·er [wen'evə] *cj* (immer) wenn, sooft (als); wann auch immer; *interrogative:* wann denn, wann ... nur.

where [weə] *adv and cj* wo; wohin; **~ ... from?** woher ...?; **~ ... to?** wohin ...?; **~·a·bouts 1.** *adv* [weərə'bauts] wo etwa; woher, wohin; **2.** *s* ['weərəbauts] Aufenthalt(sort) *m,* Verbleib *m;* **~·as** *cj* wohingegen, während (doch); **~·by** *adv* wodurch; **~·up·on** *cj* worauf(hin); **wher·ev·er** *adv* wo(hin) (auch) immer; **~·with·al** *s* F die (nötigen) Mittel *pl,* das nötige (Klein)Geld.

whet [wet] *v/t* (**-tt-**) wetzen, schärfen; *fig.* anstacheln.

wheth·er ['weðə] *cj* ob; **~ or no** so oder so.

whet·stone ['wetstəʊn] *s* Schleifstein *m.*

whey [wei] *s* Molke *f.*

which [wɪtʃ] **1.** *adj* welche(r, -s); **2.** *pron* der, die, das; was; **~·ev·er** *adj and pron* welche(r, -s) (auch) immer.

whiff [wɪf] **1.** *s* Hauch *m;* Duftwolke *f,* Geruch *m;* F Zigarillo *m, n; puff:* Zug *m;* **have a few ~s** ein paar Züge machen; **2.** *v/t and v/i* paffen; *smell:* F duften.

while [waɪl] **1.** *s* Weile *f,* Zeit *f; for a* ~*c·e* Zeitlang; **2.** *v/t mst* **~ away** *time:* sich vertreiben; verbringen; **3.** *cj a.* **whilst** [waɪlst] während.

whim [wɪm] *s* Laune *f,* Grille *f.*

whim·per ['wɪmpə] **1.** *v/i and v/t* wimmern, winseln; **2.** *s* Wimmern *n,* Winseln.

whim·si·cal ['wɪmzɪkl] *adj* □ wunderlich; launisch (*a. weather, etc.*); **~·sy** *s* Grille *f,* Laune *f.*

whine [waɪn] *v/i* jaulen (*dog*).

whin·ny ['wɪnɪ] *v/i* wiehern.

whip [wɪp] **1.** (**-pp-**) *v/t* peitschen; geißeln (*a. fig.*); *j-n* verprügeln; schlagen; *a. eggs, cream:* schlagen; *puff:* Zug *m;* **~ped cream** Schlagsahne *f,* -rahm *m;* **~ped eggs** *pl* Eischnee *m;* **2.** *s* Peitsche *f;* (Reit)Gerte *f; Br. parl. appr.* Fraktionsgeschäftsführer(in).

whip·ping ['wɪpɪŋ] *s* (Tracht *f*) Prügel *pl;* **~ boy** *s* Prügelknabe *m.*

whirl [wɜːl] **1.** *v/i* wirbeln; sich drehen; **2.** *s* Wirbel *m,* Strudel *m;* **~·pool** *s* Strudel *m* (*a. fig.*); Whirlpool *m;* **~·wind** *s* Wirbelwind *m* (*a. fig.*).

whir(r) [wɜː] *v/i* (**-rr-**) schwirren.

whisk [wɪsk] **1.** *s* schnelle *or* heftige Bewegung; Wisch *m;* Staubwedel *m; cooking:* Schneebesen *m;* **2.** *v/t* (ab-, weg)wischen, (ab-, weg)fegen; *eggs:* schlagen; **~ its tail** *horse:* mit dem Schwanz schlagen; **~ away** schnell verschwinden lassen, wegnehmen; *v/i* huschen, flitzen; **whis·ker** *s* Barthaar *n;* **~s** *pl* Backenbart *m.*

whis·per ['wɪspə] **1.** *v/i and v/t* flüstern; **2.** *s* Flüstern *n,* Geflüster *n;* **in a ~, in ~s** flüsternd, im Flüsterton.

whis·tle ['wɪsl] **1.** *v/i and v/t* pfeifen; **2.** *s* Pfeife *f;* Pfiff *m;* F Kehle *f;* **~ stop** *s Am. rail.* Bedarfshaltestelle *f;* Kleinstadt *f; pol. of candidate:* Stippvisite *f,* kurzes Auftreten.

Whit [wɪt] *in compounds:* Pfingst...

white [waɪt] **1.** *adj* (**~·r, ~st**) weiß; rein; F anständig; Weiß...; **2.** *s* Weiße(s) *n;* Weiße(r *m*) *f;* **~·col·lar** *adj* Büro...; **~ work·er** (Büro)Angestellte(r *m*) *f;* **~ crime** Wirtschaftskriminalität *f;* Wirtschaftsverbrechen *n;* **~ el·e·phant** *s* F nutzloses Zeug; (*costly:* teure) Fehlinvestition; **~ heat** *s* Weißglut *f;* **~ hope** *s* F Hoffnungsträger(in); **~ horse** *s* Schimmel *m;* ♀ **House** *s pol. das* Weiße Haus; **~ knight** *s fig.* Retter *m* in der Not; *econ.* freundliches Übernahmeangebot; **~ lie** *s* Notlüge *f,* fromme Lüge; **whit·en** *v/t and v/i* weiß machen *or* werden; bleichen; **~·ness** *s* Weiße *f;* Blässe *f;* **~·wash 1.** *s* Tünche *f; fig.* Schönfärberei *f;* **2.** *v/t* weißen, tünchen; *fig.* reinwaschen; *sports:* zu Null schlagen.

whit·ish ['waɪtɪʃ] *adj* weißlich.

Whit·sun ['wɪtsn] *adj* Pfingst...; **~·tide** *s* Pfingsten *n or pl.*

whiz(z) [wɪz] *v/i* (**-zz-**) zischen, sausen; **~ kid** *s* F Senkrechtstarter(in).

who [huː, hʊ] *pron* wer; welche(r, -s), der, die, das.

who·dun(n)·it F [huː'dʌnɪt] *s* Krimi *m.*

who·ev·er [huː'evə] *pron* wer (auch) immer.

whole [həʊl] **1.** *adj* □ ganz; voll(ständig); heil, unversehrt; **2.** *s* Ganze(s) *n;* **the ~ of London** ganz London; **on the ~**

im großen und ganzen; im allgemeinen; **~heart·ed** *adj* □ aufrichtig; **~meal** *adj* Vollkorn...; **~ bread** Vollkornbrot *n*; **~sale 1.** *s econ.* Großhandel *m*; **2.** *adj econ.* Großhandels...; *fig.* Massen...; **~ dealer →** **~sal·er** *s econ.* Großhändler *m*; **~some** *adj* □ gesund; **~wheat** *esp. Am.* → *wholemeal.*

whol·ly ['həʊlɪ] *adv* ganz, gänzlich.

whom [huːm, hʊm] *pron* wen, wem; *rel* welche(n, -s), welche(m, -r); den (die, das); dem (der).

whoop [huːp] **1.** *s (esp.* Freuden)Schrei *m*; *med.* Keuchen *n* (*in* whooping cough); **2.** *v/i* schreien, *a.* **~ with joy** jauchzen; *v/t:* **~ it up** F auf den Putz hauen; **~·ee** F ['wʊpiː] *s:* **make ~** F auf den Putz hauen; **~·ing cough** *s med.* Keuchhusten *m*; **~s** [wʊps] *int* hoppla!

whore [hɔː] *s Hure f.*

whose [huːz] *pron* wessen; *rel* dessen, deren.

why [waɪ] **1.** *adv* warum, weshalb; **~ so?** wieso? **2.** *int* nun (gut); ja doch.

wick [wɪk] *s Docht m.*

wick·ed ['wɪkɪd] *adj* □ böse, schlecht, schlimm; **~ness** *s Bosheit f.*

wick·er ['wɪkə] *adj* aus Weiden geflochten, Weiden..., Korb...; **~ basket** Weidenkorb *m*; **~ bottle** Korbflasche *f*; **~ chair** Korbstuhl *m*; **~work** Korbwaren *pl*; Flechtwerk *n.*

wick·et ['wɪkɪt] *s cricket:* Dreistab *m*, Tor *n*, Wicket *n.*

wide [waɪd] *adj and adv* weit; ausgedehnt; großzügig; breit; weitab; *sports:* daneben (*of ball, etc.*); **six meters ~** sechs Meter breit; **~ awake** völlig (*or* hell)wach; aufgeweckt, wach; **wid·en** *v/t and v/i* (sich) verbreitern; (sich) erweitern (*knowledge, etc.*); **~·o·pen** *adj* weitgeöffnet; *Am. laws: appr.* äußerst großzügig; **~spread** *adj* weitverbreitet; ausgedehnt.

wid·ow ['wɪdəʊ] *s Witwe f; attr* Witwen...; **~ed** *adj* verwitwet; **~·er** *s Witwer m.*

width [wɪdθ] *s Breite f, Weite f.*

wield [wiːld] *v/t influence, etc.:* ausüben.

wife [waɪf] *s pl* **wives** [waɪvz] (Ehe-)Frau *f,* Gattin *f.*

wig [wɪg] *s Perücke f.*

wild [waɪld] **1.** *adj* □ wild; toll; rasend; wütend; ausgelassen; planlos; **~ about**

(ganz) verrückt nach; **2.** *adv:* **run ~** verwildern (*garden, etc.; a. fig. children*); **talk ~** (wild) drauflosreden; dummes Zeug reden; **3.** *s a.* **~s** *pl* Wildnis *f;* **~·cat 1.** *s zo.* Wildkatze *f; econ. Am.* Schwindelunternehmen *n;* **2.** *adj* wild (*strike*); *econ. Am.* Schwindel...; **wil·der·ness** ['wɪldənɪs] *s* Wildnis *f,* Wüste *f;* **~·fire** *s:* **like ~** wie ein Lauffeuer; **~·life** *s coll.* Tier- und Pflanzenwelt *f.*

will [wɪl] **1.** *s* Wille *m;* Wunsch *m;* Testament *n;* **of one's own free ~** aus freien Stücken; **2.** *v/aux* (*pret* would; *negative:* **~ not, won't**) *ich, du etc.* will(st) *etc.; ich werde, wir werden;* wollen; werden; **3.** *v/t* wollen; durch Willenskraft zwingen; entscheiden; *jur.* vermachen.

wil(l)·ful ['wɪlfl] *adj* □ eigensinnig; absichtlich, *mst* vorsätzlich.

will·ing ['wɪlɪŋ] *adj* □ gewillt, willens, bereit; (bereit)willig; **~ness** *s* Bereitschaft *f,* Bereitwilligkeit *f.*

wil·low *bot.* ['wɪləʊ] *s* Weide *f;* **~·y** *adj fig.* geschmeidig; gertenschlank.

will·pow·er ['wɪlpaʊə] *s* Willenskraft *f.*

wil·ly-nil·ly [wɪlɪ'nɪlɪ] *adv* wohl oder übel.

wilt [wɪlt] *v/i* (ver)welken.

wi·ly ['waɪlɪ] *adj* □ (*-ier, -iest*) listig, gerissen.

win [wɪn] **1.** (*-nn-; won*) *v/t* gewinnen; erringen; erlangen; erreichen; *j-n* dazu bringen (**to do** zu tun); **~ s.o. over** *or* **round** *j-n* für sich gewinnen; *v/i* gewinnen, siegen; **2.** *s sports:* Sieg *m.*

wince [wɪns] *v/i* (zusammen)zucken.

winch [wɪntʃ] *s* Winde *f;* Kurbel *f.*

wind[1] [wɪnd] **1.** *s* Wind *m;* Atem *m,* Luft *f; med.* Blähung(en *pl*) *f;* **the ~** *sg or pl mus.* die Bläser; *a load of* **~** F leeres Geschwätz; **2.** *v/t hunt.* wittern; verschnaufen lassen; *make breathless:* außer Atem bringen.

wind[2] [waɪnd] (*wound*) *v/t* winden, wikkeln, schlingen; kurbeln; (**winded** *or* **wound**) *horn:* blasen; **~ up** *clock, etc.:* aufziehen; *speech, etc.:* beschließen; *v/i* sich winden; sich schlängeln; **~ up** (*esp.* s-e Rede) schließen (**by saying** mit den Worten); F enden, landen.

wind·bag F ['wɪndbæg] *s* Schwätzer(in); **~·fall** *s fruit:* Fallobst *n; fig.* Glücksfall *m,* F warmer Regen.

W

wind·ing ['waɪndɪŋ] **1.** *s* Windung *f*; **2.** *adj* sich windend; **~ stairs** *pl* Wendeltreppe *f*.

wind·in·stru·ment *mus.* ['wɪndɪnstrəmənt] *s* Blasinstrument *n*.

wind·mill ['wɪnmɪl] *s* Windmühle *f*.

win·dow ['wɪndəʊ] *s* Fenster *n*; Schaufenster *n*; *of bank, etc.*: Schalter *m*; **~dress·ing** *s* Schaufensterdekoration *f*; *fig.* Aufmachung *f*, Mache *f*; **~ shade** *s Am.* Rouleau *n*; **~shop·ping** *s* Schaufensterbummel *m*; **go ~** e-n Schaufensterbummel machen.

wind|pipe *anat.* ['waɪndpaɪp] *s* Luftröhre *f*; **~screen**, *Am.* **~shield** *s mot.* Windschutzscheibe *f*; **~ wiper** Scheibenwischer *m*; **~surf·ing** *s sports*: Windsurfing *n*, -surfen *n*.

wind·y ['wɪndɪ] *adj* □ (**-ier, -iest**) windig (*a. fig.*); *person*: geschwätzig.

wine [waɪn] *s* Wein *m*; **~press** *s* (Wein-)Kelter *f*.

wing [wɪŋ] **1.** *s* Flügel *m* (*a. mil., arch., sports, pol.*); *of bird*: *a.* Schwinge *f*; *Br. mot.* Kotflügel *m*; *aer.* Tragfläche *f*; *aer., mil.* Geschwader *n*; **~s** *pl thea.* Seitenkulisse *f*; *take* **~** weg-, auffliegen; **on the ~** im Flug; **2.** *v/i and v/t* fliegen; *fig.* beflügeln.

wink [wɪŋk] **1.** *s* Blinzeln *n*, Zwinkern *n*; *not get a* **~** *of sleep* kein Auge zutun; **→ forty**; **2.** *v/i* blinzeln, zwinkern; blinken (*a. v/t*: **~** *one's lights*); **~** *at fig.* ein Auge zudrücken bei *et.*; *v/t* blinzeln *or* zwinkern mit.

win|ner ['wɪnə] *s* Gewinner(in); Sieger(in); **~ning** **1.** *adj* □ einnehmend, gewinnend; **2.** *s*: **~s** *pl* Gewinn *m*.

win|ter ['wɪntə] **1.** *s* Winter *m*; **2.** *v/i* überwintern; den Winter verbringen; **~ter sports** *s pl* Wintersport *m*; **~try** *adj* winterlich; *fig.* frostig.

wipe [waɪp] *v/t* (ab-, auf)wischen; reinigen; (ab)trocknen; **~ out** auswischen; wegwischen, (aus)löschen; *fig.* vernichten; **~ up** aufwischen; **wip·er** *s mot.* Scheibenwischer *m*.

wire ['waɪə] **1.** *s* Draht *m*; *electr.* Leitung *f*; F Telegramm *n*; *pull the* **~s** der Drahtzieher sein; s-e Beziehungen spielen lassen; **2.** *v/t* (ver)drahten; telegrafieren; **~less** *adj* □ drahtlos, Funk...; **2.** *s Br. dated* Radio(apparat *m*) *n*; **on the ~** im Radio *or* Rundfunk;

3. *v/i and v/t Br. dated* funken; **~ net·ting** *s* Maschendraht *m*; **~tap** *v/t* (*-pp-*) Telefongespräche abhören, die Telefonleitung anzapfen.

wir·y ['waɪərɪ] *adj* □ (**-ier, -iest**) drahtig, sehnig.

wis·dom ['wɪzdəm] *s* Weisheit *f*, Klugheit *f*; **~ tooth** Weisheitszahn *m*.

wise¹ [waɪz] *adj* □ (**~r, ~st**) weise, klug; verständig; erfahren; **~ guy** F Klugscheißer *m*.

wise² *dated* [~] *s* Weise *f*, Art *f*.

wise·crack F ['waɪzkræk] **1.** *s* witzige Bemerkung; **2.** *v/i* witzeln.

wish [wɪʃ] **1.** *v/t and v/i* wünschen; wollen; **~ for** (sich) *et.* wünschen; **~ s.o. well** (*ill*) j-m Gutes (Böses) wünschen; **2.** *s* Wunsch *m*; **~ful** *adj* □ sehnsüchtig; **~ thinking** Wunschdenken *n*.

wish·y-wash·y ['wɪʃɪwɒʃɪ] *adj drink*: wäßrig, dünn; *fig.* seicht, saft- u. kraftlos, F wischiwaschi.

wist·ful ['wɪstfl] *adj* □ sehnsüchtig.

wit [wɪt] *s* Geist *m*, Intelligenz *f*, Witz *m*; *a.* **~s** *pl* Verstand *m*; geistreicher Mensch; *be at one's* **~**'s *or* **~**'s *end* mit s-r Weisheit am Ende sein; *keep one's* **~s** *about one* e-n klaren Kopf behalten.

witch [wɪtʃ] *s* Hexe *f*, Zauberin *f*; **~craft**, **~e·ry** *s* Hexerei *f*; **~hunt** *s pol.* Hexenjagd *f* (*for, against auf acc*).

with [wɪð] *prp* mit; nebst; bei; von; durch; vor (*dat*); **~ it** F up to date, modern.

with·draw [wɪð'drɔː] (*-drew, -drawn*) *v/t* ab-, ent-, zurückziehen; zurücknehmen; *money*: abheben; *v/i* sich zurückziehen; zurücktreten; *sports*: auf den Start verzichten; **~al** *s* Zurückziehung *f*, -nahme *f*; Rücktritt *m*; *esp. mil.* Abzug *m*, Rückzug *m*; *econ.* Abheben *n* (*of money*); *sports*: Startverzicht *m*; *med.* Entziehung *f*; **~ cure** *med.* Entziehungskur *f*; **~ symptoms** *pl med.* Entzugserscheinungen *pl*.

with·er ['wɪðə] *v/i* (ver)welken, verdorren, austrocknen; *v/t* welken lassen.

with·hold [wɪð'həʊld] *v/t* (*-held*) zurückhalten; *truth*: *a.* verschweigen; **~ s.th. from s.o.** j-m et. vorenthalten; **~ing tax** *s econ.* Quellensteuer *f*.

with|in [wɪ'ðɪn] **1.** *adv* im Innern, drin(nen); zu Hause; **2.** *prp* in(nerhalb); **~ doors** im Hause; **~ call** in Rufweite; **~out 1.** adv (dr)außen; äußerlich; **2.** prp ohne.

with·stand [wið'stænd] v/t (-**stood**) widerstehen (dat).

wit·ness ['wɪtnɪs] **1.** s Zeug|e m, -in f; **bear ~ to** Zeugnis ablegen von, et. bestätigen; **2.** v/t bezeugen; Zeuge sein von et.; beglaubigen; **~ box**, Am. **~ stand** s Zeugenstand m.

wit|ti·cis·m ['wɪtɪsɪzəm] s witzige Bemerkung; **~·ty** adj □ (**-ier, -iest**) witzig; geistreich.

wives [waɪvz] pl of **wife**.

wiz·ard ['wɪzəd] s Zauberer m; Genie n, Leuchte f.

wiz·en(ed) ['wɪzn(d)] adj schrump(e)lig.

wob·ble ['wɒbl] v/i schwanken, wackeln (a. v/t.: wackeln an dat).

woe [wəʊ] s Weh n, Leid n; **~ is me!** wehe mir!; **~·be·gone** [ˈ·bɪgɒn] adj jammervoll; **~·ful** adj □ jammervoll, traurig, elend.

woke [wəʊk] pret and pp of **wake** 2; **wok·en** ['wəʊkən] pp of **wake** 2.

wolf [wʊlf] **1.** s (pl **wolves** [~vz]) zo. Wolf m; **2.** v/t a. **~ down** (gierig) ver- or hinunterschlingen; **~·ish** adj □ wölfisch, Wolfs...

wom·an ['wʊmən] **1.** s (pl **women** ['wɪmɪn]) Frau f; F (Ehe)Frau f; F Freundin f; F Geliebte f; **2.** adj weiblich; **~ doctor** Ärztin f; **~ student** Studentin f; **~·hood** s die Frauen pl; Weiblichkeit f; **~·ish** adj □ weibisch; **~·ize** v/i Frauen nachstellen; **~·iz·er** s Schürzenjäger m, F Weiberheld m; **~·kind** s die Frauen(welt f) pl; **~·like** adj fraulich; **~·ly** adj weiblich, fraulich.

womb [wuːm] s Gebärmutter f; Mutterleib m; fig. Schoß m.

wom·en ['wɪmɪn] pl of **woman**; **♀'s Liberation (Movement)**, F ♀'s **Lib** [lɪb] Frauen(emanzipations)bewegung f; **~·folk**, **~·kind** s die Frauen pl; F Weibervolk n; **~'s rights** s pl die Rechte pl der Frau.

won [wʌn] pret and pp of **win** 1.

won·der ['wʌndə] **1.** s Wunder n; Verwunderung f, Erstaunen n; **work ~s** Wunder wirken; **2.** v/t and v/i sich wundern; gern wissen mögen, sich fragen; F **~ if you could help me** vielleicht können Sie mir helfen; **~·ful** adj □ wunder-

bar, -voll; **~·ing** adj □ staunend, verwundert.

wont [wəʊnt] **1.** adj gewohnt; **be ~ to do** gewohnt sein zu tun, zu tun pflegen; **2.** s Gewohnheit f; **as was his ~** wie es s-e Gewohnheit war; **~·ed** adj gewohnt.

wood [wʊd] s Holz n; often **~s** pl Wald m, Gehölz n; Holzfaß n; **~ woodwind**; **touch ~!** unberufen!, toi, toi, toi!; **he cannot see the ~ for the trees** er sieht den Wald vor lauter Bäumen nicht; **~·chip** s Holzsplitter m; wallpaper: Rauhfasertapete f; **~·cut** s Holzschnitt m; **~·cut·ter** s Holzfäller m; arts: Holzschnitzer m; **~·ed** adj bewaldet; **~·en** adj □ hölzern, aus Holz, Holz...; fig. ausdruckslos; **~·man** s Förster m; Holzfäller m; **~·peck·er** s zo. Specht m; **~s·man** s Waldbewohner m; **~·wind** s mus. Holzblasinstrument n; **the ~** sg or pl die Holzbläser pl; **~·y** adj (**-ier, -iest**) waldig; holzig.

wool [wʊl] s Wolle f; **~·gath·er·ing** s Verträumtheit f; **~·(l)en 1.** adj aus Wolle, wollen, Woll...; **2.** s: **~s** pl Wollsachen pl; **~·ly 1.** adj (**-ier, -iest**) wollig; Woll...; fig. verschwommen (ideas); **2.** s: **woollies** pl F Wollsachen pl.

word [wɜːd] **1.** s Wort n; Vokabel f; message: Nachricht f; mil. Losung(swort n) f; promise: Wort n, Versprechen n; order: Befehl m; saying: Spruch m; **~s** pl Wörter pl; Worte pl; fig. Wortwechsel m, Streit m; Text m (of a song); **have a ~ with** mit j-m sprechen; **in a or one ~** mit e-m Wort; **in other ~s** mit anderen Worten; **keep one's ~** sein Wort halten; **2.** v/t (in Worten) ausdrücken, (ab)fassen; **~·ing** s Wortlaut m, Fassung f; **~ or·der** s gr. Wort-, Satzstellung f; **~ pro·cess·ing** s computer: Textverarbeitung f; **~ pro·ces·sor** s computer: Textverarbeitungsanlage f, -system n.

word·y ['wɜːdɪ] adj □ (**-ier, -iest**) wortreich; Wort...

wore [wɔː] pret of **wear** 1.

work [wɜːk] **1.** s Arbeit f; Werk n; attr Arbeits...; **~s** pl tech. (Uhr-, Feder-)Werk n; **~s** sg Werk n, Fabrik f; **~ of art** Kunstwerk n; **at ~** bei der Arbeit; **be in ~** Arbeit haben; **be out of ~** arbeitslos sein; **set to ~**, **set or go about one's ~** an die Arbeit gehen; **~s council** Betriebsrat *m*; **2.** *v/i* arbeiten (**at, on** an *dat*); *tech.* funktionieren, gehen; wirken; *fig.* gelingen, F klappen; **~ to rule** *econ.* Dienst nach Vorschrift tun; *v/t* ver-, bearbeiten; *machine, etc.*: bedienen; betreiben; *fig.* bewirken; **~ one's way** sich durcharbeiten; **~ off** ab-, aufarbeiten; *feelings*: abreagieren; *econ. goods*: abstoßen; **~ out** *v/t plan*: ausarbeiten; *problem*: lösen; ausrechnen; *v/i sports*: trainieren, sich fit halten; **~ up** verarbeiten (**into** zu); *interest*: wecken; **~ o.s. up** sich aufregen.

work·a·ble ['wɜːkəbl] *adj* □ bearbeitungs-, betriebsfähig; ausführbar.

work|a·day ['wɜːkədeɪ] *adj* Alltags...; **~a·hol·ic** [wɜːkə'hɒlɪk] *s* Arbeitssüchtige(r *m*) *f*; **~bench** *s tech.* Werkbank *f*; **~book** *s school*: Arbeitsheft *n*; **~day** *s* Werktag *m*; **on ~s** werktags; **~er** *s* Arbeiter(in).

work·ing ['wɜːkɪŋ] **1.** *s*: **~s** *pl* Arbeitsweise *f*, Funktionieren *n*; **2.** *adj* arbeitend; Arbeits...; Betriebs...; **~class** *adj* Arbeiter...; **~ day** *s* Werk-, Arbeitstag *m*; **~ hours** *s pl* Arbeitszeit *f*; → **flexible**.

work·man ['wɜːkmən] *s* Arbeiter *m*; Handwerker *m*; **~like** *adj* kunstgerecht, fachmännisch; **~ship** *s* Kunstfertigkeit *f*.

work|out ['wɜːkaʊt] *s* F *sports*: (Konditions)Training *n*; **~shop** *s* Werkstatt *f*; Werkraum *m*; **~shy** *adj* arbeitsscheu, faul; **~to-rule** *s econ.* Dienst nach Vorschrift; **~wom·an** *s* Arbeiterin *f*.

world [wɜːld] *s* Welt *f*; **a ~ of** e-e Unmenge (von); **bring** (**come**) **into the ~** zur Welt bringen (kommen); **think the ~ of** große Stücke halten auf (*acc*); **2 Bank** *s econ.* Weltbank *f*; **~ cham·pi·on** *s* Weltmeister(in); **~class** *adj* (von) Weltklasse, von internationalem Format (*athlete, etc.*); **2 Cup** *s* Fußballweltmeisterschaft *f*; *skiing, etc.*: Weltcup *m*.

world·ly ['wɜːldlɪ] *adj* (**-ier, -iest**) weltlich; Welt...; **~wise** *adj* weltklug.

world| pow·er *pol.* ['wɜːldpaʊə] *s* Weltmacht *f*; **~ rec·ord** *s sports, etc.*: Weltrekord *m*; **~ holder** Weltrekordhalter(in); **~wide** *adj* weltweit, weltumspannend; Welt...

worm [wɜːm] **1.** *s zo.* Wurm *m* (*a. fig.*); **2.** *v/t secret, etc.*: entlocken (**out of** *dat*); **~**

o.s. sich schlängeln; *fig.* sich einschleichen (**into** in *acc*); **~eat·en** *adj* wurmstichig; *fig.* veraltet, altmodisch.

worn [wɔːn] *pp of* **wear** 1; **~out** *adj* abgenutzt; abgetragen; verbraucht (*a. fig.*); müde, erschöpft; abgezehrt; verhärmt.

wor·ried ['wʌrɪd] *adj* □ besorgt, beunruhigt.

wor·ry ['wʌrɪ] **1.** *v/i and v/t* (sich) beunruhigen, (sich) ängstigen, sich sorgen, sich aufregen; ärgern; plagen, quälen; **don't ~!** keine Angst or Sorge!; **2.** *s* Unruhe *f*; Sorge *f*; Ärger *m*.

worse [wɜːs] *adj* (*comp of* **bad**) schlechter, schlimmer, ärger; **~ luck!** leider!; um so schlimmer!; **wors·en** *v/i and v/t* (sich) verschlechtern.

wor·ship ['wɜːʃɪp] **1.** *s* Verehrung *f*; Gottesdienst *m*; Kult *m*; **2.** (*esp. Br.* **-pp-**, *Am.* **-p-**) *v/t* verehren; anbeten; *v/i* in den Gottesdienst besuchen; **~(p)er** *s* Verehrer(in); Kirchgänger(in).

worst [wɜːst] **1.** *adj* (*sup of* **bad**) schlechteste(r, -s), schlimmste(r, -s), ärgste(r, -s); **2.** *adv* (*sup of* **badly**) am schlechtesten, am schlimmsten, am ärgsten; **3.** *s* der, die, das Schlechteste or Schlimmste or Ärgste; **at** (**the**) **~** schlimmstenfalls.

wor·sted ['wʊstɪd] *s* Kammgarn *n*.

worth [wɜːθ] **1.** *adj* wert; **~ reading** lesenswert; **2.** *s* Wert *m*; **~less** *adj* □ wertlos; nichtsnutzig; **~while** *adj* der Mühe wert; **~y** *adj* □ (**-ier, -iest**) würdig; wert.

would [wʊd] *pret of* **will** 2; **I ~ like** ich hätte gern; **~be** *adj* Möchtegern...; angehend, zukünftig.

wound¹ [wuːnd] **1.** *s* Wunde *f*, Verletzung *f* (*a. fig.*), Verwundung *f*; *fig.* Kränkung *f*; **2.** *v/t* verwunden, verletzen (*a. fig.*).

wound² [waʊnd] *pret and pp of* **wind²**.

wove [wəʊv] *pret of* **weave**; **wov·en** ['wəʊvn] *pp of* **weave**.

wow F [waʊ] *int* Mensch!, toll!

wran·gle ['ræŋgl] **1.** *v/i* sich streiten or zanken; **2.** *s* Streit *m*, Zank *m*.

wrap [ræp] **1.** (**-pp-**) *v/t often* **~ up** (ein)wickeln; *fig.* (ein)hüllen; **be ~ped up in** gehüllt sein in (*acc*); ganz aufgehen in (*dat*); *v/i* **~ up** sich einhüllen or -packen; **2.** *s* Hülle *f*; Decke *f*; Schal *m*; Mantel *m*; **~per** *s* Hülle *f*, Umschlag *m; a.* **postal** ~ Streifband *n;* **~ping** *s* Verpackung *f;* **~paper** Einwickel-, Pack-, Geschenkpapier *n.*

wreck [rek] **1.** *s* Wrack *n;* Trümmer *pl;* Schiffbruch *m; fig.* Untergang *m;* **2.** *v/t* zertrümmern, -stören; zugrunde richten, ruinieren; *be ~ed mar.* scheitern, Schiffbruch erleiden; *in* Trümmer gehen; **~age** *s* Trümmer *pl;* Wrackteile *pl;* **~ed** *adj* schiffbrüchig; ruiniert; **~er** *s mar.* Bergungsschiff *n,* -arbeiter *m; esp. hist.* Strandräuber *m;* Abbrucharbeiter *m; Am. mot.* Abschleppwagen *m;* **~ing** *s esp. hist.* Strandraub *m;* **~ com·pany** *Am.* Abbruchfirma *f;* **~ service** *Am. mot.* Abschleppdienst *m.*

wrench [rentʃ] **1.** *v/t* reißen, zerren, ziehen; entwinden (*from s.o.* j-m); *med.* sich *et.* verrenken, -stauchen; ~ **open** aufreißen; **2.** *s* Ruck *m; med.* Verrenkung *f,* -stauchung *f; fig.* Schmerz *m; tech.* Schraubenschlüssel *m; be a* ~ weh tun.

wrest [rest] *v/t* reißen; ~ **s.th. from s.o.** j-m et. entreißen.

wres|tle [ˈresl] *v/i and v/t* ringen (mit); **~tler** *s esp. sports:* Ringer *m;* **~tling** *s esp. sports:* Ringen *n.*

wretch [retʃ] *s a.* **poor** ~ armer Teufel; *co.* Wicht *m.*

wretch·ed [ˈretʃid] *adj* □ elend.

wrig·gle [ˈrɪɡl] *v/i* sich winden *or* schlängeln; ~ **out of s.th.** sich aus e-r Sache herauswinden.

-wright [rait] *in compounds:* ...macher *m,* ...bauer *m.*

wring [rɪŋ] *v/t* (**wrung**) *hands:* ringen; (aus)wringen; pressen; *throat:* umdrehen; abringen (*from s.o.* j-m); ~ **s.o.'s heart** j-m zu Herzen gehen.

wrin·kle [ˈrɪŋkl] **1.** *s* Runzel *f,* Falte *f;* **2.** *v/t and v/i* (sich) runzeln.

wrist [rist] *s* Handgelenk *n;* **~watch** Armbanduhr *f;* **~band** *s* Bündchen *n;* Armband *n; sports:* Schweißband *n.*

writ [rit] *s* Erlaß *m;* gerichtlicher Befehl; *Holy* ♎ die Heilige Schrift.

write [rait] *v/t and v/i* (**wrote, written**) schreiben; ~ **down** auf-, niederschreiben; **writ·er** *s* Schreiber(in); Verfasser(in); Schriftsteller(in); **~off** *s econ.* Abschreibung *f,* F *car:* Totalschaden *m.*

writ·ing [ˈraitɪŋ] *s* Schreiben *n (act);* Aufsatz *m;* Werk *n;* (Hand)Schrift *f;* Schriftstück *n;* Urkunde *f;* Stil *m; attr* Schreib...; *in* ~ schriftlich; ~ **case** *s* Schreibmappe *f;* ~ **desk** *s* Schreibtisch *m;* ~ **pad** *s* Schreibblock *m;* ~ **pa·per** *s* Schreibpapier *n.*

writ·ten [ˈritn] **1.** *pp of* **write**; **2.** *adj* schriftlich.

wrong [rɒŋ] **1.** *adj* □ unrecht; verkehrt, falsch; *be* ~ unrecht haben; nicht in Ordnung sein; falsch gehen (*clock, watch*); *go* ~ schiefgehen; *be on the* ~ **side of sixty** über 60 (Jahre alt) sein; **2.** *s* Unrecht *n;* Beleidigung *f;* Irrtum *m,* Unrecht *n; be in the* ~ unrecht haben; **3.** *v/t* unrecht tun (*dat*); ungerecht behandeln; **~do·er** *s* Übeltäter(in); **~foot** *v/t sports:* j-n auf dem falschen Fuß erwischen (*a. fig.*); *fig.* überraschen, unvorbereitet treffen; **~ful** *adj* □ ungerecht; unrechtmäßig.

wrote [rəʊt] *pret of* **write**.

wrought | **i·ron** [rɔːtˈaiən] *s* Schmiedeeisen *n;* **~i·ron** *adj* schmiedeeisern.

wrung [rʌŋ] *pret and pp of* **wring**.

wry [rai] *adj* □ (**-ier, -iest**) *smile:* süßsauer; *humour:* sarkastisch.

X

X·mas F [ˈkrisməs] → **Christmas**.
X-ray [eksˈrei] **1.** *s* Röntgenaufnahme *f,* -untersuchung *f;* **2.** *adj* Röntgen...; **3.** *v/t* durchleuchten, röntgen.

Y

yacht *mar.* [jɒt] **1.** *s* (Segel-, Motor)Jacht *f*; (Renn)Segler *m*; **2.** *v/i* auf e-r Jacht fahren; segeln; **~club** *s* Segel-, Jachtklub *m*; **~ing** *s* Segelsport *m*; *attr* Segel...

Yan·kee F [ˈjæŋkɪ] *s* Yankee *m*.

yap [jæp] *v/i* (**-pp-**) kläffen; F quasseln; F meckern.

yard [jɑːd] *s* Yard *n* (= 0,914 m); *mar.* Rah(e) *f*; Hof *m*; (Bau-, Stapel)Platz *m*; *Am.* Garten *m*; **~ mea·sure**, **~stick** *s* Yardstock *m*, -maß *n*.

yarn [jɑːn] *s* Garn *n*; F Seemannsgarn *n*, abenteuerliche Geschichte.

yawl *mar.* [jɔːl] Jolle *f*.

yawn [jɔːn] **1.** *v/i* gähnen; **2.** *s* Gähnen *n*.

yea F *dated* [jeɪ] *int* ja.

year [jɪə, jɜː] *s* Jahr *n*; *wine, students, etc.*: Jahrgang *m*; *from his or her earliest ~s* von frühester Kindheit an; **~book** *s* Jahrbuch *n*; **~ly** *adj and adv* jährlich.

yearn [jɜːn] *v/i* sich sehnen (**for** nach); **~ing 1.** *s* Sehnen *n*, Sehnsucht *f*; **2.** *adj* □ sehnsüchtig.

yeast [jiːst] *s* Hefe *f*; Schaum *m*.

yell [jel] **1.** *v/i and v/t* (gellend) schreien; aufschreien; **2.** *s* (gellender) Schrei; Anfeuerungs-, Schlachtruf *m*.

yel·low [ˈjeləʊ] **1.** *adj* gelb; F *cowardly*: hasenfüßig, feig; Sensations...; **2.** *s* Gelb *n*; **3.** *v/i and v/t* (sich) gelb färben; **~ card** *s sports*: die gelbe Karte; **~ed** *adj* vergilbt; **~ fe·ver** *s med.* Gelbfieber *n*; **~ish** *adj* gelblich; **~ pag·es** *s pl teleph.* die gelben Seiten, Branchenverzeichnis *n*; **~ press** *s* Sensations-, Boulevardpresse *f*.

yelp [jelp] **1.** *v/i* (auf)jaulen (*dog, etc.*); aufschreien; **2.** *s* (Auf)Jaulen *n*; Aufschrei *m*.

yep F [jep] *adv* ja.

yes [jes] **1.** *adv* ja; doch; **2.** *s* Ja *n*.

yes·ter·day [ˈjestədɪ] *adv* gestern.

yet [jet] **1.** *adv* noch; schon (*in questions*); sogar; *as ~* bis jetzt; *not ~* noch nicht; **2.** *cj* aber (dennoch), doch.

yew *bot.* [juː] *s* Eibe *f*.

yield [jiːld] **1.** *v/t* (ein-, hervor)bringen; *profit*: abwerfen; *v/i agr.* tragen; sich fügen, nachgeben; **2.** *s* Ertrag *m*; **~ing** *adj* □ nachgebend; *fig.* nachgiebig.

yip·pee F [jɪˈpiː] *int* hurra!

yo·del [ˈjəʊdl] **1.** *s* Jodler *m*; **2.** *v/i and v/t* (*esp. Br. -ll-, Am. -l-*) jodeln.

yog·hurt [ˈjɒɡət] *s* Joghurt *m, n*.

yoke [jəʊk] **1.** *s* Joch *n* (*a. fig.*); *oxen*: Paar *n*, Gespann *n*; Schultertrage *f*; **2.** *v/t* anschließen, zusammenspannen; *fig.* paaren (**to** mit).

yolk [jəʊk] *s* (Ei)Dotter *m, n*, Eigelb *n*.

you [juː, jʊ] *pron* du, ihr, Sie; man.

young [jʌŋ] **1.** *adj* □ jung; jung, klein; **2.** *s pl* (Tier)Junge *pl*; *the ~* die jungen Leute, die Jugend; *with ~* trächtig; **~ster** *s* Jugendliche(r *m*) *f*, Junge *m*.

your [jɔː] *pron* dein(e), euer(e), Ihr(e); **~s** *pron* deine(r, -s), euer, euere(s), Ihre(r, -s); ♀, *Bill in letters*: Dein Bill; **~self** *pron* (*pl* **yourselves**) du, ihr, Sie selbst; dir, dich, euch, sich; *by ~* allein.

youth [juːθ] *s* (*pl* **~s** [~ðz]) Jugend *f*; junger Mann, Jüngling *m*; **~ hos·tel** Jugendherberge *f*; **~ful** *adj* □ jugendlich.

yuck [jʌk] *int* igitt!

yule·tide *esp. poet.* [ˈjuːltaɪd] *s* Weihnachten *n*, Weihnachtszeit *f*.

Yup·pie [ˈjʌpɪ] *s* Yuppie *m*.

Z

za·ny ['zeɪnɪ] *adj* irrsinnig komisch.
zap F [zæp] **1.** *s* Schwung *m*, Pep *m*; **2.** *v/t*: ~ *s.o. one* j-m e-e knallen; **3.** *int* zack!
zeal [ziːl] *s* Eifer *m*; ~·**ot** ['zelət] *s* Eiferer *m*; ~·**ous** ['zeləs] *adj* □ eifrig; eifrig bedacht (*for* auf *acc*); innig, heiß.
zeb·ra *zo.* ['ziːbrə] *s* Zebra *n*; ~ **cross·ing** *s* Zebrastreifen *m*.
zen·ith ['zenɪθ] *s* Zenit *m*; *fig.* Höhepunkt *m*.
ze·ro ['zɪərəʊ] **1.** *s* (*pl* -**ros**, -**roes**) Null *f*; Nullpunkt *m*; **2.** *adj* Null...; ~ (**economic**) **growth** Nullwachstum *n*; ~ **option** *pol.* Nullösung *f*; ~ **rating** *econ.* Mehrwertsteuerbefreiung *f*; **have** ~ **interest in s.th.** F null Bock auf et. haben.
zest [zest] *s* Würze *f* (*a. fig.*); Lust *f*, Freude *f*; Genuß *m*.
zig·zag ['zɪgzæg] **1.** *s* Zickzack *m*; Zickzacklinie *f*, -kurs *m*, -weg *m*; **2.** *v/i* im Zickzack laufen *or* fahren *etc.*; **3.** *adj* zickzackförmig, Zickzack...

zinc [zɪŋk] **1.** *s min.* Zink *n*; **2.** *v/t* verzinken.
zip [zɪp] **1.** *s* Schwirren *n*; F Schwung *m*; → *zip-fastener*; **2.** *v/t* (-**pp**-): ~ *s.th.* **open** den Reißverschluß von et.öffnen; ~ *s.o.* **up** j-m den Reißverschluß zumachen; ~ **code** *s Am.* Postleitzahl *f*; ~·**fas·ten·er** *esp. Br.*, ~·**per** *s Am.* Reißverschluß *m*.
zo·di·ac *ast.* ['zəʊdɪæk] *s* Tierkreis *m*.
zone [zəʊn] *s* Zone *f*; *fig.* Gebiet *n*; ~ **bound·a·ry** *s public transport*: *appr.* Zahlgrenze *f*.
zoo [zuː] *s* (*pl* ~**s**) Zoo *m*.
zo·o·log·i·cal [zəʊə'lɒdʒɪkl] *adj* □ zoologisch; ~ **garden(s** *pl*) zoologischer Garten.
zo·ol·o·gy [zəʊ'ɒlədʒɪ] *s* Zoologie *f*.
zoom [zuːm] **1.** *v/i* surren; *aer.* steil hochziehen; F sausen; *phot.*, *film*: zoomen; ~ **in on s.th.** *phot.*, *film*: et. heranholen; ~ **past** F vorbeisausen; **2.** *s* Surren *n*; *aer.* Steilflug *m*; ~ **lens** *s phot.* Zoomobjektiv *n*, Gummilinse *f*.

Wörterverzeichnis Deutsch-Englisch

A

à [a] *prp* at ... each.
Aal [a:l] *m* (-[e]s; -e) *zo.* eel; **'₂en** *v/refl* (h): *sich in der Sonne ~* bask in the sun; **₂'glatt** *adj fig.* (as) slippery as an eel.
ab [ap] **1.** *prp:* ~ *morgen* starting tomorrow, from tomorrow; *von München* ~ *13.55* departure Munich 13.55; **2.** *adv:* ~ *München* ~ *13.55* departure Munich 13.55; *von heute* ~ starting today, from today; *von jetzt* ~ from now on, in future; ~ *und zu* now and then.
'abarbeiten (*sep*, -ge-, h) **1.** *v/t Schulden:* work off; **2.** *v/refl: sich* ~ slave (away).
Abart ['ap'a:rt] *f* (-; -en) *biol.* variety; **'₂ig** *adj* abnormal, *sexuell: a.* perverse.
'Abbau *m* (-[e]s; *no pl*) mining; dismantling; reduction (*gen* in); **'₂en** *v/t* (*sep*, -ge-, h) *Kohle etc:* mine; *Maschinen etc:* dismantle; *Vorurteile:* (gradually) get rid of; *Arbeitskräfte* ~ cut down on (*od.* reduce) the workforce.
'ab|beißen *v/t* (*irr*, *sep*, -ge-, h, → **beißen**) bite off; **'₎beizen** *v/t* (*sep*, -ge-, h) *Holz:* strip; **'₎bekommen** *v/t* (*irr*, *sep*, *no* -ge-, h, → **kommen**) losbekommen: get off; *sein Teil od. et.* ~ get one's share; *et.* ~ *Person:* be hit, get hurt, *Sache:* be damaged.
'abbestellen *v/t* (*sep*, *no* -ge-, h) cancel; **'₂ung** *f* (-; -en) cancellation.
'abbiegen *v/i* (*irr*, *sep*, -ge-, sn, → **biegen**) turn (off): *nach links* (*rechts*) ~ turn left (right).
'Abbildung *f* (-; -en) picture, illustration.
'Abbitte *f: j-m* ~ *leisten od. tun* apologize to s.o. (*wegen* for).
'abblasen *v/t* (*irr*, *sep*, -ge-, h, → **blasen**) F *fig.* call off.
'abblenden *v/i* (*sep*, -ge-, h) *mot.* dip (*Am.* dim) one's headlights; **'₂licht** *n mot.* dipped (*Am.* dimmed) headlights *pl, Am.* low beam.
'ab|brechen (*irr*, *sep*, -ge-, → **brechen**) **1.** *v/t* (h) break off (*a. Beziehungen etc*); *Gebäude etc:* demolish, pull down; *Spiel etc:* stop; **2.** *v/i* (sn) break off;

'₎bremsen *v/t u. v/i* (*sep*, -ge-, h) slow down, brake; **'₎brennen** *v/i* (*irr*, *sep*, -ge-, sn, → **brennen**) burn down: → *abgebrannt*; **'₎bringen** *v/t* (*irr*, *sep*, -ge-, h, → **bringen**): *j-n von* talk s.o. out of; *j-n davon* ~, *et. zu tun* talk s.o. out of doing s.th.; **'₎bröckeln** *v/i* (*sep*, -ge-, sn) crumble away.
Abbruch *m* (-[e]s; *no pl*) *e-s Gebäudes etc:* demolition; *von Beziehungen etc:* breaking off.
'abbuch|en *v/t* (*sep*, -ge-, h): *e-e Summe von j-s Konto* ~ debit a sum to s.o.'s account; **'₂ung** *f* (-; -en) debit (entry).
ABC-Waffen [a:be:'tse:~] *pl mil.* NBC weapons *pl.*
'abdank|en *v/i* (*sep*, -ge-, h) resign; *Herrscher:* abdicate; **'₂ung** *f* (-; -en) resignation; abdication.
'ab|decken *v/t* (*sep*, -ge-, h) uncover; *Dach:* untile; *Gebäude:* unroof; *Tisch:* clear; *zudecken:* cover (up); **'₎dichten** *v/t* (*sep*, -ge-, h) seal; **'₎drängen** *v/t* (*sep*, -ge-, h) push aside; **'₎drehen** *v/t* (*sep*, -ge-, h) **1.** *v/t Gas etc:* turn off, *Licht etc: a.* switch off; **2.** *v/i* (a. sn) *aer., mar.* change course.
Abdruck *m* (-[e]s; ⁓e) impression, imprint, mark.
'abdrücken *v/i* (*sep*, -ge-, h) fire, pull the trigger.
Abend ['a:bənt] *m* (-s; -e) evening: *am* ~ in the evening, at night; *heute* ₂ tonight; *morgen* (*gestern*) ₂ tomorrow (last night); → *essen*; **'₎essen** *n* supper; *ausgiebiges:* dinner; **'₎kasse** *f thea. etc* box office; **'₎kleid** *n* evening dress (*Am.* gown).
abends ['a:bənts] *adv* in the evening(s): *um 7 Uhr* ~ at 7 o'clock in the evening, at 7 p.m.
'Abendzeitung *f* evening paper.
Abenteu|er ['a:bəntɔyər] *n* (-s; -) adventure; **'₂erlich** *adj* adventurous; *fig. riskant:* risky; *unwahrscheinlich:* fantastic; **'₎rer** *m* (-s; -) adventurer.
aber [a:bər] **1.** *cj* but: *oder* ~ otherwise,

or else; **2.** *int:* ~, ~! now, now!; ~ **sicher!** (but) of course; **3.** *adv:* **Tausende u. ~ Tausende** thousands upon (*od.* and) thousands.

'**Aber**|**glaube** *m* (-ns; *no pl*) superstition; **2gläubisch** ['~glɔybɪʃ] *adj* superstitious.

'**aberkenn**|**en** *v/t* (*irr, sep, no* -ge-, h, → **kennen**): **j-m et. ~** deprive s.o. of s.th. (*a. jur.*); **2ung** *f* (-; -en) deprivation.

aber|**malig** ['~ma:lɪç] *adj* repeated; **~mals** ['~ma:ls] *adv* (once) again, once more.

'**abfahren** *v/i* (*irr, sep,* -ge-, sn, → **fahren**) leave (*nach* for): → **abgefahren.**

'**Abfahrt** *f* (-; -en) departure (*nach* for); '**~szeit** *f* departure time.

'**Abfall** *m* (-[e]s; ~e) waste; *Hausmüll:* rubbish, refuse, *bsd. Am.* garbage, trash; *in Park etc:* litter; '**~eimer** *m* rubbish bin, *Am.* trash can; '**2en** *v/i* (*irr, sep,* -ge-, sn, → **fallen**) fall off; *Gelände:* fall away; *fig.* **~ gegen** compare badly with.

'**abfällig 1.** *adj Bemerkung:* disparaging; **2.** *adv:* **sich ~ über j-n äußern** run s.o. down.

'**Abfall**|**korb** *m* litter bin (*od.* basket); '**~pro,dukt** *n* waste product; *Nebenprodukt:* spin-off, by-product.

'**abfärben** *v/i* (*sep,* -ge-, h) run: *fig.* **~ auf** (*acc*) rub off on.

'**abfertig**|**en** *v/t* (*sep,* -ge-, h) *Waren:* get ready for dispatch, *beim Zoll:* clear; *Personen: an der Grenze:* deal with, *am Flughafen:* check in; '**2ung** *f* (-; -en) dispatch; clearance; check-in; '**2ungs-schalter** *m aer.* check-in counter.

'**abfeuern** *v/t* (*sep,* -ge-, h) *Schuß:* fire (*auf acc* at).

'**abfind**|**en** (*irr, sep,* -ge-, h, → **finden**) **1.** *v/t Gläubiger:* pay off; *entschädigen:* compensate; **2.** *v/refl:* **sich ~ mit** come to terms with; **2ung** *f* (-; -en) compensation; *von Angestellten:* severance (*od.* redundancy) pay.

'**ab**|**fliegen** *v/i* (*irr, sep,* -ge-, sn, → **fliegen**) *Person:* fly; *Flugzeug:* take off; '**~fließen** *v/i* (*irr, sep,* -ge-, sn, → **fließen**) flow (*od.* drain) off.

'**Abflug** *m* (-[e]s; ~e) takeoff; *auf Flugplan etc:* departure; '**~halle** *f* departure lounge; '**~zeit** *f* departure time.

'**Abfluß** *m* (-sses; ~sse) *Abfließen:* flowing

(*od.* draining) off; *~öffnung:* outlet, drain; '**~rohr** *n* waste pipe, *außen:* drainpipe.

'**Abfuhr** ['apfu:r] *f* (-; -en): *fig. j-m e-e ~ erteilen* give s.o. the brush-off.

'**abführ**|**en** *v/t* (*sep,* -ge-, h) *j-n:* lead off (*od.* away); *Steuern etc:* pay over (*an acc* to); '**2mittel** *n* (-s; -) *med.* laxative.

'**Abgaben** *pl* taxes *pl*; → **Kommunalabgaben, Sozialabgaben.**

'**abgas**|**arm** *adj mot.* low-emission; '**2e** *pl mot.* exhaust fumes *pl*; '**2sonderuntersuchung** *f mot.* special emission test.

'**abgeben** (*irr, sep,* -ge-, h, → **geben**) **1.** *v/t Prüfungsarbeit etc:* hand in; *Schlüssel etc:* leave (*bei* with); *Gepäck:* deposit (at), *Am.* check (at); *Fahrkarte:* surrender; *Vorsitz etc:* hand over (*an acc* to); *Schuß:* fire; *Erklärung etc:* make; *Stimme:* cast; **2.** *v/refl:* **sich ~ mit** concern o.s. with; **sich mit j-m ~** associate with s.o.

'**abge**|**brannt** *adj* F *fig.:* (*völlig*) **~** (flat *od.* stony) broke; '**~brüht** *adj fig.* hard-boiled; '**~droschen** *adj* hackneyed, trite; '**~fahren** *adj Reifen:* bald; '**~härtet** *adj* hardened (*gegen* against).

'**abgehen** *v/i* (*irr, sep,* -ge-, sn, → **gehen**) *aer., rail.* leave, *Schiff:* a. sail (*beide: nach* for); *Post:* go; *Knopf etc:* come off; *Straße etc:* branch off: **~ von** *e-m Plan* give up; *von s-r Meinung* ~ change one's mind (*od.* views); *gut* ~ go (*od.* pass off) well.

'**abge**|**kartet** *adj:* **~es Spiel** put-up job; '**~legen** *adj* remote, faraway; '**~magert** *adj* emaciated; '**~neigt** *adj:* **ich wäre e-r Sache nicht ~** (nicht ~, et. zu tun)** I wouldn't mind (doing) s.th.; '**~nutzt** *adj* worn.

Abgeordnete ['apgə?ɔrdnətə] *m, f* (-n; -n) *parl. Br.* Member of Parliament, (*abbr.* MP), *Am.* Congressman (Congresswoman).

'**abge**|**schlossen** *adj Wohnung:* self-contained; *Ausbildung etc:* completed; '**~sehen** *adv:* **~ von** apart (*bsd. Am.* a. aside) from; **~ davon, daß** apart from the fact that; '**~spannt** *adj* exhausted, worn-out; '**~standen** *adj Luft:* stale; *Bier etc:* flat; '**~stumpft** *adj Person:* insensitive (*gegen* to)

'**abgewöhnen** *v/t* (*sep, pp* abgewöhnt,

h): *j-m et.* ~ break (*od.* cure) s.o. of s.th.; *sich das Rauchen* ~ give up smoking.

abgöttisch ['apgœtɪʃ] *adv*: *j-n* ~ *lieben* idolize (*od.* adore) s.o.

'**Abgrund** *m* (-[e]s; ⸚e) abyss, chasm (*beide a. fig.*): *fig.* **am Rande des** ~**s stehen** be on the brink of disaster; '**Stief** *adj* Haß *etc*: all-consuming.

'**ab**|**haken** *v/t* (*sep*, -ge-, h) tick (*Am.* check) off; '**~halten** *v/t* (*irr, sep*, -ge-, h, → **halten**) Versammlung *etc*: hold; *j-n* **von der Arbeit** ~ keep s.o. from his work; *j-n davon* ~, *et. zu tun* keep s.o. from doing s.th.

abhanden [ap'handn] *adv*: ~ **kommen** get lost; *mir ist m-e Brille* ~ *gekommen* I've lost my glasses.

'**Abhandlung** *f* (-; -en) treatise (*über acc* on).

'**Abhang** *m* (-[e]s; ⸚e) slope.

'**abhängen** *v/i* (*irr, sep*, -ge-, h, → **hängen**): ~ *von* depend on, *finanziell*: be dependent on.

abhängig ['aphεŋɪç] *adj* dependent (*von* on): ~ *sein von* → *abhängen*; '**Skeit** *f* (-; *no pl*) dependence (*von* on).

'**ab**|**hauen** *v/t* (*irr, sep*, -ge-, sn, → **hauen**) F push off: *hau ab!* *a.* beat it!, get lost!; '**~heben** (*irr, sep*, -ge-, h, → **heben**) **1.** *v/t* lift (*od.* take off; *Hörer*: pick up; *Karten*: cut; *Geld*: draw (out) (*von* from); **2.** *v/i aer.* take off; F *fig.* get a real lift; *teleph.* answer the phone; *Kartenspiel*: cut the cards; '**~heften** *v/t* (*sep*, -ge-, h) file (away).

'**Abhilfe** *f* (-; *no pl*) remedy: ~ *schaffen* put things right.

'**ab**|**holen** *v/t* (*sep*, -ge-, h) call for, pick up, collect: *j-n von der Bahn* ~ meet s.o. at the station; '**~horchen** *v/t* (*sep*, -ge-, h) *med.* auscultate, sound; '**~kaufen** *v/t* (*sep*, -ge-, h): *j-m et.* ~ buy s.th. from s.o.; '**~klingen** *v/i* (*irr, sep*, -ge-, sn, → **klingen**) Schmerzen: ease; Wirkung: wear off; '**~klopfen** *v/t* (*sep*, -ge-, h) *med.* tap.

'**Abkommen** *n* (-s; -) agreement (*a. pol.*): *ein* ~ *treffen* make an agreement.

'**ab**|**koppeln** ['-kɔpəln] *v/t* (*sep*, -ge-, h) uncouple (*von* from); Raumfahrt: undock; '**~kratzen** (*sep*, -ge-) **1.** *v/t* (*a.* ~ *von*) scrape off; **2.** F *v/i* (sn) sterben: kick the bucket; '**~kühlen** *v/t*,

v/i. v/refl (*sep*, -ge-, h) cool off (*od.* down) (*a. fig.*).

'**abkürz**|**en** *v/t* (*sep*, -ge-, h) Vorgang: shorten; Wort *etc*: abbreviate, shorten: *den Weg* ~ take a short cut; '**Sung** *f* (-; -en) abbreviation; short cut: *e-e* ~ *nehmen* take a short cut.

'**abladen** *v/t* (*irr, sep*, -ge-, h, → **laden**) unload; Müll: dump.

'**Ablage** *f* (-; -n) *für Akten etc*: file; *allg.* place to put s.th.

'**ablassen** *v/t* (*irr, sep*, -ge-, h, → **lassen**) Wasser: drain off; Luft: let out; Dampf: let off: *die Luft* ~ *aus* deflate.

'**Ablauf** *m* (-[e]s; ⸚e) *e-r Frist, e-s Passes etc*: expiry; *von Ereignissen*: course; '**Sen** *v/i* (*irr, sep*, -ge-, sn, **laufen**) run (*od.* drain) off; Frist, Paß *etc*: run out, expire; *verlaufen*: go; *ausgehen*: turn out.

'**ablegen** (*sep*, -ge-, h) **1.** *v/t* Kleidung: take off; Akten *etc*: file; Gewohnheit: give up; Eid, Prüfung: take; **2.** *v/i* take one's coat off; *mar.* (set) sail.

'**ablehn**|**en** *v/t* (*sep*, -ge-, h) Einladung: refuse, turn down; Angebot, Gesetzesentwurf, Vorschlag *etc*: reject; *nicht mögen*: dislike; *mißbilligen*: disapprove of: *es* ~, *et. zu tun* refuse to do s.th.; '**~end** *adj* negative; '**Sung** *f* (-; -en) refusal; rejection; disapproval.

'**ablenk**|**en** *v/t* (*sep*, -ge-, h) Verdacht *etc*: divert (*von* from): *j-n von der Arbeit* ~ distract s.o. from his work; '**Sung** *f* (-; -en) diversion (*a. Zerstreuung*); distraction.

'**ab**|**lesen** *v/t* (*irr, sep*, -ge-, h, → **lesen**) Rede: read (from notes); Instrument *etc*: read; '**~leugnen** *v/t* (*sep*, -ge-, h) deny; '**~liefern** *v/t* (*sep*, -ge-, h) deliver (*bei* to, at).

'**ablös**|**en** *v/t* (*sep*, -ge-, h) entfernen: remove, take off; Wache *etc*: relieve; Kollegen *etc*: take over from; *j-n im Amt*: replace; *sich* ~ take turns (*bei* at); '**Sung** *f* (-; -en) removal; relief; replacement.

'**abmachen** *v/t* (*sep*, -ge-, h) entfernen: remove, take off; vereinbaren: arrange, agree (on); '**Sung** *f* (-; -en) arrangement, agreement: *e-e* ~ *treffen* come to an agreement (*über acc* on).

'**abmager**|**n** *v/i* (*sep*, -ge-, sn) go thin: →

abgemagert; **'₂ungskur** f slimming diet: **e-e ~ machen** be slimming.

'abmelden (sep, -ge-, h) **1.** v/t: **sein Auto ~** take one's car off the road; **sein Telefon ~** have one's telephone disconnected; **2.** v/refl polizeilich: give notification that one is moving: **sich bei j-m ~** report to s.o. that one is leaving.

'abmess|en v/t (irr, sep, -ge-, h, → **messen**) measure; **'₂ungen** pl dimensions pl.

'abmühen v/refl (sep, -ge-, h) take great pains (**zu tun** to do); struggle (**mit** with).

'Abnahme f (-; no pl) Rückgang: decrease, decline (beide: gen in); an Gewicht: loss; tech. acceptance; econ. purchase: **bei ~ von** on orders of.

'abnehme|n (irr, sep, -ge-, h, → **nehmen**) **1.** v/t take off; teleph. Hörer: pick up; tech. Maschine etc: accept; Ware: buy (dat from); Gewicht: lose; **2.** v/i decrease, decline, diminish; an Gewicht: lose weight; teleph. answer the phone; Mond: wane; **'₂r** m (-s; -) buyer; Kunde: customer.

'Abneigung f (-; -en) dislike (**gegen** of, for), stärker: aversion (to).

'abnutz|en v/t u. v/refl (sep, -ge-, h) wear out: → **abgenutzt**; **'₂ung** f (-; no pl) wear (and tear).

Abonn|ement [abon(ə)'mã:] n (-s; -s) subscription (**auf** acc to); **~ent** [abo-'nɛnt] m (-en; -en) subscriber (gen to); **₂ieren** [abo'ni:rən] v/t (no ge-, h) subscribe to.

Abort [a'bɔrt] m (-[e]s; -e) lavatory, toilet.

'ab|putzen v/t (sep, -ge-, h) clean (up); abwischen: wipe off (od. up); **'~raten** v/i (irr, sep, -ge-, h, → **raten**): **j-m ~ von** advise (od. warn) s.o. against; **'~räumen** v/t (sep, -ge-, h) clear up (od. away); Tisch: clear; **'~reagieren** (sep, no -ge-, h) **1.** v/t: Ärger etc: work off (**an** dat on); **2.** v/refl let off steam.

'abrechn|en (sep, -ge-, h) **1.** v/t deduct (**von** from); Spesen etc: account for; **2.** v/i settle acocunts (**mit** j-m with s.o.), fig. a. get even (with s.o.); **'₂ung** f (-; -en) deduction; settlement of accounts; **'₂ungszeitraum** m accounting period.

'Abreise f (-;-n) departure (**nach** for);

'~₂n v/i (sep, -ge-, sn) leave (**nach** for); **'~tag** m day of departure.

'abreiß|en (irr, sep, -ge-, → **reißen**) **1.** v/t (h) tear (od. pull off); Gebäude: pull down, demolish; **2.** v/i (sn) Schnur etc: break; Knopf etc: come off; **'₂ka,lender** m tear-off calendar.

'abriegeln v/t (sep, -ge-, h) Tür: bolt; Straße: block, durch Polizei: cordon off.

'Abriß m (-sses; -sse) e-s Gebäudes: demolition; kurze Darstellung: brief outline (od. summary).

'ab|rufen v/t (irr, sep, -ge-, h, → **rufen**) Daten: (re)call; **'~runden** v/t (sep, -ge-, h) round off: **nach oben** (**unten**) **~** round up (down).

abrupt [ap'rupt] adj abrupt.

'abrüst|en v/t (sep, -ge-, h) mil. disarm; **'₂ung** f (-; no pl) disarmament.

'Absage f (-; -n) cancellation; Ablehnung: negative reply; **'₂n** (sep, -ge-, h) **1.** v/t cancel, call off; **2.** v/i: **j-m ~** tell s.o. not to come; tell s.o. one can't come.

'Absatz m (-es; ⸗e) Abschnitt: paragraph; econ. sales pl; Schuh₂: heel; Treppen₂: landing; **'~förderung** f sales promotion; **'~gebiet** n market(ing area).

'abschaff|en v/t (sep, -ge-, h) do away with, abolish; Gesetz: repeal; Mißstände: put an end to; **'₂ung** f (-; no pl) abolition; repeal.

'abschalten (sep, -ge-, h) **1.** v/t switch (od. turn) off; **2.** v/i F fig. switch off; sich erholen: relax.

'abschätz|en v/t (sep, -ge-, h) estimate, assess; **'~ig** adj disparaging.

'Abscheu m (-s; no pl) horror (**vor** of), disgust (for, at): **~ haben vor** detest; **₂lich** [ap'ʃɔylɪç] adj dreadful; Verbrechen: atrocious.

'ab|schicken v/t (sep, -ge-, h) → **absenden**; **'~schieben** v/t (irr, sep, -ge-, h, → **schieben**) Schuld etc: shift (**auf** acc onto); loswerden: get rid of; Ausländer: deport.

Abschied ['apʃi:t] m (-[e]s; -e) leave-taking, farewell; **~ nehmen** say goodbye (**von** to); **'~sfeier** f farewell party; **'~skuß** m goodbye kiss: **j-m e-n ~ geben** kiss s.o. goodbye.

'abschießen v/t (irr, sep, -ge-, h, →

schießen) *Waffe:* fire; *Rakete:* launch; *Flugzeug:* shoot (*od.* bring) down.

Abschlagszahlung *f* part payment.

Abschlepp|dienst *m* mot. breakdown (*Am.* towing) service; **'₂en** *v/t* (*sep*, -ge-, h) tow (off); *j-n* give s.o. a tow; **'₂seil** *n* towrope; **'₂stange** *f* tow bar; **'₂wagen** *m Br.* breakdown lorry, *Am.* wrecker, tow truck.

abschließen *v/t* (*irr, sep*, -ge-, h, → *schließen*) lock (up); *beenden:* close, end; *vollenden:* complete; *Versicherung:* take out; *Vertrag:* conclude; *Wette:* make: **e-n Handel ~** strike a bargain; → *abgeschlossen*; **'₂d 1.** *adj* concluding; *endgültig:* final; **2.** *adv:* ~ *sagte er* he wound up by saying.

Abschluß *m* (-sses, ˙sse) conclusion.

abschneiden (*irr, sep*, -ge-, h, → *schneiden*) **1.** *v/t* cut off: *j-m das Wort* ~ cut s.o. short; **2.** *v/i* take a short cut: *gut* ~ do (*od.* come off) well.

Abschnitt *m* (-[e]s, -e) *e-s Buches etc:* section, passage, paragraph; *e-r Reise etc:* stage, leg; *Zeit₂:* period; *e-r Entwicklung etc:* phase; *Kontroll₂:* stub, counterfoil.

abschrauben (*sep*, -ge-, h) unscrew.

abschreck|en *v/t* (*sep*, -ge-, h) deter (*von* from), put off; **'₂end** *adj* deterrent: *~es Beispiel* deterrent, warning; **'₂ung** *f* (-; -en) deterrence.

abschreiben *v/t* (*irr, sep*, -ge-, h, → *schreiben*) copy; *econ.* depreciate, write down; *völlig:* write off (*a. fig.*).

Abschrift *f* (-; -en) copy, duplicate.

abschürf|en *v/t* (*sep*, -ge-, h): *sich das Knie* ~ graze one's knee; **'₂ung** *f* (-; -en) graze.

Abschuß *m* (-sses, ˙sse) *e-r Rakete:* launching; *e-s Flugzeugs:* downing.

abschüssig ['apʃʏsɪç] *adj* sloping, *stärker:* steep.

ab|schütteln *v/t* (*sep*, -ge-, h) shake off (*a. fig.*); **'₂schwächen** *v/t* (*sep*, -ge-, h) *Aussage:* tone down; **'₂schweifen** *v/i* (*sep*, -ge-, sn): *vom Thema* ~ digress; **'₂schwellen** *v/i* (*irr, sep*, -ge-, sn, → *schwellen*) med. go down.

abseh|bar *adj:* **in** *~er Zeit* in the foreseeable future; **'₂en** (*irr, sep*, -ge-, h, → *sehen*) **1.** *v/t:* **es ist kein Ende abzusehen** there's no end in sight; **es abgesehen haben auf** (*acc*) be out for;

j-n: have it in for; **2.** *v/i:* ~ *von* refrain from: → *abgesehen*.

abseits ['apzaɪts] **1.** *prp:* ~ *der Straße* off the road; **2.** *adv:* ~ *stehen* stand apart; ~ *liegen* be out of the way.

absende|n *v/t* (*mst irr, sep*, -ge-, h, → *senden*) send off, dispatch; *Brief etc:* post, *bsd. Am.* mail; **'₂r** *m* (-s; -) sender, return address.

absetz|bar *adj* steuerlich: deductible; **'₂en** (*sep*, -ge-, h) **1.** *v/t Last:* set (*od.* put) down; *Brille, Hut:* take off; *Glas etc:* put down; *Fahrgast:* drop (**an** *dat*, **bei** at); *Herrscher etc:* depose; *thea.*, *Film:* take off; *Medikament:* stop taking; *steuerlich:* deduct (from tax); *econ.* sell; **2.** *v/refl chem. etc* be deposited; F make off (**nach** for); **3.** *v/i:* ohne abzusetzen in one go.

Absicht *f* (-; -en) intention: *mit* ~ on purpose; **'₂lich 1.** *adj* intentional; **2.** *adv* on purpose.

absitzen *v/t* (*irr, sep*, -ge-, h, → *sitzen*) *Strafe:* serve.

absolut [apzo'luːt] *adj* absolute.

absperr|en *v/t* (*sep*, -ge-, h) lock (up); *Straße:* block off, *Polizei:* cordon off; *Gas etc:* turn off; **'₂ung** *f* (-; -en) road block, cordon.

abspielen (*sep*, -ge-, h) **1.** *v/t* play; **2.** *v/refl* happen, take place.

Absprache *f* (-; -n) arrangement.

ab|sprechen (*irr, sep*, -ge-, h, → *sprechen*) **1.** *v/t* arrange; **2.** *v/refl: sich mit j-m* ~ make an arrangement with s.o.; **'₂spülen** (*sep*, -ge-, h) **1.** *v/t* rinse; *Geschirr:* wash up; **2.** *v/i* wash up, *Br. a.* do the washing-up.

abstamm|en *v/i* (*sep*, -ge-, sn): ~ *von* be descended from; **'₂ung** *f* (-; *no pl*) descent.

Abstand *m* (-[e]s, ˙e) distance; *Zwischenraum:* space; *zeitlich:* interval: ~ *halten* keep one's distance; *fig. mit* ~ by far.

ab|statten ['apʃtatən] *v/t* (*sep*, -ge-, h): *j-m e-n Besuch* ~ pay s.o. a visit; **'₂stauben** *v/t* (*sep*, -ge-, h) dust.

Abstecher *m* (-s; -) quick trip (**nach** to).

ab|stehend *adj:* ~*e Ohren* bat ears; **'₂steigen** *v/i* (*irr, sep*, -ge-, sn, → *steigen*) stay (*in e-m Hotel* at).

abstellen *v/t* (*sep*, -ge-, h) put down, leave (**bei** with); *Auto etc:* park; *Gas,*

Maschine etc: turn off; *Radio, Motor etc*: switch off; *Mißstände*: remedy; '**2raum** m storeroom, Br. a. boxroom.

'**abstimm|en** v/i (sep, -ge-, h) vote (**über** acc on); '**2ung** f (-; -en) vote; *Volks2*: referendum.

Abstinenzler [apsti'nɛntslər] m (-s; -) teetotal(l)er.

'**abstoßen** v/t (irr, sep, -ge-, h, → **stoßen**) *anwidern*: disgust, repel, revolt; '**~d** adj disgusting, repulsive, revolting.

abstrakt [ap'strakt] adj abstract.

'**ab|streiten** v/t (irr, sep, -ge-, h, → **streiten**) deny; '**~stumpfen** v/i (sep, -ge-, sn) *Person*: become insensitive (**gegen** to) → **abgestumpft**.

'**Absturz** m (-es; ⸚e) aer., *Computer*: crash.

'**ab|stürzen** v/i (sep, -ge-, sn) aer., *Computer*: crash; '**~suchen** v/t (sep, -ge-, h) search (**nach** for).

absurd [ap'zʊrt] adj absurd.

Abszeß [aps'tsɛs] m (-sses; -sse) med. abscess.

'**ab|tasten** v/t (sep, -ge-, h) feel (**nach** for); med. palpate; *nach Waffen etc*: frisk; *Computer, Radar etc*: scan; '**~tauen** v/t (sep, -ge-, h) *Kühlschrank*: defrost.

Abteil [ap'tail] n (-[e]s; -e) rail. compartment.

Ab'teilung f (-; -en) department; *e-s Krankenhauses*: ward, unit; **~sleiter** m head of a department.

'**Abtransport** m (-[e]s; -e) removal.

'**abtreib|en** v/i (irr, sep, -ge-, h, → **treiben**) med. have an abortion; '**2ung** f (-; -en) abortion.

'**ab|trennen** v/t (sep, -ge-, h) *Coupon etc*: detach; *Fläche etc*: separate; '**~trocknen** (sep, -ge-, h) **1.** v/t: **sich die Hände** ~ dry one's hands (**an** dat on); **das Geschirr** ~ dry up the dishes; **2.** v/i dry up, Br. a. do the drying-up; '**~wägen** v/t (mst irr, sep, -ge-, h, → **wägen**) weigh, consider (carefully); '**~wälzen** v/t (sep, -ge-, h) *Schuld etc*: shift (**auf** acc onto); '**~warten** (sep, -ge-, h) **1.** v/t wait for; **2.** v/i wait (and see).

abwärts ['apvɛrts] adv down, downward(s).

'**abwaschen** (irr, sep, -ge-, h, → **waschen**) **1.** v/t wash off (a. ~ **von**);

Geschirr: wash up; **2.** v/i → **abspülen** 2.

'**Abwasser** n (-s; ⸚) waste water, sewage.

'**abwechseln** v/t u. v/refl (sep, -ge-, h) *Personen*: take turns (**mit** with; **bei** with, in); '**~d** adv by turns.

'**Abwechslung** f (-; -en) change: **zur** ~ for a change; '**2sreich** adj varied; *Leben etc*: eventful.

'**Abweg** m: **auf** ~**e geraten** go astray; **2ig** ['apve:gɪç] adj absurd, unrealistic.

'**Abwehr** f (-; no pl) defen|ce, Am. -se (a. Sport): *e-s Stoßes etc*: warding off; '**2en** v/t (sep, -ge-, h) ward off; *zurückschlagen*: beat back; '**~kräfte** pl med. resistance sg; '**~stoffe** pl med. antibodies pl.

'**abweich|en** v/i (irr, sep, -ge-, sn, → **weichen**) deviate (**von** from); *vom Thema*: digress; '**2ung** f (-; -en) deviation.

'**abwerfen** v/t (sep, -ge-, h, → **werfen**) *Bomben etc*: drop; *Gewinn*: yield.

'**abwert|en** v/t (sep, -ge-, h) *Währung*: devalue; '**~end** adj *Bemerkung etc*: depreciatory; '**2ung** f devaluation.

'**abwesen|d** adj absent; '**2heit** f (-; no pl) absence.

'**ab|wickeln** v/t (sep, -ge-, h) unwind; *erledigen*: handle; *Geschäft*: transact; '**~wiegen** v/t (irr, sep, -ge-, h, → **wiegen**) weigh out; '**~wischen** v/t (sep, -ge-, h) wipe off (a. ~ **von**); '**~würgen** v/t (sep, -ge-, h) F mot. stall; *Diskussion etc*: stifle; '**~zahlen** v/t (sep, -ge-, h) pay off; *in Raten*: pay by instal(l)ments; '**~zählen** v/t (sep, -ge-, h) count.

'**Abzahlung** f: **et. auf** ~ **kaufen** buy s.th. on hire purchase (bsd. Am. on the instal[l]ment plan).

'**Abzeichen** n (-s; -) badge.

'**ab|zeichnen** (sep, -ge-, → **ziehen**). **1.** v/t (h) *Bett*: strip; *Schlüssel*: take out; *Truppen*: withdraw; math. subtract (**von** from), econ. deduct (from); **2.** v/i (sn) *Rauch*: escape.

'**Abzug** m (-[e]s; ⸚e) mil. withdrawal; econ. deduction, *Skonto*: discount; *Kopie*: copy; phot. print; *e-r Waffe*: trigger; tech. outlet.

abzüglich ['aptsy:klɪç] prp less, minus.

'**abzweig|en** v/i (sep, -ge-, sn) branch off; '**2ung** f (-; -en) turn-off; *Gabelung*: fork.

Achse ['aksə] f (-; -n) tech. axle.

Achsel ['aksəl] f (-; -n) shoulder: **die** ~**n**

zucken shrug one's shoulders; **'~höhle** f armpit.

acht [axt] adj eight: **in ~ Tagen** in a week('s time); **heute in ~ Tagen** today week; **vor ~ Tagen** a week ago.

Acht [~] f: **außer ♀ lassen** disregard, ignore; **sich in ♀ nehmen** be careful, watch out (**vor** dat for), be on one's guard (against).

'**acht|e** adj eighth: **am ~n Mai** on the eighth of May, on May the eighth; '**~eckig** adj octagonal; '♀**el** n (-s; -) eighth (part).

achten ['axtən] (h) **1.** v/t j-n: respect; **2.** v/i: ~ **auf** (acc) pay attention to, mind; aufpassen auf: watch, keep an eye on; Ausschau halten nach: watch out for; **darauf ~, daß** it is that.

'**Achterbahn** f roller coaster.

'**achtfach** adj u. adv eightfold.

'**achtgeben** v/i (irr, sep, -ge-, h, → **geben**) be careful: ~ **auf** (acc) pay attention to, mind; aufpassen auf: watch, keep an eye on; **gib acht!** look out!, (be) careful!

'**achtlos** adj careless.

'**Achtung** f (-; no pl) respect (**vor** dat for): **~!** look out!; **~ Stufe!** mind the step!

'**acht|zehn** adj eighteen; **~zig** ['axtsıç] adj eighty: **die ~er Jahre** the eighties.

ächzen ['ɛçtsən] v/i (h) groan (**vor** dat with).

Acker ['akər] m (-s; ⸚) field; '**~bau** m (-[e]s; no pl) agriculture.

Adapter [a'daptər] m (-s; -) electr. adapter.

addieren [a'di:rən] v/t (no ge- h) add (up).

Adel ['a:dəl] m (-s; no pl) aristocracy, nobility.

Ader ['a:dər] f (-; -n) anat. blood vessel, Vene: vein, Arterie: artery.

adieu [a'diø:] int. goodbye.

adoptieren [adɔp'ti:rən] v/t (no ge-, h) adopt.

Adoptiv|eltern [adɔp'ti:f~] pl adoptive parents pl; **~kind** n adopted child.

Adresse [a'drɛsə] f (-; -n) address; **~n-änderung** f change of address; **~nver-zeichnis** n mailing list.

adressier|en [adrɛ'si:rən] v/t (no ge- h) address (**an** acc to); ♀**ma,schine** f addressing machine.

Affäre [a'fɛ:rə] f (-; -n) affair.

Affe ['afə] m (-n; -n) zo. monkey, Menschen♀: ape.

Affekt [a'fɛkt] m: **im ~** in the heat of the moment; ♀**iert** [afɛk'ti:rt] adj affected.

Afrikan|er [afri'ka:nər] m (-s; -), ♀**isch** adj African.

After ['aftər] m (-s; -) anat. anus.

Agent [a'gɛnt] m (-en; -en) agent; **~ur** [agɛn'tu:r] f (-; -en) agency.

Aggress|ion [agrɛ'sĭo:n] f (-; -en) aggression; ♀**iv** [~'si:f] adj aggressive; **~i-vität** [~sivi'tɛ:t] f (-; no pl) aggressiveness.

Agrar|land [a'gra:r~] n agrarian country; **~markt** m agricultural market; **~poli,tik** f agrarian policy.

aha [a'ha:] int I see.

ähneln ['ɛ:nəln] v/i (h) resemble, look like.

ahnen ['a:nən] v/t (h) foresee; vermuten: suspect.

ähnlich ['ɛ:nlıç] adj similar (dat to): **j-m ~ sehen** look like s.o.; **das sieht ihm ~** that's him all over; '♀**keit** f (-; -en) likeness (**mit** to), resemblance (to), similarity (with).

'**Ahnung** f (-; -en) presentiment; Vermutung: suspicion: **keine ~!** no idea.

Aids [eɪds] n (-; no pl) med. AIDS, Aids; '♀**beratung** f AIDS advice cent|re (Am. -er); '♀**krank** adj suffering from AIDS; '**~kranke** m AIDS sufferer (od. victim); '**~test** m AIDS test.

Akademi|e [akade'mi:] f (-; -n) academy; **~ker** [~'de:mikər] m (-s; -) university man; ♀**sch** [~'de:mıʃ] adj academic: **~e Bildung** university education.

akklimatisieren [aklimati'zi:rən] v/refl (no ge-, h) get acclimatized (**an** acc to).

Akkord [a'kɔrt] m (-[e]s; -e) mus. chord: **im ~ arbeiten** econ. do piecework; **~ar-beit** f piecework; **~arbeiter** m piece-worker; **~lohn** m piecework wages pl.

Akku ['aku] m (-s; -s) F, **~mulator** [akumu'la:tər] m (-s; -en [~'to:rən]) tech. accumulator.

Akne ['aknə] f (-;-n) med. acne.

Akrobat [akro'ba:t] m (-en; -en) acrobat; ♀**isch** adj acrobatic.

Akt [akt] m (-[e]s; -e) act (a. thea.).

Akte ['aktə] f (-; -n) file, record: **zu den ~n legen** file, fig. shelve; '**~koffer** m attaché case; '**~nmappe** f folder; Aktentasche: briefcase; '**~nno,tiz** f memo

(-*randum*); '**~nordner** *m* file; '**~n-schrank** *m* filing cabinet; '**~ntasche** *f* briefcase; '**~nzeichen** *n* file number; *auf Brief*: reference.

Aktie ['aktsiə] *f* (-; -n) *econ.* share, *Am.* stock; '**~ngesellschaft** *f Br.* joint--stock company, *Am.* (stock) corporation; '**~nkurse** *pl* share (*Am.* stock) prices *pl*; '**~nmarkt** *m* stock market; '**~nmehrheit** *f* majority holding.

Aktion [ak'tsjoːn] *f* (-; -en) *Maßnahmen*: measures *pl*; *Werbe*2 *etc*: campaign, drive; *Rettungs*2 *etc*: operation.

Aktionär [aktsjo'nɛːr] *m* (-s; -e) shareholder, *Am.* stockholder.

aktiv [ak'tiːf] *adj* active.

aktuell [ak'tʊɛl] *adj Zahlen etc*: up-to--date; *Themen etc*: topical: **die Frage ist im Moment nicht ~** the question is of no interest at the moment.

Akusti|k [a'kʊstɪk] *f* (-; *no pl*) *e-s Raums*: acoustics *pl*; **2sch** *adj* acoustic.

akut [a'kuːt] *adj med.* acute, *fig. a.* pressing.

Akzent [ak'tsɛnt] *m* (-[e]s; -e) accent; *Betonung: a.* stress (*a. fig.*).

akzept|abel [aktsɛp'taːbəl] *adj* acceptable (**für** to); **~ieren** [~'tiːrən] *v/t* (*no ge-* h) accept.

Alarm [a'larm] *m* (-[e]s; -e) alarm: **~ schlagen** sound the alarm; **2anlage** *f* alarm system; **2ieren** [alar'miːrən] *v/t* (*no ge-*, h) *Polizei etc*: call; *beunruhigen*: alarm.

albern ['albərn] *adj* silly.

Album ['albʊm] *n* (-s; Alben) album.

Alibi [a'liːbi] *n* (-s; -s) *jur.* alibi.

Alimente [ali'mɛntə] *pl* maintenance *sg*.

Alkohol ['alkohoːl] *m* (-[e]s; -e) alcohol; **2frei** *adj* nonalcoholic, soft; **~iker** [~'hoːlikar] *m* (-s; -) alcoholic; **2isch** [~'hoːlɪʃ] *adj* alcoholic; **~ismus** [~ho-'lɪsmʊs] *m* (-; *no pl*) alcoholism; '**~test** *m mot.* breathalyser test.

all [al] *indef pron* all, *jeder*: every: **~e beide** both of them; **~e drei** all three (of them); **wir ~e** all of us; **fast ~e** almost everyone; **~e drei Tage** every three days; → **alles**.

All [~] *n* (-s; *no pl*) universe; *Raum*: (outer) space.

Allee [a'leː] *f* (-; -n) avenue.

allein [a'laɪn] *adj u. adv* alone, *a. ohne Hilfe*: on one's own, by o.s.; *einsam*:

lonely: **ganz ~** all alone; **2erbe** *m* sole heir; **2erziehende** *m*, *f* (-n; -n) single parent; **2gang** *m*: **im ~** single-hand-ed(ly), solo; **~ig** *adj* sole, exclusive; **2sein** *n* (-s; *no pl*) loneliness; **~ste-hend** *adj unverheiratet*: single; *ohne Verwandte*: without dependants; *Haus*: detached; **2verdiener** *m* (-s; -) sole earner.

aller|beste ['alər'bɛstə] *adj* very best; **~dings** ['~'dɪŋs] *adv* however; '**~'erste** *adj* very first.

Allerg|ie [alɛr'giː] *f* (-; -n) *med.* allergy (**gegen** to); **2isch** [a'lɛrgɪʃ] *adj* allergic (**gegen** to) (*a. fig.*).

'Aller|'heiligen *n* (-; *no pl*) All Saints' Day; **2lei** ['~'laɪ] *adj* all kinds (*od.* sorts) of; '**2letzte** *adj* very last; '**2meist 1.** *adj* most; **2.** *adv*: **am ~en** most of all; '**2nächste** *adj*: **in ~er Zeit** very soon; '**2neu(e)ste** *adj* very latest; '**~seelen** *n* (-; *no pl*) All Souls' Day; '**~seits** *adv*: **guten Morgen ~!** good morning everybody; '**2wenigst 1.** *adj* least ... of all; **2.** *adv*: **am ~en** least of all.

alles *indef pron* everything: **~ in allem** all in all; **auf ~ gefaßt sein** be prepared for the worst; → **alle**, **Mädchen**.

allge'mein 1. *adj* general: **im ~en** → 2; **2.** *adv* generally, in general; **2arzt** *m* general practitioner; **2bildung** *f* general education; **2heit** *f* (-; *no pl*) general public; **~verständlich** *adj* comprehensible; **2wissen** *n* general knowledge.

All'heilmittel *n* cure-all (*a. fig.*).

'**all|'jährlich** *adj* yearly, annual(ly *adv*), *adv a.* every year; '**~mählich** [al'mɛːlɪç] *adj* gradual(ly *adv*).

'**Allradantrieb** *m mot.* all-wheel drive.

'**all|'täglich** *adj* daily; *fig.* everyday; *durchschnittlich*: ordinary; '**2'wissend** *adj* omniscient; '**2zu** *adv* far (*od.* much) too: **nicht ~** not too; '**2zu'viel** *adv* too much.

Alphabet [alfa'beːt] *n* (-[e]s; -e) alphabet; **2isch** *adj* alphabetical.

'**Alptraum** ['alp~] *m* nightmare (*a. fig.*).

als [als] *cj* as; *nach comp*: than; *zeitlich*: when, *während*: while: **~ ob** as if (*od.* though); **alles andere ~** anything but.

also ['alzo] *cj* so: **~ gut!** all right (*Am.* alright) (then); **na ~!** what did I say?

alt [alt] *adj* old; *geschichtlich: a.* ancient:

ein fünf Jahre ~er Junge a five-year-old boy; **~ werden** → **altern.**

Alt [~] m (-s; *no pl*) *mus.* alto.

Altar [al'taːr] m (-[e]s; -e) altar.

Altenheim ['altən~] n old people's home.

Alter ['altər] n (-s; *no pl*) age: **hohes**: old age: **im ~ von** at the age of.

älter ['ɛltər] *adj* older: **mein ~er Bruder** my elder brother; **ein ~er Herr** an elderly gentleman.

altern ['altərn] v/i (sn) grow old, age.

alternativ [altɛrna'tiːf] *adj* alternative; **²e** [~'tiːvə] f (-; -n) alternative (**zu** to); **²ener,gie** f alternative energy.

'Alters,grenze f age limit; *Rentenalter*: retirement age; **'~heim** n old people's home; **'~rente** f old-age pension; **'~schwäche** f: **an ~ sterben** die of old age; **'~versorgung** f old-age pension (scheme).

'Altertum n (-s; -tümer) antiquity.

'alt,klug *adj* precocious; **²me,tall** n scrap metal; **'~modisch** *adj* old-fashioned; **²öl** n used oil; **²pa,pier** n used paper.

'Altstadt f old part of the town; **'~sa-nierung** f inner city redevelopment.

Alu,folie ['aluˈ] f tinfoil; **~minium** [alu-'miːniɔm] n (-s; *no pl*) aluminium, *Am.* aluminum.

am [am] (= **an dem**) *prp*: **~ Fenster** at the window; **~ Anfang, Morgen** *etc.*

Amateur [ama'tøːr] m (-s; -e) amateur; **~funker** m radio ham.

ambulant [ambu'lant] **1.** *adj*: **~e Be-handlung** outpatient treatment; **2.** *adv*: **~ behandelt werden** get outpatient treatment; **²z** [~'lants] f (-; -en) *Klinik*: outpatients' department; *Krankenwa-gen*: ambulance.

Ameise ['aːmaɪzə] f (-; -n) *zo.* ant; **'~n-haufen** m anthill.

Amerikan,er [ameri'kaːnər] m (-s; -), **²isch** *adj* American.

Amnestie [amnɛs'tiː] f (-; -n) amnesty; **²ren** [~'tiːrən] v/t (*no ge-*, h) grant an amnesty to.

Amok ['aːmɔk] m: **~ laufen** run amok.

Ampel ['ampəl] f (-; -n) *mot. Br.* (traffic) lights, *pl Am.* (traffic) light, stoplight.

Ampulle [am'pulə] f (-; -n) ampoule.

Amput,ation [amputa'tsɪoːn] f (-; -en) *med.* amputation; **²ieren** [~'tiːrən] v/t (*no ge-*, h) amputate.

Amsel ['amzəl] f (-; -n) *zo.* blackbird.

Amt [amt] n (-es; ⸚er) *Dienststelle*: office, department; *Posten*: post; *Aufgabe*: duty, function; *teleph.* exchange; **²lich** *adj* official.

'Amts,arzt m public health officer; **'~ge-schäfte** *pl* official business *sg*; **'~zei-chen** n *teleph.* dialling (*Am.* dial) tone; **'~zeit** f term (of office).

Amulett [amu'lɛt] n (-[e]s; -e) amulet, (lucky) charm.

amüs,ant [amy'zant] *adj unterhaltsam*: entertaining; *lustig*: amusing; **~ieren** [~'ziːrən] (*no ge-*, h) **1.** v/refl enjoy o.s., have a good time: **sich ~ über** (*acc*) be amused at; **2.** v/t amuse, entertain.

an [an] **1.** *prp* (*dat*) örtlich: at, on; örtlich: at, on: **~ e-m Sonntagmorgen** on a Sunday morning; **~ der Themse** on the Thames; **~ der Wand** on the wall; **~ der Grenze** at the border; → **erkennen, Stelle** *etc*; **2.** *prp* (*acc*) to, for; at, against: **~ ihn e-n Brief ~** write a letter for me; → **klopfen** *etc*; **3.** *adv*: **von ... ~** from ... (on[wards]); **von nun ~** from now on; **das Gas ist ~** the gas is on; **~ aus**: on - off; **München 13.55** arrival Munich 13.55; **~ die 100 Mark** about 100 marks.

Analphabet [analfa'beːt] m (-en; -en) il-literate (person).

Analys,e [ana'lyːzə] f (-; -n) analysis; **²ieren** [~ly'ziːrən] v/t (*no ge-*, h) analy|se, *Am.* -ze.

Ananas ['ananas] f (-; -[se]) pineapple.

Anarchie [anar'çiː] f (-; -n) anarchy.

anatomisch [ana'toːmɪʃ] *adj* anatomi-cal.

'Anbau¹ m (-[e]s; *no pl*) *agr.* cultivation.

'Anbau² m (-[e]s; -ten) *arch. bsd. Br.* an-nexe, *bsd. Am.* annex.

'anbauen v/t (*sep*, -ge-, h) *agr.* cultivate, grow; **²möbel** *pl* sectional (*od.* unit) furniture *sg*.

an'bei *adv: econ.* **~ senden wir Ihnen ...** enclosed please find ...

'Anbetracht: in ~ (dessen, daß) consid-ering (that).

'anbieten v/t (*irr, sep*, -ge-, h, → **bieten**) offer; **²r** [~'laɪts] m (-s; -) (potential) seller.

'Anblick m ([e]s; -e) sight.

'an|blinken v/t (*sep*, -ge-, h): **j-n ~** *mot.* flash s.o., flash one's lights at s.o.; **'~brechen** (*irr, sep*, -ge-, → **brechen**)

1. v/t (h) Vorräte: break into, Dose, Packung etc: start on, a. Flasche: open; **2.** v/i (sn) begin; Tag: dawn, Nacht: fall; '**~brennen** v/i (irr, sep, -ge-, sn, → **brennen**) (a. ~ **lassen**) burn; '**~brüllen** v/t (sep, -ge-, h) v/t bawl at.

'**Andenken** n (-s; -) keepsake; Reise♀: souvenir (beide: **an** acc of): **zum ~ an** in memory of.

ander ['andər] **1.** adj other, verschieden: different: **ein ~es Buch** another book: **am ~n Tag** the next day; **2.** indef pron: **ein ~er**, **e-e ~e** someone else; **die ~n** the others; **alles ~e** everything else; → **als.**

'**anderer'seits** adv on the other hand.

ändern ['ɛndərn] (h) **1.** v/t change, a. Kleidung: alter: **ich kann es nicht ~** I can't help it; **2.** v/refl change.

'**anders** adv different(ly): **j-d ~** somebody else; **~ werden** change; → **überlegen¹**; '**~her,um** adv the other way round.

anderthalb ['andərt'~] adj one and a half: **~ Tage** a day and a half.

'**Änderung** f (-; -en) change, a. an Kleidung: alteration.

'**andeuten** v/t (sep, -ge-, h) zu verstehen geben: hint, suggest (**daß** that); hinweisen auf: hint at, suggest; '**~ung** f (-; -en) hint, suggestion.

'**Andrang** m (-[e]s; no pl) crush.

'**an|drehen** v/t (sep, -ge-, h) Gas etc: turn on, Licht etc: a. switch on; '**~drohen** v/t (sep, -ge-, h): **~ j-m et. ~** threaten s.o. with s.th.; '**~ekeln** v/t (sep, -ge-, h) Essen etc: make s.o. feel sick, Benehmen, Person etc: make s.o. sick.

'**anerkannt** adj recognized, accepted.

'**anerkenn|en** v/t (irr, sep, no -ge- h, → **kennen**) acknowledge, a. pol. recognize (**als** as); Anspruch: allow; '**~end** adj: **~e Worte** words of praise; '**♀ung** f (-; no pl) acknowledge(ment), recognition: **in ~** (gen) in recognition of.

'**anfahren** (irr, sep, -ge-, → **fahren**) **1.** v/i (sn) start; **2.** v/t (h) run into, hit.

'**Anfall** m (-[e]s; ~e) med. attack, epileptischer, a. Wut♀ etc: fit.

'**anfällig** adj susceptible (**für** to); Gesundheit: delicate.

'**Anfang** m (-[e]s; ~e) beginning, start: **am ~** at (od. in) the beginning; **von ~ an** (right) from the beginning (od. start); **~**

Mai early in May; **er ist ~ 20** he is in his early twenties; '**♀en** v/t u. v/i (irr, sep, -ge-, h, → **fangen**) start, begin (begin: **mit** with; **zu tun** to do, doing).

Anfänger ['anfɛŋər] m (-s; -) beginner.

'**anfangs** adv at first; '**♀buchstabe** m first (od. initial) letter: **großer** (**kleiner**) **~** capital (small) letter.

'**an|fassen** v/t (sep, -ge-, h) berühren: touch; ergreifen: take hold of; '**~fechten** v/t (irr, sep, -ge-, h, → **fechten**) contest; jur. appeal against; '**~fertigen** v/t (sep, -ge-, h) make, do, econ., tech., a. manufacture; '**~feuchten** v/t (sep, -ge-, h) moisten; '**~fliegen** v/t (irr, sep, -ge-, h, → **fliegen**) regelmäßig: fly to.

'**anforder|n** v/t (sep, -ge-, h) request, stärker: demand; '**♀ung** f (-; -en) demand (gen for): **~en** pl standard sg, demands pl; **auf ~** on request.

'**Anfrage** f (-; -en) inquiry: **auf ~** on request; '**♀n** v/i (sep, -ge-, h) inquire (**bei j-m nach et.** of s.o. about s.th.).

'**an|freunden** v/refl (sep, -ge-, h) make friends(**mit** with); '**~fühlen** v/refl (sep, -ge-, h) feel.

'**anführe|n** v/t (sep, -ge-, h) lead; nennen: state; '**♀r** m (-s; -) leader; Rädelsführer: ringleader.

'**Angabe** f (-; -n) statement; F Angeberei: showing off: **~n** pl information sg; **~n zur Person** personal data.

'**angebe|n** (irr, sep, -ge-, h, → **geben**) **1.** v/t Grund, Namen etc: give; erklären: declare (a. Zollware); festlegen: set; **2.** v/i F show off (**mit** [with]); '**♀r** m (-s; -) F show-off; '**♀rei** f (-; -en) F showing-off.

angeblich ['ange:plɪç] **1.** adj alleged, supposed; **2.** adv: **~ ist er ...** he's supposed to be ...

'**angeboren** adj innate, inborn; med. congenital.

'**Angebot** n (-[e]s; -e) offer: **~ und Nachfrage** supply and demand.

'**angehen** (irr, sep, -ge-, sn, → **gehen**) **1.** v/i Licht etc: go on; F anfangen: start; **2.** v/t (a. h): **j-n ~** concern s.o.; **das geht dich nichts an** that is none of your business.

'**angehör|en** v/i (sep, pp angehört, h) belong to; '**♀ige** m, f (-n; -n) relative; Mitglied: member; **die nächsten ~n** pl the next of kin pl.

Angeklagte ['angəklaːktə] *m, f* (-n; -n) *jur.* defendant.

'**Angelegenheit** *f* (-; -en) matter, affair.

'**ange|lehnt** ['angələ:nt] *adj Tür etc*: ajar; '**~lernt** *adj Arbeiter*: semi-skilled; **~nehm** ['~neːm] *adj* pleasant, agreeable: *das* 2*e mit dem Nützlichen verbinden* combine business with pleasure; '**~sehen** *adj* respected; '**~sichts** *prp* in view of.

Angestellte ['angəʃtɛltə] *m, f* (-n; -n) (salaried) employee; '**~nversicherung** *f* (salaried) employees' insurance.

'**ange|trunken** *adj*: *in ~em Zustand* under the influence of alcohol; '**~wandt** *adj* applied: '**~wiesen** *adj*: ~ *sein auf* (*acc*) be dependent on, depend on.

'**angewöhnen** *v/t* (*sep, pp* angewöhnt, h): *sich ~, et. zu tun* get used to doing s.th.; *sich das Rauchen ~* take up smoking.

'**Angewohnheit** *f* (-; -en) habit.

Angina [aŋ'giːna] *f* (-; -nen) *med.* tonsilitis.

'**angleichen** *v/t* (*irr, sep, -ge-, h, → gleichen*) adapt, adjust (*beide: dat, an acc* to).

'**angreifen** *v/t* (*irr, sep, -ge-, h, → greifen*) attack (*a. v/i; a. fig.*); *Gesundheit*: affect; *Vorräte*: break into; '2*r m* (-s; -) attacker; *pol.* aggressor.

'**angrenzend** *adj* adjacent (*an acc* to), adjoining.

'**Angriff** *m* (-[e]s; -e) attack (*a. fig.*).

Angst [aŋst] *f* (-; ⸚e) fear (*vor dat* of): ~ *haben* be afraid (*od.* scared) (*vor dat* of); *j-m ~ einjagen* frighten (*od.* scare) s.o.

ängst|igen ['ɛŋstigən] *v/t* (h) frighten, alarm; '**~lich** *adj* schüchtern: timid; *besorgt*: anxious.

'**an|gurten** → **anschnallen**; '**~haben** *v/t* (*irr, sep, -ge-, h, → haben*) *Kleidung*: wear, *a. Brille*: have on: '**~halten** (*irr, sep, -ge-, h, → halten*) **1.** *v/t* stop: *den Atem ~* hold one's breath; **2.** *v/i* stop; *andauern*: continue, last; '**~nd** *adj* continuous; '2*r m* (-s; -) hitchhiker: *per ~ fahren* hitchhike.

'**Anhaltspunkt** *m* clue, s.th. to go by.

an'hand *prp* by means of.

Anhang ['anhaŋ] *m* (-[e]s; ⸚e) *e-s Buches*: appendix; *Angehörige*: dependents *pl*, family.

Anhänger ['anhɛŋər] *m* (-s; -) follower; *e-r Partei*: supporter, *Sport: a.* fan; *Schmuck*: pendant; *Koffer etc*: label, tag; *mot.* trailer; '**~kupplung** *f* tow bar.

'**anhäuf|en** *v/t u. v/refl* (*sep, -ge-, h*) heap up, accumulate; '2*ung f* (-; -en) accumulation.

'**anheben** *v/t* (*irr, sep, -ge-, h, → heben*) lift, raise (*a. Preis etc*).

'**Anhieb** *m*: *auf ~* at the first go.

'**anhör|en** (*sep, -ge-, h*) **1.** *v/t* (*a. sich et. ~*) listen to; **2.** *v/refl* sound; '2*ung f* (-; -en) *parl., jur.* hearing.

'**Ankauf** *m* (-[e]s; -e) purchase.

'**Anklage** *f* (-; -n) accusation, charge; '2*n v/t* (*sep, -ge-, h*) accuse (*gen od. wegen* of), charge (with).

'**Anklang** *m*: ~ *finden* go down well (*bei* with).

'**an|klopfen** *v/i* (*sep, -ge-, h*) knock; '**~knüpfen** (*sep, -ge-, h*) **1.** *v/t Gespräch*: start, strike up: *Beziehungen* ~ establish contacts (*zu* with); **2.** *v/i*: ~ *an* (*acc*) go on from; '**~kommen** (*irr, sep, -ge-, sn, → kommen*) **1.** *v/i* arrive (*in dat* at, in): *nicht ~ gegen* be no match for; **2.** *v/impers*: ~ *auf* (*acc*) depend on; *es auf et. ~ lassen* risk s.th.

'**ankündig|en** *v/t* (*sep, -ge-, h*) announce; '2*ung f*(-; -en) announcement.

Ankunft ['ankʊnft] *f* (-; *no pl*) arrival; '**~szeit** *f* arrival time.

'**an|lächeln**, '**~lachen** *v/t* (*sep, -ge-, h*) smile at.

'**Anlage** *f* (-; -n) *Anordnung*: arrangement; *Einrichtung*: facility; *Fabrik*2: plant; *Grün*2, *Sport*2: grounds *pl*; *Geld*2: investment; *zu e-m Brief*: enclosure; *Talent*: gift (*zu* for): *in der ~ senden wir Ihnen ...* enclose please find ...; '**~berater** *m* investment consultant; '**~kapi,tal** *n* invested capital.

Anlaß ['anlas] *m* (-sses; ⸚sse) *Gelegenheit*: occasion; *Ursache*: reason: *aus ~* (*gen*) → **anläßlich.**

'**anlasse|n** *v/t* (*irr, sep, -ge-, h, → lassen*) *Kleidung*: keep on; *Licht etc*: leave on; *Motor etc*: start; '2*r m* (-s; -) *mot.* starter.

anläßlich ['anlɛslɪç] *prp* on the occasion of.

'**anlaufen** (*irr, sep, -ge-, → laufen*) **1.** *v/i* (sn) *fig.* start, get under way; *be-*

schlagen: steam up; **2.** *v/t* (h) *Hafen*: call at.

'anlegen (*sep*, -ge- h) **1.** *v/t Geld*: invest (*in dat* in); *j-m e-n Verband ~* put a bandage on s.o.; **2.** *v/refl*: *sich ~ mit* start a fight (*od.* an argument) with; **'2r** *m* (-s; -) *econ.* investor.

'anlehnen (*sep*, -ge-, h) **1.** *v/t Tür etc*: leave ajar, *nicht einklinken*: close over: → **angelehnt**; **2.** *v/refl auf Stuhl etc*: lean back.

'Anleihe ['anlaiə] *f* (-; -n) *econ.* loan.

'Anleitung *f* guidance, direction; *tech.* instructions *pl.*

'Anliegen *n* (-s; -) *Bitte*: request; *e-s Buches etc*: message.

Anlieger ['anliːgər] *m* (-s; -) resident: *~ frei* residents only.

'an|machen *v/t* (*sep*, -ge-, h) *Licht etc*: switch on; *Salat*: dress; *j-n ~* chat s.o. up, *j-m sehr gefallen*: turn s.o. on; **'~malen** *v/t* (*sep*, -ge-, h) paint.

'Anmelde|formu_lar *n* registration form; **'2en** (*sep*, -ge-, h) **1.** *v/t zollpflichtige Waren*: declare; **2.** *v/refl zur Teilnahme*: enrol(l) (*zu* for); *beim Arzt etc*: make an appointment (*bei* with): *sich polizeilich ~* register (with the police); **'~ung** *f* (-; -en) enrol(l)ment; registration.

'anmerk|en *v/t* (*sep*, -ge-, h): *j-m s-e Verlegenheit ~* notice s.o.'s embarrassment; *sich nichts ~ lassen* not to show one's feelings; **'2ung** *f* (-; -en) note; *erklärende*: annotation.

'annähen *v/t* (*sep*, -ge-, h) sew on.

'annähernd *adv* roughly: *nicht ~* not nearly.

,Annahme ['ana:mə] *f* (-; -n) acceptance (*a. fig.*); *Vermutung*: assumption.

annehm|bar ['ane:mba:r] *adj* acceptable (*für* to), *Preis etc*: *a.* reasonable; **'~en** (*irr*, *sep*, -ge-, h, → **nehmen**) **1.** *v/t* accept (*a. fig.*); *Kind, Namen*: adopt; *vermuten*: assume, suppose; **2.** *v/refl*: *sich ~* (*gen*) take care of.

Annonc|e [a'nõ:sə] *f* (-; -n) ad(vertisement); **2ieren** [anõ'si:rən] (*no* ge-, h) **1.** *v/t* advertise; **2.** *v/i* place an ad(vertisement) in a newspaper.

anonym [ano'ny:m] *adj* anonymous; **2ität** [~nymi'tɛːt] *f* (-; *no pl*) anonymity.

Anorak ['anorak] *m* (-s; -s) anorak.

'anordn|en *v/t* (*sep*, -ge-, h) arrange;

befehlen: order; **'2ung** *f* (-; -en) arrangement; instruction, order.

'anpass|en (*sep*, -ge-, h) **1.** *v/t* adapt, adjust (*beide: dat od. an acc* to); **2.** *v/refl* adapt (o.s.), adjust (o.s.) (*beide: dat od. an acc* to); **'2ung** *f* (-; -en) adaptation, adjustment (*beide: an acc* to).

'anpassungsfähig *adj* adaptable; **'2keit** *f* (-; *no pl*) adaptability.

'anprobieren *v/t* (*no* ge-, h) try on.

'Anrecht *n* (-[e]s; -e): *ein ~ haben auf* (*acc*) be entitled to, have a right to.

'Anrede *f* (-; -n) address; **'2n** *v/t* (*sep*, -ge-, h) address (*als* as; *mit* with).

'anregen *v/t* (*sep*, -ge-, h) *beleben*: stimulate (*a. v/i*); *vorschlagen*: suggest; **'~end** *adj* stimulating; **'2ung** *f* (-; -en) stimulation; suggestion.

'Anreiz *m* (-es; -e) incentive.

'anrichten *v/t* (*sep*, -ge-, h) *Speisen*: prepare; *Unheil, etc*: cause; *Schaden*: do.

'Anruf *m* (-[e]s; -e) *teleph.* call; **'~beantworter** *m* (-s; -) answering machine (*od.* system); **'2en** (*irr*, *sep*, -ge-, h, → **rufen**) **1.** *v/t* call (*od.* ring) (up) (*a. v/i*); **2.** *v/i* make a call; **'~er** *m* (-s; -) caller.

Ansage ['anza:gə] *f* (-; -n) announcement; **'2n** *v/t* (*sep*, -ge-, h) announce; **'~r** *m* (-s; -) announcer.

'anschaff|en *v/t* (*sep*, -ge-, h): *sich et. ~* buy s.th., get (o.s.) s.th.; **'2ung** *f* (-; -en) purchase; *Gegenstand*: acquisition.

'anschau|en *v/t* (*sep*, -ge-, h) → **ansehen**; **'2ung** *f* (-; -en) view, opinion.

'Anschein *m* (-[e]s; *no pl*): *allem ~ nach* to all appearances; **'2end** *adv* apparently.

'Anschlag *m* (-[e]s; -e) *Plakat*: poster; *Bekanntmachung*: notice; *Überfall*: attack: *e-n ~ auf j-n verüben* make an attempt on s.o.'s life; **'~brett** *n* notice (*od.* bulletin) board.

'anschließen (*irr*, *sep*, -ge-, h, → **schließen**) **1.** *v/t tech.* connect (*an acc* to), *electr. a.* plug in; **2.** *v/refl*: *sich j-m ~* join s.o., *fig.* take s.o.'s side; **'~d 1.** *adj* ... that followed; **2.** *adv* afterwards.

'Anschluß *m* (-sses; -sse) *rail., tech. etc* connection: *im ~ an* (*acc*) after, following; *~ bekommen teleph.* get through; *~ finden* make contact (*od.* friends) (*bei* with); *~ suchen* look for company;

'**~flug** m connecting flight; '**~zug** m connecting train.

'**anschnallen** v/refl (sep, -ge-, h) aer. fasten one's seat (mot. a. safety) belt; '**2gurt** m aer. seat (mot. a. safety) belt; '**2pflicht** f (-; no pl) mot. compulsory wearing of safety (od. seat) belts.

'**anschreien** v/t (irr, sep, -ge-, h, → schreien) shout at.

'**Anschrift** f (-; -en) address; '**~enliste** f list of addresses.

'**anschwellen** v/i (irr, sep, -ge-, sn, → schwellen) swell; '**~sehen 1.** v/t (irr, sep, -ge-, h, → sehen) look at: sich et. ~ take (od. have) a look at; sich e-n Film ~ see a film; et. mit ~ watch (od. witness) s.th.; **2.** ♀ n (-s; no pl) reputation.

ansehnlich ['anze:nlɪç] adj beträchtlich: considerable.

'**ansetzen** v/t (sep, -ge-, h) Termin: fix, set.

'**Ansicht** f (-; -en) Anblick: view; Meinung: opinion (über acc of, about), view (about, on): **m-r ~ nach** in my opinion (od. view); **der ~ sein, daß** take the view that; **zur ~** econ. on approval; '**~skarte** f picture postcard; '**~ssache** f: **das ist ~** that's a matter of opinion.

'**anspielen** v/i (sep, -ge-, h): fig. ~ **auf** (acc) allude to, hint at; '**2ung** f (-; -en) allusion, hint.

'**Ansprache** f (-; -n) address, speech (beide: **an** acc to): **e-e ~ halten** deliver an address.

'**ansprechen** v/t (irr, sep, -ge-, h, → sprechen) address (**mit** as); speak to (**auf** acc about); '**~springen** v/i (irr, sep, -ge-, sn, → springen) Motor: start (up).

'**Anspruch** m (-[e]s; ⸚e) claim (**auf** acc to): **~ haben auf** be entitled to; '**2slos** adj modest; schlicht: plain; Roman etc: lowbrow; '**2svoll** adj demanding; wählerisch: particular; Roman etc: highbrow.

Anstand ['anʃtant] m (-[e]s; no pl) decency; Benehmen: manners pl.

anständig ['anʃtɛndɪç] adj decent (a. F gut).

'**anstandslos** adv unhesitatingly; ungehindert: freely.

'**anstarren** v/t (sep, -ge-, h) stare at.

an'statt 1. prp instead of; **2.** cj: ~ **zu arbeiten** instead of working.

'**anstecken** (sep, -ge-, h) med. **1.** v/t infect (**mit** with); **2.** v/refl catch the flu etc (**bei** from); '**~end** adj med. infectious, direkt: contagious; bsd. fig. a. catching; '**2nadel** f pin; Abzeichen: badge; '**2ung** f med. infection, direkte: contagion.

'**anstehen** v/i (irr, sep, -ge-, h, → stehen) queue (od. line) (up) (**nach** for); '**~steigen** v/i (irr, sep, -ge-, sn, → steigen) rise (a. fig.).

'**anstellen** (sep, -ge-, h) **1.** v/t einstellen: employ; bsd. Am. hire; Heizung etc: turn on, Radio etc: a. switch on; Motor etc: start; **2.** v/refl → anstehen; '**2ung** f (-; -en) job.

Anstieg ['anʃti:k] m (-[e]s; -e) ascent; fig. rise (gen in).

'**Anstoß** m (-es; ⸚e) Fußball: kickoff; Anregung: initiative: **den ~ geben zu** start off; ~ **erregen** cause offen¦ce (Am. -se) (**bei** to); ~ **nehmen an** (dat) take offence at; '**2en** v/i (irr, sep, -ge-, h, → stoßen) clink glasses: ~ **auf** (acc) drink to.

anstrengen ['anʃtrɛŋən] v/refl (sep, -ge-, h) make an effort, try hard; '**~end** adj hard; '**2ung** f (-; -en) strain; Bemühung: effort.

'**Anteil** m (-[e]s; -e) share (**an** dat of): ~ **nehmen an** take an interest in, mitleidig: sympathize with; '**~nahme** ['~na:mə] f (-; no pl) interest (**an** dat in); Mitgefühl: sympathy (with).

Antenne [an'tɛnə] f (-; -n) aerial, bsd. Am. antenna.

Anti..., anti... [anti] anti anti-...

Anti¦alko'holiker m teetotal(l)er; **~'babypille** f the pill; **~bi'otikum** [~bi-'o:tikʊm] n (-s; -ka) med. antibiotic.

antik [an'ti:k] adj ancient, classical; Möbel etc: antique.

Antipa'thie [antipa'ti:] f (-; -n) antipathy (**gegen** to, towards), dislike (of).

Antiquar¦iat [antikvari'a:t] n (-[e]s; -e) second-hand bookshop; **2isch** [~'kva:rɪʃ] adj u. adv second-hand.

Antiquität [antikvi'tɛ:t] f (-; -en) antique; **~enladen** antique shop.

Antrag ['antra:k] m (-[e]s; ⸚e) application (**auf** acc for): **e-n ~ stellen auf** apply for; '**~sformu¦lar** n application form; **~steller** ['~ʃtɛlɐ] m (-s; -) applicant.

'**antreiben** v/t (irr, sep, -ge-, h, → trei-

ben) tech. drive; '**~treten** *v/t (irr, sep, -ge-,* h, → **treten)** *Amt:* take up; *Erbe:* enter upon; *Reise:* set out on: → **Nachfolge.**

'**Antrieb** *m (-[e]s; -e) tech.* drive.

Antwort ['antvɔrt] *f (-; -en)* answer, reply *(beide: auf acc* to); '**2en** *v/t u. v/i (h)* answer *(j-m* s.o.; *auf acc et.* s.th.), reply (to s.o.; to s.th.).

Anwalt ['anvalt] *m (-[e]s; ⸚e)* lawyer, *Am.* attorney(-at-law); *beratender: Br.* solicitor; *plädierender: Br.* barrister, *vor Gericht:* counsel.

Anweisung ['anvaɪzʊŋ] *f (-; -en)* instruction.

'**anwend|en** *v/t (irr, sep, -ge-,* h, → **wenden)** apply *(auf acc* to); *gebrauchen:* use, make use of: → **angewandt;** '**2ung** *f (-; -en)* application; use.

anwesen|d ['anve:zənt] *adj* present *(bei* at); '**2heit** *f (-; no pl)* presence: *in ~ von (od. gen)* in the presence of.

'**Anzahl** *f (-; no pl)* number.

'**anzahl|en** *v/t (sep, -ge-,* h) *Betrag:* make a down payment of *(für* on, for); *Ware:* make a down payment on *(od.* for); '**2ung** *f (-; -en)* down payment.

'**Anzeichen** *n (-s; -)* sign, indication; *med.* symptom.

Anzeige ['antsaɪgə] *f (-; -n) Inserat:* ad(vertisement); '**2n** *v/t (sep, -ge-,* h) *Instrument:* indicate, show; *j-n, et.:* report to the police.

'**anziehen** *(irr, sep, -ge-,* h, → **ziehen) 1.** *v/t Kleidung:* put on; *Kind etc:* dress; *Schraube:* tighten; *Bremse:* apply; *fig.* attract, draw; **2.** *v/refl* dress, get dressed; '**~d** *adj* attractive.

'**Anzug** *m (-[e]s; ⸚e)* suit.

'**anzünden** *v/t (sep, -ge-,* h) *Kerze etc:* light; *Haus etc:* set fire to: *sich e-e Zigarre ~* light a cigar.

Apartment [a'partmənt] *n (-s; -s) Br.* bedsit, *Am.* efficiency apartment.

Apfel ['apfəl] *m (-s; ⸚)* apple; *~sine* [~'zi:nə] *f (-; -n)* orange.

Apotheke [apo'te:kə] *f (-; -n) Br.* chemist's (shop), *Am.* drugstore.

Apparat [apa'ra:t] *m (-[e]s; -e)* apparatus; *Gerät:* device; *radio; TV* set; *phot.* camera; *teleph.* phone: *am ~!* teleph. speaking; *am ~ bleiben* teleph. hold the line.

Appell [a'pɛl] *m (-s; -e)* appeal *(an acc*

to); *2ieren* [apɛ'li:rən] *v/i (no ge-,* h): *~ an (acc)* appeal to.

Appartement [apartə'mã:] *n (-s; -s)* → **Apartment.**

Appetit [ape'ti:t] *m (-[e]s; no pl)* appetite *(auf acc* for); *~ haben auf* feel like; *guten ~!* bon appétit; '**2lich** *adj* appetizing.

applau|dieren [aplaʊ'di:rən] *v/i (no ge-,* h) applaud; *2s* [a'plaʊs] *m (-es; no pl)* applause: → **klatschen.**

Aprikose [apri'ko:zə] *f (-; -n)* apricot.

April [a'prɪl] *m (-[s]; -e)* April: *im ~* in April.

Aquarium [a'kva:rĭʊm] *n (-s; -rien)* aquarium.

Ära ['ɛ:ra] *f (-; rare* Ären) era.

Arbeit ['arbaɪt] *f (-; -en)* work; *econ., pol.* labo(u)r; *Berufstätigkeit:* work, employment: *bei der ~* at work; *zur ~ gehen od. fahren* go to work; *sich an die ~ machen* set to work; *die ~ niederlegen* stop work; '**2en** *v/i (h)* work *(an dat* on; *bei* for); labo(u)r, run.

'**Arbeiter** *m (-s; -)* worker; *bsd. ungelernter:* labo(u)rer; '**~klasse** *f* working class(es *pl*).

'**Arbeit|geber** *m (-s; -)* employer; '**~nehmer** *m (-s; -)* employee.

'**Arbeits|amt** *n* employment office; '**~bedingungen** *pl* working conditions *pl*; '**~be,schaffungspro,gramm** *n* job creation scheme; '**~bescheinigung** *f* certificate of employment; '**~erlaubnis** *f* work permit; '**2fähig** *adj* fit for work; '**~gericht** *n* labo(u)r court, *Br.* industrial tribunal; '**~kampf** *m* labo(u)r dispute; '**~kleidung** *f* working clothes *pl*; '**~kraft** *f Fähigkeit:* capacity for work; *Person:* worker: *Arbeitskräfte pl* manpower *sg*.

'**arbeitslos** *adj* unemployed, out of work, jobless; '**2e** *m, f (-n; -n)* unemployed person: *die ~n pl* the unemployed *pl*; '**2engeld** *n* unemployment benefit; '**2enhilfe** *f* unemployment assistance; '**2enversicherung** *f* unemployment insurance; '**2igkeit** *f (-; no pl)* unemployment.

'**Arbeits|markt** *m* labo(u)r market; '**~niederlegung** *f (-; -en)* strike, walkout; '**~pause** *f* break; '**~platz** *m* place of work; *Stelle:* job; '**~suche** *f: er ist*

auf ~ he is job-hunting; '~**tag** m working day, workday; '~**teilung** f division of labo(u)r; **2unfähig** adj unfit for work; ständig: disabled; '~**unfall** m work accident; '~**weise** f working method; '~**zeit** f working hours pl; '~**zeitverkürzung** f reduction in working hours; '~**zimmer** n study.

Architekt [arçi'tɛkt] m (-en; -en) architect; **2onisch** [~'to:nıʃ] adj architectural: ~**ur** [~'tu:r] f (-; -en) architecture.

Archiv [ar'çi:f] n (-s; -e) archives pl.

Ärger ['ɛrgər] m (-s; no pl) anger; Unannehmlichkeiten: trouble; '**2lich** adj angry (**über** acc at, about s.th., with s.o.); störend: annoying; '**2n** (h) **1.** v/t annoy, make angry; **2.** v/refl be annoyed (od. angry) (**über** acc at, about s.th., with s.o.).

Arie ['a:rĭə] f (-; -n) mus. aria.

arm [arm] adj poor (**an** dat in).

Arm [~] m (-[e]s; -e) arm: fig. **j-n auf den** ~ **nehmen** pull s.o.'s leg.

Armaturen [arma'tu:rən] pl Bad etc: fittings pl; mot. etc instruments pl, controls pl; ~**brett** n mot. dashboard.

'**Armband** n (-[e]s; ⸚er) bracelet; '~**uhr** f wristwatch.

Armee [ar'me:] f (-; -n) army.

Ärmel ['ɛrməl] m (-s; -) sleeve.

ärmlich ['ɛrmlıç] adj poor (a. fig.); Kleidung: shabby.

Armut ['armu:t] f (-; no pl) poverty (a. fig. **an** dat of).

Aroma [a'ro:ma] n (-s; -men) flavo(u)r; Duft: fragrance.

arrogant [aro'gant] adj arrogant.

Arsch [arʃ] m (-es; ⸚e) ∨ arse, Am. mst ass; ~**loch** n ∨ arsehole, Am. mst asshole (a. fig.).

Art [art] f (-; -en) ~ u. Weise: way, manner; Sorte: kind, sort; Wesen: nature; biol. species: **auf die(se)** ~ (in) this way; **Geräte aller** ~ all kinds (od. sorts) of tools.

Arterie [ar'te:rĭə] f (-; -n) anat. artery.

Arznei [arts'naɪ] f (-; -en), ~**mittel** n medicine, drug (beide: **gegen** for).

Arzt [a:rtst] m (-es; ⸚e) doctor, bsd. Berufsbezeichnung: physician; '~**helferin** f (-; -nen) doctor's assistant (od. receptionist).

Ärztin ['ɛrtstın] f (-; -nen) lady doctor (od. physician).

ärztlich ['ɛrtstlıç] adj medical: → **Attest**.

As [as] n (-ses; -se) allg. ace.

Asche ['aʃə] f (-; no pl) ashes pl, -e-r Zigarette etc: ash; ~**nbecher** m ashtray.

Ascher'mittwoch m Ash Wednesday.

asozial ['azotsĭa:l] adj antisocial.

Assistent [asıs'tɛnt] m (-en; -en) assistant.

Assi'stenzarzt m Br. houseman, Am. intern.

Ast [ast] m (-es; ⸚e) branch.

Asthma ['astma] n (-s; no pl) med. asthma; ~**tiker** [~'ma:tıkər] m (-s; -) asthmatic.

Astronaut [astro'naʊt] m (-en; -en) astronaut.

ASU ['azu:] f (-; -s) → **Abgassonderuntersuchung**; '~**Pla kette** f special-emission-test badge.

Asyl [a'zy:l] n (-s; no pl) pol. asylum: **um** (**politisches**) ~ **bitten** ask for (political) asylum; ~**ant** [azy'lant] m (-en; -en) asylum-seeker; ~**antrag** m application for asylum: **e-n** ~ **stellen** apply for asylum; ~**bewerber** m → **Asylant**.

Atelier [ate'lĭe:] n (-s; -s) studio.

Atem ['a:təm] m (-s; no pl) breath: **außer** ~ **sein** be out of breath; (**tief**) ~ **holen** take a (deep) breath; → **anhalten** 1; '**2beraubend** adj breathtaking; '**2los** adj breathless (a. fig.); '~**pause** f breather; '~**zug** m breath.

Atlas ['atlas] m (-[ses]; -se, Atlanten) atlas.

atmen ['a:tmən] v/i u. v/t (h) breathe.

Atmosphäre [atmo'sfɛ:rə] f (-; -n) atmosphere (a. fig.).

'**Atmung** f (-; no pl) breathing, respiration.

Atom [a'to:m] n (-s; -e) atom.

atomar [ato'ma:r] adj atomic, nuclear.

A'tom bombe f atom(ic) bomb, A-bomb; ~**ener gie** f atomic energy; ~**kraftwerk** n nuclear power station.

Atten tat [atɛn'ta:t] n (-[e]s; -e) (attempted) assassination: **ein** ~ **auf j-n verüben** make an attempt on s.o.'s life, erfolgreich: assassinate s.o.; ~'**täter** m assassin.

Attest [a'tɛst] n (-[e]s; -e) (**ärztliches** ~ medical od. doctor's) certificate.

Attrak tion [atrak'tsĭo:n] f (-; -en) attraction; **2tiv** [~'ti:f] adj attractive.

au [aʊ] *int* ouch!

auch [aʊx] *adv* also, too, as well: *ich ~ so* am (do, *etc*) I; *ich ~ nicht* not (*od.* neither) am (do, *etc*) I.

auf [aʊf] **1.** *prp* (*dat*) on, in, at: *~ dem Tisch* on the table; *~ e-r Party* at a party; *~ Seite 10* on page 10; → *Straße etc*; **2.** *prp* (*acc*) on, in, at, to: *~ den Tisch* on the table; *~ e-e Party gehen* go to a party; → *zugehen etc*; **3.** *adv*: *~ u. ab gehen* walk up and down (*od.* to and fro).

'**auf**|**arbeiten** *v/t* (*sep*, -ge-, h) *Rückstände*: catch up on; '**~atmen** *v/i* (*sep*, -ge-, h) *fig.* heave a sigh of relief.

'**Aufbau** *m* (-[e]s; *no pl*) *e-s Gebäudes*: erection; *e-s Unternehmens etc*: foundation; *e-s Dramas etc*: structure; '**2en** *v/t* (*sep*, -ge-, h) *Gebäude*: put up; *Unternehmen etc*: found, set up.

'**auf**|**bekommen** *v/t* (*irr, sep, no* -ge-, h, → *kommen*) *Tür etc*: get open; *Knoten*: get undone; '**~bessern** *v/t* (*sep*, -ge-, h) *Gehalt*: increase; '**~bewahren** *v/t* (*sep, no* -ge-, h) keep; '**~blasen** *v/t* (*irr, sep*, -ge-, h, → *blasen*) blow up, inflate; '**~bleiben** *v/i* (*irr, sep*, -ge-, sn, → *bleiben*) stay up; '**~brechen** (*irr, sep*, -ge-, → *brechen*) **1.** *v/t* (h) break open; **2.** *v/i* (sn) leave, set off (*nach* for); '**2bruch** *m* (-[e]s; *rare* ⸚e) departure (*nach* for).

aufdringlich [ˈaʊfdrɪŋlɪç] *adj* obtrusive.

aufein'ander *adv*: *~ angewiesen sein* depend on each other; '**~folgend** *adj*: *an drei ~en Tagen* on three days running; '**~legen** *v/t* (*sep*, -ge-, h) put on top of each other.

Aufenthalt [ˈaʊfɛnthalt] *m* (-[e]s; -e) stay; *rail.* stop, *aer.* stopover: *ohne ~* nonstop; '**~serlaubnis** *f*, '**~sgenehmigung** *f* residence permit; '**~sraum** *m* *Hotel etc*: lounge.

'**auf**|**essen** *v/t* (*irr, sep*, -ge-, h, → *essen*) eat up, finish; '**~fahren** *v/i* (*irr, sep*, -ge-, sn, → *fahren*): *mot. ~ auf* (*acc*) crash into.

'**Auffahrunfall** *m mot.* rear-end collision.

'**auf**|**fallen** *v/i* (*irr, sep*, -ge-, sn, → *fallen*) attract attention, be conspicuous: *j-m ~* strike s.o.; '**~fallend**, '**~fällig** *adj* noticeable, striking, conspicuous.

'**auf**|**fangen** *v/t* (*irr, sep*, -ge-, h, → *fangen*) catch; '**2fassung** *f* (-; -en)

Meinung: opinion, view; *Deutung*: interpretation: *nach m-r ~* as I see it; *die ~ vertreten, daß* take the view that; '**~finden** *v/t* (*irr, sep*, -ge-, h, → *finden*) find.

'**auffordern** *v/t* (*sep*, -ge-, h): *j-n ~, et. zu tun* call on s.o. (*anordnend*: order s.o., *bittend*: ask s.o.) to do s.th.; '**2ung** *f* (-; -en) call; order; request.

'**auffrischen** *v/t* (*sep*, -ge-, h) *Wissen*: brush up.

'**auf**|**führ**|**en** (*sep*, -ge-, h) **1.** *v/t thea. etc* perform; **2.** *v/refl* behave; '**2ung** *f* (-; -en) *thea. etc* performance, *Film*: showing.

'**Aufgabe** *f* (-; -n) *Auftrag*: job; *Pflicht*: duty.

'**Aufgang** *m* (-[e]s; ⸚e) staircase; *ast.* rising.

'**auf**|**geben** (*irr, sep*, -ge-, h, → *geben*) **1.** *v/t Brief etc*: *Br.* post, *Am.* mail, *Telegramm*: send; *Gepäck*: *Br.* register, *Am.* check; *Anzeige*: place in the paper; *Beruf, Hoffnung*: give up: *das Rauchen ~* give up (*od.* stop) smoking; **2.** *v/i* give up (*od.* in); '**~gehen** *v/i* (*irr, sep*, -ge-, sn, → *gehen*) *sich öffnen*: open; *Knoten*: come undone; *Sonne*: rise.

'**aufge**|**hoben** *adj*: *gut ~ sein bei* be in good hands with; '**~legt** *adj*: *zu et. ~ sein* feel like (doing) s.th.; *gut (schlecht) ~* in a good (bad) mood; '**~schlossen** *adj fig.* open-minded: *~ für* open to.

'**auf**|**haben** (*irr, sep*, -ge-, h, → *haben*) **1.** *v/t Hut etc*: have on; **2.** *v/i Geschäft etc*: be open; '**~halten** (*irr, sep*, -ge-, h, → *halten*) **1.** *v/t Tür*: hold open (*j-m* for s.o.); *Augen*: keep open; *Dieb, Entwicklung etc*: stop; *Verkehr*: hold up; **2.** *v/refl* stay (*bei j-m* with s.o.); '**~hängen** *v/t* (*sep*, -ge-, h) hang (up) (*an dat* on); '**~heben** *v/t* (*irr, sep*, -ge-, h, → *heben*) *vom Boden*: pick up; *aufbewahren*: keep; *abschaffen*: abolish; *Sitzung etc*: close; '**~holen** *v/t* (*sep*, -ge-, h) *Zeit*: make up (for); *Rückstand*: catch up with (*od.* on); '**~hören** *v/i* (*sep*, -ge-, h) stop (*zu tun* doing): *hör auf!* stop it!; '**~kaufen** *v/t* (*sep*, -ge-, h) buy up; '**~klären** *v/t* (*sep*, -ge-, h) *Verbrechen, Mißverständnis etc*: clear up; *j-n*: inform (*über acc* on); '**~kleben** *v/t* (*sep*, -ge-, h) stick on; '**2kleber** *m* (-s; -)

sticker; **'~knöpfen** ['~knœpfən] v/t (sep, -ge-, h) unbutton; **'~kommen** v/i (irr, sep, -ge-, sn, → **kommen**): ~ **für** bezahlen: pay for; Kosten: pay; Schaden: compensate for; **'~laden** v/t (irr, sep, -ge-, h, → **laden**) load (**auf** acc onto); Batterie: charge.

'Auflage f (-; -n) Buch: edition; Zeitung: circulation; Bedingung: condition.

'auf|lassen v/t (irr, sep, -ge-, h, → **lassen**) F Tür etc: leave open; Hut: keep on; **'~legen** (sep, -ge-, h) **1.** v/t Schallplatte etc: put on: **den Hörer ~** ~ 2; **2.** v/i teleph. hang up.

'auflös|en v/t (sep, -ge-, h) Tablette etc, a. Parlament: dissolve; Vertrag: cancel; Firma: close down; Konto: close; Rätsel: solve; **'2ung** f (-; -en) dissolving, des Parlaments: a. dissolution; cancel(l)ation; closing (down); solution (gen to).

'aufmach|en v/t (sep, -ge-, h) open; **'2ung** f (-; -en) presentation, getup.

aufmerksam ['aufmɛrkza:m] adj attentive; zuvorkommend: thoughtful: **j-n ~ machen auf** (acc) call (od. draw) s.o.'s attention to; **~ werden auf** (acc) become aware of; **'2keit** f (-; no pl) attention.

'aufmuntern v/t (sep, -ge-, h) ermuntern: encourage; aufheitern: cheer up.

Aufnahme ['aufna:mə] f (-; -n) e-r Tätigkeit: taking up; Unterbringung: accommodation, von Asylanten: taking up; e-s Kredits: taking out; Empfang: reception; phot.: picture, photo; auf Band, Schallplatte: recording: **~ in e-n Verein etc** admission to; **'~gebühr** f admission fee.

'auf|nehmen v/t (irr, sep, -ge-, h, → **nehmen**) Tätigkeit: take up; unterbringen: accommodate, Asylanten: take up; Kredit: take out; empfangen: receive (a. Nachricht etc); phot. take a picture (od. photo) of; auf Band, Schallplatte: record: **in e-n Verein etc** ~ admit to; **'~passen** v/i (sep, -ge-, h) aufmerksam sein: pay attention; vorsichtig sein: take care; **~ auf** (acc) take care of, look after; im Auge behalten: keep an eye on; **paß auf!** look (od. watch) out!; **'2preis** m (-es; -e) extra charge: **gegen ~** for an extra charge; **'~räumen** v/t (sep, -ge-, h) Zimmer etc:

tidy up; Sachen: tidy (od. put) away.

'aufreg|en (sep, -ge- h) **1.** v/t excite; beunruhigen: worry, stärker: ärgern: annoy; **2.** v/refl get worked up (**über** acc about); **'~end** adj exciting; upsetting; **'2ung** f (-; -en) excitement.

'aufreißen v/t (irr, sep, -ge-, h, → **reißen**) tear open; Tür: fling open.

'aufrichtig adj sincere; ehrlich: honest; **'2keit** f (-; no pl) sincerity; honesty.

'Aufruf m (-[e]s; -e) öffentlicher: appeal (**zu** for); **'2en** v/i (irr, sep, -ge-, h, → **rufen**): ~ **zu** appeal for.

'Aufrüstung f (-; -en) mil. (re)armament.

'auf|schieben (irr, sep, -ge-, h, → **schieben**) postpone, put off (**auf** acc, **bis** till); **'~schließen** v/t (irr, sep, -ge-, h, → **schließen**) unlock, open.

'Aufschnitt m (-[e]s, no pl) cold cuts pl.

'aufschreiben v/t (irr, sep, -ge-, h, → **schreiben**) write down.

'Aufschrift f (-; -en) Etikett: label; Inschrift: inscription.

'Aufschwung m (-[e]s; no pl) econ. recovery, upswing.

'Aufsehen n (-s; no pl): ~ **erregen** attract attention; stärker: cause a sensation; **'2erregend** adj sensational.

'auf|sein (irr, sep, -ge-, sn, → **sein**) F be up; offen sein: be open; **'~setzen** v/t (sep, -ge-, h) Hut etc: put on; Vertrag etc: draft; **'~spannen** v/t (sep, -ge-, h) Schirm: put up; **'~sperren** v/t (sep, -ge-, h) unlock, open.

'Aufstand m (-[e]s; ⁀e) revolt, rebellion.

'auf|stehen v/i (irr, sep, -ge-, sn, → **stehen**) get up; **'~stellen** v/t (sep, -ge-, h) set up; Wachen: post; Rekord: set; Kandidaten: put forward; Liste etc: draw up.

Aufstieg ['aufʃti:k] m (-[e]s; -e) fig. rise; **'~schancen** pl promotion prospects pl.

'aufsuchen v/t (sep, -ge-, h) Arzt: (go and) see.

'Auftakt m fig. prelude (**zu** to).

'auf|tanken v/t u. v/i (sep, -ge-, h) mot. fill up; **'~tauchen** v/i (sep, -ge-, sn) erscheinen: turn up; **'~tauen** v/t (sep, -ge-, h) Tiefkühlkost: defrost; **'~teilen** v/t (sep, -ge-, h) divide (up); verteilen: distribute (**unter** acc among).

Auftrag ['auftra:k] m (-[e]s; ⁀e) econ. order: **im ~ von** on behalf of; **'~geber** m (-s; -) customer, client; **'~sbestä-**

tigung f confirmation (*vom Verkäufer*: acknowledge[e]ment) of order.

'**auf|wachen** v/i (*sep*, -ge-, sn) wake up; '**∼wachsen** v/i (*irr sep*, -ge-, sn, → **wachsen**) grow up.

Aufwand [ˈaʊfvant] m (-[e]s; *no pl*) expenditure (**an** *dat* of), *Geld*: a. expense.

'**auf|wecken** v/t (*sep*, -ge-, h) wake (up); '**∼wenden** v/t (*irr, sep*, -ge-, h, → **wenden**) spend (**für** on).

'**aufwert|en** v/t (*sep*, -ge-, h) *econ.* revalue; *fig.* upgrade; '**2ung** f (-; -en) *econ.* revaluation; *fig.* upgrading.

'**auf|wirbeln** v/t (*sep*, -ge-, h): *fig.* **viel Staub** ∼ cause quite a stir; '**∼wischen** v/t (*sep*, -ge-, h) wipe up.

'**aufzähl|en** v/t (*sep*, -ge-, h) enumerate; '**2ung** f (-; -en) enumeration.

'**Aufzeichnung** f (-; -en) *Rundfunk, TV*: recording; *∼en pl Notizen*: notes *pl*.

'**Aufzug** m (-[e]s; *∸*e) *Br.* lift, *Am.* elevator; *fig. contp.* outfit.

'**aufzwingen** v/t (*irr, sep*, -ge-, h, → **zwingen**): *j-m et.* ∼ force s.th. on s.o.

'**Augapfel** m *anat.* eyeball.

Auge [ˈaʊɡə] n (-s; -n) *anat.* eye: *unter vier ∼n* in private; *ein ∼ zudrücken* turn a blind eye (**bei** to).

'**Augen|arzt** m, '**∼ärztin** f eye specialist; '**∼blick** m (-[e]s; -e) moment: (**e-n**) ∼! one moment (*od.* just a minute), please; *im letzten ∼* just in time; '**2blicklich 1.** *adj gegenwärtig*: present; *sofortig*: immediate; *vorübergehend*: momentary; **2.** *adv* at present, at the moment; *immediately*; '**∼braue** f eyebrow; '**∼brauenstift** m eyebrow pencil; '**∼lid** n eyelid.

August [aʊˈɡʊst] m (-[e]s; -e) August: *im ∼* in August.

Auktion [aʊkˈtsi̯oːn] f (-; -en) auction; **∼shaus** n auctioneers *pl*.

Au-pair-Mädchen [oˈpɛːr∼] n au pair (girl).

aus [aʊs] **1.** *prp* out of; from; of: ∼ **Berlin** from Berlin; ∼ **dem Fenster** out of (*Am. a.* out) the window; ∼ **Holz** (made) of wood; → **Mitleid, Spaß, Versehen** *etc*; **2.** *adv*: **von mir** ∼ I don't mind; → **an 3, ein 3.**

'**aus|arbeiten** v/t (*sep*, -ge-, h) *Plan etc*: draw up; *vervollkommnen*: complete; *Schriftliches*: finish; '**∼atmen** v/t u. v/i (*sep*, -ge-, h) breathe out.

'**Ausbau** m (-[e]s; *no pl*) extension, con-

version; removal; '**2en** v/t (*sep*, -ge-, h) *arch.* extend, *Dachgeschoß etc*: convert; *tech.* remove.

'**ausbesser|n** v/t (*sep*, -ge-, h) mend, repair; '**2ung** f (-; -en) repair.

'**Ausbildung** f (-; -en) training; *akademische*: education.

'**Ausblick** m (-[e]s; -e) view (**auf** *acc* of).

'**aus|brechen** v/i (*irr, sep*, -ge-, sn, → **brechen**) *Feuer, Krankheit, Krieg etc*: break out; *Vulkan*: erupt: *in Tränen ∼* burst into tears; '**∼breiten** v/t (*sep*, -ge-, h) spread (out).

'**Ausbruch** m (-[e]s; *∸*e) *e-s Feuers, e-r Krankheit, e-s Kriegs etc*: outbreak; *e-s Vulkans*: eruption.

'**ausdrehen** v/t (*sep*, -ge-, h) *Gas etc*: turn off, *Licht etc*: a. switch off.

'**Ausdruck**[1] m (-[e]s; *∸*e) expression (*a. Gesichts∼*), *Wort*: word, term.

'**Ausdruck**[2] m (-[e]s; -e) *Computer*: printout; '**2en** v/t (*sep*, -ge-, h) print out.

'**ausdrück|en** v/t (*sep*, -ge-, h) *Zigarette*: stub out; *äußern, zeigen*: express; '**∼lich** *adj* express, explicit.

ausein'ander *adv* apart; **∼gehen** v/i (*irr, sep*, -ge-, sn, → **gehen**) *Menge*: break up, disperse; *Meinungen*: be divided (**über** *acc* on); **∼nehmen** v/t (*irr, sep*, -ge-, h, → **nehmen**) take apart; **∼setzen** (*sep*, -ge-, h) **1.** v/t *erklären*: explain (*dat* to); **2.** v/refl grapple (*mit* with *s.th.*); argue (with *s.o.*); **2setzung** f (-; -en) *Streit*: argument.

'**Ausfahrt** f (-; -en) *mot.* exit: ∼ **freihalten!** (exit,) keep clear.

'**Ausfall** m (-[e]s; *∸*e) *Absage*: cancel(l)ation; *tech.* breakdown, failure; '**2en** v/i (*irr, sep*, -ge-, sn, → **fallen**) fall out; *nicht stattfinden*: be cancel(l)ed, be called off; *tech.* break down: ∼ **lassen** cancel, call off; *gut (schlecht)* ∼ turn out well (badly).

'**Ausfertigung** [ˈaʊsfɛrtɪɡʊŋ] f (-; -en) (certified) copy: *in doppelter (dreifacher)* ∼ in duplicate (triplicate).

'**ausfindig** *adj*: ∼ **machen** find; *aufspüren*: trace.

'**ausflippen** [ˈaʊsflɪpən] v/i (*sep*, -ge-, sn) F freak out.

'**Ausflucht** f (-; *∸*e): *Ausflüchte machen* make excuses.

'**Ausflug** m: *e-n ∼ machen* go on a trip (*od.* an excursion, an outing).

'**Ausfuhr** f (-; -en) *econ.* export; *Ausgeführtes:* exports *pl.*

'**ausführen** v/t (*sep*, -ge-, h) *econ.* export; *Plan etc:* carry out.

'**Ausfuhrgenehmigung** f *econ.* export licen|ce (*Am.* -se).

ausführlich ['aʊsfyːrlɪç] **1.** *adj* detailed; **2.** *adv* in detail.

'**Ausführung** f (-; -en) *e-s Plans etc:* carrying out; *Typ:* version; *Qualität:* workmanship, quality.

'**Ausfuhrzoll** m *econ.* export duty.

'**ausfüllen** v/t (*sep*, -ge-, h) *Formular:* fill in (*bsd. Am.* out), complete.

'**Ausgaben** *pl* expenditure *sg; Unkosten:* cost *sg.*

'**Ausgang** m exit, way out; *am Flughafen:* (departure) gate; *Ergebnis:* outcome, result.

'**ausgeben** v/t (*irr, sep*, -ge-, h, → **geben**) *Geld:* spend (**für** on).

'**ausge|bildet** *adj* trained; *mst akademisch:* qualified; '**~bucht** *adj* booked out; '**~fallen** *adj* unusual.

'**ausgehen** v/i (*irr, sep*, -ge-, sn, → **gehen**) go out; *enden:* end; *Geld:* run out: **ihm ging das Geld aus** he ran out of money; *leer* ~ end up with nothing.

'**ausge|rechnet** *adv:* ~ **er** he of all people; ~ **heute** today of all days; '**~schlossen** *adj* impossible, out of the question; '**~storben** *adj* extinct; '**~zeichnet** *adj* excellent.

'**aus|gießen** v/t (*irr, sep*, -ge-, h, → **gießen**) pour out; *Gefäß:* empty; '**~gleichen** v/t (*irr, sep*, -ge-, h, → **gleichen**) *Verlust:* compensate (for), make up for; '**~halten** v/t (*irr, sep*, -ge-, h, → **halten**) put up with, *bsd. verneint:* stand, take.

'**Aushang** m (-[e]s; ⸚e) notice.

'**aushelfen** v/i (*irr, sep*, -ge-, h, → **helfen**) help *s.o.* out (**mit** with).

'**Aushilf|e** f (-; -n) temporary help; '**~s...** *in Zssgn Kellner, Personal etc:* temporary ...

'**aus|kennen** v/refl (*irr, sep*, -ge-, h, → **kennen**): **sich** ~ **in** (*dat*) know one's way around; *fig.* know all about; '**~kommen** v/i (*irr, sep*, -ge-, sn, → **kommen**): ~ **mit** make do (*od.* manage) with *s.th.*; get on with *s.o.*

Auskunft ['aʊskʊnft] f (-; ⸚e) information (**über** *acc* about, on); **~schalter:**

information desk; *teleph.* directory enquiries *pl* (*Am.* assistance); '**~sschalter** m information desk.

'**aus|lachen** v/t (*sep*, -ge-, h) laugh at (**wegen** for); '**~laden** v/t (*irr, sep*, -ge-, h, → **laden**) unload.

'**Auslage** f (-; -n) window display: ~**n** *pl* expenses *pl.*

'**Ausland** n (-[e]s; *no pl*): **das** ~ foreign countries *pl;* **ins** ~, **im** ~ abroad.

Ausländ|er ['aʊslɛndər] m (-s; -) foreigner; '**~isch** *adj* foreign.

'**Auslands|aufenthalt** m stay abroad; '**~auftrag** m *econ.* foreign order; '**~flug** m international flight; '**~gespräch** n *teleph.* international call; '**~krankenschein** m international health insurance chit; '**~markt** m foreign market.

'**Auslastung** f (-; *no pl*) (capacity) utilization.

'**auslaufen** v/i (*irr, sep*, -ge-, sn, → **laufen**) *Flüssigkeit:* run out, *a. Gefäß:* leak; *Vertrag etc:* expire, run out, *mar.* sail; '**2modell** n *econ.* phase-out model.

'**ausliefern** v/t (*sep*, -ge-, h) *econ.* deliver; '**2ung** f (-; -en) delivery.

'**auslöschen** v/t (*sep*, -ge-, h) *Licht etc:* put out; *fig.* wipe out.

'**auslösen** v/t (*sep*, -ge-, h) *tech.* release; *Alarm, Krieg etc:* trigger off; *Gefühl, Reaktion:* cause; *Begeisterung:* arouse; '**2er** m (-s; -) *phot.* shutter release.

'**ausmachen** v/t (*sep*, -ge-, h) *Licht, Zigarette etc:* put out; *Radio etc:* turn (*od.* switch) off; *Termin etc:* arrange: **macht es Ihnen et. aus, wenn ...?** do you mind, if ...?; **es macht mir nichts aus** I don't mind (*gleichgültig:* care).

'**Ausmaß** m (-es; -e) *fig.* extent: ~**e** *pl* proportions *pl.*

'**ausmessen** v/t (*irr, sep*, -ge-, h, → **messen**) measure (out).

Ausnahm|e ['aʊsnaːmə] f (-; -n) exception: **mit** ~ **von** (*od. gen*) except (for), with the exception of; '**2sweise** *adv* by way of exception.

'**aus|nutzen** v/t (*sep*, -ge-, h) make use of; *Vorteil ziehen aus:* take advantage of (*a. b.s.*); '**~packen** v/t (*sep*, -ge-, h) unpack (*a. v/i*); *Geschenk etc:* unwrap; '**~pfeifen** v/t (*sep*, -ge-, h, → **pfeifen**) boo, hiss; '**~pro**|**bieren** v/t (*sep, no* -ge-, h) try (out), test.

'**Auspuff** m (-[e]s; -e) *mot.* exhaust;

'**~gase** pl exhaust fumes pl; '**~rohr** n exhaust pipe; '**~topf** m bsd. Br. silencer, Am. muffler.

'**aus|quar,tieren** v/t (sep, no -ge-, h) move out; '**~rauben** v/t (sep, -ge-, h) rob; '**~rechnen** v/t (sep, -ge-, h) work out, Summe: a. calculate.

'**Ausrede** f (-; -n) excuse; '**2n** (sep, -ge-, h) 1. v/i finish speaking: **~ lassen** hear s.o. out; 2. v/t: **j-m et. ~** talk s.o. out of s.th.

'**Ausreise** f (-; -n) departure; '**~erlaub-nis** f exit permit; '**2n** v/i (sep, -ge-, sn) leave (the country); '**~visum** n exit visa.

'**aus|richten** v/t (sep, -ge-, h) Veran-staltung: organize: **j-m et. ~** tell s.o. s.th.; **kann ich et. ~?** can I take a mes-sage?; **richte ihr e-n Gruß (von mir) aus** give her my regards; **~rotten** ['aʊs-rɔtən] v/t (sep, -ge-, h) Tierart, Volk: wipe out; '**~ruhen** v/i u. v/refl (sep, -ge-, h) (have a) rest; '**~rutschen** v/i (sep, -ge-, sn) slip (auf dat on).

'**Aussage** f (-; -n) statement; e-s Romans etc: message; jur. evidence: **die ~ ver-weigern** refuse to give evidence; '**2n** (sep, -ge-, h) 1. v/t state (daß that); 2. v/i jur. give evidence (**für** for, **gegen** against).

'**ausschalten** v/t (sep, -ge-, h) switch off.

'**Ausschau** f: **~ halten nach** look out for.

'**aus|scheiden** (irr, sep, -ge-, → schei-den) 1. v/t (h) aussondern: sort out; physiol. excrete; 2. v/i (sn) nicht in Frage kommen: have to be ruled out, Person: not be eligible; Sport: be elimi-nated (**aus** from), drop out (of): **~ aus e-m Amt**: retire from, e-r Firma: leave; '**~schlafen** v/i (irr, sep, -ge-, h, → schlafen) get a good night's sleep.

'**Ausschlag** m (-[e]s; ⸚e) med. rash: **e-n bekommen** break out in a rash; fig. **den ~ geben** decide the issue; '**2ge-bend** adj decisive.

'**ausschließen** v/t (irr, sep, -ge-, h, → schließen) expel (**aus** e-r Partei etc from); Möglichkeit etc: rule out; nicht berücksichtigen: exclude.

'**Ausschluß** m (-sses; ⸚sse) expulsion, ex-clusion: **unter ~ der Öffentlichkeit** be-hind closed doors, jur. in camera.

'**ausschneiden** v/t (irr, sep, -ge-, h, → schneiden) cut out.

'**Ausschnitt** m (-[e]s; -e) e-s Kleids etc: neck(line); Zeitungs2: Br. cutting, Am. clipping; fig. part; e-s Buchs, e-r Rede: extract.

'**ausschreiben** v/t (irr, sep, -ge-, h, → schreiben) Scheck: make (od. write) out (**j-m** to s.o.); Stelle etc: advertise; econ. Wettbewerb: invite tenders for.

Ausschreitungen ['aʊsʃraitʊŋən] pl ri-ots pl.

'**Ausschuß** m (-sses; ⸚sse) committee.

'**ausschütten** v/t (sep, -ge-, h) pour out; verschütten: spill.

'**aussehen** v/i (irr, sep, -ge-, h, → sehen) look: **gut ~** be good-looking, gesund-heitlich: look well; **schlecht (krank) ~** look ill; **wie sieht er aus?** what does he look like?

'**Aussehen** n (-s; no pl) looks pl, appear-ance.

'**aussein** v/i (irr, sep, -ge-, sn, → sein) F vorbei sein: be over; Gerät: be off, Licht: a. be out; abends etc: be out.

außen ['aʊsən] adv outside: **von ~** from (the) outside; **nach ~** outward(s); fig. outwardly.

'**Außen|dienst** m field service: **im ~** in the field; '**~dienstmitarbeiter** m field representative; '**~handel** m foreign trade; '**~mi,nister** m Br. Foreign Secre-tary, Am. Secretary of State; '**~poli,tik** f foreign affairs pl, bestimmte: foreign policy; '**~seite** f outside; '**~spiegel** m mot. Br. wing mirror, Am. sideview mirror; **~stände** ['~ʃtɛndə] pl econ. ac-counts pl receivable; '**~welt** f outside world.

außer ['aʊsər] 1. prp abgesehen von: apart (bsd. Am. aside) from; zusätzlich zu: besides, in addition to: → **Atem** etc; 2. cj: **~ (wenn)** unless; **~ daß** except that; '**~dem** adv besides.

äußere ['ɔʏsərə] adj outer, outside; Ver-letzung etc: external.

'**außer|gewöhnlich** adj unusual; Lei-stung etc: exceptional; '**~halb** 1. prp outside; der Geschäftszeit etc: out of; 2. adv out of town.

äußerlich ['ɔʏsərlıç] adj external: **nur ~!** med. for external use only.

äußer|n ['ɔʏsərn] 1. v/t (h) express, voice; 2. v/refl (h) say s.th. (**über** acc, **zu** about); '**2ung** f (-; -en) remark.

'**aussetzen** v/t (sep, -ge-, h) Kind, Tier:

abandon; *Belohnung, Preis*: offer: **et. auszusetzen haben an** (*dat*) object to.

'**Aussicht** *f* (-; -en) view (**auf** *acc* of); *fig.* prospect(s *pl*) (of), chance (of); '**2slos** *adj* hopeless; '**~spunkt** *m* lookout (*od.* vantage) point; '**2sreich** *adj* promising.

aussöhn|en ['aʊsøːnən] *v/refl* (*sep*, -ge-, h) reconcile o.s. (**mit** with *s.o.*, to *s.th.*); '**2ung** *f* (-; -en) reconciliation.

'**aussperr|en** *v/t* (*sep*, -ge-, h) *econ.* lock out; '**2ung** *f* (-; -en) lockout.

'**Aussprache** *f* (-; -n) pronunciation; *Unterredung*: discussion, *zwanglose*: talk.

'**aussprechen** (*irr, sep*, -ge-, h, → **sprechen**) **1.** *v/t* pronounce; **2.** *v/refl* have it out (**mit** with): **sich ~ für** (**gegen**) speak out in favo(u)r of (against).

'**Ausstand** *m* (-[e]s; ⁺e) *econ.* strike: **in den ~ treten** go on strike.

Ausstattung ['aʊsʃtatʊŋ] *f* (-; -en) equipment; *e-r Wohnung*: furnishings *pl.*

'**ausstehen** *v/t* (*irr, sep*, -ge-, h, → **stehen**): **ich kann ihn (es) nicht ~** I can't stand him (it).

'**aussteig|en** *v/i* (*irr, sep*, -ge-, sn, → **steigen**) get out (**aus** of), get off (**aus** a bus, etc); *fig.* drop out (of); **aus e-m Geschäft**: back out (of); '**2er** *m* (-s; -) dropout.

'**ausstell|en** *v/t* (*sep*, -ge-, h) show, display, *Kunstwerk*: exhibit; *Paß etc*: issue (*dat* for); *Rechnung, Scheck etc*: make out (to); '**2er** *m* (-s; -) *auf Messe*: exhibitor; '**2ung** *f* (-; -en) exhibition; issue; '**2ungsgelände** *n* exhibition site; '**2ungsraum** *m* showroom.

'**aus|sterben** *v/i* (*irr, sep*, -ge-, sn, → **sterben**) die out (*a. fig.*): → **ausgestorben**; '**~suchen** *v/t* (*sep*, -ge-, h): (**sich**) *et.* ~ choose, pick.

'**Austausch** *m* (-[e]s; *no pl*) exchange: **im ~ für** in exchange for; '**Austausch... ped.**, *univ.* exchange; '**2en** *v/t* (*sep*, -ge-, h) exchange (**gegen** for); '**~motor** *m* reconditioned engine.

'**austeilen** *v/t* (*sep*, -ge-, h) distribute (**an** *acc* to; **unter** *acc* among).

Auster ['aʊstər] *f* (-; -n) oyster.

'**austrag|en** *v/t* (*irr, sep*, -ge-, h, → **tragen**) *Briefe etc*: deliver; *Streit etc*:

settle; *Wettkampf etc*: hold; '**2ungsort** *m Sport*: venue.

Austral|ier [aʊsˈtraːliər] *m* (-s; -), **2isch** *adj* Australian.

'**aus|treten** *v/i* (*irr, sep*, -ge-, sn, → **treten**): **~ aus** *e-m Verein etc*: leave; '**~trinken** *v/t* (*irr, sep*, -ge-, h, → **trinken**) *Getränk*: drink up (*a. v/i*); *leeren*: empty; '**~üben** *v/t* (*sep*, -ge-, h) *Beruf, Tätigkeit*: carry out: → **Druck¹**.

'**Ausverkauf** *m* (-[e]s; ⁺e) *econ.* (clearance) sale: **im ~ kaufen** at the sales; '**2t** *adj* sold out.

'**Auswahl** *f* (-; *no pl*) choice (**an** *dat* of), selection (of).

'**auswählen** *v/t* (*sep*, -ge-, h) → **aussuchen**.

'**Auswander|er** *m* (-s; -) emigrant; '**2n** *v/i* (*sep*, -ge-, sn) emigrate (**nach** to); '**~ung** *f* emigration.

auswärts ['aʊsvɛrts] *adv* out of town: **~ essen** eat out.

'**auswechseln** *v/t* (*sep*, -ge-, h) exchange (**gegen** for); *ersetzen*: replace (by); *Rad etc*: change.

'**Ausweg** *m* (-[e]s; -e) way out (**aus** of); '**2los** *adj* hopeless.

'**ausweichen** *v/i* (*irr, sep*, -ge-, sn, → **weichen**) make way (*dat* for); *fig. j-m*: avoid; *e-r Frage*: evade; '**~d** *adj* evasive.

Ausweis ['aʊsvaɪs] *m* (-es; -e) identity card; '**2en** (*irr, sep*, -ge-, h, → **weisen**) **1.** *v/t* expel (**aus** from); **2.** *v/refl* identify o.s.; '**~pa,piere** *pl* (identification) papers *pl.*

'**auswendig** *adv* by heart.

'**aus|werten** *v/t* (*sep*, -ge-, h) evaluate; *ausnützen*: utilize, *a. kommerziell*: exploit; '**~wickeln** *v/t* (*sep*, -ge-, h) unwrap; '**~wirken** *v/refl* (*sep*, -ge-, h): **sich ~ auf** (*acc*) affect; **sich positiv** (**negativ**) **~ auf** have a positive (negative) effect on; '**~zahlen** (*sep*, -ge-, h) **1.** *v/t* pay (out); *j-n*: pay off; **2.** *v/refl fig.* pay (off); '**~ziehen** (*irr, sep*, -ge-, → **ziehen**) **1.** *v/t* (h) *Kleidung*: take off; **2.** *v/refl* (h) get undressed; **3.** *v/i* (sn) move (**aus** out of).

'**Auszubildende** *m, f* (-n, -n) trainee.

'**Auszug** *m* (-[e]s; ⁺e) move (**aus** from); *Ausschnitt*: extract, excerpt (**aus** from); *Konto2*: statement (of account).

Auto ['aʊto] *n* (-s; -s) car, *bsd. Am.* auto

(-mobile): **~ fahren** drive (a car); **mit dem ~ fahren** go by car; '**~apo,theke** f (driver's) first-aid kit; '**~atlas** m road atlas.

'**Autobahn** f Br. motorway, Am. superhighway, expressway; '**~auffahrt** f Br. motorway access road, Am. expressway etc entrance; '**~ausfahrt** f motorway (Am. expressway etc) exit; '**~dreieck** n motorway (Am. expressway) junction; '**~gebühr** f motorway (Am. turnpike) toll; '**~zubringer** m (-s; -) feeder road.

Auto|biogra'phie f autobiography; '**~bus** m → Bus; '**~fähre** f car ferry; '**~fahrer** m motorist, driver; **~'gramm**

n (-[e]s; -e) autograph; '**~karte** f road map.

Automat [auto'ma:t] m (-en; -en) Verkaufs~: vending machine; Spiel~: slot machine; **~ik** [~'ma:tɪk] f (-; -en) mot. automatic transmission; **2isch** [~'ma:tɪʃ] adj automatic.

Auto|mobilklub [~mo'bi:l~] m automobile association; '**~nummer** f registration (Am. license) number.

Autor ['autor] m (-s; -en) author, writer.

'**Auto|radio** n car radio; '**~reisezug** m motorail train; '**~schlüssel** m car key; '**~verleih** m Br. car hire service, Am. rent-a-car (service); '**~waschanlage** f car wash.

B

Bach [bax] m (-[e]s; ⁀e) brook, stream, Am. a. creek.

Backe ['bakə] f (-; -n) cheek.

backen ['bakən] v/t (backte, rare buk, gebacken, h) bake.

'**Backenzahn** m molar.

Bäcker ['bɛkər] m (-s; -) baker: **beim ~** at the baker's; **~ei** [~'rai] f (-; -en) bakery, baker's (shop).

Bad [ba:t] n (-[e]s; ⁀er) a) bath, im Freien: swim: **ein ~ nehmen** have (od. take) a bath, b) → Badeanstalt, Badeort, Badezimmer.

'**Bade|anstalt** f swimming pool; '**~anzug** m swimsuit; '**~hose** f (-e-e a pair of) swimming trunks pl; '**~kappe** f bathing cap; '**~mantel** m bathrobe; '**~meister** m pool attendant.

baden ['ba:dən] v/i (h) have (od. take) a bath, im Freien: swim: **~ gehen** go swimming.

'**Bade|ort** m seaside resort; Kurbad: health resort; '**~sachen** pl swimming things pl; '**~tuch** n bath towel; '**~urlaub** m holiday (bsd. Am. vacation) at the seaside; '**~wanne** f bath(tub); '**~zimmer** n bathroom.

Bahn [ba:n] f (-; -en) bsd. Br. railway, Am. railroad; Zug: train; Weg: way,

path; **mit der ~** by train, econ. by rail; '**~anschluß** m rail connection; '**~fahrt** f train journey; '**~hof** m (railway, Am. railroad) station; '**~polizei** f station police (sg. konstr.); '**~steig** ['~ʃtaik] m (-[e]s; -e) platform; '**~übergang** m level (Am. grade) crossing.

Baisse ['bɛ:sə] f (-; -n) econ. slump.

Bakterie [bak'te:riə] f (-; -n) bacterium, germ.

bald [balt] adv soon; F beinahe: almost, nearly: **so ~ wie möglich** as soon as possible.

Balken ['balkən] m (-s; -) beam.

Balkon [bal'kɔŋ] m (-s; -s od. -e) balcony; '**~tür** f French window(s pl).

Ball [bal] m (-[e]s; ⁀e) ball (a. Tanz~).

Ballett [ba'lɛt] n (-[e]s; -e) ballet.

Ballon [ba'lɔŋ] m (-s; -s) balloon.

'**Ballungs|gebiet** n, '**~raum** m conurbation.

Banane [ba'na:nə] f (-; -n) banana; **~nstecker** m electr. banana plug.

Band¹ [bant] m (-[e]s; ⁀e) Buch~: volume.

Band² [~] n (-[e]s; ⁀er) Meß~, Ton~: tape; Schmuck~ etc: ribbon; anat. ligament: **auf ~ aufnehmen** tape, record.

Band³ [bɛnt] f (-; -s) mus. band.

Bandag|e [ban'da:ʒə] f (-; -n) bandage;

₂ieren [∿daˈʒiːrən] v/t (no ge-, h) bandage.

Bande [ˈbandə] f (-; -n) Verbrecher₂ etc: gang.

Bänder|riß [ˈbɛndər∿] m med. torn ligament; **'∿zerrung** f pulled ligament.

'Bandscheibe f anat. (intervertebral) disc; **'∿nvorfall** m med. slipped disc.

Bank¹ [baŋk] f (-; ∿e) Sitz₂: bench: **auf die lange ∿ schieben** put off.

Bank² [∿] f (-; -en) econ. bank: **Geld auf der ∿ haben** have money in the bank; **'∿konto** n bank account; **'∿leitzahl** f bank code; **'∿note** f (bank) note, bsd. Am. a. (bank) bill.

Bankomat [baŋkoˈmaːt] m (-en; -en) bsd. Am. cash dispenser, Am. automated teller, cash machine.

bankrott [baŋˈkrɔt] adj bankrupt.

Bank'rott m (-[e]s; -e) bankruptcy: **∿ machen** go bankrupt.

'Bank|schließfach n safe(-deposit) box; **'∿überfall** m bank holdup; **'∿verbindung** f bank account.

bar [baːr] adj: **(in) ∿ bezahlen** pay cash; **gegen ∿** for cash.

Bar [baːr] f (-; -s) bar; nightclub: **an der ∿** at the bar.

Bär [bɛːr] m (-en; -en) zo. bear.

Baracke [baˈrakə] f (-; -n) hut; contp. shack.

'Bardame f barmaid.

barfuß adj u. adv barefoot.

'Bargeld n cash; **'∿auto₁mat** m → Bankomat; **'₂los** adj cashless.

'Barhocker m bar stool.

Bariton [ˈbaːritɔn] m (-s; -e) mus. baritone.

'Barmixer m barman, bartender.

Barometer [baroˈmeːtər] n (-s; -) barometer.

'Barpreis m cash price.

Barriere [baˈriɛːrə] f (-; -n) barrier.

Barscheck m econ. cash cheque (Am. check).

Bart [baːrt] m (-[e]s; ∿e) beard: **sich e-n ∿ wachsen lassen** grow a beard.

bärtig [ˈbɛːrtɪç] adj bearded.

'Barzahlung f cash payment; **'∿spreis** m cash price.

basieren [baˈziːrən] v/i (no ge-, h): **∿ auf** (dat) be based on.

Basis [ˈbaːzɪs] f (-; Basen) Grundlage: basis.

Baß [bas] m (-sses; ∿sse) mus. bass (a. in Zssgn).

Batterie [batəˈriː] f (-; -n) electr. battery.

Bau [bau] m (-[e]s; Bauten) Vorgang: construction; Gebäude: building; Körper₂: build: **im ∿** under construction; **'∿arbeiten** pl construction work sg, Straße: roadworks pl.

Bauch [baux] m (-[e]s; ∿e) belly, stomach, anat. abdomen; **'∿schmerzen** pl, **'∿weh** n (-s; no pl) stomach-ache.

bauen [ˈbauən] v/t (h) build, errichten: erect; herstellen: make, build, tech. a. construct.

Bauer [ˈbauər] m (-n; -n) farmer; Schach: pawn; **'∿nhof** m farm; **'∿nmöbel** pl rustic furniture sg.

'bau|fällig adj dilapidated; **'₂genehmigung** f planning permission; **'₂gerüst** n scaffolding; **'₂jahr** n year of construction: **∿ 1986** 1986 model.

Baum [baum] m (-[e]s; ∿e) tree: **auf dem ∿** in the tree; **'∿stamm** m (tree) trunk; gefällter: log; **'∿sterben** n (-s; no pl) dying of trees; **'∿wolle** f cotton.

'Bau|platz m site, (building) plot; **'₂reif** adj ripe for development; **'∿sparkasse** f Br. building society, Am. savings and loan association; **'∿stelle** f building site; Straße: roadworks pl; **'∿unter₁nehmer** m building contractor.

Bay|er [ˈbaiər] m (-n; -n), **'₂(e)risch** adj Bavarian.

Bazillus [baˈtsɪlʊs] m (-; -len) germ.

beabsichtigen [bəˈʔapzɪçtɪgən] v/t (no ge-, h) intend (**zu tun** to do, doing).

be'acht|en v/t (no ge- h) pay attention to; zur Kenntnis nehmen: note; Anweisungen, Regeln: follow, Gesetz: observe: **nicht ∿** take no notice of; ignorieren: ignore, Ratschläge etc: a. disregard; **∿lich** adj beträchtlich: considerable; bemerkenswert: remarkable.

Beamte [bəˈʔamtə] m (-n; -n) Staats₂: civil (Am. public) servant; Polizei₂, Zoll₂: officer.

be'anspruch|en v/t (no ge-, h) Recht, Eigentum etc: claim; Zeit, Raum: take up; tech. stress; **₂ung** f (-; -en) tech., nervliche: stress, strain.

beanstand|en [bəˈʔanʃtandən] v/t (no ge-, h) Ware etc: complain about; Einwand erheben gegen: object to; **₂ung** f

B

(-; -en) complaint (gen about); objection (to).

beantragen [bə'ʔantraːgən] v/t (no ge-, h) apply for.

be'antwort|en v/t (no ge-, h) answer, reply to; 2**ung** f (-; -en) answer, reply: **in** ~ (gen) in answer (od. reply) to.

be'arbeit|en v/t (no ge-, h) Sachgebiet etc: work on, Fall etc: a. deal with; für Bühne etc: adapt; mus. arrange; 2**ung** f (-; -en) thea. etc adaptation; mus. arrangement; 2**ungsgebühr** f handling charge; Bank: service charge.

beaufsichtigen [bə'ʔaʊfzɪçtɪgən] v/t (no ge-, h) supervise; Kind: look after.

beauftragen [bə'ʔaʊftraːgən] v/t (no ge-, h): **j-n** ~, **et. zu tun** ask (formell: instruct, Künstler: commission) s.o. to do s.th.; **j-n mit e-m Fall** ~ put s.o. in charge of a case.

be'bauen v/t (no ge-, h) arch. build on.

Becher ['bɛçər] m (-s; -) aus Plastik: beaker, cup; aus Glas: glass, tumbler.

Becken ['bɛkən] n (-s; -) Schwimm2: pool; anat. pelvis.

be'danken v/refl (no ge-, h) say thank you (**bei j-m** to s.o.; **für et.** for s.th.).

Bedarf [bə'darf] m (-[e]s; no pl) need (an dat of); econ. demand (for); ~**shalte-stelle** f request stop.

bedauerlich [bə'daʊərlıç] adj regrettable, unfortunate; ~**erweise** adv unfortunately.

be'dauern v/t (no ge-, h) j-n: feel (od. be) sorry for; et.: regret.

Be'dauern n (-s; no pl) regret (**über** acc at): **zu m-m (großen)** ~ (much) to my regret.

be'deck|en v/t (no ge-, h) cover (up); ~**t** adj Himmel: overcast.

be'denken v/t (irr, no ge-, h, → denken) consider.

Be'denk|en pl Zweifel: doubts pl; moralische: scruples pl; Einwände: objections pl; 2**lich** adj zweifelhaft: dubious; ernst: serious, stärker: critical; ~**zeit** f: **e-e Stunde** ~ one hour to think it over.

be'deuten v/t (no ge-, h) mean; ~**d** adj important; beträchtlich: considerable; angesehen: distinguished.

Be'deutung f (-; -en) meaning; Wichtigkeit: importance; 2**slos** adj insignificant; ohne Sinn: meaningless; 2**svoll** adj significant; vielsagend: meaningful.

bedien|en (no ge-, h) **1.** v/t j-n: serve (a. Kunden), wait on; tech. operate, work; **2.** v/refl help o.s.; 2**ung** f (-; -en) service; Kellner(in): waiter (-ress); tech. operation; 2**ungsanleitung** f operating instructions pl.

Bedingung [bə'dıŋʊŋ] f (-; -en) condition: ~**en** pl econ., jur. terms pl; Verhältnisse: conditions pl; **unter der** ~, **daß** on condition that.

be'droh|en v/t (no ge-, h) threaten; ~**lich** adj threatening; 2**ung** f (-; -en) threat (gen to).

be'drücken v/t (no ge-, h) depress.

be'eilen v/refl (no ge-, h) hurry: **beeil dich!** hurry up!

beeindrucken [bə'ʔaɪndrʊkən] v/t (no ge-, h) impress.

beeinfluss|en [bə'ʔaɪnflʊsən] v/t (no ge-, h) influence; nachteilig: affect; 2**ung** f (-; -en) influence.

beeinträchtigen [bə'ʔaɪntrɛçtɪgən] v/t (no ge-, h) affect.

be'enden v/t (no ge-, h) (bring to an) end.

be'erben v/t (no ge-, h): **j-n** ~ be s.o.'s heir.

beerdig|en [bə'ʔɛːrdɪgən] v/t (no ge-, h) bury; 2**ung** f (-; -en) burial, funeral.

Beere ['beːrə] f (-; -n) berry; Wein2: grape.

Beet [beːt] n (-[e]s; -e) bed, Gemüse2: a. patch.

be'fahrbar adj passable; mar. navigable.

be'fangen adj voreingenommen: bias(s)ed (a. jur.); 2**heit** f (-; no pl) bias.

be'fassen v/refl (no ge-, h) deal (**mit** with).

Befehl [bə'feːl] m (-[e]s; -e) order: **auf** ~ **von** (od. gen) by order of; 2**en** v/t (befahl, befohlen, h) order: **j-m et.** ~ order s.o. to do s.th.; ~**shaber** [bə'feːls-haːbər] m (-s; -) commander.

be'festigen v/t (no ge-, h) fix (**an** dat onto), attach (to).

be'finden v/refl (irr, no ge-, h, → finden) be.

Be'finden n (-s; no pl) (state of) health.

be'folgen v/t (no ge-, h) Rat: follow, take; Vorschrift: observe.

be'förder|n v/t (no ge-, h) carry, transport; econ. ship, forward; im Rang etc: promote (**zu** to); 2**ung** f transportation; econ. shipment; promotion.

be'fragen *v/t* (*no* ge-, h) ask (**über** *acc* about), question (about); *interviewen*: interview; *konsultieren*: consult (**wegen, in** *dat* about, on).

befrei|en [bəˈfraiən] *v/t* (*no* ge-, h) free, *Land etc*: *a.* liberate; *retten*: rescue; *von Pflichten etc*: exempt (*alle*: **von** from); **♀ung** *f* (-; *no pl*) liberation; rescue; exemption.

befreunde|n [bəˈfrɔyndən] *v/refl* (*no* ge-, h): **sich ~ mit j-m** make friends with s.o.; **♩t** *adj*: (**miteinander**) **~ sein** be friends.

befriedig|en [bəˈfriːdɪɡən] *v/t* (*no* ge-, h) satisfy; **♩end** *adj* satisfactory; **♀ung** *f* (-; *no pl*) satisfaction.

befristet [bəˈfrɪstət] *adj* limited (**auf** *acc* to).

Befug|nis [bəˈfuːknɪs] *f* (-; -se) authority, power(s *pl*); **♀t** *adj* authorized (**zu tun** to do).

Be'fund *m* (-[e]s; -e) *med.* results *pl*: **ohne ~** negative.

be'fürcht|en *v/t* (*no* ge-, h) fear; *vermuten*: suspect; **♀ung** *f* (-; -en) fear; suspicion.

befürwort|en [bəˈfyːrvɔrtən] *v/t* (*no* ge-, h) advocate; *unterstützen*: support; **♀er** *m* (-s; -) advocate; supporter.

begabt [bəˈɡaːpt] *adj* gifted, talented; **♀ung** [~bʊŋ] *f* (-; -en) gift, talent.

begegn|en [bəˈɡeːɡnən] *v/i* (*no* ge-, sn) meet; **♀ung** *f* (-; -en) meeting.

be'gehen *v/t* (*irr*, *no* ge- h, → **gehen**) *Geburtstag etc*: celebrate; *Verbrechen*: commit; *Fehler*: make.

begeister|n [bəˈɡaɪstərn] (*no* ge-, h) **1.** *v/t* fill with enthusiasm; **2.** *v/refl*: **sich ~ für** be very much interested in; **♀ung** *f* (-; *no pl*) enthusiasm.

Beginn [bəˈɡɪn] *m* (-[e]s; *no pl*) beginning, start: **zu ~** at the beginning; **♀en** *v/t u. v/i* (begann, begonnen, h) begin, start.

beglaubigen [bəˈɡlaʊbɪɡən] *v/t* (*no* ge-, h) certify: **beglaubigte Abschrift** certified copy.

be'gleichen *v/t* (*irr*, *no* ge-, h, → **gleichen**) *econ.* pay, settle.

be'gleit|en *v/t* (*no* ge-, h) accompany (*a. mus.* **auf** *dat* on): **j-n nach Hause ~** see s.o. home; **♀er** *m* (-s; -) companion; *mus.* accompanist; **♀schreiben** *n* covering letter; **♀ung** *f* (-; -en) company;

mus. accompaniment: **in ~ von** (*od. gen*) accompanied by.

be'glückwünschen *v/t* (*no* ge-, h) congratulate (**zu** on).

begnadig|en [bəˈɡnaːdɪɡən] *v/t* (*no* ge-, h) pardon; *pol.* amnesty; **♀ung** *f* (-; -en) pardon; *pol.* amnesty.

begnügen [bəˈɡnyːɡən] *v/refl* (*no* ge-, h): **sich ~ mit** be satisfied with; *auskommen*: make do with.

be'graben *v/t* (*irr*, *no* ge-, h, → **graben**) bury (*a. fig.*).

Begräbnis [bəˈɡrɛːpnɪs] *n* (-ses; -se) burial, funeral.

be'greif|en *v/t* (*irr*, *no* ge-, h, → **greifen**) understand; **♩lich** *adj* understandable.

be'grenzen *v/t* (*no* ge-, h) *fig.* limit (**auf** *acc* to), restrict (to).

Begriff [bəˈɡrɪf] *m* (-[e]s; -e) *Vorstellung*: idea, notion; *Ausdruck*: term: **im ~ sein zu tun** be about to do.

be'gründ|en *v/t* (*no* ge-, h) *fig.* give reasons for; **♀ung** *f* (-; -en) reason(s *pl*).

be'grüß|en *v/t* (*no* ge-, h) greet; *willkommen heißen*: welcome (*a. fig.*); **♀ung** *f* (-; -en) greeting; welcome.

begünstigen [bəˈɡʏnstɪɡən] *v/t* (*no* ge-, h) favo(u)r.

be'gutachten *v/t* (*no* ge-, h) give an (expert's) opinion on; *prüfen*: examine: **~ lassen** get an expert's opinion on.

begütert [bəˈɡyːtərt] *adj* wealthy.

behaart [bəˈhaːrt] *adj* hairy.

be'halten *v/t* (*irr*, *no* ge-, h → **halten**) keep (**für sich** to o.s.); *sich merken*: remember.

Behälter [bəˈhɛltər] *m* (-s; -) container.

be'hand|eln *v/t* (*no* ge-, h) treat (*a. med., tech.*); **♀lung** *f* (-; -en) treatment: **in (ärztlicher) ~ sein** be under medical treatment.

behaupt|en [bəˈhaʊptən] *v/t* (*no* ge-, h) claim, maintain (**daß** that); **♀ung** *f* (-; -en) claim.

be'heben *v/t* (*irr*, *no* ge-, h, → **heben**) *Schaden etc*: repair.

be'helfen *v/refl* (*irr*, *no* ge-, h, → **helfen**): **sich ~ mit** make do with; **sich ~ ohne** do without.

beherbergen [bəˈhɛrbɛrɡən] *v/t* (*no* ge-, h) put up, accommodate.

be'herrsch|en (*no* ge-, h) **1.** *v/t* *pol. etc* rule (over), govern; *Lage, Markt etc*: control; *Sprache*: have a good com-

B

mand of; **2.** *v/refl* control o.s.; **2ung** *f* (-; *no pl*) rule (*gen* over); control (of, over); *Selbst2*: self-control; *e-r Sprache*: command (of): **die ~ verlieren** lose control, lose one's self-control.

beherzigen [bə'hɛrtsɪgən] *v/t* (*no* ge-, h) take to heart.

behilflich [bə'hɪlflɪç] *adj*: *j-m ~ sein* help s.o. (**bei** with).

behinder|t [bə'hɪndərt] *adj* handicapped, disabled; *geistig ~* mentally handicapped; **2te** *m, f* (-n; -n) handicapped (*od.* disabled) person; **~tenge,recht** *adj* suitable for the handicapped; **2ung** *f* (-; -en) handicap.

Behörde [bə'hø:rdə] *f* (-; -n) (public) authority; *die ~n pl* the authorities *pl.*

bei [baɪ] *prp*: **~ München** near Munich; **~** *Müller Adresse*: c/o Müller; *ich habe kein Geld ~ mir* I have no money on me; **~ e-r Tasse Tee** over a cup of tea; **~ m-r Ankunft** on my arrival; **~ Regen** in case of rain; **~ weitem** by far; → **Nacht**, **Tagesanbruch** etc.

beibringen *v/t* (*irr, sep*, -ge-, h, → **bringen**) *lehren*: teach; *mitteilen*: tell.

beide ['baɪdə] *adj u. pron* both: *m-e ~n Brüder* my two brothers; *wir ~* the two of us; *betont*: both of us; *keiner von ~n* neither of them.

Beifahrer *m* (front-seat) passenger.

Beifall *m* (-[e]s; *no pl*) applause.

Beihilfe *f* (-; *no pl*) *jur.* aiding and abetting.

Beilage *f Zeitung*: supplement; *Essen*: side dish, *Gemüse*: vegetables *pl.*

beilegen *v/t* (*sep*, -ge-, h) *e-m Brief*: enclose (with); *Streit*: settle; **2ung** *f* (-; *no pl*) settlement.

Beileid *n* (-[e]s; *no pl*): *j-m sein ~ aussprechen* offer s.o. one's condolences; *(mein) herzliches ~!* please accept my sincere condolences; **~skarte** *f* condolence (*od.* sympathy) card.

beiliegen *v/i* (*irr, sep*, -ge-, h, → **liegen**) be enclosed (*dat* with).

beim [baɪm] (= **bei dem**) *prp*: **~ Bäcker** at the baker's; **~ Sprechen** while speaking.

beimessen *v/t* (*irr, sep*, -ge-, h, → **messen**) *Bedeutung*: attach (*dat* to).

Bein [baɪn] *n* (-[e]s; -e) leg (*a. e-s Tisches*, *e-r Hose* etc).

beinah(e) [baɪ'na:(ə)] *adv* almost, nearly.

Beinbruch *m* fractured (*od.* broken) leg.

beipflichten ['baɪpflɪçtən] *v/i* (*sep*, -ge-, h) agree (*dat* with).

Beisein *n*: *im ~ von* (*od. gen*) in the presence of.

beisetz|en *v/t* (*sep*, -ge-, h) bury; **2ung** *f* (-; -en) burial.

Beispiel *n* (-[e]s; -e) example: *zum ~* for example, for instance; **2haft** *adj* exemplary; **2los** *adj* unparalleled; *noch nie dagewesen*: unprecedented; **2sweise** *adv* for example, for instance.

beißen ['baɪsən] *v/t u. v/i* (biß, gebissen, h) bite (*a. fig.*): **~ in** (*acc*) bite (into); **~d** *adj Wind, Kritik* etc: biting; *Geruch*: sharp, acrid.

bei|stehen *v/i* (*irr, sep*, -ge-, h, → **stehen**): *j-m ~* help s.o.; **~steuern** *v/t* (*sep*, -ge-, h) contribute (**zu** to).

Beitrag ['baɪtra:k] *m* (-[e]s; **~e**) contribution; *Mitglieds2*: subscription.

bei|treten *v/i* (*irr, sep*, -ge-, sn, → **treten**) join; **2tritt** *m* (-[e]s; -e) joining; **~wohnen** *v/i* (*sep*, -ge-, h) be present at.

be'kämpfen *v/t* (*no* ge-, h) fight (against); *Feuer*: fight.

bekannt [bə'kant] *adj* known (*dat* to); *berühmt*: well-known; *vertraut*: familiar: *j-n mit j-m ~ machen* introduce s.o. to s.o.; **2e** *m, f* (-n; -n) acquaintance, *mst* friend; **2gabe** *f* (-; *no pl*) announcement; **~geben** *v/t* (*irr, sep*, -ge-, h, → **geben**) announce; **~lich** *adv* as everybody knows; **~machen** *v/t* (*sep*, -ge-, h) announce; **2machung** *f* (-; -en) announcement; **2schaft** *f* (-; -en) acquaintance.

be'kennen *v/refl* (*irr, no* ge-, h, → **kennen**): *sich schuldig ~ jur.* plead guilty; *sich ~ zu e-m Bombenanschlag etc* claim responsibility for.

be'klagen *v/refl* (*no* ge-, h) complain (*über acc* about).

Be'kleidung *f* (-;-en) clothing, clothes *pl.*

be'kommen (*irr, no* ge-, h, → **kommen**) **1.** *v/t* (h) get, *med. a.* catch (*a. Zug* etc), *Kind*: have; **2.** *v/i* (sn): *j-m* (**gut**) *~* agree with s.o.; *j-m nicht* (*od.* **schlecht**) *~* disagree with s.o.

be'laden v/t (irr, no ge-, h, → **laden**) load (up).

Belag [bə'la:k] m (-[e]s, ∾e) Schicht: layer; Fußboden2: covering; Straßen2: surface; Brems2 etc: lining; Zungen2: coating; Zahn2: plaque, tartar; Brot2: topping, Aufstrich: spread.

be'lasten v/t (no ge-, h) electr., tech. load; psych., a. Beziehung etc: strain; jur. incriminate: **j-s Konto ~ mit** econ. debit s.o.'s account in it.

belästig|en [bə'lɛstɪɡən] v/t (no ge-, h) pester (**mit** with); sexuell: molest; 2ung f (-; -en) pestering; molestation.

Be'lastung f (-; -en) electr., tech. load; psychische: strain; **∾zeuge** m jur. witness for the prosecution.

be'laufen v/refl (irr, no ge-, h, → **laufen**): **sich ~ auf** (acc) amount to.

be'lebt adj Straße etc: busy.

Beleg [bə'le:k] m (-[e]s; -e) Beweis: proof; Quittung: receipt; Quelle: reference; 2en v/t (no ge-, h) cover; Platz etc: reserve; beweisen: prove; Kurs etc: enrol(l) for: **den ersten Platz ~** take first place; **∾schaft** f (-; -en) staff (a. pl konstr.), personnel (pl konstr.); 2t adj Platz, Zimmer: taken, occupied; Hotel etc: full; Stimme: husky; Zunge: coated, furred; teleph. Br. engaged, Am. busy: **∾es Brot** (open) sandwich.

beleidig|en [bə'laɪdɪɡən] v/t (no ge-, h) offend (a. fig.), stärker: insult; **∾end** adj offensive, insulting; 2ung f (-; -en) offen|ce (Am. -se), insult.

be'lesen adj well-read.

be'leucht|en v/t (no ge-, h) light (up), illuminate; 2ung f (-; -en) lighting, illumination.

belicht|en [bə'lɪçtən] v/t (no ge-, h) phot. expose; 2ung f (-; -en) exposure; 2ungsmesser m (-s; -) light meter.

beliebt [bə'li:pt] adj popular (**bei** with); 2heit f (-; no pl) popularity.

be'liefern v/t (no ge-, h) supply (**mit** with).

bellen ['bɛlən] v/i (h) bark.

be'lohn|en v/t (no ge-, h) reward; 2ung f (-; -en) reward: **zur ~** as a reward.

be'lügen v/t (irr, no ge-, h, → **lügen**): **j-n ~** lie to s.o.

bemängeln [bə'mɛŋəln] v/t (no ge-, h) find fault with.

bemannt [bə'mant] adj manned.

bemerk|bar [bə'mɛrkba:r] adj noticeable: **sich ~ machen** Person: draw attention to o.s.; Sache: begin to show; **∾en** v/t (no ge-, h) notice; äußern: remark; **∾enswert** adj remarkable (**wegen** for); 2ung f (-; -en) remark (**über** acc on, about).

bemitleiden [bə'mɪtlaɪdən] v/t (no ge-, h) pity, feel sorry for; **∾swert** adj pitiable.

bemüh|en [bə'my:ən] v/refl (no ge-, h) try (hard); **sich ~ um** et.: try to get; j-n: try to help; **bitte ~ Sie sich nicht!** please don't bother; 2ung f (-; -en) effort(s pl.).

be'nachbart adj neighbo(u)ring.

benachrichtig|en [bə'na:xrɪçtɪɡən] v/t (no ge-, h) inform (**von** of), notify (of); 2ung f (-; -en) notification.

benachteilig|en [bə'na:xtaɪlɪɡən] v/t (no ge-, h) put at a disadvantage; bsd. sozial: discriminate against; 2ung f (-; -en) disadvantage; discrimination (gen against).

be'nehmen v/refl (irr, no ge-, h, → **nehmen**) behave (**gegenüber** towards).

Be'nehmen n (-s; no pl) behavio(u)r, conduct; Manieren: manners pl.

beneiden [bə'naɪdən] v/t (no ge-, h): **j-n um et. ~** envy s.o. s.th.; **∾swert** adj enviable.

benötigen [bə'nø:tɪɡən] v/t (no ge-, h) need.

be'nutz|en v/t (no ge-, h) use; Verkehrsmittel: take, go by; 2ung f (-; no pl) use.

Benzin [bɛn'tsi:n] n (-s; -e) mot. Br. petrol, Am. gas(oline); **∾gutschein** m petrol (Am. gas[oline]) coupon.

beobacht|en [bə'ʔo:baxtən] v/t (no ge-, h) watch, a. med. u. Polizei: observe; 2ung f (-; -en) observation: **unter ~ stehen** be under observation.

bequem [bə'kve:m] adj comfortable; faul: lazy; 2lichkeit f (-; no pl) comfort; laziness.

be'rat|en (irr, no ge-, h, → **raten**) **1.** v/t j-n: advise (**bei** on); et.: discuss; **2.** v/refl: **sich mit j-m ~** confer with s.o. (**über** acc on); 2er m (-s; -) advis|er (Am. -or), consultant; 2ung f (-; -en) consultation; Besprechung: discussion.

be'rauben v/t (no ge-, h) rob.

be'rechn|en v/t (no ge-, h) calculate; schätzen: estimate (**auf** acc at); **j-m 100 Mark für et. ~** charge s.o. 100 marks for s.th.; **~end** *adj* calculating; **Qung** *f* (-; -en) calculation (*a. fig.*); estimate.

berechtig|en [bəˈrɛçtɪgən] *v/t* (*no* ge-, h) entitle (**zu** *to* [*do*] *s.th.*); *ermächtigen:* authorize (*to do s.th.*); **Qung** *f* (-; *no pl*) right (**zu** *to*); *Vollmacht:* authority.

Bereich [bəˈraɪç] *m* (-[e]s; -e) area; *fig. a.* field, sphere.

bereichern [bəˈraɪçərn] *v/refl* (*no* ge-, h) get rich (**an** *dat* on; **auf Kosten** *gen* at the expense of).

Bereifung [bəˈraɪfʊŋ] *f* (-; -en) *Br.* tyres *pl*, *Am.* tires *pl*.

bereit [bəˈraɪt] *adj* ready (**zu** for *s.th.*; to *do s.th.*); *gewillt:* prepared (to *do s.th.*); **~s** *adv* already; *nur:* even.

bereuen [bəˈrɔʏən] *v/t* (*no* ge-, h) regret (**et. getan zu haben** doing *s.th.*).

Berg [bɛrk] *m* (-[e]s; -e) mountain; **~e von** F heaps (*od.* piles) of; **die Haare standen ihm zu ~e** his hair stood on end; **Q'ab** *adv* downhill; **Q'auf** *adv* uphill.

bergen [ˈbɛrgən] *v/t* (barg, geborgen, h) rescue; *Leichen, Güter:* recover.

'Bergführer *m* mountain guide.

bergig [ˈbɛrgɪç] *adj* mountainous.

'Berg|steigen *n* (-s; *no pl*) mountaineering; **'~steiger** *m* (-s; -) mountain climber, mountaineer; **'~wandern** *n* (-s; *no pl*) mountain hiking.

Bericht [bəˈrɪçt] *m* (-[e]s; -e) report (**über** *acc* on); *Beschreibung:* account (of); **Qen** (*no* ge-, h) **1.** *v/t* report: **j-m et. ~** inform s.o. of *s.th.*; *erzählen:* tell s.o. about *s.th.*; **2.** *v/i:* **über et. ~** report on *s.th.*, *in der Presse: a.* cover *s.th.*; **~erstatter** *m* (-s; -) *Presse:* reporter, *auswärtiger:* (foreign) correspondent; **~erstattung** *f* (-; -en) reporting, *in der Presse: a.* coverage.

berichtig|en [bəˈrɪçtɪgən] *v/t* (*no* ge-, h) correct (**sich** o.s.); **Qung** *f* (-; -en) correction.

berüchtigt [bəˈrʏçtɪçt] *adj* notorious (**wegen** for).

berücksichtig|en [bəˈrʏkzɪçtɪgən] *v/t* (*no* ge-, h) take into consideration; **Qung** *f* (-; *no pl*) **unter ~ von** (*od.* gen) considering.

Beruf [bəˈruːf] *m* (-[e]s; -e) job, occupation; *akademischer:* profession; *handwerklicher:* trade; **Qen** *v/refl* (irr, *no* ge-, h, → *rufen*): **sich ~ auf** (*acc*) cite, quote,

refer to; **Qlich 1.** *adj* professional; *Ausbildung etc:* vocational: → *Mobilität;* **2.** *adv:* **~ unterwegs** away on business.

Be'rufs|anfänger *m* first-time employee; **~ausbildung** *f* vocational training; **~beratung** *f* careers guidance; **Qtätig** *adj* working; **~ sein** (go to) work; **~verkehr** *m* rush-hour traffic.

Be'rufung *f* (-; -en) *Ernennung:* appointment (**zu** to): **~ auf** (*acc*) with reference to; **in die ~ gehen, ~ einlegen** *jur.* (file an) appeal (**gegen** against).

be'ruhen *v/i* (*no* ge-, h): **~ auf** (*dat*) be based on; **et. auf sich ~ lassen** let *s.th.* rest.

beruhig|en [bəˈruːɪgən] (*no* ge-, h) **1.** *v/t* calm (down); *Gewissen:* ease; *Nerven:* calm, soothe; **2.** *v/refl* calm (down); *Lage:* quieten down; **Qungsmittel** *n med.* sedative, tranquil(l)izer.

berühmt [bəˈryːmt] *adj* famous (**wegen, für** for); **Qheit** *f* (-; -en) fame; *Person:* celebrity.

be'rühr|en *v/t* (*no* ge-, h) touch; *seelisch: a.* move; *betreffen:* concern; **Qung** *f* (-; -en) touch: **in ~ kommen mit** come into contact with.

Besatzung [bəˈzatsʊŋ] *f* (-; -en) *aer., mar.* crew.

be'schädig|en *v/t* (*no* ge-, h) damage; **Qung** *f* (-; -en) damage (*gen* to).

beschäftig|en [bəˈʃɛftɪgən] (*no* ge-, h) **1.** *v/t* employ; *zu tun geben:* keep busy; **2.** *v/refl:* **sich ~ mit** be busy with; *e-m Problem etc:* deal with; **~t** *adj* busy (**mit** with; **damit, et. zu tun** doing *s.th.*): **~ sein bei** be employed with (*od.* at); **Qte** *m, f* (-n; -n) employee; **Qung** *f* (-; -en) *Tätigkeit:* activity; *Anstellung:* employment.

be'schäm|en *v/t* (*no* ge-, h) (put to) shame; **~end** *adj* shameful; **~t** *adj* ashamed (**über** *acc* of).

Bescheid [bəˈʃaɪt] *m* (-[e]s; -e) answer, reply: **~ bekommen** be informed; **j-m ~ geben** let s.o. know (**über** *acc* about); **~ wissen** know (**über** *acc* about).

bescheiden [bəˈʃaɪdən] *adj* modest; **Qheit** *f* (-; *no pl*) modesty.

bescheinig|en [bəˈʃaɪnɪgən] *v/t* (*no* ge-, h) certify; **den Empfang** (*gen*) ~ acknowledge receipt of; **hiermit wird bescheinigt, daß** this is to certify that;

Qung f (-; -en) *Schein*: certificate; *Quittung*: receipt.

be'scheißen v/t (*irr, no* ge-, h, → **scheißen**) *sl.* do (**um** out of).

be'schenken v/t (*no* ge-, h): **j-n ~** give s.o. (*reich*: shower s.o. with) presents.

be'schimpfen v/t (*no* ge-, h) call *s.o.* names.

Beschlagnahme [bə'ʃlaːknaːmə] f (-; -n) seizure, confiscation; **Qn** v/t (*no* ge-, h) seize, confiscate.

beschleunigen [bə'ʃlɔʏnɪgən] v/t (*no* ge-, h) *Vorgang*: speed up.

be'schließen v/t (*irr, no* ge-, h, → **schließen**) decide (**zu tun** to do); *beenden*: end.

Be'schluß m (-sses; ⸚sse) decision.

beschränk|en [bə'ʃrɛŋkən] v/refl (*no* ge-, h) confine o.s. (**auf** *acc* to; **darauf, zu tun** to doing); **~t** adj limited; *einfältig*: dense.

be'schreiben v/t (*irr, no* ge-, h, → **schreiben**) describe; **Qung** f (-; -en) description.

beschuldig|en [bə'ʃʊldɪgən] v/t (*no* ge-, h) accuse (*gen* of), *jur. a.* charge (with); **Qung** f (-; -en) accusation, *jur. a.* charge.

be'schützen v/t (*no* ge-, h) protect (**vor** *dat*, **gegen** from).

Beschwerde [bə'ʃveːrdə] f (-; -n) complaint (**über** *acc* about): **~n** pl *med.* problems pl (**mit** with), trouble sg (with); *Schmerzen*: pain sg.

beschweren [bə'ʃveːrən] v/refl (*no* ge-, h) complain (**über** *acc* about; **bei** to).

beschwichtigen [bə'ʃvɪçtɪgən] v/t (*no* ge-, h) appease (*a. pol.*), calm down.

be'schwipst adj F tipsy.

be'schwören v/t (*irr, no* ge-, h, → **schwören**) *et.*: swear to.

beseitig|en [bə'zaɪtɪgən] v/t (*no* ge-, h) remove; *Abfall*: o. dispose of; *Mißstand, Fehler etc*: eliminate; **Qung** f (-; *no pl*) removal; disposal; elimination.

Besen ['beːzən] m (-s;-) broom; **'~stiel** m broomstick.

be'setz|en v/t (*no* ge-, h) *Sitzplatz, Land etc*: occupy; *Stelle etc*: fill; *thea. Rollen*: cast; *Kleid*: trim (**mit** with); *Haus*: squat; **~t** adj occupied; *Platz*: taken; *Bus, Zug etc*: full up; *teleph. Br.* engaged, *Am.* busy; *Toilette*: engaged; **Qtzeichen** n *teleph. Br.* engaged tone,

Am. busy signal; **Qung** f (-; -en) *mil.* occupation; *thea.* cast.

besichtig|en [bə'zɪçtɪgən] v/t (*no* ge-, h) visit; *prüfend*: inspect; **Qung** f (-; -en) visit (*gen* to); inspection (of).

besiedeln [bə'ziːdəln] v/t (*no* ge-, h) sich ansiedeln in: settle in; *kolonisieren*: colonize; *bevölkern*: populate; **dicht** (**dünn**) **besiedelt** densely (sparsely) populated.

be'siegen v/t (*no* ge-, h) *allg.* defeat.

Besinnung [bə'zɪnʊŋ] f (-; *no pl*) *Bewußtsein*: consciousness; **die ~ verlieren** lose consciousness; **Qslos** adj unconscious.

Besitz [bə'zɪts] m (-es, *no pl*) possession; *Eigentum*: property: **im ~ sein von** be in possession of; **Qen** v/t (*irr, no* ge-, h, → **sitzen**) possess, own; **~er** m (-s; -) possessor, owner: **den ~ wechseln** change hands.

besonder [bə'zɔndər] adj special; *bestimmt*: particular; *außergewöhnlich*: exceptional; *getrennt*: separate; **Qheit** f (-; -en) peculiarity.

be'sonders adv (e)specially, particularly; *außergewöhnlich*: exceptionally; *getrennt*: separately.

be'sorg|en v/t (*no* ge-, h): **sich et. ~** get (*od.* buy) s.th.; **~niserregend** [bə'zɔrknɪs⁓] adj alarming; **~t** adj worried (**um** about), concerned (about); **Qung** f (-; -en): **~en machen** go shopping.

be'sprech|en v/t (*irr, no* ge-, h, → **sprechen**) discuss, talk *s.th.* over; *Buch etc*: review; **Qung** f (-; -en) discussion; meeting, conference; review.

besser ['bɛsər] adj u. adv better (**als** than): **es ist ~, wir fragen ihn** we had better ask him; **es geht ihm ~** he is feeling better; **oder ~ gesagt** or rather; **ich weiß (kann) es ~** I know (can do) better (than that); **~n** v/refl (h) improve, get better; **Qung** f (-; *no pl*) improvement: **gute ~!** I hope you feel better soon.

Be'stand m (-[e]s; ⸚e) (continued) existence; *Vorrat*: stock (**an** *dat* of): **~ haben** last, be lasting.

be'ständig adj constant, steady; *Wetter*: settled.

Be'standteil m (-[e]s; -e) part, component.

bestätig|en [bə'ʃtɛːtɪgən] v/t (*no* ge-, h)

B

confirm (*a. Auftrag*); *bescheinigen*: certify; *Empfang*: acknowledge; **2ung** *f* (-; -en) confirmation; certificate; acknowledg(e)ment.

bestatt|en [bə'ʃtatən] *v/t* (*no* ge-, h) bury; **2ung** *f* (-; -en) burial, funeral; **2ungsinsti.tut** *n* bsd. Br. undertaker's, Am. funeral home.

beste ['bestə] *adj u. adv* best: **am ~n** best; **welches gefällt dir am ~n?** which do you like best?; **es ist das ~** (*od. am ~n ist es*), **Sie nehmen den Bus** you had best (*od.* it would be best for you) to take a bus.

Beste ['bestə] *m, f, n* (-n; -n) *the* best: **das ~ geben** do one's best; **das ~ machen aus** make the best of; **(nur) zu deinem ~n** for your own good.

be'stech|en (*irr, no* ge-, h, → **ste-chen**) bribe; **~lich** *adj* corruptible; **2ung** *f* (-; -en) bribery, corruption.

Besteck [bə'ʃtɛk] *n* (-[e]s; -e) knife, fork and spoon; *coll.* cutlery.

be'stehen (*irr, no* ge-, h, → **stehen**) **1.** *v/t Probe*: stand; *Prüfung*: pass; **2.** *v/i* be, exist; **~ auf** (*dat*) insist on; **~ aus** consist of; **~ bleiben** last, continue.

be'steigen *v/t* (*no* ge-, h, → **steigen**) *Berg*: climb; *Fahrzeug, Pferd*: get on; *Thron*: ascend.

be'stell|en *v/t* (*no* ge-, h) *Waren, Speisen etc*: order; *Zimmer, Karten*: book; *Taxi*: call: **kann ich et. ~?** can I take a message?; **2formu.lar** *n*, **2schein** *m* order form; **2ung** *f* (-; -en) order; booking.

'besten|falls *adv* at best; **'~s** *adv* very well.

be'steuer|n *v/t* (*no* ge-, h) tax; **2ung** *f* (-; *no pl*) taxation.

bestimm|t [bə'ʃtɪmt] *adj* certain: **~ sein für** be meant for; **2ung** *f* (-; -en) *Vorschrift*: regulation, rule; **2ungsort** *m* destination.

be'straf|en *v/t* (*no* ge-, h) punish (**wegen, für** for); **2ung** *f* (-; -en) punishment.

be'streik|en *v/t* (*no* ge-, h) go out (*od.* be) on strike against; **~t** *adj* strike-bound.

be'streiten *v/t* (*irr, no* ge-, h, → **streiten**) deny (**daß** that); **et. getan zu haben** doing s.th.).

bestürz|t [bə'ʃtʏrtst] *adj* dismayed (**über** *acc* at); **2ung** *f* (-; *no pl*) dismay.

Besuch [bə'zu:x] *m* (-[e]s; -e) visit (*gen*, **bei, in** *dat* to); *kurzer*: call (**bei** on); *Schule, Veranstaltung*: attendance (*gen* at); *Besucher*: visitor(s *pl*); **2en** *v/t* (*no* ge-, h) go and see, visit; *kurz*: call on; *Ort*: visit; *Schule, Veranstaltung*: go to, attend; **~er** *m* (-s; -) visitor (*gen* to); **~szeit** *f* visiting hours *pl*.

betätigen [bə'tɛ:tɪgən] *v/t* (*no* ge-, h) *tech.* operate; *Bremse*: apply.

beteilig|en [bə'taɪlɪgən] (*no* ge-, h) **1.** *v/t*: *j-n* **~** give s.o. a share (**an** *dat* in); **beteiligt sein an** (*dat*) *Unfall, Verbrechen*: be involved in; *Gewinn*: have a share in; **2.** *v/refl*: **sich ~ an** (*dat*) participate in; *Beitrag leisten zu*: contribute to; **2ung** *f* (-; -en) participation (**an** *dat* in); involvement (in); share (in).

beten ['be:tən] (h) **1.** *v/i* pray (**um** for), say one's prayers; *bei Tisch*: say grace; **2.** *v/t Vaterunser etc*: say.

beteuern [bə'tɔyərn] *v/t* (*no* ge-, h) *Unschuld*: protest.

Beton [be'tɔŋ] *m* (-s; -s) concrete.

betonen [bə'to:nən] *v/t* (*no* ge-, h) stress; *fig. a.* emphasize.

Betracht [bə'traxt] *m*: **in ~ ziehen** take into consideration; **in ~ kommen** be a possibility; **nicht in ~ kommen** be out of the question; **2en** *v/t* (*no* ge-, h) look at, *fig. a.* view: **~ als** regard as, consider.

beträchtlich [bə'trɛçtlɪç] *adj* considerable.

Be'trachtung *f* (-; -en): **bei näherer ~** on closer inspection.

Betrag [bə'tra:k] *m* (-[e]s; *u*e) amount, sum; **2en** *v/i* (*irr, no* ge-, h, → **tragen**) amount to.

Betreff [bə'trɛf] *m* (-[e]s; -e) *econ.* reference; *im Briefkopf* (**Betr.**): re; **2en** *v/t* (*irr, no* ge-, h, → **treffen**) *angehen*: concern: **was ... betrifft** as for; **2end** *adj* concerning: **die ~en Personen** the people concerned.

be'treiben *v/t* (*irr, no* ge-, h, → **treiben**) *Geschäft*: keep; *Unternehmen*: operate, run; *Hobby, Sport*: go in for.

be'treten *v/t* (*irr, no* ge-, h, → **treten**) step on; *Raum*: enter.

Be'treten *n* (-s): **~ (des Rasens) verboten!** keep off (the grass)!

betreuen [bə'trɔyən] *v/t* (*no* ge-, h) look after.

Betrieb [bə'tri:p] m (-[e]s; -e) Firma: business, firm, company; Betreiben: operation, running; in Straßen, Geschäften: rush: **in ~ sein (setzen)** be in (put into) operation; **außer ~** out of order; **im Geschäft war viel ~** the shop was very busy; 2**lich** adj: **~e Altersversorgung** employee pension scheme; **~e Mitbestimmung** worker participation.

Be'triebs|anleitung f operating instructions pl; **~ausgaben** pl operating expenses pl; **~gewinn** m operating profit(s pl); **~kapi,tal** n working capital; **~klima** n working atmosphere; **~kosten** pl running costs pl; **~leitung** f management; **~rat** m (member of the) works council; 2**sicher** adj safe to operate; **~störung** f breakdown; **~sy,stem** n Computer: operating system; **~unfall** m industrial accident; **~vereinbarung** f agreement between works council and management; **~wirtschaft** f (-; no pl) business administration.

be'trinken v/refl (irr, no ge-, h, → **trinken**) get drunk.

betroffen [be'trɔfən] adj shocked; berührt: affected (**von** by): **die ~en Personen** the persons concerned.

Betrug [bə'tru:k] m (-[e]s; no pl) fraud (a. jur.), swindle; Täuschung: deception.

betrüge|n [bə'try:gən] v/t (irr, no ge-, h, → **trügen**) cheat (**um** out of), swindle; jur. defraud; Ehepartner: be unfaithful to, two-time (**mit** with); täuschen: deceive; 2**r** m (-s; -) swindler, cheat.

betrunken [bə'trʊŋkən] adj drunk(en attr); 2**e** m, f (-n; -n) drunk.

Bett [bet] n (-[e]s; -en) bed: **am ~** at the bedside; **ins ~ gehen** go to bed; **'~decke** f wollene: blanket; gesteppte: quilt; Tagesdecke: bedspread.

betteln ['betəln] v/i (h) beg (**um** for).

bett|lägerig ['betlɛːgərɪç] adj laid up, länger: bedridden; 2**laken** n sheet.

Bettler f ['betlər] m (-s; -) beggar.

'Bettruhe f bed rest: **j-m ~ verordnen** tell s.o. to stay in bed.

Beule ['bɔylə] f (-; -n) bump, swelling; im Blech: dent.

beunruhigen [bə'ʊnru:ɪgən] v/t (no ge-, h) worry, stärker: alarm.

beurkunden [bə'u:rkʊndən] v/t (no ge-, h) certify; Geburt etc: register.

be'urteil|en v/t (no ge-, h) judge (**nach** by); 2**ung** f (-; -en) judg(e)ment.

Beute ['bɔytə] f (-; no pl) booty, loot; e-s Tieres: prey; hunt. bag.

Beutel ['bɔytəl] m (-s; -) bag.

bevölker|n [bə'fœlkərn] v/t (no ge-, h) populate; bewohnen: inhabit: **dicht (dünn) bevölkert** densely (thinly) populated; 2**ung** f (-; -en) population; 2**ungsexplosi,on** f population explosion.

bevollmächtigen [bə'fɔlmɛçtɪgən] v/t (no ge-, h) authorize (**zu tun** to do), jur. give s.o. power of attorney.

be'vor cj before.

be'vorstehen v/i (irr, sep, -ge-, h, → **stehen**) be approaching; Gefahr: be imminent; **j-m ~** be in store for s.o.

bevorzug|en [bə'fo:rtsu:gən] v/t (no ge-, h) prefer (**dat**, **vor** dat to); begünstigen: favo(u)r (above); **~t** adj preferred; Lieblings...: favo(u)rite; 2**ung** f (-; no pl) preference (**gen** given to).

be'wach|en v/t (no ge-, h) guard; 2**er** m (-s; -) guard; 2**ung** f (-; no pl) guarding.

bewaffnet [bə'vafnət] adj armed (**mit** with).

bewähr|en [bə'vɛ:rən] v/refl (no ge-, h) Sache: prove a success; **~t** adj Person: experienced; Sache: proven; 2**ung** f (-; -en) jur. (release on) probation: **drei Monate mit ~** a suspended sentence of three months.

bewältigen [bə'vɛltɪgən] v/t (no ge-, h) Schwierigkeit: cope with, Arbeit, Essen etc: a. manage; Strecke: cover.

beweg|en [bə've:gən] (no ge-, h) **1.** v/t move (a. fig.); **2.** v/refl move: **die Preise ~ sich zwischen ... u. ...** range between ... and ...; 2**grund** m motive; **~lich** adj movable (a. Festtag), mobile; tech. flexible (a. fig.); Person: agile; **~t** adj Meer: rough; Stimme: choked; Leben: eventful; 2**ung** f (-; -en) movement (a. pol. etc); körperliche: exercise: **in ~ setzen** start (a. fig.), set in motion; **sich in ~ setzen** start to move; **~ungslos** adj u. adv motionless.

Beweis [bə'vais] m (-es; -e) proof (gen, **für** of): **~(e pl)** bsd. jur. evidence; 2**en** v/t (no ge-, h, → **weisen**) prove; Interesse etc: show; **~stück** n (piece of) evidence, vor Gericht: exhibit.

be'wenden v/i: es dabei ~ lassen leave it at that.

be'werb|en v/refl (irr, no ge-, h, → werben) apply (bei to; um for): sich ~ um kandidieren: Br. stand for, bsd. Am. run for; 2er m (-s; -) applicant, candidate; 2ung f (-; -en) application; 2ungsgespräch n interview; 2ungsschreiben n (letter of) application; 2ungsunterlagen pl application papers pl.

be'wert|en v/t (no ge-, h) Leistung: assess (nach by); j-n: judge (by); 2ung f (-; -en) assessment.

bewilligen [bə'vilɪɡən] v/t (no ge-, h) allow (j-m et. s.o. sth.); Mittel etc: grant.

be'wirken v/t (no ge-, h) verursachen: cause; zustande bringen: bring about.

be'wohne|n v/t (no ge-, h) live in, occupy; Gebiet etc: inhabit; 2r m (-s; -) occupant; Mieter: tenant; inhabitant.

bewölk|en [bə'vœlkən] v/refl (no ge-, h) get cloudy, völlig: cloud over; ~t adj cloudy, völlig: overcast; 2ung f (-; no pl) clouds pl.

be'wunder|n v/t (no ge-, h) admire (wegen for); ~nswert adj admirable; 2ung f (-; no pl) admiration.

bewußt [bə'vʊst] adj absichtlich: intentional: sich e-r Sache ~ sein be aware (od. conscious) of s.th.; sich e-r Sache ~ werden realize s.th., become aware of s.th.; ~los adj unconscious: ~ werden lose consciousness; ~machen v/t (sep, -ge-, h): j-m et. ~ bring s.th. home to s.o.; 2sein n (-s; no pl) consciousness: bei ~ conscious; das ~ verlieren lose consciousness.

be'zahl|en v/t (no ge-, h) Betrag, Rechnung, Schuld, j-n: pay; Ware etc: pay for (a. fig.); 2ung f (-; no pl) payment.

be'zeichnen v/t (no ge-, h): j-n als Lügner ~ call s.o. a liar; ~d adj typical (für of), characteristic (for).

be'zeugen v/t (no ge-, h) jur. testify (to) (a. fig.).

be'zieh|en (irr, no ge-, h, → ziehen) 1. v/t Bett: put clean sheets on; Wohnung: move into; Gehalt etc: receive; Zeitung: take, subscribe to; 2. v/refl Himmel: cloud over: sich ~ auf (acc) refer to; 2ung f (-; -en) relation (zu to), relationship (with, to), connection (with, to); sexuelle: relationship (with, to): diplo-

matische ~en pl diplomatic relations pl; gute ~en haben have good connections; in dieser ~ in that respect; ~ungsweise cj respectively; oder vielmehr: or rather.

Bezug [bə'tsuːk] m (-[e]s; ⁓e): mit ~ auf (acc) with reference to; in 2 auf (acc) as far as ... is concerned; ~ nehmen auf (acc) refer to; ~squelle f supply source.

be'zweifeln v/t (no ge-, h) doubt.

Bibliothek [biblio'teːk] f (-; -en) library.

bieg|en ['biːɡən] (bog, gebogen) 1. v/t (h) bend; 2. v/i (sn): nach links (rechts) ~ turn left (right); um die Ecke ~ turn (round) the corner; ~sam ['biːkzaːm] adj flexible; 2ung f (-; -en) bend.

Biene ['biːnə] f (-; -n) zo. bee.

Bier [biːr] n (-[e]s; -e) beer: ~ vom Faß draught (Am. draft) beer; '~deckel m beer mat; '~dose f beer can; '~garten m beer garden; '~glas n beer glass; '~krug m beer mug, stein; '~zelt n beer tent.

bieten ['biːtən] (bot, geboten, h) 1. v/t offer (j-m et. s.o. sth.): das lasse ich mir nicht ~ I won't stand for that; 2. v/refl Gelegenheit: present itself.

Bigamie [biga'miː] f (-; -n) bigamy.

Bikini [bi'kiːni] m (-s; -s) bikini.

Bilanz [bi'lants] f (-; -en) econ. balance, Aufstellung: balance sheet; fig. result, outcome.

bilateral ['biːlatera:l] adj bilateral.

Bild [bɪlt] n (-[e]s; -er) picture; sprachliches: image: auf dem ~ in the picture; sich ein ~ machen von form an impression of; '~ausfall m TV picture loss.

bilden ['bɪldən] (h) 1. v/t Ausnahme, Regel: be; 2. v/i broaden the mind; 3. v/refl educate o.s., weitS. broaden one's horizons.

'Bild|fläche f: F auf der ~ erscheinen (von der ~ verschwinden) appear on (disappear from) the scene; '~röhre f TV picture tube; '~schirm m screen, Computer: a. display; am ~ arbeiten work at the computer.

'Bildung f (-; no pl) education; '~sweg m: auf dem zweiten ~ through evening classes.

billig ['bɪlɪç] adj cheap (a. contp.), inexpensive.

billigen ['bɪlɪɡən] v/t (h) approve of.

B

'**Billig|flug** m cheap flight; '**~lohnland** n low-wage country.

'**Billigung** f (-; no pl) approval.

Binde ['bɪndə] f (-; -n) med. bandage; Armschlinge: sling; Damen♀: sanitary towel (Am. napkin); '**~hautentzündung** f med. conjunctivitis.

binden ['bɪndən] v/t (band, gebunden, h) tie (**an** acc to; a. fig.); Strauß etc: make.

'**Bindfaden** m string.

Binnen|hafen ['bɪnən~] m inland port; '**~handel** m domestic trade; '**~land** n interior; '**~markt** m home (EG: single) market.

biologisch [bio'lo:gɪʃ] **1.** adj biological: **~er Anbau** organic farming (od. gardening); **2.** adv: **~ abbaubar** biodegradable.

Biotop [bio'to:p] n (-s; -e) biotope.

Birne ['bɪrnə] f (-; -n) pear; electr. bulb.

bis [bɪs] **1.** prp zeitlich: till, until; räumlich: (up) to: **~ heute** so far; **~ jetzt** up to now; **~ in die Nacht** into the night; **~ morgen!** see you tomorrow; **~** (spätestens) **Freitag** by Friday; **wie weit ist es ~ zum Bahnhof?** how far is it to the station?; **~ auf** (acc) außer: except; **2.** cj till, until.

bis'her adv up to now, so far: **wie ~** as before; **~ig** adj previous.

Biskuit [bɪs'kvi:t] m (-[s]; -s) sponge.

Biß [bɪs] m (Bisses; Bisse) bite.

bißchen ['bɪsçən] **1.** adj: **ein ~** a little, a (little) bit of; **2.** adv: **ein ~** a bit; **ein ~ viel** a bit (too) much; **kein ~** not a bit.

Bissen ['bɪsən] m (-s; -) bite: **keinen ~** not a thing.

bissig ['bɪsɪç] adj Hund: vicious; Bemerkung: cutting; Person: snappy: **Vorsicht, ~er Hund!** beware of the dog.

Bitte ['bɪtə] f (-; -n) request (**um** for; **auf** j-s at s.o.'s): **ich habe e-e ~ (an dich)** I have a favo(u)r to ask of you.

bitte [~] adv please: **~ nicht!** please don't; **~ (schön)!** keine Ursache: that's all right (Am. alright), not at all, bsd. Am. you're welcome; beim Überreichen etc: here you are; (**wie**) **~?** pardon?, Br. a. sorry?

bitten ['bɪtən] v/t (bat, gebeten, h): **j-n um et. ~** ask s.o. for s.th.; **j-n um Erlaubnis ~** ask s.o.'s permission.

bitter ['bɪtər] adj bitter (a. fig.); Kälte: biting.

Blähungen ['blɛ:ʊŋən] pl wind sg.

Blam|age [bla'ma:ʒə] f (-; -n) disgrace; **♀ieren** [~'mi:rən] (no ge-, h) **1.** v/t make a fool of s.o.; **2.** v/refl make a fool of o.s.

Blankoscheck ['blaŋkoʃɛk] m blank cheque (Am. check).

Blase ['bla:zə] f (-; -n) Luft♀: bubble; anat. bladder; Haut♀: blister.

blasen ['bla:zən] v/t u. v/i (blies, geblasen, h) blow.

'**Blas|instru,ment** n mus. wind instrument; '**~ka,pelle** f brass band.

blaß [blas] adj pale (**vor** dat with): **~ werden** turn pale.

Blässe ['blɛsə] f (-; no pl) paleness.

Blatt [blat] n (-[e]s; ⸚er) bot. leaf; Papier♀, Noten♀: sheet; Kartenspiel: hand; Zeitung: paper.

blättern ['blɛtərn] v/i (h): **~ in** (dat) leaf through.

blau [blau] adj blue; F fig. loaded, stoned: **~es Auge** black eye; **~er Fleck** bruise.

Blech [blɛç] n (-[e]s; -e) sheet metal; '**~schaden** m mot. bodywork damage.

Blei [blaɪ] n (-[e]s; -e) lead.

bleiben ['blaɪbən] v/i (blieb, geblieben, sn) stay (**zum Essen** for dinner), remain: **ruhig ~** keep calm; **~ bei** stick to; → **Apparat**; '**~d** adj lasting, permanent; '**~lassen** v/t (irr, sep, no ge-, h, → **lassen**) not to do s.th.; aufhören mit: stop (doing) s.th.: **laß das bleiben!** stop it!

'**bleifrei** adj mot. unleaded, lead-free.

'**Bleistift** m pencil; '**~spitzer** m pencil sharpener.

Blende ['blɛndə] f (-; -n) phot. aperture: (**bei**) **~ 8** (at) f-8.

blend|en ['blɛndən] v/t (h) blind, dazzle; **~end** adj dazzling (a. fig.); Leistung: brilliant; Aussehen: marvellous; '**~frei** adj antiglare.

Blick [blɪk] m (-[e]s; -e) look (**auf** acc at); Aussicht: view (of): **flüchtiger ~** glance; **auf den ersten ~** at first sight; '**♀en** v/i (h) look (**auf** acc at).

blind [blɪnt] adj blind (**auf e-m Auge** in one eye; fig. **gegen, für** to; **vor** dat with); Spiegel: cloudy; **~er Alarm** false alarm; **~er Passagier** stowaway.

'**Blinddarm** m anat. appendix; '**~entzündung** f med. appendicitis; '**~operati,on** f med. appendectomy.

'**Blinde** *m, f* (-n; -n) blind man (woman): **die ~n** *pl* the blind *pl*.

blinke|n ['blɪŋkən] *v/i* (h) *funkeln:* sparkle; *Sterne:* twinkle; *mot.* indicate; '**2r** *m* (-s; -) *mot.* indicator.

blinzeln ['blɪntsəln] *v/i* (h) blink.

Blitz [blɪts] *m* (-es; -e) (flash of) lightning; *phot.* flash; '**2en** (h) **1.** *v/i* flash: **es blitzt** there's lightning; **2.** *v/t:* **geblitzt werden** *mot.* be caught speeding; '**~licht** *n phot.* flash(light); '**2schnell** *adv* with lightning speed.

blockieren ['blɔki:rən] (*no ge-*, h) **1.** *v/t* block; **2.** *v/i Räder:* lock.

blöd [blø:t] *adj* stupid.

blond [blɔnt] *adj* blond(e), fair-haired); **2ine** [~'di:nə] *f* (-; -n) blonde.

bloß [blo:s] *adv* just, only.

blühen ['bly:ən] *v/i* (h) *Blumen:* bloom; *bsd. Bäume:* blossom; *fig.* prosper, thrive.

Blume ['blu:mə] *f* (-; -n) flower; *Wein:* bouquet; *Bier:* froth, head.

'**Blumen|kohl** *m* cauliflower; '**~strauß** *m* bunch of flowers; '**~topf** *m* flowerpot.

Bluse ['blu:zə] *f* (-; -n) blouse.

Blut [blu:t] *n* (-[e]s; *no pl*) blood; '**~bad** *n* bloodbath, massacre; '**~bank** *f* (-; -en) blood bank; '**~blase** *f* blood blister; '**~druck** *m* blood pressure: **j-m den ~ messen** take s.o.'s blood pressure; '**2en** *v/i* (h) bleed (**aus** from); **~erguß** ['~ɛrgʊs] *m* (-gusses; -güsse) bruise; '**~gefäß** *n* blood vessel; **~gerinnsel** ['~ɡərɪnzəl] *n* (-s; -) blood clot; '**~gruppe** *f* blood group: **welche ~ haben Sie?** which blood group are you'; '**~probe** *f* blood (*jur.* alcohol) test; *entnommene:* blood sample: **j-m e-e ~ entnehmen** take a blood sample, take a blood sample from s.o.; '**~schande** *f* incest; '**~spender** *m* blood donor; '**2stillend** *adj* (*a.* **~es Mittel**) styptic; '**2sverwandt** *adj* related by blood (**mit** to); '**~sverwandte** *m, f* blood relation; '**~übertragung** *f* blood transfusion; '**~ung** *f* (-; -en) bleeding; '**~vergießen** *n* (-s; *no pl*) bloodshed; '**~vergiftung** *f* blood poisoning.

Boden ['bo:dən] *m* (-s; ") ground; *Fuß2:* floor; *Gefäß2, Meeres2:* bottom; *Dach2:* loft, attic; '**~perso,nal** *n aer.* ground staff (*od.* crew); '**~schätze** *pl* mineral resources *pl*.

Bohne ['bo:nə] *f* (-; -n) bean: **grüne ~n** *pl* French (*od.* string) beans *pl*; **weiße ~n** *pl* haricot beans *pl*.

bohren ['bo:rən] (h) **1.** *v/t Loch:* drill (**in** *acc* into); **2.** *v/i Zahn:* drill (**nach** for); '**~d** *adj Blick:* piercing, *a. Frage:* penetrating.

'**Bohr|er** *m* (-s; -) *tech.* drill; '**~insel** *f* oilrig; '**~ma,schine** *f* drill; '**~turm** *m* (drilling) derrick.

Boje ['bo:jə] *f* (-; -n) buoy.

Bolzen ['bɔltsən] *m* (-s; -) *tech.* bolt.

bombardieren [bɔmbar'di:rən] *v/t* (*no ge-*, h) bomb; *fig.* bombard (**mit** *Fragen* with).

Bombe ['bɔmbə] *f* (-; -n)bomb; '**~nanschlag** *m* bomb attack, *Attentat: a.* bomb attempt (**auf** *acc* on; **auf** *j-n* on s.o.'s life); '**~ndrohung** *f* bomb threat.

Bon [bɔŋ] *m* (-s; -s) voucher; *Kassen2:* receipt, *Am.* sales slip.

Bonbon [bɔŋ'bɔŋ] *m, n* (-s; -s) *bsd. Br.* sweet, *Am. a. pl* candy.

Bonus ['bo:nʊs] *m* (-[ses]; -[se]) bonus, premium.

Boot [bo:t] *n* (-[e]s; -e) boat; '**~sfahrt** *f* boat trip; '**~sverleih** *m* boat hire.

Bord[¹] [bɔrt] *n* (-[e]s; -e) shelf.

Bord[²] [~] *m* (-[e]s; -e): **an ~** *aer., mar.* on board, aboard; **an ~ gehen** board (the plane), *mar.* go aboard; **von ~ gehen** leave the plane (ship); '**~karte** *f aer.* boarding pass; '**~stein** *m Br.* kerb, *Am.* curb.

borgen ['bɔrgən] *v/t* (h): **sich et.** ~ borrow s.th. (**von** from); **j-m et.** ~ lend (*bsd. Am.* loan) s.o. s.th.

Börse ['bœrzə] *f* (-; -n) stock exchange: **an der ~** on the stock exchange.

'**Börsen|bericht** *m* market report; '**~kurs** *m* quotation; '**~makler** *m* stockbroker.

bösartig ['bø:sartɪç] *adj* vicious; *med. Tumor:* malignant.

Böschung ['bœʃʊŋ] *f* (-; -en) embankment.

böse ['bø:zə] **1.** *adj* bad; *unartig: a.* naughty; *gemein:* wicked; *Überraschung, Verletzung etc:* nasty; *zornig:* angry (**über** *acc* about; **auf** *j-n* with s.o.); **2.** *adv* badly *etc:* **er meint es nicht** ~ he doesn't mean any harm.

bos|haft ['bo:shaft] *adj* malicious; '**2heit** *f* (-; *no pl*) malice.

'**böswillig** *adj* malicious, *jur. a.* wil(l)ful.

brieflich B

botanisch [bo'ta:nıʃ] *adj* botanical: **er Garten** botanical garden(s *pl*).

Bote ['bo:tə] *m* (-n; -n) messenger.

Botschaft ['bo:tʃaft] *f* (-; -en) message; *pol.* embassy; **er** *m* (-s; -) ambassador (*in dat* to).

Bouillon [bʊl'jɔŋ] *f* (-; -s) consommé.

Boulevard [bulə'va:r] *m* (-s; -s) boulevard; **blatt** *n* tabloid; **presse** *f* popular (*contp.* gutter) press.

Boxe|n ['bɔksən] *n* (-s) boxing; '**r** *m* (-s; -) boxer.

Boykott [bɔy'kɔt] *m* (-[e]s; -s, -e) boycott; **2ieren** [~'ti:rən] *v/t* (*no* ge-, h) boycott.

Branche ['brã:ʃə] *f* (-; -n) line of business; '**nverzeichnis** *n* classified directory.

Brand [brant] *m* (-[e]s; ⁓e) fire: **in ~ geraten** catch fire; **in ~ stecken** set fire to; '**blase** *f* blister; '**bombe** *f* incendiary bomb; '**stifter** *m* (-s; -) arsonist; '**stiftung** *f* arson; '**wunde** *f* burn; *durch Verbrühen*: scald.

braten ['bra:tən] *v/t* (briet, gebraten, h) roast; *auf dem Rost*: grill, broil; *in der Pfanne*: fry: **am Spieß ~** roast on a spit.

Braten [~] *m* (-s; -) roast; '**soße** *f* gravy.

'**Brat|huhn** *n* roast chicken; '**kar,toffeln** *pl* fried potatoes *pl*; '**pfanne** *f* frying pan; '**röhre** *f* oven.

Brauch [braʊx] *m* (-[e]s; ⁓e) *Sitte*: custom; *Gewohnheit*: habit, practice; '**2bar** *adj* useful; '**2en** (h) **1.** *v/t* (*pp gebraucht*) *nötig haben*: need; *erfordern*: require; *Zeit*: take; *ge~*: use: **wie lange wird er ~?** how long will it take him?; **2.** *v/aux* (*pp brauchen*): **du brauchst es nur zu sagen** just say the word; **ihr braucht es nicht zu tun** you need not (*od.* don't have to) do it; **er hätte nicht zu kommen ~** he need not have come.

Braue ['braʊə] *f* (-; -n) (eye)brow.

braun [braʊn] *adj* brown; *sonnen~*: tanned: **~ werden von der Sonne** get a tan.

Bräune ['brɔʏnə] *f* (-; *no pl*) *Sonnen2*: (sun)tan; '**2n** (h) **1.** *v/t* tan; **2.** *v/i u.* *v/refl* get a tan.

'**braungebrannt** *adj* tanned.

Braut [braʊt] *f* (-; ⁓e) *am Hochzeitstag*: bride; *Verlobte*: fiancée.

Bräutigam ['brɔʏtɪgam] *m* (-s; -e) *am Hochzeitstag*: (bride)groom; *Verlobter*: fiancé.

'**Braut|jungfer** *f* bridesmaid; '**kleid** *n* wedding dress; '**paar** *n am Hochzeitstag*: bride and (bride)groom; *Verlobte*: engaged couple.

brav [bra:f] *adj artig*: good; *ehrlich*: honest: **sei(d) ~!** be good!

brechen ['breçən] (brach, gebrochen) **1.** *v/t* (h) break (*a. fig.*): **sich den Arm ~** break one's arm; **2.** *v/i a*) (sn) break, b) (h) vomit, *Br. a.* be sick: **mit j-m ~** break with s.o.

breit [braɪt] *adj* wide; *Schultern, Grinsen etc*: broad.

'**Breite** *f* (-; -n) width; breadth; *ast., geogr.* latitude; '**2n** *v/t* (h): **~ über** (*acc*) spread on; '**ngrad** *m* (degree of) latitude; '**nkreis** *m* parallel (of latitude).

'**breit|machen** *v/refl* (*sep*, -ge-, h) *Angst etc*: spread; *Person*: spread o.s. out; '**schlagen** *v/t* (*irr, sep*, -ge-, h, → **schlagen**): F *j-n zu et*. **~** talk s.o. into (doing) s.th.

Bremsbelag ['brɛms~] *m mot.* brake lining.

Bremse ['brɛmzə] *f* (-; -n) *tech.* brake; '**2n** (h) **1.** *v/i* brake, apply (*od.* put on) the brakes; **2.** *v/t fig.* check, curb.

'**Brems|flüssigkeit** *f mot.* brake fluid; '**kraftverstärker** *m mot.* brake booster; '**leuchte** *f*, '**licht** *n mot.* stop light; '**pe,dal** *n* brake pedal; '**scheibe** *f* *mot.* brake disc; '**weg** *m* braking distance.

brenn|bar ['brɛnba:r] *adj* combustible; *entzündlich*: (in)flammable; '**en** (brannte, gebrannt, h) **1.** *v/t Loch*: burn (*in acc* in[to]); **2.** *v/i allg.* burn; *Wunde, Augen etc*: *a.* smart: **es brennt!** fire!; **darauf ~, et. zu tun** be burning to do s.th.

brenzlig ['brɛntslɪç] *adj* dangerous.

Brett [brɛt] *n* (-[e]s; -er) board; '**spiel** *n* board game.

Brezel ['bre:tsəl] *f* (-; -n) pretzel.

Brief [bri:f] *m* (-[e]s; -e) letter; '**beschwerer** *m* (-s; -) paperweight; '**bogen** ['~bo:gən] *m* (-s; -) sheet of writing paper; '**bombe** *f* letter bomb; '**freund** *m* pen friend; '**kasten** *m bsd. Br.* letterbox, *Am.* mailbox; '**kastenfirma** *f* letterbox company; '**kopf** *m* letterhead; '**2lich** *adj u. adv* by letter;

B

'**~marke** f (postage) stamp; '**~marken-sammlung** f stamp collection; '**~öffner** m paper knife, letter opener; '**~papier** n writing paper; '**~tasche** f wallet, Am. a. billfold; '**~träger** m postman, Am. a. mailman; '**~umschlag** m envelope; '**~wahl** f postal vote, absentee ballot; '**~wechsel** m correspondence.

brillant [brɪl'jant] adj brilliant.

Brillant [~] m (-en; -en) diamond.

Brille ['brɪlə] f (-; -n) (**e-e ~** a pair of) glasses pl (od. spectacles pl); Schutz2: goggles pl; '**~ne,tui** n spectacle case; '**~nträger** m person who wears glasses: **~ sein** wear glasses.

bringen ['brɪŋən] v/t (brachte, gebracht, h) bring; fort~, hin~: take; Opfer: make; Gewinn etc: yield: **nach Hause ~** see s.o. home; **j-n auf e-e Idee ~** put s.th. into s.o.'s head; **j-n dazu ~, et. zu tun** make s.o. (od. get s.o. to) do s.th.; **et. mit sich ~** involve s.th.; **j-n um et. ~** deprive s.o. of s.th.; **j-n zum Lachen ~** make s.o. laugh; **j-n wieder zu sich ~** bring s.o. round; **es zu et. (nichts) ~** succeed (fail) in life.

Brise ['bri:zə] f (-; -n) breeze.

Brit|e ['brɪtə] m (-n; -n) British man, Briton: **die ~n** pl the British pl; '**2isch** adj British.

bröckeln ['brœkəln] v/i (sn) crumble.

Brocken ['brɔkən] m (-s; -) piece; Klumpen: lump; Fleisch: chunk; Bissen: morsel: **~** pl e-r Unterhaltung etc: snatches pl; F **ein harter ~** a hard nut to crack.

Bronchi|en ['brɔnçiən] pl bronchi pl; **~tis** [~'çi:tɪs] f (-; -tiden) bronchitis.

Bronze ['brõ:sə] f (-; -n) bronze; '**~me,daille** f bronze medal.

Brosche ['brɔʃə] f (-; -n) brooch.

Broschüre [brɔ'ʃy:rə] f (-; -n) Werbe2: brochure.

Brot [bro:t] n (-[e]s; -e) bread; Laib: loaf.

Brötchen ['brø:tçən] n (-s; -) roll.

'**Brot(schneide)ma,schine** f bread slicer.

Bruch [brux] m (-[e]s; ⸚e) Knochen2: fracture; Unterleibs2: rupture, hernia; e-s Versprechens: breach.

brüchig ['bryçıç] adj zerbrechlich: fragile; spröde: brittle.

'**Bruch|landung** f aer. crash landing; '**~stück** n fragment (a. fig.): **~e** pl e-r Unterhaltung etc: snatches pl; '**~teil** m fraction: **im ~ e-r Sekunde** in a split second.

Brücke ['brykə] f (-; -n) bridge (a. Zahn2); Teppich: rug; '**~npfeiler** m bridge pier.

Bruder ['bru:dər] m (-s; ⸚) brother.

brüllen ['brylən] v/i (h) roar (**vor** dat with); '**~d** adj: **~es Gelächter** roars pl of laughter.

brumm|en v/i (h) Bär, fig. Mensch: growl (**über** acc about); '**~ig** adj grumpy.

brünett [bry'nɛt] adj brunette.

Brunnen ['brunən] m (-s; -) well; Quelle: spring; Spring2: fountain.

Brust [brust] f (-; ⸚e) chest; weibliche: breast(s pl); '**~bein** n anat. breastbone.

brüsten ['brystən] v/refl (h) boast (**mit** about).

'**Brustwarze** f anat. nipple.

brutal [bru'ta:l] adj brutal; 2**ität** [~ta-li'tɛ:t] f (-; -en) brutality.

brutto ['bruto] adv econ. gross; '2**einkommen** n gross income (od. earnings pl); '2**sozi,alpro,dukt** n gross national product.

Bub [bu:p] m (-en; -en) boy; **~e** ['bu:bə] m (-n; -n) Kartenspiel: jack.

Buch [bu:x] n (-[e]s; ⸚er) book; 2**en** (h) **1.** v/t Flug: book, a. Zimmer etc: reserve; **2.** v/i: **haben Sie gebucht?** Hotel etc: have you got a reservation?

'**Bücher|bord** n bookshelf; '**~ei** [~'raı] f (-; -en) library; '**~re,gal** n bookshelf; '**~schrank** m bookcase.

'**Buch|führung** f (-; no pl) bookkeeping; '**~halter** m bookkeeper; '**~haltung** f (-; no pl) bookkeeping; '**~handlung** f Br. bookshop, Am. bookstore.

Büchse ['byksə] f (-; -n) can, bsd. Br. tin; Gewehr: rifle; '**~nbier** n canned beer; '**~nfleisch** n canned (bsd. Br. tinned) meat; '**~nöffner** m can (bsd. Br. tin) opener.

Buchstab|e ['bu:xʃta:bə] m (-n; -n) letter: **großer (kleiner) ~** capital (small) letter; 2**ieren** [~ʃta'bi:rən] v/t (no ge-, h) spell.

buchstäblich ['bu:xʃtɛ:plıç] adj literal.

Bucht [buxt] f (-; -en) bay, kleine: inlet.

'**Buchung** f (-; -en) booking, reserva-

Byte

tion; *Buchhaltung:* entry; '**~sbestätigung** f confirmation (of booking).

bücken ['bʏkən] v/refl (h) bend (down).

Bude ['bu:də] f (-; -n) *Verkaufs2:* kiosk, *auf Jahrmarkt etc:* stall; F digs *pl*, pad.

Budget [by'dʒe:] n (-s; -s) budget.

Büfett [by'fe:] n (-s; -s) sideboard; (*Verkaufs*)*Theke:* counter; *Speisen:* buffet: *kaltes ~* cold buffet.

Bügel ['by:gəl] m (-s; -) *Kleider2:* hanger; *Brillen2:* ear piece; '**~brett** n ironing board; '**~eisen** n iron; '**~falte** f crease; '**2frei** adj drip-dry, non-iron; '**2n** v/t (h) iron; *Hose:* press.

buhen ['bu:ən] v/i (h) boo.

Bühne ['by:nə] f (-; -n) stage; '**~nbild** n (stage) set.

Bull|auge ['bʊl~] n *mar.* porthole; '**~dogge** f *zo.* bulldog.

Bulle ['bʊlə] m (-n; -n) *zo.* bull; F *Polizist:* screw.

Bummel ['bʊməl] m (-s; -) F stroll: *e-n machen* go for a stroll; '**~n** v/i F a) (s/n) stroll: *~ gehen* have a night out on the tiles, b) (h) *trödeln:* dawdle; '**~streik** m *bsd.* Br. go-slow, *Am.* slowdown; '**~zug** m F slow train.

Bund[1] [bʊnt] n (-[e]s; -e) *Bündel:* bundle, *Schlüssel* (a. m), *Radieschen etc:* bunch.

Bund[2] [~] m (-[e]s; ~e) *pol. Bündnis:* alliance; *Staaten2 etc:* federation, league; *Verband:* union: *pol. der ~* the Federal Government; *mil.* F *beim ~* in the army.

Bund[3] [~] m (-[e]s; ~e) *an Hose etc:* waistband.

Bündel ['bʏndəl] n (-s; -) bundle (a. fig.); '**2n** v/t (h) bundle up.

Bundes|bahn f Federal Railway(s pl); '**~bank** f German Central Bank; '**~kanzler** m Federal (od. German od. Austrian) Chancellor; '**~land** n state, land; '**~präsi,dent** m Federal (od. German od. Austrian) President; '**~rat** m Bundesrat, Upper House; '**~repu,blik** f Federal Republic; '**~tag** m Bundestag, Lower House; '**~wehr** f (-; no pl) (German) Armed Forces pl.

bündig ['bʏndɪç] adv: → *kurz* 2.

Bündnis ['bʏntnɪs] n (-ses; -se) alliance.

bunt [bʊnt] adj *farbig:* colo(u)rful; *mehrfarbig:* multicolo(u)red; *farbenfroh:*

colo(u)rful (a. fig.); *abwechslungsreich:* varied.

Burg [bʊrk] f (-; -en) castle.

Bürge ['bʏrgə] m (-n; -n) *jur.* guarantor (a. fig.); '**2n** v/i (h): *für j-n ~ jur.* stand surety for s.o.; *für et. ~* guarantee s.th.

'**Bürger** m (-s; -) citizen; '**~initia,tive** f action group; '**~krieg** m civil war; '**~meister** m mayor; '**~rechte** pl civil rights pl; **~steig** ['~ʃtaɪk] m (-[e]s; -e) Br. pavement, Am. sidewalk.

'**Bürgschaft** f (-; -en) surety; *Kaution:* bail.

Büro [by'ro:] n (-s; -s) office; **~angestellte** m, f office worker; **~arbeit** f office work; **~kauffrau** f, **~kaufmann** m trained commercial clerical person; **~klammer** f paper clip.

Bürokrat [byro'kra:t] m (-en; -en) bureaucrat; **~ie** [~kra'ti:] f (-; -n) bureaucracy.

Bü|ro|stunden pl, **~zeit** f office hours pl.

Bürste ['bʏrstə] f (-; -n) brush; '**2n** v/t (h) brush: *sich die Haare ~* brush one's hair.

Bus [bʊs] m (-ses; -se) bus; *Reise2:* Br. coach; '**~bahnhof** m bus station; *für Reisebusse:* Br. coach station.

Busch [bʊʃ] m (-es; ~e) bush, shrub.

Büschel ['bʏʃəl] n (-s; -) bunch; *Haar, Gras etc:* tuft.

'**buschig** adj bushy.

Busen ['bu:zən] m (-s; -) breasts pl, bust, bosom.

'**Bushaltestelle** f bus stop.

Buße ['bu:sə] f (-; -n) penance; *Reue:* repentance; *Geld2:* fine: *~ tun* do penance.

büßen ['by:sən] v/t u. v/i (h): *~ (für)* pay for; *das sollst du mir ~!* you'll pay for that!

'**Bußgeld** n *jur.* fine.

Büste ['by:stə] f (-; -n) bust; **~nhalter** m brassiere.

'**Busverbindung** f bus connection (od. service).

Butter ['bʊtər] f (-; no pl) butter; '**~brot** n (slice of) bread and butter; '**~dose** f butter dish; '**~fahrt** f cruise to buy duty-free goods.

Byte [baɪt] n (-[s]; -[s]) *Computer:* byte.

C

Café [ka'fe:] *n* (-s; -s) café.

Cafeteria [kafete'ri:a] *f* (-; -s) cafeteria.

campe|n ['kɛmpən] *v/i* (h) camp; **'⊴r** *m* (-s; -) camper.

Camping ['kɛmpɪŋ] *n* (-s; *no pl*) camping; **'⊸bus** *m* motor caravan, camper; **'⊸platz** *m* campsite.

Celsius ['tsɛlzi̯ʊs] *n*: **5 Grad ⌀** five degrees centigrade.

Champagner [ʃam'panjər] *m* (-s; -) champagne.

Champignon ['ʃampɪnjɔn] *m* (-s; -s) *bot.* mushroom.

Chance ['ʃã:sə] *f* (-; -n) chance: **die ⌀n stehen gleich (3 zu 1)** the odds are even (three to one); **'⊸ngleichheit** *f* equal opportunities *pl*.

Chao|s ['ka:ɔs] *n* (-; *no pl*) chaos; **⊴tisch** [ka'o:tɪʃ] *adj* chaotic.

Charakter [ka'raktər] *m* (-s; -e) character; *Eigenart etc*: *a.* nature; **⊴isieren** [⌀teri'zi:rən] *v/t* (*no* ge-, h) characterize; **⊴istisch** [⌀te'rɪstɪʃ] *adj* characteristic (**für** of), typical (of); **⌀zug** *m* trait.

charmant [ʃar'mant] *adj* charming.

Charme [ʃarm] *m* (-s; *no pl*) charm.

Charter|flug ['(t)ʃartər⌀] *m* charter flight; **'⌀ma,schine** *f* chartered plane; **'⌀n** *v/t* (h) charter.

Chassis [ʃa'si:] *n* (-; -) *tech.* chassis.

Chauffeur [ʃo'fø:r] *m* (-s; -e) driver; *privat angestellter*: chauffeur.

Chef [ʃɛf] *m* (-s; -s) *Abteilung, Regierung etc*: head; *Polizei*: chief; *Vorgesetzter*: boss; **'⊸sekre,tärin** *f* director's secretary.

Chem|ie [çe'mi:] *f* (-; *no pl*) chemistry; **⊸ikalien** [çemi'ka:li̯ən] *pl* chemicals *pl*; **⊸iker** ['çe:mikər] *m* (-s; -) (analytical) chemist; **⊴isch** ['çe:mɪʃ] **1.** *adj* chemi-

cal: **⌀e Reinigung** dry cleaning; → **Keule**; **2.** *adv*: **et. ⌀ reinigen lassen** have s.th. dry-cleaned.

Chiffre ['ʃɪfrə] *f* (-; -n) *in Anzeigen*: box number: **Zuschriften unter ⌀ ...** reply quoting box no. ...

Chines|e [çi'ne:zə] *m* (-n; -n) Chinese; **⊴isch** *adj* Chinese.

Chip [tʃɪp] *m* (-s; -s) *Spielmarke, Computer*: chip; *Kartoffel⊵*: *Br.* crisp, *Am.* chip.

Chirurg [çi'rʊrk] *m* (-en; -en) surgeon; **⊸ie** [⌀'gi:] *f* (-; *no pl*) surgery; **⊴isch** [⌀gɪʃ] *adj* surgical.

Chlor [klo:r] *n* (-s; *no pl*) *chem.* chlorine; **'⊴en** *v/t* (h) chlorinate.

Cholera ['ko:lera] *f* (-; *no pl*) *med.* cholera.

Chor [ko:r] *m* (-[e]s; ⸚e) choir (*a. arch.*): **im ⌀** in chorus; **⌀al** [ko'ra:l] *m* (-s; -räle) chorale, hymn.

Chrom [kro:m] *n* (-s; *no pl*) *chem.* chromium.

Chronik ['kro:nɪk] *f* (-; -en) chronicle.

chronisch ['kro:nɪʃ] *adj med.* chronic (*a. fig.*).

chronologisch [krono'lo:gɪʃ] *adj* chronological.

circa ['tsɪrka] *adv* → **zirka.**

City ['sɪti] *f* (-; -s) (city *od.* town) cent|re (*Am.* -er).

Cocktail ['kɔkte:l] *m* (-s; -s) cocktail.

Container [kɔn'te:nər] *m* (-s; -) container.

Couch [kaʊtʃ] *f* (-; -es) couch.

Coupé [ku'pe:] *n* (-s; -s) *mot.* coupé.

Cousin [ku'zɛ̃:] *m* (-s; -s) (male) cousin; **⊸e** [ku'zi:nə] *f* (-; -n) (female) cousin.

Creme [kre:m] *f* (-; -s) cream (*a. fig.*).

Curry ['kœri] *n* (-s; -s) *Gewürz*: curry powder.

D

da [daː] **1.** *adv räumlich*: (*dort*) there, (*hier*) here; *zeitlich*: then, at that time: ***~ drüben*** (***draußen***) over (out) there; ***von ~ aus*** from there; ***~ kommt er*** here he comes; ***von ~ an*** (*od.* ***ab***) from then on; **2.** *cj begründend*: as, since, because.
dabei [da'baɪ] *adv anwesend*: there, present; *nahe*: near (*od.* close) by; *gleichzeitig, zusätzlich*: at the same time, as well; *mit enthalten*: included: ***er ist gerade ~***(***, es zu tun***) he's just doing it; ***es ist nichts ~*** *leicht*: there's nothing to it; *harmlos*: there's no harm in it; ***was ist schon ~?*** (so) what of it?; ***lassen wir es ~!*** let's leave it at that!; **~haben** *v/t* (*irr, sep*, -ge-, h, → ***haben***): ***ich hab' keinen Schirm dabei*** I didn't bring my umbrella; ***ich hab' kein Geld dabei*** I haven't got any money on me.
'dableiben *v/i* (*irr, sep*, -ge-, sn, → ***bleiben***) stay.
Dach [dax] *n* (-[e]s; ¨er) roof, *mot. a.* top; **'~boden** *m* loft: ***auf dem ~*** in the loft; **'~fenster** *n* dormer (window); **'~gepäckträger** *m mot.* roof rack; **'~geschoß** *n* attic; **'~geschoßwohnung** *f* → ***Dachwohnung***; **'~gesellschaft** *f econ.* holding company; **'~kammer** *f* garret; **'~luke** *f* skylight; **'~ter,rasse** *f* roof terrace; **'~verband** *m econ.* umbrella organization; **'~wohnung** *f Br.* attic flat, *Am.* (converted) loft.
Dackel ['dakəl] *m* (-s; -) *zo.* dachshund.
dadurch [da'dʊrç] **1.** *adv deswegen*: because of that; **2.** *cj*: ***~, daß*** by *ger*.
dafür [da'fyːr] **1.** *adv* for it (*od.* them); *als Gegenleistung*: in return: ***~ sein*** be in favo(u)r of it, *bei Abstimmung*: be in favo(u)r; ***~ sein, et. zu tun*** be for doing s.th.; **2.** *cj*: ***~, daß*** for *ger*; ***~ sorgen, daß*** see to it that; **~können** *v/t* (*irr, sep*, -ge, h, → ***können***): ***er kann nichts dafür*** it's not his fault.
dagegen [da'geːgən] **1.** *adv* against it (*od.* them): ***~ sein*** be against (*od.* opposed to) it, *bei Abstimmung*: be against; ***~ sein, et. zu tun*** be against doing s.th.; ***haben Sie et. ~, wenn ich ...?*** do you mind if I ...?; ***wenn Sie nichts ~ haben*** if you don't mind; **2.** *cj andererseits*: however, on the other hand.
daheim [da'haɪm] *adv* at home.
daher [da'heːr] **1.** *adv* hence: ***~ kommt es, daß*** that's why (*od.* how); **2.** *cj deshalb*: (and) so.
dahin [da'hɪn] *adv räumlich*: there; *vergangen*: gone, past: ***bis ~*** *zeitlich*: till then.
dahinten [da'hɪntən] *adv* back there.
dahinter [da'hɪntər] *adv* behind it (*od.* them); **~kommen** *v/i* (*irr, sep*, -ge-, sn, → ***kommen***) find out (about it); **~stecken** *v/i* (*sep*, -ge-, h) be behind it.
'dalassen *v/t* (*irr, sep*, -ge-, h, → ***lassen***) leave behind.
damal|ig ['daːmaːlɪç] *adj* then, of (*od.* at) that time; **'~s** *adv* then, at that time.
Dame ['daːmə] *f* (-; -n) lady; *Tanz*: partner; *Karte, Schach*: queen; *Spiel*: *Br.* draughts *pl*, *Am.* checkers *pl* (*beide sg konstr.*); **'~nbekleidung** *f* ladies' wear; **'~nbinde** *f* sanitary towel (*Am.* napkin); **'~nfri,seur** *m* ladies' hairdresser (*Geschäft*: hairdresser's); **'~nmode** *f* ladies' fashions *pl*; **'~ntoi,lette** *f* ladies' toilet (*Am.* room).
damit [da'mɪt] **1.** *adv* with it (*od.* them): ***was will er ~ sagen?*** what is he trying to say?; ***wie steht es ~?*** how about it?; ***~ einverstanden sein*** have no objections; **2.** *cj* so that, in order to *inf*: ***~ nicht*** so as not to *inf*.
Damm [dam] *m* (-[e]s; ¨e) *Stau*2: dam; *Fluß*2 *etc*: embankment.
Dämmerung ['dɛmərʊŋ] *f* (-; -en) *Abend*2: dusk; *Morgen*2: dawn.
Dampf [dampf] *m* (-[e]s; ¨e) steam, *phys.* vapo(u)r; **'2en** *v/i* (h) steam.
dämpfen ['dɛmpfən] *v/t* (h) *Schall*: deaden; *Stimme*: muffle; *Licht, Farbe, Schlag*: soften; *Kleidungsstück*: steam-iron; *Stimmung*: put a damper on; *econ. Kosten, Konjunktur*: curb.
Dampfer ['dampfər] *m* (-s; -) steamer, steamship; **'~fahrt** *f* steamer trip.
danach [da'naːx] *adv* after that; *später*: afterwards; *entsprechend*: according to it: ***ich fragte ihn ~*** I asked him about it.
Däne ['dɛːnə] *m* (-n; -n) Dane.

daneben [da'ne:bən] *adv* beside it (*od.* them); *außerdem:* in addition; **~gehen** *v/i* (*irr, sep,* -ge-, sn, → *gehen*) *Schuß etc:* miss.

dänisch ['dɛːnɪʃ] *adj* Danish.

Dank [daŋk] *m* (-[e]s; *no pl*) thanks *pl:* *Gott sei ~!* thank God!

dank [\.] *prp* thanks to; '**~bar** *adj* grateful (*j-m* to s.o.; *für* for); *lohnend:* rewarding; '**2barkeit** *f* (-; *no pl*) gratitude; '**~en** *v/i* (h) thank (*j-m für et.* s.o. for s.th.): *danke (schön)* thank you (very much); *(nein) danke* no, thank you; *nichts zu ~* not at all.

dann [dan] *adv* then.

daran [da'ran] *adv:* **~ befestigen** attach to it; **~ denken** think of it; **~ glauben** believe in it; **~ leiden** suffer from it; **~ sterben** die of it.

darauf [da'raʊf] *adv* räumlich: on it (*od.* them); *zeitlich:* after that: *am Tag ~* the day after; *zwei Jahre ~* two years later; **~ stolz sein** be proud of it; *sich ~ freuen* look forward to it.

daraus [da'raʊs] *adv:* *was ist ~ geworden?* what has become of it?; *ich mache mir nichts ~* I don't care for it; *mach dir nichts ~!* never mind.

darin [da'rın] *adv* in it (*od.* them); *in dieser Hinsicht:* in this respect: *gut ~* good at it.

Darlehen ['da:rle:ən] *n* (-s; -) loan: *ein ~ aufnehmen* take out a loan.

Darm [darm] *m* (-[e]s; ⸚e) intestine, bowels *pl;* *Wurst:* skin; '**~grippe** *f med.* intestinal flu.

'**darstell|en** *v/t* (*sep,* -ge-, h) *wiedergeben, zeigen:* represent, show, depict; *beschreiben:* describe; *Rolle:* play, do; *graphisch:* trace, graph; '**2er** *m* (-s; -) *thea.* performer, actor; '**2erin** *f* (-; -nen) performer, actress; '**2ung** *f* (-; -en) representation; description; account; *Porträt, Rolle:* portrayal.

darüber [da'ry:bər] *adv* over it (*od.* them); *mehr:* more; *über et.:* about it: **~ werden Jahre vergehen** that will take years.

darum [da'rʊm] *adv* (a)round it; *deshalb:* that's why: *ich bat ihn ~* I asked him for (*od.* to do) it; **~ geht es (nicht)** that's (not) the point.

darunter [da'rʊntɐ] *adv* under it (*od.* them), underneath; *dazwischen:* among

them; *weniger:* less; *einschließlich:* including: **was verstehst du ~?** what do you understand by it?

das [das] → *der.*

'**dasein** *v/i* (*irr, sep,* -ge-, sn, → *sein*) be there (*od.* present); *vorhanden sein:* exist: *da bin ich* here I am; *ich bin gleich da* I'll be back in a minute; *ist noch Kaffee da?* is there any coffee left?; *dafür ist es da* that's what it's here for.

'**Dasein** *n* (-s; *no pl*) life, existence.

daß [das] *cj* that; *damit:* so (that): *es sei denn, ~* unless; *ohne ~* without *ger;* *nicht ~ ich wüßte* not that I know of.

'**dastehen** *v/i* (*irr, sep,* -ge-, h, → *stehen*) stand (there).

Datei [da'tai] *f* (-; -en) file.

Daten ['da:tən] *pl* data *pl,* facts *pl; Personalangaben:* particulars *pl;* '**~bank** *f* (-; -en) data bank (*od.* base); '**~schutz** *m* data protection; '**~träger** *m* data medium (*od.* carrier); **~typistin** ['~ty,pıstın] *f* (-; -nen) data typist; '**~verarbeitung** *f* data processing.

datieren [da'ti:rən] *v/t* (*no* ge-, h) date.

Datum ['da:tom] *n* (-s; Daten) date: *ohne ~* undated; *welches ~ haben wir heute?* what's the date today?

Dauer ['daʊər] *f* (-; *no pl*) duration; *Fort2:* continuance: *auf die ~* in the long run; *für die ~ von* for a period (*od.* term) of; *von ~ sein* last; '**~arbeitslosigkeit** *f* long-term unemployment; '**~auftrag** *m econ.* standing order; '**2haft** *adj Friede etc:* lasting; *Material etc:* durable; *Farbe etc:* fast; '**~karte** *f* season ticket; '**2n** ['daʊərn] *v/i* (h) last, take: *wie lange dauert es (noch)?* how long (how much longer) will it take?; *es dauert nicht lange* it won't take long; '**~welle** *f* perm.

Daumen ['daʊmən] *m* (-s; -) thumb: *j-m den ~ halten* keep one's fingers crossed (for s.o.).

Daunen ['daʊnən] *pl* down *sg;* '**~decke** *f* eiderdown.

davon [da'fɔn] *adv: genug (mehr) ~* enough (more) of it; *drei ~* three of them; *et. (nichts) ~ haben* get s.th. (nothing) out of it; *das kommt ~!* there you are!, that will teach you!; **~kommen** *v/i* (*irr, sep,* -ge-, sn, → *kommen*) escape, get off; **~laufen** *v/i* (*irr, sep,* -ge-, sn, → *laufen*) run away.

davor [da'fo:r] *adv örtlich:* before (*od.* in front of) it (*od.* them); *zeitlich:* before that: **sich ~ fürchten** be afraid of it.

dazu [da'tsu:] *adv dafür:* for it (*od.* them), for that purpose; *außerdem:* in addition: **noch ~** into the bargain; **~ ist es da** that's what it's there for; **... Salat ~? ...** a salad with it?; **~ wird es nicht kommen** it won't come to that; **~ kommen(, es zu tun)** get around to (doing) it; **~ habe ich keine Lust** I don't feel like it; **~gehören** *v/i* (*sep, pp dazugehört,* h) belong to it (*od.* them), be part of it (*od.* them); **~kommen** *v/i* (*irr, sep, -ge-, sn, → kommen*) join s.o., *Sache:* be added.

dazwischen [da'tsvɪʃən] *adv räumlich:* between (them), *a. zeitlich:* them; *darunter:* among them; **~kommen** *v/i* (*irr, sep, -ge-, sn, → kommen*) *Ereignis:* intervene, happen.

Debatt|e [de'batə] *f* (-; -n) debate; **2ieren** [~'ti:rən] *v/t u. v/i* (*no ge-,* h): **~** (**über** *acc*) debate.

Debüt [de'by:] *n* (-s; -s) debut; **sein ~ geben** make one's debut (**als** as).

Deck [dɛk] *n* (-[e]s; -s) *mar.* deck: **an** (**od. auf**) **~** on deck.

Decke [dɛkə] *f* (-; -n) *Wolf2:* blanket; *Stepp2:* quilt; *Zimmer2:* ceiling; **'~l** *m* (-s; -) cover; *e-s Behälters:* lid, *e-s Glases: a.* top; **'2n** (h) **1.** *v/t Bedarf:* meet; *Scheck:* cover: **den Tisch ~** lay the table; **2.** *v/refl* correspond (**mit** with).

'Deckung *f* (-; *no pl) econ.* cover: **in ~ gehen** take cover (**vor** *dat* from).

defekt [de'fɛkt] *adj* faulty.

Defekt [~] *m* (-[e]s; -e) fault.

Defizit [de'fitsɪt] *n* (-s; -e) *econ.* deficit.

Deflation [defla'tsio:n] *f* (-; -en) *econ.* deflation.

dehn|bar [de:nba:r] *adj* flexible, elastic (*a. fig.*); **'~en** *v/t* (h) stretch (*a. fig.*).

Deich [daɪç] *m* (-[e]s; -e) dike; **'~bruch** *m* breach in a dike.

dein [daɪn] *poss pron* your: **~er, ~e, ~(e)s** yours; **'~esgleichen** *pron contp.* the likes *pl* of you.

Dekolleté [dekɔl'te:] *n* (-s; -s) low neckline: **tiefes ~** plunging neckline.

Dekor|ation [dekora'tsio:n] *f* (-; -en) decoration; *Schaufenster2:* window display; *thea.* set(s *pl*); **2ieren** [~'ri:rən]

v/t (*no ge-,* h) decorate; *Schaufenster:* dress.

Deleg|ation [delega'tsio:n] *f* (-; -en) delegation; **2ieren** [~'gi:rən] *v/t* (*no ge-,* h) delegate; **~ierte** [~'gi:rtə] *m, f* (-n; -n) delegate.

delikat [deli'ka:t] *adj köstlich:* delicious; *heikel:* delicate; **2esse** [~ka'tɛsə] *f* (-; -n) delicacy; **2essenladen** *m* delicatessen.

Dement|i [de'mɛnti] *n* (-s; -s) (official) denial; **2ieren** [~'ti:rən] *v/t* (*no ge-,* h) deny (officially).

'dem'nächst *adv* soon, before long.

Demo [de:mo] *f* (-; -s) F demo.

Demokrat [demo'kra:t] *m* (-en; -en) democrat; **~ie** [~kra'ti:] *f* (-; -n) democracy; **2isch** [~'kra:tɪʃ] *adj* democratic.

demolieren [demo'li:rən] *v/t* (*no ge-,* h) *beschädigen:* damage; *zerstören:* wreck, *mutwillig:* vandalize.

Demonstr|ant [demɔn'strant] *m* (-en; -en) demonstrator; **~ation** [~stra-'tsio:n] *f* (-; -en) demonstration; **2ieren** [~'stri:rən] *v/t u. v/i* (*no ge-,* h) demonstrate.

demontieren [demɔn'ti:rən] *v/t* (*no ge-,* h) dismantle.

Denk|anstoß [dɛŋk~] *m:* **j-m e-n ~ geben** give s.o. food for thought, set s.o. thinking; **'2bar 1.** *adj* conceivable; **2.** *adv:* **~ einfach** most simple; **'2en** *v/t u. v/i* (dachte, gedacht, h) think (**an** *acc,* **über** *acc* of, about): **das kann ich mir ~** I can imagine; **das habe ich mir gedacht** I thought so; **denk daran zu ...** remember to ...; **'~mal** *n* (-[e]s; ~er) monument (*gen* to); **'~malschutz** *m:* **unter ~ stehen** be listed; **'~zettel** *m fig.* lesson.

denn [dɛn] **1.** *cj begründend:* because, since; *nach comp:* than: **mehr ~ je** more than ever; **es sei ~** unless; **2.** *adv* then: **wieso ~?** (but) why?; **was ist ~?** what's up?

dennoch [dɛnɔx] *cj* (yet ...) still, nevertheless.

Denunz|iant [denʊn'tsiant] *m* (-en; -en) informer; **2ieren** [~'tsi:rən] *v/t* (*no ge-,* h) inform on.

Deo [de:o] *n* (-s; -s) F, **~dorant** [de⁹odo'rant] *n* (-s; -e, -s) deodorant.

deplaziert [depla'tsi:rt] *adj* out of place.

Depo|nie [depo'ni:] *f* (-; -n) dump, tip;

2nieren [~'ni:rən] *v/t* (*no* ge-, h) deposit; **~t** [de'po:] *n* (-s; -s) depot.

Depress|ion [depre'sjo:n] *f* (-; -en) depression (*a.* econ.); **2iv** [~'si:f] *adj* depressive.

deprimieren [depri'mi:rən] *v/t* (*no* ge-, h) depress.

der [der], **die, das 1.** *art* the; **2.** *dem pron* that, this; he, she, it; **die** *pl* these, those, they; **3.** *rel pron* who, which, that.

derart(ig) ['de:r'?a:rt(ıç)] *adv* so much.

derb [dɛrp] *adj* unfein, grob: coarse (*a.* Stoff); Leder: tough.

'der'gleichen *dem pron:* **nichts ~** nothing of the kind.

der-, die-, dasjenige ['de:rje:nıgə] *dem pron* he, she, that; **diejenigen** *pl* those.

der-, die-, dasselbe [de:r'zɛlbə] *dem pron* the same.

Desert|eur [dezɛr'tø:r] *m* (-s; -e) deserter; **2ieren** [~'ti:rən] *v/i* (*no* ge-, sn) desert (**von** from).

deshalb *cj u. adv* therefore, for that reason, that is why, so.

Design [di'zaın] *n* (-s; -s) econ., tech. design; **~er** *m* (-s; -) designer.

desinfizieren [dɛs'?ınfi'tsi:rən] *v/t* (*no* ge-, h) disinfect.

Desinteress|e [dɛs'?ınte'rɛsə] *n* (-s; *no pl*) indifference (**an** dat to, towards); **2iert** [~'si:rt] *adj* uninterested (**an** dat in), indifferent (to, towards).

Dessert [dɛ'se:r] *n* (-s; -s) gastr. dessert.

desto ['dɛsto] *cj:* **je mehr, ~ besser** the more the better.

Detail [de'taı] *n* (-s; -s) detail.

Detektiv [detɛk'ti:f] *m* (-s; -e) detective.

deuten ['dɔytən] *v/i* (h): **~ auf** (*acc*) point at.

deutlich ['dɔytlıç] *adj* clear, distinct.

deutsch [dɔytʃ] *adj* German; **'2e** *m, f* (-n; -n) German.

Devise [de'vi:zə] *f* (-; -n) motto: **~n** *pl* econ. foreign currency sg (*od.* exchange sg); **~nkon,trolle** *f* (foreign) exchange control; **~nkurs** *m* rate of exchange; **~nmakler** *m* (foreign) exchange broker.

Dezember [de'tsɛmbər] *m* (-[s]; -) December: **im ~** in December.

dezent [de'tsɛnt] *adj* Farbe, Licht, Musik: soft; Kleidung: tasteful.

Dia ['di:a] *n* (-s; -s) slide.

Diagnose [dia'gno:zə] *f* (-; -n) diagnosis.

diagonal [diago'na:l] *adj* diagonal; **2e** *f* (-; -n) diagonal.

Diagramm [dia'gram] *n* (-s; -e) graph.

Dialekt [dia'lɛkt] *m* (-[e]s; -e) dialect.

Dialog [dia'lo:k] *m* (-[e]s; -e) dialogue, *Am. a.* dialog.

Diamant [dia'mant] *m* (-en; -en) diamond.

'Diapro,jektor *m* slide projector.

Diät [di'ɛ:t] *f* (-; -en) diet: **e-e ~ machen** be (*od.* go) on a diet; **~en** *pl parl.* parliamentary allowance.

dicht [dıçt] **1.** *adj* Haar, Gewebe, Nebel, Verkehr, Wald etc: dense, thick; Fenster etc: tight (*a. fig.*); **2.** *adv:* **~ an** (*dat*) (*od. bei*) close to; → **besiedeln.**

Dichter ['dıçtər] *m* (-s; -) poet; Schriftsteller: author, writer.

'Dichtung¹ *f* (-; -en) tech. seal.

'Dichtung² *f* (-; -en) literature; Vers2: poetry.

dick [dık] *adj* thick; Person: fat; Bauch: big; **es macht ~** it is fattening; **2kopf** *m* F stubborn (*od.* pigheaded) person.

die [di:] → **der.**

Dieb [di:p] *m* (-[e]s; -e) thief; **~stahl** ['~ʃta:l] *m* (-[e]s; -e) theft, jur mst larceny; **'~stahlversicherung** *f* theft insurance.

Diele ['di:lə] *f* (-; -n) Brett: board, plank; Vorraum: hall, Am. a. hallway.

dienen ['di:nən] *v/i* (h) serve (*j-m* s.o.; **als** as).

Dienst [di:nst] *m* (-es; -e) service (*a. ~leistung*); Amtsleistung: duty; Arbeit: work: **~ haben** be on duty; **im (außer) ~** on (off) duty; **außer ~** pensioniert: retired; **'~... in** Zssgn Wagen, Wohnung etc: official ..., company ...

Dienstag ['di:nsta:k] *m* (-[e]s; -e) Tuesday: **(am) ~** on Tuesday.

'Dienst|alter *n* seniority, length of service; **'2bereit** *adj* on duty; **'~grad** *m* grade, rank (*a. mil.*).

'Dienstleistung *f* service; **'~sabend** *m* late shopping night; **'~sgewerbe** *n* service industries *pl*; **'~sunter,nehmen** *n* services enterprise.

'dienst|lich *adj* official; **2mädchen** *n* maid, home help; **'2reise** *f* business trip; **'2stunden** *pl* office hours *pl*; **'~tuend** *adj* on duty; **2wagen** *m* company car; *für* Minister *etc:* official car; **'2weg** *m* official channels *pl*.

Diesel ['diːzəl] m (-[s]; -) diesel, *Kraftstoff*: Br. a. derv TM.

dies|er, ~e, ~es ['diːzər] *dem pron* this; **alleinstehend**: this one: **~e** *pl* these *pl*.

diesjährig ['diːsjɛːrɪç] *adj* this year's; **'~mal** *adv* this time; **~seits** ['~zaɪts] *prp* on this side of.

Differenz [dɪfəˈrɛnts] f (-; -en) difference; **~ieren** [~ˈtsiːrən] v/i (no ge-, h) differentiate (**zwischen** *dat* between).

Digital...[digiˈtaːl] *in Zssgn Anzeige, Uhr etc*: digital ...

Diktat [dɪkˈtaːt] n (-[e]s; -e) dictation; **~or** [~ˈtaːtɔr] m (-s; -en) dictator; **~ur** [~taˈtuːr] f (-; -en) dictatorship.

diktier|en [dɪkˈtiːrən] v/t u. v/i (no ge-, h): **j-m e-n Brief ~** dictate a letter to s.o.; **2gerät** n dictating machine.

Ding [dɪŋ] n (-[e]s; -e) thing: **guter ~e sein** be cheerful; **vor allen ~en** above all; F **ein ~ drehen** pull a job.

Diphtherie [dɪfteˈriː] f (-; -n) *med.* diphtheria.

Diplom [diˈploːm] n (-[e]s; -e) diploma, degree; **~... in Zssgn Ingenieur etc**: qualified ..., graduate ...

Diplomat [diploˈmaːt] m (-en; en) diplomat (*a. fig.*); **~enkoffer** m attaché case; **~ie** [~maˈtiː] f (-; *no pl*) diplomacy (*a. fig.*); **2isch** [~ˈmaːtɪʃ] *adj* diplomatic (*a. fig.*).

dir [diːr] *pers pron* (to) you: **~ (selbst)** yourself.

direkt [diˈrɛkt] **1.** *adj* direct; *Rundfunk, TV*: live; **2.** *adv* geradewegs: direct; *fig.* genau, sofort: direct; *Rundfunk, TV*: live: **~ gegenüber (von)** right across; **2flug** m direct flight; **2ion** [~ˈtsioːn] f (-; -en) *Geschäftsleitung*: management; **2or** [diˈrɛktɔr] m (-s; -en) director, manager; *geschäftsführender*: managing director; **2über,tragung** f *Rundfunk, TV*: live broadcast; **2verkauf** m (-[e]s; *no pl*) direct selling; **2werbung** f direct advertising.

Dirigent [diriˈgɛnt] m (-en; -en) *mus.* conductor.

Dirne ['dɪrnə] f (-; -n) prostitute.

Diskette [dɪsˈkɛtə] f (-; -n) *Computer*: diskette, floppy (disk); **~nlaufwerk** n disk drive.

Disko ['dɪsko] f (-; -s) F disco.

Diskont [dɪsˈkɔnt] m (-s; -e) *econ.* discount; **~satz** m discount rate.

Diskothek [dɪskoˈteːk] f (-; -en) discotheque.

diskret [dɪsˈkreːt] *adj* discreet; **2ion** [~kreˈtsioːn] f (-; *no pl*) discretion.

diskriminier|en [dɪskrimiˈniːrən] v/t (no ge-, h) discriminate against; **2ung** f (-; -en) discrimination (*gen* against).

Diskussion [dɪskʊˈsioːn] f (-; -en) discussion (*um* on, about); **~sleiter** m (panel) chairman.

diskutieren [dɪskuˈtiːrən] v/t u. v/i (no ge-, h) discuss (*über et.* s.th.).

Disqualifi|kation [dɪskvalifikaˈtsioːn] f (-; -en) disqualification; **2zieren** [~ˈtsiːrən] v/t (no ge-, h) disqualify (*wegen* for).

Distanz [dɪsˈtants] f (-; -en) distance (*a. fig.*); **2ieren** [~ˈtsiːrən] v/refl (no ge-, h): **sich ~ von** dissociate o.s. from.

Distrikt [dɪsˈtrɪkt] m (-[e]s; -e) district.

Disziplin [dɪstsiˈpliːn] f (-; -en) discipline; **2iert** [~pliˈniːrt] *adj* disciplined.

Divid|ende [diviˈdɛndə] f (-; -n) *econ.* dividend; **2ieren** [~ˈdiːrən] v/t (no ge-, h) divide (*durch* by).

Division [diviˈzioːn] f (-; -en) *math., mil.* division.

doch [dɔx] *cj u. adv* but, however; yet: **also ~ (noch)** after all; **kommst du nicht (mit)? - ~!** aren't you coming? - (oh) yes, I am!; **ich war es nicht - ~!** I didn't do it - yes, you did!, *Am. a.* you did too!; **du kommst ~?** you're coming, aren't you?; **kommen Sie ~ herein!** do come in!; **du weißt ~, daß** (I'm sure) you know that; **wenn ~ ...!** *wünschend*: if only ...!

Docht [dɔxt] m (-[e]s; -e) wick.

Dock [dɔk] n (-s; -s) *mar.* dock.

Doktor ['dɔktɔr] m (-s; -en) doctor.

Dokument [dokuˈmɛnt] n (-[e]s; -e) document; **~arfilm** [~ˈtaːr~] m documentary (film).

Dollar ['dɔlar] m (-[s]; -s) dollar.

dolmetsche|n ['dɔlmɛtʃən] v/i u. v/t (h) interpret; **'2r** m (-s; -) interpreter.

Dom [doːm] m (-[e]s; -e) cathedral.

Donner ['dɔnər] m (-s; -) thunder; **'2n** v/impers (h) thunder; **'~stag** m (-[e]s; -e) Thursday: **(am) ~** on Thursday.

Doppel ['dɔpəl] n (-s; -) duplicate; **'~besteuerung** f double taxation; **'~besteuerungsabkommen** n Convention for the Avoidance of Double Taxation;

'**~bett** n double bed; '**~haus** n pair of semis; '**~haushälfte** f semi-detached house).

'**doppelt** adj u. adv double: **~ soviel** (**wie**) twice as much (as).

'**Doppelzimmer** n double room.

Dorf [dɔrf] n (-[e]s; ⸚er) village; '**~be-wohner** m villager.

dort [dɔrt] adv there: **~ drüben** over there; '**~her** adv: (**von**) **~** from there; '**~hin** adv there.

Dose ['do:zə] f (-; -n) can, bsd. Br. tin; Steck2: socket; '**~bier** n canned beer; '**~nfleisch** n canned (bsd. Br. tinned) meat; '**~nöffner** m can (bsd. Br. tin) opener.

Dosis ['do:zɪs] f (-; Dosen) dose (a. fig.).

Dotter ['dɔtər] m, n (-s; -) yolk.

Double ['du:bəl] n (-s; -s) Film: stand-in, stuntman, stuntwoman.

Draht [dra:t] m (-[e]s; ⸚e) wire; '2**los** adj wireless; '**~seilbahn** f cable railway.

Drama ['dra:ma] n (-s; -men) drama; **~tiker** [dra'ma:tikər] m (-s; -) dramatist, playwright; 2**tisch** [dra'ma:tɪʃ] adj dramatic.

dran [dran] adv F → **daran**.

Drang [draŋ] m (-[e]s; no pl) urge (**nach** for).

drängen ['drɛŋən] (h) **1.** v/t push, urge (**zu tun** to do); **2.** v/i push one's way (a. v/refl); eilig sein: be urgent: **die Zeit drängt** time's running short.

drastisch ['drastɪʃ] adj drastic.

drauf [drauf] adv F → **darauf**: **~ und dran sein, et. zu tun** be on the point of doing s.th..

draus [draus] adv F → **daraus**.

draußen ['drausən] adv outside; im Freien: a. in the open: **da ~** out there.

Dreck [drɛk] m (-[e]s; no pl) F dirt, stärker: muck, filth; fig. rubbish; 2**ig** adj dirty, stärker: filthy (beide a. fig.).

Dreh|buch ['dre:~] n script; '2**en** (h) **1.** v/t turn; Film: shoot; Zigarette: roll; **2.** v/refl turn, rotate; schnell: spin: **worum dreht es sich** (**eigentlich**)**?** what is it (all) about?; **darum dreht es sich** (**nicht**) that's (not) the point; '**~kreuz** n turnstile; '**~strom** m electr. three-phase current; '**~stuhl** m swivel chair; '**~tür** f revolving door; '**~ung** f (-; -en) turn; um e-e Achse: rotation; '**~zahl** f tech. revolutions pl per minute; '**~zahlmes-**

~ser m (-s; -) mot. rev counter, tachometer.

drei [drai] adj three; '2**bettzimmer** n three-bed room; '2**eck** n (-[e]s; -e) triangle; '**~eckig** adj triangular; '**~fach** adj triple.

dreißig ['draisɪç] adj thirty; '**~ste** adj thirtieth.

'**dreizehn** adj thirteen; '**~te** adj thirteenth.

Dressman ['drɛsmən] m (-s; -men) male model.

Drilling ['drɪlɪŋ] m (-s; -e) triplet.

drin [drɪn] adv F → **darin**.

dringen ['drɪŋən] v/i (drang, gedrungen) a) (h): **~ auf** (acc) insist on; **darauf ~, daß** urge that, b) (sn): **~ aus** break forth from; Geräusch: come from; **~ durch** force one's way through, penetrate, pierce; **~ in** (acc) penetrate into; **an die Öffentlichkeit ~** leak out; '**~d** adj urgent, pressing; Verdacht, Rat, Grund: strong.

drinnen ['drɪnən] adv inside.

dritte ['drɪtə] adj third: **zu dritt sein** be three; '2**l** n (-s; -) third; '**~ns** adv third (-ly).

Droge ['dro:gə] f (-; -n) drug.

'**drogenabhängig** adj addicted to drugs; '2**e** m, f drug addict; '2**keit** f drug addiction.

'**Drogen|beratungsstelle** f drugs advice cent|re (Am. -er); '**~handel** m drug trafficking; '**~händler** m drug trafficker (od. dealer); '**~kon|sum** m use of drugs; '**~mißbrauch** m drug abuse; '2**süchtig** etc → **drogenabhängig** etc; '**~szene** f drug scene.

Drogerie [drogə'ri:] f (-; -n) Br. chemist's (shop), Am. drugstore.

drohen ['dro:ən] v/i (h) threaten.

dröhnen ['drø:nən] v/i (h) Motor, Stimme etc: roar; widerhallen: resound.

Drohung ['dro:ʊŋ] f (-; -en) threat.

drüben ['dry:bən] adv over there.

drüber ['dry:bər] adv F → **darüber**.

Druck[1] [drʊk] m (-[e]s; no pl) pressure (a. fig.): **~ auf j-n ausüben** put s.o. under pressure.

Druck[2] [~] m (-[e]s; -e) Kunst2 etc: print; '**~buchstabe** m block letter; '2**en** v/t (h) print.

drücken ['drʏkən] (h) **1.** v/t press; Knopf: a. push; Schuh: pinch (a. v/i);

Preis, Leistung etc: force down: *j-m die Hand* ~ shake hands with s.o.; **2.** *v/refl*: F *sich* ~ *vor* (*dat*) shirk (doing) *s.th.*; *aus Angst*: chicken out of *s.th.*; '~**d** *adj Hitze*: oppressive.

'**Drucker** *m* (-s; -) *tech.* printer.

'**Drücker** *m* (-s; -) *Tür*: latch; *Gewehr*: trigger.

'**Druck|fehler** *m* misprint; '~**knopf** *m tech.* (push)button; *an Kleid etc*: *bsd.* Br. press stud, Am. snap fastener; '~**luft** *f* compressed air; '~**sache(n** *pl*) *f Post*: printed matter; '~**schrift** *f* block letters *pl*.

drum [drʊm] *adv* F → *darum*.

drunter ['drʊntər] *adv* F → *darunter*.

Drüse ['dry:zə] *f* (-; -n) *anat.* gland.

du [du:] *pers pron* you.

ducken ['dʊkən] *v/refl* (h) duck.

Duell [du'ɛl] *n* (-s; -e) duel (*a. fig.*).

Duett [du'ɛt] *n* (-[e]s; -e) *mus.* duet.

Duft [dʊft] *m* (-[e]s; ᵕe) scent, fragrance, smell; '**2en** *v/i* (h) smell (*nach* of); '**2end** *adj* fragrant (*a. fig.*); '**2ig** *adj* dainty, *Kleid etc*: *a.* gossamer-fine.

dulden ['dʊldən] *v/t* (h) *zulassen*: tolerate; *hinnehmen*: put up with.

dumm [dʊm] *adj* stupid; '**2heit** *f* (-; -en) stupidity; *Handlung*: stupid thing; '**2kopf** *m* fool, blockhead.

dumpf [dʊmpf] *adj Geräusch*: dull; *Gefühl*: vague.

Dumping ['dampɪŋ] *n* (-s; *no pl*) *econ.* dumping; '~**preis** *m* dumping price.

Düne ['dy:nə] *f* (-; -n) dune.

dunkel ['dʊŋkəl] *adj* dark; '**2heit** *f* (-; *pl*) darkness; '**2kammer** *f phot.* darkroom; '~**rot** *adj* dark red.

dünn [dyn] *adj* thin; *Kaffee etc*: weak; '~**besiedelt** *adj* sparsely populated.

Dunst [dʊnst] *m* (-es; ᵕe) haze, mist; *Dampf*: vapo(u)r; *Qualm*: fume(s *pl*).

dünsten ['dynstən] *v/t* (h) stew.

dunstig *adj* hazy, misty.

Duplikat [dupli'ka:t] *n* (-[e]s; -e) duplicate; *Kopie*: copy.

durch [dʊrç] **1.** *prp* through (*a. fig.*); *quer* ~: across; **2.** *adv*: *es ist 5 Uhr* ~ it's past five; ~ *u.* ~ through and through.

durch'aus *adv* absolutely, quite: ~ *nicht* by no means.

'**durch|blättern** *v/t* (*sep*, -ge-, h) leaf through *a book, etc*; '~**blicken** *v/i* (*sep*, -ge-, h) look through: ~ *lassen* give to

understand; *ich blicke* (*da*) *nicht durch* I don't get it; ~'**bluten** *v/t* (*insep*, *no* -ge-, h) supply with blood; ~'**bohren** *v/t* (*insep*, *no* -ge-, h) pierce; *durchlöchern*: perforate: *mit Blicken* ~ look daggers at; ~'**brennen** *v/i* (*irr, sep,* -ge-, sn, → *brennen*) *electr. Sicherung*: blow; *Reaktor*: melt down; F *fig.* run away; '~**bringen** *v/t* (*irr, sep,* -ge-, h, → *bringen*) get (*Kranken*: pull) through (*a. Geld*); *Familie*: support; '**2bruch** *m* breakthrough (*a. fig.*); ~'**drängen** *v/refl* (*sep,* -ge-, h): *sich* ~ (*durch*) force one's way through; ~'**drehen** (*sep,* -ge-, h) **1.** *v/i a*) (*a.* sn) F *nervlich*: crack up, flip; *stärker*: freak out, b) *Räder etc*: spin; **2.** *v/t Fleisch etc*: mince, *bsd.* Am. grind; ~'**dringend** *adj* piercing.

durchein'ander *adv*: ~ *sein* be confused; *Dinge*: be (in) a mess; ~**bringen** *v/t* (*irr, sep,* -ge-, h, → *bringen*) confuse, mix up.

'**durchfahren¹** *v/i* (*irr, sep,* -ge-, sn, → *fahren*) pass (*od.* go, *mot. a.* drive) through: ~ *bis* drive nonstop to.

durch'fahren² *v/t* (*irr, insep, no* -ge-, h, → *fahren*) pass (*od.* go, *mot. a.* drive) through.

'**Durchfahrt** *f* passage: ~ *verboten!* no thoroughfare.

'**Durchfall** *m med.* diarrh(o)ea; F *Reinfall*: flop; '**2en** *v/i* (*irr, sep,* -ge-, sn, → *fallen*) fall through; *Prüfung*: fail, *bsd.* Am. F flunk; *Stück etc*: be a flop: *j-n* ~ *lassen* fail s.o., *bsd.* Am. F flunk s.o.

'**durchfragen** *v/refl* (*sep,* -ge-, h) ask one's way (*nach, zu* to).

'**durchführ|bar** *adj* practicable, feasible; '~**en** *v/t* (*sep,* -ge-, h) *fig.* carry out.

'**Durchgang** *m* (-[e]s; ᵕe) passage: ~ *verboten!* no thoroughfare.

'**durchgebraten** *adj gastr.* well-done.

'**durchgehend 1.** *adj* ununterbrochen: continuous: ~*er Zug* through train; **2.** *adv*: ~ *geöffnet* open all day; ~ *Einlaß* nonstop admission.

'**durchgreifen** *v/i* (*irr, sep,* -ge-, h → *greifen*) *fig.* take drastic measures (*od.* steps); '~**d** *adj Maßnahmen*: drastic; *Änderungen etc*: radical.

'**durch|halten** *v/t* (*irr, sep,* -ge-, h, → *halten*) hold out; '~**kommen** *v/i* (*irr, sep,* -ge-, sn, → *kommen*) come through (*a. fig.*); *teleph.* get through;

Sonne: break through; *Kranker*: pull through; *in Prüfung*: pass; **~ mit Lüge** *etc*: get away with; *auskommen*: get by with; **~'kreuzen** *v/t* (*insep, no* -ge-, h) *Plan etc*: thwart; **'~lassen** *v/t* (*irr, sep,* -ge-, h, → *lassen*) let pass, let through.

'durchlässig *adj undicht*: leaky.

'durch|lesen *v/t* (*irr, sep,* -ge-, h, → *lesen*) read *s.th.* through; **~'leuchten** *v/t* (*insep, no* -ge-, h) *med.* X-ray; *fig.* investigate, *bsd. pol.* screen.

'Durchmesser *m* (-s; -) diameter.

durch'queren *v/t* (*insep, no* -ge-, h) cross.

'Durchreiche *f* (-; -n) hatch.

'Durchreise *f*: **ich bin nur auf der ~** I'm just passing through; **'~visum** *n* transit visa.

'Durchsage *f* (-; -n) announcement; **'2n** *v/t* (*sep,* -ge-, h) announce.

'durch'schauen *v/t* (*insep, no* -ge-, h) *fig.* see through *s.o., s.th.*

'Durchschlag *m* (-[e]s; ⁀e) (carbon) copy; **'~pa,pier** *n* carbon paper.

'Durchschnitt *m* average: **im ~** on average; **im ~ betragen** (*verdienen etc*) average; **2.** *v/refl* have (*od.* get) one's way; **2.** *v/refl* have (*od.* get) one's way; **'~setzen** (*sep,* -ge-, h) **1.** **'2lich 1.** *adj* average; *gewöhnlich*: ordinary; **2.** *adv* on average; normally; **'~s...** *in Zssgn Einkommen, Temperatur etc*: average ...

'Durchschrift *f* (carbon) copy.

'durch|sehen *v/t* (*irr, sep,* -ge-, h, → *sehen*) look (*od.* go) through *s.th.*; *prüfen*: check; **'~setzen** (*sep,* -ge-, h) **1.** *v/t Plan etc*: get (*mit Nachdruck*: push) through: **seinen Kopf ~** have one's way; **2.** *v/refl* have (*od.* get) one's way; *erfolgreich sein*: be successful: **sich ~ können** *Lehrer etc*: have authority (**bei** over).

durchsichtig ['dʊrçzɪçtɪç] *adj* transparent (*a. fig.*); *Bluse etc*: *a.* see-through.

'durchsprechen *v/t* (*irr, sep,* -ge-, h, → *sprechen*) talk *s.th.* over, discuss.

durch'such|en *v/t* (*insep, no* -ge-, h) search (**nach** for); **2ung** *f* (-; -en) search; **2ungsbefehl** *m jur.* search warrant.

'Durch|wahl *f* (-; *no pl*) *teleph.* direct dial(l)ing; **'2wählen** *v/i* (*sep,* -ge-, h): **~ nach ...** dial ... direct; **'~wahlnummer** *f* direct dial number; *Nebenstelle*: extension.

dürfen ['dʏrfən] (durfte, h) **1.** *v/aux* (*pp* dürfen): **et. tun ~** be allowed to do s.th.; **das hättest du nicht tun ~!** you shouldn't have done that!; **dürfte ich ...?** could I ...?; **das dürfte genügen** that should be enough; **2.** *v/i* (*pp* gedurft): **darf ich?** may I?; **er darf (es)** he's allowed to.

dürftig ['dʏrftɪç] *adj* poor, *spärlich*: scanty.

dürr [dʏr] *adj* dry; *Boden etc*: barren, arid; *Mager*: skinny; **'2e** *f* (-; -n) *Trockenzeit*: drought; barrenness.

Durst [dʊrst] *m* (-es; *no pl*) thirst (**nach** for): **~ haben** be thirsty; **'2ig** *adj* thirsty.

Dusche ['du:ʃə] *f* (-; -n) shower: **e-e ~ nehmen → duschen**; **'2n** *v/refl u. v/i* (h) have (*od.* take) a shower.

Düse ['dy:zə] *f* (-; -n) *tech.* nozzle; **'~n-antrieb** *m* jet propulsion: **mit ~** jet-propelled; **'~nflugzeug** *n* jet (plane); **'~n-jäger** *m mil.* jet fighter; **'~ntriebwerk** *n aer.* jet engine.

düster ['dy:stər] *adj* dark, gloomy (*beide a. fig.*); *Licht*: dim; *trostlos*: dismal.

Dutzend ['dʊtsənt] *n* (-s; -e) dozen: **ein ~ Eier** a dozen eggs; **'2weise** *adv* by the dozen.

duzen ['du:tsən] *v/t* (h) say 'du' to, (*etwa*) be on first-name terms with.

dynamisch [dy'na:mɪʃ] *adj* dynamic; *Rente*: index-linked.

Dynamit [dyna'mi:t] *n* (-s; *no pl*) dynamite.

'D-Zug *m* fast train, express.

E

Ebbe ['ɛbə] f (-; -n) low tide.

eben ['e:bən] adj flach: even, level.

Ebene ['e:bənə] f (-; -n) geogr. plain.

'**ebenfalls** adv likewise, also, nachgestellt: as well, too.

Echo ['ɛço] n (-s; -s) echo; fig. response (**auf** acc to).

echt [ɛçt] adj genuine (a. fig.), real; wahr: true; rein: pure; wirklich: real; Farbe: fast; Dokument: authentic; '**Qheit** f (-; no pl) genuineness; fastness; authenticity.

Eck|daten ['ɛk~] pl key features pl; '~**e** f (-; -n) corner; '~**haus** n corner house; '**Qig** adj Kinn etc: angular, square; '**Qlohn** m basic wage.

Economyklasse ['ɪkɔnəmɪ~] f aer. economy class: **in der ~ fliegen** fly economy.

edel ['e:dəl] adj noble; min. precious; '**Qmetall** n precious metal; '**Qstahl** n high-grade steel; '**Qstein** m precious stone; geschnittener: gem.

Efeu ['e:fɔy] m (-s; no pl) bot. ivy.

Effekt [ɛ'fɛkt] m (-[e]s; -e) effect; **Qiv** [~'ti:f] **1.** adj wirksam: effective; **2.** adv actually; **Qvoll** adj effective.

effizien|t [ɛfi'tsiɛnt] adj wirtschaftlich: efficient; wirksam: effective; **Qz** f (-; no pl) efficiency; effectiveness.

egal [e'ga:l] adj F: ~ **ob** (**warum, wer** etc) no matter if (why, who, etc); **das ist** ~ it doesn't matter; **das ist mir** ~ I don't care.

Egois|mus [ego'ɪsmʊs] m (-; no pl) egoism; ~**t** m (-en; -en) egoist; **Qtisch** adj egoistic.

ehe ['e:ə] cj before: **nicht** ~ not until.

Ehe ['e:ə] f (-; -n) marriage (**mit** to); '**Qähnlich** adj: **in e-m ~en Verhältnis leben** live together as man and wife; '~**beratung** f Stelle: marriage guidance bureau; '~**bruch** m adultery; '~**frau** f wife; '~**leute** pl husband and wife; '**Qlich** adj marital; Kind: legitimate.

ehemal|ig ['e:əma:lɪç] adj former, ex-...; '~**s** adv formerly.

'**Ehe|mann** m husband; '~**paar** n married couple.

eher ['e:ər] adv früher: earlier, sooner; lieber, vielmehr: rather.

'**Ehe|ring** m wedding ring; '~**vermittlungsinsti,tut** n marriage bureau.

Ehre ['e:rə] f (-; -n) hono(u)r: **zu ~n von** (od. gen) in hono(u)r of; '**Qn** v/t (h) hono(u)r; achten: respect.

'**ehren|amtlich** adj honorary; '**Qbürger** m freeman; '**Qgast** m guest of hono(u)r; '**Qmitglied** n honorary member; '**Qwort** n (-[e]s; -e) word of hono(u)r: ~**!** cross my heart.

'**Ehr|furcht** f (-; no pl) respect (**vor** dat for) stärker: awe (of); **Qfürchtig** ['~fʏrçtɪç] adj respectful; Schweigen: awed; '~**geiz** m ambition; '**Qgeizig** adj ambitious.

'**ehrlich** adj honest; offen: a. frank; Kampf: fair; '**Qkeit** f (-; no pl) honesty.

Ei [aɪ] n (-[e]s; -er) egg: V ~**er** pl Hoden: balls pl.

Eid [aɪt] m (-[e]s; -e) oath; **Qesstattlich** adj: ~**e Erklärung** affirmation in lieu of an oath.

'**Eidotter** m, n yolk.

'**Eier|becher** m eggcup; '~**stock** m anat. ovary.

Eifer ['aɪfər] m (-s; no pl) keenness, eagerness; '~**sucht** f (-; no pl) jealousy; '**Qsüchtig** adj jealous (**auf** acc of).

eifrig ['aɪfrɪç] adj keen, eager.

eigen ['aɪgən] adj own, of one's own; ~**tümlich**: peculiar; (über)genau: particular, F fussy; ...~ in Zssgn staats~ etc: ...-owned.

Eigenart f (-; -en) peculiarity; '**Qig** adj strange; '**Qigerweise** adv strangely enough.

'**Eigen|bedarf** m one's personal needs pl; '~**finan,zierung** f self-financing; '**Qhändig** ['~hɛndɪç] adj personal; '~**heim** n house of one's own; '~**kapi,tal** n econ. equity capital, capital resources pl; '~**lob** n self-praise; '**Qmächtig** adj arbitrary; '~**name** m proper name; '**Qnützig** ['~nʏtsɪç] adj selfish.

eigens ['aɪgəns] adv (e)specially.

'**Eigenschaft** f (-; -en) quality; chem., phys., tech. property: **in s-r ~ als** in his capacity as.

'**Eigensinn** m (-[e]s; no pl) stubbornness; '**≳ig** adj stubborn.

'**eigentlich** ['aɪɡəntlɪç] **1.** adj wirklich: actual, true, real; genau: exact; **2.** adv actually, really; ursprünglich: originally.

'**Eigentum** n (-s; no pl) property.

Eigentüm|er ['aɪɡənty:mər] m (-s; -) owner, proprietor; '**≳lich** adj peculiar; seltsam: strange, odd; '**≳lichkeit** f (-; -en) peculiarity.

'**Eigentumswohnung** f Br. owner-occupied flat, Am. condo(minium).

'**eigenwillig** adj Person: self-willed; Stil etc: individual, original.

eign|en ['aɪɡnən] v/refl (h): sich ~ für be suited for; '**≳er** m (-s; -) owner; '**≳ung** f (-; no pl) suitability; Person: a. aptitude, qualification; '**≳ungsprüfung** f, '**≳ungstest** m aptitude test.

Eil|bote ['aɪl~] m: durch ~n Post: by special delivery; '**~brief** m express (Am. special delivery) letter.

Eil|e ['aɪlə] f (-; no pl) haste, hurry; in ~ sein be in a hurry; '**≳en** v/i a) (sn) hurry, hasten, rush, b) (h) Brief, Angelegenheit: be urgent; '**≳ig** adj hurried, hasty; dringend: urgent; es ~ haben be in a hurry.

'**Eilzug** m semifast train.

Eimer ['aɪmər] m (-s; -) bucket, pail.

ein [aɪn] **1.** adj u. indef pron one; **2.** indef art a, an; **3.** adv: ~ - aus on - off.

einander [aɪ'nandər] pron each other, one another.

'**einarbeiten** (sep, -ge-, h) **1.** v/t acquaint s.o. with his work, F break s.o. in; **2.** v/refl work o.s. in.

einäscher|n ['aɪn'ɛʃərn] v/t (sep, -ge-, h) Leiche: cremate; '**≳ung** f (-; -en) cremation.

'**einatmen** v/t (sep, -ge-, h) inhale, breathe.

'**Einbahnstraße** f one-way street.

'**Einbau** m (-[e]s; -ten) installation, fitting; '**~...** in Zssgn Möbel etc: built-in ..., fitted ...; '**≳en** v/t (sep, -ge-, h) install) (in acc into); Möbel: fit in.

einberuf|en v/t (irr, sep, no -ge-, h, → rufen) mil. call up (zu for), Am. draft (into); Versammlung: call; '**≳ung** f (-; -en) mil. conscription, Am. draft; calling; '**≳ungsbescheid** m mil. call-up orders pl, Am. draft papers pl.

'**Einbettzimmer** n single room.

'**einbiegen** v/i (irr, sep, -ge-, sn, → biegen) turn (nach rechs right; in acc into).

'**einbild|en** v/t (sep, -ge-, h): sich ~ imagine; sich et. ~ auf (acc) be conceited about; darauf kannst du dir et. ~ (brauchst du dir nichts einzubilden) that's s.th. (nothing) to be proud of; '**≳ung** f (-; no pl) imagination, fancy; Dünkel: conceit.

'**Einblick** m (-[e]s; -e) insight (in acc into).

'**ein|brechen** v/i (irr, sep, -ge-, sn, → brechen): ~ in (acc) break into; bei uns wurde eingebrochen we had burglars, we were burgled (Am. burglarized); '**≳brecher** m (-s; -) burglar; '**≳bruch** m (-[e]s; =e) burglary; bei ~ der Dunkelheit at nightfall.

einbürger|n ['aɪnbʏrɡərn] (sep, -ge-, h) **1.** v/t naturalize; **2.** v/refl fig. come into use; '**≳ung** f (-; -en) naturalization.

'**ein|büßen** v/t (sep, -ge-, h) lose; '**~checken** ['~tʃɛkən] v/i u. v/t (sep, -ge-, h) aer. check in; '**~cremen** v/refl u. v/t (sep, -ge-, h): sich (et.) ~ put some cream on; '**~decken** v/refl (sep, -ge-, h) stock up (mit on).

'**eindeutig** ['aɪndɔʏtɪç] adj clear.

'**eindring|en** v/i (irr, sep, -ge-, sn, → dringen): ~ in enter (a. Wasser, Keime etc); gewaltsam: force one's way into; mil. invade; '**~lich** adj urgent.

'**Eindruck** m (-[e]s; =e) impression; '**≳svoll** adj impressive.

'**ein|er, '~e, '~(e)s** indef pron one.

'**einerseits** adv on the one hand.

'**einfach** ['aɪnfax] adj simple; leicht: a. easy; schlicht: a. plain; Fahrkarte: single, Am. one-way; '**≳heit** f (-; no pl): der ~ halber to simplify matters.

'**einfahr|en** (irr, sep, -ge-, → fahren) **1.** v/t (h) mot. run (bsd. Am. break) in; **2.** v/i (sn) Zug: come (od. pull) in; '**≳t** f (-; -en) Eingang: entrance; Auffahrt: drive; zur Autobahn: access road.

'**Einfall** m (-[e]s; =e) idea; mil. invasion; '**≳en** v/i (irr, sep, -ge-, sn, → fallen) fall in; einstürzen: a. collapse; mus. join in: ~ in mil. invade; ihm fiel ein, daß it came to his mind that; mir fällt nichts ein I have no ideas; es fällt mir nicht ein I can't think of it; dabei fällt mir *ein* that reminds me; *was fällt dir ein?* what's the idea?

'**einfarbig** *adj* one-colo(u)red; unicolo(u)red; *Stoff:* plain.

'**Einflugschneise** *f* approach corridor.

'**Einfluß** *m* (-sses; -sse) influence (*auf acc* on; *j-n* over); '**₂reich** *adj* influential.

'**einfrieren** *v/t* (*irr, sep*, -ge-, h, → *frieren*) *Lebensmittel:* (deep)freeze; *Löhne etc:* freeze.

Einfuhr ['aɪnfuːr] *f* (-; -en) *econ.* import, *Eingeführtes:* imports *pl*; '**₂beschränkungen** *pl* import restrictions *pl*.

'**einführen** *v/t* (*sep*, -ge-, h) *econ.* import. '**Einfuhr**|**genehmigung** *f* import licen|ce (*Am.* -se); '**₂land** *n* importing country; '**₂stopp** *m* import ban.

'**Einführungs**|**angebot** *n* introductory offer; '**₂preis** *m* introductory price.

'**Eingabe** *f* (-; -n) *Computer:* input; '**₂gerät** *n* input device.

'**Eingang** *m* entrance; *Eintritt:* entry; *von Waren:* arrival, *von Schreiben:* receipt; '**₂sdatum** *n* date of receipt; '**₂sstempel** *m* date stamp.

'**eingeben** *v/t* (*irr, sep*, -ge-, h, → *geben*) *Daten:* feed (*in acc* into).

'**Eingeborene** *m, f* (-n; -n) native.

'**Eingebung** *f* (-; -en) inspiration.

'**einge**|**fallen** *adj Augen, Wangen:* sunken, hollow; '**₂fleischt** ['**-**gəflaɪʃt] *adj Junggeselle etc:* confirmed.

'**eingehen** (*irr, sep*, -ge-, sn, → *gehen*) **1.** *v/i Post, Waren:* come in, arrive; *bot., Tier:* die; *Stoff:* shrink; *~ auf* (*acc*) agree to; *Einzelheiten:* go into; **2.** *v/t Vertrag etc:* enter into; *Wette:* make; *Risiko:* take; '**₂d** *adj* thorough.

'**einge**|**meinden** ['aɪngəmaɪndən] *v/t* (*sep, pp* eingemeindet, h) incorporate (*in acc* into); '**₂schrieben** *adj* registered; '**₂wöhnen** *v/refl* (*sep, pp* eingewöhnt, h): *sich ~ in* (*dat*) settle into.

'**eingliedern** *v/t* (*sep*, -ge-, h) integrate (*in acc* into); '**₂ung** *f* (-; *no pl*) integration.

'**Eingriff** *m* (-[e]s; -e) *med.* operation.

'**ein**|**halten** *v/t* (*irr, sep*, -ge-, h, → *halten*) *Termin, Versprechen, Regel:* keep; '**₂hängen** *v/i* (*sep*, -ge-, h) *teleph.* hang up.

'**einheimisch** *adj* native, local; *Industrie, Markt:* home, domestic.

Einheit ['aɪnhaɪt] *f* (-; -en) *econ., math.,*

mil., phys. unit; *pol.* unity; *Ganzes:* a. whole; '**₂lich** *adj* uniform; *geschlossen:* homogeneous; '**₂s...** *in Zssgn Maß etc:* standard ...

einhellig ['aɪnhɛlɪç] *adj* unanimous.

'**einholen** *v/t* (*sep*, -ge-, h) catch up with; *Zeitverlust:* make up for; *Auskünfte:* make (*über acc* about); *Rat:* seek (*bei* from); *Erlaubnis:* ask for.

einig ['aɪnɪç] *adj*: (*sich*) *~ sein* (*werden*) be in (come to an) agreement (*mit* with; *über acc* about); (*sich*) *nicht ~ sein über* disagree (*od.* differ) on; *~e* ['**-**gə] *indef pron* some, a few, several; '**~en** *v/refl* (h) agree (*über acc, auf acc* on); '**~ermaßen** *adv* fairly, reasonably; '**~es** *indef pron* some(thing); *viel:* quite a lot; '**₂keit** *f* (-; *no pl*) *Übereinstimmung:* agreement.

'**einjagen** *v/t* (*sep*, -ge-, h): *j-m Angst* (*od. e-n Schreck*) (*sich*) *~* frighten s.o.

'**einjährig** *adj* one-year-old: *~e Tätigkeit* one year's work.

'**einkalkulieren** *v/t* (*sep, no* -ge-, h) take into account, allow for.

Einkauf ['aɪnkaʊf] *m* (-[e]s; *~e*) *bsd. econ.* purchase: *Einkäufe machen → einkaufen* 2; '**₂en** (*sep*, -ge-, h) **1.** *v/t* buy, *econ. a.* purchase; **2.** *v/i: ~* (*gehen*) go shopping; '**~sbummel** *m: e-n ~ machen* have a look around the shops; '**~spreis** *m econ.* purchase price; '**~swagen** *m bsd. econ. Br.* trolley, *Am.* shopping cart; '**~szentrum** *n* shopping cent|re (*Am.* -er), *Am. a.* shopping mall.

'**ein**|**kehren** *v/i* (*sep*, -ge-, sn) stop (off) (*in dat* at); '**~klagen** *v/t* (*sep*, -ge-, h) sue for.

'**Einkommen** *n* (-s; -) income; '**~steuer** *f* income tax.

Einkünfte ['aɪnkʏnftə] *pl* income *sg*.

'**einlad**|**en** *v/t* (*irr, sep*, -ge-, h, → *laden*) invite (*zu* to); *Waren:* load; '**₂ung** *f* (-; -en) invitation.

Einlaß ['aɪnlas] *m* (-sses; *~sse*) admittance: *~ ab 19 Uhr* doors open at 7 p.m.

'**ein**|**lassen** (*irr, sep*, -ge-, h, → *lassen*) **1.** *v/t* let in, admit; *ein Bad:* run; **2.** *v/refl: sich ~ auf* (*acc*) get involved in; *leichtsinnig:* let o.s. in for; *zustimmen:* agree to; *sich mit j-m ~* get involved with s.o. (*a. sexuell*); '**~leben** *v/refl* (*sep*, -ge-, h) settle in(to *in dat*); '**~lösen** *v/t* (*sep*, -ge-, h) *Scheck:* cash.

'einmal adv once; zukünftig: a. some (od. one) day, sometime: **auf ~** plötzlich: suddenly; gleichzeitig: at the same time; **noch ~** once more (od. again); **noch ~ so ... (wie)** twice as ... (as); **es war ~** once (upon a time) there was; **haben Sie schon ~ ...?** have you ever ...?; **es schon ~ getan haben** have done it before; **schon ~ dortgewesen sein** have been there before; **erst ~** first (of all); **nicht ~** not even; **'~ig** adj single; fig. unique.

'ein|mieten v/refl (sep, -ge-, h) take a room (**in** dat at); **'~mischen** v/refl (sep, -ge-, h) interfere (**in** acc in, with), meddle (in, with).

einmütig ['aınmy:tıç] adj unanimous.

Einnahme ['aına:mə] f (-; -n) taking, mil. a. capture: **~n** pl receipts pl.

'ein|nehmen v/t (irr, sep, -ge-, h, → nehmen) Arznei, Platz: take, mil. a. capture; Mahlzeit: have; verdienen: earn; **'~ordnen** v/refl (sep, -ge-, h) mot. get in lane: **sich links ~** get into the left lane; **'~packen** v/t (sep, -ge-, h) pack (up); einwickeln: wrap up; **'~parken** v/t (sep, -ge-, h) park; **'~program|mieren** v/t (sep, no -ge-, h) program(me) in (a. Computer); **'~reden** (sep, -ge-, h) **1.** v/t: **j-m et. ~** talk s.o. into (believing) s.th.; **2.** v/i: **auf j-n ~** keep on at s.o.; **'~reichen** v/t (sep, -ge-, h) send in, submit: → **Scheidung.**

'Einreise f (-; -n) entry; **'~erlaubnis** f entry permit; **'2n** v/i (sep, -ge-, sn) enter the country: **~ in** (acc) (od. **nach**) enter; **'~visum** n entry visa.

'ein|reißen (irr, sep, -ge-, → reißen) **1.** v/t (h) Gebäude: pull down; **2.** v/i (sn) tear; Unsitte etc: spread; **~renken** ['~rɛŋkən] v/t (sep, -ge-, h) med. set.

'einricht|en (sep, -ge-, h) **1.** v/t Zimmer etc: furnish; Küche, Büro etc: fit out; gründen: establish; ermöglichen: arrange; **2.** v/refl: **sich ~ auf** (acc) prepare for; **'2ung** f (-; -en) furnishings pl; fittings pl; tech. installation(s pl); öffentliche: institution, facilities pl.

einsam ['aınza:m] adj Person: lonely, bsd. Am. a. lonesome; Haus, Gegend etc: a. isolated, secluded; **'2keit** f (-; no pl) loneliness, bsd. Am. lonesomeness; isolation, seclusion.

'einschalt|en v/t (sep, -ge-, h) switch on; **'2quote** f TV ratings pl.

'ein|schätzen v/t (sep, -ge-, h) Kosten etc: estimate; beurteilen: judge, rate: **falsch ~** misjudge; **'~schenken** v/t (sep, -ge-, h) pour (out); **'~schicken** v/t (sep, -ge-, h) send in (**an** acc to); **'~schlafen** v/i (irr, sep, -ge-, sn, → schlafen) fall asleep, go to sleep; **'~schlagen** (irr, sep, -ge-, h, → schlagen) **1.** v/t Nagel: drive in; zerbrechen: break (in), smash (a. Schädel); einwickeln: wrap up; Weg, Richtung: take; Laufbahn: enter on, take up; Rad: turn; **2.** v/i Blitz, Geschoß: strike; fig. be a success.

einschlägig ['aınʃlɛ:gıç] adj relevant.

'ein|schleppen v/t (sep, -ge-, h) Krankheit: bring in(to **in** acc, **nach**); **'~schließlich** prp including, nachgestellt: included; **'~schneidend** adj drastic; weitreichend: far-reaching.

einschränk|en ['aınʃrɛŋkən] (sep, -ge-, h) **1.** v/t restrict (**auf** acc to), reduce (to); Rauchen etc: cut down on; **2.** v/refl economize; **'2ung** f (-; -en) restriction, reduction; cut.

'Einschreibebrief m registered letter.

'ein|schreiben (irr, sep, -ge-, h, → schreiben) **1.** v/t: **e-n Brief ~ lassen** have a letter registered; **2.** v/refl univ. etc register, Am. enrol(l) (**für** for).

'Einschreiben n (-s; -) Post: registered letter.

'ein|schreiten v/i (irr, sep, -ge-, sn, → schreiten): **~ (gegen)** interfere (with), take (gerichtlich: legal) action (against); **'~schüchtern** v/t (sep, -ge-, h) intimidate; **'~sehen** v/t (irr, sep, -ge-, h, → sehen) Zweck, Fehler etc: see, realize.

einseitig ['aınzaıtıç] adj one-sided; jur., med., pol. unilateral.

'einsende|n v/t (irr, sep, -ge-, h, → senden) send in; **'2r** m (-s; -) sender; an Zeitungen: contributor; **'2schluß** m closing date.

'einsetzen (sep, -ge-, h) **1.** v/t put in, insert; ernennen: appoint; Mittel: use, employ; Geld: invest, stake; bet; Leben: risk; **2.** v/refl try hard, make an effort; für j-n, et.: support, stand up for; **3.** v/i set in, start.

'Einsicht f (-; -en) Erkenntnis: insight; Einsehen: understanding; Vernunft:

reason; '2**ig** adj understanding; reasonable.

'**ein|sparen** v/t (sep, -ge-, h) save; '**~speichern** v/t (sep, -ge-, h) Computer: store; '**~sperren** v/t (sep, -ge-, h) lock up; '**~springen** v/i (irr, sep, -ge-, sn, → **springen**) help out: **für j-n** fill in for s.o.

'**Einspruch** m objection (**gegen** to) (a. jur.), protest (against); pol. veto (against); Berufung: appeal (against).

einspurig ['aɪnʃpuːrɪç] adj mot. single-lane.

'**einsteigen** v/i (irr, sep, -ge-, sn, → **steigen**) get in(to acc), Bus, Flugzeug, Zug: (a. ~ **in** acc) get on: **alles ~!** all aboard!

einstell|en (sep, -ge-, h) **1.** v/t Arbeitskräfte etc: take on, employ; aufgeben: give up; beenden: stop; Rekord: equal; regulieren: tech. adjust (**auf** acc to); Radio: tune in (to); opt. focus (on) (a. fig.); **2.** v/refl: **sich ~ auf** j-n, et.: adjust to; vorsorglich: be prepared for; Haltung: attitude (**zu** towards); Arbeitskräfte: employment; Beendigung: discontinuance; tech. adjustment; '2**ungsgespräch** n interview.

einstimmig ['aɪnʃtɪmɪç] adj unanimous.

einstöckig ['aɪnʃtœkɪç] adj one-stor(e)y.

'**Ein|sturz** m (-es; ~e) collapse; '2**stürzen** v/i (sep, -ge-, sn) collapse.

'**eintauschen** v/t (sep, -ge-, h) exchange (**gegen** for).

einteil|en v/t (sep, -ge-, h) divide (**in** acc into); Zeit: organize; '2**ung** f (-; -en) division; organization.

eintönig ['aɪntøːnɪç] adj monotonous; '2**keit** f (-; no pl) monotony.

Eintrag ['aɪntraːk] m (-[e]s; ~e) entry, econ. a. item; '2**en** (irr, sep, -ge-, h, → **tragen**) **1.** v/t enter (**in** acc into); amtlich: register; **2.** v/refl sign; sich vormerken lassen: put one's name down.

einträglich ['aɪntrɛːklɪç] adj profitable.

'**ein|treffen** v/i (irr, sep, -ge-, sn, → **treffen**) arrive; geschehen: happen; sich erfüllen: come true; '**~treten** (irr, sep, -ge-, → **treten**) **1.** v/i (sn) enter; geschehen: happen, take place: **~ für** stand up for, support; **~ in** Verein etc: join; **2.** v/t (h) Tür etc: kick in.

Eintritt m (-[e]s; -e) entry, Zutritt, Gebühr: admission: **~ frei!** admission free;

~ verboten! no admittance; '**~skarte** f (admission) ticket; '**~spreis** m admission charge.

'**einver|standen** adj: **~ sein** agree (**mit** to): **~!** I agreed!; '2**ständnis** n (-sses; no pl) approval (**zu** of).

Einwand ['aɪnvant] m (-[e]s; ~e) objection (**gegen** to).

Einwander|er m (-s; -) immigrant; '2**n** v/i (sep, -ge-, sn) immigrate (**in** acc, **nach** to); '**~ung** f immigration.

'**einwandfrei** adj perfect, faultless.

'**Einweg|flasche** f nonreturnable bottle; '**~ra,sierer** m disposable razor.

'**einwend|en** v/t (irr, sep, -ge-, h, → **wenden**): **~, daß** object that; '2**ung** f objection (**gegen** to).

'**einwerfen** v/t (irr, sep, -ge-, h, → **werfen**) Brief: bsd. Br. post, Am. mail; Münze: insert.

'**einwickeln** v/t (sep, -ge-, h) wrap up (**in** acc in); '2**pa,pier** n wrapping paper.

einwillig|en ['aɪnvɪlɪgən] v/i (sep, -ge-, h) agree (**in** acc to); '2**ung** f (-; -en) approval (**zu** of).

Einwohner ['aɪnvoːnər] m (-s; -) inhabitant; '**~meldeamt** n residents' registration office.

'**Einwurf** m (-[e]s; ~e) e-r Münze: insertion; für Briefe etc: slit; für Münzen: slot.

'**einzahl|en** v/t (sep, -ge-, h) pay in; '2**ung** f (-; -en) payment; '2**ungsbeleg** m pay-in slip.

Einzel|bett ['aɪntsəl~] n single bed; '**~haft** f jur. solitary confinement; '**~handel** m retail trade; '**~handelsgeschäft** n retail shop (bsd. Am. store); '**~händler** m retailer; '**~heit** f (-; -en) detail; '**~kind** n only child.

'**einzeln 1.** adj single; Schuh etc: odd: **~e** pl several, some; **der ~e** (**Mensch**) the individual; **im ~en** in detail; **jeder ~e** each and every one; **2.** adv: **~ eintreten** enter one at a time; **~ angeben** specify.

'**Einzelzimmer** n single room; '**~zuschlag** m single-room supplement.

'**einziehen** (irr, sep, -ge-, → **ziehen**) **1.** v/t tech. retract; mil. call up, Am. draft; beschlagnahmen: confiscate; Führerschein: withdraw: **den Kopf ~** duck; **2.** v/i (sn) in Haus etc: move in; Flüssigkeit: soak in.

einzig ['aıntsıç] *adj* only; *einzeln*: single: *kein ~er ...* not a single ...; *das ~e* the only thing; *der ~e* the only one; '**~artig** *adj* unique, singular.

Ein'zimmera,partment *n* one-room (*Am. a.* efficiency) apartment, *Br. a.* bedsit.

'**Einzugsgebiet** *n e-r Stadt*: hinterland, *engS.* commuter belt.

Eis [aıs] *n* (-es; *no pl*) ice; *Speise2*: ice cream; '**~diele** *f* ice-cream parlo(u)r.

Eisen ['aızən] *n* (-s; -) iron.

'**Eisenbahn** *f bsd. Br.* railway, *Am.* railroad; *Zssgn* → *a. Bahn;* '**~wagen** *m Br.* railway carriage, coach, *Am.* railroad car.

eisern ['aızərn] *adj* iron (*a. fig.*), of iron; *Nerven*: of steel.

'**eisgekühlt** *adj* chilled; '**~ig** *adj* icy (*a. fig.*); '**~kalt** *adj* ice-cold; '**2schrank** *m* → *Kühlschrank;* '**2verkäufer** *m* ice-cream seller; '**2würfel** *m* ice cube; '**2zapfen** *m* icicle.

eitel ['aıtəl] *adj* vain; **2keit** *f* (-; *no pl*) vanity.

Eiter ['aıtər] *m* (-s; *no pl*) pus; '**2n** *v/i* (h) fester.

'**eitrig** *adj med.* festering.

'**Eiweiß** *n* white of egg; *biol.* protein; '**2arm** *adj* low in protein, low-protein; '**2reich** *adj* rich in protein, high-protein.

Ekel ['e:kəl] *m* (-s; *no pl*) disgust (*vor dat* at); '**2haft**, '**2ig** *adj* disgusting; '**2n** *v/refl* (h): *ich ekle mich davor* it makes me sick.

elastisch [e'lastıʃ] *adj* elastic; *mot., tech.* flexible.

Elefant [ele'fant] *m* (-en; -en) *zo.* elephant; **~enhochzeit** *f econ.* F jumbo merger.

elegant [ele'gant] *adj* elegant; **2z** [~'gants] *f* (-; *no pl*) elegance.

Elektri|ker [e'lektrıkər] *m* (-s; -) electrician; **2sch** *adj allg.* electric(al).

Elektrizität [elektritsi'tɛ:t] *f* (-; *no pl*) electricity; **~swerk** *n* (electric) power station.

Elektro|gerät [e'lektro~] *n* electrical appliance; **~geschäft** *n* electrical shop (*bsd. Am.* store).

Elektron|ik [elɛk'tro:nık] *f* (-; *no pl*) electronics *pl* (*sg konstr.*); electronic system; **2isch** *adj* electronic: **~e Daten-**

verarbeitung electronic data processing.

Elend ['e:lɛnt] *n* (-s; *no pl*) misery; '**~s-viertel** *n* slum(s *pl*).

elf [ɛlf] *adj* eleven.

Elfenbein ['ɛlfən~] *n* (-[e]s; *no pl*) ivory.

elfte ['ɛlftə] *adj* eleventh.

Elite [e'li:tə] *f* (-; -n) elite.

Ellbogen ['ɛl~] *m* (-s; -) *anat.* elbow; '**~gesellschaft** *f* dog-eat-dog society.

elter|lich ['ɛltərlıç] *adj* parental; '**2n** *pl* parents *pl;* '**~nlos** *adj* orphan(ed); '**2nteil** *m* parent.

Email [e'mai(l)] *n* (-s; -s) enamel.

Emanzip|ation [emantsipa'tsio:n] *f* (-; *no pl*) emancipation; **2ieren** [~'pi:rən] *v/refl* (no ge-, h) become emancipated.

Embargo [ɛm'bargo] *n* (-s; -s) embargo.

Embolie [ɛmbo'li:] *f* (-; -n) *med.* embolism.

Emigr|ant [emi'grant] *m* (-en; -en) emigrant, *pol.* émigré; **~ation** [~'tsio:n *f* (-; -en) emigration; *in der ~* in exile; **2ieren** [~'gri:rən] *v/i* (no ge-, sn) emigrate (*nach* to).

Emission [emi'sio:n] *f* (-; -en) *phys.* emission; *econ.* issue; **~swerte** *pl* emission level *sg.*

Empfang [ɛm'pfaŋ] *m* (-[e]s; ~e) reception (*a. Radio, Hotel*), welcome; *Erhalt*: receipt (*nach, bei* on); **2en** *v/t* (empfing, empfangen, h) receive; *freundlich: a.* welcome.

Empfäng|er [ɛm'pfɛŋər] *m* (-s; -) receiver (*a. Radio*); **2lich** *adj* susceptible (*für* to); **~nis** *f* (-; *no pl*) *med.* conception; **~nisverhütung** *f* contraception.

Emp'fangs|bescheinigung *f* receipt; **~dame** *f* receptionist.

empfehl|en [ɛm'pfe:lən] *v/t* (empfahl, empfohlen, h) recommend (*j-m et.* s.th. to s.o.); **~enswert** *adj ratsam:* advisable; **2ung** *f* (-; -en) recommendation: *auf j-s ~* on s.o.'s recommendation; **2ungsschreiben** *n* letter of recommendation.

empfind|en [ɛm'pfındən] *v/t* (empfand, empfunden, h) feel; **~lich** *adj* sensitive (*für, gegen* to) (*a. phot., tech.*); *zart:* tender, delicate (*a. Gesundheit, Gleichgewicht*); *leicht gekränkt:* touchy; *sensibel:* sensitive; *reizbar:* irritable (*a. Magen*); *Kälte, Strafe:* severe: **~e Stelle** sore (*fig. a.* vulnerable) spot; **2lich-**

keit *f* (-; *no pl*) sensitivity; delicacy; touchiness; irritability; severity; **2ung** *f* (-; -en) sensation; *Wahrnehmung*: perception; *Gefühl*: feeling, emotion.

empör|t [ɛm'pøːrt] *adj* indignant (*über acc* at), shocked (*at*); **2ung** *f* (-; *no pl*) indignation (*über acc* at).

Ende ['ɛndə] *n* (-s; *no pl*) end: **am ~** at the end; *schließlich*: in the end, finally; **zu ~** over; *Zeit*: up; **zu ~ gehen** come to an end; *et. zu ~ tun* finish doing s.th.; *er ist ~ zwanzig* he is in his late twenties; *(am) ~ der achtziger Jahre* in the late eighties; '**2n** *v/i* (h) (come to an) end; stop, finish; **~ als** end up as.

End|ergebnis ['ɛnt~] *n* final result; '**2gültig** *adj* final; '**2lagern** *v/t* (*only inf u. pp* endgelagert, h) dispose of s.th. permanently; '**~lagerung** *f* final disposal; '**2los** *adj* endless; '**~pro,dukt** *n* end (*od.* finished) product; '**~stati,on** *f* terminus; '**~verbraucher** *m* end user.

Energie [enɛrgiː] *f* (-; -n) *phys.* energy (*a. fig.*), *electr. a.* power; **2bewußt** *adj* energy-conscious; **~krise** *f* energy crisis; **2los** *adj* lacking in energy; **~quelle** *f* source of energy; **~versorgung** *f* energy supply.

energisch [e'nɛrgɪʃ] *adj* energetic.

eng [ɛŋ] **1.** *adj* narrow; *Kleidung, Kurve*: tight; *Kontakt, Freund(schaft)*: close; *beengt*: cramped; **2.** *adv*: **~ befreundet sein** be close friends.

Engagement [ãgaʒəˈmãː] *n* (-s; -s) *thea. etc* engagement; *fig.* commitment, involvement.

engagier|en [ãgaˈʒiːrən] (*no* ge-, h) **1.** *v/t Künstler*: engage, *Band etc*: hire; **2.** *v/refl*: **sich ~ für** be very involved (*od.* active) in; **~t** *adj* involved.

Enge ['ɛŋə] *f* (-; *no pl*) narrowness; *Wohnverhältnisse*: cramped conditions *pl*: **in die ~ treiben** drive into a corner.

Engel ['ɛŋəl] *m* (-s; -) angel.

Engländer ['ɛŋlɛndər] *m* (-s; -) Englishman: **die ~** *pl* the English *pl*; '**~in** *f* (-; -nen) Englishwoman.

englisch ['ɛŋlɪʃ] *adj* English: **auf ~** in English.

'**Engpaß** *m fig.* bottleneck.

engstirnig ['ɛŋʃtɪrnɪç] *adj* narrow-minded.

Enkel ['ɛŋkəl] *m* (-s; -) grandchild;

grandson; '**~in** *f* (-; -nen) granddaughter.

enorm [e'nɔrm] *adj* tremendous.

Ensemble [ãˈsãːbl] *n* (-s; -s) *thea.* company; cast.

ent'bind|en (*irr, no* ge-, h, → **binden**) *med.* **1.** *v/t e-e Frau*: deliver (*von* of); **2.** *v/i* give birth to a child, F have a baby; **2ung** *f* (-; -en) *med.* delivery; **2ungs-stati,on** *f* maternity ward.

ent'deck|en *v/t* (*no* ge-, h) discover, find; **2er** *m* (-s; -) discoverer; **2ung** *f* (-; -en) discovery.

Ente ['ɛntə] *f* (-; -n) *zo.* duck; F *Zeitungs*2: canard, hoax.

ent'eign|en *v/t* (*no* ge-, h) expropriate; *j-n*: dispossess; **2ung** *f* (-; -en) expropriation; dispossession.

ent'|erben *v/t* (*no* ge-, h) disinherit; **~fachen** [ɛnt'faxən] *v/t* (*no* ge-, h) kindle; *fig. a.* rouse; **~fallen** *v/i* (*irr, no* ge-, sn, → **fallen**) *wegfallen*: be dropped (*od.* cancelled): **auf j-n ~** fall to s.o.('s share); **es ist mir ~** it has slipped my memory.

entfern|en [ɛnt'fɛrnən] (*no* ge-, h) **1.** *v/t* remove (*a. fig.*); **2.** *v/refl* leave; **~t** *adj* distant (*a. fig.*): **weit (10 Meilen) ~** far (10 miles) away; **2ung** *f* (-; -en) removal; *Abstand*: distance; **2ungs-messer** *m* (-s; -) *phot.* range finder.

ent'führ|en *v/t* (*no* ge-, h) kidnap; *Flugzeug*: hijack; **2er** *m* (-s; -) kidnapper; hijacker; **2ung** *f* (-; -en) kidnapping; hijacking.

ent'gegen 1. *prp* contrary to, against; **2.** *adv* towards; **~gehen** *v/i* (*irr, sep,* -ge-, sn, → **gehen**) go to meet; **~gesetzt** *adj* opposite; **~kommen** *v/i* (*irr, sep,* -ge-, sn, → **kommen**) come to meet; *fig. j-m* **~** meet s.o. halfway; **~nehmen** *v/t* (*irr, sep,* -ge-, h, → **nehmen**) accept; take; **~sehen** *v/i* (*irr, sep,* -ge, h, → **sehen**) await; *e-r Sache freudig*: look forward to.

entgegnen [ɛnt'geːgnən] *v/t* (*no* ge-, h) reply (**auf** *acc* to; **daß** that).

ent'gehen *v/i* (*irr, no* ge-, sn, → **gehen**) escape: *fig. j-m* **~** escape s.o.('s notice); **sich et. ~ lassen** miss s.th.

Entgelt ['ɛntgɛlt] *n* (-[e]s; -e) remuneration; *Honorar*: fee.

entgiften [ɛnt'gɪftən] *v/t* (*no* ge-, h) *Luft etc*: decontaminate.

entgleis|en [ɛntˈglaɪzən] *v/i* (*no* ge-, sn) be derailed; **♀ung** *f* (-; -en) derailment; *fig.* gaffe, faux pas.

ent'halt|en (*irr, no* ge-, h, → **halten**) 1. *v/t* contain; 2. *v/refl*: *sich* (*der Stimme*) ~ abstain; **♀ung** *f* (-; -en) *Stimm♀*: abstention.

enthüll|en [ɛntˈhʏlən] *v/t* (*no* ge-, h) *Denkmal etc*: unveil; *fig.* reveal; **♀ung** *f* (-; -en) unveiling; *fig.* disclosure.

Enthusias|mus [ɛntuˈzϊasmʊs] *m* (-; *no pl*) enthusiasm; **♀tisch** *adj* enthusiastic.

ent'kommen *v/i* (*irr, no* ge-, sn, → **kommen**) escape (*j-m* s.o.; *aus* from).

ent'lad|en *v/t* (*irr, no* ge-, h, → **laden**) unload; *electr.* discharge (*a. v/refl*); **♀ung** *f* (-; -en) unloading; discharge.

ent'lang *prp u. adv* along: *hier* ~, *bitte!* this way, please.

entlarven [ɛntˈlarfən] *v/t* (*no* ge-, h) unmask, expose.

ent'lass|en *v/t* (*irr, no* ge-, h, → **lassen**) dismiss; *Patienten*: discharge (*aus* from); *Häftling*: release (from); **♀ung** *f* (-; -en) dismissal; discharge; release; **♀ungsgesuch** *n* (letter of) resignation.

ent'last|en *v/t* (*no* ge-, h) relieve; *Gewissen, Verkehr*: ease; *jur.* exonerate; **♀ung** *f* (-; *no pl*) relief; *jur.* exoneration; **♀ungszeuge** *m* witness for the defen|ce (*Am.* -se).

ent'lauf|en *v/i* (*irr, no* ge-, sn, → **laufen**) run away (*dat* from); **♀legen** *adj* remote; **~machten** [ɛntˈmaxtən] *v/t* (*no* ge-, h) deprive *s.o.* of his power; **~militarisieren** [~militariˈziːrən] *v/t* (*no* ge-, h) demilitarize; **~mutigen** [~ˈmuːtɪgən] *v/t* (*no* ge-, h) discourage; **~'nerven** *v/t* (*no* ge-, h) enervate; **~puppen** [~ˈpʊpən] *v/refl* (*no* ge-, h): *sich* ~ *als* turn out to be; **~'reißen** *v/t* (*irr, no* ge-, h, → **reißen**): *j-m et.* ~ snatch s.th. from s.o.

ent'rüst|en (*no* ge-, h) 1. *v/t* fill with indignation; 2. *v/refl* become indignant (*über* acc at s.th., with s.o.); **~et** *adj* indignant; **♀ung** *f* (-; *no pl*) indignation.

ent'schädig|en *v/t* (*no* ge-, h) compensate (*für* for) (*a. fig.*); **♀ung** *f* (-; -en) compensation.

ent'schärfen *v/t* (*no* ge-, h) defuse (*a. Lage*).

entscheid|en [ɛntˈʃaɪdən] (*irr, no* ge-, h, → **scheiden**) 1. *v/t* decide; *endgültig*:

settle; 2. *v/i* be decisive: ~ *über* (acc) decide (on); 3. *v/refl* decide (*für* on; *gegen* against; *zu tun* to do), make up one's mind; **~end** *adj* decisive (*für* for, in); *kritisch*: crucial; **♀ung** *f* (-; -en) decision.

ent'schließ|en *v/refl* (*irr, no* ge-, h, → **schließen**) decide (*zu, für* on; *zu tun* to do), make up one's mind; **♀ung** *f* (-; -en) *bsd. pol.* resolution.

Ent'schluß *m* (-sses; «sse) decision: *e-n* ~ *fassen* make (*od.* reach) a decision.

entschuldig|en [ɛntˈʃʊldɪgən] (*no* ge-, h) 1. *v/t*: ~ *Sie die Störung!* sorry to bother (*od.* disturb) you; 2. *v/refl* apologize (*bei j-m* to s.o.; *für et.* for s.th.); 3. *v/i*: ~ *Sie! beim Vorbeigehen etc*: excuse me; *Verzeihung!*: sorry; **♀ung** *f* (-; -en) apology; *Grund etc*: excuse: ~*! beim Vorbeigehen etc*: excuse me; *Verzeihung!*: sorry; *j-n um* ~ *bitten* apologize to s.o. (*wegen* for).

ent'setzen *v/t* (*no* ge-, h) horrify, shock. **Ent'setz|en** *n* (-s; *no pl*) horror; **♀lich** *adj* horrible, dreadful, terrible; *scheußlich*: atrocious.

ent'sorg|en *v/t* (*no* ge-, h) dispose of the waste of; **♀ung** *f* (-; -en) waste disposal.

ent'spann|en *v/refl* (*no* ge-, h) relax; *Lage*: ease (up); **♀ung** *f* (-; -en) relaxation; *pol.* détente.

ent'sprechen *v/i* (*irr, no* ge-, h, → **sprechen**) correspond to; *e-r Beschreibung*: answer to; *Anforderungen etc*: meet; **~d** *adj* corresponding (to); *passend*: appropriate.

ent'steh|en *v/i* (*irr, no* ge-, sn, → **stehen**) come into being (*od.* existence); *geschehen*: arise, come about; *allmählich*: emerge, develop: ~ *aus* originate from; **♀ung** *f* (-; *no pl*) origin.

ent'stört *adj* *electr.* interference-free.

ent'täusch|en *v/t* (*no* ge-, h) disappoint; **♀ung** *f* (-; -en) disappointment.

entweder [ˈɛntveːdər] *cj*: ~ ... *oder* either ... or.

ent'werfen *v/t* (*irr, no* ge-, h, → **werfen**) design; *Schriftstück*: draw up.

ent'wert|en *v/t* (*no* ge-, h) *Fahrschein etc*: cancel; **♀ung** *f* (-; -en) cancellation.

ent'wickeln *v/t u. v/refl* (*no* ge-, h) develop (*a. phot.*) (*zu* into).

Ent'wicklung *f* (-; -en) development, *biol. a.* evolution; **~shelfer** *m* development aid volunteer; *Br.* VSO worker, *Am.* Peace Corps worker; **~shilfe** *f* development aid; **~sland** *n* developing country.

Ent'wurf *m* outline, (rough) draft, plan; *Gestaltung:* design; *Skizze:* sketch.

ent'ziehen *v/t* (*irr, no* ge-, h, → *ziehen*): **j-m den Führerschein ~** ban s.o. from driving; **2ungsanstalt** *f med.* (drug) detoxification cent|re (*Am.* -er), drying-out cent|re (*Am.* -er); **2ungskur** *f* withdrawal treatment.

entziffern [ɛnt'tsɪfərn] *v/t* (*no* ge-, h) *Handschrift:* decipher, make out.

Entzück|en [ɛnt'tsʏkən] *n* (-s; *no pl*) delight; **2end** *adj* delightful, charming; **2t** *adj* delighted (*über acc, von* at, with).

Ent'zugserscheinung *f med.* withdrawal symptom.

ent'zünd|en *v/refl* (*no* ge-, h) catch fire; *med.* become inflamed; **2ung** *f* (-; -en) *med.* inflammation.

Epidemie [epide'mi:] *f* (-; -n) epidemic.

Episode [epi'zo:də] *f* (-; -n) episode.

Epoche [e'pɔxə] *f* (-; -n) epoch, period, era.

er [e:r] *pers pron* he; *Sache:* it.

Er'achten *n: m-s ~s* in my opinion.

erbärmlich [ɛr'bɛrmlɪç] *adj* pitiful, pitiable; *elend:* miserable; *gemein:* mean.

er'baue|n *v/t* (*no* ge-, h) build, construct; **2er** *m* (-s; -) builder, architect.

Erbe¹ [ˈɛrbə] *m* (-n; -n) heir.

Erbe² [~] *n* (-s; *no pl*) inheritance; *fig.* heritage.

'erben *v/t* (h) inherit.

erbeuten [ɛr'bɔytən] *v/t* (*no* ge-, h) *bei Einbruch etc:* get away with.

Erbin ['ɛrbɪn] *f* (-; -nen) heiress.

erbittert [ɛr'bɪtərt] *adj Kampf etc:* fierce.

'Erbkrankheit *f* hereditary disease.

erblich ['ɛrplɪç] *adj* hereditary.

er'blicken *v/t* (*no* ge-, h) see, catch sight of.

erblind|en [ɛr'blɪndən] *v/i* (*no* ge-, sn) go blind (*auf e-m Auge* in one eye); **2ung** *f* (-; *no pl*) loss of (one's) sight.

er'brechen (*irr, no* ge-, h, → *brechen*) *med.* **1.** *v/t* bring up, vomit; **2.** *v/i u. v/refl* vomit, *Br. a.* be sick.

'Erbschaft *f* (-; -en) inheritance; **'~steuer** *f* inheritance tax.

Erbse ['ɛrpsə] *f* (-; -n) *bot.* pea.

Erd|beben ['e:rtbe:bən] *n* (-s; -) earth-

quake; **'~beere** *f bot.* strawberry; **'~boden** *m* (-s; *no pl*) earth, ground.

Erde ['e:rdə] *f* (-; *no pl*) (planet) earth; *Erdreich:* earth, soil; *Boden:* ground; **'2n** *v/t* (h) *electr. bsd. Br.* earth, *Am.* ground.

'Erd|gas *n* natural gas; **'~geschoß** *n* (*im* on the) ground (*Am.* first) floor; **'~nuß** *f bot.* peanut; **'~öl** *n* (mineral) oil, petroleum.

erdrosseln [ɛr'drɔsəln] *v/t* (*no* ge-, h) strangle.

er'drücken *v/t* (*no* ge-, h) crush (to death); **~d** *adj fig.* overwhelming.

Erd|rutsch ['e:rtrʊtʃ] *m* (-[e]s; -e) landslide (*a. pol.*); **'~teil** *m geogr.* continent.

er'dulden *v/t* (*no* ge-, h) bear, endure.

er'eignen *v/refl* (*no* ge-, h) happen, occur.

Ereignis [ɛr'ʔaɪgnɪs] *n* (-ses; -se) event; **2reich** *adj* very eventful.

er'fahren¹ *v/t* (*irr, no* ge-, h, → *fahren*) hear; *erleben:* experience.

er'fahren² *adj* experienced; **2ung** *f* (-; -en) experience.

er'fassen *v/t* (*no* ge-, h) *be-, ergreifen:* grasp; *statistisch:* record, register; *umfassen:* cover, include; *Daten:* acquire, gather; *Text:* compose.

er'find|en *v/t* (*irr, no* ge-, h, → *finden*) invent; **2er** *m* inventor; **~erisch** *adj* inventive; **2ung** *f* (-; -en) invention.

Erfolg [ɛr'fɔlk] *m* (-[e]s; -e) success; *Ergebnis:* result; **2los** *adj* unsuccessful; *vergeblich:* futile; **~losigkeit** *f* (-; *no pl*) failure; **2reich** *adj* successful; **~serlebnis** *n* positive experience; **2versprechend** *adj* promising.

erforder|lich [ɛr'fɔrdərlɪç] *adj* necessary, required: *unbedingt ~* essential; **~n** *v/t* (*no* ge-, h) require, demand.

er'forsch|en *v/t* (*no* ge-, h) explore; *untersuchen:* investigate; *wissenschaftlich:* study, research (into); **2er** *m* explorer; **2ung** *f* (-; -en) exploration (*gen* of); investigation (of, into); research (into).

er'freu|en (*no* ge-, h) **1.** *v/t* please; **2.** *v/refl: sich ~ an* (*dat*) enjoy; **~lich** *adj* pleasing.

er'frier|en *v/i* (*irr, no* ge-, sn, → *frieren*) freeze to death; *Pflanzen:* be killed by frost; **2ung** *f* (-; -en) frostbite.

erfrisch|en [ɛr'frɪʃən] *v/t u. v/refl* (*no* ge-,

h) refresh (o.s.); **2ung** f (-; -en) refreshment.

er'füll|en (no ge-, h) fig. **1.** v/t fill (**mit** with); *Wunsch, Pflicht, Aufgabe*: fulfil(l); *Versprechen*: keep; *Zweck*: serve; *Bedingung, Erwartung*: meet; **2.** v/refl come true; **2ung** f (-; -en) fulfil(l)ment: **in ~ gehen** come true; **2ungsort** m econ. place of fulfil(l)ment.

ergänz|en [ɛr'gɛntsən] v/t (no ge-, h) complement (**sich** each other); *nachträglich hinzufügen*: supplement, add; **~end** adj complementary; supplementary; **2ung** f (-; -en) complement; supplement, addition.

er'geben (irr, no ge-, h, → **geben**) **1.** v/t amount (od. come) to; **2.** v/refl surrender; *Schwierigkeiten*: arise: **sich ~ aus** result from; **sich ~ in** resign o.s. to; **2heit** f (-; no pl) devotion.

Ergebnis [ɛr'ge:pnɪs] n (-ses; -se) result, outcome; **2los** adj fruitless, without result.

er'gehen v/impers u. v/i (irr, no ge-, sn, → **gehen**): **wie ist es dir ergangen?** how did things go with you?; **so erging es mir auch** the same thing happened to me; **et. über sich ~ lassen** (patiently) endure s.th.; **~'greifen** v/t (irr, no ge-, h, → **greifen**) seize, grasp; *Gelegenheit, Maßnahme*: take; *Beruf*: take up; fig. move, touch.

Ergriffenheit [ɛr'grɪfənhaɪt] f (-; no pl) emotion.

er'halten¹ v/t (irr, no ge-, h, → **halten**) get, receive; *bewahren*: keep; *unterstützen*: support, maintain.

er'halten² adj: **gut ~** in good condition.

erhältlich [ɛr'hɛltlɪç] adj obtainable, available: **schwer ~** hard to come by.

er'hängen v/refl (no ge-, h) hang o.s.

er'heben (irr, no ge-, h, → **heben**) **1.** v/t raise (a. Stimme), lift; **2.** v/refl rise (to one's feet); *Volk etc*: rise (up) (**gegen** against).

erheblich [ɛr'he:plɪç] adj considerable.

er'hoffen v/t (no ge-, h): **sich et. ~** hope for s.th.; *erwarten*: expect s.th. (**von** of).

erhöh|en [ɛr'hø:ən] v/t (no ge-, h) raise, increase (beide: **auf** to; **um** by); **2ung** f (-; -en) increase (gen in); *Gehalts2*: bsd. Br. rise, Am. raise.

er'hol|en v/refl (no ge-, h) genesen: recover (**von** from); *sich entspannen*: re-

lax, rest; **~sam** adj restful, relaxing; **2ung** f (-; no pl) recovery; relaxation.

erinner|n [ɛr'ʔɪnərn] (no ge-, h) **1.** v/t remind (**an** acc of); **2.** v/refl: **sich ~ (an** acc) remember; **2ung** f (-; -en) memory (**an** acc of); *Andenken*: souvenir (of): **zur ~ an** (acc) in memory of.

erkält|en [ɛr'kɛltən] v/refl (no ge-, h) catch (a) cold: **stark erkältet sein** have a bad cold; **2ung** f (-; -en) cold.

er'kennen v/t (irr, no ge-, h, → **kennen**) recognize (**an** dat by); *deutlich sehen*: make out.

erklär|en [ɛr'klɛːrən] v/t (no ge-, h) explain (**j-m et.** s.th. to s.o.); *verkünden*: declare (a. jur.): **j-n** (offiziell) **für ... ~** pronounce s.o. ...; **~t** adj professed, declared; **2ung** f (-; -en) explanation; declaration: **e-e ~ abgeben** make a statement.

erkrank|en [ɛr'krankən] v/i (no ge-, sn) bsd. Br. fall (od. be taken) ill (**an** dat with), Am. get sick (with): **~ an** (dat) come down with; **2ung** f (-; -en) illness.

erkundigen [ɛr'kʊndɪgən] v/refl (no ge-, h) ask (**nach** after s.o.), inquire (about s.th.); *Auskünfte einholen*: make inquiries (**über** acc about): **sich** (**bei j-m**) **nach dem Weg ~** ask (s.o.) the way.

Erlaß [ɛr'las] m (-sses; -sse) *Anordnung*: decree; *e-r Strafe etc*: remission.

er'lassen v/t (irr, no ge-, h, → **lassen**)*Verordnung*: issue; *Gesetz*: enact; *j-m et*: release from.

erlaub|en [ɛr'laʊbən] v/t (no ge-, h) allow, permit; **2nis** [~'laʊpnɪs] f (-; no pl) permission: → **bitten.**

erläuter|n [ɛr'lɔʏtərn] v/t (no ge-, h) explain (**j-m et.** s.th. to s.o.); *kommentieren*: comment on; **2ung** f (-; -en) explanation; comment.

er'leben v/t (no ge-, h) experience; *Schlimmes*: go through; *mit ansehen*: see; *Abenteuer, Überraschung, Freude etc*: have: **das werden wir nicht mehr ~** we won't live to see that.

Erlebnis [ɛr'le:pnɪs] n (-ses; -se) experience; *Abenteuer*: adventure; **2reich** adj very eventful.

erledig|en [ɛr'le:dɪgən] v/t (no ge-, h) allg. take care of, do, handle; *Angelegenheit, Problem*: settle.

erleichter|t [ɛr'laɪçtərt] adj relieved; **2ung** f (-; no pl) relief (**über** acc at).

er'leiden v/t (irr, no ge-, h, → **leiden**) suffer; **~'lernen** v/t (no ge-, h) learn.

er'liegen v/i (irr, no ge-, sn, → **liegen**) succumb to; *e-r Krankheit:* die from.

Er'liegen n (-s; no pl): **zum ~ kommen** (**bringen**) come (bring) to a standstill.

erlogen [ɛr'lo:ɡən] adj made(-)up, pred a. a lie.

Erlös [ɛr'lø:s] m (-es; -e) proceeds pl.

erloschen [ɛr'lɔʃən] adj *Vulkan:* extinct.

ermächtig|en [ɛr'mɛçtɪɡən] v/t (no ge-, h) authorize; **2ung** f (-; -en) authorization; *Befugnis:* authority.

er'mäßig|en v/t (no ge-, h) reduce; **2ung** f (-; -en) reduction.

ermitt|eln [ɛr'mɪtəln] (no ge-, h) 1. v/t find out; *bestimmen:* determine; 2. v/i: **~ (gegen)** jur. investigate; **2lung** f (-; -en) investigation.

ermöglichen [ɛr'mø:klɪçən] v/t (no ge-, h) make possible.

ermord|en [ɛr'mɔrdən] v/t (no ge-, h) murder; *bsd. pol.* assassinate; **2ung** f (-; -en) murder; assassination.

ermunter|n [ɛr'mʊntərn] v/t (no ge-, h) encourage (**zu et., et. zu tun** to do s.th.); **2ung** f (-; -en) encouragement.

ermutig|en [ɛr'mu:tɪɡən] v/t (no ge-, h), **2ung** f (-; -en) → **ermuntern, Ermunterung.**

ernähr|en [ɛr'nɛːrən] v/t (no ge-, h) 1. v/t feed; *Familie:* support; 2. v/refl: **sich ~ von** live on; **2er** m (-s; -) breadwinner, provider; **2ung** f (-; no pl) food; **~sweise:** diet.

er'nenn|en v/t (irr, no ge-, h, → **nennen**): **j-n zu et. ~** appoint s.o. s.th.; **2ung** f (-; -en) appointment (**zu** as).

erneu|ern [ɛr'nɔʏərn] v/t (no ge-, h) renew; **2erung** f (-; -en) renewal; **~t** adv once more.

Ernst [ɛrnst] m (-es; no pl) seriousness: **ist das dein ~?** are you serious?

ernst [~], **~haft, ~lich** adj serious, earnest.

Erober|er [ɛr'o:bərər] m (-s; -) conqueror; **2n** v/t (no ge-, h) conquer (a. fig.); **~ung** f (-; -en) conquest (a. fig.).

er'öffn|en v/t (no ge-, h) open, *feierlich:* a. inaugurate; **2ung** f (-; -en) opening, inauguration.

erörter|n [ɛr''œrtərn] v/t (no ge-, h) discuss; **2ung** f (-; -en) discussion.

erotisch [e'ro:tɪʃ] adj erotic.

erpicht [ɛr'pɪçt] adj: **~ auf** (acc) keen on.

er'press|en v/t (no ge-, h) blackmail; *Geständnis etc:* extort (**von** from); **2er** m (-s; -) blackmailer; **2ung** f (-; -en) blackmail.

er'prob|en v/t (no ge-, h) try, test; **~'raten** v/t (irr, no ge-, h, → **raten**) guess; **~'rechnen** v/t (no ge-, h) calculate.

er'reg|bar adj excitable; *reizbar:* irritable; **~en** v/t (no ge-, h) excite; *aufregen:* a. upset; *sexuell:* a. arouse; *Gefühle:* rouse; *verursachen:* cause; **~end** adj exciting, thrilling; **2er** m (-s; -) med. germ; **2ung** f (-; -en) excitement.

er'reichen v/t (no ge-, h) reach; *Zug etc:* catch; *Erfolg haben:* succeed in: **et. ~** get somewhere; *telefonisch:* **telefonisch zu ~ sein** be on the phone (*Am.* have a) phone.

er'richt|en v/t (no ge-, h) build, erect, put up; *fig.* found, *bsd. econ.* set up; **2ung** f (-; no pl) building, erection; *fig.* foundation.

er'ringen v/t (irr, no ge-, h, → **ringen**) win, gain; *Erfolg:* achieve; **~'röten** v/i (no ge-, sn) blush (**vor** dat with).

Ersatz [ɛr'zats] m (-es; no pl) replacement; *auf Zeit, a. Person:* substitute; *Ausgleich:* compensation; *Schaden2:* damages pl: **als ~ für j-n** in s.o.'s place; **~dienst** m alternative national service (for conscientious objectors); **~mann** m (-[e]s; -leute) substitute (a. Sport); **~mittel** n substitute; **~reifen** m mot. spare tyre (*Am.* tire); **~teil** n tech. spare part.

er'scheinen v/i (irr, no ge-, sn, → **scheinen**) appear (a. Zeitung etc); turn up; *Buch:* be published; **~'schießen** v/t (irr, no ge-, h, → **schießen**) shoot (dead).

er'schließ|en v/t (irr, no ge-, h, → **schließen**) *Bauland:* develop; *Markt:* open up; **2ung** f (-; no pl) development; opening up; **2ungskosten** pl development costs pl.

er'schöpf|en v/t (no ge-, h) exhaust; **2ung** f (-; no pl) exhaustion.

erschrecken [ɛr'ʃrɛkən] 1. v/t (no ge-, h) frighten, scare; 2. v/i (erschrak, erschrocken, sn) be frightened (**über** acc at); **~d** adj alarming; *Anblick:* terrible.

erschütter|n [ɛr'ʃʏtərn] v/t (no ge-, h) shake; *fig. a.* shock; **2ung** f (-; -en) shock (a. *seelisch*); *tech.* vibration.

erschweren [ɛr'ʃveːrən] v/t (no ge-, h) make more difficult.

erschwinglich [ɛr'ʃvɪŋlɪç] adj within one's means; *Preise*: reasonable: **das ist für uns nicht ~** we can't afford that.

er|'sehen v/t (irr, no ge-, h, → **sehen**) see, learn, gather (*alle*: **aus** from); **~'setzen** v/t (no ge-, h) replace (**durch** by); *ausgleichen*: compensate for, make up for (a. **Schaden**, **Verlust**).

er'sichtlich adj evident, obvious: **ohne ~en Grund** for no apparent reason.

er'spar|en v/t (no ge-, h) (a. **sich Geld ~**) save: **j-m et. ~** spare s.o. s.th.; **~nisse** pl savings pl.

erst [eːrst] adv first; *anfangs*: at first: **~ jetzt** (**gestern**) only now (yesterday); **~ nächste Woche** not before (od. until) next week; **es ist ~ neun Uhr** it is only nine o'clock; **eben ~** just (now); **~ recht** all the more; **~ recht nicht** even less.

erstatt|en [ɛr'ʃtatən] v/t (no ge-, h) *Geld*: refund; *Bericht*: make: **Anzeige ~ gegen** report s.o. to the police; **2ung** f (-; -en) refund.

er'staunen v/t (no ge-, h) astonish, amaze.

Er'staun|en n (-s) astonishment, amazement: **zu m-m ~** to my astonishment; **2lich** adj astonishing, amazing; **2t 1.** adj astonished (**über** acc at), amazed (at); **2.** adv in astonishment.

erste ['eːrstə] adj first: **fürs ~** for the time being; **als ~(r)** first; → **Blick**, **Hilfe** etc.

er'stechen v/t (irr, no ge-, h, → **stechen**) stab (to death).

erstens ['eːrstəns] adv first(ly), in the first place.

ersticken [ɛr'ʃtɪkən] (no ge-) v/t u. v/i (sn) choke, suffocate; → **Keim**.

'erstklassig adj first-class.

er'strecken v/refl (no ge-, h) extend (**bis zu** as far as; **über** acc over): **sich ~ über** a. cover.

er'suchen v/t (no ge-, h) request (**j-n zu tun** s.o. to do; **j-n um et.** s.th. of s.o.).

Er'suchen n (-s; -) request: **auf ~ von** at the request of.

ertappen [ɛr'tapən] v/t (no ge-, h) catch (**j-n beim Stehlen** s.o. stealing): → **Tat**.

Ertrag [ɛr'traːk] m (-s; ⸚e) yield; *Einnahmen*: proceeds pl, returns pl.

er'tragen v/t (irr, no ge-, h, → **tragen**) *Schmerzen etc*: bear; endure; *Klima*, *Person*: a. stand.

erträglich [ɛr'trɛːklɪç] adj bearable, tolerable.

Er'tragslage f profit situation.

er|'trinken v/i (irr, no ge-, sn, → **trinken**) (be) drown(ed); **~übrigen** [ɛr'²yːbrɪgən] (no ge-, h) **1.** v/t Zeit etc: spare; **2.** v/refl be unnecessary.

er'wachsen adj grown-up, adult; **2e** m, f (a.n; -n) grown-up.

erwäg|en [ɛr'vɛːgən] v/t (erwog, erwogen, h) consider (**zu tun** doing); **2ung** f (-; -en) consideration: **in ~ ziehen** take into consideration.

erwähn|en [ɛr'vɛːnən] v/t (no ge-, h) mention; **2ung** f (-; -en) mention.

er'wart|en v/t (no ge-, h) expect; *Kind*: be expecting; *warten auf*: wait for; **2ung** f (-; -en) expectation; **~ungsvoll** adj expectant.

er|'wecken v/t (no ge-, h) *Verdacht*, *Gefühle*: arouse; **~'weisen** (irr, no ge-, h, → **weisen**) **1.** v/t Dienst, Gefallen: do; **2.** v/refl: **sich ~ als** prove to be.

erweiter|n [ɛr'vaɪtərn] (no ge-, h) **1.** v/t *Straße etc*: widen; *Macht etc*: extend; *bsd. econ.* expand; **2.** v/refl *Straße etc*: widen; **2ung** f (-; -en) widening; extension; *bsd. econ.* expansion.

Erwerb [ɛr'vɛrp] m (-[e]s; -e) acquisition; *Kauf*: purchase; *Einkommen*: income; **2en** v/t (irr, no ge-, h, → **werben**) acquire (a. **Wissen**, **Ruf** etc); *kaufen*: purchase.

er'werbs|los adj, **2lose** m, f → **arbeitslos**, **Arbeitslose**; **~tätig** adj (gainfully) employed, working; **2tätige** m, f (-n; -n) employed person; **~unfähig** adj unable to earn a living; **2zweig** m line of business.

erwider|n [ɛr'viːdərn] v/t (no ge-, h) reply (**auf** acc to); *Gruß*, *Besuch etc*: return; **2ung** f (-; -en) reply; return.

er'wischen v/t (no ge-, h) catch (**beim Stehlen** stealing).

erwünscht [ɛr'vynʃt] adj desired; *wünschenswert*: desirable; *willkommen*: welcome.

er'würgen v/t (no ge-, h) strangle.

Erz [eːrts] n (-es; -e) ore.

er'zählen v/t (no ge-, h) tell.

erzeug|en [ɛr'tsɔygən] v/t (no ge-, h) produce (a. fig.); *industriell*: a. make, manufacture; *electr.* generate; *verursachen:* cause, create; **2er**land *n* country of origin; **2nis** *n* (-ses; -se) product (*a. fig.*); **2ung** *f* (-; *no pl*) production.

er'ziehen *v/t* (*irr, no ge-,* → **ziehen**) bring up; *geistig:* educate.

Er'ziehung *f* (-; *no pl*) upbringing; *geistig:* education; **~berechtigte** *m, f* (-n; -n) parent or guardian.

er'zielen *v/t* (*no ge-*) *bsd. Ergebnis, Erfolg etc:* achieve; **~'zwingen** *v/t* (*irr, no ge-, h,* → **zwingen**) force.

es [ɛs] *pers pron* it; *Person, Tier bei bekanntem Geschlecht:* he, she: **~ gibt** there is, there are; **ich bin ~** it's me; → **hoffen, klingeln, klopfen** 1 *etc.*

Esel ['eːzəl] *m* (-s; -) *zo.* donkey; *bsd. fig.* ass; '**~brücke** *f* mnemonic; '**~sohr** *n fig.* dog-ear.

eßbar ['ɛsbaːr] *adj* eatable; *bsd. Pilz etc:* edible.

essen ['ɛsən] *v/t u. v/i* (aß, gegessen, h) eat: **zu Mittag ~** (have) lunch; **zu Abend ~** have supper *od.* dinner; **et. zu Mittag** *etc* ~ have s.th. for lunch *etc*; → **auswärts.**

Essen [~] *n* (-s; -) *Nahrung, Verpflegung:* food; *Mahlzeit:* meal; *Gericht:* dish: **beim ~ sein** be having lunch *etc*; '**~smarke** *f* meal ticket, *Br. a.* luncheon voucher; '**~szeit** *f* mealtime.

Essig ['ɛsıç] *m* (-s; -e) vinegar.

Eß|löffel ['ɛs~] *m* tablespoon; '**~stäbchen** *pl* chopsticks *pl*; '**~tisch** *m* dining table; '**~zimmer** *n* dining room.

Etage [e'taːʒə] *f* (-; -n) floor, *Br.* storey, *Am.* story: **auf der ersten ~** on the first (*Am.* second) floor; **~nbett** *n* bunk bed.

Etappe [e'tapə] *f* (-; -n) stage, leg.

Etat [e'taː] *m* (-s; -s) budget.

Eth|ik ['eːtık] *f* (-; *no pl*) *Normen:* ethics *pl*; '**2isch** *adj* ethical.

ethnisch ['ɛtnıʃ] *adj* ethnic.

Etikett [eti'kɛt] *n* (-[e]s; -e[n], -s) label; *Preisschild:* price tag; **2ieren** [~'tiːrən] *v/t* (*no ge-, h*) label.

etliche ['ɛtlıçə] *indef pron* several, quite a few.

Etui [ɛt'viː] *n* (-s; -s) case.

etwa ['ɛtva] *adv ungefähr:* about, *bsd. Am. a.* around; **~ig** *adj* any.

etwas ['ɛtvas] **1.** *indef pron* something;

irgend ~: anything; **2.** *adj* some; any; **3.** *adv* a little, somewhat.

euer ['ɔyər] *poss pron* your: **der (die, das) eu(e)re** yours.

Eule ['ɔylə] *f* (-; -n) *zo.* owl: **~n nach Athen tragen** carry coals to Newcastle.

Euronorm ['ɔyro~] *f* European standard.

Europä|er [ɔyro'pɛːər] *m* (-s; -) European; **2isch** *adj* European: *Europäische Gemeinschaft* European Community; *Europäischer Gerichtshof* European Court of Justice; *Europäischer Wirtschaftsraum* European Economic Space.

Europa|parlament [ɔy'roːpa~] *n* (-[e]s; *no pl*) European Parliament; **~rat** *m* (-[e]s; *no pl*) Council of Europe.

Euroscheck ['ɔyro~] *m* Eurocheque; '**~karte** *f* Eurocheque card.

evakuieren [evaku'iːrən] *v/t* (*no ge-, h*) evacuate.

evangelisch [evan'geːlıʃ] *adj eccl.* Protestant.

eventuell [evɛn'tŏɛl] **1.** *adj* possible; **2.** *adv* possibly; perhaps.

ewig ['eːvıç] **1.** *adj* eternal; F *dauernd:* constant, endless; **2.** *adv:* **auf ~** for ever; '**2keit** *f* (-; -en) eternity; F **e-e** (-) ages.

exakt [ɛ'ksakt] *adj* exact, precise; **2heit** *f* (-; *no pl*) exactness, precision.

Examen [ɛ'ksaːmən] *n* (-s; -) exam(ination).

Exekutive [ɛkseku'tiːvə] *f* (-; -n) *pol.* executive (branch).

Exemplar [ɛksɛm'plaːr] *n* (-s; -e) specimen; *e-s Buches etc:* copy.

Exil [ɛ'ksiːl] *n* (-s; -e): **ins ~ gehen** go into exile; **im ~ leben** live in exile; **~re,gierung** *f* government in exile.

Existenz [ɛksıs'tɛnts] *f* (-; -en) existence; *Unterhalt:* living, livelihood; **~minimum** *n* subsistence level.

existieren [ɛksıs'tiːrən] *v/i* (*no ge-, h*) exist: **~ von** subsist on.

exklusiv [ɛksklu'ziːf] *adj* exclusive.

exotisch [ɛ'ksoːtıʃ] *adj* exotic.

Expansion [ɛkspan'zioːn] *f* (-; -en) expansion.

Expedition [ɛkspedi'tsioːn] *f* (-; -en) expedition.

Experiment [ɛksperi'mɛnt] *n* (-[e]s; -e)

experiment; **2ieren** [ˌ'tiːrən] v/i (no ge-, h) experiment (**mit** on, with).

Experte [ɛksˈpɛrtə] m (-n; -n) expert (**für** at, in, on).

explo|dieren [ɛksploˈdiːrən] v/i (no ge-, sn) explode (a. fig.); **2sion** [ˌ'zioːn] f (-; -en) explosion (a. fig.); **~siv** [ˌ'ziːf] adj explosive (a. fig.).

Export [ɛksˈpɔrt] m (-[e]s; -e) econ. export; Exportiertes: exports pl; **~eur** [ˌ'tøːr] m (-s; -e) exporter; **2ieren** [ˌ'tiːrən] v/t (no ge-, h) export; **~land** n exporting country; **~überschuß** m export surplus.

extra ['ɛkstra] adv extra; gesondert: a. separately; eigens: especially; F absichtlich: on purpose; **~ für dich** just for you; **2blatt** n extra.

extrem [ɛksˈtreːm] adj extreme.

Extrem [ˌ] n (-s; -e) extreme; **~ismus** [ˌtreˈmɪsmʊs] m (-; no pl) extremism; **~ist** [ˌtreˈmɪst] m (-en; -en) extremist; **2istisch** [ˌtreˈmɪstɪʃ] adj extremist.

F

fabelhaft ['faːbəlhaft] adj fantastic.

Fabrik [faˈbriːk] f (-; -en) factory; **~ant** [fabriˈkant] m (-en; -en) Besitzer: factory owner; Hersteller: manufacturer; **~arbeiter** m skilled worker; **~arbeiter** m skilled worker; **~arbeitermangel** m (-s; no pl) shortage of skilled workers; **~arzt** m, **~ärztin** f specialist (**für** in); **~gebiet** n line, field; Branche: a. trade, business; **~geschäft** n specialist shop (Am. store); **~hochschule** f appr. college; **~kenntnisse** pl specialized knowledge; **~mann** m (-[e]s; -leute) expert (**für** at, in, on); **2männisch** ['ˌmɛnɪʃ] adj expert; **2simpeln** ['ˌzɪmpəln] v/i (insep, pp gefachsimpelt, h) talk shop; **~werkhaus** n half-timbered house.

Fackel ['fakəl] f (-; -n) torch; **~zug** m torchlight procession.

fade ['faːdə] adj Essen: tasteless, insipid; langweilig: dull, boring.

Faden ['faːdən] m (-s; ") thread (a. fig.).

fähig ['fɛːɪç] adj capable (**zu tun** of doing), able (to do); **2keit** f (-; -en) capa-

bility, ability; Begabung: talent, gift.

fahl [faːl] adj pale; Gesicht: a. ashen.

fahnd|en ['faːndən] v/i (h) search (**nach** for); **2ung** f (-; -en) search.

Fahne ['faːnə] f (-; -n) flag; F **e-e ~ haben** reek of the bottle.

Fahr|ausweis ['faːr~] m ticket; **~bahn** f road, Br. carriageway; Spur: lane.

Fähre ['fɛːrə] f (-; -n) ferry.

fahren ['faːrən] (fuhr, gefahren) **1.** v/i (sn) allg. go; reisen: a. travel; verkehren: run; ab~: leave, go; Auto ~: drive; in od. auf e-m Fahrzeug: ride: **mit dem Auto (Zug, Bus** etc) ~ go by car (train, bus etc); **über e-e Brücke** etc ~ cross a bridge etc; **2.** v/t (h) Auto etc: drive; (Motor)Rad: ride; Güter: carry.

'Fahrer m (-s; -) driver; Chauffeur: chauffeur; **~flucht** f (-; no pl) hit-and-run offen|ce (Am. -se): **~ begehen** just drive off.

Fahr|gast ['faːr~] m passenger, Taxi: fare; **~geld** n fare; **~gemeinschaft** f car pool; **~gestell** n mot. chassis; aer. → **Fahrwerk**; **~karte** f ticket; **~kartenauto,mat** m ticket machine; **~kartenschalter** m ticket window; **2lässig** adj careless, reckless (a. jur.): **grob ~** grossly negligent; **~lehrer** m driving instructor; **~plan** m timetable, Am. a. schedule; **2planmäßig 1.** adj scheduled; **2.** adv according to schedule; pünktlich: on time; **~preis** m fare;

'**~prüfung** f driving test; '**~rad** n bicycle; *Zssgn* → **Rad...**; '**~schein** m ticket; '**~schule** f driving school; '**~schüler** m mot. learner (*Am.* student) driver; '**~spur** f lane; '**~stuhl** m *Brt.* lift, *Am.* elevator; '**~stunde** f driving lesson.

Fahrt [faːrt] f (-; -en) *in od. auf e-m Fahrzeug*: ride; *mot. a.* drive; *Reise*: trip (a. *Ausflug*), journey; *mar.* voyage, trip, cruise; *Geschwindigkeit*: speed (a. *mar.*): **in voller ~** at full speed.

Fährte ['fɛːrtə] f (-; -n) track (a. *fig.*).

Fahrtenschreiber m (-s; -) *mot.* tachograph.

fahr|tüchtig ['faːr-] *adj Wagen*: roadworthy; *Person*: fit to drive; '**2werk** n *aer.* undercarriage, landing gear.

Fahrzeug ['faːr-] n (-[e]s; -e) vehicle; '**~brief** m *Brt.* logbook; '**~halter** m vehicle owner; '**~pa,piere** pl vehicle documents pl; '**~schein** m vehicle registration document.

Faktor ['faktɔr] m (-s; -en) factor.

Fakultät [fakʊl'tɛːt] f (-; -en) *univ.* faculty.

Falke ['falkə] m (-n; -n) *zo.* hawk (a. *pol.*), falcon.

Fall [fal] m (-[e]s; ⁓e) fall; *gr., jur., med.* case: **auf jeden (keinen) ~** in any (no) case, by all (no) means; **für den ~, daß ...** in case ...; **gesetzt den ~, daß** suppose (that).

Falle ['falə] f (-; -n) trap (a. *fig.*).

fallen ['falən] v/i (fiel, gefallen, sn) fall (a. *Regen*), drop (a. **~ lassen**); *mil.* be killed (in action).

fällen ['fɛlən] v/t (h) *Baum*: fell, cut down; *jur. Urteil*: pass; *Entscheidung*: make.

'**fallenlassen** v/t (*irr, sep, no -ge-, h*, → *lassen*) *Plan etc*: drop.

fällig ['fɛlɪç] *adj Geld*: payable.

falls [fals] *cj* if, in case: **~ nicht** unless.

'**Fallschirm** m parachute; '**~jäger** m *mil.* paratrooper; '**~springen** n (-s) parachuting; *Sport*: *mst* skydiving; '**~springer** m parachutist; skydiver.

falsch [falʃ] **1.** *adj* wrong; *unwahr, unecht*: false (a. *Freund, Name, Bescheidenheit etc*); *gefälscht*: forged; **2.** *adv*: **~ gehen** *Uhr*: be wrong; **et. ~ aussprechen (schreiben, verstehen etc)** mispronounce (misspell, misunderstand

etc) s.th.; **~ verbunden!** *teleph.* sorry, wrong number.

fälsche|n ['fɛlʃən] v/t (h) forge, fake; *Geld*: *a.* counterfeit; '**2r** m (-s; -) forger; counterfeiter.

'**Falsch|fahrer** m wrong-way driver; '**~geld** n counterfeit money.

'**Fälschung** f (-; -en) forgery; counterfeit.

Falt|... [falt] *in Zssgn Bett, Boot etc*: folding ...; '**~e** f (-; -n) fold; *Runzel*: wrinkle; *Rock⁓*: pleat; *Bügel⁓*: crease; '**2en** v/t (h) fold; '**~enrock** m pleated skirt; '**2ig** *adj* wrinkled.

familiär [fami'liːɛr] *adj zwanglos*: informal: **~e Gründe** family reasons.

Familie [fa'miːliə] f (-; -n) family (a. *bot., zo.*).

Fa'milien|angelegenheit f family affair; **~anschluß** m: **~ haben** live as one of the family; **~betrieb** m family business (*od.* firm); **~name** m family name, surname, *Am. a.* last name; '**~packung** f family(-size) pack; **~planung** f family planning; **~stand** m marital status; **~vater** m family man.

Fanati|ker [fa'naːtikər] m (-s; -) fanatic; **2sch** *adj* fanatic; **~smus** [fana'tɪsmʊs] m (-; *no pl*) fanaticism.

Fang [faŋ] m (-[e]s; ⁓e) catch (a. *fig.*); '**2en** v/t (fing, gefangen, h) catch (a. *fig.*); '**~en** n (-s): **~ spielen** play catch (*Am.* tag).

Farb|band n (typewriter) ribbon; '**~e** f (-; -n) colo(u)r; *Mal⁓*: paint: *Gesichts⁓*: complexion; *Bräune*: tan; *Kartenspiel*: suit: **welche ~ hat ...?** what colo(u)r is ...?; '**2echt** *adj* colo(u)rfast.

färben ['fɛrbən] (h) **1.** v/t dye; *bsd. fig.* colo(u)r; **2.** v/refl: **sich rot ~** colo(u)r.

'**farben|blind** *adj* colo(u)r-blind; '**~froh** *adj* colo(u)rful.

'**Farb|fernsehen** n colo(u)r TV; '**~fernseher** m colo(u)r TV set; '**~film** m colo(u)r film; '**~foto** n colo(u)r photo.

farbig ['farbɪç] *adj* colo(u)red; *Glas*: stained; *fig.* colo(u)rful; **2e** ['farbɪgə] m, f (-n; -n) colo(u)red person (*od.* man, woman): **die ~n** pl. the colo(u)red pl.

farb|los ['farb-] *adj* colo(u)rless (a. *fig.*); '**2stift** m colo(u)red pencil, crayon;

'**≈stoff** *m für Lebensmittel*: colo(u)ring; *tech.* dye; '**≈ton** *m* shade.

Fasching ['faʃɪŋ] *m* (-s; -e, -s) carnival.

Faschis|mus [fa'ʃɪsmʊs] *m* (-; *no pl*) fascism; **∼t** *m* (-en; -en) fascist; **≈tisch** *adj* fascist.

Faß [fas] *n* (-sses; ¨sser) barrel: *Bier vom* **∼** → *Faßbier.*

Fassade [fa'saːdə] *f* (-; -n) facade, front (*beide a. fig.*).

Faßbier *n* (-[e]s; -e) draught (*Am.* draft) beer.

fassen ['fasən] (h) **1.** *v/t* seize, grasp, take hold of; *Verbrecher*: catch; *enthalten können*: hold; *Schmuck*: set; *begreifen*: grasp, understand; *glauben*: believe; *Mut*: pluck up; → *Entschluß, Herz*; **2.** *v/refl* compose o.s.: *sich kurz* **∼** be brief; **3.** *v/i*: **∼** *nach* reach for.

'**Fassung** *f* (-; -en) *Schmuck*: setting; *Brillen≈*: frame; *electr.* socket; *Wortlaut*: wording, version; *seelische*: composure: *die* **∼** *verlieren* lose one's temper; *aus der* **∼** *bringen* upset, shake; '**∼svermögen** *n* (-s; *no pl*) capacity (*a. fig.*).

fast [fast] *adv* almost, nearly: **∼** *nie (nichts)* hardly ever (anything).

fasten ['fastən] *v/i* (h) fast; '**≈zeit** *f eccl.* Lent.

fatal [fa'taːl] *adj* unfortunate; *peinlich*: awkward; *verhängnisvoll*: disastrous.

faul [faʊl] *adj* rotten, bad; *Fisch, Fleisch: a.* spoiled; *fig.* lazy, idle; *verdächtig*: fishy: **∼e** *Ausrede* lame excuse; '**∼en** *v/i* (sn) rot, go bad; *verwesen*: decay; '**≈heit** *f* (-; *no pl*) laziness, idleness.

Faust [faʊst] *f* (-; ¨e) fist: *auf eigene* **∼** on one's own initiative; '**∼regel** *f* rule of thumb; '**∼schlag** *m* punch.

Favorit [favo'riːt] *m* (-en; -en) favo(u)rite.

Fax [faks] *n* (-; -[e]) fax; '**≈en** *v/t* (h) fax.

Februar ['feːbruar] *m* (-[s]; -e) February: *im* **∼** in February.

fechten ['fɛçtən] *v/i* (focht, gefochten, h) fence; *fig.* fight (*für* for).

Fechten [∼] *n* (-s) *Sport*: fencing.

Feder ['feːdər] *f* (-; -n) feather; *tech.* spring; '**∼ball** *m Sport*: badminton; *Ball*: shuttlecock; '**∼bett** *n* duvet, *Br.* continental quilt; '**≈leicht** *adj* (as) light as a feather; '**≈n** *v/i* (h) be springy; '**≈nd** *adj* springy, elastic; '**∼ung** *f* (-; -en) *tech.*

resilience; *mot.* suspension: *e-e gute* **∼** *haben* be well sprung.

fehl [feːl] *adv*: **∼** *am Platze* out of place; '**≈betrag** *m* deficit; '**∼en** *v/i* (h) *nicht da, verschwunden sein*: be missing; *Schule etc* be absent: *ihm fehlt* (*es an dat*) he is lacking; *du fehlst uns* we miss you; *was dir fehlt, ist* what you need is; *was fehlen Ihnen?* what's wrong with you?; '**≈en** *n* (-s) absence (*in dat, bei* from); *Mangel*: lack.

'**Fehler** *m* (-s; -) mistake, error; *Charakter≈*, *Schuld, Mangel*: fault; *tech. a.* defect, flaw; '**≈frei** *adj* faultless, perfect, flawless; '**≈haft** *adj* faulty, full of mistakes; *tech.* defective.

'**Fehl|geburt** *f* miscarriage; '**∼konstrukti,on** *f* faulty design; '**∼schlag** *m fig.* failure; '**∼zündung** *f mot.* misfire, backfire.

Feier ['faɪər] *f* (-; -n) celebration; party; '**∼abend** *m* finishing time: **∼** *machen* finish (work), F knock off; *machen wir* **∼!** let's call it a day!; '**≈lich** *adj* solemn; *festlich*: festive; '**∼lichkeit** *f* (-; -en) solemnity; *Feier*: ceremony; '**≈n** *v/i* (h) celebrate (*a. v/t*), have a party; '**∼tag** *m* holiday.

feig, feige [faɪk, 'faɪɡə] *adj* cowardly.

Feige ['faɪɡə] *f* (-; -n) *bot.* fig.

'**Feig|heit** *f* (-; *no pl*) cowardice; '**∼ling** *m* (-[e]s; -e) coward.

Feile ['faɪlə] *f* (-; -n) file; '**≈n** *v/t u. v/i* file.

feilschen ['faɪlʃən] *v/i* (h) haggle (*um* about, over).

fein [faɪn] *adj* fine; *Qualität: a.* choice, excellent; *Gehör etc*: keen; *zart*: delicate; *vornehm*: distinguished, F posh (*a. Gegend, Restaurant etc*); F *prima*: fine, great.

Feind [faɪnt] *m* (-[e]s; -e) enemy (*a. mil.*); '**≈lich** *adj* hostile; *Truppen etc*: enemy; '**∼schaft** *f* (-; -en) hostility; '**∼selig** *adj* hostile (*gegen* to); '**∼seligkeit** *f* (-; -en) hostility.

fein|fühlig ['faɪnfyːlɪç] *adj* sensitive; *taktvoll*: tactful; '**≈gefühl** *n* (-[e]s; *no pl*) sensitiveness; tact; '**≈heit** *f* (-; -en) fineness; *des Gehörs*: keenness; *Zartheit*: delicacy: **∼en** *pl* niceties *pl*; *Einzelheiten*: details *pl*; '**≈kostgeschäft** *n* delicatessen; '**∼me,chanik** *f* precision engineering; '**∼me,chaniker** *m* precision

Festpreis

engineer; '2**schmecker** m (-s; -) gourmet.

Feld [fɛlt] n (-[e]s; -er) field (a. fig.); Schach etc: square: **auf dem ~** in the field; '2**stecher** m (-s; -) (**ein** a pair of) binoculars pl od. field glasses pl; '~**zug** m mil. campaign (a. fig.).

Felge ['fɛlɡə] f (-; -n) tech. rim.

Fell [fɛl] n (-[e]s; -e) coat; abgezogenes: skin, fur.

Fels [fɛls] m (-en; -en), **Felsen** ['fɛlzən] m (-s; -) rock.

felsig ['fɛlzɪç] adj rocky.

femin|in [femi'ni:n] adj feminine (a. gr.); 2**istin** [~'nɪstɪn] f (-; -nen) feminist; ~**istisch** [~'nɪstɪʃ] adj feminist.

Fenchel ['fɛnçəl] m (-s; no pl) bot. fennel.

Fenster ['fɛnstər] n (-s; -) window; '~**brett** n windowsill; '~**laden** m shutter; '~**rahmen** m window frame; '~**scheibe** f windowpane.

Ferien ['feːriən] pl holiday(s pl), Am. vacation; '~**haus** n holiday (Am. vacation) house; '~**ort** m holiday (Am. vacation) resort; '~**wohnung** f Br. holiday flat, Am. vacation apartment.

Ferkel ['fɛrkəl] n (-s; -) piglet; fig. pig.

fern [fɛrn] **1.** adj far(-away), far-off, distant (a. Zukunft etc); **2.** adv far (away od. off): **von ~** from a distance; '2**amt** n teleph. (telephone) exchange; '~**bedienung** f remote control; '2**e** f (-; no pl) aus der ~ from a distance; von weit her: from afar; **in der ~** far away (from home); '~**er** adv further(more), in addition, also; '2**fahrer** m Br. long-distance lorry driver, Am. long-haul truck driver, F trucker; '2**gespräch** n teleph. long-distance call; '~**gesteuert** adj remote-controlled, remote control ...; Rakete: guided; '2**glas** n (**ein** a pair of) binoculars pl; '~**halten** (irr, sep, -ge-, h, → halten) keep away (**von** from); '2**heizung** f district heating; '2**kurs** m correspondence course; '2**laster** m mot. F Br. long-distance lorry, Am. long-haul truck; '2**licht** n mot. full (Am. high) beam; '~**liegen** v/i (irr, sep, -ge-, h, → liegen): **es liegt mir fern zu** far be it from me to; '2**meldeamt** n telephone exchange; '2**meldesatel,lit** m communications satellite; '2**rohr** n telescope; '2**schreiben** n telex;

'2**schreiber** m telex (machine), teleprinter.

'**Fernseh|en** n (-s) television, TV: **im ~** on (the) television; '2**en** v/i (irr, sep, -ge-, h, → sehen) watch TV; '~**er** m (-s; -) TV set; Person: (TV) viewer; pl coll. TV audience sg; '~**schirm** m (TV) screen; '2**sendung** f TV program(me).

'**Fern|sprechamt** n telephone exchange; '~**steuerung** f remote control; '~**verkehr** m long-distance traffic; '~**zug** m long-distance train.

Ferse ['fɛrzə] f (-; -n) heel.

fertig ['fɛrtɪç] adj bereit: ready; beendet: finished: (**mit et.**) ~ **sein** have finished (s.th.); **mit et.** ~ **werden** Problem etc: cope (od. deal) with, manage; '~**bringen** v/t (irr, sep, -ge-, h, → bringen) bring about, manage; '2**gericht** n instant meal; '2**haus** n arch. prefab(ricated house); '2**keit** f (-; -en) skill; '~**machen** (sep, -ge-, h) **1.** v/t finish (a. fig. j-n); für et.: get s.th. od. s.o. ready; **2.** v/refl get ready; '2**pro,dukt** n finished product; '~**stellen** v/t (sep, -ge-, h) complete, finish; '2**stellung** f (-; no pl) completion; '2**waren** pl finished products pl.

fesseln ['fɛsəln] v/t (h) bind, tie (up); fig. fascinate.

fest [fɛst] **1.** adj firm (a. fig.); nicht flüssig: solid; ~gelegt: fixed; gutbefestigt: fast; Schlag: sound; Freund(in): steady; **2.** adv: ~ **schlafen** be fast asleep.

Fest [fɛst] n (-[e]s; -e) festival, feast (beide a. eccl.); Feier: celebration, party; bsd. im Freien: fête.

'**fest|binden** v/t (irr, sep, -ge-, h, → binden) fasten, tie (**an** dat to); '2**essen** n banquet; '2**geld** n econ. fixed deposit; '~**halten** (irr, sep, -ge-, h, → halten) **1.** v/t hold on to; hold s.o. od. s.th. tight; **2.** v/refl hold tight: **sich ~ an** (dat) hold on to; ~**igen** ['fɛstɪɡən] (h) **1.** v/t strengthen; **2.** v/refl grow stronger; '2**land** n mainland; bsd. europäisches: Continent; '~**legen** (sep, -ge-, h) **1.** v/t fix; **2.** v/refl commit o.s. (**auf** acc to); '~**lich** adj festive; feierlich: ceremonial; '~**machen** v/t (sep, -ge-, h) fasten, fix (**an** dat to); mar. moor (a. v/i); vereinbaren: arrange; '2**nahme** ['~naːmə] f (-; -n) arrest; '~**nehmen** v/t (irr, sep, -ge-, h, → nehmen) arrest; '2**preis** m fixed

F

price; '~setzen v/t (sep, -ge-, h) fix; '2spiele pl festival; '~stehen v/i (irr, sep, -ge-, h, → stehen) fig. be certain; Plan, Termin: be fixed; '~stehend adj Tatsache etc: established; Regel, Redensart: standing; '~stellen v/t (sep, -ge-, h) find (out); ermitteln: establish; wahrnehmen: see, notice; tech. lock, arrest; '2stellung f (-; -en) Ermittlung: establishment; Erkenntnis: realization; '2tag m holiday; '~verzinslich adj econ. fixed-interest; '2zug m procession.

Fett [fɛt] n (-[e]s; -e) fat; Braten2: dripping; tech. grease.

fett [~] adj fat (a. fig.); '2fleck m grease spot.

Fetzen ['fɛtsən] m (-s; -) shred; Lumpen: rag: ein ~ Papier a scrap of paper.

feucht [fɔyçt] adj moist, damp; Luft: a. humid; '2bio,top n wetland; '2igkeit f (-; no pl) moisture; e-s Ortes etc: dampness; Luft2: humidity.

feudal [fɔy'daːl] adj F fig. posh.

Feuer ['fɔyər] n (-s; -) fire (a. fig.): ~ fangen catch fire; haben Sie ~? have you got a light?; '~a,larm m fire alarm; '~bestattung f cremation; '2fest adj fireproof; '2gefährlich adj (in)flammable; '~leiter f fire escape; '~löscher m (-s; -) fire extinguisher; '~melder m (-s; -) fire alarm; '2n (h) 1. v/t F werfen: fling; entlassen: fire, sack; 2. v/i fire (auf acc at); '~stein m flint; '~versicherung f fire insurance; ~wehr ['~weːr] f (-; -en) fire brigade (od. service), Am. fire department; '~wehrmann m (-[e]s; ~er, -leute) fireman; '~werk n (-s; -e) fireworks pl; '~werkskörper m firework; '~zeug n (-[e]s; -e) lighter.

Fiasko [fi'asko] n (-s; -s) fiasco.

ficken ['fɪkən] v/t u. v/i (h) V fuck.

Fieber ['fiːbər] n (-s; no pl) temperature, fever: ~ haben have (od. run) a temperature; '2haft adj feverish (a. fig.); '2n v/i (h) have (od. run) a temperature; fig. be feverish (vor dat with): ~ nach yearn for; '2senkend adj med. antipyretic; '~thermo,meter n (clinical) thermometer.

Figur [fi'guːr] f (-; -en) figure (a. fig.).

Filet [fi'leː] n (-s; -s) gastr. fillet; ~steak n fillet steak.

Filiale [fi'liːalə] f (-; -n) branch.

Film [fɪlm] m (-s; -e) phot. film; Spiel2: bsd. Am. a. movie: e-n ~ einlegen phot. load a camera; '2en v/t (h) film; '~kamera f film (Am. motion-piture) camera; '~regis,seur m film director; '~schauspieler m film actor; '~vorstellung f film show.

Filter ['fɪltər] m, bsd. tech. n (-s; -) filter; '~kaffee m filter(ed) coffee; '2n v/t (h) filter; '~ziga,rette f filter(-tipped) cigarette.

Filz [fɪlts] m (-es; -e) felt; F contp. corruption; '2en v/t (h) F frisk; ~okratie [~okra'tiː] f (-; -n) F contp. corruption.

Finanz|amt ['finants~] n (-[e]s) Internal (Am. Internal) Revenue; Gebäude: tax office; ~en pl finances pl; 2iell [~'tsiɛl] adj financial; 2ieren [~'tsiːrən] v/t (no ge-, h) finance; '~lage f financial situation; ~mi,nister m allg. minister of finance; Br. Chancellor of the Exchequer, Am. Secretary of the Treasury; ~mini,sterium n allg. ministry of finance; Br., Am. Treasury.

finden ['fɪndən] (fand, gefunden) (h) 1. v/t find; der Ansicht sein: think, believe: ich finde ihn nett I think he's nice; wie ~ Sie ...? how do you like ...?; 2. v/i: wie ~ Sie (nicht)? do (don't) you think so?; 3. v/refl: das wird sich ~ we'll see.

Finder ['fɪndər] m (-s; -) finder; '~lohn m finder's reward.

Finger ['fɪŋər] m (-s; -) finger; '~abdruck m fingerprint; '~spitze f fingertip; '~spitzengefühl n (-[e]s; no pl) fig. sure instinct; tact.

Finn|e ['fɪnə] m (-n; -n) Finn; 2isch ['fɪnɪʃ] adj Finnish.

finster ['fɪnstər] adj dark; Miene: grim; fragwürdig: shady; '2nis f (-; no pl) darkness.

Firma ['fɪrma] f (-; -men) econ. firm, company.

Fisch [fɪʃ] m (-[e]s; -e) fish; '2en v/t u. v/i (h) fish; '~er m (-s; -) fisherman; '~erboot n fishing boat; '~erdorf n fishing village; ~erei [~'raɪ] f (-; no pl) fishing; '~e'reihafen m fishing port; '~fang m (-[e]s; no pl) fishing; '~markt m fish market; '~stäbchen n Br. fish finger, Am. fish stick; '~suppe f fish soup; '~vergiftung f med. fish poisoning.

Fistel ['fɪstəl] f (-; -n) med. fistula.

fit [fɪt] adj fit: **sich ~ halten** keep fit.

Fitneß ['fɪtnes] f (-; no pl) fitness; '**~center** ['~sentər] n (-s; -) health cent|re (Am. -er); '**~raum** m exercise room.

fix [fɪks] adj **fest**(gelegt): fixed (a. Idee); flink: quick; aufgeweckt: smart, bright.

fixe|n ['fɪksən] v/i (h) sl. shoot, fix; '**2r** m (-s; -) sl. junkie.

FKK [ɛfka:'ka:] nudism; **~Anhänger** m nudist; **~Strand** m nudist beach; **~Urlaub** m nudist holiday(s pl) (bsd. Am. vacation).

flach [flax] adj flat; eben: a. level, even, plane; nicht tief, fig. oberflächlich: shallow.

Fläche ['flɛçə] f (-; -n) Ober2: surface (a. math.); Gebiet: area (a. geom.); weite ~: expanse, space; '**~nmaß** n unit of square measure.

'**Flachland** n lowland.

flackern ['flakərn] v/i (h) flicker.

Flagge ['flaɡə] f (-; -n) flag.

Flamme ['flamə] f (-; -n) flame (a. Herd u. fig.).

Flanell [fla'nɛl] m (-s; -e) flannel.

Flasche ['flaʃə] f (-; -n) bottle; Säuglings2: feeding bottle; '**~nbier** 2 bottled beer; '**~nöffner** m bottle opener; '**~npfand** n (bottle) deposit.

Flaute ['flautə] f (-; -n) mar. calm; bsd. econ. slack period.

Fleck [flɛk] m (-[e]s; -e) Schmutz2, Farb2 etc: spot, stain, mark; kleiner: speck; Punkt: dot; Klecks: blot(ch); Ort, Stelle: place, spot; Flicken, Fläche: patch: **blauer ~** bruise; '**~enentferner** m (-s; -) stain remover; '**2enlos** adj spotless (a. fig.); '**2ig** adj spotted; schmutzig: a. stained, soiled.

Fleisch [flaɪʃ] n (-es; no pl) Nahrung: meat; lebendes: flesh (a. fig.); '**~brühe** ['~bry:ə] f (-; -n) (meat) broth, consommé, beef tea; '**~er** m (-s; -) butcher; **~e'rei** f (-; -en) butcher's (shop); '**2fressend** adj bot., zo. carnivorous; '**~kon,serven** pl tinned (Am. canned) meat; '**2los** adj meatless; '**~vergiftung** f med. meat poisoning; '**~wolf** m Br. mincer, Am. meat grinder; '**~wunde** f flesh wound.

Fleiß [flaɪs] m (-es; no pl) hard work; Eigenschaft: diligence; '**2ig** adj hard-

-working, diligent: **~ sein** (od. **arbeiten**) work hard.

fletschen ['flɛtʃən] v/t (h) Zähne: bare.

flexi|bel [flɛ'ksi:bəl] adj flexible; 2i**lität** [~sibili'tɛːt] f (-; no pl) flexibility.

flicken ['flɪkən] v/t (h) mend, repair; notdürftig, a. fig.: patch (up).

Fliege ['fliːɡə] f (-; -n) zo. fly; Krawatte: bow tie.

fliege|n ['fliːɡən] v/i (sn) u. v/t (h) (flog, geflogen) fly (a. **~ lassen**); fig. be fired, get the sack: **in die Luft ~** blow up; '**2r** m (-s; -) F Flugzeug: plane.

flieh|en ['fliːən] v/i (floh, geflohen, sn) flee, run away (beide: **vor** dat from); '**2kraft** f phys. centrifugal force.

Fliese ['fliːzə] f (-; -n) tile; '**2n** v/t (h) tile; '**~nleger** m (-s; -) tiler.

Fließ|band ['fliːs~] n (-[e]s; ⸚er) assembly line; Förderband: conveyor belt; '**2en** v/i (floß, geflossen, sn) flow (a. fig.); Leitungswasser, Schweiß, Blut: run; '**2end 1.** adj flowing; Leitungswasser: running; **2.** adv: **er spricht ~ Deutsch** he speaks German fluently (od. fluent German); '**~heck** n mot. fastback.

flimmern ['flɪmərn] v/i (h) shimmer; Fernsehgerät, Film: flicker.

flink [flɪŋk] adj quick, nimble.

Flinte ['flɪntə] f (-; -n) Schrot2: shotgun.

Flipper ['flɪpər] m (-s; -) pinball machine; '**2n** v/i (h) play pinball.

Flirt [flœrt] m (-s; -s) flirtation; '**2en** v/i (h) flirt (**mit** with).

Flitterwochen ['flɪtərvɔxən] pl honeymoon sg.

Flocke ['flɔkə] f (-; -n) Schnee2: flake.

Floh [floː] m (-[e]s; ⸚e) zo. flea; '**~markt** m flea market.

florieren [flo'riːrən] v/i (no ge-, h) flourish.

Floskel ['flɔskəl] f (-; -n) cliché, empty phrase.

Floß [floːs] n (-es; ⸚e) raft.

Flosse ['flɔsə] f (-; -n) fin; Robbe, Schwimm2: flipper; F Hand: paw.

Flöte ['fløːtə] f (-; -n) mus. flute; Block2: recorder.

flott [flɔt] adj Tempo: brisk; schick: smart; Wagen: a. racy; mar. afloat.

Flotte ['flɔtə] f (-; -n) fleet; Marine: navy; '**~nstützpunkt** m mil. naval base.

Fluch [fluːx] m (-[e]s; ⸚e) curse; Schimpf-

wort: a. swearword; '**≙en** v/i (h) swear, curse: ~ *auf* (acc) swear at, curse.

Flucht [fluxt] f (-; -en) flight (*vor dat* from); *erfolgreiche:* escape, getaway (*aus* from); '**≙artig** adv hastily.

flücht|en ['flyçtən] v/i (sn) flee (**nach, zu** to), run away; *entkommen:* escape, get away; '**~ig** adj *Gefangener etc:* on the run, at large; *oberflächlich:* superficial; *nachlässig:* careless: **~er Blick** glance; **~er Eindruck** glimpse; '**≙igkeitsfehler** m slip; '**≙ling** [~lɪŋ] m (-s; -e) fugitive; *pol.* refugee; '**≙lingslager** n refugee camp.

Flug [fluːk] m (-[e]s; ~e) flight: (**wie**) *im ~*(e) rapidly, quickly; '**~blatt** n handbill, leaflet.

Flügel ['flyːgəl] m (-s; -) wing (a. *pol. etc*); *mus.* grand piano.

'**Flug|gast** m (air) passenger; '**~gesellschaft** f airline; '**~hafen** m airport; '**~linie** f a) air route, b) → *Fluggesellschaft*; '**~lotse** m air-traffic controller; '**~platz** m airfield; '**~schreiber** m flight recorder, black box; '**~sicherung** f air-traffic control; '**~steig** ['~ʃtaik] m (-[e]s; -e) gate; '**~ticket** n air ticket.

Flugzeug n (-[e]s; -e) aircraft, *Br.* (aero-)plane, *Am.* (air)plane: **mit dem ~** by air (*od.* plane); '**~absturz** m air (*od.* plane) crash; '**~entführer** m hijacker; '**~entführung** f hijacking; '**~träger** m aircraft carrier.

Flur [fluːr] m (-[e]s; -e) *Diele:* hall; *Gang:* corridor.

Fluß [flus] m (-sses; ~sse) river; *das Fließen:* flow (a. *fig.*); ≙'**abwärts** adv downstream; ≙'**aufwärts** adv upstream; '**~bett** n river bed.

flüssig ['flysıç] adj liquid (a. *econ.*); *geschmolzen:* molten; *Stil, Schrift etc:* fluent; '**≙keit** f (-; -en) liquid; *Zustand:* liquidity; fluency.

'**Fluß|lauf** m course of a river; '**~ufer** n river bank.

flüstern ['flystərn] v/i u. v/t (h) whisper.

Flut [fluːt] f (-; -en) flood (a. *fig.*); *Hochwasser:* high tide: **es ist ~** the tide is in; '**~licht** n *electr.* floodlight; '**~welle** f tidal wave.

Föderalis|mus [fœdera'lısmʊs] m (-; no pl) federalism; ≙**tisch** [~tıʃ] adj federalist.

Föderation [fœdera'tsɪoːn] f (-; -en) federation.

Föhn [føːn] m (-[e]s; -e) föhn, foehn.

Folge ['folgə] f (-; -n) *Ergebnis:* result, consequence; *Wirkung:* effect; *Aufeinander≙:* succession; *Reihen≙:* order; *Serie:* series (a. *TV etc*); *Fortsetzung:* episode; (*negative*) *Auswirkung:* after-effect(s *pl*), aftermath.

folgen ['folgən] v/i (sn) follow; (h) F *gehorchen:* obey: **hieraus folgt, daß** from this it follows that; **wie folgt** as follows; '**~dermaßen** adv as follows; '**~schwer** adj with serious consequences.

folger|n ['folgərn] v/t (h) conclude (*aus* from); '**≙ung** f (-; -en) conclusion: **e-e ~ ziehen** draw a conclusion.

folglich ['folklıç] cj consequently.

Folie ['foːlɪə] f (-; -n) *Metall≙:* foil; *Plastik≙:* film.

Folkor|e [folk'loːrə] f (-; no pl) folklore; '**~abend** m folklore evening; ≙**istisch** [~lo'rıstıʃ] adj folkloric.

Fön [føːn] m (-[e]s; -e) *TM* hairdryer.

Fonds [fõː] m (-s; -s) *econ.* fund.

fönen ['føːnən] v/t (h) (blow-)dry: **sich die Haare ~** blow-dry one's hair.

Fontäne [fon'tɛːnə] f (-; -n) jet; *Springbrunnen:* fountain.

Förderband ['fœrdər~] n (-[e]s; ~er) conveyor belt.

fordern ['fordərn] v/t (h) demand; *Lohnerhöhung, Menschenleben etc.* claim; *Preis etc:* ask, charge.

fördern ['fœrdərn] v/t (h) promote; *unterstützen:* support; *Bergbau:* mine.

'**Forderung** f (-; -en) demand; *Anspruch:* claim; *Preis≙:* charge.

'**Förderung** f (-; -en) promotion; support; mining.

Forelle [fo'rɛlə] f (-; -n) *zo.* trout.

Form [form] f (-; -en) form, shape; *Sport:* a. condition; *tech.* mo(u)ld; ≙**al** [~'maːl] adj formal; **~alität** [~mali'tɛːt] f (-; -en) formality; **~at** [~'maːt] n (-s; -e) size; *fig.* calibre (*Am.* -er); '**~blatt** n form; **~el** ['~məl] f (-; -n) formula; ≙**ell** [~'mɛl] adj formal; '**≙en** v/t (h) shape, form; *Charakter etc:* mo(u)ld, form; '**~fehler** m *jur.* formal defect.

förmlich ['fœrmlıç] **1.** adj formal; **2.** adv formally; *fig.* literally.

'**formlos** adj *fig.* informal.

Formular [fɔrmuˈlaːr] n (-s; -e) form.

forsche|n [ˈfɔrʃən] v/i (h) research, do research (work): **~ nach** search for; **2r** m (-s; -) researcher, research scientist.

'Forschung f (-; -en) research (work); **~sauftrag** m research assignment; **~s-gebiet** n field of research; **~szentrum** n research cent|re (Am. -er).

Förster [ˈfœrstər] m (-s; -) forester, Am. a. forest ranger.

fort [fɔrt] adv davon: off, away; weg: away, gone; verschwunden: gone, missing.

'fort|bestehen v/i (irr, sep, no -ge-, h, → **stehen**) continue; **2bildung** f further education (od. training); **'~fahren** v/i (irr, sep, -ge-, sn, → **fahren**) leave, go away (a. verreisen); mot. a. drive off; weitermachen: continue, go (od. keep) on (**et. zu tun** doing s.th.); **'~führen** v/t (sep, -ge-, h) continue, carry on; **'~ge-hen** v/i (irr, sep, -ge-, sn, → **gehen**) go away, leave; **'~geschritten** adj advanced; **'~laufend** adj consecutive.

'fortpflanz|en v/refl (sep, -ge-, h) biol. reproduce; fig. spread; **2ung** f (-; -en) biol. reproduction.

'fortschreiten v/i (irr, sep, -ge-, sn, → **schreiten**) advance, progress; **'~d** adj progressive; zunehmend: a. increasing.

'Fortschritt m progress; **2lich** adj progressive.

'fortsetz|en v/t (sep, -ge-, h) continue, go on with; **2ung** f (-; -en) continuation: **~ folgt** to be continued; **2ungsro,man** m serial, serialized novel.

Foto [ˈfoːto] n (-s; -s) photo: **auf dem ~** in the photo; **~album** n photo album; **~appa,rat** m camera.

Fotograf [fotoˈgraːf] m (-en; -en) photographer; **~ie** [~graˈfiː] f (-; -) photography; Bild: photograph: **auf der ~** in the photograph; **2ieren** [~graˈfiːrən] v/t (no ge-, h) photograph, take a photograph of.

Fotoko'pie f photocopy; **2ren** [~ˈpiːrən] v/t (no ge-, h) photocopy; **~rgerät** [~ˈpiːr~] n photocopier.

Fotze [ˈfɔtsə] f (-; -n) V cunt.

Foyer [foaˈjeː] n (-s; -s) foyer.

Fracht [fraxt] f (-; -en) mot., rail. freight, aer., mar. a. cargo; **'~brief** m waybill, bsd. Br. consignment note; **'~er** m (-; -s) freighter; **'~kosten** pl aer., mar.

freight (-age), mot., rail. carriage; **'~schiff** n cargo ship, freighter.

Frack [frak] m (-[e]s; ~e) tailcoat, tails pl.

Frage [ˈfraːgə] f (-; -n) question: **in ~ stellen** question; gefährden: put in jeopardy; **in ~ kommen** be possible (Person: eligible); **nicht in ~ kommen** be out of the question; **e-e ~ der Zeit** a matter of time; **'~bogen** m questionnaire; **'2n** v/t u. v/i (h) ask (**nach** for; **wegen** about); **j-n nach dem Weg (der Zeit) ~** ask s.o. the way (time); **sich ~** wonder; **'~zeichen** n question mark.

fraglich [ˈfraːklɪç] adj doubtful; betreffend: in question.

Fragment [fraˈɡmɛnt] n (-[e]s; -e) fragment.

fragwürdig [ˈfraːkvʏrdɪç] adj dubious.

Fraktion [frakˈtsioːn] f (-; -en) parl. parliamentary group; **2slos** adj independent; **~svorsitzende** m, f Br. leader of the parliamentary group, Am. floor leader; **~szwang** m obligation to vote according to party policy.

frankier|en [fraŋˈkiːrən] v/t (no ge-, h) frank; **2ma,schine** f franking machine.

Franz|ose [franˈtsoːzə] m (-n; -n) Frenchman; **die ~n** pl the French pl; **~ösin** [~ˈtsøːzɪn] f (-; -nen) Frenchwoman; **2ösisch** [~ˈtsøːzɪʃ] adj French.

Fraß [fraːs] m (-es; no pl) F contp. muck.

Frau [frao] f (-; -en) woman; EheꝚ: wife: **~ X** Mrs X.

'Frauen|arzt m, **'~ärztin** f gyn(a)ecologist; **'~bewegung** f (-; no pl) women's movement; **'~haus** n battered wives' refuge; **'~klinik** f gyn(a)ecological hospital.

Fräulein [ˈfrɔylain] n (-s; -): **~ X** Miss X.

'fraulich adj womanly, feminine.

frech [frɛç] adj impudent, F cheeky, Am. fresh; Lüge etc: brazen; keß: pert; **2heit** f (-; -en) impudence, F cheek; Bemerkung: impudent remark.

frei [frai] **1.** adj free (**von** of); Beruf: independent; Journalist etc: freelance; nicht besetzt: vacant (a. WC); **~mütig:** candid, frank: **ein ~er Tag** a day off; **~e Stelle** vacancy; **den Oberkörper ~ machen** strip to the waist; **im 2en** outdoors; → **Mitarbeiter; 2.** adv: econ. **~ Haus** carriage free.

'Frei|bad n open-air swimming pool;

'**2bekommen** v/t (irr, sep, no -ge-, h, → **kommen**) get a day etc. off; '**~berufler** m (-s; -) freelance; '**~exem plar** n free copy; '**~gabe** f (-; no pl) release; econ. floating; '**2geben** v/t (irr, sep, -ge-, h, → **geben**) release; econ. Wechselkurs: float; **2gebig** ['~ge:bɪç] adj generous; '**~gepäck** n baggage allowance; '**~hafen** m free port; '**2halten** v/t (irr, sep, -ge-, h, → **halten**) Platz: keep; j-n: treat; → **Ausfahrt**; '**~handel** m (-s; no pl) free trade; '**~handelszone** f free-trade area (od. zone); '**~heit** f (-; -en) freedom, liberty; '**~heitsstrafe** f jur. prison sentence; '**~karte** f free ticket; '**2lassen** v/t (irr, sep, -ge-, h, → **lassen**) release, set free: **gegen Kaution ~** release on bail; '**~lassung** f ~ : release; '**~lichttheater** n open-air theatre (Am. -er); '**2machen** v/t (sep, -ge-, h) Brief etc: frank; **2mütig** ['~my:tɪç] adj candid, frank; '**2sprechen** v/t (irr, sep, -ge-, h, → **sprechen**) jur. acquit (**von** of); '**~spruch** m (-[e]s; ~e) jur. acquittal; '**~staat** m pol. free state; '**2stehen** v/i (irr, sep, -ge-, h, → **stehen**) leerstehen: be vacant: **es steht dir frei zu** you are free to; '**~tag** m (-[e]s; -e) Friday: **am ~** on Friday; '**2willig 1.** adj voluntary; **2.** adv: **sich ~ melden** volunteer (**zu** for); '**~willige** m, f (-n; -n) volunteer.

'**Freizeit** f (-; no pl) free (od. spare, leisure) time; '**~angebot** n leisure amenities pl; '**~gestaltung** f leisure activity; '**~kleidung** f casual clothes.

fremd [frɛmt] adj strange; ausländisch: foreign; unbekannt: unknown: **ich bin auch ~ hier** I'm a stranger here myself; '**~artig** adj strange, exotic.

Fremde[1] ['frɛmdə] f (-; no pl): **in der (die) ~** abroad.

Fremde[2] [~] m, f (-n; -n) stranger; Ausländer: foreigner; Tourist: tourist.

'**Fremden|führer** m (tourist) guide; '**~verkehr** m tourism; '**~verkehrsbüro** n tourist office; '**~zimmer** n: ~ (**zu vermieten**) rooms to let.

'**Fremdfinanzierung** f outside financing; '**2gehen** v/i (irr, sep, -ge-, sn, → **gehen**) F be unfaithful (to one's wife od. husband); '**~kapi tal** n outside capital; '**~körper** m med. foreign body; fig. alien element.

'**Fremdsprach|e** f foreign language; '**~enkorrespon dent** m foreign correspondence clerk; '**2ig**, '**2lich** adj foreign-language.

'**Fremdwort** n foreign word.

Frequenz [fre'kvɛnts] f (-; -en) frequency.

Fresse ['frɛsə] f (-; -n) V Mund: trap; Gesicht: mug.

fressen ['frɛsən] (fraß, gefressen, h) **1.** v/t Tier: eat; sich ernähren von: feed on; F Mensch: guzzle; **2.** v/i Tier: feed; F Mensch: guzzle, eat like a pig.

Freude ['frɔydə] f (-; -n) joy (**über** acc at); Vergnügen: pleasure: **~ haben an** (dat) take pleasure in.

'**freudig** adj joyful, cheerful; Ereignis, Erwartung: happy.

freuen ['frɔyən] (h) **1.** v/impers: **es freut mich, daß** I am glad (od. pleased) (that); **2.** v/refl: **sich ~ über** (acc) be pleased about (od. with), be glad about; **sich ~ auf** (acc) look forward to.

Freund [frɔynt] m (-[e]s; -e) friend; e-s Mädchens: boyfriend; '**~in** ['~dɪn] f (-; -nen) friend; e-s Jungen: girlfriend; '**2lich** adj friendly, kind; Farben etc: cheerful; '**~lichkeit** f (-; -en) friendliness, kindness; '**~schaft** f (-; -en) friendship: ~ **schließen** make friends (**mit** with); '**2schaftlich** adj friendly.

Frieden ['fri:dən] m (-s, no pl) peace: **im ~** in peacetime; **laß mich in ~!** leave me alone!

'**Friedens|bewegung** f peace movement; '**~forschung** f peace research; '**~no belpreis** m Nobel Peace Price; '**~poli tik** f policy of peace; '**~verhandlungen** pl peace negotiations pl (od. talks pl); '**~vertrag** m peace treaty.

Fried|hof ['fri:t~] m cemetery, graveyard; '**2lich** adj peaceful; '**2liebend** adj peace-loving.

frieren ['fri:rən] v/i (fror, gefroren, h) freeze: **ich friere** I am (od. feel) cold, stärker: I'm freezing.

frisch [frɪʃ] **1.** adj fresh; Wäsche: clean: → **Luft, Tat**; **2.** adv: ~ **gestrichen!** wet (Am. a. fresh) paint!; ~ **verheiratet** just married; '**2e** f (-; no pl) freshness; '**2haltepackung** f airtight pack.

Friseu|r [fri'zø:r] m (-s; -e) hairdresser, Herren2: a. barber; '**~rsalon** m (ladies' od. men's) hairdressing saloon, Damen♀: *Am. a.* beauty parlor (*od.* shop), Herren♀: *Br.* barber's shop, *Am.* barber-shop; '**~se** [~'zø:zə] *f* (-; -n) hairdresser.

frisieren [fri'zi:rən] (*no* ge-,h) **1.** *v/t j-n:* do *s.o.'s* hair; F *Konten etc:* cook, *mot.* soup up; **2.** *v/refl* do one's hair.

Frist [frɪst] *f* (-; -en) *Zeitraum:* (prescribed) period, (set) term; *Zeitpunkt:* time limit, deadline; *Aufschub:* extension (*a. econ.*); '**♀los** *adj u. adv* without notice.

Frisur [fri'zu:r] *f* (-; -en) hairstyle, hair-do.

fritieren [fri'ti:rən] *v/t* (*no* ge-, h) deep-fry.

frivol [fri'vo:l] *adj* risqué; *stärker:* indecent.

froh [fro:] *adj* glad (*über acc* about); *fröhlich:* cheerful; *glücklich:* happy.

fröhlich ['frø:lɪç] *adj* cheerful, happy; *lustig: a.* merry; '**♀keit** *f* (-; *no pl*) cheerfulness.

fromm [frɔm] *adj* religious, pious; *ein ~er Wunsch* wishful thinking.

Frömmigkeit ['frœmɪçkaɪt] *f* (-; *no pl*) religiousness, piety.

Front [frɔnt] *f* (-; -en) *arch.* facade, front; *mil.* front (line): *an der ~* at the front; ♀al [~'ta:l] *adv mot.* head-on; '**~al-zusammenstoß** *m* head-on collision; '**~antrieb** *m mot.* front-wheel drive.

Frosch [frɔʃ] *m* (-[e]s; ♀e) *zo.* frog; '**~mann** *m* (-[e]s; ♀er) frogman.

Frost [frɔst] *m* (-[e]s; ♀e) frost.

frösteln ['frœstəln] *v/i* (h) feel chilly, shiver (with cold).

frostig ['frɔstɪç] *adj* frosty (*a. fig.*).

Frucht [frʊxt] *f* (-; ♀e) fruit: *Früchte tragen a. fig.* bear fruit; '**♀bar** *adj biol.* fertile; *fig.* fruitful; '**~barkeit** *f* (-; *no pl*) fertility; fruitfulness; '**♀los** *adj* fruitless.

früh [fry:] *adj u. adv* early: *zu ~ kommen* be early; *~ genug* soon enough; *heute (morgen)* this (tomorrow) morning; '**♀aufsteher** *m* (-s; -) early riser, F early bird; '**♀e** *f* (-; *no pl*): *in aller ~* (very) early in the morning; '**~er 1.** *adj ehemalig:* former; *vorherig:* previous; **2.** *adv* in former times: *~ oder später* sooner or later; *ich habe ~ (einmal) ...* I used to ...; '**♀estens** *adv* at the earliest; '**♀geburt** *f med.* premature birth; *Kind:* premature baby; '**♀jahr** *n* (-s; -e), **~ling**

['~lɪŋ] *m* (-s; -e) spring: *im ~* in spring; '**~reif** *adj Kind:* precocious.

'**Frühstück** *n* (-s; -e) breakfast : *zum ~* for breakfast; '**♀en** (h) **1.** *v/i* (have) breakfast; **2.** *v/t* have *s.th.* for breakfast; '**~sbü**,**fett** *n* breakfast buffet; '**~s-fernsehen** *n* breakfast TV.

Fuchs [fʊks] *m* (-es; ♀e) *zo.* fox.

fühl|bar ['fy:lba:r] *adj fig.* noticeable; *beträchtlich:* considerable; '**~en** *v/t u. v/refl* (h) feel; *→* **wohl**.

Fuhre ['fu:rə] *f* (-; -n) *Taxi:* fare.

führen ['fy:rən] (h) **1.** *v/t* lead; *herum~, lenken, leiten:* guide; *geleiten, bringen:* take; *Betrieb, Haushalt etc:* run, manage; *Waren:* sell, deal in; *Buch, Konto:* keep; *Gespräch etc:* carry on: *j-n ~ durch* show s.o. round; **2.** *v/i* lead (*zu* to, *a. fig.*); '**~d** *adj* leading, prominent.

'**Führer** *m* (-s; -) leader; *Fremden♀:* guide; *Leiter:* head, chief; *Reise♀:* guide(book); '**~schein** *m mot. Br.* driving licence, *Am.* driver's license.

'**Führung** *f* (-; -en) leadership, control; *Unternehmen etc:* management; *Museum etc:* guided tour (*durch* of); '**~s-zeugnis** *n* certificate of (good) conduct.

füll|en ['fylən] *v/t* (h) fill (*a. v/refl*); *Kissen, Geflügel etc:* stuff; '**♀er** *m* (-s; -) fountain pen; '**♀ung** *f* (-; -en) filling; stuffing.

Fundament [fʊnda'mɛnt] *n* (-[e]s; -e) *arch.* foundations *pl; fig. a.* basis.

Fund|büro ['fʊnt~] *n Br.* lost-property office, *Am.* lost-and-found (office); '**~gegenstand** *m* object found; '**~gru-be** *f fig.* rich source, mine.

fünf [fynf] *adj* five; '**~fach** *adj u. adv* fivefold; '**♀ling** *m* (-s; -e) quintuplet, F quin; '**♀sterneho**,**tel** *n* five-star hotel; '**~te** *adj* fifth; '**♀tel** *n* (-s; -) fifth; '**~tens** *adv* fifth(ly), in the fifth place; '**~zehn** *adj* fifteen; '**~zig** ['~tsɪç] *adj* fifty.

Funk [fʊŋk] *m* (-s; *no pl*) radio: *über ~* by radio; '**~ama**,**teur** *m* radio ham.

Funke ['fʊŋkə] *m* (-n; -n) spark; *fig. a.* glimmer; '**♀ln** *v/i* (h) sparkle, glitter; *Sterne:* a. twinkle.

funk|en ['fʊŋkən] *v/t* (h) radio; '**♀er** *m* (-s; -) radio operator; '**♀gerät** *n* radio set; '**♀haus** *n* broadcasting cent|re (*Am.* -er); '**~spruch** *m* radio message; '**♀streife** *f* (radio) patrol car.

Funktion [fʊŋk'tsǐoːn] f (-; -en) function; **2ieren** [~o'niːrən] v/i (no ge-, h) function.

für [fyːr] prp for; zugunsten: a. in favo(u)r of; anstatt: a. instead of: ~ **mich** Meinung, Geschmack: to me; ~ **immer** forever; **Tag ~ Tag** day after day; **Wort ~ Wort** word for word; **jeder ~ sich arbeiten** etc: everyone by himself; **was ~ ...?** what (kind od. sort) of) ...?; **das 2 u. Wider** the pros and cons pl.

Furcht [fʊrçt] f (-; no pl) fear (**vor** dat of); **aus ~ vor** for fear of; **2bar** adj terrible, awful.

fürchten ['fʏrçtən] (h) **1.** v/t fear, be afraid of: **ich fürchte, ...** I'm afraid ...; **2.** v/refl be afraid (**vor** dat of).

fürchterlich ['fʏrçtərlɪç] → **furchtbar.**

'furcht|erregend adj frightening; **'~los** adj fearless; **'~sam** adj timid.

Fürst [fʏrst] m (-en; -en) prince; **~entum** n (-s; ⁓er) principality; **~in** f (-; -nen) princess.

Furt [fʊrt] f (-; -en) ford.

Furunkel [fu'rʊŋkəl] m (-s; -) med. boil, furuncle.

Furz [fʊrts] m (-es; ⁓e) V fart; **2en** v/i (h) fart.

Fusion [fu'zǐoːn] f (-; -en) econ. merger; **2ieren** [~o'niːrən] v/i (no ge-, h) merge.

Fuß [fuːs] m (-es; ⁓e) foot: **zu ~** on foot; **zu ~ gehen** walk; **gut zu ~ sein** be a good walker; **~ fassen** become established; **auf freiem ~** at large; **'~abdruck** m footprint; **'~abstreifer** m (-s; -) doormat; **'~ball** m Sport: Br. football; F u. Am. soccer; Ball: football, F u. Am. soccer ball; **'~boden** m floor; **~belag** m flooring; **'~bodenheizung** f underfloor heating; **'~bremse** f mot. footbrake.

Fußgänger ['fuːsgɛŋər] m (-s; -) pedestrian; **'~ampel** f pedestrian lights pl; **'~überweg** m pedestrian crossing; **'~zone** f pedestrian precinct.

'Fuß|gelenk n ankle; **'~marsch** m march; **'~note** f footnote; **~pilz** m med. athlete's foot; **'~sohle** f sole (of the foot); **'~spur** f footprint; Fährte: track; **'~stapfen** pl: **in j-s ~ treten** follow in s.o.'s footsteps; **'~tritt** m kick; **'~weg** m footpath: **e-e Stunde ~** an hour's walk.

Futter¹ ['fʊtər] n (-s; no pl) feed; Pferde2 etc: fodder; Hunde2 etc: food.

Futter² [~] n (-s; -) tech., Mantel2 etc: lining.

Futteral [fʊtə'raːl] n (-s; -e) case; Hülle: cover.

futtern ['fʊtərn] v/i (h) tuck in(to v/t).

füttern ['fʏtərn] v/t (h) feed; Kleid etc: line.

Futternapf m (feeding) bowl.

Gabel ['gaːbəl] f (-; -n) fork; **2n** v/refl (h) fork; **~stapler** ['~ʃtaːplər] m (-s; -) tech. forklift (truck); **'~ung** f (-; -en) fork.

gaffen ['gafən] v/i (h) gape.

Gage ['gaːʒə] f (-; -n) salary; einmalige: fee.

gähnen ['gɛːnən] v/i (h) yawn.

Gala ['gaːla] f (-; no pl) gala dress; **'~abend** m gala performance.

Galerie [galə'riː] f (-; -n) gallery.

Galgen ['galgən] m (-s; -) gallows; **'~frist** f reprieve; **'~humor** m gallows humo(u)r.

Galle ['galə] f (-; -n) anat. gall bladder; physiol. bile; **'~nblase** f anat. gall bladder; **'~nstein** m med. gallstone.

gammeln ['gaməln] v/i (h) F loaf around.

Gang [gaŋ] m (-[e]s; ⁓e) walk; ~art: gait; Durch2: passage; zwischen Sitzen etc: aisle; Flur: corridor, hall(way); mot. gear; Speise, (Ver)Lauf: course: **et. in ~ bringen** get s.th. going, start s.th.; **in ~ kommen** get started; **im ~(e) sein** be (going) on, be in progress; **in vollem ~(e)** in full swing.

gängig ['gɛŋɪç] adj current; econ. sal(e)able.

'**Gangschaltung** f Br. gear change, Am. gearshift.

Ganove [ga'noːvə] m (-n; -n) crook.

Gans [gans] f (-; ⸗e) zo. goose.

Gänse|blümchen ['gɛnzəblyːmçən] n (-s; -) bot. daisy; '**⸗braten** m roast goose; '**⸗haut** f (-; no pl): **e-e ⸗ be-kommen** get gooseflesh (od. goose pimples); **dabei kriege ich e-e ⸗** it gives me the creeps; '**⸗marsch** m: **im ⸗** in single (od. Indian) file.

ganz [gants] **1.** adj whole; ungeteilt, vollständig: a. entire, total; Betrag, Stunde: a. full: **den ⸗en Tag** all day; **die ⸗e Zeit** all the time; **in der ⸗en Welt** all over the world; **sein ⸗es Geld** all his money; **2.** adv wholly, completely; entirely, totally; sehr: very; ziemlich: quite, rather, fairly; genau: just, exactly: **⸗ allein** all by oneself; **⸗ aus Holz** etc all wood etc; **⸗ u. gar** completely, totally; **⸗ u. gar nicht** not at all, by no means; **⸗ wie du willst** just as you like; **nicht ⸗** not quite; **im ⸗en** in all, altogether; **im (großen u.) ⸗en** on the whole.

Ganze ['gantsə] n (-n; no pl) whole: **das ⸗ alles**: the whole thing; **aufs ⸗ gehen** go all out.

gänzlich ['gɛntslɪç] adv completely, entirely.

ganz|tägig ['gantstɛːgɪç] adv: **⸗ geöffnet** open all day; '2**tagsbeschäftigung** f full-time job.

gar [gaːr] **1.** adj gastr. done; **2.** adv: **⸗ nicht** not at all; **⸗ nichts** nothing at all.

Garage [ga'raːʒə] f (-; -n) garage.

Garantie [garan'tiː] f (-; -n) guarantee, econ. a. warranty; 2**ren** [⸗'tiːrən] v/t u. v/i (no ge-, h) guarantee (**für et.** s.th.); '**⸗schein** m guarantee (certificate).

Garderobe [gardə'roːbə] f (-; -n) wardrobe, clothes pl; Kleiderablage: cloakroom, Am. checkroom; thea. dressing room; im Haus: coat rack; **⸗nfrau** f cloakroom (Am. checkroom) attendant, Am. F a. hatcheck girl; **⸗nmarke** f check, Br. a. cloakroom ticket; **⸗n-ständer** m coat stand (od. rack).

Gardine [gar'diːnə] f (-; -n) (net) curtain.

Garn [garn] n (-[e]s; -e) yarn; Faden: thread.

Garnitur [garni'tuːr] f (-; -en) set; Möbel: a. suite.

Garten ['gartən] m (-s; ⸗) garden; '**⸗arbeit** f gardening; '**⸗fest** n garden party; '**⸗geräte** pl gardening tools pl; '**⸗lo,kal** n beer garden; '**⸗stadt** f garden city; '**⸗zwerg** m garden gnome.

Gärtner ['gɛrtnər] m (-s; -) gardener; **⸗ei** [⸗'raɪ] f (-; -en) Betrieb: Br. market garden, Am. truck farm.

Gas [gaːs] n (-es; -e) gas: **⸗ geben** mot. accelerate, F step on the gas; '**⸗heizung** f gas heating; '**⸗herd** m gas cooker (od. stove); '**⸗kammer** f gas chamber; '**⸗maske** f gas mask; '**⸗pe,dal** n mot. accelerator (pedal), bsd. Am. gas pedal.

Gasse ['gasə] f (-; -n) lane, alley.

Gast [gast] m (-[e]s; ⸗e) guest; Besucher: visitor; im Lokal etc: customer; '**⸗ar-beiter** m foreign worker.

Gäste|buch ['gɛstə⸗] n visitors' book; '**⸗haus** n guesthouse; '**⸗zimmer** n guest (od. spare) room.

'**gast|freundlich** adj hospitable; 2**freundschaft** f (-; no pl) hospitality; 2**geber** m (-s; -) host; 2**geberin** f (-; -nen) hostess; 2**haus** n, 2**hof** m inn.

gastieren [gas'tiːrən] v/i (no ge-, h) Zirkus etc: give performances; thea. give a guest performance.

'**Gast|land** n host country; 2**lich** adj hospitable.

Gastronomie [gastrono'miː] f (-; no pl) Gaststättengewerbe: restaurant trade; Kochkunst: gastronomy.

'**Gast|stätte** f restaurant; '**⸗wirt** m landlord, Br. a. publican; '**⸗wirtschaft** f restaurant.

'**Gas|werk** n gasworks pl (mst sg konstr.); '**⸗zähler** m gas meter.

Gatte ['gatə] m (-n; -n) husband; '**⸗in** f (-; -nen) wife.

Gattung ['gatʊŋ] f (-; -en) type, class, sort; biol. genus; Art: species.

GAU [gaʊ] m (-s; -s) MCA.

Gaumen ['gaʊmən] m (-s; -) anat. palate.

Gauner ['gaʊnər] m (-s; -) crook.

Gebäck [gə'bɛk] n (-[e]s; -e) pastries pl; Plätzchen: Br. biscuits pl, Am. cookies pl.

Gebärmutter [gə'bɛːr⸗] f (-; ⸗er) anat. uterus, womb.

Gebäude [gə'bɔʏdə] n (-s; -) building.

geben ['geːbən] (gab, gegeben, h) **1.** v/t

give; *reichen*: a. hand, pass; *er~*: make: **von sich ~** give, let out; *chem.* give off; **2.** *v/i Kartenspiel*: deal; **3.** *v/refl nachlassen*: pass; *gut werden*: come right; **4.** *v/impers*: there is, *pl* there are; **was gibt es?** what's the matter?; *zum Essen*: what's for lunch *etc*?; *TV etc*: what's on?; *das gibt es nicht* there's no such thing; *verbietend*: that's out.

Gebet [gə'be:t] *n* (-[e]s; -e) prayer.

Gebiet [gə'bi:t] *n* (-[e]s; -e) region, area; *bsd. pol.* territory; *fig.* field; **₂sweise** *adv* regionally: **~ Regen** local showers.

Gebirg|e [gə'bırgə] *n* (-s; -) mountains *pl*; **₂ig** [-ıç] *adj* mountainous.

Gebiß [gə'bıs] *n* (-sses; -sse) (set of) teeth *pl*; *künstliches*: (set of) false teeth *pl*, denture (*s pl*).

ge|blümt [gə'bly:mt] *adj* flowered; **~bogen** [-'bo:gən] *adj* bent, curved; **~boren** [-'bo:rən] *adj* born: *er ist ein ~er Deutscher* he's German by birth; **~e Schmidt** née Schmidt; *ich bin am ... ~* I was born on the ...

Gebot [gə'bo:t] *n* (-[e]s; -e) *Auktion etc*: bid.

Ge'brauch *m* (-[e]s; *no pl*) use; *Anwendung*: a. application; **₂en** *v/t* (*pp gebraucht*, h) use; *anwenden*: a. employ: *gut (nicht) zu ~ sein* be useful (useless); *ich könnte ... ~* I could do with ...

gebräuchlich [gə'brɔyçlıç] *adj* common, usual.

Ge'brauchs|anweisung *f* directions *pl* (*od.* instructions *pl*) for use; **~fertig** *adj* ready for use; *Kaffee etc*: instant.

ge'braucht *adj* used; *bsd. Waren*: a. second-hand; **₂wagen** *m mot.* used car.

gebrechlich [gə'breçlıç] *adj* frail, infirm.

Gebrüder [gə'bry:dər] *pl* brothers *pl*.

Gebrüll [gə'brʏl] *n* (-[e]s; *no pl*) roar (-ing).

Gebühr [gə'by:r] *f* (-; -en) charge (a. *teleph.*), fee; *mail.* postage; *mot.* toll; **₂end** *adj* due; *angemessen*: proper; **~eneinheit** *f teleph.* unit; **~erhöhung** *f* increase in charges; **₂enfrei** *adj* free of charge; *mail.* post-free; **~enordnung** *f* scale of charges; **₂enpflichtig** *adj* chargeable; **~e Straße** toll road; **~e Verwarnung** *jur.* fine.

Geburt [gə'bu:rt] *f* (-; -en) birth: *von ~ an* from birth.

Ge'burten|kon₍trolle *f* (-; *no pl*), **~regelung** *f* (-; *no pl*) birth control; **~rückgang** *m* decrease in the birthrate; **₂schwach** *adj* with a low birthrate; **₂stark** *adj* with a high birthrate; **~ziffer** *f* birthrate.

gebürtig [gə'bʏrtıç] *adj*: *er ist ~er Deutscher* he's German by birth.

Ge'burts|anzeige *f* birth announcement; **~datum** *n* date of birth; **~fehler** *m* congenital defect; **~jahr** *n* year of birth; **~land** *n* native country; **~ort** *m* birthplace; **~tag** *m* birthday: *sie hat heute ~* it's her birthday today; **~tags-feier** *f* birthday party; **~urkunde** *f* birth certificate.

Gebüsch [gə'bʏʃ] *n* (-[e]s; -e) bushes *pl*.

Gedächtnis [gə'dɛçtnıs] *n* (-ses; -se) memory: *aus dem ~* from memory; *zum ~ an* (acc) in memory of; *im ~ behalten* keep in mind, remember.

Gedanke [gə'daŋkə] *m* (-n; -n) thought (*an acc of*), idea: *in ~n* lost in thought; *sich ~n machen über* (acc) think about; *besorgt*: be worried *od.* concerned about; *j-s ~n lesen* read s.o.'s mind.

Gedeck [gə'dɛk] *n* (-[e]s; -e) cover: *ein ~ auflegen* lay (*od.* set) a place.

gedeihen [gə'daıən] *v/i* (gedieh, gediehen, sn) thrive, prosper; *wachsen*: grow; *blühen*: flourish.

ge'denken *v/i* (*irr, pp gedacht*, h, → *denken*) think of; *ehrend*: commemorate; *erwähnen*: mention.

Ge'denk|feier *f* commemoration; **~stätte** *f* memorial; **~tafel** *f* commemorative plaque.

Gedicht [gə'dıçt] *n* (-[e]s; -e) poem.

Gedränge [gə'drɛŋə] *n* (-s; *no pl*) crowd, crush.

Geduld [gə'dʊlt] *f* (-; *no pl*) patience: *~ haben mit* be patient with; **₂en** [-dən] *v/refl* (*pp geduldet*, h) be patient; **₂ig** [-dıç] *adj* patient.

ge|ehrt *adj* hono(u)red; *in Briefen*: *Sehr ~er Herr N.!* Dear Sir, Dear Mr N; **~eignet** [-'aıgnət] *adj* suitable; *befähigt*: suited, qualified; *bsd. körperlich*: fit; *passend*: right.

Gefahr [gə'fa:r] *f* (-; -en) danger; *Bedrohung*: a. menace, threat (*alle: für* to): *auf eigene ~* at one's own risk; *außer ~* out of danger, safe.

gefährden [gə'fɛːrdən] v/t (pp gefährdet, h) endanger; *aufs Spiel setzen*: risk.

gefährlich [gə'fɛːrlɪç] adj dangerous (*für* to); *riskant*: risky.

Gefährte [gə'fɛːrtə] m (-n; -n) companion.

Gefälle [gə'fɛlə] n (-s; -) incline, slope; *Straße etc*: gradient.

Ge'fallen¹ m (-s; -) favo(u)r: *j-n um e-n ~ bitten* ask a favo(u)r of s.o.; *j-m e-n ~ tun* do s.o. a favo(u)r.

Ge'fallen² n (-s; *no pl*): *~ finden an et*.: take pleasure in; *j-m*: take (a fancy) to.

ge'fallen v/i (*irr, pp* gefallen, h, → *fallen*) please: *es gefällt mir (nicht)* I (don't) like it; *wie gefällt dir ...?* how do you like ...?; *sich ~ lassen* put up with.

ge'fällig adj *angenehm*: pleasing, agreeable; *entgegenkommend*: obliging, kind: *j-m ~ sein* do s.o. a favo(u)r; **2keit** f (-; -en) kindness; *Gefallen*: favo(u)r; **~st** adv F kindly, (if you) please; *grob*: will you!

Gefangene [gə'faŋənə] m, f (-n; -n) prisoner.

Gefängnis [gə'fɛŋnɪs] n (-ses; -se) prison, jail, *Br. a.* gaol: *ins ~ kommen* be sent to prison; **~di,rektor** m governor, *Am.* warden; **~strafe** f prison sentence; **~wärter** m prison guard, *bsd. Br.* warder.

Gefäß [gə'fɛːs] n (-es; -e) vessel (*a. anat.*), container.

gefaßt [gə'fast] adj composed: *~ auf* (*acc*) prepared for.

Gefecht [gə'fɛçt] n (-[e]s; -e) *mil.* battle.

Ge'flügel n (-s; *no pl*) poultry; **~sa,lat** m *gastr.* chicken salad.

ge'frier|en v/i (*irr, pp* gefroren, sn, → *frieren*) freeze; **2fach** n freezing compartment; **2fleisch** n frozen meat; **2schrank** m upright freezer; **2truhe** f chest freezer.

Gefühl [gə'fyːl] n (-[e]s; -e) feeling; *Sinn*, *Gespür*: *a.* sense; *bsd. kurzes*: sensation; *Gemütsbewegung*: *a.* emotion; **2los** adj *med.* numb; *herzlos*: unfeeling; **2sbetont** adj emotional; **2voll** adj full of feeling; *rührselig*: sentimental.

ge'gebenenfalls adv if necessary.

gegen [ˈgeːgən] prp against; *jur., Sport: a.* versus; *ungefähr*: about; *bsd. Am.* around; *für* (*Geld etc*): (in return) for;

Mittel: for; *verglichen mit*: compared with; **2argu,ment** n counterargument; **2beweis** m proof of the contrary.

Gegend [ˈgeːgənt] f (-; -en) region, area; *Landschaft*: countryside; *Nähe, Wohn-*2: neighbo(u)rhood.

'Gegen|fahrbahn f *mot.* opposite (*od.* oncoming) lane; **~gewicht** n: *ein ~ bilden zu et.* counterbalance s.th.; **~kandi,dat** m rival candidate; **~leistung** f service in return: *als ~* in return (*für* for); **~maßnahme** f countermeasure; **~mittel** n antidote (*a. fig.*); **~part,ei** f other side; *pol.* opposition; **~probe** f: *die ~ machen* crosscheck; **~richtung** f opposite direction; **~satz** m: *im ~ zu* in contrast with (*od.* to); *im Widerspruch*: in opposition to; **2sätzlich** [ˈzɛtslɪç] adj conflicting; **2seitig** [ˈzaɪtɪç] adj mutual; **~seitigkeit** f (-; *no pl*): *auf ~ beruhen* be mutual; **~sprechanlage** f intercom (system); **~stand** m (-[e]s; ⁓e) object (*a. fig.*); *Thema*: subject; **~teil** n opposite: *im ~* on the contrary; **2teilig** adj contrary, opposite.

gegen'über **1.** prp opposite; *im Vergleich zu*: compared with; **2.** adv opposite; **~stehen** v/i (*irr, sep,* -ge-, h, → *stehen*) face; *fig.* be faced with; **2stellung** f confrontation (*a. jur.*).

'Gegen|verkehr m oncoming traffic; **~wart** [ˈvart] f (-; *no pl*) present (time); *Anwesenheit*: presence; **2wärtig** [ˈvɛrtɪç] **1.** adj present, current; **2.** adv at present; **~wehr** f (-; *no pl*) resistance; **~wert** m equivalent (value); **~wind** m headwind; **2zeichnen** v/t u. v/i (*sep,* -ge-, h) countersign.

Gegner [ˈgeːgnər] m (-s; -) opponent; *Rivale*: rival; **2isch** adj opposing.

Ge'halt¹ m (-[e]s; -e) content (*a. fig.*)

Ge'halt² n (-[e]s; ⁓er) salary.

Ge'halts|abrechnung f payslip; **~erhöhung** f salary increase, *Br.* (pay) rise, *Am.* raise; **~gruppe** f salary bracket; **~konto** n *Br.* current account, *Am.* checking account; **~streifen** m payslip.

gehässig [gə'hɛsɪç] adj spiteful; **2keit** f (-; -en) spitefulness; *Bemerkung*: spiteful remark.

Gehäuse [gə'hɔyzə] n (-s; -) *tech.* case, casing; *Kern*2: core.

geheim [gə'haɪm] adj secret; **2dienst** m

secret service; **~halten** v/t (irr, sep, -ge-, h, → **halten**) keep secret (**vor** dat from).

Ge'heimnis n (-ses; -se) secret; Rätselhaftes: mystery; **2voll** adj mysterious.

Ge'heimnummer f secret number; teleph. ex-directory (Am. unlisted) number.

ge'hemmt adj inhibited.

gehen ['geːən] (ging, gegangen, sn) **1.** v/i go; zu Fuß: walk; weg~: leave; funktionieren (a. fig.): work; Ware: sell; dauern: last; **einkaufen (schwimmen) ~** go shopping (swimming); **~ wir!** let's go!; **~ in** (acc) passen: go into; **~ nach** urteilen: go (od. judge) by; **2.** v/impers: **wie geht es dir (Ihnen)?** how are you?; **es geht mir gut (schlecht)** I'm fine (not feeling well); **es geht nichts über** there is nothing like; **worum geht es?** what is it about?

Gehirn [gə'hırn] n (-[e]s; -e) brain; **~erschütterung** f med. concussion; **~schlag** m med. (cerebral) apoplexy; **~wäsche** f pol. brainwashing; **j-n e-r ~ unterziehen** brainwash s.o.

Gehör [gə'høːr] n (-[e]s; no pl) (sense of) hearing; **nach dem ~** by ear; **sich ~ verschaffen** make o.s. heard.

ge'horchen v/i (pp gehorcht, h) obey: **nicht ~** disobey.

gehören [gə'høːrən] (pp gehört, h) **1.** v/i belong (dat od. zu to):**gehört dir das?** is this yours?; **das gehört nicht hierher** that's not to the point; **2.** v/refl be fitting: **das gehört sich nicht!** it's not done.

ge'hörlos adj deaf.

gehorsam [gə'hoːrzaːm] adj obedient.

Gehorsam [~] m (-s; no pl) obedience.

Geh|steig ['geːʃtaık] m (-[e]s; -e), **~weg** m Br. pavement, Am. sidewalk.

Geige ['gaıgə] f (-; -n) mus. violin.

Geisel ['gaızəl] f (-; -n) hostage: **j-n als ~ nehmen** take s.o. hostage; **~nehmer** m (-s; -) kidnap(p)er.

Geist [gaıst] m (-[e]s; -er) spirit; Seele: a. soul; Sinn, Gemüt: mind; Verstand: mind, intellect; Witz: wit; Gespenst: ghost: **der Heilige ~** the Holy Ghost (od. Spirit).

'Geister|bahn f Br. ghost train, Am. tunnel of horror; **~fahrer** m mot. wrong-way driver; **~schreiber** m (-s; -) ghostwriter.

'geistes|abwesend adj absent-minded; **2blitz** m brainwave, flash of inspiration; **2gegenwart** f presence of mind; **~gestört** adj mentally disturbed; **~krank** adj insane, mentally ill; **2krankheit** f insanity, mental illness; **2wissenschaften** pl arts pl, humanities pl; **2zustand** m (-[e]s; no pl) state of mind.

'geistig 1. adj mental; Arbeit, Fähigkeiten etc: intellectual; nicht körperlich: spiritual; **~e Getränke** pl alcoholic drinks pl; **2.** adv: **~ behindert** mentally handicapped.

'geistlich adj religious; Lied etc: a. spiritual; kirchlich: ecclesiastical; 2e betreffend: clerical; **2e** m (-n; -n) clergyman; bsd. protestantisch: minister: **die ~n** pl coll. the clergy pl.

'geist|los adj trivial; **~reich**, **~voll** adj witty.

Geiz ['gaıts] m (-es; no pl) meanness, stinginess; **~hals** m miser; **2ig** adj mean, stingy.

Gelächter [gə'lɛçtər] n (-; -) laughter.

Gelände [gə'lɛndə] n (-s; -) area, country, ground; Bau2 etc: site: **auf dem ~ e-s Betriebs etc:** on the premises; **~fahrzeug** n cross-country vehicle; **2gängig** adj mot. all-terrain.

Geländer [gə'lɛndər] n (-s; -) Treppen2: banisters pl, balustrade; handrail, rail (-ing); Brücken2, Balkon2: parapet.

ge'langen v/i (pp gelangt, sn): **~ an** (acc) od. **nach** reach, arrive at, get (od. come) to; **~ in** (acc) get (od. come) into; **zu et. ~** gain (od. win, achieve) s.th.

ge'lassen adj calm, composed.

gelaunt [gə'laʊnt] adj: **gut (schlecht) ~ sein** be in a good (bad) mood.

gelb [gɛlp] adj yellow; Ampel: Br. amber; **~lich** adj yellowish; **2sucht** f (-; no pl) med. jaundice.

Geld [gɛlt] n (-[e]s; -er) money: **zu ~ machen** turn into cash; **~angelegenheiten** pl money (od. financial) matters pl; **2anlage** f investment; **~auto**,**mat** m → **Bankomat**; **~beutel** m, **~börse** f purse; **~buße** f fine; **~geber** m (-s; -) financial backer; **~geschäfte** pl money transactions pl; **2gierig** adj greedy for money, avaricious; **~insti**,**tut** n financial institution; **~mittel** pl funds pl; **~schein** m (bank)note, Am. bill;

'~schrank *m* safe; **'~strafe** *f* fine; **'~stück** *n* coin; **'~umtausch** *m* exchange of money; **'~verlegenheit** *f* financial embarrassment: **in ~ sein** be financially embarrassed; **'~verschwendung** *f* waste of money; **'~wechsel** *m* exchange of money; **'~wechsler** *m* (-s; -) *Person:* money-changer; *Maschine:* change machine.

Gelegenheit [gə'le:gənhaɪt] *f* (-; -en) *Anlaß:* occasion; *günstige:* opportunity, chance: **bei ~** some time; **~sarbeit** *f* casual work (*od.* job); **~sarbeiter** *m* casual worker; **~skauf** *m* bargain.

gelegentlich [gə'le:gəntlɪç] **1.** *adj* occasional; **2.** *adv* occasionally; **bei Gelegenheit:** some time.

Gelenk [gə'lɛŋk] *n* (-[e]s; -e) *anat.*, *tech.* joint.

ge'lernt *adj Arbeiter:* skilled, trained: **er ist ~er Musiker** he's actually a musician.

Ge'liebte¹ *m* (-n; -n) lover.

Ge'liebte² *f* (-n; -n) mistress.

gelinde [gə'lɪndə] *adv:* **~ gesagt** to put it mildly.

gelingen [gə'lɪŋən] *v/i u. v/impers* (gelang, gelungen, sn) succeed; *gut geraten:* turn out well: **es gelang mir, et. zu tun** I succeeded in doing (*od.* I managed to do) s.th.

gelten ['gɛltən] (galt, gegolten, h) **1.** *v/i* be valid; *Gesetz etc:* be in force; *Preis:* be effective: **~ für** apply to; **~ als** be regarded as, be considered (to be); **~ lassen** accept (**als** as); **2.** *v/t:* **viel** (**wenig**) **~** carry a lot of (little) weight; **'~end** *adj* accepted: **~ machen** *Anspruch, Recht:* assert; **s-n Einfluß** (**bei j-m**) **~ machen** bring one's influence to bear (on s.o.); **'2ung** *f* (-; *no pl*) *Ansehen:* prestige; *Gewicht:* weight: **zur ~ kommen** show to advantage.

gelungen [gə'lʊŋən] *adj* successful, *pred.* a success.

Gemälde [gə'mɛ:ldə] *n* (-s; -) painting; **~gale,rie** *f* picture gallery.

gemäß [gə'mɛ:s] *prp* according to; **'~igt** *adj* moderate; *Klima etc:* temperate.

ge'mein *adj contp.* mean: **et. ~ haben** (**mit**) have s.th. in common (with).

Gemeinde [gə'maɪndə] *f* (-; -n) *pol.* municipality; *Verwaltung:* a. local government; *eccl.* parish; **in der Kirche:** con-

gregation; **~amt** *n* local authority; *Gebäude:* municipal offices *pl*; **~rat** *m* municipal council; *Person:* municipal council(l)or; **~steuern** *pl* (local) rates *pl*, *Am.* local taxes *pl*.

ge'mein|gefährlich *adj:* **~er Mensch** public danger, *Am.* public enemy; **2heit** *f* (-; -en) meanness; mean thing (to do *od.* say); **~nützig** [ˌnʏtsɪç] *adj* non-profit(-making); **2platz** *m* commonplace; **~sam 1.** *adj* common, joint; *gegenseitig:* mutual; **2.** *adv:* **et. ~ tun** do s.th. together; **2schaft** *f* (-; -en) community; **2wohl** *n* public good.

Gemisch [gə'mɪʃ] *n* (-[e]s; -e) mixture.

Gemüse [gə'my:zə] *n* (-s; -) vegetables *pl*; **~händler** *m* greengrocer('s).

Gemüt [gə'my:t] *n* (-[e]s; -er) mind, soul; *Herz:* heart; **~sart** *f* nature, mentality; **2lich** *adj* comfortable, snug, cosy; *ungezwungen, angenehm:* peaceful, pleasant, relaxed: **mach es dir ~** make yourself at home; **~lichkeit** *f* (-; *no pl*) snugness, cosiness; cosy (*od.* relaxed) atmosphere; **~sverfassung** *f*, **~szustand** *m* state of mind.

Gen [ge:n] *n* (-s; -e) gene.

genau [gə'naʊ] **1.** *adj* exact, precise, accurate; *sorgfältig:* careful, close; *streng:* strict; **2eres** further details *pl*; **2.** *adv:* **um 10 Uhr** at 10 o'clock sharp; **~ der ...** that very ...; **~ zuhören** listen closely; **es ~ nehmen** (**mit et.**) be particular (about s.th.); **~genommen** *adv* strictly speaking; **2igkeit** *f* (-; *no pl*) accuracy, precision, exactness.

genehmig|en [gə'ne:mɪgən] *v/t* (*pp* genehmigt, h) permit, allow; *amtlich:* approve; **2ung** *f* (-; -en) permission; approval; **~sschein** *m* permit; *Zulassung:* a. licen|ce (*Am.* -se); **~ungspflichtig** *adj* requiring official approval.

geneigt [gə'naɪkt] *adj* inclined (**zu tun** to do).

General [gene'ra:l] *m* (-s; -e, ~e) *mil.* general; **~di,rektor** *m* general manager, managing director; **~konsul** *m* consul general; **~konsu,lat** *n* consulate general; **~probe** *f thea.* dress rehearsal; **~streik** *m* general strike; **~versammlung** *f econ.* general meeting; **~vertreter** *m econ.* general agent.

Generation [genera'tsio:n] *f* (-; -en) generation; **~skon,flikt** *m* generation gap.

Generator [genera'raːtɔr] m (-s; -en) *electr.* generator.

generell [gene'rɛl] adj general.

gene|sen [gə'neːzən] v/i (genas, genesen, sn) recover (**von** from), get well; **2ung** f (-; *no pl*) recovery.

Genet|ik [ge'neːtɪk] f (-; *no pl*) genetics pl (*sg konstr.*); **2isch** adj genetic.

'**Genforschung** f genetic research.

genial [ge'niaːl] adj brilliant; *Person*: ingenious; **2ität** [~ali'tɛːt] f (-; *no pl*) genius.

Genick [gə'nɪk] n (-[e]s; -e) (back [*od.* nape] of the) neck.

Genie [ʒe'niː] n (-s; -s) genius.

genieren [ʒə'niːrən] v/refl (*no ge-*, h) be (*od.* feel) embarrassed (**zu tun** to do).

genießen [gə'niːsən] v/t (genoß, genossen, h) enjoy.

genormt [gə'nɔrmt] adj standardized.

Genosse [gə'nɔsə] m (-n; -n) *pol.* comrade; **~nschaft** f (-; -en) *econ.* cooperative; **2nschaftlich** adj *econ.* cooperative.

'**Gentechnolo,gie** f genetic engineering.

genug [gə'nuːk] adj enough, sufficient.

Genüg|e [gə'nyːgə] f: **zur ~** (well) enough, sufficiently; **2en** v/i (h) be enough (*od.* sufficient): **das genügt** that will do; **2end** adj enough, sufficient; *Zeit: a.* plenty of; **2sam** [gə'nyːkzaːm] adj easily satisfied; *im Essen:* frugal; *bescheiden:* modest; **~samkeit** f (-; *no pl*) modesty, frugality.

Ge'nugtuung f (-; *no pl*) satisfaction (**über** acc at).

Genuß [gə'nʊs] m (-sses; ⸚sse) pleasure; *von Nahrung:* consumption; **ein ~** a real treat; *Essen: a.* delicious.

geöffnet [gə'œfnət] adj *Laden etc:* open.

Geograph|ie [geogra'fiː] f (-; *no pl*) geography; **2isch** [~'graːfɪʃ] adj geographic(al).

Geolog|e [geo'loːgə] m (-n; -n) geologist; **~ie** [~lo'giː] f (-; *no pl*) geology; **2isch** [~'loːgɪʃ] adj geological.

Geometr|ie [geome'triː] f (-; -n) geometry; **2isch** [~'meːtrɪʃ] adj geometric(al).

Gepäck [gə'pɛk] n (-[e]s; *no pl*) Br. luggage, *Am.* baggage; *aer.* baggage; **~abfertigung** f *aer.* baggage check-in; **~ablage** f luggage (*Am.* baggage) rack; **~ausgabe** f *aer.* baggage reclaim;

~kon,trolle f luggage (*Am.* baggage) check; **~schein** m Br. luggage ticket, *Am.* baggage check; **~schließfach** n luggage (*Am.* baggage) locker; **~stück** n piece of luggage (*Am.* baggage); **~träger** m porter; *Fahrrad:* carrier; *mot.* roof rack.

ge'pflegt adj *Erscheinung:* well-groomed; *Kleidung:* neat; *Garten etc:* well-kept.

Gepflogenheit [gə'pfloːgənhaɪt] f (-; -en) habit, custom.

gerade [gə'raːdə] **1.** adj straight (*a. fig.*); *Zahl etc:* even; *direkt:* direct; *Haltung:* upright, erect; **2.** adv just: **nicht ~** not exactly; **das ist es ja ~!** that's just it!; **~ deshalb** that's just why; **~ rechtzeitig** just in time; **warum ~ ich?** why me of all people?; **da wir ~ von ... sprechen** speaking of ...; **~zu** adv straight ahead (*od.* on); **~zu** adv really.

Gerät [gə'rɛːt] n (-[e]s; -e) *Vorrichtung:* device; *kleines:* F gadget; *Elektro2, Haushalts2 etc:* appliance; *Radio2, Fernseh2:* set; *coll.* **~schaften:** equipment; *Handwerks2, Garten2:* tool; *feinmechanisches, optisches:* instrument; *Küchen2:* (kitchen) utensil (*pl coll.*).

ge'raten v/i (*irr, pp* geraten, sn) (**~ raten**) *ausfallen:* turn out (**gut** well): **~ an** (*acc*) come across; **~ in** (*acc*) get into; → **Brand**.

Gerate'wohl n: **aufs ~** at random.

geräumig [gə'rɔʏmɪç] adj spacious, roomy.

Geräusch [gə'rɔʏʃ] n (-[e]s; -e) sound, noise; **2los 1.** adj noiseless; **2.** adv without a sound; **2voll** adj noisy.

ge'recht adj just, fair: **~ werden** do justice to; *Wünschen etc:* meet; **2igkeit** f (-; *no pl*) justice.

Ge'rede n (-s; *no pl*) talk; *Klatsch:* gossip.

ge'reizt adj irritable; **2heit** f (-; *no pl*) irritability.

Gericht [gə'rɪçt] n (-[e]s; -e) dish; *jur.* court: **vor ~ stehen** (**stellen**) stand (bring to) trial; **vor ~ gehen** go to court; **2lich** adj judicial, legal.

Ge'richts|barkeit f (-; *no pl*) jurisdiction; **~gebäude** n courthouse; **~medi,zin** f forensic medicine; **~saal** m courtroom; **~stand** m place of jurisdiction; **~verfahren** n legal proceedings pl;

~verhandlung f hearing; *Strafverhandlung:* trial; **~vollzieher** m (-s; -) *Br.* bailiff, *Am.* marshal; **~weg** m: *auf dem ~* by legal proceedings.

gering [gəˈrɪŋ] adj little, small; *unbedeutend:* slight, minor; *niedrig:* low; **~fügig** [~fy:gɪç] adj slight, minor; *Betrag, Vergehen:* petty; **~st** adj least: *nicht im ~en* not in the least.

ge'rinnen v/i (*irr, pp* geronnen, sn, → **rinnen**) coagulate; *bsd. Milch:* a. curdle; *bsd. Blut:* a. clot.

Gerippe [gəˈrɪpə] n (-s; -) skeleton (a. *fig.*); *tech.* framework.

gerissen [gəˈrɪsən] adj *fig.* cunning, smart.

gern(e) [ˈgɛrn(ə)] adv willingly, gladly: ~ **haben** like, be fond of; *et.* (*sehr*) ~ **tun** like (love) to do (*od.* doing) s.th.; *ich möchte ~* I'd like (to); ~ **geschehen!** not at all, (you're) welcome.

Gerste [ˈgɛrstə] f (-; -n) *bot.* barley; **~nkorn** n *med.* sty.

Geruch [gəˈrɔx] m (-[e]s; ⁓e) smell; *bsd. schlechter:* odo(u)r; *bsd. Duft:* scent; **2los** adj odo(u)rless; **~ssinn** m (-[e]s; *no pl*) (sense of) smell.

Gerücht [gəˈrʏçt] n (-[e]s; -e) rumo(u)r.

ge'rührt adj touched, moved.

Gerümpel [gəˈrʏmpəl] n (-s; *no pl*) junk.

Gerüst [gəˈrʏst] n (-[e]s; -e) *Bau2:* scaffold(ing).

gesamt [gəˈzamt] adj whole, entire, total; **2...** in *Zssgn Bevölkerung, Gewicht etc:* mst total ...; **2ausgabe** f complete edition; **2schule** f comprehensive school.

Gesang [gəˈzaŋ] m (-[e]s; ⁓e) singing; *Lied:* song; *Fach:* voice; **~buch** n *eccl.* hymnbook.

Gesäß [gəˈzɛːs] n (-es; -e) *anat.* buttocks pl.

Geschäft [gəˈʃɛft] n (-[e]s; -e) business; *Laden: Br.* shop, *Am.* store; *vorteilhaftes:* bargain; **2ehalber** adv on business; **2ig** adj busy, active; **~igkeit** f (-; *no pl*) activity; **2lich 1.** adj business ..., commercial; **2.** adv on business.

Ge'schäfts|beziehungen pl business connections pl (*zu* with); **~brief** m business letter; **~frau** f businesswoman; **~freund** m business associate; **~führer** m manager; **~führung** f management; **~inhaber** m owner, proprietor; **~jahr** n

financial year; **~lage** f business situation; **~leitung** f management; **~mann** m (-[e]s; *-leute*) businessman; **2mäßig** adj businesslike; **~partner** m (business) partner; **~räume** pl business premises pl; *Büros:* offices pl; **~reise** f business trip; **~schluß** m closing time: *nach ~* a. after business hours; **~sitz** m place of business; **~stelle** f office; **~straße** f shopping street; **~träger** m *pol.* chargé d'affaires; **2tüchtig** adj efficient, smart; **~verbindung** f business connection; **~zeit** f office (*od.* business) hours pl; **~zweig** m branch (of business).

geschehen [gəˈʃeːən] v/i (geschah, geschehen, sn) happen, occur, take place; *getan werden:* be done: **es geschieht ihm recht** it serves him right.

Geschehen [~] n (-s) events pl, happenings pl.

gescheit [gəˈʃait] adj clever, intelligent, bright.

Geschenk [gəˈʃɛŋk] n (-[e]s; -e) present, gift; **~packung** f gift pack.

Geschicht|e [gəˈʃɪçtə] f (-; -n) story; *Wissenschaft etc:* history; *fig.* business, thing; **2lich** adj historical.

Geschick¹ [gəˈʃɪk] n (-[e]s; -e) fate.

Geschick² [~] n (-[e]s; *no pl*) skill; **2t** adj skil(l)ful, skilled; *gewandt:* dext(e)rous; *geistig:* a. clever.

Geschirr [gəˈʃɪr] n (-[e]s; -e) dishes pl; *Porzellan:* china; *Küchen2:* kitchen utensils pl, pots and pans pl, crockery: ~ **spülen** wash (*od.* do) the dishes; **~spüler** m (-s; -) dishwasher.

Geschlecht [gəˈʃlɛçt] n (-[e]s; -er) sex; *Abstammung:* family; *Generation:* generation; *gr.* gender; **2lich** adj sexual.

Ge'schlechts|krankheit f *med.* venereal disease; **~verkehr** m sexual intercourse.

ge|schliffen [gəˈʃlɪfən] adj *Edelstein:* cut; *fig.* polished; **~schlossen** [~ˈʃlɔsən] adj closed: **~e Gesellschaft** private party.

Geschmack [gəˈʃmak] m (-[e]s; ⁓e, F ⁓er) taste (a. *fig.*); *Aroma:* flavo(u)r: ~ **finden an** (*dat*) develop a taste for; **2los** adj tasteless (a. *fig.*); **~losigkeit** f (-; *no pl*) tastelessness (a. *fig.*): **das war e-e ~** that was in bad taste; **~(s)sache** f matter of taste; **2voll** adj tasteful, in good taste.

Geschöpf [gə'ʃœpf] *n* (-[e]s; -e) creature.

Geschoß [gə'ʃɔs] *n* (-sses; -sse) projectile, missile; *Stockwerk*: floor, *Br.* storey, *Am.* story.

Ge'schrei *n* (-[e]s; *no pl*) shouting, yelling; *Angst2*: screams *pl*; *Baby*: crying; *fig. Aufhebens*: fuss.

Geschwätz [gə'ʃvɛts] *n* (-es; *no pl*) prattle; *Klatsch*: gossip; *fig. Unsinn*: nonsense; **2ig** *adj* talkative; gossipy.

ge'schweige *cj*: ~ (*denn*) let alone.

Geschwindigkeit [gə'ʃvɪndɪçkaɪt] *f* (-; -en) speed; *phys.* velocity: *mit e-r ~ von* at a speed of; **~sbeschränkung** *f* (-; -en) speed limit; **~süber,schreitung** *f* (-; -en) speeding.

Geschwister [gə'ʃvɪstər] *pl* brothers *pl* and sisters *pl*.

geschwollen [gə'ʃvɔlən] *adj med.* swollen; *fig.* bombastic, pompous.

Geschworene [gə'ʃvoːrənə] *m, f* (-n; -n) *jur.* juror: *die ~n pl* the jury.

Geschwulst [gə'ʃvʊlst] *f* (-; ⸚e) *med.* tumo(u)r.

Geschwür [gə'ʃvyːr] *n* (-[e]s; -e) *med.* abscess, ulcer.

Geselle [gə'zɛlə] *m* (-n; -n) *Handwerker*: journeyman; *Bäcker2* journeyman baker; **~enbrief** *m* journeyman's certificate; **2ig** *adj Person*: sociable: **~es Beisammensein** get-together; **~in** *f* (-; -nen) journeywoman.

Gesellschaft [gə'zɛlʃaft] *f* (-; -en) society; *Umgang*: company; *Abend2* etc: party; *Firma*: company; *j-m ~ leisten* keep s.o. company; **~er** *m* (-s; -) *econ.* partner; **2lich** *adj* social.

Ge'sellschafts|ordnung *f* social order; **~poli,tik** *f* social policy; **~reise** *f* group tour; **~schicht** *f* stratum (of society); **~spiel** *n* parlo(u)r game; **~sy,stem** *n* social system.

Gesetz [gə'zɛts] *n* (-es; -e) law; **~entwurf** *m* bill; **2gebend** *adj* legislative; **~geber** *m* (-s; -) legislator; **~gebung** *f* (-; *no pl*) legislation; **2lich 1.** *adj* legal; *legal*: *a.* lawful; **2.** *adv*: ~ *geschützt* protected by law; *Patent* etc: registered.

ge'setzt *cj*: → *Fall*.

ge'setzwidrig [~viːdrɪç] *adj* illegal, unlawful.

Gesicht [gə'zɪçt] *n* (-[e]s; -er) face: *zu ~ bekommen* catch sight (*kurz*: a glimpse) of; *aus dem ~ verlieren* lose

sight (*fig. a.* track) of; *das ~ verziehen* make a face.

Ge'sichts|ausdruck *m* expression, look; **~farbe** *f* complexion; **~punkt** *m* point of view; **~züge** *pl* features *pl*.

Gesindel [gə'zɪndəl] *n* (-s; *no pl*) riffraff.

gesinn|t [gə'zɪnt] *adj eingestellt*: minded: *j-m feindlich ~ sein* be ill-disposed towards s.o.; **2ung** *f* (-; -en) mind; *Haltung*: attitude; *pol.* conviction(s *pl*).

ge'spannt 1. *adj Aufmerksamkeit*: rapt; *Situation* etc.: tense; *Beziehungen*: strained: ~ *sein auf* (*acc*) be eager to see (*od.* know); ~ *sein, ob* be eager to see (*od.* know) whether.

Gespenst [gə'ʃpɛnst] *n* (-[e]s; -er) ghost.

Gespött [gə'ʃpœt] *n* (-[e]s; *no pl*): *j-n zum ~ machen* make a laughingstock of s.o.

Gespräch [gə'ʃprɛːç] *n* (-[e]s; -e) talk (*a. pol.*), conversation; *teleph.* call; **2ig** *adj* talkative.

Gestalt [gə'ʃtalt] *f* (-; -en) *allg.* shape, form; *Figur, Person*: stature; **2en** *v/t* (*pp* gestaltet, h) *Fest* etc: arrange; *entwerfen*: design; **~ung** *f* (-; *no pl*) arrangement; design; *Raum2*: decoration.

geständ|ig [gə'ʃtɛndɪç] *adj*: ~ *sein* have confessed; **2nis** [~tnɪs] *n* (-ses; -se) confession: *ein ~ ablegen* make a confession.

Gestank [gə'ʃtaŋk] *m* (-[e]s; *no pl*) stench, stink.

gestatten [gə'ʃtatən] *v/t* (*pp* gestattet, h) allow, permit.

Geste ['gɛstə] *f* (-; -n) gesture (*a. fig.*).

ge'stehen *v/t u. v/i* (*irr*, *pp* gestanden, h, → *stehen*) confess (*et.* [to] s.th.; *et.* *getan zu haben* [to] doing s.th.; *daß* that).

gest|ern ['gɛstərn] *adv* yesterday: ~ *abend* last night; **~rig** ['~rɪç] *adj* yesterday's, of yesterday.

Gestrüpp [gə'ʃtryp] *n* (-[e]s; -e) brushwood, undergrowth.

Gesuch [gə'zuːx] *n* (-[e]s; -e) application, request (*um* for).

gesund [gə'zʊnt] *adj* healthy; *Kost, Leben*: *a.* healthful; *fig. a.* sound: **~er Menschenverstand** common sense; ~ *sein* be in good health; *Obst* etc: be good for you(r health); (*wieder*) ~ *werden* get well (again), recover.

Ge'sundheit *f* (-; *no pl*) health: *auf j-s ~ trinken* drink s.o.'s health; **~!** *beim*

Niesen: bless you!; **2lich 1.** adj: **sein ~er Zustand** the state of his health; **aus ~en Gründen** for health reasons; **2.** adv: **~ geht es ihm gut** he is in good health.

Ge'sundheits|amt n public health office; **~poli,tik** f health policy; **2schädlich** adj injurious (od. harmful) to health; **Nahrung** etc: unhealthy, unwholesome; **~zeugnis** n health certificate; **~zustand** m state of health: **sein ~** the state of his health.

ge'sundschrumpfen v/t u. v/refl (sep, -ge-, h) slim down.

Getränk [gə'trɛŋk] n (-[e]s, -e) drink, beverage; **~eauto,mat** m drinks machine; **~ekarte** f wine list.

ge'trauen v/refl (pp getraut, h) → **trauen** 3.

Getreide [gə'traɪdə] n (-s, -) grain, cereals pl; Br. a. corn.

ge'trennt 1. adj Schlafzimmer etc: separate: **~e Kasse machen** go Dutch; **mit ~er Post** under separate cover; **2.** adv: **~ leben** be separated (**von** from), live apart (from); **~ zahlen** go Dutch.

Getriebe [gə'tri:bə] n (-s, -) mot. gearbox; **~öl** n gearbox oil; **~schaden** m gearbox trouble.

Getto ['gɛto] n (-s, -s) ghetto.

Getue [gə'tu:ə] n (-s, no pl) fuss (**um** about).

Getümmel [gə'tʏməl] n (-s, -) turmoil.

Gewächs [gə'vɛks] n (-es, -e) plant; med. growth; **~haus** n greenhouse, hothouse.

ge|'wachsen adj: **j-m ~ sein** be a match for s.o.; **e-r Sache ~ sein** be equal to s.th., be able to cope with s.th.; **~'wagt** adj daring (a. fig.Film etc); fig. Witz etc: risqué.

Gewähr [gə'vɛːr] f (-; no pl): **für et. ~ leisten** guarantee s.th.; **ohne ~** subject to change; **2en** v/t (pp gewährt, h) grant, allow; **2leisten** v/t (pp gewährleistet, h) guarantee.

Ge'wahrsam m (-s; no pl): **et. (j-n) in ~ nehmen** take s.th. in safekeeping (s.o. into custody).

Gewalt [gə'valt] f (-; -en) force, violence (a. ~tätigkeit); Macht: power; Beherrschung: control (**über** acc of): **mit ~** by force; **höhere ~** act of God; **die ~ verlieren über** (acc) lose control over;

2ig adj powerful, mighty; riesig, ungeheuer: enormous; **2los** adj nonviolent; **~losigkeit** f (-; no pl) nonviolence; **2sam 1.** adj violent; **2.** adv forcibly: **~ öffnen** force open; **2tätig** adj violent; **~verbrechen** n crime of violence.

Gewässer [gə'vɛsər] n (-s; -) stretch of water: **~ pl** waters pl; **~schutz** m prevention of water pollution.

Gewehr [gə'veːr] n (-[e]s, -e) rifle; Flinte: shotgun; **~kolben** m rifle butt.

Gewerbe [gə'vɛrbə] n (-s, -) trade, business; **~freiheit** f freedom of trade; **~schein** m trade licen|ce (Am. -se).

gewerb|lich [gə'vɛrplɪç] adj commercial, industrial; **~smäßig** adj professional.

Gewerkschaft [gə'vɛrkʃaft] f (-; -en) (Br. trade, Am. labor) union; **~ler** m (-s; -) (Br. trade, Am. labor) unionist; **2lich 1.** adj (Br. trade, Am. labor) union; **2.** adv: **~ organisiert** organized; **~s...** in Zssgn (Br. trade, Am. labor) union ...; **~sbund** m federation of trade (Am. labor) unions.

Gewicht [gə'vɪçt] n (-[e]s, -e) weight; Bedeutung: a. importance: **~ legen auf** (acc) stress, emphasize.

gewillt [gə'vɪlt] adj: **(nicht) ~ sein, et. zu tun** be (un)willing to do s.th.

Gewinn [gə'vɪn] m (-[e]s, -e) econ. profit (a. fig.); Ertrag: gain(s pl); Lotterie2: prize; Spiel2: winnings pl; **mit ~** at a profit; **~anteil** m share in the profits; **~beteiligung** f profit sharing; **~bringend** adj profitable; **2en** v/t u. v/i (gewann, gewonnen, h) win; zunehmen an: gain; **2end** adj Lächeln: winning, engaging; **~er** m (-s; -) winner; **~spanne** f profit margin; **~u.-Verlust-Rechnung** f profit and loss account.

gewiß [gə'vɪs] **1.** adj certain: **ein gewisser Herr N.** a certain Mr N.; **2.** adv certainly, surely.

Ge'wissen n (-s; -) conscience: **auf dem ~ haben** have s.o., s.th. on one's conscience; **2haft** adj conscientious; **2los** adj unscrupulous; **~sbisse** pl pricks pl (od. pangs pl) of conscience; **~sfrage** f question of conscience; **~sgründe** pl: **aus ~n** for reasons of conscience.

Ge'wißheit f (-; no pl) certainty: **mit ~ sagen, wissen**: for certain (od. sure).

Gewitter [gə'vɪtər] n (-s; -) thunderstorm; **~regen** m thundery shower; **~wolke** f thundercloud.

gewittrig [gə'vɪtrɪç] adj thundery.

gewöhnen [gə'vø:nən] v/t u. v/refl (pp gewöhnt, h): **sich (j-n) ~ an** (acc) get (s.o.) used to; **sich daran ~, et. zu tun** get used to doing s.th.

Gewohnheit [gə'vo:nhaɪt] f (-; -en) habit (**et. zu tun** of doing s.th.); **Qsmäßig** adj habitual; **~srecht** n customary right.

gewöhnlich [gə'vø:nlɪç] adj common, ordinary, usual; **unfein**: vulgar, common.

gewohnt [gə'vo:nt] adj usual: **et. ~ sein** be used to s.th.; **es ~ sein, et. zu tun** used to doing s.th.

Gewühl [gə'vy:l] n (-[e]s; no pl) milling crowd.

Gewürz [gə'vʏrts] n (-es; -e) spice; **~gurke** f pickled gherkin.

Ge'zeiten pl tides pl.

Gicht [gɪçt] f (-; no pl) med. gout.

Giebel ['gi:bəl] m (-s; -) gable.

Gier [gi:r] f (-; no pl) greed(iness) (**nach** for); **Qig** adj greedy (**nach** for).

gieß|en ['gi:sən] (goß, gegossen, h) **1.** v/t pour; Blumen: water; **2.** v/impers: **es gießt in Strömen** it's pouring with rain; **Qkanne** f watering can.

Gift [gɪft] n (-[e]s; -e) poison; zo. a. venom (a. fig.); **~gas** n poison gas; **Qig** adj poisonous; venomous (a. fig.); vergiftet: poisoned; med. toxic; **~müll** m toxic waste; **~pilz** m poisonous mushroom, (poisonous) toadstool; **~schlange** f poisonous (od. venomous) snake; **~stoff** m poisonous (od. toxic) substance; Umwelt: pollutant.

Gigant [gi'gant] m (-en; -en) giant; **Qisch** adj gigantic.

Gipfel ['gɪpfəl] m (-s; -) summit (a. pol. etc), peak (a. fig.), top; Höhepunkt: height; **~konfe,renz** f summit conference; **Qn** v/i (h) culminate (**in** dat in); **~treffen** n summit meeting.

Gips [gɪps] m (-es; -e) plaster; **~verband** m plaster cast.

Girokonto ['ʒi:ro~] n current (bsd. Am. checking) account.

Gitarr|e [gi'tarə] f (-; -n) mus. guitar; **~ist** [~'rɪst] m (-en; -en) guitarist.

Gitter ['gɪtər] n (-s; -) lattice; vor Fenster etc: grating; F **hinter ~n sitzen** be behind bars.

Glanz [glants] m (-es; no pl) shine, gloss (a. tech.), lust|er (Am. -er), brilliance (a. fig.); fig. Pracht: splendo(u)r, glamo(u)r.

glänzen ['glɛntsən] v/i (h) shine, gleam; funkeln: a. glitter, glisten; **~d** adj shiny, glossy (a. phot.), brilliant (a. fig.); fig. excellent, splendid.

'Glanz|leistung f brilliant achievement; **'~zeit** f heyday.

Glas [gla:s] n (-es; ⁓er) glass; **'~er** m (-s; -) glazier; **'~scheibe** f (glass) pane.

glatt [glat] adj smooth (a. fig.); schlüpfrig: slippery; fig. Sieg etc: clear.

Glätte ['glɛtə] f (-; no pl) smoothness (a. fig.); slipperiness.

'Glatt|eis n black ice: **es herrscht ~** the roads are icy; **Qgehen** v/i (irr, sep, -ge-, sn, → gehen) work (out well), go (off) well; **Qra,siert** adj clean-shaven.

Glatze ['glatsə] f (-; -n) bald head: **e-e ~ haben** be bald.

Glaube ['glaʊbə] m (-ns; no pl) belief, bsd. eccl. faith (beide: **an** acc in); **Qn** v/t u. v/i (h) believe; meinen: a. think, Am. a. guess: **~ an** (acc) believe in (a. eccl.).

glaubhaft ['glaʊphaft] adj credible, plausible.

Gläubiger ['glɔʏbɪgər] m (-s; -) econ. creditor.

glaubwürdig ['glaʊpvʏrdɪç] adj credible; reliable.

gleich [glaɪç] **1.** adj same; Rechte, Lohn: equal: **auf die ~e Art** (in) the same way; **zur ~en Zeit** at the same time; **das ist mir ~** it's all the same to me; **ganz ~, wann** etc no matter when etc; **das ~e** the same; **2.** adv equally, alike; sofort: at once, right away; sehr bald: in a moment (od. minute): **~ groß** (alt) of the same size (age); **~ nach** (neben) right after (next to); **~ gegenüber** just opposite (od. across the street); **es ist ~ 5** it's almost 5 o'clock; **~ aussehen** (gekleidet) look (dressed) alike; **bis ~!** see you soon (od. later); **~altrig** ['~altrɪç] adj (of) the same age; **~be-rechtigt** adj having equal rights; **Qbe-rechtigung** f (-; no pl) equal rights pl; **~bleibend** adj constant, steady; **~en** v/t (glich, geglichen, h) be (od. look) like; ähnlich: a. take after; likewise; **danke, ~!** (thanks,) the same to you!; **~falls** adv also, likewise: **~gewicht** n (-[e]s; no pl) balance (a.

'**~gültig** *adj* indifferent (*gegen* to); *leichtfertig:* careless: *das* (*er*) *ist mir* ~ I don't care (for him); '**2gültigkeit** *f* (-; *no pl*) indifference; '**2heit** *f* (-; *no pl*) equality; '**2heitsgrundsatz** *m*, '**2heitsprin zip** *n* principle of equality before the law; '**~kommen** *v/i* (*irr, sep,* -ge-, sn, → *kommen*): *e-r Sache* ~ amount to s.th.; *j-m* ~ equal s.o. (*an dat* in); '**~lautend** *adj* identical; '**~mäßig** *adj regelmäßig:* regular; *gleichbleibend:* constant; *Verteilung:* even; '**~namig** ['~na:mɪç] *adj* of the same name; '**~setzen**, '**~stellen** *v/t* (*sep,* -ge-, h) equate (*dat* to, with); *j-n:* put on an equal footing (with); '**2strom** *m electr.* direct current, *abbr.* DC; '**~wertig** *adj* equally good: *j-m* ~ *sein* be a match for s.o.; '**~zeitig 1.** *adj* simultaneous; **2.** *adv* simultaneously, at the same time.

Gleis [glaɪs] *n* (-es; -e) *rail.* rails *pl,* track, line; *Bahnsteig:* platform, *Am. a.* gate.

gleit en ['glaɪtən] *v/i* (glitt, geglitten, sn) glide, slide; '**~end** *adj:* ~*e Arbeitszeit* → *Gleitzeit*; '**2zeit** *f* flexible working hours *pl,* flexitime: ~ *haben* be on flexitime.

Gletscher ['glɛtʃər] *m* (-s; -) glacier; '**~spalte** *f* crevasse.

Glied [gli:t] *n* (-[e]s; -er) *anat.* limb; *männliches:* penis; *Verbindungs2:* link; **2ern** ['~dərn] *v/t* (h) structure; divide (*in acc* into); **~erung** ['~dərʊŋ] *f* (-; -en) structure; arrangement.

glimpflich ['glɪmpflɪç] **1.** *adj* lenient, mild; **2.** *adv:* ~ *davonkommen* get off lightly.

glitschig ['glɪtʃɪç] *adj* slippery.

glitzern ['glɪtsərn] *v/i* (h) glitter, sparkle.

Glocke ['glɔkə] *f* (-; -n) bell; '**~nspiel** *n* chimes *pl;* '**~nturm** *m* bell tower, belfry.

Glotze ['glɔtsə] *f* (-; -n) F box: *in der* ~ on the box; '**2n** *v/i* (h) F goggle, gawp.

Glück [glʏk] *n* (-[e]s; *no pl*) luck, fortune; *Gefühl:* happiness: ~ *haben* be lucky; ~ *bringen* bring (good) luck; *zum* ~ fortunately; *viel* ~*!* good luck!; '**2en** *v/i* (h) → *gelingen*; '**2lich** *adj* happy: ~*er Zufall* lucky chance; '**~licherweise** *adv* fortunately.

'**Glücks bringer** *m* (-s; -) lucky charm; '**~fall** *m* lucky chance; '**~pilz** *m* lucky beggar; '**~spiel** *n* game of chance; *coll.*

gambling; '**~spieler** *m* gambler; '**~tag** *m* lucky day.

'**Glückwunsch** *m* congratulations *pl: herzlichen* ~*!* congratulations!; *zum Geburtstag:* happy birthday!; '**~tele gramm** *n* greetings telegram.

Glüh birne ['gly:~] *f electr.* light bulb; '**2en** *v/i* (h) glow (*a. fig.*); '**~wein** *m* mulled claret.

Gnade ['gna:də] *f* (-; *no pl*) mercy; '**~nfrist** *f* reprieve; '**~ngesuch** *n jur.* petition for mercy; '**2nlos** *adj* merciless.

gnädig [gnɛ:dɪç] *adj* gracious.

Gold [gɔlt] *n* (-[e]s; *no pl*) gold; **~barren** ['~barən] *m* (-s; -) gold bar (*od.* ingot), *coll.* bullion; '**2en** ['~dən] *adj* gold; *fig.* golden; '**~fisch** *m* goldfish; '**~grube** *f fig.* goldmine; '**~me daille** *f* gold medal; '**~münze** *f* gold coin; '**~preis** *m* gold price; '**~schmied** *m* goldsmith; '**~stück** *n* gold coin.

Golf[1] [gɔlf] *m* (-[e]s; -e) *geogr.* gulf.

Golf[2] [~] *n* (-s; *no pl*) *Sport:* golf; '**~platz** *m* golf course; '**~schläger** *m* golf club; '**~spieler** *m* golfer.

Gondel ['gɔndəl] *f* (-; -n) gondola; *Lift2:* a. cabin.

gönn en ['gœnən] *v/t* (h): *j-m et.* ~ not (be)grudge s.o. s.th.; *j-m et. nicht* ~ (be)grudge s.o. s.th.; *sich et.* ~ allow o.s. s.th., treat o.s. to s.th.; '**~erhaft** *adj* patronizing.

Gorilla [go'rɪla] *m* (-s; -s) *zo.* gorilla (*a.* F *fig.*).

Gosse ['gɔsə] *f* (-; -n) gutter (*a. fig.*).

Got ik ['go:tɪk] *f* (-; *no pl*) Gothic style (*od.* period); '**2isch** *adj* Gothic.

Gott [gɔt] *m* (-es; ⸚er) God; *myth.* god: → *Dank*; '**~esdienst** *m eccl.* service.

Gött in ['gœtɪn] *f* (-; -nen) goddess; '**2lich** *adj* divine.

'**gott verlassen** *adj* F godforsaken; '**2vertrauen** *n* trust in God.

Grab [gra:p] *n* (-[e]s; ⸚er) grave; *bsd.* ~*mal:* tomb.

Graben ['gra:bən] *m* (-s; ⸚) ditch; *mil.* trench.

graben ['gra:bən] *v/t u. v/i* (grub, gegraben, h) dig (*nach* for).

'**Grab mal** *n* tomb; *Ehrenmal:* monument; '**~stein** *m* gravestone, tombstone.

Grad [gra:t] *m* (-[e]s; -e) degree (*a. univ.*

u. fig.); *mil. etc*: rank, grade: **15 ~ Kälte** 15 degrees below zero.

Graf [graːf] *m* (-en; -en) count; *Br.* earl.

Graffiti [graˈfiːti] *pl* graffiti *pl* (*sg konstr.*).

Gräfin [ˈgrɛːfɪn] *f* (-; -nen) countess.

'**Grafschaft** *f* (-; -en) county.

Gramm [gram] *n* (-s; -[e]) gram: **100 ~** 100 grams.

Grammati|k [graˈmatɪk] *f* (-; -en) grammar; *Lehrbuch*: *a.* grammar book; **2sch** *adj* grammatical.

Graphi|k [ˈgraːfɪk] *f* (-; -en) *coll.* graphic arts *pl*; *Druck*: print; *tech. etc* graph, diagram; *Ausgestaltung*: art(work), illustrations *pl*; '**~ker** *m* (-s; -) graphic artist; **2sch** *adj* graphic.

Gras [graːs] *n* (-es; ~er) *bot.* grass.

grassieren [graˈsiːrən] *v/i* (*no* ge-, h) rage, be rife, be widespread.

gräßlich [ˈgrɛslɪç] *adj* hideous, atrocious.

Gräte [ˈgrɛːtə] *f* (-; -n) (fish)bone.

Gratifikation [gratifikaˈtsɪoːn] *f* (-; -en) bonus.

gratis [ˈgraːtɪs] *adv* free (of charge); **2probe** *f* free sample.

Gratul|ant [gratuˈlant] *m* (-en; -en) congratulator, well-wisher; **~ation** [~ˈtsɪoːn] *f* (-; -en) congratulations *pl* (*zu* on); **2ieren** [~ˈliːrən] *v/i* (*no* ge-, h) congratulate (*j-m zu et.* s.o. on s.th.): *j-m zum Geburtstag ~* wish s.o. many happy returns (of the day).

grau [grau] *adj bsd. Br.* grey, *Am.* gray.

'**grausam** *adj* cruel; **2keit** *f* (-; -en) cruelty.

'**Grauzone** *f* grey (*Am.* gray) area.

greifen [ˈgraɪfən] (griff, gegriffen, h) **1.** *v/t* seize, grasp, grab, take (*od.* catch) hold of; **2.** *v/i*: **~ nach** reach for; *fest*: grasp at.

Greis [graɪs] *m* (-es; -e) (very) old man; '**~in** *f* (-; -nen) (very) old woman.

grell [grɛl] *adj Licht etc*: glaring; *Farben etc*: gaudy.

Grenze [ˈgrɛntsə] *f* (-; -n) border; *Linie*: *a.* boundary; *fig.* limit; '**2n** *v/i* (h): **~ an** (*acc*) border on; '**2nlos** *adj* boundless.

'**Grenz|fall** *m* borderline case; '**~formali,täten** *pl* passport and customs formalities *pl*; '**~kon,trolle** *f* border check; '**~linie** *f* borderline, boundary (line) (*beide a fig.*), *pol.* demarcation line; '**~poli,zei** *f* border police (*pl konstr.*); '**~stein** *m* boundary stone; '**~übergang** *m* border crossing (point), checkpoint; '**2über,schreitend** *adj* across the border(s); '**~zwischenfall** *m* border incident.

Greueltat [ˈgrɔyəl~] *f* atrocity.

Griech|e [ˈgriːçə] *m* (-n; -n) Greek; '**2isch** *adj* Greek.

Grieß [griːs] *m* (-es; -e) *gastr.* semolina.

Griff [grɪf] *m* (-[e]s; -e) grip, grasp, hold; *Tür2, Messer2 etc*: handle; '**2bereit** *adj* at hand, handy.

Grill [grɪl] *m* (-s; -s) grill; '**2en** *v/t* (h) grill; '**~fest** *n*, '**~party** *f* barbecue.

Grimasse [grɪˈmasə] *f* (-; -n) grimace: **~n schneiden** pull faces.

grinsen [ˈgrɪnzən] *v/i* (h) grin (*über acc* at): *höhnisch*: sneer (at).

Grinsen [~] *n* (-s) grin; sneer.

Grippe [ˈgrɪpə] *f* (-; -n) *med.* influenza, F flu; '**~epide,mie** *f* influenza (F flu) epidemic; '**~impfung** *f* anti-influenza inoculation; '**2krank** *adj* down with influenza (F flu); '**~virus** *n* influenza (F flu) virus; '**~welle** *f* wave of influenza (F flu).

grob [groːp] **1.** *adj* coarse (*a. fig.*); *Fehler, Lüge etc*: gross; *Benehmen*: crude; *frech*: rude; *Arbeit, Fläche, Skizze etc*: rough; **2.** *adv*: **~ geschätzt** at a rough estimate; '**2heit** *f* (-; -en) coarseness; roughness; rudeness; *Äußerung*: rude remark.

grölen [ˈgrøːlən] *v/t u. v/i* (h) bawl.

groß [groːs] *adj* big; *bsd. Fläche, Umfang, Zahl*: large (*a. Familie*); *hoch (-gewachsen)*: tall; *erwachsen*: grown-up; F *Bruder*: big; *fig. bedeutend*: great (*a. Freude, Spaß, Eile, Mühe, Schmerz etc*); *Buchstabe*: capital: **~es Geld** notes *pl*, *Am.* bills *pl*; **~e Ferien** *Br.* summer holidays *pl*, *Am.* summer vacation *sg*; **~u. klein** young and old; *im ~en (u.) ganzen* on the whole; F **~ in et. sein** be great at (doing) s.th.; *wie ~ ist es?* what size is it?; *wie ~ bist du?* how tall are you?; '**2abnehmer** *m econ.* bulk purchaser; '**2aktio,när** *m* major shareholder (*Am.* stockholder); '**~artig** *adj* great, F *a.* terrific; '**2aufnahme** *f Film*: close-up; '**2bank** *f* (-; -en) big bank.

Größe [ˈgrøːsə] *f* (-; -n) size (*a. Kleid etc*);

Körper ♀: height; *Bedeutung*: greatness; *Person*: celebrity; *Film etc*: star.

'**Groß|einkauf** *m econ.* bulk purchase; '**~eltern** *pl* grandparents *pl.*

'**Größenordnung** *f* scale: *in e-r ~ von* (*od.* in, *Am.* on) the order of.

'**großenteils** *adv* to a large (*od.* great) extent, largely.

'**Größenwahn** *m* megalomania.

'**Groß|handel** *m econ.* wholesale trade; '**~handelspreis** *m econ.* wholesale price; '**~händler** *m econ.* wholesaler; '**~handlung** *f econ.* wholesale business; '**~indu,strie** *f* big industry; '**~indu-stri,elle** *m* big industrialist; '**~macht** *f pol.* great power; '**~maul** *n* F braggart; '**~mutter** *f* grandmother; '**~raum** *m*: *der ~ München* Greater Munich, the Greater Munich area; '**~raumbü,ro** *n* open-plan office; '**~schreibung** *f* (use of) capitalization; ♀**spurig** ['~ʃpuːrɪç] *adj* arrogant; '**~stadt** *f* (big) city; '♀**städtisch** *adj* (big-)city; '**~stadtver-kehr** *m* (big-)city traffic.

'**größtenteils** *adv* mostly, mainly.

'**groß|tun** (*irr, sep, -ge-, h, → tun*) **1.** *v/i* show off; **2.** *v/refl*: *sich mit et. ~* boast (*od.* brag) about s.th.; ♀**unter,neh-men** *n econ.* large-scale (*od.* big) enterprise; ♀**unter,nehmer** *m* big businessman; ♀**vater** *m* grandfather; ♀**ver-diener** *m* big earner; ♀**wetterlage** *f* macro weather situation; *pol.* general situation; '**~ziehen** *v/t* (*irr, sep, -ge-, h, → ziehen*) raise, rear, bring up; ♀**zügig** ['~tsyːɡɪç] *adj* generous; *Haus etc*: spacious; *Planung etc*: large-scale; ♀**zü-gigkeit** *f* (*-; no pl*) generosity; spaciousness.

Grotte ['ɡrɔtə] *f* (*-; -n*) grotto.

Grübchen ['ɡryːpçən] *n* (*-s; -*) dimple.

Grube ['ɡruːbə] *f* (*-; -n*) pit; *Bergwerk*: *a.* mine.

grübeln ['ɡryːbəln] *v/i* (*h*) ponder, muse (*über acc, dat* on, over).

Gruft [ɡrʊft] *f* (*-; ⁓e*) *Gewölbe*: vault; *in Kirche*: crypt; *Grab*: tomb.

grün [ɡryːn] *adj* green; *pol. a.* ecological: *~e* **Versicherungskarte** *mot.* green card; *~ u. blau schlagen* beat black and blue; *die* ♀**en** *pl* the Greens *pl*; ♀**anlage** *f* green space.

Grund [ɡrʊnt] *m* (*-[e]s; ⁓e*) reason; *Ur-sache*: cause; *Boden*: ground; *agr. a.*

soil; *Meer etc*: bottom: *~ u. Boden* property, land; *aus diesem ~*(*e*) for this reason; *auf ~ gen* because of; *von ~ auf* entirely; *im ~e* (*genommen*) actually, basically; '**~begriffe** *pl* fundamentals *pl*; '**~besitz** *m* land(ed property); '**~besitzer** *m* landowner.

gründe|n ['ɡrʏndən] **1.** *v/t* found (*a. Familie*), set up, establish; **2.** *v/refl*: *sich ~ auf* (*acc*) be based (*od.* founded) on; ♀**r** *m* (*-s; -*) founder.

'**grund|falsch** *adj* absolutely wrong; '♀**fläche** *f e-s Zimmers etc*: area; '♀**ge-danke** *m* basic idea; '♀**gesetz** *n pol.* Basic Law; '♀**kapi,tal** *n econ.* initial capital; '♀**lage** *f* foundation; *fig. a.* basis: *~n pl* (basic) elements *pl*; '**~legend** *adj* fundamental, basic.

gründlich ['ɡrʏntlɪç] *adj* thorough.

'**grund|los** *adj* **1.** *fig.* groundless, unfounded; **2.** *adv* for no reason (at all); '♀**mauer** *f* foundation wall; '♀**nah-rungsmittel** *pl* basic food(stuff) *sg.*

Grün'donnerstag *m eccl.* Maundy Thursday.

'**Grund|recht** *n* basic (*od.* fundamental) right; '**~riß** *m arch.* ground plan; '**~satz** *m* principle; ♀**sätzlich** ['~zɛtslɪç] **1.** *adj* fundamental; **2.** *adv*: *ich bin ~ da-gegen* I am against it on principle; '**~schule** *f* primary (*Am. a.* grade) school; '**~stück** *n* plot of land), *bsd. Am. a.* lot; *Bauplatz*: (building) site; *Haus nebst Zubehör*: premises *pl*; '**~stücksmakler** *m* (*Am. real*) estate agent, *Am. a.* realtor.

'**Gründung** *f* (*-; -en*) foundation, establishment, setting up.

'**grund|ver'schieden** *adj* totally different; '♀**wasser** *n* (*-s; no pl*) ground water; '♀**wasserspiegel** *m* ground-water level.

'**Grün|fläche** *f* green space; '**~gürtel** *m* green belt; '♀**lich** *adj* greenish; '**~span** *m* (*-[e]s; no pl*) verdigris.

Gruppe ['ɡrʊpə] *f* (*-; -n*) group; '**~nreise** *f* group travel.

Grusel|film ['ɡruːzəl~] *m* horror film; '**~geschichte** *f* horror story; '♀**ig** *adj* eerie, creepy; *Film etc*: spine-chilling.

Gruß [ɡruːs] *m* (*-es; ⁓e*) greeting(s *pl*): *viele Grüße an* (*acc*) ... give my regards (*herzlicher*: love) to ...; *mit freund-lichem ~ Brief*: Yours sincerely; *herz-*

liche Grüße best wishes, *herzlicher:* love.

grüßen ['gry:sən] *v/t* (h) greet, F say hello to: *j-n ~ lassen* send one's regards (*herzlicher:* love) to s.o.

gültig ['gʏltɪç] *adj* valid; *Geld:* a. current; '**2keit** *f* (-; *no pl*) validity: *s-e ~ verlieren* expire.

Gummi[1] ['gʊmi] *m*, *n* (-s; -[s]) rubber.

Gummi[2] [~] *n* (-s; -s) → *Gummiband*.

Gummi[3] [~] *m* (-s; -s) *Radier2:* eraser, *Br. a.* rubber; *Präservativ:* rubber.

'**Gummi|band** *n* (-[e]s; ⸚er) rubber (*bsd. Br. a.* elastic) band; *Gummizug:* elastic; '**~baum** *m bot.* rubber plant; '**~knüppel** *m* truncheon, *Am. a.* billy (club); '**~stiefel** *m bsd. Br.* wellington (boot), *Am.* rubber boot; '**~zug** *m* elastic.

Gunst [gʊnst] *f* (-; *no pl*) *zu j-s ~en* in s.o.'s favo(u)r.

günstig ['gʏnstɪç] *adj* favo(u)rable (*für* to); *passend:* convenient; *~e Gelegenheit* chance; *im ~sten Fall* at best.

gurgeln ['gʊrɡəln] *v/i* (h) *med.* gargle; *Wasser:* gurgle.

Gurke ['gʊrkə] *f* (-; -n) cucumber; *Gewürz2:* pickled gherkin.

Gurt [gʊrt] *m* (-[e]s; -e) belt (*a. aer.*, *mot*); *Halte2*, *Trage2:* strap.

Gürtel ['gʏrtəl] *m* (-s; -) belt; '**~reifen** *m mot.* radial (tyre, *Am.* tire).

'**Gurt|muffel** *m mot.* F *s.o. who refuses to wear a seat belt;* '**~pflicht** *f* (-; *no pl*) *mot.* compulsory wearing of seat belts.

Guß [gʊs] *m* (-sses; ⸚sse) *Regen etc:* downpour; *tech.* casting; *Zucker2:* icing; '**~eisen** *n* cast iron; '**2eisern** *adj* cast-iron.

gut [gu:t] **1.** *adj* good; *Wetter:* a. fine: *ganz ~* not bad; *also ~!* all right (then)!; *schon ~!* never mind!; (*wieder*) *~ werden* come right (again), be all right; *~e Reise!* have a nice trip!; *sei bitte so ~ u. ...* would you be so good as to (*od.* good enough to) ...; *in et. ~ sein* be good at (doing) s.th.; **2.** *adv* well; *aussehen, klingen, riechen, schmecken etc:* good: *du hast es ~* you are lucky; *es ist ~ möglich* it may well be; *es gefällt mir ~* I (do) like it; *~ gemacht!* well done!; *mach's ~!* take care (of yourself)!; → *meinen*.

Gut [~] *n* (-[e]s; ⸚er) *Land2:* estate; *pl* goods *pl*.

'**Gut|achten** *n* (-s; -) (expert) opinion; *Zeugnis:* certificate; '**~achter** *m* (-s; -) expert; *jur.* expert witness; '**2artig** *adj* good-natured; *med.* benign; '**2bürgerlich** *adj:* *~e Küche* good plain cooking; **~dünken** ['~dʏŋkən] *n* (-s; *no pl*): *nach ~* at one's discretion.

'**Gute** *n* (-n; *no pl*) good: *~s tun* do good; *alles ~!* all the best!, good luck!

Güte ['gy:tə] *f* (-; *no pl*) goodness, kindness; *econ.* quality; F *m-e ~!* good gracious!

Güter|bahnhof ['gy:tər~] *m Br.* goods station, *Am.* freight depot; '**~gemeinschaft** *f jur.* community of property: *in ~ leben* have joint property; '**~trennung** *f jur.* separation of property: *in ~ leben* have separate property; '**~verkehr** *m* goods (*Am.* freight) traffic; '**~wagen** *m rail. Br.* (goods) wagon, *Am.* freight car; '**~zug** *m Br.* goods train, *Am.* freight train.

'**gut|gebaut** *adj* well-built; '**~gehen** *v/i* (*irr, sep,* -ge-, sn, → *gehen*) go (off) well, work out well (*od.* all right): *wenn alles gutgeht* if nothing goes wrong; *mir geht es gut* I'm (*finanziell:* doing) well; '**~gelaunt** *adj* in a good mood; '**~gläubig** ['~ɡlɔʏbɪç] *adj* credulous; '**2haben** *n* (-s; -) *econ.* credit balance.

gütig ['gy:tɪç] *adj* kind(ly).

gütlich ['gy:tlɪç] *adv:* *sich ~ einigen* come to an amicable settlement.

'**gut|machen** *v/t* (*sep,* -ge-, h) make up for, make good; '**~mütig** ['~my:tɪç] *adj* good-natured; '**2mütigkeit** *f* (-; *no pl*) good nature; '**2schein** *m* coupon, *bsd. Br.* voucher; '**~schreiben** *v/t* (*irr, sep,* -ge-, h, → *schreiben*): *j-m et. ~* credit s.o. with s.th.; '**2schrift** *f* credit; '**~tun** *v/i* (*irr, sep,* -ge-, h, → *tun*): *j-m ~* do s.o. good.

Gymnasium [ɡʏm'na:ziʊm] *n* (-s; -ien) secondary school, *Br. appr.* grammar school.

Gymnastik [ɡʏm'nastɪk] *f* (-; *no pl*) physical exercises *pl*.

Gynäkologe [ɡʏnɛko'lo:ɡə] *m* (-n; -n) *med.* gyn(a)ecologist.

Haar [ha:r] n (-[e]s; -e) hair: *sich die ~e kämmen* comb one's hair; *sich die ~e schneiden lassen* have one's hair cut; *aufs ~* to a hair; *um ein ~* by a hair's breadth; → *Berg*; '*~ausfall* m loss of hair; '*~bürste* f hairbrush; '*~esbreite* f: *um ~* by a hair's breadth; '*~festiger* m (-s; -) setting lotion; '*~gefäß* n anat. capillary (vessel); '2ge'nau adv F precisely: (*stimmt*) *~!* dead right!; '2'klein adv F to the last detail; '*~nadel* f hairpin; '*~nadelkurve* f hairpin bend; '2scharf adv by a hair's breadth; '*~schnitt* m haircut; '*~spalte'rei* f (-; -en) hairsplitting; '*~spange* f Br. (hair) slide, Am. barrette; '*~spray* m, n hair spray; '2sträubend adj hair-raising; '*~teil* n hairpiece; '*~trockner* m hairdryer; '*~wäsche* f shampoo; '*~waschmittel* n shampoo; '*~wasser* n hair tonic; '*~wuchs* m: *starken ~ haben* have a lot of hair; '*~wuchsmittel* n hair restorer.

Habe ['ha:bə] f (-; no pl) belongings pl, possessions pl.

haben ['ha:bən] (hatte, gehabt, h) **1.** v/t have (got): *was hast du?* what's the matter (with you)?; → *Farbe, Hunger* etc; **2.** v/aux: *hast du m-n Bruder gesehen?* have you seen my brother?; *hast du gerufen?* did you call?

Haben [~] n (-s; -) econ. credit: → *Soll*; '*~seite* f credit side; '*~zinsen* pl interest sg on deposits.

Habgier ['ha:pgi:r] f (-; no pl) greed (-iness); '2ig adj greedy.

Habseligkeiten ['ha:pze:lIçkaItən] pl belongings pl, possessions pl.

Hab und Gut ['ha:p ~] n (- - - [e]s; no pl) belongings pl, possessions pl.

hack|en ['hakən] v/t (h) chop; agr. hoe; *Vogel*: peck; '2fleisch n minced (Am. ground) meat; '2ordnung f pecking order (a. fig.).

Hafen ['ha:fən] m (-s; ") harbo(u)r, port; '*~anlagen* pl docks pl; '*~arbeiter* m docker, Am. a. longshoreman; '*~gebühren* pl harbo(u)r dues pl; '*~poli'zei* f port police (pl konstr.); '*~rundfahrt* f boat tour of the harbo(u)r; '*~stadt* f (sea)port; '*~viertel* n dockland(s pl).

Hafer ['ha:fər] m (-s; -) oats pl; '*~brei* m porridge; '*~flocken* pl rolled oats pl; '*~schleim* m gruel.

Haft [haft] f (-; no pl) jur. custody; *Freiheitsstrafe*: imprisonment: *in ~ nehmen* take into custody; '2bar adj responsible (*für* for), liable (for): *j-n ~ machen für* hold (od. make) s.o. liable for; '*~befehl* m warrant of arrest; '2en v/i (h) stick (*an dat* to), adhere (to): *~ für* be liable for.

Häftling ['hEftlIŋ] m (-s; -e) prisoner, convict.

'**Haftpflicht** f liability; '*~versicherung* f liability insurance; mot. third-party insurance.

'**Haftung** f (-; no pl) responsibility, liability: *mit beschränkter ~* limited.

Hagel ['ha:gəl] m (-s; no pl) hail, fig. a. shower; '*~korn* n hailstone; '2n **1.** v/impers (h) hail; **2.** v/i (sn): *~ auf* (acc) rain down on; '*~schauer* m hail shower.

Hahn [ha:n] m (-[e]s; "e) zo. cock, Haus2: a. rooster; tech. Wasser2 etc: tap, Am. a. faucet.

Hähnchen ['hEInçən] n (-s; -) chicken.

Hai [haI] m (-[e]s; -e), '*~fisch* m zo. shark.

Häkchen ['hEIkçən] n (-s; -) small hook; *Zeichen*: Br. tick, Am. check.

häkeln ['hEIkəln] v/t u. v/i (h) crochet.

Haken ['ha:kən] m (-s; -) hook; *Kleider*2: a. peg; fig. snag, catch.

halb [halp] adj u. adv half: *e-e ~e Stunde* half an hour; *ein ~es Pfund* half a pound; *zum ~en Preis* at half-price; *auf ~em Wege (entgegenkommen)* (meet) halfway; *~ so viel* half as much; F (*mit j-m*) *~e-~e machen* go halves (od. fifty-fifty) (with s.o.); '*~amtlich* adj semiofficial; '2bruder m half-brother; 2e ['~bə] f (-n; -n) pint (of beer); '2fabri'kat n semifinished product; '*~gar* adj gastr. underdone; '*~ieren* [~'bi:rən] v/t (no ge-, h) halve; '2insel f peninsula; '2jahr n six months pl; '*~jährig* ['~jE:rIç] adj six-month; '*~jährlich* **1.** adj half-yearly; **2.** adv half-yearly, twice a year; '2kreis m semicircle;

²**leiter** m electr. semiconductor; '**~mast** adv: **~ flaggen** fly the flags at half-mast; '²**pensi͜on** f half-board; '²**schuh** m shoe; '²**schwester** f half--sister.

'**halbtags** adv: **~ arbeiten** work part--time; '²**arbeit** f, '²**beschäftigung** f part-time job; '²**kraft** f part-time worker, part-timer.

'**halbtrocken** adj Sekt, Wein: semidry, demisec.

Halde ['haldə] f (-; -n) slope; Bergbau: dump.

Hälfte ['hɛlftə] f (-; -n) half: **die ~ von** half of.

Halle ['halə] f (-; -n) hall; Hotel²: lobby; Fabrik²: shed; '**~nbad** n indoor swimming pool.

Halm [halm] m (-[e]s, -e) bot. Gras²: blade; Getreide²: ha(u)lm, stalk; Stroh²: straw.

Halogenscheinwerfer [halo'ge:n~] m mot. halogen headlight.

Hals [hals] m (-es; ⁓e) neck; Kehle: throat: **~ über Kopf** helter-skelter; **sich vom ~ schaffen** get rid of; **es hängt mir zum ~(e) (he)raus** I'm fed up with it; '**~band** n necklace; Hunde² etc: collar; '**~entzündung** f med. sore throat; '**~kette** f necklace; '**~schmerzen** pl: **~ haben** have a sore throat; ²**starrig** ['ʃtarɪç] adj stubborn, obstinate; '**~tuch** n scarf, neckerchief.

Halt [halt] m (-[e]s; -e, -s) hold; Stütze: support (a. fig.); Zwischen²: stop; fig. innerer: stability.

halt [~] int stop!, mil. halt!

'**haltbar** adj durable, lasting; Lebensmittel: not perishable; Farben: fast; Argument etc: tenable: **~ bis ...** use by ...; '²**keit** f (-; no pl) durability; fig. tenability; '²**keitsdatum** n best-by date.

halte͜n ['haltən] (hielt, gehalten, h) **1.** v/t hold; Versprechen, Tier etc: keep; Rede: make; Vortrag: give: **~ für** regard as; irrtümlich: (mis)take for; **viel (wenig) ~ von** think highly (little) of; **2.** v/refl keep; Essen, in Richtung od. Zustand: keep; **sich gut ~** in e-r Prüfung: do well; **sich ~ an** (acc) keep to; **3.** v/i hold, last; an~: stop, halt; Eis: bear; Seil etc: hold: **~ zu** stand by, F stick to; '²**r** m (-s; -) Eigentümer: owner; für Geräte etc: holder.

'**Halte|stelle** f stop; '**~verbot** n: (**absolutes**) **~** no-stopping zone; **eingeschränktes ~** no-waiting zone; **hier ist ~** this is a no-stopping zone; '**~verbotsschild** n no-stopping sign.

'**halt|los** adj unbegründet: unfounded; '**~machen** v/i (sep, -ge-, h) stop: **vor nichts ~** stop at nothing; '²**ung** f (-; -en) Körper: posture; pol. etc attitude (**gegenüber** towards).

hämisch ['hɛ:mɪʃ] adj malicious, sneering.

Hammel ['haməl] m (-s; -) zo. wether; '**~fleisch** n mutton.

Hammer ['hamər] m (-s, ⁓) hammer.

Hämorrhoiden [hɛmoro'i:dən] pl med. h(a)emorrhoids pl, piles pl.

Hamster ['hamstər] m (-s, -) zo. hamster; '²**n** (-s) v/t u. v/i (h) hoard.

Hand [hant] f (-; ⁓e) hand: **von (mit der) ~** by hand; **an ~ von** by means of; **zur ~** at hand; **aus erster (zweiter) ~** firsthand (secondhand); **an die ~ nehmen** take by the hand; **sich die ~ geben** shake hands; **aus der ~ legen** lay aside; **Hände hoch (weg)!** hands up (off)!; '**~arbeit** f: **es ist ~** it is handmade; '**~breit** f (-; -) hand's breadth; '**~bremse** f mot. handbrake; '**~buch** n manual, handbook.

Händedruck ['hɛndə~] m (-[e]s; ⁓e) handshake.

Handel ['handəl] m (-s; no pl) commerce, business; **~sverkehr:** trade; Markt: market; abgeschlossener: transaction, deal, bargain: **~ treiben** econ. trade (**mit** with s.o.); '²**n** (h) **1.** v/i act, take action; feilschen: bargain (**um** for), haggle (over): **mit j-m ~** econ. trade with s.o.; **mit Waren ~** econ. trade (od. deal) in goods; **~ von** deal with, be about; **2.** v/impers: **es handelt sich um** it concerns, it is about, it is a matter of.

'**Handels|abkommen** n trade agreement; '**~bank** f (-; -en) merchant bank; '**~beziehungen** pl trade relations pl; '**~bi͜lanz** f balance of trade; '²**einig** adj: **~ werden** come to terms (**mit** with); '**~gesellschaft** f company: **offene ~** general partnership; '**~kammer** f chamber of commerce; '**~klasse** f grade; '**~partner** m trading partner; '**~schranke** f trade barrier; '**~spanne** f profit margin; '²**üblich** adj customary in trade; '**∼vertreter** *m* sales representative; '**∼ware** *f* commodity: *„keine ∼" mail.* "no commercial value".

'**Hand|fläche** *f* palm; '2**gearbeitet** *adj* handmade; '**∼gelenk** *n* wrist; '**∼gepäck** *n aer.* hand baggage; '**∼granate** ['∼graˌnaːtə] *f* (-; -n) hand grenade; 2**greiflich** ['∼graiflɪç] *adj*: ∼ **werden** turn violent; '2**haben** *v/t* (handhabte, gehandhabt, h) handle, manage; *Maschine etc:* operate.

Händler ['hɛndlər] *m* (-s; -) dealer, trader.

'**handlich** *adj* handy.

'**Handlung** *f* (-; -en) *Film etc:* story, plot; *Tat:* act, action.

'**Hand|rücken** *m* back of the hand; '**∼schellen** *pl* handcuffs *pl: j-m ∼ anlegen* handcuff s.o.; '**∼schlag** *m* (-[e]s; *no pl*) handshake: *durch (od. per)* ∼ with a handshake; *et. durch ∼ bekräftigen* shake hands on s.th.; '**∼schrift** *f* hand(writing); '2**schriftlich** *adj* handwritten; '**∼schuh** *m* glove; '**∼schuhfach** *n mot.* glove compartment; '**∼tasche** *f* handbag, *Am. a.* purse; '**∼tuch** *n* towel; '**∼werk** *n* (-[e]s; -e) craft, trade; '**∼werker** *m* (-s; -) craftsman; '**∼wurzel** *f anat.* wrist.

Hang [haŋ] *m* (-[e]s; ∼e) slope; *fig.* inclination (**zu** for), tendency (to, towards).

'**Hänge|brücke** *f arch.* suspension bridge; '**∼matte** *f* hammock.

hängen[^1] ['hɛŋən] *v/i* (hing, gehangen, h) hang (*an Wand etc* on, *Decke etc* from): ∼ *an* (*dat*) be very fond of, *stärker:* love.

hängen[^2] [∼] *v/t* (h): *j-n* ∼ hang s.o.; *et.* ∼ *an* (*acc*) hang s.th. on (*od.* from).

'**hängenbleiben** *v/i* (*irr, sep,* -ge-, sn, → *bleiben*): *sie blieb mit dem Rock an e-m Nagel hängen* her skirt (got) caught on a nail.

hänseln ['hɛnzəln] *v/t* tease (*wegen* about).

Happen ['hapən] *m* (-s; -) morsel, bite.

harmlos ['harmloːs] *adj* harmless.

Harmonie [harmo'niː] *f* (-; -n) harmony; 2**ren** [∼'niːrən] *v/i* (*no ge-*, h) harmonize (*mit* with); 2**sch** [∼'moːnɪʃ] *adj* harmonious; 2**sieren** [∼moniˈziːrən] *v/t* (h) harmonize.

Harn [harn] *m* (-[e]s; -e) urine; '**∼blase** *f* bladder; '**∼leiter** *m*, '**∼röhre** *f* urethra.

Harpun|e [har'puːnə] (-; -n) harpoon; 2**ieren** [∼puˈniːrən] *v/t* (*no ge-*, h) harpoon.

hart [hart] **1.** *adj allg.* hard: **∼es Ei** hard-boiled egg; **2.** *adv* hard.

Härte ['hɛrtə] *f* (-; -n) *allg.* hardness: *soziale ∼n pl* social hardships *pl*; '**∼fall** *m* case of hardship.

'**Hart|geld** *n* coins *pl*; 2**herzig** *adj* hard-hearted; 2**näckig** ['∼nɛkɪç] *adj* stubborn, obstinate; *beharrlich:* persistent; *Krankheit:* refractory.

Hasch [haʃ] *n* (-s, *no pl*) F hash; 2**en** *v/i* (h) F smoke hash; **∼isch** ['∼ɪʃ] *n* (-; *no pl*) hashish.

Hase ['haːzə] *m* (-n; -n) *zo.* hare; '**∼nbraten** *m* roast hare; '**∼nscharte** *f med.* harelip.

Haß [has] *m* (-sses; *no pl*) hatred, hate (*auf acc, gegen* of, for).

hassen ['hasən] *v/t* (h) hate.

häßlich ['hɛslɪç] *adj* ugly; *fig. a.* nasty.

Hast [hast] *f* (-; *no pl*) hurry, haste; 2**en** *v/i* (sn) hurry, hasten; 2**ig** *adj* hasty, hurried.

Haube ['haʊbə] *f* (-; -n) *mot. Br.* bonnet, *Am.* hood.

Haufen ['haʊfən] *m* (-s; -) heap, pile (*beide a.* F *fig.*).

häuf|en ['hɔyfən] *v/refl* (h) increase (in number); **∼ig 1.** *adj* frequent; **2.** *adv* frequently, often.

Haupt [haʊpt] *n* (-[e]s; ∼er) head, *fig. a.* leader; '**∼aktioˌnär** *m* principal shareholder (*Am.* stockholder); '**∼bahnhof** *m* main (*od.* central) station; '**∼beschäftigung** *f* chief occupation; '**∼darsteller(in)** leading man (lady); '**∼eingang** *m* main entrance; '**∼fach** *n univ. Br.* main subject, *Am.* major: *et. als ∼ studieren Br.* study s.th. as one's main subject, *Am.* major in s.th.; '**∼fiˌgur** *f* main character; '**∼gericht** *n gastr.* main course; '**∼geschäftsstelle** *f* head office; '**∼geschäftsstraße** *f* main shopping street; '**∼geschäftszeit** *f* peak shopping hours *pl*; '**∼gewinn** *m* first prize; '**∼grund** *m* main reason; '**∼mahlzeit** *f* main meal; '**∼perˌson** *f* cent|re (*Am.* -er) of attention; '**∼postamt** *n* main post office; '**∼quarˌtier** *n* headquarters *pl* (*a. sg konstr.*); '**∼reisezeit** *f* peak tourist season; '**∼rolle** *f thea.* lead(ing role); '**∼sache** *f* main thing

[^1]: hängen¹
[^2]: hängen²

(od. point); '**~sai,son** f peak season;
'**~stadt** f capital; '**~straße** f main
street; '**~verkehrsstraße** f main road;
'**~verkehrszeit** f rush hour; '**~ver-
sammlung** f general meeting; '**~wohn-
sitz** m main place of residence.

Haus [haos] n (-es; ⸚er) house; *Gebäude:*
building; **zu ~e** at home, in; **nach ~e
kommen** come home; '**~angestellte** f
domestic (servant); '**~apo,theke** f
medicine cabinet; '**~arbeit** f house-
work; '**~arzt** m family doctor; '**~auf-
gaben** pl homework sg, Am. a. assign-
ment; '**~bar** f cocktail cabinet; '**~be-
setzer** m squatter; '**~besetzung** f
squatting; '**~eigentümer** m house
owner; '**~frau** f housewife; '**~frie-
densbruch** m (-[e]s; no pl) jur. trespass;
'**~gast** m resident; '**Ωgemacht** adj
home-made; '**~halt** m (-[e]s; -e) household; econ. pol. budget; (j-m) den ~
führen keep house (for s.o.); '**~hälterin**
['~hɛltərɪn] f (-; -nen) housekeeper;
'**~haltsdefizit** n budgetary deficit;
'**~haltsgeld** n housekeeping money;
'**~haltsplan** m budget; '**~haltswaren**
pl household articles pl; '**~herr** m
Familienoberhaupt: head of the household; Gastgeber: host; '**~herrin** f (-;
-nen) Familienoberhaupt: lady of the
house; Gastgeberin: hostess.

Hausierer [hao'ziːrər] m (-s; -) hawker,
pedlar.

häuslich ['hɔyslɪç] adj domestic; *sein
Zuhause liebend:* home-loving.

'**Haus|mädchen** n (house)maid;
'**~mann** m househusband; '**~marke** f
house wine; '**~meister** m caretaker;
'**~mittel** n household remedy; '**~num-
mer** f house number; '**~ordnung** f
house rules pl; '**~rat** m (-[e]s; no pl)
household effects pl; '**~schlüssel** m
front-door key; '**~schuh** m slipper.

Hausse ['hoːs(ə)] f (-; -n) econ. rise,
boom.

'**Haus|suchung** f (-; -en) jur. house
search; '**~suchungsbefehl** m search
warrant; '**~tier** n domestic animal;
Heimtier: pet; '**~tür** f front door;
'**~verwaltung** f property management;
'**~wirt(in)** landlord (landlady); '**~zelt** n
ridge tent.

Haut [haot] f (-; ⸚e) skin; *Teint:* complexion: **bis auf die ~ durchnäßt** soaked to

the skin; '**~abschürfung** f med. graze;
'**~arzt** m dermatologist; '**~ausschlag**
m med. rash; '**Ωeng** adj skin-tight;
'**~farbe** f colo(u)r of the skin; *Teint:*
complexion; '**~krankheit** f skin disease; '**~krebs** m med. skin cancer;
'**~pflege** f skin care.

H-Bombe ['haː~] f mil. H-bomb.

Hebamme ['heːpʔamə] f (-; -en) mid-
wife.

'**Hebebühne** f mot. hydraulic lift.

Hebel ['heːbəl] m (-s; -) lever.

heben ['heːbən] (hob, gehoben, h) **1.** v/t
lift, raise (a. Wrack u. fig.); *schwere
Last:* heave; *hochwinden:* hoist; fig. improve; **2.** v/refl *Vorhang:* rise, go up.

Hecht [hɛçt] m (-[e]s; -e) zo. pike.

Heck [hɛk] n (-[e]s; -e, -s) mar. stern; aer.
tail; mot. rear, back.

Hecke ['hɛkə] f (-; -n) hedge; '**~nschütze**
m sniper.

'**Heck|motor** m rear engine; '**~scheibe** f
mot. rear window; '**~scheibenhei-
zung** f mot. rear-window defroster;
'**~scheibenwischer** m rear(-window)
wiper.

Heer [heːr] n (-[e]s; -e) mil. army; fig. a.
host.

Hefe ['heːfə] f (-; -n) yeast.

Heft [hɛft] n (-[e]s; -e) notebook; *Bänd-
chen:* booklet; *Ausgabe:* issue, number.

heften ['hɛftən] v/t (h) fix, fasten (**an** acc
to); *mit Nadeln:* pin (to); *Saum etc:*
tack, baste; *Buch:* stitch; '**Ωr** m (-s; -)
stapler; *Ordner:* file.

heftig ['hɛftɪç] adj violent, fierce; *Regen
etc:* heavy; '**Ωkeit** f (-; no pl) violence,
fierceness.

'**Heft|klammer** f staple; *Büroklammer:*
paper clip; '**~pflaster** n adhesive
plaster, Am. a. band-aid TM.

Hehler ['heːlər] m (-s; -) receiver (of stolen goods), sl. fence; **~ei** [~'raɪ] f (-; -en)
receiving (stolen goods).

Heiden|angst ['haɪdən~] f F: **e-e ~
haben** be scared stiff; '**~geld** n F: **ein ~**
a fortune; '**~lärm** m F: **ein ~** a hell of a
noise; '**~spaß** m F: **e-n ~ haben** have a
ball.

heikel ['haɪkəl] adj delicate, tricky;
Person: fussy (**in bezug auf** acc about).

heil [haɪl] adj *Person:* safe, unhurt; *Sache:* undamaged, whole, intact; '**Ωan-
stalt** f sanatorium, Am. a. sanitarium.

Nerven: mental home; '**bad** *n* health resort, spa; '**bar** *adj* curable; '**en 1.** *v/t* (h) cure; **2.** '**** (sn) heal (up); '**gymnastik** *f* physiotherapy.

heilig ['haılıç] *adj* holy; *Gott geweiht*: sacred (*a. fig.*): **der 2e Abend** Christmas Eve; **2'abend** *m* Christmas Eve.

'**Heil|kraft** *f* healing (*od.* curative) power; '**2kräftig** *adj* curative; '**kraut** *n* medicinal herb; '**2los** *adj fig. Durcheinander*: utter, hopeless; '**mittel** *n* remedy, cure (*beide a fig.*); '**praktiker** *m* nonmedical practitioner; '**quelle** *f* mineral spring; '**2sam** *adj fig.* salutary.

'**Heilsar|mee** *f* Salvation Army.

'**Heilung** *f* (-; -en) cure; *Wunde*: healing.

Heim [haım] *n* (-[e]s; -e) home; *Jugend2 etc*: hostel; '**arbeit** *f* outwork; '**arbeiter** *m* outworker.

Heimat ['haıma:t] *f* (-; *no pl*) home, native country; *Ort*: home town: **in der** (*m-r*) **** at home; '**anschrift** *f* home address; '**hafen** *m* home port; **2los** *adj* homeless; '**ort** *m* home town (*od.* village); '**vertriebene** *m* expellee.

'**heim|bringen** *v/t* (*irr, sep,* -ge-, h, → **bringen**) *j-n*: take (*od.* see) home; '**2com|puter** *m* home computer; '**gehen** *v/i* (*irr, sep,* -ge-, sn, → **gehen**) go home.

'**heimisch** *adj Industrie etc*: home, domestic; *bot., zo. etc* native: **sich fühlen** feel at home.

'**Heim|kehr** *f* (-; *no pl*) return (home); '**2kommen** *v/i* (*irr, sep,* -ge-, sn, → **kommen**) come (*od.* return) home.

'**heimlich** *adj* secret; '**2keit** *f* (-; -en) secrecy; **en** *pl* secrets *pl.*

'**Heim|reise** *f* journey home; '**2tückisch** *adj* insidious (*a. Krankheit*); *Mord etc*: treacherous; '**weg** *m* way home; '**weh** *n* (-s; *no pl*) homesickness: ** haben** be homesick (**nach** for).

Heirat ['haıra:t] *f* (-; -en) marriage; **2en** *v/t u. v/i* (h) marry, get married (to).

'**Heirats|antrag** *m* proposal of (marriage): *j-m e-n* ** machen** propose to s.o.; '**schwindler** *m* marriage impostor; '**vermittlung** *f* marriage bureau.

heiser ['haızər] *adj* hoarse: **sich schreien** shout o.s. hoarse; '**2keit** *f* (-; *no pl*) hoarseness.

heiß [haıs] *adj* hot (*a. fig.*): **mir ist ** I am (*od.* feel) hot.

heißen ['haısən] *v/i* (hieß, geheißen, h) be called; *bedeuten*: mean: **wie Sie?** what is your name?; **wie heißt das?** what do you call this?; **was heißt ... auf englisch?** what is ... in English?: **das heißt** that is (*abbr.* **d.h.** i. e.).

heiter ['haıtər] *adj* cheerful; *Film etc*: humorous; *meteor.* fair: *fig.* **aus em Himmel** out of the blue; '**2keit** *f* (-; *no pl*) cheerfulness; *Belustigung*: amusement.

heiz|en ['haıtsən] (h) **1.** *v/t* heat; **2.** *v/i* put (*od.* have) the heating on; '**2kessel** *m* boiler; '**kissen** *n* electric cushion; '**2körper** *m* radiator; '**2kraftwerk** *n* thermal power station; '**2materi|al** *n* fuel; '**2öl** *n* fuel oil; '**2ung** *f* (-; -en) heating.

Held [hɛlt] *m* (-en; -en) hero; **2enhaft** ['dən] *adj* heroic; **in** ['dın] *f* (-; -nen) heroine.

helfen ['hɛlfən] *v/i* (half, geholfen, h) help, aid; *förmlicher*: assist: *j-m bei et.* **** help s.o. with (*od.* in) (doing) s.th.; ** gegen** *Mittel etc*: be good for; **er weiß sich zu ** he can manage (*bsd. Br.* cope); **es hilft nichts** it's no use.

'**Helfer** *m* (-s; -) helper, assistant; '**s-helfer** *m* accomplice.

hell [hɛl] *adj Licht etc*: bright; *Farbe*: light; *Kleid etc*: light-colo(u)red; *Klang*: clear; *Bier*: pale; *fig.* intelligent: bright, clever: **es wird schon ** it's getting light already; '**blau** *adj* light-blue; '**blond** *adj* very fair; '**2seher** *m* (-s; -) clairvoyant.

Helm [hɛlm] *m* (-[e]s; -e) helmet.

Hemd [hɛmt] *n* (-[e]s; -en) shirt; *Unter2*: *Br.* vest, *Am.* undershirt.

Hemisphäre [hemi'sfɛ:rə] *f* (-; -n) hemisphere.

hemm|en ['hɛmən] *v/t* (h) *Bewegung etc*: check, stop; *behindern*: hamper; → **gehemmt**; '**2ung** *f* (-; -en) *psych.* inhibition; *moralische*: scruple; '**ungslos** *adj* unrestrained; *skrupellos*: unscrupulous.

Hengst [hɛŋst] *m* (-[e]s; -e) *zo.* stallion.

Henkel ['hɛŋkəl] *m* (-s; -) handle.

Henne ['hɛnə] *f* (-; -n) hen.

her [heːr] *adv*: *das ist lange ~* that was a long time ago.

herab|lassen [hɛˈrap~] *v/refl* (*irr, sep, -ge-, h, → lassen*) *fig.* condescend, deign (*zu tun* to do); **~lassend** *adj* condescending; **~sehen** *v/i* (*irr, sep, -ge-, h, → sehen*): *fig. ~ auf* (*acc*) look down on; **~setzen** *v/t* (*sep, -ge-, h*) reduce; *fig.* disparage: *zu herabgesetzten Preisen* at reduced prices.

herauf|beschwören [hɛˈraʊf~] *v/t* (*irr, sep, no -ge-, h, → schwören*) cause, provoke; **~kommen** *v/i* (*irr, sep, -ge-, sn, → kommen*) come up.

heraus|bekommen [hɛˈraʊs~] *v/t* (*irr, sep, no -ge-, h, → kommen*) get out; *fig.* find out: *10 Mark ~* get back 10 marks change; **~bringen** *v/t* (*irr, sep, -ge-, h, → bringen*) bring out; *veröffentlichen: a.* publish; *auf den Markt bringen: a.* launch; *thea.* stage; *fig.* find out; **~finden** *v/t* (*irr, sep, -ge-, h, → finden*) find; *fig.* find out, discover; **~fordern** *v/t* (*sep, -ge-, h*) challenge (*zu* to; *zu tun* to do); *provozieren:* provoke; **2forderung** *f* (*-; -en*) challenge; provocation; **~geben** (*irr, sep, -ge-, h, → geben*) **1.** *v/t zurückgeben:* give back; *ausliefern:* give up; *Buch etc:* publish; *Vorschriften, Briefmarken etc:* issue; *j-m 10 Mark ~* give s.o. 10 marks change; **2.** *v/i:* **können Sie** (*mir*) *auf 100 Mark ~?* have you got change for 100 marks?; **2geber** *m* (*-s; -*) publisher; **~kommen** *v/i* (*irr, sep, -ge-, sn, → kommen*) come out; *veröffentlicht werden: a.* be published; *auf den Markt kommen: a.* be launched; *Briefmarken etc:* be issued: *groß ~* be a great success; **~reden** *v/refl* (*sep, -ge-, h*) talk one's way out (*aus* of); **~stellen** *v/refl* (*sep, -ge-, h*): *sich ~ als* turn out (*od.* prove) to be; **~strecken** *v/t* (*sep, -ge-, h*) stick out (*aus* of); **~suchen** *v/t* (*sep, -ge-, h*) pick out: *j-m et. ~* find s.o. s.th.

herb [hɛrp] *adj* *Wein:* dry; *Enttäuschung, Verlust:* bitter.

Herberg|e [ˈhɛrbɛrgə] *f* (*-; -n*) *Jugend2:* youth hostel; **~smutter** , **~svater** *m* warden.

Herbst [hɛrpst] *m* (*-[e]s; -e*) autumn, *Am. a.* fall: *im ~* in autumn, *Am. a.* in the fall; **2lich** *adj* autumn(al), *Am. a.* fall.

Herd [heːrt] *m* (*-[e]s; -e*) cooker, stove;

fig. cent|re (*Am.* -er); *med.* focus, seat.

Herde [ˈheːrdə] *f* (*-; -n*) *Vieh2, Schweine2 etc:* herd (*a. fig. contp.*); *Schaf2, Gänse2 etc:* flock.

herein [hɛˈraɪn] *adv*: *~! come in!*; **~fallen** *v/i* (*irr, sep, -ge-, sn, → fallen*): *fig. ~ auf* (*acc*) be taken in by; **~kommen** *v/i* (*irr, sep, -ge-, sn, → kommen*) come in; **~legen** *v/t* (*sep, -ge-, h*) *fig.* take in.

'her|fallen *v/i* (*irr, sep, -ge-, sn, → fallen*): *~ über* (*acc*) attack (*a. fig.*); *fig.* pull to pieces; **'~gang** *m* (*-[e]s; no pl*): *j-m den ~ schildern* tell s.o. what (*od.* how it) happened; **'~geben** (*irr, sep, -ge-, h, → geben*) **1.** *v/t* give up, part with; **2.** *v/refl:* *sich ~ zu* lend o.s. to.

Hering [ˈheːrɪŋ] *m* (*-s; -e*) *zo.* herring.

'her|kommen *v/i* (*irr, sep, -ge-, sn, → kommen*) come here: *~ von* come from; *fig. a.* be caused by; **~kömmlich** [ˈ~kœmlɪç] *adj* conventional; **2kunft** [ˈ~kʊnft] *f* (*-; no pl*) origin; *Person: a.* birth, descent; **2kunftsland** *n* country of origin.

Herr [hɛr] *m* (*-[e]n; -en*) gentleman; *eccl.* the Lord: *~ Brown* Mr Brown; *~ der Lage* master of the situation.

'Herren|bekleidung *f* men's wear; **'~fri,seur** *m* barber, men's hairdresser; **'2los** *adj* *Tier:* stray; *Fahrzeug etc:* abandoned; **'~mode** *f* men's fashion; **'~toi,lette** *f* men's toilet.

'herrichten *v/t* (*sep, -ge-, h*) get ready.

herrlich [ˈhɛrlɪç] *adj* marvel(l)ous, wonderful, F fantastic.

'Herrschaft *f* (*-; no pl*) rule; *Macht:* power: *die ~ verlieren über* (*acc*) lose control of.

herrsch|en [ˈhɛrʃən] *v/i* (*a. v/impers*) (*h*) rule (*über acc* over): *es herrschte ... Freude etc:* there was ...; **2er** *m* (*-s; -*) ruler, sovereign, monarch; **'~süchtig** *adj* domineering, F bossy.

'herrühren *v/i* (*sep, -ge-, h*): *~ von* come from, be due to.

'herstell|en *v/t* (*sep, -ge-, h*) make, manufacture, produce; *fig.* establish; **'2er** *m* (*-s; -*) manufacturer, producer; **'2ung** *f* (*-; no pl*) manufacture, production; *fig.* establishment; **2ungskosten** *pl* production costs *pl*.

herüberkommen [hɛˈryːbər~] *v/i* (*irr, sep, -ge-, sn, → kommen*) come over.

herum [hɛˈrʊm] *adv*: *um Ostern ~*

around Easter; → *andersherum*; **∼führen** v/t (sep, -ge-, h): *j-n* (*in der Stadt etc*) ∼ show s.o. (a)round (the town *etc*); **∼kommen** v/i (irr, sep, -ge-, sn, → *kommen*): *fig.* ∼ *um* get out of, avoid; **∼kriegen** v/t (sep, -ge-, h) F talk round; **∼lungern** v/i (sep, -ge-, h) loaf (*od.* hang) around; **∼reichen** v/t (sep, -ge-, h) pass (*od.* hand) round; **∼sprechen** v/refl (irr, sep, -ge-, h, → *sprechen*) get around.

herunter|gekommen [hɛˈrʊntər∼] adj run-down; *schäbig:* seedy, shabby; **∼kommen** v/i u. v/t (irr, sep, -ge-, sn, → *kommen*) come down: *die Treppe* ∼ *a.* come downstairs; → *heruntergekommen;* **∼spielen** v/t (sep, -ge-, h) F *fig.* play down.

hervor|gehen [hɛrˈfoːr∼] v/i (irr, sep, -ge-, sn, → *gehen*): *fig.* ∼ *aus* follow from; **∼heben** v/t (irr, sep, -ge-, h, → *heben*) *fig.* stress, emphasize; **∼ragend** adj *fig.* outstanding, excellent, superior; *Bedeutung, Persönlichkeit:* prominent, eminent; **∼rufen** v/t (irr, sep, -ge-, h, → *rufen*) *fig.* cause, bring about; *Problem etc.:* create; **∼stechend** adj *fig.* striking; **∼tun** v/refl (irr, sep, -ge-, h, → *tun*) distinguish o.s. (*als* as).

Herz [hɛrts] n (-ens; -en) *anat.* heart (*a. fig.*); *Kartenspiel:* (*Farbe*) hearts *pl*, (*Karte*) heart: *sich ein* ∼ *fassen* take heart; *mit ganzem* ∼*en* whole-heartedly; *sich et. zu* ∼*en nehmen* take s.th. to heart; *es nicht übers* ∼ *bringen zu* not have the heart to; *et. auf dem* ∼*en haben* have s.th. on one's mind; *ins* ∼ *schließen* take to one's heart; **∼anfall** m *med.* heart attack.

'Herzens|lust f: *nach* ∼ to one's heart's content; **∼wunsch** m dearest wish.

'herz|ergreifend adj deeply moving; **'2fehler** m *med.* cardiac (*od.* heart) defect; **'∼haft** adj hearty; **'∼ig** adj sweet, lovely, *Am. a.* cute; **'2in,farkt** m *med.* heart attack, F coronary; **'2klopfen** n (-s): *er hatte* ∼ his heart was pounding (*vor dat* with); **'∼krank** adj suffering from a heart condition; **'∼lich 1.** adj cordial, hearty; *Empfang, Lächeln etc:* a. warm, friendly: → *Gruß;* **2.** adv: ∼ *gern* with pleasure; **'∼los** adj heartless.

Herzog [ˈhɛrtsoːk] m (-s; ∼e) duke; **∼in** [ˈ∼ɡɪn] f (-; -nen) duchess.

'Herz|schlag m heartbeat; *med.* heart failure; **'∼schrittmacher** m *med.* (cardiac) pacemaker; **'∼verpflanzung** f *med.* heart transplant; **'∼versagen** n *med.* heart failure; **'2zerreißend** adj heart-rending.

Heu [hɔy] n (-[e]s; *no pl*) hay; **'∼boden** m hayloft.

Heuch|elei [hɔyçəˈlaɪ] f (-; -en) hypocrisy; *Bemerkung:* hypocritical remark; **'∼ler** m (-s; -) hypocrite; **'2lerisch** adj hypocritical.

heuer [ˈhɔyər] adv this year.

heuern [ˈhɔyərn] v/t (h) *mar.* hire.

heulen [ˈhɔylən] v/i (h) howl; F *contp.* *weinen:* bawl; *mot.* roar; *Sirene:* whine.

'Heu|schnupfen m *med.* hay fever; **'∼schrecke** f *zo.* grasshopper, locust.

heut|e [ˈhɔytə] adv today: ∼ *abend* this evening, tonight; ∼ *früh*, ∼ *morgen* this morning; ∼ *in acht Tagen* a week from now, *Br. a.* today week; ∼ *vor acht Tagen* a week ago today; → *Mittag;* **'∼ig** adj today's; *gegenwärtig:* of today, present(-day); **'∼zutage** adv nowadays, these days.

Hexe [ˈhɛksə] f (-; -n) witch (*a. fig.*): *alte* ∼ (old) hag; **'∼nkessel** m *fig.* inferno; **'∼nschuß** m *med.* lumbago.

Hieb [hiːp] m (-[e]s; -e) blow, stroke; *Faust2:* a. punch; ∼*e pl* beating *sg*, thrashing *sg*.

hier [hiːr] adv here; *anwesend:* present: ∼ *entlang!* this way; **'∼bleiben** v/i (irr, sep, -ge-, sn, → *bleiben*) stay here; **'∼hergehören** v/i (sep, *pp* hierhergehört, h) belong here: *fig. das gehört nicht hierher* that's irrelevant.

hiesig [ˈhiːzɪç] adj local.

Hilfe [ˈhɪlfə] f (-; -n) help; *Beistand:* aid (*a. econ.*), assistance (*a. med.*), relief (*für* to): *j-m Erste* ∼ *leisten* give s.o. first aid; *um* ∼ *rufen* cry for help; *mit* ∼ *von* with the help of; *fig. a.* by means of; ∼*! help!;* **'∼ruf** m cry for help; **'∼stellung** f (-; *no pl*) support (*a. fig.*).

'hilf|los adj helpless; **'∼reich** adj helpful.

'Hilfs|akti,on f relief action; **'∼arbeiter** m unskilled worker; *am Bau etc:* labo(u)rer; **'2bedürftig** adj needy; **'2bereit** adj helpful, ready to help; **'∼bereitschaft** f readiness to help, helpfulness; **'∼mittel** n aid; **'∼organisati,on** f relief organization.

Himbeere ['hɪmbeːrə] *f* (-; -n) raspberry.
Himmel ['hɪməl] *m* (-s; -) sky; *eccl.*, *fig.* heaven: *am ~* in the sky; *im ~* in heaven; *um ~s willen* for Heaven's sake; → *heiter*; **2blau** *adj* sky-blue; '*~fahrt* *f* (-; *no pl*) *eccl. Christi ~*: Ascension Day; *Mariä ~*: Assumption Day; '*~fahrts-kom,mando* *n* suicide mission.
'**Himmels|körper** *m* celestial body; '*~richtung* *f* direction; *Kompaß*: cardinal point.
himmlisch ['hɪmlɪʃ] *adj* heavenly; *fig. a.* marvel(l)ous.
hin [hɪn] *adv*: *bis ~ zu* as far as; *noch lange ~* still a long way off; *auf s-e Bitte* (*s-n Rat*) *~* at his request (advice); *~ u. her* to and fro, back and forth; *~ u. wieder* now and then; *~ u. zurück* there and back; *Fahrkarte*: *Br.* return, *bsd. Am.* round trip; '*~arbeiten* *v/i* (*sep*, -ge-, h): *~ auf* (*acc*) work for (*od.* towards).
hinaufgehen [hɪ'naʊf~] *v/i u. v/t* (*irr*, *sep*, -ge-, sn, → *gehen*) go up: *die Treppe ~ a.* go upstairs.
hinaus|gehen [hɪ'naʊs~] *v/i* (*irr*, *sep*, -ge-, sn, → *gehen*) go out: *~ über* (*acc*) go beyond; *~ auf* (*acc*) *Fenster etc*: look out on; *~laufen* *v/i* (*irr*, *sep*, -ge-, sn, → *laufen*) run out: *~ auf* (*acc*) come (*od.* amount) to; *~schieben* *v/t* (*irr*, *sep*, -ge-, h, → *schieben*) put off, postpone; *~werfen* *v/t* (*irr*, *sep*, -ge-, h, → *werfen*) throw out (*aus* of); *fig. a.* kick out; *entlassen*: *a.* (give *s.o.* the) sack, fire; *~wollen* *v/i* (*irr*, *sep*, -ge-, h, → *wollen*): *~ auf* (*acc*) aim (*bsd. mit Worten*: drive *od.* get) at.
'**Hin|blick** *m*: *im ~ auf* (*acc*) in view of, with regard to; '**2bringen** *v/t* (*irr*, *sep*, -ge-, h, → *bringen*) take there.
hinder|n ['hɪndərn] *v/t* (h): *~ an* (*dat*) prevent from; '**2nis** *n* (-ses; -se) obstacle (*a. fig.*).
hin'durch *adv*: *das ganze Jahr etc ~* throughout the year *etc*.
hineingehen [hɪ'naɪn~] *v/i* (*irr*, *sep*, -ge-, sn, → *gehen*) go in(to *in acc*).
'**hin|fallen** *v/i* (*irr*, *sep*, -ge-, sn, → *fallen*) fall (down); '*~fällig* *adj gegenstandslos*: irrelevant; '*~halten* *v/t* (*irr*, *sep*, -ge-, h, → *halten*) *j-n*: put *s.o.* off.
hinken ['hɪŋkən] *v/i* (h) (walk with a) limp.

hin|kommen *v/i* (*irr*, *sep*, -ge-, sn, → *kommen*) get there; '*~kriegen* *v/t* (*sep*, -ge-, h) *F* manage; '*~länglich* *adj* sufficient; '*~legen* (*sep*, -ge-, h) **1.** *v/t* lay (*od.* put) down; **2.** *v/refl* lie down; '*~nehmen* *v/t* (*irr*, *sep*, -ge-, h, → *nehmen*) *ertragen*: put up with; '*~reißen* *v/t* (*irr*, *sep*, -ge-, h, → *reißen*) carry away; '*~reißend* *adj* enchanting; *Schönheit*: breathtaking; '*~richten* *v/t* (*sep*, -ge-, h) execute; '**2richtung** *f* (-; -en) execution; '*~sein* *v/i* (*irr*, *sep*, -ge-, sn, → *sein*) *F kaputt sein*: have had it; '*~setzen* *v/refl* (*sep*, -ge-, h) sit down; '**2sicht** *f* (-; *no pl*) respect: *in gewisser ~* in a way; '*~sichtlich* *prp* with regard to; '*~stellen* *v/t* (*sep*, -ge-, h) *et. abstellen*: put down; *j-n*, *et. ~ als* make out to be.
hinten ['hɪntən] *adv* at the back, *im Auto etc*: in the back: *von ~* from behind.
hinter ['hɪntər] *prp* (*acc od. dat*) behind; **2bliebenen** [~'bliːbənən] *pl* the bereaved *pl*, *bsd. jur.* surviving dependents *pl*; '*~ein'ander* *adv* one after the other: *dreimal ~* three times in a row; '**2gedanke** *m* ulterior motive; '**2grund** *m* (-[e]s; *⁓e*) background (*a. fig.*); '*~her* *adv zeitlich*: afterwards; '**2hof** *m* backyard; '**2kopf** *m* back of the head; '**2land** *n* (-[e]s; *no pl*) hinterland; '*~lassen* *v/t* (*irr*, *insep*, *no* -ge-, h, → *lassen*) leave (behind); **2'lassenschaft** *f* (-; -en) estate; '*~legen* *v/t* (*insep*, *no* -ge-, h) deposit (*bei* with); '**2n** *m* (-s; -) *F* bottom, backside, behind; '*~rücks* ['~ryks] *adv* from behind; '**2seite** *f* back; '**2teil** *n* *F* → *Hintern*; '**2treppe** *f* back stairs *pl*; '**2tür** *f* back door; '*~ziehen* *v/t* (*irr*, *insep*, *no* -ge-, h, → *ziehen*) *Steuern*: evade; '**2zimmer** *n* back room.
hinuntergehen [hɪ'nʊntər~] *v/i u. v/t* (*irr*, *sep*, -ge-, sn, → *gehen*) go down: *die Treppe ~ a.* go downstairs.
'**Hinweg** *m* way there.
hinweg|kommen [hɪn'wɛk~] *v/i* (*irr*, *sep*, -ge-, sn, → *kommen*): *~ über* (*acc*) get over (*a. fig.*); *~sehen* *v/i* (*irr*, *sep*, -ge-, h, → *sehen*): *~ über* (*acc*) *ignorieren*: ignore; '*~setzen* *v/refl* (*sep*, -ge-, h): *sich ~ über* (*acc*) ignore, disregard.
Hinweis ['hɪnvaɪs] *m* (-es; -e) *Verweis*: reference (*auf acc* to); *Wink*: hint, tip (as to, regarding); *Anzeichen*: indica-

tion (of), clue (as to); '2**en** (*irr, sep*, -ge-, h, → **weisen**) **1.** *v/t: j-n* ~ **auf** (*acc*) draw (*od.* call) s.o.'s attention to; **2.** *v/i:* ~ **auf** (*acc*) point to, indicate; *fig.* point out, indicate; *anspielen:* hint at; '~**schild** *n*, '~**tafel** *f* sign, notice.

'**hin|werfen** *v/t* (*irr, sep*, -ge-, h, → **werfen**) F *Job:* chuck (in); '~**ziehen** *v/refl* (*irr, sep*, -ge-, h, → **ziehen**) *räumlich:* extend (**bis zu** to), stretch (to); *zeitlich:* drag on.

hinzu|fügen [hɪnˈtsuːfyːɡən] *v/t* (*sep*, -ge-, h) add (**zu** to) (*a. fig.*); ~**kommen** *v/i* (*irr, sep*, -ge-, sn, → **kommen**) *noch* ~: be added: **hinzu kommt, daß** add to this, ... and what is more, ...; ~**ziehen** *v/t* (*irr, sep*, -ge-, h, → **ziehen**) *Arzt, Experten etc:* call in, consult.

Hirn [hɪrn] *n* (-[e]s; -e) *anat.* brain; *fig.* brain(s *pl*), mind.

Hirsch [hɪrʃ] *m* (-es; -e) *zo.* stag.

hissen [ˈhɪsən] *v/t* (h) *Flagge, Segel:* hoist.

Histori|ker [hɪsˈtoːrɪkər] *m* (-s; -) historian; 2**sch** [~rɪʃ] *adj* historical; *Ereignis etc:* historic.

Hitze [ˈhɪtsə] *f* (-; *no pl*) heat; '~**welle** *f* heat wave.

'**hitz|ig** *adj* hot-tempered; *Debatte:* heated; '2**kopf** *m* hothead; '2**schlag** *m med.* heat stroke.

HIV|-negativ [haːiːfaʊˈ~] *adj med.* HIV--negative; ~'**positiv** *adj med.* HIV--positive.

hoch [hoːx] **1.** *adj* high; *Baum, Haus etc:* tall; *Strafe:* heavy, severe; *Gast etc:* distinguished; *Alter:* great, old; *Schnee:* deep: **in hohem Maße** highly, greatly; **das ist mir zu ~** that's above me; **2.** *adv* **3000 Meter ~ fliegen** *etc* at a height of 3,000 met|res (*Am.* -ers).

Hoch [~] *n* (-s; -s) *meteor.* high (*a. fig.*).

'**Hoch|achtung** *f* (deep) respect (**vor** *dat* for); '2**achtungsvoll** *adv Brief:* Yours faithfully; '~**bau** *m* (-[e]s; *no pl*) *Hoch-u. Tiefbau* structural and civil engineering; '~**betrieb** *m* (-[e]s; *no pl*) rush; '2**deutsch** *adj* High (*od.* standard) German; '~**druck** *m meteor., phys.* high pressure; '~**druckgebiet** *n meteor.* high-pressure area; '~**ebene** *f* plateau, tableland; '~**form** *f* (-; *no pl*): **in ~** in top form (*od.* shape); '~**fre,quenz** *f electr.*

high frequency; '~**gebirge** *n* high mountains *pl;* '2**genuß** *m* (real) treat; '~**haus** *n* high rise, *Br. a.* tower block; '~**konjunk,tur** *f econ.* boom; '~**land** *n* highlands *pl;* '~**ofen** *m tech.* blast furnace; '2**pro,zentig** *adj Schnaps etc:* high-proof; *Lösung:* highly concentrated; '~**sai,son** *f* high season; '~**schulabschluß** *m* degree; '~**schule** *f* college; *Universität:* university; '~**sommer** *m* midsummer: **im ~** in midsummer; '~**spannung** *f electr.* high tension (*a. fig.*), high voltage; '2**spielen** *v/t* (*sep*, -ge-, h) F *fig.* play up; '~**sprung** *m* (-[e]s; *no pl*) high jump.

höchst [høːçst] **1.** *adj* highest; *fig. a.* supreme; *äußerst:* extreme; **2.** *adv* highly, most, extremely.

Hochstapler [ˈ~ʃtaːplər] *m* (-s; -) impostor.

'**höchstens** *adv* at (the) most, at best.

'**Höchst|geschwindigkeit** *f* top speed; *Begrenzung:* speed limit; '~**maß** *n* maximum (**an** *dat* of); '~**preis** *m* maximum price: **zum ~** at the highest price; '~**stand** *m* highest level; '~**wahr'scheinlich** *adv* most likely (*od.* probably).

'**Hoch|wasser** *n* (-s; *no pl*) high tide; *Überschwemmung:* flood; '2**wertig** *adj* high-grade, high-quality.

Hochzeit [ˈhɔxtsaɪt] *f* (-; -en) wedding; '~**skleid** *n* wedding dress; '~**snacht** *f* wedding night; '~**sreise** *f* honeymoon (trip); '~**stag** *m* wedding day; *Jahrestag:* wedding anniversary.

hocke|n [ˈhɔkən] *v/i u. v/t* (h) squat, crouch; F sit; '2**r** *m* (-s; -) stool.

Hockey [ˈhɔke] *n* (-s; *no pl*) *Sport:* hockey, *Am.* field hockey.

Hoden [ˈhoːdən] *m* (-s; -) *anat.* testicle.

Hof [hoːf] *m* (-[e]s; ∺e) yard; *agr.* farm; *Innen2:* court(yard); *Fürsten2:* court: **bei ~** at court; '~**dame** *f* lady-in-waiting.

hoffen [ˈhɔfən] *v/i u. v/t* (h) hope (**auf** *acc* for); *zuversichtlich:* trust (in): **das Beste ~** hope for the best; **ich hoffe es** I hope so; **ich hoffe nicht, ich will es nicht ~** I hope not; '~**tlich** *adv* I hope, let's hope, hopefully.

Hoffnung [ˈhɔfnʊŋ] *f* (-; -en) hope (**auf** *acc* of): **sich ~en machen** have hopes; **die ~ aufgeben** lose hope; '2**slos** *adj* hopeless; '2svoll *adj* hopeful; *vielversprechend*: promising.

höflich ['hø:flɪç] *adj* polite; '2keit *f* (-; *no pl*) politeness.

Höhe ['hø:ə] *f* (-; -n) height; *aer., ast., geogr.* altitude; *An2*: hill; *Gipfel*: peak (*a. fig.*); *e-r Summe, Strafe etc*: amount; *Niveau*: level; *Ausmaß*: extent: **auf gleicher ~ mit** on a level with; **in die ~** up; **ich bin nicht ganz auf der ~** I'm not feeling up to the mark.

Hoheit ['ho:haɪt] *f* (-; -en) *pol.* sovereignty; *Titel*: Highness; '~sgebiet *n* territory; '~sgewässer *pl* territorial waters *pl*; '~szeichen *n* national emblem.

Höhen|luft *f* (-; *no pl*) mountain air; '~sonne *f med.* ultraviolet (*od.* sun) lamp.

'**Höhepunkt** *m* climax (*a. thea. u. sexuell*), culmination, height, peak; *e-s Abends etc*: highlight.

hohl [ho:l] *adj* hollow (*a. fig.*).

Höhle ['hø:lə] *f* (-; -n) cave, cavern.

'**Hohl|maß** *n* measure of capacity; '~raum *m* hollow, cavity.

Hohn [ho:n] *m* (-[e]s; *no pl*) derision, scorn.

höhnisch ['hø:nɪʃ] *adj* derisive, scornful.

Holdinggesellschaft ['ho:ldɪŋ~] *f econ.* holding company.

holen ['ho:lən] *v/t* (h) (go and) get, fetch, go for; *Polizei, ans Telefon*: call: **~ lassen** send for; **sich ~** *Krankheit etc*: catch, get; *Rat etc*: seek; → **Atem, Luft.**

Holländ|er ['hɔlɛndər] *m* (-s; -) Dutchman: **die ~** *pl* the Dutch *pl*; '~erin *f* (-; -nen) Dutchwoman; 2isch ['~dɪʃ] *adj* Dutch.

Hölle ['hœlə] *f* (-; -n) hell: **in die ~ kommen** go to hell; '~nlärm *m* a hell of a noise.

höllisch ['hœlɪʃ] *adj* infernal (*a. fig.*).

holperig ['hɔlpərɪç] *adj* bumpy, rough, uneven.

Holz [hɔlts] *n* (-es; ~er) wood; *Nutz2*: timber, *Am. a.* lumber: **aus ~** (made of) wood, wooden.

hölzern ['hœltsərn] *adj* wooden; *fig. a.* clumsy.

'**Holz|weg** *m fig.*: **auf dem ~ sein** be on the wrong track; '~wolle *f* woodwool, *Am. a.* excelsior.

homöopathisch [homøo'pa:tɪʃ] *adj* hom(o)eopathic.

homosexu'ell [homo~] *adj* homosexual; 2e *m* (-n; -n) homosexual.

Honig ['ho:nɪç] *m* (-s; -e) honey.

Honorar [hono'ra:r] *n* (-s; -e) fee.

Hopfen ['hɔpfən] *m* (-s; *no pl*) *bot.* hop.

hörbar ['hø:rbar] *adj* audible.

horche|n ['hɔrçən] *v/i* (h) listen (**auf** *acc* to); *heimlich*: eavesdrop; '2r *m* (-s; -) eavesdropper.

Horde ['hɔrdə] *f* (-; -n) horde (*a. zo.*); *contp. a.* mob, gang.

hör|en ['hø:rən] *v/i u. v/t* (h) hear; *an~, Radio, Musik etc*: listen to; *gehorchen*: obey, listen: **~ auf** (*acc*) listen to; **von j-m ~** hear from (*durch Dritte*: of, about) s.o.; **er hört schwer** his hearing is bad; **hör(t) mal!** listen!; *erklärend*: a look (here)!; **nun** (*od. also*) **hör(t) mal!** *Einwand*: wait a minute!, now look (*od.* listen) here!; '2er *m* (-s; -) hearer; *teleph.* receiver; '2fehler *m med.* hearing defect; '2gerät *n* hearing aid.

Horizont [hori'tsɔnt] *m* (-[e]s; -e) horizon (*a. fig.*): **s-n ~ erweitern** broaden one's mind (*od.* horizons); **das geht über m-n ~** that's beyond me; 2al [~'ta:l] *adj* horizontal.

Hormon [hɔr'mo:n] *n* (-s; -e) hormone.

Horn [hɔrn] *n* (-[e]s; ~er) horn; '~haut *f* hard skin; *Auge*: cornea.

Hornisse [hɔr'nɪsə] *f* (-; -n) *zo.* hornet.

Horoskop [horo'sko:p] *n* (-s; -e) horoscope.

Horrorfilm ['hɔrɔr~] *m* horror film.

'**Hör|saal** *m* lecture hall; '~spiel *n* radio play; '~weite *f* (-; *no pl*): **in** (*außer*) ~ within (out of) earshot.

Höschen ['hø:sçən] *n* (-s; -) *Slip*: (**ein ~** a pair of) panties *pl*.

Hose ['ho:zə] *f* (-; -n) (**e-e ~** a pair of) trousers *pl, bsd. Am.* pants *pl*; '~nrock *m* (**ein ~** a pair of) culottes *pl*, divided skirt; '~nschlitz *m* fly; '~nträger *pl* (a pair of) braces *pl* (*Am.* suspenders *pl*).

Hotel [ho'tɛl] *n* (-s; -s) hotel: **~ garni** bed-and-breakfast hotel; '~di,rektor *m* hotel manager; '~gewerbe *n* hotel industry; '~verzeichnis *n* list of hotels; '~zimmer *n* hotel room.

Hubraum ['hu:p~] *m mot.* cubic capacity.

hübsch [hypʃ] *adj* pretty, nice(-looking), *bsd. Am. a.* cute; *Geschenk etc*: lovely.

Hubschrauber ['hu:p~] *m* (-s; -) *aer.* helicopter; '~**landeplatz** *m* heliport.

Huckepackverkehr ['hʊkəpak~] *m* pick-a-back traffic.

Hüft|e ['hyftə] *f* (-; -n) *anat.* hip; '~**gelenk** *n* hip joint.

Hügel ['hy:gəl] *m* (-s; -) hill(ock); '**2ig** *adj* hilly.

Huhn [hu:n] *n* (-[e]s; ⸚er) *zo.* chicken: *Henne*: hen.

Hühnchen ['hy:nçən] *n* (-s; -) chicken: *ein ~ zu rupfen haben mit* have a bone to pick with.

Hühner|auge ['hy:nər~] *n med.* corn; '~**brühe** *f* chicken broth; '~**ei** *n* hen's egg; '~**farm** *f* poultry (*od.* chicken) farm.

Hülle ['hylə] *f* (-; -n) cover(ing), wrap(ping); *Schutz2*, *Buch2*, *Platten2*: jacket; *Schirm2*: sheath: *in ~ u. Fülle* in abundance.

Hülsenfrüchte ['hylzən~] *pl* pulses *pl*.

human [hu'ma:n] *adj* humane; ~**itär** [humani'tɛ:r] *adj* humanitarian; **2ität** [humani'tɛ:t] *f* (-; *no pl*) humanity.

Hummel ['hɔməl] *f* (-; -n) *zo.* bumblebee.

Hummer ['hɔmər] *m* (-s; -) *zo.* lobster.

Humor [hu'mo:r] *m* (-s; *no pl*) (sense of) humo(u)r; **2voll** *adj* humorous.

Hund [hʊnt] *m* (-[e]s; -e) *zo.* dog.

Hunde|hütte ['hʊndə~] *f* kennel, *Am. a.* doghouse; '~**kuchen** *m* dog biscuit; '**2müde** *adj* F dog-tired.

hundert ['hʊndərt] *adj a* (*od.* one) hundred: *zu 2en* by the hundreds; **2'jahrfeier** *f* centenary, *Am. a.* centennial.

Hündin ['hyndɪn] *f* (-; -nen) bitch.

Hunger ['hʊŋər] *m* (-s; *no pl*) hunger: ~ *bekommen* (*haben*) get (be) hungry; '~**lohn** *m* starvation wages *pl*; '**2n** *v/i* (h) go hungry, starve; '~**snot** *f* famine; '~**streik** *m* hunger strike.

hungrig ['hʊŋrɪç] *adj* hungry.

Hupe ['hu:pə] *f* (-; -n) *mot.* horn; '**2n** *v/i* (h) sound one's horn.

hüpfen ['hypfən] *v/i* (sn) hop; *Ball etc:* bounce.

'**Hupverbot** *n* ban on sounding one's horn, *Schild:* no horn signals.

Hürde ['hyrdə] *f* (-; -n) *Leichtathletik:* hurdle (*a. fig.*).

Hure ['hu:rə] *f* (-; -n) whore.

huschen ['hʊʃən] *v/i* (sn) flit, dart.

hüsteln ['hy:stəln] *v/i* (h) cough slightly.

husten ['hu:stən] *v/i* (h) cough.

Husten [~] *m* (-s; *no pl*) cough: ~ *haben* have a cough; '~**anfall** *m* coughing fit; '~**bon,bon** *m, n* cough drop; '~**saft** *m* cough syrup.

Hut¹ [hu:t] *m* (-[e]s; ⸚e) hat.

Hut² [~] *f* (-; *no pl*): *auf der ~ sein* be on one's guard (*vor dat* against).

hüten ['hy:tən] (h) **1.** *v/t Haus, Kind etc:* look after; **2.** *v/refl: sich ~ vor* (*dat*) be on one's guard against; *sich ~, et. zu tun* be careful not to do s.th.

Hütte ['hytə] *f* (-; -n) hut (*a. contp.*), cabin; *contp.* shack; *Berg2*, *Jagd2*: lodge.

Hydrant [hy'drant] *m* (-en; -en) hydrant.

hydraulisch [hy'draʊlɪʃ] *adj* hydraulic.

Hydrokultur ['hy:drokɔl,tu:r] *f* (-; *no pl*) hydroponics *pl* (*sg konstr.*).

Hygien|e [hy'gie:nə] *f* (-; *no pl*) hygiene; **2isch** *adj* hygienic.

Hymne ['hymnə] *f* (-; -n) → *Nationalhymne.*

Hypno|se [hyp'no:zə] *f* (-; -n) hypnosis; ~**tiseur** [~noti'zø:r] *m* (-s; -e) hypnotist; **2tisieren** [~noti'zi:rən] *v/t* (*no ge-*, h) hypnotize.

Hypothek [hypo'te:k] *f* (-; -en) mortgage: *e-e ~ aufnehmen* raise a mortgage (*auf acc* on); ~**enzinsen** *pl* mortgage interest *sg*.

Hypothe|se [hypo'te:zə] *f* (-; -n) hypothesis; **2tisch** *adj* hypothetical.

Hysteri|e [hyste'ri:] *f* (-; *no pl*) hysteria; **2sch** [~'te:rɪʃ] *adj* hysterical.

H

I

ich [ɪç] *pers pron* I: **~ selbst** (I) myself; **~ bin's** it's me.

ideal [ideˈaːl] *adj* ideal.

Ideal [~] *n* (-s; -e) ideal; **~fall** *m* ideal case: **im ~** ideally; **~ismus** [~aˈlɪsmʊs] *m* (-; *no pl*) idealism; **~ist** [~aˈlɪst] *m* (-en; -en) idealist.

Idee [iˈdeː] *f* (-; -n) idea.

identifizieren [identifiˈtsiːrən] (*no ge-*, h) **1.** *v/t* identify; **2.** *v/refl*: **sich ~ mit** identify with; **~sch** *adj* identical; **2tät** [~ˈtɛːt] *f* (-; *no pl*) identity; **~'tätskrise** *f* identity crisis.

Ideologie [ideoloˈgiː] *f* (-; -n) ideology; **2isch** [~ˈloːgɪʃ] *adj* ideological.

Idiot [iˈdioːt] *m* (-en; -en) idiot; **2isch** *adj* idiotic.

Idol [iˈdoːl] *n* (-s; -e) idol.

Idyll [iˈdʏl] *n* (-s; -e), **~e** *f* (-; -n) idyll; **2isch** *adj* idyllic.

Igel [ˈiːgəl] *m* (-s; -) *zo.* hedgehog.

ignorieren [ɪgnoˈriːrən] *v/t* (*no ge-*, h) ignore.

ihr [iːr] *poss pron* her; *pl* their: **Ihr** *sg u. pl* your; **~et'wegen** *adv* for her (*pl* their) sake.

illegal [ˈɪlegaːl] *adj* illegal.

Illusion [ɪluˈzioːn] *f* (-; -en) illusion; **2orisch** [~zoːrɪʃ] *adj* illusory.

Illustration [ɪlustraˈtsioːn] *f* (-; -en) illustration; **2strieren** [~ˈtriːrən] *v/t* (*no ge-*, h) illustrate; **~'strierte** *f* (-n; -n) magazine.

im [ɪm] (*= in dem*) *prp*: **~ Bett** in bed; **~ Kino** at the cinema; → **Erdgeschoß, Februar** *etc.*

Image [ˈɪmɪtʃ] *n* (-[s]; -s) image.

Imbiß [ˈɪmbɪs] *m* (-sses; -sse) snack; **'~stube** *f* snack bar.

imitieren [imiˈtiːrən] *v/t* (*no ge-*, h) imitate.

immer [ˈɪmər] *adv* always: **~ mehr** more and more; **~ wieder** again and again; → **für.**

Immigrant [imiˈgrant] *m* (-en; -en) immigrant.

Immission [ɪmɪˈsioːn] *f* (-; -en) (harmful effects *pl* of) noise, pollutants *pl*, *etc*; **~sschutz** *m* protection from noise, pollutants, *etc.*

Immobilien [ɪmoˈbiːliən] *pl* real estate *sg*; **~makler** *m* (*Am.* real) estate agent, *Am. a.* realtor.

immun [ɪˈmuːn] *adj* immune (**gegen** to); **2ität** [ɪmuniˈtɛːt] *f* (-; *no pl*) immunity.

Imperialismus [ɪmperiaˈlɪsmʊs] *m* (-; *no pl*) imperialism; **~t** *m* (-en; -en) imperialist; **2tisch** *adj* imperialist.

impfen [ˈɪmpfən] *v/t* (h) *med.* vaccinate (**gegen** against), inoculate (against); **'2paß** *m*, **'2schein** *m* vaccination certificate; **'2stoff** *m* vaccine; **'2ung** *f* (-; -en) vaccination, inoculation.

imponieren [ɪmpoˈniːrən] *v/i* (*no ge-*, h): **j-m ~** impress s.o.

Import [ɪmˈpɔrt] *m* (-[e]s; -e) import; *Importiertes*: imports *pl*; **~beschränkungen** *pl* import restrictions *pl*; **~eur** [~ˈtøːr] *m* (-s; -e) importer; **2ieren** [~ˈtiːrən] *v/t* (*no ge-*, h) import.

imposant [ɪmpoˈzant] *adj* impressing, imposing.

improvisieren [ɪmproviˈziːrən] *v/t u. v/i* (*no ge-*, h) improvise.

Impuls [ɪmˈpʊls] *m* (-es, -e) impulse; *Anstoß*: *a.* stimulus; **2iv** [~ˈziːf] *adj* impulsive.

im'stande *adj*: **~ sein, et. zu tun** be capable of doing s.th.

in [ɪn] *prp* **1.** *räumlich*: **wo?** (*dat*) in, at; *innerhalb*: within, inside; **wohin?** (*acc*) into, in: **warst du schon mal in ...?** have you ever been to ...?; → **Schule, Stadt, überall** *etc*; **2.** *zeitlich*: (*dat*) in, at, during: **~ dieser** (**der nächsten**) **Woche** this (next) week; **~ diesem Alter** (**Augenblick**) at this age (moment); → **heute** *etc*; **3.** *Art u. Weise etc*: (*dat*) in, at: → **Eile, gut** 1 *etc.*

'inbegriffen *adj* included.

Inder [ˈɪndər] *m* (-s; -) Indian.

Index [ˈɪndɛks] *m* (-es; -e, -dizes) index.

Indianer [ɪnˈdiaːnər] *m* (-s; -) (American) Indian.

'indirekt *adj* indirect.

indisch [ˈɪndɪʃ] *adj* Indian.

'indiskret *adj* indiscreet; **2ion** [~ˈtsioːn] *f* (-; -en) indiscretion.

indiskutabel [ˈɪndɪskutaːbəl] *adj* out of the question.

individuell [ɪndivi'dŏɛl] *adj* individual.
industrialisieren [ɪndʊstriǎli'ziːrən] *v/t* (*no* ge-, h) industrialize; **2ung** [ʌ'ziːrʊŋ] *f* (-; *no pl*) industrialization.
Industrie [ɪndʊs'triː] *f* (-; -en) industry; **~gebiet** *n* industrial area; **2ll** [ʌtriˈɛl] *adj* industrial; **~lle** [ʌtriˈɛlə] *m* (-n; -n) industrialist; **~spionage** *f* industrial espionage; **~staat** *m* industrial(ized) country (*od.* nation); **~ u. Handelskammer** *f* chamber of industry and commerce.
Infektion [ɪnfɛk'tsǐoːn] *f* (-; -en) *med.* infection; **~skrankheit** *f* infectious disease.
infizieren [ɪnfi'tsiːrən] (*no* ge-, h) **1.** *v/t* infect. **2.** *v/refl* get infected: **sich ~ bei** be infected by.
Inflation [ɪnfla'tsǐoːn] *f* (-; -en) *econ.* inflation; **2är** [ʌoˈnɛːr] *adj* inflationary; **~srate** *f* inflation rate.
infolge *prp* owing (*od.* due) to); **~'dessen** *adv* consequently.
Informatik [ɪnfɔr'maːtɪk] *f* (-; *no pl*) computer science; **~er** *m* (-s; -) computer scientist
Information [ɪnfɔrma'tsǐoːn] *f* (-; -en) information: **die neuesten ~en** *pl* the latest information *sg*; **~sbüro** *n* information office; **~smaterial** *n* information(al literature); **~sschalter** *m* information desk.
informieren [ɪnfɔr'miːrən] *v/t* (*no* ge-, h) inform (**sich** o.s.) (**über** *acc* of, about): **falsch ~** misinform.
infrarot ['ɪnfraʌ] *adj phys.* infrared; **2struktur** [ʌʌ] *f* infrastructure.
Ingenieur [ɪnʒeˈnǐøːr] *m* (-s; -e) engineer.
Inhaber ['ɪnhaːbər] *m* (-s; -) owner, proprietor; *e-r Wohnung*: occupant; *e-s Ladens*: keeper; *e-s Amtes ein*: holder.
Inhalt ['ɪnhalt] *m* (-[e]s; -e) contents *pl*; *Raum2*: volume, capacity; *fig. Sinn*: meaning; **~sangabe** *f* summary; **~sverzeichnis** *n Buch*: table of contents.
Initiative [initsǐa'tiːvə] *f* (-; -n) initiative: **die ~ ergreifen** take the initiative.
inklusive [ɪnkluˈziːvə] *prp* including; **2preis** [ʌ'ziːʌ] *m* all-inclusive price.
inkonsequent *adj* inconsistent; **2z** *f* inconsistency.
In'krafttreten *n* (-s; *no pl*) coming into force, taking effect.
Inland *n* (-[e]s; *no pl*) home (country);

Landesinnere: inland; **~flug** *m* domestic (*od.* internal) flight.
inländisch ['ɪnlɛndɪʃ] *adj* domestic, home.
in'mitten *prp* in the midst of.
innen ['ɪnən] *adv* inside; *im Haus*: indoors: **nach ~** inwards; **2architekt** *m* interior designer; **2architektur** *f* interior design; **2minister** *m* minister of the interior; *Br.* Home Secretary, *Am.* Secretary of the Interior; **~ministerium** *n* ministry of the interior; *Br.* Home Office, *Am.* Department of the Interior; **2politik** *f* domestic policy; *innere Angelegenheiten*: home (*od.* domestic) affairs *pl*; **2politisch** *adj* domestic, internal; **~seite** *f* inside (*on* the) inside; **~stadt** *f* (city *od.* town) cent|re (*Am.* -er), *Am. a.* downtown: **in der ~ von Chicago** in downtown Chicago.
inner ['ɪnər] *adj* inner, inside, *med., pol.* internal; **2betrieblich** *adj* internal; **~halb** *prp* within: **~ der Arbeitszeit** during working hours; **~lich** *adj* internal (*a. med.*).
Innovation [ɪnova'tsǐoːn] *f* (-; -en) innovation.
inoffiziell *adj* unofficial.
ins [ɪns] (= *in das*) *prp*: → *Bett* etc.
Insasse ['ɪnzasə] *m* (-n; -n) *mot. etc* passenger; *Anstalt etc*: inmate; **~nversicherung** *f mot.* passenger insurance.
Inschrift *f* (-; -en) inscription.
Insekt [ɪn'zɛkt] *n* (-[e]s; -en) *zo.* insect; **~enschutzmittel** *n* insect repellent; **~enstich** *m* insect bite.
Insel ['ɪnzəl] *f* (-; -n) island; **~bewohner** *m* islander.
Inserat [ɪnzəˈraːt] *n* (-[e]s; -e) advertisement, F ad; **2ieren** [ʌ'riːrən] *v/t u. v/i* (*no* ge-, h) advertise.
insgesamt *adv* altogether, in all.
insolvent *adj econ.* insolvent; **2z** *f* insolvency.
Inspektion [ɪnspɛk'tsǐoːn] *f* (-; -en) inspection; *mot. a.* servicing; **~or** [ɪn'spɛktɔr] *m* (-s; -en) *Polizei2*: inspector.
inspizieren [ɪnspi'tsiːrən] *v/t* (*no* ge-, h) inspect.
Installateur [ɪnstala'tøːr] *m* (-s; -e) plumber; (*gas od. electrical*) fitter; **2ieren** [ʌ'liːrən] *v/t* (*no* ge-, h) instal(l).
instand [ɪn'ʃtant] *adv*: **~ halten** keep in

I

good order; *tech.* maintain; **~ setzen** repair; **2haltung** *f* (-; *no pl*) maintenance; **2setzung** *f* (-; *no pl*) repair.

Instantgetränk ['ɪnstənt~] *n* instant drink.

Instanz [ɪn'stants] *f* (-; -en) authority; *jur.* instance.

Instinkt [ɪn'stɪŋkt] *m* (-[e]s; -e) instinct; **2iv** [~'ti:f] *adv* instinctively, by instinct.

Institut [ɪnsti'tu:t] *n* (-s; -e) institute; **~ion** [~u'tsio:n] *f* (-; -en) institution.

Instrument [ɪnstru'mɛnt] *n* (-[e]s; -e) instrument.

intellektuell [ɪntɛlɛk'tŏɛl] *adj* intellectual; **2e** *m, f* (-n; -n) intellectual.

intelligen|t [ɪntɛli'gɛnt] *adj* intelligent; **2z** [~ts] *f* (-; *no pl*) intelligence; **2z-quoti,ent** *m* I.Q.

intensiv [ɪntɛn'zi:f] *adj* intensive; *stark:* intense; **2kurs** *m* crash course; **2sta-ti,on** *f med.* intensive-care unit.

Intercity-Zug [ɪntər'sɪti~] *m* inter-city train.

interess|ant [ɪntərɛ'sant] *adj* interesting; **2e** [~'rɛsə] *n* (-s; -n) interest (**an** dat, **für** in); **2engebiet** *n* field of interest; **2engemeinschaft** *f* community of interests; *econ.* combine, pool; **2ent** [~rɛ'sɛnt] *m* (-en; -en) interested person (*od.* party); *econ.* prospective buyer, *bsd. Am.* prospect; **~ieren** [~'si:rən] (*no* ge-, h) **1.** *v/t* interest (**für** in); **2.** *v/refl:* **sich ~ für** take an interest in, be interested in.

intern [ɪn'tɛrn] *adj* internal; **2at** [~'na:t] *n* (-[e]s; -e) boarding school.

internatio'nal *adj* international.

Internist [ɪntɛr'nɪst] *m* (-en; -en) *med.* internist.

Interrail-Karte ['ɪntəreɪl~] *f* inter-rail ticket.

Interview [ɪntər'vju:] *n* (-s; -s) interview; **2en** *v/t* (*no* ge-, h) interview.

intim [ɪn'ti:m] *adj* intimate; **2sphäre** *f* (-; *no pl*) privacy.

intolerant *adj* intolerant (**gegenüber** of); **!2z** *f* intolerance.

Invalid|e [ɪnva'li:də] *m* (-n; -n) invalid; **~enrente** *f* disability pension; **~ität** [~idi'tɛ:t] *f* (-; *no pl*) disability.

Inventar [ɪnvɛn'ta:r] *n* (-s; -e) stock; *Verzeichnis:* inventory.

Inventur [ɪnvɛn'tu:r] *f* (-; -en) *econ.* stocktaking; **~ machen** take stock.

invest|ieren [ɪnvɛs'ti:rən] *v/t u. v/i* (*no* ge-, h) *econ.* invest (**in** acc in); **2ition** [~i'tsio:n] *f* (-; -en) investment.

in'zwischen *adv* meanwhile, in the meantime; *jetzt:* by now.

Ire ['i:rə] *m* (-n; -n) Irishman; **die ~n** *pl* the Irish *pl.*

irgend ['ɪrgənt] *adv:* F **~ so ein** some; **~ et.** something; *fragend, verneinend:* anything; **~ j-d** someone, somebody; *fragend, verneinend:* anyone, anybody; **'~ein** *indef pron* some; *fragend, verneinend:* any; **'~wann** *adv unbestimmt:* sometime (or other); *beliebig:* (at) any time; **'~wie** *adv* somehow (or other); **'~wo** *adv* somewhere (or other); *fragend, verneinend:* anywhere.

Ir|in ['i:rɪn] *f* (-; -nen) Irishwoman; **'2isch** *adj* Irish.

Iron|ie [iro'ni:] *f* (-; -n) irony; **2isch** [i'ro:nɪʃ] *adj* ironic.

irre ['ɪrə] *adj* mad, crazy, insane; F *sagenhaft:* super, terrific.

Irre [~] *m, f* (-n; -n) madman (madwoman), lunatic: **wie ein ~r** like mad.

'irreführen *v/t* (*sep*, -ge-, h) *fig.* mislead; **'~d** *adj* misleading.

'irremachen *v/t* (*sep*, -ge-, h) confuse.

irren ['ɪrən] **1.** *v/refl* (h) be wrong (*od.* mistaken): **sich in et.** ~ get s.th. wrong; **2.** *v/i* (sn) wander, stray.

irritieren [ɪri'ti:rən] *v/t* (*no* ge-, h) ärgern, *reizen:* irritate; *verwirren:* confuse; *stören:* disturb.

'Irr|tum *m* (-s; ~er) error, mistake: **im ~ sein** be mistaken; **Irrtümer vorbehalten!** errors excepted; **2tümlich** ['~ty:mlɪç] **1.** *adj* erroneous; **2.** *adv* by mistake.

Ischias ['ɪʃias] *m, n, med. f* (-; *no pl*) sciatica; **'~nerv** *m* sciatic nerve.

Islam [ɪs'la:m] *m* (-s; *no pl*) Islam.

Isländ|er ['i:slɛndər] *m* (-s; -) Icelander; **'2isch** *adj* Icelandic.

Isolier|band [izo'li:r~] *n* (-[e]s; ~er) *electr.* insulating tape; **2en** *v/t* (*no* ge-, h) isolate; *electr., tech.* insulate; **~haft** *f jur.* solitary confinement; **~stati,on** *f med.* isolation ward; **2ung** *f* (-; -en) isolation; *electr., tech.* insulation.

Israeli [ɪsra'e:li] *m* (-[s]; -[s]) Israeli; **2sch** *adj* Israeli.

Italien|er [ita'lie:nər] *m* (-s; -) Italian; **2isch** *adj* Italian.

J

ja [ja:] *adv* yes; *parl. Br.* aye, *Am.* yea: **wenn ~** if so; **da ist er ~!** well, there he is!; **ich sagte es ~ lhnen** I told you so; **ich bin ~ (schließlich) ...** after all, I am ...; **tut es ~ nicht!** don't you dare do it!; **sei ~ vorsichtig!** do be careful!; **vergessen Sie es ~ nicht!** be sure not to forget it!; **~, weißt du nicht?** why, don't you know?; **du kommst doch, ~?** you're coming, aren't you?

Jacht [jaxt] *f* (-; -en) *mar.* yacht.

Jacke ['jakə] *f* (-; -n) jacket; *Strick♀:* cardigan.

Jacketkrone ['dʒɛkɪt~] *f med.* jacket crown.

Jackett [ʒa'kɛt] *n* (-s; -s) jacket.

Jagd [ja:kt] *f* (-; -en) hunt(ing) (*a. fig.*); *mit dem Gewehr:* a. shoot(ing); *Verfolgung:* chase: **auf die ~ gehen** go hunting (*od.* shooting); **~ machen auf** (*acc*) hunt (for); *j-n: a.* chase; **'~hund** *m* hound; **'~hütte** *f* (hunting) lodge; **'~revier** *n* preserve, shoot; **'~schein** *n* game licen|ce (*Am.* -se); **'~zeit** *f* open (*od.* hunting, shooting) season.

jagen ['ja:gən] **1.** *v/t* (h) hunt; *mit dem Gewehr:* a. shoot; *fig. verfolgen:* hunt, chase: **aus dem Haus** *etc* **~** drive (*od.* chase) out of the house, *etc*; **2.** *v/i* (sn) *fig. rasen:* race, dash.

Jäger ['jɛːgər] *m* (-s; -) hunter, huntsman.

Jahr [ja:r] *n* (-[e]s; -e) year: **einmal im ~** once a year; **im ~e 1993** in (the year) 1993; **ein 20 ~e altes Auto** a twenty-year-old car; **mit 18 ~en**, **im Alter von 18 ~en** at (the age of) eighteen; **'~buch** *n* yearbook.

'jahrelang 1. *adj* years of; **2.** *adv* for (many) years.

'Jahres|abonne,ment *n* annual (*od.* yearly) subscription; **'~abschluß** *m econ.* annual accounts *pl*; **'~anfang** *m* beginning of the year; **'~ausgleich** *m Steuer:* annual wage-tax adjustment; **'~bericht** *m* annual report; **'~bi,lanz** *f econ.* annual balance sheet; **'~einkommen** *n* annual income; **'~ende** *n* end of the year; **'~hauptversammlung** *f econ.* annual general meeting; **'~tag** *m*

anniversary; **'~umsatz** *m econ.* annual turnover; **'~zahl** *f* date, year; **'~zeit** *f* season: **in dieser ~** at this time of the year.

'Jahr|gang *m Personen:* age group; *Wein:* vintage: **er ist ~ 1941** he was born in 1941; **~'hundert** *n* (-s; -e) century; **~'hundertwende** *f* turn of the century.

jährlich ['jɛːrlɪç] **1.** *adj* annual, yearly; **2.** *adv* every year, yearly, once a year.

'Jahr|markt *m* fair; **~'tausend** *n* (-s; -e) millennium; **~'tausendwende** *f* turn of the millennium.

Jahr'zehnt *n* (-[e]s; -e) decade.

Jalousie [ʒalu'zi:] *f* (-; -n) (venetian) blind.

Jammer ['jamər] *m* (-s; *no pl*) misery: F **es ist ein ~, daß** it's a crying shame that.

jämmerlich ['jɛmərlɪç] **1.** *adj* miserable, wretched; *Anblick etc: a.* pitiful, sorry; **2.** *adv:* **~ versagen** fail miserably.

jammer|n ['jamərn] *v/i* (h) moan, lament (*über acc* over, about); **'~schade** *adj:* F **es ist ~, daß** it's a crying shame that.

Januar ['janua:r] *m* (-[s]; -e) January: **im ~** in January.

Japan|er [ja'pa:nər] *m* (-s; -) Japanese; **♀isch** *adj* Japanese.

'Jastimme *f parl. Br.* aye, *Am.* yea.

je [je:] **1.** *adv* ever: **der beste Film, den ich ~ gesehen habe** the best film I have ever seen; **~ zwei (Pfund)** two (pounds) each; **drei Mark ~ Kilo** three marks per kilo; **~ nach Größe (Geschmack)** according to size (taste); **~ nachdem** it (all) depends; **2.** *cj:* **~ ..., desto ...** the ... the ...; **~ nachdem, wie** depending on how.

jede ['je:də] *indef pron* **~r** *insgesamt:* every; **~r beliebige:** any; **~r** *einzelne:* each: *von zweien:* either: **~r weiß (das)** everybody knows; **du kannst ~n fragen** (you can) ask anyone; **~r von uns (euch)** each of us (you); **~r, der** whoever; **~n zweiten Tag** every other day; **~n Augenblick** any moment now; **'~n'falls** *adv* in any case, anyhow; **'~rmann** *indef pron* everyone, everybody; '**~r'zeit** *adv* always, (at) any time; '**~s'mal** *adv* each (*od.* every) time: **~ wenn** whenever.

je'doch *cj* however.

jemals ['je:ma:ls] *adv* ever.

jemand ['je:mant] *indef pron* someone, somebody; *fragend, verneinend:* anyone, anybody.

Jenseits ['jɛnzaıts] *n* (-; *no pl*) hereafter.

jetzig ['jɛtsıç] *adj* present, current.

jetzt [jɛtst] *adv* now, at present: **bis ~** up to now, so far; **eben ~** just now; **erst ~** only now; **~ gleich** right now (*od.* away); **für ~** for the present; **noch ~** even now; **von ~ an** from now on.

jeweilig ['je:vaılıç] *adj* respective; '**~s** *adv je:* each; *gleichzeitig:* at a time.

Job [dʒɔp] *m* (-s; -s) F job; *Gelegenheitsarbeit:* temporary job; **2ben** ['dʒɔbən] *v/i* (h) F have a temporary job, do temporary work; '**~killer** *m* F job killer; **~sharing** ['~ʃɛ:rıŋ] *n* (-[s]; *no pl*) F job sharing.

Jochbein ['jɔx~] *n anat.* cheekbone.

Jod [jo:t] *n* (-[e]s; *no pl*) *chem.* iodine.

jodeln ['jo:dəln] *v/i* (h) yodel.

Joga → **Yoga**.

Joghurt ['jo:gʊrt] *m*, *n* (-[s]; -[s]) yog(h)urt.

Johannisbeere [jo'hanıs~] *f* currant; **rote ~** redcurrant; **schwarze ~** blackcurrant.

Journalis|mus [ʒʊrna'lısmʊs] *m* (-; *no pl*) journalism; **~t** *m* (-en; -en) journalist.

Jubel ['ju:bəl] *m* (-s; *no pl*) cheering, cheers *pl*; **2n** *v/i* (h) cheer.

Jubiläum [jubi'lɛ:ʊm] *n* (-s; -läen) jubilee; *Jahrestag:* anniversary.

jucken ['jʊkən] *v/t, v/i u. v/impers* (h) itch: **es juckt mich am ...** my ... itches.

Jude ['ju:də] *m* (-n; -n) Jew.

Jüd|in ['jy:dın] *f* (-; -nen) Jewess; **2isch** *adj* Jewish.

Jugend ['ju:gənt] *f* (-; *no pl*) youth; *Jugendliche: a.* young people *pl*; '**~amt** *n* youth welfare office; '**~arbeitslo-**

sigkeit *f* youth unemployment; '**~gericht** *n* juvenile court; '**~herberge** *f* youth hostel; '**~kriminali,tät** *f* juvenile delinquency; '**2lich** *adj* youthful, young; '**~liche** *m*, *f* (-n; -n) young person, *m a.* youth; '**~stil** *m* Art Nouveau; *in Deutschland:* Jugendstil; '**~zentrum** *n* youth cent|re (*Am.* -er).

Jugoslaw|e [jugo'sla:və] *m* (-n; -n) Yugoslav; **2isch** *adj* Yugoslav(ian).

Juli ['ju:li] *m* (-[s]; -s) July: **im ~** in July.

Jumbo-Jet ['dʒʌmbodʒɛt] *m* (-[s]; -s) *aer.* jumbo jet.

jung [jʊŋ] *adj* young.

Junge¹ ['jʊŋə] *m* (-n; -n) boy.

Junge² [~] *n* (-n; -n) *zo.* young one; *Hund:* a. pup(py); *Katze:* a. kitten; *Raubtier:* a. cub: **~ bekommen** (*od.* **werfen**) have young.

jünger ['jʏŋər] *adj* younger.

Jungfer ['jʊŋfər] *f* (-; -n): **alte ~** old maid.

'**Jungfern|fahrt** *f mar.* maiden voyage; '**~flug** *m* maiden flight.

'**Jung|frau** *f* virgin; '**~geselle** *m* bachelor; '**~gesellin** *f* (-; -nen) bachelor girl.

jüngst [jʏŋst] *adj* youngest; *Ereignisse etc:* latest: **in ~er Zeit** lately, recently.

Juni ['ju:ni] *m* (-[s]; -s) June: **im ~** in June.

Junior|chef ['ju:niɔr~] *m* owner's son; '**~partner** *m* junior partner.

Jura ['ju:ra] *pl:* **~ studieren** study (*Br. a.* read) law.

Jurist [ju'rıst] *m* (-en; -en) lawyer; **2isch** *adj* legal.

Jury [ʒy'ri:] *f* (-; -s) jury.

Justitiar [jʊsti'tsĭa:r] *m* (-s; -e) legal advis|er (*Am.* -or).

Justiz [jʊs'ti:ts] *f* (-; *no pl*) justice, *the law*; '**~beamte** *m* judicial officer; '**~irrtum** *m* miscarriage of justice; '**~mi‚nister** *m* minister of justice; *Br.* Lord Chancellor, *Am.* Attorney General; '**~mini‚sterium** *n* ministry of justice; *Am.* Department of Justice.

Juwelier [juvə'li:r] *m* (-s; -e) jewel(l)er.

K

Kabarett [kaba'rɛt] n (-s; -s; -e) (political) revue; **~ist** [~'tɪst] m (-en; -en) revue artist.

Kabel ['ka:bəl] n (-s; -) cable; **~anschluß** m TV cable connection: **~ haben** have cable TV, be cabled; **~fernsehen** n cable TV.

Kabeljau ['ka:bəljaʊ] m (-s; -e, -s) zo. cod.

'Kabelnetz n cable network.

Kabine [ka'bi:nə] f (-; -n) cabin; im Schwimmbad, beim Arzt etc: cubicle; Sport: dressing room; Seilbahn: car; teleph., im Sprachlabor etc: booth; **~bahn** f cable railway.

Kabinett [kabi'nɛt] n (-s; -e) pol. cabinet.

Kabrio ['ka:brio] n (-s; -s), **~lett** [kabrio'lɛt] n (-s; -s) mot. convertible.

Kachel ['kaxəl] f (-; -n) tile; **~n** v/t (h) tile; **~ofen** m tiled stove.

Kadaver [ka'da:vər] m (-s; -) carcass.

Käfer ['kɛ:fər] m (-s; -) zo. beetle.

Kaffee ['kafe] m (-s; no pl) coffee: **~ kochen** make (some) coffee; **~ mit (ohne) Milch** white (black) coffee; **zwei ~, bitte** two coffees, please; **~auto mat** m coffee machine; **~fahrt** f cheap coach trip combined with a sales show; **~filter** m coffee filter; **~haus** n café, coffee house; **~kanne** f coffee pot; **~löffel** m teaspoon; **~ma schine** f coffee maker; **~mühle** f coffee grinder; **~pause** f coffee break; **~sahne** f (coffee) cream; **~ser vice** n coffee service; **~tasse** f coffee cup.

Käfig ['kɛ:fɪç] m (-s; -e) cage.

kahl [ka:l] adj bald; Landschaft: barren, bleak; Wand: bare.

Kahn [ka:n] m (-[e]s; ⁓e) boat; Last𝟤: barge; **~fahrt** f boat trip.

Kai [kaɪ] m (-s; -s) quay(side), wharf; **~mauer** f quayside.

Kaiser ['kaɪzər] m (-s; -) emperor; **~in** ['~zərɪn] f (-; -nen) empress; **~reich** n empire.

Kajüte [ka'jy:tə] f (-; -n) mar. cabin.

Kakao [ka'kaʊ] m (-s; -s) cocoa; **~pulver** n cocoa (powder).

Kaktee [kak'te:] f (-; -n), **Kaktus** ['~tʊs] m (-; -teen [~'te:ən]) bot. cactus.

Kalb [kalp] n (-[e]s; ⁓er) zo. calf; **~fleisch** n veal; **~sbraten** m roast veal; **~shachse** ['~haksə] f knuckle of veal; **~sleber** f calf's liver; **~sschnitzel** n veal cutlet.

Kalender [ka'lɛndər] m (-s; -) calendar; **~jahr** n calendar year.

Kaliber [ka'li:bər] m (-s; -) calib|re (Am. -er) (a. fig.).

Kalk [kalk] m (-[e]s; -e) lime; med. calcium; **~stein** m limestone.

Kalkul ation [kalkula'tsio:n] f (-; -en) calculation; Kostenberechnung: estimate; **𝟤ieren** [~'li:rən] v/t (no ge-, h) calculate.

Kalorie [kalo'ri:] f (-; -n) calorie; **𝟤narm** adj low-calorie ..., low in calories; **𝟤n-reich** adj high-calorie ..., high in calories.

kalt [kalt] adj cold: **mir ist ~** I'm cold; **~blütig** ['~bly:tɪç] 1. adj zo. cold-blooded (a. fig.); 2. adv in cold blood.

Kälte ['kɛltə] f (-; no pl) cold; **~einbruch** m cold snap; **~peri ode** f, **~welle** f cold spell.

'Kalt|front f cold front; **𝟤lassen** v/t (irr, sep, -ge-, h, → lassen): das läßt mich kalt that leaves me cold; **~luft** f cold air; **~miete** f basic rent without heating.

Kamel [ka'me:l] n (-[e]s; -e) zo. camel; **~haar** n camelhair (a. in Zssgn).

Kamera ['kaməra] f (-; -s) camera.

Kamerad [kamə'ra:t] m (-en; -en) companion, F mate; **~schaft** f (-; no pl) comradeship; **𝟤schaftlich 1.** adj friendly; **2.** adv as a friend.

'Kamera|mann m (-[e]s; ⁓er, -leute) cameraman; **𝟤scheu** adj camera-shy.

Kamille [ka'mɪlə] f (-; -n) bot. camomile; **~ntee** m camomile tea.

Kamin [ka'mi:n] m (-s; -e) innen: fireplace; Schornstein: chimney; **~feger** [~'fe:gər] m (-s; -), **~kehrer** [~ke:rər] m (-s; -) chimney sweep; **~sims** m, n mantelpiece.

Kamm [kam] m (-[e]s; ⁓e) comb, zo. a. crest; Gebirgs𝟤: ridge.

kämmen ['kɛmən] v/t u. v/refl (h) comb (one's hair): → **Haar.**

Kammer ['kamər] f (-; -n) small room; Abstell2: cubbyhole; parl. chamber; jur. division; '~mu,sik f chamber music.

'**Kammgarn** n worsted.

Kampagne [kam'panjə] f (-; -n) campaign, drive.

Kampf [kampf] m (-[e]s; ⁀e) fight (a. fig.); schwerer: struggle (a. fig.); Schlacht: battle (a. fig.) (alle: **um** for; **gegen** against); Box2: fight, bout.

kämpfen ['kɛmpfən] (h) **1.** v/i fight (**um** for) (a. fig.); struggle (**mit** with; **gegen** against) (a. fig.); ~ **gegen** fight (against); **2.** v/refl: sich ~ **durch** a. fig. fight (od. battle) one's way through.

Kampfer ['kampfər] m (-s; no pl) camphor.

Kämpfer ['kɛmpfər] m (-s; -) Boxer: fighter; fig. fighter (**für** for), champion (of); 2isch adj aggressive.

'**Kampf|flugzeug** n fighter aircraft; '~kraft f fighting spirit; '~richter m Sport: judge.

kampieren [kam'pi:rən] v/i (no ge-, h) camp.

Kanal [ka'na:l] m (-s; ⁀e) künstlicher: canal; natürlicher: channel (a. Rundfunk, TV u. fig.); Abwasser2: drain, sewer; ~isation [kanaliza'tsjo:n] f (-; -en) sewerage (system); 2isieren [~'zi:rən] v/t (no ge-, h) sewer.

Kanarienvogel [ka'na:rjən~] m canary.

Kandid|at [kandi'da:t] m (-en; -en) candidate; 2ieren [~'di:rən] v/i (no ge-, h) stand (od. run) for election: ~ **für das Amt** (gen) stand (od. run) for the office of.

Känguruh ['kɛŋguru] n (-s; -s) kangaroo.

Kaninchen [ka'ni:nçən] n (-s; -) rabbit.

Kanister [ka'nɪstər] m (-s; -) canister, can.

Kanne ['kanə] f (-; -n) Kaffee2, Tee2: pot; Gieß2: can.

Kanone [ka'no:nə] f (-; -n) mil. gun, hist. cannon; F Revolver: bsd. Br. shooter, bsd. Am. rod; F bsd. Sport: ace.

Kant|e ['kantə] f (-; -n) edge; 2en v/t (h) tilt; 2ig adj squared; Gesicht: angular; Kinn: square.

Kantine [kan'ti:nə] f (-; -n) canteen.

Kanton [kan'to:n] m (-s; -e) pol. canton.

Kanu ['ka:nu] n (-s; -s) canoe.

Kanüle [ka'ny:lə] f (-; -n) med. can(n)ula.

Kanzel ['kantsəl] f (-; -n) eccl. pulpit; aer. cockpit: **auf der** ~ in the pulpit.

Kanzlei [kants'laɪ] f (-; -en) office.

Kanzler ['kantslər] m (-s; -) pol. chancellor.

Kap [kap] n (-s; -s) geogr. cape.

Kapazität [kapatsi'tɛ:t] f (-; -en) allg. capacity; fig. (leading) authority (**auf dem Gebiet** gen on); ~auslastung f capacity utilization; ~serweiterung f increase in capacity.

Kapelle [ka'pɛlə] f (-; -n) eccl. chapel; mus. band; ~meister m conductor.

kapieren [ka'pi:rən] (no ge-, h) F **1.** v/t get; **2.** v/i catch on: **kapiert?** got it?

Kapital [kapi'ta:l] n (-s; -e, -ien) capital, funds pl; ~anlage f (capital) investment; ~aufwand m capital expenditure; ~ertrag m capital yield; ~ertragssteuer f capital gains tax; ~flucht f capital flight; ~gesellschaft f Br. joint-stock company, Am. corporation; ~hilfe f financial aid; 2inten,siv adj capital-intensive; 2isieren [~tali'zi:rən] v/t (no ge-, h) capitalize; ~ismus [~ta'lɪsmʊs] m (-; no pl) capitalism; ~ist [~ta'lɪst] m (-en; -en) capitalist; 2istisch adj [~ta'lɪstɪʃ] capitalist(ic); ~markt m capital market.

Kapitän [kapi'tɛ:n] m (-s; -e) allg. captain.

Kapitel [ka'pɪtəl] n (-s; -) chapter (a. fig.).

Kapitu|lation [kapitula'tsjo:n] f (-; -en) capitulation, surrender; 2'lieren v/i (no ge-, h) capitulate, surrender (beide a. fig.: **vor** dat to); fig. give in (od. up).

Kappe ['kapə] f (-; -n) cap; Verschluß: a. top.

Kapsel ['kapsəl] f (-; -n) anat., bot., pharm. capsule; Raum2: a. module.

kaputt [ka'put] adj F broken (a. Ehe etc), kaput; außer Betrieb: a. not working, out of order; erschöpft: done in, bsd. Br. shattered; ~gehen v/i (irr, sep, -ge-, sn, → gehen) F break, get broken; Ehe etc: break up; ~machen v/t (sep, -ge-, h) F break.

Kapuze [ka'pu:tsə] f (-; -n) hood.

Karaffe [ka'rafə] f (-; -n) carafe, Wein2: a. decanter.

Karambolage [karamboˈlaːʒə] f (-; -n) mot. collision, crash.

Karat [kaˈraːt] n (-[e]s; -e) carat.

Karate [kaˈraːtə] n (-[s]; no pl) karate; **~schlag** m karate chop.

karätig [kaˈrɛːtɪç] adj in Zssgn: **18~es Gold** 18-carat gold.

Kardinal [kardiˈnaːl] m (-s; ⸚e) eccl. cardinal.

Karfreitag [kaːrˈ~] m eccl. Good Friday.

karg [kark] adj, **kärglich** [ˈkɛrklɪç] adj meag|re (Am. -er); Essen, Leben: frugal; Boden, Landschaft: barren.

kariert [kaˈriːrt] adj checked; Papier: squared.

Karies [ˈkaːriɛs] f (-; no pl) med. (dental) caries.

Karik|atur [karikaˈtuːr] f (-; -en) caricature; Witzzeichnung: mst cartoon; **~aturist** [~tuˈrɪst] m (-en; -en) caricaturist; cartoonist; **2ieren** [~ˈkiːrən] v/t (no ge-, h) caricature.

Karneval [ˈkarnəval] m (-s; -e, -s) carnival.

Karo [ˈkaːro] n (-s; -s) square, check; Kartenspiel: (Farbe) diamonds pl, (Karte) diamond.

Karosserie [karɔsəˈriː] f (-; -n) mot. body, coachwork.

Karotte [kaˈrɔtə] f (-; -n) bot. carrot.

Karpfen [ˈkarpfən] m (-s; -) zo. carp.

Karre [ˈkarə] f (-; -n), **Karren** m (-s; -) cart; Schub2: (wheel)barrow; F altes Auto: jalopy.

Karriere [kaˈriːərə] f (-; -n) career: **~ machen** get to the top.

Karsamstag [kaːrˈ~] m Easter Saturday.

Karte [ˈkartə] f (-; -n) card; Eintritts2, Fahr2: ticket; Speise2: menu; Wein2: wine list.

Kartei [karˈtaɪ] f (-; -en) card index; **~karte** f index card; **~kasten** m card-index box.

Kartell [karˈtɛl] n (-s; -e) econ. cartel; **~amt** n Federal Cartel Office; **~gesetz** n antitrust law.

Karten|spiel n card playing; bestimmtes: card game; Karten: pack (bsd. Am. deck) of cards; **~tele|fon** n cardphone; **~verkauf** m sale of tickets; Stelle: box office; **~vorverkauf** m advance booking; Stelle: box office.

Kartoffel [karˈtɔfəl] f (-; -n) bot. potato; **~brei** m mashed potatoes pl; **~chips** pl

Br. (potato) crisps pl, Am. (potato) chips; **~kloß** m, **~knödel** m potato dumpling; **~puffer** m potato fritter; **~salat** m potato salad; **~suppe** f potato soup.

Karton [karˈtɔ̃] m (-s; -s) Pappe: cardboard, stärker: pasteboard; Schachtel: cardboard box.

Karussell [karuˈsɛl] n (-s; -s, -e) merry-go-round, Br. roundabout, Am. car(r)ousel; **~ fahren** go on the merry-go-round.

Karwoche [ˈkaːr~] f Holy Week.

Kaschmir [ˈkaʃmiːr] m (-s; -) cashmere.

Käse [ˈkɛːzə] m (-s; -) cheese; **~kuchen** m, **~torte** f cheesecake.

Kaserne [kaˈzɛrnə] f (-; -n) barracks sg.

Kasino [kaˈziːno] n (-s; -s) Spiel2: casino; Speiseraum: cafeteria; mil. officers' mess.

Kasse [ˈkasə] f (-; -n) Laden2: till; Registrier2: cash register; Supermarkt: checkout (counter); Bank: cashier's counter; thea. etc box office; Kartenspiel etc: pool; Kranken2: health insurance scheme: **gut (knapp) bei ~ sein** F be flush (a bit short); → **getrennt** | **~narzt** m panel doctor; **~nbestand** m cash balance; **~nbon** m receipt, Am. a. sales slip (od. check); **~npati|ent** m health-plan patient; **~nzettel** m → **Kassenbon**.

Kassette [kaˈsɛtə] f (-; -n) Audio2, Video2: cassette, phot. a. cartridge; Geld2: cashbox; Schmuck2: case, box; **~nre|corder** m cassette recorder.

kassiere|n [kaˈsiːrən] v/t (no ge-, h) collect; F verdienen: make; **2r** m (-s; -) cashier; Bank: a. teller.

Kastanie [kasˈtaːniə] f (-; -n) chestnut.

Kasten [ˈkastən] m (-s; ⸚) box (a. tech. Fernseher, Gebäude); Behälter, Kiste: case; Bier2 etc: crate.

kastrieren [kasˈtriːrən] v/t (no ge-, h) castrate.

Kat [kat] m (-s; -s) F mot. → **Katalysator**.

Katalog [kataˈloːk] m (-[e]s; -e) catalogue, Am. a. catalog; **~preis** m list price.

Katalysator [katalyˈzaːtɔr] m (-s; -en) chem. catalyst, mot. a. catalytic converter; **~auto** n car with a catalytic converter.

Katarrh [kaˈtar] m (-s; -e) med. catarrh.

katastroph|al [katastro'faːl] adj disastrous (a. fig.); 2e [~'troːfə] f (-; -n) disaster (a. fig.), catastrophe; 2engebiet n disaster area; 2enschutz m disaster control.

Kategorie [katego'riː] f (-; -n) category.

Kater ['kaːtər] m (-s; -) zo. tom(cat); F fig. hangover.

Kathedrale [kate'draːlə] f (-; -n) cathedral.

Katholi|k [kato'liːk] m (-en; -en) Catholic; 2sch [ka'toːlɪʃ] adj Catholic.

Kätzchen ['kɛtsçən] n (-s; -) zo. kitten.

Katze ['katsə] f (-; -n) zo. cat; '~nsprung m: bis zum Bahnhof ist es nur ein ~ the station is only a stone's throw away.

Kauderwelsch ['kaʊdərvɛlʃ] n (-[s]; no pl) gibberish.

kauen ['kaʊən] v/t u. v/i (h) chew.

kauern ['kaʊərn] v/i u. v/refl (h) crouch, squat.

Kauf [kaʊf] m (-[e]s; ⸚e) purchase; **günstiger** ~ bargain, good buy; **zum** ~ **anbieten** offer for sale; '~anreiz m incentive to buy; '2en v/t (h) buy (a. bestechen).

Käufer ['kɔʏfər] m (-s; -) buyer; Kunde: customer.

'**Kauf|frau** f businesswoman; '~haus n department store; '~kraft f econ. purchasing (od. buying) power.

käuflich ['kɔʏflɪç] adj for sale; bestechlich: bribable.

'**Kauf|mann** m (-[e]s; -leute) businessman; Händler: trader; Einzelhändler: shopkeeper, Am. storekeeper; 2männisch ['~mɛnɪʃ] adj: **~er Angestellter** clerk; '~vertrag m contract of sale.

'**Kaugummi** m, n chewing gum.

kaum [kaʊm] adv hardly: ~ **zu glauben** hard to believe.

Kaution [kaʊ'tsi̯oːn] f (-; -en) econ. security; jur. bail; für Wohnung etc: deposit: → **freilassen**.

Kavalier [kava'liːr] m (-s; -e) gentleman.

Kaviar ['kaːvi̯ar] m (-s; -e) caviar(e).

keck [kɛk] adj cheeky, saucy.

Kehl|e ['keːlə] f (-; -n) anat. throat; '~kopf m anat. larynx.

Kehre ['keːrə] f (-; -n) (sharp) bend; '2n v/t (h) sweep: **j-m den Rücken** ~ a. fig. turn one's back on s.o.

Kehrseite ['keːr~] f reverse, other side: **die ~ der Medaille** fig. the other side of the coin.

kehrtmachen ['keːrt~] v/i (sep, -ge-, h) turn back.

keifen ['kaɪfən] v/i (h) nag.

Keil [kaɪl] m (-[e]s; -e) wedge; Zwickel: gusset; '~absatz m wedge heel; 2förmig ['~fœrmɪç] adj wedge-shaped; '~kissen n wedge-shaped bolster; '~riemen m mot. fan belt.

Keim [kaɪm] m (-[e]s; -e) biol., med. germ; bot. Trieb: sprout: **im** ~ **ersticken** fig. nip in the bud; 2frei adj sterile: ~ **machen** sterilize.

kein [kaɪn] indef pron 1. adjektivisch: ~(e) no, not any; **er hat** ~ **Auto** he hasn't got a car; **er ist** ~ **Kind mehr** he's not a child any more; 2. substantivisch ~er, ~e, ~(e)s Personen: no one, nobody; Sachen: none, not any; ~er von **beiden** neither (of them); ~er von uns **beiden**: neither of us, mehrere: none of us; '~es'falls adv on no account, under no circumstances; '~es'wegs adv not at all; (alles andere als) anything but; '~mal adv not once, never.

Keks [keːks] m (-[es]; -[e]) biscuit, Am. cookie.

Keller ['kɛlər] m (-s; -) cellar; bewohnt: basement; '~wohnung f basement (flat, bsd. Am. apartment).

Kellner ['kɛlnər] m (-s; -) waiter; '~in f (-; -nen) waitress.

kenn|en ['kɛnən] v/t (kannte, gekannt, h) know; '~enlernen v/t (sep, -ge-, h) get to know, (begegnen) meet: **als ich ihn kennenlernte** when I first met him; '2er m (-s; -) connoisseur (gen of); Fachmann: expert (at, in, on); '~tlich adj: ~ **machen** mark; '2tnis (f; -se) knowledge (gen od. von of): ~se pl Wissen: knowledge sg (gen od. in dat of); ~ **nehmen von** take note of; **gute ~se haben in** be well grounded in; '2zeichen n (distinguishing) feature, characteristic; mot. registration (Am. license) number; → a. **Nummernschild**; '~zeichnen v/t (insep, ge-, h) mark; charakteristisch sein für: characterize.

kentern ['kɛntərn] v/i (sn) capsize.

Kerbe ['kɛrbə] f (-; -n) notch.

Kerl [kɛrl] m (-s; -e) F fellow, bloke, guy:

armer ~ poor devil; *ein anständiger* ~ a decent sort.

Kern [kɛrn] *m* (-[e]s; -e) *von Kernobst:* pip, seed; *von Steinobst:* stone; *Nuß*: kernel; *tech. etc* core (*a. fig.*); *Atom*: nucleus; '~**ener,gie** *f* nuclear energy; '~**forschung** *f* nuclear research; '*g*e**sund** *adj* (as) fit as a fiddle; '~**kraft** *f* nuclear power; '~**kraftgegner** *m* antinuclear campaigner; '~**kraftwerk** *n* nuclear power plant; '~**re,aktor** *m* nuclear reactor; '~**technik** *f* nuclear technology; '~**waffe** *f* nuclear weapon; '*w*a**ffenfrei** *adj:* ~*e Zone* nuclear-free zone; '~**zeit** *f* core time.

Kerze ['kɛrtsə] *f* (-; -n) candle; *mot.* (spark) plug.

keß [kɛs] *adj* F pert, saucy.

Kessel ['kɛsəl] *m* (-s; -) *Tee*: kettle; *Dampf*: boiler.

Kette ['kɛtə] *f* (-; -n) chain (*a. fig.*); *Hals*: necklace; *e-e* ~ *bilden* form a line; '*2*n *v/t* (h) chain (*an acc* to); '~**nfahrzeug** *n* tracked vehicle; '~**nrau-cher** *m* chain smoker; '~**nreakti,on** *f* *phys.* chain reaction (*a. fig.*).

keuch|en ['kɔʏçən] *v/i* (h) pant; '*2*hu-**sten** *m med.* whooping cough.

Keule ['kɔʏlə] *f* (-; -n) club; *gastr.* leg, haunch: *chemische* ~ chemical mace.

Kfz-|Brief [ka:ɛftsɛt~] *m* vehicle registration document; ~**-Schein** *m* vehicle registration document; ~**-Steuer** *f* road (*Am.* automobile) tax; ~**-Werk-statt** *f* garage.

kichern ['kɪçərn] *v/i* (h) giggle; *spöttisch:* snigger, *Am mst* snicker.

Kiefer[1] ['ki:fər] *m* (-s; -) *anat.* jaw(bone).

Kiefer[2] [~] *f* (-; -n) *bot.* pine (tree).

Kies [ki:s] *m* (-es; *no pl*) gravel; F *Geld*: dough, *Br.* lolly; ~**el** ['ki:zəl] *m* (-s; -), '~**elstein** *m* pebble; '~**weg** *m* gravel path.

Killer ['kɪlər] *m* (-s; -) hit man.

Kilo ['ki:lo] *n* (-s; -[s]) kilo; ~**'gramm** *n* kilogram(me); ~**'meter** *m* kilomet|re (*Am.* -er).

Kind [kɪnt] *n* (-[e]s; -er) child; *Baby*: baby: *ein* ~ *bekommen* be expecting a baby; have a baby.

Kinder|arzt ['kɪndər~] *m* p(a)edia-trician; '~**betreuung** *f* childminding; '~**ermäßigung** *f* reduction for children; '~**fahrkarte** *f* children's ticket;

'~**freibetrag** *m* child allowance (*Am.* exemption); '*2*freundlich *adj* very fond of children; *Wohnung etc*: suitable for children; '~**garten** *m* kindergarten; '~**gärtnerin** *f* (-; -nen) kindergarten teacher; '~**geld** *n Br.* child benefit, *Am.* family allowance; '~**lähmung** *f med.* polio; '*2*los *adj* childless; '~**mädchen** *n* nurse(maid), *bsd. Br.* nanny; '~**spiel** *n:* *ein* ~ *fig.* child's play; '~**spielplatz** *m* children's playground; '~**wagen** *m Br.* pram, *Am.* baby carriage.

Kindes|alter ['kɪndəs~] *n* childhood, *frühes:* infancy; '~**beine** *pl: von* ~*n an* from childhood.

'**Kind|heit** *f* (-; *no pl*) childhood, *frühe:* infancy; *von* ~ *an* from childhood; '*2*isch ['~dɪʃ] *adj* childish; '*2*lich *adj* childlike.

Kinn [kɪn] *n* (-[e]s; -e) chin; '~**haken** *m* hook (to the chin); *Aufwärtshaken:* up-percut.

Kino ['ki:no] *n* (-s; -s) *Gebäude:* bsd. *Br.* cinema, *Am.* movie theater: *ins* ~ *ge-hen* go to the cinema (*Am.* the movies); '~**vorstellung** *f* performance (of a film, *Am.* movie).

Kiosk [kiɔsk] *m* (-[e]s; -e) kiosk.

Kipp|e ['kɪpə] *f* (-; -n) *Müll*: dump; F *Zigarettenstummel:* stub, butt: *er steht auf der* ~ it's touch and go with him; '*2*en **1.** *v/i* (sn) tip over; **2.** *v/t* (h) tip up; *Fenster etc:* tilt; *Wasser etc:* tip; '~**fen-ster** *n* tilting window.

Kirch|e ['kɪrçə] *f* (-; -n) church: *in der* ~ at church; *in die* ~ *gehen* go to church; '~**enlied** *n* hymn; '~**ensteuer** *f* church tax; '*2*lich *adj* church, ecclesiastical; '~**turm** *m* (church) steeple, spire; *ohne Spitze:* church tower.

Kirsche ['kɪrʃə] *f* (-; -n) *bot.* cherry.

Kissen ['kɪsən] *n* (-s; -) cushion; *Kopf*: pillow; '~**bezug** *m* pillowcase, pillow-slip.

Kiste ['kɪstə] *f* (-; -n) box; *Latten*: crate.

Kitchenette [kɪtʃə'nɛt] *f* (-; -s) kitchen-ette.

Kitsch [kɪtʃ] *m* (-[e]s; *no pl*) kitsch; *Wa-ren etc:* trash; '*2*ig *adj* kitschy, trashy.

Kittel ['kɪtəl] *m* (-s; -) overall; *Arbeits*: coat.

kitz|eln ['kɪtsəln] *v/i u. v/t* (h) tickle; '~**lig** ['~lɪç] *adj* ticklish (*a. fig.*).

klaffend ['klafənt] *adj* gaping.

K

Klage ['kla:gə] f (-; -n) complaint; jur. action, suit; '**2n** v/i (h) complain (**über** acc about, of; **bei** to); jur. bring an action (**gegen** against; **auf** acc, **wegen** for): ~ **über** (acc) med. complain of.

Kläger ['klɛ:gər] m (-s; -) jur. plaintiff.

kläglich ['klɛ:klɪç] adj pitiful.

Klamauk [kla'mauk] m (-s; no pl) F Lärm: racket; thea. etc slapstick.

klamm [klam] adj feuchtkalt: clammy; erstarrt: numb (**vor** dat with).

Klammer ['klamər] f (-; -n) Büro2: clip; Heft2: staple; Wäsche2: Br. peg, Am. pin; Haar2: pin; Zahn2: brace; tech. clamp; math., print. bracket; '**2n** (h) **1.** v/t clip (a. med.), attach (**an** acc to); **2.** v/refl: **sich ~ an** (acc) cling to (a. fig.).

Klang [klaŋ] m (-[e]s; ^e) sound; Ton: tone; '**2voll** adj sonorous; fig. illustrious.

Klapp|bett ['klap-] n folding bed; '**~e** f (-; -n) e-s Briefumschlags, e-r Tasche etc: flap; anat. valve; tech. shutter: **halt die ~!** F shut up; '**2en** (h) **1.** v/t fold: **2.** v/i fig. work (out all right).

klapper|n ['klapərn] v/i (h) rattle; Geschirr etc: clatter (beide: **mit et.** s.th.): **er klapperte vor Kälte mit den Zähnen** his teeth were chattering with cold; '**2schlange** f zo. rattlesnake.

'**Klapp|messer** n clasp (od. jack) knife; '**~rad** n folding bicycle; **2rig** ['~rɪç] adj shaky; Möbel: rickety; '**~sitz** m jump (od. folding) seat; '**~stuhl** m folding chair.

Klaps [klaps] m (-es; -e) slap, smack.

klar [kla:r] adj clear (a. fig.): **ist dir ~, daß ...?** do you realize that ...?; **(na) ~!** of course; **alles ~?** everything all right?

Klär|anlage ['klɛ:r~] f sewage plant; '**2en** v/t (h) tech. purify; fig. clear up, clarify.

Klarinette [klari'nɛtə] f (-; -n) clarinet.

'**klar|machen** v/t (sep, -ge-, h): **j-m et. ~** make s.th. clear to s.o.; '**2sichtfolie** f cling film; '**2sichtpackung** f transparent pack; '**~stellen** v/t (sep, -ge-, h) get s.th. straight.

Klasse ['klasə] f (-; -n) allg. class: **erste** (**zweite**) ~ rail. etc first (second) class; (**ganz große**) ~ F great, fantastic.

klasse [~] adj F great, fantastic.

klassifizier|en [klasifi'tsi:rən] v/t (no

ge-, h) classify; '**2ung** f (-; -en) classification.

klassisch ['klasɪʃ] adj classical (a. Musik); fig. classic.

Klatsch [klatʃ] m (-[e]s; no pl) F fig. gossip; '**2en** (h) **1.** v/t: Beifall ~ applaud, clap; **2.** v/i Beifall ~: applaud, clap; F fig. gossip (**über** acc about): **in die Hände ~** clap one's hands; '**2naß** adj soaking (wet).

klauen ['klauən] v/t (h) F pinch.

Klausel ['klauzəl] f (-; -n) jur. clause.

Klavier [kla'vi:r] n (-s; -e) mus. piano: ~ **spielen** (**können**) play the piano.

Klebeband ['kle:bə~] n (-[e]s; ^er) adhesive tape.

kleb|en ['kle:bən] (h) **1.** v/t glue, stick; **j-m e-e ~** F land s.o. one; **2.** v/i stick (**an** dat to); klebrig sein: be sticky; '**~rig** ['~rɪç] adj sticky; '**2stoff** m glue; Kleister: paste.

Kleid [klait] n (-[e]s; -er) dress; **~er** pl Kleidung: clothes pl.

Kleider|bügel ['klaidər~] m (coat) hanger; '**~bürste** f clothes brush; '**~haken** m coat hook; '**~schrank** m wardrobe; '**~ständer** m coat stand.

Kleidung ['klaidʊŋ] f (-; -en) clothes pl; '**~sstück** n article (od. piece) of clothing.

klein [klain] adj small; bsd. attr little (a. Finger, Zehe): **von ~ auf** from an early age; '**2anzeige** f classified (Br. a. small, Am. a. want) ad; '**2bildkamera** f phot. 35 mm camera; '**2gedruckte** n: **das ~** the small print; '**2geld** n (small) change; '**2igkeit** f (-; -en) little thing; Geschenk: little something; Imbiß: bite: **das ist e-e ~** that's nothing; '**2stadt** f small town; '**~städtisch** adj small-town; '**2wagen** m small car.

Kleister ['klaistər] m (-s; -) paste.

Klemme ['klɛmə] f (-; -n) tech. clamp; electr. terminal; Haar2: pin: **in der ~ sitzen** F fig. be in a fix; '**2n** (h) **1.** v/t: **sich et. ~** tuck s.th. (**unter den Arm** under one's arm); **sich den Finger ~** jam one's finger (**in der Tür** in the door); **2.** v/i be stuck.

Klempner ['klɛmpnər] m (-s; -) plumber.

kletter|n ['klɛtərn] v/i (sn): **auf e-n Baum ~** climb (up) a tree; '**2pflanze** f climbing plant.

Klettverschluß ['klɛt~] m TM velcro fastening.

Klient ['kliːɛnt] m (-en; -en) client.

Klima ['kliːma] n (-s; -s) climate; fig. a. atmosphere; '**~anlage** f air conditioning; **mit ~** air-conditioned; '**~kata,strophe** f climatic upheavals pl; **2tisch** [kli'maːtɪʃ] adj climatic; **2tisiert** [klimaːti'ziːrt] adj air-conditioned; '**~veränderung** f change in climate.

Klinge ['klɪŋə] f (-; -n) blade.

Klingel ['klɪŋəl] f (-; -n) bell; '**2n** v/i (h) ring; **es hat geklingelt** there's somebody at the door; in Schule etc: the bell has gone.

klingen ['klɪŋən] v/i (klang, geklungen, h) sound (a. fig.); Glocke, Metall: ring; Gläser: clink.

Klini|k ['kliːnɪk] f (-; -en) clinic, hospital; '**2sch** adj clinical.

Klinke ['klɪŋkə] f (-; -n) (door) handle.

Klippe ['klɪpə] f (-; -n) cliff; Fels: rock; fig. obstacle.

klirren ['klɪrən] v/i (h) Fenster, Teller etc: rattle; Schlüssel etc: jingle; Ketten etc: jangle.

Klischee [kli'ʃeː] n (-s; -s) fig. cliché; '**~vorstellung** f clichéd idea.

Klo [kloː] n (-s; -s) F Br. lav, loo, Am. john.

klobig ['kloːbɪç] adj bulky; Schuhe: heavy.

'**Klopa,pier** n F Br. loo paper.

klopfen ['klɔpfən] (h) **1.** v/i knock (an acc at, on); Herz: beat, stärker: throb, thump (alle vor dat with): **es klopft** there's somebody (knocking) at the door; **j-m auf die Schulter ~** give s.o. a pat on the back; **2.** v/t Teppich etc: beat; Nagel: knock (**in** acc into).

Klosett [klo'zɛt] n (-s; -s) lavatory, toilet, Am. a. bathroom; '**~pa,pier** n toilet paper (od. tissue).

Kloß [kloːs] m (-es; ⸚e) gastr. dumpling; **e-n ~ in der Kehle haben** fig. have a lump in one's throat.

Kloster ['kloːstər] n (-s; ⸚) Mönchs2: monastery; Nonnen2: convent.

Klub [klʊp] m (-s; -s) club.

klug [kluːk] adj clever, intelligent; '**2heit** f (-; no pl) cleverness, intelligence.

knabbern ['knabərn] v/t u. v/i (h) nipple (**an** dat at).

Knabe ['knaːbə] m (-n; -n) boy.

knacken ['knakən] v/t (h) Nüsse, Safe etc: crack; Auto: break into; Schloß: break open.

Knall [knal] m (-[e]s; -e) bang; '**~ef,fekt** m sensation; '**2en 1.** v/i a) (h) bang, b) (sn): F **~ an** (acc) od. **gegen** crash into; **2.** v/t (h) F werfen: fling; **j-m e-e ~** F give s.o. a wallop; '**2ig** adj F Farbe: loud; '**~körper** m banger.

knapp [knap] **1.** adj Kleidung: tight; beschränkt: limited; Sieg etc: narrow; Worte: brief: **mit ~er Not** only just; **~ werden** run short; **2.** adv: **~ vor Kasse**, '**~halten** v/t (irr, sep, -ge-, h, → **halten**) keep s.o. short (mit on); '**2heit** f (-; no pl) shortage (**an** dat of).

Knast [knast] m (-[e]s; ⸚e, -e): **im ~ sitzen** F be in the clink.

knauserig ['knaʊzərɪç] adj F stingy, mean.

Knautschzone ['knaʊtʃ~] f mot. crumple zone.

Knebel ['kneːbəl] m (-s; -) gag; '**2n** v/t gag.

kneif|en ['knaɪfən] (kniff, gekniffen, h) **1.** v/t pinch (**j-n in den Arm** s.o. on the arm, s.o.'s arm); **2.** v/i Kleidung: pinch; F fig. chicken out (**vor** dat of); '**2zange** f (**e-e** a pair of) pincers pl.

Kneipe ['knaɪpə] f (-; -n) bsd. Br. pub, Am. bar.

Knick [knik] m (-[e]s; -e) Falte: crease; Eselsohr: dog-ear; in Draht etc: kink; Kurve: sharp bend; '**2en 1.** v/t (h) bend; Papier: crease; brechen: break; **2.** v/i (sn) bend; brechen: break.

Knie [kniː] n (-s; - ['kniː(ə)]) anat. knee; '**~beuge** ['~bɔʏgə] f (-; -n) knee bend: **e-e ~ machen** do a knee bend; '**~kehle** f hollow of the knee; '**2n** v/i (h) kneel, be on one's knees; '**~scheibe** f kneecap; '**~strumpf** m knee-length sock.

knifflig ['knɪflɪç] adj F tricky.

knipsen ['knɪpsən] v/t (h) take a picture (od. shot) of; Fahrkarte etc: punch.

knirschen ['knɪrʃən] v/i (h) crunch: **mit den Zähnen ~** grind one's teeth.

knittern ['knɪtərn] v/i (h) crease.

Knoblauch ['knoːplaʊx] m (-[e]s; no pl) bot. garlic.

Knöchel ['knœçəl] m (-s; -) anat. ankle; Finger2: knuckle.

Knochen ['knɔxən] m (-s; -) bone; '**~bruch** m med. fracture.

K

Knödel ['knøːdəl] m (-s; -) gastr. dumpling.

Knopf [knɔpf] m (-[e]s; ⸚e) button; '**~loch** n buttonhole.

Knorpel ['knɔrpəl] m (-s; -) in Wurst etc: gristle; anat. cartilage.

Knospe ['knɔspə] f (-; -n) bot. bud.

knoten ['knoːtən] v/t (h) knot, make knots in.

Knoten [⸚] m (-s; -) knot.

Knüller ['knʏlər] m (-s; -) F Buch, Film etc: blockbuster; Schallplatte: smash hit; Presse: scoop.

knüpfen ['knʏpfən] v/t (h) Teppich etc: knot.

Knüppel ['knʏpəl] m (-s; -) club; Polizei⸚: truncheon, baton, Am. a. nightstick, billy (club).

knurren ['knʊrən] v/i (h) growl; Magen: rumble; murren: grumble (**über** acc at).

knusprig ['knʊsprɪç] adj Braten, Semmel: crisp.

knutschen ['knuːtʃən] v/i (h) F smooch (**mit** with), Br. snog (with).

k. o. [kaː'oː] adj: **~ schlagen** knock out; **total ~ sein** F be dead beat.

koalieren [koʔa'liːrən] v/i (no ge-, h) pol. form a coalition (**mit** with).

Koalition [koʔali'tsioːn] f (-; -en) pol. coalition; **~spartner** m coalition partner; **~sre,gierung** f coalition government.

Koch [kɔx] m (-[e]s; ⸚e) cook; Küchen- chef: chef; '**~buch** n cookery book, cookbook; '**2en** (h) **1.** v/i cook, do the cooking; Flüssiges: be boiling (a. fig. **vor Wut** with rage): **gut ~** be a good cook; **2.** v/t Fleisch, Gemüse: cook; Eier, Wasser: boil; Kaffee, Tee: make; '**2endheiß** adj boiling hot; '**~gelegenheit** f cooking facilities pl.

Köchin ['kœçɪn] f (-; -nen) cook.

'**Koch|nische** f kitchenette; '**~topf** m saucepan.

Koffein [kɔfe'iːn] n (-s; no pl) caffeine; **2frei** adj decaffeinated.

Koffer ['kɔfər] m (-s; -) (suit)case; **~kuli** ['~kuːli] m (-s; -s) trolley; '**~radio** n transistor radio; '**~raum** m mot. Br. boot, Am. trunk.

Kognak ['kɔnjak] m (-s; -s) brandy.

Kohl [koːl] m (-[e]s; -e) bot. cabbage.

Kohle ['koːlə] f (-; -n) coal; **~n** pl F Geld: dough, Br. lolly; **~nhydrat** ['~nhyˌdraːt] n (-[e]s; -e) carbohydrate; '**~n-**

~säure f carbonic acid: **mit ~ → kohlen-säurehaltig**; **ohne ~** still; **2nsäure-haltig** ['~haltɪç] adj fizzy, sparkling; '**~papier** n carbon paper.

Kohlrabi [koːl'raːbi] m (-[s]; -[s]) bot. kohlrabi.

Kokain [koka'iːn] n (-s; no pl) cocaine.

kokett [ko'kɛt] adj coquettish; **~ieren** [~ti'rən] v/i (no ge-, h) flirt (**mit** with) (a. fig.).

Kokosnuß ['koːkɔsˌ] f bot. coconut.

Koks [koːks] m (-es; -e) coke; F Kokain: coke.

Kolben ['kɔlbən] m (-s; -) tech. piston; Gewehr⸚: butt.

Kollege [kɔ'leːgə] m (-n; -n) colleague.

Kollektion [kɔlɛk'tsioːn] f (-; -en) econ. collection, range.

kollektiv [kɔlɛk'tiːf] adj collective.

Kollektiv [⸚] n (-s; -e) collective.

kolli|dieren [kɔli'diːrən] v/i (no ge-, h) collide (**mit** with), fig. (h) a. clash (with); **2sion** [~'zioːn] f (-; -en) collision, fig. a. clash.

Kolonne [ko'lɔnə] f (-; -n) column; von Fahrzeugen: convoy.

Koloß [ko'lɔs] m (-sses; -sse) colossus, fig. a. giant.

kolossal [kolo'saːl] adj gigantic.

Kombi ['kɔmbi] m (-[s]; -s) mot. estate car, bsd. Am. station wagon; **~nation** [~na'tsioːn] f (-; -en) combination; Fußball etc: move; **2nieren** [~'niːrən] (no ge-, h) **1.** v/t combine (**mit** with); **2.** v/i: **gut ~** be a good thinker.

Komfort [kɔm'foːr] m (-s; no pl) conveniences pl; Luxus: luxury; **2abel** [~fɔr-'taːbəl] adj Sessel etc: comfortable (a. Leben); Wohnung: well-appointed.

komisch ['koːmɪʃ] adj funny (a. merk-würdig).

Komitee [komi'teː] n (-s; -s) committee.

Komma ['kɔma] n (-s; -s) comma: **zwei ~ vier** two point four.

Kommand|ant [kɔman'dant] m (-en; -en) mil. commander, commanding officer; **~eur** [~'døːr] m (-s; -e) mil. commander; **~o** [~'mando] n (-s; -s) Befehl: command ~, order; mil. ~einheit: commando: **das ~ führen** be in command; **auf ~** on command.

kommen ['kɔmən] v/i (kam, gekommen, sn) come; an~: a. arrive; gelangen: get (**bis** to): **~ lassen** send for; et.: order; **~**

auf (acc) sich erinnern: think of, remember; herausfinden: think of, hit on; **hinter et. ~** find s.th. out; **um et. ~** be done out of s.th.; **zu et. ~** come by s.th.; **wieder zu sich ~** come round (od. to); **wohin kommt ...?** where does ... go?

Kommentlar [kɔmɛn'taːr] m (-s; -e) comment (**zu** on); **2ieren** v/t (no ge-, h) comment on.

Kommerz [kɔ'mɛrts] m (-es; no pl) commercialism; **2ialisieren** [~tsïali'siːrən] v/t (no ge-, h) commercialize; **2iell** [~'tsïel] adj commercial.

Kommissar [kɔmɪ'saːr] m (-s; -e) Polizei2: superintendent.

Kommission [kɔmɪ'sïoːn] f (-; -en) commission.

Kommode [kɔ'moːdə] f (-; -n) chest of drawers, Am. a. bureau.

kommunal [kɔmu'naːl] adj local; **2abgaben** pl (local) rates pl, Am. local taxes pl; **2politik** f local politics pl; **2wahlen** pl local elections pl.

Kommune [kɔ'muːnə] f (-; -n) Gemeinde: community; Wohngemeinschaft: commune.

Kommunislmus [kɔmu'nɪsmʊs] m (-; no pl) communism; **~t** m (-en; -en) communist; **2tisch** adj communist.

Komödie [kɔ'møːdïə] f (-; -n) comedy; fig. farce.

Kompanie [kɔmpa'niː] f (-; -n) mil. company.

Kompaß ['kɔmpas] m (-sses; -sse) compass.

kompatiblel [kɔmpa'tiːbəl] adj compatible; **2ilität** [~tibili'tɛːt] f (-; -en) compatibility.

Kompenslation [kɔmpɛnza'tsïoːn] f (-; -en) compensation; **~ati'onsgeschäft** n barter transaction; **2ieren** [~'ziːrən] v/t (no ge-, h) compensate for.

kompetent [kɔmpe'tɛnt] adj zuständig: responsible (**für** for); befähigt: competent; sachverständig: expert (**in** dat at, in, on).

Kompetenz [kɔmpe'tɛnts] f (-; -en) competence: **in j-s ~ fallen** be s.o.'s responsibility; **~bereich** m area (od. sphere) of responsibility.

komplett [kɔm'plɛt] adj complete.

Komplex [kɔm'plɛks] m (-es; -e) complex.

Kompliment [kɔmpli'mɛnt] n (-[e]s; -e)

compliment: **j-m ein ~ machen** pay s.o. a compliment (**wegen** on).

Komplizle [kɔm'pliːtsə] m (-n; -n), **~in** f (-; -nen) accomplice.

kompliziert [kɔmpli'tsïːrt] adj complicated; med. Bruch: compound.

Komplott [kɔm'plɔt] n (-[e]s; -e) plot, conspiracy.

kompolnieren [kɔmpo'niːrən] v/t u. v/i (no ge-, h) compose; **2nist** [~'nɪst] m (-en; -en) composer; **2sition** [~zi'tsïoːn] f (-; -en) composition.

Kompott [kɔm'pɔt] n (-[e]s; -e) stewed fruit.

Kompromiß [kɔmpro'mɪs] m (-sses; -sse) compromise; **2los** adj uncompromising.

Kondenslmilch [kɔn'dɛns~] f evaporated milk; **~wasser** n condensation.

Kondition [kɔndi'tsïoːn] f (-; -en) Ausdauer: stamina; pl econ. terms pl.

Konditorei [kɔndito'raɪ] f (-; -en) cake shop; Café: café.

Kondom [kɔn'doːm] n, m (-s; -e) condom.

Konfekt [kɔn'fɛkt] n (-[e]s; -e) chocolates pl; **~ionsanzug** [kɔnfɛk'tsïoːns~] m ready-made suit.

Konferenz [kɔnfe'rɛnts] f (-; -en) conference; **~raum** m conference room.

Konfession [kɔnfe'sïoːn] f (-; -en) religion, (religious) denomination; **2ell** [~sïo'nɛl] adj denominational.

konfiszieren [kɔnfɪs'tsïːrən] v/t (no ge-, h) jur. confiscate, seize.

Konfitüre [kɔnfi'tyːrə] f (-; -n) jam.

Konflikt [kɔn'flɪkt] m (-[e]s; -e) conflict.

konfrontieren [kɔnfrɔn'tïːrən] v/t (no ge-, h) confront (**mit** with).

konfus [kɔn'fuːs] adj confused, muddled.

Kongreß [kɔn'grɛs] m (-sses; -sse) congress.

König ['køːnɪç] m (-s; -e) king; **~in** ['~gɪn] f (-; -nen) queen; **2lich** ['~klɪç] adj royal; **'~reich** n kingdom.

Konjunktur [kɔnjʊŋk'tuːr] f (-; -en) econ. economic situation.

konkret [kɔn'kreːt] adj concrete.

Konkurrlent [kɔnkʊ'rɛnt] m (-en; -en) competitor, rival; **~enz** [~'rɛnts] f (-; -en) competitor(s pl), rival(s pl); coll. competition; Wettkampf: competition, event; **2enzfähig** adj competitive; **~enzkampf** m competition; **2enzlos**

K

adj unrival(l)ed; 2**ieren** [ˌˈriːrən] *v/i* (*no* ge-, h) compete (**mit** with; **um** for).

Konkurs [kɔnˈkʊrs] *m* (-es; -e) *econ.* bankruptcy: **in ~ gehen** go bankrupt; **~masse** *f* bankrupt's estate; **~verwalter** *m* receiver.

können [ˈkœnən] *v/aux, v/t u. v/i* (konnte, gekonnt, h) be able to; *dürfen:* be allowed to: **kann ich …?** can I …?; **ich kann nicht mehr** bin erschöpft: I've had it; *bin satt:* I couldn't eat another thing; **e-e Sprache ~** know (*od.* speak) a language.

Können [~] *n* (-s; *no pl*) ability, skill.

Könner [ˈkœnər] *m* (-s; -) expert (**auf dem Gebiet** *gen* at, in).

konsequen|t [kɔnzeˈkvɛnt] *adj* folgerichtig: logical; *beständig:* consistent; 2**z** [~ts] *f* (-; -en) consistency; *Folge:* consequence: **die ~en ziehen** take the necessary steps (**aus** in view of).

konservativ [kɔnzɛrvaˈtiːf] *adj* conservative; 2**e** [~ˈtiːvə] *m, f* (-n; -n) conservative.

Konserve [kɔnˈzɛrvə] *f* (-; -n) → **Konservenbüchse**: ~**n** *pl* tinned (*bsd. Am.* canned) foods *pl*; **~büchse** *f*, **~dose** *f bsd. Br.* tin, *bsd. Am.* can.

konservier|en [kɔnzɛrˈviːrən] *v/t* (*no* ge-, h) preserve; 2**ungsstoff** *m* preservative.

konstruieren [kɔnstruˈiːrən] *v/t* (*no* ge-, h) construct; *entwerfen:* design.

Konstrukt|eur [kɔnstrʊkˈtøːr] *m* (-s; -e) designer; **~ion** [~ˈtsĭoːn] *f* (-; -en) construction; *Entwurf:* design.

Konsul [ˈkɔnzʊl] *m* (-s; -n) consul; **~at** [~zuˈlaːt] *n* (-[e]s; -e) consulate.

Konsum [kɔnˈzuːm] *m* (-s; *no pl*) consumption; **~ar,tikel** *m* consumer article (*pl* -[e]s *od.* -e -en); **~ent** [~zuˈmɛnt] *m* (-en; -en) consumer; 2**ieren** [~zuˈmiːrən] *v/t* (*no* ge-, h) consume.

Kontakt [kɔnˈtakt] *m* (-[e]s; -e) contact (*a. electr.*): **mit j-m ~ aufnehmen** get in touch with s.o.; **mit j-m in ~ stehen** be in contact (*od.* touch) with s.o.; 2**freudig** *adj* sociable: ~ **sein** be a good mixer; **~linsen** *pl* contact lenses *pl*.

Kontinent [kɔntiˈnɛnt] *m* (-[e]s; -e) continent; 2**al** [~taˈl] *adj* continental; **~aleu,ropa** *n* the Continent; **~alklima** *n* continental climate.

Konto [ˈkɔnto] *n* (-s; -ten) *econ.* account;

~auszug *m* bank statement; **~nummer** *f* account number; **~stand** *m* balance.

Kontrast [kɔnˈtrast] *m* (-[e]s; -e) contrast.

Kontroll|e [kɔnˈtrɔlə] *f* (-; -n) *Überwachung, Beherrschung:* control; *Aufsicht:* supervision; *Prüfung:* check(ing), *von Gepäck etc:* inspection; **~eur** [~ˈløːr] *m* (-s; -e) inspector; 2**ieren** [~ˈliːrən] *v/t* (*no* ge-, h) control; supervise; check, inspect.

Kontroverse [kɔntroˈvɛrzə] *f* (-; -n) controversy.

Konvention|alstrafe [kɔnvɛntsĭoˈnaːl~] *f* contract penalty; 2**ell** [~ˈnɛl] *adj* conventional.

Konversation [kɔnvɛrzaˈtsĭoːn] *f* (-; -en) conversation; **~slexikon** *n* encyclop(a)edia.

konvertierbar [kɔnvɛrˈtiːrbaːr] *adj* convertible; 2**keit** *f* (-; *no pl*) convertibility.

Konzentr|ation [kɔntsɛntraˈtsĭoːn] *f* (-; -en) concentration; 2**ieren** *v/t u. v/refl* (*no* ge-, h) concentrate (**auf** *acc* on).

Konzept [kɔnˈtsɛpt] *n* (-[e]s; -e) (rough) draft: **j-n aus dem ~ bringen** put s.o. out.

Konzern [kɔnˈtsɛrn] *m* (-[e]s; -e) *econ.* group.

Konzert [kɔnˈtsɛrt] *n* (-[e]s; -e) concert; *Musikstück:* concerto: **ins ~ gehen** go to a concert; 2**iert** [~ˈtiːrt] *adj:* ~**e Aktion** concerted action.

Konzession [kɔntseˈsĭoːn] *f* (-; -en) *Genehmigung:* licen|ce (*Am.* -se); *Zugeständnis:* concession (*dat od.* **an** *acc* to).

Kooper|ation [koˀopera'tsĭoːn] *f* (-; -en) cooperation; 2**ativ** [~ˈtiːf] *adj* cooperative; 2**ieren** [~ˈriːrən] *v/i* (*no* ge-, h) cooperate.

Kopf [kɔpf] *m* (-[e]s; ⸚e) head (*a.* ~*ende, Verstand etc*): ~ **hoch!** chin up!; **sich den ~ zerbrechen** cudgel (*od.* rack) one's brains; → **durchsetzen** 1; **~bahnhof** *m* terminus; **~ende** *n* head; **~hörer** *m* headphones *pl*; **~kissen** *n* pillow; 2**los** *adj fig.* panic-stricken; **~sa,lat** *m* lettuce; **~schmerzen** *pl* headache *sg*; **~schmerzta,blette** *f* headache pill (*od.* tablet); **~tuch** *n* scarf; 2**über** *adv* headfirst; **~zerbrechen** *n* (-s; *no pl*): **j-m ~ machen** give s.o. quite a headache.

Kopie [ko'pi:] f (-; -n) copy; 2**ren** [ˌ'pi:rən] v/t (no ge-, h) copy; **~rgerät** n copier.

Kopilot ['ko:piˌlo:t] m aer. copilot.

Korb [kɔrp] m (-[e]s; ⸚e) basket; **j-m e-n ~ geben** fig. turn s.o. down.

Korken ['kɔrkən] m (-s; -) cork; **~zieher** m corkscrew.

Korn¹ [kɔrn] n (-[e]s; ⸚er) Sand etc: grain; Samen2: seed; Getreide: grain, Br. a. corn.

Korn² [ˌ] m (-[e]s; -) F (grain) schnapps.

körnig ['kœrnıç] adj grainy; Reis: al dente; in Zssgn: ...-grained.

Körper ['kœrpər] m (-s; -) body (a. phys. etc); **~bau** m (-[e]s; no pl) build, physique; 2**behindert** adj (physically) disabled med. handicapped; **~geruch** m body odo(u)r, BO; **~gewicht** n (body) weight; **~größe** f height; **~kraft** f physical strength; 2**lich** adj bodily, physical; **~pflege** f personal hygiene; **~schaft** f (-; -en) corporation, body; **~schaftsteuer** f corporation tax; **~teil** m part of the body; **~verletzung** f jur. bodily harm.

korrekt [kɔ'rɛkt] adj correct; 2**ur** [ˌ'tu:r] f (-; -en) correction; 2**urband** n correction tape.

Korrespond|ent [kɔrɛspɔn'dɛnt] m (-en; -en) correspondent; **~enz** [ˌts] f (-; -en) correspondence; 2**ieren** [ˌ'di:rən] v/i (no ge-, h) correspond (**mit** with).

Korridor ['kɔrido:r] m (-s; -e) Gang: corridor; Flur: hall.

korrigieren [kɔri'gi:rən] v/t (no ge-, h) correct.

korrupt [kɔ'rʊpt] adj corrupt; 2**ion** [ˌ'tsio:n] f (-; -en) corruption.

Kosename ['ko:zəˌ] m pet name.

Kosmet|ik [kɔs'me:tık] f (-; no pl) make-up; Mittel: cosmetics pl; **~ikerin** f (-; -nen) beautician; **~ikkoffer** m vanity case; **~iksaˌlon** m beauty parlo(u)r; 2**isch** adj cosmetic.

Kost [kɔst] f (-; no pl) food; Verpflegung: board.

kostbar ['kɔstba:r] adj precious, valuable; teuer: expensive; 2**keit** f (-; -en) precious object, treasure.

kosten¹ ['kɔstən] v/t (h) taste, try.

kosten² [ˌ] v/t (h) cost: **was** (od. **wieviel**) **kostet ...?** how much is ...?

Kosten [ˌ] pl cost(s pl); Gebühren: charges pl, fees pl: **auf j-s ~** at s.o.'s expense; **~dämpfung** f (-; -en) curbing of costs; 2**deckend** adj cost-covering; **~erstattung** f refund of expenses); **~explosiˌon** f runaway costs pl; **~faktor** m cost factor; 2**günstig** adj reasonable; 2**los** adj. adv free (of charge); **~voranschlag** m estimate: **e-n ~ einholen** get an estimate.

köstlich ['kœstlıç] **1.** adj delicious; **2.** adv: **sich ~ amüsieren** have a great time.

'Kost|probe f sample; fig. a. taste; 2**spielig** [ˌ'ʃpi:lıç] adj expensive.

Kostüm [kɔs'ty:m] n (-s; -e) costume; Damen2: suit; **~fest** n fancy-dress ball.

Kot [ko:t] m (-[e]s; no pl) excrement; von Tieren: a. droppings pl.

Kotelett [kotə'lɛt] n (-s; -s) chop.

'Kotflügel m mot. Br. wing, Am. fender.

kotzen ['kɔtsən] v/i (h) V puke.

Krabbe ['krabə] f (-; -n) shrimp, größere: prawn.

krabbeln ['krabəln] v/i (sn) crawl.

Krach [krax] m (-[e]s; ⸚e) Lärm: noise; Knall, Schlag: crash; Streit: row: **~ machen** make a noise; 2**en** v/i a) (sn) crash (**gegen** into), b) (h) Schuß: ring out.

krächzen ['krɛçtsən] v/i u. v/t (h) Person: croak.

Kraft [kraft] f (-; ⸚e) strength (a. fig.); Natur2, a. phys.: force; electr., pol., tech. power: **in ~ sein (setzen, treten)** be in (put into, come into) force; **~fahrer** m driver, motorist; **~fahrzeug** n motor vehicle; Zssgn → **Kfz-...**

kräftig ['krɛftıç] adj strong; Backe: heavy, powerful; **~ gebaut**: big; Essen: nourishing; Farbe: bright, strong.

'kraft|los adj weak; 2**probe** f trial of strength; 2**stoff** m mot. fuel; Zssgn → **Benzin...**; 2**werk** n power station.

Kragen ['kra:gən] m (-s; -) collar.

Kralle ['kralə] f (-; -n) claw (a. fig.); 2**n** v/refl (h) cling (**an** acc to), clutch (at).

Kram [kra:m] m (-[e]s; no pl) F rubbish; Sache: business.

Krampf [krampf] m (-[e]s; ⸚e) med. cramp; **~ader** f med. varicose vein.

Kran [kra:n] m (-[e]s; ⸚e) tech. crane.

krank [kraŋk] adj pred ill, bsd. attr sick: **~ sein (werden)** be (fall) ill (bsd. Am. sick).

kränken ['krɛŋkən] v/t (h) hurt s.o.'s feelings, offend.

Kranken|geld ['kraŋkən~] n sick benefit; '**~gym,nastik** f physiotherapy; '**~haus** n hospital: **im ~ liegen** be in hospital; '**~kasse** f health insurance scheme; '**~pfleger** m male nurse; '**~schein** m health insurance chit; '**~schwester** f nurse; '2**versichert** adj: **~ sein** have medical insurance; '**~versicherung** f health insurance; '**~wagen** m ambulance.

'**krankhaft** adj pathological; übertrieben etc: abnormal, obsessive.

'**Krankheit** f (-; -en) illness, sickness; bestimmte: disease; '**~serreger** m germ.

Kränkung f (-; -en) insult.

Kranz [krants] m (-es; -̈e) wreath.

kraß [kras] adj Beispiel, Widerspruch etc: crass; Fall, Lüge: blatant; Übertreibung etc: gross; Außenseiter: rank.

kratzen ['kratsən] (h) **1.** v/t scratch; schaben: scrape (**von** from, off); **2.** v/i scratch; **3.** v/refl scratch o.s.: **sich am Kinn ~** scratch one's chin.

Kraut [kraʊt] n (-[e]s; -̈er) bot. herb; gastr. cabbage.

Krawall [kra'val] m (-s; -e) riot; F Lärm: row, racket.

Krawatte [kra'vatə] f (-; -n) tie.

kreat|iv [krea'ti:f] adj creative; 2**ivität** [~ivi'tɛt] f (-; no pl) creativity; 2**ur** [~'tu:r] f (-; -en) creature.

Krebs [kre:ps] m (-es; -e) zo. crayfish; med. cancer; '2**erregend** adj carcinogenic; '**~forschung** f cancer research.

Kredit [kre'di:t] m (-[e]s; -e) econ. credit, loan; **~hai** m F contp. loan shark; **~in,sti,tut** n credit institution; **~karte** f credit card; **~rahmen** m credit plan; 2**würdig** adj creditworthy.

Kreis [kraɪs] m (-es; -e) circle (a. fig.); pol. district, Am. a. county; electr. circuit; '**~bahn** f ast. orbit; '2**en** ['~zən] v/i (sn) Flugzeug, Vogel: circle: **~ um** ein Satellit etc: orbit, Planet, Gedanken: revolve (a)round; '2**förmig** ['~fœrmɪç] adj circular; '**~lauf** m econ. etc cycle; Blut, Geld etc: circulation; '**~laufstörungen** pl med. circulatory trouble sg; '2**rund** adj circular; '**~verkehr** m roundabout (Am. rotary) traffic.

Kreuz [krɔʏts] n (-es; -e) cross (a. fig.); Symbol: a. crucifix; anat. (small of the)

back; Kartenspiel: (Farbe) clubs pl, (Karte) club; '2**en** v/refl (h) cross (a. fig.); Interessen etc: clash; '**~fahrt** f mar. cruise; '**~otter** f zo. adder; '**~schmerzen** pl backache sg; '**~ung** f (-; -en) crossroads pl (sg konstr.), junction, intersection; biol. cross(breed)ing; Produkt: cross(breed); fig. cross; '**~verhör** n jur. cross-examination: **ins ~ nehmen** cross-examine; '2**weise** adv crosswise, crossways; '**~worträtsel** n crossword (puzzle).

kriech|en ['kri:çən] v/i (kroch, gekrochen, sn) creep, crawl (fig. **vor j-m** to s.o.); 2**spur** f mot. slow (od. crawler) lane; 2**tempo** n: **im ~** at a snail's pace.

Krieg [kri:k] m (-[e]s; -e) war: **~ führen** wage war (**gegen** against).

kriegen ['kri:gən] v/t (h) get; fangen: catch.

Krieger|denkmal ['kri:gər~] n war memorial; '2**isch** adj warlike, martial.

'**kriegführ|end** adj belligerent; '2**ung** f (-; no pl) warfare.

'**Kriegs|dienst** m active service; Wehrdienst: military service; '**~dienstverweigerer** m (-s; -) conscientious objector; '**~dienstverweigerung** f conscientious objection; '**~erklärung** f declaration of war; '**~gefangene** m prisoner of war, P.O.W.; '**~recht** n (-[e]s; no pl) martial law; '**~schauplatz** m theat|re (Am. -er) of war; '**~schiff** n warship; '**~verbrechen** n war crime; '**~verbrecher** m war criminal.

Krimi ['krɪmi] m (-s; -s) (crime) thriller, F whodunit.

Kriminal|beamte [krimi'na:l~] m detective; **~film** m crime film; **~poli,zei** f criminal investigation department; **~ro,man** m crime (od. detective) novel.

kriminell [krimi'nɛl] adj criminal; 2**e** m, f (-n; -n) criminal.

Krise ['kri:zə] f (-; -n) crisis; '**~nherd** m trouble spot; '**~nstab** m crisis committee.

Kriterium [kri'te:riʊm] n (-s; -rien) criterion (**für** of).

Kritik [kri'ti:k] f (-; -en) criticism (**an** dat of); thea., mus. etc review: **gute ~en** a good press; **~ üben an** (dat) criticize; **~iker** ['kri:tikər] m (-s; -) critic; 2**iklos** adj uncritical; '2**isch** adj critical (a. fig.).

(*gegenüber* of); 2isieren [kriti'si:rən] *v/t* (*no* ge-, h) criticize.

Krone ['kro:nə] *f* (-; -n) crown.

krönen ['krø:nən] *v/t* (h) crown (*j-n zum König* s.o. king).

'**Kronleuchter** *m* chandelier.

'**Krönung** *f* (-; -en) coronation; *fig.* culmination.

Kropf [krɔpf] *m* (-[e]s; ~e) *med.* goit|re (*Am.* -er).

Kröte ['krø:tə] *f* (-; -n) *zo.* toad.

Krücke ['krvkə] *f* (-; -n) crutch: *an ~n gehen* walk on crutches.

Krug [kru:k] *m* (-[e]s; ~e) jug, pitcher; *Bier2:* mug, stein.

krümm|en ['krvmən] *v/refl* (h): *sich ~ vor* (*dat*) double up with; '2**ung** *f* (-; -en) *Straße etc:* bend, turn.

Kübel ['ky:bəl] *m* (-s; -) pail, bucket.

Kubikmeter [ku'bi:k~] *m, n* cubic met|re (*Am.* -er).

Küche ['kvçə] *f* (-; -n) kitchen; *Kochkunst:* cooking, cuisine: *kalte (warme) ~* cold (hot) meals *pl.*

Kuchen ['ku:xən] *m* (-s; -) cake.

Kugel ['ku:gəl] *f* (-; -n) ball; *Gewehr2 etc:* bullet; '~**gelenk** *n anat., tech.* ball--and-socket joint; '~**kopf** *m* golf ball; '~**kopfma,schine** *f* golf-ball typewriter; '2**lager** *n tech.* ball bearing; '~**schreiber** *m* (-s; -) ballpoint (pen), *Br.* a. TM biro; '2**sicher** *adj* bulletproof; '2**stoßen** *n* (-s) *Leichtathletik:* shot put.

Kuh [ku:] *f* (-; ~e) *zo.* cow.

kühl [ky:l] *adj* cool (a. *fig.*); '2**e** *f* (-; *no pl*) cool(ness); '~**en** *v/t* (h) cool, chill; '2**er** *m* (-s; -) *mot.* radiator; '2**erhaube** *f Br.* bonnet, *Am.* hood; '2**mittel** *n* coolant; '2**raum** *m* cold-storage room; '2**schrank** *m* refrigerator, *F* fridge; '2**tasche** *f* cold bag; '2**truhe** *f* chest freezer; '2**wasser** *n* cooling water.

'**Kuhstall** *m* cowshed.

Küken ['ky:kən] *n* (-s; -) *zo.* chick.

Kuli ['ku:li] *m* (-s; -s) *F* → *Kugelschreiber.*

kulinarisch [kuli'na:rıʃ] *adj* culinary.

Kulissen [ku'lısən] *pl thea.* wings *pl*; *Dekorationsstücke:* scenery *sg*: *hinter den ~ a. fig.* behind the scenes.

Kult [kʊlt] *m* (-[e]s; -e) cult.

Kultur [kʊl'tu:r] *f* (-; -en) culture, civilization; ~**abkommen** *n* cultural

agreement; ~**angebot** *n* range of cultural events; ~**austausch** *m* cultural exchange; ~**beutel** *m* toilet bag; 2**ell** [~tu'rɛl] *adj* cultural; ~**geschichte** *f* history of civilization; ~**pro'gramm** *n* cultural program(me); ~**schock** *m* culture shock.

'**Kultus|mi,nister** ['kʊltus~] *m* minister of education; '~**mini,sterium** *n* ministry of education.

kümmern ['kvmərn] *v/refl* (h): *sich ~ um j-n od. et.:* look after, take care of; *sich Gedanken machen:* care about, be interested in.

Kumpel ['kʊmpəl] *m* (-s; -) *Bergbau:* miner; *F Freund:* pal, *bsd. Br.* mate, *bsd. Am.* buddy.

kündbar ['kvntba:r] *adj Vertrag:* terminable: *er ist nicht ~* he cannot be given notice.

Kunde ['kʊndə] *m* (-n; -n) customer; '~**dienst** *m* after-sales service; *Abteilung:* service department; '~**nkre,ditbank** *f Br.* finance house, *Am.* sales finance company.

Kundgebung ['kʊntge:bʊŋ] *f* (-; -en) rally.

kündig|en ['kvndıgən] (h) **1.** *v/t Vertrag:* terminate; *Abonnement etc:* cancel; **2.** *v/i* give in one's notice: *j-m ~* give s.o. his notice; '2**ung** *f* (-; -en) termination; cancel(l)ation; notice; '2**ungsschutz** *m* protection against unlawful dismissal.

Kundschaft ['kʊntʃaft] *f* (-; *no pl*) customers *pl.*

Kunst [kʊnst] *f* (-; ~e) art; *Fertigkeit: a.* skill; '~**ausstellung** *f* art exhibition; '~**dünger** *m* artificial fertilizer; '~**fehler** *m med.* professional error; '~**geschichte** *f* history of art; '~**gewerbe** *n*, '~**handwerk** *n* arts and crafts *pl*; '~**leder** *n* imitation leather.

Künstler ['kvnstlər] *m* (-s; -) artist; '2**isch** *adj* artistic.

künstlich ['kvnstlıç] *adj* artificial; *unecht: a.* false (*a. Zähne etc*); *Diamant etc:* synthetic.

'**Kunst|stoff** *m* synthetic material, plastic; '2**voll** *adj* artistic, elaborate; '~**werk** *n* work of art.

Kupfer ['kʊpfər] *n* (-s; *no pl*) copper; '~**stich** *m* copperplate (engraving).

kuppeln ['kʊpəln] *v/i* (h) *mot.* operate the clutch.

K

'**Kupplung** f (-; -en) mot. clutch; '**~s-pe|dal** n clutch pedal; '**~sscheibe** f clutch disc.

Kur [kuːr] f (-; -en) (course of) treatment; in Kurort: cure; '**~aufenthalt** m stay at a health resort; '**~bad** n health resort, spa.

Kurbel ['kʊrbəl] f (-; -n) crank, handle; '**~welle** f mot. crankshaft.

Kürbis ['kʏrbɪs] m (-ses; -se) bot. pumpkin.

Kur|gast m patient (at a health resort); '**~haus** n casino.

kurieren [ku'riːrən] v/t (no ge-, h) med. cure (von of) (a. fig.).

kurios [ku'riːos] adj curious, odd, strange.

Kur|ort m health resort, spa; '**~pfuscher** m quack.

Kurs [kʊrs] m (-es; -e) aer., ped., pol. etc course; Wechsel~: (exchange) rate; Börsen~: price: **zum ~ von** at a rate of; '**~abfall** m fall in prices; '**~anstieg** m rise in prices; '**~buch** n (railway, Am. railroad) timetable; '**~gewinn** m price gain (od. profit); '**~wagen** m rail. through coach.

Kurtaxe ['~taksə] f (-; -n) health-resort tax.

Kurve ['kʊrvə] f (-; -n) curve; Straßen~: a. bend, corner; '**2nreich** adj winding.

kurz [kʊrts] **1.** adj short; zeitlich: a. brief: **~e Hose** shorts pl; (bis) **vor ~em** (until) recently; (erst) **seit ~em** (only) for a short time; **2.** adv: **~ vorher (darauf)** shortly before (after[wards]); **~ vor uns** just ahead of us; **~ nacheinander** in

quick succession; **~ fortgehen** go away for a short time (od. a moment); **sich ~ fassen** be brief, put it briefly; **~ gesagt** in short; **zu ~ kommen** go short; **~ u. bündig** briefly and succinctly; → lang 2; '**2arbeit** f (-; no pl) short time; '**~arbeiten** v/i (sep, -ge-, h) be on (od. work) short time; '**2arbeiter** m short-time worker.

Kürze ['kʏrtsə] f (-; no pl) shortness; zeitlich: a. brevity: **in ~** soon, shortly, before long; '**2n** v/t (h) Kleid etc: shorten (um by); Buch etc: abridge; Ausgaben etc: cut, reduce.

'**kurz|fristig 1.** adj short-term; **2.** adv at short notice; für kurze Zeit: for a short period; '**2geschichte** f short story.

kürzlich ['kʏrtslɪç] adv recently, not long ago.

'**Kurz|nachrichten** pl news summary sg; '**~parkzone** f limited parking zone; '**~schluß** m electr. short circuit; '**2sichtig** adj shortsighted (a. fig.); '**~strecke** f short distance.

'**Kürzung** f (-; -en) cut, reduction.

'**Kurzwelle** f electr. short wave: **auf ~ on** short wave.

Kusine [ku'ziːnə] f (-; -n) cousin.

Kuß [kʊs] m (-sses; ~sse) kiss; '**2echt** adj kissproof.

küssen ['kʏsən] v/t (h) kiss.

Küste ['kʏstə] f (-; -n) coast, shore; '**~n-gewässer** pl coastal waters pl; '**~n-schiffahrt** f coastal shipping; '**~n-schutz** m coastguard.

Kuvert [ku've:r] n (-s; -s) envelope.

L

labil [la'biːl] adj unstable.

Labor [la'boːr] n (-s; -s, -e) laboratory, F lab; **~ant** [~bo'rant] m (-en; -en) laboratory assistant; **2ieren** [~bo-'riːrən] v/i (no ge-, h): **~ an** (dat) suffer from; **~versuch** m laboratory experiment.

Lache ['laxə] f (-; -n) pool, puddle.

lächeln ['lɛçəln] v/i (h) smile (über acc at).

Lächeln [~] n (-s) smile.

lachen ['laxən] v/i (h) laugh (über acc at).

Lachen [~] n (-s) laugh(ter): **j-n zum ~ bringen** make s.o. laugh.

lächerlich ['lɛçərlɪç] adj ridiculous: **~**

machen ridicule, make fun of; *sich ~ machen* make a fool of o.s.

Lachs [laks] *m* (-es; -e) salmon.

Lack [lak] *m* (-[e]s; -e) varnish (*a. Nagel2*); *Farb2*: lacquer; *mot.* paint; *2ieren* [~'ki:rən] *v/t* (*no* ge-, h) varnish; lacquer; *mot.* paint.

Lade|fläche ['la:də~] *f* loading space; *~gerät n electr.* battery charger.

'laden *v/t* (lud, geladen, h) load; *electr.* charge.

'Laden *m* (-s; ") *Br.* shop, *bsd. Am.* store; *Fenster2*: shutter; *~dieb m* shoplifter; *~diebstahl m* shoplifting; *~inhaber m Br.* shopkeeper, *bsd. Am.* storekeeper; *~kasse f* till; *~preis m* retail price; *~schluß m* (-sses; *no pl*) closing time: *nach ~* after hours; *~schlußgesetz n law regulating closing times*; *~schlußzeit f* closing time; *~straße f* shopping street; *~tisch m* counter.

Lade|rampe *f* loading ramp; *~raum m* loading space; *mar.* hold.

'Ladung *f* (-; -e) *aer., mar.* cargo; *mot.* load.

Lage ['la:gə] *f* (-; -n) situation, position (*beide a. fig.*); *Platz: a.* location; *Schicht:* layer; *Bier etc:* round: *in schöner (ruhiger)* ~ beautifully (peacefully) situated; *in der ~ sein zu* be able to, be in a position to.

Lager ['la:gər] *n* (-s; -) camp (*a. fig. Partei*); *Vorratsraum:* storeroom, *in Geschäft etc:* stockroom; *~haus:* warehouse; *Vorrat:* stock: *et. auf ~ haben* have s.th. in stock; *~bestand m* stock; *~feuer n* campfire; *~haltung f* stockkeeping; *~haltungskosten pl* storage charges *pl* (*od.* costs *pl*); *~haus n* warehouse; *2n* (h) **1.** *v/i* camp; *Lebensmittel etc:* be stored (*od.* kept); **2.** *v/t* store; *~kühl ~* store (*od.* keep) in a cool place; *~raum m* storeroom, *in Geschäft etc:* stockroom; *~ung f* (-; *no pl*) storage.

Lagune [la'gu:nə] *f* (-; -n) lagoon.

lähmen ['lɛ:mən] *v/t* (h) paraly|se (*Am.* -ze); *fig.* → lahmlegen: *wie gelähmt sein vor* (*dat*) be paralysed with.

lahmlegen ['la:m~] *v/t* (sep, -ge-, h) *Wirtschaft etc:* paraly|se (*Am.* -ze); *Verkehr:* bring to a standstill.

'Lähmung *f* (-; -en) *med.* paralysis.

Laib [laip] *m* (-[e]s; -e) loaf.

Laich [laiç] *m* (-[e]s; -e) spawn; *2en v/i* (h) spawn.

Laie ['laiə] *m* (-n; -n) layman, *Frau:* laywoman; *2nhaft adj* amateurish.

Laken ['la:kən] *n* (-s; -) sheet; *Bade2*: bath towel.

Lamm [lam] *n* (-[e]s; "er) *zo.* lamb (*a. gastr.*); *~braten m* roast lamb; *~fell n* lambskin; *~kote_lett n* lamb chop.

Lampe ['lampə] *f* (-; -n) lamp, light; *Glüh2*: bulb; *~nfieber n* stage fright; *~nschirm m* lampshade.

Lampion [lam'piɔŋ] *m* (-s; -s) Chinese lantern.

Land [lant] *n* (-es; "er) *Fest2*: land; *Staat:* country, *Bundes2*: Land; *Boden:* ground, soil, *~besitz:* land, property: *an ~ gehen* go ashore; *auf dem ~* in the country; *aufs ~ fahren* go into the country; *außer ~es gehen* go abroad; *~bevölkerung f* rural population.

Lande|bahn ['landə~] *f aer.* runway; *~erlaubnis f* permission to land.

land'einwärts *adv* inland.

landen ['landən] *v/i* (sn) land; *fig.* ~ *in* end up in.

'Landenge *f* (-; -n) *geogr.* isthmus.

Landeplatz ['landə~] *m aer.* airstrip.

Landes|grenze ['landəs~] *f* national border; *~innere n* (-inner[e]n; *no pl*) interior; *~sprache f* national language; *~verrat m* treason; *~verteidigung f* national defen|ce (*Am.* -se); *~währung f* national currency.

'Land|flucht *f* rural exodus; *~friedensbruch m jur.* breach of the public peace; *~karte f* map.

ländlich ['lɛntlɪç] *adj* rural; *derb:* rustic.

'Landschaft *f* (-; -en) countryside; *bsd. schöne:* scenery; *bsd. paint.* landscape; *2lich adj* scenic.

'Lands|mann *m* (-[e]s; -leute) (fellow) countryman; *~männin* ['~mɛnɪn] *f* (-; -nen) (fellow) countrywoman.

'Land|straße *f* country road; *nicht Autobahn:* ordinary road; *~streitkräfte pl* land forces *pl*.

'Landung *f* (-; -en) landing, *aer.* touchdown; *~sbrücke f*, *~ssteg m mar.* landing stage.

'Land|weg *m: auf dem ~* by land; *~wirt m* farmer; *~wirtschaft f* farming; *2wirtschaftlich adj* agricultural.

lang [laŋ] **1.** *adj* long; *F Person:* tall: *seit*

L

~em for a long time; **vor ~er Zeit** (a) long time ago; **2.** *adv* long: **drei Jahre (einige Zeit)** ~ for three years (some time); **den ganzen Tag** ~ all day long; **über kurz od.** ~ sooner or later; '**~e** *adv* (for a) long time: **es ist schon ~ her(, seit)** it has been a long time (since); **(noch) nicht ~ her** not long ago; **noch ~ hin** still a long way off; **es dauert nicht** ~ it won't take long; **ich bleibe nicht ~ fort** I won't be long; **wie ~ noch?** how much longer?

Länge ['lɛŋə] *f* (-; -n) length; *geogr.* longitude: **der ~ nach** (at) full length; **in die ~ ziehen** drag out; **sich in die ~ ziehen** drag on.

langen ['laŋən] *v/i* (h) F *greifen:* reach (**nach** for); *genügen:* be enough: **mir langt es** I've had enough.

'**Längen|grad** *m geogr.* degree of longitude; '**~maß** *n* measure of length.

'**Langeweile** *f* (-; *no pl*) boredom: **~ haben** be bored.

'**lang|fristig** *adj* long-term; **~jährig** ['~jɛːrɪç] *adj:* **~e Erfahrung** many years *pl* of experience; **~lebig** ['~leːbɪç] *adj* long-lived; *econ.* durable: **~e Gebrauchsgüter** *pl* (consumer) durables *pl*.

länglich ['lɛŋlɪç] *adj* longish, oblong.

längs [lɛŋs] **1.** *prp* along; **2.** *adv* lengthwise.

'**lang|sam** *adj* slow: **~er werden** (*od.* **fahren**) slow down; '**2spielplatte** *f* long-playing record, *mst* LP.

längst [lɛŋst] *adv* long ago (*od.* before): **~ vorbei** long past; **ich weiß es ~** I have known it for a long time.

'**Lang|strecke** *f* long distance; **2weilen** ['~vaɪlən] (*insep*, ge-, h) **1.** *v/t* bore; **2.** *v/refl* be bored; '**~weiler** *m* (-s; -) F bore; '**2weilig** *adj* boring, dull; '**~welle** *f electr.* long wave: **auf ~** on long wave; **2wierig** ['~viːrɪç] *adj* lengthy, protracted (*a. med.*).

Lappalie [la'paːliə] *f* (-; -n) trifle.

Lappen ['lapən] *m* (-s; -) (piece of) cloth; *Fetzen:* rag (*a. fig*); *Staub2:* duster.

Lärm [lɛrm] *m* (-[e]s; *no pl*) noise; '**~bekämpfung** *f* (-; *no pl*) noise abatement; '**~belästigung** *f* noise pollution; '**2end** *adj* noisy; '**~schutz** *m* protection against noise; '**~schutzwand** *f* noise barrier.

lassen ['lasən] (ließ, h) **1.** *v/t* (*pp*

gelassen) let, leave: *j-n* (**et.**) **zu Hause ~** leave s.o. (s.th.) at home; *j-n* **allein ~** leave s.o. alone; **laß alles so, wie** (**wo**) **es ist** leave everything as (where) it is; **er kann das Rauchen etc. nicht ~** he can't stop smoking *etc*; **laß das!** stop (*od.* quit) it!, *bsd. Am.* F cut it out!; → **Ruhe; 2.** *v/aux* (*pp* lassen): *j-n* **et. tun ~** let s.o. do s.th., allow s.o. to do s.th.; *veran~*: make s.o. do s.th.; **es läßt sich machen** it can be done; → **grüßen, kommen, Haar** *etc*.

lässig ['lɛsɪç] *adj* casual, nonchalant; *nach~*: careless.

Last [last] *f* (-; -en) load (*a. fig*); *Bürde:* burden (*a. fig*); *Gewicht:* weight (*a. fig*): *j-m* **zur ~ fallen** be a burden to s.o.; *j-m* **et. zur ~ legen** charge s.o. with s.th.; '**~auto** *n* → **Lastwagen**; '**2en** *v/i* (h): **~ auf** (*dat*) weigh heavily on, rest on (*beide a. fig*); '**~enaufzug** *m Br.* goods lift, *Am.* freight elevator.

Laster¹ ['lastər] *m* (-s; -) F → **Lastwagen**.

Laster² [~] *n* (-s; -) vice.

lästern ['lɛstərn] *v/i* (h): **~ über** (*acc*) run down, backbite.

lästig ['lɛstɪç] *adj* troublesome, annoying: (*j-m*) **~ sein** be a nuisance (to s.o.)

'**Last|schrift** *f econ.* debit entry; '**~wagen** *m mot.* truck, *Br. a.* lorry; '**~wagenfahrer** *m* truck (*Br. a.* lorry) driver, *Am. a.* trucker.

Laub [laʊp] *n* (-[e]s; *no pl*) foliage; '**~baum** *m* deciduous tree.

Lauch [laʊx] *m* (-[e]s; -e) *bot.* leek.

Lauer ['laʊər] *f:* **auf der ~ liegen** lie in wait; '**2n** *v/i* (h) lurk: **~ auf** (*acc*) lie in wait for.

Lauf [laʊf] *m* (-[e]s; -e) *Sport:* race, run; *Verlauf:* course; *Gewehr2:* barrel: **im ~ der Zeit** in the course of time; '**~bahn** *f* career.

'**laufen** ['laʊfən] (lief, gelaufen, sn) **1.** *v/i* run (*a. econ., mot., tech., fig.*); *zu Fuß gehen:* walk; *funktionieren:* work; **2.** *v/t* walk; '**~d 1.** *adj* current (*a. econ.*); *ständig:* continual; **~e Kosten** *pl econ.* overheads *pl*; **auf dem ~en sein** be up to date; **2.** *adv* continuously; *regelmäßig:* regularly; *immer:* always; '**~lassen** *v/t* (*irr, sep, no ge-*, h, → **lassen**) *j-n*: let go; *straffrei:* let off.

Läufer ['lɔyfər] m (-s; -) runner (a. Teppich); Schach: bishop.

'**Lauf**|**masche** f bsd. Br. ladder, Am. run; '**~paß** m: F j-m den ~ geben give s.o. his marching orders; Freundin etc: ditch s.o.; '**~schritt** m: im ~ at the double; '**~stall** m playpen; '**~steg** m catwalk; '**~werk** n Computer: drive; '**~zeit** f Vertrag etc: life, term; Cassette etc: running time.

Laun|**e** ['laʊnə] f (-; -n) mood, temper: gute (schlechte) ~ haben be in a good (bad) mood (od. temper); '**2enhaft**, '**2isch** adj moody; mürrisch: bad-tempered.

Laus [laʊs] f (-; ⸚e) zo. louse.

lauschen ['laʊʃən] v/i (h) heimlich: eavesdrop.

laut¹ [laʊt] 1. adj loud; Straße, Kinder: noisy; 2. adv loud(ly): ~ vorlesen read (out) aloud; (sprich) ~er, bitte! speak up, please!

laut² [~] prp according to.

Laut [~] m (-[e]s) sound, noise; '**2en** v/i (h) read; Name: be.

läuten ['lɔytən] v/i u. v/t (h) ring: es läutet the (door)bell is ringing.

lauter ['laʊtər] adv Unsinn etc: sheer; nichts als: nothing but.

'**laut**|**los** adj silent, soundless; Stille: hushed; '**2sprecher** m (loud)speaker; '**2stärke** f loudness; electr. a. (sound) volume: mit voller ~ (at) full blast; '**2stärkeregler** m volume control.

lauwarm ['laʊ~] adj lukewarm.

Lava ['laːva] f (-; -ven) geol. lava.

Lawine [la'viːnə] f (-; -n) avalanche.

leben ['leːbən] v/i (h) 1. am Leben sein: be alive; wohnen: live: von et. ~ live on s.th.; 2. v/t live.

Leben [~] n (-s; -) life: am ~ bleiben stay alive; überleben: survive; am ~ sein be alive; sich das ~ nehmen take one's (own) life, commit suicide; ums ~ kommen lose one's life; um sein ~ laufen (kämpfen) run (fight) for one's life; das tägliche ~ everyday life; mein ~ lang all my life; '**2d** adj living, '**~ig** [le'bɛndɪç] adj living, pred. alive; fig. lively.

'**Lebens**|**abend** m old age, the last years pl of one's life; '**~bedingungen** pl living conditions pl; '**~dauer** f lifespan; tech. (service) life; '**~erfahrung** f experience of life; '**~erwartung** f life expec-

tancy; '**2fähig** adj med. viable (a. fig.); '**~gefahr** f (-; no pl) mortal danger: unter ~ at the risk of one's life; er schwebte in ~ his life was in danger, med. he was in a critical condition; '**2gefährlich** adj highly dangerous; Krankheit: very serious; Verletzung: critical; '**~gefährte** m live-in boyfriend; '**~gefährtin** f (-; -nen) live-in girlfriend; '**2groß** adj life-size(d); '**~größe** f: in ~ life-size(d); '**~haltungskosten** pl cost sg of living; '**2länglich** 1. adj lifelong: ~e Freiheitsstrafe jur. life imprisonment; 2. adv for life; '**~lauf** m curriculum vitae, Am. a. résumé; '**2lustig** adj fond of life.

'**Lebensmittel** pl food sg, foodstuffs pl; Waren: a. groceries pl; '**~abteilung** f food department; '**~geschäft** n grocery, grocer's (shop, bsd. Am. store); '**~vergiftung** f med. food poisoning.

'**lebens**|**müde** adj weary of life; '**2notwendigkeit** f vital necessity; '**2qualität** f (-; no pl) quality of life; '**2retter** m rescuer; '**2standard** m standard of living; '**2stellung** f permanent position; '**2unterhalt** m livelihood: s-n ~ verdienen earn one's living (als as; mit out of, by); '**2versicherung** f life insurance; '**2weise** f way of life; '**2wichtig** adj vital, essential; '**2zeichen** n sign of life; '**2zeit** f lifetime: auf ~ for life.

Leber ['leːbər] f (-; -n) anat., gastr. liver; '**~fleck** m mole.

'**Lebewesen** n (-s; -) living being, creature.

leb|**haft** ['leːphaft] adj lively; Verkehr: heavy; '**2kuchen** m gingerbread; '**2zeiten** pl: zu s-n ~ in his lifetime.

leck [lɛk] adj leaking, leaky.

Leck [~] n (-[e]s; -e) leak.

'**lecken¹** v/i (h) leak.

'**lecken²** v/t u. v/i (~ an dat) (h) lick.

lecker ['lɛkər] adj delicious, tasty; '**2bissen** m delicacy; fig. treat.

Leder ['leːdər] n (-s; -) leather; '**2n** adj leather; '**~waren** pl leather goods pl.

ledig ['leːdɪç] adj single, unmarried; '**~lich** ['~dɪklɪç] adv only, merely, solely.

leer [leːr] 1. adj empty (a. fig.); unbewohnt: a. vacant; Seite etc: blank; Batterie: flat; 2. adv: ~ laufen tech. idle; '**2e** f (-; no pl) emptiness (a. fig.); '**~en** v/t u. v/refl (h) empty; '**2gut** n (-[e]s; no

L

pl) empties *pl*; **'Qlauf** *m tech.* idling; *Gang:* neutral (gear); *fig.* running on the spot; **'Lstehend** *adj Wohnung:* unoccupied, vacant; **'Qtaste** *f Schreibmaschine:* space bar; **'Qung** *f* (-; -en) mail. collection.

legal [le'ga:l] *adj* legal, lawful; **Lisieren** [legali'zi:rən] *v/t* (*no* ge-, h) legalize; **Qi'sierung** *f* (-; -en) legalization.

legen ['le:gən] (h) **1.** *v/t* lay (*a.* Eier), place, put; *Haare:* set; **2.** *v/refl* lie down; *fig.* calm down; *Schmerz:* wear off.

Legende [le'gɛndə] *f* (-; -n) legend.

Legislat|ive [legisla'ti:və] *f* (-; -n) *pol.* legislature; **Lurperi,ode** [L'tu:rL] *f* legislature period.

legitim [legi'ti:m] *adj* legitimate.

Lehn|e ['le:nə] *f* (-; -n) *Rücken2:* back(rest); *Arm2:* arm(rest); **Qen** *v/t, v/i a. v/refl* (h) lean (*an acc, gegen* against): *sich aus dem Fenster ~* lean out of the window; **Lsessel** *m*, **Lstuhl** *m* armchair.

Lehr|buch ['le:rL] *n* textbook; **Le** *f* (-; -n) *Wissenschaft:* science; *Theorie:* theory; *eccl., pol.* teachings *pl*, doctrine; *e-r Geschichte:* moral; *e-s Lehrlings:* apprenticeship: *in der ~ sein* be apprenticed (*bei* to); *das wird ihm e-e ~ sein* that will teach him a lesson; **Qen** *v/t* (h) teach; *zeigen:* show.

'Lehrer *m* (-s; -) teacher, *Br. a.* master; **'Lin** *f* (-; -nen) (lady) teacher, *Br. a.* mistress; **Lmangel** *m* (-s; *no pl*) shortage of teachers.

'Lehr|gang *m* course (*für, in dat* in); **Ljahr** *n* year (of apprenticeship); **Lling** ['Llɪŋ] *m* (-s; -e) apprentice, trainee; **Qreich** *adj* informative, instructive; **Lstelle** *f* apprenticeship; *offene:* vacancy for an apprentice; **Lstuhl** *m univ.* chair (*für* of); **Lzeit** *f* apprenticeship.

Leib [laɪp] *m* (-[e]s; -er) body: *bei lebendigem Le* alive; *mit ~ u. Seele* heart and soul.

Leibes|kräfte ['laɪbəsL] *pl: aus Ln* with all one's might; **Lvisitation** ['Lvizita,tsɪo:n] *f* (-; -en) body search.

'Leib|gericht *n favo(u)rite* dish; **Lrente** *f* life annuity; **Lwache** *f coll.* bodyguard(*s pl*); **Lwächter** *m* bodyguard.

Leiche ['laɪçə] *f* (-; -n) (dead) body, corpse.

'leichen|blaß *adj* deathly pale; **'Qhalle** *f* mortuary; **'Qschauhaus** *n* morgue; **'Qwagen** *m* hearse.

leicht [laɪçt] **1.** *adj* light (*a. fig.*); *einfach:* easy, simple; *geringfügig:* slight, minor; **2.** *adv:* *~ möglich* quite possible; *~ gekränkt* easily offended; *das ist ~ gesagt* it's not as easy as that; *es geht ~ kaputt* it breaks easily; **'Qathletik** *f Br.* athletics *pl* (*a. sg konstr.*), *Am.* track and field; **'Lfallen** *v/i* (*irr, sep,* -ge-, *sn,* → *fallen*): *es fällt mir (nicht) ~ (zu)* I find it easy (difficult) (to); **Lgläubig** ['Lglɔʏbɪç] *adj* credulous; **'Qigkeit** *f* (-; no pl): *mit ~* easily, with ease; **'Qmetall** *n* light metal; **'Lnehmen** *v/t* (*irr, sep,* -ge-, h, → *nehmen*) not worry about; *Krankheit etc:* make light of; **'Qsinn** *m* (-[e]s; *no pl*) carelessness; *stärker:* recklessness; **'Lsinnig** *adj* careless, reckless; **'Lverständlich** *adj* easy to understand.

Leid [laɪt] *n* (-[e]s; *no pl*) sorrow, grief; *Schmerz:* pain: *ihr ist kein ~ geschehen* she came to no harm.

leid [L] *adj:* *es tut mir ~* I'm sorry (*um* for; *wegen* about; *daß ich zu spät komme* for being late).

leiden ['laɪdən] (litt, gelitten, h) **1.** *v/i* suffer (*an dat, unter dat* from); **2.** *v/t:* *j-n gut ~ können* like s.o.; *ich kann ihn nicht ~* I don't like him, *stärker:* I can't stand him.

Leiden [L] *n* (-s; -) suffering; *med.* illness, *Gebrechen:* complaint.

'Leidenschaft *f* (-; -en) passion; **'Qlich** *adj* passionate; *heftig:* vehement.

'Leidensgenosse *m* fellow sufferer.

leider ['laɪdər] *adv* unfortunately: *~ ja* (*nein*) I'm afraid so (not).

'Leid|tragende *m, f* (-n; -n): *er ist der ~ dabei* he is the one who suffers for it; **'Lwesen** *n: zu m-m* to my regret.

Leih|bücherei ['laɪL] *f* lending library; **Qen** *v/t* (lieh, geliehen, h) *j-m:* lend: *sich et. ~* borrow s.th. (*bei, von* from); **Lgebühr** *f Auto:* hire (*Am.* rental) charge; *Buch:* lending fee; **Lhaus** *n* pawnshop; **Lmutter** *f* surrogate mother; **Lwagen** *m mot.* hire (*Am.* rental) car: *sich e-n ~ nehmen* hire (*Am.* rent) a car.

Leine ['laɪnə] *f* (-; -n) line; *Hunde2:* lead, leash.

'Leinwand *f Kino etc:* screen.

leise ['laɪzə] **1.** *adj* quiet; *Stimme etc*: *a.* low, soft (*a. Musik*); *fig.* slight, faint: **∼r stellen** turn down; **2.** *adv* in a low voice: **∼ sagen** *a.* whisper.

Leiste ['laɪstə] *f* (-; -n) *anat.* groin.

leisten ['laɪstən] *v/t* (h) do, work; *vollbringen*: achieve, accomplish; *Dienst, Hilfe*: render; *Eid*: take: **gute Arbeit ∼** do a good job; **sich et. ∼ gönnen**: treat o.s. to s.th.; **ich kann es mir (nicht) ∼** I can('t) afford it (*a. fig.*).

Leistenbruch *m med.* inguinal hernia.

Leistung *f* (-; -en) performance; *besondere*: achievement; *tech. a.* output; *Dienst*: service; *Sozial etc*: benefit; **2bezogen** *adj* performance-oriented; **∼sbi‚lanz** *f econ.* balance on current account; **∼sdruck** *m* (-[e]s; *no pl*) pressure; **2sfähig** *adj* efficient; *tech.* powerful; **∼sfähigkeit** *f* (-; *no pl*) efficiency; *tech.* power; fitness; **∼sgesellschaft** *f* meritocracy, achievement-oriented society; **∼sprin‚zip** *n* achievement principle.

Leitartikel ['laɪt‿] *m* editorial, *bsd. Br.* leader, leading article.

leiten ['laɪtən] *v/t* (h) lead, guide (*a. fig.*), conduct (*a. mus., phys.*); *Amt, Geschäft etc*: run, be in charge of, manage; *Sitzung etc*: host; *TV etc* als Moderator: host; **∼d** *adj* leading; *phys.* conductive: **∼e Stellung** managerial position; **∼er Angestellter** executive.

Leiter[1] ['laɪtɐ] *f* (-; -n) ladder.

Leiter[2] [∼] *m* (-s; -) leader; conductor (*a. mus., phys.*); *Amt, Firma etc*: head, manager; *Sitzung etc*: chairman; **∼in** *f* (-; -nen) manageress; chairwoman.

Leitplanke *f mot. Br.* crash barrier, *Am.* guardrail.

Leitung *f* (-; -en) *econ.* management; *Hauptbüro*: head office; *Verwaltung*: administration; *Vorsitz*: chairmanship; *e-r Veranstaltung*: organization; *künstlerische etc*: direction; *tech. Haupt‿*: main; *im Haus*: pipe(s *pl*); *electr., teleph.* line: **die ∼ haben** be in charge; **unter der ∼ von** *mus.* conducted by; **∼srohr** *n* pipe; **∼swasser** *n* tap water.

Leit|währung *f econ.* key currency; **∼zins** *m econ.* central bank discount rate.

Lektion [lɛk'tsĭoːn] *f* (-; -en) lesson: *j-m*

e-e ∼ erteilen *fig.* teach s.o. a lesson.

Lektüre [lɛk'tyːrə] *f* (-; -n) reading (matter).

Lende ['lɛndə] *f* (-; -n) *anat., gastr.* loin; **∼nwirbel** *m anat.* lumbar vertebra.

lenken ['lɛŋkən] *v/t* (h) steer, *mot. a.* drive; *fig.* direct, guide; *j-s Aufmerksamkeit*: direct (**auf** *acc* to); **2rad** *n mot.* steering wheel; **2ung** *f* (-; -en) *mot.* steering (system).

lernen ['lɛrnən] *v/t u. v/i* (h) learn; *für die Schule etc*: study: **schwimmen etc ∼** learn (how) to swim *etc*.

Lesb|ierin ['lɛsbĭərɪn] *f* (-; -nen) lesbian; **2isch** *adj* lesbian.

Lese|lampe ['leːzə‿] *f* reading lamp; **2n** *v/t u. v/i* (las, gelesen, h) read: **das liest sich wie** it reads like; **2nswert** *adj* worth reading; **∼r** *m* (-s; -) reader; **∼rbrief** *m* letter to the editor; **2rlich** *adj* legible; **∼stoff** *m* reading matter; **∼zeichen** *n* bookmark.

Lesung *f* (-; -en) *parl.* reading.

letzte ['lɛtstə] *adj* last; *neueste*: latest: **als ∼r ankommen** *etc* arrive *etc* last; **2r sein** be last; **das ist das 2!** that's the limit!; → **Mal‿, Zeit.**

Leuchte ['lɔʏçtə] *f* (-; -n) light; **2en** *v/i* (h) shine; *schwächer*: glow; **2end** *adj* shining (*a. fig.*); *Farbe etc*: bright; **∼er** *m* (-s; -) candlestick; → **Kronleuchter;** **∼re‚klame** *f* neon sign(s *pl*).

leugnen ['lɔʏɡnən] **1.** *v/t* deny (**et. getan zu haben** doing s.th.; **daß** that); **2.** *v/i* deny everything.

Leute ['lɔʏtə] *pl* people *pl*.

Lexikon ['lɛksikɔn] *n* (-s; -ka) encyclop(a)edia; *Wörterbuch*: dictionary.

liberal [libe'raːl] *adj* liberal; **2e** *m, f* (-n; -n) liberal.

Licht [lɪçt] *n* (-[e]s; -er) light; *Helle*: brightness: **∼ machen** switch (*od.* turn) on the light(s); **∼bild** *n* passport photograph; *Dia*: slide; **∼bildervortrag** *m* slide lecture; **∼blick** *m fig.* ray of hope; **2empfindlich** *adj* sensitive to light; *phot.* (photo)sensitive; **∼hupe** *f*: **die ∼ betätigen** *mot.* flash one's lights; **∼ma‚schine** *f mot.* alternator; **∼schalter** *m* light switch; **∼schutzfaktor** *m* protection factor.

Lid [liːt] *n* (-[e]s; -er) (eye)lid; **∼schatten** *m* eye shadow.

lieb [liːp] *adj* dear; *liebenswert*: *a.* sweet;

nett, freundlich: nice, kind; *Kind:* good; *in Briefen:* **～e Jeanie** dear Jeanie.

Liebe ['liːbə] *f* (-; *no pl*) love (**zu** of, for): **aus ～ zu** out of love for; **～ auf den ersten Blick** love at first sight; '**2n** *v/t* (h) love; *j-n: a.* be in love with; *sexuell:* make love to.

'**liebenswürdig** *adj* kind; '**2keit** *f* (-; *no pl*) kindness.

lieber ['liːbər] *adv* rather, sooner: **～ haben** prefer, like better; **ich möchte ～ (nicht) ...** I'd rather (not) ...; **du solltest ～ (nicht) ...** you had better (not) ...

'**Liebes|brief** *m* love letter; **～kummer** ['～kʊmər] *m* (-s; *no pl*) lovesickness: **～ haben** be lovesick; '**～paar** *n* (pair of) lovers *pl*, courting couple.

'**liebevoll** *adj* loving, affectionate.

'**lieb|gewinnen** *v/t* (*irr, sep, pp* liebgewonnen, h, → *gewinnen*) grow fond of; '**～haben** *v/t* (*irr, sep, -ge-, h, →haben*) love, be fond of; '**2haber** *m* (-s; -) lover (*a. fig.*); '**2haberpreis** *m* collector's price; '**2haberstück** *n* collector's item; '**2haberei** *f* (-; -en) hobby; '**～lich** *adj* lovely, charming, sweet (*a. Wein*).

'**Liebling** *m* (-s; -e) darling; *Günstling:* favo(u)rite; *bsd. Kind, Tier:* pet; *als Anrede:* darling, **2** Honey; '**～s... *in Zssgn mst* favo(u)rite ...

Lied [liːt] *n* (-[e]s; -er) song; *Kunst2:* lied; **～ermacher** ['liːdər～] *m* (-s; -) singer-songwriter.

Lieferant [liːfə'rant] *m* (-en; -en) *econ.* supplier.

'**liefer|bar** *adj* available; '**2frist** *f* delivery period; '**～n** *v/t* (h) deliver: *j-m et.* **～** supply s.o. with sth.; '**2schein** *m* delivery note; '**2ung** *f* (-; -en) delivery; *Versorgung:* supply; *zahlbar bei ～* payable on delivery; '**2wagen** *m* (delivery) van.

Liege ['liːgə] *f* (-; -n) couch; *Camping2:* camp bed.

'**liegen** *v/i* (lag, gelegen, h, sn) lie; (*gelegen*) *sein: a.* be (situated): (*krank*) **im Bett ～** be (ill) in bed; *nach Osten* (*der Straße*) **～** face east (the street); *daran liegt es* (*, daß*) that's (the reason) why; *es* (*er*) *liegt mir nicht in* (*in*) he is not my cup of tea; *mir liegt viel* (*wenig*) *daran* it means a lot (doesn't mean much) to me; '**～bleiben** *v/i* (*irr, sep, -ge-, sn, →bleiben*) stay in bed;

Tasche etc: be left behind; '**～lassen** *v/t* (*irr, sep, -ge-, h, →lassen*) leave behind: *j-n links ～* ignore s.o., give s.o. the cold shoulder.

'**Liege|sitz** *m mot.* reclining seat; '**～stuhl** *m Br.* deckchair, *Am.* beachchair; '**～stütz** *m* (-es; -e) *bsd. Br.* press-up, *bsd. Am.* push-up: *e-n ～ machen* do a press-up; '**～wagen** *m rail.* couchette (coach, *Am.* car); '**～wiese** *f* lawn for sunbathing.

Lift [lɪft] *m* (-[e]s; -e, -s) *Br.* lift, *Am.* elevator.

Likör [li'køːr] *m* (-s; -e) liqueur.

lila ['liːla] *adj* lilac; *dunkel～:* purple.

Lilie ['liːliə] *f* (-; -n) *bot.* lily.

Limonade [limo'naːdə] *f* (-; -n) fizzy drink, *Am. a.* soda pop.

Limousine [limu'ziːnə] *f* (-; -n) *mot. Br.* saloon (car), *Am.* sedan.

linder|n ['lɪndərn] *v/t* (h) *Not:* alleviate, relieve, *Schmerzen: a.* ease; '**2ung** *f* (-; *no pl*) alleviation, relief.

Linie ['liːniə] *f* (-; -n) line: *auf s-e ～ achten* watch one's figure; '**～nbus** *m* regular bus; '**～nflug** *m* scheduled flight; '**～nma,schine** *f aer.* scheduled plane; '**～ntaxi** *n* public-service taxi.

link|e ['lɪŋkə] *adj* left (*a. pol.*): *auf der ～n Seite* on the left(-hand) side; '**2e** *m, f* (-n; -n) *pol.* leftist, left-winger; '**～isch** *adj* awkward, clumsy.

links [lɪŋks] *adv* on the left; *verkehrt:* on the wrong side: *nach ～* (to the) left; *～ von* to the left of; → *liegenlassen*; '**2abbieger** *m* (-s; -) motorist *etc* turning left; '**2extre,mismus** *m pol.* left-wing extremism; '**2extre,mist** *m* left-wing extremist; '**2extre,mistisch** *adj* extremely left-wing; '**2händer** ['～hɛndər] *m* (-s; -) left-hander: *～ sein* be left-handed; '**～radi,kal** *adj pol.* radically left-wing; '**2radi,kale** *m, f* left-wing radical; '**2radika,lismus** *m* left-wing radicalism; '**2steuerung** *f mot.* left-hand drive; '**2verkehr** *m: in Großbritannien ist ～* in Great Britain they drive on the left.

Linse ['lɪnzə] *f* (-; -n) *bot.* lentil; *opt.* lens.

Lippe ['lɪpə] *f* (-; -n) lip; '**～nstift** *m* lipstick.

liquidieren [likvi'diːrən] *v/t* (*no ge-, h*) *Firma, a. pol. j-n:* liquidate; *Betrag:* charge.

List [lɪst] f (-; -en) trick; ~**igkeit**: cunning.
Liste [ˈlɪstə] f (-; -n) list; '~**npreis** m econ. list price.
'**listig** adj cunning, crafty.
Liter [ˈliːtər] m, n (-s; -) lit|re (Am. -er).
litera|risch [liteˈraːrɪʃ] adj literary; 2**tur** [~aˈtuːr] f (-; -en) literature; 2'**tur...** in Zssgn Kritiker etc: mst literary ...
Litfaßsäule [ˈlɪtfas~] f advertising pillar.
Lizenz [liˈtsɛnts] f (-; -en) licen|ce (Am. -se): in ~ herstellen etc: under licence.
Lkw [ɛlkaːˈveː] m (-[s]; -s) → Lastwagen; ~**Fahrer** m → Lastwagenfahrer.
Lob [loːp] n (-[e]s; no pl) praise; 2**en** [ˈloːbən] v/t (h) praise (**für, wegen** for); '2**enswert** adj praiseworthy, laudable.
Loch [lɔx] n (-[e]s; ⁐er) hole; imReifen: puncture; '2**en** v/t (h) Papier, Karte etc: punch (a. tech.); '2**er** m (-s; -) tech. punch; '~**karte** f punch(ed) card.
Locke [ˈlɔkə] f (-; -n) curl.
locken [ˈlɔkən] v/t (h) lure, entice, fig. a. attract, tempt.
Lockenwickler [ˈlɔkənvɪklər] m (-s; -) curler, roller.
locker [ˈlɔkər] adj loose; Seil: a. slack; fig. lässig: relaxed; '~**n** (h) **1.** v/t loosen, slacken; Griff: relax (a. fig.); **2.** v/refl loosen, (be)come loose.
Löffel [ˈlœfəl] m (-s; -) spoon.
Logbuch [ˈlɔk~] n mar. log.
Loge [ˈloːʒə] f (-; -n) thea. box.
Log|ik [ˈloːɡɪk] f (-; no pl) logic; 2**isch** adj logical; 2**ischerweise** adv logically.
Lohn [loːn] m (-[e]s; ⁐e) wage[s pl; fig. reward; '~**empfänger** m wage earner, Am. a. wageworker; 2**en** v/refl (h) be worth(while), pay: **es (die Mühe) lohnt sich** it's worth it (the trouble); **das Buch (der Film) lohnt sich** the book (film) is worth reading (seeing); '2**end** adj paying; fig. rewarding; '~**erhöhung** f wage increase, Br. (pay) rise, Am. raise; '~**gruppe** f wage group; '2**inten,siv** adj wage-intensive; '~-**Preis-Spi,rale** f wage-price spiral; '~**steuer** f income tax; '~**steuerjahresausgleich** m (-[e]s; -e) annual adjustment of income tax; '~**steuerkarte** f income-tax card; '~**stopp** m wage freeze.
Lok [lɔk] f (-; -s) rail. F engine.

Lokal [loˈkaːl] n (-s; -e) bar, bsd. Br. pub; Gaststätte: restaurant.
lokal [~] adj local; 2**blatt** n local paper; 2**presse** f local press; 2**verbot** n: ~ **haben in** (dat) be banned from.
'**Lokführer** m F → Lokomotivführer.
Lokomotiv|e [lokomoˈtiːvə] f (-; -n) engine; ~**führer** [~ˈtiːf~] m Br. engine driver, Am. engineer.
Los [loːs] n (-es; -e) lot; fig. a. fate; Lotterie2: ticket.
los [~] **1.** adj ab, fort: off; Hund etc: loose: ~ **sein** be rid of; **was ist ~?** what's the matter?, F what's up?; geschieht: what's going on (here)?; **hier ist nicht viel ~** there's not much going on here; **F da ist was ~!** that's where the action is; **2.** adv: F **also ~!** okay, let's go!; '~**binden** v/t (irr, sep, -ge-, h, → binden) untie.
löschen [ˈlœʃən] v/t (h) Feuer etc: extinguish, put out; Durst: quench; Aufnahme, Daten etc: erase; Kalk: slake; mar. unload.
lose [ˈloːzə] adj loose (a. fig. Zunge etc).
Lösegeld [ˈløːzə~] n ransom.
losen [ˈloːzən] v/i (h) draw lots (**um** for).
lösen [ˈløːzən] (h) **1.** v/t Knoten etc: undo; lockern: loosen, relax; Bremse etc: release; ab~: take off; Rätsel, Problem etc: solve; Karte: buy, get; auf~: dissolve (a. chem.); **2.** v/refl come loose (od. undone); fig. free o.s. (**von** from).
'**los|fahren** v/i (irr, sep, -ge-, sn, → fahren) leave; selbst: drive off; '~**gehen** v/i (irr, sep, -ge-, sn, → gehen) leave; beginnen: start, begin; Schuß etc: go off: **auf j-n** ~ go for s.o.; **ich gehe jetzt los** I'm off now; '~**kommen** v/i (irr, sep, -ge-, sn, → kommen) get away (**von** from); '~**lassen** v/t (irr, sep, -ge-, h, → lassen) let go (of): **den Hund** ~ **auf** (acc) set the dog on; '~**legen** v/i (sep, -ge-, h) F get cracking.
'**löslich** adj chem. soluble.
'**los|reißen** v/refl (irr, sep, -ge-, h, → reißen) break away; bsd. fig. tear o.s. away (beide: **von** from); '~**schnallen** v/refl (sep, -ge-, h) unfasten one's seat belt; '~**schrauben** v/t (sep, -ge-, h) unscrew, screw off.
'**Lösung** f (-; -en) solution (gen to) (a. chem.).
'**loswerden** v/t (irr, sep, -ge-, sn, → wer-

den) get rid of; *Geld*: spend, *verlieren*: lose.

löten ['løːtən] *v/t* (h) solder.

Lotion [loˈtsi̯oːn] *f* (-; -en) lotion.

Lotse ['loːtsə] *m* (-n; -n) *mar.* pilot; '**∼ndienst** *m mot.* driver-guide service.

Lotterie [lɔtəˈriː] *f* (-; -n) lottery; '**∼los** *n* lottery ticket.

Lotto ['loto] *n* (-s; -s) *deutsches*: Lotto: (*im*) **∼ spielen** do Lotto; '**∼schein** *m* Lotto coupon; '**∼ziehung** *f* Lotto draw.

Löwe ['løːvə] *m* (-n; -n) *zo.* lion.

Lücke ['lʏkə] *f* (-; -n) gap (*a. fig.*); '**∼nbüßer** *m* (-s; -) stopgap; '**2nhaft** *adj fig.* incomplete; '**2nlos** *adj fig.* complete.

Luft [lʊft] *f* (-; ⁀e) air: *an der frischen ∼* (out) in the fresh air; (*frische*) *∼ schöpfen* get a breath of fresh air; (*tief*) *∼ holen* take a (deep) breath; → *fliegen, sprengen*; '**∼bal**ˌ**lon** *m* balloon; '**∼blase** *f* air bubble; '**∼brücke** *f* airlift; '**2dicht** *adj* airtight; '**∼druck** *m phys., tech.* air pressure.

lüften ['lʏftən] *v/t* (h) air; *ständig*: ventilate; *Geheimnis etc.*: reveal.

'**Luft**|**fahrt** *f* (-; *no pl*) aviation; '**∼feuchtigkeit** *f* (atmospheric) humidity; '**∼filter** *n, m tech.* air filter; '**∼fracht** *f* air freight; '**2ig** *adj* airy; *Plätzchen*: breezy; *Kleid etc.*: light; '**∼kissenfahrzeug** *n* air-cushion vehicle, hovercraft; '**2krank** *adj* airsick; '**∼krankheit** *f* (-; *no pl*) airsickness; '**∼kurort** *m* climatic health resort; '**2leer** *adj*: **∼er Raum** vacuum; '**∼linie** *f*: *50 km ∼* 50 km as the crow flies; '**∼loch** *n* airhole; *aer.* air pocket; '**∼ma**ˌ**tratze** *f* air bed (*od.* mattress); '**∼pi**ˌ**rat** *m* hijacker; '**∼post** *f* airmail: *per ∼* (by) airmail; '**∼postbrief** *m* air(mail) letter; '**∼pumpe** *f* air pump; '**∼röhre** *f anat.* windpipe, trachea; '**∼tempera**ˌ**tur** *f* air temperature.

'**Lüftung** *f* (-; -en) airing; *ständige*: ventilation.

'**Luft**|**veränderung** *f* change of air; '**∼verkehr** *m* air traffic; '**∼verschmutzung** *f* air pollution; '**∼waffe** *f mil.* air force; '**∼weg** *m*: *auf dem ∼* by air; '**∼zug** *m bsd. Br.* draught, *Am.* draft.

Lüge ['lyːgə] *f* (-; -n) lie; '**2n** (log, gelogen, h) **1.** *v/i* lie, tell a lie (*od.* lies). **2.** *v/t*: **das ist gelogen** that's a lie.

Lügner ['lyːgnər] *m* (-s; -) liar.

Luke ['luːkə] *f* (-; -n) hatch; *Dach2*: skylight.

'**Lunchpa**ˌ**ket** ['lanʃ⁀] *n* packed lunch.

Lunge ['lʊŋə] *f* (-; -n) *anat.* lung *pl*; '**∼nentzündung** *f med.* pneumonia; '**∼nflügel** *m anat.* lung; '**∼nkrebs** *m med.* lung cancer.

lungern ['lʊŋərn] *v/i* (h) → *herumlungern*.

Lupe ['luːpə] *f* (-; -n) magnifying glass: *fig. unter die ∼ nehmen* scrutinize (closely).

Lust [lʊst] *f* (-; *no pl*): *∼ haben auf* (*acc*) (*,et. zu tun*) feel like (doing s.th.); *hättest du ∼ auszugehen?* would you like to go out?, how about going out?; *ich habe keine ∼* I don't feel like it, I'm not in the mood for it; *die ∼ verlieren an* (*dat*) (*j-m die ∼ nehmen an* (*dat*) (make s.o.) lose all interest in; '**2ig** *adj* funny; *fröhlich*: cheerful: *er ist sehr ∼* he is full of fun; *es war sehr ∼* it was great fun; *sich ∼ machen über* (*acc*) make fun of; '**2los** *adj* listless; '**∼spiel** *n* comedy.

lutschen ['lʊtʃən] *v/i* (*∼ an dat*) *u. v/t* (h) suck.

luxuriös [lʊksuˈri̯øːs] *adj* luxurious.

Luxus ['lʊksʊs] *m* (-s; *no pl*) luxury (*a. fig.*); '**∼ar**ˌ**tikel** *m* luxury (article); '**∼ausführung** *f* de luxe (*bsd. Am.* deluxe) version; '**∼ho**ˌ**tel** *n* five-star (*od.* luxury) hotel.

Lymphdrüse ['lʏmf⁀] *f anat.* lymph gland.

lynchen ['lʏnçən] *v/t* (h) lynch.

M

'machbar *adj* feasible.

machen ['maxən] *v/t* (h) *tun*: do; *herstellen, verursachen*: make; *Essen etc*: make, prepare; *in Ordnung bringen, reparieren*: fix (*a. fig.*); *ausmachen, betragen*: be, come to, amount to; *Prüfung*: take, *erfolgreich*: pass; *Reise, Ausflug*: make, go on: **Hausaufgaben ~** do one's homework; **da(gegen) kann man nichts ~** it can't be helped; **mach, was du willst!** do as you please; **(nun) mach mal (od. schon)!** hurry up; **mach's gut!** take care (of yourself), good luck; **(das) macht nichts** it doesn't matter; **mach dir nichts d(a)raus!** never mind, don't worry; **was (od. wieviel) macht das?** how much is it?; **sich et. (nichts) ~ aus für** (*un*)*wichtig halten*: (not) care about; (*nicht*) *mögen*: (not) care for.

'Macher *m* (-s; -) doer.

Macht [maxt] *f* (-; ⸚e) power (*über acc* of): **an der ~** *pol.* in power; **mit aller ~** with all one's might; **'~appa,rat** *m* machinery of power; **'~befugnis** *f* power, authority; **'~haber** *m* (-s; -) ruler.

mächtig ['mɛçtıç] **1.** *adj* powerful, mighty (*a. fig.*); *riesig*: enormous, huge; **2.** *adv* F tremendously, awfully.

'Macht|kampf *m* power struggle; **'2los** *adj* powerless; **'~poli,tik** *f* power politics *pl* (*sg konstr.*); **'~übernahme** *f* takeover (*gen* by); **'~wechsel** *m* transition of power.

Mädchen ['mɛːtçən] *n* (-s; -) girl; *Dienst2*: maid: **~ für alles** maid of all work; **'~name** *m* girl's name; *e-r Frau*: maiden name.

Magazin [maga'tsiːn] *n* (-s; -e) *Zeitschrift, Rundfunk, TV, e-r Waffe*: magazine.

Magen ['maːgən] *m* (-s; ⸚) stomach, F tummy; **'~beschwerden** *pl* stomach trouble *sg*; **'~-'Darm-Infekti,on** *f med.* gastroenteritis; **'~geschwür** *n med.* stomach ulcer; **'~krebs** *m med.* stomach cancer; **'~säure** *f physiol.* gastric acid; **'~schmerzen** *pl* stomachache *sg*; **'~verstimmung** *f* indigestion.

mager ['maːgər] *adj Körper(teil)*: lean, thin, skinny; *Käse etc*: low-fat; *Fleisch*: lean; *Milch*: skim; *fig. Gewinn, Ernte etc*: meag|re (*Am.* -er).

Magnet [ma'gneːt] *m* (-en; -en) magnet (*a. fig.*); **~band** *n* (-[e]s; ⸚er) magnetic tape; **2isch** *adj* magnetic (*a. fig.*); **~platte** *f* magnetic disk.

mähen ['mɛːən] *v/t* (h) *Rasen*: mow; *Gras*: cut; *bsd. Getreide*: reap.

mahlen ['maːlən] *v/t* (mahlte, gemahlen, h) grind.

Mahlzeit ['maːltsaıt] *f* (-; -en) meal.

Mahn|bescheid ['maːn~] *m* order for payment; **'2en** *v/t* (h) send *s.o.* a reminder; **'~gebühr** *f* reminder fee; **'~ung** *f* (-; -en) *Brief*: reminder.

Mai [maı] *m* (-[e]s; -e) May: **im ~** in May; **der Erste ~** May Day; **'~baum** *m* maypole; **'~glöckchen** ['~glœkçən] *n* (-s; -) *bot.* lily of the valley; **'~käfer** *m zo.* cockchafer.

Mais [maıs] *m* (-es; -e) *bot. bsd. Br.* maize, *Am.* corn.

Major [ma'joːr] *m* (-s; -e) *mil.* major.

Makler ['maːklər] *m* (-s; -) *Immobilien2*: (*Am.* real) estate agent, *Am. a.* realtor; *Börsen2*: (stock)broker; **~gebühr** *f* fee, commission; brokerage.

Makrele [ma'kreːlə] *f* (-; -n) *zo.* mackerel.

mal [maːl] *adv math.* times, multiplied by; *Maße*: by: **einmal: 12 ~ 5 ist (gleich) 60** 12 times (*od.* multiplied by) 5 is (*od.* equals) 60; **ein 7 Meter ~ 4 Meter großes Zimmer** a room 7 metres by 4 metres.

Mal¹ [~] *n* (-[e]s; -e) *time*: **zum ersten (letzten) ~** for the first (last) time; **mit e-m ~** *plötzlich*: all of a sudden; **ein für alle ~** once and for all.

Mal² [~] *n* (-[e]s; -e) *Zeichen*: mark; → **Muttermal.**

malen ['maːlən] *v/t* (h) paint (*a. streichen*).

Maler ['maːlər] *m* (-s; -) painter; **~ei** [~'raı] *f* (-; -en) painting; **'2isch** *adj fig.* picturesque.

'malnehmen *v/t* (*irr, sep*, -ge-, h, → **nehmen**) *math.* multiply (**mit** by).

Malz [malts] n (-es; no pl) malt; '**~bier** n malt beer.

Mama ['mama] f (-; -) F bsd. Br. mum(my), bsd. Am. mom(my).

man [man] indef pron you, förmlicher: one; they, people: **wie schreibt ~ das?** how do you spell it?; **~ sagt, daß** they (od. people) say (that); **~ hat mir gesagt** I was told.

Manage|ment ['mɛnidʒmənt] n (-s; -s) management; **2n** ['~dʒən] v/t (h) manage; zustande bringen: fix; **~r** ['~dʒər] m (-s; -) manager; '**~rkrankheit** f stress disease.

manchmal ['mançma:l] adv sometimes.

Mandant [man'dant] m (-en; -en) jur. client.

Mandarine [manda'ri:nə] f (-; -n) bot. tangerine.

Mandat [man'da:t] n (-[e]s; -e) parl. mandate; Sitz: seat; jur. brief.

Mandel ['mandəl] f (-; -n) bot. almond; anat. tonsil; '**~entzündung** f med. tonsillitis.

Mangel ['maŋəl] m (-s; ") Fehlen: lack (**an** dat of); Knappheit: shortage (of); tech. defect, fault: **aus ~ an** for lack of; '**~beruf** m understaffed occupation; '**2haft** adj Qualität: poor; Arbeit, Ware: defective.

Mängelhaftung ['mɛŋəl~] f jur. liability for defects.

mangeln¹ ['maŋəln] v/impers (h): **es mangelt ihm an** (dat) he lacks; **ihr ~des Selbstvertrauen** her lack of self-confidence.

mangeln² [~] v/t (h) Wäsche: mangle.

Mängelrüge ['mɛŋəl~] f jur. notice of defects.

'**mangels** prp for lack (od. want) of.

'**Mangelware** f: **~ sein** be scarce.

Manieren [ma'ni:rən] pl manners pl.

Manifest [mani'fɛst] n (-[e]s; -e) pol. manifesto.

Maniküre [mani'ky:rə] f (-; -n) manicure; Frau: manicurist.

Manipul|ation [manipula'tsĭo:n] f (-; -en) manipulation; **2ieren** [~'li:rən] v/t (no ge-, h) manipulate.

Mann [man] m (-[e]s; "er) man; Ehe2: husband.

Männchen ['mɛnçən] n (-s; -) zo. male.

Mannequin ['manəkɛ̃] n (-s; -s) (fashion) model.

männlich ['mɛnlıç] adj biol. male; Aussehen, Eigenschaften, gr.: masculine (a. fig.); Mut, Verhalten etc.: manly.

'**Mannschaft** f (-; -en) Sport: team (a. fig.); aer., mar. crew.

Mansarde [man'zardə] f (-; -n) attic room.

Manschette [man'ʃɛtə] f (-; -n) cuff; '**~knopf** m cuff link.

Mantel ['mantəl] m (-s; ") coat; '**~ta,rif** m econ. terms pl of the skeleton wage agreement; '**~ta,rifvertrag** m skeleton wage agreement.

manuell [ma'nŭɛl] adj manual.

Manuskript [manu'skrıpt] n (-[e]s; -e) manuscript; Notizen: notes pl.

Mappe ['mapə] f (-; -n) Aktentasche: briefcase; Aktendeckel: folder.

Märchen ['mɛːrçən] n (-s; -) fairy tale (a. fig.).

Margarine [marga'ri:nə] f (-; -n) margarine.

Marienkäfer [ma'ri:ən~] m zo. ladybird.

Marihuana [mari'hŭa:na] n (-s; no pl) marijuana.

Marine [ma'ri:nə] f (-; -n) mil. navy.

maritim [mari'ti:m] adj maritime.

Mark¹ [mark] f (-; -) Währung, Münze: mark.

Mark² [~] n (-[e]s; no pl) Knochen2: marrow; Frucht2: pulp.

Marke ['markə] f (-; -n) Lebensmittel etc: brand; Fahrzeug, Gerät: make; **~zeichen:** trademark (a. fig.); Brief2 etc: stamp; Erkennungs2: badge, tag; Zeichen: mark; '**~nar,tikel** m brand-name article; '**~nbewußtsein** n brand awareness; '**~nerzeugnis** n brand-name product; '**~nimage** n brand image; '**~ntreue** f brand loyalty; '**~nzeichen** n trademark (a. fig.).

Marketing ['markətıŋ] n (-s; no pl) econ. marketing; '**~ab,teilung** f marketing department.

markier|en [mar'ki:rən] v/t (no ge-, h) mark; fig. act; **2ung** f (-; -en) marking.

Markise [mar'ki:zə] f (-; -n) (sun)blind.

Markt [markt] m (-[e]s; "e) econ. market; **~platz:** marketplace; **auf dem ~** (econ. on) the market; **auf den ~ bringen** bring on the market; '**~ana,lyse** f market analysis; '**~anteil** m share of the market; '**2beherrschend** adj market-dominating; '**~forschung** f market

Materialismus

research; '**~führer** m market leader; '**~lücke** f gap in the market; '**~platz** m marketplace; '**~wert** m (-[e]s; no pl) market value; '**~wirtschaft** f (-; no pl): (freie) ~ free market (od. enterprise) economy; soziale ~ social market economy.

Marmelade [marmə'la:də] f (-; -n) jam; Orangen2: marmalade.

Marmor ['marmɔr] m (-s; -e) marble.

Marsch [marʃ] m (-[e]s; ⁀e) march (a. mus.); '**~flugkörper** m mil. cruise missile; 2**ieren** [~'ʃi:rən] v/i (no ge-, sn) march.

Martinshorn ['marti:ns~] n (police, etc) siren.

Marxis|mus [mar'ksɪsmʊs] m (-; no pl) pol. Marxism; ~**t** m (-en; -en) Marxist; 2**tisch** adj marxist.

März [mɛrts] m (-[es]; -e) March: im ~ in March.

Marzipan [martsi'pa:n] n (-s; -e) marzipan.

Masche ['maʃə] f (-; -n) Strick2: stitch; Netz2: mesh; F fig. trick; '**~ndraht** m wire netting.

Maschine [ma'ʃi:nə] f (-; -n) machine (a. F Motorrad); F Motor: engine; Flugzeug: plane; mit der ~ schreiben type; 2**ll** [maʃi'nɛl] **1.** adj machine; **2.** adv by machine: ~ hergestellt machine-made.

Ma'schinen|bau m (-[e]s; no pl) mechanical engineering; ~**gewehr** n machinegun; ~**pi,stole** f submachine gun; ~**schaden** m engine trouble (od. failure); ~**schlosser** m (engine) fitter.

ma'schineschreiben v/i (schrieb Maschine, maschinegeschrieben, h) type.

Masern ['ma:zərn] pl med. measles pl (a. sg konstr.).

Mask|e ['maskə] f (-; -n) mask (a. fig.); '**~enball** m fancy-dress ball; '**~enbildner** ['~bɪldnər] m (-s; -e) make-up artist; 2**ieren** [~'ki:rən] v/refl (no ge-, h) dress up (als as).

maskulin [masku'li:n] adj masculine (a. gr.).

Maß¹ [ma:s] n (-es; -e) ~einheit: measure (für of); e-s Raumes etc: dimensions pl, measurements pl, size; fig. extent, degree: ~ u. Gewichte weights and measures; nach ~ (gemacht) made to measure; in gewissem ~e to a certain

degree; in zunehmendem ~e increasingly; → hoch 1.

Maß² [~] f (-; -) lit|re (Am. -er) of beer.

Massage [ma'sa:ʒə] f (-; -n) massage; ~**sa,lon** m euphem. massage parlo(u)r.

Massaker [ma'sa:kər] n (-s; -) massacre.

Masse ['masə] f (-; -n) mass; Substanz: substance; Menschen2: crowd(s pl): F e-e ~ Geld etc: loads (od. heaps) of; die (breite) ~, pol. die ~n pl the masses pl.

Maßeinheit f unit of measure(ment).

'**Massen|abfertigung** f a. contp. mass processing; '**~absatz** m mass sale; '**~andrang** m crush; '**~arbeitslosigkeit** f mass unemployment; '**~ar,tikel** m mass-produced article; '**~entlassungen** pl mass dismissals pl; 2**haft** adv F masses (od. loads) of; '**~karambo,lage** f mot. pileup; '**~medien** pl mass media pl (a. sg konstr.); '**~produkti,on** f mass production; '**~tou,rismus** m mass tourism; '**~verkehrsmittel** n means of mass transportation; 2**weise** → massenhaft.

Masseur [ma'sø:r] m (-s; -e) masseur; ~**in** f (-; -nen) masseuse.

'**maß|gebend** adj, ~**geblich** ['~ge:plɪç] adj verbindlich: authoritative; beträchtlich: substantial, considerable; '**~halten** v/i (irr, sep, -ge-, h, → halten) be moderate (in dat in).

massieren [ma'si:rən] v/t (no ge-, h) massage.

massig ['masɪç] adj massive, bulky.

mäßig ['mɛ:sɪç] adj moderate; dürftig: poor; ~**en** [~'gən] (h) **1.** v/t moderate; **2.** v/refl restrain (od. control) o.s.; '2**ung** f (-; no pl) moderation, restraint.

massiv [ma'si:f] adj solid.

'**Maß|krug** m beer mug, stein; '2**los** adj Essen, Forderungen etc: immoderate; Übertreibung: gross; ~**nahme** ['~na:mə] f (-; -n) measure; '**~nahmenkata,log** m catalo(u)e of measures; '**~stab** m scale; fig. standard: im ~ 1:50 000 to a scale of 1:50,000; 2**voll** adj moderate.

Mast [mast] m (-[e]s; -e[n]) mar. mast; Fahnen2: pole.

masturbieren [mastʊr'bi:rən] v/i (no ge-, h) masturbate.

Material [mate'ria:l] n (-s; -ien) material (a. fig.); Arbeits2: materials pl; '**~fehler** m material defect; ~**ismus** [~a'lɪsmʊs]

M

m (-; *no pl*) materialism; **~ist** [~a'lɪst] *m* (-en; -en) materialist; **2istisch** [~a-'lɪstɪʃ] *adj* materialist(ic).

Materie [ma'te:riə] *f* (-; -n) matter (*a. fig.*); *Thema:* subject (matter).

materiell [mate'riɛl] *adj* material.

Mathe ['matə] *f* (-; *no pl*) F *Br.* maths *pl* (*sg konstr.*), *Am.* math.

Mathemati|k [matema'ti:k] *f* (-; *no pl*) mathematics *pl* (*sg konstr.*); **~ker** [~'ma:tikər] *m* (-s; -) mathematician; **2isch** [~'ma:tɪʃ] *adj* mathematical.

Matinee [mati'ne:] *f* (-; -n) *thea. etc* morning performance.

Matratze [ma'tratsə] *f* (-; -n) mattress.

Matrose [ma'tro:zə] *m* (-n; -n) *mar.* sailor, seaman.

Matsch [matʃ] *m* (-[e]s; *no pl*) sludge, mud; *bsd. Schnee2:* slush; **2ig** *adj* muddy, slushy; *Frucht:* squashy, mushy.

matt [mat] *adj schwach:* weak; *Farbe:* dull, pale; *Foto:* mat(t); *Glas, Glühbirne:* frosted; *Schach:* (check)mate.

Matte ['matə] *f* (-; -n) mat.

Mauer ['mauɐr] *f* (-; -n) wall; **~blümchen** [~bly:mçən] *n* (-s; -) *fig.* wallflower; **~werk** *n* (-[e]s; *no pl*) masonry, brickwork.

Maul [maul] *n* (-[e]s; ~er) mouth; *sl.* **halt's ~!** shut up!; **~tier** *n* mule; **~wurf** *m* (-[e]s; ~e) *zo.* mole (*a.* F *Agent*).

Maurer ['maurɐr] *m* (-s; -) bricklayer.

Maus [maus] *f* (-; ~e) *zo.* mouse (*a. Computer*).

Maut [maut] *f* (-; -en), **~gebühr** *f* toll; **~stelle** *f* tollhouse; **~straße** *f* toll road, *Am. a.* turnpike.

maxi|mal [maksi'ma:l] **1.** *adj* maximum; **2.** *adv* at (the) most; **~mieren** [~'mi:rən] *v/t* (*no* ge-, h) maximize; **2'mierung** *f* (-; -en) maximization; **2mum** ['~mum] *n* (-s; -ma) maximum.

Mayonnaise [majo'nɛ:zə] *f* (-; -n) *gastr.* mayonnaise.

Mäzen [mɛ'tse:n] *m* (-s; -e) patron.

Mechani|k [me'ça:nɪk] *f* (-; -en) *phys.* mechanics *pl* (*sg konstr.*); *tech.* mechanism; **~ker** *m* (-s; -) mechanic; **2sch** *adj* mechanical; **2sieren** [~ani'zi:rən] *v/t* (*no* ge-, h) mechanize; **~sierung** [~ani-'zi:rʊŋ] *f* (-; -en) mechanization; **~smus** [~a'nɪsmʊs] *m* (-; -men) mechanism (*a. fig.*).

meckern ['mɛkərn] *v/i* (h) F grumble, bitch (*beide: über acc* about).

Medaille [me'daljə] *f* (-; -n) medal; **~ngewinner** *m* medal(l)ist.

Medaillon [medal'jõ:] *n* (-s; -s) locket; *gastr.* medallion.

Medien ['me:diən] *pl* media *pl* (*a. sg konstr.*); **~ereignis** *n* media event; **~landschaft** *f* media landscape (*od.* environment).

Medikament [medika'mɛnt] *n* (-[e]s; -e) medicine, drug (*beide: gegen* for); **2ös** [~'tø:s] *adj u. adv* with drugs.

Medizin [medi'tsi:n] *f* (-; -en) medicine; *Arznei:* → **Medikament**; **2isch** *adj* medical; **2isch-technische Assi-'stentin** *f* (-; -nen) medical laboratory assistant.

Meer [me:r] *n* (-[e]s; -e) sea (*a. fig.*), ocean; **~blick** *m* (-[e]s; *no pl*) view of the sea; **~enge** *f* strait(s *pl*); **~esboden** *m* seabed, bottom of the sea; **~esfrüchte** ['~frʏçtə] *pl* seafood *sg*; **~esgrund** *m* (-[e]s; *no pl*) → **Meeresboden**; **~esspiegel** *m* (-s; *no pl*): **über** (**unter**) **dem** ~ above (below) sea level; **~rettich** *m bot.* horseradish.

Mehl [me:l] *n* (-[e]s; -e) flour.

mehr [me:r] *indef pron u. adv* more: *noch* ~ even more; *es ist kein ... ~ da* there isn't any ... left; → *immer*, *nicht*; **2arbeit** *f* (-; *no pl*) extra work; **2aufwand** *m* additional expenditure (*an dat* of); **~deutig** ['~dɔytɪç] *adj* ambiguous; **2einnahmen** *pl* additional earnings *pl*; **~ere** ['~ərə] *adj u. indef pron* several; **2heit** *f* (-; -en) majority; **2heitswahlrecht** *n* majority vote system; **2kosten** *pl* extra costs *pl*; **~mals** *adv* several times; **2par,teiensy,stem** *n* multiparty system; **2wertsteuer** *f* value-added tax; **2zahl** *f* (-; *no pl*) *Mehrheit:* majority; *gr.* plural; **2zweckhalle** *f* multi-purpose hall.

meiden ['maidən] *v/t* (mied, gemieden, h) avoid.

Meile ['mailə] *f* (-; -n) mile; **2nweit** *adv* (for) miles.

mein [main] *poss pron* my: **~er**, **~e**, **~(e)s** mine.

'Meineid *m jur.* perjury: *e-n* ~ *leisten* commit perjury.

meinen ['mainən] *v/t u. v/i* (h) *glauben, e-r Ansicht sein:* think, believe; *sagen* *wollen, beabsichtigen, sprechen von*: mean; *sagen*: say: **~ Sie (wirklich)?** do you (really) think so?; **wie ~ Sie das?** what do you mean by that?; **sie ~ es gut** they mean well; **ich habe es nicht so gemeint** I didn't mean it; **wie ~ Sie?** (I beg your) pardon?

meinet|wegen ['maɪnət~] *adv von mir aus*: I don't mind (*od.* care); *für mich*: for my sake; *wegen mir*: because of me.

'Meinung *f* (-; -en) opinion (*über acc*, *von* about, of): **m-r ~ nach** in my opinion; **der ~ sein, daß** be of the opinion that, feel (*od.* believe) that; **s-e ~ ändern** change one's mind; **ich bin Ihrer (anderer) ~** I (don't) agree with you; **'~saustausch** *m* exchange of views (*über acc* on); **'~sforscher** *m* pollster; **'~sforschung** *f* opinion research; **'~sforschungsinsti,tut** *n* polling institute; **'~sfreiheit** *f* (-; *no pl*) freedom of speech (*od.* opinion); **'~sumfrage** *f* opinion poll; **'~sumschwung** *m* swing of opinion; **'~sverschiedenheit** *f* difference of opinion (*über acc* over).

Meise ['maɪzə] *f* (-; -n) *zo.* titmouse.

meist [maɪst] **1.** *adj* most: **das ~e (davon)** most of it; **die ~en (von ihnen)** most of them; **die ~en Leute** most people; **die ~e Zeit** most of the time; **2.** *adv → meistens*: **am ~en** most (of all); **'2begünstigungsklausel** *f econ., pol.* most-favo(u)red-nation clause; **'2bietende** *m*, *f* (-n; -n) highest bidder; **'~ens** *adv* mostly, usually.

Meister ['maɪstɐ] *m* (-s; -) *Handwerks2*: master craftsman; *Künstler, Könner*: master; *Sport etc*: champion; **'2haft 1.** *adj* masterly; **2.** *adv* in a masterly manner (*od.* way); **'2n** *v/t* (h) master; **'~schaft** *f* (-; -en) *Können*: mastery; *Sport etc*: championship; **'~werk** *n* masterpiece.

Melancholie [melaŋko'li:] *f* (-; -n) melancholy; **2isch** [~'ko:lɪʃ] *adj* melancholy: **~ sein** feel melancholy.

Melde|behörde ['mɛldə~] *f* registration office; **'2en** (h) **1.** *v/t et al., j-n*: report (*bei* to); *Presse, Funk etc*: announce, report; *amtlich*: notify the authorities of; **2.** *v/refl* report (*bei* to; *für, zu* for); *polizeilich an~*: register (*bei* with); *teleph.* answer (the phone); *freiwillig*:

volunteer (**für, zu** for); **'~epflicht** *f* obligatory registration; *med.* duty of notification; **'2epflichtig** *adj* subject to registration; *med.* notifiable; **'~ezettel** *m* registration form; **'~ung** *f* (-; -en) *Presse, Funk etc*: report, news *pl* (*sg konstr.*), announcement; *Mitteilung*: information, notice; *amtliche*: notification, report; *polizeiliche An2*: registration (**bei** with).

Melodie [melo'di:] *f* (-; -n) melody, *Weise*: a. tune; **2ös** [~'diø:s] *adj* melodious.

Melone [me'lo:nə] *f* (-; -n) *bot.* melon.

Memoiren [me'mŏa:rən] *pl* memoirs *pl*.

Menge ['mɛŋə] *f* (-; -n) *Anzahl*: quantity; amount; *Menschen2*: crowd: F **e-e ~ Geld** plenty of money, lots *pl* of money; **'~nra,batt** *m econ.* bulk discount.

Mensch [mɛnʃ] *m* (-en; -en) human being; *der ~ als Gattung*: man; *einzelner*: person, individual; **die ~en** *pl* people *pl*; *alle*: mankind *sg*; **kein ~** nobody.

'Menschen|affe *m zo.* ape; **'~handel** *m* slave trade; **'~kenntnis** *f* (-; *no pl*) knowledge of human nature: **~ haben** know human nature; **'~leben** *n* human life; **'2leer** *adj* deserted; **'~menge** *f* crowd; **'~rechte** *pl* human rights *pl*; **'~seele** *f*: **keine ~** not a living soul; **'2unwürdig** *adj Behandlung etc*: degrading; *Unterkunft etc*: unfit for human being; **'~verstand** *m*: **gesunder ~** common sense; **'~würde** *f* human dignity.

'Mensch|heit *f* (-; *no pl*): **die ~** mankind, the human race; **'2lich** *adj den Menschen betreffend*: human; *human*: humane; **'~lichkeit** *f* (-; *no pl*) humanity.

Menstruation [mɛnstrua'tsĭo:n] *f* (-; -en) *physiol.* menstruation.

Mentalität [mɛntali'tɛ:t] *f* (-; -en) mentality.

Menü [me'ny:] *n* (-s; -s) *gastr.* set meal, *mittags*: a. set lunch; *Computer*: menu.

Merk|blatt ['mɛrk~] *n* leaflet; **'2en** *v/t* (h) *wahrnehmen*: notice; *spüren*: feel; *entdecken*: find (out), discover: **sich et. ~** remember s.th., keep (*od.* bear) s.th. in mind; **'2lich** *adj wahrnehmbar*: noticeable; *deutlich*: marked, distinct; *beträchtlich*: considerable; **'~mal** *n* (-[e]s; -e) characteristic, feature; *Zeichen*: sign; **'2würdig** *adj* strange, odd;

M

'**2würdigerweise** *adv* strangely (*od.* oddly) enough.

meß|bar ['mɛsbaːr] *adj* measurable; '**2becher** *m* measuring cup.

Messe ['mɛsə] *f* (-; -n) *econ.* fair; *eccl.* mass; '**ausweis** *m* fair pass; '**besucher** *m* visitor to the fair; '**gelände** *n* exhibition cent|re (*Am.* -er); '**halle** *f* exhibition hall.

messen ['mɛsən] (maß, gemessen, h) **1.** *v/t* measure; *Temperatur, Blutdruck etc:* take: **gemessen an** (*dat*) compared with; **2.** *v/refl:* **sich nicht mit j-m ~ können** be no match for s.o.

'**Messeneuheit** *f* newcomer to the market.

Messer ['mɛsər] *n* (-s; -) knife: **auf des ~s Schneide stehen** be on a razor edge; '**steche'rei** *f* (-; -en) knifing; '**stich** *m* stab; *Wunde:* stab wound.

'**Messestadt** *f* exhibition cent|re (*Am.* -er).

Messing ['mɛsɪŋ] *n* (-s; *no pl*) brass.

'**Meßinstru,ment** *n* ['mɛs~] measuring instrument.

'**Messung** *f* (-; -en) measuring; *Ablesung:* reading.

Metall [me'tal] *n* (-s; -e) metal; 2**verarbeitend** *adj* metal-processing; **~waren** *pl* metal goods *pl*, hardware *sg*.

Meteorolog|e [meteoro'loːgə] *m* (-n; -n) meteorologist; **~ie** [~lo'giː] *f* (-; *no pl*) meteorology; 2**isch** *adj* meteorological.

Meter ['meːtər] *m, a.* n (-s; -) met|re (*Am.* -er); '**maß** *n* tape measure.

Method|e [me'toːdə] *f* (-; -n) method; 2**isch** *adj* methodical.

metrisch ['meːtrɪʃ] *adj* metric.

Metropole [metro'poːlə] *f* (-; -n) metropolis.

Metzger ['mɛtsgər] *m* (-s; -) butcher: **beim ~** at the butcher's; '**ei** [~'raɪ] *f* (-; -en) butcher's (shop).

mich [mɪç] **1.** *pers pron* me; **2.** *refl pron* myself.

Miene ['miːnə] *f* (-; -n) expression, look, air: **gute ~ zum bösen Spiel machen** grin and bear it.

Miet|e ['miːtə] *f* (-; -n) rent; '2**en** *v/t* (h) rent; '**er** *m* (-s; -) tenant; '**kauf** *m* hire purchase; '**shaus** *n* Br. block of flats, *Am.* apartment house; '**vertrag** *m* lease; '**wagen** *m* → **Leihwagen**;

'**wohnung** *f* Br. (rented) flat, *Am.* apartment.

Migräne [mi'grɛːnə] *f* (-; -n) *med.* migraine.

Mikro|chip ['miːkro~] *m* microchip; **~fiche** ['~fiːʃ] *n, m* microfiche; '**film** *m* microfilm.

Mikrofon [mikro'foːn] *n* (-s; -e) microphone.

Mikroskop [mikro'skoːp] *n* (-s; -e) microscope; 2**isch** *adj* (*a. ~ klein*) microscopic.

'**Mikrowellenherd** ['miːkro~] *m* microwave oven.

Milch [mɪlç] *f* (-; *no pl*) milk; '**glas** *n* *tech.* frosted glass; '**mixgetränk** *n* milk shake; '**pro,dukte** *pl* dairy products *pl*; '**pulver** *n* powdered milk; '**reis** *m* rice pudding; '**straße** *f* *ast.* Milky Way, Galaxy; '**zahn** *m* milk tooth.

mild [mɪlt] *adj* *Klima etc:* mild; *Strafe etc: a.* lenient; *Farbe, Licht:* soft.

milde ['mɪldə] *adv:* **~ ausgedrückt** to put it mildly.

Milde [~] *f* (-; *no pl*) mildness; leniency: **~ walten lassen** be lenient.

mildern ['mɪldərn] *v/t* (h) *Schmerzen:* alleviate, ease, soothe; *Wirkung etc:* reduce, soften; '**d** *adj:* **~e Umstände** *jur.* mitigating circumstances.

Milieu [mi'liøː] *n* (-s; -s) *Umwelt:* environment; *Herkunft:* social background.

Militär [mili'tɛːr] *n* (-s; *no pl*) the military, armed forces *pl*; *Heer:* army; '**dienst** *m* military service; '**dikta,tur** *f* military dictatorship; 2**isch** *adj* military.

Milita|rismus [milita'rɪsmʊs] *m* (-; *no pl*) militarism; **~'rist** *m* (-; -en; -en) militarist; 2**'ristisch** *adj* militaristic.

Milliarde [mɪ'liardə] *f* (-; -n) billion,

Milli'meter ['mɪli~] *m, a.* n millimet|re (*Am.* -er).

Million [mɪ'lioːn] *f* (-; -en) million; **~är** [~o'nɛːr] *m* (-s; -e) millionaire.

Milz [mɪlts] *f* (-; -en) *anat.* spleen.

Minder|einnahme ['mɪndər~] *f* shortfall in receipts; '**heit** *f* (-; -en) minority; '**heitsre,gierung** *f* minority government.

minderjährig ['~jɛːrɪç] *adj* underage; 2**e**

['‿gə] *m, f* (-n; -n) minor; '**2keit** *f* (-; *no pl*) minority;

'**minderwertig** *adj* inferior, of inferior quality; '**2keit** *f* (-; *no pl*) inferiority; *econ.* inferior quality; '**2keitskomplex** *m* inferiority complex.

mindest ['mɪndəst] *adj* least: *das ‿e* (the) very least; *nicht im ‿en* not in the least, by no means; '**2alter** *n* minimum age; **‿ens** [‿əns] *adv* at least; '**2gebot** *n* reserve price; '**2lohn** *m* minimum wage; '**2maß** *n* minimum (*an dat* of): *auf ein ‿ herabsetzen* minimize; '**2umtausch** *m* minimum currency exchange.

Mineral [minə'raːl] *n* (-s; -e, -ien) mineral; **‿öl** *n* mineral oil; **‿ölsteuer** *f* mineral oil tax; **‿wasser** *n* mineral water.

Minigolf ['miːni‿] *n Br.* crazy golf, *Am.* miniature golf; '**‿anlage** *f* crazy (*Am.* miniature) golf course.

minimal [mini'maːl] *adj* minimal; **2mum** ['miːnimʊm] *n* (-s; -ma) → *Mindestmaß.*

Minirock ['miːni‿] *m* miniskirt.

Minister [mi'nɪstər] *m* (-s; -) minister, *Br.* Secretary of State, *Am.* Secretary; **‿ium** [‿'teːriʊm] *n* (-s; -rien) ministry, *Am.* department; **‿präsident** *m e-s Bundeslandes:* prime minister.

minus ['miːnʊs] **1.** *prp math.* minus; **2.** *adv:* **10 Grad ‿** 10 degrees below zero.

Minus [‿] *n* (-; *no pl*) deficit; *Konto:* overdraft; *fig.* disadvantage: *‿ machen* make a loss; *im ‿ sein* be in the red; '**‿betrag** *m* deficit.

Minute [mi'nuːtə] *f* (-; -n) minute; **‿nzeiger** *m* minute hand.

mir [miːr] *pers pron* (to) me.

'**Mischbatterie** ['mɪʃ‿] *f Waschbecken etc: Br.* mixer tap, *Am.* mixing faucet; '**‿brot** *n* mixed-grain bread; '**2en** *v/t (h)* mix; *Tabak, Tee etc:* blend; *Karten:* shuffle; '**‿gemüse** *n* mixed vegetables *pl;* '**‿pult** *n Rundfunk, TV:* mixer, mixing console; '**‿ung** *f* (-; -en) mixture; blend; *Pralinen2 etc:* assortment; '**‿wald** *m* mixed forest.

miserabel [mizə'raːbəl] *adj* F lousy, rotten.

miß'achten [mɪs‿] *v/t (insep, no -ge-, h) nicht beachten:* disregard, ignore; **2'achtung** *f* disregard; **‿'billigen** *v/t*

(*insep, no -ge-, h*) disapprove of; '**2brauch** *m* abuse: misuse; '**‿brauchen** *v/t (insep, no -ge-, h)* abuse (*a. sexuell*); *falsch anwenden:* misuse; **‿'deuten** *v/t (insep, no -ge-, h)* misinterpret; '**2erfolg** *m* failure, *Film etc: a.* flop; '**2ernte** *f* bad harvest, crop failure; **‿'fallen** *v/i (irr, insep, no -ge-, h, → fallen):* **es mißfiel ihm** he didn't like it; '**2fallen** *n* (-s; *no pl*) displeasure, dislike; '**2geschick** *n Panne etc:* mishap; **‿'glücken** *v/i (insep, no -ge-, sn)* fail; **‿'gönnen** *v/t (insep, no -ge-, h): j-m et. ‿* (be)grudge s.o. s.th.; '**2griff** *m* mistake; **‿'handeln** *v/t (insep, no -ge-, h)* ill-treat, maltreat; (*Ehe)Frau, Kind:* batter; **2'handlung** *f* ill-treatment, maltreatment; *jur.* assault and battery; **‿lingen** [‿'lɪŋən] *v/i (insep, no -ge-, sn)* fail: *es mißlang mir* I didn't manage it; **‿'trauen** *v/i (insep, no -ge-, h)* distrust, mistrust; '**2trauen** *n* (-s; *no pl*) distrust, mistrust (*beide: gegen* of): *j-s ‿ erregen* arouse s.o.'s suspicion; '**2trauensantrag** *m parl.* motion of no confidence; '**2trauensvotum** *n parl.* vote of no confidence; **‿trauisch** ['‿traʊɪʃ] *adj* distrustful (*gegen* of); *argwöhnisch:* suspicious (of); '**2verhältnis** *n* disproportion; '**2verständnis** *n* (-ses; -se) misunderstanding; **‿verstehen** *v/t (irr, insep, no -ge-, h, → stehen)* misunderstand; '**2wirtschaft** *f* mismanagement.

mit [mɪt] **1.** *prp* with: *‿ 100 Stundenkilometern* at 100 kilometres per hour; → *Auto, Gewalt, Jahr etc;* **2.** *adv:* *‿ der Grund dafür, daß* one of the reasons why; *‿ der Beste* one of the best.

'**Mitarbeit** *f* (-; *no pl*) cooperation, *Hilfe: a.* assistance (*beide: bei* in); '**‿arbeiter** *m* employee; *Projekt etc:* collaborator; *freier ‿* freelance; '**‿arbeiterstab** *m* staff (*a. pl konstr.*); '**2benutzen** *v/t (sep, no -ge-, h)* share; '**‿bestimmung** *f* (-; *no pl*) codetermination, *econ. a.* worker participation; '**‿bewerber** *m* competitor; '**2bringen** *v/t (irr, sep, -ge-, h, → bringen)* bring (*od.* take) along (with one): *j-m et. ‿* bring (*od.* take) s.o. s.th.; **‿bringsel** ['‿brɪŋzəl] *n* (-s; -) little present; *Reise2:* souvenir; '**‿bürger** *m* fellow citizen; '**‿eigentümer** *m* joint owner; '**2ein-**

'**ander** *adv* with each other; *zusammen*: together; '2**erleben** *v/t* (*sep, no -ge-, h*) witness; '**esser** *m* (-s; -) *med.* blackhead; '2**fahren** *v/i* (*irr, sep, -ge-, sn, → fahren*): **mit j-m ~** drive (*od.* go) with s.o.; '**fahrerzen,trale** *f* car pooling service; '**fahrgelegenheit** *f* lift; '2**geben** *v/t* (*irr, sep, -ge-, h, → geben*): **j-m et.** ~ give s.o. s.th. (to take along); '**gefühl** *n* (-[e]s; *no pl*) sympathy; '2**gehen** *v/i* (*irr, sep, -ge-, sn, → gehen*): **mit j-m ~** go along with s.o.; '**gift** *f* (-; -en) dowry.

'**Mitglied** *n* member (*gen, in dat, bei of*); '**sausweis** *m* membership card; '**sbeitrag** *m* (membership) fee (*Am.* dues *pl*); '2**schaft** *f* (-; -en) membership; '**sland** *n* member country.

'**mit**|**haben** *v/t* (*irr, sep, -ge-, h, → haben*): **ich habe kein Geld mit** I haven't got any money with (*od.* on) me ; '2**hilfe** *f* assistance, help, cooperation; '**hören** *v/t* (*sep, -ge-, h*) *belauschen*: listen in on, eavesdrop on; *zufällig*: overhear; '2**inhaber** *m* joint owner; '**kommen** *v/i* (*irr, sep, -ge-, sn, → kommen*) come along (*mit* with); *fig.* *Schritt halten*: keep pace (*mit* with); *verstehen*: follow.

'**Mitleid** *n* (-[e]s; *no pl*) pity (*mit* for): ~ **haben mit** feel sorry for; **aus ~ für** out of pity for; '2**ig** *adj* compassionate, sympathetic; '2**slos** *adj* pitiless.

'**mit**|**machen** (*sep, -ge-, h*) **1.** *v/i* join in; **2.** *v/t* take part in; *die Mode*: follow; *erleben*: go through; '**nehmen** *v/t* (*irr, sep, -ge-, h, → nehmen*) take along (*od.* with one): **j-n (im Auto)** ~ give s.o. a lift; '2**reisende** *m, f* fellow travel(l)er (*od.* passenger); '**reißend** *adj Rede, Musik etc*: exciting, rousing; '**schneiden** *v/t* (*irr, sep, -ge-, h, → schneiden*) *Funk, TV*: record; '**schreiben** (*irr, sep, -ge-, h, → schreiben*) **1.** *v/t* take down; **2.** *v/i* take notes.

'**Mit**|**schuld** *f* (-; *no pl*) partial responsibility; '2**ig** *adj*: ~ **sein** be partly to blame (**an** *dat* for).

Mittag ['mıtaːk] *m* (-[e]s; -e) noon, midday: *heute* 2 at noon today; → *essen*; '**essen** *n* lunch: *was gibt es zum* ~? what's for lunch?; '2**s** *adv* at noon: *12 Uhr* ~ 12 o'clock noon.

'**Mittags**|**hitze** *f* midday heat; '**pause** *f* lunch break; '**schlaf** *m* afternoon nap; '**zeit** *f* lunchtime.

Mitte ['mıtə] *f* (-; -n) middle; *Mittelpunkt*: cent|re (*Am.* -er) (*a. pol.*): ~ *Juli* in the middle of July; ~ *Dreißig* in one's mid thirties.

'**mitteilen** *v/t* (*sep, -ge-, h*): **j-m et.** ~ inform s.o. of s.th.; '**sam** *adj* communicative; *gesprächig*: talkative; '2**ung** *f* (-; -en) report, information, message.

Mittel ['mıtəl] *n* (-s; -) means, way; *Maßnahme*: measure; *Heil2*: remedy (*gegen* for) (*a. fig.*): ~ *pl* means *pl*, money *sg*; '**alter** *n* Middle Ages *pl*; '2**alterlich** *adj* medi(a)eval; '**ding** *n* cross (*zwischen dat* between); '2**euro,päisch** *adj*: ~**e Zeit** Central European Time; '**finger** *m* middle finger; '2**fristig** *adj Kredit etc*: medium-term; *Planung etc*: medium-range; '**gebirge** *n* low mountain range; '2**groß** *adj Person*: of medium height; *Sache*: medium-sized; '**klasse** *f econ.* medium price range: *Hotel der ~ → Mittelklassehotel; Hotel der gehobenen* ~ superior hotel; *Wagen der ~ → Mittelklassewagen*; '**klasseho,tel** *n* good hotel; '**klassewagen** *m* middle-of-the-market car; '2**los** *adj* destitute, penniless; '2**mäßig** *adj* mediocre; *durchschnittlich*: average; '**meerklima** *n* Mediterranean climate; '**meerländer** ['~lɛndər] *pl* Mediterranean countries *pl*; '**meerraum** *m* Mediterranean area; '**punkt** *m* cent|re (*Am.* -er) (*a. fig.*); '2**s** *prp* by (means of), through; '**stand** *m* (-[e]s; *no pl*) *sociol.* middle class(es *pl*); '2**ständisch** ['~ʃtɛndıʃ] *adj* middle-class; '**strecke** *f* middle distance; '**streifen** *m mot. Br.* central reserve (*od.* reservation), *Am.* median strip; '**stufe** *f* intermediate stage; '**weg** *m fig.* middle course; '**welle** *f electr.* medium wave: **auf** ~ on medium wave.

mitten ['mıtən] *adv*: ~ **in** (*acc, dat*) (**auf** *acc, dat*, **unter** *acc, dat*) in the middle of.

Mitternacht ['mıtərnaxt] *f* (-; *no pl*) midnight: **um** ~ at midnight.

mittlere ['mıtlərə] *adj* middle, central; *durchschnittlich*: average.

Mittwoch ['mıtvɔx] *m* (-[e]s; -e) Wednesday: (**am**) ~ on Wednesday.

M

mit|'unter *adv* now and then; **'~ver-antwortlich** *adj* jointly responsible (*für* for); **'²verantwortung** *f* joint responsibility.

'mitwirk|en *v/i* (*sep*, -ge-, h) take part (*bei* in); **'²ende** *m*, *f* (-n; -n) *mus.*, *thea.* performer: **die ~n** *pl thea.* the cast (*a. pl konstr.*); **'²ung** *f* (-; *no pl*) participation (*bei* in).

mix|en ['mɪksən] *v/t* (h) mix; **'²getränk** *n* mixed drink; *alkoholisches:* cocktail.

Möbel ['møːbəl] *pl* furniture *sg*; **'~spe-diti,on** *f* removal firm; **'~stück** *n* piece of furniture; **'~wagen** *m* furniture (*od.* removal) van.

mobil [mo'biːl] *adj* mobile: **~ machen** *mil.* mobilize; **²iar** [mobi'liaːr] *n* (-s; *no pl*) furniture; **²ität** [mobili'tɛːt] *f* (-; *no pl*) mobility: **berufliche ~** occupational mobility; **²machung** *f* (-; -en) *mil.* mobilization.

möblieren [mø'bliːrən] *v/t* (*no* ge-, h) furnish.

Mode ['moːdə] *f* (-; -n) fashion: **in ~** in fashion; **in** (**aus der**) **~ kommen** come into (get out of) fashion.

Modell [mo'dɛl] *n* (-s; -e) model: **j-m ~ stehen** pose (*od.* sit) for s.o.; **~kleid** *n* model (dress).

'Modenschau *f* fashion show.

Moderator [mode'raːtɔr] *m* (-s; -en), **~in** [~ra'toːrɪn] *f* (-; -nen) *TV*: presenter, host, *Am. a.* moderator.

moderieren [mode'riːrən] *v/t* (*no* ge-, h) *TV*: present, *Am. a.* moderate.

modern [mo'dɛrn] *adj* modern; *modisch:* fashionable; *auf dem neuesten Stand:* up-to-date; **~isieren** [~i'ziːrən] *v/t* (*no* ge-, h) modernize; *auf den neuesten Stand bringen:* bring up to date.

'Mode|schmuck *m* costume jewel(le)ry; **'~schöpfer** *m* couturier; **'~schöpferin** *f* (-; -nen) couturière; **'~wort** *n* (-[e]s; **~er**) vogue word; **'~zeitschrift** *f* fashion magazine.

modisch ['moːdɪʃ] *adj* fashionable, stylish.

Mofa ['moːfa] *n* (-s; -s) motorized bicycle.

mogel|n ['moːgəln] *v/i* (h) F cheat; **'²packung** *f* cheat package.

mögen ['møːgən] (mochte, h) **1.** *v/t* (*pp* gemocht) like: **er mag sie** (**nicht**) he likes (doesn't like) her; **lieber ~** like

better, prefer; **nicht ~** dislike; **was möchten Sie?** what would you like?; **ich möchte, daß du es weißt** I'd like you to know (it); **2.** *v/aux* (*pp* mögen): **ich möchte lieber bleiben** I'd rather stay; **es mag sein**(**, daß**) it may be (that).

möglich ['møːklɪç] **1.** *adj* possible: **alle ~en** all sorts of things; **sein ~stes tun** do what one can; *stärker:* do one's utmost; **so bald wie ~** as soon as possible; **2.** *adv:* **~st bald** *etc* as soon *etc* as possible; **'~erweise** *adv* possibly; **'²keit** *f* (-; -en) possibility; *Gelegenheit:* opportunity; *Aussicht:* chance: **nach ~** if possible.

Mohn [moːn] *m* (-[e]s; -e) *bot.* poppy.

Möhre ['møːrə] *f* (-; -n), **Mohrrübe** ['moːr~] *f bot.* carrot.

Molekül [mole'kyːl] *n* (-s; -e) molecule.

Molotowcocktail ['mɔlotɔf~] *m* Molotov cocktail, petrol (*Am.* gasoline) bomb.

Moment [mo'mɛnt] *m* (-[e]s; -e) moment: (**e-n**) **~ bitte!** just a moment, please; **im ~** at the moment.

Monarch [mo'narç] *m* (-en; -en) monarch; **~ie** [~çiː] *f* (-; -n) monarchy.

Monat ['moːnat] *m* (-[e]s; -e) month: **zweimal im** (**pro**) **~** twice a month; **'²elang** *adv* for months; **'²lich** *adj u. adv* monthly.

'Monats|binde *f* → **Damenbinde**; **'~einkommen** *n* monthly income; **'~karte** *f* monthly (season) ticket; **'~rate** *f* monthly instal(l)ment.

Mond [moːnt] *m* (-[e]s; -e) moon.

monetär [mone'tɛːr] *adj* monetary.

Monitor ['moːnitɔr] *m* (-s; -e[n]) monitor.

Mono|log [mono'loːk] *m* (-s; -e) monolog(ue); **~pol** [~'poːl] *n* (-s; -e) *econ.* monopoly (*auf acc* on); **²polisieren** [~poli'ziːrən] *v/t* (*no* ge-, h) monopolize; **²ton** [~'toːn] *adj* monotonous; **~tonie** [~to'niː] *f* (-; -n) monotony.

Monster ['mɔnstər] *n* (-s; -) monster; **'~film** *m* monster film; mammoth production.

Montag ['moːntaːk] *m* Monday: (**am**) **~** on Monday.

Montage [mɔn'taːʒə] *f* (-; -n) *tech.* Zusammenbau: assembly; *e-r Anlage:* installation: **auf ~ sein** be away on a construction job; **~band** *n* (-[e]s; **~er**) assembly line; **~halle** *f* assembly shop.

M

Mon'tan|indu,strie [mɔn'taːn~] *f* coal, iron, and steel industries *pl*; **~uni,on** *f* (-; *no pl*) European Coal and Steel Community.

Mont|eur [mɔn'tøːr] *m* (-s; -e) *tech.* fitter; *bsd. aer., mot.* mechanic; **2ieren** [~'tiː-rən] *v/t* (*no* ge-, h) *zusammensetzen:* assemble; *anbringen:* fit, attach; *Anlage:* instal(l).

Moped ['moːpɛt] *n* (-s; -s) moped.

Moral [mo'raːl] *f* (-; *no pl*) *Sittlichkeit:* morals *pl*; *e-r Geschichte etc:* moral; *mil. etc* morale; **2isch** *adj* moral.

Mord [mɔrt] *m* (-[e]s; -e) murder (**an** *dat* of): **e-n ~ begehen** commit murder; **~anschlag** *m* attempted murder (**auf** *acc* of), *bsd. pol.* assassination attempt (against on).

Mörder ['mœrdər] *m* (-s; -) murderer, killer, *bsd. pol.* assassin.

'Mord|kommissi,on *f* murder (*Am.* homicide) squad; **~pro,zeß** *m jur.* murder trial; **~verdacht** *m* suspicion of murder: **unter ~ stehen** be suspected of murder.

morgen ['mɔrgən] *adv* tomorrow: **~ mittag** at noon tomorrow; **~ in e-r Woche** a week from tomorrow; **~ um diese Zeit** this time tomorrow; → **Abend, früh.**

Morgen [~] *m* (-s; -) morning: **am (frühen) ~** (early) in the morning; **am nächsten ~** the next morning; → **gestern** 2 yesterday morning; → **heute**; **'~grauen** *n:* **beim** (*od. im*) **~** at dawn; **'~gym,nastik** *f:* **s-e ~ machen** do one's morning exercises.

'morgens *adv* in the morning: **von ~ bis abends** from morning till night.

'Morgenzeitung *f* morning paper.

morgig ['mɔrgɪç] *adj:* **die ~en Ereignisse** tomorrow's events; **der ~e Tag** tomorrow.

Morphium ['mɔrfiʊm] *n* (-s; *no pl*) *pharm.* morphine.

morsch [mɔrʃ] *adj* rotten: **~ werden** rot.

Mosaik [moza'iːk] *n* (-s; -en) mosaic (*a. fig.*).

Moschee [mɔ'ʃeː] *f* (-; -n) mosque.

Moskito [mɔs'kiːto] *m* (-s; -s) *zo.* mosquito; **~netz** *n* mosquito net.

Motel ['moːtɛl] *n* (-s; -s) motel.

Motiv [mo'tiːf] *n* (-s; -e) motive, *mus., paint. etc* motif; *phot.* subject; **~ation**

[motiva'tsi̯oːn] *f* (-; -en) motivation; **2ieren** [moti'viːrən] *v/t* (*no* ge-, h) motivate.

Motor ['moːtɔr] *m* (-s; -en) motor, *bsd. electr.* engine (*a. fig.*); **'~boot** *n* motor boat; **'~haube** *f Br.* bonnet, *Am.* hood; **'~leistung** *f* (engine) performance; **'~öl** *n* engine oil; **'~rad** *n* motorcycle, F motorbike: **~ fahren** ride a motorcycle; **'~radfahrer** *m* motorcyclist; **'~roller** *m* (motor) scooter; **'~schaden** *m* engine trouble.

Motte ['mɔtə] *f* (-; -n) *zo.* moth; **'~nkugel** *f* mothball; **'~npulver** *n* moth powder.

Motto ['mɔto] *n* (-s; -s) motto.

motzen ['mɔtsən] *v/i* (h) → **meckern.**

Möwe ['møːvə] *f* (-; -n) *zo.* (sea)gull.

Mücke ['mʏkə] *f* (-; -n) *zo.* gnat, midge, mosquito: **aus e-r ~ e-n Elefanten machen** make a mountain out of a molehill; **'~nstich** *m* gnat bite.

müd|e ['myːdə] *adj* tired; **2igkeit** *f* (-; *no pl*) tiredness.

Muffel ['mʊfəl] *m* (-s; -) F sourpuss.

Mühe ['myːə] *f* (-; -n) trouble; *Anstrengung:* effort; *Schwierigkeit(en):* trouble, difficulty (**mit** with *s.th.*): **(nicht) der ~ wert** (not) worth the trouble; **j-m ~ machen** give s.o. trouble; **sich ~ geben** try hard; **sich die ~ sparen** save o.s. the trouble; **mit Müh u. Not** just about; **'2los** *adv* without difficulty; **'2voll** *adj* laborious.

Mühle ['myːlə] *f* (-; -n) mill; *Spiel:* nine men's morris.

'mühsam *adv* with difficulty.

Mull [mʊl] *m* (-[e]s; -e) *bsd. med.* gauze.

Müll [mʏl] *m* (-[e]s; *no pl*) *Haus2:* rubbish, refuse, *Am. a.* garbage, trash; *Industrie2 etc:* waste; **'~abfuhr** *f* refuse (*Am.* garbage) collection; *Müllmänner: Br.* dustmen *pl*, *Am.* garbage men *pl* (*od.* collectors *pl*); **'~beutel** *m Br.* dustbin liner, *Am.* garbage bag.

'Mullbinde *f med.* gauze bandage.

'Müll|con,tainer *m* rubbish (*Am.* garbage) skip; **'~depo,nie** *f* dump; **'~eimer** *m Br.* dustbin, *Am.* garbage can; **'~fahrer** *m* dustman, *Am.* garbage man (*od.* collector); **'~haufen** *m* rubbish (*Am.* garbage) heap; **'~mann** *m* → **Müllfahrer;** **'~schlucker** *m* (-s; -) refuse (*Am.* garbage) chute; **'~tonne** *f* → **Mülleimer;** **'~verbrennungsanla-**

ge f (waste) incineration plant; '**~wagen** m Br. dustcart, Am. garbage truck.

Multi ['mʊlti] m (-s; -s) econ. F multinational; **Qlateral** ['~late,ra:l] adj econ., pol. multilateral; '**Qnatio,nal** adj multinational.

Multipli|kation [mʊltiplika'tsio:n] f (-; -en) math. multiplication; **Qzieren** [~'tsi:rən] v/t (no ge-, h) multiply (**mit** by).

Mumie ['mu:miə] f (-; -n) mummy.

Mund [mʊnt] m (-[e]s; ⸚er) mouth: **den ~ voll nehmen** talk big; **halt den ~!** shut up!; '**~art** f dialect.

münden ['mʏndən] v/i (sn): **~ in** (acc) Fluß etc: flow into; Straße etc: lead into.

'**Mundgeruch** m bad breath.

mündig ['mʏndıç] adj Bürger: politically mature: **~ (werden)** jur. (come) of age.

mündlich ['mʏntlıç] adj Aussage, Vertrag etc: verbal; Prüfung, Überlieferung: oral.

M-und-S-Reifen [ɛmʊnt'ɛs~] m mot. snow tyre (Am. tire).

'**Mündung** f (-; -en) mouth; e-r Feuerwaffe: muzzle.

'**Mund|wasser** n (-s; ⸚) mouthwash; '**~werk** n (-[e]s; no pl): **ein gutes ~** the gift of the gab; **ein loses ~** a loose tongue; '**~winkel** m corner of one's mouth; '**~-zu-'~-Beatmung** f med. mouth-to-mouth resuscitation, F kiss of life.

Munition [muni'tsio:n] f (-; no pl) ammunition.

munter ['mʊntər] adj wach: awake; lebhaft: lively; fröhlich: merry.

Münz|e ['mʏntsə] f (-; -n) coin; Gedenk2: medal; '**~einwurf** m Schlitz: coin slot; '**~fernsprecher** m teleph. pay phone; '**~tankstelle** f coin-operated filling station; '**~wechsler** m (-s; -) change giver.

murmeln ['mʊrməln] v/t u. v/i (h) murmur, mutter.

murren ['mʊrən] v/i (h) grumble (**über** acc about).

mürrisch ['mʏrıʃ] adj sullen, grumpy.

Mus [mu:s] n (-es; -e) Frucht2: puree.

Muschel ['mʊʃəl] f (-; -n) zo. mussel; **~schale:** shell.

Museum [mu'ze:ʊm] n (-s; -seen) museum.

Musik [mu'zi:k] f (-; no pl) music; **Qa-**

lisch [muzi'ka:lıʃ] adj musical; **~anlage** f hi-fi (od. stereo) set; **~box** [~bɔks] f (-; -en) jukebox; **~er** ['mu:zikər] m (-s; -) musician; **~ka,pelle** f band; **~kas,sette** f musicassette.

Muskat [mʊs'ka:t] m (-[e]s; -e), **~nuß** f bot. nutmeg.

Muskel ['mʊskəl] m (-s; -n) muscle: '**~kater** m sore muscles pl; '**~zerrung** f med. pulled muscle.

muskulös [mʊsku'lø:s] adj muscular.

Muß [mʊs] n: **es ist ein ~** it is a must.

Muße ['mu:sə] f (-; no pl) leisure; Freizeit: spare time.

müssen ['mʏsən] (mußte, h). **1.** v/aux (pp müssen) have (got) to: **du mußt den Film sehen!** you must see the film!; **sie muß krank sein** she must be ill; **du mußt es nicht tun** you need not do it; **das müßtest du (doch) wissen** you ought to know (that); **sie müßte zu Hause sein** she should (od. ought to) be at home; **das müßte schön sein!** that would be nice!; **du hättest ihm helfen ~** you ought to have helped him; **2.** v/i (pp gemußt): **ich muß!** I've got no choice; **ich muß nach Hause** I must go home.

'**Mußheirat** f F shotgun wedding.

müßig ['my:sıç] adj untätig: idle; unnütz: useless.

Muster ['mʊstər] n (-s; -) Vorlage: pattern; Probestück: sample, specimen; Vorbild: model; '**Qgültig**, '**Qhaft 1.** adj exemplary. **2.** adv: **sich ~ benehmen** behave perfectly; '**~haus** n showhouse; '**~kollekti,on** f econ. sample collection; '**Qn** v/t (h) neugierig: eye s.o.; abschätzend: size s.o. up: **gemustert werden** mil. have one's medical; '**Qung** f (-; -en) medical examination (for military service).

Mut [mu:t] m (-[e]s; no pl) courage: **j-m ~ machen** boast s.o.'s courage; **den ~ verlieren** lose heart; '**Qig** adj courageous, brave; '**Qlos** adj discouraged; '**~probe** f test of courage.

Mutter¹ ['mʊtər] f (-; ⸚) mother.

Mutter² [~] f (-; -n) tech. nut.

'**mütterlich** adj motherly; '**~erseits** adv: **Onkel etc ~** maternal uncle etc.

'**Mutter|liebe** f motherly love; '**~mal** n birthmark; '**~milch** f mother's milk; '**~schaftsurlaub** m maternity leave;

M

'schutz m jur. legal protection of expectant and nursing mothers; **'sprache** f mother tongue; **sprachler** ['ʃpraːxlər] m (-s; -) native speaker; **'tag** m Mother's Day.

Mutti ['mʊti] f (-; -s) F bsd. Br. mum(my), bsd. Am. mom(my).
'mutwillig adj wanton.
Mütze ['mʏtsə] f (-; -n) cap.
mysteriös [mysteˈriøːs] adj mysterious.

N

Nabel ['naːbəl] m (-s; -) anat. navel.
nach [naːx] **1.** prp örtlich: to, toward(s), for; hinter: after; zeitlich: after, past; gemäß: according to, by: **zehn ~ drei** ten past (Am. a. after) three; → **abfahren, Haus, links, oben, Reihe** etc; **2.** adv: **~ u. ~** gradually; **~ wie vor** as ever, still.
nachahm|en ['ʌaːmən] v/t (sep, -ge-, h) imitate, copy; parodieren: take off; **'2ung** f (-; -en) imitation.
Nachbar ['naxbaːr] m (-n; -n) neighbo(u)r; hinter: **'schaft** f (-; no pl) neighbo(u)rhood; Nachbarn: neighbo(u)rs pl.
'nachbessern v/t (sep, -ge-, h) touch up.
'nachbestell|en v/t (sep, no -ge-, h) order some more; econ. place a repeat order for; **'2ung** f econ. repeat order (gen for).
'Nachbildung f (-; -en) copy, reproduction; genaue: replica; Attrappe: dummy.
nach'dem cj after, when: → **je** 1, 2.
'nachdenk|en v/i (irr, sep, -ge-, h, → **denken**) think: **~ über** (acc) think about, think s.th. over; **Zeit zum 2** time to think (it over); **'lich** adj thoughtful: **es macht e-n ~** it makes you think.
'Nachdruck[1] m (-[e]s; no pl): **mit ~** emphatically; **~ legen auf** (acc) emphasize, stress.
'Nachdruck[2] m (-[e]s; -e) reprint: **~ verboten!** all rights reserved; **'2en** v/t (sep, -ge-, h) reprint.
nachdrücklich ['ʌdrʏklɪç] **1.** adj emphatic; Forderung etc: forceful; **2.** adv: **~ raten (empfehlen)** advise (recommend) strongly.
nachein'ander adv one after the other.
'Nachfolge f (-; no pl) succession: **j-s ~**

antreten succeed s.o.; **'2n** v/i (sep, -ge-, sn) j-m: succeed; **'~r** m (-s; -) successor.
'nachforsch|en v/i (sep, -ge-, h) investigate; **'2ung** f (-; -en) investigation.
'Nachfrage f (-; -n) inquiry; econ. demand (**nach** for); **'2n** v/i (sep, -ge-, h) inquire, ask (beide: **wegen** about).
'nach|fühlen v/t (sep, -ge-, h): **das kann ich dir ~** I know exactly how you (must) feel; **'füllen** v/t (sep, -ge-, h) refill; **'geben** v/i (irr, sep, -ge-, h, → **geben**) give (way); fig. give in; Preise: drop; **'2gebühr** f mail. surcharge; **'gehen** v/i (irr, sep, -ge-, sn, → **gehen**) follow (a. fig.); e-m Vorfall etc: investigate: **m-e Uhr geht (zwei Minuten) nach** my watch is (two minutes) slow; **'2geschmack** m (-[e]s; no pl) aftertaste (a. fig.).
nachgiebig ['ʌgiːbɪç] adj Person: compliant; Material: flexible, pliable; **'2keit** f (-; no pl) compliance; flexibility.
'nachhaltig adj lasting.
nach'her adv afterwards: **bis ~!** see you later!, so long!
'nachholen v/t (sep, -ge-, h) make up for, catch up on.
'Nachkomme m (-n; -n) descendant: **ohne ~n sterben** jur. die without issue; **'2n** v/i (irr, sep, -ge-, sn, → **kommen**) follow, come later; e-m Wunsch etc: comply with.
'Nachkriegs... in Zssgn post-war ...
Nachlaß ['ʌlas] m (-sses; **~sse**) econ. reduction, discount (beide: **auf** acc on); jur. estate.
'nachlassen (irr, sep, -ge-, h, → **lassen**) **1.** v/i decrease, diminish; Interesse: flag; Schmerz: ease; Wirkung: wear off;

Regen, Sturm: let up; **2.** *v/t*: *j-m DM 100 (vom Preis)* ~ give s.o. a discount of 100 marks.

'**Nachlaßgericht** *n jur.* probate court.

'**nachlässig** *adj* careless, negligent.

'**Nachlaßverwalter** *m jur.* executor.

'**nach|laufen** *v/i (irr, sep, -ge-, sn, → laufen)* run after; '~**liefern** *v/t (sep, -ge-, h)* supply at a later date; '~**lösen** *v/t (sep, -ge-, h)* buy on the train, *etc*; '~**machen** *v/t (sep, -ge-, h)* imitate, copy; *fälschen*: forge.

'**Nachmittag** *m* afternoon: *am* ~ in the afternoon; *heute* ♀ this afternoon; '♀**s** *adv* in the afternoon(s).

Nach|nahme ['na:mə] *f (-; -n)*: *et. als (od. per)* ~ *schicken* send s.th. cash (*Am.* collect) on delivery (*od.* COD); → ~**nahmesendung** *f* COD letter (*od.* parcel); '~**name** *m* → *Familienname*; '~**porto** *n* mail. excess postage.

'**nach|prüfen** *v/t (sep, -ge-, h)* check; '~**rechnen** *v/t (sep, -ge-, h)* check.

'**Nachrede** *f*: *üble* ~ defamation.

'**nachreisen** *v/i (sep, -ge-, sn)* join s.o. later.

Nachricht ['na:xrɪçt] *f (-; -en)* (*e-e* a piece of) news *pl (sg konstr.)*; *Botschaft, Mitteilung*: message: *~en pl* Rundfunk, TV: news *pl (sg konstr.)*; *in den ~en* in (TV on) the news; *e-e gute (schlechte)* ~ good (bad) news.

'**Nach|ruf** *m (-[e]s; -e)* obituary (*auf acc* on); '♀**rüsten** *v/i (sep, -ge-, h)* mil., pol. close the armament gap; '♀**sagen** *v/t (sep, -ge-, h)*: *j-m Schlechtes* ~ speak badly of s.o.; *man sagt ihm nach, daß er* he is said to *inf*; '~**sai,son** *f* low (*od.* off-peak) season; '♀**schauen** *v/i (sep, -ge-, h)* look after; '♀**schicken** *v/t (sep, -ge-, h)* → *nachsenden*; '~**schlüssel** *m* duplicate key; *Dietrich*: skeleton key; '~**schub** *m (-[e]s; no pl)* supply, (*a. mil.*) supplies *pl (an dat of)*.

'**Nachsende|antrag** *m* application to have one's mail forwarded; '♀**n** *v/t (mst irr, sep, -ge-, h, → senden)* forward.

'**Nach|speise** *f* dessert, sweet; '~**spiel** *n fig.* sequel, consequences *pl.*

nächste ['nɛːçstə] *adj in der Reihenfolge, zeitlich*: next; *nächstliegend*: nearest (*a. Angehörige*): *in den ~n Tagen (Jahren)* in the next few days (years); *in ~r Zeit* in the near future; *was kommt als ~s?* what comes next?; *der* ~, *bitte!* next, please.

'**nachstehen** *v/i (irr, sep, -ge-, h, → stehen)*: *j-m in nichts* ~ be in no way inferior to s.o.

'**Nächstenliebe** *f (-; no pl)* charity.

Nacht [naxt] *f (-; ⍨e)* night: *in der (od. bei)* ~ at night; '~**arbeit** *f (-; no pl)* night work; '~**dienst** *m* night duty: ~ *haben* be on night duty.

'**Nachteil** *m (-[e]s; -e)* disadvantage: *im* ~ *sein* be at a disadvantage (*gegenüber* compared with); '♀**ig** *adj* disadvantageous (*für* to).

'**Nacht|fahrverbot** *n* ban on nighttime driving; '~**flug** *m* night flight; '~**flugverbot** *n* ban on nighttime flying; '~**hemd** *n* nightdress, *Am.* a. nightgown, F nightie; *Mann*: nightshirt.

'**Nachtisch** *m (-[e]s; -e)* → *Nachspeise.*

'**Nacht|klub** *m* nightclub, *Am.* a. nightspot; '~**leben** *n (-s; no pl)* nightlife.

nächtlich ['nɛçtlɪç] *adj all*~: nightly: *Straßen etc*: at (*od.* by) night.

'**Nachtlo,kal** *n* → *Nachtklub.*

'**nachtragend** *adj* unforgiving.

nachträglich ['na:xtrɛːklɪç] *adv*: ~ *herzlichen Glückwunsch* belated best wishes.

nachts *adv* at night.

'**Nacht|schicht** *f* night shift: ~ *haben* be on night shift; '~**schwester** *f* night nurse; '~**tisch** *m* bedside table; '~**tischlampe** *f* bedside light.

Nachweis ['na:xvais] *m (-es; -e)* proof, evidence (*beide*: *für* of); '♀**en** *v/t (irr, sep, -ge-, h, → weisen)* prove; '♀**lich** *adv* as can be proved.

'**Nach|welt** *f (-; no pl)* posterity; '~**wirkung** *f* aftereffect: *~en pl a.* aftermath *sg*; '♀**zahlen** *v/t u. v/i (sep, -ge-, h)* pay extra; '♀**zählen** *v/t (sep, -ge-, h)* check; *Wechselgeld*: count; '~**zahlung** *f* additional (*od.* extra) payment.

Nacken ['nakən] *m (-s; -)* (back [*od.* nape] of the) neck; '~**stütze** *f* headrest.

nackt [nakt] *adj* naked; *bsd. paint., phot.* nude; *Beine, Wand etc*: bare; *Wahrheit*: plain; *völlig* ~ *stark* naked; *sich* ~ *ausziehen* strip; ~ *baden* swim in the nude; *j-n* ~ *malen* paint s.o. in the nude; '♀**baden** *n (-s; no pl)* nude bathing; '♀**badestrand** *m* nudist beach.

Nadel ['na:dəl] *f (-; -n)* needle (*a. bot.*);

Steck2, Haar2 etc: pin; Brosche: brooch; '∼**baum** m conifer(ous tree).

Nagel ['na:gəl] m (-s; ") anat., tech. nail; '∼**lack** m nail varnish (Am. polish); '2**n** v/t (h) nail (**an** acc, **auf** acc to); '2**neu** adj brand-new.

nah [na:] adj near, close (**bei** to); ∼ ge**legen:** nearby.

'**Nah|aufnahme** f phot. close-up; '∼**bereich** m surrounding area: **der ∼ von München** the Munich area.

Nähe ['nɛ:ə] f (-; no pl) nearness; Umgebung: neighbo(u)rhood, vicinity: **in der ∼ des Bahnhofs** etc near the station etc; **ganz in der ∼** quite near, close by; **in d-r ∼** near you.

'**nahe|gehen** v/i (irr, sep, -ge-, sn, → **gehen**) affect deeply; '∼**kommen** v/i (irr, sep, -ge-, sn, → **kommen**) come close to; '∼**legen** v/t (sep, -ge-, h): **j-m et. ∼** suggest s.th. to s.o.; '∼**liegen** v/i (irr, sep, -ge-, h, → **liegen**) seem likely; stärker: be obvious; '∼**liegend** adj likely; obvious.

nähen ['nɛ:ən] v/t u. v/i (h) sew; Kleid: make.

Nähere ['nɛ:ərə] n (-n; no pl) details pl, particulars pl.

'**Naherholungsgebiet** n nearby recreational area.

nähern ['nɛ:ərn] v/refl (h) approach, get near(er) (od. close[r]) (dat to).

'**Näh|ma,schine** f sewing machine; '∼**nadel** f (sewing) needle.

'**nahrhaft** adj nutritious, nourishing.

'**Nährstoff** ['nɛ:r∼] m nutrient.

Nahrung ['na:rʊŋ] f (-; no pl) food; '∼**smittel** pl food sg, foodstuffs pl.

'**Nährwert** ['nɛ:r∼] m nutritional value.

Naht [na:t] f (-; "e) seam; med. suture; '2**los** adv: ∼ **braun** tanned all over.

'**Nähzeug** n sewing kit.

naiv [na'i:f] adj naive; 2**ivität** [naivi'tɛ:t] f (-; no pl) naivety.

Name ['na:mə] m (-ns; -n) name: **wie ist Ihr ∼?** what is your name?; **im ∼n von** (od. gen) on behalf of.

'**Namens|tag** m name day; '∼**vetter** m namesake; '∼**zug** m signature.

namentlich ['na:məntlɪç] adj u. adv by name.

nämlich ['nɛ:mlɪç] adv das heißt: that is (to say), namely; begründend: you see (od. know), for.

Narb|e ['narbə] f (-; -n) scar; '2**ig** adj scarred.

Narkose [nar'ko:zə] f (-; -n) med. an(a)esthesia.

Narr [nar] m (-en; -en) fool: **zum ∼en halten** make a fool of; 2**ensicher** adj foolproof.

Nase ['na:zə] f (-; -n) nose (a. fig.): **die ∼ voll haben** be fed up (**von** with); → **putzen, rümpfen.**

'**Nasen|bluten** n (-s; no pl) nosebleed; '∼**loch** n nostril; '∼**spitze** f tip of the nose; '∼**spray** m, n nose spray.

naß [nas] adj wet: **triefend ∼** soaking.

Nässe ['nɛsə] f (-; no pl) wet(ness).

'**naßkalt** adj damp and cold.

Nation [na'tsio:n] f (-; -en) nation.

national [natsio'na:l] adj national; 2**feiertag** m national holiday; 2**gericht** n gastr. national dish; 2**hymne** f national anthem.

Nationalis|mus [natsiona'lɪsmʊs] m (-; no pl) nationalism; ∼**t** m (-en; -en) nationalist; 2**tisch** adj nationalist(ic).

Nationalität [natsionali'tɛ:t] f (-; -en) nationality: **welcher ∼ sind Sie?** what nationality are you?

Natio'nal|park m national park; ∼**tracht** f national costume.

Natur [na'tu:r] f (-; no pl) nature: **von ∼ (aus)** by nature; ∼**kata,strophe** f natural disaster.

natürlich [na'ty:rlɪç] 1. adj natural; 2. adv naturally, of course.

Na'tur|park m nature reserve; ∼**schutz** m nature conservation: **unter ∼** protected; ∼**schützer** m (-s; -) conservationist; ∼**schutzgebiet** n nature reserve; ∼**wissenschaft** f (natural) science.

Nebel ['ne:bəl] m (-s; -) mist; stärker: fog; Dunst: haze; '∼**scheinwerfer** m mot. fog lamp; '∼**schlußleuchte** f mot. rear fog lamp.

neben ['ne:bən] prp 1. (acc od. dat) beside; direkt ∼: next to; 2. (dat) außer: apart (bsd. Am. aside) from, besides; verglichen mit: compared with (od. to): ∼ **anderen Dingen** among other things; ∼**'an** adv next door; '∼**beruf** m sideline; '∼**beruflich** adv as a sideline; 2**buhler** ['∼bu:lər] m (-s; -) rival (in love); ∼**ein'ander** adv side by side: ∼ **bestehen** coexist; 2**einkünfte** pl, 2**einnahmen**

pl extra money *sg*; '**2̃fach** *n univ. Br.* subsidiary subject, *Am.* minor (subject): *et. als ~ studieren Br.* study s.th. as one's subsidiary subject, *Am.* minor in s.th.; '**2̃fluß** *m* tributary; '**2̃gebäude** *n* next-door building; *Anbau:* annex(e); '**2̃haus** *n* house next door; '**2̃kosten** *pl* extras *pl*; '**2̃mann** *m*: **der Mann ~** the person next to her; '**2̃pro,dukt** *n* by-product; '**2̃rolle** *f thea. etc* minor part; *fig.* minor role; '**2̃sache** *f* minor matter: *das ist ~* that's of little (*od.* no) importance; **~sächlich** ['~zɛçlıç] *adj* unimportant; '**2̃stelle** *f teleph.* extension; '**2̃straße** *f* side street; *Landstraße:* minor road; '**2̃tisch** *m* next table; '**2̃verdienst** *m* extra earnings *pl*; '**2̃wirkung** *f* side effect; '**2̃zimmer** *n* adjoining room.

neblig ['ne:blıç] *adj* foggy; misty; hazy.

Neffe ['nɛfə] *m* (-n; -n) nephew.

negativ ['ne:gati:f] *adj* negative.

Negativ [~] *n* (-s; -e) *phot.* negative.

nehmen ['ne:mən] *v/t* (nahm, genommen, h) take (*a. sich ~*): *j-m et. ~* take s.th. (away) from s.o. (*a. fig.*); *et. zu sich ~* have s.th. (to eat); *sich e-n Tag etc frei ~* take a day *etc* off; *an die Hand ~* take by the hand.

Neid [naıt] *m* (-[e]s; *no pl*) envy (*auf acc* of, at); **2̃isch** [~dıʃ] *adj* envious (*auf acc* of).

Neige ['naıgə] *f* (-; -n): *zur ~ gehen Vorräte etc:* run out.

nein [naın] *adv* no.

Nelke ['nɛlkə] *f* (-; -n) *bot.* carnation; *Gewürz2̃:* clove.

nennen ['nɛnən] (nannte, genannt, h) **1.** *v/t* name, call; *erwähnen:* mention: *man nennt ihn (es)* he (it) is called; **2.** *v/refl* call o.s., be called; '**~swert** *adj* worth mentioning.

'**Nennwert** *m econ.* nominal (*od.* face) value: *zum ~* at par.

'**Neonre,klame** ['neːɔn~] *f* neon sign; '**~röhre** *f* neon tube.

Nepp [nɛp] *m* (-s; *no pl*) F rip-off; '**2̃en** *v/t* (h) F fleece, rip off; '**~lo,kal** *n* F clip joint; '**~preis** *m* F rip-off price.

Nerv [nɛrf] *m* (-s; -en) nerve: *j-m auf die ~en fallen* (*od. gehen*) get on s.o.'s nerves; *die ~en behalten* (*verlieren*) keep (loose) one's head; '**2̃en** *v/t* (h) F get on *s.o.'s* nerves.

'**Nervenarzt** *m* neurologist; '**2̃aufreibend** *adj* nerve-racking; '**~belastung** *f* nervous strain; '**~bündel** *n* F bag (*od.* bundle) of nerves; '**~kitzel** *m* (-s; *no pl*) thrill; '**~klinik** *f* psychiatric clinic; '**2̃krank** *adj* mentally ill; '**~säge** *f* F pain in the neck; '**~sy,stem** *n* nervous system; '**~zusammenbruch** *m* nervous breakdown.

nervös [nɛr'vøːs] *adj* nervous; **2̃osität** [~ozi'tɛːt] *f* (-; *no pl*) nervousness.

Nest [nɛst] *n* (-[e]s; -er) nest; F *contp.* one-horse town.

nett [nɛt] *adj* nice; *freundlich: a.* kind (*beide: von* of): *so ~ sein u. et.* (*od. et. zu*) *tun* be so kind as to do s.th.

netto ['nɛto] *adv econ.* net; **2̃ein-kommen** *n* net income.

Netz [nɛts] *n* (-es; -e) net; *fig.* network (*a. teleph. etc*); *electr.* mains *pl*; '**~an-schluß** *m electr.* mains connection; '**~haut** *f anat.* retina; '**~karte** *f rail.* runaround ticket; '**~werk** *n* network.

neu [nɔy] *adj* new; *frisch, erneut: a.* fresh; **~zeitlich:** modern: **~este Mode** latest fashion; **von ~em** anew, afresh; **seit ~**(*est*)**em** since (very) recently; *viel 2̃es* a lot of new things; *was gibt es 2̃es?* what's the news?, what's new?; '**2̃artig** *adj* novel; '**2̃bau** *m* new building; '**2̃bauwohnung** *f* modern flat (*Am.* apartment); '**2̃gier** *f* curiosity; '**2̃gierig** *adj* curious (*auf acc* about): *ich bin ~, ob* I wonder if; '**2̃heit** *f* (-; -en) novelty; '**2̃igkeit** *f* (-; -en) (*e-e ~* a piece of) news *pl* (*sg konstr.*); '**2̃jahr** *n* New Year('s Day): *Prost ~!* Happy New Year!; '**~lich** *adv* the other day; '**~modisch** *adj contp.* newfangled.

neun [nɔyn] *adj* nine; '**~te** *adj* ninth; '**2̃tel** *n* (-s; -) ninth; '**~tens** *adv* ninth(ly), in the ninth place; '**~zehn** *adj* nineteen; **~zig** ['~tsıç] *adj* ninety.

neutral [nɔy'traːl] *adj* neutral; **2̃ität** [~ali'tɛːt] *f* (-; *no pl*) neutrality.

'**Neuverfilmung** *f* remake; '**2̃wertig** *adj* as good as new.

nicht [nıçt] *adv* not: *~* (*ein*)*mal* not even; *~ mehr* no more (*od.* longer); *sie ist nett* (*wohnt hier*)*, ~ wahr?* she's nice (lives here), isn't (doesn't) she?; *so ... wie* not as ... as; *~ besser etc* (*als*) no (*od.* not any) better *etc* (than); *ich* (*auch*) *~* I don't (*od.* I'm not) (either);

N

(bitte) ~! (please) don't!; → **gar** 2, **noch** 1, **überhaupt**.

Nichte ['nɪçtə] f (-; -n) niece.

'**nichtig** adj jur. void, invalid.

'**Nichtraucher** m nonsmoker; '~**ab**,**teil** n rail. nonsmoking compartment; '~**zo**-**ne** f nonsmoking area.

nichts [nɪçts] indef pron nothing, not anything: ~ (**anderes**) **als** nothing but; → **gar** 2, **noch** 1, **überhaupt**.

'**Nichtschwimmer** m nonswimmer; '~**becken** n nonswimmer pool.

'**nichtssagend** adj meaningless, empty.

'**Nichtzutreffende** n: ~**s streichen** delete as applicable.

nicken ['nɪkən] v/i (h) nod (one's head).

nie [niː] adv never: ~ **u. nimmer** never ever; → **fast**.

nieder ['niːdər] 1. adj low; 2. adv: ~ **mit** down with.

'**Nieder**|**gang** m (-[e]s; no pl) decline; '2**geschlagen** adj depressed; '~**lage** f (-; -n) defeat; '2**lassen** v/refl (irr, sep, -ge-, h, → **lassen**) settle (down); econ. set up (**als** as); '~**lassung** f (-; -en) establishment; Filiale: branch; '2**legen** (sep, -ge-, h) 1. v/t lay down (a. Waffen, Amt etc): → **Arbeit**; 2. v/refl lie down.

'**Niederschlag** m meteor. rain(fall), precipitation; radioaktiver: fallout; '2**en** v/t (irr, sep, -ge-, h, → **schlagen**) knock down; Aufstand: put down; jur. Verfahren: quash; '2**sarm** adj low-precipitation; '2**schlagsreich** adj high-precipitation.

niedrig ['niːdrɪç] 1. adj low (a. fig.); Strafe: light; 2. adv: ~ **fliegen** fly low.

'**niemals** adv → **nie**.

niemand ['niːmant] indef pron nobody, no one, not anybody: ~ **von ihnen** none of them; '2**sland** n (-[e]s; no pl) no-man's-land (a. fig.).

Niere ['niːrə] f (-; -n) anat., gastr. kidney.

nieseln ['niːzəln] v/impers (h) drizzle; '2**regen** m drizzle.

niesen ['niːzən] v/i (h) sneeze.

Niete ['niːtə] f (-; -n) Los: blank; F Person: washout.

Nikotin [niko'tiːn] n (-s; no pl) chem. nicotine; 2**arm** adj low-nicotine, low in nicotine.

nippen ['nɪpən] v/i (h) sip (**an** dat at).

nirgends ['nɪrgənts] adv nowhere.

Nische ['niːʃə] f (-; -n) niche, recess.

nisten ['nɪstən] v/i (h) nest.

Niveau [ni'voː] n (-s; -s) level; fig. a. standard.

'**Nobelho**,**tel** ['noːbəl~] n high-class hotel.

Nobelpreis [no'bɛl~] m Nobel Prize.

noch [nɔx] 1. adv still: ~ **nicht**(**s**) not (nothing) yet; ~ **nie** never (before); **er hat nur ~ 10 Mark** (**Minuten**) he has only 10 marks (minutes) left; (**sonst**) ~ **et.?** anything else?; **sonst** ~ **Fragen?** any other questions?; **ich möchte** ~ **et.** (**Tee**) I'd like some more (tea); ~ **ein**(**er**) one more, another; ~ (**ein**)**mal** once more (od. again); ~ **zwei Stunden** another two hours, two hours to go; ~ **besser** (**schlimmer**) even better (worse); ~ **gestern** only yesterday; 2. cj: → **weder**; '~**malig** adj renewed, second; '~**mals** adv once more (od. again).

Nominal|**einkommen** [nomi'naː~] n nominal income; ~**wert** m nominal (od. face) value.

nominieren [nomi'niːrən] v/t (no ge-, h) nominate.

Nonne ['nɔnə] f (-; -n) nun; '~**nkloster** n convent.

nonstop [nɔn'stɔp] adv nonstop; 2**flug** m nonstop flight.

Norden ['nɔrdən] m (-s; no pl) north; nördlicher Landesteil: north: **nach** ~ north(wards).

nördlich ['nœrtlɪç] 1. adj north(ern); 2. adv: ~ **von** (to the) north of.

Nord|'**osten** m northeast; '~**pol** m (-s; no pl) North Pole; ~'**westen** m northwest.

nörg|**eln** ['nœrgəln] v/i (h) nag, carp (beide: **an** dat at); 2**ler** ['~lər] m (-s; -) nagger, carper.

Norm [nɔrm] f (-; -en) standard, norm.

normal [nɔr'maːl] adj normal: F **nicht ganz** ~ not quite right in the head.

Normal [~] n (-s; no pl) mot. F Br. two star, Am. regular.

Nor'mal|**ben**,**zin** n mot. Br. two-star petrol, Am. regular gas(oline); 2**er**-**weise** adv normally; ~**fall** m normal case: **im** ~ normally; 2**isieren** [~ali'ziː-rən] v/refl (no ge-, h) return to normal; ~**verbraucher** m average consumer.

normen ['nɔrmən] v/t (h) standardize.

Not [noːt] f (-; ¨e) allg. need; Mangel: a. want; Armut: poverty; Elend, Leid: hardship, misery; Bedrängnis: difficulty, trouble, problem; ~**fall**: emergency;

bsd. seelische: distress: **in ~ sein** be in trouble; **zur ~** if need be, if necessary; → **knapp.**

Notar [no'ta:r] *m* (-s; -e) notary; **~iell** [~a'riɛl] *adj u. adv*: **~ beglaubigt** attested by (a) notary.

'**Not|arzt** *m* doctor on call; '**~arztwagen** *m* emergency ambulance; '**~ausgang** *m* emergency exit; '**~bremse** *f* emergency brake; *rail. Br.* communication cord; '**~dienst** *m*: **~ haben** be on standby; *Arzt*: **~** be on call; *Apotheke*: be open all night; '**2dürftig 1.** *adj* spärlich: scanty; *provisorisch*: provisional; **2.** *adv*: **~ reparieren** patch up.

Note ['no:tə] *f* (-; -n) note (*a. mus., pol.*); *Bank*2: note, *bsd. Am.* bill; *ped.* mark, *bsd. Am.* grade; **~n** *pl mus.* music *sg.*

'**Not|fall** *m* emergency: **für den ~** just in case; '**2falls** *adv* if necessary; '**2gedrungen** *adv*: **et. ~ tun** be forced to do s.th.

notier|en [no'ti:rən] (*no* ge-, h) **1.** *v/t* make a note of; **2.** *v/i econ.* be quoted (**mit** at); **2ung** *f* (-; -en) *econ.* quotation.

nötig ['nø:tıç] *adj* necessary: **~ haben** need.

Notiz [no'ti:ts] *f* (-; -en) note: **sich ~en machen** take notes; **keine ~ nehmen von** take no notice of, ignore; **~block** *m* (-[e]s; -s) notepad, *bsd. Am.* memo pad; '**~buch** *n* notebook.

'**Not|lage** *f* awkward (*od.* difficult) situation; *plötzlicher Notfall*: emergency; '**2landen** *v/i* (insep, -ge-, sn) *aer.* make a forced landing; '**~landung** *f aer.* forced landing; '**2leidend** *adj* needy; '**~lösung** *f* temporary solution; '**~lüge** *f* white lie; '**~ruf** *m* teleph. emergency call; '**~rufnummer** *f* emergency number; '**~rufsäule** *f* emergency phone; '**~stand** *m pol.* state of emergency; '**~standsgebiet** *n econ.* depressed area; *bei Katastrophen*: disaster area; '**~standsgesetze** *pl* emergency laws *pl*; '**~verband** *m med.* emergency dressing: **j-m e-n ~ anlegen** put an emergency dressing on s.o.; '**~wehr** *f* (-; *no pl*) self-defen|ce (*Am.* -se): **aus** (*od.* **in**) **~ in** self-defence; '**2wendig** *adj* necessary; '**~wendigkeit** *f* (-; -en) necessity.

November [no'vɛmbər] *m* (-s; -) November: **im ~** in November.

Nu [nu:] *m*: **im ~** in no time.

Nuance [ny'ã:sə] *f* (-; -n) shade (*a. fig.*).

nüchtern ['nʏçtərn] *adj* sober (*a. fig.*); *sachlich*: matter-of-fact: **auf ~en Magen** on an empty stomach; **wieder ~ werden** sober up.

Nudel ['nu:dəl] *f* (-; -n) noodle.

nuklear [nukle'a:r] *adj* nuclear; **2medi,zin** *f* (-; *no pl*) nuclear medicine, **2waffe** *f* nuclear weapon.

null [nʊl] *adj* nought, *Am.* zero; *teleph.* 0 [əʊ], *Am. a.* zero; *Sport.* nil, *Am. a.* zero; *Tennis*: love: **~ Grad** zero degrees; **~ Fehler** no mistakes; **gleich 2 sein** *Chancen etc*: be nil; '**2diät** *f* no-calorie diet; '**2ta,rif** *m*: **zum ~** free; '**2wachstum** *n econ.* zero growth.

numerieren [nume'ri:rən] *v/t* (*no* ge-, h) number.

Nummer ['nʊmər] *f* (-; -n) number; *Zeitung etc*: *a.* issue; *Größe*: size; '**~nkonto** *n* numbered account; '**~nschild** *n mot.* number (*Am.* license) plate.

nun [nu:n] *adv* now; *also, na*: well.

nur [nu:r] *adv* only, just; *bloß*: merely; *nichts als*: nothing but: **er tut ~ so** he's just pretending; **~ so** (**zum Spaß**) just for fun; **warte ~!** just you wait!; **~ für Erwachsene** (for) adults only.

Nuß [nʊs] *f* (-; ~sse) *bot.* nut; '**~baum** *m bot.* walnut (tree); *Möbel*: walnut; '**~knacker** *m* (-s; -) nutcracker; '**~schale** *f* nutshell.

Nutte ['nʊtə] *f* (-; -n) F tart, *Am. a.* hooker.

nutzbringend ['nʊts~] *adj* profitable, useful.

nütze ['nʏtsə] *adj*: **zu nichts ~ sein** be (of) no use; *bsd. Person*: *a.* be good for nothing.

Nutzen ['nʊtsən] *m* (-s; *no pl*) use; *Gewinn*: profit, gain; *Vorteil*: advantage: **~ ziehen aus** benefit (*od.* profit) from.

nutzen [~], '**nützen** (h) **1.** *v/i*: **j-m ~** be of use to s.o.; **es nützt nichts(, es zu tun)** it's no use (doing it); **2.** *v/t* use, make use of; *Gelegenheit*: take advantage of.

'**Nutzlast** *f* payload.

nützlich ['nʏtslıç] *adj* useful, helpful; *vorteilhaft*: advantageous: **sich ~ machen** make o.s. useful.

'**nutzlos** *adj* useless: **es ist ~, et. zu tun** it's useless (*od.* no use) doing s.th.

'**Nutzung** *f* (-; -en) use (*a. Be2*), utilization.

O

Oase [o'a:zə] f (-; -n) oasis (a. fig.).

ob [ɔp] cj whether, if: **u. ~!** you bet!

Obacht ['o:baxt] f (-; no pl): **~ geben auf** (acc) pay attention to; **(gib) ~!** look (od. watch) out!

'**Obdach** n (-[e]s; no pl) shelter; **2los** adj homeless; '**~lose** m, f (-n; -n) homeless person; '**~losenheim** n hostel for the homeless.

Obdu|ktion [ɔpdʊk'tsjo:n] f (-; -en) med. autopsy, postmortem; **2zieren** [~u'tsi:-rən] v/t (no ge-, h) carry out an autopsy on.

oben ['o:bən] adv above; in der Höhe: up; ~auf: on (the) top; an Gegenstand: at the top (a. fig. Stellung); an der Oberfläche: on the surface; im Haus: upstairs: **da ~** up there; **nach ~** up, im Haus: upstairs; **von ~ bis unten** from top to bottom (Person: toe); **links ~** left above; **siehe ~** see above; F **~ ohne** topless; **von ~ herab** fig. patroniz-ing(ly), condescending(ly); '**~erwähnt**, '**~genannt** adj above(-mentioned).

Ober ['o:bər] m (-s; -) waiter; '**~arm** m upper arm; '**~arzt** m, '**~ärztin** f assist-ant medical director; '**~bürger-meister** m mayor, Br. Lord Mayor; '**~deck** n mar. upper deck; '**2e** adj up-per, top; fig. a. superior; '**~fläche** f surface; **2flächlich** ['~flɛçlɪç] adj super-ficial; **2halb** prp above; '**~hand** f: **die ~ gewinnen** get the upper hand (**über** acc of); '**~haus** n parl. Br. House of Lords; '**~hemd** n shirt.

Oberin f (-; -nen) eccl. Mother Superi-or.

ober|irdisch ['~ɪrdɪʃ] adj surface; electr. overhead; '**2kellner** m head waiter; '**2kiefer** m upper jaw; '**2körper** m up-per part of the body: → **frei**; '**2lippe** f upper lip; '**2schicht** f sociol. upper class(es pl).

Oberst ['o:bərst] m (-en; -e[n]) mil. colo-nel.

'**oberste** adj uppermost, top(most); höchste: a. highest; fig. chief, first.

'**Oberteil** n top (a. Kleidung).

Obhut ['ɔphu:t] f (-; no pl): **in s-e ~ nehmen** take care (od. charge) of.

obig ['o:bɪç] adj above(-mentioned).

Objekt [ɔp'jɛkt] n (-[e]s; -e) Immobilie: property; phot. subject.

objektiv [ɔpjɛk'ti:f] adj objective; unpar-teiisch: a. impartial, unbias(s)ed.

Objektiv [~] n (-s; -e) phot. lens.

Objektivität [ɔpjɛktivi'tɛ:t] f (-; no pl) objectivity; impartiality.

Obligation [ɔbliga'tsjo:n] f (-; -en) econ. bond, debenture.

obligatorisch [ɔbliga'to:rɪʃ] adj com-pulsory.

Obst [o:pst] n (-[e]s; no pl) fruit; '**~baum** m fruit tree; '**~garten** m orchard; '**~kuchen** m fruit flan (Am. pie); '**~plan,tage** f fruit plantation.

obszön [ɔps'tsø:n] adj obscene, filthy.

ob'wohl cj (al)though.

Ochse ['ɔksə] m (-n; -n) zo. ox; F fig. dope; '**~nschwanzsuppe** f oxtail soup.

oder ['o:dər] cj or: **~ vielmehr** or rather; **~ so** or so; **er kommt doch, ~?** he's coming, isn't he?; **du kennst ihn ja nicht, ~ doch?** you don't know him, or do you?; → **aber** 1, **entweder**.

Ofen ['o:fən] m (-s; ") stove; Back2: oven; tech. furnace; '**~heizung** f stove heating; '**~rohr** n stovepipe.

offen ['ɔfən] **1.** adj open (a. fig.); Stelle: a. vacant; ehrlich: a. frank; **2.** adv: **~ ge-sagt** frankly (speaking); **s-e Meinung sagen** speak one's mind (quite open-ly); '**~bar** adv anscheinend: apparently; offensichtlich: obviously; '**2heit** f (-; no pl) openness, frankness; '**~herzig** adj open-hearted, frank, candid; Kleid etc: revealing; '**~lassen** v/t (irr, sep, -ge-, h, → **lassen**) leave open; '**~sichtlich** adv obviously.

offensiv [ɔfɛn'zi:f] adj offensive; **2e** [~və] f (-; -n) offensive: **die ~ ergreifen** take the offensive.

'**offenstehen** v/i (irr, sep, -ge-, h, → **stehen**) be open (fig. j-m to s.o.); Rechnung: be outstanding: **es steht Ihnen offen zu** you are free to.

öffentlich ['œfəntlɪç] **1.** adj public: **~e Verkehrsmittel** pl public transport(-ation Am.) sg; **2.** adv: **~ auftreten** appear in public; '**2keit** f (-; no pl) the public: **in aller ~** in public; **an die ~ bringen** make public; → **dringen** b; '**2keits- arbeit** f (-; no pl) public relations pl.

Offerte [ɔˈfɛrtə] f (-; -n) econ. offer.

offiziell [ɔfiˈtsi̯ɛl] adj official.

Offizier [ɔfiˈtsiːr] m (-s; -e) mil. (commissioned) officer.

offiziös [ɔfiˈtsi̯øːs] adj semiofficial.

öffn|en [ˈœfnən] v/t u. v/refl (h) open; '**2er** m (-s; -) opener; '**2ung** f (-; -en) opening; '**2ungszeiten** pl business (od. office) hours pl.

oft [ɔft] adv often, frequently.

ohne [ˈoːnə] prp u. cj without: **~ mich!** count me out!; **~ ein Wort (zu sagen)** without (saying) a word.

'**Ohnmacht** f (-; -en) unconsciousness; Hilflosigkeit: helplessness: **in ~ fallen** faint, pass out; '**2mächtig** adj unconscious; helpless: **~ werden** faint, pass out.

Ohr [oːr] n (-[e]s; -en) ear: F **j-n übers ~ hauen** cheat s.o.; **bis über die ~en verliebt (verschuldet)** head over heels in love (debt).

'**Ohren|arzt** m ear specialist; '**2betäu- bend** adj deafening; '**~schmerzen** pl earache sg; '**~zeuge** m earwitness.

Ohrfeige f (-; -n) slap in the face (a. fig.); '**2n** v/t (h): **j-n ~** slap s.o.'s face.

Ohr|läppchen [ˈ~lɛpçən] n (-s; -) ear- lobe; '**~ring** m earring.

Öko|bewegung [ˈøːko~] f ecological movement; '**~bi¸lanz** f life-cycle analy- sis; '**~laden** m health-food shop (Am. store).

Öko|loge [økoˈloːgə] m (-n; -n) ecolo- gist; **~logie** [~loˈgiː] f (-; no pl) ecology; **2logisch** adj ecological; **~nomie** [~noˈmiː] f (-; -n) Sparsamkeit: econ- omy; econ. economics pl (sg konstr.); **2nomisch** [~noˈmɪʃ] adj sparsam: economical; econ. economic.

'**Ökosys¸tem** [ˈøːko~] n ecosystem.

Oktan [ɔkˈtaːn] n (-s; no pl) chem. octane; **~zahl** f mot. octane number (od. rating).

Oktober [ɔkˈtoːbər] m (-s; -) October: **im ~** in October.

Öl [øːl] n (-[e]s; -e) oil; '**2en** v/t (h) oil, tech. a. lubricate; '**~farbe** f oil paint sg, oils pl; '**~filter** m, n oil filter; '**~förderland** n oil-producing country;

'**2förderung** f oil production; '**~ge- mälde** n oil painting; '**~heizung** f oil heating; '**2ig** adj oily (a. fig.).

Olive [oˈliːvə] f (-; -n) bot. olive; **~enöl** n olive oil; **2grün** [oˈliːf~] adj olive-green.

'**Öl|leitung** f (oil) pipeline; '**~meßstab** m mot. dipstick; '**~pest** f oil pollution; '**~quelle** f oil well; '**~sar¸dine** f (tinned, Am. canned) sardine; '**~stand** m mot. oil level; '**~tanker** m oil tanker; '**~teppich** m oil slick; '**~vorkommen** n oil resources pl; '**~wanne** f mot. (oil) sump; '**~wechsel** m mot. oil change.

Olympia|... [oˈlʏmpi̯a] in Zssgn Olympic ...; **~de** [~ˈpi̯aːdə] f (-; -n) Olympiad; Spiele: Olympic Games pl.

olympisch [oˈlʏmpɪʃ] adj Olympic: **2e Spiele** Olympic Games.

Oma [ˈoːma] f (-; -s) F grandma, granny.

Omnibus [ˈɔmnibʊs] m → **Bus**.

onanieren [onaˈniːrən] v/i (no ge-, h) masturbate.

Onkel [ˈɔŋkəl] m (-s; -) uncle.

Opa [ˈoːpa] m (-s; -s) F grandpa.

Oper [ˈoːpər] f (-; -n) mus. opera; Ge- bäude: opera (house).

Operation [opəraˈtsi̯oːn] f (-; -en) med., mil. operation; **~ssaal** m med. operat- ing theatre (Am. room); **~sschwe- ster** f med. theatre (Am. operating- -room) nurse.

operieren [opeˈriːrən] (no ge-, h) **1.** v/t med.: **j-n ~** operate on s.o. (**wegen** for); **sich ~ lassen** have an operation; **am Magen operiert werden** have a stomach operation; **2.** v/i med., mil. operate; vorgehen: proceed.

Opfer [ˈɔpfər] n (-s; -) sacrifice (a. fig.); Unfall¸, e-s Betrügers etc: victim: **~ bringen** make sacrifices; (dat) **zum ~ fallen** fall victim to; '**2n** v/t (h) sacrifice (a. fig.); sein Leben: give.

Opium [ˈoːpi̯ʊm] n (-s; no pl) opium.

Opposition [ɔpoziˈtsi̯oːn] f (-; -en) op- position (**gegen** to); **2ell** [~oˈnɛl] adj oppositional; **~sführer** m pol. oppo- sition leader; **~spar¸tei** f opposition party.

Optiker [ˈɔptikər] m (-s; -) optician.

opti|mal [ɔptiˈmaːl] adj optimum, best (possible); **2mismus** [~ˈmɪsmʊs] m (-; no pl) optimism; **2mist** m (-en; -en) optimist; **~ˈmistisch** adj optimistic.

optisch [ˈɔptɪʃ] adj optical.

Orange [oˈrãːʒə] f (-; -n) orange.
Orchester [ɔrˈkɛstər] n (-s; -) orchestra.
Orchidee [ɔrçiˈdeː(ə)] f (-; -n) bot. orchid.
Orden [ˈɔrdən] m (-s; -) eccl. order; Auszeichnung: medal, decoration; '**~sschwester** f eccl. sister, nun.
ordentlich [ˈɔrdəntlɪç] **1.** adj Person, Zimmer, Haushalt etc: tidy, neat, orderly; richtig, sorgfältig: proper; gründlich: thorough; anständig: decent (a. F fig.); Leute: a. respectable; Mitglied, Professor: full; Gericht: ordinary; Leistung: reasonable; F tüchtig, kräftig: good, sound; **2.** adv: **s-e Sache ~ machen** do a good job; **sich ~ benehmen (anziehen)** behave (dress) properly (od. decently).
Order [ˈɔrdər] f (-; -s) econ. order; '**~n** v/t (h) order.
ordinär [ɔrdiˈnɛːr] adj vulgar.
ordn|en [ˈɔrdnən] v/t (h) put in order; an~: arrange, sort (out); Akten: file; Angelegenheiten: settle; '**~er** m (-s; -) Fest2 etc: steward; Akten2 etc: file; '**2ung** f (-; no pl) allg. order; Ordentlichkeit: order(liness), tidiness; Vorschriften: rules pl, regulations pl; An2: arrangement; System: system, set-up; Rang: class: **in ~** all right; tech. etc in (good) order; **in ~ bringen** put right (a. fig.); Zimmer etc: tidy up; reparieren: repair, F fix (a. fig.); **(in) ~ halten** keep (in) order; **et. ist nicht in ~ (mit)** there is s.th. wrong with); '**2ungsstrafe** f fine.
Organ [ɔrˈgaːn] n (-s; -e) anat. organ; **~bank** f (-; -en) med. organ bank; **~empfänger** m med. organ recipient.
Organisa|tion [ɔrganizaˈtsǐoːn] f (-; -en) organization; **~tor** [~ˈzaːtɔr] m (-s; -en) organizer; **2torisch** [~aˈtoːrɪʃ] adj organizational, organizing.
organisch [ɔrˈgaːnɪʃ] adj organic.
organisieren [ɔrganiˈziːrən] (no ge-, h) **1.** v/t organize; F beschaffen: rustle up; **2.** v/refl gewerkschaftlich: organize, unionize.
Organismus [ɔrgaˈnɪsmʊs] m (-; -men) organism.
Organist [ɔrgaˈnɪst] m (-en; -en) mus. organist.
Or'gan|spender m med. organ donor; **~spenderausweis** m organ donor card; **~verpflanzung** f med. organ transplant.

Orgasmus [ɔrˈgasmʊs] m (-; -men) orgasm.
Orgel [ˈɔrgəl] f (-; -n) mus. organ.
Orgie [ˈɔrgǐə] f (-; -n) orgy.
orientier|en [ɔriɛnˈtiːrən] v/refl (no ge-, h) orient(ate) o.s. (nach, an dat by) (a. fig.); **2ung** f (-; no pl): **die ~ verlieren** lose one's bearings; **2ungssinn** m (-[e]s; no pl) sense of direction.
original [ɔrigiˈnaːl] adv Rundfunk, TV: live.
Original [~] n (-s; -e) original; F Person: real character; **~übertragung** f Rundfunk, TV: live broadcast; **~verpackung** f original packaging.
originell [ɔrigiˈnɛl] adj original; witzig: witty.
Orkan [ɔrˈkaːn] m (-[e]s; -e) hurricane; **2artig** adj Sturm: violent; Applaus: thunderous.
Ort¹ [ɔrt] m (-[e]s; -e) allg. place; ~schaft: a. village, (small) town; Stelle, Fleck: a. spot, point; Schauplatz: a. scene.
Ort² [~] n (-[e]s; ⁓er): **vor ~** on the spot.
Orthopäde [ɔrtoˈpɛːdə] m (-n; -n) med. orthop(a)edist.
örtlich [ˈœrtlɪç] adj local.
ortsansässig [ˈ~anzɛsɪç] adj local.
'**Ortschaft** f (-; -en) → **Ort¹**: **geschlossene ~** built-up area.
'**Orts|gespräch** n teleph. local call; '**~kenntnis** f: **~ besitzen** know a place; '**~name** m place name; '**~schild** n place-name sign; '**~ta,rif** m teleph. local rates pl; '**~zeit** f local time.
Ost|block [ˈɔst~] m (-[e]s; no pl) hist. Eastern bloc; '**~en** m (-s; no pl) east; östlicher Landesteil: East (a. pol.): **nach ~** east(wards).
Oster|ei [ˈoːstər~al] n Easter egg; '**~hase** m Easter bunny; '**~n** n (-; -) Easter: **zu ~** at Easter; **frohe ~!** Happy Easter!
Österreich|er [ˈøːstəraiçər] m (-s; -) Austrian; '**2isch** adj Austrian.
östlich [ˈœstlɪç] **1.** adj east(ern); **2.** adv: **~ von** (to the) east of.
Otter¹ [ˈɔtər] m (-s; -) zo. otter.
Otter² [~] f (-; -n) zo. adder, viper.
Ouvertüre [uvarˈtyːrə] f (-; -n) mus. overture (**zu** to).
oval [oˈvaːl] adj oval.

Oval [⁓] *n* (-s; -e) oval.
oxydieren [ɔksy'diːrən] *v/i* (*no* ge-, h) oxidize.
Ozean ['oːtseaːn] *m* (-s; -e) ocean; ⁓**isch**

[otse'aːnɪʃ] *adj* oceanic.
Ozon|loch [o'tsoːn⁓] *n* hole in the ozone layer; ⁓**schicht** *f* (-; *no pl*) ozone layer (*od.* shield).

P

paar [paːr] *indef pron:* **ein** ⁓ a few, some, F a couple of.
Paar [⁓] *n* (-[e]s; -e) pair; *Ehe*⁓, *Liebes*⁓: couple; **ein** ⁓ (**neue**) **Schuhe** a (new) pair of shoes; '⁓**mal** *adv:* **ein** ⁓ a few times; '⁓**weise** *adv* in pairs (*od.* twos).
Pacht [paxt] *f* (-; -en) lease; ⁓**zins** rent; '⁓**en** *v/t* (h) (take on) lease.
Pächter ['pɛçtər] *m* (-s; -) leaseholder, tenant.
'**Pacht|vertrag** *m* lease; '⁓**zins** *m* rent.
Pack¹ [pak] *m* (-[e]s; -e, ⁓e) *Haufen:* pile; *Bündel:* bundle.
Pack² [⁓] *n* (-[e]s; *no pl*) *contp.* rabble.
Päckchen ['pɛkçən] *n* (-s; -) (small) parcel; *Packung:* packet, *bsd. Am.* pack (*a. Zigaretten*).
packen ['pakən] *v/t* (h) pack (*a. v/i*); *Paket:* wrap up; *ergreifen:* grab, seize (**an** *dat* by); *fig. mitreißen:* grip.
Packen [⁓] *m* (-s; -) → **Pack¹**.
'**Pack|er** *m* (-s; -) packer; '⁓**pa₂pier** *m* wrapping paper; '⁓**ung** *f* (-; -en) packet, *bsd. Am.* pack (*a. Zigaretten*); *Ver*⁓: package; *med., Kosmetik:* pack; '⁓**ungsbeilage** *f* package insert.
Pädagog|e [pɛda'goːgə] *m* (-n; -n) educator, education(al)ist; ⁓**isch** *adj* educational.
Page ['paːʒə] *m* (-n; -n) *Hotel:* page, bellboy, *Am.* bellhop.
Paket [pa'keːt] *n* (-[e]s; -e) package, *bsd. mail.* parcel; ⁓**karte** *f* parcel dispatch form; ⁓**post** *f* parcel post; ⁓**schalter** *m* parcels counter; ⁓**zustellung** *f* parcel delivery.
Pakt [pakt] *m* (-[e]s; -e) pact.
Palast [pa'last] *m* (-[e]s; -läste) palace.
Palme ['palmə] *f* (-; -n) *bot.* palm (tree); ⁓'**sonntag** *m eccl.* Palm Sunday.

Pampelmuse [pampəl'muːzə] *f* (-; -n) *bot.* grapefruit.
panieren [pa'niːrən] *v/t* (*no* ge-, h) bread.
Pani|k ['paːnɪk] *f* (-; -en) panic; **in** ⁓ **geraten** (**versetzen**) panic; **in** ⁓ panic-stricken; ⁓**sch** *adj:* ⁓**e Angst haben** be terrified (**vor** *dat* of).
Panne ['panə] *f* (-; -n) breakdown; *Reifen*⁓: puncture, *bsd. Am.* F flat; '⁓**dienst** *m*, '⁓**nhilfe** *f mot.* breakdown service.
Pantoffel [pan'tɔfəl] *m* (-s; -n) slipper: F **unter dem** ⁓ **stehen** be henpecked; ⁓**held** *m* F henpecked husband.
Panzer ['pantsər] *m* (-s; -) *mil.* tank; *zo.* shell; '⁓**glas** *n* bullet-proof glass; '⁓**schrank** *m* safe.
Papa ['papa] *m* (-s; -s) dad(dy), *Am. a.* pa.
Papagei [papa'gaɪ] *m* (-s *od.* -en; -en) *zo.* parrot.
Papier [pa'piːr] *n* (-s; -e) paper: ⁓**e** *pl* papers *pl*, documents *pl*; *Ausweis*⁓e: (identification) papers *pl*; ⁓**geld** *n* (-[e]s; *no pl*) paper money; ⁓**korb** *m* wastepaper basket, *Am.* wastebasket; ⁓**krieg** *m* F red tape; ⁓**servi₂ette** *f* paper napkin; ⁓**taschentuch** *n* tissue, paper handkerchief.
Pappe ['papə] *f* (-; -n) cardboard.
Pappel ['papəl] *f* (-; -n) *bot.* poplar.
'**Papp|kar₂ton** *m* cardboard box, carton; '⁓**teller** *m* paper plate.
Paprika ['paprika] *m* (-s; -[s]) *Gewürz:* paprika; *Schote:* pepper; ⁓**schote** *f* pepper.
Papst [paːpst] *m* (-[e]s; ⁓e) pope.
päpstlich ['pɛːpstlɪç] *adj* papal.
Para'bolan|tenne [para'boːl⁓] *f TV:* parabolic aerial (*bsd. Am.* antenna).

Paradies [para'di:s] n (-es; -e) paradise; eccl. mst Paradise; **2isch** [~zɪʃ] adj heavenly.

paradox [para'dɔks] adj paradoxical.

Paragraph [para'gra:f] m (-en; -en) jur. article, section; Absatz: paragraph.

parallel [para'le:l] adj u. adv parallel (**mit, zu** to); **2e** f (-; -n) parallel (**zu** to) (a. fig.).

paraphieren [para'fi:rən] v/t (no ge-, h) initial.

Parfüm [par'fy:m] n (-s; -e, -s) perfume, Br. a. scent; **~erie** [~ymə'ri:] f (-; -n) perfume shop (Am. store); **2ieren** [~y'mi:rən] v/refl (no ge-, h) put some perfume on.

Pariser [pa'ri:zər] m (-s; -) Parisian; F Kondom: rubber, Br. French letter.

Park [park] m (-s; -s) park.

'**Park|deck** n parking level; '**2en** v/i u. v/t (h) park: **schräg** ~ angle-park; **in zweiter Reihe** ~ double-park; **~de Autos** parked cars; **2 verboten!** no parking.

Parkett [par'kɛt] n (-s; -e) parquet; thea. Br. stalls pl, Am. orchestra; **~(fuß)boden** m parquet floor.

'**Park|gebühr** f parking fee; '**~(hoch)haus** n Br. multistorey car park, Am. parking garage; '**~kralle** f Br. wheel clamp, Am. bear paw; '**~lücke** f parking space; '**~möglichkeit** f place to park; '**~platz** m bsd. Br. car park, Am. parking lot; Parklücke: parking space; '**~scheibe** f parking disc; '**~sünder** m parking offender; '**~uhr** f parking meter; '**~verbot** n: **hier ist** ~ there's no parking here; **im** ~ **stehen** be parked illegally; '**~wächter** m park keeper; mot. car-park (Am. parking-lot) attendant.

Parlament [parla'mɛnt] n (-[e]s; -e) parliament; **2arisch** [~ta'rɪʃ] adj parliamentary.

Parodie [paro'di:] f (-; -n) parody (**auf** acc of, on), takeoff (of); **2ren** [~'di:rən] v/t (no ge-, h) parody, take off.

Parole [pa'ro:lə] f (-; -n) fig. watchword, pol. a. slogan.

Partei [par'taɪ] f (-; -en) party (a. pol.): **j-s** ~ **ergreifen** take sides with s.o., side with s.o.; **2isch** adj partial; **2lich** adj pol. party; **2los** adj pol. independent; **~mitglied** n pol. party member; **~programm** n pol. (party) platform; **~tag** m pol. party conference (Am. convention); **~vorsitzende** m, f party leader; **~zugehörigkeit** f pol. party membership.

Parterre [par'tɛrə] n (-s; -s) Br. ground floor, Am. first floor.

Partie [par'ti:] f (-; -n) Spiel: game; Sport: a. match; Teil: part (a. mus., thea.); econ. parcel, lot; F Heirat: match.

Partner ['partnər] m (-s; -) partner; '**~schaft** f (-; -en) partnership; '**~stadt** f twin (Am. sister) town.

Party ['pa:rti] f (-; -s, -ties) party.

Paß [pas] m (-sses; ⸚sse) Reise2: passport; Sport, Gebirgs2: pass.

Passage [pa'sa:ʒə] f (-; -n) allg. passage.

Passagier [pasa'ʒi:r] m (-s; -e) passenger.

Passant [pa'sant] m (-en; -en) passer-by.

'**Paßbild** n passport photo(graph).

passen ['pasən] v/i (h) fit (**j-m** s.o.; **auf** od. **für** od. **zu et.** s.th.); zusagen, genehm sein: suit (**j-m** s.o.), be convenient; Kartenspiel: pass: ~ **zu** farblich etc: go with, match (with); **sie** ~ **gut zueinander** they are well suited to each other; **paßt es Ihnen morgen?** would tomorrow suit you (od. be all right [with you])?; **das (er) paßt mir gar nicht** I don't like that (him) at all; **das paßt (nicht) zu ihm** that's just like him (not like him, not his style); **~d** adj fitting (a. Kleidung); farblich etc. matching; zeitlich, geeignet: suitable, right.

passier|bar [pa'si:rba:r] adj passable; **~en** v/i (no ge-, sn) happen; **2schein** m pass, permit.

passiv ['pasi:f] adj passive.

'**Paß|kon,trolle** f passport control; '**~straße** f mountain pass.

Paste ['pastə] f (-; -n) paste; **~te** [~'te:tə] f (-; -n) pie.

Pate ['pa:tə] m (-n; -n) godfather; **~nkind** n godchild; '**~nkind** n godchild; '**~nschaft** f (-; -en) sponsorship: **die** ~ **übernehmen für** sponsor.

Patent [pa'tɛnt] n (-[e]s; -e) patent: **et. zum** ~ **anmelden** apply for a patent for s.th.; **~amt** n patent office; **~anwalt** m Br. patent agent, Am. patent attorney; **2ieren** [~'ti:rən] v/t (no ge-, h) patent: **et.** ~ **lassen** take out a patent for s.th.; **~inhaber** m patentee.

Patient [pa'tsĭɛnt] *m* (-en; -en) patient; ∼**enkar,tei** *f* patients' file.

Patin [pa:tɪn] *f* (-; -nen) godmother.

Patriot [patri'o:t] *m* (-en; -en) patriot; **2isch** *adj* patriotic; ∼**ismus** [∼o'tɪsmʊs] *m* (-; *no pl*) patriotism.

Patrone [pa'tro:nə] *f* (-; -n) *allg.* cartridge.

Patrouille [pa'trʊljə] *f* (-; -n) patrol; **2ieren** [∼'ji:rən] *v/i* (*no* ge-; h) patrol.

Patsche ['patʃə] *f* (-; -n): F **in der ∼ sitzen** be in a fix.

patze|n ['patsən] *v/i* (h) F blunder; '**2r** *m* (-s; -) F blunder.

Pauschal|e [paʊ'ʃaːlə] *f* (-; -n) lump sum; ∼**gebühr** *f* flat rate; ∼**reise** *f* package tour.

Pause ['paʊzə] *f* (-; -n) break; *Reden etc.* pause; *ped. Br.* break, *Am.* recess; *thea., Sport:* interval, *Am. u. Film:* intermission; **2nlos** *adj* uninterrupted, nonstop (*a. adv*).

Pavian ['pa:viaːn] *m* (-s; -e) *zo.* baboon.

Pavillon ['pavɪljɔ̃] *m* (-s; -s) pavilion.

Pazifis|mus [patsi'fɪsmʊs] *m* (-; *no pl*) pacifism; ∼**t** *m* (-en; -en) pacifist; **2tisch** *adj* pacifist.

PC [pe:'tse:] *m* (-[s]; -[s]) PC.

Pech [pɛç] *n* (-[e]s; *no pl*) bad luck: ∼ **haben** be unlucky (**bei, mit** with); '∼**vogel** *m* F unlucky person.

Pedant [pe'dant] *m* (-en; -en) pedant; ∼**erie** [∼ə'ri:] *f* (-; *no pl*) pedantry; **2isch** *adj* pedantic.

peinlich ['paɪnlɪç] *adj* embarrassing; *Schweigen, Situation etc:* a. awkward: **es war mir ∼** I was (*od.* felt) embarrassed.

'**Pellkar,toffeln** ['pɛl∼] *pl* potatoes *pl* boiled in their skins, jacket potatoes *pl.*

Pelz [pɛlts] *m* (-es; -e) fur; *unbearbeitet:* hide, skin; '**2gefüttert** *adj* fur-lined; '∼**geschäft** *n* fur(rier's) shop (*Am.* store); '**2ig** *adj Zunge:* furred; '∼**mantel** *m* fur coat.

Pendel|bus ['pɛndəl∼] *m* shuttle bus; '**2n** *v/i* (sn) *rail. etc* shuttle (**zwischen X u. Y** back and forth between X and Y); *Person:* commute (from X to Y); '∼**tür** *f* swing door; '∼**verkehr** *m* rail. etc shuttle service; *Berufsverkehr:* commuter traffic.

Pendler ['pɛndlər] *m* (-s; -) commuter.

Penis ['pe:nɪs] *m* (-; -se) *anat.* penis.

Penizillin [penitsɪ'li:n] *n* (-s; -e) *med.* penicillin.

Pension [pãˈzĭo:n] *f* (-; -en) *Ruhegeld:* (old-age) pension; *Fremdenheim:* boarding house: **in ∼ gehen** retire; **in ∼ sein** be retired; ∼**är** [∼o'nɛːr] *m* (-s; -e) (old-age) pensioner; **2ieren** [∼o'ni:rən] *v/t* (*no* ge-, h) pension off: **sich ∼ lassen** retire; *vorzeitig:* take early retirement; ∼**ierung** [∼o'ni:rʊŋ] *f* (-; -en) retirement; ∼**salter** *n* retirement age; ∼**sgast** *m* boarder.

Pensum ['pɛnzʊm] *n* (-s; -sen) (work) quota, stint.

per [pɛr] *prp pro:* per; *durch, mit:* by.

perfekt [pɛr'fɛkt] *adj* perfect: ∼ **machen** settle.

Period|e [pe'rĭo:də] *f* (-; -n) period; *physiol. a.* menstruation; **2isch** *adj* periodic(al).

Peripherie [perife'ri:] *f* (-; -n) *e-r Stadt:* outskirts *pl:* **an der ∼ von** on the outskirts of; ∼**gerät** *n Computer:* peripheral.

Perle ['pɛrlə] *f* (-; -n) pearl; *Glas2, Schweiß2 etc:* bead; '**2n** *v/i* (h) *Sekt etc:* sparkle, bubble; '∼**nkette** *f* pearl necklace.

Person [pɛr'zo:n] *f* (-; -en) person; *thea. etc a.* character: **ein Tisch für drei ∼en** a table for three.

Personal [pɛrzo'na:l] *n* (-s; *no pl*) staff, personnel; **zuwenig ∼ haben** be understaffed; ∼**abbau** *m* staff reduction; ∼**ab,teilung** *f* personnel department; ∼**akte** *f* personal file; ∼**ausweis** *m* identity card; ∼**bü,ro** *n* personnel department; ∼**chef** *m* personnel manager; ∼**com,puter** *m* personal computer; ∼**ien** [∼ĭən] *pl* particulars *pl;* ∼**mangel** *m* shortage of staff: **an ∼ leiden** be understaffed; ∼**vertretung** *f* personnel representation.

Per'sonen|kraftwagen *m bsd. Br.* motorcar, *Am.* auto(mobile); ∼**wagen** *m* rail. passenger coach (*Am.* car); *mot.* → **Personenkraftwagen;** ∼**zug** *m* passenger train; *Nahverkehrszug:* local train.

persönlich [pɛr'zø:nlɪç] *adj* personal; **2keit** *f* (-; -en) personality.

Perücke [pe'rʏkə] *f* (-; -n) wig.

pervers [pɛr'vɛrs] *adj* perverted; ∼**er Mensch** pervert.

Pest [pɛst] *f* (-; *no pl*) *med.* plague.

Petersilie [petər'zi:liə] f (-; -n) bot. parsley.

Pfad [pfa:t] m (-[e]s; -e) path.

Pfand [pfant] n (-[e]s; ⸚er) econ. pledge; Bürgschaft: security; Flaschen2 etc: deposit: ~ **zahlen** pay a deposit (**für** on); '**~brief** m econ. mortgage bond.

pfänden ['pfɛndən] v/t (h) jur. et.: seize, distrain upon.

'**Pfand|flasche** f deposit (od. returnable) bottle; '**~haus** n pawnshop; '**~schein** m pawn ticket.

'**Pfändung** f (-; -en) jur. seizure (gen of), distraint (upon).

Pfann|e ['pfanə] f (-; -n) (frying) pan; '**~kuchen** m pancake, Am. a. flapjack.

Pfarrer ['pfarər] m (-s; -) katholisch: (parish) priest; anglikanisch: vicar; evangelisch: pastor.

Pfeffer ['pfɛfər] m (-s; -) pepper; '**2n** v/t (h) pepper; '**~streuer** m (-s; -) pepper caster.

Pfeife ['pfaifə] f (-; -n) whistle; Tabaks2: pipe; '**2n** v/i u. v/t (pfiff, gepfiffen, h) whistle (**j-m** to s.o.): F ~ **auf** (acc) not give a damn about.

Pfeil [pfail] m (-[e]s; -e) arrow.

Pfeiler ['pfailər] m (-s; -) pillar (a. fig.); Brücken2: pier.

Pfennig ['pfɛnɪç] m (-s; -e) pfennig; fig. penny.

pferchen ['pfɛrçən] v/t (h) fig. cram (**in** acc into).

Pferd [pfe:rt] n (-[e]s; -e) zo. horse: **zu ~e** on horseback.

Pferde|rennen ['pfe:rdə~] n horserace; '**~stärke** f mot. horsepower.

Pfiff [pfɪf] m (-[e]s; -e) whistle.

Pfingst|en ['pfɪŋstən] n (-; -) eccl. Whitsun: **an** (od. **zu**) ~ at Whitsun; '**~montag** m Whit Monday; '**~sonntag** m Whit Sunday.

Pfirsich ['pfɪrzɪç] m (-s; -e) bot. peach.

Pflanz|e ['pflantsə] f (-; -n) plant; '**2en** v/t (h) plant; '**~enfett** n vegetable fat; '**2enfressend** adj zo. herbivorous; '**2lich** adj vegetable, plant.

Pflaster ['pflastər] n (-s; -) med. (sticking) plaster, Am. a. band-aid; Straßen2: road (surface); '**~maler** m pavement (Am. sidewalk) artist; '**2n** v/t (h) Straße: surface; Bürgersteig: pave; '**~stein** m paving stone.

Pflaume ['pflaʊmə] f (-; -n) bot. plum; Back2: prune.

Pflege ['pfle:gə] f (-; no pl) care; med. nursing; e-s Gartens, von Beziehungen: cultivation; tech. maintenance: **in ~ nehmen** take into one's care; '**~...** in Zssgn Eltern, Kind, Sohn etc: foster ...; **2bedürftig** ['~bədyrftɪç] adj in need of care; '**~fall** m invalid; '**~heim** n nursing home; '**2leicht** adj easy-care; '**2n** v/t (h) care for, look after; bsd. Kind, Kranke: a. nurse; tech. maintain; fig. Beziehungen etc: cultivate; Brauch etc: keep up: **sie pflegte zu sagen** she used to (od. would) say; '**~perso|nal** n med. nursing staff; '**~r** m (-s; -) med. male nurse; '**~rin** f (-; -nen) med. nurse; '**~stelle** f nursing place.

Pflicht [pflɪçt] f (-; -en) duty; '**2bewußt** adj conscientious; '**~bewußtsein** n sense of duty; '**~umtausch** m compulsory exchange of currency; '**~versicherung** f compulsory insurance.

pflücken ['pflʏkən] v/t (h) pick.

Pforte ['pfɔrtə] f (-; -n) gate, door.

Pförtner ['pfœrtnər] m (-s; -) gatekeeper; Portier: porter, doorman.

Pfosten ['pfɔstən] m (-s; -) post.

Pfote ['pfo:tə] f (-; -n) paw (a. fig.).

Pfropfen ['pfrɔpfən] m (-s; -) stopper; Kork2: cork; Watte2, Stöpsel: plug; med. clot.

pfui [pfʊi] int. ugh!; Zuschauer: boo!

Pfund [pfʊnt] n (-[e]s; -e) pound: **10 ~** ten pounds; '**2weise** adv by the pound.

Pfusch [pfʊʃ] m (-; no pl) F botch-up; '**2en** v/i (h) F bungle; '**~er** m (-s; -) F bungler.

Pfütze ['pfʏtsə] f (-; -n) puddle.

Phänomen [fɛno'me:n] n (-s; -e) phenomenon; '**2al** [~e'na:l] adj phenomenal.

Phantasie [fanta'zi:] f (-; -n) imagination; Trugbild: fantasy; **schmutzige ~** dirty mind; '**2los** adj unimaginative; '**2ren** v/i (no ge-, h) daydream; med. be delirious; '**2voll** adj imaginative.

phantastisch [fan'tastɪʃ] adj fantastic; F a. great, terrific.

pharmazeutisch [farma'tsɔʏtɪʃ] adj pharmaceutic(al).

Phase ['fa:zə] f (-; -n) phase (a. electr.), stage.

Philosoph [filo'zo:f] m (-en; -en) philosopher; **~ie** [~o'fi:] f (-; -n) philosophy; **2isch** adj philosophical.

phlegmatisch [flɛ'gma:tɪʃ] adj phlegmatic.

Photo(...) → **Foto(...)**.

Phrase ['fra:zə] f (-; -n) contp. phrase, cliché.

Physik [fy'zi:k] f (-; no pl) physics pl (sg konstr.); **2alisch** [~i'ka:lɪʃ] adj physical; **~er** ['fy:zikər] m (-s; -) physicist.

physisch ['fy:zɪʃ] adj physical.

Pianist [pia'nɪst] m (-en; -en) pianist.

Pickel ['pɪkəl] m (-s; -) med. spot, pimple.

Picknick ['pɪknɪk] n (-s; -s) picnic; **2en** v/i (h) have a) picnic.

Pik [pi:k] n (-s; -s) Kartenspiel: (Farbe) spades pl, (Karte) spade.

pikant [pi'kant] adj piquant, spicy.

Pille ['pɪlə] f (-; -n) med. pill; F **die ~ nehmen** be on the pill.

Pilot [pi'lo:t] m (-en; -en) aer. pilot; **~pro,jekt** n pilot project.

Pilz [pɪlts] m (-es; -e) bot. mushroom, giftiger: toadstool; med. fungus.

pinkeln ['pɪŋkəln] v/i (h) F (have a) pee (od. piddle); **~ gehen** go for a pee.

Pinsel ['pɪnzəl] m (-s; -) (paint)brush.

Pinzette [pɪn'tsɛtə] f (-; -n) (**e-e ~** a pair of) tweezers pl.

Pionier [pǐo'niːr] m (-s; -e) pioneer.

Pirat [pi'ra:t] m (-en; -en) pirate.

Pisse ['pɪsə] f (-; no pl) V piss; **2n** v/i (h) V (have a) piss; **~ gehen** go for a piss.

Piste ['pɪstə] f (-; -n) piste, ski run; aer. runway.

Pistole [pɪs'to:lə] f (-; -n) pistol, gun.

Pizz|a ['pɪtsa] f (-; -s) gastr. pizza; **~eria** [~e'ri:a] f (-; -s).

Pkw [pe:ka:'ve:] m (-[s]; -s) → **Personenkraftwagen.**

plädieren [plɛ'di:rən] v/i (no ge-, h) plead (**auf** acc, **für** for) (a. jur.).

Plädoyer [plɛdǒa:'je:] n (-s; -s) jur. final speech.

Plage ['pla:gə] f (-; -n) Insekten2 etc: plague; Ärgernis: nuisance, F pest; **2n** (h) **1.** v/t trouble; belästigen: bother; stärker: pester; **2.** v/refl slave (away) (**mit** at).

Plakat [pla'ka:t] n (-[e]s; -e) poster, bill; aus Pappe: placard.

Plakette [pla'kɛtə] f (-; -n) Abzeichen: badge.

Plan [pla:n] m (-[e]s; ⁓e) plan; Absicht: a.

intention; Stadt2: map; **'2en** v/t (h) plan; **'~er** m (-s; -) planner.

Planet [pla'ne:t] m (-en; -en) planet.

planier|en [pla'ni:rən] v/t (no ge-, h) level, grade; **2raupe** f tech. bulldozer.

Planke ['plaŋkə] f (-; -n) plank, board.

plan|los adj without plan; ziellos: aimless; **'~mäßig 1.** adj Ankunft etc: scheduled; **2.** adv according to plan.

Plansch|becken ['planʃ~] n paddling pool; **'2en** v/i (h) splash (about).

Plantage [plan'ta:ʒə] f (-; -n) plantation.

'Planwirtschaft f planned economy.

Plastik¹ ['plastɪk] f (-; -en) Skulptur: sculpture.

Plasti|k² [~] n (-s; no pl) plastic; **'~k... in** Zssgn Tüte etc: plastic ...; **2sch** adj plastic; Sehen etc: three-dimensional; fig. graphic, vivid.

Platin ['pla:ti:n] n (-s; no pl) platinum.

platt [plat] adj flach: flat; eben: even, level; fig. trite; F fig. flabbergasted: F **e-n 2en haben** have a flat tyre (Am. tire), bsd. Am. F have a flat.

Platte ['platə] f (-; -n) Metall, Glas: sheet, plate; Stein: slab; Pflaster2: paving stone; Holz: board; Paneel: panel; Schall2: record, disc; Teller: dish; F Glatze: bald head; **kalte ~** cold cuts pl.

'Platten|spieler m record player; **'~teller** m turntable.

'Platt|form f platform (a. pol.); **'~fuß** m med. flat foot; F mot. flat tyre (Am. tire), bsd. Am. F flat.

Platz [plats] m (-es; ⁓e) Ort, Stelle: place, spot; Lage, Bau2 etc: site; Raum: room, space; öffentlicher: square; runder: circus; Sitz2: seat: **es ist (nicht) genug ~** there is (isn't) enough room; **~ machen für** make room for; vorbeilassen: make way for; **~ nehmen** take a seat, sit down; **ist dieser ~ noch frei?** is this seat taken?; **'~anweiserin** f (-; -nen) usherette.

Plätzchen ['plɛtsçən] n (-s; -) (little) place, spot; Gebäck: bsd. Br. biscuit, Am. cookie.

platzen ['platsən] v/i (sn) burst (a. fig. **vor** dat with); reißen: crack, split; fig. Plan etc: fall through; econ. Wechsel: bounce.

'Platz|karte f rail. seat reservation (ticket); **'~regen** m cloudburst; **'~wunde** f med. cut, laceration.

Plauder|ei [plaʊdə'raɪ] f (-; -en) chat; '**2n** v/i (h) (have) a) chat (**mit** with).

Playback ['ple:bɛk] n (-; no pl) TV etc miming: **~ singen** (od. **spielen**) mime.

Pleite ['plaɪtə] f (-; -n) F econ. bankruptcy; fig. flop: **~ machen** go bust.

pleite [~] adj F broke: **völlig ~** flat (od. stony) broke; **~ gehen** go broke.

Plombe ['plɔmbə] f (-; -n) seal; Zahn2: filling; **2ieren** [~'bi:rən] v/t (no ge-, h) seal; fill.

plötzlich ['plœtslɪç] **1.** adj sudden; **2.** adv suddenly, all of a sudden.

plump [plʊmp] adj unbeholfen: clumsy, awkward; Lüge etc: blatant.

plumps|en ['plʊmpsən] v/i (sn) F thud; '**2klo** n F outdoor loo (Am. john).

Plunder ['plʊndər] m (-s; no pl) F rubbish, junk.

Plünder|er ['plʏndərər] (-s; -) looter, plunderer; '**2n** v/i u. v/t (h) plunder, loot; F Konto, Kühlschrank etc: raid.

plus [plʊs] **1.** prp math. plus: **~/minus e-e Stunde** give or take an hour; **~/minus null abschneiden** break even; **2.** adv: **10 Grad ~** 10 degrees above zero.

Plus [~] n (-; -) profit; fig. asset, advantage; **~ machen** make a profit; **im ~ sein** be in the black; '**~betrag** m profit.

Po [po:] m (-s; -s) F bottom, behind.

Pocken ['pɔkən] pl med. smallpox sg; '**~impfung** f med. smallpox vaccination; '**~narbe** f pockmark.

Podest [po'dɛst] n (-[e]s; -e) platform.

Podium ['po:diʊm] n (-s; -dien) rostrum, platform; '**~sdiskussi‚on** f panel discussion.

poetisch [po'e:tɪʃ] adj poetic(al).

Pointe ['põɛ̃:tə] f (-; -n) Geschichte: point; Witz: punch line.

Pokal [po'ka:l] m (-s; -e) Sport: cup; **~endspiel** n cup final; **~spiel** n cup tie.

pökeln ['pø:kəln] v/t (h) pickle, salt.

Poker ['po:kər] n (-s; no pl) poker; '**2n** v/i (h) play poker.

Pol [po:l] m (-s; -e) pole, electr. a. terminal.

Pole ['po:lə] m (-n; -n) Pole.

Polemi|k [po'le:mɪk] f (-; -en) polemics pl (sg konstr.); **2sch** adj polemic(al); **2sieren** [~i'zi:rən] v/i (no ge-, h) polemize (**gegen** agianst).

Police [po'li:sə] f (-; -n) policy.

Polier [po'li:r] m (-s; -e) foreman; **2en** v/t (no ge-, h) polish.

Poliklinik ['po:li~] f outpatients' clinic.

Politesse [poli'tɛsə] f (-; -n) (woman) traffic warden, Am. F meter maid.

Politi|k [poli'ti:k] f (-; no pl) allg. politics pl (mst sg konstr.); bestimmte, fig. Taktik: policy; **~ker** [po'li:tikər] m (-s; -) politician; **2sch** [po'li:tɪʃ] adj political.

Polizei [poli'tsaɪ] f (-; -en) police (pl konstr.); **~beamte** m police officer; **2lich** adj (of [od. by] the) police; **~prä‚sidium** n police headquarters pl (a. sg konstr.); **~re‚vier** n police station; Bezirk: district, Am. a. precinct; **~schutz** m police protection; **~staat** m police state; **~streife** f police patrol; **~stunde** f closing time; **~wache** f police station.

Polizist [poli'tsɪst] m (-en; -en) policeman; **~in** f (-; -nen) policewoman.

polnisch ['pɔlnɪʃ] adj Polish.

Polster ['pɔlstər] n (-s; -) pad; Kissen: cushion; Kopf2: bolster; '**~möbel** pl upholstered furniture sg; '**2n** v/t (h) upholster, stuff; wattieren: pad (a. tech.), wad; '**~sessel** m armchair, easy chair; '**~stuhl** m upholstered chair; '**~ung** f (-; -en) upholstery.

Pommes frites [pɔm'frɪt] pl Br. chips pl, Am. French fries pl.

Pool [pu:l] m (-s; -s) econ. pool.

popul|är [popu'lɛ:r] adj popular; **2arität** [~ari'tɛ:t] f (-; no pl) popularity.

Pore ['po:rə] f (-; -n) pore.

Porno ['pɔrno] m (-s; -s), '**~film** m porn film, blue movie.

Portemonnaie [pɔrtmɔ'nɛ:] n (-s; -s) purse.

Portier [pɔr'tie:] m (-s; -s) doorman, porter.

Portion [pɔr'tsio:n] f (-; -en) portion, share; bei Tisch: helping, serving; Kaffee, Tee: pot.

Porto ['pɔrto] n (-s; -s, -ti) postage; '**2frei** adj postage paid.

Porträt [pɔr'trɛ:] n (-s; -s) portrait; **2ieren** [~ɛ'ti:rən] v/t (no ge-, h) paint a portrait of; fig. portray.

Portugies|e [pɔrtu'gi:zə] m (-n; -n) Portuguese; **2isch** adj Portuguese.

Porzellan [pɔrtse'la:n] n (-s; -e) china, porcelain.

P

Posaune [po'zaʊnə] f (-; -n) trombone.
Pose ['po:zə] f (-; -n) pose.
Position [pozi'tsɪo:n] f (-; -en) position (a. fig.).
positiv ['po:ziti:f] adj positive.
Post [pɔst] f (-; no pl) post, bsd. Am. mail; **~sachen**, mail, letters pl; **~amt** n post office: **mit der ~** by post (od. mail); **~amt** n post office; **~anweisung** f money (od. postal) order; **~beamte** m post-office clerk; **~bote** m postman, Am. a. mailman.
Posten ['pɔstən] m (-s; -) post; Anstellung: a. job, position; Wache: guard, sentry; Rechnungs2: item; Waren2: lot, parcel.
'**Post|fach** n post-office box, PO box; **~giroamt** n postal giro office; Br. Girobank, Am. postal check office; **~girokonto** n postal giro account, Am. postal check account.
postieren [pɔs'ti:rən] (no ge-, h) **1.** v/t place, position; **2.** v/refl position o.s.
'**Post|karte** f postcard; '**2lagernd** adv poste restante, Am. a. general delivery; **~leitzahl** f Br. postcode, Am. zip code; **~scheck** m Br. giro cheque, Am. postal check; **~sparbuch** n post-office (Am. postal) savings book; '**~stempel** m postmark; '**2wendend** adv bsd. Br. by return (of post), Am. by return mail; '**~wertzeichen** n postage stamp; '**~wurfsendung** f bulk mail consignment; pl a. bulk mail sg; '**~zustellung** f postal delivery.
Pracht [praxt] f (-; no pl) splendo(u)r.
prächtig ['prɛçtɪç] adj splendid; Wetter: glorious; F fig. great.
prahlen ['pra:lən] v/i (h) brag, boast (beide: **mit et.** about s.th.), show off ([with] s.th.).
Prahler ['pra:lər] m (-s; -) boaster, braggart; **~ei** [~'raɪ] f (-; no pl) boasting, bragging; '**2isch** adj boastful; prunkend: showy.
Prakti|kant [prakti'kant] m (-en; -en) trainee; '**~ken** pl practices pl; '**~ker** m (-s; -) practical man; **~kum** ['~kʊm] n (-s; -ka) practical training (period); '**2sch** **1.** adj practical; nützlich: a. useful, handy; **~er Arzt** general practitioner; **2.** adv practically; so gut wie: a. virtually; **2zieren** [~'tsi:rən] v/i (no ge-, h) jur., med. practi|se (Am. -ce).

Praline [pra'li:nə] f (-; -n) chocolate.
prall [pral] adj Brieftasche etc: bulging; Busen etc: well-rounded; Sonne: blazing; '**~en** v/i (sn): **~ auf** (acc) od. **gegen** crash into.
Prämi|e ['prɛ:mɪə] f (-; -n) Versicherungs2 etc: premium; Preis: prize; Leistungs2: bonus; **2eren** [prɛ'mi:rən], **2ieren** [premi'i:rən] v/t (no ge-, h) award a prize to.
Präpa|rat [prɛpa'ra:t] n (-[e]s; -e) preparation; **2rieren** [~'ri:rən] v/t (no ge-, h) prepare; sezieren: dissect.
präsentieren [prɛzɛn'ti:rən] v/t (no ge-, h) present (**j-m et.** s.o. with s.th.).
Präservativ [prɛzɛrva'ti:f] n (-s; -e) condom.
Präsid|ent [prɛzi'dɛnt] m (-en; -en) president; Vorsitzender: a. chairman; **~ium** [~'zi:diom] n (-s; -dien) presidency.
prasseln ['prasəln] v/i (h) Regen etc: patter; Feuer: crackle.
Praxis ['praksis] f (-; -xen) practice (a. jur., med.); Erfahrung: experience; **~räume**: med. Br. surgery, Am. doctor's office: **in der ~** in practice.
Präzedenzfall [prɛtse'dɛnts~] m precedent: **e-n ~ schaffen** set a precedent.
präzis [prɛ'tsi:s] adj precise; **~ieren** [~i'zi:rən] v/t (no ge-, h) specify; **2ion** [~i'zi̯o:n] f (-; no pl) precision.
predig|en ['pre:dɪgən] v/i u. v/t (h) preach; **2t** ['~çt] f (-; -en) sermon.
Preis [praɪs] m (-es; -e) price (a. fig.); im Wettbewerb: prize; Film etc: award; Belohnung: reward: **um jeden ~** at all costs; **unter ~ verkaufen** undersell; '**~änderung** f change in price: **~en vorbehalten** subject to change; '**~anstieg** m rise in prices; '**~ausschreiben** n competition; '**2bewußt** adj price-conscious.
Preiselbeere ['praɪzəl~] f cranberry.
Preisempfehlung f recommended price: **unverbindliche ~** recommended retail price.
preisen ['praɪzən] v/t (pries, gepriesen, h) praise.
'**Preis|erhöhung** f price increase; '**~ermäßigung** f price reduction; '**2gekrönt** adj prizewinning; Film etc: award-winning; '**~gericht** n jury; '**2günstig → preiswert**; '**~lage** f price range; '**~liste** f price list; '**~nachlaß** m

P

discount; '**ni,veau** *n* price level; '**rätsel** *n* competition; '**richter** *m* judge; '**senkung** *f* price cut; '**stopp** *m* price freeze; '**träger** *m* prize winner; '**wert** *adj* cheap: **~ sein** *a.* be good value.

prell|en ['prɛlən] *v/t* (h) *fig.* cheat (*um* out of): **sich et. ~** *med.* bruise s.th.; '**2ung** *f* (-; -en) *med.* contusion, bruise.

Premiere [prə'miːrə] *f* (-; -n) *thea. etc* first night, première.

Pre'miermi,nister [prə'miː~] *m* prime minister.

Presse[1] ['prɛsə] *f* (-; -n) *tech.* press; *Saft2:* squeezer.

Presse[2] [~] *f* (-; *no pl*) press; '**agen,tur** *f* press agency; '**ausweis** *m* press card; '**bericht** *m* press report; '**foto,graf** *m* press photographer; '**freiheit** *f* (-; *no pl*) freedom of the press; '**meldung** *f* press report.

'**pressen** *v/t* (h) press; squeeze (*in acc* into).

'**Pressevertreter** *m* reporter, *Br.* pressman.

Preßluft ['prɛs~] *f* (-; *no pl*) compressed air; '**bohrer** *m* pneumatic drill; '**hammer** *m* pneumatic hammer.

Prestige [prɛs'tiːʒə] *n* (-s; *no pl*) prestige; '**verlust** *m* loss of prestige (*od.* face).

Preuße ['prɔʏsə] *m* (-n; -n) Prussian; '**2isch** *adj* Prussian.

Priester ['priːstər] *m* (-s; -) priest.

prima ['priːma] *adj* F great, super.

Primel ['priːməl] *f* (-; -n) *bot.* primrose.

primitiv [primi'tiːf] *adj* primitive.

Prinz [prɪnts] *m* (-en; -en) prince; **essin** [~'tsɛsɪn] *f* (-; -nen) princess.

Prinzip [prɪn'tsiːp] *n* (-s; -ien) principle: **aus** (**im**) **~** on (in) principle; **2iell** [~i'piɛl] *adv* on principle.

Prise ['priːzə] *f* (-; -n) *Salz etc:* pinch.

privat [pri'vaːt] *adj* private; *persönlich: a.* personal; **2a,dresse** *f* private (*od.* home) address; **2angelegenheit** *f* private matter: **das ist m-e ~** that's my affair; **2besitz** *m* private property: **in ~** privately owned; **2detek,tiv** *m* private detective; **2eigentum** *n* → **Privatbesitz**; **2fernsehen** *n* private TV; **2klinik** *f* private clinic; **2leben** *n* private life; **2pat,ient** *m* private patient; **2quar,tier** *n* private accommodation; **~versichert** *adj* privately insured, **2wirtschaft** *f* (-; *no pl*) private enterprise.

Privileg [privi'leːk] *n* (-[e]s; -ien) privilege.

pro [proː] *prp* per: **2 Mark ~ Stück** 2 marks each.

Pro [~] *n*: **das ~ u. Kontra** the pros and cons *pl*.

Probe ['proːbə] *f* (-; -n) *Erprobung:* trial, test; *Muster, Beispiel:* sample; *thea.* rehearsal: **auf ~** on probation; **auf die ~ stellen** (put to the) test; '**aufnahmen** *pl Film, TV:* screen test *sg*; '**2fahren** (*irr, sep, -ge-, -n fahren, mst inf u. pp*) **1.** *v/t* test-drive; **2.** *v/i* take a test-drive; '**fahrt** *f* test-drive; '**2n** *v/i u. v/t* (h) *thea.* rehearse; **2weise** *adv* on a trial basis; *Person: a.* on probation; **zeit** *f* (time of) probation.

probieren [pro'biːrən] *v/t* (*no ge-*, h) try; *kosten: a.* taste.

Problem [pro'bleːm] *n* (-s; -e) problem; **atik** [~e'maːtɪk] *f* (-; *no pl*) problem(s *pl*); **2atisch** *adj* problematic(al).

Produkt [pro'dʊkt] *n* (-[e]s; -e) product.

Produktion [prodʊk'tsioːn] *f* (-; -en) production; **smenge**: *a.* output; **sausfall** *m* loss of production; **skosten** *pl* production costs *pl*; **smenge** *f* production, output; **smittel** *pl* means *pl* of production; **srückgang** *m* fall in production; **ssteigerung** *f* increase in production.

produktiv [prodʊk'tiːf] *adj* productive; **2ität** [~tivi'tɛːt] *f* (-; *no pl*) productivity.

Produz|ent [produ'tsɛnt] *m* (-en; -en) producer; **2ieren** [~'tsiːrən] *v/t* (*no ge-*, h) produce.

professionell [profɛsio'nɛl] *adj* professional.

Professor [pro'fɛsɔr] *m* (-s; -en) professor (**für** of).

Profi [pro'fi] *m* (-s; -s) F pro; '**~... in** *Zssgn Fußball etc:* professional ...

Profil [pro'fiːl] *n* (-s; -e) profile (*a. fig.*); *Reifen2:* tread; **2ieren** [~i'liːrən] *v/refl* (*no ge-*, h) distinguish o.s.

Profit [pro'fiːt] *m* (-[e]s; -e) profit; **2abel** [~i'taːbəl] *adj* profitable; **2ieren** [~i'tiːrən] *v/i* (*no ge-*, h) profit (**von, bei** by, from).

Prognose [pro'gnoːzə] *f* (-; -n) prediction; *Wetter:* forecast; *med.* prognosis.

Programm [pro'gram] *n* (-s; -e) program(me); *TV Kanal: a.* channel; *Computer:* program; **2ieren** [~'miːrən] *v/t* *(no* ge-, h) program; **~ierer** [~'mi:rər] *m* (-s; -) programmer; **~iersprache** [~'mi:r~] *f* programming language.

Projekt [pro'jɛkt] *n* (-[e]s; -e) project; **~or** [~ɔr] *m* (-s; -en) projector.

Pro-'Kopf-Einkommen *n* per capita income.

Prokur|a [pro'ku:ra] *f* (-; -ren) (full) power of attorney; **~ist** [~u'rɪst] *m* (-en; -en) authorized signatory.

Promillegrenze [pro'mɪlə~] *f* (blood) alcohol limit.

prominen|t [promi'nɛnt] *adj* prominent; **2z** [~ts] *f* (-; *no pl*) prominent figures *pl.*

Promo|tion [promo'tsio:n] *f* (-; -en) *univ.* doctorate; **2vieren** [~'vi:rən] *v/i (no* ge-, h) do one's doctorate.

prompt [prɔmpt] *adj* prompt, quick.

prophezeien [profe'tsaɪən] *v/t (no* ge-, h) prophesy, predict, foretell.

Proportion [propɔr'tsio:n] *f* (-; -en) proportion.

Proporz [pro'pɔrts] *m* (-es; -e) proportional representation.

Prosa ['pro:za] *f* (-; *no pl*) prose.

Prospekt [pro'spɛkt] *m* (-[e]s; -e) *Reise2 etc:* brochure.

prost [pro:st] *int.* cheers!

Prostituierte [prostitu'i:rtə] *f* (-n; -n) prostitute.

Protest [pro'tɛst] *m* (-[e]s; -e) protest: **aus ~** in protest *(gegen* against, at).

Protestant [protɛs'tant] *m* (-en; -en) Protestant; **2isch** *adj* Protestant.

protestieren [protɛs'ti:rən] *v/i (no* ge-, h) protest *(gegen* against).

Prothese [pro'te:zə] *f* (-; -n) *med.* artificial limb; *Zahn2:* denture(s *pl).*

Protokoll [proto'kɔl] *n* (-s; -e) minutes *pl; Diplomatie:* protocol: **~ führen** take (down) the minutes; **~führer** *m* minute-taker; *jur.* clerk of the court; **2ieren** [~'li:rən] *v/t (no* ge-, h) take the minutes of.

protz|en ['prɔtsən] *v/i* (h) F show off *(mit et.* [with] s.th.); **~ig** *adj* F showy.

Proviant [pro'viant] *m* (-s; -e) provisions *pl,* food.

Provinz [pro'vɪnts] *f* (-; -en) province; *fig. contp.* provinces *pl;* **2iell** [~'tsiɛl] *adj* provincial *(a. fig. contp.).*

Provision [provi'zio:n] *f* (-; -en) *econ.* commission: **auf ~** on commission; **~sbasis** *f:* **auf ~** on a commission basis.

provisorisch [provi'zo:rɪʃ] *adj* provisional, temporary.

provozieren [provo'tsi:rən] *v/t (no* ge-, h) provoke.

Prozent [pro'tsɛnt] *n* (-[e]s; -e) *bsd. Br.* per cent, *bsd. Am.* percent: F **~e** *pl* discount *sg;* **~satz** *m* percentage; **2ual** [~'tŏa:l] *adj* proportional: **~er Anteil** percentage.

Prozeß [pro'tsɛs] *m* (-sses; -sse) *Vorgang:* process *(a. chem., tech. etc); jur. Rechtsstreit:* lawsuit; *Straf2:* trial: **j-m den ~ machen** take s.o. to court; **e-n ~ gewinnen (verlieren)** win (lose) a case.

prozessieren [protsɛ'si:rən] *v/i (no* ge-, h): **gegen j-n** bring an action against s.o.

Prozession [protsɛ'sio:n] *f* (-; -en) procession.

prüde ['pry:də] *adj* prudish: **~ sein** be a prude.

prüf|en ['pry:fən] *v/t* (h) *ped.* examine, test; *nach~:* check; *über~:* inspect *(a. tech.); erproben:* test; *Vorschlag etc:* consider; **'~end** *adj Blick:* searching; **'2er** *m* (-s; -) *ped.* examiner; *bsd. tech.* tester; **'2ling** *m* (-s; -e) candidate; **'2ung** *f* (-; -en) examination, F exam; test; check; inspection.

PS [pe:'ɛs] *n* (-; -) *mot.* HP.

Pseudonym [psɔydo'ny:m] *n* (-s; -e) pseudonym.

pst [pst] *int.* still; ssh!; *hallo:* psst!

Psych|e ['psy:çə] *f* (-; -n) mind, psyche; **~iater** [psyçi'a:tər] *m* (-s; -) psychiatrist; **2iatrisch** [psyçi'a:trɪʃ] *adj* psychiatric; **'2isch** *adj* mental, *med. a.* psychic.

Psycho|ana'lyse [psyço~] *f* (-; *no pl*) psychoanalysis; **~loge** [~'lo:gə] *m* (-n; -n) psychologist *(a. fig.);* **~logie** [~lo-'gi:] *f* (-; *no pl*) psychology; **2logisch** [~'lo:gɪʃ] *adj* psychological; **~se** [psy-'ço:zə] *f* (-; -n) psychosis.

Pubertät [pubɛr'tɛ:t] *f* (-; *no pl*) puberty.

Publikum ['pu:blikum] *n* (-s; *no pl*) audience; *TV a.* viewers *pl; Rundfunk: a.* listeners *pl; Sport:* crowd, spectators *pl; Lokal etc:* customers *pl; Öffentlichkeit:* public.

publizieren [publi'tsi:rən] *v/t (no* ge-, h) publish.

Pudding ['pudɪŋ] *m* (-s; -e) blancmange.

Pudel ['pu:dəl] *m* (-s; -) *zo.* poodle.

P

Puder ['pu:dər] *m*, F *n* (-s; -) powder; '**~dose** *f* powder compact; '**~n** *v/t u. v/refl* (h): **sich (das Gesicht)** ~ powder one's face; '**~zucker** *m* icing (*Am.* confectioner's) sugar.

Puff [pʊf] *m, n* (-s; -s) F brothel; '**~er** *m* (-s; -) *rail. etc* buffer; '**~mais** *m* popcorn.

Pull|i ['pʊli] *m* (-s; -s) F, **~over** [pʊ-'lo:var] *m* (-s; -) sweater, pullover, *Br. a.* jumper.

Puls [pʊls] *m* (-es; -e) pulse; ~*zahl*: pulse rate: **j-m den ~ fühlen** feel s.o.'s pulse; '**~ader** *f anat.* artery.

Pult [pʊlt] *n* (-[e]s; -e) desk.

Pulver ['pʊlvər] *n* (-s; -) powder; F *fig.* dough; '**~kaffee** *m* instant coffee; '**~schnee** *m* powder snow.

Pumpe ['pʊmpə] *f* (-; -n) pump; '**~n** *v/t* (h) pump (*a. v/i*); F *verleihen*: lend: **sich et.** ~ borrow s.th. (**bei, von** from).

Punker ['paŋkər] *m* (-s; -) punk.

Punkt [pʊŋkt] *m* (-[e]s; -e) point (*a. fig.*); *Tupfen*: dot; *Satzzeichen*: full stop, *Am.* period; *Stelle*: spot, place: **um ~ zehn (Uhr)** at ten (o'clock) sharp; ⒮**ieren** [~'ti:rən] *v/t* (*no ge-, h) med.* puncture.

pünktlich ['pʏŋktlıç] **1.** *adj* punctual: ~ **sein** be on time; **2.** *adv*: ~ **um 10 (Uhr)** at ten (o'clock) sharp; ⒮**keit** *f* (-; *no pl*) punctuality.

Pupille [pu'pılə] *f* (-; -n) *anat.* pupil.

Puppe ['pʊpə] *f* (-; -n) doll; '**~nstube** *f bsd. Br.* doll's house, *Am.* dollhouse; '**~nwagen** *m Br.* doll's pram, *Am.* doll carriage.

pur [pu:r] *adj* pure (*a. fig.*); *Whisky*: neat, *Am.* straight.

Pute ['pu:tə] *f* (-; -n) *zo.* turkey (hen); '**~r** *m* (-s; -) *zo.* turkey (cock).

Putsch [pʊtʃ] *m* (-es; -e) putsch, coup (d'état); ⒮**en** *v/i* (h) revolt.

Putz [pʊts] *m* (-es; *no pl*) *arch.* plaster: **unter ~** *electr.* concealed; ⒮**en** *v/t* (h) clean; *Schuhe, Metall.: a.* polish; *wischen*: wipe: **sich die Nase (Zähne)** ~ blow one's nose (brush one's teeth); '**~frau** *f* cleaner, cleaning lady; '**~lappen** *m* cloth; '**~mittel** *n* clean(s)er; *Poliermittel*: polish.

Puzzle ['pazəl] *n* (-s; -s) jigsaw (puzzle).

Pyjama [py'dʒa:ma] *m* (-s; -s) (**ein ~** a pair of) pyjamas *pl* (*Am.* pajamas *pl*).

Pyramide [pyra'mi:də] *f* (-; -n) pyramid.

Q

Quacksalber ['kvakzalbər] *m* (-s; -) quack.

Quadrat [kva'dra:t] *n* (-[e]s; -e) square; ⒮**isch** *adj* square; **~meter** *m, a. n* square met|re (*Am.* -er); **~meterpreis** *m* price per square met|re (*Am.* -er).

quaken ['kva:kən] *v/i* (h) *Ente*: quack; *Frosch*: croak.

quälen ['kvɛ:lən] (h) **1.** *v/t* torment (*a. fig.*); *fig.* pester (**mit** with); **2.** *v/refl* ab*mühen*: struggle (**mit** with).

Qualifi|kation [kvalifika'tsĭo:n] *f* (-; -en) qualification; ⒮**zieren** [~'tsi:rən] *v/t u. v/refl* (*no ge-, h) qualify (**für** for).

Qualit|ät [kvali'tɛ:t] *f* (-; -en) quality; ⒮**ativ** [~a'ti:f] *adj* qualitative; **~ätsware** *f coll.* quality goods *pl*.

Qualm [kvalm] *m* (-[e]s; *no pl*) (thick) smoke; ⒮**en** *v/i* (h) smoke.

Quantit|ät [kvanti'tɛ:t] *f* (-; -en) quantity; ⒮**ativ** [~a'ti:f] *adj* quantitative.

Quarantäne [karan'tɛ:nə] *f* (-; -n) quarantine: **unter ~ stellen** put in quarantine.

Quark [kvark] *m* (-s; *no pl*) quark.

Quartal [kvar'ta:l] *n* (-s; -e) quarter (year).

Quartett [kvar'tɛt] *n* (-[e]s; -e) *mus.* quartet(te).

Quartier [kvar'ti:r] *n* (-s; -e) accommodation.

Quarz [kva:rts] *m* (-es; -e) *min.* quartz; '**~uhr** *f* quartz watch (*od.* clock).

Quatsch [kvatʃ] *m* (-es; *no pl*) F rubbish: ~ **machen** fool around; do s.th. stupid;

~reden talk rubbish; **'2en** v/i (h) F talk rubbish; *plaudern*: chat.

Quecksilber ['kvɛk~] n mercury, quicksilver.

Quelle ['kvɛlə] f (-; -n) spring, source (*a. fig.*); *ÖR*: well; **'2n** v/i (quoll, gequollen, sn) pour (*a. fig.*); *Blut*: a. gush (*beide*: **aus** out of, from); **'2schnitt** m cross-section (*a. fig.*: **durch** of); **'~nangabe** f reference; **'~nsteuer** f withholding tax.

quer [kveːr] adv crossways; crosswise; *diagonal*: diagonally; *rechtwinklig*: at right angles: **~ über** (acc od. dat) across; **'2e** f: **j-m in die ~ kommen** get in s.o.'s way; **'2schnitt** m cross-section (*a. fig.*: **durch** of); **'~schnitt(s)gelähmt** adj med. paraplegic; **'2straße** f intersecting road: **zweite ~ rechts** second turning on the right.

Querulant [kveru'lant] m (-en; -en) troublemaker.

quetsch|en ['kvɛtʃən] (h) **1.** v/t squeeze (*in* acc into): **sich die Hand in der Tür ~** get one's hand caught in the door; **2.** v/refl med. bruise o.s.: **sich ~ in** (acc) squeeze (o.s.) into; **'2ung** f (-; -en) med. bruise, contusion.

quietschen ['kviːtʃən] v/i (h) squeal (*vor* dat with); *Bremsen, Reifen*: a. screech; *Tür, Bett etc*: squeak, creak.

quitt [kvɪt] adj: **mit j-m ~ sein** be quits (*od.* even) with s.o.; **~ieren** [~'tiːrən] v/t (no ge-, h) give a receipt for: **den Dienst ~** resign; **'2ung** f (-; -en) receipt: **gegen ~** on receipt.

Quote ['kvoːtə] f (-; -n) quota; *Anteil*: share; *Rate*: rate; **'~nregelung** f quota regulations pl.

Quotient [kvo'tsiɛnt] m (-en; -en) math. quotient.

R

Rabatt [ra'bat] m (-[e]s; -e) econ. discount (*auf* acc on).

Rache ['raxə] f (-; no pl) revenge: **aus ~** in (od. out of) revenge (*für* for).

Rachen ['raxən] m (-s; -) anat. throat.

räche|n ['rɛçən] (h) **1.** v/t avenge; **2.** v/refl get one's revenge: **sich an j-m ~** revenge o.s. on s.o. (*für* for); **'2r** m (-s; -) avenger.

'rachsüchtig adj revengeful, vindictive.

Rad [raːt] n (-[e]s; ⸚er) wheel; *Fahr2*: bicycle, F bike.

Radar [ra'daːr] m, n (-s; no pl) radar; **~falle** f speed trap; **~kon,trolle** f radar speed check; **~schirm** m radar screen.

Radau [ra'dau] m (-s; no pl) F row, racket.

radeln ['raːdəln] v/i (sn) F cycle, bike.

Rädelsführer ['rɛːdəls~] m ringleader.

'radfahre|n v/i (fuhr Rad, radgefahren, sn) cycle, ride a bicycle; **'2r** m cyclist.

Radiergummi [ra'diːr~] m eraser, Br. a. rubber.

Radieschen [ra'diːsçən] n (-s; -) bot. (red) radish.

radikal [radi'kaːl] adj radical; **2e** m, f (-n; -n) radical; **2ismus** [~a'lɪsmʊs] m (-; no pl) radicalism.

Radio ['raːdio] n (-s; -s) radio: **im ~** on the radio; **~ hören** listen to the radio; **2ak'tiv** adj phys. radioactive; → *Niederschlag*; **'~re,corder** m radio cassette recorder; **'~wecker** m clock radio.

Radius ['raːdiʊs] m (-; -dien) radius.

'Rad|kappe f hubcap; **'~rennen** n cycle race; **'~sport** m cycling; **'~tour** f, **'~wanderung** f bicycle tour; **'~weg** m cycle track.

Raffi|nerie [rafinə'riː] f (-; -n) chem. refinery; **2niert** [~'niːrt] adj schlau: shrewd, clever.

ragen ['raːgən] v/i (h): **~ aus** rise (*horizontal*: project) from; **~ über** (acc) tower (*od.* loom) above.

Ragout [ra'guː] n (-s; -s) gastr. ragout.

Rahm [raːm] m (-[e]s; no pl) cream.

rahmen ['raːmən] v/t (h) frame; *Dias*: mount.

Rahmen [~] m (-s; -) frame; *Gefüge*: framework; *Hintergrund*: setting; Be-

reich: scope: *aus dem ~ fallen* be out of the ordinary; '**~bedingungen** *pl* general conditions *pl*; '**~pro,gramm** *n* supporting program(me).

Rakete [ra'ke:tə] *f* (-; -n) rocket, *mil. a.* missile.

rammen ['ramən] *v/t* (h) ram.

Rampe ['rampə] *f* (-; -n) ramp.

Ramsch [ramʃ] *m* (-es; *no pl*) junk.

Rand [rant] *m* (-[e]s; ⸚er) edge, border; *Abgrund etc*: brink (*a. fig.*); *Teller, Brille*: rim; *Hut, Glas*: brim; *Seite*: margin: *am ~(e) des Ruins (Krieges etc)* on the brink of ruin (war *etc*).

randaliere|n [randa'li:rən] *v/i (no* ge-, h) riot; **2r** *m* (-s; -) rioter; *Rowdy*: hooligan.

'**Rand|bemerkung** *f* marginal note; *fig.* passing remark; '**~gruppe** *f* fringe group; '**2los** *adj* Brille: rimless; '**~streifen** *m mot.* (*Br.* hard) shoulder.

Rang [raŋ] *m* (-[e]s; ⸚e) *mil.* rank; *Stellung*: standing, status: *Ränge pl thea.* dress circle; *erster ~es* first-class, first-rate.

rangieren [rã'ʒi:rən] *v/i (no* ge-, h): *~ vor (dat)* rank above.

'**Rangordnung** *f* hierarchy.

ranzig ['rantsɪç] *adj* rancid.

rar [ra:r] *adj* rare, scarce; **2ität** [rari'tɛ:t] *f* (-; -en) *Sache*: curiosity; *Seltenheit*: rarity.

rasch [raʃ] *adj* quick, swift; *sofortig*: prompt.

rascheln ['raʃəln] *v/i* (h) rustle.

Rasen ['ra:zən] *m* (-s; -) lawn.

rasen [~] *v/i a* (sn) *F* race, tear, speed, b) (h) *vor Wut, Sturm*: rage: *~ (vor Begeisterung)* be wild with enthusiasm; '**~d** *adj Tempo*: breakneck; *wütend*: raging; *Schmerz*: agonizing; *Kopfschmerz*: splitting; *Beifall*: thunderous: *~ machen* drive mad.

'**Rasenmäher** *m* (-s; -) lawnmower.

Raser ['ra:zər] *m* (-s; -) *mot. F* speeder.

Ra'sier|appa,rat [ra'zi:r~] *m* (safety) razor: *elektrischer ~* electric razor (*od.* shaver); **~creme** *f* shaving cream; '**2en** *v/refl (no* ge-, h) shave; **~er** *m* (-s; -) → *Rasierapparat*; **~klinge** *f* razor blade; **~pinsel** *m* shaving brush; **~schaum** *m* shaving foam; **~wasser** *n* (-s; -, ⸚) aftershave (lotion).

Rasse ['rasə] *f* (-; -n) race; *zo.* breed;

'**~ndiskrimi,nierung** *f* racial discrimination; '**~ntrennung** *f* (racial) segregation; '**~nunruhen** *pl* race riots *pl*.

Rassis|mus [ra'sɪsmʊs] *m* (-; *no pl*) racism; **~t** *m* (-en; -en) racist; **2tisch** *adj* racist.

Rast [rast] *f* (-; *no pl*) rest; *Pause*: *a.* break; **2en** *v/i* (h) (take a) rest; '**~platz** *m* place for a rest; *mot. Br.* lay-by, *Am.* rest stop; '**~stätte** *f mot.* service area.

Rasur [ra'zu:r] *f* (-; -en) shave.

Rat¹ [ra:t] *m* (-[e]s; Ratschläge) advice: *j-n um ~ fragen* ask s.o.'s advice; → *Ratschlag*.

Rat² [~] *m* (-[e]s; ⸚e) *pol.* council.

Rate ['ra:tə] *f* (-; -n) *econ.* instal(l)ment; *Geburten2 etc*: rate: *auf ~n* in instal(l)ments.

raten ['ra:tən] *v/t u. v/i* (riet, geraten, h) advise; *er~*: guess; *Rätsel*: solve: *j-m zu et. ~* advise s.o. to do s.th.; *rate mal!* (have a) guess!

'**Raten|kauf** *m Br.* hire purchase, *bsd. Am.* instal(l)ment plan; '**~zahlung** *f* → *Abzahlung*.

'**Rat|geber** *m* (-s; -) adviser, counsel(l)or; *Buch*: guide (*über acc* to); '**~haus** *n* town (*Am.* city) hall.

ratifizieren [ratifi'tsi:rən] *v/t (no* ge-, h) ratify.

Ration [ra'tsio:n] *f* (-; -en) ration; **2al** [~o'na:l] *adj* rational; **2alisieren** [~onali'zi:rən] *v/t (no* ge-, h) rationalize; **~ali'sierung** *f* (-; -en) rationalization; **2ell** [~o'nɛl] *adj* efficient; *sparsam*: economical; **2ieren** [~o'ni:rən] *v/t (no* ge-, h) ration; **~ierung** [~o'ni:rʊŋ] *f* (-; -en) rationing.

'**rat|los** *adj* at a loss; '**~sam** *adj* advisable, wise; '**2schlag** *m* piece of advice: *ein paar gute Ratschläge* some good advice *sg*.

Rätsel ['rɛ:tsəl] *n* (-s; -) puzzle; **~frage** *f* riddle (*beide a. fig.*); *Geheimnis*: mystery; '**2haft** *adj* puzzling; mysterious.

Ratte ['ratə] *f* (-; -n) *zo.* rat.

Raub [raʊp] *m* (-[e]s; *no pl*) robbery; *Beute*: loot, booty; **2en** ['~bən] *v/t* (h) steal: *j-m et. ~* rob s.o. of s.th. (*a. fig.*).

Räuber ['rɔybər] *m* (-s; -) robber.

'**Raub|fisch** *m* predatory fish; '**~mord** *m* murder with robbery; '**~mörder** *m* murderer and robber; '**~tier** *n* beast of prey; '**~überfall** *m* holdup, robbery;

auf der Straße: a. mugging; '**~vogel** m bird of prey.

Rauch [raʊx] m (-[e]s; no pl) smoke; '**2en** v/i u. v/t (h) smoke: F **e-e ~** have a smoke; 2 **verboten!** no smoking; '**~er** m (-s; -) smoker; '**~erab,teil** m smoking compartment; '**~erhusten** m med. smoker's cough.

räuchern ['rɔʏçərn] v/t (h) smoke.

'**Rauchverbot** n ban on smoking: *hier ist* **~** there's no smoking here.

raufe|n ['raʊfən] (h) **1.** v/t: *sich die Haare* **~** tear one's hair; **2.** v/i u. v/refl fight, scuffle (*mit* with; *um* for); 2'**rei** f (-; -en) fight, scuffle.

rauh [raʊ] adj rough, rugged (a. fig.); *Klima, Stimme*: a. harsh; *Hände etc*: chapped; *Hals*: sore; '2**reif** m hoarfrost.

Raum [raʊm] m (-[e]s; ¨e) room; *Platz*: a. space; *Gebiet*: area; *Welt*2: (outer) space; *im* **~** *München* in the Munich area; '**~anzug** m spacesuit.

räumen ['rɔʏmən] v/t (h) *Wohnung*: move out of; *Hotelzimmer*: check out of; *Saal, Unfallstelle, econ. Lager etc*. clear; *Gebiet*: evacuate: **s-e Sachen ~ in** (acc) put one's things away in.

'**Raum|fähre** f space shuttle; '**~fahrt** f (-; no pl) space travel; *Wissenschaft*: astronautics pl (sg konstr.); '**~fahrtzentrum** n space cent|re (Am.-er); '**~flug** m space flight; '**~inhalt** m volume, capacity; '**~kapsel** f space capsule.

räumlich ['rɔʏmlɪç] adj three-dimensional.

'**Raum|schiff** n spacecraft; *bsd. bemanntes*: a. spaceship; '**~sonde** f space probe; '**~stati,on** f space station.

'**Räumung** f (-; -en) clearing, *bsd. econ.* clearance; evacuation; *jur.* eviction; '**~sverkauf** m econ. clearance sale.

raunen ['raʊnən] v/t u. v/i (h) whisper, murmur.

Raupe ['raʊpə] f (-; -n) zo. caterpillar.

raus [raʊs] int F get out (of here)!

Rausch [raʊʃ] m (-[e]s; ¨e) drunkenness, intoxication: **e-n ~ haben** be drunk; **s-n ~ ausschlafen** sleep it off; 2**en** v/i a) (h) *Wind, Wasser*: rush; *Bach*: murmur, b) (sn) F *fig. Person*: sweep; '2**end** adj *Applaus*: thunderous.

'**Rauschgift** n drug(s pl coll.); '**~handel** m drug trafficking; '**~händler** m drug

trafficker; '**~sucht** f drug addiction; '2**süchtig** adj drug-addicted; '**~süchtige** m, f drug addict.

räuspern ['rɔʏspərn] v/refl (h) clear one's throat.

Razzia ['ratsĭa] f (-; -zien) raid (*auf* acc, *in* dat on).

reagieren [rea'giːrən] v/i (no ge-, h) react (*auf* acc to).

Reaktion [reak'tsĭoːn] f (-; -en) reaction (*auf* acc to).

Reaktor [re'ʔaktoːr] m (-s; -en) phys. reactor.

real [re'aːl] adj real; *konkret*: concrete; 2**einkommen** n real income; **~isieren** [reali'ziːrən] v/t (no ge-, h) realize; 2**ismus** [rea'lɪsmʊs] m (-; no pl) realism; 2**ist** [rea'lɪst] m (-en; -en) realist; **~istisch** [rea'lɪstɪʃ] adj realistic; 2**ität** [reali'tɛːt] f (-; -en) reality.

Rechen ['rɛçən] m (-s; -) rake.

'**Rechen|anlage** f computer; '**~fehler** m mistake, miscalculation; '**~ma,schine** f calculator; '**~schaft** f (-; no pl): (*j-m*) **~ ablegen über** (acc) account (to s.o.) for; *j-m* **~ schuldig sein** be answerable to s.o.; *zur* **~ ziehen** call to account (*wegen* for); '**~schaftsbericht** m report.

rechn|en ['rɛçnən] (h) **1.** v/t calculate; *veranschlagen*: reckon (on): *j-n* **~ zu** count s.o. among; **2.** v/i calculate: **~ mit** erwarten: expect; *bauen auf*: count on; '2**er** m (-s; -) calculator; *Computer*: computer; '**~ergesteuert** adj computer-controlled; '**~ung** f (-; -en) calculation; bill, *Am.*, *im Lokal*: check; *econ.* invoice: *die* **~, bitte!** can I have the bill, please; *auf* **~** on account; *das geht auf m-e* **~** *im Lokal*: it's on me; '2**ungs-betrag** m invoice total.

recht [rɛçt] **1.** adj right (a. pol.); *richtig*: correct: *auf der* **~en** *Seite* on the right(-hand side); *mir ist es* **~** I don't mind; **~ haben** be right; *j-m* **~ geben** agree with s.o.; **2.** adv right(ly), correctly; *ziemlich*: rather, quite: *ich weiß nicht* **~** I don't really know; *du kommst gerade* **~** you're just in time (*zu* for); → *geschehen*.

Recht [~] n (-[e]s; -e) right; *Anspruch*: a. claim (*auf* acc to); *Gesetz*: law; *Gerechtigkeit*: justice: *gleiches* **~** equal rights pl; *im* **~ sein** be in the right; *ein* **~**

haben auf (*acc*) be entitled to; *alle ~e vorbehalten* all rights reserved.

'**Rechte** *m, f* (-n; -n) *pol.* rightist, right-winger.

'**Rechteck** *n* (-[e]s; -e) rectangle; '**2ig** *adj* rectangular.

rechtfertig|en ['~fɛrtɪɡən] (h.) **1.** *v/t* justify; **2.** *v/refl* justify o.s.; '**2ung** *f* (-; -en) justification: *zu s-r ~* in his defen|ce (*Am.* -se).

recht|haberisch ['~ha:bərɪʃ] *adj* self-opinionated; '~**lich** *adj* legal.

'**rechtmäßig** *adj* lawful, legal; *Anspruch, Besitzer etc:* legitimate; '**2keit** *f* (-; *no pl*) lawfulness, legality; legitimacy.

rechts [rɛçts] *adv* on the right: *nach ~* (to the) right; *~ von* to the right of.

'**Rechts|abbieger** *m* (-s; -) motorist *etc* turning right, '~**anspruch** *m* legal claim (*auf acc* to); '~**anwalt** *m* → *Anwalt*; '~**berater** *m* legal adviser.

'**Rechtschreib|fehler** *m* spelling mistake; '~**ung** *f* spelling.

'**Rechts|extre,mismus** *m pol.* right-wing extremism; '~**extre,mist** *m* right-wing extremist; '**2extre,mistisch** *adj* extremely right-wing; '~**fall** *m* (law) case; '~**händer** ['~hɛndər] *m* (-s; -) right-hander; ~ *sein* be right-handed.

'**Rechtsprechung** *f* (-; *no pl*) administration of justice.

'**rechts|radi,kal** *adj pol.* radically right-wing; '**2radi,kale** *m, f* right-wing radical; '**2radika,lismus** *m* right-wing radicalism; '**2schutz** *m* legal protection; '**2schutzversicherung** *f* legal costs insurance; '**2staat** *m* constitutional state; '**2steuerung** *f mot.* right-hand drive; '**2streit** *m* lawsuit, action; '**2verkehr** *m*: *in Deutschland ist ~* in Germany they drive on the right; '~**weg** *m* course of law: *auf dem ~* by legal action; *den ~ beschreiten* take legal action; '~**widrig** *adj* illegal, unlawful.

'**recht|wink(e)lig** *adj* right-angled, rectangular; '~**zeitig 1.** *adj* timely; *pünktlich:* punctual; **2.** *adv* in time (*zu* for); *pünktlich:* on time.

Recorder [re'kɔrdər] *m* (-s; -) recorder.

recyc|eln [ri'saɪkəln] *v/t* (*no ge-, h*) recycle; **2ling** [~klɪŋ] *n* (-s; *no pl*) recycling; **2lingpa,pier** *n* recycled paper.

Redakt|eur [redak'tø:r] *m* (-s; -e) editor; ~**ion** [~'tsio:n] *f* (-; -en) *Personal:* editorial staff (*a. pl konstr.*); *Abteilung:* editorial department.

Rede ['re:də] *f* (-; -n) speech: *zur ~ stellen* take to task (*wegen* for); *nicht der ~ wert* not worth mentioning; '**2n** *v/i u. v/t* (h) speak, talk (*beide: mit* to, with; *über acc* about): *j-n zum 2 bringen* get s.o. to talk; '~**nsart** *f* expression, saying.

Redner ['re:dnər] *m* (-s; -) speaker; '~**pult** *n* lectern.

reduzieren [redu'tsi:rən] *v/t* (*no ge-, h*) reduce (*auf acc* to).

Reeder ['re:dər] *m* (-s; -) shipowner; ~**ei** [~'raɪ] *f* (-; -en) shipping company.

reell [re'ɛl] *adj Preis etc:* reasonable, fair; *Chance:* real; *Firma:* solid.

Refer|at [refe'ra:t] *n* (-[e]s; -e) report; *Vortrag: a.* lecture; *ped., univ.* paper; *Dienststelle:* department: *ein ~ halten* report; (give a) lecture; give a paper (*alle: über acc* on); ~**enz** [~'rɛnts] *f* (-; -en) reference; *Person:* referee: ~**en** *pl Zeugnisse:* credentials *pl.*

Reflex [re'flɛks] *m* (-es; -e) reflex.

Reform [re'fɔrm] *f* (-; -en) reform; ~**er** *m* (-s; -) reformer; ~**haus** *n* health food shop (*Am.* store); **2ieren** [~'mi:rən] *v/t* (*no ge-, h*) reform; ~**kost** *f* health food(s *pl*); ~**poli,tik** *f* reformist policy.

Refrain [rə'frɛ̃:] *m* (-s; -s) refrain, chorus.

Regal [re'ga:l] *n* (-s; -e) shelves *pl.*

Regel ['re:ɡəl] *f* (-; -n) rule; *physiol.* period: *in der ~* as a rule; '**2mäßig** *adj* regular; '**2n** *v/t* (h) regulate; *tech. a.* adjust; *Angelegenheit etc:* settle; '~**ung** *f* (-; -en) regulation; adjustment; settlement; *Steuerung:* control.

regen ['re:ɡən] *v/t u. v/refl* (h) move, stir.

Regen [~] *m* (-s; -) rain; '~**bogen** *m* rainbow; '~**guß** *m* downpour; '~**mantel** *m* raincoat; '~**schauer** *m* shower; '~**schirm** *m* umbrella; '~**tag** *m* rainy day; '~**tropfen** *m* raindrop; '~**wasser** *n* (-s; *no pl*) rainwater; '~**wetter** *n* (-s; *no pl*) rainy weather; '~**wurm** *m* zo. earthworm; '~**zeit** *f* rainy season; *Tropen:* the rains *pl.*

Regie [re'ʒi:] *f* (-; *no pl*) *thea. Film:* direction: *unter der ~ von* directed by.

regier|en [re'gi:rən] (*no ge-, h*) **1.** *v/i* reign; **2.** *v/t* govern, rule; **2ung** *f* (-; -en) government; *bsd. Am.* administration; *e-s Monarchen:* reign.

Re'gierungs|bezirk m administrative district; **~chef** m head of government; **~wechsel** m change of government.

Regime [re'ʒi:m] n (-s; -) pol. regime; **~kritiker** m dissident.

Regiment [regi'mɛnt] n (-[e]s; -e) pol. rule; mil. regiment.

Region [re'gio:n] f (-; -en) region; **2al** [~o'na:l] adj regional.

Regisseur [reʒi'sø:r] m (-s; -e) director; thea. Br. a. producer.

Regist|er [re'gɪstər] n (-s; -) in Büchern: index; **2rieren** [~'tri:rən] v/t (no ge-, h) register (a. fig.), record; **~rierkasse** [~'tri:r~] f cash register.

Regler [re:glər] m (-s; -) tech. control (knob).

regne|n ['re:gnən] v/impers (h) rain: **es regnet in Strömen** it is pouring with rain; **~risch** adj rainy.

Regreß [re'grɛs] m (-sses; -sse) econ., jur. recourse; **~anspruch** m claim of recourse; **2pflichtig** adj liable to recourse.

regulär [regu'lɛ:r] adj regular; üblich: normal.

regulier|bar [regu'li:rba:r] adj adjustable; steuerbar: controllable; **~en** v/t (no ge-, h) regulate, adjust; steuern: control.

Regung ['re:gʊŋ] f (-; -en) movement, motion; Gefühls2: emotion; Eingebung: impulse; **2slos** adj motionless.

Reh [re:] n (-[e]s; -e) zo. (roe) deer; gastr. venison.

rehabilitieren [rehabili'ti:rən] (no ge-, h) **1.** v/t med. rehabilitate, jur. a. vindicate; **2.** v/refl jur. rehabilitate (od. vindicate) o.s., clear one's name.

Reh|bock ['~bɔk] m (-[e]s; -e) zo. roebuck; **~braten** m gastr. roast venison; **~keule** f gastr. leg of venison; **~rücken** m gastr. saddle of venison.

reib|en ['raɪbən] (rieb, gerieben, h) **1.** v/t rub; zerkleinern: grate: **sich die Augen (Hände)** ~ rub one's eyes (hands); **2.** v/i chafe; **2ung** f (-; -en) tech. friction (a. fig.).

reich [raɪç] adj rich (**an** dat in), wealthy; Ernte, Vorräte: rich, abundant: ~e **Auswahl** wide selection.

Reich [~] n (-[e]s; -e) empire, kingdom (a. eccl., bot., zo.); fig. world.

reichen ['raɪçən] (h) **1.** v/t: j-m et. ~ hand

(od. pass) s.o. s.th.; **2.** v/i aus~: last, do, be enough: ~ **bis** to sth. reach (od. come up) to; **das reicht** that will do; **mir reicht's!** I've had enough.

'reich|haltig adj rich; **'~lich 1.** adj rich plentiful; Zeit, Geld etc: plenty of; **2.** adv ziemlich: rather; großzügig: generously; **'2tum** m (-s; -er) wealth (**an** dat of) (a. fig.); **2weite** f reach; aer., mil., Funk etc: range: **in (außer)** (j-s) ~ within (out of) (s.o.'s) reach.

reif [raɪf] adj ripe; bsd. Mensch: mature.

Reif [~] m (-[e]s; no pl) hoarfrost.

Reife ['raɪfə] f (-; no pl) ripeness; maturity.

reifen ['raɪfən] v/i (sn) ripen; mature (**zu** into).

Reifen [~] m (-s; -) mot. etc bsd. Br. tyre, Am. tire; **'~druck** m tyre (Am. tire) pressure; **'~panne** f puncture, bsd. Am. F flat; **'~wechsel** m tyre (Am. tire) change.

'reiflich adj careful.

Reihe ['raɪə] f (-; -n) line, row (a. Sitz2); Anzahl: number; Serie: series: **der** ~ **nach** in turn; **ich bin an der** ~ it's my turn; → **parken**; **'~nfolge** f order; **'~nhaus** n terraced (Am. row) house; **2nweise** adv F fig. by the dozen.

Reim [raɪm] m (-[e]s; -e) rhyme; **'2en** v/i (refl) (h) rhyme (**auf** acc with).

rein [raɪn] adj pure (a. fig.); sauber: clean; Gewissen: clear; Wahrheit: plain; nichts als: mere, sheer, nothing but; **2fall** m F flop; Enttäuschung: letdown; **2gewinn** m net profit.

reinig|en ['raɪnɪgən] v/t (h) clean; Luft etc: purify; chemisch: dry-clean; **2ung** f (-; -en) cleaning; purification; chemische: dry-cleaning; Firma: (dry) cleaners pl (sg konstr.): **in der** ~ at the cleaners; **in die** ~ **bringen** take to the cleaners; **2ungsmittel** n detergent, cleaner.

Reis [raɪs] m (-es; no pl) bot. rice.

Reise ['raɪzə] f (-; -n) allg. trip; zu Lande: a. journey; mar. voyage (alle: **nach** to); Rund2: tour (**in** dat of): **s-e** ~**n** his travels; **auf** ~**n sein** be travel(l)ing; **e-e** ~ **machen** take a trip; **gute** ~! have a nice trip!; **'~andenken** n souvenir; **'~apotheke** f first-aid kit; **'~bekanntschaft** f travel(l)ing acquaintance; **'~bü,ro** n travel agent('s) (od. agency); **2fertig** adj ready to start; **'~fieber** n: ~ **haben**

R

be all excited about one's journey; '**~führer** m guide(book); '**~gepäck** n → **Gepäck**; '**~gepäckversicherung** f baggage insurance; '**~gesellschaft** f tourist party; '**~kosten** pl travel expenses pl; '**~leiter** m tour guide, bsd. Br. courier; '**~lek türe** f s.th. to read on the trip; '**2n** v/i (sn) travel (**nach** to): **durch Frankreich ~** tour France; **ins Ausland ~** go abroad; '**~nde** m, f (-n; -n) travel(l)er; **Fahrgast**: passenger; '**~paß** m passport; '**~pro spekt** m travel brochure; '**~ruf** m Rundfunk: emergency call; '**~scheck** m Br. traveller's cheque, Am. traveler's check; '**~spesen** pl travel expenses pl; '**~tasche** f travel(l)ing bag, Br. holdall, Am. carryall; '**~unterlagen** pl travel documents pl; '**~verkehr** m holiday (Am. vacation) traffic; '**~wecker** m travel(l)ing alarm clock; '**~wetterbericht** m holiday (Am. vacation) weather report; '**~ziel** n destination.

'**Reißbrett** n drawing board.

reißen ['raɪsən] (riß, gerissen) **1.** v/t (h) tear (**in Stücke** to pieces): **j-m et. aus der Hand ~** snatch s.th. away from s.o.; **2.** v/i (a) (sn) tear, b) (h): **~ an** (dat) tear (od. tug) at; **3.** v/refl (h): **sich ~ um** fight over; '**~d** adj Fluß: torrential: **~en Absatz finden** sell like hot cakes.

'**Reißer** m (-s; -) F Film etc: thriller; '**2isch** adj Schlagzeile: sensational; Farben, Werbung: loud.

'**Reiß nagel** m → **Reißzwecke**; '**~ver-schluß** m bsd. Br. zip (fastener), bsd. Am. zipper: **den ~ aufmachen** (**zu-machen**) unzip (zip up); **~zwecke** ['~tsvɛkə] f (-; -en) Br. drawing pin, Am. thumbtack.

reit en ['raɪtən] (ritt, geritten) **1.** v/i (sn) ride; **2.** v/t (h) ride; '**2er** m (-s; -) rider, horseman; '**2erin** f (-; -nen) rider, horsewoman; '**2pferd** n saddle (od. riding) horse.

Reiz [raɪts] m (-es; -e) charm, attraction, appeal; Kitzel: thrill; med., psych. stimulus: (**für j-n**) **den ~ verlieren** lose one's appeal (for s.o.); '**2bar** adj irritable, excitable; '**2en** v/t (h) irritate (a. med.); ärgern: a. annoy; bsd. Tier: bait; herausfordern: provoke; anziehen: appeal to, attract; (ver)locken: tempt; Aufgabe etc: challenge; '**2end** adj charming, de-

lightful; hübsch: lovely, sweet, Am. cute; '**2klima** n bracing climate; '**2los** adj unattractive; '**~ung** f (-; -en) irritation (a. med.); provocation; '**2voll** adj attractive; Aufgabe etc: challenging; '**~wäsche** f sexy underwear; '**~wort** n dirty word.

Reklamation [reklama'tsi̯oːn] f (-; -en) complaint.

Reklame [re'klaːmə] f (-; -n) Werbung: advertising; Anzeige: ad(vertisement): **~ machen für** advertise; **Re klame...** in Zssgn → **Werbe...**

reklamieren [rekla'miːrən] v/i (no ge-, h) complain (**wegen** about).

Rekord [re'kɔrt] m (-[e]s; -e) record.

Rekrut [re'kruːt] m (-en; -en) mil. recruit.

relativ [rela'tiːf] adj relative.

Relief [re'li̯ɛf] n (-s; -s, -e) relief.

Religi on [reli'gi̯oːn] f (-; -en) religion; **2ös** [~'gi̯øːs] adj religious.

Reling ['reːlɪŋ] f (-; -s) mar. rail.

Reliquie [re'liːkvi̯ə] f (-; -n) relic.

rempeln ['rɛmpəln] v/t (h) jostle.

Rendezvous [rãdə'vuː] n (-; -[~'vuːs]) date.

Rendite [rɛn'diːtə] f (-; -n) econ. yield.

rennen ['rɛnən] v/i (rannte, gerannt, sn) run, rush, tear.

Rennen [~] n (-s; -) race (a. fig.); Einzel2: heat.

'**Renn fahrer** m mot. racing driver; Rad2: racing cyclist; '**~läufer** m ski racer; '**~pferd** n racehorse; '**~rad** n racing bicycle, racer; '**~wagen** m racing car.

renommiert [reno'miːrt] adj famous, noted (**beide:** **wegen** for).

renovieren [reno'viːrən] v/t (no ge-, h) renovate, F do up; Innenraum: redecorate.

rentab el [rɛn'taːbəl] adj profitable; **2ilität** [~abili'tɛːt] f (-; no pl) profitability.

Rente ['rɛntə] f (-; -n) (old-age) pension: **in ~ gehen** retire; '**~nalter** n retirement age; '**~nversicherung** f pension scheme.

rentieren [rɛn'tiːrən] v/refl (no ge-, h) → **lohnen.**

Rentner ['rɛntnər] m (-s; -) pensioner.

Reparatur [repara'tuːr] f (-; -en) repair; '**~werkstatt** f repair shop; mot. garage.

reparieren [repa'riːrən] v/t (no ge-, h) repair, mend, F fix.

R

Report|lage [repɔr'taːʒə] f (-; -en) report; **~er** [re'pɔrtər] m (-s; -) reporter.

Repräsent|ant [reprɛzɛn'tant] m (-en; -en) representative; **~antenhaus** n parl. House of Representatives; **♀ativ** [~a'tiːf] adj representative (**für** of); imposant: impressive; **♀ieren** [~'tiːrən] v/t (no ge-, h) represent.

Repressalie [reprɛ'saːliə] f (-; -n) reprisal.

reprivatisier|en [reprivati'ziːrən] v/t (no ge-, h) econ. denationalize; **♀ung** f (-; -en) denationalization.

Reprodu|ktion [reprodʊk'tsioːn] f (-; -en) reproduction, print; **♀zieren** [~du'tsiːrən] v/t (no ge-, h) reproduce.

Republik [repu'bliːk] f (-; -en) republic.

Reservat [rezɛr'vaːt] n (-[e]s; -e) Wild♀: reserve; Indianer♀: reservation.

Reserve [re'zɛrvə] f (-; -n) reserve; **~ka,nister** m mot. spare can; **~rad** n mot. spare wheel.

reservier|en [rezɛr'viːrən] v/t (no ge-, h) reserve (a. **~ lassen**): **j-m e-n Platz ~** keep a seat for s.o.; **~t** adj reserved (a. fig.); **♀ung** f (-; -en) reservation.

Residenz [rezi'dɛnts] f (-; -en) residence.

Resign|ation [rezigna'tsioːn] f (-; no pl) resignation; **♀ieren** [~'gniːrən] v/i (no ge-, h) give up; **♀iert** adj [~'gniːrt] adj resigned.

resozialisier|en [rezotsiali'ziːrən] v/t (no ge-, h) rehabilitate; **♀ung** f (-; -en) rehabilitation.

Respekt [re'spɛkt] m (-[e]s; no pl) respect (**vor** dat for); **♀ieren** [~'tiːrən] v/t (no ge-, h) respect; **♀los** adj disrespectful; **♀voll** adj respectful.

Ressort [re'soːr] n (-s; -s) department: Zuständigkeit: province.

Rest [rɛst] m (-[e]s; -e) rest: **~e** pl Überreste: remains pl, remnants pl (a. econ.); Essen: leftovers pl; **das gab ihm den ~** that finished him (off).

Restaurant [rɛsto'rãː] n (-s; -s) restaurant.

restaurieren [rɛstau'riːrən] v/t (no ge-, h) restore.

Rest|bestand m econ. remaining stock; **'~betrag** m balance; **♀lich** adj remaining; **♀los** adj completely; **'~urlaub** m unused holiday (bsd. Am. vacation).

Resultat [rezʊl'taːt] n (-[e]s; -e) result (a. Sport), outcome.

rette|n ['rɛtən] v/t (h) save, rescue (beide: **aus, vor** dat from): **j-m das Leben ~** save s.o.'s life; **♀r** m (-s; -) rescuer.

Rettich ['rɛtiç] m (-s; -e) bot. radish.

'Rettung f (-; -en) rescue (**aus, vor** dat from): **das war s-e ~** that saved him; **'~sboot** n lifeboat; **'~smannschaft** f rescue party; **'~ring** m life belt.

Revanch|e [re'vãːʒə] f (-; -n) revenge; **♀ieren** [~ã'ʒiːrən] v/refl (no ge-, h) take revenge (**an** dat on); Dank: return the favo(u)r.

Revier [re'viːr] n (-s; -e) allg. district; zo., fig. territory; → **Polizeirevier**.

Revision [revi'zioːn] f (-; -en) econ. audit; jur. appeal; Änderung: revision: **~ einlegen** lodge an appeal.

Revolt|e [re'vɔltə] f (-; -n) revolt; **♀ieren** [~'tiːrən] v/i (no ge-, h) revolt.

Revolution [revolu'tsioːn] f (-; -en) revolution; **♀är** [~o'nɛːr] adj revolutionary; **♀ieren** [~o'niːrən] v/t (no ge-, h) revolutionize.

Revolver [re'vɔlvər] m (-s; -) revolver, gun.

Rezept [re'tsɛpt] n (-[e]s; -e) med. prescription; Koch♀: recipe (a. fig. Mittel); **♀frei** adj over-the-counter; **~ion** [~'tsioːn] f (-; -en) reception (desk); **♀pflichtig** adj prescription(-only).

Rezession [retsɛ'sioːn] f (-; -en) econ. recession.

R-Gespräch ['ɛr~] n teleph. reverse-charge (Am. collect) call.

Rhabarber [ra'barbər] m (-s; no pl) bot. rhubarb.

Rheuma ['rɔyma] n (-s; no pl) med. rheumatism.

rhythm|isch ['rʏtmɪʃ] adj rhythmic(al); **♀us** ['~mʊs] m (-; -men) rhythm.

richten ['rɪçtən] (h) **1.** v/t allg. fix; (vor)bereiten: a. get s.th. ready, prepare; Zimmer, Haar etc: a. do: **~ an** (acc) Frage: put to; **~ auf** (acc) Waffe, Kamera etc: point (od. aim) at; **2.** v/refl: **sich ~ nach** go by, act according to; Mode, Beispiel: follow; abhängen von: depend on; **ich richte mich ganz nach dir** I leave it to you.

'Richter m (-s; -) judge; **♀lich** adj judicial.

'Richtgeschwindigkeit f mot. recommended speed.

'richtig 1. adj allg. right; korrekt: a. correct; *wahr*: true; *echt, wirklich, typisch*: real; **2.** *adv*: ~ **nett** (*böse*) really nice (angry); *et.* ~ **machen** do s.th. right; *m-e Uhr geht* ~ my watch is right; '**2keit** f (-; *no pl*) correctness; truth; '**~stellen** v/t (*sep*, -ge-, h) put right.

'**Richt|linien** pl guidelines pl; '**~preis** m *econ.* recommended price.

'**Richtung** f (-; -en) direction; '**2weisend** *adj fig.* pioneering.

riechen ['riːçən] v/i u. v/t (roch, gerochen, h) smell (*nach* of; *an dat* at).

Riegel ['riːɡəl] m (-s; -) bolt, bar (*a. Schokolade*).

Riemen ['riːmən] m (-s; -) strap; *Gürtel, tech.* belt; *mar.* oar.

Riese ['riːzə] m (-n; -n) giant (*a. fig.*).

rieseln ['riːzəln] v/i (sn) *Sand etc*: trickle; *Schnee*: fall gently.

'**Riesen|erfolg** m huge success; *Film etc*: *a.* smash hit; '**~rad** n Ferris wheel.

riesig ['riːzɪç] *adj* enormous, gigantic.

Riff [rɪf] n (-[e]s; -e) reef.

Rille ['rɪlə] f (-; -n) groove.

Rind [rɪnt] n (-[e]s; -er) *Kuh*: cow; *Stier*: bull; *Fleisch*: beef; **~er** pl cattle pl.

Rinde ['rɪndə] f (-; -n) *bot.* bark; *Käse2*: rind; *Brot2*: crust.

'**Rinderbraten** m roast beef.

'**Rind|fleisch** n beef; '**~(s)leder** n cowhide.

Ring [rɪŋ] m (-[e]s; -e) ring (*a. fig.*); *mot.* ring road; *U-Bahn etc*: circle (line); '**~buch** n loose-leaf (*od.* ring) binder.

ringen ['rɪŋən] (rang, gerungen, h) **1.** v/i wrestle (*mit* with); *fig. a.* struggle (against, with; *um* for); *nach Atem* ~ gasp (for breath); **2.** v/t *Hände*: wring.

'**Ringfinger** m ring finger.

rings [rɪŋs] *adv*: ~ **um** around.

'**Ringstraße** f ring road.

Rinn|e ['rɪnə] f (-; -n) *Fahr2 etc*: channel; *Dach2*: gutter; '**2en** v/i (rann, geronnen, sn) run (*a. Schweiß etc*); *strömen*: flow, stream; '**~stein** m gutter.

Rippe ['rɪpə] f (-; -n) *anat.* rib; '**~nfell** n *anat.* pleura; '**~nfellentzündung** f *med.* pleurisy.

Risiko ['riːziko] n (-s; -s, -ken) risk: *ein* (*kein*) ~ *eingehen* take a risk (no risks); *auf eigenes* ~ at one's own risk.

risk|ant [rɪs'kant] *adj* risky; **~ieren** [~'kiːrən] v/t (*no ge-*, h) risk.

Riß [rɪs] m (-sses; -sse) tear, rip, split (*a.*

fig.); *Sprung*: crack; *in der Haut*: chap.

rissig ['rɪsɪç] *adj* full of tears; *Haut etc*: chappy; *brüchig*: cracky, cracked.

Ritt [rɪt] m (-[e]s; -e) ride.

Rival|e [ri'vaːlə] m (-n; -n) rival; **2isieren** [~ali'ziːrən] v/i (*no ge-*, h) rival (*mit j-m* s.o.); **~ität** [~ali'tɛːt] f (-; -en) rivalry.

Robbe ['rɔbə] f (-; -n) *zo.* seal.

Robe ['roːbə] f (-; -n) robe, gown.

Roboter ['rɔbɔtər] m (-s; -) robot.

robust [ro'bʊst] *adj* robust.

Rock [rɔk] m (-[e]s; -e) skirt.

roden ['roːdən] v/t (h) *Land*: clear.

Roggen ['rɔɡən] m (-s; -) *bot.* rye.

roh [roː] *adj* raw; *unbearbeitet*: rough; *Handlung*: brutal: *mit ~er Gewalt* by brute force; '**2bau** m (-[e]s; -ten) *arch.* shell; '**2kost** f raw vegetables and fruit; '**2materi,al** n raw material; '**2öl** n crude oil.

Rohr [roːr] n (-[e]s; -e) *tech.* pipe.

Röhre ['røːrə] f (-; -n) tube; *Leitungs2, Luft2, Speise2*: pipe; *Bild2*: tube.

'**Rohstoff** m raw material; '**2arm** *adj* lacking in raw materials; '**2reich** *adj* rich in raw materials.

'**Rolladen** m shutters pl.

'**Rollbahn** f *aer.* runway.

Rolle ['rɔlə] f (-; -n) roll; *unter Möbeln*: castor, caster; *thea.* part, role (*beide a. fig.*): *das spielt keine* ~ that doesn't matter, that makes no difference; *aus der* ~ *fallen* forget o.s.

'**rollen** v/i (sn) *u.* v/t (h) roll.

'**Roller** m (-s; -) *mot.* scooter.

'**Roll|film** m *phot.* roll film; '**~kragen-pull,over** m *bsd. Br.* polo-neck sweater, *bsd. Am.* turtleneck (sweater).

Rollo ['rɔlo] n (-s; -s) *Br.* (roller) blind, *Am.* shade.

'**Roll|stuhl** m wheelchair; '**~stuhlfahrer** m person in a wheelchair; '**~treppe** f escalator.

Roman [ro'maːn] m (-[e]s; -e) novel; **~schriftsteller** m novelist.

romantisch [ro'mantɪʃ] *adj* romantic.

Röm|er ['røːmər] m (-s; -) Roman; *Glas*: rummer; **2isch** *adj* Roman.

röntgen ['rœntɡən] v/t (h) *med.* X-ray; '**2appa,rat** m X-ray unit; '**2aufnahme** f, '**2bild** n X-ray; '**2strahlen** pl X-rays pl.

rosa ['roːza] *adj* pink.

R

Rose ['ro:zə] f (-; -n) bot. rose; '**~nkohl** m bot. Brussels sprouts pl; '**~nkranz** m eccl. rosary.

rosig ['ro:zɪç] adj rosy (a. fig.).

Rosine [ro'zi:nə] f (-; -n) raisin.

Rost[1] [rɔst] m (-[e]s; -e) grate; Brat~: grill.

Rost[2] [~] m (-[e]s; no pl) rust; 2**en** v/i (sn od. h) rust, get rusty.

rösten ['rœstən] v/t (h) Fleisch: roast, grill; Brot: toast; Kartoffeln: fry.

'**Rostfleck** m rust stain; 2**frei** adj rust-proof; Stahl: stainless; 2**ig** adj rusty (a. fig.).

rot [ro:t] adj red: ~ **werden** blush; **in den** ~**en Zahlen stehen** be in the red.

Rot [~] n (-s; -) red: **die Ampel steht auf** ~ the lights are red; 2**blond** adj sandy(-haired).

Röte ['rø:tə] f (-; no pl) redness; Scham2: blush; 2**ln** pl med. German measles pl (sg konstr.); 2**n** v/refl (h) redden; Gesicht: a. flush.

'**rothaarig** adj red-haired.

rotieren [ro'ti:rən] v/i (no ge-, h) rotate, revolve.

'**Rotkohl** m red cabbage.

rötlich ['rø:tlɪç] adj reddish.

'**Rotstift** m red pencil; '**~wein** m red wine.

Route ['ru:tə] f (-; -n) route.

Routine [ru'ti:nə] f (-; no pl) routine; Erfahrung: experience; **~ekontrolle** f routine check; **~esache** f routine (matter); 2**iert** [~i'ni:rt] adj experienced.

Rowdy ['raʊdi] m (-s; -s) hooligan; '**~tum** n (-s; no pl) hooliganism.

Rübe ['ry:bə] f (-; -n) bot. turnip: **gelbe** ~ carrot; **rote** ~ beetroot.

Rubrik [ru'bri:k] f (-; -en) Kategorie: category; Spalte: column.

Ruck [rʊk] m (-[e]s; -e) jerk, jolt, start; fig. a. swing.

Rückantwort ['rʏk~] f reply; '**~karte** f reply-paid postcard.

'**ruckartig** adj jerky, abrupt.

'**Rück**|**blende** f flashback (**auf** acc to); '**~blick** m review (**auf** acc of); 2**datieren** v/t (only inf u. pp rückdatiert, h) backdate.

rücken ['rʏkən] **1.** v/t (h) move, shift, push; **2.** v/i (sn) move; Platz machen: move over; **näher** ~ move closer; zeitlich: draw near.

Rücken [~] m (-s; -) back (a. fig.); '**~deckung** f fig. backing, support; '**~lehne** f back(rest); '**~mark** n anat. spinal cord; '**~schmerzen** pl backache sg; '**~wind** m following wind; '**~wirbel** m anat. dorsal vertebra.

'**rück**|**erstatten** v/t (only inf u. pp rückerstattet, h) refund; '2**erstattung** f refund; 2**fahrkarte** f return (Am. round--trip) ticket; 2**fahrscheinwerfer** m mot. reversing (Am. backup) light; 2**fahrt** f return journey (od. trip): **auf der** ~ on the way back; 2**fall** m med. relapse (a. fig.); 2**fällig** adj: ~ **werden** jur. reoffend; fig. have a relapse; 2**flug** m return flight; 2**frage** f query; '**~frage** v/i (only inf u. pp rückgefragt, h) check (**bei** with); 2**gabe** f return; 2**gang** m decline, drop (**beide**: gen in); 2**gängig** adj: ~ **machen** cancel; 2**grat** ['~gra:t] n (-[e]s; -e) anat. backbone (a. fig.), spine; 2**halt** m support; 2**kauf** m repurchase; 2**lagen** f reserve(s pl), savings pl; 2**lauf** m Bandgerät: rewind; '**~läufig** ['~lɔʏfɪç] adj declining, downward; 2**licht** n mot. rear light, taillight; 2**porto** n mail. return postage; 2**reise** f → **Rückfahrt**; 2**reiseverkehr** m homebound traffic; 2**reisewelle** f homebound wave of traffic.

'**Rucksack** m rucksack; großer: backpack; '**~tou**|**rismus** m backpacking; '**~tou**|**rist** m backpacker.

'**Rück**|**schlag** m fig. setback; '**~schluß** m: Rückschlüsse ziehen aus draw conclusions from; '**~schritt** m step back; '**~seite** f back; Münze: reverse; Platte: flip side; '**~sendung** f return; '**~sicht** f (-; no pl) consideration: **aus** (**ohne**) ~ **auf** (acc) out of (without any) consideration for; ~ **nehmen auf** (acc) show consideration for; 2**sichtslos** adj inconsiderate (**gegen** of), thoughtless (of); skrupellos: ruthless; Fahren etc: reckless; 2**sichtsvoll** adj considerate (**gegen** of), thoughtful; '**~sitz** m mot. back seat; '**~spiegel** m mot. rear-view mirror; '**~stand** m chem. residue: **mit der Arbeit im** ~ **sein** be behind with one's work; 2**ständig** adj fig. backward; Land: a. underdeveloped: **~e Miete** arrears pl of rent; '**~stau** m mot. tailback; '**~tritt** m resignation; **vom** Vertrag: withdrawal (from);

R

'**2vergüten** v/t (only inf u. pp rückvergütet, h) refund; '**~vergütung** f refund; '**~wärts** ['~vɛrts] adv backward(s): **~ aus ... (in** acc **...) fahren** (od. **gehen**) back out of ... (into ...); '**~wärtsgang** m mot. reverse (gear); '**~weg** m way back.

'**ruckweise** adv jerkily, in jerks.

'**rück|wirkend** adv: **der Vertrag gilt ~ ab** the contract will be backdated to; '**2wirkung** f repercussion (**auf** acc on); '**2zahlung** f repayment; '**2zug** m retreat.

Ruder ['ru:dər] n (-s; -) mar. Steuer2, aer. Seiten2: rudder; Riemen: oar: **am ~** at the helm (a. fig.); '**~boot** n Br. rowing boat, Am. rowboat; '**2n** v/i (h od. sn) u. v/t (h) row.

Ruf [ru:f] m (-[e]s; -e) call (a. fig.); Schrei: cry, shout; Ansehen: reputation; '**2en** v/i u. v/t (rief, gerufen, h) call (a. Arzt etc), cry, shout: **~ nach** call for (a. fig.); **~ lassen** send for; → **Hilfe**; '**~nummer** f telephone number; '**~weite** f: in (**außer**) **~** within (out of) call(ing distance).

Rüge ['ry:gə] f (-; -n) reproof, reproach (beide: **wegen** for); '**2n** v/t (h) reprove, reproach.

Ruhe ['ru:ə] f (-; no pl) Stille: quiet, calm; Schweigen: silence; Erholung, Stillstand, a. phys.: rest; Frieden: peace; Gemüts2: calm(ness): **zur ~ kommen** come to rest; **j-n in ~ lassen** leave s.o. in peace; **laß mich in ~!** leave me alone!; **et. in ~ tun** take one's time (doing s.th.); **die ~ behalten** keep one's cool; **sich zur ~ setzen** retire; **~, bitte!** quiet, please; '**2los** adj restless; '**2n** v/i (h) rest (**auf** dat on); '**~pause** f break; '**~stand** m retirement: **im ~** retired; **in den ~ treten** (**versetzen**) retire (retire, pension off); '**~störer** m (-s; -) bsd. jur. disturber of the peace; '**~störung** f disturbance (of the peace); '**~tag** m rest day; Lokal: closing day: **Montag ~** closed (on) Mondays.

ruhig ['ru:ɪç] adj quiet; leise, schweigsam: a. silent; unbewegt: calm; Mensch: a. cool; tech. smooth: **~ bleiben** keep (one's) cool.

Ruhm [ru:m] m (-[e]s; no pl) fame; bsd. pol., mil. etc glory.

Ruhr [ru:r] f (-; -en) med. dysentery.

Rühr|eier ['ry:r~] pl scrambled eggs pl; '**2en** v/t u. v/refl (h) stir; (sich) bewegen: a. move; fig. innerlich: move, touch; **das rührt mich gar nicht** that leaves me cold; '**2end** adj touching, moving; mitleiderregend: pathetic; '**2selig** adj sentimental; '**~ung** f (-; no pl) emotion.

Ruin [ru'i:n] m (-s; no pl) ruin.

Ruine [ru'i:nə] f (-; -n) ruin(s pl).

ruinieren [rui'ni:rən] v/t (no ge-, h) ruin.

rülpsen ['rʏlpsən] v/i (h) belch; '**2r** m (-s; -) belch.

Rumän|e [ru'mɛ:nə] m (-n; -n) Romanian; '**2isch** adj Romanian.

Rummel ['rʊməl] m (-s; no pl) F Geschäftigkeit: (hustle and) bustle; Reklame2: F ballyhoo; **großen ~ machen um** make a big fuss (od. to-do) about; '**~platz** m F amusement park, fairground.

Rumpelkammer ['rʊmpəl~] f junk room, Br. a. lumber room.

Rumpf [rʊmpf] m (-es; ⸚e) anat. trunk; mar. hull; aer. fuselage.

rümpfen ['rʏmpfən] v/t (h): **die Nase ~** turn up one's nose (**über** acc at).

rund [rʊnt] **1.** adj round (a. fig.); **2.** adv ungefähr: about: **~ um** (a)round; '**2blick** m panorama; **2e** ['~də] f (-; -n) round (a. fig. u. Sport); Rennsport: lap: **die ~ machen** make the round (od. send): broad **2fahrt** f tour (**durch** of).

'**Rundfunk** m radio: **im ~** on the radio; **im ~ übertragen** (od. senden) broadcast; '**~hörer** m listener; '**~sender** m broadcasting (od. radio) station.

'**Rund|gang** m tour (**durch** of); '**~reise** f tour (**durch** of); '**~schreiben** n circular (letter).

runter... ['rʊntər] F → **herunter...**

Runzel ['rʊntsəl] f (-; -n) wrinkle; '**2(e)lig** adj wrinkled; '**2eln** v/t (h): **die Stirn ~** frown (**über** acc at).

Rüpel ['ry:pəl] m (-s; -) lout; '**2haft** adj loutish.

rupfen ['rʊpfən] v/t (h) pluck; → **Hühnchen**.

Ruß [ru:s] m (-es; no pl) soot.

Russe ['rʊsə] m (-n; -n) Russian.

Rüssel ['rʏsəl] m (-s; -) trunk; Schweins2: snout.

'**ruß|en** v/i (h) smoke; '**~ig** adj sooty.

russisch ['rʊsɪʃ] adj Russian.

rüsten ['rʏstən] (h) **1.** v/i mil. arm; **2.**

v/refl get ready, prepare (**zu, für** for); arm o.s. (**gegen** for).

rüstig ['rʏstɪç] *adj* sprightly.

'**Rüstung** *f* (-; -en) *mil.* armament; '**~sindu,strie** *f* armaments industry; '**~swettlauf** *m* arms race.

rutsch|en ['rʊtʃən] *v/i* (sn) slide, slip (*a. aus~*); *gleiten:* glide; *mot. etc* skid; '**~ig** *adj* slippery.

rütteln ['rʏtəln] (h) **1.** *v/t* shake; **2.** *v/i* jolt: **an der Tür ~** rattle at the door.

S

Saal [zaːl] *m* (-[e]s; Säle) hall.

Sabot|age [zabo'taːʒə] *f* (-; -n) sabotage; **~eur** [~'tøːr] *m* (-s; -e) saboteur; **2ieren** [~'tiːrən] *v/t* (no ge-, h) sabotage.

Sach|bearbeiter ['zax~] *m* (-s; -) clerk in charge (**für** of); '**~beschädigung** *f* damage to property; '**2dienlich** *adj:* **~e Hinweise** *pl* relevant information *sg.*

Sache ['zaxə] *f* (-; -n) thing; *Angelegenheit:* matter, business; *(Streit)Frage:* issue, problem, question; *Anliegen:* cause; *jur.* matter, case: **~n** *pl allg.* things *pl; Kleidung:* a. clothes *pl;* **zur ~ kommen** (**bei der ~ bleiben**) come (keep) to the point; **nicht zur ~ gehören** be irrelevant.

'**sach|gemäß** *adj,* '**~gerecht** *adj* proper; '**2kenntnis** *f* expert knowledge; '**2lage** *f* (-; *no pl*) state of affairs, situation; '**~lich 1.** *adj nüchtern:* matter-of-fact; *unparteiisch:* unbias(s)ed, objective; *Gründe etc:* practical, technical; **2.** *adv:* **~ richtig** factually correct; '**2register** *n* (subject) index; '**2schaden** *m* material damage.

sacht [zaxt] *adj* soft, gentle.

'**Sach|verhalt** *m* (-[e]s; -e) facts *pl* (of the case); '**~verstand** *m* know-how; '**~verständige** *m, f* (-n; -n) expert; *jur.* expert witness; '**~wert** *m* real value.

Sack [zak] *m* (-[e]s; ⸚e) sack, bag; V *Hoden:* balls *pl;* '**~gasse** *f* dead-end street, cul-de-sac; *fig.* dead end, impasse, deadlock.

Sadis|mus [za'dɪsmʊs] *m* (-; *no pl*) sadism; **~t** *m* (-en; -en) sadist; **2tisch** *adj* sadistic.

säen ['zɛːən] *v/t u. v/i* (h) sow (*a. fig.*).

Safe [seːf] *m* (-s; -s) safe.

Saft [zaft] *m* (-[e]s; ⸚e) juice; '**2ig** *adj* juicy (*a. Witz*); *Wiese:* lush; *Preis:* steep.

Sage ['zaːgə] *f* (-; -n) legend.

Säge ['zɛːgə] *f* (-; -n) *tech.* saw; '**~mehl** *n* sawdust.

sagen ['zaːgən] *v/i u. v/t* (h) say: **j-m et. ~** tell s.o. s.th.; **die Wahrheit ~** tell the truth; **er läßt dir ~** he asked me to tell you; **~ wir** (let's) say; **man sagt, er sei** he is said to be; **er läßt sich nichts ~** he will not listen to reason; **das hat nichts zu ~** it doesn't matter; **et. (nichts) zu ~ haben** (**bei**) have a say (no say) (in); **et. wollen mit** mean by; **das sagt mir nichts** it doesn't mean anything to me; **unter uns gesagt** between you and me.

sägen ['zɛːgən] *v/t u. v/i* (h) saw.

'**sagenhaft** *adj* legendary; F *fig.* fabulous, incredible, fantastic.

Sahne ['zaːnə] *f* (-; *no pl*) cream; '**~torte** *f* cream gateau.

Saison [zɛ'zõː] *f* (-s; s) season; **2abhängig** *adj,* **2bedingt** *adj* seasonal; **2bereinigt** *adj* seasonally adjusted.

Saite ['zaɪtə] *f* (-; -n) string; '**~nin,stru,ment** *n* string(ed) instrument.

Sakko ['zako] *n* (-s; -s) (sports) jacket.

Sakristei [zakrɪs'taɪ] *f* (-; -en) vestry.

Salat [za'laːt] *m* (-[e]s; -e) *bot.* lettuce; *gastr.* salad; **~soße** *f* salad dressing.

Salbe ['zalbə] *f* (-; -n) ointment.

Saldo ['zaldo] *m* (-s; -den, -s, -di) *econ.* balance; **~übertrag** *m* (-[e]s; ⸚e) balance carried forward.

Salmonellen [zalmo'nɛlən] *pl* salmonellae *pl;* **~vergiftung** *f med.* salmonella poisoning.

Salon [za'lõː] *m* (-s; -s) Mode2, Friseur2

etc: salon; *mar. etc* saloon; *bsd. hist.* drawing room.

Salz [zalts] *n* (-es; -e) salt; '2**arm** *adj* low-salt; '2**en** *v/t* (salzte, gesalzen, h) salt; '~**hering** *m* salted herring; '2**ig** *adj* salty; '~**kartoffeln** *pl* boiled potatoes *pl*; '2**los** *adj* salt-free; '~**säure** *f chem.* hydrochloric acid; '~**streuer** *m* saltcellar, *größer u. Am.*: salt shaker; '~**wasser** *n* (-s; *no pl*) salt water.

Samen ['za:mən] *m* (-s; -) *bot.* seed (*a. fig.*); *physiol.* sperm, semen; '~**bank** *f* (-; -en) *med.* sperm bank; '~**korn** *n bot.* seedcorn.

Sammel|bestellung ['zaməl~] *f* collective order; '~**büchse** *f* collecting box; '~**konto** *n* collective account; '2**n** (h) **1.** *v/t* collect; *Pilze etc*: gather; *anhäufen*: accumulate; **2.** *v/refl* assemble; *fig.* compose o.s.; '~**platz** *m* meeting place.

Sammi|er ['zamlər] *m* (-s; -) collector; '~**ung** *f* (-; -en) collection.

Samstag ['zamsta:k] *m* Saturday: (*am*) ~ on Saturday.

samt [zamt] *prp* together (*od.* along) with.

Samt [~] *m* (-[e]s; -e) velvet.

sämtlich ['zɛmtlɪç] *adj*: ~*e pl alle*: all the; *Werke etc*: the complete.

Sanatorium [zana'to:riʊm] *n* (-s; -rien) sanatorium, *Am. a.* sanitarium.

Sand [zant] *m* (-[e]s; ~e) sand; ~**fläche**: sands *pl*.

Sandale [zan'da:lə] *f* (-; -n) sandal.

'**Sand|bank** *f* (-; ~e) sandbank; 2**ig** ['~dɪç] *adj* sandy; '~**korn** *n* grain of sand; '~**strand** *m* sandy beach; '~**uhr** *f* hourglass.

sanft [zanft] **1.** *adj* gentle, soft; *mild*: mild; *Tod*: easy; **2.** *adv*: *ruhe* ~ rest in peace, *abbr.* R. I. P.; ~**mütig** ['~my:tɪç] *adj* gentle, mild.

Sänger ['zɛŋər] *m* (-s; -) singer.

sanier|en [za'ni:rən] *v/t* (*no* ge-, h) *Stadtteil etc*: redevelop; *Haus*: refurbish; *Umwelt etc*: rehabilitate; *econ.* revitalize; 2**ung** *f* (-; -en) redevelopment; refurbishment; rehabilitation; revitalization; 2**ungsgebiet** *n* redevelopment area.

sani|tär [zani'tɛːr] *adj* sanitary: ~*e Anlagen* sanitary facilities; 2**täter** ['~'tɛːtər] *m* (-s; -) ambulance (*od.* first-aid) man,

bsd. Am. paramedic; 2'**tätswagen** *m* ambulance.

Sankt [zaŋkt] Saint, *abbr.* St.

Sanktion [zaŋk'tsio:n] *f* (-; -en) sanction; 2**ieren** [~o'ni:rən] *v/t* (*no* ge-, h) sanction.

Sard|elle [zar'dɛlə] *f* (-; -n) *zo.* anchovy; ~**ine** [~'di:nə] *f* (-; -n) *zo.* sardine.

Sarg [zark] *m* (-[e]s; ~e) coffin, *Am. a.* casket.

Sarkas|mus [zar'kasmʊs] *m* (-; *no pl*) sarcasm; 2**tisch** *adj* sarcastic.

Satellit [zatɛ'li:t] *m* (-en; -en) satellite; ~**enbild** *n* satellite picture; ~**enfernsehen** *n* satellite TV; ~**enstadt** *f* satellite town.

Satir|e [za'ti:rə] *f* (-; -n) satire (*auf acc* upon); ~**iker** [~'i:kər] *m* (-s; -) satirist; 2**isch** *adj* satirical.

satt [zat] *adj* full (up): *ich bin* ~ I've had enough; *sich* ~ *essen* eat one's fill (*an dat* of); *et. od. j-n* ~ *haben* (*bekommen*) be (get) tired (*od.* F sick) of, be (get) fed up with.

Sattel ['zatəl] *m* (-s; ~) saddle; 2**n** *v/t* (h) saddle; '~**schlepper** *m mot. Br.* articulated lorry, *Am.* semitrailer.

sättigen ['zɛtɪgən] (h) **1.** *v/t Neugier etc*: satisfy; *chem., econ. Markt*: saturate; **2.** *v/i Essen*: be filling.

Satz [zats] *m* (-es; ~e) *gr.* sentence; *Sprung*: leap; *Tennis, Briefmarken etc*: set; *econ.* rate; *mus.* movement.

'**Satzung** *f* (-; -en) statute.

'**Satzzeichen** *n gr.* punctuation mark.

Sau [zaʊ] *f* (-; ~e) *zo.* sow; F *fig.* pig.

sauber ['zaʊbər] *adj* clean (*a.* F *fig.*); *Luft*: *a.* pure; *ordentlich*: neat (*a. fig.*), tidy; *anständig*: decent; *iro.* fine, nice; '2**keit** *f* (-; *no pl*) clean(li)ness; tidiness, neatness; purity; decency; '~**machen** *v/t u. v/i* (*sep*, -ge-, h) clean (up).

säubern ['zɔybərn] *v/t* (h) clean (up); *gründlich*: *a.* cleanse (*a. med.*): ~ *von* clear (*pol. a.* purge) of; 2**ung** *f* (-; -en), 2**ungsakti|on** *f pol.* purge.

sauer ['zaʊər] *adj* sour (*a. fig. Gesicht*), acid (*a. chem.*); *Gurke*: pickled; *wütend*: mad (*auf acc* at), cross (with): ~ *werden* turn sour; *fig.* get mad; *saurer Regen* acid rain; '2**kraut** *n* sauerkraut.

'**säuerlich** *adj* (slightly) sour.

'**Sauerstoff** *m* (-[e]s; *no pl*) *chem.*

schal

oxygen; '**~maske** f med. oxygen mask; '**~zelt** n oxygen tent.

'**Sauerteig** m leaven,

saufen ['zaʊfən] v/t u. v/i (soff, gesoffen, h) drink; F Mensch: booze.

Säufer ['zɔʏfər] m (-s; -) F boozer.

saugen ['zaʊgən] v/i u. v/t (sog, saugte, gesogen, gesaugt, h) suck (an et. [at] s.th.).

säuge|n ['zɔʏgən] v/t (h) suckle (a. zo.), nurse, breastfeed; '**~tier** n mammal.

'**saugfähig** adj absorbent.

Säugling ['zɔʏklɪŋ] m (-s; -e) baby; '**~snahrung** f baby food(s pl); '**~s- pflege** f baby care; '**~sschwester** f baby nurse; '**~ssterblichkeit** f infant mortality.

Säule ['zɔʏlə] f (-; -n) column; Pfeiler: pillar (a. fig.); '**~ngang** m colonnade.

Saum [zaʊm] m (-[e]s; -e) hem(line); Naht: seam.

säumen ['zɔʏmən] v/t (h) hem; umranden: border, edge; die Straßen: line.

Sauna ['zaʊna] f (-; -nen) sauna: **in die ~ gehen** go for a sauna.

Säure ['zɔʏrə] f (-; -n) chem. acid.

'**Saustall** m pigsty (a. fig.).

Saxophon [zakso'fo:n] n (-s; -e) mus. saxophone, F sax.

S-Bahn ['ɛs-] f Br. suburban train, Am. rapid transit; System: Br. suburban railway, Am. rapid transit; '**~hof** m Br. suburban train station, Am. rapid transit station.

Schabe ['ʃa:bə] f (-; -n) zo. cockroach; '**2n** v/t (h) scrape (**von** from).

schäbig ['ʃɛ:bɪç] adj shabby; fig. a. mean.

Schach [ʃax] n (-s; -s) chess: **~!** check!; **~ u. matt!** checkmate!; **in ~ halten** fig. keep s.o. in check; '**~brett** n chessboard; '**~com,puter** m chess computer; '**~fi,gur** f chessman, piece; '**2'matt** adj checkmate; fig. all worn out, dead beat; '**~par,tie** f game of chess.

Schacht [ʃaxt] m (-[e]s; -e) shaft; Bergbau: a. pit.

Schachtel ['ʃaxtəl] f (-; -n) box; Papp2: a. carton; **~ Zigaretten** packet (bsd. Am. pack) of cigarettes.

'**Schachzug** m move (a. fig.).

schade ['ʃa:də] pred adj: **es ist ~** it's a pity; **wie ~!** what a pity (od. shame)!; **zu ~ für** too good for.

Schädel ['ʃɛ:dəl] m (-s; -) anat. skull; '**~bruch** m med. fracture of the skull.

schaden ['ʃa:dən] v/i (h) damage, harm: **der Gesundheit ~** be bad for one's health; **das schadet nichts** it doesn't matter; **es könnte ihm nicht ~** it wouldn't hurt him.

Schaden [~] m (-s; -) damage (**an** dat to) bsd. tech. trouble, defect (a. med.); Nachteil: disadvantage; econ. loss: **j-m ~ zufügen** do s.o. harm; '**~ersatz** m damages pl: **~ leisten** pay damages; '**~freiheits,batt** m mot. no-claim bonus; '**~freude** f malicious glee: **~ empfinden über** (acc) gloat over; **voller ~** → **schadenfroh**; '**2froh** adv gloatingly; '**~sfall** m claim; '**~sregu- lierung** f claims settlement.

schadhaft ['ʃa:thaft] adj damaged; mangelhaft: defective, faulty; Haus etc: out of repair; Rohr etc: leaking; Zähne: decayed.

schädigen ['ʃɛ:dɪgən] v/t (h) damage, harm.

schädlich ['ʃɛ:tlɪç] adj harmful, injurious; gesundheits~: a. bad (for your health).

Schädling ['ʃɛ:tlɪŋ] m (-s; -e) zo. pest; '**~sbekämpfung** f (-; no pl) pest control; '**~sbekämpfungsmittel** n pesticide.

'**Schadstoff** m harmful substance; bsd. Umwelt: a. pollutant; '**2arm** adj mot. low-emission; '**2frei** adj mot. emission-free.

Schaf [ʃa:f] n (-[e]s; -e) zo. sheep; '**~bock** ['~bɔk] m (-[e]s; -e) zo. ram.

Schäfer ['ʃɛ:fər] m (-s; -) shepherd; '**~hund** m Alsatian.

schaffen ['ʃafən] (h) **1.** v/t a) (schuf, geschaffen) er~: create, b) (schaffte, geschafft) bewirken, bereiten: cause, bring about; bewältigen: manage, get s.th. done; bringen: take: **es ~** make it; Erfolg haben: a. succeed; **das wäre geschafft** we've done it (od. made it); **2.** v/i (schaffte, geschafft): **j-m zu ~ machen** cause s.o. trouble; **sich zu ~ machen an** (dat) unbefugt: tamper with.

Schaffner ['ʃafnər] m (-s; -), '**~in** f (-; -nen) conductor (conductress); rail. Br. guard.

schal [ʃa:l] adj Getränk: flat.

Schal [~] m (-s; -s, -e) scarf; Woll~: Br. a. comforter.

Schale ['ʃa:lə] f (-; -n) bowl, dish; Eier~, Nuß~ etc: shell; Obst~, Kartoffel~: peel, skin; Kartoffel~n pl peelings pl.

schälen ['ʃɛːlən] (h) 1. v/t peel; 2. v/refl Haut: peel (off).

Schall [ʃal] m (-[e]s; -e, ≈e) sound; '~dämpfer m (-s; -) silencer; mot. Am. muffler; '≈dicht adj soundproof; '≈end adj: ~es Gelächter roars pl of laughter; '~geschwindigkeit f speed of sound: (mit) doppelte(r) ~ (at) Mach two; '~mauer f (-; no pl) sound barrier; '~platte f record, disc; '~welle f sound wave.

schalten ['ʃaltən] (h) 1. v/i electr., tech. switch (auf acc to); mot. change (od. shift) gears; F fig. catch on: in den dritten Gang ~ change (od. shift) into third (gear); 2. v/t tech. switch, turn; electr. Verbindung herstellen: connect.

'**Schalter** m (-s; -) Bank, Post etc: counter; aer. desk; rail. ticket window; electr. switch; '~beamte m counter (rail. booking) clerk; '~schluß m (-sses; no pl) closing time; '~stunden pl business hours.

'**Schalt|hebel** m mot. gear lever; '~jahr n leap year; '~tafel f electr. switchboard, control panel; '~uhr f timer; '~ung f (-; -en) mot. gearshift, gear change; electr. circuit.

Scham [ʃa:m] f (-; no pl) shame; '~bein n anat. pubic bone.

schämen ['ʃɛːmən] v/refl (h) be (od. feel) ashamed (gen, wegen of): du solltest dich (was) ~! you ought to be ashamed of yourself!

'**Scham|gefühl** n sense of shame; '~haare pl pubic hair sg; '≈haft adj bashful; '≈los adj shameless; unanständig: indecent; '~losigkeit f (-; no pl) shamelessness; indecency.

Schande ['ʃandə] f (-; no pl) shame, disgrace: j-m ~ machen be a disgrace to s.o.

Schandfleck ['ʃant~] m Anblick: eyesore.

scharf [ʃarf] 1. adj sharp (a. fig.); phot. a. in focus; deutlich: clear; Hund: savage, fierce; Munition: live; gastr. hot; er~regt: hot, aufreizend: a. sexy: ~ sein auf (acc) be keen on; bsd. sexuell: be hot

for; F ~e Sachen pl hard liquo(u)r sg; 2. adv: ~ bremsen mot. brake hard; ~ einstellen phot. focus; ~ nachdenken think hard,

Schärfe ['ʃɛrfə] f (-; no pl) sharpness; '≈n v/t (h) sharpen (a. fig.).

Scharlach ['ʃarlax] m (-s; no pl) med. scarlet fever; '≈rot adj scarlet.

Scharnier [ʃar'niːr] n (-s; -e) tech. hinge.

Scharte ['ʃartə] f (-; -n) notch, nick.

Schaschlik ['ʃaʃlɪk] m, n (-s; -s) shashli(c)k.

Schatt|en ['ʃatən] m (-s; -) shadow (a. fig.); nicht Licht od. Sonne: shade: im ~ in the shade; '~enkabi|nett n pol. shadow cabinet; '≈ig adj shady.

Schatz [ʃats] m (-es; ≈e) treasure; fig. darling.

schätz|en ['ʃɛtsən] v/t (h) estimate; Wert: a. value (beide: auf acc at); zu ~ wissen: appreciate; hoch~: think highly of; F vermuten: reckon, Am. a. guess; '≈preis m estimate, estimated price; '≈ung f (-; -en) estimate; appreciation; '≈wert m estimated value.

Schau [ʃau] f (-: -en) show (a. TV); exhibition: zur ~ stellen exhibit, display.

Schauder ['ʃaudər] m (-s; -) shudder; '≈haft adj horrible, dreadful; '≈n v/i (h) shudder, shiver (beide: vor dat with).

schauen ['ʃauən] v/i (h) look (auf acc at).

Schauer ['ʃauər] m (-s; -) Regen~ etc: shower; Schauder: shudder; '≈lich adj dreadful, horrible.

Schaufel ['ʃaufəl] f (-; -n) shovel; Kehr~: dustpan; '≈n v/t (h) shovel; graben: dig.

'**Schaufenster** n shop window; '~bummel m: e-n ~ machen go window-shopping.

Schaukel ['ʃaukəl] f (-; -n) swing; '≈n 1. v/i swing; Boot etc: rock; 2. v/t rock; '~stuhl m rocking chair.

'**Schaulustige** pl (curious) onlookers pl; Am. F rubbernecks pl.

Schaum [ʃaum] m (-[e]s; ≈e) foam; Bier~: froth, head; Seifen~: lather; Gischt~: spray.

schäumen ['ʃɔymən] v/i (h) foam (a. fig.), froth; Seife: lather; Wein etc: sparkle.

'**Schaum|gummi** m (-s; -[s]) foam rubber; '≈ig adj foamy, frothy.

'Schau|platz *m* scene; **'~pro,zeß** *m jur.* show trial.

schaurig ['ʃaʊrɪç] *adj unheimlich:* creepy; *gräßlich:* horrible.

'Schauspiel *n thea.* play; *fig.* spectacle; **'~er** *m* actor; **'~erin** *f* (-; -nen) actress; **'~schule** *f* drama school.

'Schausteller *m* (-s; -) showman.

Scheck [ʃɛk] *m* (-s; -s) *Br.* cheque, *Am.* check (**über** *acc* for); **'~betrug** *m* cheque (*Am.* check) fraud; **'~betrüger** *m* cheque (*Am.* check) bouncer; **'~buch** *n Br.* chequebook, *Am.* checkbook; **'~gebühr** *f* cheque (*Am.* check) charge; **'~heft** *n Br.* chequebook, *Am.* checkbook; **'~karte** *f* cheque (*Am.* check) card.

scheffeln ['ʃɛfəln] *v/t* (h) *Geld:* rake in.

Scheibe ['ʃaɪbə] *f* (-; -n) *bsd. Br.* disc, *Am.* disk; *Brot2 etc:* slice; *Fenster2:* pane; *Schieß2:* target; **'~nbremse** *f mot.* disc brake; **'~nwaschanlage** *f mot.* windscreen (*Am.* windshield) washers *pl;* **'~nwischer** *m mot.* windscreen (*Am.* windshield) wiper.

Scheid|e ['ʃaɪdə] *f* (-; -n) sheath; *anat.* vagina; **'2en** (schied, geschieden) **1.** *v/t* (h) *Ehe:* divorce: **sich ~ lassen** get a divorce; *von j-m:* divorce *s.o.;* **2.** *v/i* (sn): **~ aus** *Amt etc:* retire from; **'~ung** *f* (-; -en) divorce: **die ~ einreichen** file for divorce.

Schein1 [ʃaɪn] *m* (-[e]s; -e) *Bescheinigung:* certificate; *Formular:* form, *Am.* blank; *Geld2:* note, *Am. a.* bill.

Schein2 [~] *m* (-[e]s; *no pl*) *Licht2:* light; *fig.* appearance: **et. (nur) zum ~ tun** (only) pretend to do s.th.; **'~asy,lant** *m* economic refugee; **'2bar** *adj* seeming, apparent; **'2en** *v/i* (schien, geschienen, h) shine; *fig.* seem, appear, look; **'~firma** *f* dummy company; **'2heilig 1.** *adj* hypocritical; **2.** *adv:* F **~ tun** act the innocent; **'~werfer** *m* (-s; -) *Such2:* searchlight, *mot.* headlight; *thea.* spotlight.

Scheiß|... [ʃaɪs~] V *in Zssgn bsd. Br. sl.* bloody ..., V *Am.* fucking ...; **'~e** *f* (-; *no pl*) V shit, crap (*beide a. fig.*); **'2en** *v/i* (schiß, geschissen, h) V shit, crap.

Scheitel ['ʃaɪtəl] *m* (-s; -) parting.

scheitern ['ʃaɪtərn] *v/i* (sn) fail.

Schelle ['ʃɛlə] *f* (-; -n) (little) bell.

'Schellfisch *m zo.* haddock.

Schema ['ʃeːma] *n* (-s; -s, -ta) pattern, system; **2tisch** [ʃeˈmaːtɪʃ] *adj Arbeit etc:* mechanical.

Schemel ['ʃeːməl] *m* (-s; -) stool.

Schenkel ['ʃɛŋkəl] *m* (-s; -) *anat. Ober2:* thigh; *Unter2:* shank.

schenk|en ['ʃɛŋkən] *v/t* (h) give (as a present) (**zu** for); *jur.* donate (**dat** to); **'2ung** *f* (-; -en) *jur.* donation; **'2ungssteuer** *f* gift tax, *Br. a.* capital transfer tax; **'2ungsurkunde** *f* deed of donation.

Scherbe ['ʃɛrbə] *f* (-; -n), **'~n** *m* (-s; -) piece (of broken glass *etc*) .

Schere ['ʃeːrə] *f* (-; -n) (**e-e** *a pair of*) scissors *pl.*

'scheren1 *v/t* (schor, geschoren, h) *Schaf:* shear; *Haare:* cut; *Hecke:* clip, prune.

'scheren2 *v/refl* (h): **sich nicht ~ um** not to bother (*od.* care) about; **scher dich zum Teufel!** go to hell!

Schere'reien *f pl.* trouble *sg.*

Scherz [ʃɛrts] *m* (-es; -e) joke: **im** (**zum**) **~** for fun; **'2en** *v/i* (h) joke (**über** *acc* at); **'2haft 1.** *adj* joking; **2.** *adv:* **~ gemeint** as a joke.

scheu [ʃɔy] *adj* shy; *ängstlich:* timid; **'~en** (h) **1.** *v/t:* **keine Kosten (Mühe) ~** spare no expense (pains); **2.** *v/refl:* **sich ~, et. zu tun** be afraid of doing s.th.

Scheune ['ʃɔynə] *f* (-; -n) barn.

scheußlich ['ʃɔyslɪç] *adj* horrible (*a.* F *Wetter etc*); *Verbrechen etc: a.* atrocious.

Schicht [ʃɪçt] *f* (-; -en) layer; *Farb2 etc:* coat; *dünne ~:* film; *Arbeits2:* shift; *Gesellschafts2:* class; **'~arbeit** *f* (-; *no pl*) shift work; **'~arbeiter** *m* shift worker; **'~dienst** *m* (-[e]s; *no pl*) shift work; **'2en** *v/t* (h) arrange in layers, pile up; **'~wechsel** *m* change of shift; **'2weise** *adv* in layers; *arbeiten:* in shifts.

schick [ʃɪk] *adj* smart, chic, stylish.

Schick [~] *m* (-s; *no pl*) F smartness, chic, style.

schicken ['ʃɪkən] *v/t* (h) send (**nach, zu** to).

Schickeria [ʃɪkəˈriːa] *f* (-; *no pl*) F trendies *pl.*

Schickimicki [ʃɪkiˈmɪki] *m* (-s; -s) F trendy.

Schicksal ['ʃɪkzaːl] *n* (-s; -e) fate, destiny; *Los:* lot.

S

Schiebe|dach ['ʃiːbə⌃] n mot. sliding roof; '2n v/t (schob, geschoben, h) push; put (in acc into); '⌃r m (-s; -) tech. slide; '⌃tür f sliding door.

'**Schiebung** f (-; -en) manipulation; geheime Absprache: put-up job.

Schieds|gericht ['ʃiːts⌃] n court of arbitration; Sport etc: jury; '⌃richter m judge, pl. a. jury sg; Fußball etc: referee; Tennis: umpire; '⌃spruch m arbitration; '⌃verfahren n arbitration proceedings pl.

schief [ʃiːf] adj crooked, not straight; schräg: sloping, oblique; Turm etc: leaning; fig. Bild, Vergleich: false; '⌃gehen v/i (irr, sep, -ge-, sn, → gehen) go wrong.

schielen ['ʃiːlən] v/i (h) squint, be cross-eyed.

Schienbein ['ʃiːn⌃] n anat. shin(bone).

'**Schiene** f (-; -n) rail. etc rail, pl a. track sg; med. splint; '2n v/t (h) med. put in a splint; '⌃nverkehr m rail traffic.

Schieß|bude ['ʃiːs⌃] f shooting gallery; '2en (schoß, geschossen, h) 1. v/i shoot, fire (beide: auf acc at); 2. v/t Tor: score; '⌃e'rei f (-; -en) gunfight; '⌃scheibe f target; '⌃stand m shooting range.

Schiff [ʃɪf] n (-[e]s; -e) mar. ship; arch. Mittel2: nave; Seiten2: aisle.

'**Schiffahrt** f (-; no pl) shipping, navigation.

'**schiff|bar** adj navigable; '2bau m (-[e]s; no pl) shipbuilding; '2bruch m shipwreck (a. fig.); ~ erleiden be shipwrecked; fig. flounder; ~ erleiden mit come a cropper with; '2brüchige m, f (-n; -n) shipwrecked person; '2schaukel f swing boat.

'**Schiffs|ladung** f shipload; Frachtgut: cargo; '⌃reise f voyage; Vergnügungsreise: cruise.

Schikan|e [ʃiˈkaːnə] f (-; -n) a. pl harassment: aus reiner ~ out of sheer spite; 2ieren [⌃aˈniːrən] v/t (no ge-, h) harass.

Schild [ʃɪlt] n (-[e]s; -er) allg. sign (a. mot.); Namens2, Firmen2 etc: plate; '⌃drüse f (-; -n) thyroid gland.

schilder|n ['ʃɪldərn] v/t (h) describe; anschaulich: a. depict, portray; '2ung f (-; -en) description, portrayal; sachliche: account.

'**Schildkröte** f zo. turtle; Land2: a. tortoise.

Schilf [ʃɪlf] n (-[e]s; -e) reed(s pl).

schillern ['ʃɪlərn] v/i (h) change colo(u)r, be iridescent; '⌃d adj iridescent; fig. dubious.

Schimmel¹ ['ʃɪməl] m (-s; -) zo. white horse.

Schimm|el² [⌃] m (-s; no pl) mo(u)ld; '2eln v/i (h) go (od. have gone) mo(u)ldy; '2lig adj mo(u)ldy.

Schimmer ['ʃɪmər] m (-s; -) glimmer (a. fig.), gleam; fig. a. trace, touch; '2n v/i (h) shimmer, glimmer, gleam.

Schimpanse [ʃɪmˈpanzə] m (-n; -n) zo. chimpanzee.

schimpf|en ['ʃɪmpfən] (h) 1. v/i: ~ auf (acc) od. über (acc) complain about; mit j-m ~ → 2; 2. v/t: j-n ~ tell s.o. off; '2wort n (-[e]s; ⌃er, -e) swearword.

Schindel ['ʃɪndəl] f (-; -n) shingle.

schinde|n ['ʃɪndən] v/refl (schindete, geschunden, h) slave away; '2rei f (-; -en) drudgery.

Schinken ['ʃɪŋkən] m (-s; -) ham.

Schirm [ʃɪrm] m (-[e]s; -e) Regen2: umbrella; Sonnen2: parasol, sunshade; Fernseh2, Schutz2 etc: screen; Lampen2: shade; '⌃herr m patron; '⌃herrschaft f patronage: unter der ~ von under the auspices of; '⌃ständer m umbrella stand.

Schlacht [ʃlaxt] f (-; -en) battle (bei of); '2en v/t (h) slaughter, kill; '⌃feld n mil. battlefield; '⌃hof m slaughterhouse; '⌃plan m fig. map of action; '⌃schiff n battleship.

Schlaf [ʃlaːf] m (-[e]s; no pl) sleep: e-n leichten (festen) ~ haben be a light (sound) sleeper; '⌃anzug m → Pyjama.

Schläfe ['ʃlɛːfə] f (-; -n) anat. temple.

schlafen ['ʃlaːfən] v/i (schlief, geschlafen, h) sleep, be asleep: → gehen, sich ~ legen go to bed; → fest 2.

schlaff [ʃlaf] adj slack (a. fig.); Haut, Muskeln: flabby; kraftlos: limp; (ver)weich(licht): soft.

'**Schlaf|gelegenheit** f sleeping accommodation; '⌃lied n lullaby; '⌃los adj sleepless; '⌃losigkeit f (-; no pl) sleeplessness, med. insomnia; '⌃mittel n med. soporific (drug).

schläfrig ['ʃlɛːfrɪç] adj sleepy, drowsy.

'**Schlaf|saal** m dormitory; '⌃sack m

sleeping bag; '**~ta,blette** f med. sleeping pill; '**~wagen** m rail. sleeping car, sleeper; '**~zimmer** n bedroom.

Schlag [ʃlaːk] m (-[e]s, ⸚e) allg. blow (a. fig.); mit der Hand: slap; Faust2: punch; med., Uhr2, Blitz2, Tennis: stroke; electr. shock (a. fig.); Herz, Puls: beat; leichter ~: pat, tap: **Schläge** pl beating sg; '**~ader** f anat. artery; '**~anfall** m med. (apoplectic) stroke; 2**artig 1.** adj sudden, abrupt; **2.** adv all of a sudden, abruptly; '**~baum** m barrier; '**~bohrer** m tech. percussion drill.

schlagen ['ʃlaːgən] (schlug, geschlagen) **1.** v/t h) hit, wiederholt: beat (a. besiegen, Eier etc); Nagel: drive (**in** acc into): **sich ~** fight (**um** over); **sich geschlagen geben** give in; **2.** v/i a) (h) Herz, Puls: beat; Uhr: strike: **nach j-m ~** hit out at s.o.; **um sich ~** lash out (in all directions), b) (sn): **mit dem Kopf ~ an** (acc) od. **gegen** knock one's head against; **3.** v/refl: **sich gut ~** give a good account of o.s.

Schlager ['ʃlaːgər] m (-s; -) mus. pop song, Erfolgs2: hit (song); econ. sales hit.

Schläger ['ʃlɛːgər] m (-s; -) Tennis etc: racket; Golf: club; Person: thug; '**~ei** [~'raɪ] f (-; -en) fight, brawl.

'**schlag|fertig** adj quick-witted: **~e Antwort** good retort (od. answer); '2**instru,ment** n mus. percussion instrument; '2**loch** n pothole; '2**sahne** f whipped cream; '2**seite** f mar. list: **~ haben** be listing; F Person: be a bit unsteady on one's feet; '2**stock** m baton, truncheon, Am. a. nightstick, billy (club); '2**wort** n (-[e]s; -e) catchword, slogan; '2**zeile** f headline: **~n machen** make (od. hit) the headlines; '2**zeug** n mus. drums pl; '2**zeuger** m (-s; -) mus. drummer.

Schlamm [ʃlam] m (-[e]s, -e, ⸚e) mud; '2**ig** adj muddy.

Schlampe ['ʃlampə] f (-; -n) slut; '2**ig** adj sloppy.

Schlange ['ʃlaŋə] f (-; -n) zo. snake; Menschen2, Auto2: queue, bsd. Am. line: **~ stehen** queue (bsd. Am. line) up (**nach, um** for).

schlängeln ['ʃlɛŋəln] v/refl (h) Weg etc: wind, Fluß: a. meander: **sich ~ durch** Person: worm one's way through.

'**Schlangenlinie** f wavy line: **in ~n fahren** weave.

schlank [ʃlaŋk] adj slim, slender: **~ machen** Kleid etc: make s.o. look slim; '2**heitskur** f: **e-e ~ machen** be (od. go) on a diet, be slimming.

schlau [ʃlaʊ] adj klug: clever, smart, bright; listig: cunning, crafty.

Schlauch [ʃlaʊx] m (-[e]s; ⸚e) tube; zum Spritzen: hose; '**~boot** n rubber dinghy; großes: Am. raft.

Schlaufe ['ʃlaʊfə] f (-; -n) loop.

schlecht [ʃlɛçt] adj bad; Qualität, Leistung etc: a. poor: **mir ist (wird)** ~ I feel (I'm getting) sick (Am. to my stomach); **~ (krank) aussehen** look ill; **sich ~ fühlen** feel bad; **~ werden** Fleisch etc: go bad; '**~gehen** v/impers (irr, sep, -ge-, sn, → gehen): **es geht ihm ziemlich schlecht** gesundheitlich: he's in a pretty bad way; finanziell: he's pretty hard up; '**~gelaunt** adj bad-tempered; '**~machen** v/t (sep, -ge-, h) run s.o. down, backbite; 2**wetterperi,ode** f spell of bad weather.

schleich|en ['ʃlaɪçən] v/i (schlich, geschlichen, sn) creep (a. fig.), sneak; '2**weg** m secret path; '2**werbung** f surreptitious advertising, plugging: **für et. ~ machen** plug s.th.

Schleier ['ʃlaɪər] m (-s; -) veil (a. fig.); Dunst: a. haze; 2**haft** adj: **das ist mir (völlig) ~** it's a (complete) mystery to me.

schleifen[1] ['ʃlaɪfən] v/t (schliff, geschliffen, h) grind, sharpen; Edelsteine, Glas: cut.

schleifen[2] [~] (h) **1.** v/t drag (along) (a. fig. j-n); **2.** v/i trail (**am Boden** along the ground); reiben: rub (**an** dat against): **die Kupplung ~ lassen** mot. let the clutch slip.

Schleim [ʃlaɪm] m (-[e]s; -e) slime; physiol. mucus; '**~haut** f anat. mucous membrane; 2**ig** adj slimy (a. fig.); mucous.

schlemmen ['ʃlɛmən] v/i (h) feast; '2**r** m (-s; -) gourmet; 2'**rei** f (-; no pl) feasting; 2**rlo,kal** n gourmet restaurant.

schlendern ['ʃlɛndərn] v/i (sn) stroll, saunter.

schlepp|en ['ʃlɛpən] (h) **1.** v/t drag (a. fig. j-n); mar., mot. tow; **2.** v/refl Person: drag o.s. (along); Sache: drag on;

S

'~end adj träge: sluggish, slow (beide a. econ.); ermüdend: tedious; Redeweise: drawling; '2er m (-s; -) mot. tractor; mar. tug; F Kundenwerber: tout; '2lift m drag lift.

Schleuder ['ʃlɔydər] f (-; -n) Trocken2: spin drier; '2n (h) 1. v/t fling, hurl (beide a. fig.); Wäsche: spin-dry; 2. v/i (a. sn) mot. skid: ins 2 kommen go into a skid; '~preis m giveaway price; '~sitz m aer. ejector (od. ejection) seat.

schleunigst ['ʃlɔynɪçst] adv immediately.

Schleuse ['ʃlɔyzə] f (-; -n) sluice; Kanal2: lock.

schlicht [ʃlɪçt] adj plain, simple; '~en (h) 1. v/t settle; 2. v/i mediate (zwischen dat between); '2er m (-s; -) mediator; '2ung f (-; no pl) settlement.

schließ|en ['ʃliːsən] v/t u. v/i (schloß, geschlossen, h) shut, close (für immer: down); beenden: close: ~ aus conclude from; nach ... zu ~ judging by ...; '2fach n rail. etc locker; Bank2: safe(-deposit) box; Postfach: post-office box, PO box; '~lich adv finally; am Ende: eventually, in the end; immerhin: after all.

Schliff [ʃlɪf] m (-[e]s; -e) von Edelsteinen, Glas: cut.

schlimm [ʃlɪm] adj bad; furchtbar: awful: das ist nicht (od. halb so) ~ it's not as bad as that; das 2e daran the bad thing about it; '~stenfalls adv if the worst comes to the worst.

Schling|e ['ʃlɪŋə] f (-; -n) loop; zs.-ziehbare: noose; med. sling: den Arm in der ~ tragen have one's arm in a sling; '2en (schlang, geschlungen, h) 1. v/t Schal etc: wrap (um [a]round); Arme: fling (um j-s Hals [a]round s.o.'s neck); 2. v/refl: sich ~ um wind (a)round; '2ern v/i (h) mar. roll; '~pflanze f creeper.

Schlips [ʃlɪps] m (-es; -e) tie.

Schlittschuh ['ʃlɪt-] m skate: ~ laufen skate.

Schlitz [ʃlɪts] m (-es; -e) slit; Hosen2: fly; Einwurf2: slot.

Schloß [ʃlɔs] n (-sses; -«sser) lock; Bau: castle, palace; ins ~ fallen Tür: slam shut; hinter ~ u. Riegel sitzen be behind bars.

Schlosser ['ʃlɔsər] m (-s; -) mechanic.

'Schloß|park m castle (od. palace)

grounds pl; '~ru,ine f ruined castle.

schlottern ['ʃlɔtərn] v/i (h) shake, tremble (beide: vor dat with); F Hose etc: hang loose(ly).

Schlucht [ʃluxt] f (-; -en) gorge, ravine; große: canyon.

schluchze|n ['ʃluxtsən] v/i (h) sob; '2r m (-s; -) sob.

Schluck [ʃluk] m (-[e]s; -e) gulp; kleiner: sip; großer: swig; '~auf m (-s; no pl): e-n ~ haben have (the) hiccups; '2en (h) 1. v/t swallow (a. glauben, Tadel etc); Betrieb etc, F Geld: swallow up; Schall etc: absorb; F Benzin: guzzle; '2ung f med. oral vaccination.

schlüpfe|n ['ʃlʏpfən] v/i (sn) slip (in acc into; aus out of); zo. hatch (out); '2r m (-s; -) (ein ~ a pair of) briefs pl (od. panties pl).

schlüpfrig ['ʃlʏpfrɪç] adj slippery; fig. risqué.

schlürfen ['ʃlʏrfən] v/t u. v/i slurp; mit Genuß: sip.

Schluß [ʃlus] m (-sses; -«sse) end; Ab2, folgerung: conclusion; e-s Films etc: ending: ~ machen finish; sich trennen: break up; ~ machen mit et.: stop, put an end to; zum ~ finally; (ganz) bis zum ~ to the (very) end; ~ für heute! that's all for today; '~bi,lanz f econ. annual balance sheet.

Schlüssel ['ʃlʏsəl] m (-s; -) key (für, zu to) (a. fig.); '~bein n anat. collarbone; '~bund m, n (-[e]s; -e) bunch of keys; '~dienst m locksmith; '~indu,strie f key industry; '~loch n keyhole; '~ro,man m roman-à-clef; '~stellung f key position.

'Schlußfolgerung f conclusion.

schlüssig ['ʃlʏsɪç] adj Beweis etc: conclusive: sich ~ werden make up one's mind (über acc about).

'Schluß|kurs m econ. closing price; '~licht n mot. etc taillight; '~no,tierung f econ. closing quotation; '~pfiff m final whistle; '~phase f final stage(s pl); '~verkauf m econ. (end-of-season) sale.

schmackhaft ['ʃmakhaft] adj tasty.

schmal [ʃmaːl] adj narrow; Hüften etc: slim.

schmälern ['ʃmɛːlərn] v/t (h) Verdienst etc: detract from.

'Schmal|film m cine-film; '~filmkamera f cine-camera; **'~spurbahn** f narrow-gauge railway (*Am.* railroad).

Schmalz¹ [ʃmalts] n (-es; -e) lard.

Schmalz² [~] m (-es; *no pl*) F schmaltz; **'2ig** *adj* F schmaltzy.

schmarotze|n [ʃmaˈrotsən] v/i (*no ge-*, h) sponge (**bei** on); **2r** m (-s; -) *bot.*, *zo.* parasite; *fig. a.* sponger.

schmatzen [ʃmatsən] v/i (h) eat noisily.

schmecken [ʃmɛkən] v/i u. v/t (h) taste (**nach** of): *gut* (*schlecht*) ~ taste good (bad); (*wie*) *schmeckt dir ...?* how do you like ...? (*a. fig.*); *es schmeckt süß* (*nach nichts*) it has a sweet (no) taste.

Schmeich|elei [ʃmaɪçəˈlaɪ] f (-; -en) flattery; **'2elhaft** *adj* flattering; **'2eln** v/i (h) flatter *s.o.*; **'~ler** m (-s; -) flatterer; **'2lerisch** *adj* flattering.

schmeiß|en [ʃmaɪsən] (schmiß, geschmissen, h) F **1.** v/t throw, chuck; **2.** v/i: *mit Geld um sich* ~ throw one's money around; **'2fliege** f zo. bluebottle.

schmelz|en [ʃmɛltsən] (schmolz, geschmolzen) v/i (sn) u. v/t (h) melt; *Schnee*: *a.* thaw; *metall.* smelt; **'2käse** m cheese spread.

Schmerz [ʃmɛrts] m (-es; -en) pain (*a. fig.*), *anhaltender*: ache; *fig.* grief, sorrow: **~en haben** be in pain; **2en** v/t (h) hurt (*a. fig.*), ache; *bsd. fig.* pain; **'2frei** *adj* free of pain; **'2haft** *adj* painful; **'2lich** *adj* painful, sad; **'~mittel** n painkiller; **'2los** *adj* painless; **'2stillend** *adj* painkilling.

Schmetterling [ʃmɛtərlɪŋ] m (-s; -e) zo. butterfly.

Schmied [ʃmiːt] m (-[e]s; -e) smith; **'~eisen** [ʃ~dəˌ] n (-s; *no pl*) wrought iron; **2en** [ʃ~dən] v/t (h) forge; *Pläne etc*: make.

schmiegen [ʃmiːgən] v/refl (h): *sich* ~ *an* (acc) snuggle up to; *den Körper etc*: cling to.

Schmier|e [ʃmiːrə] f (-; -n) tech. grease; **'2en** v/t (h) tech. grease, oil, lubricate; *Butter etc*: spread (*auf* acc on); *unsauber schreiben*: scribble, scrawl; F *j-n* ~ grease s.o.'s palm; **~e'rei** f (-; -en) scrawl; *Wänden*: graffiti (*pl sg konstr.*); **'~geld** n bribe money; **'2ig** *adj* greasy; *schmutzig*: dirty; *unanständig*: filthy; F *kriecherisch*: slimy; **'~mittel** n tech. lubricant.

Schminke [ʃmɪŋkə] f (-; -n) makeup (*a. thea.*); **'2n** v/refl put some makeup on; *allgemein*: wear makeup; **2.** v/t: *sich die Lippen* ~ put some lipstick on.

schmollen [ʃmɔlən] v/i (h) sulk.

Schmor|braten [ʃmoːr~] m gastr. pot roast; **'2en** v/t (h) stew (*a. v/i*), braise.

Schmuck [ʃmʊk] m (-[e]s; *no pl*) jewel(le)ry, jewels *pl*; *Zierde*: decoration(s *pl*), ornament(s *pl*).

schmücken [ʃmʏkən] v/t (h) decorate.

'schmuck|los *adj* schlicht: plain; **'2stück** n piece of jewel(le)ry; *fig.* gem.

Schmugg|el [ʃmʊgəl] m (-s; *no pl*) smuggling; **'2eln** v/t u. v/i (h) smuggle; **'~elware** f smuggled goods *pl*; **'~ler** m (-s; -) smuggler.

schmunzeln [ʃmʊntsəln] v/i (h) smile (amusedly) (*über* acc at).

schmusen [ʃmuːzən] v/i (h) F cuddle (*mit j-m* s.o.); *Liebespaar*: smooch.

Schmutz [ʃmʊts] m (-es; *no pl*) dirt, *stärker*: filth; *fig. a.* smut; **'~fleck** m smudge, stain; **'2ig** *adj* dirty (*a. fig.*); *stärker*: filthy (*a. fig.*): ~ *werden*, *sich* ~ *machen* get dirty.

Schnabel [ʃnaːbəl] m (-s; ") zo. bill, *bsd. Krumm*2: beak; F *halt den* ~! shut up!

Schnalle [ʃnalə] f (-; -n) buckle.

schnapp|en [ʃnapən] (h) **1.** v/i: ~ *nach* snap (*od.* snatch) at; *nach Luft* ~ gasp for breath; **2.** v/t F *fangen*: catch, nab; **'2schloß** n spring lock; **'2schuß** m *phot.* snapshot.

Schnaps [ʃnaps] m (-es; "e) schnapps; F *Alkohol*: booze; **'~glas** n shot glass.

schnarchen [ʃnarçən] v/i (h) snore.

Schnauz|bart [ʃnaʊts~] m m(o)ustache; **'~e** f (-; -n) zo. snout; *bsd. Hunde*2: muzzle; F *aer.*, *mot.* nose; *e-r Kanne*: spout; V *Mund*: trap, kisser: *die* ~ *halten* keep one's trap shut.

Schnecke [ʃnɛkə] f (-; -n) zo. snail; *Nackt*2: slug; **'~nhaus** n snail shell; **'~ntempo** n: *im* ~ at a snail's pace.

Schnee [ʃneː] m (-s; *no pl*) snow (*a. sl.* Kokain); **'~ball** m snowball; **'~ballschlacht** f snowball fight; **'~ballsystem** n (-s; *no pl*) econ. snowball (*od.* pyramid) (sales) system; **'2bedeckt** *adj* snow-covered, *Bergspitze*: a. snow-capped; **'~fall** m snowfall; **'~flocke** f snowflake; **~gestöber** [ʃ~gəˌʃtøːbər] n (-s; -) snow flurry; **~glöckchen** [ʃ~

glǽkçən] *n* (-s; -) *bot.* snowdrop; '~**grenze** *f* snow line; '~**ka,none** *f* snow cannon; '~**ketten** *pl mot.* snow chains *pl*; '~**mann** *m* snowman; '~**matsch** *m* slush; ~**pflug** ['~pfluːk] *m* (-[e]s; ⸚e) *tech. bsd. Br.* snowplough, *Am.* snowplow (*a. Skifahren*); '~**regen** *m* sleet; '~**schaufel** *f* snow shovel; '2**sicher** *adj* with snow guaranteed; '~**sturm** *m* snowstorm, blizzard; '~**wehe** *f* (-; -n) snowdrift; '2**weiß** *adj* snow-white.

Schneidbrenner ['ʃnaɪt~] *m* (-s; -) *tech.* cutting blowpipe.

Schneide ['ʃnaɪdə] *f* (-; -n) edge; '2**n** *v/t u. v/i* (schnitt, geschnitten, h) cut; *Film etc: a.* edit: → *Haar*; '~**r** *m* (-s; -) tailor; *Damen*2: dressmaker; '~**rin** *f* (-; -nen) dressmaker; '~**zahn** *m* incisor.

schneien ['ʃnaɪən] *v/impers* (h) snow.

Schneise ['ʃnaɪzə] *f* (-; -n) *Wald*2: open strip; *aer.* corridor.

schnell [ʃnɛl] **1.** *adj* quick; *Auto etc:* fast; *Handeln, Antwort etc: a.* prompt; *Puls, Anstieg etc: a.* rapid; **2.** *adv:* **es geht ~** it won't take long; (*mach*[*t*]) ~! hurry up!; '2**gaststätte** *f* fast-food restaurant; '2**gericht** *n gastr.* instant meal; '2**hefter** *m* loose-leaf binder; '2**igkeit** *f* (-; *no pl*) quickness; fastness; promptness; rapidity; *Tempo:* speed; *phys.* velocity; '2**imbiß** *m* snack bar; '2**kurs** *m* crash course; '2**reinigung** *f* express dry cleaning; '2**straße** *f mot. Br.* dual carriageway, *Am.* divided highway; '~**zug** *m* fast train.

Schnitt [ʃnɪt] *m* (-[e]s; -e) cut; *Durch*2: average: *im* ~ on average; F *s-n* ~ *machen* make a packet; '~**blumen** *pl* cut flowers *pl*; '~**e** *f* (-; -n) slice; *belegte:* open sandwich; '~**käse** *m* cheese slices *pl*; '~**stelle** *f Computer etc:* interface; '~**wunde** *f* cut.

Schnitzel ['ʃnɪtsəl] *n* (-s; -) *gastr.* cutlet, escalope; *Wiener* ~: schnitzel.

schnitz|**en** ['ʃnɪtsən] *v/t* (h) carve; 2**e'rei** *f* (-; -en) (wood) carving.

Schnorchel ['ʃnɔrçəl] *m* (-s; -) snorkel; '2**n** *v/i* (h) snorkel.

schnorre|**n** ['ʃnɔrən] *v/t u. v/i* (h) F scrounge (*bei* off, from); '2**r** *m* (-s; -) F scrounger.

schnüff|**eln** ['ʃnʏfəln] *v/i* (h) sniff (*an dat* at); F *fig.* snoop (around); '2**ler** *m* (-s; -) F snoop(er); *Detektiv:* sleuth.

Schnuller ['ʃnʊlər] *m* (-s; -) *Br.* dummy, *Am.* pacifier.

Schnulz|**e** ['ʃnʊltsə] *f* (-; -n) tearjerker; '~**ensänger** *m* crooner; '2**ig** *adj* schmaltzy.

Schnupf|**en** ['ʃnʊpfən] *m* (-s; -) *med.* cold: *e-n* ~ *haben* (*bekommen*) have a (catch [a]) cold; '~**tabak** *m* snuff.

schnupper|**n** ['ʃnʊpərn] *v/t u. v/i* (h) sniff (*an dat* at); '2**preis** *m* F *econ.* introductory price.

Schnur [ʃnuːr] *f* (-; ⸚e) string, cord; *electr.* flex.

Schnür|**chen** ['ʃnyːrçən] *n: wie am* ~ like clockwork; '2**en** *v/t* (h) lace (up); *ver*~: tie up.

'**schnurgerade** *adv* dead straight.

Schnurr|**bart** ['ʃnʊr~] *m* m(o)ustache; '2**en** *v/i* (h) *Katze, Motor:* purr.

'**Schnür**|**schuh** *m* lace-up shoe; ~**senkel** ['~zɛŋkəl] *m* (-s; -) shoelace, *bsd. Am. a.* shoestring.

schnurstracks ['ʃnuːrʃtraks] *adv direkt:* straight; *sofort:* straightaway.

Schock [ʃɔk] *m* (-[e]s; -s) shock (*a. med.*): *unter* ~ *stehen* be in (a state of) shock; '2**en** *v/t* (h) F, '2**ieren** [ʃo'kiːrən] *v/t* (*no ge-*, h) shock.

Schokolade [ʃoko'laːdə] *f* (-; -n) chocolate.

Scholle ['ʃɔlə] *f* (-; -n) *Erd*2: clod; *Eis*2: (ice) floe; *zo.* plaice.

schon [ʃoːn] *adv* already; *jemals:* ever; *sogar* ~: even; *in Fragen:* yet: ~ *damals* ever then; ~ *1968* as early as 1968; ~ *der Gedanke* the very idea; *hast* (*bist*) *du* ~ *einmal ...?* have you ever ...?; *ich warte* ~ *seit 20 Minuten* I've been waiting for 20 minutes; *ich kenne ihn* ~, *aber* I do know him, but; *er macht das* ~ he'll do it all right (*Am.* alright); ~ *gut!* never mind, all right, *Am.* alright.

schön [ʃøːn] **1.** *adj* beautiful, lovely; *Wetter: a.* fine, fair; *angenehm, nett:* fine, nice (*beide a. iro.*): (*na*,) ~ all right, *Am.* alright; **2.** *adv:* ~ *warm* (*kühl*) nice and warm (cool); *ganz* ~ *teuer* (*schnell*) pretty expensive (fast); *j-n ganz* ~ *erschrecken* (*überraschen*) give s.o. quite a start (surprise).

schonen ['ʃoːnən] (h) **1.** *v/t* take care of, go easy on (*a. tech.*); *j-n, j-s Leben:* spare; **2.** *v/refl* take it easy; save o.s. (*od.* one's strength) (*für* for); '~**d 1.** *adj* gentle; *Mittel etc*: a. mild; **2.** *adv*: ~ **umgehen mit** take (good) care of; *Glas etc*: handle with care; *sparsam*: go easy on.

'**Schönheit** f (-; -en) beauty; '**~spflege** f beauty care; '**~ssa**‚**lon** m beauty parlo(u)r.

'**Schonung** f (-; -en) (good) care; *Ruhe*: rest; *Erhaltung*: preservation; *Bäume*: tree nursery; '**2slos** *adj* merciless.

Schön'wetter|**lage** f stable area of high pressure; '**~peri**‚**ode** f period of fine weather.

schöpf|**en** ['ʃœpfən] *v/t* u. *v/i* scoop, ladle; *aus e-m Brunnen*: draw: → *Luft, Verdacht*; '**2er** m (-s; -) creator; '**~erisch** *adj* creative; '**2ung** f (-; -en) creation.

Schorf [ʃɔrf] m (-[e]s; -e) *med.* scab.

Schornstein ['ʃɔrn~] m chimney; *mar.*, *rail.* funnel; '**~feger** ['~‚fe:gər] m (-s; -) chimney sweep.

Schoß [[ʃo:s] m (-es; ˝e) lap; *Mutterleib*: womb.

Schote ['ʃo:tə] f (-; -n) *bot.* pod, husk.

Schotte ['ʃɔtə] m (-n; -n) Scot(sman): *die ~n pl* the Scots *pl*, the Scottish *pl*.

Schotter ['ʃɔtər] m (-s; -) gravel, road metal.

Schott|**in** ['ʃɔtın] f (-; -nen) Scotswoman; '**2isch** *adj* Scottish, Scots; *bsd. Produkte*: Scotch.

schräg [ʃrɛ:k] **1.** *adj* slanting, sloping, oblique; *Linie etc*: diagonal; **2.** *adv*: ~ **gegenüber** diagonally opposite; → *parken*.

Schramme ['ʃramə] f (-; -n) scratch; '**2n** *v/t* (h) scratch, graze.

Schrank [ʃraŋk] m (-[e]s; ˝e) cupboard; *Wand2*: *bsd. Am.* closet; *Kleider2*: wardrobe.

Schranke ['ʃraŋkə] f (-; -n) barrier (*a. fig.*); *rail. a.* gate; *jur.* bar: ~*n pl Grenzen*: limits *pl*, bounds *pl*; '**~nwärter** m *rail.* gatekeeper.

'**Schrank**|**koffer** m wardrobe trunk; '**~wand** f wall-to-wall cupboard.

Schraube ['ʃraʊbə] f (-; -n) screw; '**2n** *v/t* (h) screw; '**~nschlüssel** m *tech. Br.* spanner, *Am.* wrench; '**~nzieher** m (-s; -) *tech.* screwdriver.

Schraubstock ['ʃraʊp~] m (-[e]s; ˝e) vice, *Am.* vise.

Schrebergarten ['ʃre:bər~] m *Br.* allotment (garden).

Schreck [ʃrɛk] m (-[e]s; -e) fright: → *einjagen*; '**~en** m (-s; -) fright: *die ~ des Krieges* the horrors of war; '**~ensnachricht** f terrible news *pl* (*sg konstr.*); '**2haft** *adj* jumpy; '**2lich** *adj* awful, terrible; *stärker*: horrible, dreadful; *Mord etc*: a. atrocious.

Schrei [ʃraɪ] m (-[e]s; -e) cry; *lauter*: shout, yell; *Angst2*: scream (*alle*: *um*, *nach* for).

Schreib|**arbeit** ['ʃraɪp~] f deskwork; *bsd. unerwünschte*: paperwork; '**~bü**‚**ro** n typing bureau.

schreiben ['ʃraɪbən] *v/t* u. *v/i* (schrieb, geschrieben, h) write (*j-m* to s.o., *Am. a.* s.o.; *über acc* about, on); *tippen*: type: *j-m et.* ~ write to s.o. about s.th.; *groß* ~ capitalize; *falsch* ~ misspell *s.th.*; *wie schreibt man ...?* how do you spell ...?

Schreiben [~] n (-s; -) letter.

schreib|**faul** ['ʃraɪp~] *adj* lazy about writing letters; '**2fehler** m spelling mistake; '**2kraft** f typist; '**2ma**‚**schine** f typewriter: ~ *schreiben* type; *mit der* ~ *geschrieben* typed, typewritten; '**2ma**‚**schinenpa**‚**pier** n typing paper; '**2tisch** m desk.

'**Schreibung** f (-; -en) spelling.

Schreibwaren ['ʃraɪp~] *pl* stationery *sg*; '**~geschäft** n stationer's.

schreien ['ʃraɪən] *v/t* u. *v/i* (schrie, geschrien, h) cry; *lauter*: shout, yell; *kreischend*: scream (*alle*: *um*, *nach* [out] for); ~ *vor Schmerz* (*Angst*) cry out with pain (in terror); *es war zum 2 it* was a scream; '**~d** *adj Farben*: loud; *Unrecht etc*: flagrant.

Schreiner ['ʃraɪnər] m (-s; -) joiner, carpenter.

schreiten ['ʃraɪtən] *v/i* (schritt, geschritten, sn) walk, stride; *fig. zu et.* ~ proceed to s.th.

Schrift [ʃrıft] f (-; -en) (hand)writing, hand: ~*en pl Werke*: works *pl*, writings *pl*; '**~deutsch** n standard German; '**2lich** *adj* written, in writing (*a. adv*); '**~satz** m *jur.* written statement; '**~steller** m (-s; -) author, writer; '**~verkehr** m, '**~wechsel** m correspondence.

schrill [ʃrıl] *adj* shrill, piercing.

Schritt [ʃrıt] m (-[e]s; -e) step (*a. fig.*); *Einzel2*: a. pace: ~*e unternehmen* take steps; '**~macher** m (-s; -) pacemaker (*a.*

med.); '⊇**weise** *adv* step by step, gradually.

schroff [ʃrɔf] *adj* steil: steep; *zerklüftet*: jagged; *fig.* gruff; *kraß*: sharp, glaring.

Schrot [ʃroːt] *m, n* (-[e]s; -e) wholemeal; *hunt.* (small) shot; '⊾**flinte** *f* shotgun; '⊾**korn** *n* pellet.

Schrott [ʃrɔt] *m* (-[e]s; *no pl*) scrap metal: F **zu ~ fahren** smash (up).

schrubben ['ʃrʊbən] *v/t* (h) scrub.

schrumpfen ['ʃrʊmpfən] *v/i* (sn) shrink.

Schub [ʃuːp] *m* (-[e]s; *¨e*) *phys.* thrust; *med.* phase, *Anfall*: attack; '⊾**fach** *n* drawer; '⊾**kraft** *f phys.* thrust; '⊾**lade** *f* (-; -n) drawer.

Schubs [ʃʊps] *m* (-es; -e) F push, shove; '⊇**en** *v/t* (h) F push, shove.

schüchtern ['ʃʏçtərn] *adj* shy, bashful; '⊇**heit** *f* (-; *no pl*) shyness, bashfulness.

Schuft [ʃʊft] *m* (-[e]s; -e) *contp.* bastard; '⊇**en** *v/i* (h) F slave away.

Schuh [ʃuː] *m* (-[e]s; -e) shoe: **j-m et. in die ~e schieben** put the blame for s.th. on s.o.; '⊾**creme** *f* shoe polish; '⊾**geschäft** *n* shoe shop (*Am.* store); '⊾**löffel** *m* shoehorn; '⊾**macher** *m* shoemaker; '⊾**putzer** *m* (-s; -) shoeblack.

Schul|abgänger ['ʃuːlʔapgɛŋər] *m* (-s; -) school leaver; '⊾**abschluß** *m* school-leaving qualification; '⊾**bildung** *f* (-; *no pl*) (school) education.

Schuld [ʃʊlt] *f* (-; -en) *jur.*, *¨gefühl*: guilt; *Geld⊇*: debt; *j-m die ~* (**an et.**) **geben** blame s.o. (for s.th.); **es ist** (**nicht**) **d-e ~** it is(n't) your fault; **~en haben** (**machen**) be in (run into) debt; '⊇**bewußt** *adj*: **~e Miene** guilty look; '⊇**en** ['⊾dən] *v/t* (h): **j-m et. ~** owe s.o. s.th.; '⊾**enberg** *m* pile of debts; '⊇**enfrei** *adj* free from (*od.* of) debt; *Grundbesitz*: unencumbered.

'**Schuldienst** *m* (-[e]s; *no pl*): **im ~ sein** be a teacher.

schuldig ['ʃʊldɪç] *adj bsd. jur.* guilty (**an** *dat* of); *verantwortlich*: responsible (*od.* to blame) (for): **j-m et. ~ sein** owe s.o. s.th.; → **bekennen**; **~e** ['⊾gə] *m, f* (-; -n) *jur.* guilty person; *Verantwortliche*: person responsible (*od.* to blame), offender; '⊾**keit** *f* (-; *no pl*) duty.

'**schuld|los** *adj* innocent (**an** *dat* of); ⊇**ner** ['⊾dnər] *m* (-s; -) debtor; '⊇**schein** *m* promissory note, IOU (= I owe you).

Schule ['ʃuːlə] *f* (-; -n) school (*a. fig.*): **höhere ~** secondary (*Am.* senior high) school; **auf** (*od.* **in**) **der ~** at school; **in die** (**zur**) **~ gehen** (**kommen**) go to (start) school; **die ~ fängt an um** school begins at; '⊇**n** *v/t* (h) train.

'**Schulenglisch** *n* school English.

Schüler ['ʃyːlər] *m* (-s; -) pupil (*a. e-s Künstlers*), *Am. mst* student; '⊾**austausch** *m* school exchange.

'**Schul|ferien** *pl Br.* school holidays *pl*, *Am.* vacation *sg*; '⊾**jahr** *n* school year; '⊾**kame₁rad** *m* schoolmate; '⊇**pflichtig** *adj*: **~es Kind** school-age child.

Schulter ['ʃʊltər] *f* (-; -n) shoulder: → **klopfen** 1; '⊾**blatt** *n anat.* shoulder blade; '⊇**frei** *adj* off-the-shoulder; *trägerlos*: strapless.

'**Schul|ung** *f* (-; -en) training; '⊾**wesen** *n* (-s; *no pl*) school system.

schummeln ['ʃʊməln] *v/i* (h) F cheat.

Schund [ʃʊnt] *m* (-[e]s; *no pl*) trash, rubbish.

Schuppe ['ʃʊpə] *f* (-; -n) scale: **~n** *pl Kopf⊇n*: dandruff *sg*.

Schuppen ['ʃʊpən] *m* (-s; -) shed; F *Lokal etc*: joint.

schüren ['ʃyːrən] *v/t* (h) stir up (*a. fig.*).

schürf|en ['ʃʏrfən] *v/i*: **~ nach** prospect (*od.* dig) for; '⊇**wunde** *f* graze.

Schurwolle ['ʃuːr⊾] *f* virgin wool.

Schürze ['ʃʏrtsə] *f* (-; -n) apron.

Schuß [ʃʊs] *m* (-sses; *¨sse*) shot; *Spritzer*: dash; *Ski*: schuss (*a.* **im ~ fahren**); *sl. Droge*: shot, fix: **gut in ~ sein** be in good shape.

Schüssel ['ʃʏsəl] *f* (-; -n) bowl; *Servier⊇*: *a.* dish (*a.* F *Parabolantenne*); *Suppen⊇*: tureen.

'**Schuß|waffe** *f* firearm; '⊾**wunde** *f* gunshot (*od.* bullet) wound.

Schuster ['ʃuːstər] *m* (-s; -) shoemaker.

Schutt [ʃʊt] *m* (-[e]s; *no pl*) rubble.

Schüttel|frost ['ʃʏtəl⊾] *m med.* shivering fit; '⊇**n** *v/t* (h) shake: **den Kopf ~** shake one's head.

schütten ['ʃʏtən] *v/t* (h) pour.

schütter ['ʃʏtər] *adj* Haar: thin(ning).

Schutz [ʃʊts] *m* (-es; *no pl*) protection (**gegen**, **vor** *dat* against), defen|ce (*Am.* -se) (against; from); *Zuflucht*: shelter (from); *Vorsichtsmaßnahme*: safeguard (against); *Deckung*: cover; '⊾**brief** *m mot.* travel insurance certificate; '⊾**bril-**

le *f* (**e-e ~** a pair of) safety goggles *pl*.

Schütze ['ʃʏtsə] *m* (-n; -n) *Tor2*: scorer: **guter ~** good shot; '**2n** *v/t* (h) protect (**gegen, vor** *dat* against, from), guard (against, from); *gegen Wetter*: shelter (from); *sichern*: safeguard.

'**Schutz|engel** *m* guardian angel; '**~gewahrsam** *m jur.* protective custody; '**~heilige** *m, f* (-n; -n) patron saint; '**~helm** *m* (safety) helmet; '**~impfung** *f med.* vaccination, inoculation; '**~kleidung** *f* protective clothing.

Schützling ['ʃʏtslɪŋ] *m* (-s; -e) protégé(e *f*).

'**schutz|los** *adj* unprotected; *wehrlos*: defen|celess (*Am.* -seless); '**2maßnahme** *f* safety measure; '**2umschlag** *m* dust cover.

schwach [ʃvax] *adj* weak (*a. fig.*); *Leistung, Augen, Gesundheit etc*: *a.* poor; *Ton, Hoffnung, Erinnerung etc*: faint; *zart*: delicate, frail: **schwächer werden** grow weak; *nachlassen*: decline.

Schwäche ['ʃvɛçə] *f* (-; -n) weakness (*a. fig.*); *bsd. Alters2*: infirmity; *Nachteil, Mangel*: drawback, shortcoming: **e-e ~ haben für** be partial to; '**2en** *v/t* (h) weaken (*a. fig.*); *vermindern*: lessen; '**2lich** *adj* weakly, feeble; *zart*: delicate, frail; '**~ling** *m* (-s; -e) weakling (*a. fig.*).

'**schwach|sinnig** *adj med.* feeble-minded; *F contp.* idiotic; '**2strom** *m* (-[e]s; *no pl*) *electr.* low-voltage current.

Schwager ['ʃva:gər] *m* (-s; ⸚) brother-in-law.

Schwägerin ['ʃvɛːgərɪn] *f* (-; -nen) sister-in-law.

Schwalbe ['ʃvalbə] *f* (-; -n) *zo.* swallow.

Schwall [ʃval] *m* (-[e]s; -e) gush, *bsd. fig. a.* torrent.

Schwamm [ʃvam] *m* (-[e]s; ⸚e) sponge; *bot.* fungus; *Haus2*: dry rot; '**2ig** *adj* spongy; *Gesicht etc*: puffy; *vage*: hazy, misty.

Schwan [ʃvaːn] *m* (-[e]s; ⸚e) *zo.* swan.

schwanger ['ʃvaŋər] *adj* pregnant: *im vierten Monat ~* four months pregnant.

Schwangerschaft *f* (-; -en) pregnancy; '**~sabbruch** *m* abortion; '**~stest** *m* pregnancy test.

schwanken ['ʃvaŋkən] *v/i* (h) sway, roll (*a. Schiff u. Betrunkener*); *Preise, Temperaturen etc*: fluctuate: *fig. ~*

zwischen (*dat*) **... u. ...** vacillate (*od.* waver) between ... and ...; *Preise etc*: range from ... to ..., b) (sn) *wanken, torkeln*: stagger; '**2ung** *f* (-; -en) variation, fluctuation.

Schwanz [ʃvants] *m* (-es; ⸚e) *zo.* tail (*a. aer., ast.*); V *Penis*: cock.

Schwarm [ʃvarm] *m* (-[e]s; ⸚e) swarm; *Menschen2*: *a.* crowd, F bunch; *Fisch2*: shoal, school; *Idol*: idol: *du bist ihr ~* she's got a crush on you.

schwärmen ['ʃvɛrmən] *v/i* (h) *Bienen etc*: swarm: *~ für* be mad about; *sich wünschen*: dream of; *j-n*: *a.* adore, worship; *verliebt sein*: have a crush on: *~ von* erzählen: rave about.

schwarz [ʃvarts] **1.** *adj* black (*a. fig.*): *2es Brett* notice (*bsd. Am.* bulletin) board; *~e Zahlen schreiben econ.* be in the black; *~ auf weiß* in black and white; **2.** *adv* illegally; *auf dem Schwarzmarkt*: on the black market; '**2arbeit** *f* (-; *no pl*) illicit work, F moonlighting; '**~arbeiten** *v/i* (*sep*, -ge-, h) work on the side, F moonlight; '**2arbeiter** *m* illicit worker, F moonlighter; '**2brot** *m* rye bread.

'**Schwarze** *m, f* (-n; -n) black: *die ~n pl* the Blacks *pl*.

'**schwarz|fahren** *v/i* (*irr, sep*, -ge-, sn, → *fahren*) dodge the fare; '**2fahrer** *m* fare dodger; '**2handel** *m* black market (-eering): *im ~* on the black market; '**2händler** *m* black marketeer; *Karten2*: *Br.* (ticket) tout, *Am.* (ticket) scalper.

schwärzlich ['ʃvɛrtslɪç] *adj* blackish.

'**Schwarz|markt** *m* black market; '**~marktpreis** *m* black-market price; '**2sehen** *v/i* (*irr, sep*, -ge-, h, → *sehen*) be pessimistic (*für* about); *TV* have no licen|ce (*Am.* -se); '**~seher** *m* (-s; -) pessimist; *TV* licen|ce (*Am.* -se) dodger; *~'weiß... in Zssgn* black-and-white ...

schweben ['ʃveːbən] *v/i* (sn) be suspended; *Vogel*: hover (*a. fig.*); *gleiten*: glide: *in Gefahr ~* be in danger; '**~d** *adj jur.* *Verfahren*: pending.

Schwed|e ['ʃveːdə] *m* (-n; -n) Swede; '**2isch** *adj* Swedish.

Schwefel ['ʃveːfəl] *m* (-s; *no pl*) *chem. bsd. Br.* sulphur, *Am.* sulfur; '**~säure** *f chem.* sulphuric (*Am.* sulfuric) acid.

Schweigen ['ʃvaɪɡən] *n* (-s; *no pl*) silence.

schweig|en [~] *v/i* (schwieg, geschwiegen, h) be silent: *ganz zu ~ von* let alone; *~end* *adj* silent; *~sam* *adj* quiet.

Schwein [ʃvaɪn] *n* (-[e]s; -e) *zo.* pig, *bsd. Am. a.* hog; *~efleisch*: pork; F *contp. schmutziger Kerl*: (dirty) pig, *Lump*: swine, bastard: F ~ *haben* be lucky.

'**Schweine|braten** *m* roast pork; '**~fleisch** *n* pork; **~'rei** *f* (-; -en) *mess*: *Gemeinheit*: dirty trick; *Schande*: dirty (*od.* crying) shame; *Unanständigkeit*: filth(y story *od.* joke); '**~stall** *m* pigsty (*a. fig.*).

'**schweinisch** *adj fig.* filthy; *Witz etc*: dirty.

'**Schweinsleder** *n* pigskin.

Schweiß [ʃvaɪs] *m* (-es; -e) sweat, perspiration; '**2en** *v/t* (h) *tech.* weld; '**~er** *m* (-s; -) *tech.* welder; '**2gebadet** *adj* bathed in sweat; '**~stelle** *f tech.* weld.

Schweizer ['ʃvaɪtsər] **1.** *m* (-s; -) *Swiss*: *die* ~ *pl* the Swiss *pl*; **2.** *adj* Swiss.

schwelen ['ʃveːlən] *v/i* (h) smo(u)lder (*a. fig.*).

schwelgen ['ʃvɛlɡən] *v/i* (h): ~ *in* (*dat*) revel in.

Schwelle ['ʃvɛlə] *f* (-; -n) *Tür2*: threshold (*a. fig.*); *rail. bsd. Br.* sleeper, *Am.* tie; '**2en** *v/i* (schwoll, geschwollen, sn) swell; '**~enland** *n* emergent nation; '**~ung** *f* (-; -en) swelling.

Schwemme ['ʃvɛmə] *f* (-; -n) *econ.* glut (*an dat of*); '**2n** *v/t* (h): *an Land geschwemmt werden* be washed ashore.

schwenken ['ʃvɛŋkən] *v/t* (h) *Fahne etc*: wave.

schwer [ʃveːr] **1.** *adj* heavy; *schwierig*: difficult, hard (*a. Arbeit*); *Wein, Zigarre etc*: strong; *Essen*: rich; *Krankheit, Fehler, Unfall, Schaden etc*: serious; *Strafe etc*: severe; *heftig*: heavy, violent: *~e Zeiten* hard times; *es ~ haben* have a bad time; *100 Pfund ~ sein* weigh a hundred pounds; **2.** *adv*: ~ *arbeiten* work hard; → *erhältlich, hören*; '**~behindert** *adj med.* severely handicapped (*od.* disabled); '**2e** *f* (-; *no pl*) weight (*a. fig.*); *fig.* seriousness; '**~fallen** *v/i* (*irr, sep, -ge-, sn*, → *fallen*) be difficult (*dat* for): *es fällt ihm schwer zu ...* he finds it hard to ...; '**~fällig** *adj* awkward, clumsy; **~hörig**

'**~hörig** *adj* hard of hearing, deaf; '**2indu,strie** *f* heavy industry; '**2kraft** *f* (-; *no pl*) *phys.* gravity; '**2me,tall** *n* heavy metal; **~mütig** ['~myːtɪç] *adj* melancholy; '**2punkt** *m phys.* cent|re (*Am.* -er) of gravity; *fig.* main focus; '**2punktstreik** *m econ.* pinpoint strike; '**~tun** *v/i u. v/refl* (*irr, sep, -ge-, h*, → *tun*): *sich ~ mit* have a hard time with; '**2verbrecher** *m* dangerous criminal, *jur.* felon; '**~verdaulich** *adj* indigestible, heavy (*a. fig.*); '**~verletzt** *adj* seriously injured; '**~verständlich** *adj* difficult (*od.* hard) to understand; '**~wiegend** *adj* serious.

Schwester ['ʃvɛstər] *f* (-; -n) sister; *Ordens2*: a. nun; *Kranken2*: nurse.

Schwieger... ['ʃviːɡər~] *in Zssgn Eltern, Mutter, Sohn etc*: ...-in-law.

Schwiele ['ʃviːlə] *f* (-; -n) callus; '**2ig** *adj* callous, horny.

schwierig ['ʃviːrɪç] *adj* difficult, hard; '**2keit** *f* (-; -en) difficulty, trouble: *in ~en geraten* get into trouble; *~en haben, et. zu tun* have difficulty (in) doing s.th.

Schwimm|bad ['ʃvɪm~] *n* (*Hallen2*: indoor) swimming pool; '**~becken** *n* swimming pool; '**2en** *v/i* (schwamm, geschwommen, sn) swim; *Gegenstand*: float: ~ *gehen* go swimming; '**~er** *m* (-s; -) swimmer; '**~weste** *f* life jacket.

Schwindel ['ʃvɪndəl] *m* (-; *no pl*) dizziness; *fig.* swindle; '**~anfall** *m med.* dizzy spell; '**2erregend** *adj* dizzy; '**~firma** *f* bogus company; '**2frei** *adj*: ~ *sein* have a good head for heights; '**2n** *v/i* (h) fib, tell fibs.

schwinden ['ʃvɪndən] *v/i* (schwand, geschwunden, sn) *Einfluß, Macht etc*: dwindle, diminish.

Schwind|ler ['ʃvɪndlər] *m* (-s; -) swindler; *Lügner*: liar; '**2lig** *adj*: *mir ist ~* I feel dizzy.

schwingen ['ʃvɪŋən] *v/t* (schwang, geschwungen, h) *Fahne etc*: wave.

Schwips [ʃvɪps] *m* (-es; -e): F *e-n ~ haben* be tipsy.

schwirren ['ʃvɪrən] *v/i* a) (sn) whirr, whizz; *bsd. Insekt*: buzz (*a. fig.*), b) (h): *mir schwirrt der Kopf* my head is buzzing.

schwitzen ['ʃvɪtsən] *v/i* (h) sweat (*vor dat* with), perspire.

schwören ['ʃvøːrən] v/t u. v/i (schwor, geschworen, h) swear (**bei** by).

schwul [ʃvuːl]adj F gay, contp. queer.

schwül [ʃvyːl] adj sultry, close.

'**Schwule** m (-n; -n) F gay, contp. queer.

'**Schwüle** f (-; no pl) sultriness.

schwülstig ['ʃvʏlstɪç] adj bombastic, pompous.

Schwung [ʃvʊŋ] m (-[e]s; ⸚e) swing; fig. verve, zest, F vim, pep; Energie: drive: **in ~ kommen (bringen)** get (s.th.) going; '**2haft** adj econ. flourishing; '**2voll** adj full of energy (od. verve); Melodie: swinging, catchy.

Schwur [ʃvuːr] m (-[e]s; ⸚e) oath; '**~gericht** n jur. appr. jury court.

sechs [zɛks] adj six; '**2erpack** m six-pack; '**2fach** adj u. adv sixfold; '**~te** adj sixth; '**2tel** n (-s; -) sixth (part).

sech|zehn ['zɛçtseːn] adj sixteen; **~zig** ['~tsɪç] adj sixty.

See¹ [zeː] m (-s; -n) lake.

See² [~] f (-; no pl) sea, ocean: **an die ~ fahren** go to the seaside; **auf hoher ~** on the high seas; **in ~ stechen** put to sea; '**~bad** n seaside resort; '**~blick** m view of the sea (od. lake); '**~gang** m (-[e]s; no pl) waves pl: **hoher ~** rough seas pl; '**~hafen** m seaport; '**~igel** m zo. sea urchin; '**2klar** adj ready to sail; '**2krank** adj seasick; '**~krankheit** f (-; no pl) seasickness.

Seel|e ['zeːlə] f (-; -n) soul; '**2isch** adj mental; Gemüts...: emotional.

'**See|luft** f (-; no pl) sea air; '**~macht** f sea power; '**~mann** m (-[e]s; -leute) seaman, sailor; '**~meile** f nautical mile; '**~not** f (-; no pl) distress (at sea): **in ~** distressed; '**~räuber** m pirate; '**~reise** f sea journey (od. voyage); Kreuzfahrt: cruise; Überfahrt: crossing; '**~rose** f bot. water lily; '**~schlacht** f naval battle; '**~streitkräfte** pl naval forces pl; '**2tüchtig** adj Zustand: seaworthy; hoch~: seagoing; '**~weg** m sea route: **auf dem ~** by sea.

Segel ['zeːgəl] n (-s; -) sail; '**~boot** n Br. sailing boat, Am. sailboat; Sport: yacht; '**2n** v/i (h u. sn) sail; '**~schiff** n sailing ship (od. vessel); '**~sport** m yachting, sailing; '**~tuch** n (-[e]s; -e) canvas, sailcloth.

Segen ['zeːgən] m (-s; -) blessing (a. fig.).

Segler ['zeːglər] m (-s; -) yachtsman; '**~in** f (-; -nen) yachtswoman.

segn|en ['zeːgnən] v/t (h) bless; '**2ung** f (-; -en) blessing.

sehen ['zeːən] v/i u. v/t (sah, gesehen, h) see; Sendung, Spiel etc: a. watch; bemerken: notice: **~ nach sich kümmern um:** look after; suchen: look for; **sich ~ lassen kommen:** show up; **das sieht man (kaum)** it (hardly) shows; **siehst du erklärend:** (you) see; vorwurfsvoll: I told you; **siehe oben (unten, Seite ...)** see above (below, page ...); '**~swert** adj worth seeing; '**2swürdigkeit** f (-; -en) place etc worth seeing: **~en** pl sights pl.

'**Sehkraft** f (-; no pl) eyesight, vision.

Sehne ['zeːnə] f (-; -n) anat. sinew; Bogen2: string.

sehnen ['zeːnən] v/refl (h) long (**nach** for); stärker: yearn (for): **sich danach ~ zu** be longing to.

'**Sehnerv** m optic nerve.

sehn|lichst ['zeːnlɪçst] adj Wunsch: dearest; '**2sucht** f (-; ⸚e) longing (**nach** for); stärker: yearning (for): **~ haben (nach)** → **sehnen**; '**~süchtig** adj longing, stärker: yearning.

sehr [zeːr] adv vor adj u. adv: very, most; mit vb: (very) much, greatly.

'**Sehtest** m eye test.

seicht [zaɪçt] adj shallow (a. fig.).

Seide ['zaɪdə] f (-; -n) silk; '**~npa,pier** n tissue paper.

Seife ['zaɪfə] f (-; -n) soap; '**~nblase** f soap bubble; '**~nschale** f soap dish; '**~nschaum** m lather.

Seil [zaɪl] n (-[e]s; -e) rope; '**~bahn** f cable railway.

Sein [zaɪn] n (-s; no pl) being, existence.

sein¹ [~] v/i (war, gewesen, sn) be; bestehen, existieren: a. exist.

sein² [~] poss pron his; her; its: **~er, ~e, ~(e)s** his; hers; its.

'**seinerzeit** adv then, in those days.

'**seinet|wegen** adv für ihn: for his sake; wegen ihm: because of him.

seit [zaɪt] prp u. cj since: **~ 1982** since 1982; **~ drei Jahren** for three years; **~ langem (kurzem)** for a long (short) time; '**~dem 1.** adv since then, since that time, ever since; **2.** cj since.

Seite ['zaɪtə] f (-; -n) side (a. fig.); Buch2: page: **auf der linken ~** on the left(-hand) side; fig. **auf der e-n**

S

(*anderen*) ~ on the one (other) hand.
'Seiten|hieb *m fig.* sideswipe (*auf acc,
gegen* at); **'2s** *prp* on the part of, by;
'~**schiff** *n arch.* aisle; '~**sprung** *m* affair, fling; '~**straße** *f* side street;
'~**streifen** *m* verge.
'seit|lich *adj* lateral; side; ~**wärts**
['~vɛrts] *adv* sideways, to the side.
Sekret|är [zekre'tɛːr] *m* (-s; -e) secretary
(*gen* to); *Schreibtisch: a.* bureau; ~**ariat**
[~a'riaːt] *n* (-[e]s; -e) (secretary's) office;
~**ärin** *f* (-; -nen) secretary (*gen* to).
Sekt [zɛkt] *m* (-[e]s; -e) sparkling wine,
champagne.
Sekte ['zɛktə] *f* (-; -n) sect.
'Sektglas *n* champagne glass.
Sektor ['zɛktɔr] *m* (-s; -en) sector; *fig. a.*
field.
Sekunde [ze'kʊndə] *f* (-; -n) second; ~**n-
zeiger** *m* second hand.
selbe ['zɛlbə] *adj* same; '~**r** *pron* →
selbst 1.
selbst [zɛlbst] **1.** *pron*: *ich* (*du etc*) ~ I
(you *etc*) myself (yourself *etc*); *mach
es* ~ do it yourself; *et.* ~ (*ohne Hilfe*) *tun*
do s.th. by oneself; *von* ~ by itself; **2.**
adv even.
selbständig ['zɛlpʃtɛndɪç] *adj* independent; *beruflich: a.* self-employed; **2e**
['~gə] *m, f* (-n; -n) self-employed person; '**2keit** *f* (-; *no pl*) independence.
'Selbst|auslöser *m phot.* (self-)timer;
'~**bedienung** *f* self-service; *mit* ~ self-service; '~**bedienungsladen** *m* self-
service shop (*Am.* store); '~**bedie-
nungsrestau,rant** *n* self-service restaurant, cafeteria; '~**befriedigung** *f*
masturbation; '~**beherrschung** *f* self-
control; '~**bestimmung** *f* (-; *no pl*)
self-determination; '**2bewußt** *adj* self-
confident; '~**bewußtsein** *n* self-confidence; '~**erhaltungstrieb** *m* survival
instinct; '**2gemacht** *adj* homemade;
'~**gespräch** *n*: ~*e führen* talk to o.s.;
'~**hilfe** *f* (-; *no pl*) self-help; '~**hilfe-
gruppe** *f* self-help group; '~**kosten-
preis** *m econ.*: *zum* ~ at cost (price);
'**2kritisch** *adj* self-critical; '**2los** *adj* un-
selfish; '~**mord** *m* suicide; '~**mörder** *m*
suicide; '**2mörderisch** *adj* suicidal; *Geschwindigkeit etc: a.* breakneck; '**2si-
cher** *adj* self-confident, self-assured;
'~**sicherheit** *f* (-; *no pl*) self-confidence;
'~**täuschung** *f* self-deception; '~**ver-**

pfleger *m* (-s; -) self-caterer; '~**verpflegung** *f* (-; *no pl*) self-catering; '~**ver-
sorger** *m* (-s; -) self-supporter; '~**versorgung** *f* self-support; '**2verständ-
lich 1.** *adj* natural: *das ist* ~ that's a
matter of course; **2.** *adv* of course,
naturally; '~**verständlichkeit** *f* (-; -en)
matter of course; '~**verteidigung** *f*
self-defen|ce (*Am.* -se); '~**vertrauen** *n*
self-confidence; '~**verwaltung** *f* self-
government, autonomy; '**2zufrieden**
adj self-satisfied.
selig ['zeːlɪç] *adj eccl.* blessed; *verstorben:* late; *fig.* overjoyed.
Sellerie ['zɛləri] *m* (-s; -[s]), *f* (-; -) *bot.*
celeriac; *Stauden2:* celery.
selten ['zɛltən] **1.** *adj* rare: ~ *sein* be rare
(*od.* scarce); **2.** *adv* rarely, seldom.
Selters ['zɛltərs] *n* (-; *no pl*), '~**wasser** *n*
(-s; ~) mineral water, *Am. a.* seltzer.
seltsam ['zɛltzaːm] *adj* strange, odd.
Semester [ze'mɛstər] *n* (-s; -) *univ.* semester; ~**ferien** *pl* vacation *sg.*
Seminar [zemi'naːr] *n* (-s; -e) *univ.* seminar; *Priester2:* seminary.
Semmel ['zɛml] *f* (-; -n) roll.
Senat [ze'naːt] *m* (-[e]s; -e) senate; ~**or**
[~ɔr] *m* (-s; -en) senator.
senden¹ ['zɛndən] *v/t* (sandte, gesandt,
h) send.
send|en² [~] *v/t* (h) *Funk:* transmit;
Rundfunk, TV: a. broadcast; '**2er** *m* (-s;
-) radio (*od.* television) station; *tech.
Anlage:* transmitter; '**2eschluß** *m*
(-sses; *no pl*) closedown, sign-off;
'**2ung** *f* (-; -en) broadcast, pro-
gram(me); *TV a.* telecast; *Waren2:*
consignment, shipment: *auf* ~ *sein* be
on the air.
Senf [zɛnf] *m* (-[e]s; -e) mustard.
senil [ze'niːl] *adj* senile; **2ität** [~li'tɛːt] *f*
(-; *no pl*) senility.
Senior|chef ['zeːniɔr~] *m econ.* head of
the dynasty, father of the firm; ~**en**
[ze'nioːrən] *pl* senior citizens *pl*;
~**enheim** *n* retirement home.
senk|en ['zɛŋkən] (h) **1.** *v/t* lower (*a.
Stimme*); *Kopf: a.* bow; *Kosten, Preise
etc: a.* reduce, cut; **2.** *v/refl* drop, go
(*od.* come) down; '~**recht 1.** *adj* vertical; **2.** *adv:* ~ *nach oben* (*unten*)
straight up (down); '**2ung** *f* (-; *no pl*)
lowering, reduction.
Sensation [zɛnza'tsioːn] *f* (-; -en) sensa-

tion; **₂ell** [~o'nɛl] adj, **~s...** in Zssgn sensational (...); **~smache** f (-; no pl) contp. sensationalism.

sensib|el [zɛn'zi:bəl] adj sensitive; **~ili-sieren** [~ibili'zi:rən] v/t (no ge-, h) sensitize (für to); **₂ilität** [~ibili'tɛ:t] f (-; no pl) sensitiveness.

sentimental [zɛntimɛn'ta:l] adj sentimental; **₂ität** [~ali'tɛt] f (-; -en) sentimentality.

Separatismus [zepara'tɪsmʊs] m (-; no pl) pol. separatism.

September [zɛp'tɛmbər] m (-[s]; -) September: im ~ in September.

Serie ['ze:riə] f (-; -n) series; TV etc a. serial; Satz: set: in ~ bauen etc: in series; **₂nmäßig** adj series(-produced); Ausstattung etc: standard; **~nnummer** f serial number; '**~nwagen** m mot. standard-type car.

seriös [ze'riø:s] adj respectable; ehrlich: honest; Zeitung: quality.

Serum ['ze:rʊm] n (-s; -ren) serum.

Service¹ [zɛr'vi:s] n (-; - ['vi:sə]) set, service.

Service² ['sœrvɪs] m, a. n (-; no pl) Bedienung: service, Kundendienst: after-sales service.

servier|en [zɛr'vi:rən] v/t u. v/i (no ge-, h) serve; **₂erin** f (-; -nen) waitress; **₂wagen** m trolley.

Serviette [zɛr'viɛtə] f (-; -n) napkin.

Servo|bremse ['zɛrvo~] f mot. servo (od. power) brake; '**~lenkung** f mot. servo(-assisted) (od. power) steering.

Sessel ['zɛsəl] m (-s; -) armchair, easy chair; '**~lift** m chair lift.

seßhaft ['zɛshaft] adj: ~ werden settle (down).

Set [sɛt] n, m (-[s]; -s) Platzdeckchen: place mat.

setzen ['zɛtsən] (h) **1.** v/t put, place; j-n: a. sit; **2.** v/i: ~ über (acc) jump over; Fluß: cross; ~ auf (acc) wetten: bet on, back; **3.** v/refl sit down; chem. etc settle: **sich ~ auf** (acc) Pferd, Rad etc: get on, mount; **sich ~ in** (acc) Auto etc: get into; **sich zu j-m ~** sit beside (od. with) s.o.; **~ Sie sich, bitte!** take (od. have) a seat, please.

Seuche ['zɔʏçə] f (-; -n) med. epidemic; '**~ngefahr** f danger of an epidemic.

seufze|n ['zɔʏftsən] v/i (h) sigh; '**₂r** m (-s; -) sigh.

Sex [zɛks, sɛks] m (-[es]; no pl) sex.

Sexual|leben [zɛ'ksŏ:a:l~] n sex life; **~verbrechen** n sex(ual) crime.

sexuell [zɛ'ksŏɛl] adj sexual.

sexy ['zɛksi, 'sɛksi] adj sexy.

Show [ʃoː] f (-; -s) TV etc show.

sich [zɪç] refl pron oneself; sg himself, herself, itself; pl themselves; sg yourself, pl yourselves; ~ **ansehen** im Spiegel etc: look at o.s.

sicher ['zɪçər] **1.** adj safe (vor dat from), secure (from); bsd. tech. proof (gegen against); in Zssgn ...proof; gewiß, überzeugt: certain, sure; zuverlässig: reliable: **(sich) ~ sein** be sure (e-r Sache of s.th.; daß that); **2.** adv fahren etc: safely; natürlich: of course, bsd. Am. a. sure(ly); gewiß: certainly; wahrscheinlich: probably: **du hast (bist) ~ ...** you must have (be) ...

'**Sicherheit** f (-; -en) security (a. mil., pol., econ.); bsd. körperliche: safety (a. tech.); Gewißheit: certainty; Können: skill: **(sich) in ~ bringen** get to safety; '**~sglas** n (-es; no pl) safety glass; '**~s-gurt** m aer., mot. seat (od. safety) belt; '**~snadel** f safety pin; '**~srisiko** n security risk; '**~sschloß** n safety lock.

'**sicher|lich** adv ~ sicher 2; '**~n** (h) **1.** v/t secure (a. mil., tech.); schützen: protect, safeguard; **2.** v/refl secure o.s. (gegen, vor dat against); '**~stellen** v/t (sep, -ge-, h) garantieren: guarantee; beschlagnahmen: seize; **₂ung** f (-; -en) securing; safeguard(ing); tech. safety device, electr. fuse.

Sicht [zɪçt] f (-; no pl) visibility; Aus₂: view (auf acc of): **in ~ kommen** come into sight (od. fig. view); **auf lange ~** in the long run; **₂bar** adj visible; **₂en** v/t (h) sight; fig. sort (through od. out); '**₂lich** adv visibly; '**~weite** f: **in** (außer) ~ within (out of) sight.

sickern ['zɪkərn] v/i (sn) trickle, seep.

sie [zi:] pers pron she; Sache: it; pl they; **Sie** sg u. pl you.

Sieb [zi:p] n (-[e]s; -e) Tee₂ etc: strainer.

sieben¹ ['zi:bən] v/t (h) sieve, sift; fig. weed out.

sieben² [~] adj seven.

sieb|te ['zi:ptə] adj seventh; **₂tel** n (-s; -) seventh (part); '**~zehn** adj seventeen; '**~zig** adj seventy.

S

siedeln ['ziːdəln] v/i (h) settle.

siede|n ['ziːdən] v/t u. v/i (h) boil, simmer: **∼d heiß** boiling hot; '**2punkt** m (-[e]s; no pl) boiling point (a. fig.).

Siedl|er ['ziːdlər] m (-s; -) settler; '**∼ung** f (-; -en) settlement; Wohn2: housing estate.

Sieg [ziːk] m (-[e]s; -e) victory; Sport etc: a. win.

Siegel ['ziːgəl] n (-s; -) seal (a. fig.); privates: signet; '**∼lack** m sealing wax; '**2n** v/t (h) seal; '**∼ring** m signet ring.

sieg|en ['ziːgən] v/i (h) win; '**2er** m (-s; -) winner; **∼reich** ['ziːk∼] adj victorious; Sport etc: a. winning.

Signal [zi'gnaːl] n (-[e]s; -e) signal; 2i**sieren** [∼ali'ziːrən] v/t (no ge-, h) signal.

signieren [zi'gniːrən] v/t (no ge-, h) sign.

Silber ['zɪlbər] n (-s; no pl) silver; '**2grau** adj silver-grey (Am. -gray); '**∼hochzeit** f silver wedding; '**∼me‚daille** f silver medal; '**∼münze** f silver coin; '**2n** adj silver.

Silhouette [zi'lŏɛtə] f (-; -n) silhouette; e-r Stadt: a. skyline.

Silvester [zɪl'vɛstər] n (-s; -) New Year's Eve.

Simul|ant [zimu'lant] m (-en; -en) malingerer; 2**ieren** [∼'liːrən] (no ge-, h) **1.** v/t sham, feign, a. tech. simulate. **2.** v/i malinger.

simultan [zimʊl'taːn] adj simultaneous; 2**dolmetscher** m simultaneous translator (od. interpreter).

Sinfonie [zɪnfo'niː] f (-; -n) symphony.

singen ['zɪŋən] v/t u. v/i (sang, gesungen, h) sing (**richtig** [**falsch**] in [out of] tune).

Single¹ ['sɪŋl] f (-; -s) Schallplatte: single.

Single² [∼] m (-[s]; -s) single (person).

'**Singvogel** m songbird.

sinken ['zɪŋkən] v/t (sank, gesunken, sn) sink (a. fig. Person), go down (a. Preise etc); Sonne: a. set; Preise etc: fall, drop.

Sinn [zɪn] m (-[e]s; -e) sense (**für** of) Verstand etc: mind; Bedeutung: sense, meaning; e-r Sache: point, idea: **im ∼ haben** have in mind; **es hat keinen ∼** (**zu warten** etc) it's no use (waiting etc); '**∼bild** n symbol; '2**entstellend** adj distorting.

'**Sinnes|or‚gan** n sense organ; '**∼täuschung** f hallucination; '**∼wandel** m change of heart.

'**sinn|lich** adj die Sinne betreffend: sensuous; Wahrnehmung etc: sensory; Begierden etc: sensual; '2**lichkeit** f (-; no pl) sensuality; '**∼los** adj senseless; zwecklos: useless; '2**losigkeit** f (-; no pl) senselessness; uselessness; '**∼voll** adj meaningful; nützlich: useful; vernünftig: wise, sensible.

Sirene [zi'reːnə] f (-; -n) siren.

Sitte ['zɪtə] f (-; -n) custom, tradition: **∼n** pl morals pl; Benehmen: manners pl.

'**sittlich** adj moral; anständig: decent; '2**keitsverbrechen** n sex(ual) crime.

Situation [zitŏa'tsĭoːn] f (-; -en) situation; Lage: a. position.

Sitz [zɪts] m (-es; -e) seat (a. fig.); e-s Kleides etc: fit.

'**sitzen** v/i (saß, gesessen, h) sit; sich befinden: be; stecken: be (stuck); passen: fit; F im Gefängnis: do time: **∼ bleiben** remain seated; '**∼bleiben** v/i (irr, sep, -ge-, sn, → **bleiben**) ped. have to repeat a year: **∼ auf**(dat) be left with; '**∼lassen** v/t (irr, sep, pp sitzenlassen, h, → **lassen**) Freundin etc: walk out on.

'**Sitz|gelegenheit** f seat: **genug ∼en** pl enough seating (room) sg; '**∼ordnung** f seating plan; '**∼platz** m seat.

'**Sitzung** f (-; -en) meeting, conference; parl. etc session (a. Psychiater etc), sitting; '**∼speri‚ode** f parl. session; '**∼sproto‚koll** n minutes pl; '**∼ssaal** m conference hall.

Skala ['skaːla] f (-; -len, -s) scale; fig. a. range.

Skandal [skan'daːl] m (-s; -e) scandal; **∼blatt** n scandal sheet; 2**ös** [∼a'løːs] adj scandalous, shocking; **∼presse** f gutter press.

Skelett [ske'lɛt] n (-[e]s; -e) skeleton.

Skep|sis ['skɛpsɪs] f (-; no pl) scepticism, Am. skepticism; '**∼tiker** ['∼tikər] m (-s; -) sceptic, Am. skeptic; '2**tisch** adj sceptical, Am. skeptical.

Ski [ʃiː] m (-s; -er, -e) ski: **∼ laufen** (od. **fahren**) ski; '**∼fahren** n (-s; no pl) skiing; '**∼fahrer** m skier; '**∼gebiet** n skiing area; '**∼gym‚nastik** f skiing exercises pl; '**∼laufen** n (-s; no pl) skiing; '**∼läufer** m skier; '**∼lehrer** m skiing instructor; '**∼lift** m ski lift; '**∼stiefel** m skiing boot; '**∼urlaub** m skiing holiday (Am. vacation).

Skizz|e ['skɪtsə] f (-; -n) sketch; 2**ieren**

S

[~'tsi:rən] *v/t* (*no* ge-, h) sketch; *fig.* outline.

Sklav|e ['skla:və] *m* (-n; -n) slave (*a. fig.*: *gen* to); '**~enhandel** *m* slave trade; **~e'rei** *f* (-; *no pl*) slavery; '**2isch** *adj* slavish (*a. fig.*).

Skonto ['skɔnto] *m, n* (-s; -s) *econ.* (cash) discount.

Skrupel ['skru:pəl] *m* (-s; -) scruple; '**2los** *adj* unscrupulous.

Skulptur [skʊlp'tu:r] *f* (-; -en) sculpture.

Slaw|e ['sla:və] *m* (-n; -n) Slav; '**2isch** *adj* Slav.

Slip [slɪp] *m* (-s; -s) (*ein* **~** a pair of) briefs *pl*; *Damen*2: *a.* panties *pl*.

Slum [slam] *m* (-s; -s) *mst pl* slum; '**~bewohner** *m* slum dweller.

Smog [smɔk] *m* (-[s]; -s) smog; '**~a,larm** *m* smog alert.

Smoking ['smo:kɪŋ] *m* (-s; -s) dinner jacket, *Am.* tuxedo.

Snob [snɔp] *m* (-s; -s) snob; **~ismus** [sno'bɪsmʊs] *m* (-; *no pl*) snobbery; '**2istisch** [sno'bɪstɪʃ] *adj* snobbish.

so [zo:] **1.** *adv* so; *auf diese Weise*: like this (*od.* that), this (*od.* that) way; *damit, dadurch*: *a.* thus; *solch*: such: **~ groß wie** as big as; **~ ein(e)** such a; **~ sehr** so (F that) much; **~ u. ~ weiter** and so on; *oder* **~ et.** or s.th. like that; *oder* **~** or so; **2.** *cj deshalb, daher*: so, therefore: **~ daß** so that; **3.** *int.*: **~!** all right!, *Am.* alright!; *fertig*: that's it! We see; **~'bald** *cj* as soon as.

Socke ['zɔkə] *f* (-; -n) sock.

Sockel ['zɔkəl] *m* (-s; -) base; *Statue etc*: pedestal.

Sodbrennen ['zo:t~] *n* (-s; *no pl*) *med.* heartburn.

so'eben *adv* just (now).

Sofa ['zo:fa] *n* (-s; -s) sofa, settee.

so'fern *cj* if, provided that: **~ nicht** unless.

so'fort *adv* at once, immediately, right away; **2bildkamera** *f* *phot.* instant camera.

so'gar *adv* even.

'**sogenannt** *adj* so-called.

Sohle ['zo:lə] *f* (-; -n) sole; *Tal*2 *etc*: bottom.

Sohn [zo:n] *m* (-[e]s; **~**e) son.

Sojabohne ['zo:ja~] *f* *bot.* soybean.

So'lange *cj* as long as.

So'lar|batte,rie [zo'la:r~] *f* solar battery; **~ener,gie** *f* solar energy.

Solarium [zo'la:rĭom] *n* (-s; -rien) solarium.

So'larzelle *f* solar cell.

solch [zɔlç] *dem pron* such, like this (*od.* that).

Sold [zɔlt] *m* (-[e]s; -e) *mil.* pay; **~at** [~'da:t] *m* (-en; -en) soldier.

solidarisch [zoli'da:rɪʃ] *adj*: **sich ~ er-klären mit** declare one's solidarity with.

solide [zo'li:də] *adj haltbar*: solid; *fig. a.* sound (*a. econ*); *Preise*: reasonable; *Person*: steady.

Solist [zo'lɪst] *m* (-en; -en) soloist.

Soll [zɔl] *n* (-[s]; -[s]) *econ.* debit; *Plan*2: target, quota; **~ u. Haben** debit and credit.

sollen ['zɔlən] (sollte, h) **1.** *v/aux* (*pp* sollen) *geplant, bestimmt*: be to; *angeblich, verpflichtet*: be supposed to: (**was**) **soll ich ...?** (what) shall I ...?; *du soll-test* (*nicht*) you should('nt); *stärker*: you ought('nt) to; **2.** *v/i* (*pp* gesollt): **was soll ich hier?** what am I here for?; **was soll das?** what's the idea?

'**Soll|seite** *f econ.* debit side; '**~zinsen** *pl econ.* debtor interest *sg.*

Solo ['zo:lo] *n* (-s; -s, -li) solo.

solven|t [zɔl'vɛnt] *adj* solvent; **2z** [~ts] *f* (-; -en) solvency.

Sommer ['zɔmər] *m* (-s; -) summer: **im ~** in summer; '**~anfang** *m* beginning of summer; '**~fahrplan** *m* summer timetable (*Am.* schedule); '**~ferien** *pl* summer holidays *pl* (*Am.* vacation *sg*); '**2lich** *adj* summerlike, summer(ly); '**~reifen** *m* *mot.* normal tyre (*Am.* tire); '**~schlußverkauf** *m* summer sales *pl*; '**~sprosse** *f* freckle; '**2sprossig** *adj* freckled; '**~zeit** *f* (-; *no pl*) summertime; *vorverlegte*: summer (*od.* daylight saving) time.

Sonder|angebot ['zɔndər~] *n* special offer; '**2bar** *adj* strange, odd; '**~fahrt** *f* excursion; '**2lich** *adv*: **nicht ~** not particularly; '**~müll** *m* toxic waste.

sondern ['zɔndərn] *cj but*: **nicht nur ..., ~ auch** not only ... but also.

'**Sonder|preis** *m* special price; '**~zug** *m* special train.

'**Sonnabend** *m* → *Samstag*.

Sonne ['zɔnə] *f* (-; -n) sun; '**2n** *v/refl* (h) sunbathe.

'**Sonnen|aufgang** m sunrise: **bei ~** at sunrise; '**~bad** n: **ein ~ nehmen** sunbathe; '**~blume** f bot. sunflower; '**~brand** m sunburn: **e-n ~ haben** have sunburn; '**~brille** f (**e-e ~** a pair of) sunglasses pl; '**~creme** f sun cream; '**~deck** n mar. sun deck; '**~ener,gie** f solar energy; '**~finsternis** f solar eclipse; '**~licht** n (-[e]s; no pl) sunlight: **bei ~** in sunlight; '**~öl** n suntan oil; '**~schein** m (-[e]s; no pl) sunshine; '**~schirm** m sunshade: **für Damen:** parasol; '**~seite** f sunny side (a. fig.); '**~stich** m med. sunstroke: **e-n ~ haben** have sunstroke; '**~strahl** m sunbeam; '**~untergang** m sunset: **bei ~** at sunset.

'**sonnig** adj sunny (a. fig.).

'**Sonntag** m Sunday: (**am**) **~** on Sunday.

'**Sonntags|fahrer** m mot. contp. Sunday driver; '**~rückfahrkarte** f rail. weekend ticket.

sonst [zɔnst] adv außerdem: else; andernfalls: otherwise, or (else); normalerweise: normally, usually: **~ nichts** nothing else, that's all; **alles wie ~** everything as usual; **nichts (alles) wie ~** nothing (all) is as it used to be; → **noch**; '**~ig** adj other.

Sopran [zoˈpraːn] m (-s; -e) mus. soprano; **~istin** [~aˈnɪstɪn] (-; -nen) soprano.

Sorge [ˈzɔrgə] f (-; -n) worry; Kummer: sorrow; Ärger: trouble; **Für♀:** care: **sich ~n machen (um)** worry (od. be worried) (about); **keine ~!** don't worry!; '**♀n** (h) **1.** v/i: **~ für** care for, take care of: → **dafür 2.** v/refl: **sich ~ um** worry (od. be worried) about.

Sorg|falt [ˈzɔrkfalt] f (-; no pl) care; **♀fältig** [ˈ~fɛltɪç] adj careful; '**♀los** adj carefree; nachlässig: careless; '**~losigkeit** f (-; no pl) carelessness.

Sort|e [ˈzɔrtə] f (-; -n) sort, kind; econ. Marke: a. brand; Qualität: quality, grade; **♀ieren** [~ˈtiːrən] v/t (no ge-, h) sort; ordnen: arrange; **~iment** [~iˈmɛnt] n (-[e]s; -e) range (**an** dat of).

Soße [ˈzoːsə] f (-; -n) sauce; Braten♀: gravy.

souverän [zuvəˈrɛːn] adj pol. sovereign; fig. superior; **♀ität** [~ɛniˈtɛːt] f (-; no pl) sovereignty; fig. superior style.

so|'viel 1. cj as far as; **2.** adv: **~ wie möglich** as much as possible; → **doppelt; ~'weit 1.** cj as far as; **2.** adv bis jetzt od. hier: so far: **~ sein** be ready; **es ist ~** it is time; **~'wie** cj as well as, and ... as well; zeitlich: as soon as; **~'wieso** adv anyway, anyhow, in any case.

Sowjet [zɔˈvjɛt] m (-s; -s) hist. Soviet; **♀isch** adj hist. Soviet.

so'wohl cj: **~ Lehrer als (auch) Schüler** both teachers and pupils.

sozial [zoˈtsiaːl] adj social; **♀abgaben** pl social security contributions pl; **♀arbeiter** m social worker; **~demo,kratisch** adj social democratic; **♀hilfe** f income support: **von der ~ leben** be on social security (Am. welfare); **~isieren** [~aliˈziːrən] v/t (no ge-, h) Betrieb etc: nationalize; **♀ismus** [~aˈlɪsmʊs] m (-; no pl) socialism; **♀ist** [~aˈlɪst] m (-en; -en) socialist; **~istisch** [~aˈlɪstɪʃ] adj socialist; **♀pro,dukt** n (gross) national product; **♀staat** m welfare state.

Soziolog|e [zotsioˈloːgə] m (-n; -n) sociologist; **~ie** [~oˈgiː] f (-; no pl) sociology; **♀isch** adj sociological.

sozu'sagen adv so to speak.

Spalt [ʃpalt] m (-[e]s; -e) crack, gap; '**~e** f (-; -n) → **Spalt**; print. column; '**♀en** (h) **1.** v/t split (a. fig. Haare); Staat etc: divide; **2.** v/refl split (up); '**~ung** f (-; -en) splitting; phys. fission; fig. split; Staat etc: division.

Span [ʃpaːn] m (-[e]s; -e) chip; tech. pl shavings pl.

Spange [ˈʃpaŋə] f (-; -n) clasp; → **Haarspange.**

Spani|er [ˈʃpaːniər] m (-s; -) Spaniard; '**♀sch** adj Spanish.

Spann [ʃpan] m (-[e]s; -e) instep; '**~e** f (-; -n) span; econ. margin; '**♀en** (h) **1.** v/t stretch, tighten; Leine etc: put up; Gewehr: cock; Bogen: draw, bend; **2.** v/i be (too) tight; '**♀end** adj exciting, thrilling, gripping; '**~ung** f (-; -en) tension (a. tech., pol., psych.); electr. voltage; fig. suspense, excitement.

Spar|buch [ˈʃpaːr~] n savings book; '**~büchse** f money box; '**♀en** (h) **1.** v/t save; **2.** v/i save; **sich einschränken:** economize: **~ für** (od. **auf** acc) save up for; '**~er** m (-s; -) saver.

Spargel [ˈʃpargəl] m (-s;-) bot. asparagus.

'**Spar|kasse** f savings bank; '**~konto** n savings account.

spärlich ['ʃpɛːrlɪç] *adj* sparse, scant; *Lohn, Wissen etc*: scanty; *Besuch etc*: poor.

'sparsam 1. *adj* economical (*mit* of); **2.** *adv*: ~ **leben** lead a frugal life; ~ **umgehen mit** use sparingly; **'2keit** *f* (-; *no pl*) economy.

'Spar|schwein *n* piggy bank; **'~zins** *m* *econ.* interest on savings.

Spaß [ʃpaːs] *m* (-es; ~e) fun; *Scherz*: joke: *aus* (*nur zum*) ~ (just) for fun; *es macht viel* (*keinen*) ~ it's great (no) fun; *j-m den* ~ *verderben* spoil s.o.'s fun; *er macht nur* (*keinen*) ~ he is only (not) joking (F kidding); *keinen* ~ *verstehen* have no sense of humo(u)r; **'2en** *v/i* (h) joke; **'2ig** *adj* funny.

Spasti|ker ['ʃpastɪkər] *m* (-s; -) *med.* spastic; **'2sch** *adj* spastic.

spät [ʃpɛːt] *adj u. adv* late: *am ~en Nachmittag* late in the afternoon; *wie ~ ist es?* what time is it?; *von früh bis ~* from morning till night; (*fünf Minuten*) *zu ~ kommen* be (five minutes) late; *bis ~er!* see you (later); → *früher* 2.

Spaten ['ʃpaːtən] *m* (-s; -) spade.

spätestens ['ʃpɛːtəstəns] *adv* at the latest.

Spatz [ʃpats] *m* (-en, -es; -en) *zo.* sparrow.

spazieren|fahren [ʃpa'tsiːrən] (*irr, sep, -ge-,* → *fahren*) **1.** *v/i* (sn) go for a drive; **2.** *v/t* (h) take *s.o.* for a drive; *Baby*: take out; **~gehen** *v/i* (*irr, sep, -ge-,* sn, → *gehen*) go for a walk.

Spa'zier|fahrt *f* drive, ride; **~gang** *m* walk: *e-n* ~ *machen* go for a walk; **~gänger** [~gɛŋər] *m* (-s; -) walker; **~weg** *m* walk.

Specht [ʃpɛçt] *m* (-[e]s; -e) *zo.* woodpecker.

Speck [ʃpɛk] *m* (-[e]s; -e) fat; *Frühstücks2*: bacon; **'2ig** *adj schmierig*: greasy.

Spedit|eur [ʃpedi'tøːr] *m* (-s; -e) forwarding agent; *Möbel2*: remover; **~ion** [~'tsioːn] *f* (-; -en) forwarding agency; removal (*Am.* moving) firm.

Speiche ['ʃpaɪçə] *f* (-; -n) spoke.

Speichel ['ʃpaɪçəl] *m* (-s; *no pl*) *physiol.* spittle, saliva.

Speicher ['ʃpaɪçər] *m* (-s; -) storehouse; *Wasser2*: tank, reservoir; *Dachboden*: attic; *Computer*: memory, store; **'~ka-**

pazi,tät *f Computer*: memory capacity; **'2n** *v/t* (h) store (up).

Speise ['ʃpaɪzə] *f* (-; -n) food; *Gericht*: dish; **'~eis** *n* ice cream; **'~kammer** *f* larder, pantry; **'~karte** *f* menu; **'2n 1.** *v/i* dine; **2.** *v/t* feed (*a. electr. etc*); **'~röhre** *f anat.* gullet, (o)esophagus; **'~saal** *m* dining hall; **'~wagen** *m* rail. dining car, *bsd. Br.* restaurant car, *bsd. Am.* diner.

Spekul|ant [ʃpeku'lant] *m* (-en; -en) speculator; **~ation** [~'tsioːn] *f* (-; -en) speculation; *econ. a.* venture; **2ieren** [~'liːrən] *v/i* (*no* ge-, h) speculate (*auf acc* on; *mit* in).

Spende ['ʃpɛndə] *f* (-; -n) donation; *Beitrag*: contribution; **'2n** *v/t* (h) *Geld etc*: give (*a. Schatten etc*), donate (*a. Blut etc*); **'~nkonto** *n* donation account; **'~r** *m* (-s; -) donator; *Blut2 etc*: donor.

spendieren [ʃpɛn'diːrən] *v/t* (*no* ge-, h): *j-m et.* ~ treat s.o. to s.th.

Spengler ['ʃpɛŋlər] *m* (-s; -) plumber.

Sperr|e ['ʃpɛrə] *f* (-; -n) *Schranke*: barrier; *Straßen2*: road block; *Barrikade*: barricade; *tech.* lock; *econ.* embargo; *psych.* mental block; **'2en** *v/t* (h) *Straße*: block, *amtlich*: close (*für den Verkehr* to traffic); *Gas, Telefon etc*: cut off; *Konto*: block; *Scheck*: stop: ~ *in* (*acc*) lock (up) in; **'~holz** *n* (-es; *no pl*) plywood; **'~konto** *n* blocked account; **'~müll** *m* bulk(y) rubbish; **'~müllabfuhr** *f* removal of bulk refuse.

Spesen ['ʃpeːzən] *pl* expenses *pl*; **'~konto** *n* expense account.

Spezial|ausbildung [ʃpe'tsiaːl] *f* special(ized) training; **~gebiet** *n* special field; **~geschäft** *n* specialist shop (*Am.* store); **2isieren** [~ali'ziːrən] *v/refl* (*no* ge-, h) specialize (*auf acc* in); **~ist** [~a'lɪst] *m* (-en; -en) specialist; **~ität** [~ali'tɛːt] *f* (-; -en) *bsd. Br.* speciality, *Am.* specialty; **~i'tätenrestau,rant** *n* special(i)ty restaurant.

speziell [ʃpe'tsiɛl] *adj* specific, particular.

Spiegel ['ʃpiːgəl] *m* (-s; -) mirror (*a. fig.*); **~bild** *n* mirror image; *fig.* reflection; **'~ei** *n gastr.* fried egg; **'2glatt** *adj Wasser etc*: glassy; *Straße*: icy; **'2n** (h) **1.** *v/i blenden*: reflect the light; **2.** *v/t* reflect (*a. fig.*); **3.** *v/refl* be reflected (*a. fig.*);

S

'**ung** f (-; -en) reflection; Luft♀: mirage.

Spiel [ʃpiːl] n (-[e]s; -e) game; Wett♀: a. match; das ~en, ~weise: play (a. thea. etc); Glücks♀: gambling; fig. game, gamble: **auf dem ~ stehen** be at stake; **aufs ~ setzen** risk; '~**bank** f (-; -en) (gambling) casino; '♀**en** v/i u. v/t (h) play (a. fig.) (**um** for); darstellen: a. act; aufführen: perform; Glücksspiel: gamble; Lotto etc: do; Klavier etc ~ play the piano etc; '~**end** adv fig. easily; '~**er** m (-s; -) player; Glücks♀: gambler; '~**film** m feature film; '~**halle** f amusement arcade; '~**kame,rad** m playmate; '~**karte** f playing card; '~**ka,sino** n (gambling) casino; '~**marke** f counter, chip; '~**plan** m thea. etc program(me); '~**platz** m playground; '~**raum** m fig. scope; '~**regel** f rule (of the game); '~**sachen** pl toys pl; '~**schuld** f gambling debt; '~**stand** m score; '~**verderber** m (-s; -) spoilsport; '~**waren** pl toys pl; '~**zeit** f thea., Sport: season; Dauer: playing (Film: running) time; '~**zeug** n toy(s pl); '~**zeug...** in Zssgn Pistole etc: toy ...

Spieß [ʃpiːs] m (-es; -e) Brat♀: spit; Fleisch♀: skewer; '~**er** m (-s; -) contp. petty bourgeois, philistine; '♀**ig** adj contp. petty bourgeois, philistine.

Spinat [ʃpiˈnaːt] m (-[e]s; no pl) bot. spinach.

Spind [ʃpɪnt] m, n (-[e]s; -e) locker.

Spinn|e [ˈʃpɪnə] f (-; -n) spider; '♀**en** (spann, gesponnen, h) **1.** v/t spin (a. fig.); **2.** v/i F fig. be nuts; Unsinn reden: talk rubbish; '~**er** m (-s; -) F fig. crackpot; '~**webe** f (-; -n) cobweb.

Spion [ʃpiˈoːn] m (-s; -e) spy; ~**age** [~oˈnaːʒə] f (-; no pl) espionage; ~**age,ring** m spy ring; ♀**ieren** [~oˈniːrən] v/i (no ge-, h) spy; F schnüffeln: snoop around.

Spiral|e [ʃpiˈraːlə] f (-; -n) spiral; ♀**förmig** adj spiral.

Spirituosen [ʃpiriˈtŭoːzən] pl spirits pl.

Spiritus [ˈʃpiːritos] m (-; -se) spirit.

spitz [ʃpɪts] adj pointed (a. fig.); Winkel: acute; ~**e Zunge** sharp tongue; ♀**bogen** m pointed arch; '♀**e** f (-; -n) point; Nasen♀, Finger♀: tip; Turm♀: spire; Baum♀, Berg♀: top; Pfeil♀, Unternehmens♀: head; Gewebe: lace: F ~ **sein** be super; '♀**el** m (-s; -) informer, stool

pigeon; '~**en** v/t (h) Bleistift: sharpen; Lippen: purse; Ohren: prick up.

'**Spitzen...** Höchst..., Best... etc in Zssgn top ...

Spitzer m (-s; -) (pencil) sharpener.

'**Spitzname** m nickname.

Splitter [ˈʃplɪtər] m (-s; -) splinter; '♀**n** v/i (h) splinter; '♀**nackt** adj F stark naked.

spons|ern [ˈʃpɔnzərn] v/t (h) sponsor; ♀**or** [~ˈɔːr] m (-s; -en) sponsor.

spontan [ʃpɔnˈtaːn] adj spontaneous.

Sport [ʃpɔrt] m (-[e]s; no pl) sport(s pl coll.): ~ **treiben** go in for sports; '~**geschäft** n sports shop (Am. store); '~**kleidung** f sportswear; '~**ler** m (-s; -) sportsman, athlete; '~**lerin** f (-; -nen) sportswoman, athlete; '♀**lich** adj Aussehen: athletic; Kleidung: casual: **sehr ~ sein** do a lot of sports; '~**platz** m sports field; '~**verein** m sports club; '~**wagen** m mot. sports car; Kinderwagen: Br. pushcar, Am. stroller.

Spott [ʃpɔt] m (-[e]s; no pl) mockery; verächtlicher: scorn; ♀**billig** adj F dirt cheap; '♀**en** v/i (h) mock (**über** acc at); sich lustig machen: make fun (of).

Spött|er [ˈʃpœtər] m (-s; -) mocker; ♀**isch** adj mocking; verächtlich: derisive.

'**Spottpreis** m: **für e-n ~** dirt cheap.

Sprach|e [ˈʃpraːxə] f (-; -n) language (a. fig.); das Sprechen, Sprechweise: speech: **zur ~ kommen** (**bringen**) come (bring s.th.) up; '~**enschule** f language school; '~**fehler** m med. speech defect; '~**kurs** m language course; ♀**los** adj speechless; '~**reise** f language tour; '~**unterricht** m language teaching: **englischer ~** English lessons pl.

Spray [ʃpreː] m, n (-s; -s) spray.

sprech|en [ˈʃprɛçən] v/t u. v/i (sprach, gesprochen, h) speak; reden, sich unterhalten: talk (**beide: mit** to, with; **über** acc, **von** about): **nicht zu ~ sein** be busy; '~**er** m (-s; -) speaker; Ansager: announcer; Wortführer: spokesman (gen for); ♀**stunde** f office hours pl; med. consulting (Am. office) hours pl; '♀**stundenhilfe** f doctor's assistant; Empfang: receptionist; ♀**zimmer** n consulting room, Am. a. office.

spreizen [ˈʃpraɪtsən] v/t (h) spread.

spreng|en [ˈʃprɛŋən] v/t (h) (a. **in die Luft ~**) blow up; Fels: blast; Wasser:

sprinkle; *Rasen*: water; *Versammlung*: break up; '**2kopf** *m mil.* warhead; '**2stoff** *m* explosive; '**2ung** *f* (-; -en) blowing up; blasting.

Sprich|wort ['ʃprɪç~] *n* (-[e]s; ⁀er) proverb, saying; '**2wörtlich** *adj* proverbial (*a. fig.*).

sprießen ['ʃpriːsən] *v/i* (sproß, gesprossen, sn) shoot (up).

Spring|brunnen ['ʃprɪŋ~] *m* fountain; '**2en** *v/i* (sprang, gesprungen, sn) jump, leap; *Ball etc*: bounce; *Glas etc*: crack; *zer~*: break; *platzen*: burst: **in die Höhe (zur Seite)** ~ jump (out of the way); '**~er** *m* (-s; -) *Schach*: knight; '**~flut** *f* spring tide.

Sprit [ʃprɪt] *m* (-[e]s; -e) F *Benzin*: juice.

Spritz|e ['ʃprɪtsə] *f* (-; -n) *med.* injection; *Gerät*: syringe; '**2en 1.** *v/t* (h) *versprühen*: spray (*a. Auto etc*); *Rasen etc*: water; *j-m et.*: give s.o. an injection of: *j-n naß* ~ splash s.o.; **2.** *v/i* (h, *bei Richtungsangabe*: sn) *Wasser etc*: splash, spray; *Blut*: spurt, *stärker*: gush (*beide*: **aus** from); *heißes Fett*: spray; '**~er** *m* (-s; -) splash; *Schuß*: dash; '**~pistole** *f tech.* spray gun; '**~tour** *f mot.* F spin: **e-e** ~ **machen** go for a spin.

Sprosse ['ʃprɔsə] *f* (-; -n) rung.

Spruch [ʃprʊx] *m* (-[e]s; ⁀e) saying; *Entscheidung*: decision; '**~band** *n* (-[e]s; ⁀er) banner.

Sprüh|dose ['ʃpryː~] *f* spray can; '**2en** (h) **1.** *v/t* spray, sprinkle; **2.** *v/i Funken*: fly (*bei Richtungsangabe*: sn): ~ **vor** (*dat*) *Augen*: flash with; '**~regen** *m* drizzle.

Sprung [ʃprʊŋ] *m* (-[e]s; ⁀e) jump, leap; *Riß*: crack.

Spucke ['ʃpʊkə] *f* (-; *no pl*) F spit(tle); '**2n** (h) **1.** *v/i* spit; F *sich übergeben*: throw up; **2.** *v/t Blut etc*: spit.

Spuk [ʃpuːk] (-[e]s; -e) apparition; *fig.* nightmare; '**2en** *v/i* (h): ~ **in** (*dat*) haunt; **hier spukt es** this place is haunted.

Spule ['ʃpuːlə] *f* (-; -n) spool, reel; *electr.* coil.

spül|en ['ʃpyː lən] *v/t u. v/i* (h) *aus~*: rinse; *Toilette*: flush: (*Geschirr*) ~ **wash up**, do the washing up; '**2ma,schine** *f* dishwasher.

Spur [ʃpuːr] *f* (-; -en) *Blut2 etc*: trail; *Fußen, Wagen2en*: track(s *pl*); *Ab-*

druck: print; *Fahr2*: lane; *Tonband2*: track; *fig.* trace: *j-m auf der* ~ *sein* be on s.o.'s trail.

spüren ['ʃpyːrən] *v/t* (h) *allg.* feel; *instinktiv*: sense; *wahrnehmen*: notice.

'**spurlos** *adv* without leaving a trace.

Staat [ʃtaːt] *m* (-[e]s; -en) state; *Regierung*: government; '**~enbund** *m* confederacy, confederation; '**2enlos** *adj* stateless; '**2lich 1.** *adj* state; *Einrichtung*: *a.* public, national; **2.** *adv*: ~ *geprüft* qualified, registered.

'**Staats|angehörige** *m, f* national, citizen, *bsd. Br.* subject; '**~angehörigkeit** *f* (-; -en) nationality; '**~anwalt** *m jur.* public prosecutor, *Am. mst* district attorney; '**~besuch** *m* state visit; '**~bürger** *m* citizen; '**~dienst** *m* civil (*Am. a.* public) service; '**2eigen** *adj* state-owned; '**~feiertag** *m* national holiday; '**~feind** *m* public enemy; '**2feindlich** *adj* subversive; '**~haushalt** *m* (national) budget; '**~kasse** *f* (public) treasury; '**~mann** *m* statesman; '**~oberhaupt** *n* head of state; '**~sekre,tär** *m* (*Br.* permanent) undersecretary; '**~streich** *m* coup (d'état); '**~vertrag** *m* treaty.

Stab [ʃtaːp] *m* (-[e]s; ⁀e) staff (*a. fig.*); *Metall2, Holz2*: bar; *Staffel2, Dirigenten2*: baton.

Stäbchen ['ʃtɛːpçən] *pl Eß2*: chopsticks *pl*.

stabil [ʃtaˈbiːl] *adj* stable (*a. econ., pol.*); *robust*: solid, strong; *gesund*: sound; **~isieren** [~ili'ziːrən] *v/t* (no ge-, h) stabilize; **2ität** [~ili'tɛːt] *f* (-; *no pl*) stability; **2i'tätspoli,tik** *f* policy of stability.

Stachel ['ʃtaxəl] *m* (-s; -n) *bot., zo.* spine, prick; *Insekt*: sting; '**~beere** *f bot.* gooseberry; '**~draht** *m* barbed wire; '**2ig** *adj* prickly.

Stadion ['ʃtaːdiɔn] *n* (-s; -dien) stadium.

Stadium ['ʃtaːdiʊm] *n* (-s; -dien) stage, phase.

Stadt [ʃtat] *f* (-; ⁀e) town, *bsd. Groß2*: city: *die* ~ *Berlin* the city of Berlin; *in der* ~ in town; *in die* ~ *gehen* (*od. fahren*) go to town, *Am. a.* go downtown; '**~autobahn** *f* urban motorway (*Am.* expressway); '**~bild** *n* townscape, cityscape; '**~bummel** *m* stroll through town: *e-n* ~ *machen* go for a stroll through town.

Städte|bau ['ʃtɛːtə~] *m* (-[e]s; *no pl*) urban development; '**~partnerschaft** f twinning; '**~r** m (-s; -) city dweller.

'**Stadt|gebiet** n urban area; '**~gespräch** n: fig. **~ sein** be the talk of the town.

städtisch ['ʃtɛːtɪʃ] adj urban, town, city; pol. municipal.

'**Stadt|mitte** f → **Innenstadt**; '**~plan** m city map; '**~rand** m outskirts pl: **am ~** on the outskirts; '**~rat** m town council; Person: bsd. Br. town councillor, Am. city councilor; '**~rundfahrt** f city sightseeing tour; '**~teil** m, '**~viertel** n quarter; '**~zentrum** n → **Innenstadt**.

Staffel ['ʃtafəl] f (-; -n) relay race (od. team); aer. mil. squadron; '**2n** v/t (h) Steuern etc: grade; Arbeitszeit etc: stagger.

Stagn|ation [ʃtagna'tsǐoːn] f (-; -en) stagnation; **2ieren** [~'niːrən] v/i (no ge-, h) stagnate.

Stahl [ʃtaːl] m (-[e]s; ⁼e) steel; '**~kammer** f strongroom; '**~rohrmöbel** pl tubular steel furniture sg.

Stall [ʃtal] m (-[e]s; ⁼e) Pferde2: stable; Kuh2: (cow)shed; Schweine2: (pig)sty.

Stamm [ʃtam] m (-[e]s; ⁼e) Baum2: trunk; Volks2: tribe; Geschlecht: stock; fig. Kern e-r Firma, Mannschaft etc: regulars pl; '**~aktie** f econ. Br. ordinary share, Am. common stock; '**~aktio,när** m econ. Br. ordinary shareholder, Am. common stockholder; '**~baum** m family tree; zo. pedigree; '**2eln** v/t (h) stammer (out); '**2en** v/i (h): **~ aus (von)** allg. come from; zeitlich: date from; **~ von** Künstler etc: be by; '**~gast** m regular (guest); '**~haus** n econ. parent firm; '**~kapi,tal** n econ. Br. share capital, Am. capital stock; '**~kneipe** f favo(u)rite haunt, Br. a. local; '**~kunde** m regular customer; '**~lo,kal** n → **Stammkneipe**.

Stand [ʃtant] m (-[e]s; ⁼e) Halt: footing, foothold; ~platz: stand; Verkaufs2: stand, stall; ast. position; Wasser2 etc: height, level; des Thermometers: reading; fig. Niveau, Höhe: level; soziale Stellung: social standing, status; Klasse: class; Beruf: profession; Sport: score; Lage: state; Zustand: a. condition: **aus dem ~** from a standing position; **auf den neuesten ~ bringen** bring up to date; **e-n schweren ~ haben** have a hard time (of it).

Standard ['ʃtandart] m (-s; -s) standard.

'**Standbild** n statue; Video: still frame.

'**Ständer** ['ʃtɛndər] m (-s; -) Kleider2 etc: stand; Zeitungs2 etc: rack.

Standes|amt ['ʃtandəs~] n Br. registry office, Am. marriage license bureau; '**2amtlich** adj: **~e Trauung** civil wedding; '**~beamte** m Br. registrar, Am. civil magistrate.

'**Standfoto** n still.

'**standhaft** adj steadfast, firm: **~ bleiben** resist temptation; '**2igkeit** f (-; no pl) steadfastness, firmness.

ständig ['ʃtɛndɪç] adj constant; Adresse etc: permanent; Einkommen: fixed.

'**Stand|licht** n mot. parking light; '**~ort** m position; Betrieb etc: location; '**~platz** m stand; '**~punkt** m fig. (point of) view, standpoint; '**~spur** f mot. (Br. hard) shoulder; '**~uhr** f grandfather clock.

Stange ['ʃtaŋə] f (-; -n) pole; Fahnen2: a. staff; Metall2: rod, bar; Zigaretten: carton.

Stanniol [ʃta'nǐoːl] n (-s; -e) tin foil.

Stapel ['ʃtaːpəl] m (-s; -) pile, stack; Haufen: heap: **vom ~ lassen** mar. launch (a. fig.); **vom ~ laufen** mar. be launched; '**~lauf** m mar. launch; '**2n** v/t (h) pile (up), stack.

stapfen ['ʃtapfən] v/i (sn) trudge, plod.

Star¹ [ʃtaːr] m (-[e]s; -e) zo. starling: **grauer ~** med. cataract.

Star² [~] m (-s; -s) Film etc: star.

stark [ʃtark] **1.** adj strong (a. fig. Kaffee, Bier, Tabak etc); mächtig, kraftvoll: a. powerful; Raucher, Regen, Erkältung, Verkehr etc: heavy; F toll: super, great; **2.** adv: **~ beeindruckt** etc very much (od. greatly) impressed etc; **~ beschädigt** etc badly damaged etc.

Stärke ['ʃtɛrkə] f (-; -n) strength, power; Intensität: intensity; Maß: degree; chem. starch; '**2n** (h) **1.** v/t strengthen (a. fig.); Wäsche etc: starch; **2.** v/refl take some refreshment.

'**Starkstrom** m (-[e]s; no pl) high-voltage (od. heavy) current.

'**Stärkung** f (-; -en) strengthening; Imbiß: refreshment; '**~smittel** n tonic.

starr [ʃtar] adj stiff; unbeweglich: rigid (a. tech.); Gesicht etc: a. frozen; Augen: glassy; **~er Blick** (fixed) stare; **~ vor Kälte (Entsetzen)** frozen (scared) stiff; '**~en** v/i (h) stare (**auf** acc at); '**~köpfig** ['~kœpfɪç] adj stubborn, obstinate;

S

ˈꞥsinn m (-[e]s; no pl) stubbornness, obstinacy.

Start [ʃtart] m (-[e]s; -s) start (a. fig.); aer. take-off; Rakete: lift-off; '**ꞥauto‚matik** f mot. automatic choke (control); '**ꞥbahn** f aer. runway; '**Ꞇbereit** adj ready to start; aer. ready for take-off; '**Ꞇen 1.** v/i (sn) start (a. F fig.); aer. take off; Raumfahrt: lift off; **2.** v/t (h) start (a. F fig.); e-e Rakete: launch (a. fig. Unternehmen etc); '**ꞥhilfe** f: **j-m ꞥ geben** mot. give s.o. a jump start; '**ꞥhilfekabel** n mot. Br. jump leads pl; Am. jumper cables pl; '**ꞥkapi‚tal** n start-up capital.

Station [ʃtaˈtsĭoːn] f (-; -en) station; Kranken2: ward; Ꞇär [ꞥoˈnɛːr] adj med.: **ꞥe Behandlung** in-patient treatment; **ꞥer Patient** in-patient; Ꞇieren [ꞥoˈniːrən] v/t (no ge-, h) mil. station; Raketen: deploy.

Statist [ʃtaˈtist] m (-en; -en) thea., Film: extra; **ꞥik** [ꞥik] f (-; -en) statistics pl; **ꞥiker** m (-s; -) statistician; Ꞇisch adj statistical.

Stativ [ʃtaˈtiːf] n (-s; -e) tripod.

statt [ʃtat] prp instead of: **ꞥ dessen** instead (mst nachgestellt); **ꞥ et. zu tun** instead of doing s.th.

Stätte [ˈʃtɛtə] f (-; -n) place; e-s Unglücks etc: scene.

'**statt|finden** v/i (irr, sep, -ge-, h, → finden) take place; geschehen: happen; '**ꞥlich** adj imposing; Summe etc: handsome.

Statue [ˈʃtaːtŭə] f (-; -n) statue.

Statur [ʃtaˈtuːr] f (-; -en) build, stature (a. fig.).

Status [ˈʃtaːtʊs] m (-; -) sozialer: status; '**ꞥsymbol** n status symbol.

Statut [ʃtaˈtuːt] n (-[e]s; -en) statute, regulation.

Stau [ʃtaʊ] m (-[e]s; -s, -e) mot. traffic jam; Rück2: tailback.

Staub [ʃtaʊp] m (-[e]s; -e, ꞥe) dust: **ꞥ wischen** dust; → **aufwirbeln.**

'**Staubecken** n reservoir.

stauben [ˈʃtaʊbən] v/i (h) make a lot of dust.

Staubfänger [ˈꞥfɛŋər] m (-s; -) dust trap.

staubig [ˈʃtaʊbɪç] adj dusty.

'**staub|saugen** v/i u. v/t (insep, -ge-, h) vacuum, F Br. hoover; Ꞇsauger m (-s;

-) vacuum cleaner; F Br. hoover; '**Ꞇtuch** n (-[e]s; ꞥer) duster.

Staudamm m dam.

stauen [ˈʃtaʊən] (h) **1.** v/t Fluß etc: dam up; **2.** v/refl Verkehr: be(come) congested.

staunen [ˈʃtaʊnən] v/i (h) be astonished (od. surprised) (**über** acc at).

Staunen [ꞥ] n (-s) astonishment, amazement.

Stausee m reservoir.

Steak [steːk] n (-s; -s) gastr. steak.

stech|en [ˈʃtɛçən] v/i, v/t u. v/refl (stach, gestochen, h) prick (**in den Finger** one's finger); Biene etc: sting; Mücke etc: bite; mit Messer etc: stab: **mit et. ꞥ in** (acc) stick s.th. in(to); **sich ꞥ** prick o.s.; → **See²**; '**ꞥend** adj Blick: piercing; Schmerz: stabbing; '**Ꞇkarte** f clocking-in card; '**Ꞇmücke** f → **Mücke**; '**Ꞇuhr** f time clock.

Steck|brief [ˈʃtɛk ꞥ] m jur. "wanted" circular; '**Ꞇbrieflich** adv jur.: **er wird ꞥ gesucht** a warrant is out against him; '**ꞥdose** f electr. (wall) socket; '**Ꞇen 1.** v/t stick; wohin tun: put; bsd. tech. insert (**in** acc into); an~: pin (**an** acc to, on); **2.** v/i sich befinden: be; festsitzen: stick, be stuck: **tief in Schulden ꞥ** be deeply in debt; '**Ꞇenbleiben** v/i (irr, sep, -ge-, sn, → bleiben) get stuck (a. fig.); '**ꞥenpferd** n fig. hobby; '**ꞥer** m (-s; -) electr. plug; '**ꞥnadel** f pin.

Steg [steːk] m (-[e]s; -e) footbridge; Brett: plank.

'**Stegreif** m: **aus dem ꞥ** off the cuff; **aus dem ꞥ spielen** improvise.

stehen [ˈʃteːən] (stand, gestanden, h) **1.** v/i stand; sich befinden, sein: be; aufrecht ꞥ: stand up: **es steht ihr** it suits (od. looks well on) her; **wie(viel) steht es?** what's the score?; **hier steht, daß** it says here that; **wo steht das?** where does it say so (od. that)?; **wie steht es mit ...?** what about ...?; F ꞥ **auf** (acc) be into; **2.** v/t: → **Modell** etc; '**Ꞇbleiben** v/i (irr, sep, -ge-, sn, → bleiben) stop; bsd. tech., Entwicklung etc: come to a standstill; '**Ꞇlassen** v/t (irr, sep, -ge-, h, → lassen) leave (Essen etc: untouched); Schirm etc: leave behind: **alles stehen-u. liegenlassen** drop everything; **sich e-n Bart ꞥ** grow a beard.

'**Stehlampe** f standard (Am. floor) lamp.

stehlen ['ʃteːlən] v/t, v/i u. (fig.) v/refl (stahl, gestohlen, h) steal.

'**Stehplatz** m thea. etc standing ticket; pl standing room sg.

steif [ʃtaɪf] adj stiff (a. fig.).

steigen ['ʃtaɪgən] (stieg, gestiegen, sn) **1.** v/i sich begeben: go, step; klettern: climb; hoch~, zunehmen: rise, go up, climb (a. aer.): ~ in (acc) (auf acc) Fahrzeug: get on; ~ aus (von) get off (Bett: out of); **2.** v/t: Treppen ~ climb stairs.

steiger|n ['ʃtaɪgərn] (h) **1.** v/t raise, increase; verstärken: heighten; verbessern: improve; **2.** v/refl Person: improve, get better; '**2ung** f (-; -en) rise, increase; heightening; improvement.

'**Steigung** f (-; -en) gradient; Hang: slope.

steil [ʃtaɪl] adj steep (a. fig.); '**2hang** m steep slope; '**2küste** f steep coast; '**2wandzelt** n frame tent.

Stein [ʃtaɪn] m (-[e]s; -e) stone (a. bot., med.), Am. a. rock; Edel2: (precious) stone, gem; Brettspiel: piece; '**~bruch** m quarry; '**2ern** adj (of) stone; fig. stony; '**~gut** n (-[e]s; -e) earthenware; '**2ig** adj stony; '**~kohle** f hard coal; '**~metz** ['~mɛts] m (-en; -en) stonemason; '**~pilz** m bot. cep; '**2reich** adj F filthy rich; '**~schlag** m falling rocks pl.

Stelle ['ʃtɛlə] f (-; -n) place; genauer: spot; Punkt: point; Arbeits2: job; Behörde: authority: auf der (zur) ~ on the spot; an erster ~ stehen (kommen) be (come) first; an j-s ~ in s.o.'s place; ich an d-r ~ if I were you; → frei 1.

'**stellen** ['ʃtɛlən] **1.** v/t allg. put; Uhr, Aufgabe, Falle etc: set; ein, aus, leiser etc: turn; Frage: ask; zur Verfügung ~: provide; Verbrecher etc: corner, hunt down: s-e Uhr ~ nach set one's watch by; **2.** v/refl give o.s. up, turn o.s. in: sich ~ gegen (hinter acc) fig. oppose (back); sich schlafend etc. ~ pretend to be asleep etc; stell dich dorthin! (go and) stand over there.

'**Stellen|angebot** n vacancy: ich habe ein ~ I have been offered a job; '**~gesuch** n application for a job; '**~suche** f: auf ~ sein be job-hunting; '**~vermittlung** f employment agency; '**2weise** adv partly, in places.

'**Stellung** f (-; -en) position; Arbeitsplatz: a. post, job: ~ nehmen zu comment on, give one's opinion of; '**~nahme** ['~naːmə] f (-; -n) comment, opinion (beide: zu on); '**2slos** adj unemployed, jobless.

'**stellvertrete|nd** adj amtlich: acting, deputy, vice-...; '**2r** m (-s; -) representative; amtlich: deputy.

stemmen ['ʃtɛmən] (h) **1.** v/t Gewicht: lift; **2.** v/refl: sich ~ gegen press against; fig. resist.

Stempel ['ʃtɛmpəl] m (-s; -) stamp; Post2: postmark; auf Silber etc: hallmark; '**~kissen** n ink pad; '**2n** v/t (h) stamp; entwerten: cancel; Gold, Silber: hallmark; '**~uhr** f time clock.

Stengel ['ʃtɛŋəl] m (-s; -) bot. stalk, stem.

Steno|gramm ['ʃtenoˈgram] n (-s; -e) shorthand notes pl; '**~graphie** [~graˈfiː] f (-; -n) shorthand; '**2graphieren** [~graˈfiːrən] (no ge-, h) **1.** v/i write shorthand; **2.** v/t take down in shorthand; '**~typistin** f [~tyˈpɪstɪn] f (-; -nen) shorthand typist.

Steppdecke ['ʃtɛp~] f quilt.

sterb|en ['ʃtɛrbən] v/i (starb, gestorben, sn) die (an dat of): im 2 liegen be dying; '**~lich** ['ʃtɛrplɪç] adj mortal.

Stereoanlage ['ʃteːreo~] f stereo (system).

steril [ʃteˈriːl] adj sterile; '**2isation** [~riliza'tsjoːn] f (-; -en) sterilization; '**~isieren** [~rili'ziːrən] v/t (no ge-, h) sterilize.

Stern [ʃtɛrn] m (-[e]s; -e) star (a. fig.); '**~bild** n ast. constellation; des Tierkreises: sign of the zodiac; '**~enbanner** ['~ənbanər] n Star-Spangled Banner, Stars and Stripes pl; '**~(en)himmel** m starry sky; '**2klar** adj starry; '**~schnuppe** ['~ʃnʊpə] f (-; -n) shooting (od. falling) star.

stets [ʃteːts] adv always.

Steuer¹ ['ʃtɔʏər] n (-s; -) mot. (steering) wheel; mar. helm; aer. controls pl.

Steuer² [~] f (-; -n) tax (auf acc on); '**~aufkommen** n (-s; -) tax yield; '**~befreiung** f tax exemption; '**~berater** m tax adviser; '**~erhöhung** f tax increase; '**~erklärung** f tax return; '**~ermäßigung** f tax allowance; '**~flucht** f tax evasion; '**2frei** adj tax-free; Waren: duty-free; '**~freibetrag** m tax-free allowance; '**~gelder** pl tax money sg, taxes pl; '**~hinterziehung** f (-; -en) tax evasion; '**~karte** f tax card; '**~klasse** f tax bracket; '**~knüppel** m aer. control stick (od. lever); '**2n** v/t (h) mar. steer, navigate; mot. drive, steer; aer. navigate, pilot (alle a. v/i); tech. control; fig. direct, control; '**~o,ase** f, '**~para,dies** n tax haven; '**2pflichtig** adj taxable; Waren: dutiable; '**~rad** n mar., mot. steering wheel; '**~rückzahlung** f tax rebate; '**~senkung** f tax reduction; '**~ung** f (-; -en) steering (system); electr., tech. control (a. fig.); '**~vor,auszahlung** f advance payment of taxes; '**~zahler** m (-s; -) taxpayer.

Steward ['stjuːərt] m (-s; -s) steward; **~eß** ['~dɛs] f (-; -ssen) stewardess, air hostess.

Stich [ʃtɪç] m (-[e]s; -e) Nadel2: prick; Bienen2 etc: sting; Mücken2: bite; Messer2: stab; Nähen: stitch; Kartenspiel: trick; Kupfer2 etc: engraving; **im ~ lassen** let down; verlassen: abandon, desert.

Stiche'|lei f (-; -en) gibe(s pl), dig(s pl); '**2n** v/i (h) gibe (**gegen** at).

'**Stich|flamme** f jet of flame; '**2haltig** adj valid, sound; unwiderlegbar: watertight: **nicht ~ sein** F not hold water; '**~probe** f spot check; Waren: random sample: **e-e ~ machen** do (od. carry out) a spot check; take a random sample; '**~tag** m deadline; '**~wahl** f runoff; '**~wort** n (-[e]s) a) (pl -e) thea. cue: **~e pl** Notizen: notes pl; **das Wichtigste in ~en** an outline of the main points, b) (pl. **~er**) im Lexikon etc: headword; '**~wunde** f stab wound.

Stief... ['ʃtiːf-] in Zssgn Mutter etc: step...

Stiefel ['ʃtiːfəl] m (-s; -) boot.

Stiel [ʃtiːl] m (-[e]s; -e) handle; Besen2: stick; Glas, Pfeife, Blume etc: stem, bot. a. stalk.

Stier [ʃtiːr] m (-[e]s; -e) zo. bull; '**~kampf** m bullfight.

Stift [ʃtɪft] m (-[e]s; -e) pen; Blei2: pencil; Farb2: a. crayon; tech. pin; Holz2: peg; Kosmetik: stick; '**2en** v/t (h) spenden: donate; verursachen: cause; '**~ung** f (-; -en) donation; Institution: foundation.

Stil [ʃtiːl] m (-[e]s; -e) style (a. fig.): **in großem ~** in (grand) style; fig. on a large scale.

still [ʃtɪl] adj quiet, silent; bsd. unbewegt:

still: **sei(d) ~!** be quiet!; **sich ~ verhalten** keep quiet (körperlich: still); **~er Teilhaber** econ. sleeping (Am. silent) partner; '**2e** f (-; no pl) silence (a. Schweigen), quiet(ness): **in aller ~** quietly; heimlich: secretly.

'**Stilleben** n paint. still life.

'**stillegen** v/t (sep, -ge-, h) Betrieb: shut down; Fahrzeug: lay up; Maschine etc: put out of operation; med. immobilize.

'**stillen** v/t (h) Baby: nurse, breastfeed; Schmerz: relieve; Blutung: stop; Hunger, Neugier etc: satisfy; Durst: quench.

'**stillhalten** v/i (irr, sep, -ge-, h, → **halten**) keep still.

'**stillos** adj lacking style, tasteless.

'**still|schweigend** adj fig. tacit; '**2stand** m (-[e]s; no pl) standstill, stop; fig. a. stagnation (a. econ.); von Verhandlungen: deadlock; '**~stehen** v/i (irr, sep, -ge-, h, → **stehen**) stop, have stopped, (have) come to a standstill.

'**Stil|möbel** pl period furniture sg; '**2voll** adj stylish.

'**Stimm|band** ['ʃtɪm~] n (-[e]s; **~er**) vocal cord; '**2berechtigt** adj entitled to vote.

Stimme ['ʃtɪmə] f (-; -n) voice; Wahl: vote: → **enthalten**; '**2n** (h) **1.** v/i be right (od. true, correct); Wahl: vote (**für** for; **gegen** against): **es stimmt et. nicht** (**damit** [**mit ihm**]) there's s.th. wrong (with it [him]); **2.** v/t mus. tune; fig. j-n traurig etc: make.

'**Stimm|enthaltung** f abstention; '**~recht** n right to vote.

'**Stimmung** f (-; -en) fig. mood; Atmosphäre: a. atmosphere; allgemeine: feeling: **alle waren in ~** everybody was having fun; '**2svoll** adj atmospheric.

'**Stimmzettel** m ballot paper.

stinken ['ʃtɪŋkən] v/i (stank, gestunken, h) stink (**nach** of) (a. fig.): F **das** (**er** etc) **stinkt mir** I'm sick of it (him etc).

Stipendi|at [ʃtipɛn'diaːt] m (-en; -en) scholarship holder; **~um** [~'pɛndiʊm] n (-s; -dien) scholarship.

Stirn [ʃtɪrn] f (-; -en) forehead; → **runzeln**; '**~runzeln** n (-s) frown.

stöbern ['ʃtøːbərn] v/i (h) F rummage (around) (**nach** for).

stochern ['ʃtɔxərn] v/i (h): **im Essen ~** pick at one's food; **in den Zähnen ~** pick one's teeth.

S

Stock [ʃtɔk] *m* (-[e]s; ⸚e) stick; **~werk**: stor(e)y, floor: **im ersten ~** on the first (*Am.* second) floor; **'⸚dunkel** *adj* F pitch-dark.

stocken [ʃtɔkən] *v/i* (h) stop (short); *unsicher werden*: falter; *Verkehr*: be jammed; **'~d 1.** *adj Stimme etc*: halting; **2.** *adv*: **~ lesen** (*od.* **sprechen**) stumble through a text (*od.* speech).

'stock|finster *adj* F pitch-dark; **'⸚werk** *n* stor(e)y, floor: **im ersten ~** on the first (*Am.* second) floor.

Stoff [ʃtɔf] *m* (-[e]s; -e) material, stuff (*a. sl. fig.*); *Gewebe*: fabric, textile; *Tuch*: cloth; *chem., phys. etc*: substance; *fig. Thema, behandelter ~*: subject (matter): **~ sammeln** collect material; **'~tier** *n* stuffed animal; **'~wechsel** *m* physiol. metabolism.

stöhnen [ʃtøːnən] *v/i* (h) groan (**vor** *dat* with); *fig.* moan (**über** *acc* about).

Stollen [ʃtɔlən] *m* (-s; -) *Bergbau*: tunnel.

stolpern [ʃtɔlpərn] *v/i* (sn) trip (up): **~ über** (*acc*) trip over; *fig.* stumble over.

stolz [ʃtɔlts] *adj* proud (**auf** *acc* of).

Stolz [~] *m* (-es; *no pl*) pride (**auf** *acc* in).

stopfen [ʃtɔpfən] *v/t* (h) *Socken, Loch*: darn, mend; *pressen, füllen*: stuff (**in** *acc* into).

Stopp [ʃtɔp] *m* (-s; -s) stop; *Lohn⸚, Preis⸚*: freeze.

Stoppel [ʃtɔpəl] *f* (-; -n) stubble; **'~bart** *m* stubbly beard; **'⸚ig** *adj* stubbly.

stopp|en [ʃtɔpən] *v/i u. v/t* (h) stop (*a. fig.*) *mit der Uhr*: time; **'⸚licht** *n mot.* brake light; **'⸚schild** *n mot.* stop sign; **'⸚uhr** *f* stopwatch.

Stöpsel [ʃtœpsəl] *m* (-s; -) *Waschbecken etc*: plug.

Storch [ʃtɔrç] *m* (-[e]s; ⸚e) *zo.* stork.

stören [ʃtøːrən] (h) **1.** *v/t* disturb; *belästigen*: bother; *beeinträchtigen*: impair; *Versammlung etc*: disrupt; **lassen Sie sich nicht ~** don't let me disturb you; **darf ich Sie ~** could I bother you for a minute?; **stört es Sie, wenn ich rauche?** do you mind if I smoke?; **ich im Weg sein**: be in the way; *lästig sein*: be a nuisance; *unangenehm sein*: be awkward: **störe ich?** am I disturbing you?; **3.** *v/refl*: **sich ~ an** (*dat*) be bothered by.

storn|ieren [ʃtɔrˈniːrən] *v/t* (*no ge-, h)

econ. Auftrag: cancel; **⸚ierung** *f* (-; -en) cancellation; **⸚ierungsgebühr** *f* cancellation fee; **⸚o** [~no] *n* (-s; -ni), **'⸚o-gebühr** *f → Stornierung(sgebühr).*

störrisch [ʃtœrɪʃ] *adj* stubborn, obstinate.

'Störung *f* (-; -en) disturbance; impairment; disruption; *med.* disorder; *tech.* fault, defect; *Betriebs⸚*: failure, breakdown.

Stoß [ʃtoːs] *m* (-es; ⸚e) push; *Fuß⸚*: kick; *Ruck*: jolt, jerk; *Erschütterung*: shock; *Stapel*: pile; **'~dämpfer** *m* (-s; -) *mot.* shock absorber; **'⸚en** (stieß, gestoßen) **1.** *v/t* (h) push; *mit dem Fuß*: kick; **2.** *v/refl* knock (*od.* hurt) o.s.: **sich ~ an** (*dat*) knock (*od.* bump) against; *fig.* take offen|ce (*Am.* -se) at; **3.** *v/i* (sn): **mit dem Kopf ~ an** (*od.* **gegen** bump one's head against; **~ auf** (*acc*) entdecken: come across; *Schwierigkeiten etc*: meet with; *Öl etc*: strike; **'~stange** *f mot.* bumper; **'~verkehr** *m* rush-hour traffic; **'~zeit** *f* peak period; *Verkehr*: rush hour.

stottern [ʃtɔtərn] *v/i u. v/t* (h) stutter, stammer.

'Straf|anstalt [ʃtraːf~] *f* prison, *Am.* penitentiary; **'⸚bar** *adj* punishable: **sich ~ machen** commit an offen|ce (*Am.* -se); **'~e** *f* (-; -n) punishment; *jur. a.* penalty; *Geld⸚*: fine: **20 Mark ~ zahlen müssen** be fined 20 marks; **zur ~** as a punishment; **'~en** *v/t* (h) punish.

straff [ʃtraf] *adj* tight; *fig.* strict.

'straf|frei *adv*: **~ ausgehen** go unpunished; **'⸚gefangene** *m, f* prisoner, convict; **'⸚gesetz** *n* penal law.

sträf|lich [ʃtrɛːflɪç] **1.** *adj* unverzeihlich: inexcusable; **2.** *adv*: **~ vernachlässigen** neglect badly; **'⸚ling** *m* (-s; -e) prisoner, convict.

'Straf|man,dat *n* ticket; **'~pro,zeß** *m* trial; **'~tat** *f* criminal offen|ce (*Am.* -se); *schwere*: crime; **'~zettel** *m* ticket.

Strahl [ʃtraːl] *m* (-[e]s; -en) ray (*a. fig.*); *Licht⸚, Funk⸚ etc*: *a.* beam; *Blitz⸚ etc*: flash; *Wasser⸚ etc*: jet; **'⸚en** *v/i* (h) radiate; *Sonne*: shine (brightly); *fig.* beam (**vor** *dat* with); **'~en...** *phys. in Zssgn Schutz etc*: radiation ...; **'~ung** *f* (-; -en) radiation.

Strähne [ʃtrɛːnə] *f* (-; -n) strand; *weiße etc*: streak.

stramm [ʃtram] *adj* tight.

Strand [ʃtrant] *m* (-[e]s; -e) beach: **am ~** on the beach; **'~bad** *n* swimming area; **'2en** *v/i* (sn) *mar.* run aground; **'~korb** *m* roofed wicker beach chair; **'~nähe** *f:* **in ~** near the beach; **~promenade** [*'~promə'na:də*] *f* (-; -n) promenade.

Strang [ʃtraŋ] *m* (-[e]s; -e) rope; *bsd. anat.* cord.

Strapaz|e [ʃtra'pa:tsə] *f* (-; -n) strain; **2ieren** [*~a'tsi:rən*] *v/t* (no ge-, h) *j-n, Augen etc:* strain; *ermüden:* exhaust, wear out; *Nerven etc:* tax; **2ierfähig** [*~a'tsi:r~*] *adj* hardwearing; **2iös** [*~a-'tsi:ø:s*] *adj* strenuous; *nervlich:* taxing.

Straße [ʃtra:sə] *f* (-; -n) road; *e-r Stadt etc:* street; *Meerenge:* strait(s *pl*): **auf der ~** on the road; in (*Am.* on) the street.

'Straßen|arbeiten *pl* roadworks *pl*; **'~bahn** *f Br.* tram, *Am.* streetcar; **'~bahnhaltestelle** *f* tram (*Am.* streetcar) stop; **'~café** *n* pavement (*Am.* sidewalk) café; **'~karte** *f* road map; **'~kreuzung** *f* cross roads *pl* (*sg konstr.*), intersection; **'~lage** *f* road holding: **e-e gute ~ haben** have good road holding, hold the road well; **'~rand** *m* roadside: **am ~** at (*od.* by) the roadside; **'~sperre** *f* road block; **'~verhältnisse** *pl* road conditions *pl*; **'~verkehrsordnung** *f* traffic regulations *pl*, *Br.* Highway Code.

strategisch [ʃtra'te:gɪʃ] *adj* strategic.

sträuben [ʃtrɔybən] *v/refl* (h): **sich ~ gegen** resist.

Strauch [ʃtraʊx] *m* (-[e]s; -er) shrub, bush.

Strauß¹ [ʃtraʊs] *m* (-es; -e) bunch (of flowers).

Strauß² [~] *m* (-es; -e) *zo.* ostrich.

streben [ʃtre:bən] *v/i* (h): **~ nach** strive for.

Strecke [ʃtrɛkə] *f* (-; -n) distance, way; *Route:* route; *rail.* line; *Renn2:* course; *Abschnitt, Fläche:* stretch; **'2n** *v/refl* (h) have a stretch.

Streich [ʃtraɪç] *m* (-[e]s; -e) trick, prank, practical joke: **j-m e-n ~ spielen** play a trick on s.o.; **'2eln** *v/t* (h) stroke, caress; **'2en** (stritch, gestrichen, h) **1.** *v/t an~:* paint; *schmieren:* spread (**auf** *acc* on); *aus~:* cross out; *Auftrag etc:* can-

cel; **2.** *v/i: mit der Hand ~ über* (*acc*) run one's hand over; **'~holz** *n* match; **'~instru,ment** *n mus.* string instrument: **die ~e** *pl* the strings *pl*; **'~ung** *f* (-; -en) cancellation; **'~or,chester** *n* string orchestra.

Streife [ʃtraɪfə] *f* (-; -n) patrol (*a. Mannschaft*): **~ gehen** go on patrol.

streifen [ʃtraɪfən] *v/t* (h) *berühren:* touch, brush against; *Auto:* scrape against; *Kugel:* graze; *Ring:* slip (**von** off); *Thema:* touch on.

Streif|en [~] *m* (-s; -) stripe; *Papier2 etc:* strip; **'~enwagen** *m* patrol car; **'~schuß** *m* graze.

Streik [ʃtraɪk] *m* (-[e]s; -s) *econ.* strike, walkout: **in den ~ treten** go on strike; **wilder ~** wildcat strike; **'~brecher** *m* (-s; -) strikebreaker, F blackleg; **'2en** *v/i* (h) (go *od.* be) on strike; **'~ende** *m, f* (-n; -n) striker; **'~posten** *m* picket; **'~recht** *n* (-[e]s; *no pl*) right to strike.

Streit [ʃtraɪt] *m* (-[e]s; -e) argument, quarrel (**über** *acc*, **um** about, over); *handgreiflicher:* fight; *pol. etc* dispute: **~ anfangen** pick a fight (*od.* quarrel); **~ suchen** be looking for trouble; **'2en** *v/i* (stritt, gestritten, h) (*a. sich ~*) argue, quarrel, have an argument (*alle:* **über** *acc* about, over); *handgreiflich:* (have a) fight: **darüber läßt sich ~** that's a moot point; **'2ig** *adj:* **j-m et. ~ machen** dispute s.o.'s right to s.th.; **'~kräfte** *pl mil.* armed forces *pl*; **'2süchtig** *adj* quarrelsome.

streng [ʃtrɛŋ] **1.** *adj* strict; *Kälte, Kritik, Strafe etc:* severe; *hart:* harsh; *unnachgiebig:* rigid; **~ verboten** (*vertraulich*) strictly prohibited (confidential); **'2e** *f* (-; *no pl*) strictness; severity; harshness; rigidity; **'~genommen** *adv* strictly speaking.

Streß [ʃtrɛs] *m* (-sses; *rare* -sse) stress: **im ~** under stress.

stress|en [ʃtrɛsən] *v/t* (h) put under stress; **'~ig** *adj* stressful.

streuen [ʃtrɔyən] *v/t* (h) scatter (*a. phys.*); *Sand etc:* a. spread; *Salz etc:* sprinkle; *Gehweg etc:* grit, *mit Salz:* salt.

streuend [ʃtrɔynənt] *adj* stray.

Strich [ʃtrɪç] *m* (-[e]s; -e) *Linie:* line; *Ska-len2:* mark; F **auf den ~ gehen** walk the streets; **'2weise** *adv:* **~ Regen** scattered showers *pl*.

S

Strick [ʃtrɪk] m (-[e]s; -e) cord; *dicker:* rope; '~... *in Zssgn Nadel etc:* knitting ...; '2en v/t u. v/i (h) knit; '~jacke f cardigan; '~leiter f rope ladder; '~waren pl knitwear sg; '~zeug n knitting (things pl).

strittig ['ʃtrɪtɪç] adj controversial: ~er Punkt point at issue.

Stroh [ʃtroː] n (-[e]s; no pl) straw; *Dach2:* thatch; '~dach n thatched roof; '~halm m straw; '~hut m straw hat; '~witwe(r m) f F grass widow(er).

Strom [ʃtroːm] m (-[e]s; ~e) (large) river; *Strömung, electr.:* current: ein ~ von a stream of (a. fig.); → gießen 2, regnen; 2ab(wärts) adv downstream; 2auf(wärts) adv upstream; '~ausfall m electr. power failure; *allgemeiner:* blackout.

strömen ['ʃtrøːmən] v/i (sn) stream (a. fig.), flow, run; *Regen:* pour (a. fig. *Menschen etc*).

'**Strom|kreis** m electr. circuit; '2linienförmig adj streamlined; '~schnelle f (-; -n) rapid; '~stärke f electr. amperage.

'**Strömung** f (-; -en) current; *fig. a.* trend.

'**Strom|versorgung** f electr. power supply; '~zähler m electricity meter.

Strophe ['ʃtroːfə] f (-; -n) stanza, verse.

strotzen ['ʃtrɔtsən] v/i (h): ~ von od. vor (dat) be teeming with; *Gesundheit etc:* be brimming (od. bursting) with.

Struktur [ʃtrʊk'tuːr] f (-; -en) structure.

Strumpf [ʃtrʊmpf] m (-[e]s; ~e) stocking; '~hose f (e-e ~ a pair of) tights pl, bsd. Am. panty hose.

Stube ['ʃtuːbə] f (-; -n) room.

Stück [ʃtʏk] n (-[e]s; -e) allg. piece; *Teil:* a. part; *Zucker:* lump; *Brot etc:* slice; *thea.* play: 2 Mark das ~ 2 marks each; im (od. am) ~ Käse etc: in one piece; → reißen 1 etc; '2weise adv bit by bit (a. fig.); econ. by the piece; '~werk n (-[e]s; no pl) fig. patchwork.

Student [ʃtu'dɛnt] m (-en; -en) student; ~enausweis m student's identity card.

Studie ['ʃtuːdiə] f (-; -n) study (über acc of); '~nabbrecher m (-s; -) university (od. college) dropout; '~nabschluß m final examinations pl; '~naufenthalt m study visit (in dat to); '~nplatz m university (od. college) place.

studieren [ʃtu'diːrən] v/t (no ge-, h) study, v/i. a. go to university.

Studium ['ʃtuːdiŏm] n (-s; -dien) studies pl.

Stufe ['ʃtuːfə] f (-; -n) step; *Niveau:* level; *Stadium, Raketen2:* stage.

Stuhl [ʃtuːl] m (-[e]s; ~e) chair; *physiol.* stool; → **Stuhlgang**; '~gang m (-[e]s; no pl) physiol. bowel movement: ~ haben have a bowel movement.

stülpen ['ʃtʏlpən] v/t (h) put (auf acc on; über acc over).

stumm [ʃtʊm] adj dumb; *still:* silent (a. fig.).

Stummel ['ʃtʊməl] m (-s; -) *Zahn2:* stump; *Zigarren2 etc:* butt, a. *Kerzen2 etc:* stub.

'**Stummfilm** m silent film.

Stümper ['ʃtʏmpər] m (-s; -) bungler.

Stumpf [ʃtʊmpf] m (-[e]s; ~e) stump.

stumpf [~] adj blunt; '~sinnig adj dull; *Arbeit:* a. monotonous.

Stunde ['ʃtʊndə] f (-; -n) hour; *Unterrichts2:* lesson, *Schul2:* a. period.

stunden ['ʃtʊndən] v/t (h): j-m et. ~ grant s.o. a delay for s.th.

'**Stunden|kilo,meter** pl kilomet|res (Am. -ers) per hour; '2lang 1. adj nach ~em Warten after hours of waiting; 2. adv for hours (and hours); '~lohn m hourly wage; '~plan m Br. timetable, Am. schedule; '2weise adj u. adv by the hour; '~zeiger m hour hand.

stündlich ['ʃtʏntlɪç] 1. adj hourly; 2. adv hourly, every hour.

'**Stundung** f (-; -en) deferment of payment.

stur [ʃtuːr] adj F pigheaded.

Sturm [ʃtʊrm] m (-[e]s; ~e) storm (a. fig.): ~ auf (acc) econ. rush for.

stürm|en ['ʃtʏrmən] 1. v/t (h) mil. storm (a. weitS.); 2. v/impers (h): es stürmt there's a gale blowing; 3. v/i (sn) wütend: storm; '2er m (-s; -) Sport: forward; bsd. Fußball: striker; '~isch adj stormy; fig. wild, vehement.

'**Sturmwarnung** f gale warning.

Sturz [ʃtʊrts] m (-es; ~e) fall (a. fig.); e-r Regierung etc: overthrow.

stürzen ['ʃtʏrtsən] 1. v/i (sn) (have a) fall; *laut:* crash; *rennen:* rush, dash; 2. v/t (h) throw; *Regierung etc:* overthrow: j-n ins Unglück ~ ruin s.o.; 3.

'v/refl' (h): **sich ~ aus** (**auf** acc etc) throw o.s. out of (at etc).

'**Sturzhelm** m crash helmet.

Stütze ['ʃtʏtsə] f (-; -n) support (a. fig.), prop; '2n (h) **1.** v/t support (a. fig.); **2.** v/refl: **sich ~ auf** (acc) lean on; fig. be based on.

stutzig ['ʃtʊtsɪç] adj: **j-n ~ machen** arouse s.o.'s suspicion.

Stütz|pfeiler m arch. supporting pillar; '**~punkt** m mil. base (a. fig.).

Styropor [ʃtyro'poːr] n (-s; no pl) TM styrofoam.

subjektiv [zʊpjɛk'tiːf] adj subjective; 2**ität** [~ivi'tɛːt] f (-; no pl) subjectivity.

Substanz [zʊp'stants] f (-; -en) substance (a. fig.).

'**Subunter,nehmer** ['zʊp~] m subcontractor.

Subvention [zʊpvɛn'tsi̯oːn] f (-; -en) subsidy; 2**ieren** [~o'niːrən] v/t (no ge-, h) subsidize.

Suche ['zuːxə] f (-; no pl) search (**nach** for): **auf der ~ nach** in search of; '2n (h) **1.** v/t allg. look for; stärker: search for: **gesucht: ...** wanted: ...; **was hat er hier zu ~?** what's he doing here?; **er hat hier nichts zu ~** he has no business to be here; **2.** v/i: **~ nach → 1**; '**~r** m (-s; -) phot. viewfinder.

Sucht [zʊxt] f (-; -e) addiction (**nach** for); Besessenheit: mania (for).

süchtig ['zʏçtɪç] adj: **~ machen** be addictive; **~ sein** be addicted (**nach** to); '2e m, f (-n; -n) addict.

Süden ['zyːdən] m (-s; no pl) south; südlicher Landesteil: South: **nach ~** south(wards).

'**Süd|früchte** ['zyːt~] pl tropical (od. southern) fruits pl; '2**lich 1.** adj south(ern); **2.** adv: **~ von** (to the) south of; **~'osten** m southeast; '**~pol** m (-s, no pl) South Pole; 2**wärts** ['~vɛrts] adv southward(s); '**~westen** m southwest.

Summe ['zʊmə] f (-; -n) sum (a. fig.); Betrag: amount; Gesamt2: (sum) total.

summen ['zʊmən] v/i u. v/t (h) buzz, hum (a. Lied etc).

summieren [zʊ'miːrən] v/refl (no ge-, h) add up (**auf** acc, **zu** to).

Sumpf [zʊmpf] m (-[e]s; -e) swamp, marsh; '2**ig** adj swampy, marshy.

Sünde ['zʏndə] f (-; -n) sin (a. fig.); **~bock** ['~nbɔk] m (-[e]s; -e) scapegoat.

super ['zuːpər] adj u. int F super, great.

Super [~] n (-s; no pl) mot. F Br. four-star, Am. premium; '**~ben,zin** n mot. Br. four-star petrol, Am. premium gas(oline); '**~markt** m supermarket.

Suppe ['zʊpə] f (-; -n) soup; '**~nlöffel** m soup spoon; '**~nschüssel** f soup tureen; '**~nteller** m soup plate.

Surf|brett ['sœrf~] m surfboard; '2**en** v/i (h) surf; '**~er** m (-s; -) surfer.

süß [zyːs] adj sweet (a. fig.); '2**en** v/t (h) sweeten; '2**igkeiten** pl sweets pl, bsd. Am. a. candy sg; '**~lich** adj sweetish; fig. mawkish; '**~'sauer** adj sweet-and--sour; '2**stoff** m sweetener; '2**wasser** n (-s; no pl) fresh water; in Zssgn: freshwater.

Swimmingpool ['svɪmɪŋpuːl] m (-s; -s) swimming pool.

Symbol [zʏm'boːl] n (-s; -e) symbol (gen, für of); 2**isch** adj symbolic(al) (für of).

Sympathie [zʏmpa'tiː] f (-; -n) liking (**für** for); Mitgefühl: sympathy; **~estreik** m econ. sympathy (od. sympathetic) strike; 2**sant** [~'pa:tiʃ] adj nice, likeable: **er ist mir ~** I like him.

Symphonie [zʏmfo'niː] f (-; -n) mus. symphony; **~or,chester** n symphony orchestra.

Symptom [zʏmp'toːm] n (-s; -e) symptom; 2**atisch** [~o'ma:tɪʃ] adj symptomatic (**für** of).

Synagoge [zyna'goːgə] f (-; -n) synagogue.

synchron [zʏn'kroːn] adj synchronous; **~isieren** [~oni'zi:rən] v/t (no ge-, h) synchronize; Film: a. dub.

synthetisch [zʏn'teːtɪʃ] adj synthetic.

System [zʏs'teːm] n (-s; -e) system; 2**atisch** [~e'ma:tɪʃ] adj systematic, methodical.

Szene ['stseːnə] f (-; -n) scene (a. fig.): (j-m) e-e ~ machen make a scene.

S

T

Tabak ['ta:bak] *m* (-s; -e) tobacco; '**~la-
den** *m* tobacconist's, *Am.* cigar store.

tabell|arisch [tabɛ'la:rɪʃ] *adj* tabulated,
tabular; **2e** [ta'bɛlə] *f* (-; -n) table.

Tablett [ta'blɛt] *n* (-[e]s; -s, -e) tray; **~e** *f*
(-; -n) tablet, pill.

Tabu [ta'bu:] *n* (-s; -s) taboo.

tabu [~] *adj* taboo; **~frei** *adj*: **~e Gesellschaft** permissive society.

Tacho ['taxo] *m* (-s; -s) F, **~meter** [~'me:-
tər] *m, a. n* (-s; -) *mot.* speedometer.

Tadel ['ta:dəl] *m* (-s; -) blame; *förmlich:*
censure, reproof, rebuke; '**2los** *adj*
faultless; *Leben etc:* blameless; *ausgezeichnet:* excellent; *Sitz, Funktionieren
etc:* perfect; '**2n** *v/t* (h) criticize, blame;
förmlich: censure, reprove, rebuke
(alle: **wegen** *dat).*

Tafel ['ta:fəl] *f* (-; -n) *Schule etc:* (black-)
board; *Anschlag2 etc:* (notice, *Am.* bulletin) board; *Schild:* sign; *Gedenk2 etc:*
plaque; *Schokoladen2:* bar.

täfel|n ['tɛ:fəln] *v/t* (h) panel; '**2ung** *f* (-;
-en) panel(l)ing.

Tafelwein *m* table wine.

Tag [ta:k] *m* (-[e]s; -e) day: **am** *(od.* **bei)** **~**
during the day; *bei Tageslicht:* in day-
light; **welchen ~ haben wir heute?**
what day is it today?; **alle zwei (paar)
~e** every other day (few days); **heute
(morgen) in 14 ~en** two weeks from
today (tomorrow); **e-s ~es** one day;
den ganzen ~ all day; **~ u. Nacht** night
and day; **am hellichten ~** in broad daylight; **guten ~!** good morning, good
afternoon; *beim Vorstellen:* how do
you do?; F **sie hat ihre ~e** she's got her
period; *unter ~e Bergbau:* underground.

Tage|buch ['ta:gə~] *n* diary: **~ führen**
keep a diary; '**2lang** *adv* for days.

tagen ['ta:gən] *v/i* (h) have a meeting *(od.*
conference); *jur., parl.* be in session.

Tages|anbruch ['ta:gəs~] *m*: **bei ~** at
daybreak *(od.* dawn); '**~fahrt** *f* day trip;
'**~gespräch** *n* talk of the day; '**~karte** *f*
day ticket; *gastr.* menu for the day;
'**~kurs** *m Devisen:* today's rate of exchange; '**~licht** *n* (-[e]s; *no pl*) daylight:
bei ~ in daylight; '**~ordnung** *f* agenda:

auf der ~ stehen be on the agenda;
'**~presse** *f* daily press; '**~rückfahr-
karte** *f* day return (ticket); '**~tour** *f* day
trip; '**~zeit** *f* time of day: **zu jeder ~** at
any hour; '**~zeitung** *f* daily (paper).

'**tageweise** *adj u. adv* on a day-to-day
basis.

täglich ['tɛ:klɪç] **1.** *adj* daily; **2.** *adv* daily,
every day.

'**Tagschicht** *f* day shift: **~ haben** be on
day shift.

'**tagsüber** *adv* during the day.

'**Tagung** *f* (-; -en) conference; '**~sort** *m*
conference venue.

Taille ['taljə] *f* (-; -n) waist; *am Kleid: a.*
waistline; **2iert** [ta'ji:rt] *adj* waisted.

Takt [takt] *m* (-[e]s; -e) *mus.* time; *einzelner:* bar; *mot.* stroke; *Feingefühl:*
tact: **den ~ halten** *mus.* keep time; **~ik**
['~ɪk] *f* (-; -en) *fig.* tactics *pl*; '**~iker** *m* (-s
-) tactician; '**2isch** *adj* tactical; '**2los**
adj tactless; '**~stock** *m mus.* baton;
'**~strich** *m mus.* bar; **2voll** *adj* tactful.

Tal [ta:l] *n* (-[e]s; ~er) valley.

Talent [ta'lɛnt] *n* (-[e]s; -e) talent, gift;
Person: talented person: **~e** *pl* talent *sg*
(a. pl konstr.); **2iert** [~'ti:rt] *adj* talented, gifted.

Talisman ['ta:lɪsman] *m* (-s; -e) talisman,
charm.

Talk|master ['tɔ:kma:stər] *m* (-s; -) chat-
-show *(Am.* talk-show) host; '**~Show** *f
Br.* chat show, *Am.* talk show.

'**Talsperre** *f* dam.

Tang [taŋ] *m* (-[e]s; -e) *bot.* seaweed.

Tank [taŋk] *m* (-[e]s; -s) tank: **2en** *v/i* (h)
get some petrol *(Am.* gasoline); '**~er** *m*
(-s; -) *mar.* tanker; '**~stelle** *f* filling *(od.*
petrol, *Am.* gas) station; '**~wart** *m*
(-[e]s; -e) pump attendant.

Tanne ['tanə] *f* (-; -n) *bot.* fir (tree);
'**~nzapfen** *m* fir cone.

Tante ['tantə] *f* (-; -n) aunt; **~-Emma-
Laden** [~'ɛma~] *m Br.* corner shop,
Am. mom-and-pop store.

Tantiemen [tã'tiɛmən] *pl* royalties *pl.*

Tanz [tants] *m* (-es; ~e) dance; **2en** *v/i u.*
v/t (h) dance.

Tänzer ['tɛntsər] *m* (-s; -) dancer.

'**Tanz|fläche** *f* dance floor; '**~lo,kal** *n*

café with dancing; '**~mu,sik** f dance music.

Tape|te [ta'pe:tə] f (-; -n) wallpaper; 2-**zieren** [~e'tsi:rən] v/t (no ge-, h) (wall-)paper; **~'zierer** m (-s; -) paperhanger.

tapfer ['tapfər] adj brave; mutig: courageous; '**2keit** f (-; no pl) bravery; courage.

Tara ['ta:ra] f (-; -ren) econ. tare.

Tarif [ta'ri:f] m (-s; -e) scale of charges; Lohn2: pay scale; **~autonomie** [~aoto,no,mi:] f (-; -n) free collective bargaining; **~erhöhung** f increase in pay rates; **~kon,flikt** m pay dispute; **~lohn** m standard wage(s pl); **~partner** m party to a wage agreement; pl union(s) and management; **~verhandlungen** pl collective bargaining sg.

Tasche ['taʃə] f (-; -n) Einkaufs2 etc: bag; Hand2: bag, Am. a. purse; Hosen2 etc: pocket.

'**Taschen|buch** n paperback; '**~dieb** m pickpocket; '**~geld** n bsd. Br. pocket money, Am. allowance; '**~lampe** f bsd. Br. torch, Am. flashlight; '**~messer** n penknife, pocketknife; '**~rechner** m pocket calculator; '**~schirm** m telescopic umbrella; '**~tuch** n handkerchief.

Tasse ['tasə] f (-; -n) cup (Tee etc of tea etc).

Tastatur [tasta'tu:r] f (-; -en) keyboard, keys pl.

Tast|e ['tastə] f (-; -n) key; tech. Druck2: a. push button; '**~entele,fon** n push-button telephone; '**~sinn** m (-[e]s; no pl) sense of touch.

Tat [ta:t] f (-; -en) act, deed; Handeln: action; Straf2: offen[ce (Am. -se): j-n **auf frischer ~ ertappen** catch s.o. in the act; '2**enlos** adj inactive.

Täter ['tɛːtər] m (-s; -) culprit; jur. offender.

tätig ['tɛːtɪç] adj active (a. Vulkan); geschäftig: busy: **~ sein bei** be employed with; **~ werden** act, take action; '2**keit** f (-; -en) activity; Arbeit: work; Beruf, Beschäftigung: occupation, job: **in ~** in action.

'**Tat|kraft** f (-; no pl) energy; '2**kräftig** adj energetic, active.

tätlich ['tɛːtlɪç] adj: **~ werden** become violent; **~ werden gegen** assault; '2**keiten** pl violence sg.

'**Tat|ort** m jur. scene of the crime; '**~sache** f fact; 2**sächlich** ['~zɛçlɪç] **1.** adj actual, real; **2.** adv actually, in fact; wirklich: really.

Tau¹ [tao] n (-[e]s; -e) rope.

Tau² [~] m (-[e]s; no pl) dew.

taub [taop] adj deaf (**auf einem Ohr** in one ear; fig. **gegen, für** to); Finger etc: numb.

Taube ['taobə] f (-; -n) zo. pigeon; pol. dove.

'**Taub|heit** f (-; no pl) deafness; numbness; '2**stumm** adj deaf and dumb; '**~stumme** m (-n; -n) deaf mute.

tauche|n ['taoxən] **1.** v/i (sn) dive (**nach** for); Sport: a. skin-dive; U-Boot: a. submerge; **2.** v/t (h) **ein~:** dip (**in** acc into); '2**r** m (-s; -) (Sport: skin) diver.

tauen ['taoən] **1.** v/i (sn) thaw, melt; **2.** v/impers (h): **es taut** it's thawing.

Taufe ['taofə] f (-; -n) baptism, christening; '2**n** v/t (h) baptize, christen (**auf den Namen Michael** Michael).

'**Tauf|pate** m godfather; '**~patin** f (-; -nen) godmother; '**~schein** m certificate of baptism.

taug|en ['taogən] v/i (h): **nicht ~ zu** (od. **für**) be not be suited to (od. for); **nichts ~** be no good; '**~lich** ['~klɪç] adj suitable (**für, zu** for); mil. fit (for service).

taumeln ['taoməln] v/i (sn) stagger, reel.

Tausch [taoʃ] m (-es; -e) exchange, F swap: **im ~ gegen** in exchange for; '2**en** (h) **1.** v/t exchange, F swap (beide: **gegen** for); Rollen, Plätze etc: a. switch; wechseln: change (a. Geld); **2.** v/i: **ich möchte nicht mit ihm ~** I wouldn't like to be in his shoes.

täuschen ['tɔyʃən] (h) **1.** v/t deceive; **sich ~ lassen** be deceived (od. taken in) (**von** by); **2.** v/i be deceptive; **3.** v/refl be wrong (od. mistaken): **sich in j-m ~** be completely wrong about s.o.; '**~d** adj Ähnlichkeit: striking.

'**Tauschgeschäft** n exchange deal, F swap.

'**Täuschung** f (-; -en) deception; jur. deceit; Irrtum: mistake; Selbst2: delusion.

tausend ['taozənt] adj a (od. one) thousand.

'**Tau|wetter** n thaw (a. fig. pol.); '**~ziehen** n (-s; no pl) tug-of-war (a. fig.: **um** for).

Taxameter [taksa'me:tər] *n*, *m* (-s; -) taximeter.

Taxi ['taksi] *n* (-s; -s) taxi, cab; **'~fahrer** *m* taxi (*od.* cab) driver; **'~stand** *m* taxi rank, *bsd. Am.* taxi stand, cabstand.

Technik ['tɛçnɪk] *f* (-; -en) *Wissenschaft:* technology; *angewandte:* mst engineering; *Verfahren:* technique (*a. Kunst etc*); *e-r Maschine etc:* mechanics *pl;* **'~er** *m* (-s; -) engineer; *Spezialist:* technician.

'technisch *adj* technical (*a. Gründe, Zeichnen etc*); *~wissenschaftlich:* technological (*a. Fortschritt, Zeitalter etc*); **~e Hochschule** college of technology.

Technolog|ie [tɛçnolo'gi:] *f* (-; -n) technology; **~iepark** *m* technology (*od.* science) park; **~ietrans,fer** *m* technology transfer; **2isch** [~'lo:gɪʃ] *adj* technological.

Tee [te:] *m* (-s; -s) tea; **'~beutel** *m* teabag; **'~kanne** *f* teapot; **'~löffel** *m* teaspoon.

'Tee|ser,vice *n* tea service (*od.* set); **'~sieb** *n* tea strainer; **'~tasse** *f* teacup.

Teich [taɪç] *m* (-[e]s; -e) pond.

Teig [taɪk] *m* (-[e]s; -e) dough; **2ig** ['~gɪç] *adj* doughy, pasty; **~waren** *pl* pasta *sg*.

Teil [taɪl] *m*, *n* (-[e]s; -e) part; *An2:* portion, share; *Bestand2:* component; **zum ~** partly, in part; **2bar** *adj* divisible; **'~betrag** *m* partial amount; *Rate:* instal(l)ment; **'~chen** *n* (-s; -) particle (*a. phys.*); **2en** *v/t* (h) divide (**in** *acc* into; *math.* **durch** by); *j-s Ansicht, Schicksal etc:* share; **'~erfolg** *m* partial success; **'~haber** *m* (-s; -) *econ.* partner; **'~kaskoversicherung** ['~kasko~] *f mot.* partial coverage insurance; **'~lieferung** *f* part delivery; **~nahme** ['~na:mə] *f* (-; *no pl*) participation (**an** *dat in*); *fig.* interest (in); *An2:* sympathy (for); **2nahmslos** *adj* indifferent; apathetic; **'~nahmslosigkeit** *f* (-; *no pl*) indifference; apathy; **2nehmen** *v/i* (*irr, sep*, -ge-, h, → **nehmen**): **~ an** (*dat*) take part (*od.* participate) in; **'~nehmer** *m* (-s; -) participant; *Sport etc:* competitor; **'2s** *adv* partly, in part; **'~strecke** *f Reise, Rennen:* stage, leg; **'~ung** *f* (-; -en) division; **2weise** *adv* partly, in part; **'~zahlung** *f* part

payment; *Rate:* instal(l)ment; *Ratenzahlung:* → **Abzahlung**.

Teint [tɛ̃] *m* (-s; -s) complexion.

Telefon [tele'fo:n] *n* (-s; -e) (tele)phone: **~ haben** be on the phone; **~anschluß** *m* telephone connection; **~appa,rat** *m* (tele)phone; **~at** [~o'na:t] *n* (-[e]s; -e) telephone conversation; *Anruf:* phone call; **~buch** *n* telephone directory, phone book; **~gebühr** *f* telephone charge; **~gespräch** *n* → **Telefonat**; **2ieren** [~o'ni:rən] *v/i* (*no ge-*, h) make a phone call; *gerade:* be on the phone; **mit j-m ~** talk to s.o. on the phone; **2isch 1.** *adj* telephonic, telephone; **2.** *adv* by (tele)phone, over the (tele)phone; **~istin** [~o'nɪstɪn] *f* (-; -nen) switchboard operator; **~karte** *f* phonecard; **~nummer** *f* (tele)phone number; **~zelle** *f bsd. Br.* (tele)phone box, *Br.* call box, *Am.* (tele)phone booth; **~zen,trale** *f e-r Firma etc:* switchboard.

telegraf|ieren [telegra'fi:rən] *v/t u. v/i* (*no ge-*, h) telegraph, wire; **~isch** [~'gra:fɪʃ] **1.** *adj* telegraphic; **2.** *adv* by telegraph.

Telegramm [tele'gram] *n* (-s; -e) telegram.

telegraphieren, telegraphisch → **telegrafieren, telegrafisch**.

'Teleobjek,tiv [te:le~] *n* telephoto lens.

Telephon(...) → **Telefon(...)**.

Teller ['tɛlər] *m* (-s; -) plate.

Tempel ['tɛmpəl] *m* (-s; -) temple.

Temperament [tempera'mɛnt] *n* (-[e]s; -e) temper(ament); *Schwung:* verve; **2voll** *adj* spirited.

Temperatur [tempera'tu:r] *f* (-; -en) temperature: *j-s ~ messen* take s.o.'s temperature.

Tempo ['tempo] *n* (-s; -s, -pi) speed; *mus.* tempo: **mit ~ ...** at a speed of ... an hour; **~limit** ['~lɪmɪt] *n* (-s; -s, -e) *mot.* speed limit.

Tendenz [tɛn'dɛnts] *f* (-; -en) tendency (**zu** towards), trend (*a. econ.*); **2iös** [~'tsiø:s] *adj* tendentious.

tendieren [tɛn'di:rən] *v/i* (*no ge-*, h) tend (**zu** towards; **dazu, et. zu tun** to do s.th.).

Tennis ['tɛnɪs] *n* (-; *no pl*) tennis; **'~ball** *m* tennis ball; **'~platz** *m* tennis court; **'~schläger** *m* tennis racket; **'~spieler** *m* tennis player.

Tenor [te'no:r] *m* (-s; ⸚e) *mus.* tenor.

Teppich ['tɛpɪç] *m* (-s; -e) carpet; '**˷bo-den** *m* fitted carpet, wall-to-wall carpeting; '**˷fliese** *f* carpet tile.

Termin [tɛr'mi:n] *m* (-s; -e) *Geschäfts2 etc*: appointment; *vereinbarter Tag*: date; *letzter ˷*: deadline; '**˷ka˳lender** *m* appointments book.

Terrasse [tɛ'rasə] *f* (-; -n) terrace; **˷ntür** *f* French window(s *pl*).

Territorium [tɛri'to:riʊm] *n* (-s; -rien) territory.

Terror ['tɛrɔr] *m* (-s; *no pl*) terror; **2i-sieren** [˷ori'zi:rən] *v/t* (*no* ge-, h) terrorize; **˷ismus** [˷o'rɪsmʊs] *m* (-; *no pl*) terrorism; **˷ist** [˷o'rɪst] *m* (-en; -en) terrorist.

Terzett [tɛr'tsɛt] *n* (-[e]s; -e) *mus.* trio.

Test [tɛst] *m* (-[e]s; -s, -e) test.

Testament [tɛsta'mɛnt] *n* (-[e]s; -e) will, *jur.* last will and testament; *eccl.* Testament: *sein ˷ machen* make a will; **2arisch** [˷'ta:rɪʃ] *adj* by will; **˷ser-öffnung** *f* opening of the will; **˷s-voll˳strecker** *m* (-s; -) executor.

'**Test|bild** *n* TV Br. test card, Am. test pattern; '**2en** *v/t* (h) test.

teuer ['tɔyər] *adj* expensive, dear: *wie ˷ ist es?* how much is it?; **2ung** *f* (-; -en) rise in prices; '**2ungsrate** *f* rate of price increases.

Teufel ['tɔyfəl] *m* (-s; -) devil (*a. fig.*): *wer* (*wo, was*) *zum ˷ ...?* who (where, what) the hell ...?; '**˷skerl** *m* F devil of a guy; '**˷skreis** *m* vicious circle.

'**teuflisch** *adj* devilish, diabolical.

Text [tɛkst] *m* (-[e]s; -e) text; *unter Bild etc*: caption; *Lied2*: words *pl*, lyrics *pl*; *thea.* lines *pl*, part; '**˷er** *m* (-s; -) *Schlager2*: songwriter.

Textilien [tɛks'ti:liən] *pl* textiles *pl*.

'**Textverarbeitung** *f* (-; -en) word processing; '**˷spro˳gramm** *n* word processing program, word processor.

Theater [te'a:tər] *n* (-s; -) theat|re (*Am.* -er): F *fig. ˷ machen (um)* make a fuss (about); **˷aufführung** *f* theat|re (*Am.* -er) performance; **˷besucher** *m* theatregoer, *Am.* theatergoer; **˷karte** *f* theat|re (*Am.* -er) ticket; **˷kasse** *f* box office; **˷stück** *n* play.

theatralisch [tea'tra:lɪʃ] *adj* theatrical.

Thema ['te:ma] *n* (-s; -men) subject, topic; *bsd. Leitgedanke, mus.*: theme;

das ˷ wechseln change the subject.

Theolog|e [teo'lo:gə] *m* (-n; -n)theologian; **˷ie** [˷o'gi:] *f* (-; -n) theology; **2isch** *adj* theological.

Theo|retiker [teo're:tikər] *m* (-s; -) theorist; **2'retisch** *adj* theoretical; **˷rie** [˷'ri:] *f* (-; -n) theory: *in der ˷* in theory.

Thera|peut [tera'pɔyt] *m* (-en; -en) therapist; **2'peutisch** *adj* therapeutic; **˷pie** [˷'pi:] *f* (-; -n) therapy.

Thermometer [tɛrmo'me:tər] *n* (-s; -) thermometer.

Thermosflasche ['tɛrmɔs˷] *f* TM thermos flask (*Am.* bottle).

These ['te:zə] *f* (-; -n) thesis.

Thrombose [trɔm'bo:zə] *f* (-; -n) *med.* thrombosis.

Thron [tro:n] *m* (-[e]s; -e) throne; '**˷fol-ger** *m* (-s; -) successor to the throne.

Thunfisch ['tu:n˷] *m zo.* tuna.

ticken ['tɪkən] *v/i* (h) tick.

Ticket ['tɪkɪt] *n* (-s; -s) ticket.

tief [ti:f] **1.** *adj* deep (*a. fig.*); *niedrig*: low (*a. Ausschnitt*); **2.** *adv*: *˷ schlafen* be fast asleep; → *Atem, Luft.*

Tief [˷] *n* (-s; -s) *meteor.* depression (*a. psych.*), low (*a. econ.*); '**˷druckgebiet** *n meteor.* low-pressure area; '**˷e** *f* (-; -n) depth (*a. fig.*); '**˷ebene** *f* lowland(s *pl*); '**˷flug** *m* low-level flight; '**˷ga˳rage** *f Br.* underground car park, *Am.* underground parking garage; '**2gekühlt** *adj* deep-frozen; '**˷kühlfach** *n* freezing compartment; '**˷kühlschrank** *m* upright freezer; '**˷kühltruhe** *f* chest freezer; '**˷stand** *m* (-[e]s; *no pl*) low.

Tier [ti:r] *n* (-[e]s; -e) animal: F *großes* (*od. hohes*) *˷* bigwig, big shot; '**˷arzt** *m Br.* vet(erinary surgeon), *Am.* vet(erinarian); '**˷handlung** *f* pet shop; '**˷heim** *n* animal shelter; '**2isch** *adj* animal; *fig.* brutish; '**˷klinik** *f* veterinary hospital; '**˷kreis** *m* (-es; *no pl*) *ast.* zodiac; '**˷kreiszeichen** *n* sign of the zodiac; '**2lieb** *adj* fond of animals; '**˷me-di˳zin** *f* (-; *no pl*) veterinary medicine; '**˷park** *m* zoo; '**˷quäle˳rei** *f* (-; -en) cruelty to animals; '**˷reich** *n* (-[e]s; *no pl*) animal kingdom; '**˷schutzverein** *m* society for the prevention of cruelty to animals; '**˷versuch** *m med.* animal experiment.

tilg|en['tɪlgən] *v/t* (h) *econ. Schuld*: pay off; *Anleihe etc*: redeem; '**2ung** *f*(-; -en) repayment; redemption; '**2ungsfonds** *m* sinking fund.

Tinte ['tɪntə] *f* (-; -n) ink; '**~nfisch** *m zo.* squid.

Tip [tɪp] *m* (-s; -s) hint; *bsd. Wett2:* tip; *an Polizei:* tip-off; *j-m e-n ~ geben* warnen: tip s.o. off.

tipp|en ['tɪpən] (h) **1.** *v/i* F do the Lotto, Toto: do the pools; F maschinenschreiben: type: **~ an** (acc) tap; **2.** *v/t* F maschinenschreiben: type; '**2fehler** *m* F typing error.

Tisch [tɪʃ] *m* (-es; -e) table: *am ~ sitzen* sit at the table; *bei ~* at table; → decken 1; '**~decke** *f* tablecloth.

Tischler ['tɪʃlɐ] *m* (-s; -) joiner.

'**Tisch|platte** *f* tabletop; '**~rede** *f* after-dinner speech; '**~tennis** *n* table tennis.

Titel ['tiːtəl] *m* (-s; -) title; '**~bild** *n* cover picture; '**~blatt** *n* title page; '**~geschichte** *f* cover story; '**~rolle** *f thea.* etc title role.

Toast [toːst] *m* (-[e]s; -e, -s) toast; '**2en** *v/t* (h) *Brot:* toast.

Tochter ['tɔxtɐ] *f* (-; ") daughter; '**~gesellschaft** *f econ.* subsidiary (company).

Tod [toːt] *m* (-es; -e) death.

Todes|ängste ['toːdəs~] *pl:* ~ *ausstehen* be scared to death; '**~anzeige** *f* obituary (notice); '**~fall** *m* death; '**~opfer** *n* casualty; '**~strafe** *f jur.* capital punishment, death penalty; '**~ursache** *f* cause of death.

'**Tod|feind** *m* deadly enemy; '**2krank** *adj* critically ill.

tödlich ['tøːtlɪç] **1.** *adj Unfall etc:* fatal; *Dosis, Gift etc:* lethal, deadly; **2.** *adv:* ~ *verunglücken* be killed in an accident.

'**Todsünde** *f* mortal (*od.* deadly) sin.

Toilette [tŏa'lɛtə] *f* (-; -n) toilet, lavatory, *Am.* bathroom; *öffentliche:* Br. public convenience, *Am.* comfort station; *im Theater etc:* Am. rest room; **~nfrau** *f* lavatory attendant; **~npa,pier** *n* toilet paper.

toler|ant [tole'rant] *adj* tolerant (*gegen* of, towards); **2anz** [~'rants] *f* (-; *no pl*) tolerance (*a. tech.*); **~ieren** [~'riːrən] *v/t* (*no ge-*, h) tolerate.

toll [tɔl] *adj* F great, fantastic; '**2wut** *f vet.* rabies; '**~wütig** *adj vet.* rabid, mad.

Tomate [to'maːtə] *f* (-; -n) tomato.

Tombola ['tɔmbola] *f* (-; -s) raffle.

Ton¹ [toːn] *m* (-[e]s; -e) *geol.* clay.

Ton² [~] *m* (-[e]s; ~e) tone (*a. mus., paint, fig., Stimme*); *Klang, Geräusch:* sound (*a. TV, Film*); *Note:* note; *Betonung:* stress; *Farb2:* a. shade; '**~arm** *m* pickup (arm); '**~art** *f mus.* key; '**~band** *n* (-[e]s; ~er) (recording) tape; '**~bandgerät** *n* tape recorder.

tönen ['tøːnən] *v/t* (h) tint; *dunkler:* tone.

'**Ton|fall** *m* (-[e]s; *no pl*) intonation; '**~film** *m* sound film; '**~lage** *f* pitch; '**~leiter** *f mus.* scale.

Tonne ['tɔnə] *f* (-; -n) *Regen2:* butt; *Müll2:* Br. bin, Am. can; *Gewichtseinheit:* (metric) ton.

'**Tontechniker** *m* sound engineer.

'**Tönung** *f* (-; -en) tone, shade.

Topf [tɔpf] *m* (-[e]s; ~e) pot; *Koch2:* a. saucepan.

Tor¹ [toːr] *n* (-[e]s; -e) gate (*a. Ski*); *Fußball etc:* goal.

Torf [tɔrf] *m* (-[e]s; *no pl*) peat; '**~mull** *m* peat dust.

torkeln ['tɔrkəln] *v/i* (sn) reel, stagger.

'**Tormann** *m* (-[e]s; ~er, -leute) *Sport:* goalkeeper, F goalie.

torped|ieren [tɔrpe'diːrən] *v/t* (*no ge-*, h) torpedo (*a. fig.*); **2o** [~'peːdo] *m* (-s; -s) torpedo.

'**Torschütze** *m Sport:* scorer.

Torte ['tɔrtə] *f* (-; -n) *Sahne2:* gateau; *Obst2:* (fruit) flan.

tosend ['toːzənt] *adj Applaus:* thunderous.

tot [toːt] *adj* dead (*a. fig.*): ~ *umfallen* drop dead.

total [to'taːl] *adj* total, complete; **2ausverkauf** *m* clearance sale; *wegen Geschäftsaufgabe:* a. closing-down sale; '**~itär** [~ali'tɛːr] *adj pol.* totalitarian; **2schaden** *m mot.* write-off.

'**tot|arbeiten** *v/refl* (*sep*, -ge-, h) work o.s. to death; '**2e** *m, f* (-n; -n) dead man (*od.* woman), *Leiche:* (dead) body, corpse: *die ~n pl* the dead *pl*.

töten ['tøːtən] *v/t* (h) kill.

'**toten|blaß** *adj*, '**~bleich** *adj* deathly pale; '**2kopf** *m Giftzeichen etc:* skull and crossbones; '**~schein** *m* death certificate; '**~still** *adj* (as) silent as the grave.

'**totlachen** *v/refl* (*sep*, -ge-, h) F kill o.s. laughing.

Toto ['toːto] *n, a. m* (-s; -s) football pools

pl: (*im*) **~ spielen** do the pools; **'~schein** *m* pools coupon.

'**Tot**|**schlag** *m* (-[e]s; *no pl*) *jur.* manslaughter; **Ꝟschweigen** *v/t* (*irr, sep,* -ge-, h, → **schweigen**) hush up.

'**Tötung** *f* (-; -en) killing; *jur.* homicide.

Toup|**et** [tu'pe:] *n* (-s, -s) toupee; **Ꝟieren** [~'pi:rən] *v/t* (*no ge-*, h) back-comb.

Tour [tu:r] *f* (-; -en) tour (**durch** of); *Ausflug*: trip, excursion; *tech.* turn, revolution: **auf ~en kommen** *mot.* pick up (speed); **krumme ~en** underhand methods; '**~en...** *in Zssgn* Rad *etc*: touring ...

Touris|**mus** [tu'rɪsmʊs] *m* (-; *no pl*) tourism; **~t** *m* (-en; -en) tourist; **~tenklasse** *f* *aer.* economy class; **Ꝟtisch** *adj* tourist(ic).

Tournee [tʊr'ne:] *f* (-; -s, -n) tour (**durch** of): **auf ~ gehen** go on tour.

Trabantenstadt [tra'bantən~] *f* satellite town.

Tracht [traxt] *f* (-; -en) traditional (*od.* national) costume; *Schwestern*Ꝟ *etc*: uniform; '**~enanzug** *m* traditionally styled suit; '**~enfest** *n* festival at which traditional (*od.* national) costume is worn.

trächtig ['trɛçtɪç] *adj* zo. pregnant.

Tradition [tradi'tsĭo:n] *f* (-; -en) tradition; **Ꝟell** [~o'nɛl] *adj* traditional.

Trage ['tra:gə] *f* (-; -n) stretcher.

träge ['trɛ:gə] *adj* lazy, indolent; *phys.* inert.

tragen ['tra:gən] (trug, getragen, h) **1.** *v/t* carry (*a. Waffe etc*): *Kleidung, Schmuck, Brille etc*: wear; *er~, a. Früchte, Folgen, Verantwortung, Namen etc*: bear; **2.** *v/i* bear fruit; *tragfähig sein*: hold; '**~d** *adj* arch. supporting; *thea.* leading.

Träger ['trɛ:gər] *m* (-s; -) carrier; *Gepäck*Ꝟ: porter; *am Kleid*: (shoulder) strap; *tech.* support; *arch.* girder; *fig. e-s Namens etc*: bearer; '**Ꝟlos** *adj* Kleid *etc*: strapless.

'**Tragetasche** *f* carrier bag; *für Babys*: carrycot.

Trag|**fähigkeit** ['tra:k~] *f* (-; *no pl*) load(-carrying) capacity; '**~fläche** *f* *aer.* wing.

Trägheit ['trɛ:khait] *f* (-; *no pl*) laziness, indolence; *phys.* inertia.

Trag|**ik** ['tra:gɪk] *f* (-; *no pl*) tragedy;

'**Ꝟisch** *adj* tragic; **~ödie** [tra'gø:dĭə] *f* (-; -n) *thea.* tragedy (*a. fig.*).

Train|**er** ['trɛ:nər] *m* (-s; -) trainer, coach; **Ꝟieren** [trɛ'ni:rən] *v/i u. v/t* (*no ge-*, h) *allg.* train; *j-n, e-e Mannschaft*: *a.* coach; '**~ing** *n* (-s; -s) training; '**~ingsanzug** *m* tracksuit.

Traktor ['traktɔr] *m* (-s; -en [~'to:rən]) *tech.* tractor.

trampe|**n** ['trɛmpən] *v/i* (sn) hitchhike; '**Ꝟr** *m* (-s; -) hitchhiker.

Träne ['trɛ:nə] *f* (-; -n) tear: → **ausbrechen**; '**~ngas** *n* tear gas.

Trans|**akti'on** [trans~] *f* (-; -en) transaction; **~fer** [~'fe:r] *m* (-s; -s) transfer; **~formator** [~fɔr'ma:tɔr] *m* (-s; -en [~ma'to:rən]) transformer; **~fusi'on** *f* (-; -en) *med.* transfusion.

Transistor [tran'zɪstɔr] *m* (-s; -en [~'to:rən]) *electr.* transistor; **~radio** *n* transistor radio.

Transit [tran'zi:t] *m* (-s; -e) transit; **~halle** *f* *aer.* transit lounge; **~passa**,**gier** *m*, **~reisende** *m, f* transit passenger; **~strecke** *f* transit road (*od.* route); **~visum** *n* transit visa.

Transparent [transpa'rɛnt] *n* (-[e]s; -e) banner.

Transplant|**ation** [transplanta'tsĭo:n] *f* (-; -en) *med.* transplant; **Ꝟieren** [~'ti:rən] *v/t* (*no ge-*, h) transplant.

Transport [trans'pɔrt] *m* (-[e]s; -e) transport(ation); **Ꝟfähig** *adj* transportable; *Kranker*: fit for transportation; **Ꝟieren** [~'ti:rən] *v/t* (*no ge-*, h) transport; *tragen*: carry; *Kranken etc*: take; **~kosten** *pl* transport(ation) charges *pl*; *Speditionskosten*: forwarding charges *pl*; **~mittel** *n* (means of) transport(ation); **~unter**,**nehmen** *n* haulage company (*od.* contractors *pl*); **~unter**,**nehmer** *m* haul(i)er; **~wesen** *n* (-s; *no pl*) transportation.

Traube ['traubə] *f* (-; -n) bunch of grapes; *Weinbeere*: grape; *fig.* cluster; '**~nsaft** *m* grape juice; '**~nzucker** *m* glucose, dextrose.

trauen ['trauən] (h) **1.** *v/t* marry: *sich ~ lassen* get married; **2.** *v/i* trust (*j-m* s.o.): *ich traute m-n Ohren* (*Augen*) *nicht* I could not believe my ears (eyes); **3.** *v/refl*: *sich ~, et. zu tun* dare (to) do s.th.

Trauer ['trauər] *f* (-; *no pl*) grief, sorrow

T

(*beide*: **um** over, at); *um j-n*: mourning (for): **in ~** in mourning (a. *Kleidung*); '**~fall** m death; '**~feier** f funeral service; '**~marsch** m funeral march; '**2n** v/i (h) mourn (**um** for); weitS. grieve (for, over); '**~zug** m funeral procession.

Traum [traʊm] m (-[e]s, ⁻e) dream (a. *fig.*).

träumen ['trɔʏmən] v/i u. v/t (h) dream (**von** of) (a. *fig.*).

traurig ['traʊrɪç] adj sad (**über** acc, **wegen** about, at); '**2keit** f (-; no pl) sadness.

'**Trau|ring** m wedding ring; '**~schein** m marriage certificate; '**~ung** f (-; -en) wedding; '**~zeuge** m witness to a marriage.

Travellerscheck ['trɛvələr~] m → *Reisescheck*.

treffen ['trɛfən] (traf, getroffen, h) **1.** v/t hit (*j-n am Arm* s.o.'s arm); *j-m begegnen*: meet; *betreffen*: concern, *nachteilig*: affect; *kränken*: hurt; *Maßnahmen etc*: take: **nicht ~** miss; **sich ~** meet; **2.** v/i hit: *nicht ~* miss; **3.** v/refl: *sich mit j-m ~* meet (up with) s.o.

Treffen [~] n (-s; -) meeting; '**2d** adj *Bemerkung etc*: apt.

'**Treff|er** m (-s; -) hit (a. *fig.*); *Tor*: goal; *Gewinn*: win; '**~punkt** m meeting place.

Treibeis ['traɪp~] n drift ice.

treiben ['traɪbən] (trieb, getrieben) **1.** v/t (h) drive (a. *tech. u. fig.*); *j-n an~*: push, press; *Blüten etc*: put forth; *F allg. machen*, *tun*: do, be up to: → *Sport*; **2.** v/i (sn) *im Wasser*: float, a. *Schnee, Rauch*: drift: *sich ~ lassen* drift (along) (a. *fig.*).

Treiben [~] n (-s) *Tun*: doings pl; *Vorgänge*: goings-on pl; *geschäftiges ~* bustle; '**2d** adj: **~e Kraft** driving force.

'**Treib|haus** ['traɪp~] n hothouse; '**~hauseffekt** m (-[e]s; no pl) greenhouse effect; '**~holz** n driftwood; '**~sand** m quicksand; '**~stoff** m fuel.

Trend [trɛnt] m (-s; -s) trend (**zu** towards); '**~wende** f change in trend.

trenn|en ['trɛnən] (h) **1.** v/t separate (a. *chem.*); *Kämpfende*: part; *teilen*: divide; *Rassen*: segregate; *teleph.* cut off, disconnect: → *getrennt*; **2.** v/refl part company (*von* with), separate: *sich ~ von et.*: part with; '**2schärfe** f *Radio*: selectivity;

'**2ung** f (-; -en) separation; division; segregation: *seit ihrer ~* since they split up; '**2wand** f partition.

Treppe ['trɛpə] f (-; -n) (**e-e ~** a flight of) stairs pl (*vor dem Haus etc*: steps pl), staircase, *Am. a.* stairway.

'**Treppen|absatz** m landing; '**~geländer** n banisters pl; '**~haus** n staircase; *Flur*: hall.

Tresor [tre'zoːr] m (-s; -e) safe; *Bank2*: strongroom, vault; '**~fach** n safe deposit box; '**~raum** m strongroom, vault.

treten ['treːtən] (trat, getreten) **1.** v/i a (sn) *allg.* step (*zur Seite* aside): *ins Zimmer ~* enter the room; → *Ufer*, (h *od.* sn): **~ auf** (acc) step (*od.* tread) on; **~ in** (acc) step into, c (h): *nach j-m ~* (take a) kick at s.o.; **2.** v/t (h) kick.

treu [trɔʏ] adj faithful; *gesinnt*: loyal; *ergeben*: devoted (*alle*: *dat* to); '**2e** f (-; no pl) faithfulness, *eheliche*: *a.* fidelity; loyalty; '**2händer** m (-s; -) trustee; '**~händerisch** adv: *et.* **~ verwalten** hold s.th. in trust; '**2handgesellschaft** f trust company; '**~herzig** adj trusting.

Tribüne [tri'byːnə] f (-; -n) *Redner2*: platform, rostrum; *Zuschauer2*: stand.

Trick [trɪk] m (-s; -s) trick; '**~betrüger** m confidence trickster.

Triebwerk ['triːp~] n *aer. etc* engine; '**~schaden** m engine fault.

triefen ['triːfən] v/i (h) drip (**von** with); *Augen, Nase*: run: → *naß*.

triftig ['trɪftɪç] adj weighty; *Grund*: *a.* good.

Trikot [tri'koː] n (-s; -s) *Sport*: shirt, jersey; *Tanz2 etc*: leotard.

Trimm-dich-Pfad ['trɪm~] m fitness trail; '**2en** v/refl (h) keep fit.

trink|bar ['trɪŋkbaːr] adj drinkable; '**~en** v/t u. v/i (trank, getrunken, h) drink (**auf** acc to); *Tee etc*: a. have: *et. zu ~* a drink; → *Gesundheit*; '**2er** m (-s; -) heavy drinker, alcoholic; '**2geld** n tip: *j-m ein* (*e-e Mark*) *~ geben* tip s.o. (one mark); '**~wasser** n (-s; no pl) drinking water.

Trio [triːo] n (-s; -s) *mus.* trio (a. F *fig.*).

Tritt [trɪt] m (-[e]s; -e) *Fuß2*: kick.

Triumph [tri'ʊmf] m (-[e]s; -e) triumph; '**2al** [~fa:l] adj triumphant; '**2ieren** [~'fiːrən] v/i (no ge-, h) triumph (**über** acc over).

trocken ['trɔkən] *adj* dry (*a. fig.*); '**2haube** *f* (hair)drier; '**2heit** *f* (-; *no pl*) dryness (*a. fig.*); *Dürre*: drought; '**~legen** *v/t* (*sep*, -ge-, h) *Land etc*: drain; *Baby*: change; '**2milch** *f* dried milk.

trockn|en ['trɔknən] *v/t* (h) *u. v/i* (sn) dry; '**2er** *m* (-s; -) drier.

Tröd|el ['trø:dəl] *m* (-s; *no pl*) junk; '**~elmarkt** *m* flea market; '**2eln** *v/i* (h) dawdle; '**~ler** *m* (-s; -) junk dealer; *Bummler*: dawdler.

Trommel ['trɔməl] *f* (-; -n) drum (*a. tech.*); '**~fell** *n anat.* eardrum.

Trompete [trɔm'pe:tə] *f* (-; -n) trumpet.

Tropen ['tro:pən] *pl* tropics *pl*; '**~...** in *Zssgn* tropical ...

Tropf [trɔpf] *m* (-[e]s; -e) *med.* drip: *am ~ hängen* be on the drip.

Tröpf|chen ['trœpfçən] *n* (-s; -) droplet; '**2eln** *v/impers* (h): *es tröpfelt* it's spitting.

tropfen ['trɔpfən] *v/i* (h) *Wasserhahn etc*: drip.

Tropfen [~] *m* (-s; -) drop (*a. fig.*); *Schweiß*: bead: *ein ~ auf den heißen Stein* a drop in the bucket (*od.* ocean).

Trophäe [tro'fɛ:ə] *f* (-; -n) trophy.

tropisch ['tro:pɪʃ] *adj* tropical.

Trost [tro:st] *m* (-[e]s; *no pl*) comfort, consolation: *ein schwacher ~* cold comfort.

tröst|en ['trø:stən] (h) **1.** *v/t* comfort, console; **2.** *v/refl* comfort (*od.* console) o.s. (*mit* with); '**~lich** *adj* comforting, consoling.

'**trost|los** *adj Situation etc*: hopeless; *Aussichten etc*: bleak; *Gegend etc*: desolate; '**2preis** *m* consolation prize.

Trottel ['trɔtəl] *m* (-s; -) F dope.

trotz [trɔts] *prp* in spite of, despite; '**~dem** *adv* nevertheless, all the same.

trüb [try:p] *adj*, '**~e** [~bə] *adj* cloudy; *Wasser*: *a.* muddy; *Licht etc*: dim; *Himmel*, *Farben*: dull; *Stimmung etc*: *a.* gloomy.

Trubel ['tru:bəl] *m* (-s; *no pl*) (hustle and) bustle.

trüben ['try:bən] *v/t* (h) *Glück*, *Freude etc*: spoil, mar.

'**trübsinnig** *adj* gloomy.

Trugschluß ['tru:k~] *m* fallacy.

Truhe ['tru:ə] *f* (-; -n) chest.

Trümmer ['trymər] *pl* ruins *pl*; *Schutt*: debris *sg*; *Stücke*: fragments *pl*; *aer.* wreck(age).

Trumpf [trʊmpf] *m* (-[e]s; ⸚e) trump (card) (*a. fig.*): *~ sein* be trumps; *fig. s-n ~ ausspielen* play one's trump card.

Trunkenheit ['trʊŋkənhaɪt] *f* (-; *no pl*) *bsd. jur.* drunkenness: *~ am Steuer* drunken (*Am.* drunk) driving.

Trupp [trʊp] *m* (-s; -s) troop; *Such2 etc*: party; *mil.* detachment.

Truppe ['trʊpə] *f* (-; -n) *mil. Einheit*: unit; *thea.* company; *~n pl mil.* troops *pl*, forces *pl*.

Trust [trast] *m* (-[e]s; -e, -s) *econ.* trust.

Truthahn ['tru:t~] *m zo.* turkey.

Tschech|e ['tʃɛçə] *m* (-n; -n) Czech; '**2isch** *adj* Czech.

Tschechoslowak|e [tʃɛçoslo'va:kə] *m* (-n; -n) Czechoslovak; **2isch** *adj* Czechoslovak.

tschüs [tʃys] *int* F bye, see you.

T-Shirt ['ti:ʃœrt] *n* (-s; -s) T-shirt.

Tube ['tu:bə] *f* (-; -n) tube.

Tuberkulose [tubɛrku'lo:zə] *f* (-; -n) *med.* tuberculosis.

Tuch [tu:x] *n* (-[e]s; ⸚er) *allg.* cloth; *Hals2*, *Kopf2*: scarf; *Staub2*: duster.

tüchtig ['tyçtɪç] *adj* (cap)able, competent; *geschickt*: skil(l)ful; *leistungsfähig*: efficient; F *fig. ordentlich*: good; '**2keit** *f* (-, *no pl*) (cap)ability, qualities *pl*; skill; efficiency.

tückisch ['tykɪʃ] *adj* malicious; *Krankheit etc*: insidious; *gefährlich*: treacherous.

Tugend ['tu:gɛnt] *f* (-; -en) virtue.

Tulpe ['tʊlpə] *f* (-; -n) *bot.* tulip.

Tumor ['tu:mɔr] *m* (-s; -en [tu'mo:rən]) *med.* tumo(u)r.

Tümpel ['tympəl] *m* (-s; -) pond.

Tumult [tu'mʊlt] *m* (-[e]s; -e) tumult, uproar.

tun [tu:n] *v/t u. v/i* (tat, getan, h) do; *Schritt*: take; F *legen etc*: put: F *j-m et. ~* do s.th. to s.o.; *zu ~ haben* have work to do; *beschäftigt sein*: be busy; *ich weiß (nicht), was ich ~ soll* (*od.* muß) I (don't) know what to do; *so ~, als ob* pretend to be *etc*.

Tünche ['tynçə] *f* (-; -n) whitewash; '**2n** *v/t* (h) whitewash.

Tunke ['tʊŋkə] *f* (-; -n) sauce; '**2n** *v/t* (h) dip (*in acc in*[to]).

Tunnel ['tʊnəl] m (-s; -[s]) tunnel.
Tupfer ['tʊpfər] m (-s; -) med. swab.
Tür [ty:r] f (-; -en) door: F **vor die ~ setzen** throw out; fig. **vor der ~ stehen** be just around the corner.
Turbine [tʊr'bi:nə] f (-; -n) tech. turbine.
'Türgriff m door handle; Knopf: door-knob.
Türke ['tyrkə] m (-n; -n) Turk; **'2isch** adj Turkish.
'Türklinke f door handle.
Turm [tʊrm] m (-[e]s; =e) tower; Kirch2: a. steeple; Schach: castle, rook.
türmen ['tyrmən] **1.** v/refl (h) pile up; **2.** v/i (sn) F bolt, do a bunk.
'Turm|spitze f spire; **'~uhr** f church clock.
turnen ['tʊrnən] v/i (h) do gymnastics.
Turn|en [~] n (-s) gymnastics pl (sg konstr.); **'~er** m (-s; -) gymnast; **'~halle** f gym(nasium); **'~hose** f (e-e ~ a pair of) gym shorts pl.
Turnier [tʊr'ni:r] n (-s; -e) tournament.
'Turnschuh m Br. trainer, Am. sneaker.

'Tür|öffner m door opener; **'~pfosten** m doorpost; **'~rahmen** m doorframe; **'~schild** n doorplate.
Tusche ['tʊʃə] f (-; -n) Indian ink; Wimpern2: mascara.
Tüte ['ty:tə] f (-; -n) (paper od. plastic) bag; Eis2: (ice-cream) cone.
TÜV [tyf] m (-; no pl): **ich muß zum ~** Br. appr. my MOT's due; **e-n Wagen durch den ~ bringen** Br. appr. get a car through its MOT; **nicht durch den ~ kommen** Br. appr. fail one's MOT; **'~Pla,kette** f Br. appr. MOT badge.
Typ [ty:p] m (-s; -en) type (a. Person); tech. a. model; F Mann: guy, bloke; **'~e** f (-; -n) Schreibmaschine: type.
Typhus ['ty:fʊs] m (-; no pl) med. typhoid (fever).
typisch ['ty:pɪʃ] adj typical (für of).
Tyrann [ty'ran] m (-en; -en) tyrant; **2isch** adj tyrannical; **2isieren** [~i'zi:-rən] v/t (no ge-, h) tyrannize; fig. a. bully.

U

U-Bahn ['u:~] f bsd. Br. underground, Londoner: mst Tube, Am. subway; **'~hof** m underground (Londoner: mst Tube, Am. subway) station; **'~Netz** n underground (Londoner: mst Tube, Am. subway) system.
übel ['y:bəl] adj bad: **mir ist (wird) ~** I feel (I'm getting) sick; → **Nachrede**.
Übel [~] n (-s; -) notwendiges, kleineres etc: evil; **'~keit** f (-; no pl) nausea; **2nehmen** v/t (irr, sep, -ge-, h, → **nehmen**) take offen|ce (Am. -se) at.
üben ['y:bən] v/t u. v/i (h) practi|se (Am. -ce): **Klavier** etc **~** practise the piano etc.
über ['y:bər] **1.** prp a) (dat) Lage, Standort: over, above. a. Reihenfolge: above; b) (acc) Richtung: over; quer ~: across: ~ **München nach Rom** to Rome via Munich; → **froh, nachdenken, Scheck** etc; **2.** adv: ~ **u. ~** all over.

'überall adv everywhere: ~ **in** (dat) all over.
'Überangebot n econ. oversupply (**an** dat of).
über|'anstrengen (insep, no -ge-, h) **1.** v/t overexert, strain; **2.** v/refl overexert (od. strain) o.s.; **~'arbeiten** (insep, no -ge-, h) **1.** v/t Buch etc: revise; **2.** v/refl overwork.
'überaus adv most, extremely.
über|'belichten v/t (only inf u. pp überbelichtet, h) phot. overexpose; **~'bieten** v/t (irr, insep, no -ge-, h, → **bieten**) bsd. Auktion: outbid (um by); fig. beat; j-n: a. outdo; **2bleibsel** ['~blaɪpzəl] n (-s; -) remnant (fig. aus e-r Zeit: of, from), pl a. remains pl; e-r Mahlzeit: leftovers pl; **'2blick** m fig. overall view (über acc of); **~'blicken** v/t (insep, no -ge-, h) overlook; fig. Folgen, Risiko etc: be able to calculate;

~'bringen v/t (irr, insep, no -ge-, h, → **bringen**) deliver (*j-m et.* s.th. to s.o.); **~'brücken** v/t (insep, no -ge-, h) bridge (a. fig.); **~'dacht** adj roofed, covered; **~'dauern** v/t (insep, no -ge-, h) outlast, survive; **~'denken** v/t (irr, insep, no -ge-, h, → **denken**) think s.th. over; **'2dosis** f med. overdose; **'2druck** m (-[e]s; ~e) phys., tech. overpressure; **~drüssig** ['~drʏsɪç] adj: **e-r Sache ~ sein** be tired (od. weary) of s.th.; **'~durchschnittlich** adj above-average, higher-than-average; **'~eifrig** adj over-zealous.

über'eil|en v/t (insep, no -ge-, h) rush: **nichts ~** not to rush things; **~t** adj rash, overhasty.

überein'ander adv on top of (sprechen etc: about) each other; **~schlagen** v/t (irr, sep, -ge-, h, → **schlagen**) Beine: cross.

Über'ein|kunft [~kʊnft] f (-; ~e) agreement; **2stimmen** v/i (sep, -ge-, h) Angaben etc: tally, correspond, agree; Farben etc: match: **mit j-m ~** agree with s.o. (in dat on); **~stimmung** f (-; -en) agreement, correspondence: **in ~ mit** in agreement (od. correspondence) with.

über'fahr|en v/t (irr, insep, no -ge-, h, → **fahren**) run s.o. over; Ampel etc: go through; **'2t** f mar. crossing.

'Über'fall m (-[e]s; ~e) attack (auf acc on); Straßenraub: a. mugging (of); Raub2: raid (on) (a. mil.); holdup; mil. Invasion: invasion (of); **2fallen** v/t (irr, insep, no -ge-, h, → **fallen**) attack, mug; raid, hold up.

'überfällig adj overdue.

über'|fliegen v/t (irr, insep, no -ge-, h, → **fliegen**) fly over; fig. glance over, skim (through); **'~fließen** v/i (irr, sep, -ge-, sn, → **fließen**) overflow; **~flügeln** v/t (insep, no -ge-, h) outstrip, surpass; **'2fluß** m (-sses; no pl) abundance (an dat of): **im ~ haben** abound in; **'~flüssig** adj superfluous; unnötig: unnecessary; **~fluten** v/t (insep, no -ge-, h) flood (a. fig.); **~fordern** v/t (insep, no -ge-, h) Kräfte, Geduld etc: overtax; j-n: expect too much of s.o.; **'~fragt** adj: F **da bin ich ~** you've got me there.

über'führ|en v/t (insep, no -ge-, h) jur. convict (gen of); **2ung** f (-; -en) jur.

conviction; mot. Br. flyover, Am. overpass; Fußgänger2: footbridge.

über'füllt adj overcrowded, packed.

'Übergang m (-[e]s; ~e) crossing; fig. transition; **'~slösung** f interim solution; **'~sregierung** f caretaker government; **'~sstadium** n transitional stage.

über'geben (irr, insep, no -ge-, h, → **geben**) **1.** v/t hand over (j-m et. s.th.to s.o.); mil. surrender; **2.** v/refl vomit, bsd. Br. a. be sick.

über'gehen¹ v/i (irr, sep, -ge-, sn, → **gehen**): **~ auf** (acc) Nachfolger etc: develop on; **~ in** (acc) j-s Besitz: pass into; **~ zu** pass on to.

über'gehen² v/t (irr, insep, no -ge-, h, → **gehen**) pass s.th. over; ignorieren: ignore; nicht berücksichtigen: leave s.o. out.

'Über|gepäck n aer. excess baggage; **'~gewicht** n (-[e]s; no pl) overweight; fig. preponderance: **~ haben** be overweight; Gepäck, Brief etc: be over the limit.

überglücklich adj overjoyed.

über'greifen v/i (irr, sep, -ge-, h, → **greifen**) fig.: **~ auf** (acc) spread to; **'2griff** m (-[e]s; -e) infringement (auf acc of).

'Übergröße f outsize.

über'|handnehmen v/i (irr, sep, -ge-, h, → **nehmen**) become rampant; **~häufen** v/t (insep, no -ge-, h): **~ mit Arbeit** etc: swamp with; Geschenken etc: shower with.

über'haupt adv at all (nachgestellt); sowieso, eigentlich: anyway: **~ nicht(s)** not (nothing) at all.

überheblich [~'he:plɪç] adj arrogant; **2keit** f (-; no pl) arrogance.

über'|hitzen v/t (insep, no -ge-, h) overheat (a. fig.); **~höht** adj excessive.

über'hol|en v/t (insep, no -ge-, h) overtake (a. fig.), pass; tech. overhaul; **2spur** f mot. passing lane; **~t** adj (out)dated, outmoded.

über'hören v/t (insep, no -ge-, h) miss, not to catch (od. get); absichtlich: ignore.

'überirdisch adj supernatural.

'überkochen v/i (sep, -ge-, sn) boil over.

über'laden v/t (irr, insep, no -ge-, h, → **laden**) overload; electr. a. overcharge;

U

'**Überlandbus** *m* long-distance coach (*Am.* bus).

über'lassen *v/t (irr, insep, no* -ge-, h, → *lassen):* **j-m et. ~** leave s.th. to s.o. (*a. fig.);* **j-n sich selbst (s-m Schicksal) ~** leave s.o. to fend for himself (to his fate); **~'lasten** *v/t (insep, no* -ge-, h) overload (*a.* electr., tech.); fig. strain.

'**überlaufen¹** *v/i (irr, sep,* -ge-, sn, → *laufen)* run over; *pol.* defect (**zu** to); *mil.* desert, go over (to).

über'laufen² *v/impers (irr, insep, no* -ge-, h, → *laufen):* **es überlief mich heiß u. kalt** I went hot and cold.

über'laufen³ *adj* overcrowded.

'**Überläufer** *m pol.* defector; *mil.* deserter.

über'leben *v/t u. v/i (insep, no* -ge-, h) survive (*a. fig.);* **2de** *m, f (-n; -n)* survivor.

'**überlebensgroß** *adj* larger-than-life.

über'legen¹ *v/t u. v/i (insep, no* -ge-, h) think about s.th., think s.th. over; *erwägen: a.* consider: *lassen Sie mich ~* let me think; *ich habe es mir (anders) überlegt* I've made up (changed) my mind.

über'legen² *adj* superior (*dat* to; *an dat* in); **2enheit** *f (-; no pl)* superiority; **~t** [~'le:kt] *adj* (well-)considered; **2ung** *f (-; -en)* consideration, reflection.

'**überleiten** *v/i (sep,* -ge-, h): **~ zu** lead to; '**2ung** *f (-; -en)* transition.

über'liefer|n *v/t (insep, no* -ge-, h) hand down, pass on (*beide: dat* to); **~t** *adj* traditional; **2ung** *f (-; -en)* tradition.

über'listen *v/t (insep, no* -ge-, h) outwit.

'**Über|macht** *f (-; no pl)* superiority: *in der ~ sein* be superior in numbers; '**2mächtig** *adj* superior; *fig. Gefühl etc:* overpowering.

'**übermenschlich** *adj* superhuman.

über'mitt|eln *v/t (insep, no* -ge-, h) transmit (*dat* to); **2lung** *f (-; -en)* transmission.

'**übermorgen** *adv* the day after tomorrow.

über'müd|et *adj* overtired; **2ung** *f (-; -en)* overtiredness.

'**Über|mut** *m (-[e]s; no pl)* high spirits *pl;* **2mütig** [~my:tɪç] *adj* high-spirited: *~ sein a.* be in high spirits.

'**übernächst** *adj the* next but one: **~e Woche** the week after next.

über'nacht|en *v/i (insep, no* -ge-, h) stay overnight (*bei j-m* at s.o.'s [house], with s.o.), spend the night (at, with); **2ung** *f (-; -en)* night: *e-e ~* one overnight stay; *~ u. Frühstück* bed and breakfast.

Übernahme ['~na:mə] *f (-; -n)* taking over, *bsd.* econ., *pol.* takeover; adoption; '**~angebot** *n* econ. takeover bid.

über'natio,nal *adj* supranational; '**~na,türlich** *adj* supernatural.

über'nehmen *v/t (irr, insep, no* -ge-, h, → *nehmen)* take over; *Idee, Brauch, Namen etc: a.* adopt; *Führung, Risiko, Verantwortung, Auftrag etc:* take; *erledigen:* take care of.

'**Überprodukti,on** *f econ.* overproduction.

über'prüf|en *v/t (insep, no* -ge-, h) check, examine; *Aussage etc:* verify; *bsd. pol.* screen; **2ung** *f (-; -en)* check, examination; verification; screening.

über'queren *v/t (insep, no* -ge-, h) cross.

über'ragen *v/t (insep, no* -ge-, h) tower above (*a. fig.);* **~d** *adj* outstanding.

überrasch|en [~'raʃən] *v/t (insep, no* -ge-, h) surprise: *j-n bei et. ~* catch s.o. doing s.th.; **2ung** *f (-; -en)* surprise.

'**überrea,gieren** *v/i (insep, no* -ge-, h) overreact.

über'red|en *v/t (insep, no* -ge-, h) persuade (**zu** to): *j-n zu et. ~ a.* talk s.o. into (doing) s.th.; **2ung** *f (-; no pl)* persuasion.

'**überregio,nal** *adj Presse etc:* national.

über'reich|en *v/t (insep, no* -ge-, h): (*j-m*) *et. ~* hand s.th. over (*od.* present s.th) to s.o.; **2ung** *f (-; no pl)* presentation.

über'reizt *adj* overwrought; *nervös:* on edge.

'**Überrest** *m* remains *pl:* **~e** *pl* e-r *Mahlzeit:* leftovers *pl.*

'**Überrollbügel** *m mot.* rollbar.

über'rumpeln [~'rʊmpəln] *v/t (insep, no* -ge-, h) take *s.o.* by surprise; **~'sättigen** *v/t (insep, no* -ge-, h) econ. *Markt:* oversaturate.

'**Überschall...** *in Zssgn* supersonic ...; '**~knall** *m* sonic boom.

über'schatten *v/t (insep, no* -ge-, h) *fig.* cast a shadow over; **~'schätzen** *v/t* (*insep, no* -ge-, h) overrate, overestimate; '**∼schnappen** *v/i* (*sep,* -ge-, sn) F crack up; '**∼schneiden** *v/refl* (*irr, insep, no* -ge-, h, → *schneiden*) overlap (*a. fig.*); *Linien:* intersect; '**∼schreiben** *v/t* (*irr, insep, no* -ge-, h, → *schreiben*) *Besitz:* make *s.th.* over (*dat* to); **∼'schreiten** *v/t* (*irr, insep, no* -ge-, h, → *schreiten*) cross; *fig.* go beyond; *Höhepunkt:* pass; *Höchstgeschwindigkeit:* exceed.

'**Überschrift** *f* heading, title; *Schlagzeile:* headline.

'**Über|schuß** *m* (-sses, ∾sse) surplus (*an dat* of); **⁀isch** [∼ʃʏsɪç] *adj* surplus; '**∼schußprodukti̯on** *f econ.* surplus production.

über'schütten *v/t* (*insep, no* -ge-, h): ∼ *mit Geschenken:* shower with; *Lob etc:* heap *s.th.* on.

über'schwemm|en *v/t* (*insep, no* -ge-, h) flood; *econ. Markt: a.* glut; **⁀ung** *f* (-; -en) flooding; *econ. a.* glut; *Hochwasser:* flood.

überschwenglich ['∼ʃvɛŋlɪç] *adj* effusive.

'**Übersee: in** (*nach*) ∼ overseas; '**∼handel** *m* overseas trade; **⁀isch** *adj* overseas.

über'sehen *v/t* (*irr, insep, no* -ge-, h, → *sehen*) overlook; *absichtlich, bsd. j-n: a.* ignore.

'**übersetzen¹** (*sep,* -ge-) **1.** *v/i* (h *od.* sn) ferry across the river *etc;* **2.** *v/t* (h) ferry *s.o., s.th.* across (*od.* over).

über'setz|en² *v/t u. v/i* (*insep, no* -ge-, h) translate (*aus* from; *in acc* into); **⁀er** *m* (-s; -) translator; **⁀ung** *f* (-; -en) translation; *tech.* gear ratio.

'**Übersicht** *f* (-; -en) → *Überblick;* **⁀lich** *adj* clear(ly arranged); '**∼skarte** *f* general map.

über'sied|eln *v/i* (*insep, no* -ge-, sn) move (*nach* to); **⁀(e)lung** *f* (-; -en) move.

'**übersinnlich** *adj* supernatural.

über'spiel|en *v/t* (*insep, no* -ge-, h) record; *auf Band: a.* tape; *fig.* cover up; **∼'spitzt** *adj* exaggerated; **∼'springen** *v/t* (*irr, insep, no* -ge-, h, → *springen*) jump (over); *auslassen:* skip.

über'stehen¹ *v/t* (*irr, insep, no* -ge-, h, → *stehen*) get over; *überleben:* survive.

'überstehen² *v/i* (*irr, sep,* -ge-, h, → *stehen*) jut out, project.

über'steigen *v/t* (*irr, insep, no* -ge-, h, → *steigen*) exceed; **∼'stimmen** *v/t* (*insep, no* -ge-, h) outvote.

über'streifen *v/t* (*sep,* -ge-, h) slip *s.th.* on.

'**Überstunden** *pl* overtime *sg:* ∼ *machen* work (*od.* do) overtime; '**∼zuschlag** *m* overtime premium.

über'stürz|en (*insep, no* -ge-, h) **1.** *v/t* → *übereilen;* **2.** *v/refl Ereignisse:* come thick and fast; **⁀t** *adj* → *übereilt.*

über'teuert *adj* overpriced; **∼'tönen** *v/t* (*insep, no* -ge-, h) drown (*out*).

Übertrag ['∼tra:k] *m* (-[e]s; ∾e) *econ.* amount carried over.

über'tragbar *adj* transferable (*auf acc* to); *med.* infectious, *durch Berührung:* contagious.

über'tragen¹ *adj Bedeutung:* figurative.

über'trag|en² *v/t* (*irr, insep, no* -ge-, h, → *tragen*) *senden:* broadcast; *TV a.* televise; *übersetzen:* translate (*aus* from; *in acc* into); *Krankheit, tech. Kraft:* transmit; *Blut:* transfuse; *Organ etc:* transplant; *jur., econ., Zeichnung etc:* transfer (*auf acc* to); **⁀ung** *f* (-; -en) *Rundfunk, TV:* broadcast, transmission; *translation;* transfusion; transplant; transfer.

über'treffen *v/t* (*irr, insep, no* -ge-, h, → *treffen*) *j-n:* excel; *a. Sache:* surpass, beat (*alle: an dat, in dat* in); *Erwartungen:* exceed.

über'treib|en *v/t* (*irr, insep, no* -ge-, h, → *treiben*) exaggerate (*a. v/i*); *Tätigkeit:* overdo; **⁀ung** *f* (-; -en) exaggeration.

'**übertreten¹** *v/i* (*irr, sep,* -ge-, sn, → *treten*) *pol. etc* go over, defect; *eccl.* convert (*alle: zu* to).

über'tret|en² *v/t* (*irr, insep, no* -ge-, h, → *treten*) *Gesetz etc:* violate, infringe; **⁀ung** *f* (-; -en) violation, infringement; *absolut: a.* offen|ce (*Am.* -se).

'**Übertritt** *m* (-[e]s; -e) *pol. etc* defection; *eccl.* conversion (*beide: zu* to).

über'völkert *adj* overpopulated.

über'wach|en *v/t* (*insep, no* -ge-, h) supervise; *leiten:* control; *polizeilich:* keep under surveillance; *med. etc* observe; **⁀ung** *f* (-; -en) supervision; control; surveillance; observation

überwältigen [~'vɛltɪgən] v/t (insep, no -ge-, h) overpower; fig. overcome, overwhelm.

über'weis|en v/t (irr, insep, no -ge-, h, → **weisen**) Geld: transfer (**auf ein Konto** to; **j-m, an j-n** to s.o.'s account); postalisch: remit (**j-m, an j-n** to s.o.); Fall, Patienten etc: refer (**an** acc to); **~ung** f (-; -en) transfer; remittance; referral; **2ungsformu'lar** n transfer form; **2ungsschein** m med. referral slip.

über'wiegen v/i (irr, insep, no -ge-, h, → **wiegen**) predominate; **~d** adj predominant; Mehrheit: vast.

über'winden (irr, insep, no -ge-, h, → **winden**) **1.** v/t Angst etc: overcome; Krankheit etc: get over; **2.** v/refl force o.s.: **sich ~, et. zu tun** bring (od. get) o.s. to do s.th.

'Überzahl f (-; no pl): **in der ~ sein** be in the majority.

über'zeug|en (insep, no -ge-, h) **1.** v/t convince (**von** of); **2.** v/refl: **sich ~ von (, daß)** make sure of (that); **sich selbst ~** (go and) see for o.s.; **~t** adj convinced: **~ sein** a. be (od. feel) (quite) sure; **2ung** f (-; -en) conviction.

'überziehen¹ v/t (irr, sep, -ge-, h, → **ziehen**) put on.

über'ziehen² v/t (irr, insep, no -ge-, h) Konto: overdraw; **2ung** f (-; -en) overdraft; **2ungskre,dit** m overdraft facility.

üblich ['y:plɪç] adj usual: **es ist ~ Brauch:** it's the custom; **wie ~** as usual.

U-Boot ['u:-] n submarine.

übrig ['y:brɪç] adj remaining: **die ~en pl** the others pl, the rest sg; **~ sein (haben)** be (have) left; **~bleiben** v/i (irr, sep, -ge-, sn, → **bleiben**) be left, remain: **es bleibt mir nichts anderes übrig (als zu)** there is nothing else I can do (but do s.th.); **~ens** ['~gəns] adv by the way; **'~lassen** v/t (irr, sep, -ge-, h, → **lassen**) leave.

'Übung f (-; -en) exercise; das Üben, Erfahrung: practice: **in (aus der) ~** (out of) practice.

Ufer ['u:fər] n (-s; -) shore; Fluß2: bank: **ans ~** ashore; **über die ~ treten** overflow (its banks); **'~prome,nade** f riverside walk; am Meer: promenade; **'~straße** f riverside (od. lakeside) road; Küstenstraße: coast road.

Uhr [u:r] f (-; -en) clock; Armband2 etc: watch: **nach m-r ~** by my watch; **wieviel ~ ist es?** what time is it?; **um vier ~** at four o'clock; **'~armband** n watchstrap; **'~macher** m watchmaker; **'~werk** n clock (od. watch) mechanism; **'~zeiger** m (clock od. watch) hand; **'~zeigersinn** m: **im ~** clockwise; **entgegen dem ~** bsd. Br. anticlockwise, Am. counterclockwise; **'~zeit** f time.

UKW [u:ka:'ve:] VHF, bsd. Am. FM: **auf ~ on** VHF (bsd. Am. FM).

Ultimatum [ʊlti'ma:tʊm] n (-s; -ten) ultimatum: **j-m ein ~ stellen** give s.o. an ultimatum.

um [ʊm] **1.** prp räumlich: (a)round; zeitlich, ungefähr: about, around: → **bitten, kürzen, spielen, Uhr** etc; **2.** cj: **~ zu** inf (in order) to inf; **3.** adv etwa: about, around.

um'arm|en v/t (insep, no -ge-, h) embrace, hug (beide: a. **sich ~**); **2ung** f (-; -en) embrace, hug.

'Umbau m (-[e]s; -e, -ten) rebuilding, reconstruction; **2en** v/t (sep, -ge-, h) rebuild, reconstruct.

'umblättern v/i (sep, ge-,h) turn (over) the page; **'~bringen** (irr, sep, -ge-, h, → **bringen**) **1.** v/t kill; **2.** v/refl kill o.s.

'umbuch|en (sep, -ge-, h) **1.** v/t Flug etc: change; **2.** v/i change one's booking; **2ung** f (-; -en) change in booking.

'um|denken v/i (irr, sep, -ge-, h, → **denken**) change one's way of thinking; **~disponieren** ['~dɪspo,ni:rən] v/i (sep, no -ge-, h) change one's plans.

'umdrehen (sep, -ge-, h) **1.** v/t turn (round); **2.** v/refl turn round (**nach j-m** to look at s.o.).

Um'drehung f (-; -en) turn; phys., tech. revolution, rotation.

'umfahren¹ v/t (irr, sep, -ge-, h, → **fahren**) run (od. knock) down.

um'fahren² v/t (irr, insep, no -ge-, h, → **fahren**) drive (mar. sail) (a)round.

'umfallen v/i (irr, sep ge-, sn, → **fallen**) fall down (od. over); zs.-brechen: collapse: → **tot.**

'Umfang m (-[e]s; -e) circumference; Buch etc: size; Ausmaß: extent: **in großem ~** on a large scale; **'2reich** adj extensive; massig: voluminous.

um'fassen v/t (insep, no -ge-, h) fig. cover; enthalten: a. include; **~d** adj

'Umfrage f (-; -n) Meinungs2: opinion poll.

'Umgang m (-[e]s; no pl) company: ~ **haben mit** associate with; **beim ~ mit** when dealing with.

umgänglich ['~gɛŋlɪç] adj sociable.

'Umgangs|formen pl manners pl; **'~sprache** f colloquial speech: **die englische** ~ colloquial English.

um'geb|en adj surrounded (**von** by) **2ung** f (-; -en) surroundings pl; Milieu: environment.

'umgehen¹ v/i (irr, sep, -ge-, sn, → **gehen**): **gut ~ können mit** know how to handle.

um'gehen² v/t (irr, insep, no -ge-, h, → **gehen**) fig. avoid, evade.

um'gehend adj immediate.

Um'gehungsstraße f bypass.

'umgekehrt 1. adj: **in ~er Reihenfolge** in reverse order; **2.** adv the other way round.

'umkehr|en (sep, -ge-) **1.** v/i (sn) turn back; **2.** v/t (h) Reihenfolge etc: reverse; **2ung** f (-; -en) reversal.

'um|kippen (sep, -ge-) **1.** v/t (h) tip over; umstoßen: knock over; **2.** v/i (sn) tip over; umfallen: fall over; F ohnmächtig werden: keel over; Gewässer: die; **'~kommen** v/i (irr, sep, -ge-, sn, → **kommen**) be killed, die (beide: **bei** in): F ~ **vor** (dat) be dying with.

'Umkreis m (-es; no pl) **im ~ von** within a radius of.

um'kreisen v/t (insep, no -ge-, h) ast. revolve (a)round.

'Umland n (-[e]s; no pl) surrounding area.

'Umlauf m (-[e]s; ⁓e) circulation; phys., tech. rotation; Schreiben: circular: **im** (**in**) ~ **sein** (**bringen**) be in (put into) circulation, circulate; **'~bahn** f orbit.

'umlegen v/t (sep, -ge-, h) Kosten: divide (**auf** acc among); Hebel: throw; sl. töten: bump s.o. off.

'umleit|en v/t (sep, -ge-, h) divert; **2ung** f (-; -en) diversion, detour; **2ungsschild** n diversion (Am. detour) sign.

'umliegend adj surrounding.

'umrechn|en v/t (sep, -ge-, h) convert (**in** acc into); **2ung** f (-; -en) conversion; **2ungskurs** m exchange rate.

'um|reißen v/t (irr, sep, -ge-, h, → **rei-**

ßen) knock down; **~'ringen** v/t (insep, no -ge-, h) surround.

'Umriß m (-sses; -sse) outline (a. fig.), contour.

'um|rühren v/t (sep, -ge-, h) stir; **'~rüsten** v/t (sep, -ge-, h) tech. convert (**auf** acc to).

'Umsatz m (-es; ⁓e) econ. turnover; Absatz: a. sales pl; **'~beteiligung** f sales commission; **'~rückgang** m drop in sales; **'~steigerung** f sales increase; **'~steuer** f turnover tax.

'umschalten v/t u. v/i (sep, -ge-, h) switch (over) (**auf** acc to) (a. fig.).

'Umschlag m (-[e]s; ⁓e) Brief2: envelope; Hülle: cover, wrapper; Buch2: jacket; an der Hose: Br. turn-up, Am. cuff; med. compress; econ. handling; fig. (sudden) change (gen in, of); **2en** (irr, sep, -ge-, → **schlagen**) **1.** v/t (h) Baum: cut down, fell; Ärmel: turn up; Kragen: turn down; econ. handle; **2.** v/i (sn) Boot etc: overturn; fig. change (suddenly); **'~platz** m trading cent|re (Am. -er).

'um|schulden v/t (sep, -ge-, h) Kredit etc: convert; Firma etc: change the terms of debt of; **'~schulen** v/t (sep, -ge-, h) beruflich: retrain; **'~schütten** v/t (sep, -ge-, h) verschütten: spill.

'Umschwung m (-[e]s; ⁓e) (sudden) change (gen in, of); bsd. pol., a. Meinungs2: swing.

'umsehen v/refl (irr, sep, -ge-, h, → **sehen**) look (a)round (**in e-m Laden** a shop); **nach** for); zurückblicken: look back (**nach** at); **sich ~ nach suchen**: be looking for; **'~sein** v/i (irr, sep, -ge-, sn, → **sein**) be over: **die Zeit ist um** time's up; **'~setzen** v/t (sep, -ge-, h) Ware: sell; Geld(wert): turn over: **in die Tat ~** put into action.

um'sonst adv free (of charge), for nothing; vergebens: in vain.

'Umstand m (-[e]s; ⁓e) circumstance; Tatsache: fact; Einzelheit: detail: **unter diesen** (**keinen**) **Umständen** under the (no) circumstances; **unter Umständen** possibly; **keine Umstände machen** j-m: not to cause any trouble; sich: not to go to any trouble, not to put o.s. out; **in anderen Umständen sein** be in the family way.

umständlich ['~ʃtɛntlɪç] adj ungeschickt:

U

awkward; *kompliziert*: complicated; *Stil etc*: long-winded: *das ist (mir) viel zu ~* that's far too much trouble (for me).

'**Umstandskleid** *n* maternity dress.

'**Umstehenden** *pl the* bystanders *pl.*

'**umsteigen** *v/i (irr, sep,* -ge-, sn, → **steigen**) change (*nach* for); *rail. a.* change trains (for).

um'**stellen**¹ *v/t (insep, no* -ge-, h) surround.

'**umstell**|**en**² **1.** *v/t (sep,* -ge-, h) *allg.* change (*auf acc* to), make a change (*od.* changes) in; *bsd. tech. a.* switch (over) (to), convert (to); *anpassen*: adjust (to); *neu ordnen*: rearrange (*a. Möbel*), re-organize; *Uhr*: reset; **2.** *v/refl*: *sich ~ auf (acc)* change (*od.* switch [over]) to; *anpassen*: adjust (o.s.) to, get used to; '**♀ung** *f (-;* -en) change; switch, conversion; adjustment; rearrangement, reorganization.

'**um**|**stimmen** *v/t (sep,* -ge-, h): *j-n ~* change s.o.'s mind; '**~stoßen** *v/t (irr, sep,* -ge-, h, → **stoßen**) knock down (*od.* over); *fig. Plan etc*: upset.

umstritten [om'ʃtrɪtn] *adj* controversial.

umstrukturier|**en** ['omʃtrʊktuˌriːrən] *v/t (sep, no* -ge-, h) restructure; '**♀ung** *f (-;* -en) restructuring.

'**Umsturz** *m (-es;* ♀e) coup.

'**Umtausch** *m (-[e]s;* ♀e) exchange; '**♀en** *v/t (sep,* -ge-, h) exchange (*gegen* for); '**~kurs** *m* exchange rate.

'**umwälz**|**end** *adj fig.* revolutionary; '**♀ung** *f (-;* -en) *fig.* revolution, upheaval.

'**umwand**|**eln** *v/t (sep,* -ge-, h) *allg.* turn (*in acc* into), transform (into); *bsd. chem., electr., phys. a.* convert (*in*[to]); '**♀ler** *m (-s;* -) converter; '**♀lung** *f (-;* -en) transformation, conversion.

'**Umweg** *m (-[e]s;* -e) detour: *e-n ~ machen* make a detour; *fig. auf ~en* in a roundabout way.

'**Umwelt** *f (-; no pl)* environment; '**♀bedingt** *adj* environmental; '**~belastung** *f* (environmental) pollution; '**♀bewußt** *adj* environment-conscious; '**♀bewußtsein** *n* environmental awareness; '**♀freundlich** *adj* nonpolluting; '**~schäden** *pl* damage *sg* to the environment; '**♀schädlich** *adj* ecologically

harmful, polluting; '**~schutz** *m* environmental protection, pollution control; '**~schützer** *m (-s;* -) environmentalist, conservationist; '**~verschmutzer** *m (-s;* -) polluter; '**~verschmutzung** *f (-;* -en) (environmental) pollution.

'**um**|**werfen** *v/t (irr, sep,* -ge-, h, → **werfen**) → **umstoßen**; '**~ziehen** (*irr, sep,* -ge-, → **ziehen**) **1.** *v/i (sn)* move (*nach* to); **2.** *v/refl (*h) change (one's clothes).

'**Umzug** *m (-[e]s;* ♀e) move (*nach* to); *Festzug*: parade.

'**unabhängig** *adj* independent (*von* of): *~ davon, ob* regardless whether; '**♀keit** *f (-; no pl)* independence.

'**unabsichtlich** *adj* unintentional: **2.** *adv*: *et. ~ tun* do s.th. by mistake.

'**unan**|**genehm** *adj* unpleasant; *peinlich*: embarrassing; '**~nehmbar** *adj* unacceptable; '**♀nehmlichkeiten** *pl* trouble *sg*, difficulties *pl*; '**~sehnlich** *adj* unsightly; '**~ständig** *adj* indecent, *stärker*: obscene.

'**unappetitlich** *adj* unappetizing, unsavo(u)ry (*a. fig.*).

'**Unart** *f (-;* -en) bad habit; '**♀ig** *adj* naughty.

'**unauf**|**dringlich** *adj* unobtrusive; '**~fällig** *adj* inconspicuous, unobtrusive; '**~findbar** *adj* undiscoverable, untraceable; '**~gefordert** *adv* without being asked, of one's own accord; '**~merksam** *adj* inattentive; *gedankenlos*: thoughtless; '**~richtig** *adj* insincere.

unaus'**stehlich** *adj* unbearable.

'**unbe**|**absichtigt** *adj* unintentional; '**~achtet** *adj* unnoticed; *~ lassen* ignore; '**~baut** *adj Gelände*: undeveloped; *Grundstück*: empty; '**~denklich** *adj* safe; '**~deutend** *adj* insignificant; *geringfügig: a.* minor; '**~dingt 1.** *adj* unconditional, absolute; **2.** *adv* by all means, absolutely; *brauchen*: badly: *~ erforderlich*; *~'***fahrbar** *adj* impassable; '**~fangen** *adj unparteiisch*: unprejudiced, unbias(s)ed; *ohne Hemmung*: uninhibited; '**~friedigend** *adj* unsatisfactory; '**~friedigt** *adj* dissatisfied; '**~gabt** *adj* untalented; '**~greiflich** *adj* inconceivable, incomprehensible; '**~grenzt** *adj* unlimited, boundless; '**~gründet** *adj* unfounded; **~haglich** ['ha:klɪç] *adj*: *sich ~ fühlen* feel uneasy; **~helligt** ['~hɛlɪçt] adj unhindered; '**~herrscht** adj Äußerung etc: uncontrolled; Person: lacking in self-control; '**~holfen** adj clumsy, awkward; '**~lehrbar** adj: **er ist ~** he'll never learn; '**~liebt** adj unpopular (bei with):**er ist überall ~** nobody likes him; '**~mannt** adj unmanned; '**~merkt** adj unnoticed; '**~nutzt** adj unused; '**~quem** adj uncomfortable; lästig: inconvenient; **~rechenbar** [~'rɛçənba:r] adj unpredictable; '**~rechtigt** adj unauthorized; ungerechtfertigt: unjustified; '**~schädigt** adj undamaged; '**~scheiden** adj immodest; '**~schränkt** adj unlimited; Macht etc: a. absolute; '**~schreiblich** [~'ʃraɪplɪç] adj indescribable; **~'siegbar** invincible; **~'ständig** adj unstable; Wetter: changeable; '**~stätigt** adj unconfirmed; '**~stechlich** adj incorruptible; fig. unerring; '**~stimmt** adj unsicher: uncertain; Gefühl etc: vague; '**~teiligt** adj nicht verwickelt: not involved (**an** dat in); gleichgültig: indifferent; '**~wacht** adj unguarded (a. fig.); '**~waffnet** adj unarmed; '**~weglich** adj immovable; bewegungslos: motionless; '**~wohnbar** adj uninhabitable; '**~wohnt** adj uninhabited; Gebäude: a. unoccupied, vacant; '**~wußt** adj unconscious; **~'zahlbar** adj unaffordable; fig. invaluable, priceless.

'**un|blutig 1.** adj bloodless; **2.** adv without bloodshed; '**~brauchbar** adj useless.

und [ʊnt] cj and; F **na ~?** so what?

'**undankbar** adj ungrateful (**gegen** to); Aufgabe: thankless; '**2keit** f (-; no pl) ingratitude, ungratefulness.

un|'denkbar adj unthinkable; '**~dicht** adj leaky.

undurch|'führbar adj impracticable; '**~lässig** adj impermeable (**für** to); '**~sichtig** adj opaque; fig. mysterious.

'**uneben** adj uneven; '**2heit** f (-; -en) unevenness; Stelle: a. bump.

'**un|echt** adj false; künstlich: artificial; imitiert: imitation; F contp. vorgetäuscht: fake, phon(e)y; '**~ehelich** adj illegitimate; '**~ehrlich** adj dishonest; '**~eigennützig** adj unselfish; '**~einig** adj: **(sich) ~ sein** be in disagreement (**über** acc about, on); '**~empfänglich** adj insusceptible (**für** to); '**~empfind-**

~lich adj insensitive (**gegen** to); haltbar: durable; **~'endlich** adj infinite; endlos: endless, never-ending.

'**unent|geltlich** adj free (of charge); '**~schieden** adj undecided; **~ enden** Sport: end in a draw; '**2schieden** n (-s; -) Sport: draw.

'**uner|fahren** adj inexperienced; '**~freulich** adj unpleasant; '**~füllt** adj unfulfilled; '**~heblich** adj irrelevant (**für** to); geringfügig: insignificant; '**~kannt** adj unrecognized; **~'klärlich** adj inexplicable; **~'läßlich** [~'lɛslɪç] adj essential; '**~laubt** adj unbefugt: unauthorized; ungesetzlich: illegal; '**~ledigt** adj unfinished; Post: unanswered; Aufträge etc: unfulfilled; **~'schwinglich** adj Preise: exorbitant; **für j-n ~ sein** be beyond s.o.'s means; **~'setzlich** adj irreplaceable; Schaden etc: irreparable; Verlust: irrecoverable; **~'träglich** adj unbearable; '**~wartet** adj unexpected; '**~wünscht** adj undesirable, unwelcome.

'**unfähig** adj unable (**zu tun** to do), incapable (of doing); untauglich: incompetent: **~ zu** unqualified for; '**2keit** f (-; no pl) inability (**zu tun** to do); incompetence.

'**Unfall** m (-[e]s; ⸚e) accident; '**~flucht** f → **Fahrerflucht**; '**~stati|on** f first-aid station; Krankenhaus: casualty ward; '**~stelle** f scene of the accident; '**~versicherung** f accident insurance.

'**un|fran|kiert** adj unstamped; '**~frei** adj not free; mail. unfranked; '**~freiwillig** adj involuntary; Humor: unconscious; '**~freundlich** adj unfriendly (**zu** to); Zimmer, Tag: cheerless.

'**unfruchtbar** adj infertile; fig. fruitless; '**2keit** f (-; no pl) infertility; fig. fruitlessness.

Unfug ['ʊnfu:k] m (-[e]s; no pl) mischief; Unsinn: nonsense; **~ treiben** be up to mischief.

Ungar ['ʊŋgar] m (-n; -n) Hungarian; '**2isch** adj Hungarian.

'**unge|achtet** prp regardless of; trotz: despite; '**~beten** adj uninvited; '**~bildet** adj uneducated; '**~boren** adj unborn; '**~bräuchlich** adj uncommon, unusual; '**~deckt** adj Scheck etc: uncovered.

Ungeduld f (-; no pl) impatience; '**2ig** adj impatient.

U

'**unge|eignet** *adj* unsuited; *Person*: a. unqualified (*beide*: **zu** for); **~fähr** ['ɛːr] **1.** *adj* approximate; *Vorstellung etc*: a. rough; **2.** *adv* approximately, roughly, about, around; '**~fährlich** *adj* harmless; *sicher*: safe.

Ungeheuer ['ʊngəhɔʏər] *n* (-s; -) monster (*a. fig.*).

ungeheuer [~] **1.** *adj* enormous, immense; F tremendous, terrific; **2.** *adv*: **~ reich** *etc* enormously rich *etc*.

'**ungehorsam** *adj* disobedient.

'**Ungehorsam** *m* (-s; *no pl*) disobedience.

'**unge|kündigt** *adj*: **in ~er Stellung** not under notice; '**~kürzt** *adj Buch etc*: unabridged; '**~legen** *adj* inconvenient: *j-m ~ kommen* be inconvenient for s.o.; '**~lernt** *adj Arbeiter*: unskilled; '**~mütlich** *adj* uncomfortable (*a. fig.*): F **~ werden** get nasty.

'**ungenau** *adj* inaccurate; *fig.* vague; '**Ⴝigkeit** *f* (-; -en) inaccuracy.

'**unge|niert** *adj* uninhibited; '**~nießbar** *adj* inedible; *Getränk*: undrinkable; F *Person*: unbearable; '**~pflegt** *adj* neglected; *Person*: untidy; '**~rade** *adj Zahl*: odd.

'**ungerecht** *adj* unfair, unjust; '**Ⴝigkeit** *f* (-; -en) injustice, unfairness.

'**un|gern** *adv widerwillig*: unwillingly: *et.* **~ tun** hate (*od.* not to like) to do s.th.; '**~geschehen** *adj*: **~ machen** undo.

'**unge|schickt** *adj* awkward, clumsy; '**~schminkt** *adj* without makeup; *fig.* unvarnished, plain; '**~setzlich** *adj* illegal, unlawful; '**~stört** *adj* undisturbed, uninterrupted; '**~straft** *adj*: **~ davonkommen** go unpunished; '**~sund** *adj* unhealthy (*a. fig.*); '**~wöhnlich** *adj* unusual; '**~wohnt** *adj* strange, unfamiliar; *neu*: new (*für* to); *unüblich*: unusual.

Ungeziefer ['ʊngətsiːfər] *n* (-s; *no pl*) vermin.

'**ungezwungen** *adj* relaxed, informal.

un|glaub|lich *adj* incredible, unbelievable; '**~würdig** *adj Person*: untrustworthy; *bsd. pol. a.* not credible; *Geschichte, Entschuldigung*: implausible.

'**ungleich 1.** *adj unähnlich*: dissimilar; *Chancen etc*: unequal; **2.** *adv* far, much; '**~mäßig** *adj Verteilung*: uneven; *unregelmäßig*: irregular.

'**Unglück** *n* (-[e]s; -e) bad luck, misfortune; *Unfall*: accident; *stärker*: disaster; *Elend*: misery: → **stürzen** 2; '**Ⴝlich** *adj* unhappy; *bedauernswert*: unfortunate (*a. Umstände etc*); '**Ⴝlicher-weise** *adv* unfortunately.

'**un|gültig** *adj* invalid; **für ~ erklären** declare s.th. null and void, annul; '**~günstig** *adj* unfavo(u)rable; *nachteilig*: disadvantageous; '**~gut** *adj* bad: **~es Gefühl** funny feeling (*bei* about); *nichts für ~!* no offen|ce (*Am.* -se) meant; '**~haltbar** *adj Argument etc*: untenable; *Zustände*: intolerable; '**~handlich** *adj* unwieldy; '**~heilbar** *adj* incurable; '**~heimlich 1.** *adj* uncanny, weird; F *fig.* terrific, fantastic; **2.** *adv* F: **~ viel(e)** a terrific amount (of); **~ gut** terrific, fantastic.

'**unhöflich** *adj* impolite; *stärker*: rude; '**Ⴝ-keit** *f* (-; *no pl*) impoliteness; rudeness.

'**unhygi|enisch** *adj* unhygienic.

Uni ['ʊni] *f* (-; -s) F uni.

Uniform [uni'fɔrm] *f* (-; -en) uniform.

'**uninteres|sant** *adj* uninteresting.

Universalerbe [univer'zaːl~] *adj* sole heir.

Universität [univerzi'tɛːt] *f* (-; -en) university: **die ~ besuchen** go to university.

Universum [uni'vɛrzʊm] *n* (-s; *no pl*) universe.

'**unkennt|lich** *adj* unrecognizable; '**Ⴝnis** *f* (-s; *no pl*) ignorance: **in ~** (*gen*) unaware of.

'**un|klar** *adj* unclear; *ungewiß*: uncertain; *verworren*: confused, muddled: **im ~en sein** (*lassen*) be (leave *s.o.*) in the dark (*über acc* about); '**~klug** *adj* imprudent, unwise.

Unkosten *pl* expenses *pl*, costs *pl*.

Unkraut *n* (-[e]s; ~er) weed; *coll.* weeds *pl*.

'**un|kündbar** *adj Stellung*: permanent; *Vertrag*: not terminable: **er ist ~** he cannot be given notice; '**~leserlich** *adj* illegible; '**~logisch** *adj* illogical; '**~lösbar** *adj* insoluble; '**~männlich** *adj* effeminate; '**~mäßig** *adj* excessive; '**Ⴝmenge** *f* (-; -n) vast amount (*od.* number) (*von* of).

'**Unmensch** *m* monster, brute; '**Ⴝlich** *adj* inhuman, cruel; '**~lichkeit** *f* (-; *no pl*) inhumanity, cruelty.

'**un|merklich** *adj* imperceptible; '**~miß-verständlich** *adj* unmistakeable; '**~mittelbar 1.** *adj* immediate, direct; **2.** *adv*: **~ nach** (*hinter dat*) right after (behind); '**~mö,bliert** *adj* unfurnished; '**~mo,dern** *adj* old-fashioned; *nicht modisch*: unfashionable; '**~möglich 1.** *adj* impossible; **2.** *adv*: **ich kann es ~ tun** I can't possibly do it; '**~mo,ralisch** *adj* immoral; '**~mündig** *adj* under-age; *politisch etc*: immature; '**~musi,kalisch** *adj* unmusical; '**~nachahmlich** *adj* inimitable; '**~nachgiebig** *adj* unyielding; '**~na,türlich** *adj* unnatural (*a. fig.*); *geziert*: affected; '**~nötig** *adj* unnecessary, needless; '**~nütz** *adj* useless; '**~ordentlich** *adj* untidy: **~ sein** *Zimmer etc*: be (in) a mess; '**2ordnung** *f* (*-; no pl*) disorder, mess; '**~par,teiisch** *adj* impartial; '**~passend** *adj* unsuitable; *unschicklich*: improper; *unangebracht*: inappropriate; '**~pas,sierbar** *adj* impassable; '**~päßlich** ['~pɛslɪç] *adj*: **~ sein, sich ~ fühlen** be indisposed, feel unwell; **sie ist ~** *euphem*. it's that time of the month; '**~per,sönlich** *adj* impersonal; '**~po,litisch** *adj* apolitical; '**~praktisch** *adj* impractical; '**~pünktlich** *adj Person, Zug etc*: late; *Person, generell etc*: unpunctual.

'**unrecht** *adj* wrong; **~ haben** (tun) be (do *s.o.*) wrong.

'**Unrecht** *n* (*-[e]s; no pl*) injustice, wrong; **zu ~** wrong(ful)ly; '**2mäßig** *adj* unlawful.

'**unregelmäßig** *adj* irregular.

'**unreif** *adj* unripe; *fig.* immature; '**2e** *f* (*-; no pl*) *fig.* immaturity.

'**un|ren,tabel** *adj* unprofitable; '**~richtig** *adj* incorrect, wrong.

'**Unruh|e** *f* (*-; -n*) restlessness, unrest (*a. pl pol.*); *Besorgnis*: anxiety, alarm; '**2ig** *adj* restless; *innerlich*: *a.* uneasy; *besorgt*: worried, alarmed; *See*: rough.

uns [ʊns] **1.** *pers pron* (to) us; *einander*: each other: **ein Freund von ~** a friend of ours; **2.** *refl pron* (to) ourselves.

'**un|sachgemäß** *adj* improper; '**~sachlich** *adj* unobjective; '**~sauber** *adj* dirty; *fig. Geschäfte, Methoden*: underhand, dubious; '**~schädlich** *adj* harmless: **~ machen** *fig.* put *s.o.* out of action; '**~scharf** *adj phot.* blurred; '**~schätzbar** *adj* invaluable; *Wert etc*:

inestimable; '**~scheinbar** *adj* inconspicuous; *einfach*: plain; '**~schlüssig** *adj*: **ich bin mir noch ~** I haven't made up my mind yet (**über** *acc* about); '**~schön** *adj* unsightly; *fig.* unpleasant.

'**Unschuld** *f* (*-; no pl*) innocence; '**2ig** *adj* innocent (**an** *dat* of).

'**unselbständig** *adj* dependent on others: **Einkünfte aus ~er Arbeit** wage and salary incomes; '**2keit** *f* (*-; no pl*) lack of independence.

'**unsicher** *adj gefährlich*: unsafe; *gefährdet*: insecure; *gehemmt*: self-conscious; *ungewiß*: uncertain; '**2heit** *f* (*-; no pl*) unsafeness, insecurity; self-consciousness; uncertainty.

'**unsichtbar** *adj* invisible (**für** to).

'**Unsinn** *m* (*-[e]s; no pl*) nonsense: **~ machen** fool around; '**2ig** *adj* silly, stupid; *absurd*: absurd.

'**Unsitt|e** *f* bad habit; *Mißstand*: nuisance; '**2lich** *adj* immoral; *stärker*: indecent.

'**un|sozi,al** *adj* unsocial; *Verhalten*: antisocial; '**~sportlich** *adj* unfair; *Mensch*: unathletic.

un'sterblich 1. *adj* immortal (*a. fig.*); **2.** *adv* F awfully: **~ verliebt** madly in love (**in** *acc* with); **2keit** *f* (*-; no pl*) immortality.

'**Un|stimmigkeiten** *pl* differences *pl* (of opinion); '**2sym,pathisch** *adj* disagreeable: **er (es) ist mir ~** I don't like him (it).

'**untätig** *adj* inactive; *müßig*: idle; '**2keit** *f* (*-; no pl*) inactivity.

'**untauglich** *adj* unsuitable (**für, zu** for); *Person*: *a.* incompetent; *mil.* unfit (for service).

unten ['ʊntən] *adv* below; *an Gegenstand*: at the bottom (*a. fig. Stellung*); *im Haus*: downstairs: **da ~** down there; **nach ~** down, *im Haus*: downstairs; **links ~** left below; **siehe ~** see below; → **oben**.

unter ['ʊntər] *prp* a) (*dat*) *Lage, Standort etc*: under, *örtlich, rangmäßig*: *a.* below; *zwischen*: among, b) (*acc*) *Richtung, Ziel etc*: under; *niedriger als*: below; *zwischen*: among: **~ anderem** among other things; **~ uns (gesagt)**

U

between you and me; **~ sich haben** be in charge of.

'Unter|arm m forearm **'2belichtet** adj phot. underexposed; **'~bewußtsein** n (-s; no pl) subconscious: **im ~** subconsciously.

unter|'bieten v/t (irr, insep, no -ge-, h, → **bieten**) Angebot: underbid; Preis: undercut; Konkurrenz: undersell; Rekord: beat (**um** by); **~'binden** v/t (irr, insep, no -ge-, h, → **binden**) put a stop to; verhindern: prevent.

unter'brech|en v/t (irr, insep, no -ge-, h, → **brechen**) interrupt; teleph. cut off; Reise: break; **2ung** f (-; -en) interruption; break.

'unterbring|en v/t (irr, sep, -ge-, h, → **bringen**) beherbergen: accommodate, put s.o. up; **j-n ~** get s.o. a job (**in** dat, **bei** with); **'2ung** f (-; -en) accommodation.

unter'drück|en v/t (insep, no -ge-, h) Gefühl, Aufstand etc: suppress; Volk etc: oppress; **2er** m (-s; -) oppressor; **2ung** f (-; -en) suppression; oppression.

'untere adj lower (a. fig.).

'unterentwickelt adj underdeveloped.

'unterernährt adj undernourished, underfed; **'2ung** f (-; no pl) undernourishment, malnutrition.

Unter'führung f (-; -en) Fußgänger2: Br. subway, Am. pedestrian underpass; mot. underpass.

'Unter|gang m (-[e]s; ÷e) ast. setting; mar. sinking; fig. e-s Reichs etc: fall; e-r Kultur etc: extinction; **'2gehen** v/i (irr, sep, -ge-, sn, → **gehen**) ast. set; mar. go down, sink; fig. Reich etc: fall; Kultur etc: die out.

'unterge|ordnet adj subordinate (dat to); zweitrangig: secondary; **'2schoß** n basement; **'2wicht** n (-[e]s; no pl) underweight: **~ haben** be underweight.

unter'graben v/t (irr, insep, no -ge-, h, → **graben**) fig. undermine.

'Untergrund m (-[e]s; ÷e) subsoil; pol. etc underground: **in den ~ gehen** go underground; **'~bahn** f → **U-Bahn.**

'unterhalb prp below, under.

'Unterhalt m (-[e]s; no pl) support, maintenance; → **Lebensunterhalt: ~ zahlen** jur. pay alimony.

unter'halt|en (irr, insep, no -ge-, h, → **halten**) **1.** v/t Publikum etc: entertain;

Familie etc: support; Beziehungen: keep up; **2.** v/refl talk (**mit** to, with; **über** acc about): **sich gut ~** enjoy o.s., have a good time; **~sam** adj entertaining.

'Unterhalts|anspruch m maintenance claim; **'~beihilfe** f maintenance grant; **'2berechtigt** adj entitled to maintenance; **'~kosten** pl maintenance costs pl.

Unter'haltung f (-; -en) talk, conversation; Vergnügen: entertainment (a. TV etc).

'Unter|händler m (-s; -) negotiator; **'~haus** n parl. Br. House of Commons; **'~hemd** n Br. vest, Am. undershirt; **'~hose** f (**e-e ~** a pair of) underpants pl; Damen2: panties pl, Br. pants pl; **2irdisch** ['~ɪrdɪʃ] adj underground; **'~kiefer** m lower jaw; **'~kleid** n slip.

'unterkommen v/i (irr, sep, -ge-, sn, → **kommen**) find accommodation (**in** dat in); Arbeit finden: find a job (**bei** with).

'Unter|kunft f (-; ÷e) accommodation: **~ u. Verpflegung** board and lodging; **'~lage** f (-; -n) tech. support, base; Schreib2: pad; **~n** pl documents pl; Angaben: data pl.

unter'lass|en v/t (irr, insep, no -ge-, h, → **lassen**) fail to do s.th.; aufhören mit: stop (od. quit) doing s.th.; **2ung** f (-; -en) omission.

'unterlegen¹ v/t (sep, -ge-, h) lay (od. put) s.th. under.

unter'legen² adj inferior (dat to); **2e** m, f (-n; -n) loser; Schwächere: underdog; **2heit** f (-; no pl) inferiority.

'Unter|leib m abdomen, belly; **2'liegen** v/i (irr, insep, no -ge-, sn, → **liegen**) be defeated (**j-m** by s.o.), lose (to s.o.); fig. be subject (dat to); **'~lippe** f lower lip; **'~mieter** m lodger, subtenant, Am. a. roomer.

unter'nehmen v/t (irr, insep, no -ge-, h, → **nehmen**) Reise etc: make, take, go on: **et. ~** do s.th. (**gegen** about s.th.), take action (against s.o.).

Unter'nehm|en n (-s; -) firm, business; Vorhaben: undertaking, enterprise; mil. operation; **~ensberater** m management consultant; **~ensberatung** f management consultancy; **~ensführung** f (-; no pl) management; **~er** m (-s; -) entrepreneur; Arbeitgeber: employer; *Industrieller*: industrialist; **Ωungslustig** *adj* enterprising; *engS.* active.

'unterordnen *v/refl* (*sep*, -ge-, h) submit (*dat* to): → **untergeordnet**.

Unter'redung *f* (-; -en) talk.

Unterricht ['ʊntərrɪçt] *m* (-[e]s; *no pl*) instruction, teaching; *Stunden*: lessons *pl*; *ped. a.* classes *pl*: **~ geben** teach, give lessons.

unter'richt|en (*insep*, *no* -ge-, h) **1.** *v/t j-n*: teach, give lessons to; *et.*: teach, give lessons on; *informieren*: inform (**von**, **über** *acc* of); **2.** *v/i* teach, be a teacher; **3.** *v/refl* inform o.s. (**über** *acc* about).

'Unterrock *m* slip.

unter'sagen *v/t* (*insep*, *no* -ge-, h) prohibit; *j-m* **~**, *et.* **zu tun** forbid s.o. to do s.th.

'Untersatz *m* (-es; ⁓e) *für Gläser*: coaster; *für Blumentöpfe*: saucer.

unter'schätzen *v/t* (*insep*, *no* -ge-, h) underestimate; *Können etc*: *a.* underrate.

unter'scheid|en (*irr*, *insep*, *no* -ge-, h, → **scheiden**) **1.** *v/t u. v/i* distinguish (**zwischen** between); **2.** *v/refl* differ (**von** from; **dadurch, daß** in ger); **Ωung** *f* (-; -en) distinction.

Unterschied [ˈʊntərʃiːt] *m* (-[e]s; -e) difference: *im* **~ zu** unlike, as opposed to; **Ωlich** *adj* different; *schwankend*: varying.

unter'schlag|en *v/t* (*irr*, *insep*, *no* -ge-, h, → **schlagen**) *Geld*: embezzle; *Testament etc*: suppress; *fig. Fakten etc*: hold back; **Ωung** *f* (-; -en) embezzlement; suppression.

unter'schreiben *v/t u. v/i* (*irr*, *insep*, *no* -ge-, h, → **schreiben**) sign.

'Unterschrift *f* (-; -en) signature; *BildΩ*: caption; **'~enmappe** *f* signature blotting book.

'Unterseeboot *n* submarine.

unter'setzt *adj* thickset, stocky.

unter'stehen (*irr*, *insep*, *no* -ge-, h, → **stehen**) **1.** *v/i* be under (the control of); **2.** *v/refl*: **sich ~**, *et.* **zu tun** dare (to) do s.th.; **untersteh dich!** don't you dare!

'unterstellen[¹] (*sep*, -ge-, h) **1.** *v/t unter et.*: put underneath; *unterbringen*: put (**in** *dat* in[to]); *dalassen*: leave (**bei** at); *lagern*: store (at); **2.** *v/refl* take shelter (**vor** *dat* from).

unter'stell|en[²] *v/t* (*insep*, *no* -ge-, h) *vorläufig annehmen*: suppose, assume: *j-m et.* **~** impute s.th. to s.o.; *j-m* **~**, *daß er* **...** allege (*od.* insinuate) that s.o. **...**; **Ωung** *f* (-; -en) allegation, insinuation.

unter'stütz|en *v/t* (*insep*, *no* -ge-, h) support; *bsd. ideell*: *a.* back (up); **Ωung** *f* (-; -en) support; *soziale, staatliche*: *a.* aid.

unter'such|en *v/t* (*insep*, *no* -ge-, h) examine (*a. med.*), investigate (*a. jur.*); *Gepäck etc*: search; *chem.* analy|se (*Am.* -ze); **Ωung** *f* (-; -en) examination (*a. med.*), investigation (*a. jur.*); *med. a.* checkup; *chem.* analysis.

Unter'suchungs|gefangene *m, f* prisoner on remand; **~gefängnis** *n* remand prison; **~haft** *f* custody: *in* **~** *sein* be on remand; **~richter** *m* examining magistrate.

'Unter|tasse *f* saucer; **'Ωtauchen** *v/i* (*sep*, *no* -ge-, h) dive; *fig.* disappear; *bsd. pol.* go underground; **'~teil** *n, a. m* lower part, bottom.

unter'teil|en *v/t* (*insep*, *no* -ge-, h) subdivide (**in** *acc* into); **Ωung** *f* (-; -en) subdivision.

'Unter|titel *m* subtitle; **'~ton** *m* undertone (*a. fig.*).

unter'treib|en *v/t u. v/i* (*irr*, *insep*, *no* -ge-, h, → **treiben**) understate; **Ωung** *f* (-; -en) understatement.

'unter|vermieten *v/t* (*only inf u. pp* untervermietet) sublet; **'~wandern** *v/t* (*insep*, *no* -ge-, h) infiltrate; **'Ωwäsche** *f* (-; *no pl*) underwear; **'Ωwasser...** *in Zssgn* underwater ...; **'~wegs** [~ˈveːks] *adv* on the way (*od.* one's way) (**nach** to): *viel* **~** *sein* be away a lot; **'Ωwelt** *f* (-; *no pl*) underworld (*a. fig.*).

unter'zeichn|en *v/t u. v/i* (*insep*, *no* -ge-, h) sign; **Ωete** *m, f* the undersigned; **Ωung** *f* (-; -en) signing.

'unterziehen[¹] *v/t* (*irr*, *sep*, -ge-, h, → **ziehen**) put *s.th.* on underneath.

unter'ziehen[²] (*irr*, *insep*, *no* -ge-, h, → **ziehen**) **1.** *v/t* submit (*dat* to); **2.** *v/refl* *e-r Operation etc*: undergo, have; *e-r Prüfung*: take.

'untreu *adj* unfaithful (*dat* to).

'Untugend *f* bad habit; *Laster*: vice.

'unüber|legt *adj* thoughtless; **'~sichtlich** *adj Kurve etc*: blind; *verworren*: confusing; **~windlich** [~ˈvɪntlɪç] *adj fig.* insuperable.

U

'unumgänglich adj inevitable; notwendig: indispensable.

'ununterbrochen adj uninterrupted; ständig: continuous.

'unver|änderlich adj unchanging; **'∼antwortlich** adj irresponsible; **'∼besserlich** adj incorrigible; **'∼bindlich** adj bsd. econ. without obligation; Art etc: noncommittal; **'∼dient** adj undeserved; **'∼einbar** adj incompatible (mit with); **'∼fänglich** adj harmless; **'∼gänglich** adj immortal; **'∼geßlich** adj unforgettable; **'∼gleichlich** adj incomparable; **'∼verhältnismäßig** adv disproportionately: ∼ hoch excessive; **'∼heiratet** adj unmarried, single; **'∼hofft** adj unhoped-for; unerwartet: unexpected; **'∼hohlen** adj unconcealed; **'∼käuflich** adj not for sale; nicht gefragt: unsal(e)able; **'∼kennbar** adj unmistakable; **'∼letzt** adj unhurt; **'∼meidlich** adj inevitable; **'∼mindert** adj undiminished; **'∼mittelt** adj abrupt.

'Unvermögen n (-s; no pl) inability; **'2d** adj without means.

'unver|mutet adj unexpected; **'∼nünftig** adj unreasonable; töricht: foolish; **'∼richteter'dinge** adv without having achieved anything.

'unverschämt adj impudent, impertinent; Preis etc: outrageous; **'2heit** f (-; -en) impudence, impertinence; Bemerkung: impudent (od. impertinent) remark: **die ∼ haben zu** have the nerve to.

'unver|schuldet adj u. adv through no fault of one's own; **'∼sehens** adv unexpectedly, all of a sudden; **'∼sehrt** adj unhurt; Sache: undamaged; **'∼ständlich** adj undeutlich: unintelligible; gedanklich: incomprehensible: **es ist mir ∼, warum** etc I can't understand why etc; **'∼sucht** adj: **nichts ∼ lassen** leave nothing undone; **'∼zeihlich** adj inexcusable; **'∼züglich** [∼'tsy:klɪç] **1.** adj immediate, prompt; **2.** adv immediately, without delay.

'unvollendet adj unfinished.

'unvollkommen adj imperfect; **'2heit** f (-; no pl) imperfection.

'unvollständig adj incomplete.

'unvorbereitet adj unprepared.

'unvorsichtig adj careless; **'2keit** f (-; no pl) carelessness.

'unvor|stellbar adj inconceivable; undenkbar: unthinkable; **'∼teilhaft** adj unprofitable; Kleid etc: unbecoming.

'unwahr adj untrue; **'2heit** f (-; -en) untruth; **'∼scheinlich** adj improbable, unlikely; F toll: fantastic.

'un|wegsam adj Gelände: difficult, rough; **'∼weigerlich** adv inevitably; **'∼weit** prp not far from; **'∼wesentlich** adj irrelevant; geringfügig: negligible; **'2wetter** n (-s; -) (thunder)storm; **'∼wichtig** adj unimportant.

'unwider|ruflich adj irrevocable; **'∼stehlich** adj irresistible.

'Unwill|e m (-ns; no pl) indignation; **'2ig** adj indignant (über acc at); widerwillig: unwilling, reluctant; **'2kürlich** adj involuntary.

'unwirk|lich adj unreal; **'∼sam** adj ineffective; jur. etc inoperative.

un|wirsch ['ʊnvɪrʃ] adj gruff; **'∼wirtschaftlich** adj uneconomical.

'unwissen|d adj ignorant; **'2heit** f (-; no pl) ignorance.

'un|wohl adj unwell; unbehaglich: uneasy; **'∼würdig** adj unworthy (gen of); **'∼zählig** adj innumerable, countless; **'∼zeitgemäß** adj old-fashioned.

'unzer|brechlich adj unbreakable; **'∼trennlich** adj inseparable.

'Un|zucht f (-; no pl) jur.: gewerbsmäßige ∼ prostitution; ∼ **mit Kindern** illicit sexual relations pl with children; **2züchtig** ['∼tsyçtɪç] adj indecent; Literatur etc: obscene.

'unzu|frieden adj dissatisfied (mit with); **'2heit** f (-; no pl) dissatisfaction.

'unzu|gänglich adj inaccessible; **'∼lässig** adj inadmissible; **'∼mutbar** adj unacceptable.

'unzurechnungsfähig adj jur. not criminally responsible; Am. a. incompetent; **'2keit** f (-; no pl) lack of criminal responsibility, Am. a. incompetence.

'unzu|treffend adj incorrect; **2es bitte streichen!** delete where inapplicable; **'∼verlässig** adj unreliable.

üppig ['ʏpɪç] adj Vegetation etc: luxuriant; Mahlzeit etc: sumptuous, opulent; Formen: full.

'Ur|abstimmung ['u:r∼] f econ. strike ballot; **'2alt** adj ancient (a. fig. iro.)

Uran [u'ra:n] n (-s; no pl) chem. uranium.

Ur|aufführung ['u:r~] f thea. first performance, a. Film: première; '**~bevölkerung** f, '**~einwohner** pl (ab)original population (od. inhabitants pl); Australiens: Aborigines pl; '**~enkel** m great-grandson; '**~enkelin** f great-granddaughter; '**~groß...** in Zssgn Eltern, Mutter, Vater: great-grand....

Urheberrecht ['u:r~] n copyright (an dat on); '**Qlich** adv: ~ **geschützt** protected by copyright.

Urin [u'ri:n] m (-s; -e) urine; **Qieren** [uri'ni:rən] v/i (no ge-, h) urinate; **~probe** f urine specimen.

Urkunde ['u:rkʊndə] f (-; -n) document; Zeugnis, Ehren2: diploma; '**~nfälschung** f forgery of documents.

Urlaub ['u:rlaʊp] m (-[e]s; -e) holidays pl, bsd. Am. vacation: **im ~** on holiday (bsd. Am. vacation); **in ~ gehen** go on holiday (bsd. Am. vacation); **e-n Tag (ein paar Tage) ~ nehmen** take a day (a few days) off; **~er** ['~bər] m (-s; -) Br. holidaymaker, Am. vacationer; '**~erstrom** m stream of holidaymakers (Am. vacationers).

'**Urlaubs|anschrift** f holiday (bsd. Am. vacation) address; '**~geld** n Br. holiday pay, Am. vacation money; '**~ort** m holiday (bsd. Am. vacation) resort; '**~reise** f holiday (bsd. Am. vacation) trip; '**~vertretung** f Person: holiday (bsd. Am. vacation) replacement; '**~zeit** f holiday (bsd. Am. vacation) period (od. season).

Urne ['ʊrnə] f (-; -n) urn; Wahl2: ballot box.

Ur|sache ['u:r~] f (-; -n) cause (gen, **für** of); Grund: reason (for): **keine ~!** not at all, you are welcome; '**~sprung** m (-[e]s; ⁓e) origin: **germanischen ~s** of Germanic origin; **Qsprünglich** ['~ʃprʏŋlɪç] adj original; '**~sprungsland** n econ. country of origin.

Urteil ['ʊrtaɪl] n (-s; -e) judg(e)ment; jur. Strafmaß: sentence: **sich ein ~ bilden** form a judg(e)ment (od. an opinion) (**über** acc on); '**Qen** v/i (h) judge (**über** j-n, et. s.o., s.th.; **nach** by).

Urwald ['u:r~] m primeval forest; Dschungel: jungle.

Utensilien [utɛn'zi:liən] pl utensils pl.

utopisch [u'to:pɪʃ] adj (totally) unrealistic.

V

vage ['va:gə] adj vague.

vakuumverpackt ['va:kuʊm~] adj vacuum-packed.

Valuta [va'lu:ta] f (-; -ten) econ. foreign currency.

Vampir ['vampi:r] m (-s; -e) vampire.

Vanille [va'nɪljə] f (-; no pl) vanilla.

Variante [va'riantə] f (-; -n) variation (**zu** on).

Varieté [varie'te:] n (-s; -s) Br. variety theatre, music hall, Am. vaudeville theater.

variieren [vari'i:rən] v/i u. v/t (no ge-, h) vary.

Vase ['va:zə] f (-; -n) vase.

Vater ['fa:tər] m (-s; ⁓) father; '**~land** n (-[e]s; ⁓er) native country; '**~landsliebe** f patriotism.

väterlich ['fɛ:tərlɪç] adj fatherly, paternal; '**~erseits** adv: **Onkel** etc ~ paternal uncle etc.

Vater'unser n (-s; -) eccl. Lord's Prayer.

V-Ausschnitt ['faʊ~] m V-neck.

Veganer [ve'ga:nər] m (-s; -) vegan.

Veget|arier [vege'ta:riər] m (-s; -) vegetarian; **Qarisch** [~'ta:rɪʃ] adj vegetarian; **~ation** [~a'tsio:n] f (-; -en) vegetation; **Qieren** [~'ti:rən] v/i (no ge-, h) fig. vegetate.

Veilchen ['faɪlçən] n (-s; -) bot. violet; F fig. black eye.

Ventil [vɛn'ti:l] n (-s; -e) valve; fig. vent, outlet; **~ation** [~ila'tsio:n] f (-; -en) ventilation; **~ator** [~i'la:tər] m (-s; -en [~la-'to:rən]) fan.

ver'abred|en (no ge-, h) **1.** v/t agree on,

arrange; *Ort, Zeit: a.* appoint; fix; **2.** *v/refl* make a date (*bsd. geschäftlich:* an appointment) (**mit** with); **2ung** *f* (-; -en) appointment; *bsd. private:* date.

ver'abschied|en [~ʃiːdən] (*no* ge-, h) **1.** *v/t* say goodbye to; *am Bahnhof etc:* see off; *entlassen:* dismiss; *Gesetz:* pass; **2.** *v/refl* say goodbye (**von** to); **2ung** *f* (-; -en) dismissal; passing.

ver|'achten *v/t* (*no* ge-, h) despise; **~ächtlich** [~'ɛçtlɪç] *adj* contemptuous; **2'achtung** *f* (-; *no pl*) contempt; **~allgemeinern** [~'algə'maɪnərn] *v/t* (*no* ge-, h) generalize; **~altet** [~'altət] *adj* antiquated, out-of-date.

Veranda [ve'randa] *f* (-; -den) veranda(h), *Am.* porch.

ver'änder|lich *adj* changeable (*a. Wetter*); **~n** *v/t u. v/refl* (*no* ge-, h) change; **2ung** *f* (-; -en) change.

ver'ängstigt *adj* frightened, scared.

ver'anlag|en *v/t* (*no* ge-, h) *steuerlich:* assess; **~t** *adj* inclined (**zu, für** to): *künstlerisch ~ sein* have artistic talent; **2ung** *f* (-; -en) *charakterliche:* disposition; *Neigung:* inclination; *Talent:* talent, gift; *steuerliche:* assessment.

ver'anlass|en *v/t* (*no* ge-, h) *et.:* make arrangements (*od.* arrange) for: *j-n zu et. ~* make s.o. do s.th.; **2ung** *f* (-; -en) cause (**zu** for).

ver'anschlagen *v/t* (*no* ge-, h) *econ.* estimate (**auf** *acc* at): *zu hoch (niedrig) ~* overestimate (underestimate).

veranstalt|en [fɛr'ʔanʃtaltən] *v/t* (*no* ge-, h) arrange, organize; **2er** *m* (-s; -) organizer; *Sport: a.* promoter; **2ung** *f* (-; -en) arrangement, organization; *konkret: Sport: a.* meeting, *Am.* meet; **2ungska,lender** *m* calendar of events.

ver'antwort|en *v/t* (*no* ge-, h) take the responsibility for; **~lich** *adj* responsible: *j-n ~ machen für* hold s.o. responsible for.

Ver'antwortung *f* (-; *no pl*) responsibility: *auf eigene ~* at one's own risk; *zur ~ ziehen* call to account; **~sbewußtsein** *n*, **~sgefühl** *n* (-[e]s; *no pl*) sense of responsibility; **2slos** *adj* irresponsible.

ver|'arbeiten *v/t* (*no* ge-, h) process; *fig.* digest: *et. ~ zu* manufacture (*od.* make) s.th. into; **~'ärgern** *v/t* (*no* ge-, h) make s.o. angry, annoy; **~'armt** *adj* impover-

ished; **~'arzten** *v/t* (*no* ge-, h) F fix s.o. up; **~'ausgaben** *v/refl* (*no* ge-, h) overspend; *fig.* exhaust o.s.

Verb [vɛrp] *n* (-s; -en) *gr.* verb.

Verband [fɛr'bant] *m* (-[e]s; ⁓e) *med.* dressing, bandage; *Vereinigung:* association; **~(s)kasten** *m* first-aid box; **~(s)zeug** *n* dressing material.

ver'bergen *v/t* (*irr, no* ge-, h, → *bergen*) hide (*a. v/refl*), conceal (*beide:* **vor** *dat* from).

ver'besser|n (*no* ge-, h) **1.** *v/t* improve; *berichtigen:* correct; **2.** *v/refl* improve; *beim Sprechen:* correct o.s.; **2ung** *f* (-; -en) improvement; correction.

ver'beug|en [fɛr'bɔʏɡən] *v/refl* (*no* ge-, h) bow (**vor** *dat* to); **2ung** *f* (-; -en) bow: *e-e ~ machen* → *verbeugen.*

ver|'biegen *v/t* (*irr, no* ge-, h, → *biegen*) bend, twist; **~'bieten** *v/t* (*irr, no* ge-, h, → *bieten*) forbid (*j-m et.* [**zu tun**] s.o. [to do] s.th.); *amtlich:* prohibit (*et.* s.th.; *j-m et.* s.o. from doing s.th.).

ver'billig|en *v/t* (*no* ge-, h) reduce in price; **~t** *adj* reduced, at reduced prices.

ver'bind|en *v/t* (*irr, no* ge-, h, → *binden*) *med. Wunde:* dress, bandage, *j-n:* bandage *s.o.* up; *mit et., a. tech.:* connect, join, link (up); *teleph.* put s.o. through (**mit** to, *Am.* with); *kombinieren:* combine (*a. chem., v/refl*); *vereinen:* unite; *Vorstellung etc:* associate: *j-m die Augen ~* blindfold s.o.; *mit e-r Tätigkeit etc verbunden sein* involve doing s.th. *etc;* *falsch verbunden!* sorry, wrong number; **~lich** [~'bɪntlɪç] *adj* binding (**für** on); *gefällig:* obliging; **2lichkeiten** *pl econ.* liabilities; **2ung** *f* (-; -en) *allg.* connection; *Kombination:* combination; *chem.* compound: *sich in ~ setzen mit* get in touch with; *in ~ stehen (bleiben)* be (keep) in touch.

ver'bitten *v/t* (*irr, no* ge-, h, → *bitten*): *sich et. ~* refuse to tolerate s.th.; *das verbitte ich mir!* I won't stand for it!

ver'bitter|t *adj* bitter, embittered; **2ung** *f* (-; *no pl*) bitterness.

verblassen [fɛr'blasən] *v/i* (*no* ge-, sn) fade (*a. fig.*).

Verbleib [fɛr'blaɪp] *m* (-[e]s; *no pl*) whereabouts *pl* (*a. sg konstr.*); **2en** *v/i* (*irr, no* ge-, sn, → *bleiben*): *wir sind so verblieben, daß* we agreed (*od.* arranged) that.

verbleit [fɛr'blaɪt] *adj mot.* leaded.
verblüff|en [fɛr'blyfən] *v/t (no ge-, h)* amaze, baffle, F flabbergast; **2ung** *f (-; no pl)* amazement, bafflement: **zu m-r** ~ to my amazement.
ver'blühen *v/i (no ge-, sn)* fade, wither *(beide a. fig.)*; **~'bluten** *v/i (no ge-, sn)* bleed to death; **~'borgen** *adj* hidden, concealed: **im ~en** in secret.
Verbot [fɛr'boːt] *n (-[e]s; -e)* prohibition *(gen of)*, ban *(gen, von on)*; **2en** *adj*: **Rauchen ~!** no smoking; **~sschild** *n* no parking *(od. no smoking etc)* sign.
Ver'brauch *m (-[e]s; no pl)* consumption *(an dat of)*; **2en** *v/t (no ge-, h)* consume, use up; **~er** *m (-s; -)* consumer; **~ermarkt** *m* hypermarket; **~erschutz** *m* consumer protection; **~sgüter** *pl* consumer goods *pl;* **~ssteuer** *f* excise duty.
Ver'brech|en *n (-s; -)* crime; **~er** *m (-s; -)* criminal; **2erisch** *adj* criminal.
ver'breit|en *(no ge-, h)* **1.** *v/t Neuigkeit etc:* spread; *Licht, Geruch etc:* give off; **2.** *v/refl* spread; **2ung** *f (-; no pl)* spread(ing).
ver'brenn|en *(irr, no ge-, → brennen)* **1.** *v/t (h)* burn; *Müll:* incinerate; *Leiche:* cremate; **2.** *v/i (sn)* burn; **2ung** *f (-; -en)* burning; *tech.* combustion; cremation; *Wunde:* burn *(an dat on)*.
ver'bringen *v/t (irr, no ge-, h, → bringen)* *Zeit:* spend, pass.
ver'buchen *v/t (no ge-, h)* enter (in the books); *fig. Erfolg etc:* clock *(od.* notch) up.
verbünde|n [fɛr'byndən] *v/refl (no ge-, h)* ally o.s. *(mit* to, with); **2te** *m, f (-n; -n)* ally *(a. fig.)*.
ver'bürgen *v/refl (no ge-, h)*: **sich ~ für** vouch for, guarantee; **~'büßen** *v/t (no ge-, h)*: **e-e Strafe ~** serve a sentence, serve time; **~'chromt** *adj* chromium-plated.
Verdacht [fɛr'daxt] *m (-[e]s; -e, -ue)* suspicion: **~ schöpfen** become suspicious; **im ~ stehen, et. zu tun** *(od. getan zu haben)* be under suspicion of doing s.th.
verdächtig [fɛr'dɛçtɪç] *adj* suspicious, suspect; **2e** [~gə] *m, f (-n; -n)* suspect; **~en** [~gən] *v/t (no ge-, h)* suspect *(gen* of); **2ung** *f (-; -en)* suspicion; *Unterstellung:* insinuation.
verdammt [fɛr'damt] F **1.** *adj* blasted,

damn(ed), *bsd. Br.* bloody; **2.** *adv* damn(ed), *bsd. Br.* bloody; **3.** *int* blast!, damn (it)!
ver'dampfen *v/i (no ge-, sn)* evaporate; **~'danken** *v/t (no ge-, h)*: **j-m (e-m Umstand etc) et. ~** owe s.th. to s.o. (s.th.).
verdau|en [fɛr'daʊən] *v/t (no ge-, h)* digest *(a. fig.)*; **2ung** *f (-; no pl)* digestion; **2ungsstörungen** *pl* indigestion *sg;* *Verstopfung:* constipation *sg.*
Ver'deck *n (-[e]s; -e) mot.* top; **2en** *v/t (no ge-, h)* cover (up), *a. tech.* conceal.
ver'denken *v/t (irr, no ge-, h, → denken)*: **ich kann es ihm nicht ~** I can't blame him *(daß* for *ger;* **wenn** if).
verderb|en [fɛr'dɛrbən] *(verdarb, verdorben)* **1.** *v/i (sn) Lebensmittel:* go bad; *Fleisch, Milchprodukte: a.* go off; **2.** *v/t (h) spoil (a. fig.):* **sich die Augen (den Magen) ~** ruin one's eyes (upset one's stomach); **j-m die Freude ~** spoil s.o.'s fun; **~lich** [~plɪç] *adj:* **~e Waren** perishable goods, perishables.
ver'diene|n *(no ge-, h)* **1.** *v/t Geld:* earn, make; *Lob, Strafe etc:* deserve; **2.** *v/i:* **gut ~** earn a good salary *(od.* wage); **2r** *m (-s; -)* wage earner, breadwinner.
Ver'dienst¹ *m (-es; -e)* earnings *pl; Lohn:* wage *(s pl); Gehalt:* salary.
Ver'dienst² *n (-es; -e)* merit: **es ist sein ~, daß** it is thanks to him that.
Ver'dienstausfall *m (-[e]s; -ue)* loss of earnings.
ver'dient *adj Strafe etc:* (well-)deserved; **~'doppeln** *v/t u. v/refl (no ge-, h)* double.
verdorben [fɛr'dɔrbən] *adj* spoilt *(a. fig.); Lebensmittel:* bad, *Fleisch, Milchprodukte:* pred *a.* off; *Magen:* upset.
ver'dräng|en *v/t (no ge-, h) j-n:* oust *(aus e-m Amt* from); *ersetzen:* replace; *phys.* displace; *psych.* repress; *bewußt:* suppress; **~'drehen** *v/t (no ge-, h)* twist; *fig. a.* distort; *Augen:* roll: **j-m den Kopf ~** turn s.o.'s head; **~'dreifachen** *v/t u. v/refl (no ge-, h)* treble, triple.
Verdruß [fɛr'drʊs] *m (-sses; no pl)* displeasure; *Ärger:* trouble.
Ver'dunk(e)lungsgefahr *f (-; no pl) jur.* danger of collusion.
ver'dünnen *v/t (no ge-, h)* dilute; *Farben etc:* thin (down); **~'dunsten** *v/i (no ge-, sn)* evaporate; **~'dursten** *v/i (no*

ge-, sn) die of thirst; **~dutzt** [~'dʊtst] *adj* puzzled.

ver'ehr|en *v/t (no* ge-, h) *bewundern:* admire; *anbeten, a. fig.:* adore, worship; **2er** *m* (-s; -) admirer (*a. e-r Frau etc*); *bsd. e-s Stars: a.* fan; **2ung** *f* (-; *no pl*) admiration; adoration, worship.

vereidigen [fɛr'?aɪdɪɡən] *v/t (no* ge-, h) swear *s.o.* in; *jur. Zeugen:* put *s.o.* under an oath.

Ver'ein *m* (-[e]s; -e) club; *bsd. eingetragener: a.* society, association.

ver'einbar *adj* compatible (**mit** with); **~en** *v/t (no* ge-, h) agree on, arrange; **2ung** *f* (-; -en) agreement, arrangement.

ver'einen *v/t u. v/refl (no* ge-, h) → **vereinigen.**

ver'einfach|en *v/t (no* ge-, h) simplify; **2ung** *f* (-; -en) simplification.

ver'einheitlich|en *v/t (no* ge-, h) standardize; **2ung** *f* (-; -en) standardization.

ver'einig|en *v/t u. v/refl (no* ge-, h) unite (**zu** into); (*sich*) *verbinden: a.* combine, join; **2ung** *f* (-; -en) union; combination; *Bündnis:* alliance.

ver'einzelt 1. *adj* occasioal, odd; **2.** *adv:* **~ Regen** occasional showers.

ver'eiteln *v/t (no* ge-, h) prevent; *Plan etc: a.* frustrate; **~'enden** *v/i (no* ge-, sn) die, perish.

ver'erb|en (*no* ge-, h) **1.** *v/t:* **j-m et. ~** leave (*med.* transmit) s.th. to *s.o.;* **2.** *v/refl* be passed on (*od.* down) (**auf** *acc* to) (*a. med. u. fig.*); **2ung** *f* (-; *no pl*) biol. heredity.

verewigen [fɛr'?e:vɪɡən] *v/t (no* ge-, h) immortalize.

ver'fahren (*irr, no* ge-, → **fahren**) **1.** *v/i* (sn) proceed: **~ mit** deal with; **2.** *v/refl* (h) get lost.

Ver'fahren *n* (-s; -) procedure, method; *bsd. tech. a.* technique, way; *jur.* (legal) proceedings *pl* (**gegen** against).

Ver'fall *m* (-[e]s; *no pl*) decay (*a. fig.*); *e-s Hauses etc: a.* dilapidation; *Niedergang:* decline; *econ. etc* expiry; **2en** *v/i* (*irr, no* ge-, sn, → **fallen**) decay (*a. fig.*); *bsd. fig. a.* decline; *Haus etc: a.* dilapidate; *ablaufen:* expire; *Kranker:* waste away; *e-m Laster etc:* become addicted to: **~ auf** (*acc*) hit on; **~sdatum** *n* expiry date.

ver'fälschen *v/t (no* ge-, h) falsify; *Bericht etc: a.* distort; *Speisen etc:* adulterate; **~fänglich** [fɛr'fɛŋlɪç] *adj* delicate, tricky; *peinlich:* embarrassing, compromising; **~'färben** *v/refl (no* ge-, h) discolo(u)r; *a. Person:* change colo(u)r.

ver'fasse|n *v/t (no* ge-, h) write; **2r** *m* (-s; -) author, writer.

Ver'fassung *f* (-; -en) state (*gesundheitlich:* of health; *seelisch:* of mind), condition; *pol.* constitution; **2smäßig** *adj* constitutional; **2swidrig** *adj* unconstitutional.

ver'faulen *v/i (no* ge-, sn) rot, decay.

ver'fehl|en *v/t (no* ge-, h) miss (**um** by); **2ung** *f* (-; -en) offen|ce (*Am.* -se).

ver'feindet [fɛr'faɪndət] *adj* hostile; **~'feinern** *v/t u. v/refl (no* ge-, h) refine.

ver'film|en *v/t (no* ge-, h) film; **2ung** *f* (-; -en) filming; *Film:* film version.

verflossen [fɛr'flɔsən] *adj Zeit:* past: F **mein ~er Mann** my ex-husband.

ver'fluch|en *v/t (no* ge-, h) curse; **~t** *adj* → **verdammt.**

ver'folg|en *v/t (no* ge-, h) pursue (*a. fig.*); *jagen, a. fig.:* chase, hunt; *pol., eccl.* persecute; *Spuren:* follow; *Gedanken, Traum:* haunt; **gerichtlich:** prosecute; **2er** *m* (-s; -) pursuer; persecutor; **2ung** *f* (-; -en) pursuit; chase, hunt; persecution; **gerichtliche ~** prosecution; **2ungswahn** *m med.* persecution mania.

ver'frachten *v/t (no* ge-, h) freight, *mar. od. Am.* ship; **~'früht** *adj* premature.

verfüg|bar [fɛr'fy:kba:r] *adj* available; **~en** [~ɡən] (*no* ge-, h) **1.** *v/t* decree, order; **2.** *v/i:* **~ über** (*acc*) have at one's disposal; **2ung** *f* (-; -en) decree, order: **j-m zur ~ stehen** (**stellen**) be (place) at s.o.'s disposal.

ver'führ|en *v/t (no* ge-, h) seduce (**et. zu tun** into doing s.th.); **2er** *m* (-s; -) seducer; **2erin** *f* (-; -nen) seductress; **~erisch** *adj* seductive; *verlockend:* tempting; **2ung** *f* (-; -en) seduction.

vergangen [fɛr'ɡaŋən] *adj* gone, past: *im* **~en Jahr** last year; **2heit** *f* (-; *no pl*) past.

vergänglich [fɛr'ɡɛŋlɪç] *adj* transitory.

Ver'gaser *m* (-s; -) *mot.* carburet(t)or.

ver'geb|en (*irr, no* ge-, h, → **geben**) **1.** *v/t* give away (*a. Chance*); *Preis etc: a.*

award: *j-m et.* ~ forgive s.o. for s.th.; **2.** *v/i: j-m* ~ forgive s.o.; **~ens** *adv* in vain; **~lich** [~plıç] **1.** *adj* vain; **2.** *adv* in vain.

ver|gehen (*irr, no ge-*, → *gehen*) **1.** *v/i* (*sn*) *Zeit etc*: go by, pass; *nachlassen*: wear off: ~ *vor* (*dat*) be dying with; *wie die Zeit vergeht!* how time flies!; **2.** *v/refl* (*h*): *sich* ~ *an* (*dat*) violate; *vergewaltigen*: rape.

Ver'gehen *n* (-s; -) *jur.* offen|ce (*Am. -se*).

Vergeltung [fɛr'gɛltoŋ] *f* (-; *no pl*) retaliation: *als* ~ *für* in retaliation for; ~ **üben an** (*dat*) retaliate against; **~smaßnahme** *f* retaliatory measure.

vergessen [fɛr'gɛsən] *v/t* (*vergaß, vergessen, h*) forget; *liegenlassen*: leave; **£heit** *f* (-; *no pl*): *in* ~ *geraten* fall into oblivion.

vergeßlich [fɛr'gɛslıç] *adj* forgetful.

vergeud|en [fɛr'gɔʏdən] *v/t* (*no ge-*, *h*) waste; **£ung** *f* (-; *-en*) waste.

vergewaltig|en [fɛrgə'valtıgən] *v/t* (*no ge-*, *h*) rape; **£ung** *f* (-; *-en*) rape.

ver|gewissern [fɛrgə'vɪsərn] *v/refl* (*no ge-*, *h*) make sure (*e-r Sache* of s.th.; *ob* whether; *daß* that); **~'gießen** (*irr, no ge-*, *h*, → *gießen*) *Blut, Tränen*: shed; *verschütten*: spill.

ver'gift|en *v/t* (*no ge-*, *h*) poison (*a. fig.*); *Umwelt*: contaminate; **£ung** *f* (-; *-en*) poisoning; contamination.

Ver'gleich *m* (-[e]s; -e) comparison; *jur.* compromise; **£bar** *adj* comparable (*mit* to, with); **£en** (*irr, no ge-*, *h*, → *gleichen*) **1.** *v/t* compare (*mit* with; *gleichstellend*: to): *ist nicht zu* ~ *mit* cannot be compared with; *verglichen mit* compared to (*od.* with); **2.** *v/refl* *sich einigen*: come to terms: *sich* ~ *mit* compare o.s. with; **~sverfahren** *n jur.* composition proceedings *pl*; **£sweise** *adv* comparatively.

Vergnügen [fɛr'gny:gən] *n* (-s; -) pleasure; *Spaß*: fun: *mit* ~ with pleasure; *viel* ~! have fun (*od.* a good time)!

vergnüg|en [~] *v/refl* (*no ge-*, *h*) enjoy o.s. (*mit et.* doing s.th.); **~t** *adj* cheerful.

Ver'gnügung *f* (-; *-en*) pleasure, amusement, entertainment; **~spark** *m* amusement park, fun fair; **~sviertel** *n* night-life district.

ver|'goldet *adj* gold-plated; **~'graben**

v/t (*irr, no ge-*, *h*, → *graben*) bury; **~'greifen** (*irr, no ge-*, *h*, → *greifen*): *sich* ~ *an* (*dat*) lay hands on; **~'griffen** *adj Buch*: out-of-print.

vergrößer|n [fɛr'grøːsərn] (*no ge-*, *h*) **1.** *v/t* enlarge (*a. phot.*); *vermehren*: increase; *opt.* magnify; **2.** *v/refl* increase, grow; **£ung** *f* (-; *-en*) enlargement, *phot. a.* blow-up; *opt.* magnification; increase; **£ungsglas** *n* magnifying glass.

Ver'günstigung *f* (-; *-en*) privilege; *steuerliche*: allowance.

vergüt|en [fɛr'gyːtən] *v/t* (*no ge-*, *h*): *j-m et.* ~ reimburse s.o. for s.th.; **£ung** *f* (-; *-en*) reimbursement.

ver'haft|en *v/t* (*no ge-*, *h*) arrest; **£ung** *f* (-; *-en*) arrest.

ver'halt|en *v/refl* (*irr, no -ge-*, *h*, → *halten*) behave: *sich ruhig* ~ keep quiet.

Ver'halten *n* (-s; *no pl*) behavio(u)r, conduct; **£sgestört** *adj* maladjusted.

Verhältnis [fɛr'hɛltnɪs] *n* (-ses; -se) *Beziehung, a. pol. etc*: relationship, relations *pl* (*beide*: *zu* with); *Einstellung*: attitude (to, towards); *zahlenmäßig etc*: proportion, relation; F *Liebes£*: affair: **~se** *pl* circumstances *pl*, conditions *pl* (*a. soziale*): *über s-e* **~se** *leben* live beyond one's means; **£mäßig** *adv* comparatively, relatively; **~wahl** *f parl.* proportional representation; **~wahlrecht** *n* (-[e]s; *no pl*) system of proportional representation.

ver'hand|eln (*no ge-*, *h*) **1.** *v/i* negotiate (*über et.* [about *od.* on] s.th.); **2.** *v/t jur. Fall*: hear; **£lung** *f* (-; *-en*) negotiation; *jur.* hearing; *Strafrecht*: trial; **£lungsbasis** *f*: ~ *DM 2000* DM 2,000 or near(est) offer.

ver'häng|en *v/t* (*no ge-*, *h*) cover (*mit* with); *Strafe etc*: impose (*über acc* on); **£nis** *n* (-ses; -se) fate; *Unheil*: disaster; **~nisvoll** *adj* fatal, disastrous.

ver|'harmlosen *v/t* (*no ge-*, *h*) play s.th. down; **~'haßt** *adj* hated; *Sache*: *a.* hateful.

verheerend [fɛr'heːrənt] *adj* disastrous.

ver|hehlen [fɛr'heːlən] *v/t* (*no ge-*, *h*, → *verheimlichen*; **~'heilen** *v/i* (*no ge-*, *sn*) heal (up); **~'heimlichen** *v/t* (*no ge-*, *h*) hide, conceal (*beide*: *dat* from).

ver'heirate|n (*no ge-*, *h*) **1.** *v/t* marry

(s.o. off) (**mit** to); **2.** v/refl get married; **~t** adj married.

ver'heißungsvoll adj promising.

ver'helfen v/i (irr, no ge-, h, → **helfen**): **j-m zu et. ~** help s.o. to get s.th.

ver'hinder|n v/t (no ge-, h) prevent (**daß j-d et. tut** s.o. from doing s.th.); **~t** adj unable to come: **ein ~er Künstler** an artist manqué; **Möchtegernkünstler**: a would-be artist; **Qung** f (-; -en) prevention.

verhöhn|en [fɛr'høːnən] v/t (no ge-, h) deride, mock; **Qung** f (-; -en) derision.

Verhör [fɛr'høːr] n (-[e]s; -e) jur. interrogation; **Qen** (no ge-, h) **1.** v/t interrogate; **2.** v/refl mishear.

ver'hungern v/i (no ge-, sn) die of hunger, starve (to death).

ver'hüt|en v/t (no ge-, h) prevent; **Qungsmittel** n med. contraceptive.

ver'irren v/refl (no ge-, h) get lost, lose one's way; **~'jagen** v/t (no ge-, h) chase (od. drive) away.

verjähr|en [fɛr'jɛːrən] v/i (no ge-, sn) jur. come under the statute of limitations; **~t** adj statute-barred; **Qungsfrist** f statutory period of limitation.

ver'kabeln v/t (no ge-, h) TV cable.

Ver'kauf m (-[e]s; -̈e) sale; **Qen** (no ge-, h) **1.** v/t sell: **zu ~** for sale; **2.** v/refl: **sich gut ~** sell well.

Ver'käufer| m (-s; -) seller; im Laden: salesperson, Br. (shop) assistant, Am. (sales) clerk; Auto2, Möbel2 etc: salesman; **~erin** f (-; -nen) → **Verkäufer**, Auto2, Möbel2 etc: saleslady; **Qlich** adj for sale: **leicht (schwer) ~** easy (hard) to sell.

Ver'kaufs|leiter m sales manager; **Qoffen** adj: **~er Samstag** all-day shopping on Saturday; **~preis** m selling price.

Verkehr [fɛr'keːr] m (-s; no pl) traffic; öffentlicher: transport(ation Am.); Umgang: dealings pl, contact; Geschäfts2: business; Geschlechts2: intercourse: **aus dem ~ ziehen** Geld: withdraw from circulation; **Qen** (no ge-, h) **1.** v/i a) (a. sn) Bus etc: run, b) **~ in e-m Lokal** etc: frequent; **~ mit** associate (od. mix) with; **2.** v/t: **ins Gegenteil ~** reverse.

Ver'kehrs|ader f arterial road; **~ampel** f Br. traffic lights pl, Am. traffic light, stoplight; **~aufkommen** n (-s; no pl)

traffic volume; **Qberuhigt** [~bə'ruːɪçt] adj: **~e Zone** area with traffic calming; **~beruhigung** f (-; no pl) traffic calming; **~chaos** n traffic chaos; **~flugzeug** n airliner; **~funk** m (-s; no pl) traffic news pl (sg konstr.); **~insel** f traffic island; **~kontrolle** f vehicle spot-check; **~meldung** f traffic announcement; pl traffic news pl (sg konstr.); **~mittel** n means of transportation: → **öffentlich 1**; **~opfer** n road casualty; **~poli.zei** f traffic police (pl konstr.); **~poli.zist** m traffic policeman; **~regel** f traffic regulation; **Qsicher** adj mot. roadworthy; **~sicherheit** f road safety; e-s Autos etc: roadworthiness; **~stau** m traffic jam; **~sünder** m traffic offender; **~teilnehmer** m road user; **~unfall** m traffic (od. road) accident; **~verbindung** f (road od. rail) link (**nach, zu** to); **~zeichen** n road sign.

ver'kehrt adj u. adv falsch: wrong, adv a. wrongly, the wrong way; **~** (**herum**) upside down; Pulli etc: inside out, Vorderteil nach hinten: back to front; **~'kennen** v/t (irr, no ge-, h, → **kennen**) misjudge.

Ver'kettung f (-; -en): **~ unglücklicher Umstände** concatenation of misfortunes.

ver'klagen v/t (no ge-, h) jur. sue (**auf** acc, **wegen** for).

verkleid|en [fɛr'klaɪdən] (no ge-, h) **1.** v/t tech. cover; außen: encase; innen: line; vertäfeln: panel; **2.** v/refl dress up (**als** as); **Qung** f (-; -en) fancy dress; covering; casing; lining; panel(l)ing.

verkleiner|n [fɛr'klaɪnərn] v/t (no ge-, h) make smaller, reduce (in size); **Qung** f (-; -en) reduction (in size).

Ver'knappung f (-; -en) shortage.

ver'kühlen v/refl (no ge-, h) catch (a) cold.

verkünd|en [fɛr'kʏndən] v/t (no ge-, h) announce; bsd. öffentlich: proclaim; Urteil: pronounce; **Qung** f (-; -en) announcement; proclamation; pronouncement.

ver'|kürzen v/t (no ge-, h) shorten (**um** by); (Arbeits)Zeit: a. reduce; **~'laden** v/t (irr, no ge-, h, → **laden**) load (**auf** acc onto; **in** acc into).

Verlag [fɛr'laːk] m (-[e]s; -e) publishing house (od. company), publisher(s pl).

ver'lagern v/t u. v/refl (no ge-, h) shift (**auf** acc to) (a. fig.).

ver'langen v/t (no ge-, h) ask for; fordern: demand; beanspruchen: claim; Preis: charge; erfordern: take, call for.

Ver'langen n (-s; no pl) desire (**nach** for); Sehnen: longing (for), yearning (for); **auf** ~ by request; econ. on demand.

verlänger|n [fɛr'lɛŋərn] v/t (no ge-, h) lengthen, make longer; bsd. fig. prolong (a. Leben), extend (a. econ.); **ung** f (-; -en) lengthening; prolongation, extension.

ver'langsamen v/t u. v/refl (no ge-, h) slow down (a. fig.).

Verlaß [fɛr'las] m: **auf ihn ist (kein)** ~ you can('t) rely on him.

ver'lassen (irr, no ge-, h, → lassen) **1.** v/t leave; im Stich lassen: a. abandon, desert; **2.** v/refl: **sich** ~ **auf** (acc) rely (od. depend) on.

verläßlich [fɛr'lɛslɪç] adj reliable, dependable.

Ver'lauf m (-[e]s; ‑e) course (a. fig.); **im** ~ **von** (od. gen) in the course of; **en** (irr, no ge-, → laufen) **1.** v/i (sn) run; ablaufen: go; enden: end (up); **2.** v/refl (h) get lost, lose one's way.

ver'lauten v/i (no ge-, sn): ~ lassen give to understand; **wie verlautet** as reported.

ver'leben v/t (no ge-, h) spend; Zeit etc: a. have.

ver'legen¹ v/t (no ge-, h) Ort etc: move; Brille etc: mislay; tech. lay; zeitlich: put off, postpone; Buch: publish.

ver'legen² adj embarrassed; **2heit** f (-; no pl) embarrassment; Lage: embarrassing situation.

Ver'leger m (-s; -) publisher.

Verleih [fɛr'laɪ] m (-[e]s; -e) renting out; Firma: hire (od. rental) company; **2en** v/t (irr, no ge-, h, → leihen) lend (out), bsd. Am. a. loan (out); **gegen Miete:** hire (Am. rent) out; Titel etc: confer (dat on); Preis etc: award (to); **ung** f (-; -en) conferment; awarding.

ver'lernen v/t (no ge-, h) forget; ~**lesen** (irr, no ge-, h, → lesen) **1.** v/t read (Namen: a. call) out; **2.** v/refl read it wrong: **sich bei et.** ~ misread s.th.

verletz|en [fɛr'lɛtsən] v/t (no ge-, h) **1.** v/t hurt, injure; kränken: hurt, offend; Gesetz etc: violate; Vorschrift etc: offend against; **2.** v/refl hurt o.s., get hurt; ~**end** adj offensive; **2te** m, f (-n; -n) injured person: **die** ~**n** pl the injured pl; **2ung** f (-; -en) injury; fig. violation.

verleumd|en [fɛr'lɔymdən] v/t (no ge-, h) jur. mündlich: slander; schriftlich: libel; ~**erisch** adj slanderous, libel(l)ous; **2ung** f (-; -en) slander; libel.

ver'lieb|en v/refl (no ge-, h) fall in love (**in** acc with); ~**t** adj in love (**in** acc with); Blick etc: amorous.

verliere|n [fɛr'liːrən] v/t u. v/i (verlor, verloren, h) lose (**gegen** to); **2r** m (-s; -) loser.

ver'lob|en v/refl (no ge-, h) get engaged (**mit** to); **2te** [~ptə] m, f (-n; -n) fiancé(e f); **2ung** f (-; -en) engagement; **2ungsring** m engagement ring.

ver'lockend adj tempting.

verlogen [fɛr'loːɡən] adj lying; Moral etc: hypocritical; **2heit** f (-; no pl) lying; hypocrisy.

verloren [fɛr'loːrən] adj lost; Zeit etc: a. wasted; ~**gehen** v/i (irr, sep, -ge-, sn, → gehen) be (od. get) lost.

ver'los|en v/t (no ge-, h) raffle (off); **2ung** f (-; -en) raffle.

Ver'lust m (-[e]s; -e) loss (a. fig.); ~**e** pl bsd. mil. casualties pl.

ver'machen v/t (no ge-, h) leave, will.

Vermächtnis [fɛr'mɛçtnɪs] n (-ses; -se) legacy (a. fig.).

vermarkt|en [fɛr'marktən] v/t (no ge-, h) market; fig. commercialize; **2ung** f (-; -en) marketing; commercialization.

ver'mehr|en (no ge-, h) **1.** v/t increase (**um** by); **2.** v/refl increase (**um** by); biol. reproduce, multiply, zo. a. breed; **2ung** f (-; -en) increase (gen in); biol. reproduction.

vermeid|bar [fɛr'maɪtbaːr] adj avoidable; ~**en** [~dən] v/t (irr, no ge-, h, → meiden) avoid: **es** ~, **et. zu tun** avoid doing s.th.; ~**lich** adj vermeidbar.

Vermerk [fɛr'mɛrk] m (-[e]s; -e) note; **2en** v/t (no ge-, h) make a note of.

ver'messen¹ v/t (irr, no ge-, h, → messen) measure; Land: survey.

ver'messen² adj presumptuous; **2heit** f (-; no pl) presumption.

ver'miet|en v/t (no ge-, h) rent (out); Sachen: Br. a. hire out: **zu** ~ Haus etc:

Br. to let, *Am.* for rent; **2er** *m* (-s; -) landlord; **2erin** *f* (-; -nen) landlady; **2ung** *f* (-; -en) renting (out); hiring (out).

ver'misch|en *v/t u. v/refl* (*no* ge-, h) mix (**mit** with); **~t** *adj* mixed; **2es** *Überschrift:* miscellaneous.

vermi|ssen [fɛr'mɪsən] *v/t* (*no* ge-, h) miss; **~ßt** *adj* missing; **j-n als ~ melden** report s.o. missing.

ver'mittel|n (*no* ge-, h) **1.** *v/t* arrange; *Eindruck etc:* give, convey; **j-m et. ~** get (*od.* find) s.o. s.th.; **2.** *v/i* mediate (**zwischen** *dat* between); **2ler** *m* (-s; -) mediator, go-between; *econ.* agent, broker; **2ung** *f* (-; -en) mediation; *Herbeiführung:* arrangement; *Stelle:* agency, office; *teleph.* (telephone) exchange; *Person:* operator.

Ver'mögen *n* (-s; -) fortune (*a.* F *fig.*); *Besitz:* property; *econ.* assets *pl;* **2d** *adj* well-to-do, well-off; **~sberatung** *f* investment consultancy; **~sbildung** *f* wealth formation; **~ssteuer** *f* property tax; **~sverhältnisse** *pl* financial circumstances *pl;* **~swerte** *pl* assets *pl.*

vermumm|en [fɛr'mʊmən] *v/refl* (*no* ge-, h) wrap o.s. up; *sich verkleiden:* disguise o.s.; *bei Demonstration:* wear a mask; **2ungsverbot** *n* ban on wearing masks (at demonstrations).

vermuten [fɛr'muːtən] *v/t* (*no* ge-, h) suppose, *Am. a.* guess; **~lich** *adv* probably; **2ung** *f* (-; -en) supposition; *bloße:* speculation.

vernachlässig|en [fɛrnaxlɛsɪɡən] *v/t* (*no* ge-, h) neglect; **2ung** *f* (-; -en) neglect.

ver'nehm|en *v/t* (*irr, no* ge-, h, → **nehmen**) hear; *jur.* question, interrogate; **2ung** *f* (-; -en) questioning, interrogation.

verneinen [fɛr'naɪnən] (*no* ge-, h) **1.** *v/t* deny; **2.** *v/i* say no, answer in the negative.

vernicht|en [fɛr'nɪçtən] *v/t* (*no* ge-, h) destroy; *bsd. mil. a.* annihilate; *ausrotten:* exterminate; **~end** *adj Kritik:* devastating; *Niederlage etc:* crushing; *Blick:* withering; **2ung** *f* (-; -en) destruction; annihilation; extermination.

Vernunft [fɛr'nʊnft] *f* (-; *no pl*) reason; **~ annehmen** listen to reason; **j-n zur ~ bringen** bring s.o. to his senses.

vernünftig [fɛr'nʏnftɪç] *adj* sensible, reasonable (*a. Preis etc*); F *ordentlich:* decent.

ver'öffentlich|en *v/t* (*no* ge-, h) publish; **2ung** *f* (-; -en) publication.

ver'ordn|en *v/t* (*no* ge-, h) *med.* prescribe (**j-m** for s.o.); *gesetzlich:* decree; **2ung** *f* (-; -en) decree.

ver'pachten *v/t* (*no* ge-, h) lease (*dat*, **an** *acc* to); **2'pächter** *m* (-s; -) lessor.

ver'pack|en *v/t* (*no* ge-, h) pack (up); *tech.* package; *einwickeln:* wrap up; **2ung** *f* (-; -en) pack(aging); *Papier:* wrapping; **2ungsmateri,al** *n* packaging material.

ver'passen *v/t* (*no* ge-, h) miss; **~'patzen** *v/t* (*no* ge-, h) F mess up; **~'pfänden** *v/t* (*no* ge-, h) pawn.

ver'pflanz|en *v/t* (*no* ge-, h) *med. Organ:* transplant; *Haut:* graft; **2ung** *f* (-; -en) transplant; graft.

ver'pfleg|en *v/t* (*no* ge-, h) feed; **2ung** *f* (-; -en) food.

ver'pflicht|en (*no* ge-, h) **1.** *v/t Band etc:* hire; *Schauspieler:* engage; **j-n zu et. ~** oblige (*vertraglich:* obligate) s.o. to do s.th.; **2.** *v/refl:* **sich ~, et. zu tun** undertake to do s.th.; *od. adj:* **sein** (**sich ~ fühlen**), **et. zu tun** be (feel) obliged to do s.th.; **2ung** *f* (-; -en) obligation; *Pflicht:* duty; *econ., jur.* liability; *übernommene:* engagement, commitment.

ver'|pfuschen *v/t* (*no* ge-, h) F bungle, botch (up); **~prügeln** [~'pryːɡəln] *v/t* (*no* ge-, h) beat *s.o.* up.

Ver'rat *m* (-[e]s; *no pl*) betrayal (**an** *dat* of); *Landes2:* treason (to); **2en** (*irr, no* ge-, h, → **raten**) **1.** *v/t* betray, give away (*beide a. fig.*); **2.** *v/refl* give o.s. away.

Verräter [fɛr'rɛːtər] *m* (-s; -) traitor; **2isch** *adj* treacherous; *fig.* revealing, telltale.

ver'rechn|en (*no* ge-, h) **1.** *v/t* offset (**mit** against); **2.** *v/refl* miscalculate (**um** by), make a mistake (*a. fig.*): **sich um e-e Mark verrechnet haben** be one mark out; **2ung** *f* (-; -en) offset: **nur zur ~** *Scheckvermerk:* Br. account payee only, *Am.* for deposit only; **2ungsscheck** *m Br.* crossed cheque, *Am.* voucher check.

ver'regnet *adj* rainy.

ver'reis|en *v/i* (*no* ge-, sn) go away (**geschäftlich** on business); **~t** *adj:*

(**geschäftlich**) ~ away (on business).

verrenk|en [fɛrˈrɛŋkən] v/t (no ge-, h): **sich et.** ~ med. dislocate s.th.; **sich den Hals** ~ crane one's neck (**nach** to get a glimpse of), Am. rubberneck; **2ung** f (-; -en) med. dislocation.

ver'richten v/t (no ge-, h) do, carry out; **~'riegeln** v/t (no ge-, h) bolt, bar.

verringer|n [fɛrˈrɪŋərn] (no ge-, h) **1.** v/t decrease, reduce, lower; **2.** v/refl decrease, diminish, go down; **2ung** f (-; -en) decrease (gen in), reduction (of), lowering (of).

ver'rosten v/i (no ge-, sn) rust.

ver'rück|en v/t (no ge-, h) move, shift; **~t** adj mad, crazy (beide a. fig.: **nach** about): **wie** ~ like mad; ~ **werden** go mad (od. crazy); **j-n** ~ **machen** drive s.o. mad; **2te** m, f (-n; -n) madman (madwoman), lunatic, maniac (alle a. F fig.); **2theit** f (-; -en) madness, craziness; Tat etc: crazy thing.

Ver'ruf m: **in** ~ **bringen** (**kommen**) bring (fall) into disrepute; **2en** adj disreputable.

ver'rutschen v/i (no ge-, sn) slip, get out of place.

Vers [fɛrs] m (-es; -e) verse; Zeile: a. line.

ver'sagen v/i (no ge-, h) allg. fail; tech. a. break down; Waffe: misfire.

Ver'sage|n n (-s) failure: **menschliches** ~ human error; **~r** m (-s; -s) failure.

ver'salzen v/t (irr, no ge-, h, → **salzen**) put too much salt in.

ver'samm|eln (no ge-, h) **1.** v/t assemble, gather; **2.** v/refl assemble, meet; **2lung** f (-; -en) assembly, meeting.

Versand [fɛrˈzant] m (-[e]s; no pl) dispatch; Transport: shipment; Abteilung: forwarding department; **~haus** n mail-order company; **~hauskata,log** m mail-order catalog(ue); **~kosten** pl forwarding expenses pl; **~schein** m shipping note.

ver'schaffen v/t (no ge-, h): **j-m et.** ~ get (od. find) s.o. s.th.; **sich et.** ~ get (od. obtain) s.th.; **~schämt** [~ˈʃɛːmt] adj bashful; **~'schärfen** (no ge-, h) **1.** v/t verschlimmern: aggravate; Kontrollen etc: tighten up; erhöhen: increase; **2.** v/refl schlimmer werden: get worse; **~'schenken** v/t (no ge-, h) give away (a. fig.); **~scheuchen** [~ˈʃɔʏçən] v/t (no

ge-, h) scare off, chase away (a fig.); **~'schicken** v/t (no ge-, h) dispatch, ship.

ver'schieb|en (irr, no ge-, h, → **schieben**) **1.** v/t move, shift; zeitlich: put off, postpone (**auf** acc to, until); **2.** v/refl move; verrutschen: slip; Termin: be postponed (**auf** acc to, until); **2ung** f (-; -en) postponement.

verschieden [fɛrˈʃiːdən] adj different (**von** from); **~e** pl mehrere: various, several; **~artig** adj different; mannigfaltig: various; **2heit** f (-; -en) difference.

ver'schiff|en v/t (no ge-, h) ship; **2ung** f (-; -en) shipment.

ver'schimmeln v/i (no ge-, sn) go mo(u)ldy.

ver'schlafen¹ (irr, no ge-, h, → **schlafen**) **1.** v/i oversleep; **2.** v/t et.: sleep through.

ver'schlafen² adj sleepy (a. fig.).

Ver'schlag m (-[e]s; ~e) shed.

ver'schlagen¹ v/t (irr, no ge-, h, → **schlagen**): **j-m den Atem** ~ take s.o.'s breath away; **j-m die Sprache** ~ leave s.o. speechless; **es hat ihn nach X** ~ he ended up in X.

ver'schlagen² adj sly, cunning.

verschlechter|n [fɛrˈʃlɛçtərn] v/t u. v/refl (no ge-, h) make (refl get) worse, worsen, deteriorate; **2ung** f (-; -en) deterioration; e-s Zustands: a. change for the worse.

Verschleiß [fɛrˈʃlaɪs] m (-es; no pl) wear and tear; **2en** v/t, v/i u. v/refl (verschliß, verschlissen, h) wear out; **~teil** n wearing part.

ver'schleppen v/t (no ge-, h) in die Länge ziehen: draw out, delay; Krankheit: neglect; **~'schleudern** v/t (no ge-, h) Vermögen etc: squander; econ. sell off cheaply; **~'schließen** v/t (irr, no ge-, h, → **schließen**) close, shut (a. fig. die Augen: **vor** dat to); absperren: lock (up); **~schlimmern** [~ˈʃlɪmərn] v/t u. v/refl (no ge-, h) → **verschlechtern**; **~'schlingen** v/t (irr, no ge-, h, → **schlingen**) devour (a. fig. Buch etc); bolt down; fig. Geld: swallow (up); **~'schlucken** (no ge-, h) **1.** v/t swallow (fig. up). **2.** v/refl choke (**an** dat on).

Ver'schluß m (-sses; ~sse) fastener; aus Metall: a. clasp; Schnapp2: catch; Schloß: lock; Deckel: cover, lid; a.

Schraub2: cap, top; *phot.* shutter: *unter* ~ under lock and key.

ver'schlüsseln *v/t (no ge-, h)* (en)code; **~schmähen** [~'ʃmɛːən] *v/t (no ge-, h)* disdain, spurn; **~'schmerzen** *v/t (no ge-, h)* get over *s.th.*

ver'schmutz|en *(no ge-)* **1.** *v/t* (h) soil, dirty; *Umwelt*: pollute; **2.** *v/i* (sn) get dirty; become polluted; **2ung** *f (-; -en)* soiling; *konkret*: pollution.

ver'schneit *adj* snow-covered, snowy; **~schnupft** [~'ʃnʊpft] *adj*: ~ *sein med.* have a cold; *F fig.* be peeved; **~'schnüren** *v/t (no ge-, h)* tie up; **~schollen** [~'ʃɔlən] *adj* missing; *jur.* presumed dead; **~'schonen** *v/t (no ge-, h)* spare: *j-n mit et.* spare s.o. s.th.; **~schränken** [~'ʃrɛŋkən] *v/t (no ge-, h) Arme*: fold; *Beine*: cross.

ver'schreib|en *(irr, no ge-, h, → schreiben)* **1.** *v/t med.* prescribe (*j-m* for s.o.; *gegen* for); **2.** *v/refl* make a slip of the pen; **~ungspflichtig** *adj pharm.* available on prescription only.

ver'schrotten *v/t (no ge-, h)* scrap.

Ver'schulden *n (-s; no pl)*: *ohne mein* ~ through no fault of mine.

ver'schuld|en *(no ge-, h)* **1.** *v/t* be responsible for, cause, be the cause of; **2.** *v/refl* get into debt; **~et** *adj* in debt; **2ung** *f (-; -en)* debts *pl*.

ver'schütten *v/t (no ge-, h) Flüssigkeit*: spill; *j-n*: bury alive; **~schwägert** [~'ʃvɛːɡərt] *adj* related by marriage; **~'schweigen** *v/t (irr, no ge-, h, → schweigen)* hide, keep *s.th.* (a) secret (*beide*: dat from).

verschwend|en [fɛr'ʃvɛndən] *v/t (no ge-, h)* waste (*an acc* on); **2er** *m (-s; -)* spendthrift; **~erisch** *adj* wasteful, extravagant; *üppig*: lavish; **2ung** *f (-; -en)* waste.

verschwiegen [fɛr'ʃviːɡən] *adj* discreet; *verborgen*: hidden, secret; **2heit** *f (-; no pl)* secrecy, discretion.

ver'schwinden *v/i (irr, no ge-, sn, → schwinden)* disappear, vanish: *F verschwinde!* beat it!

Ver'schwinden *n (-s)* disappearance.

verschwommen [fɛr'ʃvɔmən] *adj* blurred (*a. phot.*); *fig. Begriff etc*: vague; *Erinnerung*: hazy.

ver'schwör|en *v/refl (irr, no ge-, h, → schwören)* conspire, plot (*beide*: *ge-*

gen against); **2er** *m (-s; -)* conspirator; **2ung** *f (-; -en)* conspiration, plot.

verschwunden [fɛr'ʃvʊndən] *adj* missing.

ver'sehen *(irr, no ge-, h, → sehen)* **1.** *v/t Haushalt etc*: take care of: ~ *mit* provide with; **2.** *v/refl* make a mistake.

Ver'sehen *n (-s; -)* mistake, error: *aus* ~ → *versehentlich*; **2tlich** *adv* by mistake, unintentionally.

Versehrte [fɛr'zeːrtə] *m, f (-n; -n)* disabled person.

ver'send|en *v/t (mst irr, no ge-, h, → senden) → verschicken*; **~'senken** *v/t (no ge-, h)* sink; **~sessen** [~'zɛsən] *adj*: ~ *auf (acc)* mad (*od.* crazy) about.

ver'setz|en *(no ge-, h)* **1.** *v/t* move, shift; *dienstlich*: transfer (*in acc, auf acc, nach* to); *Schüler*: *Br.* move *s.o.* up, *Am.* promote; *Schlag etc*: give; *verpfänden*: pawn; *F j-n* ~ stand s.o. up; *in die Lage* ~ *zu* put in a position to, enable to; **2.** *v/refl*: *sich in j-s Lage* ~ put o.s. in s.o.'s place; **2ung** *f (-; -en)* transfer; *Schule*: remove, *Am.* promotion.

ver'seuch|en *v/t (no ge-, h)* contaminate; **2ung** *f (-; -en)* contamination.

Ver'sicher|er *m (-s; -)* insurer; **2n** *(no ge-, h)* **1.** *v/t econ.* insure (*bei* with; *gegen* against); *behaupten*: assure (*j-m et.* s.o. of s.th.); **2.** *v/refl* insure o.s.; *sichergehen*: make sure (*daß* that); **~te** *m, f (-; -n) the* insured (party); **~ung** *f (-; -en)* insurance; *Gesellschaft*: insurance company; *assurance, assertion*.

Ver'sicherungs|agent *m* insurance agent; **~gesellschaft** *f* insurance company; **~karte** *f*: → *grün*; **~nehmer** *m (-s; -) the* insured (party); **~po₁lice** *f* insurance policy.

Version [vɛr'ziːɔn] *f (-; -en)* version.

versöhn|en [fɛr'zøːnən] *v/refl (no ge-, h)* become reconciled, make it up (*mit* with); **~lich** *adj* conciliatory; **2ung** *f (-; -en)* reconciliation.

ver'sorg|en *v/t (no ge-, h)* provide (*mit* with); supply (with); *Familie etc*: support; *sich kümmern um*: take care of, look after; *Wunde*: see to; **2ung** *f (-; no pl)* supply (*mit* with); *Unterhalt*: support; *Betreuung*: care.

Ver'sorgungs|engpaß *m* supply bottleneck (*od.* shortage); **~lücke** *f* supply

verstoßen

gap; **~schwierigkeiten** pl supply problems.

verspät|en [fɛr'ʃpɛːtən] v/refl (no ge-, h) be late; **~et** adj late; Gratulation: belated; **2ung** f (-; -en) Verzögerung: delay: **20 Minuten ~ haben** be 20 minutes late.

ver'|speisen v/t (no ge-, h) eat, consume; **~'sperren** v/t (no ge-, h): **j-m die Sicht (den Weg) ~** obstruct s.o.'s view (block s.o.'s path); **~'spielen** v/t (no ge-, h) Geld etc: gamble away; **~'spotten** v/t (no ge-, h) make fun of, ridicule.

ver'sprechen (irr, no ge-, h, → **sprechen**) **1.** v/t promise (a. fig.): **sich zuviel ~ (von)** expect too much (of) **2.** v/refl make a mistake.

Ver'sprech|en n (-s; -) promise; **~er** m (-s; -) slip of the tongue.

ver'staatlich|en v/t (no ge-, h) nationalize; **2ung** f (-; -en) nationalization.

Ver'städterung f (-; -) urbanization.

Ver'stand m (-[e]s; no pl) mind, intellect; Vernunft: reason, (common) sense; Intelligenz: intelligence, brains pl: **nicht bei ~** out of one's mind, not in one's right mind; **den ~ verlieren** lose one's mind; **2esmäßig** [~dəs~] adj rational.

ver'ständ|ig adj reasonable, sensible; **~igen** [~ɡən] (no ge-, h) **1.** v/t inform (**von**), notify (of); Arzt, Polizei: a. call; **2.** v/refl communicate; **sich einigen:** come to an agreement (**über** acc on); **2igung** f (-; no pl) communication (a. teleph.); Einigung: agreement; **~lich** [~tlɪç] adj intelligible; begreiflich: a. comprehensible; Verhalten: understandable; hörbar: audible: **schwer (leicht) ~** difficult (easy) to understand; **j-m et. ~ machen** make s.th. clear to s.o.; **sich ~ machen** make o.s. understood.

Verständnis [fɛr'ʃtɛntnɪs] n (-ses; no pl) comprehension, understanding (a. menschliches); Mitgefühl: a. sympathy: **(viel) ~ haben** be (very) understanding; **~ haben für** Kunst etc: appreciate; **~los** adj unappreciative; Blick etc: blank; **2voll** adj understanding, sympathetic; Blick etc: knowing.

ver'stärk|en v/t (no ge-, h) reinforce (a. tech.); zahlenmäßig: strengthen (a. tech.); Radio, phys.: amplify; steigern: intensify; **2er** m (-s; -) amplifier; **2ung** f (-; -en) reinforcement; strengthen-

ing; amplification; intensification.

ver'stauben v/i (no ge-, sn) get dusty.

ver'stauch|en [fɛr'ʃtauxən] v/t (no ge-, h): **sich et. ~** med. sprain s.th.; **2ung** f (-; -en) sprain.

ver'stauen v/t (no ge-, h) stow away.

Versteck [fɛr'ʃtɛk] n (-[e]s; -e) hiding place; von Verbrechern: a. hideout; **2en** v/t u. v/refl (no ge-, h) hide (**vor** dat from).

ver'stehen v/t, v/i u. v/refl (irr, no ge-, h, → **stehen**) understand, F get; akustisch: a. catch; einsehen: see; **sich im klaren sein:** realize: **es ~ zu** know how to; **zu ~ geben** give s.o. to understand, suggest; **~ Sie(?)** erklärend: you know (od. see); fragend: you see?; **ich verstehe!** I see!; **was ~ Sie unter** (dat) **...?** what do you mean (od. understand) by **...?**; **sich (gut) ~** get along (well) (**mit** with); **es versteht sich von selbst** it goes without saying.

ver'steiger|n v/t (no ge-, h) (sell by) auction; **2ung** f (-; -en) auction (sale).

ver'stell|bar adj adjustable; **~en** (no ge-, h) **1.** v/t versperren: block; umstellen: move, shift; falsch einstellen: set s.th. wrong (od. the wrong way); tech. adjust, regulate; Stimme etc: disguise; **2.** v/refl fig. pretend, put on an act; **s-e Gefühle verbergen:** hide one's feelings; **2ung** f (-; no pl) fig. preten|ce (Am. -se).

ver'steuern v/t (no ge-, h) pay tax on: **zu ~de Einkünfte** taxable income.

ver'stimm|en v/t (no ge-, h) verärgern: annoy; **~t** adj mus. out-of-tune; Magen: upset; verärgert: annoyed, disgruntled; **2ung** f (-; -en) upset, disgruntlement.

verstohlen [fɛr'ʃtoːlən] adj furtive, surreptitious.

ver'stopf|en v/t (no ge-, h) Abfluß etc: block (up), clog (up); Straße: congest; **~t** adj Nase: blocked (up); Abfluß etc: a. clogged up; Straße: congested; **2ung** f (-; -en) blockage; congestion; med. constipation.

verstorben [fɛr'ʃtɔrbən] adj late, deceased; **2e** m, f (-n; -n) the deceased: **die ~n** pl a. the dead pl.

Ver'stoß m (-es; ⸚e) offen|ce (Am. -se) (**gegen** against), violation (of); **2en** (irr, no ge-, h, → **stoßen**) **1.** v/t expel (**aus** from); **2.** v/i: **~ gegen** offend against, violate.

V

19 Eurowtb. Engl.

ver|'streichen (*irr, no* ge-, → *streichen*) **1.** *v/i* (sn) *Zeit:* pass (by); *Frist:* expire; **2.** *v/t* (h) spread; **~'streuen** *v/t* (*no* ge-, h) scatter.

verstümmel|n [fɛr'ʃtʏməln] *v/t* (*no* ge-, h) mutilate; *Text etc:* a. garble; **2ung** *f* (-; -en) mutilation.

ver'stummen *v/i* (*no* ge-, sn) fall silent, stop talking; *Geräusch etc:* stop, *langsam:* die away; *Gerücht:* stop, *langsam:* peter out.

Versuch [fɛr'zuːx] *m* (-[e]s; -e) attempt, try; *Probe:* test; *phys. etc* experiment: **mit et. (j-m) e-n ~ machen** give s.th. (s.o.) a try; **2en** *v/t* (*no* ge-, h) try, attempt; *kosten:* try, taste; **es ~ have** a try (at it); **es mit et. ~** try (doing) s.th.

Ver'suchs|ka,ninchen *n fig.* guinea pig; **~stadium** *n:* **es ist noch im ~** it's still at the experimental stage; **~tier** *n* laboratory (*od.* test) animal; **~weise** *adv* by way of trial; *auf Probe:* on a trial basis.

versunken [fɛr'zʊŋkən] *adj: fig. ~ in* (*acc*) absorbed (*od.* lost) in.

ver'tag|en *v/t u. v/refl* (*no* ge-, h) adjourn (*auf acc* until); **2ung** *f* (-; *no pl*) adjournment.

ver'tauschen *v/t* (*no* ge-, h) exchange (*gegen, mit* for); *irrtümlich:* mix up.

verteidig|en [fɛr'taɪdɪgən] (*no* ge-, h) **1.** *v/t allg.* defend; **2.** *v/refl* defend o.s.; **2er** *m* (-s; -) defender; *jur.* defen|ce (*Am.* -se) lawyer; **2ung** *f* (-; -en) defen|ce (*Am.* -se).

Ver'teidigungs|mi,nister *m* defen|ce (*Am.* -se) minister; *Br.* Defence Secretary, *Am.* Secretary of Defense; **~mi,nisterium** *n* defen|ce (*Am.* -se) ministry, *Br.* Defence Ministry, *Am.* Department of Defense; **~waffe** *f* defensive weapon.

ver'teil|en *v/t* (*no* ge-, h) distribute (*unter acc* among); *austeilen:* hand out; **2er** *m* (-s; -) *allg.* distributor; **2ung** *f* (-; -en) distribution.

vertikal [vɛrti'kaːl] *adj* vertical.

ver'tilg|en *v/t* (*no* ge-, h) destroy, kill; F *fig. Essen:* polish off; **2ung** *f* (-; *no pl*) destruction, killing.

vertonen [fɛr'toːnən] *v/t* (*no* ge-, h) *mus.* set to music.

Vertrag [fɛr'traːk] *m* (-[e]s; ⁀e) contract; *pol.* treaty; **2en** *v/t u. v/refl* (*irr, no* ge-, h, → *tragen*) endure, bear, stand: **ich**

kann ... nicht ~ Essen, Alkohol etc: ... doesn't agree with me; *j-n, Lärm etc:* I can't stand ...; **er kann viel ~** he can take a lot (*Spaß:* a joke); *Alkohol:* a. he can hold his drink; F **ich (es) könnte ... ~ I** (it) could do with ...; **sich (gut) ~** get along (well) (*mit* with); **sich wieder ~** make it up; **2lich** *adv* by contract.

verträglich [fɛr'trɛːklɪç] *adj* easy to get on with; *Essen:* easily digestable.

Ver'trags|händler *m* appointed dealer; **~werkstatt** *f* authorized repairers *pl* (*a. sg konstr.*).

ver'trauen *v/i* (*no* ge-, h) trust (*auf acc* in).

Ver'trauen *n* (-s; *no pl*) confidence, trust (*beide: auf acc* in): **im ~ (gesagt)** between you and me; **2erweckend** *adj* inspiring confidence: **(wenig) ~ aussehen** inspire (little) confidence.

Ver'trauens|arzt *m* medical examiner; **~frage** *f parl.:* **die ~ stellen** propose a vote of confidence; **~sache** *f: das ist ~** that is a matter of confidence; **~stellung** *f* position of trust; **2voll** *adj* trusting; **~votum** *n parl.* vote of confidence; **2würdig** *adj* trustworthy.

ver'traulich *adj* confidential; *plump-~:* familar; **2keit** *f* (-; -en) confidence; familiarity.

ver'traut *adj* familiar (*dat* to; *mit* with); **2heit** *f* (-; *no pl*) familiarity.

ver'treib|en *v/t* (*irr, no* ge-, h, → *treiben*) drive (*od.* chase) away (*a. fig.*); *Zeit:* pass; *econ.* sell; **~ aus** drive out of; **2ung** *f* (-; -en) expulsion (*aus* from).

ver'tret|en *v/t* (*irr, no* ge-, h, → *treten*) substitute for, stand in for; *pol., econ.* represent; *parl. a.* sit for; *jur. j-n:* act for: **die Ansicht ~, daß** argue that; **sich den Fuß ~** sprain one's ankle; F **sich die Beine ~** stretch one's legs; **2er** *m* (-s; -) substitute, deputy; *pol., econ.* representative; *econ. a.* agent; *Handels2:* sales representative; **2ung** *f* (-; -en) representation; *Person:* substitute; *econ., pol.* representation.

Vertrieb [fɛr'triːp] *m* (-[e]s; *no pl*) *econ.* sale, marketing; *Abteilung:* sales department; **~ene** [-bənə] *m, f* (-n; -n) expellee; **~sab,teilung** *f* sales department; **~sleiter** *m* sales manager.

ver'trocknen *v/i* (*no* ge-, sn) dry up; **~'trödeln** *v/t* (*no* ge-, h) F dawdle away, waste; **~'trösten** v/t (no ge-, h) put off (**auf** acc until); **~'tuschen** v/t (no ge-, h) cover up; **~'übeln** v/t (no ge-, h): **j-m et. ~** be annoyed at s.o. for s.th.; **~'üben** v/t (no ge-, h) commit.

ver'unglücken v/i (no ge-, sn) have an accident: → **tödlich** 2.

veruntreu|en [fɛr'ˀɔntrɔyən] v/t (no ge-, h) embezzle; **2ung** f (-; -en) embezzlement.

ver'ursachen v/t (no ge-, h) cause, bring about.

ver'urteil|en v/t (no ge-, h) condemn (a. fig.), sentence (**beide**: **zu** to), convict; **2ung** f (-; -en) condemnation (a. fig.).

ver'wackelt adj phot. blurred.

ver'wahr|en (no ge-, h) **1.** v/t keep (in a safe place); **2.** v/refl: **sich ~ gegen** protest against; **~lost** adj uncared-for, neglected.

ver'waist adj orphan(ed); fig. deserted.

ver'walt|en v/t (no ge-, h) Firma etc: manage; Nachlaß etc: administer; **2er** m (-s; -) manager; administrator; **2ung** f (-; -en) management; administration (a. öffentliche); **2ungskosten** pl administrative costs pl.

ver'wand|eln (no ge-, h) **1.** v/t change; umwandeln: a. convert (**beide**: **in** acc into); **2.** v/refl change (**in** acc into); **2lung** f (-; -en) change; conversion.

verwandt [fɛr'vant] adj related (**mit** to); **2e** m, f (-n; -n) relative, relation: **der nächste ~** the next of kin; **2schaft** f (-; no pl) relationship; Verwandte: relatives pl, relations pl.

ver'warn|en v/t (no ge-, h) warn; polizeilich: caution; **2ung** f (-; -en) warning; caution.

ver'wechs|eln v/t (no ge-, h) confuse (**mit** with), mix up (with), mistake (for); **2(e)lung** f (-; -en) mistake; von Personen: case of mistaken identity.

ver'weiger|n v/t (no ge-, h) refuse; Befehl: disobey; **2ung** f (-; -en) refusal.

Verweis [fɛr'vais] m (-es; -e) reference (**auf** acc to); **2en** (irr, no ge-, h, → **weisen**) **1.** v/t refer (**an** acc to); hinauswerfen: expel (**gen** from); **2.** v/i: **~ auf** (acc) refer to.

ver'welken v/i (no ge-, sn) wither; fig. fade.

ver'wend|en v/t (mst irr, no ge-, h, → **wenden**) use; Zeit etc: spend (**auf** acc

on); **2ung** f (-; -en) use: **keine ~ haben für** have no use for.

ver|'werfen v/t (no ge-, h, → **werfen**) dismiss, reject; **~'werten** v/t (no ge-, h) use, make use of.

ver'wes|en v/i (no ge-, sn) rot, decay; **2ung** f (-; no pl) decay.

ver'wick|eln v/t (no ge-, h): **~ werden** (**sein**) **in** (acc) get (be) involved in; **~elt** adj complicated; **2lung** f (-; -en) involvement; complication.

ver'wirklich|en (no ge-, h) **1.** v/t realize; **2.** v/refl come true; **2ung** f (-; -en) realization.

ver'wirr|en v/t (no ge-, h) j-n: confuse; **2ung** f (-; -en) confusion.

ver'wischen v/t (no ge-, h) blur; Spuren: cover.

ver'witter|n v/i (no ge-, sn) weather; **~t** adj weather-beaten (a. Gesicht).

ver'witwet adj widowed.

verwöhn|en [fɛr'vøːnən] v/t (no ge-, h) spoil; **~t** adj spoilt.

verworren [fɛr'vɔrən] adj confused, muddled.

ver'wunden v/t (no ge-, h) wound.

ver'wunder|lich adj surprising; **2ung** f (-; no pl) surprise: **zu m-r ~** to my surprise.

Ver'wundung f (-; -en) wound, injury.

ver'wünsch|en v/t (no ge-, h) curse; **2ung** f (-; -en) curse.

ver'wüst|en v/t (no ge-, h) lay waste, devastate; **2ung** f (-; -en) devastation.

ver|'zählen v/refl (no ge-, h) miscount; **~'zaubern** v/t (no ge-, h) enchant; fig. a. charm: **~ in** (acc) turn into; **~zehren** [~'tseːrən] v/t (no ge-, h) consume (a. fig.).

ver'zeichn|en v/t (no ge-, h) record, keep a record of, list; fig. erzielen: achieve; erleiden: suffer; **2is** n (-ses; -se) list, catalog(ue); amtliches: register: Stichwort2: index.

verzeih|en [fɛr'tsaiən] (irr, no ge-, h, → **zeihen**) **1.** v/t forgive; entschuldigen: excuse (**beide**: **j-m et.** s.o. [for] s.th.): **~ Sie bitte die Störung** sorry to disturb you; **2.** v/i: **j-m ~** forgive s.o.; **~ Sie bitte, ...** excuse me, ...; **~lich** adj forgiveable; **2ung** f (-; no pl): **j-n um ~ bitten** apologize to s.o.; **~!** (I'm) sorry!, Am. a. excuse (od. pardon) me!; vor Bitten etc: excuse me.

V

Verzicht [fɛr'tsɪçt] m (-[e]s; -e) *förmlich*: renunciation; *jur. a.* waiver (*beide*: *auf acc* of); *mst* giving up, doing without *etc*; 2en *v/i* (*no ge-*, h): ~ *auf* (*acc*) do (*od.* go) without; *aufgeben*: give up; *förmlich*: renounce; *jur. a.* waive.

ver'ziehen (*irr, no ge-*, → *ziehen*) **1.** *v/i* (sn) move (**nach** to); **2.** *v/t* (h) *Kind*: spoil: **das Gesicht** ~ make a face; **3.** *v/refl Holz*: warp; *Gewitter etc*: pass (over); F *verschwinden*: disappear.

ver'zier|en *v/t* (*no ge-*, h) decorate; 2ung *f* (-; -en) decoration.

ver'zins|en (*no ge-*, h) **1.** *v/t* pay interest on; **2.** *v/refl* yield (*od.* bear) interest; 2ung *f* (-; -en) payment of interest; *Zinssatz*: interest rate.

ver'zöger|n (*no ge-*, h) **1.** *v/t* delay; **2.** *v/refl* be delayed; 2ung *f* (-; -en) delay.

ver'zollen *v/t* (*no ge-*, h) pay duty on: **haben Sie et. zu ~?** have you anything to declare?

Ver'zug *m* (-[e]s; *no pl*) delay: **im ~ sein** (**in ~ geraten**) be (get) behind; **mit** *Zahlungen*: be in (fall into) arrears.

ver'zweif|eln *v/i* (*no ge-*, sn) despair (*an dat* of); ~elt *adj* desperate; 2lung *f* (-; *no pl*) despair: **j-n zur ~ bringen** drive s.o. to despair.

Veterinär [veteri'nɛːr] *m* (-s; -e) → *Tierarzt*.

Veto ['veːto] *n* (-s; -s): **sein ~ einlegen** exercise one's power of veto; **sein ~ einlegen gegen** put a veto on, veto; '~recht *n* (-[e]s; *no pl*) power of veto.

Vetter ['fɛtər] *m* (-s; -n) cousin; '~nwirtschaft *f* (-; *no pl*) nepotism.

Vibr|ation [vibra'tsi̯oːn] *f* (-; -en) vibration; 2ieren [vi'briːrən] *v/i* (*no ge-*, h) vibrate.

Video ['viːdeo] *n* (-s; -s) video: **auf ~** on video; '~film *m* video film; '~gerät *n* video (recorder); '~kas,sette *f* video cassette; '~re,corder *m* video recorder, VCR; '~spiel *n* video game; ~thek [video'teːk] *f* (-; -en) video(-tape) library.

Vieh [fiː] *n* (-[e]s; *no pl*) cattle (*pl konstr.*): **20 Stück ~** 20 head of cattle; '~zucht *f* cattle breeding.

viel [fiːl] *adj u. adv* a lot (of), plenty (of), F lots (of); *bsd. fragend, verneint, nach too, so, as, how, very*: much: ~e *pl* a lot (of), many, plenty (of), F lots of; **das ~e**

Geld all that money; ~ **besser** much better; ~ **teurer** much more expensive; ~ **zuviel** far too much; ~ **zuwenig** not nearly enough; ~ **lieber** much rather; → **ziemlich** 2.

'viel|beschäftigt *adj* very busy; **~deutig** ['~dɔytɪç] *adj* ambiguous; **~erlei** ['~ər-'laɪ] *adj* all sorts of; **'~fach 1.** *adj* multiple: **auf ~en Wunsch** by popular request; **2.** *adv* in many cases, (very) often; **2falt** ['~falt] *f* (-; *no pl*) (great) variety (*gen, von* of); **'~farbig** *adj* multicolo(u)red; **~leicht** [fi'laɪçt] *adv* perhaps, maybe: **~ ist er ...** he may (*od.* might) be ...; **'~mals** *adv*: (**ich**) **danke** (**Ihnen**) ~ thank you very much; **entschuldigen Sie** ~ I'm very sorry; **'~mehr** *cj* rather; **'~sagend** *adj* meaningful; **'~seitig** *adj* versatile; **2seitigkeit** *f* (-; *no pl*) versatility; **'~versprechend** *adj* (very) promising; **2'völkerstaat** *m* multinational (*od.* multiracial) state.

vier [fiːr] *adj* four: **zu ~t sein** be four; **auf allen ~en** on all fours; **unter ~ Augen** in private, privately; **2eck** *n* (-[e]s; -e) quadrangle; *Rechteck*: rectangle; *Quadrat*: square; **'~eckig** *adj* quadrilateral; *rechteckig*: rectangular; *quadratisch*: square; **'~fach** *adj* fourfold: **~e Ausfertigung** four copies *pl*; **~händig** ['~hɛndɪç] *adj u. adv mus.* four-handed; **2ling** *m* (-s; -e) quadruplet; F quad; **'~mal** *adv* four times; **'~spurig** *adj Straße*: four-lane; **2taktmotor** *m mot.* four-stroke engine; **'~te** *adj* fourth.

Viertel ['fɪrtəl] *n* (-s; -) fourth; *Stadt*2: quarter: (**ein**) ~ **vor** (**nach**) (a) quarter to (past); **~jahr** *n* three months *pl*; **2jährlich 1.** *adj* quarterly; **2.** *adv* every three months, quarterly; **2n** *v/t* (h) quarter; **'~stunde** *f* quarter of an hour.

'viertens *adv* fourth(ly).

vierzehn ['fɪr~] *adj* fourteen: ~ **Tage** *pl* two weeks *pl, bsd. Br. a.* a fortnight *sg*; **'~te** *adj* fourteenth.

vierzig ['fɪrtsɪç] *adj* forty; '~ste *adj* fortieth.

Villa ['vɪla] *f* (-; -len) villa.

violett [vi̯o'lɛt] *adj* violet.

Violine [vi̯o'liːnə] *f* (-; -n) *mus.* violin.

Virus ['viːrʊs] *n, m* (-; -ren) *med.* virus (*a. im Computer*); **'~infekti,on** *f med.* virus (*od.* viral) infection.

V

Visite [vi'zi:tə] *f* (-; -n) *med.* round: ~ **machen** do one's round; **~nkarte** *f* visiting (*Am.* calling) card; *Geschäftskarte*: business card.

Visum ['vi:zum] *n* (-s; -sa, -sen) visa.

Vitamin [vita'mi:n] *n* (-s; -e) vitamin; **2arm** *adj* low in vitamins; **2reich** *adj* rich in vitamins.

Vitrine [vi'tri:nə] *f* (-; -n) (glass) cabinet; *Schaukasten*: showcase.

Vize- ['fi:tsə~] *in Zssgn Präsident etc:* vice-...

Vogel ['fo:gəl] *m* (-s; ") bird (*a.* F *Flugzeug*): F **e-n** ~ **haben** have a screw loose; **~futter** *n* birdseed.

vögeln ['fø:gəln] *v/t u. v/i* (h) V screw.

Vogel|nest *n* bird's nest; **~perspektive** ['~pɛrspɛk,ti:və] *f* (-; *no pl*): **... aus der ~** a bird's-eye view of ...

Volk [fɔlk] *n* (-[e]s; "er) people, nation; *Leute*: the people *pl*.

Völkerrecht ['fœlkər~] *n* (-[e]s; *no pl*) international law; **2lich** *adj u. adv* under international law.

'Volks|abstimmung *f* referendum; **~fest** *n* (fun)fair; **~hochschule** *f* adult evening classes *pl*; **~lied** *n* folk song; **~mu,sik** *f* folk music; **2tümlich** ['~ty:mliç] *adj* popular; *herkömmlich*: traditional; *Preise*: within everybody's reach; **~wirt(schaftler)** *m* economist; **~wirtschaft** *f* national economy; *Lehre*: economics *pl* (*sg konstr.*); **~zählung** *f* census.

voll [fɔl] **1.** *adj* full (*a. fig.*); *besetzt*, F *satt*: a. full up; F *betrunken*: a. plastered; *Haar* thick, rich: **~er** full of, filled with; *Schmutz, Flecken etc*: a. covered with; **2.** *adv* fully; *vollkommen*, ~ *u. ganz*: a. completely, totally, wholly; *zahlen etc*: in full, the full price; F *direkt, genau*: full, straight: right: **(nicht) für ~ nehmen** (not) take seriously.

'voll|auto,matisch *adj* fully automatic; **2bart** *m* (full) beard; **2beschäftigung** *f* full employment; **~'bringen** *v/t* (*irr, insep, no* -ge-, h, → *bringen*) accomplish, achieve; *Wunder*: perform; **~'enden** *v/t* (*insep, no* -ge-, h) finish, complete; **2'endung** *f* (-; *no pl*) completion; **~'führen** *v/t* (*insep, no* -ge-, h) perform; **2gas** *n mot.*: **mit** ~ at full speed; **~ geben** *Br.* put

one's foot down, *Am.* floor the gas pedal.

völlig ['fœliç] **1.** *adj* complete, total; *Unsinn etc*: absolute, complete; **2.** *adv* completely; ~ **unmöglich** absolutely impossible.

voll|jährig ['~jɛ:riç] *adj*: ~ **sein (werden)** be (come) of age; **2jährigkeit** *f* (-; *no pl*) majority; **2kaskoversicherung** ['~kasko~] *f mot.* comprehensive insurance; **~'kommen** **1.** *adj* perfect; **2.** *adv* → *völlig*; **2'kommenheit** *f* (-; *no pl*) perfection; **2kornbrot** *n* wholemeal bread; **2'macht** *f* (-; -en) full power(s *pl*), authority; *jur.* power of attorney: **~ haben** be authorized; **2milch** *f* full-cream milk; **2mond** *m* (-[e]s; *no pl*) full moon; **2pensi,on** *f* full board, *Am. a.* American plan; **~schlank** *adj* with a fuller figure; **~ständig** **1.** *adj* complete; *ganz*: whole, entire; **2.** *adv* → *völlig* 2; **~'strecken** *v/t* (*insep, no* -ge-, h) *jur.* execute; **2'streckung** *f* (-; -en) *jur.* execution; **~tanken** *v/t u. v/i* (*sep*, -ge-, h) fill up: *bitte ~!* fill her up, please; **2versammlung** *f* plenary assembly; **~wertig** *adj* full; **~zählig** ['~tsɛ:liç] *adj* complete: *wir sind* ~ everyone's present; **~'ziehen** *v/t* (*irr, insep, no* -ge-, h, → *ziehen*) **1.** *v/t* execute; *Trauung*: perform; **2.** *v/refl* take place.

Volontär [volɔn'tɛ:r] *m* (-s; -e) unpaid trainee.

Volt [vɔlt] *n* (-, -[e]s; -) *electr.* volt.

Volumen [vo'lu:mən] *n* (-s; -, -mina) volume; *Inhalt*: *a.* capacity.

von [fɔn] *prp räumlich, zeitlich*: from; *für Genitiv*: of; *Urheberschaft, Passiv*: by; *über j-n od. et.*: about: ~ *Hamburg* from Hamburg; *ein Freund* ~ *mir* a friend of mine; *die Freunde* ~ *Alice* Alice's friends; *ein Brief (Geschenk)* ~ *Tom* a letter (gift) from Tom; *ein Buch (Bild)* ~ *Orwell (Picasso)* a book (painting) by Orwell (Picasso); *der König (Bürgermeister etc)* ~ *the King (Mayor etc)* of; *ein Kind* ~ *10 Jahren* a child of ten; *müde* ~ *der Arbeit* tired from work; → *aus* 2, *Geburt, jetzt, nett, selbst* 1, *südlich* 2, *weit* 2 *etc*.

vor [fo:r] **1.** *prp* (*dat*) a) *räumlich*: in front of; *weiter vorn*: ahead of; *außerhalb*: outside; *zeitlich, Reihenfolge, in Gegenwart von*: before; *auf Grund von*: with: ~

e-r Stunde an hour ago; *5 ~ 12* five to (*Am. a.* of) twelve; *~ allem* above all; → *kurz* 1, *schreien etc*, b) (*acc*) in front of, outside: *~ sich hin* to o.s.; **2.** *adv:* *~ u. zurück* backwards and forwards; *Freiwillige ~!* volunteers to the front! '**Vor|abend** *m* eve (*a. fig.*): *am ~* (*gen*) on the eve of; '**~ahnung** *f* premonition.

voran [fo'ran] *adv:* *Kopf ~* head first; **~gehen** *v/i* (*irr, sep,* -ge-, sn, → *gehen*) lead the way; *zeitlich:* precede (*e-r Sache* s.th.); **~kommen** *v/i* (*irr, sep,* -ge-, sn, → *kommen*): (*gut*) *~* make headway (*od.* progress).

'**Vor|anmeldung** *f* booking; '**~anschlag** *m* estimate; '**~anzeige** *f* (advance) announcement (*für* of); *Vorbesprechung:* preview; *Film:* trailer.

'**vorarbeite|n** *v/i* (*sep,* -ge-, h) work in advance; '**2r** *m* foreman.

'**voraus** *adv:* *im ~* in advance.

voraus|gehen [fo'raus~] *v/i* (*irr, sep,* -ge-, sn, → *gehen*)→ *vorangehen;* **~gesetzt** *cj:* *~, daß* provided that; **2kasse** *f* (-; *no pl*) *econ.* cash in advance; **2sage** *f* (-; -n) prediction; *Wetter2:* forecast; **~sagen** *v/t* (*sep,* -ge-, h) predict; **~sehen** *v/t* (*irr, sep,* -ge-, h, → *sehen*) foresee; **~setzen** *v/t* (*sep,* -ge-, h) assume; *selbstverständlich:* take *s.th.* for granted; **2setzung** *f* (-; -en) condition, prerequisite (*beide:* *für* for, of): *unter der ~, daß* on condition that; *die ~en erfüllen* meet the requirements; **2sicht** *f* (*no pl*) foresight: *aller ~ nach* in all probability; **~sichtlich 1.** *adj* expected; **2.** *adv* probably: *er kommt ~ morgen* he is expected to arrive tomorrow; **2zahlung** *f* advance payment.

'**Vorbe|deutung** *f* (-; -en) omen; **~dingung** *f* (-; -en) condition; '**~halt** *m* (-[e]s; -e) reservation: *unter dem ~, daß* provided (that); '**2halten** *v/t* (*irr, sep, no* -ge-, h → *halten*): *sich (das Recht) ~ zu* reserve the right to; → *Irrtum, Preisänderung, Recht;* '**2haltlos 1.** *adj* unconditional; **2.** *adv* without reservation.

'**vorbei** [fɔr'baı] *adv zeitlich:* over; *Winter, Woche etc:* a. past; *aus, beendet:* finished; *vergangen:* gone; *räumlich:* past, by: *jetzt ist alles ~* it's all over now; *~! daneben:* missed!; **~fahren** *v/i* (*irr, sep,* -ge-, sn, → *fahren*) go (*mot.*

drive) past (*beide:* *an j-m* [*et.*] s.o. [s.th.]); **~gehen** *v/i* (*irr, sep,* -ge-, sn, → *gehen*) walk past (*an j-m* [*et.*] s.o. [s.th.]); *fig.* go by, pass; *nicht treffen:* miss; **~kommen** *v/i* (*irr, sep,* -ge-, sn, → *kommen*) past (*an et.* s.th.); *an e-m Hindernis:* get past; *F besuchen:* drop in (*bei j-m* on s.o.); **~lassen** *v/t* (*irr, sep,* -ge-, h, → *lassen*) let *s.o.* pass; **~reden** *v/i* (*sep,* -ge-, h): *aneinander ~* talk at cross-purposes.

'**Vorbe|merkung** *f* preliminary remark; '**2reiten** *v/t u. v/refl* (*sep, no* -ge-, h) prepare (*auf acc* for); '**2reitung** *f* (-; -en) preparation: *~en treffen* make preparations (*für* for); '**2stellen** *v/t* (*sep, no* -ge-, h) book (*Waren:* order) in advance; *Tisch, Platz, Zimmer etc:* a. reserve; '**~stellung** *f* (-; -en) advance booking, reservation; '**2straft** *adj:* *~ sein* have a police record.

vorbeug|en ['fo:rbɔygən] (*sep,* -ge-, h) **1.** *v/i* prevent (*e-r Sache* s.th.); **2.** *v/refl* bend forward; **~end** *adj* preventive; *med. a.* prophylactic; '**2ung** *f* (-; *no pl*) prevention.

'**Vorbild** *n* (-[e]s; -er) model, pattern: (*j-m*) *ein ~ sein* set an example (to s.o.); *sich j-n zum ~ nehmen* follow s.o.'s example; '**2lich** *adj* exemplary; '**~ung** *f* (-; *no pl*) education(al background).

'**vorda|tieren** *v/t* (*sep, no* -ge-, h) postdate.

Vorder|... ['fɔrdər~] *in Zssgn* *Achse, Ansicht, Rad, Sitz, Tür, Zahn etc:* front ...; '**2e** *adj* front; '**~grund** *m* (-[e]s; *no pl*) foreground; '**~mann** *m:* *mein ~* the person in front of me; '**~seite** *f* front (side); *Münze:* obverse, face.

'**vor|drängen** *v/refl* (*sep,* -ge-, h) *in Schlange:* push in, *Br. a.* jump the queue; '**~dringen** *v/i* (*irr, sep,* -ge-, sn, → *dringen*) advance: *~ (bis) zu* work one's way through to (*a. fig.*); '**~dringlich 1.** *adj* (most) urgent; **2.** *adv:* *~ behandeln* give *s.th.* priority; '**2druck** *m* (-[e]s; -e) form, *Am. a.* blank; '**~eilig** *adj* hasty, rash: *~e Schlüsse ziehen* jump to conclusions; '**~eingenommen** *adj* prejudiced, bias(s)ed (*beide:* *gegen* against; *für* in favo[u]r of); '**~enthalten** *v/t* (*irr, sep, no* -ge-, h, → *halten*) keep back, withhold (*beide:* *j-m et.* s.th.

from s.o.); '**~erst** *adv* for the time being.

Vorfahr ['fo:rfa:r] *m* (-en; -en) ancestor.

'**Vorfahrt** *f* (-; *no pl*) right of way, priority: **~ haben** have (the) right of way; **die ~ mißachten** ignore the right of way; *j-m* **die ~ nehmen** ignore s.o.'s right of way; (*sich*) **die ~ erzwingen** insist on one's right of way; '**~(s)schild** *n* right-of-way sign; '**~(s)straße** *f* priority road.

'**Vorfall** *m* (-[e]s; ⁻e) incident; '**2en** *v/i* (*irr, sep,* -ge-, sn, → *fallen*) happen, occur.

'**vorfinden** *v/t* (*irr, sep,* -ge-, h, → *finden*) find.

'**Vorfreude** *f* anticipation.

'**vorführ|en** *v/t* (*sep,* -ge-, h) show; *Kunststück etc:* perform; *Gerät etc:* demonstrate; *jur.* bring (*j-m* before s.o.); '**2ung** *f* (-; -en) showing; performance (*a. Vorstellung*); demonstration; '**2wagen** *m mot.* demonstration car, *Am.* demonstrator.

'**Vor|gang** *m* (-[e]s; ⁻e) event, occurrence; *Akte:* file, dossier; *biol., tech.* process; **den ~ schildern** give an account of what happened; **~gänger** ['~gɛŋər] *m* (-s; -) predecessor; '**~garten** *m* front garden; '**~gebirge** *n* foothills *pl.*

'**vorgehen** *v/i* (*irr, sep,* -ge-, sn, → *gehen*) *geschehen;* go on; *wichtiger sein:* come first; *handeln:* act; *gerichtlich:* sue (*gegen j-n* s.o.); *verfahren:* proceed: *m-e Uhr geht* (*zwei Minuten*) *vor* my watch is (two minutes) fast; **was geht hier vor?** what's going on here?

'**Vorgehen** *n* (-s; *no pl*) procedure.

'**Vorge|schmack** *m* (-[e]s; *no pl*) foretaste (*auf acc, von* of); '**2setzte** *m, f* (-n; -n) superior.

'**vorgestern** *adv* the day before yesterday.

'**vorhaben** *v/t* (*irr, sep,* -ge-, h, → *haben*) plan, have *s.th.* in mind: **haben Sie heute abend et. vor?** have you got anything planned for tonight?; **was hat er jetzt wieder vor?** what is he up to now?

'**Vorhaben** *n* (-s; -) plan; *econ., tech.* project.

'**Vorhalle** *f* (entrance) hall, vestibule.

'**vorhalt|en** (*irr, sep,* -ge-, h, → *halten*) **1.**

v/t: j-m et. ~ fig. reproach s.o. with *s.th.;* **2.** *v/i* last; '**2ungen** *pl* reproaches *pl: j-m* **~ machen** reproach s.o. (*wegen* with).

vorhanden [fo:r'handən] *adj verfügbar:* available: **~ sein** *a.* exist; **es ist nichts mehr ~** there's nothing left; '**2sein** *n* (-s; *no pl*) existence.

'**Vor|hang** *m* (-[e]s; ⁻e) curtain; '**~hängeschloß** *n* padlock.

'**vorher** *adv* before: **am Abend ~** the evening before, the previous evening.

vor'her|gehen *v/i* (*irr, sep,* -ge-, sn, → *gehen*) precede (*e-r Sache* s.th.); **~ig** *adj* preceding, previous.

'**Vorherr|schaft** *f* (-; *no pl*) predominance; '**2en** *v/i* (*sep,* -ge-, h) predominate, prevail; '**2schend** *adj* predominant, prevailing.

Vor'her|sage *f* (-; -en) → **Voraussage;** **2sagen** *v/t* (*sep,* -ge-, h) → **voraussagen;** **2sehen** *v/t* (*irr, sep,* -ge-, h, → *sehen*) → **voraussehen.**

'**vorhin** *adv* a (short) while ago.

vorig ['fo:rɪç] *adj* previous: **~e Woche** last week.

vor|jährig ['fo:rjɛ:rɪç] *adj* last year's; '**2kaufsrecht** *n* right of first refusal; '**2kehrungen** *pl:* **~ treffen** take precautions (*gegen* against); '**2kenntnisse** *pl* previous knowledge *sg* (*in dat* of).

'**vorkommen** *v/i* (*irr, sep,* -ge-, sn, → *kommen*) be found; *geschehen:* happen: **es kommt mir ... vor** it seems ... to me.

'**Vorkomm|en** *n* (-s; -) *min.* deposit; '**~nis** *n* (-ses; -se) occurrence, incident.

'**Vorkriegs...** *in Zssgn* prewar ...

'**vorlad|en** *v/t* (*irr, sep,* -ge-, h, → *laden*) *jur.* summon; '**2ung** *f* (-; -en) summons.

'**Vorlage** *f* (-; -n) model; *Muster:* pattern; *Zeichen2 etc:* copy; *Unterbreitung:* presentation; *parl.* bill; *Fußball etc:* pass.

vorläufig ['fo:rlɔyfıç] **1.** *adj* provisional, temporary; **2.** *adv* for the time being.

'**Vorleben** *n* (-s; *no pl*) former life, past.

'**vorlege|n** (*sep,* -ge-, h) **1.** *v/t* present; *Dokument etc:* produce; *zeigen:* show; **2.** *v/refl* lean forward; '**2r** *m* (-s; -) rug; *Matte:* mat.

'**vorlese|n** *v/t* (*irr, sep,* -ge-, h, → *lesen*) read out (aloud): *j-m et. ~* read *s.th.* to s.o.; '**2ung** *f* (-; -en) lecture (*über acc* on; **vor** *dat* to): **e-e ~ halten** give a lecture.

'**vorletzte** *adj* last but one: **~ Nacht (Woche)** the night (week) before last.

'**Vorlieb**|**e** *f* (-; -n) liking, fondness (*beide*: **für** for); **2nehmen** [~'li:p~] *v/i* (*irr, sep*, -ge-, h, → **nehmen**): **~ mit** make do with.

'**vorliegen** *v/i* (*irr, sep*, -ge-, h, → **liegen**): **es liegen (keine) ... vor** there are (no) ...; **was liegt gegen ihn vor?** what is he charged with; '**~d** *adj* present, in question.

'**Vor**|**machtstellung** *f* (-; *no pl*) supremacy; **2merken** *v/t* (*sep*, -ge-, h): **(sich) et. ~** make a note of s.th.; **j-n ~** put s.o.'s name down.

'**Vormittag** *m* (-s; -e) morning: **heute 2** this morning; '**2s** *adv* in the morning(s).

'**Vormund** *m* (-[e]s; -e, *u*er) guardian; '**~schaft** *f* (-; -en) guardianship.

vorn [fɔrn] *adv* in front: **nach ~** forward; **von ~** from the front; *zeitlich*: from the beginning; **j-n von ~(e) sehen** see s.o.'s face; **noch einmal von ~(e) (anfangen)** (start) all over again.

'**Vorname** *m* first (*od.* Christian) name, *Am. a.* given name.

vornehm ['fo:rne:m] *adj* distinguished; *edel, adlig*: noble; F *fein, teuer etc*: smart, fashionable, exclusive, F posh; '**~en** *v/t* (*irr, sep*, -ge-, h, → **nehmen**) carry out, do; *Änderungen etc*: make: **sich et. ~** decide to do s.th.; *planen*: make plans for s.th.; **sich fest vorgenommen haben zu** have the firm intention to, be determined to; **sich j-n ~** take s.o. to task (**wegen** about, for).

'**vornherein** *adv*: **von ~** from the start (*od.* beginning).

'**Vorort** *m* (-[e]s; -e) suburb; '**~(s)zug** *m* local (*od.* commuter) train.

'**Vor**|**pro**|**gramm** *n* supporting program(me); **2program**|**mieren** *v/t* (*sep, no* -ge-, h) (pre)program(me): *fig.* **das war vorprogrammiert** it was bound to happen; '**~rang** *m* (-[e]s; *no pl*): **~ haben vor** (*dat*) take precedence (*od.* priority) over; '**~rat** *m* (-[e]s; *u*e) store, stock, supply (*alle*: **an** *dat* of); *bsd.* Lebensmittel: *a.* provisions *pl*; *bsd.* Rohstoffe *etc*: resources *pl*, reserves *pl* (*a. Geld 2*); **2rätig** ['~rɛːtɪç] *adj* availa-

ble; *econ.* in stock; **nicht (mehr) ~** out of stock; '**~recht** *n* privilege; '**~redner** *m* previous speaker; '**~richtung** *f* (-; -en) *tech.* device; '**~ruhestand** *m* early retirement; '**~sai**|**son** *f* off-peak season; '**~satz** *m* (-es; *u*e) resolution; *Absicht*: intention; *jur.* intent; **2sätzlich** ['~zɛtslɪç] *adj* intentional; *bsd. jur.* wil(l)ful; '**~schau** *f* (-; -en) preview (**auf** *acc* of); *Film*: trailer; '**~schein** *m* (-s; *no pl*): **zum ~ bringen** produce; *fig.* bring out; **zum ~ kommen** appear, come out; '**2schieben** *v/t* (*irr, sep*, -ge-, h, → **schieben**) use *s.th.* as an excuse; use *s.o.* as a dummy; **2schießen** *v/t* (*irr, sep*, -ge-, h, → **schießen**) advance.

'**Vorschlag** *m* (-[e]s; *u*e) suggestion, proposal: **auf j-s ~** at s.o.'s suggestion; '**2en** *v/t* (*irr, sep*, -ge-, h, → **schlagen**) suggest, propose; **~, et. zu tun** suggest doing s.th.

'**vor**|**schnell** *adj* hasty, rash; '**~schreiben** *v/t* (*irr, sep*, -ge-, h, → **schreiben**) *fig.* prescribe: **ich lasse mir nichts ~** won't be dictated to.

'**Vorschrift** *f* (-; -en) rule, regulation; *Anweisung*: instruction, direction: **Dienst nach ~ machen** work to rule; **2smäßig** *adj* correct, proper; '**2swidrig** *adj u. adv* contrary to regulations.

'**Vor**|**schub** *m*: **e-r Sache ~ leisten** encourage s.th.; '**~schuß** *m* (-sses; *u*sse) advance (payment) (**auf** *acc* on); '**2schützen** *v/t* (*sep*, -ge-, h) use *s.th.* as a pretext.

'**Vorsicht** *f* (-; *no pl*) caution, care: **~!** look (*od.* watch) out!, (be) careful!; **~, Glas!** Glass, with care!; **~, Stufe!** mind the step!; **2ig** *adj* careful, cautious: **~!** careful!; **2shalber** ['~halbɐ] *adv* as a precaution; **2smaßnahme** *f* precaution(ary measure): **~n treffen** take precautions.

'**Vorsitz** *m* (-es; *no pl*) chair(manship), presidency: **den ~ haben (übernehmen)** be in (take) the chair, preside (**bei** over, at); '**~ende** *m, f* (-n; -n) chairman (chairwoman), chairperson, president.

'**Vorsorg**|**e** *f* (-; *no pl*) provision: **~ treffen** take precautions; **2en** *v/i* (*sep*, -ge-, h) make provisions, provide (*beide*: **für** for); '**~euntersuchung** *f med.* preventive checkup; **2lich** ['~klɪç] **1.** *adj* precautionary; **2.** *adv* as a precaution.

'**Vor**|**spann** *m* (-[e]s; -e) *Film*: credits *pl*; '**~speise** *f* hors d'oeuvre, *bsd. Br.* starter; '**~spiegelung** *f* (-; -en): (*unter*) *~ falscher Tatsachen* (under) false preten|ces (*Am.* -ses) *pl*; '**2sprechen** *v/i* (*irr, sep, -ge-, h,* → *sprechen*) call (*bei* at); *thea.* (have an) audition (with); '**2springen** *v/i* (*irr, sep, -ge-, sn,* → *springen*) *arch. etc* project, jut (out); '**~sprung** *m* (-[e]s; *~*e) *arch.* projection; *Sport etc*: lead: *e-n ~ haben* be leading (*von* by); *bsd. fig.* be (*von 2 Jahren* two years) ahead; '**~stadt** *f* suburb; '**~stand** *m* (-[e]s; *~*e) *econ.* (board of) management; *e-s Vereins etc*: managing committee; *Person*: director; *e-r Gesellschaft*: chairman (of the board), *Am.* chief executive; '**~standse,tage** *f* executive floor.

'**vorstell**|**en** (*sep, -ge-, h*) **1.** *v/t* introduce (*j-n j-m* s.o. to s.o.); *Uhr*: put forward (*um* by); *bedeuten*: mean: *sich et.* (*j-n als ...*) *~ imagine* s.th. (s.o. as ...); *so stelle ich mir ... vor* that's my idea of ...; **2.** *v/refl* introduce o.s.; *sich ~ bei e-r Firma etc*: have an interview with; '**2ung** *f* (-; -en) *thea.* performance; *Kino* etc: *a.* show; *Gedanke etc*: idea; *Erwartung*: expectation; *von j-m od. et.*: introduction; '**2ungsgespräch** *n* interview.

'**Vor**|**strafe** *f* previous conviction; '**~strecken** *v/t* (*sep, -ge-, h*) *Geld*: advance; '**~stufe** *f* preliminary stage; '**2täuschen** *v/t* (*sep, -ge-, h*) feign, fake.

Vorteil ['fɔrtaɪl] *m* (-s; -e) advantage (*a. Tennis*); *Nutzen*: benefit, profit: *die Vor- u. Nachteile* the pros and cons; '**2haft** *adj* advantageous, profitable.

Vortrag ['fo:rtra:k] *m* (-[e]s; *~*e) talk; *Vorlesung*: lecture (*beide: über acc on*); *mus., Gedicht*&: recital: *e-n ~ halten* give a talk (*od.* lecture) (*vor dat* to); '**2en** *v/t* (*irr, sep, -ge-, h,* → *tragen*) *äußern*: express, state; *mus. etc* perform, play; *Gedicht etc*: recite.

'**Vortritt** *m* (-[e]s; *no pl*): *j-m den ~ lassen* let s.o. go first; *fig.* give precedence to s.o.

vor'**über** *adv* → *vorbei*; '**~gehend** *adj* temporary.

'**Vorurteil** *n* prejudice: *~e haben gegen* be prejudiced against; '**2slos** *adj* unprejudiced, unbias(s)ed.

'**Vorverkauf** *m* (-[e]s; *no pl*) *thea. etc* advance booking: *im ~* in advance; '**~stelle** *f* advance booking office.

'**vor**|**verlegen** *v/t* (*sep, -ge-, h*) bring forward (*auf acc* to; *um* by); '**2wahl** *f teleph.* dial(l)ing (*od.* area) code, *bsd. Am. a.* prefix (*alle: von* for); '**2wand** *m* (-[e]s; *~*e) pretext; *Ausrede*: excuse.

vorwärts ['fo:rvɛrts] *adv* forward, on (-ward), ahead: *~! come on!, let's go!*; '**~kommen** *v/i* (*irr, sep, -ge-, sn,* → *kommen*) make headway; *fig. a.* get ahead (*od.* on).

'**vor**|**wegnehmen** *v/t* (*irr, sep, -ge-, h,* → *nehmen*) anticipate.

'**vor**|**weisen** *v/t* (*irr, sep, -ge-, h,* → *weisen*) produce, show: *et. ~ können* possess s.th.; '**~werfen** *v/t* (*irr, sep, -ge-, h,* → *werfen*): *j-m et. ~* reproach s.o. with s.th.; '**~wiegend** *adv* predominantly, chiefly, mainly; '**2wort** *n* (-[e]s; -e) foreword; *bsd. des Autors*: preface. '**Vorwurf** *m* (-[e]s; *~*e) reproach: *j-m Vorwürfe machen* reproach s.o. (*wegen* for); '**2svoll** *adj* reproachful.

'**Vor**|**zeichen** *n fig.* omen; '**2zeigen** *v/t* (*sep, -ge-, h*) show; *Karte etc*: *a.* produce.

'**vorzeitig** *adj* premature, early.

'**vor**|**ziehen** *v/t* (*irr, sep, -ge-, h,* → *ziehen*) *Vorhänge etc*: draw; *fig.* deal with *s.th.* first; prefer (*dat* to); '**2zimmer** *n* outer office; *Wartezimmer*: waiting room; '**2zimmerdame** *f* receptionist; '**2zug** *m* (-[e]s; *~*e) *Vorteil*: advantage; *gute Eigenschaft*: merit: *den ~ geben* (*dat*) give preference to; '**~züglich** [~'tsy:klɪç] *adj* excellent, exquisite; '**2zugsweise** *adv* preferably.

Votum ['vo:tʊm] *n* (-s; -ten, -ta) vote.

vulgär [vʊl'gɛːr] *adj* vulgar.

Vulkan [vʊl'ka:n] *m* (-s, -e) volcano; '**~ausbruch** *m* volcanic eruption; '**2isch** *adj* volcanic.

V

W

Waag|e ['va:gə] f (-; -n) (**e-e** ~ a pair of) scales pl: fig. **sich die ~ halten** balance each other; **²erecht** adj, **²recht** ['va:k~] adj horizontal; **'~schale** f scale.

wach [vax] adj awake: ~ **werden** wake up; **²e** f (-; -n) guard (a. mil.); Posten: a. sentry; mar., Kranken² etc: watch; Polizei²: police station: ~ **haben** be on guard (mar. watch); ~ **halten** keep watch; ~**en** v/i (h) (keep) watch (**über** acc over); **²hund** m watchdog (a. fig.); **²mann** m watchman.

Wacholder [va'xɔldər] m (-s; -) bot. juniper.

'wach|rufen v/t (irr, sep, -ge-, h, → **abwägen**.

Wagen [~] m (-s; -) Auto: car; rail. Br. carriage, Am. car.

wägen ['vɛ:gən] v/t (h) → **abwägen**.

'Wagen|heber m (-s; -) jack; **'~pa,piere** pl car documents pl.

Waggon [va'gõ:, va'gɔŋ] m (-s; -s) Br. (railway) carriage, Am. (railroad) car; Güter²: Br. goods waggon, Am. freight car.

wag|halsig ['va:khalzɪç] adj daring; **²nis** n (-ses; -se) venture, risk.

Wahl [va:l] f (-; -en) choice; andere: alternative; Auslese: selection; pol. election; ~vorgang: voting, poll; Abstimmung: vote: **die ~ haben** (**s-e ~ treffen**) have the (make one's) choice; **keine (andere) ~ haben** have no choice (od. alternative); **²berechtigt** adj entitled to vote; **'~beteiligung** f (vote) turnout: **hohe (niedrige) ~** heavy (light) polling.

wähle|n ['vɛ:lən] v/t u. v/i (h) choose, aus~: a. pick, select; pol. Stimme abgeben: vote (j-n, et.: for); in ein Amt etc: elect; teleph. dial; **²r** m (-s; -) voter.

'Wahlergebnis n election returns pl.

'wählerisch adj choosy (**in** dat about).

'Wahl|fach n ped. optional subject, Am. a. elective; **'~gang** m ballot: **im ersten ~** at the first ballot; **'~heimat** f adoptive country; **'~ka,bine** f polling booth; **'~kampf** m election campaign; **'~kreis** m constituency; **'~lo,kal** n polling station; **²los** adj indiscriminate; **'~pro,gramm** n election platform; **'~recht** n right to vote, franchise; **'~rede** f electoral address.

'Wählscheibe f teleph. dial.

'Wahl|spruch m motto; **'~urne** f ballot box; **'~versammlung** f election meeting; **'~zettel** m ballot, voting paper.

Wahn [va:n] m (-[e]s; no pl) delusion; Besessenheit: mania.

'Wahnsinn m (-[e]s; no pl) madness (a. fig.), insanity; **²ig 1.** adj mad (a. fig.), insane; F fig. a. crazy; Angst, Schmerz etc: awful, terrible; **2.** adv F fig. sehr: terribly, awfully; verliebt: madly; **'~ige**

---

s.th.; **2.** v/refl: **sich aus dem Haus** etc ~ venture out of the house etc.

Wagen [~] m (-s; -) Auto: car; rail. Br. carriage, Am. car.

wachsen¹ ['vaksən] v/i (wuchs, gewachsen, sn) grow; fig. a. increase: → **Bart**.

wachsen² [~] v/t (h) wax.

'Wachs|fi,gurenkabi,nett n waxworks pl (mst sg konstr.); **'~tuch** n oilcloth.

'Wachstum n (-s; no pl) growth; fig. a. increase; **'~srate** f econ. growth rate.

Wächter ['vɛçtər] m (-s; -) guard; Nacht²: (night) watchman; Parkplatz² etc: attendant.

wackel|ig ['vakəlɪç] adj shaky (a. fig.); Zahn: loose; **²kon,takt** m electr. loose contact; **'~n** v/i (h) shake; Tisch etc: wobble; Zahn: be loose; phot. move: ~ **mit** bsd. Körperteile: wag; **mit den Hüften ~** wiggle.

Wade ['va:də] f (-; -n) calf.

Waffe ['vafə] f (-; -n) weapon (a. fig.): **~n** pl a. arms pl.

Waffel ['vafəl] f (-; -n) waffle; bsd. Eis²: wafer.

'Waffen|gewalt f: **mit ~** by force of arms; **'~schein** m gun licen|ce (Am. -se); **'~stillstand** m armistice (a. fig.); zeitweiliger: truce.

wagen ['va:gən] (h) **1.** v/t dare; riskieren: risk: **es ~, et. zu tun** dare (to) do

m, f (-n; -n) madman (madwoman), lunatic.

'**Wahnvorstellung** *f* delusion, hallucination.

wahr [va:r] *adj* true; *wirklich:* a. real; *echt:* genuine; '**~en** *v/t* (h) *Interessen, Rechte:* protect: **den Schein ~** keep up appearances.

während ['vɛːrənt] **1.** *prp* during; **2.** *cj* while; *Gegensatz:* a. whereas.

'**Wahrheit** *f* (-; -en) truth; '**&sgemäß** *adj* truthful, true.

'**wahrnehm|bar** *adj* noticeable, perceptible; '**~en** *v/t* (irr, sep, -ge-, h, → **nehmen**) perceive, notice; *Gelegenheit, Vorteil:* seize, take; *Interessen:* look after; '**&ung** *f* (-; -en) perception.

wahrscheinlich [va:r'ʃaɪnlɪç] **1.** *adj* probable, likely; **2.** *adv* probably: **~ gewinnt er (nicht)** he is (not) likely to win; '**&keit** *f* (-; -en) probability, likelihood: **aller ~ nach** in all probability (*od.* likelihood).

Währung ['vɛːrʊŋ] *f* (-; -en) currency; '**~seinheit** *f* currency unit; '**~sre,form** *f* currency reform; '**~sschlage** *f* currency snake; '**~ssy,stem** *n* monetary system.

'**Wahrzeichen** *n* symbol; *e-r Stadt etc:* landmark.

Waise ['vaɪzə] *f* (-; -n) orphan; '**~nhaus** *n* orphanage.

Wal [va:l] *m* (-[e]s; -e) *zo.* whale.

Wald [valt] *m* (-[e]s; ⸚er) wood(s *pl*); *großer:* forest; '**~brand** *m* forest fire; '**&reich** *adj* wooded; '**~sterben** *n* (-s; *no pl*) dying of forests.

'**Walfang** *m* (-[e]s; *no pl*) whaling.

Walnuß ['val~] *f* (-; ⸚sse) *bot.* walnut.

walten ['valtən] *v/i* (h): **~ lassen** *Gnade etc:* show.

Walze ['valtsə] *f* (-; -n) roller (a. *Straßen&*); '**&n** *v/t* (h) roll.

wälzen ['vɛltsən] (h) **1.** *v/t* roll; *Problem:* turn over in one's mind; **2.** *v/refl* roll.

Walzer ['valtsər] *m* (-s; -) *mus.* waltz.

Wand [vant] *f* (-; ⸚e) wall; *fig.* a. barrier.

Wandel ['vandəl] *m* (-s; *no pl*) change; '**&n** *v/refl* (h) change.

Wander|er ['vandərər] *m* (-s; -) hiker; '**~karte** *f* hiking map; '**&n** *v/i* (sn) hike, walk; *umherstreifen:* rove; *fig.* Blick, Gedanken: roam, wander; '**&ung** *f* (-;

-en) hike: **e-e ~ machen** go on a hike; '**~weg** *m* hiking trail.

'**Wand|gemälde** *n* mural (painting); '**~ka,lender** *m* wall calendar; '**~schrank** *m Br.* built-in wardrobe, *Am.* closet; '**~teppich** *m* tapestry; '**~uhr** *f* wall clock.

Wange ['vaŋə] *f* (-; -n) cheek.

wann [van] *interr adv* when, (at) what time: **seit ~?** (for) how long?, since when?

Wanne ['vanə] *f* (-; -n) tub; *Bade&:* bath(tub).

Wanze ['vantsə] *f* (-; -n) *zo. Br.* bug, *Am.* bedbug; F *Abhörgerät:* bug.

Wappen ['vapən] *n* (-s; -) coat of arms.

Ware ['va:rə] *f* (-; -n) *coll. mst* goods *pl; Artikel:* article; *Produkt:* product.

'**Waren|angebot** *n* range of goods; '**~haus** *n* department store; '**~lager** *n* in stock; '**~probe** *f* sample; '**~sendung** *f* consignment of goods; *mail.* trade sample; '**~test** *m* product test; '**~zeichen** *n* trademark.

warm [varm] *adj* warm (a. *fig.*); *Essen:* hot: **~ halten (stellen)** keep warm; **~ machen** warm (up).

Wärm|e ['vɛrmə] *f* (-; *no pl*) warmth; *phys.* heat; '**&en** *v/t* (h) warm: **sich die Füße ~** warm one's feet; '**~flasche** *f* hot-water bottle.

'**Warm|front** *f meteor.* warm front; '**~'wasserversorgung** *f* hot-water supply.

Warn|blinkanlage ['varn~] *f mot.* warning flasher; '**~dreieck** *n mot.* warning triangle; '**&en** *v/t* (h) warn (**vor** *dat* of, about, against): *j-n davor ~, et. zu tun* a. warn s.o. not to do s.th.; '**~schild** *n* danger sign; '**~si,gnal** *n* warning signal; '**~streik** *m econ.* token strike; '**~ung** *f* (-; -en) warning.

Warteliste ['vartə~] *f* waiting list: **auf der ~ stehen** be on the waiting list.

'**warten**¹ *v/i* (h) wait (**auf** *acc* for): **darauf ~, daß j-d et. tut** wait for s.o. to do s.th.; *j-n ~ lassen* keep s.o. waiting.

'**warten**² *v/t* (h) *tech.* service.

Wärter ['vɛrtər] *m* (-s; -) attendant; *Wächter:* guard; *Gefängnis&: Br.* warder, *Am.* guard; *Tier&:* keeper.

'**Warte|saal** *m*, '**~zimmer** *n* waiting room.

'**Wartung** *f* (-; -en) *tech.* servicing.

W

warum [va'rʊm] *adv* why.

Warze ['vartsə] *f* (-; -n) wart.

was [vas] **1.** *interr pron* what: **~?** *überrascht etc*: what?; *wie bitte?*: pardon?, F what?; **~ machen Sie?** *gerade*: what are you doing?; *beruflich*: what do you do?; → **für, geben** 4, **kosten²**, **sollen** 1, 2; **2.** *rel pron*: **alles, ~ ich habe (brauche)** all I have (need); **ich weiß nicht, ~ ich tun (sagen) soll** I don't know what to do (say); **..., was mich ärgerte ...**, which made me angry; **3.** F *indef pron* → **etwas.**

Wasch|anlage ['vaʃ~] *f mot.* car wash; *Scheiben²*: windscreen (*Am.* windshield) washer; '**2bar** *adj* washable; '**~becken** *n* washbasin, *bsd. Am. a.* washbowl.

Wäsche ['vɛʃə] *f* (-; *no pl*) washing, laundry; *Bett²*, *Tisch²*: linen; *Unter²*: underwear: **in der ~** in the wash; *fig.* **schmutzige ~ waschen** wash one's dirty linen in public.

'**waschecht** *adj Farben*: fast; *fig.* genuine.

'**Wäsche|klammer** *f Br.* clothes peg, *Am.* clothespin; '**~leine** *f* clothesline.

'**waschen** (wusch, gewaschen, h) **1.** *v/t* wash (**sich die Haare [Hände]** one's hair [hands]); F *fig. Geld*: launder; **2.** *v/refl* wash (o.s.), get washed.

Wäsche|rei *f* (-; -en) laundry; → **Waschsalon.**

'**Wasch|lappen** *m* facecloth, *Br.* face flannel, *Am.* washcloth; '**~ma,schine** *f* washing machine, *Am. a.* washer; '**2ma,schinenfest** *adj* machine-washable; '**~mittel** *n*, '**~pulver** *n* washing powder; '**~raum** *m* washroom; '**~sa,lon** *m Br.* launderette, *Am.* laundromat; '**~straße** *f mot.* car wash.

Wasser ['vasər] *n* (-s; ¨) water; '**~ball** *m* beach ball; *Sport*: water polo; '**~dampf** *m* steam; '**2dicht** *adj* waterproof; *mar.*, *tech. a.* watertight (*a. fig.*); '**~fall** *m* waterfall; *großer*: falls *pl*; '**~farbe** *f* watercolo(u)r; '**~flugzeug** *n* seaplane; '**~graben** *m* ditch; '**~hahn** *m* tap, *Am. a.* faucet.

wässerig ['vɛsərɪç] *adj* watery: **j-m den Mund ~ machen** make s.o.'s mouth water (**nach** for).

'**Wasser|kessel** *m* kettle; *tech.* boiler; '**~kraftwerk** *n* hydroelectric power plant; '**~leitung** *f* water pipe(s *pl*); '**~mangel** *m* (-s; *no pl*) water shortage.

wässern ['vɛsərn] *v/t* (h) soak; *Felder etc*: irrigate.

'**Wasser|rohr** *n* water pipe; '**2scheu** *adj* afraid of water; '**~spiegel** *m* water level; '**~sport** *m* water sports *pl*; '**~stand** *m* water level; '**~standsanzeiger** *m* (-s; -) water ga(u)ge; '**~stoff** *m* (-[e]s; *no pl*) *chem.* hydrogen; '**~stoffbombe** *f* hydrogen bomb, H-bomb; '**~strahl** *m* jet of water; '**~straße** *f* waterway; '**~tier** *n* aquatic animal; '**~verschmutzung** *f* water pollution; '**~versorgung** *f* water supply; '**~waage** *f* spirit level; '**~weg** *m* waterway: **auf dem ~** by water; '**~welle** *f Frisur*: water wave; '**~werk** *n* waterworks *pl* (*mst sg konstr.*); '**~zeichen** *n* watermark.

waten ['va:tən] *v/i* (sn) wade.

Watt¹ [vat] *n* (-s; -) *electr.* watt.

Watt² [~] *n* (-[e]s; -en) *geogr.* mud flats *pl.*

Watte ['vatə] *f* (-; -n) cotton wool.

web|en ['ve:bən] *v/t u. v/i* (h) weave; '**2stuhl** ['ve:p~] *m* loom.

Wechsel ['vɛksəl] *m* (-s; -) change; *Geld²*: exchange; *Bank²*: bill of exchange; *Monats²*: allowance; '**~geld** *n* change; '**2haft** *adj* changeable; '**~kurs** *m* exchange rate; '**~n** (h) **1.** *v/t allg.* change; *austauschen*: exchange; → **Besitzer**; **2.** *v/i* change; *verschieden sein, ab~*: vary; '**2nd** *adj* varying; '**2seitig** ['~zaItɪç] *adj* mutual, reciprocal; '**~strom** *m electr.* alternating current, *abbr.* A.C.; '**~stube** *f* bureau de change; '**~wirkung** *f* interaction.

weck|en ['vɛkən] *v/t* (h) wake (up); *fig. Erinnerungen etc*: awaken; '**2r** *m* (-s; -) alarm (clock).

wedeln ['ve:dəln] *v/i* (h): **mit dem Schwanz ~** *Hund*: wag its tail.

weder ['ve:dər] *cj*: **~ ... noch** neither ... nor.

Weg [ve:k] *m* (-[e]s; -e) way (*a. fig.*); *Straße*: road (*a. fig.*); *Pfad*: path; *Reise²*: route; *Fuß²*: walk: **auf friedlichem (legalem) ~e** by peaceful (legal) means; **j-m aus dem ~ gehen** get (*fig.* keep) out of s.o.'s way; **aus dem ~ räumen** put s.o. out of the way; → **halb.**

weg [vɛk] *adv entfernt, fort, verreist etc*: away; *verschwunden, verloren etc*:

gone; *los, ab*: off; F *begeistert*: in raptures (**von** over, about): *Finger ~!* (keep your) hands off!; **~** (*hier*)! get out (of here)!; F beat it!; '**~bleiben** *v/i* (*irr, sep, -ge-, sn, → bleiben*) stay away; '**~bringen** *v/t* (*irr, sep, -ge-, h, → bringen*) take away.

wegen ['ve:gən] *prp* because of; *um ... willen*: for the sake of; *infolge*: due (*od.* owing to).

'**weg|fahren** (*irr, sep, -ge-, → fahren*) **1.** *v/i* (sn) leave, go away (*a. verreisen*); *mot. a.* drive away (*od.* off); **2.** *v/t* (h) take away, remove; '**~fallen** *v/i* (*irr, sep, -ge-, sn, → fallen*) be dropped; *aufhören*: stop, be stopped: *die ... werden* ~ there will be no more ...; '**2gang** *m* (-[e]s; *no pl*) leaving; '**~gehen** *v/i* (*irr, sep, -ge-, sn, → gehen*) go away (*a. fig. Schmerz etc*); leave; *Fleck etc*: come off; *Ware*: sell; '**~jagen** *v/t* (*sep, -ge-, h*) drive (*od.* chase) away; '**~kommen** *v/i* (*irr, sep, -ge-, sn, → kommen*) F get away; *verlorengehen*: get lost: *gut* ~ come off well; *mach, daß du wegkommst!* get out of here!; *sl.* get lost!; '**~lassen** *v/t* (*irr, sep, -ge-, h, → lassen*) let *s.o.* go; *bsd. et.*: leave out; '**~laufen** *v/i* (*irr, sep, -ge-, sn, → laufen*) run away ([*vor*] *j-m* from *s.o.*) (*a. fig.*); '**~legen** *v/t* (*sep, -ge-, h*) put away; '**~müssen** *v/i* (*irr, sep, -ge-, sn, → müssen*) F have to go: *ich muß jetzt weg* I must be off now; '**~nehmen** *v/t* (*irr, sep, -ge-, h, → nehmen*) take away (**von** from); *Platz, Zeit*: take up; *stehlen* (*a. fig. Frau etc*): steal; *j-m et.* ~ take *s.th.* (away) from *s.o.*; '**~räumen** *v/t* (*sep, -ge-, h*) clear away; remove; '**~schaffen** *v/t* (*sep, -ge-, h*) remove; '**~schicken** *v/t* (*sep, -ge-, h*) send away (*od.* off); '**~sehen** *v/i* (*irr, sep, -ge-, h, → sehen*) look away; '**~tun** *v/t* (*irr, sep, -ge-, h, → tun*) F put away.

'**Wegweiser** *m* (-s; -s) signpost.

'**wegwerf|en** *v/t* (*irr, sep, -ge-, h, → werfen*) throw away; '**2flasche** *f* non-returnable bottle; '**2gesellschaft** *f* throwaway society.

'**weg|wischen** *v/t* (*sep, -ge-, h*) wipe off; *fig. Einwand etc*: brush aside; '**~ziehen** (*irr, sep, -ge-, → ziehen*) **1.** *v/i* (sn) move away; **2.** *v/t* (h) pull away.

weh [ve:] *adj* sore: ~ *tun* hurt (*j-m s.o.*;

fig. a. s.o.'s feelings); *Kopf etc*: *a.* be aching; *sich* (*am Finger*) ~ *tun* hurt o.s. (hurt one's finger).

Wehen ['ve:ən] *pl med.* labo(u)r *sg.*

wehen [~] *v/i* (h) blow; *Fahne*: wave, flutter.

weh|leidig ['ve:laɪdɪç] *adj* hypochondriac; *Stimme*: whining; '**2mut** *f* (-; *no pl*) nostalgia; '**~mütig** ['~my:tɪç] *adj* nostalgic; *Lächeln etc*: wistful.

Wehr¹ [ve:r] *n* (-[e]s; -e) weir, dam.

Wehr² [~] *f*: *sich zur* ~ *setzen* → *wehren*; '**~dienst** *m* (-[e]s; *no pl*) *mil.* military service; '**~dienstverweigerer** *m* (-s; -) *mil.* conscientious objector; '**2en** *v/refl* (h) defend o.s. (**gegen** against): *fig. sich gegen et.* ~ resist *s.th.*; '**2los** *adj* defenceless, *Am.* defenseless; *fig.* helpless; '**~pflicht** *f* (-; *no pl*) *mil.* compulsory military service; '**2pflichtig** *adj* liable for military service; '**~pflichtige** *m* (-n; -n) person liable for military service.

Weib|chen ['vaɪpçən] *n* (-s; -) *zo.* female; '**2lich** *adj* female; *gr., Art, Stimme etc*: feminine.

weich [vaɪç] *adj* soft (*a. fig.*); *zart*: tender; *gar*: done; *Ei*: soft-boiled: ~ *werden* soften; *fig.* give in.

'**Weiche** *f* (-; -n) *rail. Br.* points *pl, Am.* switch.

'**weichen** *v/i* (wich, gewichen, sn) give way (*dat* to), yield (to); *verschwinden*: go (away).

weiger|n ['vaɪgərn] *v/refl* (h) refuse; '**2ung** *f* (-; -en) refusal.

Weiher ['vaɪər] *m* (-s; -) pond.

Weihnachten ['vaɪnaxtən] *n* (-; -) Christmas, F Xmas: *zu* ~ at Christmas; *fröhliche* (*od.* frohe) *~!* merry Christmas!; *auf Karten*: *a.* Season's Greetings.

'**Weihnachts|abend** *m* Christmas Eve; '**~baum** *m* Christmas tree; '**~einkäufe** *pl* Christmas shopping *sg*; '**~ferien** *pl* Christmas holidays *pl* (*Am.* vacation *sg*); '**~geld** *n* Christmas bonus; '**~geschenk** *n* Christmas present; '**~lied** *n* (Christmas) carol; '**~mann** *m*: *der* ~ Father Christmas, Santa Claus; '**~markt** *m* Christmas fair; '**~tag** *m* Christmas Day: *zweiter* ~ day after Christmas, *Br.* Boxing Day; '**~zeit** *f* (-; *no pl*) Christmas season.

Weih|rauch ['vaɪ~] m (-[e]s; no pl) incense; '**~wasser** n (-s; no pl) holy water.

weil [vaɪl] cj because; da: since, as.

Weil|chen ['vaɪlçən] n (-s; no pl): **ein ~** a little while; '**~e** f (-; no pl): **e-e ~** a while.

Wein [vaɪn] m (-[e]s; -e) wine; '**~bau** m (-[e]s; no pl) wine growing; '**~beere** f grape; '**~berg** m vineyard; '**~brand** m (-[e]s; ⁓e) brandy.

weine|n ['vaɪnən] v/i (h) cry (**vor** dat with; **nach** for; **wegen** about, over); '**~rlich** adj tearful; Stimme: whining.

'**Wein|essig** m wine vinegar; '**~faß** n wine cask; '**~flasche** f wine bottle; '**~gegend** f wine-growing area; '**~karte** f wine list; '**~keller** m wine cellar; '**~kenner** m wine connoisseur; '**~lese** f (-; -n) grape harvest; '**~lo**|**kal** n wine bar (od. tavern); '**~probe** f wine tasting (session); '**2rot** adj wine-red; '**~see** m econ. wine lake; '**~traube** f → **Traube**.

weise ['vaɪzə] adj wise.

Weise [⁓] f (-; -n) Art u. ⁓: way: **auf diese** (**die gleiche**) **~** this (the same) way; **auf m-e** (**s-e**) **~** my (his) way.

weisen ['vaɪzən] v/t (wies, gewiesen, h): **von sich ~** reject; Verdacht etc: repudiate.

Weisheit ['vaɪshaɪt] f (-; -en) wisdom: **mit s-r ~ am Ende** at one's wit's end; '**~szahn** m wisdom tooth.

'**weismachen** v/t (sep, -ge-, h): **j-m**, **daß** make s.o. believe that.

weiß [vaɪs] adj white; '**2brot** n white bread; '**2e** m, f (-n; -n) white man (woman): **die ~n** pl the whites pl; '**2kohl** m, '**2kraut** n (white) cabbage; '**~lich** adj whitish; '**2wein** m white wine.

'**Weisung** f (-; -en) instruction, directive.

weit [vaɪt] **1.** adj wide; Kleidung: a. big; Reise, Weg: long; **2.** adv far, a long way (a. zeitlich u. fig.); ⁓ **weg** far away (**von** from); **von ~em** from a distance; **~ u. breit** far and wide; **~ besser** far (od. much) better; **zu ~ gehen** go too far; **es ~ bringen** go far, F go places; **wir haben es ~ gebracht** we have come a long way; → **bei**.

'**weit'aus** adv far, much.

weiter ['vaɪtɐ] adv: **u. so ~** and so on (od. forth), et cetera; **nichts ~** nothing else; '**~arbeiten** v/i (sep, -ge-, h) go on

working; '**~bilden** v/refl (sep, -ge-, h) improve one's knowledge; schulisch, beruflich: continue one's education (od. training); '**2bildung** f (-; no pl) further education (od. training).

'**weitere** adj another, further, additional: **alles ~** the rest; **bis auf ~s** until further notice; **ohne ~s** easily.

'**weiter|geben** v/t (irr, sep, -ge-, h, → **geben**) pass (dat, **an** acc to) (a. fig.); '**~gehen** v/i (irr, sep, -ge-, sn, → **gehen**) move on; fig. continue, go on; '**~hin** adv ferner: further(more): **et. ~ tun** go on doing s.th., continue doing (od. to do) s.th.; '**~kommen** v/i (irr, sep, -ge-, sn, → **kommen**) get on (fig. in life); '**~leben** v/i (sep, -ge-, h) live on; fig. a. survive; '**~machen** v/t u. v/i (sep, -ge-, h) go on (od. carry) on (with), continue; '**2verkauf** m (-[e]s; no pl) resale.

'**weit|gehend 1.** adj considerable; **2.** adv largely; '**~reichend** adj far-reaching; '**~sichtig** adj med. longsighted, bsd. Am. u. fig. farsighted; '**2sprung** m (-[e]s; no pl) long (Am. broad) jump; '**~verbreitet** adj widespread.

Weizen ['vaɪtsən] m (-s; -) bot. wheat.

welche|(r), ~s ['vɛlçə(r)] **1.** interr pron what, auswählend: which: **welcher? welche one?; welcher od. welchen beiden?** which of the two?; **2.** rel pron who, that; bei Sachen: which, that; **3.** indef pron F some, any.

welk [vɛlk] adj faded, withered; Haut: flabby; '**~en** v/i (sn) fade, wither.

'**Wellblech** n corrugated iron.

Welle ['vɛlə] f (-; -n) wave (a. phys., fig.); tech. shaft; '**2n** v/t u. v/refl (h) wave; '**~nbereich** m electr. wave range; '**~nlänge** f electr. wavelength; '**~nlinie** f wavy line; '**~nsittich** ['~zɪtɪç] m (-s; -e) zo. budgerigar, F budgie.

wellig ['vɛlɪç] adj wavy.

Welt [vɛlt] f (-; -en) world: **die ganze ~** the whole world; **auf der ganzen ~** all over (od. throughout) the world; **das beste** etc ... **der ~** the best etc ... in the world, the world's best etc ...; **zur ~ kommen** be born; **zur ~ bringen** give birth to; '**~all** n (-s; no pl) universe; '**~anschauung** f philosophy (of life); '**~ausstellung** f World's Fair; '**2bank** f (-; no pl) World Bank; '**2berühmt** adj world-famous; '**2fremd** adj unrealistic;

Gelehrter etc: ivory-tower; '~**handel** *m* international trade; '~**krieg** *m* world war: *der Zweite* ~ World War II; '~**ku-gel** *f* globe; '~**lage** *f* (-; *no pl*) international situation; '2**lich** *adj* worldly; '~**litera,tur** *f* (-; *no pl*) world literature; '~**macht** *f* world power; '~**markt** *m* world market; '~**meer** *n* ocean; '~**mei-ster** *m* world champion; '~**meister-schaft** *f* world championship; *bsd. Fußball2*: World Cup; '~**raum** *m* (-[e]s; *no pl*) (outer) space; '~**raum...** *in Zssgn* → *Raum...*; '~**reich** *n* empire; '~**reise** *f* world trip; '~**re,kord** *m* world record; '~**sprache** *f* universal language; '~**stadt** *f* metropolis; '~**untergang** *m* end of the world; '2**weit** *adj* world-wide; '~**wirtschaft** *f* (-; *no pl*) world economy; '~**wirtschaftskrise** *f* worldwide economic crisis.

Wende ['vɛndə] *f* (-; -n) *e-s Jahrhunderts*: turn; *Änderung*: change; '~**kreis** *m geogr*. tropic; *mot*. turning circle.

Wendeltreppe ['vɛndəl~] *f* spiral staircase.

'**wenden¹** (h) **1.** *v/t* turn; *Braten etc*: turn over; *Auto*: turn (round); **2.** *v/i mot*. turn (round), make a U-turn: *bitte* ~ please turn over, *abbr*. pto.

'**wende|n²** *v/refl* (*mst* wandte, gewandt, h): *sich an j-n* ~ ask s.o. (*um Auskunft, Erlaubnis* for), turn to s.o. (*um Hilfe, Rat* for); '2**punkt** *m* turning point (*a. fig.*).

wendig ['vɛndiç] *adj Fahrzeug*: *bsd. Br.* manoeuvrable, *Am.* maneuverable; *Person*: nimble; *geistig*: *a.* nimble-minded.

wenig ['ve:niç] *indef pron u. adv* little; ~(**e**) *pl* few; *nur* ~**e** only few; *ein paar*: only a few; (*in*) ~**er als** (in) less than; *am* ~**sten** least of all; *er spricht* ~ he doesn't talk much; (*nur*) *ein* (*klein*) (just) a little (bit); '~**stens** *adv* at least.

wenn [vɛn] *cj* when; *falls*: if: ~ **... nicht** if ... not, unless; ~ **auch** (al)though, even though; *wie* (*od.* **als**) ~ as though, as if; ~ *ich nur* ... *wäre!* if only I were ...!; *u.* ~ *nun* ...? what if ...?

wer [ve:r] **1.** *interr pron* who, *auswählend*: which: ~ **von euch?** which of you?; **2.** *rel pron* who: ~ **auch** (**immer**) who(so)ever; **3.** *indef pron* F somebody; *fragend, verneinend*: anybody.

'**Werbe|ab,teilung** ['vɛrbə~] *f* publicity department; '~**agen,tur** *f* advertising agency; '~**fernsehen** *n* TV commercials *pl*; '~**film** *m* promotion(al) film; '~**funk** *m* radio commercials *pl*; '~**ge-schenk** *n* promotional gift; '~**kam-,pagne** *f* publicity (*od.* advertising) campaign; '2**n** (warb, geworben, h) **1.** *v/i*: ~ *für* advertise, promote; **2.** *v/t Mitglieder etc*: enlist; *Kunden, Stim-men*: attract; *j-n* ~ *für* win s.o.over to; ~**slogan** ['~slo:gən] *m* (-s; -s) advertising slogan; ~**spot** ['~spɔt] *m* (-s; -s) commercial.

'**Werbung** *f* (-; *no pl*) advertising, publicity: ~ *machen für* → *werben* 1; '~**sko-sten** *pl Steuer*: professional outlay *sg*.

Werde|gang ['vɛrdə~] *m* (-[e]s; *no pl*) *beruflicher*: career; '2**n** (wurde, gewor-den, sn) **1.** *v/i*: **werden** *etc*: → *alt, rot, schlecht etc*; **2.** *v/aux* (*pp* worden): *ich werde fahren* I will drive; *es wird gleich regnen* it's going to rain; *ge-liebt* ~ be loved.

werfen ['vɛrfən] (warf, geworfen, h) **1.** *v/t* throw (*nach* at); *Schatten*: cast; **2.** *v/i*: *mit et*. (*nach j-m*) ~ throw s.th. (at s.o.); *mit Geld um sich* ~ throw one's money about.

Werft [vɛrft] *f* (-; -en) shipyard.

Werk [vɛrk] *n* (-[e]s; -e) work; *gutes*: *a.* deed; *tech*. works *pl*, mechanism; *Fa-brik*: works *pl* (*mst sg konstr*.); '~**bank** *f* (-; ⁔e) *tech*. workbench; '~**statt** *f* (-; ⁔en) workshop; *Auto2*: garage; '~**tag** *m* workday, working day; '2**tags** *adv* on weekdays; '2**tätig** *adj* working; '~**zeug** *n* (-[e]s; -e) tool (*a. fig.*); *coll*. tools *pl*; *feines*: instrument; '~**zeugmacher** *m* toolmaker.

wert [ve:rt] *adj* worth; *in Zssgn sehens~ etc*: worth *seeing etc*: *die Mühe* (*e-n Versuch*) ~ worth the trouble (a try); *fig. nichts* ~ no good.

Wert [~] *m* (-[e]s; -e) *a. allg*. value; *bsd. fig. u. in Zssgn*: *a.* worth; *Sinn, Nutzen*: use: ~**e** *pl* Daten: data *pl* (*a. fig.*); figures *pl*; *... im* ~(**e**) *von e-m Pfund* a pound's worth of ...; *großen* (*wenig, keinen, nicht viel*) ~ *legen auf* (*acc*) set great (little, no, not much) store by; '2**en** *v/t* (h) assess; *beurteilen*: judge; '~**gegenstand** *m* article of value; '2**los** *adj* worthless; '~**pa,piere** *pl econ*. securities *pl*; '**~sachen** *pl* valuables *pl*; '**~ung** *f* (-; -en) assessment; judg(e)ment; '**2voll** *adj* valuable.

Wesen ['ve:zən] *n* (-s; -) Lebe**2**: being, creature; *~skern*: essence; *Natur*: nature, character; **2tlich** *adj* essential; *beträchtlich*: considerable: *im ~en* on the whole.

weshalb [vɛs'halp] *interr adv* why.

Wespe ['vɛspə] *f* (-; -n) *zo.* wasp.

West|en ['vɛstən] *m* (-s; *no pl*) west; *westlicher Landesteil*: West (*a. pol.*): *nach ~* west(wards): '**~lich 1.** *adj* west (-ern); **2.** *adv*: *~ von* (to the) west of.

Wett|bewerb ['vɛtbəvɛrp] *m* (-[e]s; -e) competition (*a. econ.*), contest; '**~bü‚ro** *n* betting office; '**~e** *f* (-; -n) bet: *e-e ~ schließen* make a bet; '**2eifern** *v/i* (*insep*, ge-, h) vie, compete (*beide*: *mit* with; *um* for); '**2en** *v/t* (h) bet (*mit j-m um 10 Pfund* s.o. ten pounds): *~ auf* (*acc*) bet on, back.

'**Wetter**[1] *m* (-s; -) better.

'**Wetter**[2] [~] *n* (-s; -) weather; '**~bericht** *m* weather report; '**2fest** *adj* weather-proof; '**2fühlig** [~fy:lıç] *adj* weather-sensitive; '**~karte** *f* weather chart (*od.* map); '**~lage** *f* weather situation; '**~leuchten** *n* (-s; *no pl*) sheet lightning; '**~vor‚hersage** *f* weather forecast.

'**Wett|kampf** *m* competition; contest; '**2machen** *v/t* (*sep*, ge-, h) make up for; '**~rüsten** *n* (-s; *no pl*) arms race.

wichtig ['vıçtıç] *adj* important: *et. ~ nehmen* take s.th. seriously; **2keit** *f* (-; *no pl*) importance; '**2tuer** *m* (-s; -) pompous ass.

Wickel ['vıkəl] *m* (-s; -) *med.* compress; '**2n** *v/t* (h) *Baby*: change: *~ in* (*acc*) (*um*) wrap in ([a]round).

Widder ['vıdər] *m* (-s; -) *zo.* ram.

wider ['vi:dər] *prp*: *~ Willen* against one's will; *~ Erwarten* contrary to expectation; '**2haken** *m* barb; '**~legen** *v/t* (*insep*, *no* ge-, h) refute, disprove; '**~lich** *adj* revolting, disgusting; '**~rechtlich** *adj* illegal, unlawful; '**2rede** *f* contradiction(s *pl*): *keine ~!* no arguments!; '**2ruf** *m* revocation, withdrawal; retraction; '**~rufen** *v/t* (*irr*, *insep*, *no* -ge-, h, → *rufen*) *Anordnung*, *Erlaubnis etc*: revoke, withdraw; *Aussage*, *Geständnis etc*: retract; '**~setzen** *v/refl* (*insep*, *no* -ge-, h) oppose, resist (*beide*:

e-r Sache s.th.); '**~sinnig** *adj* absurd; '**~spenstig** ['~ʃpɛnstıç] *adj* unruly (*a. Haar etc*), stubborn; '**~spiegeln** (*sep*, -ge-, h) **1.** *v/t* reflect (*a. fig.*); **2.** *v/refl* be reflected (*in dat* in); '**~sprechen** *v/i* (*irr*, *insep*, *no* -ge-, h, → *sprechen*) contradict (*j-m* s.o.); *sich* o.s.); '**2spruch** *m* contradiction: *im ~ stehen zu* be inconsistent with, contradict; '**~sprüchlich** ['~ʃprʏçlıç] *adj* contradictory; '**~spruchslos** *adv* without a word of protest; '**2stand** *m* (-[e]s; ⁻e) resistance, opposition (*beide*: *gegen* to); *electr.* resistor: *~ leisten* offer resistance (*dat* to); '**~standsfähig** *adj* resistant (*gegen* to), robust; '**~stehen** *v/i* (*irr*, *insep*, *no* -ge-, h, → *stehen*) resist; '**~streben** *v/i* (*insep*, *no* -ge-, h): *es widerstrebt mir, dies zu tun* I hate doing (*od.* to do) that; '**~strebend** *adv* reluctantly; '**~wärtig** ['~vɛrtıç] *adj* disgusting; '**2wille** *m* aversion (*gegen* to, for, from), dislike (*to*, *of*, *for*); *Ekel*: disgust (at, for); '**~willig** *adj* reluctant, unwilling.

widm|en ['vıtmən] *v/t* (h) dedicate (*dat* to); '**2ung** *f* (-; -en) dedication.

widrig ['vi:drıç] *adj* adverse.

wie [vi:] **1.** *interr adv* how: *~ ist er?* what is he like?; *~ ist das Wetter?* what's the weather like?; *~ nennt man ...?* what do you call ...?; *~ wäre* (*ist*, *steht*) *es mit ..?* what (*od.* how) about ...?; → *gehen* 2, *heißen*; **2.** *cj* like, as: *~ neu* (*verrückt*) like new (mad); *~* (*zum Beispiel*) such as, like; *ich zeige* (*sage*) *dir*, *~* (*...*) I'll show (tell) you how (...); → *doppelt*, *so* 1, *üblich*.

wieder ['vi:dər] *adv* again: *~ immer*; **2'aufbau** *m* (-[e]s; *no pl*) reconstruction; *econ.* recovery; '**~aufbauen** *v/t* (*sep*, -ge-, h) reconstruct; '**~aufbereiten** *v/t* (*sep*, *no* -ge-, h) recycle; *bsd. Kerntechnik*: reprocess; **2'aufbereitung** *f* (-; -en) recycling; reprocessing; **2'aufbereitungsanlage** *f* recycling plant; reprocessing plant; **2'aufleben** *n* (-s; *no pl*) revival; **2'aufnahme** *f* (-; *no pl*) resumption; '**~aufnehmen** *v/t* (*irr*, *sep*, -ge-, h, → *nehmen*) resume; '**~bekommen** *v/t* (*irr*, *sep*, *no* -ge-, h, → *kommen*) get back; '**~beleben** *v/t* (*sep*, *no* -ge-, h) resuscitate, revive (*a. fig.*); '**2belebungsversuch** *m* attempt at re-

W

suscitation; '**_bringen** v/t (irr, sep, -ge-, h, → **bringen**) bring back; zurück-geben: return; '**_einführen** v/t (sep, -ge-, h) reintroduce; Brauch etc: revive; econ. reimport; **2einführung** f (-; no pl) reintroduction; revival; econ. reimportation; '**_entdecken** v/t (sep, no -ge-, h) rediscover; **2entdeckung** f rediscovery; '**_ergreifung** f (-; no pl) recapture; '**_erkennen** v/t (irr, sep, no -ge-, h, → **kennen**) recognize (an dat by); '**_finden** v/t (irr, sep, -ge-, h, → **finden**) find again; fig. regain; **2gabe** f (-; no pl) reproduction; Tonband: playback; '**_geben** v/t (irr, sep, -ge-, h, → **geben**) reproduce; zurückgeben: give back, return (beide: dat to); schildern: describe; '**_gutmachen** v/t (sep, -ge-, h) make up for; '**_herstellen** v/t (sep, -ge-, h) restore; '**_holen** (insep, no -ge-, h) **1.** v/t repeat; **2.** v/refl repeat o.s. (a. fig. Geschichte etc); '**_holt** adv repeatedly, several times; **2holung** f (-; -en) repetition; Rundfunk, TV: repeat, rerun; TV Sport: replay; **2hören** n: **auf _!** teleph. goodbye; **2kehr** ['_ke:r] f (-; no pl) return; recurrence; '**_kehren** v/i (sep, -ge-, sn) return; sich wiederholen: recur; '**_kommen** v/i (irr, sep, -ge-, sn, → **kommen**) come back, return; '**_sehen** v/t (irr, sep, -ge-, h, → **sehen**) see again: sich _ meet again; **2sehen** n (-s; -) reunion: **auf _!** goodbye; '**_vereinigen** v/t u. v/refl (sep, no -ge-, h) reunite; **2vereinigung** f reunion; bsd. pol. a. reunification; '**_verwenden** v/t (sep, no -ge-, h) reuse; **2verwendung** f (-; -en) reuse; '**_verwerten** v/t (sep, no -ge-, h) recycle; **2verwertung** f (-; -en) recycling; **2wahl** f (-; no pl) re-election; '**_wählen** v/t (sep, -ge-, h) re-elect.

wiegen[1] ['vi:gən] (wog, gewogen, h) **1.** v/t u. v/i weigh; **2.** v/refl weigh o.s.

wiegen[2] ['vi:gən] v/t u. v/refl (h): **j-n (sich) in Sicherheit _** lull s.o. (o.s.) into a false sense of security; '**2lied** n lullaby.

Wiese ['vi:zə] f (-; -n) meadow.

wieso [vi'zo:] interr adv why.

wieviel [vi'fi:l] adv how much; pl how many; '**_te** adj: **den 2n haben wir heute?** what's the date today?

wild [vɪlt] adj wild (a. fig.) (F **auf** acc about); heftig: violent: → **Streik.**

Wild [\~] n (-[e]s; no pl) hunt. game;

Braten: mst venison; '**_leder** n suede; '**_nis** f (-; -se) wilderness; '**_schwein** n zo. wild boar; '**_westfilm** m western.

Wille ['vɪlə] m (-ns; no pl) will; Absicht: a. intention: **s-n _n durchsetzen** have one's way; **j-m s-n _n lassen** let s.o. have his (own) way; '**2n** prp: **um** (gen) **... _** for the sake of ...; **2nlos** adj weak(-willed).

'**Willens|freiheit** f (-; no pl) freedom of will; '**_kraft** f (-; no pl) willpower; '**2stark** adj strong-willed.

'**will|ig** adj willing; '**_kommen** adj welcome (dat, in dat to): **_ heißen** welcome; **_kürlich** ['_ky:rlɪç] adj arbitrary; Auswahl etc: a. random.

wimm|eln ['vɪməln] v/i (h): **_ von** be teeming with; '**_ern** v/i (h) whimper.

Wimper ['vɪmpər] f (-; -n) eyelash; '**_ntusche** f mascara.

Wind [vɪnt] m (-[e]s; -e) wind.

Windel ['vɪndəl] f (-; -n) bsd. Br. napkin, Am. diaper.

winden ['vɪndən] v/refl (wand, gewunden, h) writhe (**vor** dat with).

Windhund m zo. greyhound.

windig ['vɪndɪç] adj windy.

'**Wind|mühle** f windmill; '**_pocken** pl med. chickenpox sg; '**_richtung** f direction of the wind; '**_schutzscheibe** f mot. bsd. Br. windscreen, Am. windshield; '**_stärke** f wind speed; '**2still** adj calm; '**_stille** f calm; '**_stoß** m gust.

Wink [vɪŋk] m (-[e]s; -e) sign; fig. hint.

Winkel ['vɪŋkəl] m (-s; -) math. angle; Ecke: corner.

winken ['vɪŋkən] v/i (h) wave: **mit et. _** wave s.th.; **j-m _** wave to s.o.; Zeichen geben: signal to s.o.; **j-n her_**: beckon s.o.; **e-m Taxi _** hail (od. wave down) a taxi.

Winter ['vɪntər] m (-s; -) winter: **im _** in winter; '**_anfang** m beginning of winter; '**_fahrplan** m winter timetable (Am. schedule); '**2lich** adj wintry; '**_reifen** m mot. winter (od. snow) tyre (Am. tire); '**_schlußverkauf** m winter sales pl; '**_sport** m winter sports pl; '**_urlaub** m winter holidays pl (Am. vacation).

Winzer ['vɪntsər] m (-s; -) winegrower.

winzig ['vɪntsɪç] adj tiny, minute.

Wipfel ['vɪpfəl] m (-s; -) (tree)top.

W

wir [viːr] *pers pron* we: ~ *drei* the three of us; F *wir sind's!* it's us!

Wirbel ['vɪrbəl] *m* (-s; -) *anat.* vertebra; *fig.* fuss; '~**säule** *f anat.* spinal column, spine; '~**sturm** *m* cyclone.

wirk|en ['vɪrkən] *v/i* (h) work, be effective; *aussehen:* look: *anregend etc* ~ have a stimulating *etc* effect (*auf acc* on); '~**lich** *adj* real, actual; *echt:* true, genuine; '2**lichkeit** *f* (-; *no pl*) reality: *in* ~ in reality, actually; '~**sam** *adj* effective; '~**ung** *f* (-; -en) effect; '~**ungslos** *adj* ineffective; '~**ungsvoll** *adj* effective.

wirr [vɪr] *adj* confused, mixed-up; *Haar:* tousled; '2**en** *pl* disorder *sg*, confusion *sg*; 2**warr** ['~var] *m* (-s; *no pl*) confusion, mess, chaos.

Wirt [vɪrt] *m* (-[e]s; -e) landlord; '~**in** *f* (-; -nen) landlady.

'**Wirtschaft** *f* (-; -en) *econ. pol.* economy; *Geschäftswelt:* business; *Wirtshaus:* *bsd. Br.* pub, *Am.* bar; '~**erin** *f* (-; -nen) housekeeper; '~**ler** *m* (-s; -) economist; '2**lich** *adj* economic; *sparsam:* economical.

'**Wirtschafts|abkommen** *n* economic (*od.* trade) agreement; '~**asy,lant** *m* economic migrant; '~**aufschwung** *m* economic upturn; '~**beziehungen** *pl* economic (*od.* trade) relations *pl*; '~**gipfel** *m* economic summit; '~**krise** *f* economic crisis; '~**poli,tik** *f* economic policy; '~**teil** *m Zeitung:* business section; '~**wachstum** *n* economic growth; '~**wunder** *n* economic miracle.

'**Wirtshaus** *n bsd. Br.* pub, *Am.* bar.

wische|n ['vɪʃən] *v/t* wipe: → *Staub;* '2**r** *m* (-s; -) *mot.* wiper; '2**rblatt** *n mot.* wiper blade.

wispern ['vɪspərn] *v/t u. v/i* (h) whisper.

wißbegierig ['vɪs~] *adj* curious.

wissen ['vɪsən] *v/t u. v/i* (wußte, gewußt, h) know (*von* about): *ich möchte* ~ I'd like to know, I wonder; *soviel ich weiß* as far as I know; *weißt du* you know; *weißt du noch?* (do you) remember?; *woher weißt du das?* how do you know?; *man kann nie* ~ you never know; *ich will davon* (*von ihm*) *nichts* ~ I don't want anything to do with it (him).

Wissen [~] *n* (-s; *no pl*) knowledge; *praktisches:* a. know-how: *m-s* ~*s* as far as I know.

'**Wissenschaft** *f* (-; -en) science; '~**ler** *m* (-s; -) scientist; '2**lich** *adj* scientific.

'**Wissens|gebiet** *n* field of knowledge; '~**lücke** *f* gap in one's knowledge; '2**wert** *adj* worth knowing: 2*es* useful facts *pl*; *alles* 2*e* (*über acc*) all you need to know (about).

Witterung ['vɪtərʊŋ] *f* (-; -en) weather; '~**sverhältnisse** *pl* weather conditions *pl*.

Witwe ['vɪtvə] *f* (-; -n) widow; '~**nrente** *f* widow's pension; '2**r** *m* (-s; -) widower.

Witz [vɪts] *m* (-es; -e) joke: ~*e reißen* crack jokes; 2*ig adj* funny; *geistreich:* witty.

wo [voː] *interr adv u. rel adv* where; ~'**bei 1.** *interr adv:* ~ *bist du gerade?* what are you doing right now?; **2.** *rel adv:* ~ *mir einfällt* which reminds me.

Woche ['vɔxə] *f* (-; -n) week.

'**Wochen|arbeitszeit** *f* weekly working hours *pl*; '~**ende** *n* weekend: *am* ~ at (*Am.* on) the weekend; '~**karte** *f* weekly season ticket; 2**lang** **1.** *adj:* ~*es Warten* (many) weeks of waiting; **2.** *adv* for weeks; '~**lohn** *m* weekly wages *pl*; '~**markt** *m* weekly market; '~**tag** *m* weekday.

wöchentlich ['vœçəntlɪç] **1.** *adj* weekly; **2.** *adv* weekly, every week: *einmal* ~ once a week.

wo|'durch 1. *interr adv* how; **2.** *rel adv* by (*od.* through) which; ~'**für 1.** *interr adv* what (...) for; **2.** *rel adv* for which.

Woge ['voːgə] *f* (-; -n) wave, *fig. a.* surge.

wo|'her *interr adv u. rel adv* where (...) from: → *wissen;* ~'**hin** *interr adv u. rel adv* where (...) to.

wohl [voːl] *adv* well: *sich* ~ *fühlen* feel fine; *wie zu Hause:* feel at home; *sich bei j-m* ~ *fühlen* feel comfortable with s.o.; *ich fühle mich nicht* ~ I don't feel well; ~ *od. übel* willy-nilly, whether I *etc* like it or not; ~ *kaum* hardly.

Wohl [~] *n* (-[e]s; *no pl*) *befinden:* well-being: *auf j-s* ~ *trinken* drink to s.o.('s health); *zum* ~! to your health!, F cheers!; '~**fahrtsstaat** *m* welfare state; '2**gemerkt** *adv* mind you; '2**gesinnt** *adj:* *j-m* ~ *sein* be well disposed towards s.o.; '2**habend** *adj* well-off, well-to-do; '2**ig** *adj* cosy, *Am. mst* cozy; '~**stand** *m* (-[e]s; *no pl*) prosperity, affluence; '~**standsgesellschaft** *f* affluent society; '**≈tat** f fig. pleasure; Erleichterung: relief; Segen: blessing; '**≗tätig** adj charitable; **für ≈e Zwecke** for charity; '**≈tätigkeitskon,zert** n charity concert; '**≗tun** v/i (irr, sep, -ge-, h, → tun) do good; '**≗verdient** adj well-deserved; '**≗wollend** adj benevolent.

wohn|en ['vo:nən] v/i (h) live (**in** dat in; **bei** j-m with s.o.); vorübergehend: stay (at; with); '**≗gebiet** n residential area; '**≗gemeinschaft** f: **in e-r ≈ leben** share a flat (Am. an apartment) (**mit** with); '**≈lich** adj comfortable, cosy, Am. mst cozy; **≗mobil** ['≈mo,bi:l] n (-s; -e) Br. mobile home, Am. motorhome; '**≗sitz** m (place of) residence: **ohne festen ≈** of no fixed abode; '**≗ung** f (-; -en) Br. flat, Am. apartment: **m-e ≈** a. my place.

'**Wohnungs|amt** n housing office; '**≈bau** m (-[e]s; no pl) house building; '**≈not** f (-; no pl) housing shortage.

'**Wohn|wagen** m bsd. Br. caravan, Am. trailer; '**≈zimmer** n sitting (od. living) room.

Wolf [vɔlf] m (-[e]s; ≈e) zo. wolf.

Wolk|e ['vɔlkə] f (-; -n) cloud; '**≈enbruch** m cloudburst; '**≈enkratzer** m (-s; -) skyscraper; '**≗enlos** adj cloudless; '**≗ig** adj cloudy, clouded.

Woll|decke ['vɔl≈] f (wool[l]en) blanket; '**≈e** f (-; -n) wool.

wollen ['vɔlən] (wollte, h) **1.** v/aux (pp wollen): **et. tun ≈** want to do s.th.; beabsichtigen: be going to do s.th.; **ich will lieber ausgehen** I'd rather go out; **2.** v/t u. v/i (pp gewollt) want: **lieber ≈** prefer; **wann du willst** whenever you like; **sie will, daß ich komme** she wants me to come; **was ≈ Sie (von mir)?** what do you want?

wo'mit 1. interr adv what (...) with; **2.** rel adv with which.

wor|'an 1. interr adv: **≈ denkst du?** what are you thinking of?; **≈ liegt es, daß ...?** how is it that ...?; **≈ sieht man, welche** (ob) **...?** how can you tell which (if) ...?; **2.** rel adv: **≈ man merkte, daß** which showed that; **das, ≈ ich dachte** what I had in mind; **≈'auf 1.** interr adv: **≈ wartest du (noch)?** what are you waiting for?; **2.** rel adv zeitlich: after which; örtlich: on which.

Wort [vɔrt] n (-[e]s; ≈er, Äußerung etc: -e)

word: **mit anderen ≈en** in other words; **sein ≈ geben (halten, brechen)** give (keep, break) one's word; **j-n beim ≈ nehmen** take s.o. at his word; **ein gutes ≈ einlegen für** put in a good word for; **j-m ins ≈ fallen** cut s.o. short; → **abschneiden** 1.

Wörterbuch ['vœrtər≈] n dictionary.

'**Wort|führer** m spokesman; '**≗karg** adj taciturn.

wörtlich ['vœrtlɪç] adj literal.

'**Wort|schatz** m vocabulary; '**≈spiel** n pun.

wor'über 1. interr adv: **≈ lachen Sie?** what are you laughing at (od. about)?; **2.** rel adv fig. about which; **≈'um 1.** interr adv: **≈ handelt es sich?** what is it about?; **2.** rel adv about which.

wo'von 1. interr adv: **≈ redest du?** what are you talking about?; **2.** rel adv about which; **≈'vor 1.** interr adv: **≈ hast du Angst?** what are you afraid of?; **2.** rel adv of which; **≈'zu 1.** interr adv what (...) for; warum: why; **2.** rel adv for which.

Wrack [vrak] n (-[e]s; -s) mar. wreck (a. fig.).

Wucher ['vu:xər] m (-s; no pl) usury; '**≈er** m (-s; -) usurer; '**≈miete** f rack rent; '**≗n** v/i (h u. sn) bot. grow rampant; '**≈preis** m extortionate price; '**≈zinsen** pl usurious interest sg.

Wuchs [vu:ks] m (-es; no pl) growth; Gestalt: build.

Wucht [vʊxt] f (-; no pl) force; e-s Aufpralls etc: impact; '**≗ig** adj massive, kraftvoll: powerful.

wühlen ['vy:lən] v/i (h): **≈ in** (dat) rummage around in.

wund [vʊnt] adj sore; **≈e Stelle** sore; fig. **≈er Punkt** sore point; '**≗e** ['≈də] f (-; -n) wound.

Wunder ['vʊndər] n (-s; -) miracle; fig. a. wonder, marvel (beide: **an** dat of): (**es ist) kein ≈, daß du müde bist** no wonder you are tired; '**≗bar** adj wonderful, marvel(l)ous; wie ein Wunder: miraculous; '**≈kind** n child prodigy; '**≗lich** adj strange, peculiar; '**≗n** v/refl (h) be surprised (od. astonished) (**über** acc at); '**≗schön** adj lovely; '**≗voll** adj wonderful; '**≈werk** n marvel, wonder.

'**Wundstarrkrampf** m (-[e]s; no pl) med. tetanus.

W

Wunsch [vʊnʃ] *m* (-[e]s; ⸚e) wish (*a. Glück*≈); *Bitte:* request: **auf j-s (eigenen)** ⸚ at s.o.'s (own) request; **nach** ⸚ as desired; → **fromm**; '⸚denken *n* (-s; *no pl*) wishful thinking.

wünschen ['vʏnʃən] (h) 1. *v/t* wish: **sich et. (zu Weihnachten** *etc*) ⸚ want s.th. (for Christmas *etc*); **das habe ich mir (schon immer) gewünscht** that's what I (always) wanted; **alles, was man sich nur ⸚ kann** everything one could wish for; **ich wünschte, ich wäre (hätte)** I wish I were (had); 2. *v/i*: **Sie ⸚?** what can I do for you?; **wie Sie ⸚** as you wish (*od.* like); '⸚swert *adj* desirable.

'**Wunsch|kind** *n* planned child; '⸚konzert *n* request program(me); '≈los *adv*: ⸚ **glücklich** perfectly happy.

Würde ['vʏrdə] *f* (-; -n) dignity; '≈los *adj* undignified; '⸚nträger *m* dignitary; '≈voll *adj* dignified.

'**würdig** *adj* worthy (*gen* of); *würdevoll:* dignified; '⸚en *v/t* (h) appreciate: **j-n keines Blickes ⸚** ignore s.o. completely; '≈ung *f* (-; -en) appreciation.

Wurf [vʊrf] *m* (-[e]s; ⸚e) throw; *zo.* litter.

Würfel ['vʏrfəl] *m* (-s; -) cube; *Spiel*≈: dice; '≈n (h) 1. *v/i* throw dice (**um** for); *spielen:* play dice; 2. *v/t gastr.* dice: **e-e Sechs ⸚** throw a six; '⸚zucker *m* lump sugar.

'**Wurfgeschoß** *n* projectile.

würgen ['vʏrgən] (h) 1. *v/t* strangle; 2. *v/i* choke; *beim Erbrechen:* retch.

Wurm [vʊrm] *m* (-[e]s; ⸚er) *zo.* worm; '≈en *v/t* (h) F gall; '≈stichig *adj* worm-eaten.

Wurst [vʊrst] *f* (-; ⸚e) sausage.

Würstchen ['vʏrstçən] *n* (-s; -) small sausage; '⸚bude *f*, '⸚stand *m* hot-dog stand.

Würze ['vʏrtsə] *f* (-; -n) spice (*a. fig.*), flavo(u)r.

Wurzel ['vʊrtsəl] *f* (-; -n) root (*a. fig.*).

'**würz|en** *v/t* (h) spice, season; '⸚ig *adj* spicy, well-seasoned.

Wüste ['vy:stə] *f* (-; -n) desert.

Wut [vu:t] *f* (-; *no pl*) rage, fury: **e-e ⸚ haben** be furious (**auf** *acc* with); '⸚anfall *m* fit of rage.

wütend ['vy:tənt] *adj* furious (**auf** *acc* with; **über** *acc* at), F mad (at).

X

X-Beine ['ɪks⸚] *pl* knock-knees; '**X-beinig** *adj* knock-kneed.

x-beliebig [⸚bə'li:bɪç] *adj*: **jede(r, -s)** ⸚**e ...** any (... you like).

'**x-mal** *adv* F umpteen times.

x-te ['⸚tə] *adj*: F **zum** ⸚**n Male** for the umpteenth time.

Y

Yacht [jaxt] *f* (-; -en) *mar.* yacht.

Yoga ['jo:ga] *m, n* (-[s]; *no pl*) yoga.

Yuppie ['jʊpi:] *m* (-s; -s) yuppie.

Z

Zack|e ['tsakə] *f* (-; -n) (sharp) point; *Säge, Kamm, Briefmarke:* tooth; '**_ig** *adj* pointed; *gezahnt:* serrated; *Linie, Blitz, Felsen:* jagged.

zaghaft ['tsa:khaft] *adj* timid; '**_igkeit** *f* (-; *no pl*) timidity.

zäh [tsɛː] *adj* tough (*a. fig.*); '**_flüssig** *adj* thick, viscous; *Verkehr:* slow-moving; '**_igkeit** *f* (-; *no pl*) toughness; *fig. a.* stamina.

Zahl [tsaːl] *f* (-; -en) number; *Ziffer:* figure; '**_bar** *adj* payable (**an** *acc* to; **bei** at); → **Lieferung.**

zählbar ['tsɛːlbaːr] *adj* countable.

'**zahlen** *v/i u. v/t* (h) pay: **_, bitte!** the bill (*Am.* check), please.

'**zählen** *v/t u. v/i* (h) count (*bis* up to); *fig.* **auf** *acc* on): **_ zu den Besten** *etc:* rank with.

'**zahlenmäßig 1.** *adj* numerical; **2.** *adv:* **j-m _ überlegen sein** outnumber s.o.

'**Zähler** *m* (-s; -) *Gas* etc: meter.

'**Zahl|grenze** *f* fare stage; '**_karte** *f* mail. paying-in (*Am.* deposit) slip; '**_los** *adj* countless; '**_reich 1.** *adj* numerous; **2.** *adv* in great number; '**_tag** *m* pay day; '**_ung** *f* (-; -en) payment.

'**Zählung** *f* (-; -en) count; *Volks_:* census.

'**Zahlungs|anweisung** *f* order to pay; *Überweisung:* money order; '**_aufforderung** *f* request for payment; '**_bedingungen** *pl* terms *pl* of payment; '**_befehl** *m* default summons; '**_bilanz** *f* balance of payments; '**_bilanzdefizit** *n* deficit in the balance of payments; '**_bilanzüberschuß** *m* surplus in the balance of payments; '**_fähig** *adj* solvent; '**_frist** *f* term of payment; '**_mittel** *n* currency: *gesetzliches* **_** legal tender; '**_schwierigkeiten** *pl* financial difficulties *pl*; '**_termin** *m* date of payment; '**_unfähig** *adj* insolvent.

'**Zählwerk** *n* tech. counter.

zahm [tsaːm] *adj* tame (*a. fig.*).

zähm|en ['tsɛːmən] *v/t* (h) tame (*a. fig.*); '**_ung** *f* (-; *no pl*) taming (*a. fig.*).

Zahn [tsaːn] *m* (-[e]s; ⸚e) tooth; *tech. a.*

cog; → *putzen;* '**_arzt** *m* dentist, *formell:* dental surgeon; '**_arzthelferin** *f* (-; -nen) dental assistant; '**_ärztin** *f* → **Zahnarzt;** '**_behandlung** *f* dental treatment; '**_bürste** *f* toothbrush; '**_creme** *f* toothpaste; '**_fleisch** *n* gums *pl*; '**_los** *adj* toothless; '**_lücke** *f* gap in the teeth; '**_medi,zin** *f* (-; *no pl*) dentistry; '**_pasta** ['_pasta] *f* (-; -sten), '**_paste** *f* toothpaste; '**_rad** *n* tech. gearwheel, cogwheel; '**_radbahn** *f* rack (*od.* cog) railway; '**_schmerzen** *pl* toothache *sg*; '**_spange** *f* brace; '**_stocher** *m* (-s; -) toothpick; '**_techniker** *m* dental technician; '**_weh** *n* (-s; *no pl*) toothache.

Zange ['tsaŋə] *f* (-; -n) (**e-e _** a pair of) pliers *pl*; *Kneif_:* pincers *pl*; *Greif_, Zucker_* etc: tongs *pl*.

zanken ['tsaŋkən] *v/refl* (h) argue, quarrel (**um** about, over).

Zäpfchen ['tsɛpfçən] *n* (-s; -) *anat.* uvula; *pharm.* suppository.

Zapfen ['tsapfən] *m* (-s; -) *Faßhahn:* tap, *Am.* faucet; *tech. Pflock:* peg, pin; *Spund:* bung; *Verbindungs_:* tenon; *Dreh_:* pivot; *bot.* cone.

zapf|en [_] *v/t* (h) *Bier* etc: tap; '**_hahn** *m* tap, *Am.* faucet; '**_pi,stole** *f* mot. nozzle; '**_säule** *f* mot. petrol (*Am.* gasoline) pump.

zart [tsart] *adj* *Fleisch* etc: soft, tender; *Farben* etc: soft; *sanft:* gentle.

zärtlich ['tsɛːrtlıç] *adj* tender, affectionate; '**_keit** *f* (-; -en) tenderness, affection; *Liebkosung:* caress.

Zauber ['tsaʊbər] *m* (-s; *no pl*) magic, spell, charm (*alle a. fig.*); **_ei** [_'raɪ] *f* (-; *no pl*) magic, witchcraft; '**_er** *m* (-s; -) wizard (*a. fig.*), magician; '**_formel** *f* spell; *fig.* magic formula; '**_haft** *adj* fig. enchanting, charming; '**_in** *f* (-; -nen) sorceress; '**_kraft** *f* magic power; '**_künstler** *m* conjurer, magician; '**_kunststück** *n* conjuring trick; '**_n** *v/i* (h) do magic; *im Zirkus etc:* do conjuring tricks; '**_spruch** *m* spell; '**_stab** *m* magic wand; '**_wort** *n* (-[e]s; -e) spell.

zaudern ['tsaʊdərn] *v/i* (h) hesitate.

Zaum [tsaʊm] *m* (-[e]s; ⸚e) bridle: *im* **_**

Z

halten control (*sich* o.s.), keep in check.

zäumen ['tsɔymən] *v/t* (h) bridle.

'**Zaumzeug** *n* bridle.

Zaun [tsaʊn] *m* (-[e]s; ⸚e) fence; '**~gast** *m* onlooker.

Zebrastreifen ['tse:bra~] *m* zebra crossing.

Zeche ['tsɛçə] *f* (-; -n) bill, *Am.* check; *Bergbau:* mine; *fig.* **die ~ bezahlen müssen** have to foot the bill.

Zeh [tse:] *m* (-s; -en), '**~e** *f* (-; -n) toe: **große (kleine) ~** big (little) toe; '**~ennagel** *m* toenail; '**~enspitze** *f* tip of the toe: **auf ~n gehen** (walk on) tiptoe.

zehn [tse:n] *adj* ten; '**2erkarte** *f* ten-trip ticket; '**2kampf** *m Leichtathletik:* decathlon; '**~mal** *adv* ten times; '**~te** *adj* tenth; '**2tel** ['~təl] *n* (-s; -) tenth; '**~tens** *adv* tenth(ly).

Zeichen ['tsaiçən] *n* (-s; -) sign; *Merk2:* a. mark; *Signal:* signal: **zum ~** (*gen*) as a token of; '**~sprache** *f* sign language; '**~trickfilm** *m* (animated) cartoon.

zeichn|en ['tsaiçnən] *v/i u. v/t* (h) draw; *kenn~:* mark; *unter~:* sign; *fig.* mark, leave its mark on *s.o.*; '**2ung** *f* (-; -en) drawing; *Graphik:* diagram; *zo.* marking.

Zeige|finger ['tsaigə~] *m* forefinger, index finger; '**2n** (h) **1.** *v/t u. v/refl* show; **2.** *v/i:* **~ auf** (*acc*) **(nach)** point to; **(mit dem Finger) ~ auf** point (one's finger) at; '**~r** *m* (-s; -) *Uhr2:* hand; *tech.* pointer, needle.

Zeile ['tsailə] *f* (-; -n) line (*a.* TV): **j-m ein paar ~n schreiben** drop s.o. a line.

Zeit [tsait] *f* (-; -en) time; *~alter:* a. age, era; *gr.* tense: **vor einiger ~** some time (*od.* a while) ago; **zur ~** at the moment, at present; **in letzter ~** lately, recently; **in der** (*od.* **zur**) **~** (*gen*) in the days of; ... **aller ~en** ... of all time; **die ~ ist um** time's up; **sich ~ lassen** take one's time; **es wird ~, daß** ... it is time to *inf*; **das waren noch ~en** those were the days; '**~abschnitt** *m* period (of time); '**~alter** *n* age; '**~arbeit** *f* temporary work; '**~bombe** *f* time bomb (*a. fig.*); '**~druck** *m* (-[e]s; *no pl*): **unter ~ stehen** be pressed for time; '**2gemäß** *adj* modern, up-to-date; '**~genosse** *m* contemporary; '**2genössisch** ['~gənœsiʃ] *adj* contemporary; '**~geschichte** *f* (-; *no*

pl) contemporary history; '**~gewinn** *m* (-[e]s; *no pl*) gain in time; '**~karte** *f* season ticket; '**~lang** *f:* **e-e ~** for some time, for a while; '**2lebens** *adv* all one's life; '**2lich 1.** *adj* time ...; **2.** *adv:* **et. ~ planen** (*od.* **abstimmen**) time s.th.; '**2los** *adj* timeless; *a. Stil, Kleidung etc:* classic; '**~lupe** *f* (-; *no pl*) slow motion: **in ~** in slow motion; '**~not** *f* (-; *no pl*): **in ~ sein** → *Zeitdruck;* '**~plan** *m* timetable, *bsd. Am.* schedule; '**~punkt** *m* moment; '**2raubend** *adj* time-consuming; '**~raum** *m* period (of time); '**~schrift** *f* magazine; '**2sparend** *adj* time-saving.

Zeitung ['tsaitʊŋ] *f* (-; -en) (news)paper.

'**Zeitungs|abonne,ment** *n* newspaper subscription; '**~ar,tikel** *m* newspaper article; '**~ausschnitt** *m* (newspaper) cutting (*Am.* clipping); '**~bericht** *m* newspaper report; '**~junge** *m* paper boy; '**~kiosk** *m* newspaper kiosk; '**~no,tiz** *f* press item; '**~pa,pier** *n* newspaper; '**~verkäufer** *m* news vendor.

'**Zeit|unterschied** *m* time difference; '**~verlust** *m* (-[e]s; *no pl*) loss of time; '**~verschwendung** *f* waste of time; '**~vertreib** ['~fɛrtraip] *m* (-[e]s; -e) pastime: **zum ~** to pass the time; '**2weilig** ['~vailiç] **1.** *adj* temporary; **2.** *adv* → *zeitweise;* '**2weise** *adv* temporarily; *gelegentlich:* at times, occasionally; '**~wert** *m econ.* current value; '**~zeichen** *n Rundfunk:* time signal; '**~zünder** *m* time fuse.

Zelle ['tsɛlə] *f* (-; -n) *allg.* cell; *teleph.* box, *Am.* booth.

Zelt [tsɛlt] *n* (-[e]s; -e) tent; '**2en** *v/i* (h) camp; '**~lager** *n* camp; '**~platz** *m* campsite.

Zement [tse'mɛnt] *m* (-[e]s; -e) cement; **~ieren** [~'ti:rən] *v/t* (*no ge-*, h) cement (*a. fig.*).

zens|ieren [tsɛn'zi:rən] *v/t* (*no ge-*, h) censor; *Schule:* mark; '**2ur** [~'zu:r] *f* (-; *no pl*) censorship.

Zent|imeter [tsɛnti'me:tər] *m.a. n* (-s, -) centimet|re (*Am.* -er); '**~ner** ['~nər] *m* (-s; -) centner, (metric) hundredweight.

zentral [tsɛn'tra:l] *adj* central; '**2e** *f* (-; -n) head office; *Polizei etc:* headquarters *pl* (*a. sg konstr.*); *teleph in Firma:* switchboard; *tech.* control room; '**2bank** *f* (-; -en) central bank; '**2heizung** *f* central heating; **~isieren** [~ali'zi:rən] *v/t* (*no* ge-, h) centralize; **2ismus** [~a'lısmʊs] *m* (-s; *no pl*) *pol.* centralism.

Zentrum ['tsɛntrʊm] *n* (-s; -tren) centr|e (*Am.* -er).

zer'beißen *v/t* (*irr, no ge-, h, → beißen*) bite to pieces.

zer'brech|en (*irr, no ge-, → brechen*) *v/i* (sn) *u. v/t* (h) break: → **Kopf**; **~lich** *adj* breakable, fragile.

zer'drücken *v/t* (*no ge-, h*) crush; *Kartoffeln:* mash; *Kleidung:* crumple, crease.

Zeremon|ie [tseremo'ni:] *f* (-; -n) ceremony; **2iell** [~'nĭɛl] *adj* ceremonial; **~i'ell** [~] *n* (-s; -e) ceremonial.

zer'fetzen *v/t* (*no ge-, h*) tear to pieces; **~gehen** *v/i* (*irr, no ge-, sn, → gehen*) melt, dissolve; **~hacken** *v/t* (*no ge-, h*) chop (up); **~kauen** *v/t* (*no ge-, h*) chew (well); **~kleinern** [~'klaınərn] *v/t* (*no ge-, h*) chop up; *zermahlen:* grind.

zerknirsch|t [~'knırʃt] *adj* remorseful; **2ung** *f* (-; *no pl*) remorse.

zer'knittern (*no ge-*) *v/t* (h) *u. v/i* (sn) crumple, crease; **~knüllen** [~'knʏlən] *v/t* (*no ge-, h*) crumple up; **~kratzen** *v/t* (*no ge-, h*) scratch; **~lassen** *v/t* (*irr, no ge-, h, → lassen*) melt; **~legen** *v/t* (*no ge-, h*) take apart (*od.* to pieces); *Möbel, Maschine:* a. knock down; *Fleisch:* carve; *chem. u. fig.* analy|se (*Am.* -ze); **~lumpt** [~'lʊmpt] *adj* ragged, tattered; **~mahlen** *v/t* (*irr, no ge-, h, → mahlen*) grind; **~malmen** [~'malmən] *v/t* (*no ge-, h*) crush; **~mürben** [~'mʏrbən] *v/t* (*no ge-, h*) wear down; **~platzen** *v/i* (*no ge-, sn*) burst, explode (*beide a. fig.:* **vor** *dat* with); **~quetschen** *v/t* (*no ge-, h*) crush; **~reiben** *v/t* (*irr, no ge-, h, → reiben*) crush, grind; **~reißen** (*irr, no ge-, → reißen*) **1.** *v/t* (h) tear up (*od.* to pieces): *sich die Hose etc* **~** tear (*od.* rip) one's trousers *etc*; **2.** *v/i* (sn) tear; *Seil etc:* break.

zerren ['tsɛrən] (*no ge-, h*) **1.** *v/t* drag, haul: *sich e-n Muskel* **~** *med.* pull a muscle); **2.** *v/i:* **~ an** (*dat*) tug (*od.* pull) at.

zer'rinnen *v/i* (*irr, no ge-, sn, → rinnen*) melt away (*a. fig. Geld*); *Träume etc:* vanish.

'**Zerrung** *f* (-; -en) *med.* pulled muscle.

zer'rüttet [~'rʏtət] *adj* *Ehe:* broken: **~e Verhältnisse** a broken home; **~sägen**

v/t (*no ge-, h*) saw up; **~schellen** [~'ʃɛlən] *v/i* (*no ge-, sn*) be smashed; *aer.* crash; *mar.* be wrecked; **~schlagen** (*irr, no ge-, h, → schlagen*) **1.** *v/t* smash (to pieces); *Spionagering etc:* smash; **2.** *v/refl Pläne etc:* come to nothing; **~schneiden** *v/t* (*irr, no ge-, h, → schneiden*) cut (up); **~setzen** *v/t u. v/refl* (*no ge-, h*) *chem.* decompose; **~splittern** (*no ge-*) *v/t* (h) *u. v/i* (sn) *Glas:* shatter; **~springen** *v/i* (*irr, no ge-, sn, → springen*) crack; *völlig:* shatter.

zerstäub|en [~'ʃtɔybən] *v/t* (*no ge-, h*) spray; **2er** *m* (-s; -) atomizer, spray(er).

zer'stör|en *v/t* (*no ge-, h*) destroy, ruin (*beide a. fig.*); **2er** *m* (-s, -) destroyer (*a. mar.*); **~erisch** *adj* destructive; **2ung** *f* (-; -en) destruction.

zer'streu|en *v/t u. v/refl* (*no ge-, h*) scatter, disperse; *Menge: a.* break up; *fig.* take s.o.'s (*refl* one's) mind off things; **~t** *adj fig.* absent-minded; **2theit** *f* (-; *no pl*) absent-mindedness; **2ung** *f* (-; -en) *fig.* diversion.

zer'stückeln [~'ʃtykəln] *v/t* (*no ge-, h*) cut up (*od.* [in]to pieces); *Leiche etc:* dismember; **~teilen** *v/t u. v/refl* (*no ge-, h*) divide (**in** *acc* into).

Zertifikat [tsɛrtifi'ka:t] *n* (-[e]s; -e) certificate.

zer'treten *v/t* (*irr, no ge-, h, → treten*) crush (*a. fig.*); **~trümmern** [~'trʏmərn] *v/t* (*no ge-, h*) smash; **~zaust** [~'tsaʊst] *adj* tousled, dishevel(l)ed.

Zettel ['tsetəl] *m* (-s; -) slip (of paper); *Nachricht:* note; *Klebe2:* label, sticker.

Zeug [tsɔyk] *n* (-[e]s; *no pl*) stuff (*a. fig. contp.*); *Sachen:* things *pl:* **er hat das ~ dazu** he's got what it takes; *dummes* **~** nonsense.

Zeug|e ['tsɔygə] *m* (-n; -n) witness; '**2en** *v/i* (h): **~ von** testify to, be a sign of; '**~enaussage** *f jur.* testimony, evidence; '**~in** *f* (-; -nen) (female) witness.

Zeugnis ['tsɔygnıs] *n* (-ses; -se) *ped. Br.* report, *Am.* report card; *Prüfungs2:* certificate, diploma; *vom Arbeitgeber:* reference; **~se** *pl* credentials *pl.*

Ziege ['tsi:gə] *f* (-; -n) *zo.* (nanny) goat.

Ziegel ['tsi:gəl] *m* (-s; -) brick; *Dach2:* tile; '**~dach** *n* tiled roof; '**~stein** brick.

Ziegenbock ['~bɔk] *m* (-[e]s; -e) *zo.* billy goat.

ziehen ['tsi:ən] (zog, gezogen) **1.** v/t (h) pull (a. Bremse etc), draw (a. Waffe, Karte, Lose, Linie); Hut: take off (vor dat to) (a. fig.); Blumen: grow; heraus~: pull (od. take) out (aus of); j-n ~ an (dat) pull s.o. by (stärker: at); auf sich ~ Aufmerksamkeit, Augen: attract; → Erwägung, Länge; **2.** v/refl (h) run; dehnen: stretch; → Länge; **3.** v/i a) (h) pull (an dat at), b) (sn) sich bewegen, um~: move (nach to); **4.** v/impers (h): es zieht there is a draught (Am. draft).

Ziehharmonika ['tsi:har,mo:nika] f (-; -s, -ken) accordion; **~ung** f (-; -en) Lotto etc: draw.

Ziel [tsi:l] n (-[e]s; -e) aim, ~scheibe: target, mark (alle a. fig.); fig. a. goal, objective; Reise~: destination; Sport: finish: sich ein ~ setzen (sein ~ erreichen) set o.s. a (reach one's) goal; sich zum ~ gesetzt haben, et. zu tun aim to do (od. at doing) s.th.; **'~en** v/i (h) (take) aim (auf acc at); **'~fernrohr** n telescopic sight; **'~gruppe** f target group; **'2los** adj aimless; **'~scheibe** f target; fig. a. object; **2strebig** ['~ʃtre:-biç] adj purposeful, determined.

ziemlich ['tsi:mlıç] **1.** adj quite a; **2.** adv rather, fairly, quite, F pretty; ~ viel quite a lot (of); ~ viele quite a few.

zieren ['tsi:rən] v/refl (h) Frau: be coy; Umstände machen: make a fuss; **'~lich** adj dainty; Frau: a. petite; **2pflanze** f ornamental plant.

Ziffer ['tsıfər] f (-; -n) figure; **'~blatt** n dial, face.

zig [tsıç] adj F umpteen.

Zigarette [tsiga'rεtə] f (-; -n) cigarette; **~nauto,mat** m cigarette machine; **~n-stummel** m cigarette butt.

Zigarillo [tsiga'rılo] m (-s; -s) cigarillo.

Zigarre [tsi'garə] f (-; -n) cigar.

Zigeuner [tsi'gɔynər] m (-s; -) bsd. Br. gipsy, bsd. Am. gypsy.

Zimmer ['tsımər] n (-s; -) room; **'~ein-richtung** f furniture; **'~kellner** m room waiter; **'~mädchen** n chambermaid; **'~mann** m (-[e]s; -leute) carpenter; **'~nachweis** m accommodation office; **'~nummer** f room number; **'~pflanze** f indoor plant; **'~service** m room service; **'~suche** f: auf ~ sein be looking (od. hunting) for a room; **'~vermitt-**

lung f accommodation office (od. service).

Zimt [tsımt] m (-[e]s; -e) cinnamon.

Zinke ['tsıŋkə] f (-; -n) Kamm: tooth; Gabel: prong.

Zinn [tsın] n (-[e]s; no pl) chem. tin; legiertes: pewter.

Zins [tsıns] m (-es; -en) econ. interest (a. ~en pl); 3% ~en bringen bear interest at 3%; **'~eszins** m compound interest; **'2günstig** adj low-interest; **'2los** adj interest-free; **'~satz** m interest rate.

Zipfel ['tsıpfəl] m (-s; -) Tuch etc: corner; Wurst: end; **'~mütze** f pointed cap.

zirka ['tsırka] adv about, approximately.

Zirkul|ation [tsırkula'tsio:n] f (-; no pl) circulation; **2ieren** [~'li:rən] v/i (no ge-, sn) circulate.

Zirkus ['tsırkʊs] m (-; -se) circus.

zischen ['tsıʃən] **1.** v/i (h) hiss; Fett: sizzle; Sprudel: fizz, b) (sn) durch die Luft: whiz(z); **2.** v/t (h) Worte: hiss.

Zit|at [tsi'ta:t] n (-[e]s; -e) quotation; **2ieren** [~'ti:rən] v/t u. v/i (no ge-, h) quote (aus from).

Zitrone [tsi'tro:nə] f (-; -n) bot. lemon; **~nlimo,nade** f lemonade.

zitter|ig ['tsıtərıç] adj shaky; **'~n** v/i (h) tremble, shake (beide: vor dat with).

zivil [tsi'vi:l] adj civil, civilian; Preis: reasonable.

Zivil [~] n (-s; no pl) civilian clothes pl (od. dress): Polizist in ~ plainclothes policeman; **~bevölkerung** f civilian population; **~dienst** m ≈ **Ersatzdienst**; **~isation** [~iliza'tsio:n] f (-; -en) civilization; **2isieren** [~ili'zi:rən] v/t (no ge-, h) civilize; **~ist** [~i'lıst] m (-en; -en) civilian; **~recht** n (-[e]s; no pl) civil law; **~schutz** m civil defen|ce (Am. -se).

zögern ['tsø:gərn] v/i (h) hesitate.

Zögern [~] n (-s) hesitation.

Zoll[1] [tsɔl] m (-; -) inch.

Zoll[2] m (-[e]s; ⁼e) Behörde: customs pl (sg konstr.); Abgabe: duty; **'~abferti-gung** f customs clearance; **'~beamter** m customs officer; **'~erklärung** f customs declaration; **'2frei** adj duty-free; **'~kon,trolle** f customs examination.

Zöllner ['tsœlnər] m (-s; -) customs officer.

'zoll|pflichtig adj dutiable, liable to du-ty; **'2schranke** f customs barrier;

'**2stock** *m* folding rule; '**2uni|on** *f* customs union.

Zone [ˈtsoːnə] *f* (-; -n) zone.

Zoo [tsoː] *m* (-s; -s) zoo; '**~handlung** *f* pet shop.

Zopf [tsɔpf] *m* (-[e]s; ⸚e) plait; *bsd. Kind:* a. pigtail.

Zorn [tsɔrn] *m* (-[e]s; *no pl*) anger (**auf** *acc* at); '**2ig** *adj* angry (**auf** *j-n:* with, *et.:* at, about).

zu [tsuː] **1.** *prp Richtung:* to, towards; *Ort, Zeit:* at; *Zweck, Anlaß:* for: → **dritte, Fuß, Haus, Weihnachten** *etc;* **2.** *adv too:* **ein ~ heißer Tag** too hot a day; **3.** *cj to:* **es ist ~ erwarten** it is to be expected.

Zubehör [ˈtsuːbəhøːr] *n* (-[e]s; -e) accessories *pl.*

'**zubereit|en** *v/t* (*sep, no ge-, h*) prepare; '**2ung** *f* (-; -en) preparation.

'**zu|binden** *v/t* (*irr, sep, -ge-, h,* → **binden**) tie (up); '**~bleiben** *v/i* (*irr, sep, -ge-, sn,* → **bleiben**) stay shut; '**~blinzeln** *v/i* (*sep, -ge-, h*) wink at.

'**Zubringer** *m* (-s; -) → **Zubringerbus, Zubringerstraße;** '**~bus** *m* feeder bus; '**~straße** *f* feeder road.

Zucht [tsʊxt] *f* (-; -en) *zo.* breeding; *bot.* cultivation; *Rasse:* breed.

zücht|en [ˈtsʏçtən] *v/t* (*h*) *zo.* breed; *bot.* grow, cultivate; '**2er** *m* (-s; -) breeder, grower.

'**Zuchtperle** *f* culture(d) pearl.

zucken [ˈtsʊkən] *v/i u. v/t* (*h*) twitch; *vor Schmerz:* wince; *Blitz:* flash; → **Achsel.**

zücken [ˈtsʏkən] *v/t* (*h*) *Waffe:* draw; F *Brieftasche etc:* whip out.

Zucker [ˈtsʊkər] *m* (-s; -) sugar; '**~dose** *f* sugar bowl; '**~guß** *m* icing; '**2krank** *adj* diabetic; '**~kranke** *m, f* (-n; -n) diabetic; '**~krankheit** *f* diabetes; '**2n** *v/t* (*h*) sugar; '**~rohr** *n bot.* sugar cane; '**~watte** *f Br.* candy floss, *Am.* cotton candy.

'**Zuckung** *f* (-; -en) jerk, *a. e-s Muskels:* twitch; *krampfhafte:* convulsion.

'**zu|decken** *v/t* (*sep, -ge-, h*) cover (up); '**~drehen** *v/t* (*sep, -ge-, h*) turn off: *j-m den Rücken ~* turn one's back to (*abweisend:* on) s.o.; '**~dringlich** [ˈdrɪŋlɪç] *adj* obtrusive, F pushy: *~ werden gegenüber e-r Frau:* make passes at; '**~drücken** *v/t* (*sep, -ge-, h*) (press) shut: → **Auge.**

zu'**erst** *adv* first; *anfangs:* at first; *zunächst:* first (of all), to begin with.

'**Zufahrt(sstraße)** *f* access road; *zum Haus:* drive(way).

'**Zufall** *m* (-[e]s; ⸚e) chance: *durch ~* by chance, by accident; '**2en** *v/i* (*irr, sep, -ge-, sn,* → **fallen**) *Tür etc:* slam (shut): *mir fallen die Augen zu* I can't keep my eyes open.

'**zufällig 1.** *adj* accidental, *attr a.* chance; **2.** *adv* by accident, by chance: *~ et. tun* happen to do s.th.

'**Zuflucht** *f* (-; -en): *~ suchen* (**finden**) look for (find) refuge (*od.* shelter) (**vor** *dat* from; **bei** with); *(s-e) ~ nehmen zu* resort to.

zufolge [tsuˈfɔlɡə] *prp* according to.

zu'**frieden** *adj* content(ed), satisfied (*beide:* **mit** with); '**~geben** *v/refl* (*irr, sep, -ge-, h,* → **geben**) ~ **sich ~ mit** be content with; '**2heit** *f* (-; *no pl*) contentness, satisfaction; '**~lassen** *v/t* (*irr, sep, -ge-, h,* → **lassen**) leave *s.o.* alone; '**~stellen** *v/t* (*sep, -ge-, h*) satisfy; '**~stellend** *adj* satisfactory.

zu'**frieren** *v/i* (*irr, sep, -ge-, sn,* → **frieren**) freeze up (*od.* over).

Zufuhr [ˈtsuːfuːr] *f* (-; -en) supply.

Zug [tsuːk] *m* (-[e]s; ⸚e) *rail.* train; *Menschen, Wagen etc:* procession, line; *Fest2:* parade; *Gesichts2:* feature; *Charakter2:* trait; *Hang:* tendency; *Schach etc:* move (*a. fig.*); *Schwimm2:* stroke; *Ziehen:* pull (*a. tech. Griff etc*); *Rauchen: a.* puff; *Schluck: a.* bsd. *Br.* draught, *Am.* draft; '**~luft:** bsd. *Br.* draught, *Am.* draft: *im ~e* (*gen*) in the course of; *in e-m ~* in one go; **~ um ~** step by step; *in groben Zügen* in broad outlines.

'**Zugabe** *f* (-; -n) addition; *thea.* encore.

'**Zugab,teil** *n* train compartment.

'**Zu|gang** *m* (-[e]s; ⸚e) access (**zu** to) (*a. fig.*); **2gänglich** [ˈɡɛŋlɪç] *adj* accessible (**für** to) (*a. fig.*).

'**Zug|anschluß** *m* connecting train, connection; '**~begleiter** *m Br.* guard, *Am.* conductor.

'**zu|geben** *v/t* (*irr, sep, -ge-, h,* → **geben**) add; *fig.* admit; '**~gehen** (*irr, sep, -ge-, sn,* → **gehen**) **1.** *v/i Tür etc:* close, shut: *~ auf* (*acc*) walk up to, approach (*a. fig.*); **2.** *v/impers:* **es geht auf 8 zu** it's getting on for eight; *es ging lustig zu* we had a lot of fun.

Zugehörigkeit ['tsuːgəhøːrɪçkaɪt] *f* (-; *no pl*) membership (*zu* of).

zügeln ['tsyːgəln] *v/t* (h) *fig.* bridle, control, curb.

'Zuge|ständnis *n* (-ses; -se) concession; **'2stehen** *v/t* (*irr, sep, pp* zugestanden, h, → *stehen*) concede, grant.

'Zugführer *m Br.* chief guard, *Am.* conductor.

zug|ig ['tsuːgɪç] *adj bsd. Br.* draughty, *Am.* drafty; **'2kraft** *f tech.* traction; *fig.* attraction, draw, appeal; **'~kräftig** *adj*: **~ sein** be a draw.

zu'gleich *adv* at the same time.

'Zug|luft *f* (-; *no pl*) *Br.* draught, *Am.* draft; **'~ma,schine** *f mot.* tractor; **'~perso,nal** *n rail.* train staff (*mst pl konstr.*).

'zugreifen *v/i* (*irr, sep,* -ge-, h, → *greifen*) grab it (*fig.* the opportunity): *greifen Sie zu! bei Tisch:* help yourself!; *Werbung:* buy now!

zugrunde [tsu'grʊndə] *adv*: **~ gehen** perish (*an dat* of); *e-r Sache et.* **~ legen** base s.th. on s.th.; → *richten* ruin.

'Zug|schaffner *m Br.* guard, *bsd. Am.* conductor; **'~tele,fon** *n* train telephone.

zu'|gunsten *prp* in favo(u)r of; **~'gute** *adv*: *j-m et.* **~ halten** give s.o. credit for s.th.; **~ kommen** be for the benefit (*dat* of).

'Zug|verbindung *f* rail connection (*od.* link); **'~vogel** *m* bird of passage.

'zu|halten *v/t* (*irr, sep,* -ge-, h, → *halten*) keep shut: *sich die Ohren (Augen)* **~** cover one's ears (eyes) with one's hands; *sich die Nase* **~** hold one's nose; **2hälter** ['~hɛltər] *m* (-s; -) pimp.

Zuhause [tsu'haʊzə] *n* (-s; *no pl*) home.

'zuhör|en *v/i* (*sep,* -ge-, h) listen (*dat* to); **2er** *m* (-s; -) listener.

'zu|jubeln *v/i* (*sep,* -ge-, h) *j-m:* cheer; **'~kleben** *v/t* (*sep,* -ge-, h) *Umschlag:* seal; **'~knallen** *v/t* (*sep,* -ge-, h) slam (shut); **~knöpfen** ['~knœpfən] *v/t* (*sep,* -ge-, h) button (up); **'~kommen** *v/i* (*irr, sep,* -ge-, sn, → *kommen*): **~ auf** (*acc*) come up to; *fig.* be ahead of; *die Dinge auf sich* **~ lassen** wait and see.

Zu|kunft ['tsuːkʊnft] *f* (-; *no pl*) future: *in*

~ in future; **2künftig** ['~kynftɪç] **1.** *adj* future; **2.** *adv* in future.

'zu|lächeln *v/i* (*sep,* -ge-, h) *j-m:* smile at; **2lage** *f* (-; -n) bonus; **'~lassen** *v/t* (*irr, sep,* -ge-, h, → *lassen*) leave s.th. closed; *erlauben:* allow; *beruflich, mot.:* licen|se (*Am. a.* -ce), register: *j-n zu et.* **~** admit s.o. to s.th.; **'~lässig** *adj* admissible (*a. jur.*): **~ sein** be allowed; **2lassung** *f* (-; -en) admission; *mot.* registration!; **'~legen** *v/t* (*sep,* -ge-, h) F: *sich* **~** get o.s. s.th.; *Namen:* adopt.

zu|leide [tsu'laɪdə] *adv*: *j-m et.* **~ tun** harm (*od.* hurt) s.o.; **~'letzt** *adv* in the end; *kommen etc:* last; *schließlich:* finally: *wann hast du ihn* **~ gesehen?** when did you last see him?; **~'liebe** *adv*: *j-m* **~** for s.o.'s sake.

'zumachen (*sep,* -ge-, h) **1.** *v/t* close, shut; *zuknöpfen:* button (up); **2.** *v/i Geschäft:* close; *für immer:* close down.

zumut|bar ['tsuːmuːtbaːr] *adj* reasonable; **~e** [tsu'muːtə] *adv*: *mir ist ... ~* I feel ...; **'~en** *v/t* (*sep,* -ge-, h): *j-m et.* **~** expect s.th. of s.o.; *sich zuviel* **~** overtax o.s., *fig.* overdo it; **2ung** *f* (-; -en): *das ist e-e* **~** that's asking (*od.* expecting) a bit much.

zu'nächst *adv* → *zuerst*.

'zu|nageln *v/t* (*sep,* -ge-, h) nail up; **'~nähen** *v/t* (*sep,* -ge-, h) sew up; **2nahme** ['~naːmə] *f* (-; -n) increase (*gen, an dat* in); **2name** *m* → *Familienname*.

zünd|en ['tsyndən] (h) **1.** *v/t Rakete etc:* fire; **2.** *v/i Feuer fangen:* catch fire; *Holz:* kindle; *electr., mot.* ignite; fire; **'~end** *adj fig.* stirring; **2er** *m* (-s; -) *tech.* fuse.

'Zünd|holz ['tsynt~] *n* match; **'~kerze** *f mot.* spark plug; **'~schlüssel** *m mot.* ignition key; **'~schnur** *f* fuse.

'Zündung *f* (-; -en) *mot.* ignition.

'zunehmen (*irr, sep,* -ge-, h, → *nehmen*) **1.** *v/i* increase (*an dat* in); *Person:* put on weight; *Mond:* wax; *Tage* grow longer; **2.** *v/t*: *ich habe 10 Pfund zugenommen* I've put on (*od.* gained) 10 pounds.

'zuneig|en *v/refl* (*sep,* -ge-, h): *sich dem Ende* **~** draw to a close; **2ung** *f* (-; -en) affection.

Zunge ['tsʊŋə] *f* (-; -n) tongue: *es liegt mir auf der* **~** it's on the tip of my tongue; '**～nbrecher** m (-s; -) tongue twister; '**～nspitze** f tip of the tongue.

zunicken v/i (sep, -ge-, h) nod at.

zunutze [tsu'nʊtsə] adv: **sich et. ～ machen** make (good) use of s.th.; **ausnutzen**: take advantage of s.th.

'**zurechnungsfähig** adj jur. responsible; **2keit** f (-; no pl) jur. responsibility.

zu'recht|finden v/refl (irr, sep, -ge-, h, → **finden**) find one's way; fig. cope, manage; **～kommen** v/i (irr, sep, -ge-, sn, → **kommen**) get along (**mit** with); bsd. mit et.: a. cope (with); **～machen** v/refl (sep, -ge-, h) get (o.s.) ready; Frau: do o.s. up; **～rücken** v/t (sep, -ge-, h) put s.th. straight; **～weisen** v/t (irr, sep, -ge-, h, → **weisen**) reprimand; **2weisung** f (-; -en) reprimand.

'**zu|reden** v/i (sep, -ge-, h): **j-m (gut) ～** encourage s.o.; '**～richten** v/t (sep, -ge-, h): **übel ～** batter; j-n: a. beat up badly; et.: a. make a mess of.

zurück [tsu'rʏk] adv back; hinten: behind (a. fig.); **～behalten** v/t (irr, sep, no -ge-, h, → **halten**) keep back, retain; **～bekommen** v/t (irr, sep, no -ge-, h, → **kommen**) get back; **～bleiben** v/i (irr, sep, -ge-, sn, → **bleiben**) stay behind, be left behind; nicht mithalten: fall behind; **～blicken** v/i (sep, -ge-, h) look back (**auf** acc at; fig. on); **～bringen** v/t (irr, sep, -ge-, h, → **bringen**) bring (od. take) back, return; **～da**,**tieren** v/t (sep, no -ge-, h) backdate (**auf** acc to); **～erstatten** v/t (sep, no -ge-, h) refund, reimburse; **～erwarten** v/t (sep, no -ge-, h) expect back; **～fahren** v/i (irr, sep, -ge-, sn, → **fahren**) go (mot. a. drive) back, return; **～fallen** v/i (irr, sep, -ge-, sn, → **fallen**) fig. fall behind; **～finden** v/i (irr, sep, -ge-, h, → **finden**) find one's way back (**nach, zu** to); fig. return (to); **～forden** v/t (sep, -ge-, h) reclaim; **～führen** v/t (sep, -ge-, h) lead back: fig. **～ auf** (acc) attribute to; **～geben** v/t (irr, sep, -ge-, h, → **geben**) give back, return; **～geblieben** adj fig. backward; geistig: retarded; **～gehen** v/i (irr, sep, -ge-, sn, → **gehen**) go back, return; fig. decrease; fallen: a. go down, drop; **～gezogen** adj secluded; **～greifen** v/i (irr, sep, -ge-, h, → **greifen**): **～ auf** (acc) fall back on; **～halten** (irr, sep, -ge-, h, → **halten**) **1.** v/t hold

back; **2.** v/refl control o.s.; im Essen, Reden etc: be careful; **～haltend** adj reserved; **2haltung** f (-; no pl) reserve; **～kehren** v/i (sep, -ge-, sn) return; **～kommen** v/i (irr, sep, -ge-, sn, → **kommen**) come back, return (beide: fig. **auf** acc to); **～lassen** v/t (irr, sep, -ge-, h, → **lassen**) leave (behind); **～legen** v/t (sep, -ge-, h) put back; Geld: put aside, save; Strecke: cover, do; **～nehmen** v/t (irr, sep, -ge-, h, → **nehmen**) take back (a. fig. Worte etc); **～rufen** (irr, sep, -ge-, h, → **rufen**) **1.** v/t call back (a. teleph.); Autos in die Werkstatt etc: recall: **et. ins Gedächtnis ～** recall s.th.; **2.** v/i teleph. call back; **～schlagen** (irr, sep, -ge-, h, → **schlagen**) **1.** v/t Angriff etc: beat off; Decke, Verdeck etc: fold back; **2.** v/i hit back; mil. retaliate; **～schrecken** v/i (sep, -ge-, sn): **～ vor** (dat) shrink from; **vor nichts ～** stop at nothing; **～stellen** v/t (sep, -ge-, h) put back (a. Uhr); fig. put aside; **～strahlen** v/t (sep, -ge-, h) reflect; **～treten** v/i (irr, sep, -ge-, sn, → **treten**) step (od. stand) back; resign (**von e-m Amt [Posten]** one's office [post]); econ. jur. withdraw (**von** from); **～weisen** v/t (irr, sep, -ge-, h, → **weisen**) turn down; jur. dismiss; **～zahlen** v/t (sep, -ge-, h) pay back (a. fig.); **～ziehen** (irr, sep, -ge-, h, → **ziehen**) **1.** v/t draw back; fig. withdraw; **2.** v/refl retire, withdraw (a. mil.); mil. a. retreat.

'**zurufen** v/t (irr, sep, -ge-, h, → **rufen**): j-m et. **～** shout s.th. to s.o.

Zusage ['tsu:za:gə] f (-; -n) promise; Einwilligung: assent; '**2n** v/i (sep, -ge-, h) accept (an invitation); einwilligen: agree: **j-m ～ passen**: suit s.o.; gefallen: appeal to s.o.

zusammen [tsu'zamən] adv together: **alles ～** (all) in all; **das macht ～ ...** that makes ... altogether; **2arbeit** f (-; no pl) cooperation: **in ～ mit** in collaboration with; **～arbeiten** v/i (sep, -ge-, h) cooperate, collaborate (beide: mit with); **～beißen** v/t (sep, -ge-, h, → **beißen**): **die Zähne ～** clench one's teeth; **～brechen** v/i (irr, sep, -ge-, sn, → **brechen**) break down, collapse (beide a. fig.); **2bruch** m (-[e]s; ⁓e) breakdown, collapse; **～fallen** v/i (irr, sep, -ge-, sn, → **fallen**) collapse; zeitlich:

z

coincide; **~falten** v/t (sep, -ge-, h) fold up; **~fassen** v/t (sep, -ge-, h) summarize, sum up; **2fassung** f (-; -en) summary; **~halten** v/t (irr, sep, -ge-, h, → **halten**) fig. hold (F stick) together; **2hang** m (-[e]s, ⸚e) **Beziehung:** connection; e-s Textes etc: context: **im ~ stehen** (mit) be connected (with); **~hängen** v/i (irr, sep, -ge-, h, → **hängen**) be connected; **~hängend** adj coherent; **~hang(s)los** adj incoherent, disconnected; **~kommen** v/i (irr, sep, -ge-, sn, → **kommen**) meet; **2kunft** [~kʊnft] f (-; ⸚e) meeting; **~legen** v/t (sep, -ge-, h) **1.** v/t vereinigen: combine; falten: fold up; **2.** v/i Geld: club together; **~nehmen** v/t (irr, sep, -ge-, h, → **nehmen**) **1.** v/t Mut, Kraft: muster (up); **2.** v/refl pull o.s. together; **~packen** v/t (sep, -ge-, h) pack up; **~passen** v/i (sep, -ge-, h) allg. harmonize; Dinge, Farben: a. match; **~rechnen** v/t (sep, -ge-, h) add up; **~reißen** v/refl (irr, sep, -ge-, h, → **reißen**) pull o.s. together; **~rücken** (sep, -ge-) **1.** v/t (h) move closer together; **2.** v/i (sn) move up; **~schlagen** v/t (irr, sep, -ge-, h, → **schlagen**) j-n: beat up; et.: smash (up); **~schließen** v/t (irr, sep, -ge-, h, → **schließen**) join, unite; econ. merge; **2schluß** m (-sses, ⸚sse) union; econ. merger; **~setzen** (sep, -ge-, h) **1.** v/t put together; tech. assemble; **2.** v/refl: **sich ~ aus** consist of, be composed of; **2setzung** f (-; -en) composition; chem. compound; tech. assembly; **~stellen** v/t (sep, -ge-, h) put together; anordnen: arrange; **2stoß** m (-es, ⸚e) collision (a. fig.), crash; Aufprall: impact; fig. clash; **~stoßen** v/i (irr, sep, -ge-, sn, → **stoßen**) collide (a. fig.); fig. clash: **~ mit** run (od. bump) into; fig. have a clash with; **~stürzen** v/i (sep, -ge-, sn) collapse, fall in; **~tragen** v/t (irr, sep, -ge-, h, → **tragen**) collect; **~treffen** v/i (irr, sep, -ge-, sn, → **treffen**) meet, zeitlich: coincide; **2treffen** n (-s) meeting; coincidence; besonderes: encounter; **~treten** v/i (irr, sep, -ge-, sn, → **treten**) meet; **~tun** v/refl (irr, sep, -ge-, h, → **tun**) join (forces), F team up; **~zählen** v/t (sep, -ge-, h) add up; **~ziehen** v/t u. v/refl (irr, sep, -ge-, h, → **ziehen**) contract;

~zucken v/i (sep, -ge-, sn) wince, flinch.

'**Zusatz** m (-es; ⸚e) addition; chemischer etc: additive; '**~...** in Zssgn mst additional ..., supplementary; Hilfs...: auxiliary ...

zusätzlich ['~zɛtslɪç] adj additional, extra.

'**zuschau|en** v/i (sep, -ge-, h) watch (**wie** how); **j-m ~** watch s.o. (**bei et.** doing s.th.); '**2er** m (-s; -) spectator; TV viewer; '**2erraum** m theat. auditorium.

'**Zuschlag** m (-[e]s; ⸚e) extra charge; rail etc: excess fare; Gehalts2: bonus; Auktion: knocking down; '**2en** v/t (irr, sep, -ge-, h, → **schlagen**) Tür etc: slam (od. bang) (shut): **j-m et.~** knock s.th. down to s.o.

'**zu|schließen** v/t (irr, sep, -ge-, h, → **schließen**) lock (up); '**~schnappen** v/i (sep, -ge-) a) (h) Hund: snap, b) (sn) Tür etc: snap shut; **~schnüren** v/t (sep, -ge-, h) tie (Schuhe: a. lace) up; **~schrauben** v/t (sep, -ge-, h) screw shut; **~schreiben** v/t (irr, sep, -ge-, h, → **schreiben**) ascribe (od. attribute) (dat to); **2schrift** f (-; -en) letter.

zu|schulden adv: **sich et. (nichts) ~ kommen lassen** do s.th. (nothing) wrong.

'**Zuschuß** m (-sses; ⸚sse) allowance; staatlich: subsidy; '**~betrieb** m subsidized firm.

'**zusehen** v/i (irr, sep, -ge-, h, → **sehen**) → **zuschauen:** **~, daß** see (to it) that; **~ds** ['~ze:ants] adv noticeably; schnell: rapidly.

'**zusetzen** (sep, -ge-, h) **1.** v/t add (dat to); Geld: lose; **2.** v/i: **j-m ~** press s.o. (hard).

'**zusicher|n** v/t (sep, -ge-, h) promise; '**2ung** f (-; -en) promise.

'**zu|spitzen** v/refl (sep, -ge-, h) Lage: come to a head; '**2spruch** m (-[e]s; no pl) encouragement; Trost: words pl of comfort; '**2stand** m (-[e]s; ⸚e) condition, state, F shape.

zustande [tsu'ʃtandə] adv: **~ bringen** bring about, manage; **~ kommen** come about; **es kam nicht ~** it didn't come off.

'**zuständig** adj responsible (**für** for), in charge (of).

'**zu|stehen** v/i (irr, sep, -ge-, h, → **stehen**) **j-m steht et.** (**zu tun**) **zu** s.o. is

'**zustell**|**en** v/t (sep, -ge-, h) deliver; '2**ung** f (-; -en) delivery.

'**zustimm**|**en** v/i (sep, -ge-, h) agree (dat to s.th., with s.o.); billigen: approve (of); '2**ung** f (-; no pl) agreement: (j-s) ~ **finden** meet with (s.o.'s) approval.

'**zustoßen** v/i (irr, sep, -ge-, sn, → **stoßen**): j-m ~ happen to s.o.

zutage [tsu'ta:gə] adv: ~ **bringen** (**kommen**) bring (come) to light.

'**Zutaten** pl gastr. ingredients pl.

'**zutragen** (irr, sep, -ge-, h, → **tragen**) **1.** v/t: j-m et. ~ inform s.o. of s.th.; **2.** v/refl happen.

'**zutrauen** v/t (sep, -ge-, h): j-m et. ~ credit s.o. with s.th.; sich zuviel ~ overrate o.s.

'**Zutrau**|**en** n (-s) confidence (**zu** in); 2**lich** adj trusting; Tier: friendly.

'**zutreffen** v/i (irr, sep, -ge-, h, → **treffen**) be true: ~ **auf** (acc) apply to, go for; '**~d** adj true, correct.

'**zutrinken** v/i (irr, sep, -ge-, h, → **trinken**): j-m ~ drink to s.o.

'**Zutritt** m (-[e]s; no pl) admission; Zugang: access; ~ **verboten!** no entry.

zuverlässig ['tsu:fɛrlɛsɪç] adj reliable, dependable; sicher: safe; 2**keit** f (-; no pl) reliability, dependability.

Zuversicht ['tsu:fɛrzɪçt] f (-; no pl) confidence; 2**lich** adj confident, optimistic.

zu'viel indef pron too much; vor pl: too many; ~**e-r** ~ one too many

zu'vor adv before, previously: am Tag ~ the day before, the previous day; ~**kommen** v/i (irr, sep, -ge-, sn, → **kommen**) anticipate; verhindern: prevent: j-m ~ a. F beat s.o. to it; ~**kommend** adj obliging; höflich: polite.

'**Zuwachs** ['tsu:vaks] m (-es; no pl) increase, bsd. econ. growth (beide: **an** dat in).

zu'wenig indef pron too little; vor pl: too few: **e-r** ~ one too few.

'**zuwerfen** v/t (irr, sep, -ge-, h, → **werfen**) Tür: slam (od. bang) (shut); j-m **e-n Blick** ~ cast a glance at s.o.

zu'wider adj: ... ist mir ~ I hate (od. detest) ...; ~**handeln** v/i (sep, -ge-, h) e-r Sache: act contrary to; Vorschriften: violate.

'**zu**|**winken** v/i (sep, -ge-, h) j-m: wave to;

'**~zahlen** v/t (sep, -ge-, h) pay extra; '**~ziehen** (irr, sep, -ge-, → **ziehen**) **1.** v/t (h) Vorhänge: draw; Schlinge etc: pull tight; Arzt etc: consult: **sich** ~ med. catch; **2.** v/i (sn) move in; ~**züglich** [~'tsy:klɪç] prp plus.

Zwang [tsvaŋ] m (-[e]s; ¨e) compulsion (a. innerer), constraint (a. moralischer); sozialer: restraint; Nötigung, Unterdrückung: coercion; Gewalt: force.

zwängen ['tsvɛŋən] v/t (h) squeeze, force (beide: **in** acc into).

'**zwanglos** adj informal; bsd. Kleidung: a. casual.

'**Zwangs**|**arbeit** f (-; no pl) forced labo(u)r; 2**ernähren** v/t (only inf u. pp zwangsernährt, h) force-feed; '**~jacke** f straitjacket (a. fig.); '**~lage** f predicament; 2**läufig** ['~lɔyfɪç] adv inevitably; '**~maßnahme** f coercive measure; pol. sanction; '**~versteigerung** f compulsory auction; '**~vollstreckung** f compulsory execution; '**~vorstellung** f psych. obsession; 2**weise** adv by force.

zwanzig ['tsvantsɪç] adj twenty; '**~ste** adj twentieth.

zwar [tsva:r] adv: **ich kenne ihn** ~, **aber** ... I do know him, but ..., I know him all right (Am. alright), but ...; **u.** ~ that is (to say), namely.

Zweck [tsvɛk] m (-[e]s; -e) purpose, aim: **s-n** ~ **erfüllen** serve its purpose; **es hat keinen** ~ (**zu warten** etc) it's no use (waiting etc); '2**los** adj useless; 2**mäßig** adj practical; angebracht: wise; tech., arch. functional; 2**s** prp for the purpose of.

zwei [tsvaɪ] adj two; '2**bettzimmer** n twin-bedded room; ~**deutig** ['~dɔytɪç] adj ambiguous; Witz: off-colo(u)r; '**~erlei** adj two kinds of; '**~fach** adj double, twofold.

Zweifel ['tsvaɪfəl] m (-s; -) doubt (**an** dat, **wegen** about); 2**haft** adj doubtful, dubious; '2**los** adv undoubtedly, no (od. without) doubt; '2**n** v/i (h): ~ **an** (dat) doubt s.th., have s.o.'s doubts about.

Zweig [tsvaɪk] m (-[e]s; -e) branch (a. fig.); kleiner: twig; '**~stelle** f branch; '**~stellenleiter** m branch manager.

'**zwei**|**mal** adv twice; '**~mo**,**torig** adj aer. twin-engined; '**~seitig** adj two-sided; Brief etc: two-page; Vertrag etc: bilateral; 2**sitzer** m (-s; -) mot. two-seater;

'**~sprachig** adj bilingual; **~stündig** ['~ʃtʏndɪç] adj two-hour.

'**zweitbeste** adj second-best.

zweite ['tsvaɪtə] adj second: **ein ~r** another; **jede(r, -s) ~ ...** every other ...; **wir sind zu zweit** there are two of us; → **Hand**.

'**zweiteilig** adj two-piece.

'**zweitens** adv second(ly).

Zwerchfell ['tsvɛrç~] n anat. diaphragm.

Zwerg [tsvɛrk] m (-[e]s; -e) dwarf; myth. a. gnome (a. Figur); Mensch: midget; '**~... in Zssgn** bot. dwarf ...; zo. pygmy ...

Zwetsch(g)e ['tsvɛtʃ(g)ə] f (-; -n) plum.

zwick|en ['tsvɪkən] v/t u. v/i (h) pinch; '**~mühle** f fig. fix.

Zwieback ['tsvi:bak] m (-[e]s; -e) rusk, Am. a. zwieback.

Zwiebel ['tsvi:bəl] f (-; -n) onion; Blumen2: bulb.

Zwie|licht ['tsvi:~] n (-[e]s; no pl) twilight; '**~spalt** m conflict; **2spältig** ['~ʃpɛltɪç] adj conflicting.

Zwilling ['tsvɪlɪŋ] m (-s; -e) twin; '**~s-bruder** m twin brother; '**~sschwester** f twin sister.

zwinge|n ['tsvɪŋən] v/t (zwang, gezwungen, h) force; '**~nd** adj cogent, compelling; '**2r** m (-s; -) Hunde2: kennel.

zwinkern ['tsvɪŋkərn] v/i (h) blink; als Zeichen: wink.

Zwirn [tsvɪrn] m (-[e]s; -e) thread, yarn, twist.

zwischen ['tsvɪʃən] prp (acc od. dat) between; unter: among; '**2aufenthalt** m stop(over) n mar. 'tweendeck; '**~durch** adv in between; '**2ergebnis** n intermediate result; '**2fall** m incident; '**2händler** m econ. middleman; '**2landung** f aer. stop(over); '**~menschlich** adj interpersonal: **~e Beziehungen** human relations; '**2raum** m space; '**2ruf** m (loud) interruption: **~e pl** heckling sg; '**2rufer** m (-s; -) heckler; '**2stati,on** f stop(over): **~ machen** stop over (in dat in); '**2stecker** m electr. adapter; '**2stufe** f intermediate stage; '**2wand** f partition (wall); '**2zeit** f: **in der ~** in the meantime, meanwhile.

Zwist [tsvɪst] m (-[e]s; -e), **~igkeiten** pl discord sg.

zwitschern ['tsvɪtʃərn] v/i (h) twitter, chirp.

Zwitter ['tsvɪtər] m (-s; -) biol. hermaphrodite.

zwölf ['tsvœlf] adj twelve: **um ~ (Uhr)** at twelve (o'clock); mittags: a. at noon; nachts: a. at midnight; '**~te** adj twelfth.

Zyankali [tsyan'ka:li] n (-s; no pl) chem. potassium cyanide.

Zyklus ['tsy:klʊs] m (-; -klen) cycle; Reihe: series.

Zylind|er [tsi'lɪndər] m (-s; -) top hat; tech. cylinder; **2risch** adj cylindrical.

Zyni|ker ['tsy:nikər] m (-s; -) cynic; '**2sch** adj cynical; **~smus** [tsy'nɪsmʊs] m (-; -men) cynicism.

Z

Anhänge — Appendices

Englische geographische Namen
English Geographical Names

A

Ab·er·deen [ˌæbə'diːn] *Stadt in Schottland.*

Ab·er·yst·wyth [ˌæbə'rɪstwɪθ] *Stadt in Wales.*

A·dri·at·ic Sea [ˌeɪdrɪ'ætɪk 'siː] *das Adriatische Meer, die Adria.*

Ae·ge·an Sea [iː'dʒiːən 'siː] *das Ägäische Meer, die Ägäis.*

Af·ri·ca ['æfrɪkə] *Afrika n.*

Aix-la-Cha·pelle [ˌeɪkslɑːʃæ'pel] *Aachen n.*

Al·a·bama [ˌælə'bæmə] *Staat in USA.*

A·las·ka [ə'læskə] *Staat der USA.*

Al·ba·nia [æl'beɪnɪə] *Albanien n.*

Al·der·ney ['ɔːldənɪ] *britische Kanalinsel.*

A·leu·tian Is·lands [əˌluː'ʃən'aɪləndz] *pl die Ale'uten pl.*

Al·ge·ria [æl'dʒɪərɪə] *Algerien n.*

Al·giers [æl'dʒɪəz] *Algier n.*

Alps [ælps] *pl die Alpen pl.*

Al·sace [æl'sæs], **Al·sa·tia** [æl'seɪʃə] *das Elsaß.*

A·mer·i·ca [ə'merɪkə] *Amerika n.*

An·des ['ændiːz] *pl die Anden pl.*

Ant·arc·ti·ca [ænt'ɑːktɪkə] *die Antarktis.*

A·ra·bia [ə'reɪbjə] *Arabien n.*

Arc·tic ['ɑːktɪk] *die Arktis.*

Ar·gen·ti·na [ˌɑːdʒən'tiːnə] *Argentinien n.*

Ar·gen·tine ['ɑːdʒəntaɪn]: *the ~* Argentinien n.

Ar·i·zo·na [ˌærɪ'zəʊnə] *Staat in USA.*

Ar·kan·sas ['ɑːkənsɔː] *Fluß in USA; Staat der USA.*

A·sia ['eɪʃə] *Asien n: ~ Minor* Kleinasien n.

Ath·ens ['æθɪnz] *Athen n.*

At·lan·tic [ət'læntɪk] *der Atlantik.*

Aus·tra·lia [ɒ'streɪljə] *Australien n.*

Aus·tria ['ɒstrɪə] *Österreich n.*

A·von ['eɪvən] *Fluß in Mittelengland; englische Grafschaft.*

A·zores [ə'zɔːz] *pl die Azoren pl.*

B

Ba·ha·mas [bə'hɑːməz] *pl die Bahamas pl.*

Bal·kans ['bɔːlkənz] *pl der Balkan.*

Bal·tic Sea [ˌbɔːltɪk'siː] *die Ostsee.*

Basle [bɑːl] *Basel n.*

Bath [bɑːθ] *Badeort in Südengland.*

Ba·var·ia [bə'veərɪə] *Bayern n.*

Bel·fast [ˌbel'fɑːst; 'belfɑːst] *Belfast n.*

Bel·gium ['beldʒəm] *Belgien n.*

Bel·grade [ˌbel'greɪd] *Belgrad n.*

Bel·gra·via [bel'greɪvjə] *Stadtteil von London.*

Ben Nev·is [ˌben'nevɪs] *höchster Berg Schottlands u. Großbritanniens.*

Ber·lin [bɜː'lɪn] *Berlin n.*

Ber·mu·das [bə'mjuːdəz] *pl die Bermudas pl, die Bermudainseln pl.*

Bir·ming·ham ['bɜːmɪŋəm] *Industriestadt in Mittelengland; Stadt in Alabama (USA).*

Bis·cay ['bɪskeɪ; ˏkɪ]: *Bay of ~* der Golf von Biscaya.

Black Forest [blæk'fɒrɪst] *Schwarzwald m.*

Bo·he·mia [bəʊ'hiːmjə] *Böhmen n.*

Bo·liv·ia [bə'lɪvɪə] *Bolivien n.*

Bourne·mouth ['bɔːnməθ] *Seebad in Südengland.*

Bra·zil [brə'zɪl] *Brasilien n.*

Brigh·ton ['braɪtn] *Seebad in Südengland.*

Bris·tol ['brɪstl] *Hafenstadt in Südengland.*

Bri·tain ['brɪtn] *Britannien n.*

Brit·ta·ny ['brɪtənɪ] *die Bretagne.*

Bruns·wick [ˈbrʌnzwɪk] Braunschweig
n.
Brus·sels [ˈbrʌslz] Brüssel n.
Bu·cha·rest [ˌbjuːkəˈrest] Bukarest n.
Bu·da·pest [ˌbjuːdəˈpest] Budapest n.
Bul·gar·ia [bʌlˈgeərɪə] Bulgarien n.
Bur·gun·dy [ˈbɜːgəndɪ] Burgund n.
Bur·ma [ˈbɜːmə] Birma n.

C

Cai·ro [ˈkaɪərəʊ] Kairo n.
Ca·lais [ˈkæleɪ] Calais n.
Cal·i·for·nia [ˌkælɪˈfɔːnjə] Kalifornien n
(*Staat der USA*).
Cam·bridge [ˈkeɪmbrɪdʒ] *englische Universitätsstadt; Stadt in Massachusetts*
(*USA*), *Sitz der Harvard University.*
Can·a·da [ˈkænədə] Kanada n.
Car·diff [ˈkɑːdɪf] *Hauptstadt von Wales.*
Ca·rin·thia [kəˈrɪnθɪə] Kärnten n.
Chel·sea [ˈtʃelsɪ] *Stadtteil von London.*
Chi·na [ˈtʃaɪnə] China n: *Republic of ~*
die Republik China; *People's Republic of ~ die* Volksrepublik China.
Co·logne [kəˈləʊn] Köln n.
Co·lom·bia [kəˈlɒmbɪə] Kolumbien n.
Col·o·ra·do [ˌkɒləˈrɑːdəʊ] *Staat der
USA; Name zweier Flüsse in USA.*
Co·lum·bia [kəˈlʌmbɪə] *Fluß in USA;
Hauptstadt von South Carolina* (*USA*):
District of ~ (*DC*) *Bundesdistrikt der
USA* (= *Gebiet der Hauptstadt Washington*).
**Com·mon·wealth of In·de·pen·dent
States (CIS)** [ˈkɒmənwelθ ɒv ɪndɪˈpendənt steɪts] Gemeinschaft f unabhängiger Staaten (GUS f).
Con·stance [ˈkɒnstəns]: *Lake ~ der*
Bodensee.
Co·pen·ha·gen [ˌkəʊpnˈheɪgən] Kopenhagen n.
Corn·wall [ˈkɔːnwəl] *englische Grafschaft.*
Cov·ent Gar·den [ˌkɒvəntˈgɑːdn] *die
Londoner Oper* (*Royal Opera House*).
Cov·en·try [ˈkɒvəntrɪ] *Industriestadt in
Mittelengland.*
Crete [kriːt] Kreta n.
Cri·mea [kraɪˈmɪə] *die* Krim.
Cu·ba [ˈkjuːbə] Kuba n.
Cy·prus [ˈsaɪprəs] Zypern n.
Czech·o·slo·va·kia [ˌtʃekəʊsləʊˈvækɪə]
die Tschechoslowakei.

D

Dan·ube [ˈdænjuːb] *die* Donau.
Den·mark [ˈdenmɑːk] Dänemark n.
Do·ver [ˈdəʊvə] *Hafenstadt in Südengland; Hauptstadt von Delaware*
(*USA*).
Down·ing Street [ˈdaʊnɪŋstriːt] *Straße
in London mit der Amtswohnung des
Premierministers.*
Dub·lin [ˈdʌblɪn] *Hauptstadt von Irland.*

E

Ed·in·burgh [ˈedɪnbərə] Edinburg n.
E·gypt [ˈiːdʒɪpt] Ägypten n.
Ei·re [ˈeərə] *Name der Republik Irland.*
Eng·land [ˈɪŋglənd] England n.
Es·t(h)o·nia [eˈstəʊnjə] Estland n.
E·thi·o·pia [ˌiːθɪˈəʊpjə] Äthiopien n.
E·ton [ˈiːtn] *Stadt in Berkshire* (*England*)
mit berühmter Public School.
Eu·rope [ˈjʊərəp] Europa n.

F

Faer·oes [ˈfeərəʊz] pl *die* Färöer pl.
Falk·land Is·lands [ˌfɔː(l)kləndˈaɪləndz]
pl *die* Falklandinseln pl.
Far·oes [ˈfeərəʊz] → **Faeroes.**
Fed·er·al Re·pub·lic of Ger·ma·ny
[ˈfedərəlrɪˈpʌblɪkəvˈdʒɜːmənɪ] *die* Bundesrepublik Deutschland.
Fin·land [ˈfɪnlənd] Finnland n.
Flor·ence [ˈflɒrəns] Florenz n.
Flor·i·da [ˈflɒrɪdə] *Staat der USA.*
Folke·stone [ˈfəʊkstən] *Seebad in Südengland.*
France [frɑːns] Frankreich n.
Fris·co [ˈfrɪskəʊ] *umgangssprachliche
Bezeichnung für San Francisco.*

G

Ge·ne·va [dʒɪˈniːvə] Genf n.
Gen·o·a [ˈdʒenəʊə] Genua n.
Ger·man Dem·o·crat·ic Re·pub·lic
[ˈdʒɜːməndeməˈkrætɪkrɪˈpʌblɪk] hist.
1949-1990: die Deutsche Demokratische Republik.
Ger·ma·ny [ˈdʒɜːmənɪ] Deutschland n.
Gi·bral·tar [dʒɪˈbrɔːltə] Gibraltar n.
Glas·gow [ˈglɑːzgəʊ; ˈglæsgəʊ] *Stadt in
Schottland.*
Glouces·ter [ˈglɒstə] *Stadt in Südwestengland.*

Great Brit·ain [ˌgreitˈbrɪtn] Großbritannien *n*.

Great·er Lon·don [ˌgreitəˈlʌndən] *Stadtgrafschaft, bestehend aus der City of London u. 32 Stadtbezirken*.

Great·er Man·ches·ter [ˌgreitəˈmæntʃistə] *Stadtgrafschaft in Nordengland*.

Greece [griːs] Griechenland *n*.

Green·land [ˈgriːnlənd] Grönland *n*.

Green·wich [ˈgrenidʒ; ˈgrɪnidʒ] *Stadtbezirk Groß-Londons:* ~ **Village** *Stadtteil von New York (USA)*.

Gri·sons [ˈgriːzɔ̃ːn] Graubünden *n*.

Guern·sey [ˈgɜːnzi] *britische Kanalinsel*.

H

Hague [heig]: *The* ~ Den Haag.

Han·o·ver [ˈhænəʊvə] Hannover *n*.

Har·wich [ˈhæridʒ] *Hafenstadt in Südostengland*.

Has·tings [ˈheistiŋz] *Hafenstadt in Südengland*.

Ha·waii [həˈwaiiː]: *Staat der USA*.

Heath·row [ˈhiːθrəʊ] *Großflughafen von London*.

Heb·ri·des [ˈhebridiːz] *pl die* Hebriden *pl*.

Hel·i·go·land [ˈheligəʊlænd] Helgoland *n*.

Hel·sin·ki [ˈhelsiŋki] Helsinki *n*.

Hesse [ˈhes(i)] Hessen *n*.

Hi·ma·la·ya [ˌhiməˈleiə] *der* Himalaja *n*.

Hol·land [ˈhɒlənd] Holland *n*.

Hong Kong [ˌhɒŋˈkɒŋ] Hongkong *n*.

Hun·ga·ry [ˈhʌŋgəri] Ungarn *n*.

Hyde Park [ˌhaidˈpɑːk] *Park in London*.

I

Ice·land [ˈaislənd] Island *n*.

In·dia [ˈindjə] Indien *n*.

In·do·ne·sia [ˌindəʊˈniːzjə] Indonesien *n*.

I·ran [iˈrɑːn] Iran *m*.

I·raq [iˈrɑːk] Irak *m*.

Ire·land [ˈaiələnd] Irland *n*.

Isle of Man [ˌailəvˈmæn] *Insel in der Irischen See, die unmittelbar der englischen Krone untersteht, aber nicht zum Vereinigten Königreich gehört*.

Isle of Wight [ˌailəvˈwait] *englische Grafschaft, Insel im Ärmelkanal*.

Is·ra·el [ˈizreiəl] Israel *n*.

It·a·ly [ˈitəli] Italien *n*.

J

Ja·mai·ca [dʒəˈmeikə] Jamaika *n*.

Ja·pan [dʒəˈpæn] Japan *n*.

Jer·sey [ˈdʒɜːzi] *britische Kanalinsel*.

Je·ru·sa·lem [dʒəˈruːsələm] Jerusalem *n*.

K

Kam·pu·chea [ˌkæmpʊˈtʃiə] Kamputschea *n* (*bis 1976: Kambodscha*).

Ken·sing·ton [ˈkenziŋtən] *Stadtteil von London*.

Ken·ya [ˈkenjə] Kenia *n*.

Ko·rea [kəˈriə] Korea *n*.

Ku·wait [kʊˈweit] Kuwait *n*.

L

Lab·ra·dor [ˈlæbrədɔː] *Halbinsel u. Provinz in Kanada*.

Lat·via [ˈlætviə] Lettland *n*.

Leb·a·non [ˈlebənən] *der* Libanon *n*.

Leeds [liːdz] *Industriestadt in Nordengland*.

Leices·ter [ˈlestə] *Hauptstadt der englischen Grafschaft* **Leices·ter·shire** [ˈ~ʃə].

Lib·ya [ˈlibiə] Libyen *n*.

Lis·bon [ˈlizbən] Lissabon *n*.

Lith·u·a·nia [ˌliθjuːˈeinjə] Litauen *n*.

Liv·er·pool [ˈlivəpuːl] *Hafenstadt in Nordwestengland*.

Loch Lo·mond [ˌlɒkˈləʊmənd], **Loch Ness** [ˌlɒkˈnes] *Seen in Schottland*.

Lon·don [ˈlʌndən] London *n*.

Lor·raine [lɒˈrein] Lothringen *n*.

Lux·em·bourg [ˈlʌksəmbɜːg] Luxemburg *n*.

M

Ma·dei·ra [məˈdiərə] Madeira *n*.

Ma·drid [məˈdrid] Madrid *n*.

Ma·jor·ca [məˈdʒɔːkə] Mallorca *n* (*Baleareninsel*).

Mal·ta [ˈmɒltə] Malta *n*.

Man·ches·ter [ˈmæntʃistə] *Industriestadt in Nordwestengland*.

Med·i·ter·ra·ne·an (Sea) [ˌmeditəˈreinjən(ˈsiː)] *das* Mittelmeer.

Mex·i·co [ˈmeksikəʊ] Mexiko *n*.

Mid·lands [ˈmidləndz] *pl die* Midlands *pl* (*die zentral gelegenen Grafschaften Mittelenglands: Warwickshire, North-*

amptonshire, Leicestershire, Nottinghamshire, Derbyshire, Staffordshire, West Midlands u. der Ostteil von Hereford and Worcester).

Mi·lan [mɪˈlæn] Mailand *n.*
Mo·na·co [ˈmɒnəkəʊ] Monaco *n.*
Mo·roc·co [məˈrɒkəʊ] Marokko *n.*
Mos·cow [ˈmɒskəʊ] Moskau *n.*
Mo·selle [məʊˈzel] Mosel *f.*
Mo·zam·bique [ˌməʊzæmˈbiːk] Mocambique *n.*
Mu·nich [ˈmjuːnɪk] München *n.*

N

Na·mib·ia [nəˈmɪbɪə] Namibia *n.*
Na·ples [ˈneɪplz] Neapel *n.*
Ne·pal [nɪˈpɔːl] Nepal *n.*
Neth·er·lands [ˈneðələndz] *pl* die Niederlande *pl.*
New·cas·tle-up·on-Tyne [ˈnjuːˌkɑːsləˌpɒnˈtaɪn] Hauptstadt von Tyne and Wear (England).
New Del·hi [ˌnjuːˈdelɪ] Hauptstadt von Indien.
New York [ˌnjuːˈjɔːk; *Am.* ˌnuːˈjɔːrk] Staat der USA; größte Stadt der USA.
New Zea·land [ˌnjuːˈziːlənd] Neuseeland *n.*
Ni·ag·a·ra [naɪˈægərə] Niagara *m* (Fluß).
Nic·a·ra·gua [ˌnɪkəˈrægjʊə] Nicaragua *n.*
Ni·ger [ˈnaɪdʒə] Niger *m* (Fluß in Westafrika); [niːˈʒeə] Niger *n* (Republik in Westafrika).
Ni·ge·ria [naɪˈdʒɪərɪə] Nigeria *n.*
Nile [naɪl] Nil *m.*
Nor·man·dy [ˈnɔːməndɪ] die Normandie.
North·ern Ire·land [ˌnɔːðnˈaɪələnd] Nordirland *n.*
North Sea [ˌnɔːθˈsiː] die Nordsee.
Nor·way [ˈnɔːweɪ] Norwegen *n.*
Nu·rem·berg [ˈnjʊərəmbɜːg] Nürnberg *n.*

O

O·ce·an·ia [ˌəʊʃɪˈeɪnjə] Ozeanien *n.*
Ork·ney [ˈɔːknɪ] insulare Verwaltungsregion Schottlands. ~ **Is·lands** [ˌɔːknɪˈaɪləndz] *pl* die Orkneyinseln *pl.*
Ost·end [ɒˈstend] Ostende *n.*
Ox·ford [ˈɒksfəd] englische Universitätsstadt. **Ox·ford·shire** [ˈ~ʃə] englische Grafschaft.

P

Pa·cif·ic [pəˈsɪfɪk] der Pazifik.
Pak·i·stan [ˌpɑːkɪˈstɑːn] Pakistan *n.*
Pal·es·tine [ˈpæləstaɪn] Palästina *n.*
Pan·a·ma [ˈpænəmɑː] Panama *n.*
Par·a·guay [ˈpærəgwaɪ] Paraguay *n.*
Par·is [ˈpærɪs] Paris *n.*
Pe·king [piːˈkɪŋ] Peking *n.*
Pen·zance [penˈzæns] westlichste Stadt Englands, in Cornwall.
Pe·ru [pəˈruː] Peru *n.*
Phil·ip·pines [ˈfɪlɪpiːnz] *pl* die Philippinen *pl.*
Plym·outh [ˈplɪməθ] Hafenstadt in Südengland.
Po·land [ˈpəʊlənd] Polen *n.*
Pom·er·a·nia [ˌpɒməˈreɪnjə] Pommern *n.*
Ports·mouth [ˈpɔːtsməθ] Hafenstadt in Südengland; Hafenstadt in Virginia (USA).
Por·tu·gal [ˈpɔːtʃʊgl; ˈ~jʊgl] Portugal *n.*
Prague [prɑːg] Prag *n.*
Prus·sia [ˈprʌʃə] *hist.* Preußen *n.*

R

Rat·is·bon [ˈrætɪzbɒn] Regensburg *n.*
Rhine [raɪn] Rhein *m.*
Rhodes [rəʊdz] Rhodos *n.*
Ro·ma·nia [ruːˈmeɪnjə; rʊ~; *Am.* rəʊ~] Rumänien *n.*
Rome [rəʊm] Rom *n.*
Rus·sia [ˈrʌʃə] Rußland *n.*

S

Sau·di A·ra·bia [ˌsaʊdɪəˈreɪbɪə] Saudi-Arabien *n.*
Sax·o·ny [ˈsæksnɪ] Sachsen *n.*
Scan·di·na·via [ˌskændɪˈneɪvjə] Skandinavien *n.*
Scot·land [ˈskɒtlənd] Schottland *n.*
Shef·field [ˈʃefiːld] Industriestadt in Mittelengland.
Shet·land [ˈʃetlənd] insulare Verwaltungsregion Schottlands. ~ **Is·lands** [ˌ~ˈaɪləndz] *pl* die Shetlandinseln *pl.*
Si·be·ria [saɪˈbɪərɪə] Sibirien *n.*
Sic·i·ly [ˈsɪsɪlɪ] Sizilien *n.*
Sin·ga·pore [ˌsɪŋəˈpɔː] Singapur *n.*
So·ma·lia [səʊˈmɑːlɪə] Somalia *n.*
South·amp·ton [saʊθˈæmptən] Hafenstadt in Südengland.

So·viet Un·ion [ˌsəʊvɪətˈjuːnjən] *hist. bis Ende 1991: die* Sowjetunion.
Spain [speɪn] Spanien *n*.
Stock·holm [ˈstɒkhəʊm] Stockholm *n*.
Strat·ford-on-A·von [ˌstrætfədɒnˈeɪvn] *Stadt in Mittelengland.*
Styr·ia [ˈstɪrɪə] *die* Steiermark.
Su·dan [suːˈdɑːn] *der* Sudan.
Swan·sea [ˈswɒnzɪ] *Hafenstadt in Wales.*
Swe·den [ˈswiːdn] Schweden *n*.
Swit·zer·land [ˈswɪtsələnd] *die* Schweiz.
Syr·ia [ˈsɪrɪə] Syrien *n*.

T

Tai·wan [ˌtaɪˈwɑːn] Taiwan *n*.
Thai·land [ˈtaɪlænd] Thailand *n*.
Thames [temz] *die* Themse (*Fluß in Südengland*).
Thu·rin·gia [θjʊəˈrɪndʒɪə] Thüringen *n*.
Ti·bet [tɪˈbet] Tibet *n*.
To·kyo [ˈtəʊkjəʊ] Tokio *n*.
Tot·ten·ham [ˈtɒtnəm] *Stadtteil von Groß-London.*
Tra·fal·gar [trəˈfælgə]: **Cape ~** Kap *n* Trafalgar (*an der Südwestküste Spaniens*); **~ Square** *Platz in London.*
Treves [triːvz] Trier *n*.
Tu·ni·sia [tjuːˈnɪzɪə; *Am.* tuːˈniːʒə] Tunesien *n*.
Tur·key [ˈtɜːkɪ] *die* Türkei.
Tus·ca·ny [ˈtʌskənɪ] *die* Toskana.
Ty·rol [ˈtɪrəl; tɪˈrəʊl] Tirol *n*.

U

U·kraine [juːˈkreɪn] *die* Ukraine.
Ul·ster [ˈʌlstə] *Provinz im Norden Irlands, seit 1921 zweigeteilt;* F Nordirland *n*.
U·nit·ed King·dom [juːˌnaɪtɪdˈkɪŋdəm] *das* Vereinigte Königreich (*Großbritannien u. Nordirland*).

U·nit·ed States of A·mer·i·ca [juːˌnaɪtɪdˌsteɪtsəvəˈmerɪkə] *pl die* Vereinigten Staaten *pl von* Amerika.

V

Vat·i·can [ˈvætɪkən] *der* Vatikan.
Ven·e·zu·e·la [ˌvenɪˈzweɪlə] Venezuela *n*.
Ven·ice [ˈvenɪs] Venedig *n*.
Vi·en·na [vɪˈenə] Wien *n*.
Viet·nam [ˌvjetˈnæm] Vietnam *n*.

W

Wales [weɪlz] Wales *n*.
War·saw [ˈwɔːsɔː] Warschau *n*.
War·wick·shire [ˈwɒrɪkʃə] *englische Grafschaft.*
Wash·ing·ton [ˈwɒʃɪŋtən] *Staat der USA; a.* **~ DC** *Bundeshauptstadt der USA.*
Wem·bley [ˈwemblɪ] *Stadtteil von Groß-London.*
West·min·ster [ˈwestmɪnstə] *a.* **City of ~** *Stadtbezirk von Groß-London.*
West·pha·lia [westˈfeɪljə] Westfalen *n*.
Wim·ble·don [ˈwɪmbldən] *Stadtteil von Groß-London* (*Tennisturniere*).
Wor·ces·ter [ˈwʊstə] *Industriestadt in Mittelengland.*

Y

York [jɔːk] *Stadt in Nordostengland.*
York·shire [ˈ-ʃə]: **North ~, South ~, West ~** *Grafschaften in England.*
Yu·go·sla·via [ˌjuːɡəʊˈslɑːvjə] Jugoslawien *n*.

Z

Za·ire [zɑːˈɪə] Zaire *n*.
Zim·ba·bwe [zɪmˈbɑːbwɪ] Simbabwe *n*.
Zu·rich [ˈzjʊərɪk] Zürich *n*.

Deutsche geographische Namen
German Geographical Names

A

Adria ['a:dria], *das* **Adriatische Meer** [adri'a:tıʃə 'me:r] *the* Adriatic Sea.
Afrika ['a:frika] Africa.
Ägypten [ε'gүptən] Egypt.
Albanien [al'ba:nïən] Albania.
Algerien [al'ge:rïən] Algeria.
Alpen ['alpən] *the* Alps.
Amerika [a'me:rika] America.
Andorra [an'dɔra] Andorra.
Antarktis [ant'ʔarktıs] Antarctica.
Antwerpen [ant'vɛrpən] Antwerp.
Arabien [a'ra:bïən] Arabia.
Argentinien [argɛn'ti:nïən] Argentina, *the* Argentine.
Ärmelkanal ['ɛrməlka,na:l] *the* English Channel.
Asien ['a:zïən] Asia.
Athen [a'te:n] Athens.
Äthiopien [ε'tïo:pïən] Ethiopia.
Atlantik [at'lantık], *der* **Atlantische Ozean** [at'lantıʃə 'o:tsea:n] *the* Atlantic (Ocean).
Australien [aʊs'tra:lïən] Australia.
Azoren [a'tso:rən] *the* Azores.

B

Baden-Württemberg ['ba:dən 'vүrtəmbɛrk] Baden-Württemberg.
Balearen [bale'a:rən] *the* Balearic Islands.
Basel ['ba:zəl] Basel, Basle, Bâle.
Bayern ['baıərn] Bavaria.
Belgien ['bɛlgïən] Belgium.
Belgrad ['bɛlgra:t] Belgrade.
Berlin [bɛr'li:n] Berlin.
Bern [bɛrn] Bern(e).
Birma ['bırma] Burma.
Bodensee ['bo:dənze:] Lake Constance.
Böhmen ['bø:mən] Bohemia.
Bonn [bɔn] Bonn.
Brandenburg ['brandənbʊrk] Brandenburg.
Brasilien [bra'zi:lïən] Brazil.

Bremen ['bre:mən] Bremen.
Brüssel ['brүsəl] Brussels.
Bukarest ['bu:karɛst] Bucharest.
Bulgarien [bʊl'ga:rïən] Bulgaria.
Bundesrepublik Deutschland ['bʊndəsrepu,bli:k 'dɔʏtʃlant] *the* Federal Republic of Germany.

C

China ['çi:na] China.

D

Dänemark ['dɛ:nəmark] Denmark.
Den Haag [den'ha:k] The Hague.
Deutschland ['dɔʏtʃlant] Germany.
Donau ['do:naʊ] *the* Danube.

E

Elsaß ['ɛlzas] Alsace, Alsatia.
England ['ɛŋlant] England.
Estland ['e:stlant] Estonia.
Europa [ɔʏ'ro:pa] Europe.

F

Finnland ['fınlant] Finland.
Florenz [flo'rɛnts] Florence.
Franken ['fraŋkən] Franconia.
Frankfurt ['fraŋkfʊrt] Frankfurt.
Frankreich ['fraŋkraıç] France.

G

Genf [gɛnf] Geneva.
Genfer See ['gɛnfər 'ze:] Lake Geneva.
Genua ['ge:nŏa] Genoa.
Griechenland ['gri:çənlant] Greece.
Grönland ['grø:nlant] Greenland.
Großbritannien [gro:sbri'tanïən] Great Britain.

H

Hamburg ['hambʊrk] Hamburg.
Hannover [ha'no:fər] Hanover.

Helgoland ['hɛlgolant] Heligoland.
Hessen ['hɛsən] Hesse.
Holland ['hɔlant] Holland.
Hongkong ['hɔŋkɔŋ] Hong Kong.

I

Indien ['ɪndiən] India.
Indische(r) Ozean ['ɪndiʃə(r) 'oːtseaːn] the Indian Ocean.
Indonesien [ɪndo'neːziən] Indonesia.
Ionische(s) Meer ['ioːnɪʃə(s) 'meːr] the Ionian Sea.
Irak [i'raːk] Iraq.
Iran [i'raːn] Iran.
Irland ['ɪrlant] Ireland.
Island ['iːslant] Iceland.
Israel ['ɪsraeːl] Israel.
Italien [i'taːliən] Italy.

J

Japan ['jaːpan] Japan.
Jerusalem [je'ruːzalɛm] Jerusalem.
Jordanien [jɔr'daːniən] Jordan.
Jugoslawien [jugo'slaːviən] Yugoslavia.

K

Kairo ['kairo] Cairo.
Kalifornien [kali'fɔrniən] California.
Kanada ['kanada] Canada.
Kanaren [ka'naːrən], *die* **Kanarischen Inseln** [ka'naːrɪʃən 'ɪnzəln] the Canaries, the Canary Islands.
Karibik [ka'riːbɪk] the Caribbean.
Kärnten ['kɛrntən] Carinthia.
Kenia ['keːnia] Kenya.
Kiew ['kiːɛf] Kiev.
Köln [kœln] Cologne.
Kopenhagen [ko:pən'haːgən] Copenhagen.
Korea [ko're:a] Korea.
Korsika ['kɔrzika] Corsica.
Kreml ['krɛml] the Kremlin.
Kreta ['kreːta] Crete.
Krim [krɪm] Crimea.
Kroatien [kro'aːtiən] Croatia.
Kuba ['kuːba] Cuba.
Kuwait [ku'vait] Kuwait.

L

Lappland ['laplant] Lapland.
Lateinamerika [la'tain ʔa͜me:rika] Latin America.

Lettland ['lɛtlant] Latvia.
Libanon ['liːbanon] (*the*) Lebanon (*meist ohne bestimmten Artikel gebraucht*).
Libyen ['liːbyən] Libya.
Liechtenstein ['lɪçtənʃtain] Liechtenstein.
Ligurische(s) Meer [li'guːrɪʃə(s) 'meːr] the Ligurian Sea.
Lissabon ['lɪsabon] Lisbon.
Litauen ['liːtauən] Lithuania.
London ['lɔndon] London.
Lothringen ['loːtrɪŋən] Lorraine.
Luxemburg ['lʊksəmbʊrk] Luxembourg.
Luzern [lu'tsɛrn] Lucerne.

M

Madeira, Madera [ma'deːra] Madeira.
Madrid [ma'drɪt] Madrid.
Mailand ['mailant] Milan.
Mallorca [ma'jɔrka] Majorca.
Malta ['malta] Malta.
Marokko [ma'rɔko] Morocco.
Mecklenburg-Vorpommern ['meːklənbʊrk 'voːrpɔmərn] Mecklenburg-Western Pomerania.
Menorca [me'nɔrka] Minorca.
Mexiko ['mɛksiko] Mexico.
Mitteleuropa ['mɪtələʏ͜roːpa] Central Europe.
Mittelmeer ['mɪtəlmeːr] the Mediterranean (Sea).
Mosel ['moːzəl] the Moselle.
Moskau ['mɔskau] Moscow.
München ['mʏnçən] Munich.

N

Nahe(r) Osten ['naːə(r) 'ɔstən] the Middle East.
Neapel [ne'aːpəl] Naples.
Neuseeland [nɔʏ'zeːlant] New Zealand.
Niederlande ['niːdərlandə] the Netherlands.
Niederösterreich ['niːdər ʔøːstəraɪç] Lower Austria.
Niedersachsen ['niːdərzaksən] Lower Saxony.
Nizza ['nɪtsa] Nice.
Nordirland ['nɔrt ʔɪrlant] Northern Ireland.
Nordkorea ['nɔrtko're:a] North Korea.
Nordrhein-Westfalen ['nɔrtrain vɛst'faːlən] North Rhine-Westphalia.

Nordsee ['nɔrtze:] *the* North Sea.
Normandie [nɔrman'di:] Normandy.
Norwegen ['nɔrve:gən] Norway.
Nürnberg ['nʏrnbɛrk] Nuremberg.

O

Oberösterreich ['o:bər͜'ø:stəraɪç] Upper Austria.
Oslo ['ɔslo] Oslo.
Ostasien ['ɔst͜'ʔazɪən] East Asia.
Ostende [ɔst'ɛndə] Ostend.
Österreich ['ø:stəraɪç] Austria.
Ostsee ['ɔstze:] *the* Baltic Sea.

P

Palästina [palɛ'sti:na] Palestine.
Paris [pa'ri:s] Paris.
Pazifik [pa'tsi:fɪk], *der* **Pazifische Ozean** [pa'tsi:fɪʃə 'o:tsea:n] *the* Pacific (Ocean).
Peking ['pe:kɪŋ] Peking.
Persien ['pɛrzɪən] Persia.
Persische(r) Golf ['pɛrzɪʃə(r) 'gɔlf] *the* Persian Gulf.
Philippinen [fili'pi:nən] *the* Philippines.
Piemont [pie'mɔnt] Piedmont.
Polen ['po:lən] Poland.
Pommern ['pɔmərn] Pomerania.
Portugal ['pɔrtugal] Portugal.
Prag [pra:k] Prague.
Pyrenäen [pyre'nɛ:ən] *the* Pyrenees.

R

Rhein [raɪn] *the* Rhine.
Rheinland-Pfalz ['raɪnlant 'pfalts] Rhineland-Palatinate.
Rhodos ['rɔdɔs] Rhodes.
Rom [ro:m] Rome.
Ruhrgebiet ['ru:rgəbi:t] *the* Ruhr.
Rumänien [ru'mɛ:nɪən] Romania.
Rußland ['rʊslant] Russia.

S

Saarland ['za:rlant] *the* Saar.
Sachsen ['zaksən] Saxony.
Sachsen-Anhalt ['zaksən'anhalt] Saxony-Anhalt.
Sahara [za'ha:ra] *the* Sahara.
Salzburg ['zaltsbʊrk] Salzburg.
Sardinien [zar'di:nɪən] Sardinia.

Saudi-Arabien ['zaʊdi a'ra:bɪən] Saudi Arabia.
Schlesien ['ʃle:zɪən] Silesia.
Schleswig-Holstein ['ʃle:svɪç'hɔlʃtaɪn] Schleswig-Holstein.
Schottland ['ʃɔtlant] Scotland.
Schwaben ['ʃva:bən] Swabia.
Schwarze(s) Meer ['ʃvartsə(s) 'me:r] *the* Black Sea.
Schweden ['ʃve:dən] Sweden.
Schweiz [ʃvaɪts] Switzerland.
Serbien ['zɛrbɪən] Serbia.
Sibirien [zi'bi:rɪən] Siberia.
Singapur ['zɪŋgapu:r] Singapore.
Sizilien [zi'tsi:lɪən] Sicily.
Skandinavien [skandi'na:vɪən] Scandinavia.
Slowakei [slova'kaɪ] Slovakia.
Slowenien [slo've:nɪən] Slovenia.
Spanien ['ʃpa:nɪən] Spain.
Steiermark ['ʃtaɪərmark] Styria.
Stockholm ['ʃtɔkhɔlm] Stockholm.
Straßburg ['ʃtra:sbʊrk] Strasbourg.
Südafrika ['zy:t͜'ʔa:frika] South Africa.
Südkorea ['zy:tko're:a] South Korea.
Suezkanal ['zu:ɛska͜na:l] *the* Suez Canal.
Syrien ['zy:rɪən] Syria.

T

Taiwan ['taɪvan] Taiwan.
Thailand ['taɪlant] Thailand.
Themse ['tɛmzə] *the* Thames.
Thüringen ['ty:rɪŋən] Thuringia.
Tirol [ti'ro:l] Tyrol, Tirol.
Tokio ['to:kɪo] Tokyo.
Toskana [tɔs'ka:na] Tuscany.
Tschechoslowakei [tʃɛçoslova'kaɪ] Czechoslovakia.
Tunesien [tu'ne:zɪən] Tunisia.
Türkei [tʏr'kaɪ] Turkey.
Tyrrhenische(s) Meer [tʏ're:nɪʃə(s) 'me:r] *the* Tyrrhenian Sea.

U

Ukraine [ukra'i:nə] *the* Ukraine.
Ungarn ['ʊŋgarn] Hungary.

V

Vatikan(stadt) [vati'ka:n(ʃtat)] *the* Vatican (City).
Venedig [ve'ne:dɪç] Venice.

Vereinigte(s) Königreich (von Groß-britannien und Nordirland) [fɛr'ˀaɪ-nɪçtə(s) 'køːnɪkraɪç (fɔn groːsbri'tanɪən ʊnt 'nɔrt'ˀɪrlant)] *the* United Kingdom (of Great Britain and Northern Ireland).

Vereinigte(n) Staaten (von Amerika) [fɛr'ˀaɪnɪçtə(n) 'ʃtaːtən (fɔn a'meːrika)] *the* United States (of America).

Vietnam [viɛt'nam] Vietnam, Viet Nam.

Volksrepublik China ['fɔlksrepu,bliːk 'çiːna] *the* People's Republic of China.

W

Warschau ['varʃaʊ] Warsaw.
Wien [viːn] Vienna.

Z

Zürich ['tsyːrɪç] Zurich.
Zypern ['tsyːpərn] Cyprus.

Englische Abkürzungen
English Abbreviations

A

a *acre* Acre *m* (4046,8 *m²*).
A *ampere* A, Ampere *n od. pl.*
AA *Alcoholics Anonymous* Anonyme Alkoholiker *pl; Br. Automobile Association* (*Automobilclub*).
AAA (*häufig:* ˌtrɪpl'eɪ] *Br. Amateur Athletic Association* (*Leichtathletikverband*); *Am. American Automobile Association* (*Automobilclub*).
abbr. *abbreviated* abgekürzt; *abbreviation* Abk., Abkürzung *f.*
ABC *American Broadcasting Company* (*amerikanische Rundfunkgesellschaft*).
AC *alternating current* Wechselstrom *m.*
A/C, a/c *account current* Kontokorrent *n*; *account* Kto., Konto *n*; Rechnung *f.*
acc(t). *account* Kto., Konto *n*; Rechnung *f.*
AGM *bsd. Br. annual general meeting* Jahreshauptversammlung *f.*
a.m., am *ante meridiem* (= *before noon*) morgens, vorm., vormittags.
a/o *account of* à Konto von, auf Rechnung von.
AP *Associated Press* (*amerikanische Nachrichtenagentur*); *American plan* Vollpension *f.*
approx. *approximate(ly)* annähernd, etwa.
Apr. *April* April *m.*

APT *Br. Advanced Passenger Train* (*Hochgeschwindigkeitszug*).
apt *bsd. Am. apartment* Wohnung *f.*
arr. *arrival* Ank., Ankunft *f.*
A/S *account sales* Verkaufsabrechnung *f.*
ASCII ['æskiː] *American Standard Code for Information Interchange* (*standardisierter Code zur Darstellung alphanumerischer Zeichen*).
asst. *assistant* Asst., Assistent(in).
attn *attention (of)* zu Händen (von), für.
Aug. *August* Aug., August *m.*
av. *average* Durchschnitt *m*; Havarie *f.*
Ave *Avenue* Allee *f*, Straße *f.*

B

BA *Bachelor of Arts* Bakkalaureus *m* der Philosophie; *British Airways* (*britische Luftverkehrsgesellschaft*).
B&B *bed and breakfast* Übernachtung *f* mit Frühstück.
BASIC ['beɪsɪk] *beginners' all-purpose symbolic instruction code* (*einfache Programmiersprache*).
BBC *British Broadcasting Corporation* BBC *f* (*britische Rundfunkgesellschaft*).
BC *before Christ* v. Chr., vor Christus.
B/E *bill of exchange* *econ.* Wechsel *m.*
BEng *Bachelor of Engineering* Bakkalaureus *m* der Ingenieurwissenschaft(en).
b/f *brought forward* Übertrag *m.*

bk *book* Buch *n*; *bank* Bank *f*.

BL *Bachelor of Law* Bakkalaureus *m* des Rechts.

B/L *bill of lading* (See)Frachtbrief *m*, Konnossement *n*.

Blvd *Boulevard* Boulevard *m*.

BO, b.o. *branch office* Filiale *f*; F *body odo(u)r* Körpergeruch *m*.

BOT *Br. Board of Trade* Handelsministerium *n*.

BR *British Rail* (*Eisenbahn in Großbritannien*).

BRCS *British Red Cross Society das* Britische Rote Kreuz.

Br(it). *Britain* Großbritannien *n*; *British* britisch.

Bros. *brothers* Gebr., Gebrüder *pl* (*in Firmenbezeichnungen*).

BS *Am. Bachelor of Science* Bakkalaureus *m* der Naturwissenschaften; *Br. Bachelor of Surgery* Bakkalaureus *m* der Chirurgie; *British Standard* Britische Norm.

BSc *Br. Bachelor of Science* Bakkalaureus *m* der Naturwissenschaften.

BScEcon *Bachelor of Economic Science* Bakkalaureus *m* der Wirtschaftswissenschaft(en).

BSI *British Standards Institution* (*britische Normungsorganisation*).

BTA *British Tourist Authority* Britische Fremdenverkehrsbehörde.

C

C *Celsius* C, Celsius; *centigrade* hundertgradig (*Thermometereinteilung*).

c *cent(s)* Cent *m* (*od. pl*) (*amerikanische Münze*); *century* Jh., Jahrhundert *n*; *circa* ca., circa, ungefähr; *cubic* Kubik...

C/A *current account* Girokonto *n*.

CAD *computer-aided design* (*computergestütztes Entwurfszeichnen*).

CAM *computer-aided manufacture* (*computergestützte Fertigung*).

Capt. *Captain mar.* Kapitän *m*; *mil.* Hauptmann *m*.

CB *Citizens' Band* CB-Funk *m* (*Wellenbereich für privaten Funkverkehr*).

CBS *Columbia Broadcasting System* (*amerikanische Rundfunkgesellschaft*).

CC *city council* Stadtrat *m*; *Br. county council* Grafschaftsrat *m*.

cc *Br. cubic centimetre(s)* cm³, Kubikzentimeter *m* (*od. pl*); *carbon copy* Durchschlag *m*.

CD *compact disc* CD(-Platte) *f*; *corps diplomatique* CD *n*, diplomatisches Korps.

CE *Church of England* Anglikanische Kirche; *civil engineer* Bauingenieur *m*.

cert. *certificate* Bescheinigung *f*.

CET *Central European Time* MEZ, mitteleuropäische Zeit.

cf. *confer* vgl., vergleiche.

ch. *chapter* Kap., Kapitel *n*.

CIA *Am. Central Intelligence Agency* (*US-Geheimdienst*).

CID *Br. Criminal Investigation Department* (*Kriminalpolizei*).

c.i.f., cif *cost, insurance, freight* Kosten, Versicherung und Fracht einbegriffen.

Co. *Company econ.* Gesellschaft *f*; *county Br.* Grafschaft *f*; *Am.* Kreis *m* (*Verwaltungsbezirk*).

c/o *care of* (wohnhaft) bei.

COBOL ['kəʊbɒl] *common business oriented language* (*Programmiersprache*).

COD *cash* (*Am. collect*) *on delivery* per Nachnahme.

C of E *Church of England* Anglikanische Kirche.

Col. *colonel* Oberst *m*.

col. *column* Sp., Spalte *f* (*in Buch etc*).

Cons. *Br. pol. Conservative* Konservative *m*, *f*; konservativ.

cont(d) *continued* Forts., Fortsetzung *f*; fortgesetzt.

cp. *compare* vgl., vergleiche.

CPU *central processing unit Computer*: Zentraleinheit *f*.

ct(s) *cent(s)* Cent *m* (*od. pl*) (*amerikanische Münze*).

CV, cv *curriculum vitae* Lebenslauf *m*.

c.w.o. *cash with order* Barzahlung *f* bei Bestellung.

cwt *hundredweight* (*etwa 1*) Zentner *m* (*Br. 50,8 kg, Am. 45,36 kg*).

D

DA *deposit account* Depositenkonto *n*; *Am. District Attorney* Staatsanwalt *m*.

DAT **digital audio tape** (*Tonbandcassette für Digitalaufnahmen mit DAT-Recordern*).
DC **direct current** Gleichstrom m; **District of Columbia** *Bundesdistrikt der USA* (= *Gebiet der amerikanischen Hauptstadt Washington*).
DCL **Doctor of Civil Law** Dr. jur., Doktor m des Zivilrechts.
Dec. **December** Dez., Dezember m.
dep. **departure** Abf., Abfahrt f.
dept **department** Abt., Abteilung f.
dft **draft** econ. Tratte f.
Dip., **dip.** **diploma** Diplom n.
Dir., **dir.** **director** Dir., Direktor m, Leiter(in).
disc. **discount** econ. Diskont m; Rabatt m, Preisnachlaß m.
div. **dividend** Dividende f; **divorced** gesch., geschieden; **division** Abteilung f (*in Firma*); *Sport:* Liga f.
DJ **disc jockey** Diskjockey m; **dinner jacket** Smoking(jacke f) m.
doc. **document** Dokument n, Urkunde f.
dol. **dollar(s)** Dollar m (*od. pl*).
doz. **dozen(s)** Dtzd., Dutzend n (*od. pl*).
dpt **department** Abt., Abteilung f.
Dr **Doctor** Dr., Doktor m; *in Straßennamen:* **Drive** etwa: Fahrstraße f, Zufahrt f.
dz. **dozen(s)** Dtzd., Dutzend n (*od. pl*).

E

E **east** O, Ost(en m); **eastern** ö, östlich; **English** englisch.
EC **European Community** EG, Europäische Gemeinschaft; **East Central** (London) Mitte-Ost (*Postbezirk*).
ECJ **European Court of Justice** Europäischer Gerichtshof.
ECOSOC **Economic and Social Council** Wirtschafts- und Sozialrat m (*der UN*).
ECU **European Currency Unit(s)** Europäische Währungseinheit(en pl) f.
Ed., **ed.** **edited** h(rs)g., herausgegeben; **edition** Aufl., Auflage f; **editor** H(rs)g., Herausgeber m.
EDP **electronic data processing** EDV, elektronische Datenverarbeitung.
EEC **European Economic Community** EWG, Europäische Wirtschaftsgemeinschaft.
EFTA ['eftə] **European Free Trade Association** EFTA, Europäische Freihandelsgemeinschaft.
Eftpos **electronic funds transfer at point of sale** Zahlungsart f „ec--Kasse".
e.g. **exempli gratia** (= **for instance**) z. B., zum Beispiel.
enc(l). **enclosure(s)** Anl., Anlage(n pl).
EMU **European Monetary Union** Europäische Währungsunion.
Eng. **England** England n; **English** engl., englisch.
ESA **European Space Agency** Europäische Weltraumbehörde.
esp. **especially** bes., bsd., besonders.
Esq. **Esquire** (*in Briefadressen, nachgestellt*) Herrn.
EURATOM [jʊər'ætəm] **European Atomic Energy Community** Euratom, Europäische Atomgemeinschaft.
excl. **exclusive, excluding** ausschl., ausschließlich, ohne.
ext. **extension** teleph. Apparat m (*Nebenanschluß*); **external, exterior** äußerlich, Außen...

F

f **female, feminine** weiblich; **following** folg., folgend; **foot** (**feet**) Fuß m (*od. pl*) (*30,48 cm*).
F **Fahrenheit** F, Fahrenheit (*Thermometereinteilung*).
FA *Br.* **Football Association** Fußballverband m.
FAO **Food and Agriculture Organization** Organisation f für Ernährung und Landwirtschaft (*der UN*).
FBI *Am.* **Federal Bureau of Investigation** FBI m, n (*Bundeskriminalamt*).
Feb. **February** Febr., Februar m.
fed. **federal** pol. Bundes...
FM **frequency modulation** UKW (*Frequenzbereich der Ultrakurzwellen*).
f.o.b., **fob** **free on board** frei (*Schiff etc*).
FORTRAN **formula translation** (*Programmiersprache*).
Fr. **France** Frankreich n; **French** fr(an)z., französisch; *eccl.* **Father** Pater m.
fr. **franc(s)** Franc(s pl) m, Franken m (*od. pl*).
FRG **Federal Republic of Germany** BRD, Bundesrepublik f Deutschland.

Fri. *Friday* Fr., Freitag *m.*
ft *foot* (*feet*) Fuß *m* (*od. pl*) (*30,48 cm*).

G

g *gram*(s), *gramme*(s) g, Gramm *n* (*od. pl*).
gal(l). *gallon*(s) Gallone(n *pl*) *f* (*Br. 4,546 l, Am. 3,785 l*).
GATT *General Agreement on Tariffs and Trade* Allgemeines Zoll- und Handelsabkommen.
GB *Great Britain* Großbritannien *n.*
GCE *General Certificate of Education* (*britische Schulabschlußprüfung*).
GCSE *General Certificate of Secondary Education* (*britische Schulabschlußprüfung*).
Gdns *Gardens* Park *m*, Garten(anlagen *pl*) *m.*
GDP *gross domestic product* BIP, Bruttoinlandsprodukt *n.*
GDR *German Democratic Republic* *hist.* DDR, Deutsche Demokratische Republik.
Gen. *general* General *m.*
gen. *general*(ly) allgemein.
gi. *gill*(s) Viertelpint(s *pl*) *n* (*Br. 0,142 l, Am. 0,118 l*).
GLC *Greater London Council* *ehemaliger* Stadtrat von Groß-London.
GMT *Greenwich Mean Time* WEZ, westeuropäische Zeit.
GNP *gross national product* BSP, Bruttosozialprodukt *n.*
Gov. *government* Regierung *f*; ***governor*** Gouverneur *m.*
Govt, govt *government* Regierung *f.*
GP *general practitioner* praktischer Arzt.
GPO *general post office* Hauptpostamt *n.*
gr.wt. *gross weight* Bruttogewicht *n.*
gtd, guar. *guaranteed* garantiert.

H

h. *hour*(s) Std., Stunde(n *pl*) *f*, Uhr (*bei Zeitangaben*); ***height*** H., Höhe *f.*
HBM *His* (*Her*) *Britannic Majesty* Seine (Ihre) Britannische Majestät.
HM *His* (*Her*) *Majesty* Seine (Ihre) Majestät.

HMS *His* (*Her*) *Majesty's Ship* Seiner (Ihrer) Majestät Schiff *n.*
HO *head office* Hauptgeschäftsstelle *f*, Zentrale *f*; *Br.* **Home Office** Innenministerium *n.*
Hon. *Honorary* ehrenamtlich; ***Honourable*** *der od. die* Ehrenwerte (*Anrede und Titel*).
HP, hp *horsepower* PS, Pferdestärke *f*; ***high pressure*** Hochdruck *m*; ***hire purchase*** Ratenkauf *m.*
HQ, Hq. *Headquarters* Hauptquartier *n.*
hr *hour* Std., Stunde *f.*
HRH *His* (*Her*) *Royal Highness* Seine (Ihre) Königliche Hoheit.
hrs. *hours* Std(n)., Stunden *pl.*
ht *height* H., Höhe *f.*

I

IATA [aɪˈɑːtə] ***International Air Transport Association*** Internationaler Luftverkehrsverband.
IBRD *International Bank for Reconstruction and Development* Internationale Bank für Wiederaufbau und Entwicklung, Weltbank *f.*
ICU *intensive care unit* Intensivstation *f.*
ID *identification* Identifizierung *f*; Ausweis *m*; ***identity*** Identität *f.*
i.e., ie *id est* (= *that is to say*) d. h., das heißt.
IMF *International Monetary Fund* IWF, Internationaler Währungsfonds.
in. *inch*(es) Zoll *m* (*od. pl*) (*2,54 cm*).
Inc., inc. *incorporated* (*amtlich*) eingetragen.
inst. *instant* d. M., dieses Monats.
IOU *I owe you* Schuldschein *m.*
Ir. *Ireland* Irland *n*; ***Irish*** irisch.
IRA *Irish Republican Army* Irisch-Republikanische Armee.
IRC *International Red Cross* IRK, *das* Internationale Rote Kreuz.
ISBN *international standard book number* ISBN-Nummer *f.*
ITV *Independent Television* (*unabhängige britische kommerzielle Fernsehanstalten*).
IYHF *International Youth Hostel Federation* Internationaler Jugendherbergsverband.

J

J *joule(s)* J, Joule *n (od. pl)*.
Jan. *January* Jan., Januar *m*.
Jnr *Junior* jr., jun., junior, der Jüngere.
Jr → **Jnr.**
Jul. *July* Juli *m*.
Jun. *June* Juni *m*; *Junior* → **Jnr.**
jun., junr *junior* jr., jun., junior.

K

kg *kilogram(me)(s)* kg, Kilogramm *n (od. pl)*.
km *kilometre(s)* km, Kilometer *m (od. pl)*.
kn *aer., mar. knot(s)* kn, Knoten *m (od. pl)*.
kph *kilometres per hour* km/h, Stundenkilometer *pl*.

L

L *Br. learner* (*driver*) Fahrschüler(in) (*Plakette an Kraftfahrzeugen*); *large* (*size*) groß; *Lake* See *m*.
l. *left* l., links; *line* Z., Zeile *f*; *litre(s)* l, Liter *m, n (od. pl)*.
£ *pound(s) sterling* Pfund *n* Sterling.
Lab. *Br. pol. Labour* (die) Labour Party.
lb., lb *pound(s)* Pfund *n (od. pl)* (*Gewicht*).
lbs *pounds* Pfund *pl* (*Gewicht*).
LCD *liquid crystal display* Flüssigkristallanzeige *f*.
Lib. *Br. pol. Liberal* Liberale *m, f*; liberal.
Lt. *lieutenant* Lt., Leutnant *m*.
Ltd, ltd *limited* mit beschränkter Haftung.
LW *long wave* LW, Langwelle *f* (*Rundfunk*).

M

M *Br. motorway* Autobahn *f*; *medium* (*size*) mittelgroß.
m *metre(s)* m, Meter *m, n (od. pl)*; *mile(s)* Meile(n *pl*) *f*; *married* verh., verheiratet; *male, masculine* männlich; *million(s)* Mio., Mill., Million(en *pl*) *f*; *minute(s)* min., Min., Minute(n *pl*) *f*.
MA *Master of Arts* Magister *m* der Philosophie.
Maj. *major* Major *m*.

Mar. *March* März *m*.
masc. *ling. masculine* maskulin, männlich.
MBA *Master of Business Administration* Magister *m* der Betriebswirtschaftslehre.
MCP *male chauvinist pig* F *contp.* Chauvischwein *n, humor.* Chauvi *m*.
med. *medical* medizinisch; *medicine* Medizin *f*; *medium* (*size*) mittelgroß; *medieval* mittelalterlich.
MEP *Member of the European Parliament* Mitglied *n* des Europaparlaments.
Messrs ['mesəz] *Messieurs* Herren *pl* (*in Briefadressen*).
mg *milligram(me)(s)* mg, Milligramm *n (od. pl)*.
min. *minute(s)* Min., min, Minute(n *pl*) *f*; *minimum* Min., Minimum *n*.
mm *millimetre(s)* mm, Millimeter *m, n (od. pl)*.
MO *money order* Post- *od.* Zahlungsanweisung *f*; *mail order* → *Wörterverzeichnis.*
Mon. *Monday* Mo., Montag *m*.
MP *Member of Parliament Br.* Unterhausabgeordnete *m, f*; *military police* Militärpolizei *f*.
mph *miles per hour* Stundenmeilen *pl*.
Mr ['mɪstə] *Mister* Herr *m*.
Mrs ['mɪsɪz] *ursprünglich Mistress* Frau *f*.
Ms [mɪz] Frau *f* (*neutrale Anredeform für unverheiratete u. verheiratete Frauen*).
MS *manuscript* Ms., Mskr., Manuskript *n*; *motorship* Motorschiff *n*.
MSc *Master of Science* Magister *m* der Naturwissenschaften.
Mt *Mount* Berg *m*.
mth(s) *month(s)* Monat(e *pl*) *m*.
MW *medium wave* MW, Mittelwelle *f*.

N

N *north* N, Nord(en *m*); *north(ern)* n, nördlich.
n *name* Name *m*; *noun* Subst., Substantiv *n*; *neuter* Neutrum *n*; sächlich.
NASA ['næsə] *Am. National Aeronautics and Space Administration* NASA *f*, Nationale Luft- und Raumfahrtbehörde.
NATO ['neɪtəʊ] *North Atlantic Treaty Organization* NATO *f*, Nato *f*.

620

NBC *National Broadcasting Company* (*amerikanische Rundfunkgesellschaft*).

n.d. *no date* ohne Datum.

neg. *negative* neg., negativ.

NHS *Br. National Health Service* Staatlicher Gesundheitsdienst.

No. *north* N, Nord(en *m*); *numero* (= *number*) Nr., Nummer *f*.

no. *numero* (= *number*) Nr., Nummer *f*.

Nov. *November* Nov., November *m*.

NSB *Br. National Savings Bank etwa*: Postsparkasse *f*.

Nth *North* Nord-..., Nord...

nt.wt. *net weight* Nettogewicht *n*.

NW *northwest* NW, Nordwest(en *m*); *northwest(ern)* nw, nordwestlich.

O

OAP *Br. old-age pensioner* (Alters-) Rentner(in), Pensionär(in).

OAS *Organization of American States* Organisation *f* amerikanischer Staaten.

Oct. *October* Okt., Oktober *m*.

OECD *Organization for Economic Co-operation and Development* Organisation *f* für wirtschaftliche Zusammenarbeit und Entwicklung.

o.n.o. *or near(est) offer* VB, Verhandlungsbasis *f*.

OPEC ['əʊpek] *Organization of Petroleum Exporting Countries* Organisation *f* der Erdöl exportierenden Länder.

opp. *opposite* gegenüber(liegend); entgegengesetzt.

oz *ounce(s)* Unze(n *pl*) *f* (*28,35 g*).

P

p *Br. penny, pence* (*Währungseinheit*).

p. *page* S., Seite *f*; *part* T., Teil *m*.

p.a. *per annum* (= *per year*) pro Jahr, jährlich.

PAN AM [,pæn'æm] *Pan American World Airways* (*amerikanische Luftverkehrsgesellschaft*).

par. *paragraph* Abs., Absatz *m*; Abschn., Abschnitt *m*.

PAYE *Br. pay as you earn* (*Quellenabzugsverfahren. Arbeitgeber zieht Lohn-bzw. Einkommensteuer direkt vom Lohn bzw. Gehalt ab*).

PC *Br. police constable* Polizist *m*,

Wachtmeister *m*; *personal computer* PC, Personalcomputer *m*.

p.c., pc, % *per cent* %, Prozent *n od. pl*; *postcard* Postkarte *f*.

per pro(c). *per procurationem* (= *by proxy*) pp., ppa., per Prokura; i. A., im Auftrag.

PhD *philosophiae doctor* (= *Doctor of Philosophy*) Dr. phil., Doktor *m* der Philosophie.

PIN [pɪn] *personal identification number* (*Nummer auf Scheckkarten etc*).

Pk *Park* Park *m*.

Pl. *Place* Pl., Platz *m*.

pl *plural* Pl., Plural *m*.

PLC, Plc, plc *Br. public limited company* AG, Aktiengesellschaft *f*.

PM *Br. Prime Minister* Premierminister(in); *Am.* → **p.m.**

p.m., pm *Br. post meridiem* (= *after noon*) nachm., nachmittags, abends.

PO *postal order* Postanweisung *f*; *post office* Postamt *n*.

POD *pay on delivery* per Nachnahme.

pop. *population* Einw., Einwohner(zahl *f*) *pl*.

POW *prisoner of war* Kriegsgefangene *m*.

pp. *pages* Seiten *pl*.

p.p. → **per pro(c).**

PR *public relations* Öffentlichkeitsarbeit *f*.

Pres. *president* Präsident *m*.

Prof. *Professor* Prof., Professor *m*.

PS *postscript* PS, Postskript(um) *n*.

Pt *part* T., Teil *m*; *Port* (*in Ortsnamen, vorangestellt*).

pt *part* T., Teil *m*; *payment* Zahlung *f*; *point* → *Wörterverzeichnis*; *pint* Pint *n* (*Br. 0,57 l, Am. 0,47 l*).

PTO, p.t.o. *please turn over* b.w., bitte wenden.

Q

quot. *econ. quotation* Kurs-, Preisnotierung *f*.

R

r. *right* r., rechts.

RAC *Br. Royal Automobile Club* der Königliche Automobilklub.

RAF *Royal Air Force* die Königlich-Britische Luftwaffe.

RAM [ræm] *Computer: random access*

memory Speicher *m* mit wahlfreiem Zugriff, Direktzugriffsspeicher *m*.

RC *Roman Catholic* r.-k., römisch-katholisch.

Rd *Road* Str., Straße *f*.

ret., retd *retired* i. R., im Ruhestand, a. D., außer Dienst.

Rev., Revd *Reverend eccl.* Hochwürden (*Titel u. Anrede*).

RN *Royal Navy* die Königlich-Britische Marine.

ROM [rɒm] *Computer: read only memory* Nur-Lese-Speicher *m*, Fest-(wert)speicher *m*.

RP *Br. received pronunciation* Standardaussprache *f* (*des Englischen in Südengland*); *reply paid* Rückantwort bezahlt.

r.p.m. *revolutions per minute* U/min., Umdrehungen *pl* pro Minute.

RSVP *répondez s'il vous plaît* (= *please reply*) u. A. w. g., um Antwort wird gebeten.

Rt Hon. *Right Honourable* der Sehr Ehrenwerte (*Titel u. Anrede*).

S

S *south* S, Süd(en *m*); *south(ern)* s, südlich; *small* (*size*) klein.

s *second(s)* Sek., sek., s, Sekunde(n *pl*) *f*; *hist. shilling(s)* Schilling(e *pl*) *m*.

s.a.e. *stamped addressed envelope* frankierter Rückumschlag.

SALT [sɔːlt] *hist. Strategic Arms Limitation Talks* (*Verhandlungen zwischen der Sowjetunion u. den USA über Begrenzung u. Abbau strategischer Waffensysteme*).

Sat. *Saturday* Sa., Samstag *m*, Sonnabend *m*.

SDP *Br. Social Democratic Party* Sozialdemokratische Partei.

SE *southeast* SO, Südost(en *m*); *southeast(ern)* sö, südöstlich; *Stock Exchange* Börse *f*.

Sec. *Secretary* Sekr., Sekretär(in); Minister(in).

sec. *second(s)* Sek., sek., s, Sekunde(n *pl*) *f*; *secretary* Sekr., Sekretär(in).

Sen., sen. *Senior* sen., der Ältere.

Sep(t). *September* Sept., September *m*.

Soc. *society* Gesellschaft *f*, Verein *m*.

Sq. *Square* Pl., Platz *m*.

sq. *square* Quadrat...

St *Saint* ... St. ..., Sankt ...; *Street* Str., Straße *f*.

st. *Br. stone* (*Gewichtseinheit von 6,35 kg*).

Sta. *Station* B(h)f., Bahnhof *m*.

stg *sterling* Sterling *m* (*britische Währungseinheit*).

Sth *South* Süd-..., Süd...

Stn *Station* B(h)f., Bahnhof *m*.

Sun. *Sunday* So., Sonntag *m*.

suppl. *supplement* Nachtrag *m*.

SW *southwest* SW, Südwest(en *m*); *southwest(ern)* sw, südwestlich; *short wave* KW, Kurzwelle *f*.

T

t *ton(s)* Tonne(n *pl*) *f* (*Br. 1016 kg, Am. 907,18 kg*); *tonne(s)* (= *metric ton[s]*) t, Tonne(n *pl*) *f* (*1000 kg*).

tel. *telephone* (*number*) Tel., Telefon(nummer *f*) *n*.

TGWU *Br. Transport and General Workers' Union* Transportarbeitergewerkschaft *f*.

Thur(s). *Thursday* Do., Donnerstag *m*.

TM *econ. trademark* Wz., Warenzeichen *n*.

tn *Am.* → *t*.

TU *trade(s) union* Gewerkschaft *f*.

TUC *Br. Trades Union Congress* Gewerkschaftsverband *m*.

Tue(s). *Tuesday* Di(e)., Dienstag *m*.

TWA *Trans World Airlines* (*amerikanische Luftverkehrsgesellschaft*).

U

UEFA [juːˈeɪfə] *Union of European Football Associations* UEFA *f*.

UFO [ˈjuːfəʊ; juːeˈfəʊ] *unidentified flying object* Ufo *n*.

UHF *ultrahigh frequency* UHF, Ultrahochfrequenz(bereich *m*) *f*, Dezimeterwellenbereich *m*.

UK *United Kingdom* Vereinigtes Königreich (*England, Schottland, Wales u. Nordirland*).

UN *United Nations* die UN *pl*, die Vereinten Nationen *pl*.

UNESCO [juːˈneskəʊ] *United Nations Educational, Scientific, and Cultural Organization* UNESCO *f*, Organisation *f* der Vereinten Nationen für Erziehung, Wissenschaft und Kultur.

UNICEF ['juːnɪsef] *United Nations Children's Fund* UNICEF *f*, Kinderhilfswerk *n* der Vereinten Nationen.

UNO ['juːnəʊ] *United Nations Organization* UNO *f*.

UPI *United Press International* (*amerikanische Nachrichtenagentur*).

US *United States* Vereinigte Staaten *pl*.

USA *United States of America die* USA *pl*, Vereinigte Staaten *pl* von Amerika.

USW *ultrashort wave* UKW, Ultrakurzwelle *f* (*Rundfunk*).

V

V *volt(s)* V, Volt *n* (*od. pl*).

v. *verse* V., Vers *m*; *versus* contra, gegen; *very* sehr; *vide* (= *see*) s., siehe.

VAT [ˌviːeɪˈtiː; væt] *value-added tax* MwSt., Mehrwertsteuer *f*.

VCR *video cassette recorder* Videorecorder *m*.

VD *venereal disease* Geschlechtskrankheit *f*.

VHF *very high frequency* VHF, UKW, Ultrakurzwelle(nbereich *m*) *f*.

VIP *very important person* VIP *f* (*prominente Persönlichkeit*).

vol. *volume* Bd., Band *m*.

vols *volumes* Bde., Bände *pl*.

vs. *versus* contra, gegen.

VS *veterinary surgeon* Tierarzt *m*.

vv, v.v. *vice versa* v.v., umgekehrt.

W

W *west* W, West(en *m*); *west(ern)* w, westlich; *watt(s)* W, Watt *n* (*od. pl*).

WC *West Central* (London) Mitte-West (*Postbezirk*); *water closet* WC *n*, Toilette *f*.

Wed(s). *Wednesday* Mi., Mittwoch *m*.

WHO *World Health Organization* WGO, Weltgesundheitsorganisation *f*.

WP *word processor* Textverarbeitungssystem *n*, -gerät *n*; *word processing* Textverarbeitung *f*; *weather permitting* wenn es das Wetter erlaubt.

wt., wt *weight* Gew., Gewicht *n*.

X

XL *extra large* (*size*) extragroß.

Xmas → *Wörterverzeichnis*.

Xroads ['eksrəʊdz] *crossroads* Straßenkreuzung *f*.

XS *extra small* (*size*) extraklein.

Y

yd *pl a.* **yds** *yard(s)* *n* (*91,44 cm*).

YHA *Youth Hostels Association* Jugendherbergsverband *m*.

YMCA *Young Men's Christian Association* CVJM, Christlicher Verein junger Männer.

YWCA *Young Women's Christian Association* Christlicher Verein junger Frauen und Mädchen.

Deutsche Abkürzungen — German Abbreviations

A

AA *das Auswärtige Amt* Foreign Office.

Abb. *Abbildung* ill(us)., illustration; fig., figure.

Abf. *Abfahrt* dep., departure.

Abk. *Abkürzung* abbr., abbreviation.

Abs. *Absatz* par., paragraph; *Absender* sender.

Abschn. *Abschnitt* section; ch., chapter.

Abt. *Abteilung* dept, department.

abzgl. *abzüglich* less, minus.

a. D. *außer Dienst* retd, retired; *an der Donau* on the Danube.

Adr. *Adresse* address.

AG *Aktiengesellschaft Br.* PLC, Plc, public limited company; *Am.* (stock) corporation.

allg. *allgemein* gen., general.

a. M. *am Main* on the Main.

Anh. *Anhang* app., appendix.
Ank. *Ankunft* arr., arrival.
Anl. *Anlage(n)* (*im Brief*) enc(l)., enclosure(s).
anschl. *anschließend* foll., following.
App. *Apparat* *teleph.* ext., extension; telephone.
a. Rh. *am Rhein* on the Rhine.
Art. *Artikel* art., article.
Aufl. *Auflage* ed., edition.
Az. *Aktenzeichen* file number.

B

Bd. *Band* (*Buch*) vol., volume.
Bde. *Bände* (*Bücher*) vols, volumes.
beil. *beiliegend* encl., enclosed.
BENELUX *Belgien, Niederlande, Luxemburg* Belgium, the Netherlands, and Luxembourg.
bes. *besonders* esp., especially.
Best.-Nr. *Bestellnummer* ord. no., order number.
Betr. *Betreff, betrifft* (*in Briefen*) re.
Bhf. *Bahnhof* Sta., station.
BLZ *Bankleitzahl* bank code number.
BRD *Bundesrepublik Deutschland* FRG, Federal Republic of Germany.
BRT *Bruttoregistertonnen* GRT, gross register tons.
bsd. *besonders* esp., especially.
b. w. *bitte wenden* PTO, p.t.o., please turn over.
bzw. *beziehungsweise* resp., respectively.

C

C *Celsius* C, Celsius, centigrade.
ca. *circa, ungefähr, etwa* c, ca, circa (*Datumsangabe*); about; approx., approximately.
Co. (*veraltet*) *Compagnie* (*Handelsgesellschaft*) co., company; *Compagnon* (*Mitinhaber*) partner.

D

DB *Deutsche Bundesbahn* German Federal Railway.
DGB *Deutscher Gewerkschaftsbund* Federation of German Trade Unions.
d. h. *das heißt* i.e., that is.
DIN *Deutsches Institut für Normung* German Institute for Standardization.

Dipl. *Diplom*(... holding a) diploma.
Dipl.-Ing. *Diplomingenieur* *etwa*: graduate engineer.
DJH *Deutsches Jugendherbergswerk* German Youth Hostel Association.
DM *Deutsche Mark* German Mark(s), Deutschmark(s).
d. M. *dieses Monats* inst., instant.
dpa *Deutsche Presse-Agentur* German Press Agency.
Dr. *Doktor* Dr, Doctor: ~ *jur. Doktor der Rechte* LLD, Doctor of Laws; ~ *med. Doktor der Medizin* MD, Doctor of Medicine; ~ *phil. Doktor der Philosophie* DPhil, PhD, Doctor of Philosophy; ~ *rer. nat. Doktor der Naturwissenschaften* DSc, ScD, Doctor of Science; ~ *theol.* (*evangelisch*: **D. theol.**) *Doktor der Theologie* DD, Doctor of Divinity.
dt. *deutsch* Ger., German.
Dtzd. *Dutzend* doz., dozen(s).

E

EDV *elektronische Datenverarbeitung* EDP, electronic data processing.
EG *Europäische Gemeinschaft* EC, European Community.
eidg. *eidgenössisch* (= *schweizerisch*) fed., federal, confederate, Swiss.
eigtl. *eigentlich* actual(ly), real(ly), *adv* a. strictly speaking.
einschl. *einschließlich* incl., inclusive(ly); including; *einschlägig* relevant.
engl. *englisch* Eng., English.
entspr. *entsprechend* corr., corresponding.
erb. *erbaut* built, erected.
Erw. *Erwachsene* *pl* adults.
ev. *evangelisch* Prot., Protestant.
evtl. *eventuell* poss., possibly; perhaps.
exkl. *exklusive* exc., except(ed); excl., exclusive, excluding.
Expl. *Exemplar* sample, copy.

F

Fa. *Firma* firm; (*auf Adressen*) Messrs.
Fam. *Familie* family; (*auf Adressen*) Mr & Mrs ... (and family).
FC *Fußballclub* FC, Football Club.
FH *Fachhochschule* *etwa*: college.
folg. *folgend(e etc)* foll., following.

Fr. *Frau* Mrs; Ms (*Familienstand nicht erkennbar*).
Frl. *Fräulein* Miss.
frz. *französisch* Fr., French.

G

geb. *geboren* b., born; *geborene ...* née; *gebunden* bd, bound.
Gebr. *Gebrüder* Bros., Brothers.
gegr. *gegründet* founded; est(ab)., established.
Ges. *Gesellschaft* assoc., association; co., company; soc., society; *Gesetz* law.
gesch. *geschieden* div., divorced.
ges. gesch. *gesetzlich geschützt* regd, registered.
Gew. *Gewicht* w., wt, weight.
gez. *gezeichnet* (*vor der Unterschrift*) sgd, signed.
GmbH *Gesellschaft mit beschränkter Haftung* limited liability company.
GUS *Gemeinschaft Unabhängiger Staaten* CIS, Commonwealth of Independent States.

H

Hbf. *Hauptbahnhof* cent. sta., central station; main sta., main station.
HP *Halbpension* half board.
Hr(n). *Herr(n)* Mr.

I

i. A. *im Auftrag* p.p., per pro.
ICE *Intercity-Expreß* intercity express (train).
i. H. *im Hause* on the premises.
IHK *Industrie- und Handelskammer* Chamber of Industry and Commerce.
Ing. *Ingenieur* eng., engineer.
Inh. *Inhaber* prop., propr, proprietor; *Inhalt* cont., contents.
inkl. *inklusive* incl., including, included; inclusive of.
i. V. *in Vertretung* p.p., by proxy, on behalf of; *in Vorbereitung* in prep., in preparation.

J

Jh. *Jahrhundert* c, cent., century.
jr., jun. *junior* Jun., jun., Jnr, Jr, junior.

K

Kap. *Kapitel* ch(ap)., chapter.
kath. *katholisch* C(ath)., Catholic.
Kfm. *Kaufmann* merchant; businessman; trader; dlr, dealer; agt, agent.
Kfz *Kraftfahrzeug* motor vehicle.
KG *Kommanditgesellschaft* limited partnership.
Kl. *Klasse* cl., class.
Kto. *Konto* acct, a/c, account.

L

l. *links* l., left.
led. *ledig* single, unmarried.
lfd. Nr. *laufende Nummer* ser. no., serial number.
Lf(r)g. *Lieferung* dely, delivery.
Lkw, LKW *Lastkraftwagen* Br. HGV, heavy goods vehicle; Br. lorry, Am. truck.
ltd. *leitend* man., managing.

M

mbH *mit beschränkter Haftung* with limited liability.
MdB *Mitglied des Bundestages* Member of the Bundestag.
MdL *Mitglied des Landtages* Member of the Landtag.
MEZ *mitteleuropäische Zeit* CET, Central European Time.
Mill. *Million(en)* m, million.
Min., min. *Minute(n)* min., minute(s).
Mio. *Million(en)* m, million.
Mitw. *Mitwirkung* assistance, participation, cooperation.
möbl. *möbliert* furn., furnished.
Mrd. *Milliarde(n)* bn, billion, Br. a. thousand million.
MwSt., MWSt. *Mehrwertsteuer* VAT, value-added tax.

N

N *Nord(en)* N, north.
nachm. *nachmittags* p.m., pm, in the afternoon.
n. Chr. *nach Christus* AD, anno domini.
NO *Nordost(en)* NE, northeast.
Nr. *Nummer* No., no., number.
NW *Nordwest(en)* NW, northwest.

O

O *Ost(en)* E, east.

o. *oben* above; *oder* or; *ohne* w/o, without.

o. ä. *oder ähnlich(e, -es etc)* or the like.

OB *Oberbürgermeister* Chief Burgomaster; mayor.

od. *oder* or.

OHG *offene Handelsgesellschaft* general partnership.

Orig. *Original* orig., original.

österr. *österreichisch* Aus., Austrian.

P

p. A(dr). *per Adresse* c/o, care of.

pers. *persönlich* pers., personal; personally, in person.

Pf *Pfennig* pf., pfennig.

Pfd. *Pfund* (*Gewicht*) German pound(s).

Pkw, PKW *Personenkraftwagen* (motor) car.

Pl. *Platz* Sq., Square.

pp(a). *per Prokura* p.p., per pro(c)., by proxy.

Prof. *Professor* Prof., Professor.

R

r. *rechts* r., right.

RA *Rechtsanwalt* lawyer; *Br.* solicitor, barrister; *Am.* attorney.

rd. *rund* (*=ungefähr*) roughly.

Reg.-Bez. *Regierungsbezirk* administrative district.

Rep. *Republik* Rep., Republic.

rk., r.-k. *römisch-katholisch* RC, Roman Catholic.

S

S *Süd(en)* S, south; *Schilling* S, schilling.

S. *Seite* p., page.

s. *siehe* v., vide; see.

Sek., sek. *Sekunde(n)* sec., second(s).

sen. *senior* Sen., sen., Snr, Sr, senior.

SO *Südost(en)* SE, southeast.

s. o. *siehe oben* see above.

SS *Sommersemester* summer semester *od.* (*Br.*) term.

St. *Sankt* St, Saint; *Stück* pc., *pl* pcs., piece(s).

stellv. *stellvertretend* asst., assistant.

Str. *Straße* St, Street; Rd, Road.

s. u. *siehe unten* see below.

SW *Südwest(en)* SW, southwest.

T

t(ä)gl. *täglich* daily, a *od.* per day.

Tel. *Telefon* tel., telephone.

TH *Technische Hochschule* college of technology, technical university.

TU *Technische Universität* technical university.

U

u. *und* and.

u. a. *und andere(s)* and others (other things); *unter anderem* (*anderen*) among other things, inter alia (among others).

ü. d. M. *über dem Meeresspiegel* above sea level.

usw. *und so weiter* etc., and so on.

V

v. *von, vom* of; from; by.

VB *Verhandlungsbasis* (*Preis*) ... o.n.o., ... or near(est) offer.

v. Chr. *vor Christus* BC, before Christ.

v. D. *vom Dienst* on duty, in charge.

verh. *verheiratet* mar., married.

vgl. *vergleiche* cf., confer; cp., compare.

v. H. *vom Hundert* pc, per cent.

VHS *Volkshochschule* *Institution*: adult education program(me); *Kurse*: adult evening classes.

vorm. *vormittags* a.m., am, in the morning; *vormals* formerly.

VP *Vollpension* full board; board and lodging.

W

W *West(en)* W, west; *Watt* W, watt(s).

WEZ *westeuropäische Zeit* GMT, Greenwich Mean Time.

WS *Wintersemester* winter semester *od.* (*Br.*) term.

Wz. *Warenzeichen* TM, trademark.

Z

Z. *Zeile* l., line.

z. B. *zum Beispiel* e.g., for example, for instance.

z. H(d). *zu Händen* attn, attention (of).

Zi. *Zimmer* rm (no.), room (number);

Ziffer fig., figure; No., no., number; *jur.* subparagraph; *in Vertrag etc*: item.

z. T. *zum Teil* partly.

z(u)zgl. *zuzüglich* plus.

z. Z(t). *zur Zeit* at present, for the time being; *rückblickend*: at the time of.

Zahlwörter — Numerals

Grundzahlen — Cardinal Numbers

- **0** zero, nought [nɔːt] *null*
- **1** one *eins*
- **2** two *zwei*
- **3** three *drei*
- **4** four *vier*
- **5** five *fünf*
- **6** six *sechs*
- **7** seven *sieben*
- **8** eight *acht*
- **9** nine *neun*
- **10** ten *zehn*
- **11** eleven *elf*
- **12** twelve *zwölf*
- **13** thirteen *dreizehn*
- **14** fourteen *vierzehn*
- **15** fifteen *fünfzehn*
- **16** sixteen *sechzehn*
- **17** seventeen *siebzehn*
- **18** eighteen *achtzehn*
- **19** nineteen *neunzehn*
- **20** twenty *zwanzig*
- **21** twenty-one *einundzwanzig*
- **22** twenty-two *zweiundzwanzig*
- **30** thirty *dreißig*
- **31** thirty-one *einunddreißig*
- **40** forty *vierzig*
- **41** forty-one *einundvierzig*
- **50** fifty *fünfzig*
- **51** fifty-one *einundfünfzig*
- **60** sixty *sechzig*
- **61** sixty-one *einundsechzig*
- **70** seventy *siebzig*
- **71** seventy-one *einundsiebzig*
- **80** eighty *achtzig*
- **81** eighty-one *einundachtzig*
- **90** ninety *neunzig*
- **91** ninety-one *einundneunzig*
- **100** a *od.* one hundred (*ein*)*hundert*
- **101** a hundred and one *hundert*(*und*)*eins*
- **200** two hundred *zweihundert*
- **300** three hundred *dreihundert*
- **572** five hundred and seventy-two *fünfhundert*(*und*)*zweiundsiebzig*
- **1000** a *od.* one thousand (*ein*)*tausend*
- **1066** ten sixty-six *tausendsechsundsechzig*
- **1998** nineteen (hundred and) ninety-eight *neunzehnhundertachtundneunzig*
- **2000** two thousand *zweitausend*
- **5044** *teleph.* five 0 [əʊ] (*Am. a.* zero) double four *fünfzig vierundvierzig*
- **1,000,000** a *od.* one million *eine Million*
- **2,000,000** two million *zwei Millionen*
- **1,000,000,000** a *od.* one billion *eine Milliarde*

Ordnungszahlen — Ordinal Numbers

- **1st** first *erste*
- **2nd** second *zweite*
- **3rd** third *dritte*
- **4th** fourth *vierte*
- **5th** fifth *fünfte*
- **6th** sixth *sechste*
- **7th** seventh *siebente*
- **8th** eighth *achte*
- **9th** ninth *neunte*
- **10th** tenth *zehnte*
- **11th** eleventh *elfte*
- **12th** twelfth *zwölfte*
- **13th** thirteenth *dreizehnte*
- **14th** fourteenth *vierzehnte*
- **15th** fifteenth *fünfzehnte*
- **16th** sixteenth *sechzehnte*
- **17th** seventeenth *siebzehnte*
- **18th** eighteenth *achtzehnte*
- **19th** nineteenth *neunzehnte*
- **20th** twentieth *zwanzigste*
- **21st** twenty-first *einundzwanzigste*
- **22nd** twenty-second *zweiundzwanzigste*
- **23rd** twenty-third *dreiundzwanzigste*

30th	thirtieth *dreißigste*	**101st**	hundred and first *hundertunderste*
31st	thirty-first *einunddreißigste*		
40th	fortieth *vierzigste*	**200th**	two hundredth *zweihundertste*
41st	forty-first *einundvierzigste*	**300th**	three hundredth *dreihundertste*
50th	fiftieth *fünfzigste*	**572nd**	five hundred and seventy-second *fünfhundertzweiundsiebzigste*
51st	fifty-first *einundfünfzigste*		
60th	sixtieth *sechzigste*		
61st	sixty-first *einundsechzigste*	**1000th**	(one) thousandth *tausendste*
70th	seventieth *siebzigste*	**1950th**	nineteen hundred and fiftieth *neunzehnhundertfünfzigste*
71st	seventy-first *einundsiebzigste*		
80th	eightieth *achtzigste*	**2000th**	two thousandth *zweitausendste*
81st	eighty-first *einundachtzigste*	**1,000,000th**	(one) millionth *millionste*
90th	ninetieth *neunzigste*	**2,000,000th**	two millionth *zweimillionste*
100th	(one) hundredth *hundertste*		

Bruchzahlen und andere Zahlenwerte
Fractions and other Mathematical Functions

$\frac{1}{2}$ one *od.* a half *ein halb*

$1\frac{1}{2}$ one and a half *anderthalb*

$2\frac{1}{2}$ two and a half *zweieinhalb*

$\frac{1}{3}$ a third *ein Drittel*

$\frac{2}{3}$ two thirds *zwei Drittel*

$\frac{1}{4}$ one *od.* a quarter, one *od.* a fourth *ein Viertel* [*drei Viertel*]

$\frac{3}{4}$ three quarters, three fourths}

$\frac{1}{5}$ one *od.* a fifth *ein Fünftel*

$3\frac{4}{5}$ three and four fifths *drei vier Fünftel*

$\frac{5}{8}$ five eighths *fünf Achtel*

$\frac{12}{20}$ twelve twentieths *zwölf Zwanzigstel*

$\frac{75}{100}$ seventy-five hundredths *fünfundsiebzig Hundertstel*

0.45 (nought [nɔ:t]) point four five *null Komma vier fünf* [*fünf*}

2.5 two point five *zwei Komma*}

once *einmal*

twice *zweimal*

three (four) times *drei-(vier)mal*

twice as much (many) *zweimal od. doppelt soviel (so viele)*

firstly (secondly, thirdly), in the first (second, third) place *erstens (zweitens, drittens)*

7 + 8 = 15 seven plus *od.* and eight is fifteen *sieben plus od. und acht ist fünfzehn*

9 – 4 = 5 nine minus *od.* less four is five *neun minus od. weniger vier ist fünf*

2 x 3 = 6 twice three is six *zweimal drei ist sechs*

20 ÷ 5 = 4 twenty divided by five is four *zwanzig dividiert od. geteilt durch fünf ist vier*

Britische Währung — British Currency

£1 = 100p

Münzen	*Banknoten*
1p (a penny)	£5 (five pounds)
2p (two pence)	£10 (ten pounds)
5p (five pence)	£20 (twenty pounds)
10p (ten pence)	£50 (fifty pounds)
20p (twenty pence)	Alte Münzen im Wert von 1 Schilling (= 5p) und 2 Schilling (= 10p) sind noch im Umlauf.
50p (fifty pence)	
£1 (one pound)	

Englische Maße und Gewichte
English Weights and Measures

1. Längenmaße – Units of length

1 inch (in.) = 2,54 cm
1 foot (ft) = 12 inches = 30,48 cm
1 yard (yd) = 3 feet = 91,44 cm
1 mile (ml, *Am.* **mi.)** = 1609,34 m

2. Flächenmaße – Square measures

1 square inch (sq. in.) = 6,45 cm²
1 square foot (sq. ft) = 144 square inches = 929,03 cm²
1 square yard (sq. yd) = 9 square feet = 0,836 m²
1 square rod (sq. rd) = 30.25 square yards = 25,29 m²
1 rood (ro.) = 40 square rods = 10,12 a
1 acre (a.) = 4 roods = 40,47 a
1 square mile (sq. ml, *Am.* **sq. mi.)** = 640 acres = 2,59 km²

3. Raummaße – Cubic measures

1 cubic inch (cu. in.) = 16,387 cm³
1 cubic foot (cu. ft) = 1728 cubic inches = 0,028 m³
1 cubic yard (cu. yd) = 27 cubic feet = 0,765 m³
1 register ton (reg. tn) = 100 cubic feet = 2,832 m³

4. Britische Hohlmaße – British units of capacity

1 imperial gill (gi., gl) = 0,142 l
1 imperial pint (pt) = 4 gills = 0,568 l
1 imperial quart (qt) = 2 imperial pints = 1,136 l
1 imperial gallon (imp. gal.) = 4 imperial quarts = 4,546 l

Flüssigkeitsmaß – Liquid measure

1 imperial barrel (bbl., bl.) = 36 imperial gallons = 1,636 hl

5. Hohlmaße der USA – American units of capacity

1 U.S. dry pint = 0,551 l
1 U.S. dry quart = 2 dry pints = 1,1 l

Flüssigkeitsmaße – Liquid Measures

1 U.S. liquid gill = 0,118 l
1 U.S. liquid pint = 4 gills = 0,473 l
1 U.S. liquid quart = 2 liquid pints = 0,946 l
1 U.S. gallon = 8 liquid pints = 3,785 l
1 U.S. barrel = 31.5 gallons = 119,2 l
1 U.S. barrel petroleum = 42 gallons = 158,97 l (*international standard for oil*)

6. Handelsgewichte – Units of weight

1 grain (gr.) = 0,0648 g
1 dram (dr. av.) = 27.34 grains = 1,77 g
1 ounce (oz av.) = 16 drams = 28,35 g
1 pound (lb. av.) = 16 ounces = 0,453 kg
1 stone (st.) 14 pounds = 6,35 kg
1 quarter (qr) *Br.* = 28 pounds = 12,7 kg; *Am.* = 25 pounds = 11,34 kg
1 hundredweight (cwt) *Br.* = 112 pounds = 50,8 kg; (*a.* long hundredweight: cwt. l.); *Am.* = 100 pounds = 45,36 kg (*a.* short hundredweight: cwt. sh.)
1 ton (t, tn) *Br.* = 2240 pounds (= 20 cwt. l.) = 1016 kg (*a.* long ton: tn. l.); *Am.* = 2000 pounds (= 20 cwt. sh.) = 907,18 kg (*a.* short ton: tn. sh.)

Temperaturumrechnung – Conversion of temperatures

°Fahrenheit = (⁹/₅ °C) + 32
°Celsius = (°F − 32) · ⁵/₉

Deutsche Maße und Gewichte
German Weights and Measures

1. Längenmaße - Units of length

1 mm *Millimeter* millimetre
  = $^1/_{1000}$ metre
  = 0.0010936 yards
  = 0.0032809 feet
  = 0.03937079 inches

1 cm *Zentimeter* centimetre
  = $^1/_{100}$ metre
  = 0.3937 inches

1 dm *Dezimeter* decimetre
  = $^1/_{10}$ metre
  = 3.9370 inches

1 m *Meter* metre
  = 1.0936 yards
  = 3.2809 feet
  = 39.37079 inches

1 km *Kilometer* kilometre
  = 1,000 metres
  = 1,093.637 yards
  = 3,280.8692 feet
  = 39,370.79 inches
  = 0.62138 British or Statute Miles

1 sm *Seemeile* (*internationales Standardmaß*) nautical mile
  = 1,852 metres

2. Flächenmaße - Square measures

1 mm² *Quadratmillimeter*
  square millimetre
  = $^1/_{1\,000\,000}$ square metre
  = 0.000001196 square yards
  = 0.0000107641 square feet
  = 0.00155 square inches

1 cm² *Quadratzentimeter*
  square centimetre
  = $^1/_{10\,000}$ square metre

1 dm² *Quadratdezimeter*
  square decimetre
  = $^1/_{100}$ square metre

1 m² *Quadratmeter* square metre
  = 1.19599 square yards
  = 10.7641 square feet
  = 1,550 square inches

1 a *Ar* are
  = 100 square metres
  = 119.5993 square yards
  = 1,076.4103 square feet

1 ha *Hektar* hectare
  = 100 ares
  = 10,000 square metres
  = 11,959.90 square yards
  = 107,641.03 square feet
  = 2.4711 acres

1 km² *Quadratkilometer*
  square kilometre
  = 100 hectares
  = 1,000,000 square metres
  = 247.11 acres
  = 0.3861 square miles

3. Raummaße - Cubic measures

1 cm³ *Kubikzentimeter*
  cubic centimetre
  = 1,000 cubic millimetres
  = 0.061 cubic inches

1 dm³ *Kubikdezimeter*
  cubic decimetre
  = 1,000 cubic centimetres
  = 61.0253 cubic inches

1 m³ *Kubikmeter*
1 rm *Raummeter* } cubic metre
1 fm *Festmeter*
  = 1,000 cubic decimetres
  = 1.3079 cubic yards
  = 35.3156 cubic feet

1 RT *Registertonne*
  register ton
  = 2.832 m³
  = 100 cubic feet

4. Hohlmaße - Units of capacity

1 l   *Liter* litre
= 10 decilitres
= 1.7607 pints (*Br.*)
= 7.0431 gills (*Br.*)
= 0.8804 quarts (*Br.*)
= 0.2201 gallons (*Br.*)
= 2.1134 pints (*Am.*)
= 8.4534 gills (*Am.*)
= 1.0567 quarts (*Am.*)
= 0.2642 gallons (*Am.*).

1 hl   *Hektoliter* hectolitre
= 100 litres
= 22.009 gallons (*Br.*)
= 2.751 bushels (*Br.*)
= 26.418 gallons (*Am.*)
= 2.84 bushels (*Am.*)

5. Gewichte - Weights

1 mg   *Milligramm* milligram(me)
= $^1/_{1000}$ gram(me)
= 0.0154 grains

1 g   *Gramm* gram(me)
= $^1/_{1000}$ kilogram(me)
= 15.4324 grains

1 Pfd   *Pfund* pound (German)
= $^1/_2$ kilogram(me)
= 500 gram(me)s
= 1.1023 pounds (avdp.)
= 1.3396 pounds (troy)

1 kg   *Kilogramm, Kilo*
kilogram(me)
= 1,000 gram(me)s
= 2.2046 pounds (avdp.)
= 2.6792 pounds (troy)

1 Ztr.   *Zentner* centner
= 100 pounds (German)
= 50 kilogram(me)s
= 110.23 pounds (avdp.)
= 0.9842 British hundred-
weights
= 1.1023 U.S. hundred-
weights

1 dz   *Doppelzentner*
= 100 kilogram(me)s
= 1.9684 British hundred-
weights
= 2.2046 U.S. hundred-
weights

1 t   *Tonne* ton
= 1,000 kilogram(me)s
= 0.984 British tons
= 1.1023 U.S. tons

Englische unregelmäßige Verben
English Irregular Verbs

Die an erster Stelle stehende Form bezeichnet das Präsens (present tense), nach dem ersten Gedankenstrich steht das Präteritum (past tense), nach dem zweiten das Partizip Perfekt (past participle).

alight – alighted, alit – alighted, alit

arise – arose – arisen

awake – awoke, awaked – awoke, awaked, awoken

be (am, is, are) – was (were) – been

bear – bore – borne *getragen*, born *geboren*

beat – beat – beaten, beat

become – became – become

beget – begot – begotten

begin – began – begun

bend – bent – bent   [bereft⎫

bereave – bereaved, bereft – bereaved,⎬ sought, beseeched

beseech – besought, beseeched – besought, beseeched

bet – bet, betted – bet, betted

bid – bade, bid – bidden, bid, *a.* bade

bide – bade, bided – bided

bind – bound – bound

bite – bit – bitten

bleed – bled – bled

bless – blessed, *a.* blest – blessed, *a.* blest

blow – blew – blown

break – broke – broken

breed – bred – bred

bring – brought – brought

broadcast – broadcast(ed) – broadcast(ed)

build – built – built

burn – burnt, burned – burnt, burned

burst – burst – burst

bust – bust(ed) – bust(ed)

buy – bought – bought

can – could

cast – cast – cast

catch – caught – caught

choose – chose – chosen

cleave – cleft, cleaved, clove – cleft, cleaved, cloven

cling – clung – clung

clothe – clothed, clad – clothed, clad

come – came – come

cost – cost – cost

creep – crept – crept

crow – crowed, crew – crowed

cut – cut – cut

deal – dealt – dealt

dig – dug – dug

do – did – done

draw – drew – drawn   [dreamed⎫

dream – dreamt, dreamed – dreamt,⎬

drink – drank – drunk

drive – drove – driven

dwell – dwelt, dwelled – dwelt, dwelled

eat – ate – eaten

fall – fell – fallen

feed – fed – fed

feel – felt – felt

fight – fought – fought

find – found – found

flee – fled – fled

fling – flung – flung

fly – flew – flown

forbid – forbad(e) – forbid(den)

forecast – forecast(ed) – forecast(ed)

forget – forgot – forgotten

forsake – forsook – forsaken

freeze – froze – frozen

geld – gelded, gelt – gelded, gelt

get – got – got, *Am. a.* gotten

gild – gilded, gilt – gilded, gilt

give – gave – given

gnaw – gnawed – gnawed, gnawn

go – went – gone

grind – ground – ground

grip – gripped, *Am. a.* gript – gripped, *Am. a.* gript

grow – grew – grown

hang – hung – hung

have (has) – had – had

hear – heard – heard

heave – heaved, *esp. mar.* hove – heaved, *esp. mar.* hove

hew – hewed – hewed, hewn

hide – hid – hidden, hid

hit – hit – hit

hold – held – held

hurt – hurt – hurt

keep – kept – kept

kneel – knelt, kneeled – knelt, kneeled

knit – knitted, knit – knitted, knit

know – knew – known

lay – laid – laid

lead – led – led

lean – leaned, *esp. Br.* leant – leaned, *esp. Br.* leant
leap – leaped, leapt – leaped, leapt
learn – learned, learnt – learned, learnt
leave – left – left
lend – lent – lent
let – let – let
lie – lay – lain
light – lighted, lit – lighted, lit
lose – lost – lost
make – made – made
may – might
mean – meant – meant
meet – met – met
melt – melted – melted, molten
mow – mowed – mowed, mown
pay – paid – paid
plead – pleaded, *esp. ScotE. and Am.* pled – pleaded, *esp. ScotE. and Am.* pled
prove – proved – proved, *a.* proven
put – put – put
quit – quit(ted) – quit(ted)
read – read – read
rid – rid, *a.* ridded – rid, *a.* ridded
ride – rode – ridden
ring – rang – rung
rise – rose – risen
run – ran – run
saw – sawed – sawn, sawed
say – said – said
see – saw – seen
seek – sought – sought
sell – sold – sold
send – sent – sent
set – set – set
sew – sewed – sewed, sewn
shake – shook – shaken
shall – should
shear – sheared – sheared, shorn
shed – shed – shed
shine – shone – shone
shit – shit(ted), shat – shit(ted), shat
shoe – shod, *a.* shoed – shod, *a.* shoed
shoot – shot – shot
show – showed – shown, showed
shred – shredded, *a.* shred – shredded, *a.* shred
shrink – shrank, shrunk – shrunk
shut – shut – shut
sing – sang – sung
sink – sank, sunk – sunk
sit – sat – sat
slay – slew – slain
sleep – slept – slept

slide – slid – slid
sling – slung – slung
slink – slunk – slunk
slit – slit – slit
smell – smelt, smelled – smelt, smelled
smite – smote – smitten
sow – sowed – sown, sowed
speak – spoke – spoken
speed – sped, speeded – sped, speeded
spell – spelt, spelled – spelt, spelled
spend – spent – spent
spill – spilt, spilled – spilt, spilled
spin – spun – spun
spit – spat – spat
split – split – split
spoil – spoiled, spoilt – spoiled, spoilt
spread – spread – spread
spring – sprang, *Am. a.* sprung – sprung
stand – stood – stood
steal – stole – stolen
stick – stuck – stuck
sting – stung – stung
stink – stank, stunk – stunk
stride – strode – stridden
strike – struck – struck
string – strung – strung
strive – strove – striven
swear – swore – sworn
sweat – sweated, *Am. a.* sweat – sweated, *Am. a.* sweat
sweep – swept – swept
swell – swelled – swollen, swelled
swim – swam – swum
swing – swung – swung
take – took – taken
teach – taught – taught
tear – tore – torn
telecast – telecast(ed) – telecast(ed)
tell – told – told
think – thought – thought
thrive – thrived, throve – thrived
throw – threw – thrown
thrust – thrust – thrust
tread – trod – trodden
wake – woke, waked – waked, woken
wear – wore – worn
weave – wove – woven
wed – wed(ded) – wed(ded)
weep – wept – wept
wet – wetted, wet – wetted, wet
win – won – won
wind – wound – wound
wring – wrung – wrung
write – wrote – written

Deutsche unregelmäßige Verben
German Irregular Verbs

backen - backte - gebacken
befehlen - befahl - befohlen
beginnen - begann - begonnen
beißen - biß - gebissen
bergen - barg - geborgen
bersten - barst - geborsten
bewegen - bewog - bewogen
biegen - bog - gebogen
bieten - bot - geboten
binden - band - gebunden
bitten - bat - gebeten
blasen - blies - geblasen
bleiben - blieb - geblieben
braten - briet - gebraten
brechen - brach - gebrochen
brennen - brannte - gebrannt
bringen - brachte - gebracht
denken - dachte - gedacht
dreschen - drosch - gedroschen
dringen - drang - gedrungen
dürfen - durfte - dürfen, gedurft
empfehlen - empfahl - empfohlen
essen - aß - gegessen
fahren - fuhr - gefahren
fallen - fiel - gefallen
fangen - fing - gefangen
fechten - focht - gefochten
finden - fand - gefunden
flechten - flocht - geflochten
fliegen - flog - geflogen
fliehen - floh - geflohen
fließen - floß - geflossen
fressen - fraß - gefressen
frieren - fror - gefroren
gären - gor, gärte - gegoren, gegärt
gebären - gebar - geboren
geben - gab - gegeben
gedeihen - gedieh - gediehen
gehen - ging - gegangen
gelingen - gelang - gelungen
gelten - galt - gegolten
genesen - genas - genesen
genießen - genoß - genossen
geschehen - geschah - geschehen
gewinnen - gewann - gewonnen

gießen - goß - gegossen
gleichen - glich - geglichen
gleiten - glitt - geglitten
glimmen - glomm, glimmte - geglom-
men, geglimmt
graben - grub - gegraben
greifen - griff - gegriffen
haben - hatte - gehabt
halten - hielt - gehalten
hangen - hing - gehangen
hängen *v/i* - hing, hängte - gehangen,
gehängt
hängen *v/t* - hängte, hing - gehängt,
gehangen
hauen *v/t* - haute, hieb - gehauen
hauen *v/i* - hieb, haute - gehauen
heben - hob - gehoben
heißen - hieß - geheißen
helfen - half - geholfen
kennen - kannte - gekannt
klingen - klang - geklungen
kneifen - kniff - gekniffen
kommen - kam - gekommen
können - konnte - können, gekonnt
küren - kürte, kor - gekürt, gekoren
laden - lud - geladen
lassen - ließ - lassen, gelassen
laufen - lief - gelaufen
leiden - litt - gelitten
leihen - lieh - geliehen
lesen - las - gelesen
liegen - lag - gelegen
lügen - log - gelogen
mahlen - mahlte - gemahlen
meiden - mied - gemieden
melken - melkte, molk - gemolken, ge-
melkt
messen - maß - gemessen
mißlingen - mißlang - mißlungen
mögen - mochte - mögen, gemocht
müssen - mußte - müssen, gemußt
nehmen - nahm - genommen
nennen - nannte - genannt
pfeifen - pfiff - gepfiffen
pflegen - pflog - gepflogen

preisen - pries - gepriesen
quellen - quoll - gequollen
raten - riet - geraten
reiben - rieb - gerieben
reißen - riß - gerissen
reiten - ritt- geritten
rennen - rannte - gerannt
riechen - roch - gerochen
ringen - rang- gerungen
rinnen -rann - geronnen
rufen - rief - gerufen
salzen - salzte - gesalzen, gesalzt
saufen - soff - gesoffen
saugen - sog, saugte - gesogen, gesaugt
schaffen - schuf - geschaffen
scheiden - schied - geschieden
scheinen - schien - geschienen
scheißen - schiß - geschissen
schelten - schalt - gescholten
scheren - schor, scherte - geschoren, geschert
schieben - schob - geschoben
schießen - schoß - geschossen
schinden - schindete - geschunden
schlafen - schlief - geschlafen
schlagen - schlug - geschlagen
schleichen - schlich - geschlichen
schleifen - schliff - geschliffen
schließen - schloß - geschlossen
schlingen - schlang - geschlungen
schmeißen - schmiß - geschmissen
schmelzen - schmolz - geschmolzen
schneiden - schnitt - geschnitten
schreiben - schrieb - geschrieben
schreien - schrie - geschrie(e)n
schreiten - schritt - geschritten
schweigen - schwieg - geschwiegen
schwellen - schwoll - geschwollen
schwimmen - schwamm - geschwommen
schwinden - schwand - geschwunden
schwingen - schwang - geschwungen
schwören - schwor - geschworen
sehen - sah - gesehen
sein - war - gewesen
senden - sandte, sendete - gesandt, gesendet
sieden - sott, siedete - gesotten, gesiedet
singen - sang - gesungen
sinken - sank - gesunken
sinnen - sann - gesonnen

sitzen - saß - gesessen
sollen - sollte - sollen, gesollt
spalten - spaltete - gespaltet, gespalten
speien - spie - gespie(e)n
spinnen - spann - gesponnen
sprechen - sprach - gesprochen
sprießen - sproß - gesprossen
springen - sprang - gesprungen
stechen - stach - gestochen
stehen - stand - gestanden
stehlen - stahl -gestohlen
steigen - stieg - gestiegen
sterben - starb - gestorben
stieben - stob, stiebte - gestoben, gestiebt
stinken - stank - gestunken
stoßen - stieß - gestoßen
streichen - strich - gestrichen
streiten - stritt - gestritten
tragen - trug - getragen
treffen - traf - getroffen
treiben - trieb - getrieben
treten - trat - getreten
triefen - triefte, troff - getrieft, getroffen
trinken - trank - getrunken
trügen - trog - getrogen
tun - tat - getan
verderben - verdarb - verdorben
verdrießen - verdroß - verdrossen
vergessen - vergaß - vergessen
verlieren - verlor - verloren
wachsen - wuchs - gewachsen
wägen - wog, wägte - gewogen, gewägt
waschen - wusch - gewaschen
weben - webte, wob - gewebt, gewoben
weichen - wich - gewichen
weisen - wies - gewiesen
wenden - wendete, wandte - gewendet, gewandt
werben - warb - geworben
werden - wurde - worden, geworden
werfen - warf - geworfen
wiegen - wog - gewogen
winden - wand - gewunden
winken - winkte - gewinkt, gewunken
wissen - wußte - gewußt
wollen - wollte - wollen, gewollt
wringen - wrang - gewrungen
zeihen - zieh - geziehen
ziehen - zog - gezogen
zwingen- zwang - gezwungen

Wortbildung — Word Formation

Most word beginnings can be used in various parts of speech. If they are part of a noun the German equivalent begins with a capital letter.

Vorsilben – Word Beginnings

a- [eɪ, æ, ə] a-, un-, nicht ...; *e.g.*: **amoral, atypical**

aero- [eərəʊ, eərə] aero-; *e.g.*: **aerodynamic**

after- [ɑːftə] *mst in nouns* Nach-; *e.g.*: **afternoon**

Anglo- [æŋgləʊ] Anglo-, englisch-, britisch-; *e.g.*: **~German**

ante- [æntɪ] vor-; *e.g.*: **antedate**

anti- [æntɪ] anti-, gegen-; *e.g.*: **antinuclear, antifreeze**

arch- [ɑːtʃ] *mst in nouns* Erz-; *e.g.*: **archbishop**

auto- [ɔːtəʊ, ɔːtə] auto-; *e.g.*: **automatic**

bi- [baɪ] bi-, zwei-; *e.g.*: **bilingual**

bio- [baɪəʊ] bio-, biologisch; *e.g.*: **biodegradable**

circum- [sɜːkəm] um-; *e.g.*: **circumnavigate**

co- [kəʊ] co-, mit-; *e.g.*: **copilot, cooperation**

contra- [kɒntrə] kontra-, gegen-, wider-; *e.g.*: **contra-flow, contradiction**

counter- [kaʊntə] gegen-, entgegen-, konter-; *e.g.*: **counterpart**

cross- [krɒs] kreuz-, quer-, quer über; *e.g.*: **crossbar, cross-Channel**

de- [diː] de-, ent-, ab-; *e.g.*: **decrease; devaluation; deduce**

dis- [dɪs] ab-, un-, dis-; *e.g.*: **disconnect, disinfect**

em- [em, ɪm], **en-** [en, ɪn] ver-, be-, er-; *e.g.*: **empower, enable**

Euro- [jʊərəʊ] Euro-; *e.g.*: **Euro-elections, Eurocrat**

ex- [eks] *mst in nouns* Ex-, Alt-, ehemalig; *e.g.*: **ex-wife, ex-president**

extra- [ekstrə] außer-, extra-; *e.g.*: **extra-corporal, extravagant**

fore- [fɔː] vor-, vorher-, vorder-; *e.g.*: **forecast, forearm, foreseeable**

Franco- [fræŋkəʊ] franko-, französisch-; *e.g.*: **Franco-German relations**

geo- [dʒiːəʊ] geo-, erd-; *e.g.*: **geopolitical**

hyper- [haɪpə] hyper-, über-; *e.g.*: **hyperactive**

il- [ɪ], **im-** [ɪm], **in-** [ɪn] in-, un-; *e.g.*: **illogical, impossible, indecent**

infra- [ɪnfrə] infra-; *e.g.*: **infrastructure**

inter- [ɪntə] inter-, zwischen-; *e.g.*: **intergovernmental**

intra- [ɪntrə] intra-, inner-; *e.g.*: **intravenous**

ir- [ɪ] ir-, un-, nicht-; *e.g.*: **irregular**

macro- [mækrəʊ] makro-; *e.g*: **macroeconomics**

mal- [mæl] miß-, übel-, schlecht; *e.g.*: **maltreat**

mega- [megə] mega-; *e.g.*: **megastar**

micro- [maɪkrəʊ, maɪkrə] mikro-; *e.g.*: **microcomputer**

mini- [mɪnɪ] *mst in nouns* Mini-, Klein-, Kurz-; *e.g.*: **miniskirt, minibus**

mis- [mɪs] miß-, schlecht; *e.g.*: **misunderstand, misbehave**

mono- [mɒnəʊ] mono-, ein-; *e.g.*: **monogamy**

multi- [mʌltɪ] multi-, viel-; *e.g.*: **multilingual**

neo- [niːəʊ] neo-, neu-; *e.g.*: **neofascism**

non- [nɒn] non-, nicht-; -frei; *e.g.*: **non-smoker; non-alcoholic**

omni- [ɒmnɪ] omni-, all-, alles-; *e.g.*: **omnipresence**

out- [aʊt] aus-, außen-; über-; *e.g.*: **outbreak, outspoken; outbid, outlive**

over- [əʊvə] über-, zu-; *e.g.*: **overdo, overflow, overjoyed**

poly- [pɒlɪ] poly-, viel-, mehr-; *e.g.*: **polyglot**

post- [pəʊst] post-, nach-; *e.g.*: **post-industrial**

pre- [priː] prä-, vor-, vorher-; im voraus; *e.g.*: **pre-school; prepay**

pro- [prəʊ] pro-; *e.g.*: **pro-American**

pseudo- [sjuːdəʊ] pseudo-, schein-; *e.g.*: **pseudo-democratic**

psycho- [saɪkəʊ] psycho-; *e.g.*: **psychology**

re- [riː] wieder-; *e.g.*: **rewrite, reappear;** [rɪ] re-; *e.g.*: **react, recession**

retro- [retrəʊ] retro-, rück-; *e.g.*: **retroactive, retrospective**

self- [self] selbst-; *e.g.*: **self-adhesive**

semi- [semɪ] halb-; teil-; semi-; *e.g.*: **semifinal, semicircle**

socio- [səʊsɪəʊ, səʊʃɪəʊ] sozio-; *e.g.*: **sociology**

sub- [sʌb] unter-, sub-; *e.g.*: **subconscious**

super- [suːpə, sjuːpə] super-; über-; *e.g.*: **supertanker; superfluous**

techno- [teknə] techno-; *e.g.*: **technocrat**

tele- [telɪ, telə] tele-, fern-; *e.g.*: **telecommunications, telephone**

trans- [træns] trans-; über-; *e.g.*: **transatlantic; transmission**

tri- [traɪ] tri-, drei-; *e.g.*: **triangle**

ultra- [ʌltrə] ultra-, hyper-; *e.g.*: **ultrasound; ultramodern**

un- [ʌn] un-, nicht-; *e.g.*: **unfair, unable**

under- [ʌndə] unter-; *e.g.*: **underdeveloped**

uni- [juːnɪ] uni-, ein-; *e.g.*: **unilateral; uniform**

up- [ʌp] auf-; -auf, -aufwärts; *e.g.*: **upgrade; upstream**

vice- [vaɪs] *mst in nouns* Vize-; *e.g.*: **vice-president**

-fold [fəʊld] -fach; *e.g.*: **twofold**

-free [friː] -frei; *e.g.*: **duty-free**

-friendly [frendlɪ] -freundlich; *e.g.*: **environment-friendly**

-ful [fʊl] *in adj* -reich, -sam, -lich, -haft; *e.g.*: **painful, cheerful;** *in nouns* -voll-; *e.g.*: **handful**

-high [haɪ] -hoch; *e.g.*: **knee-high**

-hood [hʊd] -heit; *e.g.*: **childhood**

-ibility [ɪbɪlɪtɪ] → -ability; *e.g.*: **reversibility**

-ible [ɪbəl] → -able; *e.g.*: **reversible**

-ic [ɪk] *in adj* -isch, -ig; *e.g.*: **poetic, Arabic;** *in nouns* -iker(in); *e.g.*: **alcoholic**

-ical [ɪkəl] -isch; *e.g.*: **historical**

-ician [ɪʃn] -iker(in); *e.g.*: **technician**

-ics [ɪks] -ik; *e.g.*: **politics**

-ise [aɪz] → -ize

-ish [ɪʃ] -isch; *e.g.*: **childish, Danish;** -lich; *e.g.*: **reddish**

-ism [ɪzəm] -ismus; *e.g.*: **Socialism**

-ist [ɪst] -ist(in); *e.g.*: **socialist**

-ity [ɪtɪ] -heit, -keit; *e.g.*: **purity**

-ive [ɪv] -iv; *e.g.*: **primitive**

-ize [aɪz] -sieren; *e.g.*: **computerize**

-less [lɪs] -los; *e.g.*: **hopeless**

-let [lɪt, lət] -lein, -chen; *e.g.*: **booklet, piglet**

-like [laɪk] -ähnlich, -artig; -lich, -haft; *e.g.*: **tea-like; childlike, ladylike**

-lived [lɪvd] -lebig; *e.g.*: **short-lived**

-ly [lɪ] -lich; *e.g.*: **monthly**

-ment [mənt] -ung; *e.g.*: **development**

-ness [nɪs] -heit, -keit; *e.g.*: **dryness, sadness**

-ocracy [ɒkrəsɪ] → -cracy

-ocrat [ɒkræt] → -crat

-phile [faɪl] -phil, -freundlich; *e.g.*: **Anglophile**

-phobe [fəʊb] -phob, -feindlich; *e.g.*: **xenophobe**

-proof [pruːf] -sicher, -fest; -dicht; *e.g.*: **bulletproof, ovenproof; waterproof**

-ship [ʃɪp] -schaft; *e.g.*: **friendship**

-some [səm] -ig, -isch; *e.g.*: **quarrelsome**

-ty [tɪ] -heit, -keit; *e.g.*: **certainty**

-ure [jə, ʒə] -ung; *e.g.*: **closure**

-ward [wəd] -wärts, -lich; *e.g.*: **eastward**

-wards [wədz] -wärts, -lich; *e.g.*: **downwards**

-ways [weɪz] -lich, -wärts; *e.g.*: **sideways**

-y, -ey [ɪ] -ig; *e.g.*: **hairy, icy, dusty**

Nachsilben – Word Endings

-ability [əbɪlɪtɪ] -ung, -heit, -keit; *e.g.*: **readability, suitability**

-able [əbl] -bar, -lich; *e.g.*: **washable**

-aholic [əhɒlɪk] -süchtig; *e.g.*: **workaholic**

-ance [əns] -ung; *e.g.*: **performance**

-archy [ɑːkɪ, əkɪ] -archie; *e.g.*: **monarchy**

-ary [ərɪ] *in adj* -isch, -ich; *e.g.*: **customary;** *in nouns* -är; *e.g.*: **functionary**

-ate [ɪt, ət, eɪt] *in verbs* -ieren; *e.g.*: **manipulate;** *in nouns* -schaft; *e.g.*: **electorate;** *chem.* -at; *e.g.*: **sulphate**

-ation [eɪʃn] -ung, -tion; *e.g.*: **examination**

-cracy [krəsɪ] -kratie; *e.g.*: **democracy**

-crat [kræt] -krat; *e.g.*: **Eurocrat**

-cy [sɪ] -heit, -keit; *e.g.*: **frequency**

-ence [əns] → -ance; *e.g.*: **reference**

-ess [es, ɪs] -in; *e.g.*: **actress**

Kennzeichnung der Kinofilme in Großbritannien

British Film Classifications

U   Universal. Suitable for all ages.
Für alle Altersstufen geeignet.

PG   Parental Guidance. Some scenes may be unsuitable for young children.
Einige Szenen ungeeignet für Kinder. Erklärung und Orientierung durch Eltern sinnvoll.

15   No person under 15 years admitted when a "15" film is in the programme.
Nicht freigegeben für Jugendliche unter 15 Jahren.

18   No person under 18 years admitted when an "18" film is in the programme.
Nicht freigegeben für Jugendliche unter 18 Jahren.

Kennzeichnung der Kinofilme in USA

American Film Classifications

G   All ages admitted. General audiences.
Für alle Altersstufen geeignet.

PG   Parental guidance suggested. Some material may not be suitable for children.
Einige Szenen ungeeignet für Kinder. Erklärung und Orientierung durch Eltern sinnvoll.

R   Restricted. Under 17 requires accompanying parent or adult guardian.
Für Jugendliche unter 17 Jahren nur in Begleitung eines Erziehungsberechtigten.

X   No one under 17 admitted.
Nicht freigegeben für Jugendliche unter 17 Jahren.

Für alle, die das Tempo selbst bestimmen wollen.
Langenscheidts Großer Selbstlernkurs für Englisch und Französisch.

Ganz gleich, ob man Englisch oder Französisch als Anfänger lernen möchte oder lange verschüttete Sprachkenntnisse auffrischen will – mit dem neuen Großen Selbstlernkurs gibt Langenscheidt ein Lernpaket an die Hand, das das Lernen leichter macht.

Viel Spaß bereitet das Lernen mit dem modernen, vierfarbigen, im Magazinformat gestalteten Lehrbuch. Es werden interessante und anregende Texte zu Themen wie Alltag, Freizeit, Sport sowie eine Vielzahl landeskundlicher Informationen vermittelt. Zur Unterstützung beim Verständnis von Wortschatz, Aussprache und Grammatik helfen ein Wortschatzheft, vier Audio-Cassetten und ein Wörterbuch.

Großer Selbstlernkurs Englisch.
Komplettset: Lehrbuch, 196 Seiten, Format 21 x 28 cm. Wörterbuch, 640 Seiten mit rund 48.000 Stichwörtern und Wendungen. Wortschatzheft, 80 Seiten. 4 Audio-Cassetten.

Großer Selbstlernkurs Französisch.
Komplettset: Lehrbuch, 208 Seiten, Format 21 x 28 cm. Wörterbuch, 608 Seiten mit rund 45.000 Stichwörtern und Wendungen. Wortschatzheft, 48 Seiten. 4 Audio-Cassetten.

EUROPA KANN KOMMEN.

Langenscheidt ist schon da.

Langenscheidts Eurowörterbücher:
Für alle, die beruflich oder privat
europaweit unterwegs sind. Für:
Englisch, Französisch, Italienisch,
Spanisch, Dänisch, Portugiesisch,
Griechisch und Niederländisch. Je-
weils ca. 570 Seiten, rund 45000 Stich-
wörter und Wendungen.

Abkürzungen im Wörterbuch
Abbreviations used in the Dictionary

a. also, auch
abbr. abbreviation, Abkürzung
acc accusative (case), Akkusativ
adj adjective, Adjektiv
adv adverb, Adverb
aer. aeronautics, Luftfahrt
agr. agriculture, Landwirtschaft
allg. allgemein, commonly
Am. American English, amerikanisches Englisch
anat. anatomy, Anatomie
appr. approximately, etwa
arch. architecture, Architektur
art article, Artikel
ast. astronomy, Astronomie
attr attributive, attributiv
biol. biology, Biologie
bot. botany, Botanik
Br. British English, britisches Englisch
b.s. bad sense, in schlechtem Sinne
bsd. besonders, especially
chem. chemistry, Chemie
cj conjunction, Konjunktion
co. comic, scherzhaft
coll. collectively, als Sammelwort
comp comparative, Komparativ
contp. contemptuously, verächtlich
dat dative (case), Dativ
dem demonstrative, hinweisend
eccl. ecclesiastical, kirchlich
econ. economics, Wirtschaft
e-e eine, a (an)
e.g. for instance, zum Beispiel
electr. electrical engineering Elektrotechnik
e-m einem, to a (an)
e-n einen, a (an)
e-r einer, of a (an), to a (an)
e-s eines, of a (an)
esp. especially, besonders
et. etwas, something
etc. et cetera, and so on, und so weiter
euphem. euphemistic, euphemistisch
F familiar, umgangssprachlich
f feminine, weiblich

fig. figuratively, bildlich
gastr. gastronomy, Kochkunst
gen genitive (case), Genitiv
geogr. geography, Geographie
geol. geology, Geologie
geom. geometry, Geometrie
ger gerund, Gerundium
gr. grammar, Grammatik
hist. history, Geschichte
hunt. hunting, Jagdwesen
impers impersonal, unpersönlich
indef indefinite, unbestimmt
inf infinitive, Infinitiv
int interjection, Interjektion
interr interrogative, fragend
iro. ironically, ironisch
j-d jemand, someone
j-m jemandem, to someone
j-n jemanden, someone
j-s jemandes, someone's
jur. legal term, Rechtswissenschaft
konstr. konstruiert, construed
ling. linguistics, Sprachwissenschaft
m masculine, männlich
mail postal system, Postwesen
mar. maritime term, Schiffahrt
math. mathematics, Mathematik
m-e meine, my
med. medicine, Medizin
metall. metallurgy, Metallurgie
meteor. meteorology, Meteorologie
mil. military term, militärisch
min. mineralogy, Mineralogie
m-m meinem, to my
m-n meinen, my
mot. motoring, Kraftfahrwesen
mount. mountaineering, Bergsteigen
m-r meiner, of my, to my
m-s meines, of my
mst mostly, usually, meistens
mus. musical term, Musik
myth. mythology, Mythologie
n neuter, sächlich
nom nominative (case), Nominativ
npr proper name, Eigenname